Arlene Eisenberg, Heidi E. Murkoff,
Sandee E. Hathaway B.S

DRUGI I TRZECI ROK ŻYCIA DZIECKA

PORADNIK DLA MATEK I OJCÓW

Przedmowa i konsultacja naukowa
prof. zw. dr hab. n. med. Marian Krawczyński,
I Katedra Pediatrii
Akademii Medycznej im. K. Marcinkowskiego
w Poznaniu

Przekład
Izabella Budziszewska, Marzena Czubak,
Ewa Elandt-Jankowska, Hanna Elandt-Pogodzińska,
Maciej Krawczyński, Aleksandra Pawełczak

DOM WYDAWNICZY REBIS
POZNAŃ 2010

Tytuł oryginału
WHAT TO EXPECT THE TODDLER YEARS

First published in the United States under the title:
WHAT TO EXPECT THE TODDLER YEARS

Published by arrangement with Workman Publishing Company, New York

Redakcja
Elżbieta Bandel

Na okładce reprodukcja obrazu Danuty Muszyńskiej-Zamorskiej
Macierzyństwo

Zdjęcie wykonał
Piotr Chojnacki

Projekt okładki
Maciej Rutkowski

Opracowanie graficzne
Jacek Pietrzyński

Projekt książki
Lisa Hollander i Janet Vicario

Ilustracje w książce
Marika Hahn

Wydanie II uaktualnione i poprawione (dodruk)

ISBN 978-83-7510-032-7 – oprawa broszurowa
ISBN 978-83-7510-033-4 – oprawa twarda

Dom Wydawniczy REBIS Sp. z o.o.
ul. Żmigrodzka 41/49, 60-171 Poznań
tel. 61-867-47-08, 61-867-81-40; fax 61-867-37-74
e-mail: rebis@rebis.com.pl
www.rebis.com.pl
Fotoskład: *AKAPIT*, Poznań, ul. Czernichowska 50B, tel. 61-879-38-88
Druk i oprawa: Poznańskie Zakłady Graficzne

Dla Elizabeth, która była małym dzieckiem, gdy powstawała ta książka,
i dla Emmy, Wyatta, Rachel i Ethana, których dzieciństwo już minęło,
lecz z pewnością nie zostało zapomniane.

Dla Howarda, Erika i Tima,
naszych najlepszych przyjaciół i partnerów w rodzicielstwie.

MILIONY PODZIĘKOWAŃ

Chociaż miałyśmy szczęście wychowywać aż ośmioro dzieci, *Drugi i trzeci rok życia dziecka* postawił nas przed niezliczonymi problemami. Jednak przez cztery lata, które zajęły badania, napisanie i wydanie książki, udało nam się współpracować z wieloma cudownymi ludźmi. Wytrwale pomagali nam rozwiązywać wszelkie pojawiające się problemy. Teraz, z książką w ręku (weź ją raczej w dwie ręce, bo prawie osiemset stron może okazać się za dużo dla jednej), chcemy skorzystać z okazji i podziękować wszystkim, którzy nam pomagali:

* Wszystkim czytelnikom naszych wcześniejszych książek nie tylko za ich wkład, wnikliwe oceny (przysyłajcie nadal kartki i listy) oraz za ich wierność (szczerze docenianą), ale przede wszystkim za ich cierpliwość, gdy tak czekali (i czekali, i czekali) na ukazanie się tej książki.

* Elizabeth Hathaway, najmłodszemu z dzieci, za grzeczne pozowanie do niezliczonych koślawych fotografii, za to, że zawsze robiła wszystko „pod książkę" i, ogólnie rzecz ujmując, za to, że znajdowała się zawsze o właściwej porze we właściwym miejscu.

* Doktorowi Morrisowi Greenowi, naszemu cenionemu i wybitnemu doradcy medycznemu, który nigdy nie wzbraniał się (w każdym razie nie zauważyłyśmy tego) przed czytaniem niebotycznego stosu papierów, które mu przesyłałyśmy; który pracowicie stawiał kropki nad naszymi medycznymi „i"; który wniósł do naszej pracy nie tylko naukową wiedzę, ale także wielkie uczucie; no i za to, że bez względu na inne swoje przedsięwzięcia pracował dla nas w niezmiennym tempie.

* Suzanne Rafer, naszej nieustraszonej redaktorce i dobrej przyjaciółce (nie miała wyjścia), która z charakterystycznym dla siebie wdziękiem, stylem i poczuciem humoru, nie zważając na trudy, brnęła przez morze naszych rękopisów.

* Całemu wydawnictwu Workmana i osobom z nim współpracującym, ale szczególnie Lisie Hollander i Janet Vicario za ich artystyczną pomoc, Shannon Ryan po prostu za wszystko (a specjalnie za jej uśmiech), Helen Zelon za redakcję techniczną oraz Deborah Kops i Beth Pearson za pilną korektę, Davidowi Schillerowi za druk, dzięki któremu czytelnicy mogą rozpoznać nasze książki już po okładkach, no i w końcu Peterowi Workmanowi za jego mądrość, zrozumienie i cierpliwość.

* Judith Cheng za, jak zwykle, ciepłą i zachęcającą ilustrację umieszczoną na okładce [wydania amerykańskiego], a Marice Hahn za upiększenie wnętrza książki wieloma uroczymi berbeciami.

* Elise i Arnoldowi Goodmanom za przyjaźń i dopilnowanie interesów.

* Doktorowi Markowi Widome'owi za jego nieocenione wsparcie i współpracę, szczególnie przy opracowaniu zagadnień z zakresu bezpieczeństwa dzieci i udzielania im pierwszej pomocy. Dziękujemy także wielu innym, którzy przesyłali nam swe opinie, w tym lekarzom Carole Marcus, J. Rutt Reigart, Kathy Leonard, Alowi Mooneyowi, Shelly Bazes, W. K. Frankenburg, Beverly Bresnick, Cate D'Amboise, Sarze Jacobs, Ann Wimpheimer, Alanowi Friedmanowi, Sue Kellerman, Wendy Sax, Barbarze Braun, Susannie Morgenthau, Mimi Gelb, Eve Coulson, Alizie Cotton, Michaelowi Randowi, a ponadto mamusiom i tatusiom, którzy zasypywali nas pytaniami podczas zajęć grupowych i seminaryjnych.

* Wspaniałemu personelowi Amerykańskiej Akademii Pediatrii, a w tym Michaelowi Copelandowi, Carolyn Kolbabie, Leslee Williams oraz byłej pracowniczce AAP Michelle Weber, za pomoc w uaktualnieniu książki i dopracowaniu jej w szczegółach.

* Redaktorom „Współczesnej Pediatrii" za bezcenną współpracę.

* Dziękujemy Tamece Hall i Niurce Zamecie, pierwszorzędnym asystentkom, które nadążały za rosnącą górą artykułów z pism i periodyków, dawały sobie radę z telefonami i utrzymywały biuro w stanie ciągłej pracy.

* Abby i Normanowi Murkoffom i, jak zawsze, Mildred i Harry'emu Scharagom za nieustanne wsparcie.

SPIS TREŚCI

CZĘŚĆ 2
PIELĘGNACJA, ZDROWIE I BEZPIECZEŃSTWO MAŁEGO DZIECKA

CZĘŚĆ 3

DWU- I TRZYLATEK W RODZINIE

CZĘŚĆ 4

WSKAZÓWKI PRAKTYCZNE

RECEPTA OD PEDIATRY

Ta cudownie pouczająca książka powinna otrzymać medal za swą autorytatywność, przystępność formy i niezwykłą przydatność. Gdy ją czytałem, najbardziej zaimponowało mi to, że tak gruntownie przygotowuje rodziców do zrozumienia potrzeb, zachowań i rozwoju ich dzieci i że zawiera tak wiele wartościowych sugestii dotyczących kierowania dziećmi. (Być może ostatnią uwagę powinno się wziąć w cudzysłów, gdyż w wypadku dzieci i rodziców nigdy nie wiadomo, kto kim kieruje.)

Drugi i trzeci rok życia dziecka jest jednak czymś więcej niż tylko użytecznym i przyjaznym podręcznikiem. Autorki przedstawiają problemy rozwojowe trudnych, ale i cudownych pierwszych lat życia dzieci w tak przystępny i wymowny sposób, iż doceniający to rodzice bez najmniejszych wątpliwości polecać będą książkę jako niezbędną pomoc w każdej rodzinie.

Jest sprawą jasną, że pierwsze trzy lata życia dziecka w przeważającej mierze determinują jego przyszły rozwój. W wielkim stopniu te właśnie lata tworzą grunt pod przyszłe zdrowie, rozwój emocjonalny, edukacyjne osiągnięcia, społeczne kwalifikacje, pewność siebie, niezależność i właściwe stosunki międzyludzkie. Rodzicielska inwestycja w postaci wykształcenia, troski, miłości i zrozumienia poczyniona w latach kształtowania się człowieka przyniesie zarówno szybkie, bezpośrednie, jak i długofalowe zyski.

Książka pomaga dorosłym uświadomić sobie, czego mogą się spodziewać ze strony swych pociech w różnym okresie ich rozwoju; rozpraszając obawy, kreśli obraz normalności. Prowadzi przez zawsze trudne, często budzące niepokój tajniki właściwego karmienia, szczepień ochronnych, bezpiecznych gier i zabaw, dobrego i spokojnego przesypiania nocy, odzwyczajania od złych nawyków, mówienia, samodyscypliny, dobrego zdrowia i zwyczaju utrzymywania higieny osobistej, jak i wielu innych budzących troskę sytuacji w życiu małego dziecka.

Niemały nacisk został położony na praktyczne rady, których stosowanie ma zapobiec problemom wychowawczym i rozwojowym u dzieci. Autorki jednak nie tylko pomagają rodzicom unikać kłopotów, z wyczuciem i wiedzą malują także całą gamę pozytywnych wartości tkwiących w opiece i wychowaniu dzieci.

Napady złości? Przerażające przekleństwa? Kłopoty ze snem? Gryzienie? Trudności w skupieniu uwagi? Opóźnienie w mowie? Problemy z nocnikiem? Nieznośna samodzielność? Okres „nie"? Opór do granic możliwości? Wraz z opisem problemów, odpowiedzią na pytanie, dlaczego do nich dochodzi, znajdziecie szczegółowy przewodnik po sposobach wykorzeniania złych nawyków lub przynajmniej zminimalizowania ich skutków. Rady ułożone są chronologicznie, uwzględniają wiek dziecka, jego potrzeby i możliwości.

Rodzice nie zostali jednak zignorowani. Głównym celem książki jest dostarczenie często zakłopotanym, a nierzadko i zdesperowanym rodzicom takich informacji, które wzmacniają zaufanie do siebie, poczucie własnej godności, pomagają zachować elastyczność w działaniu i skuteczność. Nurtujące rodziców pytania znajdują wyczerpujące, nie pozostawiające wątpliwości odpowiedzi. Ważne miejsce w książce zajmuje problem związku dziecka z rodziną, a nacisk położony został szczególnie na wzmocnienie relacji między rodzicami a dziećmi.

Intencją pełnych troski rad i sugestii udzielanych przez autorki jest nauczenie rodziców czerpania radości z dzieci, pozytywnego podejścia do trudności, które napotykają podczas tych trudnych, lecz niezmiernie ważnych lat życia ich dziecka, zrozumienia tego, co często zdaje się (choć najczęściej nie jest) irracjonalnym zachowaniem. Być może najcenniejsze w tej książce jest to, iż uczy ona takiego spojrzenia na dziecko, które pozwala zaakceptować i uszanować prawdę, iż każde dziecko jest niepowtarzalną indywidualnością, i przyczynia się do realizacji drzemiących w nim możliwości.

Książka ta odpowiada bieżącemu zapotrzebowaniu zgłaszanemu przez rodziców, zawiera informacje uaktualnione, dopasowane do naszych czasów, czasów tak przecież burzliwych przemian w świecie rodziny i całego społeczeństwa. Ta wielce fachowa synteza zasad z zakresu wychowania dzieci, zaczerpniętych z nauk społecznych, biologii i psychologii oraz praktyki lekarskiej, jest nie do prześcignięcia wśród podobnych wydawnictw. Ta wybitna pozycja stanie się równie użyteczna dla rodziców, jak i profesjonalistów.

Dr Morris Green, FAAP
Prof. Perry W. Lesh
z Centrum Medycznego Uniwersytetu w Indianie

OPOWIEŚĆ O „DWOJGU W JEDNYM"

To był najlepszy okres. To był najgorszy okres. To były pierwsze trzy lata życia Emmy.

Buty przeleciały przez pokój, bo nie pasowały jak należy na nogi. Krakersy rozsypały się po podłodze, bo miały połamane narożniki. Mroźnego styczniowego ranka założyła kostium kąpielowy, by w upalne sierpniowe popołudnie pokazać się w zimowej kurtce. Ogłosiła siedzący strajk na brudnym chodniku w Nowym Jorku (gdy w zasięgu wzroku nie pojawiał się żaden autobus), leżący strajk przed wystawą działu ze słodyczami w supermarkecie właśnie wtedy, kiedy nie sprzedawali ulubionych cukierków.

Dzienne histerie, nocne czuwania, bitwa stoczona przy stole (Jedz to!), w łazience (Zdejmij to!), na placu zabaw (Idziemy już!). Upór, którego nie przełamiesz, temperament równy temu, z którym bosman strofuje majtków na okręcie, rytualne zachowania graniczące z obsesyjnym przymusem.

I wtedy, wtedy właśnie pojawił się on, ten jeden uśmiech, przymilny błysk białych dziecięcych ząbków zamieniający w ułamku sekundy twarde, rodzicielskie serce w wypełnione sentymentalnymi bzdurkami bajorko. No i te uściski — spontaniczne wybuchy prawdziwej, nie udawanej miłości, bardziej słodkiej (i zniewalającej) niż importowane trufle w czekoladzie. A głosik — milszy niż taki głosik ma prawo być — woła zbolałym, cudownym tonem, powtarzając raz za razem dziecinne „da-da" na spacer, „ba-ba" na babcię, „ladka" na czekoladę. I te chwile — tych tysiąc i jedna uroczych chwil, które każą nam zapomnieć histerie i ciągłe „nie", które bawią, oczarowują, dzięki którym czuję się szczęśliwa. Sposób, w jaki tuli swojego misia, gdy ja tulę jej braciszka. Jak poi lalkę herbatą i robi zastrzyki „źle wyglądającym" pluszowym zwierzakom. Jak śpiewa pod noskiem na huśtawce i rozmawia ze sobą, przeglądając ukochaną książeczkę z obrazkami. Zapał, z jakim wyszukuje w parku gąsienice i motyle, aby po złapaniu schować je do dużego pudła — domu dla robaków. Sposób, w jaki chodzi, przytula się, śmieje, bawi, śpi.

Chociaż cieszy mnie każdy czas w życiu Emmy (od noworodka aż po nastolatkę), jej pierwsze lata życia — bardziej męczące niż jazda kolejką w wesołym miasteczku i bardziej upojne, seria wzlotów i upadków jednocześnie denerwujących i dodających animuszu — należą do moich najbardziej ulubionych.

Oczywiście, teraz łatwo to powiedzieć — Emma wyszła z irracjonalnych dwóch lat i weszła w rozsądne (przeważnie), odpowiedzialne i czułe lat jedenaście. Teraz patrzę z leczącej wszystkie dolegliwości, niemal dziesięcioletniej perspektywy oddzielającej mnie od czasów „latających butów" (nigdy nie odnaleźliśmy tej tenisówki). Zdecydowanie trudniej było to powiedzieć czy choćby czuć wtedy, kiedy Emma miała właśnie dwa, trzy lata.

Gdybym rozumiała wówczas to, co doświadczenie pomaga mi zrozumieć dzisiaj. Jak się zwykło mawiać: „Z dziećmi tak bywa". I tak być musi — jest to równie nieuchronne jak dwa pierwsze ząbki, tak pewne jak pierwsze samodzielne kroki. To się nie dzieje dlatego, że wasze dziecko jest niedobrym dzieckiem. Dzieci nie robią tego, co robią, aby rozzłościć rodziców (choć tym się najczęściej kończy), robią to wszystko, aby urosnąć, dojrzeć, by nauczyć się żyć.

Książka jest więc poświęcona tym męczącym, wspaniałym, niepohamowanym, gwałtownym, piekielnym istotom zwanym dziećmi i rodzicom podejmującym walkę, aby te istoty zrozumieć — im wszystkim dedykujemy naszą książkę.

W nadziei, że pomoże docenić najlepsze z chwil, poradzić sobie z najgorszymi, cieszyć się całym okresem dorastania ich dzieci, książkę tę oddajemy, kochani rodzice, w wasze ręce.

Heidi E. Murkoff

ZANIM ZACZNIESZ

Jak korzystać z książki

Kiedy mówimy o rodzicielstwie, trzeba zaznaczyć, że niewiele jest zasad absolutnie słusznych (do tych nielicznych należy oczywiście obowiązek kochania dzieci), a jeśli chodzi o właściwe sposoby wychowywania, to nie ma takiego jednego wzorcowego, który można polecić jako bezwzględnie skuteczny (poza tym, że dziecku trzeba zapewnić bezpieczeństwo i zdrowe otoczenie). Używaj tej książki jako zbioru podpowiedzi, wyjaśnień, sugestii, przykładów, ale traktuj ją jako dodatek i wsparcie raczej, nie zastępuj nią własnego instynktu. Niech cię inspiruje, lecz nie powstrzymuje. Różne sposoby postępowania odpowiadają przecież różnym charakterom dzieci (nawet w tej samej rodzinie inaczej postępuje się z kolejnymi dziećmi, ale i z tym samym dzieckiem różnie postępujemy w odmiennych warunkach); różne metody odpowiadają też poszczególnym rodzicom bądź tym samym rodzicom w kolejnych okresach życia. Pragniemy, aby książka była dla ciebie przewodnikiem w odkrywaniu tego, co najlepsze dla twojej rodziny. Pamiętaj wszak, że nikt nie zna ciebie i twojego dziecka tak dobrze jak wy, drodzy rodzice.

Co twoje dziecko potrafi robić

Każde dziecko jest indywidualnością, każde rozwija się w swoim własnym tempie. Ponieważ niewiele dzieci jest idealnie przeciętnych czy typowych, porównania nie są wielce użyteczne. I chociaż możemy się martwić, że nasze dziecko nie będzie nadążać za rówieśnikami, to nasz malec może nagle zrobić wielki skok do przodu, doganiając ich, a może nawet prześcigając.

Niemniej każdy z nas chciałby wiedzieć, jak jego pociecha wypada w porównaniu z innymi, przynajmniej od czasu do czasu. Aby pomóc wam w ustaleniu miejsca waszego brzdąca na szeroko pojmowanej skali normalnego rozwoju, sporządziłyśmy wykaz umiejętności i osiągnięć typowych dla dzieci w określonym wieku. W drugim roku życia opisujemy możliwe postępy miesiąc po miesiącu, w trzecim roku kwartał po kwartale.

Oto jak należy korzystać z tej części książki: W drugim roku życia comiesięczne „Co twoje dziecko potrafi robić" podzielono na cztery kategorie. Po pierwsze „Co twoje dziecko powinno umieć" wylicza umiejętności, które w tym wieku stają się udziałem około 90% dzieci. Po drugie „Co twoje dziecko prawdopodobnie będzie umiało" wskazuje osiągnięcia w przybliżeniu 75% rówieśników twego dziecka. Po trzecie „Co twoje dziecko być może będzie umiało" dotyczy 50% dzieci i po czwarte „Co twoje dziecko może nawet umieć" wskazuje na zachowania występujące najwyżej u 25% dzieci w danym okresie rozwoju.

Większość rodziców szybko orientuje się, że ich dziecko potrafi w danej chwili robić różne rzeczy z kilku kategorii naraz. Inni stwierdzą jednoznacznie, że ich potomstwo znajduje się we właściwej kategorii, pozostali dojdą do wniosku, iż dziecko rozwija się nierówno — w jednym miesiącu wydaje się opóźnione, podczas gdy w następnym znacznie wyprzedza średnią. Wszystkie te drogi rozwojowe należy uznać za w pełni normalne do czasu, aż ktoś udowodni, że jest inaczej. Zdarzają się jednak sytuacje, które powinny skłonić rodziców do rozmowy z lekarzem. Na przykład jeśli dziecko stale w rozwoju swych umiejętności nie osiąga normy ujętej w paragrafie „Co twoje dziecko powinno umieć" albo gdy rodzice mają głębokie, wewnętrzne przekonanie, że rozwój dziecka nie postępuje prawidłowo, kontakt ze specjalistą jest bardzo wskazany. Ale nawet wtedy może się okazać, że nie ma powodów do obaw. Niektóre dzieci, rozwijając się, nieustannie pozostają na nieco niższym od przeciętnych wskazań poziomie. Korzystaj z tej części książki, jeśli chcesz, ale w żadnym razie nie wyrokuj na jej podstawie na temat możliwości dziecka — nie jesteśmy przecież prorokami. Jeżeli dojdziesz do wniosku, że porównywanie Twojego dziecka z naszymi wskazaniami stało się dla ciebie obsesją, zaglądaj do tego działu znacznie rzadziej, a najlepiej zupełnie o nim zapomnij. Dziecko i tak będzie rozwijać się po swojemu, a ty i ono będziecie szczęśliwsi.

Zachowaj w swojej świadomości, że pytania i tematy poruszane w każdym rozdziale tej książki nie prowadzą do równie kategorycznych wniosków i sądów jak w *Pierwszym roku życia dziecka.* Teraz wszystko jest bardziej elastyczne. Indeks zamieszczony na końcu książki z pewnością pomoże ci odnaleźć poszukiwane zagadnienia.

Pamiętaj także, że dzieci nie rozwijają się według prostej, łagodnie i równo wznoszącej się linii. Wiele na tej drodze jest wybojów i dziur, zrywów i zastojów. Okres poprzedzający wielki krok jest zwykle czasem chaosu — nic nie wydaje się na swoim miejscu — raptem dziecko zaczyna chodzić albo mówić jak nakręcone. Okresy, które zdają się czasem stagnacji, w których według nas nie dokonuje się żaden postęp, naprawdę wykorzystywane są do rozwoju i udoskonalania nowych umiejętności. Okresy te są niezbędne dla normalnego dorastania. Rozwój dziecka może ulec także spowolnieniu, a nawet cofnięciu, w stanie stresu. Po uzyskaniu właściwego wsparcia dzieci szybko wracają na swą pierwotną drogę.

Słowo do rodzin nietradycyjnych

W czasach współczesnych istnieje kilka sposobów na założenie i prowadzenie rodziny. Chociaż tak zwany „tradycyjny" dom — w którym małżeństwo żyje wraz z dziećmi — ciągle jest uważany za normę, połowa amerykańskich dzieci poniżej osiemnastego roku życia dorasta w domach nietradycyjnych. Czasami z wyboru, częściej z powodu okoliczności, coraz więcej jest rodziców samotnie wychowujących dziecko, najczęściej są to mamy. I gdy ciągle jeszcze inne rodzaje rodzin nietypowych — samotni ojcowie, niezamężne pary hetero- lub homoseksualne, rodzice mieszkający oddzielnie, dziadkowie wychowujący wnuki — należą do mniejszości, rodziny nietradycyjne stają się coraz powszechniejszym zjawiskiem.

Ta książka wspomina o wszystkich rodzajach rodzin — tradycyjnych i nietradycyjnych. Dla uproszczenia języka i formy zwracamy się zazwyczaj do rodzin tradycyjnych i nie wspominamy za każdym razem o wszystkich możliwych konfiguracjach. Prosimy jednak pamiętać, że takie rozwiązanie nie oznacza wykluczania czy obrażania wszystkich osób żyjących według nietradycyjnych norm.

Więcej informacji na temat rodzin nietradycyjnych znajduje się w rozdziale dwudziestym piątym.

PRZEDMOWA DO WYDANIA POLSKIEGO

Książka amerykańskich autorek Arlene Eisenberg, Heidi E. Murkoff, Sandee E. Hathaway pt. *Drugi i trzeci rok życia dziecka* to przekład trzeciego w kolejności obszernego poradnika dla rodziców, znanego w USA pod oryginalnym tytułem *What to expect the toddler years.*

Podobnie jak poprzednie książki, *W oczekiwaniu na dziecko* i *Pierwszy rok życia dziecka*, cieszące się również w polskiej edycji zasłużoną dużą popularnością, trzecia obejmuje lata określane jako wczesne dzieciństwo. Jest to okres pomiędzy wiekiem niemowlęcym a przedszkolnym. Dotychczas był on chyba najrzadziej przedmiotem opracowań psychologicznych i medycznych. Z tym większym zadowoleniem trzeba powitać i polecić wszystkim rodzicom i wychowawcom dzieło *Drugi i trzeci rok życia dziecka.* Sądzę, że zainteresuje ono również pielęgniarki oraz studentów psychologii, pedagogiki, a nawet medycyny i kultury fizycznej.

Podobnie jak w poprzednim poradniku pt. *Pierwszy rok życia dziecka*, również w tym przedstawione problemy ujęto w porządku chronologicznym i tematycznym. Książka składa się z czterech części. Pierwsza z nich, najobszerniejsza, omawia problemy psychologiczne i wychowawcze. Każdemu miesiącowi drugiego roku życia poświęcono odrębny rozdział. W trzecim roku życia zastosowano podział kwartalny. W drugiej części autorki przedstawiają problemy dotyczące pielęgnacji, zdrowia i bezpieczeństwa dziecka w wieku dwóch, trzech lat. Część trzecia przedstawia dwu- i trzylatka na tle rodziny. W czwartej zawarte są porady i wskaźniki oceny rozwoju dziecka. Całość stanowi wyjątkowy, wszechstronny i najdokładniejszy z dotychczas wydanych poradników służący przede wszystkim rodzicom. Redakcyjna konwencja ponad siedmiusetstronicowego dzieła jest podobna tej, którą zastosowano w poprzedniej książce. Zagadnienia przedstawiane są w formie wyczerpujących odpowiedzi na pytania stawiane przez rodziców.

Opracowanie, które trafia do rąk czytelników, jest podsumowaniem bogatych doświadczeń autorek i ich przemyśleń wynikających z wieloletniej pracy z dziećmi. Głęboka wiedza pedagogiczna, psychologiczna i pediatryczna pozwala zespołowi autorek w sposób niezwykle sugestywny i prosty przedstawić rodzicom najczęstsze problemy wychowawcze i psychologiczne wczesnego dzieciństwa.

Znane przysłowie mówi, że „diabeł tkwi w szczegółach". Znajduje ono również potwierdzenie w szczegółowych opisach sytuacji z codziennego życia dwu- i trzylatków. Konwencja pytań i obszernych wyjaśnień pozwala na bardzo bliskie i sugestywne nawiązanie kontaktu z czytelnikiem. Jednocześnie autorkom udało się przedstawić wiele problemów, które nie znalazły się dotychczas w żadnym innym podobnym opracowaniu, a które niejednokrotnie decydują o tym, iż rodzice otrzymują najwartościowsze wiadomości i praktyczne zalecenia dotyczące poprawnego, z psychologiczno-pedagogicznego punktu widzenia, postępowania z małym dzieckiem.

Podkreślić należy nowoczesne ujęcie przedstawianych problemów zgodnie z przyjętymi w psychologii rozwojowej zasadami postępowania z dzieckiem. Szczególną uwagę przywiązuje się do poważnego, podmiotowego traktowania dziecka. Autorki wielokrotnie podkreślają, że pozytywny przykład i częste wyrażanie miłości rodzicielskiej zapewniają dziecku komfort psychiczny i poczucie bezpieczeństwa. Przewaga pedagogicznych efektów pochwały nad karą (z całkowitym wykluczeniem kary cielesnej) dominować winna, jak wykazują autorki, w każdym postępowaniu z dzieckiem, gdyż jest ono wówczas najbardziej efektywne.

Wśród wielu cennych rad, adekwatnych do zmian zachodzących we współczesnej rodzinie i społeczeństwie, znaleźć można również liczne „złote myśli", które nie tylko należałoby zapamiętać, ale także kierować się nimi w życiu.

Ileż bowiem prawdy kryje się np. w stwierdzeniu, że „dzieci, od których niczego się nie wymaga, zwykle nie potrafią nauczyć się samodyscypliny, stawiać czoła wyzwaniom i podejmować ryzyka". Czyż nie warto pamiętać na co dzień, że „nie wolno zmuszać, a warto zachęcać", mając jednocześnie na uwadze, że „nauczenie się" akceptowania zakazów i nakazów jest konieczne, by przeżyć w społeczeństwie, w którym stykamy się z nimi na każdym kroku: w szkole, w pracy, w zabawie".

Jakże cenne są sugestie: „Unikaj stawiania wymagań, których spełnienie jest nieosiągalne dla twojego malca", „Krytykuj postępowanie, a nie dziecko", „Jedna sprawa to nauczyć dziecko czytać, druga, o wiele trudniejsza, to nauczyć dziecko uwielbiać czytanie". Wszystkie one są może oczywiste, ale w praktyce wychowawczej często się o nich zapomina. Inny ważny problem, to jak do tego doprowadzić, jeśli w wielu rodzinach „najszybszym sposobem wyłączenia umysłu jest włączenie telewizora" — i to niekiedy na kilka godzin dziennie bez żadnej racjonalnej selekcji programów.

Takich i podobnych myśli uważny czytelnik znajdzie z pewnością więcej. Będą one ozdobą praktycznych porad służących na co dzień w rozwiązywaniu wątpliwości i trudności wychowawczych z najmłodszym dzieckiem.

Książka ta to nie tylko wyjątkowy poradnik wychowawczy. To także niezwykle cenna pomoc w śledzeniu i ocenie rozwoju oraz udzielaniu prawidłowej pierwszej pomocy medycznej w najczęstszych dla tego wieku stanach chorobowych i urazach.

Z pewnością to wyczerpujące opracowanie problemów psychologicznych, społeczno-wychowawczych i zdrowotnych dwu- i trzylatków znajdzie wielu czytelników i pozwoli im uniknąć wielu błędów, które, być może, były udziałem nas samych i naszych rodziców, bo tego rodzaju źródło wiedzy psychologiczno-pedagogicznej było wówczas niedostępne.

Prof. dr hab. Marian Krawczyński

Część 1

DRUGI I TRZECI ROK

1
Trzynasty miesiąc

CO TWOJE DZIECKO POTRAFI ROBIĆ

Przed końcem trzynastego miesiąca twoje dziecko powinno umieć:

* podnieść się do pozycji stojącej;
* usiąść z pozycji stojącej;
* przesuwać się z jednego miejsca na drugie, trzymając się czegoś;
* wyrazić swoje pragnienia innymi sposobami niż płacz;
* klaskać w dłonie („kosi-kosi łapci").

Uwaga: Jeżeli twoje dziecko nie opanowało jeszcze tych umiejętności lub nie wykonuje rączkami pewnych celowych czynności, takich jak chwytanie i podnoszenie przedmiotów, skontaktuj się z lekarzem. Takie tempo rozwoju może być zupełnie normalne dla twojego dziecka, ale musi ono zostać fachowo ocenione. Zasięgnij porady lekarza, jeśli twoje dziecko niezbyt wyraźnie reaguje na różne bodźce, nie śmieje się, wydaje tylko kilka dźwięków lub żadnego, nie słyszy dobrze, jest nieustannie rozdrażnione lub żąda stałego poświęcania mu uwagi. (Pamiętaj, roczne dziecko, które urodziło się jako wcześniak, często pozostaje w tyle za swoimi rówieśnikami urodzonymi o czasie. Te różnice rozwojowe stopniowo się zmniejszają i zwykle całkowicie zanikają pod koniec drugiego roku życia [zależy to od stopnia niedojrzałości noworodka i ewentualnych uszkodzeń okołoporodowych — przyp. red. nauk.].)

Przed końcem trzynastego miesiąca twoje dziecko prawdopodobnie będzie umiało:

* włożyć przedmiot do pudełka (12 i 1/2 miesiąca);
* wykonać jednostopniowe polecenie (12 i 1/2 miesiąca);
* stać samodzielnie;
* używać jednego zrozumiałego słowa.

Przed końcem trzynastego miesiąca twoje dziecko być może będzie umiało:

* pić z kubeczka;
* używać 2 zrozumiałych słów (do 12 i 1/2 miesiąca);
* wskazać na potrzebny mu przedmiot (do 12 i 1/2 miesiąca);
* bazgrać;
* dobrze chodzić.

Przed końcem trzynastego miesiąca twoje dziecko może nawet umieć:

* posługiwać się łyżką i/lub widelcem (nieporadnie);
* zdjąć część swojej garderoby;
* wskazać na 1 część ciała, gdy się je o to poprosi;
* rzucić przedmiot na ziemię, naśladując czyjś ruch.

Rozwój intelektualny. Dzieci na początku drugiego roku są prawdziwymi badaczami i naukowcami. Studiują, testują, manipulują, niekiedy nawet wkładają do buzi wszystko, co dostanie się w ich ręce. Przyczyna i skutek są głównymi punktami ich zainteresowania. Żyją tu i teraz i nie wykazują się jeszcze zbytnią wyobraźnią lub myśleniem abstrakcyjnym.

Rozwój emocjonalny. Gdy świat zaczyna się otwierać, dwulatek, który przebył długą drogę od okresu noworodkowego, kiedy to tylko jadł, płakał i spał, zaczyna też się otwierać, demonstrując szeroką gamę nastrojów, uczuć i zachowań. Należy się ich spodziewać i zaakceptować je — są bowiem częścią dorastania. Należy oczekiwać przejawów miłości, niezależności, rozczarowania, strachu, złości, protestu, uporu, samowoli, smutku, obaw i zakłopotania.

CZEGO MOŻESZ OCZEKIWAĆ W CZASIE BADANIA OKRESOWEGO PO UKOŃCZENIU PIERWSZEGO ROKU[1]

Przygotowanie do badania. Sporządź listę problemów i spraw, które cię zaniepokoiły od czasu ostatniej wizyty z dzieckiem u lekarza. Zabierz ten spis ze sobą, abyś była przygotowana na ewentualne pytanie lekarza: „Czy coś panią niepokoi?" Zanotuj także każde nowe osiągnięcie twego malca (klaskanie w dłonie, machanie rączką na pożegnanie, posyłanie całusów, chodzenie, wdrapywanie się na sprzęty domowe), abyś nie czuła się zaskoczona, gdy lekarz zapyta: „Co dziecko potrafi robić?" Zabierz również ze sobą książeczkę zdrowia dziecka, aby zanotowano w niej wzrost, masę ciała, przeprowadzone szczepienia i inne informacje uzyskane po badaniu okresowym.

Na czym będzie polegało badanie okresowe. Jego przebieg może się nieco różnić u różnych lekarzy, lecz przeważnie badanie dwunastomiesięcznego dziecka zawiera:

* Ocenę rozwoju fizycznego (wzrost, masa ciała, obwód głowy) w porównaniu z danymi z poprzedniej wizyty. Wyniki można nanieść na odpowiednie wykresy zamieszczone na końcu książki i porównać z poprzednimi. Możesz się spodziewać, że tempo wzrastania zmniejszy się w drugim roku życia[2].
* Pytania dotyczące rozwoju twojego dziecka, jego zachowania, jedzenia i zdrowia od czasu ostatniej wizyty. Mogą również padać pytania dotyczące tego, jak cała rodzina radzi sobie na co dzień z dzieckiem, czy zdarzają się jakieś poważniejsze stresy, jak układają się stosunki rodzeństwa (jeżeli jest) z waszym maluchem, jak zorganizowana jest całodzienna opieka nad nim. Lekarz będzie chciał też wiedzieć, czy masz jakieś inne pytania lub problemy.
* Nieformalną ocenę rozwoju intelektualnego i fizycznego, wzroku i słuchu opartą na obserwacji i wywiadzie.
* Badanie krwi (hematokryt lub hemoglobina), jeżeli u dziecka podejrzewa się anemię (niedokrwistość). Test może być wykonany między dwunastym miesiącem a czwartym rokiem życia.
* Badanie krwi na wykrycie ołowiu między dziewiątym a dwunastym miesiącem[3].
* Test tuberkulinowy Mantoux — badanie w celu wykrycia gruźlicy u dzieci z grupy wysokiego ryzyka; ten prosty test skórny (który odzyskał swoje znaczenie wraz z nawrotem gruźlicy w ostatnich latach) może być również przeprowadzony w piętnastym miesiącu.

Szczepienia ochronne.
* Hib (*Haemophilus influenzae* typu b); może być przeprowadzone w piętnastym zamiast w trzynastym miesiącu życia.

Wskazówki na przyszłość. Lekarz może również poruszyć takie tematy, jak: pozytywne działania rodziców w wychowywaniu dziecka; walka dziecka o niezależność; dyscyplina; porozumiewanie się z dzieckiem, odżywianie, odzwyczajanie od piersi lub butelki; podawanie preparatów z fluorem (jeżeli to konieczne); ochrona przed niebezpiecznymi wypadkami; sposoby pobudzania do mówienia; inne tematy, które będą ważne w nadchodzących miesiącach.

Następne badanie kontrolne. Jeżeli twoje dziecko cieszy się dobrym zdrowiem, następne badanie przypadnie w piętnastym miesiącu. Jeżeli w tym czasie nasuną ci się pytania, na które nie znajdziesz odpowiedzi w tej książce, lub jeśli zauważysz u dziecka objawy jakiejś choroby, natychmiast skontaktuj się z lekarzem (patrz str. 485).

---

[1] Badanie tego rodzaju jest często nazywane bilansem zdrowia.

[2] Ostatnie badania naukowe dowodzą, że dzieci nie rosną równomiernie, lecz skokowo. Twoje dziecko może więc mieć ten sam wzrost przez dwa miesiące, a następnie nagle „wyskoczyć w górę" o 2-3 cm.

[3] Jest to nowe zalecenie Amerykańskiej Akademii Pediatrii. Jednak nie każdy lekarz rutynowo zleca to badanie. Istnieją bowiem podzielone zdania, czy badanie wszystkich dzieci jest warte kosztów, jakie ono pochłania.

CO MOŻE CIĘ NIEPOKOIĆ

CZĘSTE UPADKI

Nasza roczna córeczka ledwie potrafi utrzymać się na nogach przez pięć minut, zaraz potem przewraca się. Czy jest coś złego z jej koordynacją?

Dziecko, które ukończyło pierwszy rok życia, jest jak wypadek, który czeka, aby się zdarzyć i... ciągle się powtarza. Pewny chód nie jest cechą dzieci, które niedawno opanowały tę umiejętność; większość „świeżo upieczonych" spacerowiczów nie potrafi nawet przejść całego pokoju bez upadku.

Para miękkich, szerokich, elastycznych przepasek do związywania włosów lub opasek do usztywniania nadgarstka, wygodnie przytrzymuje śpioszki w kostkach, usztywniając stopy w tym miejscu. Zmniejsza to ryzyko wypadku.

Częściowo jest to skutek braku doświadczenia w utrzymaniu równowagi i koordynacji, których perfekcyjne opanowanie wymaga dużo praktyki. (Jeżeli uczyliście się jazdy na łyżwach lub na rowerze w dorosłym wieku, możecie sobie mniej więcej wyobrazić, czym musi być nauka chodzenia.) Innym czynnikiem jest dalekowzroczność; większość dzieci w tym wieku nie widzi wyraźnie tego, co znajduje się tuż przed nimi (patrz str. 31). Rozsądek w ocenie sytuacji, a raczej jego brak, też ma tu znaczenie, jak również duże zaabsorbowanie tym, co się dzieje wokół, a nie miejscem, do którego dziecko podąża. Ponieważ dziecko w tym wieku rzadko jest w stanie skoncentrować się na więcej niż jednej rzeczy równocześnie, kolizje i upadki zdarzają się na każdym kroku.

Chociaż w nadchodzących miesiącach wasza córeczka będzie stopniowo robiła postępy, to jeszcze przez jakiś czas będzie nabijać sobie guzy w trakcie przechadzek. Dopiero około trzeciego roku życia posiądzie ona umiejętność pewnego, niechwiejnego chodu.

Tymczasem, ponieważ nie zawsze jesteście w stanie uchronić ją przed upadkami, starajcie się je ograniczać i minimalizować ich skutki. Sensowne byłoby wyłożenie podłóg dywanami lub wykładzinami dywanowymi i trzymanie dziecka z dala od bardzo twardych powierzchni, takich jak: marmury, płytki ceramiczne, kamienie i cegły. Sprawdźcie, czy w pomieszczeniach, w których ono najczęściej przebywa, nie ma ostrych zakończeń lub narożników sprzętów domowych. Jeśli są, należy je czymś owinąć (patrz str. 533). Sprawdzaj, czy wszystkie szuflady, drzwiczki mebli i urządzenia domowe (zwłaszcza zmywarka) są zamknięte, gdy dziecko jest w pobliżu. Usuńcie lub przyklejcie taśmą luźno wiszące przewody elektryczne; usuńcie na razie chwiejące się, niestabilne krzesła lub stoły, które wasza córeczka mogłaby na siebie przewrócić, opierając się na nich. Miejsca w domu, w których upadek mógłby być szczególnie niebezpieczny, takie jak schody czy łazienka, muszą być dla niej całkowicie niedostępne (patrz str. 546). Odpowiedni ubiór może też spełniać rolę ochronną. Radzimy jak najczęściej wkładać długie spodnie zamiast krótkich lub sukienek. Gruby sztruks lub pikowany, kilkuwarstwowy materiał bardzo dobrze amortyzuje upadki. Bardzo ważne jest także to, co dziecko ma na stopach.

Ostrzeżenie

Niektóre szczególnie żądne przygód dzieci opanowują umiejętność wychodzenia z łóżeczka na początku drugiego roku życia. Tak więc jeśli jeszcze nie obniżyłaś dna łóżeczka do najniższego poziomu, zrób to teraz. Pilnuj, aby w łóżeczku nie leżały duże wypchane zwierzątka — zabawki lub inne przedmioty, które twój malec wykorzystałby jako pierwszy stopień do wolności... i poważnego upadku.

Jeżeli podłoga jest ciepła, najlepiej, aby chodziło boso. Jeżeli musimy włożyć maluchowi skarpetki lub kapcie, powinny one mieć podeszwy antypoślizgowe. Wkładając buty, sprawdźcie, czy podeszwy mają dobrą przyczepność, uniemożliwiającą poślizgnięcie się dziecka, i czy dobrze są dopasowane do jego stopy. (Buty, które są za duże, za małe lub za szerokie mogą powodować potykanie się. Patrz str. 34 — więcej informacji o butach dla małych dzieci.)

Jeżeli wasza córeczka uwielbia się wspinać, rozłożenie miękkiej maty lub poduszek u podnóża jej ulubionych „gór" sprawi, że będzie miała miękkie lądowanie w razie upadku. Usuńcie lub zastawcie wszystkie meble, które mogłyby się przewrócić, gdyby dziecko się na nie wspięło.

Po zastosowaniu odpowiednich środków ostrożności odprężcie się. Ciało małego dziecka, zazwyczaj dobrze wyścielone warstewką tłuszczu, jest tak zbudowane, aby znosić różnego rodzaju upadki, a i odległość od ziemi jest niewielka. Czaszka jest nadal giętka, ponieważ ciemiączko jeszcze całkowicie się nie zamknęło (w pełni zamknięte jest zwykle około osiemnastego miesiąca życia). Tak więc niewielkie uderzenia głowy nie powodują jej uszkodzeń.

Usilne starania, aby za wszelką cenę nie dopuścić do upadku (na przykład zrobienie w ogródku zagrody i trzymanie w niej dziecka przez kilka godzin) są niemądre. Dziecko, które uczy się chodzić, musi od czasu do czasu upaść, aby opanować umiejętność pewnego stania na własnych nóżkach.

Nadopiekuńczość i przesadne reakcje, gdy dziecko się przewróci („Ojej, moje biedactwo!"), mogą również zahamować jego naturalny pociąg do odkrywczych działań, spowolnić rozwój motoryczny (chodzenie, skakanie, wspinanie się) oraz utrwalić niepotrzebną bojaźliwość.

ZDERZENIA Z PRZESZKODAMI

Mój synek ciągle na coś wpada — stoły, krzesła lub na ludzi. Czy możliwe jest, że ma słaby wzrok?

Prawdopodobnie nie. Dziecko po ukończeniu pierwszego roku jest dalekowidzem i ma ograniczoną głębię widzenia. Ocena odległości w tym wieku może być więc złudna. Do końca drugiego roku życia widzenie poprawia się do około 20-60; do końca trzeciego do około 20-40. Normalne widzenie 20-20 dziecko osiąga dopiero około dziesiątego roku życia. (Patrz str. 410 — ewentualne objawy wad wzroku.)

Nawet gdy malec posiada idealny wzrok, nadal istnieje duże prawdopodobieństwo licznych kolizji na jego trasach, a to dlatego, że rzadko patrzy, dokąd idzie. Zaabsorbowany samym mechanizmem stawiania kroków, często obserwuje swoje stopy (by się upewnić, że jedna zawsze znajduje się przed drugą) zamiast miejsca, do którego mają go zaprowadzić. Lub też skupia swoją uwagę na osobie lub przedmiocie, do których chce jak najszybciej dotrzeć — na pluszowej żyrafie leżącej na kanapie, na tacie, który na drugim końcu pokoju rozkłada ramiona, aby złapać i przytulić biegnące dziecko, na fascynujących przyciskach telewizora — a nie na przeszkodach, które mogą leżeć na drodze. Nic dziwnego, że potrąca stojącą lampę, wpada na stolik do kawy lub potyka się o ciężarówkę rzuconą na środek pokoju w czasie zabawy. Nawet jeśli zauważy w ostatniej chwili jakąś blokadę drogi, może jeszcze nie mieć wykształconej umiejętności omijania jej lub zatrzymywania się tuż przed nią, zwłaszcza gdy jest już rozpędzony.

Na szczęście zarówno widzenie, jak i koordynacja wyostrzają się wraz z upływem czasu. Gdy zbliżać się będą trzecie urodziny waszego dziecka, możecie się spodziewać, że jego sposób poruszania się będzie znacznie pewniejszy i bezpieczniejszy. Jednak prawdziwa gracja ujawni się najwcześniej około ósmego lub dziewiątego roku życia.

Do tego czasu możecie chronić dziecko przed zderzeniami, które czekają je w życiu, czyniąc jego otoczenie jak najbardziej bezpiecznym (patrz str. 529).

POWOLNY ROZWÓJ MOTORYCZNY

Nasza córeczka jako ostatnia w grupie znanych nam rówieśników nauczyła się przewracać na brzuszek i siadać. Teraz, chociaż skończyła już roczek, nie potrafi jeszcze podciągnąć się, aby

stanąć na nóżkach. Wszystko inne (mowa, rozwój manualny) są na dobrym poziomie. Nasza lekarka mówi: „Proszę się nie martwić". Łatwo jej powiedzieć...

Prawie wszyscy rodzice czasami się czymś martwią — to jedna z cech tego „zawodu". Zwykle uspokajanie — nawet przez pediatrę — nie wystarcza, aby rozwiać całkowicie rodzicielskie obawy. Jeżeli mimo zapewnień lekarza, że wszystko jest w porządku, wewnętrzny głos mówi wam, żeby zbadać sprawę dogłębniej, wytłumaczcie lekarzowi, iż dla pewności chcielibyście, aby przeprowadzono dziecku badania wykluczające jakiekolwiek problemy zdrowotne. Lekarz na pewno się zgodzi. Może się okazać, że rozwój motoryczny waszej córeczki (rozwój dużych mięśni ciała, które uczestniczą w raczkowaniu, siadaniu, wstawaniu, wspinaniu się) przybrał nieco wolniejsze tempo od przeciętnego i że stopniowo samodzielnie dogoni ona swoich rówieśników. W tym przypadku możecie przyspieszyć ten proces za pomocą sposobów opisanych poniżej. Testy rzadko ujawniają problemy w rozwoju motorycznym dziecka, które wymagałyby specjalnej uwagi. Gdy słabe napięcie mięśni jest przyczyną powolnego rozwoju motorycznego, bardzo korzystne może tu być zastosowanie fizjoterapii, zwłaszcza rozpoczętej odpowiednio wcześnie. Dzięki odpowiednim działaniom (zwykle prostym ćwiczeniom, które można wykonywać w domu) wiele dzieci o powolnym rozwoju motorycznym dogania swoich rówieśników i dobrze sobie radzi ze wszystkim.

PÓŹNE PRÓBY CHODZENIA

Byłam przekonana, że do tego czasu mój synek zacznie chodzić. A on nawet jeszcze nie próbuje.

Fakt, iż twój syn nie zaczął jeszcze treningu przed olimpiadą maluchów, nie oznacza, że nie nadaje się on do wielkich wyczynów na dwóch nogach. W końcu przeciętne dziecko stawia te pierwsze pamiętne kroki między trzynastym a piętnastym miesiącem życia. Są co prawda nieliczne, które zaczynają chodzić już w siódmym lub ósmym miesiącu, jednak wiele dzieci stawia pierwsze samodzielne kroki do szesnastego miesiąca życia, a nawet później.

To, w którym miesiącu twoje dziecko zacznie chodzić, nie świadczy o poziomie jego inteligencji lub o przyszłych osiągnięciach sportowych. Większość dzieci, które później zaczęły mówić i chodzić, szybko nadrabia zaległości, gdy tylko rozpocznie naukę — często już po kilku tygodniach od pierwszych, chwiejnych kroków dobrze radzi sobie z bieganiem.

Nie powinnaś się martwić ani go popędzać, lecz stwarzać synkowi jak najwięcej okazji do ćwiczeń przygotowujących go do chodzenia. Zachęcaj go do wstawania na nóżki, pozwalając chwycić się za rękę, kolana, za szczebelki łóżeczka lub stolik. Pomóż mu dreptać od swoich kolan do kolan osoby stojącej obok, od krzesła do krzesła, wokół łóżeczka. Jeżeli chętnie ćwiczy samodzielnie, baw się z nim w podciąganie na nogach, aby wyrabiały się w ten sposób mięśnie nóg. Zwróć uwagę, aby twoje dziecko nie spędzało większości dnia, uwięzione w wysokim krzesełku, w wózku lub kojcu. Pozwól mu chodzić boso lub w antypoślizgowych skarpetkach, jeżeli podłoga jest zimna. Uważaj na zbyt śliskie buty, które mogą utrudniać chodzenie. Unikaj też używania chodzika. Kojarzy nam się on z niebezpiecznymi incydentami, a dzieci, które uzależnią się od niego, zwykle dłużej uczą się samodzielnego chodzenia. Jeżeli twój maluch używa chodzika, radzimy się go pozbyć.

Jeżeli twój synek nie podnosi się i nie próbuje stać samodzielnie, to być może czeka, aż będzie odpowiednio silny i gotowy do chodzenia. Na wszelki wypadek porozmawiaj na ten temat z lekarzem podczas następnej wizyty kontrolnej.

ODPOWIEDNIE BUCIKI

Zdaję sobie sprawę, że uważne przymierzanie kupowanych bucików jest bardzo istotne. Jednak nie wiem, jak się do tego zabrać, gdy moja córeczka się kręci i piszczy. Do tego dochodzi brak doświadczenia.

Przymierzanie bucików takiemu maluchowi to rzeczywiście nie lada doświadczenie — na tyle męczące, że wielu rodziców chce się pokusić o robienie tego zakupu bez dziecka. Nie rób tego. Tylko uważne przymierzenie butów gwarantuje ich właściwe dopasowanie.

Wybierając się do sklepu obuwniczego, weź pod uwagę następujące wskazówki:

* Kupuj buciki tylko w tych sklepach, w których personel wie, jak je przymierzać małym dzieciom. Zapytaj innych rodziców, które to sklepy.
* Rób tego rodzaju zakupy po posiłku. Głodny malec źle współpracuje, a głodna mama niecierpliwi się, a z pewnością będzie ci potrzebna i dobra współpraca, i ogrom cierpliwości.

* Kupuj buty, gdy dziecko jest wypoczęte. To, co można powiedzieć o głodnym, dotyczy także zmęczonego dziecka. Unikaj, jeśli to możliwe, godzin popołudniowych. Im bardziej zatłoczony sklep, tym dłuższe oczekiwanie i więcej trudności.
* Zabierz ze sobą coś do zabawy. Towarzystwo ulubionego misia, lalki czy ciężarówki może sprawić, że wyprawa do sklepu z butami będzie łatwiejsza do zniesienia.
* Ubierz dziecku odpowiednie skarpetki. Ich grubość musi być podobna do tych, które maluch będzie zazwyczaj nosić do kupowanych właśnie butów.
* Nie zakładaj, że jeden rozmiar musi pasować na obydwie nóżki. Ponieważ zdarza się, że lewa i prawa stopa różnią się długością — czasami nawet znacznie — rozmiar buta dobieramy do dłuższej stopy. Upewnij się więc, że sprzedawca zmierzył obie stopy i że obydwa buty zostały przymierzone.
* Nie przymierzaj butów, gdy dziecko siedzi. Musi ono stać, aby cały ciężar ciała spoczywał na dwóch nogach. Sprawdzając, ile wolnego miejsca jest w czubku buta, upewnij się, czy dziecko nie podwinęło dużego palca. Jest to bardzo powszechny odruch u małych dzieci, zwłaszcza tych, które jeszcze nie są przyzwyczajone do noszenia butów. Podrap dziecko po łydce, co pomoże w rozluźnieniu mięśni nóg i w wyprostowaniu podkurczonych palców.
* Wykonaj test własnymi palcami. Sprawdź, czy szerokość buta jest prawidłowa, chwytając jego bok w najszerszym miejscu. Jeżeli uda ci się chwycić kawałek, szerokość jest odpowiednia. Jeżeli chwycisz sporą jego część, but jest za szeroki; a jeżeli w ogóle nie możesz nic „uszczypnąć", to znaczy, że jest za wąski. Gdy przejedziesz palcem wzdłuż zewnętrznej strony buta i wyczujesz mały palec stopy dziecka lub jej zewnętrzną kość — masz pewność, że but jest za wąski. Sprawdź wtedy długość buta, naciskając kciukiem jego czubek zaraz za końcem dużego palca (lub najdłuższego[4]). Jeżeli szerokość wolnego miejsca w czubku buta jest mniej więcej równa szerokości twojego kciuka (trochę więcej niż centymetr), długość buta jest odpowiednia. Upewnij się również przez naciśnięcie z góry czubka buta, że jest tam wystarczająco dużo miejsca na swobodne podwijanie i rozkurczanie palców. Aby sprawdzić, czy stopa jest dobrze dopasowana do zapiętka buta, włóż najmniejszy palec między piętę dziecka a tył buta. Powinien wejść swobodnie. Jeżeli nie możesz go wcisnąć lub czujesz ucisk, but jest za mały i będzie obcierał. Jeżeli możesz poruszać swobodnie małym palcem, to but jest za długi. Luzy wokół kostki również świadczą o niedopasowaniu buta do stopy.
* Sprawdź buty w „akcji". Jeżeli twoje dziecko nie potrafi jeszcze chodzić samodzielnie, pomóż mu w zrobieniu kilku kroków, aby przypatrzyć się, jak zachowują się buty podczas chodzenia. Upewnij się, że malec nie szura czubkami butów lub że pięta nie przesuwa się w górę i w dół.
* Upewnij się, że nie ma zaczerwienionych miejsc na stopie dziecka. Po zdjęciu bucików zdejmij też skarpetkę i zobacz, czy nie ma czerwonych znaków, które świadczyłyby o zbyt dużym ucisku stopy. Znaki takie wskazują na złe dopasowanie butów.
* Nie kupuj na wyrost. Biorąc pod uwagę szybkie tempo wzrostu dziecka, istnieje pokusa, aby kupować za duże buty. Powstrzymaj się. Zbyt duże buty mogą powodować podrażnienia, pęcherze, niepotrzebne upadki oraz utrudniać chodzenie.

Nawet dobrze dopasowane buty mogą obcierać stopy, jeżeli włożymy dziecku złe skarpetki. Według ekspertów orlon, który wchłania wilgoć, jest najlepszym materiałem na skarpetki. Powinny one być rozciągliwe, starczą wtedy na dłużej i nie krępują stóp. Za duże skarpetki ściągną się i pomarszczą, powodując pęcherze i otarcia. Za małe krępują stopy i mogą zahamować ich wzrost. Jeżeli skarpetki zaczną zostawiać odciski na skórze, to znak, że należy zmienić je na większe.

NOWE BUCIKI

Jak często powinnam wymieniać buciki mojego synka na nowe?

Dzieci w wieku dwóch i trzech lat potrzebują nowej pary butów co trzy, cztery miesiące. Jednak nierównomierne tempo wzrostu małych dzieci może spowodować, że z jednej pary wyrosną po dwóch miesiącach, a z drugiej po pięciu lub sześciu.

Ponieważ nie jesteś w stanie przewidzieć, jak szybko będzie rosła stopa twojego dziecka, mu-

[4] U niektórych dzieci (także u dorosłych) drugi lub trzeci palec jest dłuższy od dużego.

Dobór butów

Przez większość dziejów ludzkości małe dzieci chodziły boso. W niektórych częściach świata nadal nie noszą butów. Tak więc wciąż trudno sformułować definitywną odpowiedź na pytanie, jakie buty są najlepsze dla początkujących. Ponieważ stopy są bardziej giętkie, mocniejsze i zdrowsze w społecznościach, które nie noszą obuwia, większość ekspertów jest zdania, że najlepszy but — to brak buta. Zalecają oni, aby pozwalano dzieciom chodzić boso nawet u nas, gdzie noszenie obuwia jest normą. Oczywiście, nie zawsze należy to zalecenie stosować. Na zewnątrz, poza mieszkaniem, buty są zwykle konieczne jako ochrona stóp. W czasie zimnej pogody zapewniają one stopom ciepło. Również w słabo ocieplanych domach, w których podłogi są zimne, buty stają się koniecznością. Antypoślizgowe skarpetki stanowią dobry substytut obuwia w pomieszczeniach; pozwalają na dużą swobodę ruchów stóp, równocześnie je grzejąc.

Drugim dobrym rozwiązaniem, oprócz chodzenia boso, jest chodzenie w butach, które dobrze dopasowują się do gołej stopy. Oto cechy dobrych butów:

Właściwe dopasowanie do stopy. Idealny but nie może być ani za mały, ani za duży, chociaż za ciasny powoduje więcej problemów niż za luźny. (Patrz str. 32-33 — jak dopasowywać buty).

Łatwość wkładania i ściągania. Zdania ekspertów różnią się co do tego, czy lepsze są buty niskie, czy z cholewką. Te drugie mogą krępować stopę i są trudne do wkładania i zdejmowania. Niskie buty natomiast tak łatwo dają się ściągać, że dziecko samo może to zrobić, kiedy tylko chce; mogą też same się zsuwać. Wybór najlepszego buta dla twojego dziecka zależy od kształtu jego stopy i właściwego dopasowania konkretnej pary.

Lekkość. Dla małych dzieci stawianie kroków boso jest dużą trudnością. Zbyt duża waga butów czyni to zadanie jeszcze trudniejszym.

Miękkie podeszwy. Powinno ci się łatwo udać zgiąć czubek buta (w górę) pod kątem około 40°.

Nie ślizgające się i niezbyt szorstkie podeszwy. Podeszwy nie powinny być ani tak śliskie, że dziecko mogłoby się poślizgnąć w czasie chodzenia, ani tak szorstkie i przywierające do podłoża, że trudno byłoby mu unieść nogę. Idealny kontakt podeszwy z ziemią powinien być podobny do kontaktu bosej stopy. Szukaj więc butów o gumowych podeszwach, które mają rowki podobne do bieżnika w oponach. Jeżeli kupisz obuwie o gładkich, śliskich spodach (takich jak w eleganckich pantofelkach do sukienek), spróbuj zmatowić je papierem ściernym lub przyklej kilka pasków szorstkiej taśmy samoprzylepnej, aby zwiększyć ich przyczepność do podłoża.

Kształt buta dopasowany do kształtu stopy. Wybierz raczej takie buciki, które mają wysokie i kwadratowe czubki, a nie spiczaste.

Przewiewna górna część butów. Wierzchy wykonane ze skóry lub płótna, a nie z tworzywa sztucznego umożliwiają stopom oddychanie oraz usuwanie wilgoci spowodowanej poceniem się stóp.

Brak obcasów. Nawet niewielki obcas może zachwiać u małego dziecka równowagę ciała i prawidłową postawę.

Sztywny zapiętek. Zapiętek powinien sztywno trzymać piętę. Powinien być wzmocniony wzdłuż tylnej krawędzi buta. Cecha ta chroni stopę przed obcieraniem i podwyższa tym samym wygodę buta.

Żywe kolory i ładne fasony. Wygląd buta niewiele jeszcze znaczy dla trzynastomiesięcznego dziecka, ale za to może mieć ogromne znaczenie dla starszego, które odmówi noszenia butów nie w jego guście. Popularnością cieszą się odważne kolory i wzory. Aplikacje przedstawiające zwierzątka lub inne postacie bajkowe zwykle bardzo podobają się dzieciom.

Rozsądna cena. W drugim roku życia buty trzeba będzie zmieniać cztery lub pięć razy. Tak więc, mimo że powinny być dobrze wykonane (wygodne i bezpieczne), nie muszą być aż tak solidne (i przez to drogie), aby starczyć na wieki.

Jeżeli cię na to stać, kup od razu dwie pary. Stopy dziecka mocno się pocą. Tak więc jedną parę można zawsze dokładnie wysuszyć, podczas gdy malec używa drugiej.

---

sisz często to sprawdzać (raz lub częściej w miesiącu). Wykorzystaj metodę sprawdzania buta opisaną na stronie 33. Pomyśl o zakupie następnej pary, jeżeli po naciśnięciu czubka buta stwierdzisz, że jest tam mniej wolnego miejsca niż połowa szerokości twojego kciuka. Dla potwierdzenia wstąp do sklepu z obuwiem dziecięcym, w którym doświadczony sprzedawca powie ci, czy jest już czas na nową parę.

Nie myśl również o potencjalnych oszczędnościach wynikających z oddawania za małych butów innemu dziecku. Nawet jeżeli buty nie wyglądają na zniszczone, dopasowały się już do kształtu stopy pierwszego użytkownika i na pewno nie pasują na drugiego. Jedyny wyjątek stanowią eleganckie buciki na przyjęcia, które jedno dziecko nosiło nie częściej niż dwa razy w tygodniu, a następne też częściej ich nie włoży.

STAWIANIE STÓP DO WEWNĄTRZ

Moja córeczka dopiero co zaczęła chodzić. Zauważyłam, że stawia stopy do wewnątrz. Czy wymaga to interwencji lekarskiej?

Na tym etapie — prawdopodobnie nie. Ten sposób stawiania stóp na początku drugiego roku życia ma zwykle związek z ustawieniem do wewnątrz kości piszczelowych, które po pewnym czasie prostują się samoistnie.

Powinnaś zgłosić się do lekarza, jeśli: ustawienie stóp nie zmieni się w ciągu następnych miesięcy, jeśli utrudnia chodzenie lub bieganie, jeżeli w czasie spoczynku palce nie są skierowane na wprost lub jeżeli jej stopy oglądane od spodu mają kształt półksiężyca.

U niewielkiej liczby dzieci (8% do 9%) stawianie stóp do wewnątrz trwa aż do wieku dorosłego. Jednak stan ten nie jest groźny tak długo, jak długo nie zakłóca poruszania się, nie wywołuje bólu stóp.

Dzieci, które w tym wieku stawiają stopy na zewnątrz, później, w wieku trzech, czterech lat przez pewien czas stawiają je do środka. To również nie stwarza problemu.

DOTYKANIE WSZYSTKIEGO, CO ZNAJDZIE SIĘ W ZASIĘGU RĘKI

Nasz synek nie przejdzie obok niczego spokojnie, wszystkiego musi dotknąć. Oznacza to, że gdy jesteśmy w domu, nic nie jest bezpieczne, na dworze zaś obawiamy się o jego bezpieczeństwo. Nie można tego znieść.

Nieustanne, czasami doprowadzające do szaleństwa zainteresowanie małego dziecka jego otoczeniem nie jest wynikiem złośliwości, lecz ciekawości. To nie diabeł kusi je, by wszystko sprawdzać, lecz Krzysztof Kolumb i Isaac Newton. Dziecko jest po części badaczem, po części naukowcem. Postrzega więc świat jako swoje laboratorium. Jednak zamiast otrzymywać stypendia, które pomagałyby mu w dalszych odkryciach, codziennie odbiera mnóstwo nagan, które skutecznie go zniechęcają. „Nie dotykaj!" jest najczęściej wypowiadanym zdaniem w każdym domu, w którym mieszka dwu-, trzylatek.

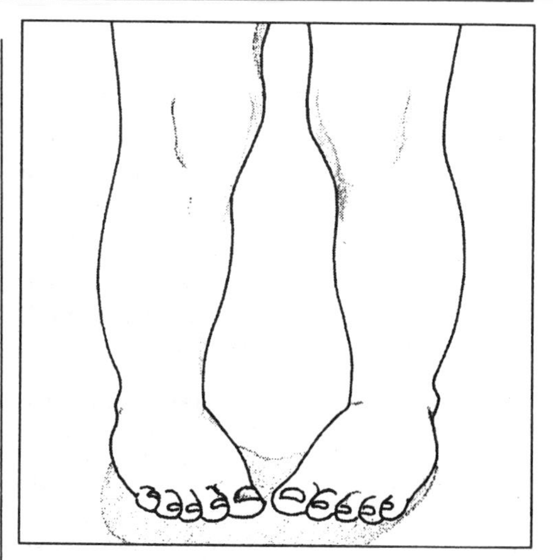

Ustawienie stóp do środka często występuje u dwulatków.

Małe dziecko, zwłaszcza na początku drugiego roku życia, nie jest zdolne pohamować impulsów, które każą mu dotykać, trącać, chwytać, naciskać lub wymachiwać rękami.

Nie możecie i nie powinniście nakłaniać synka, aby trzymał łapki z daleka od wszystkiego. Aby zrozumieć świat, malec musi go dotknąć. Oczywiście pewnych rzeczy dziecko nie powinno dotykać, gdyż są albo niebezpieczne, albo łatwo się tłuką, albo jedno i drugie. Konieczne jest więc z waszej strony sterowanie, zachęcanie do bezpiecznych, a zniechęcanie do niebezpiecznych odkryć.

Ogranicz ryzyko. Spróbuj urządzić dom bezpiecznie dla twojego dziecka (patrz str. 529). Jeżeli nie chcesz spakować i schować swoich kosztownych drobiazgów do czasu, aż twój malec osiągnie rozsądniejszy wiek, naucz go dotykania cennych przedmiotów bez ich niszczenia (patrz str. 212). Musisz nauczyć się przewidywać katastrofy. Jeżeli twoje dziecko uwielbia patrzeć, co się dzieje po odwróceniu kubeczka z mlekiem lub sokiem do góry dnem, usuń napoje z jego otoczenia. Podawaj mu kubeczek z piciem tylko wtedy, gdy poprosi o następny łyk, i zabierz go, jak tylko zaspokoi swoje pragnienie. Poza domem unikaj eleganckich wnętrz, wypełnionych drogimi, łatwo tłukącymi się przedmiotami. Jeżeli dom babci można zaliczyć do tej kategorii, dobrze byłoby, gdyby na czas wizyty wnuczka schowała cenniejsze cacka. W sklepach zapakuj swojego młodego odkrywcę do wózka na zakupy lub do jego własnego albo też włóż mu do rączki coś bardzo dla niego interesującego, co zajęłoby jego uwagę na jakiś czas. Jeżeli to nie poskutkuje, zrób dziecko swoim asystentem w zakupach, wykorzystując produktywnie jego niszczącą energię. Wskaż na pudełko z płatkami, które chcesz właśnie kupić, i poproś, aby ci je podało z półki. Jeśli kupujesz jabłka lub pomarańcze, pozwól malcowi wrzucać po jednym owocu do torebki. Gdy jest odpowiednio duży, by rozpoznać rodzaje mleka, soków, chleba, które zwykle kupujesz, postaw przed nim trudne zadanie wyszukiwania tych produktów na półkach i pokazywania palcem. Następnie pozwól, aby wkładał je do wózka na zakupy.

Granice wyznacz jasno i stanowczo. Choć nie chcesz ograniczać badawczych skłonności swojego dziecka, musisz dać mu do zrozumienia, że granice istnieją. Za każdym razem, gdy zbliży się do wideo, kuchenki lub półki z porcelaną, zatrzymaj je i skieruj w inne miejsce. Pamiętaj, że będziesz musiała powtarzać ten manewr setki razy, zanim wejdzie mu w krew.

Stwórz liczne możliwości. Stwarzając dziecku jak najwięcej możliwości bezpiecznego odkrywania świata, zmniejszysz liczbę pokus, które mogłyby je wpędzić w kłopoty (patrz str. 390 — wskazówki na temat zaspokajania apetytu małego dziecka na dotykanie i odkrywanie).

Zapewnij nadzór i naukę. Twój synek chce wycisnąć z tubki pastę do zębów? Naucz go, jak robić to delikatnie, a następnie wyznacz go oficjalnym „wyciskaczem" pasty dla całej rodziny. (Bądź jednak przy tym, aby nadzorować operację, bo inaczej cała łazienka będzie udekorowana wężykiem wyciśniętej pasty.) Twój synek chce wypróbować komputer? Posadź go na kolanach na piętnaście minut i pozwól mu uderzać w klawiaturę (przedtem dokładnie zabezpiecz swoją pracę). Chce włączyć telewizor? Pokaż mu, jak to się robi, i pozwól mu naciskać włącznik tylko wtedy, gdy ktoś dorosły jest w pobliżu. Możesz również nauczyć swoje dziecko pomagać w wypakowywaniu zakupów (oprócz łatwo tłukących się, takich jak butelki i słoiki), w wyciąganiu naczyń ze zmywarki (po usunięciu noży i widelców). Pozwól, aby podawało ci uprane rzeczy z pralki lub suszarki, gasiło światło, gdy wychodzicie z pokoju, i robiło wiele innych codziennych czynności, które dla twojego małego badacza okażą się bardzo ekscytujące.

Zapewnij coś w zamian. Gdy dziecko zbliża się do stosów złożonych, upranych ubrań leżących na łóżku, zabierz je. Daj mu kilka ręczników lub trykotowych koszulek, które będzie mógł gnieść, rozciągać, zarzucać na głowę, udając, że się przed tobą chowa. Możesz nawet pokazać mu, jak składa się ręczniki — ku jego wielkiemu zadowoleniu — i pozwolić mu spróbować to zrobić. Gdyby chciał zaprogramować wideo, daj mu zabawkę, która ma podobne przyciski i przełączniki. Możesz też pozwolić mu pobawić się pilotem do telewizora lub wideo po wyciągnięciu z niego baterii. Czy twój malec lubi eksperymenty z substancjami płynnymi? Stwórz mu wiele okazji do nich, wkładając w czasie kąpieli do wanny dużo różnych plastykowych pojemników i buteleczek do napełniania wodą.

Niewyolbrzymianie przejawów złego zachowania. Równie ważne jak to, aby nie dopuszczać do niepożądanych zachowań dziecka, jest to, aby nie robić zbyt wielkiego hałasu, jeżeli już mają one miejsce. Małe dzieci wykazują tendencje do powtarzania czynności, które wywołują żywą reakcję (pozytywną albo negatywną). Jeżeli to możliwe, rozładowuj napięcie z humorem, zamiast karcić dziecko.

BĘBNIENIE

Nasz synek puka we wszystko, co znajdzie się w zasięgu jego rąk — w stół, stylowy kredens, telewizor — boję się, że może coś zepsuć albo zrobić sobie krzywdę.

Wiele małych dzieci zachowuje się tak, jakby przygotowywało się do kariery rockandrollowego perkusisty. Umiłowanie spędzania całych dni na pukaniu i stukaniu jest normalne i powszechne. Ci mali perkusiści nie tylko sami rozkoszują się rytmicznymi odgłosami, które wystukują, lecz czerpią zadowolenie z reakcji (nie zawsze pozytywnych) widowni. Głośne stukanie jest mimo wszystko trudne do zignorowania, zwłaszcza w trakcie rozmowy telefonicznej, obiadu świątecznego lub w ciągu wyjątkowo stresującego dnia. Młody perkusista czerpie również przyjemność z jeszcze jednego potencjalnego skutku tego muzykowania: z bałaganu. Bębniąc, z zadowoleniem patrzy, jak groszek i marchewka wyskakują z talerza, jakieś cenne cacka „tańczą" na półkach stylowego kredensu, czasopisma spadają z ława.

Chociaż nie chcecie całkowicie stłumić muzycznych zapędów swojego dziecka, musicie ustanowić granice, w których dom i jego mieszkańcy mogą tolerować bębnienie.

* Powstrzymaj natychmiast grożące niebezpieczeństwem stukanie. Uderzanie w ekran telewizora, szklany stolik, talerz lub szybę okna może spowodować poważne obrażenia ciała,

straty. Zareaguj, zanim wibracje stołu wprawią w ruch filiżankę z gorącą kawą lub przewrócą wazon z kwiatami. Należy zaznaczyć, że: „Nie wolno stukać w...", ale prawdopodobnie czyny zagłuszą słowa. Musicie wtedy wziąć małemu muzykantowi „instrument" i podać coś w zamian lub dostarczyć innej rozrywki. Nie próbuj przekrzykiwać stukania; używaj spokojnego, lecz stanowczego tonu. Nieprzyjemne zachowania, takie jak uderzanie w różne rzeczy, nasilają się, gdy towarzyszy im gniew rodziców. Istnieje też szansa (choć niewielka), że jeśli dziecko nie usłyszy twoich słów (zagłuszanych przez tę jednoosobową orkiestrę), będzie tak zaintrygowane ruchem twoich warg, że przerwie to, co robi, by posłuchać, co do niego mówisz. Jednokrotne powstrzymanie dziecka od uderzeń w zakazaną powierzchnię nie oznacza, że zapamięta twoją przestrogę. Potrzeba będzie wielu „nie wolno" (często kilkuset), aby oduczyć dziecko czegoś. Nieraz będzie cię ono sprawdzać, pukając drewnianą łyżką w stolik do kawy lub „jeżdżąc" po szklanych drzwiach, zanim zrozumie, w czym rzecz. Do tego czasu musisz być w ciągłym pogotowiu, by je uchronić od niebezpiecznych sytuacji.

* Pokieruj jego skłonnościami do stukania. „Jeżeli chcesz bębnić, to bębnij". Pozwól dziecku wyżyć się na bezpiecznych powierzchniach. Zaproponuj mu na przykład: stary garnek i drewnianą łyżkę, bębenek do zabawy z gumowymi pałeczkami, tamburyn, młotek — zabawkę do wbijania klocków w otworki w desce. Odgłosy będą bardziej znośne dla uszu domowników (i nerwów), jeżeli przedmioty do stukania będą leżały na dywanie lub tapicerowanych meblach.

* Pomóż mu znaleźć miarowy rytm w: różnego rodzaju muzyce (granej na żywo i z taśmy, w domu i w samochodzie); w zabawach, których elementem jest klaskanie lub tupanie nóżkami, ćwierkaniu świerszcza, zgiełku ulicznym, tykaniu zegara; we własnym ciele (zachęć go do tańca lub rytmicznego kołysania się w takt muzyki).

* Zakaż stukania w miejscach publicznych. Rodzice małych dzieci muszą być tolerancyjni (nie mają dużego wyboru). Reszta świata nie musi być wyrozumiała i często nie jest. Jeśli na przykład twoje dziecko chwyci w restauracji łyżkę i zacznie nią robić hałas, natychmiast je powstrzymaj — nawet kiedy to, co robi, nie jest niebezpieczne dla niego lub otoczenia. Staraj się to, co zrobi, przewidzieć zawczasu. Zanim więc posadzisz dziecko przy stole, zabierz jego nakrycie i zajmij je czymś. Zabawcie się na przykład w „akuku" (wykorzystując kartę dań lub serwetkę), zaśpiewaj mu coś po cichu, daj książeczkę z obrazkami lub blok i kredki, jeśli byłaś tak przewidująca i zabrałaś je z domu. Jeżeli zajdzie konieczność, wyjdź z dzieckiem do hallu lub na zewnątrz.

TRUDNOŚCI ZE ZMIANĄ PIELUCH

Nie ma żadnego sposobu, aby mój synek leżał spokojnie w trakcie zmiany pieluchy.

Bitwa o pieluchy — rodzice walczą, aby je założyć, dziecko walczy, aby się ich pozbyć — jest toczona wielokrotnie każdego dnia w domach, w których mieszka aktywny kilkunastomiesięczny maluch. Chociaż rodzice zwykle wygrywają i pielucha wędruje tam, gdzie powinna, pozostaje jednak napięcie i zmęczenie.

U niektórych maluchów bunt przeciw pieluchom trwa bardzo krótko; u innych ciągnie się do czasu, aż nauczą się używać nocnika. Zanim to nastąpi, wypróbuj następujące strategie, które być może doprowadzą do szybszego rozejmu:

Sprawdź, czy nie ma podrażnień. Twój mały buntownik może mieć rumień pieluszkowy, który gdy założona jest pielucha, powoduje większą bolesność. Jeżeli tak właśnie jest, zastosuj się do zaleceń pediatry, jak postępować w leczeniu tego stanu (lub przeczytaj na str. 403). Jeżeli wysypka przybiera coraz gorszą postać lub nie znika w ciągu kilku dni — udaj się do lekarza.

Zrób to szybko. Im szybsza metoda zmiany pieluch, tym lepsza. Zamiast pieluch z tetry zapinanych agrafkami i nieprzemakalnych majteczek, używaj pieluch jednorazowych.

Miej wszystko pod ręką. Zanim rozbierzesz dziecko, przygotuj wszystko, co będzie ci potrzebne — waciki, maści, zasypkę (mąkę ziemniaczaną) i pieluchę. Dla bezpieczeństwa trzymaj to wszystko poza zasięgiem rąk dziecka.

Zapewnij rozrywkę. Cel osiągniemy wówczas, gdy do przykucia uwagi dziecka wykorzystamy zabawę, której zwykle nie stosujemy, lecz rezerwujemy ją wyłącznie na czas zmiany pieluchy. Być może potrzebne będą liczne próby, aby wybrać tę metodę, która najbardziej działa na twoje dziecko. (Oczywiście unikaj wszystkiego, co mogłoby się stłuc, gdyby spadło z blatu do przewijania.) Spróbuj dać dziecku plastykową klepsydrę; zabawkę z pozytywką; coś, co wydaje dźwięk w czasie potrząsania (np. tamburyn); pluszowe zwierzątko wiszące nad blatem; taśmę z dziecięcymi piosenkami lub coś, co zainteresuje twoje dziecko, na co będzie mogło patrzeć, czym mogłoby manipulować lub czego będzie mogło słuchać w trakcie zmiany pieluch. Możesz też wydawać polecenia w rodzaju: „Pokaż mi swój brzuszek", „Pokaż mi swój nosek" (odpowiedzi oczywiście nagradzaj całusami). Możesz mianować dziecko swoim pomocnikiem — niech podaje ci przybory, których właśnie potrzebujesz (pudełka i butelki muszą być mocno zakręcone).

Zmień miejsce. Jeżeli blat do przewijania zamienił się w pole bitwy, może nadszedł czas, aby wycofać się na bezpieczniejsze pozycje. Każde płaskie miejsce, zabezpieczone grubym ręcznikiem lub nieprzemakalną matą, może być wykorzystane do przewijania (im dalej od znienawidzonego stołu, tym lepiej). Wypróbuj podłogę w pokoju, duży fotel, łóżeczko (z opuszczaną siatką), twoje łóżko, łazienkę.

„Zaatakuj" w pozycji stojącej. Gdy dziecko zacznie samodzielnie chodzić, będzie się buntować, jeśli zmusisz je do położenia się na plecach. Często więc praktyczniej jest przewijać chodzące już dzieci tam, gdzie stoją, zakładając, że pielucha jest jedynie mokra, a powierzchnia, na której dziecko stoi, odporna na ewentualną powódź. Zajście od tyłu jest najlepszą taktyką. Pomocny może też być ciekawy widok — ptak za oknem, zmieniające się cienie na ścianie, pracująca maszyna.

Nie działaj przez zaskoczenie. Jeżeli dziecko jest w połowie jakiejś zabawy, spróbuj poczekać, aż skończy, by je przewinąć, lub pozwól mu zabrać zabawkę ze sobą.

Spróbuj zmienić dowódcę. Jeżeli mama z pieluchą kojarzy się z oporem, może należałoby wprowadzić zmiany personalne? Niech tata lub inna chętna osoba zajmie się przewijaniem. Innowacje w tej dziedzinie mogą doprowadzić do tego, że wasz oponent nie zdąży się zorientować, kiedy został przewinięty.

Użyj siły... Jeżeli żadne z powyższych rozwiązań nie skutkuje, weź kogoś do pomocy, by przytrzymywał mocniej dziecko (te wierzgające nóżki), i wykonaj to zadanie najszybciej jak potrafisz. Bądź przy tym miła, ale stanowcza. Nie czuj się winna, w końcu dziecko musi mieć suchą pieluchę, czy mu się to podoba, czy nie.

...ale nie brutalnej. Sprawianie lania nigdy nie jest dobrym rozwiązaniem tego ani żadnego innego problemu z dzieckiem. Chociaż klaps w pupę może na chwilę uspokoić malucha, to jednak jest przekaźnikiem informacji, iż bicie jest sposobem na podporządkowanie sobie innych i na wyegzekwowanie tego, czego chcesz.

Zachowaj chłód i spokój. Jeżeli jesteś nie do pokonania, twój mały przeciwnik straci zainteresowanie walką.

Spójrz w przyszłość. Trudności ze zmianą pieluch nie będą trwały wiecznie. Pewnego dnia twój malec wejdzie w fazę nauki używania nocnika. Aby nie doprowadzić do kolejnej bitwy na tym polu, przygotuj siebie i dziecko do tego poważnego zadania i przeczytaj rozdział dziewiętnasty.

UTRATA APETYTU

Byliśmy dumni z tego, że nasza córeczka wspaniale je. Nagle zaczęła odmawiać wszystkiego, nawet ulubionych potraw. Czy może to oznaczać jakąś chorobę?

Tak długo, jak długo nie pojawią się oznaki choroby (ospałość, słabość, zmęczenie, gorączka, utrata masy ciała, drażliwość), samo odmawianie jedzenia nie jest zwykle objawem choroby. Prawdopodobnie jest odzwierciedleniem czterech zbieżnych czynników rozwojowych.

Pierwszy z nich — budzące się poczucie niezależności, jest charakterystyczną cechą normalnego, wczesnego dzieciństwa (drugi, trzeci rok życia). Ten duch niezależności prawdopodobnie przybierze wiele różnych form w następnych miesiącach. Możecie na przykład spotkać się z nim nie tylko w czasie posiłków, ale też podczas ubierania dziecka, kąpieli, zabawy, usypiania i w wielu innych sytuacjach.

Drugi czynnikiem jest typowy spadek tempa wzrastania, jak również zapotrzebowania na kalorie, który rozpoczyna się pod koniec pierwszego roku życia. Gdyby wasza córeczka jadła tyle samo i przybierała na wadze w takim samym tempie jak w pierwszym roku życia (kiedy to, co najmniej, potroiła swoją masę urodzeniową), do końca drugiego roku życia ważyłaby tyle, ile dziecko w piątej klasie.

Trzecim czynnikiem jest nowy, aktywny styl życia. Często małe dzieci są tak pochłonięte nauką chodzenia i innymi nowymi umiejętnościami, że niechętnie tracą czas na robienie czegoś innego, nawet na jedzenie.

Czwartym elementem jest lepsza pamięć. Niemowlę je tak, jakby nie miało być dnia jutrzejszego lub następnego karmienia. Starsze dziecko natomiast zaczyna zdawać sobie sprawę, że: „Karmią mnie kilka razy dziennie. Jeżeli teraz nie zjem, zrobię to następnym razem". Zwłaszcza jeżeli jest ono czymś pochłonięte, może nie czuć potrzeby zrobienia przerwy na posiłek.

Tak więc spadek apetytu w tym wieku nie jest powodem do alarmu; jest zupełnie normalnym zjawiskiem. Liczne badania dowiodły, że zdrowe dzieci, których nie zmusza się do jedzenia, same regulują sobie ilość pokarmu potrzebną do prawidłowego wzrostu i rozwoju. Dzieci, które jedzą, bo są zmuszane, wykazują tendencję do chronicznych problemów z jedzeniem.

Typowe jest też to, że apetyt nie jest jednakowy w trakcie każdego posiłku, przez cały dzień, tydzień, miesiąc. Niektóre dzieci jedzą jeden obfity posiłek dziennie, a przez resztę dnia coś niecoś „poskubią". Inne zaspokajają potrzeby ciała, „skubiąc" przez cały dzień. Zainteresowanie jedzeniem może wzrosnąć w czasie skoków wzrostu, a zmniejszyć się w okresie ząbkowania lub przeziębienia. Jednakże w ciągu kilku tygodni ilość spożytego pokarmu prawie zawsze się równoważy. Aby sprawdzić tę teorię, zapisuj przez okres dwóch, trzech tygodni ilości zjadanego przez dziecko pożywienia. Następnie porównaj wyniki z „Dietą najlepszej szansy" (patrz str. 431). Jeżeli będziesz tak skrupulatna, że zapiszesz każdy kęs i będziesz dostarczać dziecku tylko zdrowe kęsy (nie wypełniacze żołądka), prawdopodobnie będziesz zdziwiona, odkrywając, jak dobrze ono je.

Pamiętaj, że odrzucanie przez dziecko jedzenia nie jest odrzucaniem ciebie czy twoich umiejętności. Jedyne, co możesz zrobić, to zastosować się do zaleceń, jak żywić niejadka (patrz str. 444).

Czasami zły apetyt jest sprawą przejściową i związaną ze zmianami w życiu dziecka lub przeziębieniem czy innymi chorobami. Jeżeli dziecko nie przybiera na wadze lub jest często markotne, omów ten problem z lekarzem.

UCZULENIE NA MLEKO

Nasza córeczka, która niedawno została odstawiona od piersi i przeszła na mleko krowie, zaczęła nagle mieć biegunki. Oprócz tego, gdy oddycha, wydaje świszczące dźwięki i ma ciągle katar. Nie wygląda na chorą i nie ma gorączki. Czy powinnam zwrócić się z tym do lekarza?

Każdy objaw lub zespół objawów, które pojawią się nagle, wymagają zgłoszenia się do lekarza. Wasza córka może być ofiarą wirusa, ale bardziej prawdopodobne jest to, że jest uczulona na mleko krowie.

Objawy, które wystąpiły u waszej córki, są identyczne z objawami alergii na mleko (biegunka, astma, katar); może to być również wyprysk skórny, zaparcia, nerwowość, zły apetyt, osłabienie. Nawet niewielka ilość mleka w różnej postaci może wywołać jeden lub więcej tych objawów.

Uczulenie na mleko zwykle objawia się na początku pierwszego roku życia, jeżeli dziecko przechodzi na mieszankę mleczną (a czasami wtedy, gdy karmiąca piersią matka spożywa wiele produktów mlecznych). Często zdarza się jednak, że tego rodzaju uczulenie nie ujawnia się u dzieci karmionych piersią lub mlekiem sojowym do czasu wprowadzenia do diety mleka krowiego po ukończeniu przez nie roku.

Dzieci zwykle wyrastają z alergii na mleko krowie (12% niemowląt) przed końcem drugiego roku życia. Niewielki ich odsetek boryka się z tym problemem dłużej. Dzieci z alergią na mleko nie tolerują żadnego mleka i jego przetworów. Jednakże dla prawidłowego rozwoju potrzebują wapnia, którego źródłem jest mleko. Pierwiastka tego może dostarczyć mleko sojowe wzbogacone wapniem lub sok pomarańczowy również wzbogacony tym mikroelementem. Kozie mleko też dobrze służy dziecku uczulonemu na mleko krowie. Istnieje mnóstwo innych produktów spożywczych bogatych w wapń (patrz str. 435), które urozmaicą i poprawią dietę twojego dziecka.

Omów wszystkie możliwości ze swoim lekarzem, tak aby wspólnie ustalić jak najlepszą dla twojego dziecka dietę, w której nie będzie niedoboru wapnia i innych głównych składników odżywczych zawartych w mleku, takich jak: białko, fosfor, witamina D i witamina B_2. Przeczytaj też informacje na str. 305.

RZUCANIE JEDZENIEM

Po kilku kęsach lub łykach moje dziecko rzuca talerz na podłogę lub odwraca kubek do góry dnem. Nie mogę tego już dłużej znieść.

Jedynym skutecznym sposobem na uniknięcie bałaganu w czasie samodzielnego jedzenia małego dziecka jest niepodawanie mu żadnego jedzenia i picia. Ponieważ jest to niemożliwe (choć kuszące) rozwiązanie, musisz znaleźć sposoby na ograniczenie nieprzyjemnych skutków takiego zachowania. Spróbuj wykorzystać sztuczki kuglarskie zalecane w następnym punkcie („Wypluwanie jedzenia") oraz następujące techniki:

Małe porcje. Wiele dzieci zaczyna rozrzucać jedzenie, jeśli widzi przed sobą dużą porcję. Podawaj więc niewielką ilość jedzenia (kilka kęsów) i gdy zostanie zjedzona, dołóż więcej.

Skupienie uwagi na czymś ciekawym. Może to być wręczenie łyżki do samodzielnych prób jedzenia. Prawdopodobnie dziecko tak się skupi na tej czynności, że nie będzie wywracać talerzyka lub rzucać kawałków jedzenia psu. Możesz też spróbować następującej zabawy: „Jeśli ty zjesz łyżkę swoich płatków, to ja zjem łyżkę moich".

Przymocowanie talerza. Użyj specjalnego talerza dla dzieci, który może być przymocowany do blatu za pomocą przyssawek. Wówczas dziecku nie uda się go wywrócić.

Pochwała. Pochwal dziecko, gdy zje (względnie) czysto i nie rób wielkiego hałasu o nieporządek. Jeżeli jednak małe nieporządki złożą się na wielki bałagan, zakończ posiłek.

Chociaż nie zawsze uda ci się powstrzymać dziecko przed zrobieniem bałaganu w trakcie jedzenia, możesz jednak ująć sobie pracy, wprowadzając następujące zabezpieczenia: rozłóż gazety lub folię na podłodze wokół krzesła i stolika dziecka. Posadź je jak najdalej od ścian i trudnych do czyszczenia mebli. Aby ochronić ubranie dziecka, podwiń rękawki i włóż mu szeroką pelerynkę. Jeżeli na jej widok będzie protestować, włóż mu na czas jedzenia najgorsze ubranie (lub nie wkładaj nic, jeśli jest gorąco). Możesz też spróbować założyć na nadgarstek dziecka grubą opaskę frotté, która zatrzyma płynne jedzenie często wlewające się do rękawów ubranka (niektóre maluchy uwielbiają ten nowatorski pomysł, inne natychmiast go odrzucają).

Jeżeli w czasie posiłków dziecka denerwujesz się, zajmij się czymś zupełnie innym (pozmywaj naczynia, obierz marchewkę, poskładaj pranie). Często jednak spoglądaj na dziecko i sprawdzaj, czy jeszcze je i czy nie wpędziło się w jakieś kłopoty.

WYPLUWANIE JEDZENIA

Mój synek ma zwyczaj plucia jedzeniem dla zabawy, jak tylko weźmie je do ust. Wydaje mi się, że podobają mu się powstające przy tym odgłosy. Jestem załamana (nie mówiąc już o tym, że za każdym razem cały jest pobrudzony jedzeniem). Próbowałam ostro mu tego zakazywać, lecz syn się z tego śmieje, co i mnie wprawia w końcu w śmiech.

Nic tak nie skłania młodego artysty do popisów jak doceniająca go publiczność. W tym wypadku jest to plucie płatkami, marchewką, jogurtem. Niemowlęta w wieku sześciu i siedmiu miesięcy uwielbiają wydawać dziwne dźwięki. Ten zwyczaj prawdopodobnie zaczął się u twojego synka w tym właśnie wieku. Wtedy to zauważył, jakie interesujące odgłosy można wydobyć za pomocą jedzenia i ust. Możliwe, że zachowanie to trwa do teraz z powodu twojej reakcji. Każda reakcja: powiedzenie w złości „Nie wolno", połowicznie zduszony chichot, sygnalizuje dziecku, że jego stare sztuczki działają. Tak długo jak będą one działać, twój syn będzie je stosował.

Aby wreszcie zakończyć te przedstawienia, spróbuj następujących sposobów:

Zmiana menu. Pewne potrawy nadają się do wypluwania bardziej niż inne. Wyeliminuj na przykład drobne owoce i warzywa, płatki śniadaniowe i jogurt. Zamiast tego podawaj plasterki banana, dobrze ugotowaną marchewkę lub ziemniaki, herbatniki, sucharki, chleb lub cienkie plasterki sera. (Jeżeli odstawisz płatki śniadaniowe wzbogacone żelazem, poproś lekarza o preparat witaminowy zawierający żelazo.) Gdy znikną źródła tych wspaniałych efektów dźwiękowych, twój syn straci motywację do dalszych prób. Jeżeli dziecko jest bardzo niezadowolone z wycofania z jadłospisu jego ulubionych potraw, wytłumacz mu, co skłoniło cię do tego. Powiedz mu, że potrawy te mogą powrócić na stół, jeżeli nie będzie pluło.

Pokaz jednego aktora. Pozwól dziecku jeść samodzielnie. Będzie to i zabawa, i uznanie jego dojrzałości, a przy tym szansa, że dzięki temu straci zainteresowanie starymi sztuczkami. To prawda, że samodzielne jedzenie trwa dłużej, a wokół powstaje większy nieporządek niż pod nadzorem dorosłego. Jednak twój malec i tak musi wstąpić w tę kolejną fazę rozwojową. Upewnij się tylko, że wszystko, co podajesz dziecku do jedzenia, jest bezpieczne i nie zawiera niczego, czym mogłoby się udławić (np. parówki, orzechy, prażona kukurydza, rodzynki i tym podobne).

Widowisko bez widowni. Jeżeli twój syn nie będzie miał odbiorców swoich popisów, może stracić zainteresowanie nimi. Postaw jedzenie przed nim i zajmij się czymś innym w tym samym pomieszczeniu. Jeśli usłyszysz prychanie, nie odwracaj się. Jeśli przypadkiem będziesz świadkiem zabawy w plucie jedzeniem, nie mrugnij nawet okiem, a już z pewnością nie podśmiewaj się.

Opuść kurtynę. Gdy twój syn wypluje jedzenie, musi zrozumieć, co zrobił. Z kamienną twarzą zwróć mu uwagę: „Nie wolno pluć". Jeśli nie będzie reakcji, powtórz: „Nie wolno pluć" i dodaj: „Jeżeli będziesz sobie robił zabawę z jedzenia, będę musiała je zabrać". Jeśli nie przestanie, szybko zabierz talerz. Nawet kiedy dziecko nie zrozumie wszystkich twoich słów, z pewnością szybko uchwyci, co miałaś na myśli.

SAMODZIELNE JEDZENIE I NIEPORZĄDEK

Wiem, że powinnam pozwolić swojej córeczce na samodzielne jedzenie, aby nabierała doświadczenia. Ale nie mogę znieść widoku, jaki temu towarzyszy, i wszystko kończy się odebraniem łyżeczki.

Małe dziecko z łyżką (widelcem, talerzykiem) stwarza poważne zagrożenie i musisz się nauczyć żyć z tym niebezpieczeństwem. Nie ma wątpliwości, że „rozbrojenie" dziecka i przejęcie pełnej kontroli nad jedzeniem sprawi, że posiłki będą trwały znacznie krócej, malec więcej zje i wokół będzie znacznie czyściej. Lecz dla małego dziecka jedzenie to nie ćwiczenie szybkości, wydajności i czystości. To ważne, rozwijające doświadczenie — ale tylko wtedy, kiedy jest wykonywane samodzielnie.

Tak więc rodzice muszą robić dobrą minę do złej gry, patrząc, jak ich dziecko rozlewa, rozgniata, zrzuca jedzenie ze stołu, próbując samodzielnie włożyć je do buzi. Na dłuższą metę twoja cierpliwość się opłaci; dziecko będzie umiało samodzielnie spożywać posiłki.

Zanim jednak te szczęśliwe dni nadejdą, wskazówki zawarte w dwóch poprzednich punktach mogą okazać się przydatne. Warto również pamiętać, aby podawać dziecku jedzenie, które dobrze przykleja się do łyżki, a nie tylko do klatki piersiowej. Klejące potrawy mają większą szansę dotrzeć na łyżce do buzi. Spróbuj zaserwować ziemniaki purée, twarożek (niezbyt rzadki), gęsty przecier jabłkowy, płatki owsiane. Pomocne może też być stwarzanie dziecku wielu okazji do zabawy z tak ciekawymi materiałami, jak gęsta farba do malowania palcami, woda, bańki mydlane, piasek, plastelina. Zajęcia takie mogą choć trochę osłabić jego potrzebę eksperymentowania w czasie posiłków.

PRZYWIĄZANIE DO RODZICÓW

Wydaje mi się, że moja córeczka jest zbyt uzależniona ode mnie. Zawsze, gdy wychodzę z pokoju, zaczyna płakać. Jeżeli zajmę się czymś innym (nawet w tym samym pomieszczeniu), zaczyna ciągnąć mnie za nogę i skarżyć się.

Dla rodziców jest to niezrozumiałe: wtedy, kiedy dziecko powinno potrzebować cię coraz mniej, okazuje się, że jest odwrotnie. Twoja córeczka chciałaby stać się niezależna, ale wycofuje się, kiedy tylko poczuje, że sytuacja wymaga od niej pewnej samodzielności. Jednak dla małego dziecka, rozdartego między zależnością a niezależnością, między otwarciem się a bezpiecznym przycupnięciem u twojego boku, sprzeczności te jak najbardziej mają sens.

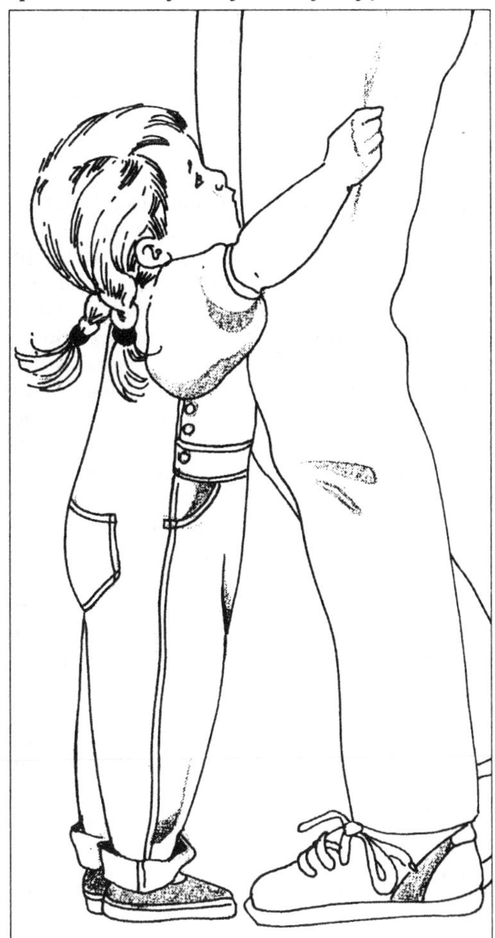

Większość małych dzieci stojących przed wyborem między dążeniem do niezależności a strachem przed nią potrzebuje poczucia bezpieczeństwa, które czerpie z kurczowego trzymania się rodziców.

Poniekąd pochlebia ci, że jesteś nadal w centrum wszechświata twojej córki, mimo że wszechświat ten powiększa się. Lecz jest to również ciężar, o czym wie każdy, kto próbował cokolwiek zrobić z uwieszoną u nogi dziesięciokilową kotwicą. Nie tylko ty jesteś skrępowana; twoje dziecko też nie może wiele zyskać — fizycznie, emocjonalnie, społecznie lub rozwojowo — gdy trzyma się ciebie kurczowo.

Podczas tego, czasami trudnego, przejściowego okresu, będziesz musiała uważać, aby nie przesadzać i nie zapewniać dziecku ani nadmiernego komfortu i nadopiekuńczości, ani zbyt małej opieki i niedostatecznego poświęcenia czasu i uwagi. Twoja córeczka nie usamodzielni się z dnia na dzień. Proces ten zaczyna się w chwili urodzenia i trwa przez całe dzieciństwo, dorastanie i wczesny okres dorosłości.

Jednak pełne miłości zachęcanie jej do tego sprawi, że zacznie coraz mniej kurczowo trzymać się twoich nóg, by pewnego dnia samodzielnie kroczyć z dala od ciebie. Spróbuj utorować jej tę nową drogę, wykorzystując następujące wskazówki:

Zapewnij dziecko o swoim powrocie. Niektóre dzieci w tym wieku nadal martwią się, że jeśli ukochana osoba zniknie im z pola widzenia, to już na zawsze. Zabawy, które przekonują dziecko, że rzeczy nie znikają na zawsze, nawet jeśli są chwilowo niewidoczne (ty także), mogą pomóc mu w rozwianiu tej niepewności. Baw się w „a-kuku", chowając się za drzwiami (lub jeśli jest to zbyt denerwujące dla twojej córeczki, ukryj się za kanapą lub fotelem w tym samym pokoju). Następnie zapytaj: „Gdzie jestem?", po czym pokaż uśmiechniętą twarz i powiedz: „Tu jestem!" W ciągu tygodnia stopniowo wydłużaj czas, na jaki się chowasz, od kilku sekund do pół minuty, potem do minuty lub dwóch. Aby utrzymywać uspokajający dziecko kontakt, mów do niego, gdy cię nie widzi („Dokąd mamusia poszła? Gdzie teraz może być?") albo podśpiewuj na melodię *Panie Janie*: „Gdzie jest mama, gdzie jest mama, poszła gdzieś, poszła gdzieś, gdzie jest ta mamusia, gdzie jest ta mamusia, tutaj jest, tutaj jest!" Jeżeli na początku dziecko jest zdenerwowane podczas tej zabawy, zacznij od zasłaniania twarzy rękami, książką lub serwetką albo od częściowego chowania się za zasłoną lub drzwiami. Możesz też spróbować chować lalkę lub misia zamiast siebie. Gdy dziecko oswoi się z twoim znikaniem, zachęć je do tej samej zabawy[5].

Spędzajcie razem dużo czasu... Może to wyglądać na paradoks, ale im więcej uwagi poświęcasz swojemu dziecku, tym mniej będzie o nią zabiegać. Długie śpiewanie piosenek, czytanie książek, wspólne podwieczorki, budowanie z klocków, zabawy plastyczne — wszystko to może ostatecznie pomóc twojej córeczce poczuć się pewniej, bezpieczniej i doprowadzi do spędzania więcej czasu bez twojej asysty. Ważne jest również, aby w ciągu dnia nie zapomnieć o kontakcie fizycznym z dzieckiem — przytulaniu, całowaniu, braniu na kolana itd.

...ale nie za dużo. Stałe przebywanie przy dziecku może doprowadzić do hamowania w nim rozwoju niezależności i umiejętności samodzielnej zabawy. Zachęcaj je do zabawy w pojedynkę.

Dostarczaj pomysłów. Zanim odejdziesz od swojej córki, podsuń jej pomysł na jakąś zabawę („Może nakarmisz misia, a ja w tym czasie przygotuję kanapki?"), która, miejmy nadzieję, zajmie ją przez chwilę, a ciebie zwolni.

Bądź w kontakcie. Odzywaj się często do dziecka, gdy z nim nie jesteś, podejdź od czasu do czasu, pogłaskaj po główce lub pomóż dopasować klocek o trudnym kształcie do odpowiedniego otworu.

Zachowuj się naturalnie. Czasami rodzice nieświadomie przenoszą własne uczucia niepokoju na dzieci. Za każdym razem, gdy odchodzisz od malca, rób to z przekonywającym uśmiechem na twarzy, a zdania wypowiadaj łagodnym tonem.

Bądź opanowana, gdy dziecko jest niespokojne. Jeżeli dziecko zacznie marudzić, kiedy od niego odchodzisz, nie reaguj ostro („Denerwuje mnie twoje zachowanie!") lub żałośnie („O, moje biedactwo, nigdzie nie pójdę!"). Zamiast tego spróbuj w ogóle nie reagować. Nie pozwól, aby jego reakcja odwiodła cię od twoich planów. Powiedz nonszalancko: „Wszystko w porządku. Zaraz wrócę". Chociaż malec może początkowo nie zrozumieć wszystkich słów, w tonie twojego głosu znajdzie uspokojenie. Wróć do dziecka i powiedz: „Już wróciłam, ładnie się bawisz?" Po jakimś czasie przekona się ono, że tak jak

[5] Chociaż bardzo ważne jest zachęcanie małego dziecka do niezależności, nigdy nie zostawiaj go samego w pokoju — chyba że jest bezpieczne w kojcu lub łóżeczku, z którego nie jest w stanie wyjść. Jeżeli chcesz, aby twój maluch przyzwyczajał się do przebywania w pokoju bez ciebie, przeprowadzaj próby tylko w obecności innej osoby dorosłej lub odpowiedzialnego dziecka powyżej piątego roku życia.

obiecujesz, zawsze wracasz. Używaj za każdym razem tych samych zwrotów, co upewni je, że jest bezpieczne.

Pozwól chodzić za sobą. Jeżeli dziecko chce chodzić krok w krok za tobą (nawet do toalety), nie zabraniaj mu tego. I bez twojego odtrącania ma ono wystarczająco dużo sprzecznych uczuć.

Pozwól dziecku odchodzić. Nawet najbardziej kurczowo trzymające się dziecko zdecyduje się czasem odłączyć od mamy lub taty (rozłąka jest dramatyczna tylko wtedy, kiedy jest pomysłem rodziców, a nie dziecka). Jeżeli bawicie się we dwoje, a maluch nagle chce odejść, by zająć się czymś innym, pozwól mu na to — pod warunkiem, że będzie bezpieczny i będziesz mieć go na oku. Twoja pociecha musi wiedzieć, że nie ma nic złego w opuszczaniu cię na chwilę.

Zapewnianie bezpieczeństwa przez budowanie dobrego mniemania o sobie. Nic tak nie daje dziecku poczucia bezpieczeństwa — i tym samym niezależności — jak pozytywne postrzeganie siebie. Pomóż twojej córeczce czuć się dobrze w swoim towarzystwie, pomagając jej w utwierdzaniu dobrego mniemania o sobie (patrz str. 255 — wskazówki na temat utwierdzania poczucia własnej wartości).

Uważaj, aby się nie przyzwyczaić do zależności dziecka. Czasami rodzice po cichu znajdują przyjemność w uzależnieniu od siebie swoich dzieci (któż nie lubi czuć się potrzebny?) i nieświadomie zachęcają je do tego. Kręcą się koło malucha, nawet gdy nie są mu potrzebni, wtrącają się niepotrzebnie na przyjęciach urodzinowych, prowokują marudzenie, zanim ono się rozpocznie („Nie płacz, idę umyć naczynia"). Uświadomienie sobie naszej roli w życiu dziecka może tylko ułatwić przełamanie tej zależności.

Bądź cierpliwa. Strach dziecka przed opuszczeniem go przez ciebie jest zakorzeniony w normalnym cyklu rozwojowym, a z twoją miłością i poparciem maluch z pewnością szybko z tego wyrośnie.

Co zrobić, gdy twoje dziecko nie odstępuje ciebie na krok mimo twoich wysiłków, aby to zmienić? Pozwól mu, aby to robiło. Tłumacz mu, że musisz obrać warzywa, bo inaczej nie będzie obiadu, lub nastawić pranie, bo nie będzie czystych ubrań. Obieraj warzywa, sortuj ubrania do prania nawet wtedy, gdy obejmuje rękami twoje kolana. Gdy dziecko zobaczy, że nie zdoła skupić twojej uwagi na sobie, prawdopodobnie zrezygnuje.

Jednakże zbytnie przywiązanie do rodziców może ciągnąć się aż do wieku przedszkolnego lub dłużej. Nie jest odosobniony przypadek, że przedszkolak lub nawet pierwszoklasista przytula się na chwilę do mamusi lub tatusia, gdy żegnają się rano przed przedszkolem lub szkołą. Częstsze przebywanie dziecka z innymi dorosłymi (na placu zabaw, w żłobku, w przedszkolu, w domu znajomych) pomoże w procesie dojrzewania. W końcu dojdzie do tego, że „trzymanie się spódnicy" matki będzie przeszłością.

Oczywiście nie wszystkie małe dzieci nie odstępują na krok swoich rodziców. Niektóre wstępują w fazę niezależności w ogóle bezproblemowo. Nie uwieszają się u nóg swoich rodziców, nie okazują niepokoju, gdy nie ma przy nich mamy czy taty, i uwielbiają robić różne rzeczy samodzielnie. Więcej o niezależności małych dzieci piszemy na str. 331.

LĘK PRZED ROZSTANIEM

Mój synek płacze za każdym razem, gdy wychodzę z domu. Zostawiliśmy go z opiekunką, aby wyjść i uczcić naszą rocznicę ślubu, a on płakał całą godzinę. Opiekunka w końcu musiała zadzwonić do nas, abyśmy wrócili do domu.

Od momentu odcięcia pępowiny życie pełne jest rozstań. Wraz z każdą nową fazą rozwojową nadchodzi następne. Wprowadzanie pokarmów stałych do diety niemowlęcia wiąże się z odstawieniem od piersi; raczkowanie i chodzenie natomiast z coraz rzadszą potrzebą noszenia na rękach. Na tej długiej drodze do dorosłego życia leży jeszcze nieskończenie dużo okazji do rozstań: pierwszy poranek w szkole, pierwsza noc na kolonii lub obozie, pierwszy dzień na studiach. Jeżeli pomożesz teraz dziecku dobrze radzić sobie z rozstaniami, łatwiej będzie wam wszystkim znosić je w przyszłości.

Dziecko wrażliwe na rozłąki przeżywa wielki stres, gdy oboje rodzice muszą je na jakiś czas opuścić. Ta normalna faza rozwojowa powszechnie zaczyna się w ostatnim kwartale pierwszego roku i najczęściej trwa do początków drugiego roku lub dłużej.

Niepokój przed rozstaniem nie dotyczy w ogóle niektórych dzieci; inne nabywają tych skłonności, gdy zbliżają się do drugich urodzin i cierpią z tego powodu przez cały następny rok lub dłużej. Problem ten występuje ostrzej u dziecka, którym nie opiekował się nikt inny poza rodzicami i które rzadko przebywa z obcymi, oraz u dzieci, które doświadczyły innych poważnych przeżyć (przeprowadzka, zmiana opiekunki, żłobka lub przedszkola, narodziny siostry lub brata). W większym też stopniu dotyczy dzieci nieśmiałych, małomównych i z natury niechętnych jakimkolwiek zmianom (patrz str. 185) lub tych, które zostały pozostawione przez swoich rodziców na noc po raz pierwszy.

Następujące wskazówki mogą pomóc i tobie, i twojemu dziecku łatwiej znosić rozstania:

* Traktuj niepokój dziecka poważnie... Reaguj ze zrozumieniem, cierpliwością i stanowczością („Wiem, że nie chcesz, abym wychodziła, ale niedługo wrócę. Mamusia cię kocha"). W żadnym wypadku nie wyśmiewaj się („Oj, ty głuptasie!") ani nie unoś się („Jak ty mnie denerwujesz, kiedy się tak na mnie uwieszasz!"). Oczywiście zdarzają się przypadki, kiedy twoje zrozumienie i cierpliwość dojdą do granic wytrzymałości — kiedy to na przykład jesteś już spóźniona na jakieś spotkanie i musisz na siłę oderwać rączki dziecka obejmującego twoje nogi, by móc wreszcie uciec z domu. Rób, co w twojej mocy, ale pamiętaj, że jesteś tylko człowiekiem.

* ...ale niezbyt poważnie. Chociaż prośby twojego dziecka, abyś została, mogą ściskać ci serce, nie pozwól wciągnąć się w ten melodramat. Bądź opanowana, rzeczowa i choć współczująca, to nieugięta.

* Zapewniaj dziecku poczucie bezpieczeństwa, gdy jesteś przy nim. Duża doza miłości i uwagi podczas wspólnie spędzonego czasu pozwoli dziecku lepiej przeżywać rozstania. W okresie wzmożonego niepokoju z powodu rozłąki (po jakimś przeżyciu lub wstrząsie) obdarz dziecko większą czułością, opieką i nie zostawiaj go częściej, niż musisz. Nie mów sobie: „Powinien się uczyć i poznać trudy życia". Nauczy się szybciej, jeśli będziesz okazywać wrażliwość na jego uczucia i potrzeby, niż jeśli przyjmiesz postawę „wóz albo przewóz".

* Mów mu, że je kochasz, ale nie dodawaj, że będziesz za nim tęsknić. Jeżeli twój malec będzie się czuł zobowiązany do tęsknoty za tobą, poczuje się winny, gdy nie będzie jej odczuwał.

* Zacznij od krótkich rozstań. Uzmysłowienie dziecku, że nie zawsze to, co jest niewidoczne (w tym wypadku ty), znika na zawsze, pomoże traktować rozstanie jak coś tymczasowego (patrz str. 42). Gdy tylko zaakceptuje twoje znikanie za drzwiami lub w innym pomieszczeniu, stopniowo przejdź do wychodzenia z domu na krótki czas. Stosuj się do wskazówek na stronach 45 i 46 dotyczących zostawiania dziecka z opiekunką.

* Nie wymykaj się ukradkiem. Choć może to być kuszące, gdy dziecko zajęte jest czymś innym i nie patrzy albo śpi, to jednak nie rób tego tylko po to, aby uniknąć scen. Następnym razem, gdy będziesz próbowała wyjść, dziecko będzie czuło się niepewnie, a tym samym stanie się bardziej czujne. Zamiast tego wypracuj sobie rytuał wychodzenia z domu, który pomoże zrodzić u dziecka ufność (patrz ramka na str. 45).

* Nie obwiniaj się. Jeżeli zostawisz swoje dziecko w dobrych rękach, nie ma powodów do obwiniania się. Wina nie służy żadnemu konstruktywnemu celowi w takiej sytuacji, a może tylko wzmocnić niepokój dziecka poprzez stwarzanie wrażenia, że opuszczanie go jest czymś złym.

* Kontroluj swój niepokój. Małe dzieci jak radar wyłapują nastroje rodziców. Bądź świadoma, że twoja niechęć do pozostawiania dziecka ujawniana jest poprzez wyraz twarzy, język ciała i ton głosu. Jeżeli dziecko to wyczuje, zacznie się bać jeszcze bardziej („Jeżeli mamusia jest taka smutna, że mnie zostawia, to musi być w tym coś złego"). Twoje mieszane uczucia związane z wyjściem z domu mogą wywołać w dziecku poczucie winy, zwłaszcza gdyby dobrze się bawiło pod twoją nieobecność. (Patrz str. 46 — jak radzić sobie z własnym lękiem.)

* Pamiętaj, że niepokój z powodu rozstań nie będzie trwał wiecznie. Dzieci w końcu uczą się zostawać bez rodziców i nie robią wokół tego zamieszania, a czasami (przykro będzie to słyszeć) nawet będą się cieszyć. Kiedy twoje dawniej nie odstępujące cię na krok dziecko stanie się samodzielnym dziesięciolatkiem, będziesz z łezką w oku wspominać czasy, gdy niechętnie rozstawało się z tobą.

* Nie pozwól, aby płacz dziecka całkowicie tobą zawładnął, nawet jeśli przerodzi się w histerię. Jedną z najtrudniejszych lekcji w dzieciństwie jest to, że płaczem nie wymusisz wszystkiego, co chcesz. Już teraz pomóż dziecku uczyć się tego, wychodząc z domu tak, jak zaplanowałaś, nawet jeśli ono ostro protestuje. Udzielaj tych lekcji według naszych wskazówek, aby stopniowo przyzwyczajać dziecko do zostawania w domu z kimś innym.

* Jeżeli opiekunka relacjonuje ci, że twój maluch wrzeszczy regularnie przez większość lub przez cały czas twojej nieobecności, jeżeli nie chce zbliżyć się do niej lub okazuje inne przejawy napięcia (problemy ze spaniem, nie-

Jak się rozstawać

Najtrudniejszym momentem dla rodziców zostawiających swoje dziecko pod czyjąś opieką (np. opiekunki) jest pożegnanie. Aby jego przebieg był jak najłagodniejszy, spróbuj wziąć pod uwagę następujące wskazówki:

* Bądź gotowa do wyjścia wcześniej, tak aby spokojnie spędzić z dzieckiem trochę czasu przed rozstaniem. Jeżeli zostawisz sobie na ostatnie pół godziny kąpiel i ubieranie się, dziecko może poczuć się pominięte (mimo że jesteś jeszcze w domu) i porzucone (gdy już wyjdziesz). Unikaj również chaotycznego biegania po domu tuż przed wyjściem. Takie zachowanie może wywołać u dziecka niepokój i pewnego rodzaju wstrząs. Przynajmniej przez ostatnie piętnaście minut posiedź z dzieckiem i przeczytaj mu bajkę, ułóżcie razem układankę albo zbudujcie domek z klocków. Jeżeli nie miałaś czasu, by się przygotować wcześniej, rób to w towarzystwie dziecka. Przygotuj mu jakąś zabawę, która je zajmie, gdy ty obok będziesz suszyć włosy lub się ubierać.
* Znajdź dziecku ciekawe zajęcie na moment wyjścia z domu. Niech bawi się razem z opiekunką. Być może to nie powstrzyma go od płaczu, gdy będziesz wychodzić, ale będzie miało do czego powrócić, gdy już cię nie będzie.
* Zostaw dziecku coś, co będzie mu cię przypominało. Może to być twój ulubiony jasiek, sweter, twoja fotografia w mocnej ramce lub odcisk twoich pomalowanych szminką ust na jego rączce. Jakiś ślad po tobie może pomóc dziecku lepiej znieść rozłąkę. Jednakże gdy opiekunka oznajmi ci, że ślady te wywołały jeszcze większą tęsknotę, daruj je sobie następnym razem.
* Zostaw dramatyczne pożegnania filmom. Rób wszystko, aby twoje wyjście wyglądało zwyczajnie. Jeżeli czujesz obawę i masz poczucie winy, dobrze je ukryj. W skrócie wytłumacz dziecku, że wychodzisz i że wkrótce wrócisz — spróbuj używać za każdym razem tych samych zwrotów, których używałaś, wychodząc do innego pomieszczenia. Obiecaj ulubioną zabawę po twoim powrocie, jeżeli dziecko nie będzie spało („Gdy wrócę, poczytam ci bajeczki") lub następnego ranka i dotrzymaj obietnicy. Używaj śmiesznych wierszowanych zwrotów na pożegnanie typu: „Pa, pa, całusów sto dwa". Później możesz nauczyć dziecko dalszego ciągu: „A jak się zmieści, to sto czterdzieści". Używaj ich przy każdym pożegnaniu.
* Pozwól dziecku pokiwać ci na pożegnanie. Jeżeli okno wychodzi na ulicę, wyjazd z garażu lub parking, niech opiekunka stanie w nim z dzieckiem i wspólnie ci pokiwają. Nawet jeśli maluch wydaje się obrażony i nie chce kiwać rączką, ty uśmiechnij się do niego, entuzjastycznie pomachaj mu i odejdź.
* Jeśli to możliwe, tak zorganizuj swoje wyjście, aby i dziecko z opiekunką mogło gdzieś wyjść z domu. Może mu być łatwiej znieść rozstanie z tobą, gdy dowie się, że idzie do parku lub do znajomych pobawić się z ich dzieckiem. Niech będzie dla niego jasne, że ty też gdzieś wychodzisz. W przeciwnym razie dziecko może bardzo przeżyć powrót do domu, w którym ciebie nie będzie, i w przyszłości może nie chcieć w ogóle wychodzić z domu.

pokój), to być może nadszedł czas, żeby zmienić coś w organizacji lub sposobie zapewniania dziecku opieki (patrz str. 685).

PIERWSZE ROZSTANIA

Trudno uwierzyć, ale nigdy dotąd nie zostawialiśmy naszej córeczki z nikim obcym. Chcielibyśmy wynajmować opiekunkę, żeby móc czasem wyjść razem, ale martwimy się, jak nasze dziecko na to zareaguje.

Wasza córeczka może zareagować na pozostanie w domu z kimś innym pozytywniej, niż wam się wydaje. Po spędzeniu całego roku w bezpiecznym towarzystwie rodziców może bez większych oporów zrezygnować z tego towarzystwa od czasu do czasu — jak tylko przyzwyczai się do tego pomysłu. Następujące wskazówki powinny pomóc w tym przyzwyczajaniu:

* Po pierwsze zacznij przygotowywać twoją córkę. Urozmaicaj jej towarzystwo. Niech w twojej obecności kontaktuje się z innymi dorosłymi i dziećmi — w twoim domu, na placu zabaw, w domu znajomych. Przyzwyczaj ją do krótkich rozstań, gdy jesteś z nią w domu (patrz str. 42), zanim nastąpią te dłuższe.
* Po drugie poszukaj opiekunki (patrz str. 683, jak wybrać dobrą opiekunkę). Powinien to być ktoś cierpliwy, wyrozumiały, zaufany, komunikatywny i bardzo miły bez względu na okoliczności. Uprzedź opiekunkę, że dziecko nigdy przedtem nie zostało samo z obcą osobą

i że ten pierwszy raz może być niełatwy. Wynajmij osobę, która nie zrazi się perspektywą spędzenia kilku pierwszych wieczorów z nie najlepiej nastawionym do tego dzieckiem.

* Następnie poinformuj o wszystkim opiekunkę. Spędź z nią przynajmniej godzinę i opowiedz jej o dziecku. Pokaż, jak je przewijasz, jak je uspokajasz, gdy płacze. Zrób listę ulubionych bajek, zabawek, smakołyków, napojów, przyzwyczajeń i nawyków.

* Następnie doprowadź do spotkania dziecka z opiekunką. Jeżeli martwisz się reakcją córki na pozostanie wyłącznie w jej towarzystwie, warto zorganizować kilka „wieczorków zapoznawczych". Niech opiekunka odwiedzi was, pobawi się z dzieckiem lub poczyta mu bajki w twojej obecności. Następnie zajmij się czymś, w czym dziecko nie musi uczestniczyć, zostań jednak w tym samym pokoju. Gdy okaże się, że i dziecko, i opiekunka dobrze się razem bawią, wyjdź do innego pomieszczenia. Po kilku minutach wróć. Potem znów wyjdź, tym razem na trochę dłuższą chwilę. Stopniowo wydłużaj czas twojej nieobecności przy dziecku do pół godziny lub dłużej. Kiedy maluch zaczyna krzyczeć, gdy zostaje sam z opiekunką (nawet jeśli jesteś w domu) — zacznij przyzwyczajanie w nieco wolniejszym tempie. Niech najpierw kontaktuje się on z tą osobą, siedząc bezpiecznie na twoich kolanach. Bądź zawsze spokojna, dodawaj dziecku otuchy i pewności siebie. Jeżeli okaże się, że twoja córeczka nie może w żaden sposób przekonać się do obcej osoby, gdy ty jesteś w domu (obojętnie, ile razy próbowałabyś ją zostawiać, jej rączki owijają się wokół twojej szyi), konieczny może się okazać sposób zaproponowany w następnym punkcie (patrz niżej). Niektóre maluchy bowiem nigdy nie zgodzą się na pozostanie z opiekunką, dopóki mamusia i/lub tatuś nie wyjdą z domu, nie zostawiając im wyboru.

* Wreszcie zostaw dziecko sam na sam z opiekunką. Jak tylko stosunki między nimi w miarę się ułożą, wyjdź gdzieś na krótko z domu. (Patrz ramka na str. 45.) Zaplanuj powrót po piętnastu minutach, ale przedtem zadzwoń, aby się upewnić, że dziecko przestało płakać. Korzystniej jest wrócić, gdy dziecko jest w dobrym nastroju. Jeżeli nie przestało kaprysić po upływie pół godziny, mimo wszystko wróć do domu. Bez oznak niezadowolenia uspokój swoją córeczkę i pociesz: „Widzisz? Wyszłam i już wróciłam". Pożegnaj serdecznie opiekunkę, zamiast wypychać ją za drzwi. Pokiwaj jej ręką, gdy będzie odchodzić. Następnie zorganizuj dziecku jego ulubione zajęcie. Morał: Rodzice wychodzą, rodzice wracają, a życie toczy się dalej normalnie.

Nie decyduj się na łatwe rozwiązanie, zapraszając opiekunkę, gdy dziecko już śpi. Gdyby się obudziło (może się to zdarzyć akurat, kiedy wyjdziecie, mimo że na co dzień się nie zdarza), mogłoby się bardzo wystraszyć i poczuć zdradzone. Przedstaw opiekunkę dziecku. Możesz sama wykonać rutynowe czynności związane z układaniem go do snu, a opiekunka niech wam towarzyszy. Jeśli wasza córeczka przebudzi się w środku nocy, nie będzie zaskoczona widokiem obcej osoby nachylającej się nad łóżeczkiem.

NIEPOKÓJ RODZICÓW Z POWODU ROZSTAŃ

Moja córeczka nie rozpacza z powodu rozstań ze mną — to ja czuję się źle, gdy muszę zostawić ją w domu.

Niepokój towarzyszący rozstaniom rodziców z ich małymi dziećmi jest prawdopodobnie rozpowszechniony w takim samym stopniu wśród nich, jak i wśród ich dzieci. Podobnie jak twoja córeczka, ty też możesz nauczyć się go zwalczać.

Jest mnóstwo powodów, dla których rodzice źle się czują, gdy muszą zostawić swoje dziecko. Niektóre z tych powodów są instynktowne (podobne do instynktu nakazującego lwicy chronić swoje lwiątka, a kurze krążyć wokół piskląt). Inne mają bardziej złożoną naturę. Często analiza przyczyny, dla której wzbraniasz się przed rozstaniem z dzieckiem, pomaga w jej usunięciu.

Oto kilka powszechnie występujących powodów niepokoju rodziców w opisywanej sytuacji:

* Brak doświadczenia w zostawianiu dziecka pod opieką obcych osób. Jeżeli jeszcze nigdy nie zostawiłaś swojej pociechy w towarzystwie wynajętej do tego celu osoby, im prędzej zaczniesz to robić, tym lepiej dla was.

* Trudności z rozstaniami. Większość rodziców przejmuje się swoimi stosunkami z dzieckiem i stara się je pielęgnować. Lecz zdarza się czasami, że stosunki te zaczynają przysłaniać rodzicom cały ich świat. Silne więzy zapewniają wspaniałe przeżycia, gdy dziecko jest jeszcze bardzo małe, lecz później mogą tłumić jego rozwój — również rozwój rodziców.

Choć może to być dla ciebie trudne do zaakceptowania, zrób przysługę wam obojgu i zostaw dziecko od czasu do czasu z kimś obcym.

* Niepewność w stosunku do opiekunki. Czy ktoś inny może być tak dobry jak ja? Czy ta osoba zapewni mojemu dziecku komfort emocjonalny, fizyczny i intelektualny? Jeżeli dobrze wybrałaś i przygotowałaś tę osobę, dziecku na pewno nie będzie źle. Bądź jednak czujna — nawet jeśli wynajmujesz ją na kilka godzin w tygodniu. Upewniaj się, że niezmiennie spełnia ona twoje oczekiwania i wymagania.
* Poczucie winy z powodu rozstania. Nawet absolutna konieczność zostawiania dziecka z opiekunką (powody finansowe, emocjonalne, intelektualne lub zawodowe) nie zawsze zmazuje w rodzicach poczucie winy. Jednak jeśli zapewnisz dziecku dużo miłości, poświęcisz mu wiele uwagi, gdy jesteś z nim w domu, i zostawisz je w dobrych rękach, nie miej wyrzutów sumienia. Poza tym rozstania, przynajmniej raz na jakiś czas, są korzystne dla jego i twojego rozwoju społecznego. Twoja córeczka rozszerzy horyzonty poprzez współdziałanie z innymi (umiejętność, która znacznie ułatwia później wejście w środowisko przedszkolne i szkolne), a ty rozszerzysz swoje horyzonty, współdziałając z innymi dorosłymi. (Umożliwi ci to powrót do roli matki lub ojca w lepszej kondycji i pozwoli na lepsze wykorzystanie czasu spędzanego z dzieckiem.)
* Poczucie winy na widok reakcji dziecka, gdy rodzice wychodzą. Zapłakane dziecko może wzbudzić, zwłaszcza u bardzo wrażliwych rodziców, poczucie winy. Na poziomie podświadomości płacz dziecka temu właśnie może służyć. Jednak łzy te mają prawie zawsze krótki żywot. Gdy tylko rodzice znikną za drzwiami, przygnębienie dziecka najczęściej znika. Łzy, czy to prawdziwe, czy wymuszone, utrudniają rodzicom wyjście, lecz rzadko są ostrzeżeniem, że nie powinni zostawiać dziecka. Nawet codzienny, regularny płacz w trakcie twojego wychodzenia nie powinien wzbudzać niepokoju, jeśli kończy się wraz z zamknięciem przez ciebie drzwi. Jeżeli zachowanie dziecka wzbudza twoje zakłopotanie i niepewność co do sposobu opieki, patrz str. 685.
* Przykre wspomnienia z dzieciństwa. Niektórzy rodzice przypominają sobie, jak bali się przed pierwszym rozstaniem z rodzicami, przed pójściem po raz pierwszy do przedszkola, szkoły, i zakładają, że ich dzieci będą przeżywały podobny strach. Niekoniecznie tak się musi stać. Każde dziecko jest inne, a twoje może znosić rozstania znacznie lepiej niż ty w dzieciństwie. Przenoszenie własnych lęków na dziecko może wywołać problem, który nie istnieje.
* Wcześniactwo, poważna choroba lub kalectwo. Wielu rodziców źle znosi rozstania ze swoim dzieckiem, myśląc, że potrzebni mu są przez cały czas. Nawet gdy dziecko osiągnie pełnię zdrowia, nadal je rozpieszczają i są nadopiekuńczy; w duchu często boją się, że może znów zachorować.
* Zazdrość o opiekunkę. Chociaż wszyscy rodzice chcą jak najlepszej opiekunki dla swojego dziecka, to jednak w głębi serca obawiają się, czy nie będzie ona lepsza od nich i czy nie stanie się dla malca najważniejszą osobą w życiu. Jeżeli takie jest twoje zmartwienie, nie masz się czym martwić. Chociaż dzieci najczęściej przywiązują się do swoich nianiek, to jednak nic i nikt nie zastąpi im własnych rodziców. Nawet najmłodsze dziecko o tym wie. Kochający rodzice, nawet ci, którzy pracują długie godziny poza domem, zawsze są na pierwszym miejscu w serduszkach swoich maleństw. Wskazówek, jak radzić sobie z tego rodzaju zazdrością, szukaj na str. 695.

Jakikolwiek byłby powód twojego niepokoju związany z zostawianiem dziecka, pokonanie go jest ważne nie tylko dla ciebie, lecz również dla niego. Niepokój jest bardziej zaraźliwy niż grypa; jeżeli niechętnie zostawiasz dziecko i okazujesz to, nie będzie chciało zostać bez ciebie. Twoje niezadowolenie może być dla niego sygnałem, że przywiązanie do innych ludzi i wesołe spędzanie czasu z nimi (opiekunkami, przedszkolankami, nauczycielami) jest czymś złym lub niebezpiecznym. Byłoby to zjawisko hamujące społeczny rozwój dziecka.

Aby ułatwić pierwsze rozstanie, zanim wynajmiesz obcą osobę, zostaw córeczkę z kimś, kogo dobrze znasz i komu w pełni ufasz (z babcią, ciocią, twoją najlepszą przyjaciółką). Rozmowy z rodzicami, którzy już rozwiązali ten problem, mogą ci również pomóc. Dowiesz się, że większość z nich na początku też nie radziła sobie dobrze z rozstaniami, a później znalazła sposoby, by się do tego przyzwyczaić.

Jeżeli w żadnym wypadku nie chcesz zostawić dziecka z inną osobą, bo twoje obawy nie pozwalają ci na to, porozmawiaj z pediatrą. Tu konsultacja jest wskazana.

NIECHĘĆ DO KUBKA

Nie wiem, jak mam odzwyczaić moją córeczkę od butelki, skoro nie chce brać do rąk kubeczka.

Prędzej czy później wszystkie dzieci nauczą się pić z kubeczka. Najlepszym momentem na naukę jest druga połowa pierwszego roku życia, kiedy dzieci są jeszcze względnie podatne na wpływy, a picie z kubeczka jest dla nich bardziej nowością niż koniecznością związaną z odstawieniem od butelki.

Jeżeli ten idealny czas już minął, to i tak nie jest za późno, by rozpocząć naukę. Niezależnie od tego, czy twoja córeczka zawsze odtrącała kubek, czy zaczęła robić to teraz (być może jest to jej reakcja na naciski, aby zrezygnowała ze swojej ukochanej butelki), następujące wskazówki powinny pomóc ci w osiągnięciu celu:

* Idźcie razem do sklepu, żeby kupić kubeczki. Pozwól jej wybrać kształt, kolor i wzór. Niektóre dzieci wolą kubki z jednym uchwytem, inne z dwoma, jednym podobają się z dzióbkiem, innym z wbudowaną rurką. Są też maluchy, które chcą być dorosłe, tak jak mama i tata, i pić ze zwykłych kubków lub filiżanek. Być może będziesz musiała eksperymentować, zanim dziecko wybierze jeden na stałe. Jeżeli możesz, kup (lub pożycz) kilka rodzajów, aby dziecko wypróbowało każdy z nich przy kolejnych posiłkach. Wszystkie kubki powinny być nietłukące; specjalnie obciążone dno zmniejszy prawdopodobieństwo przewrócenia kubka.
* Pozwól dziecku przyzwyczaić się do swojego kubeczka. Niech karmi z niego lalki, podaje herbatkę koleżankom, napełnia wodą z kranu (pod twoją kontrolą).
* Proponuj najpierw kubek. Zawsze podaj dziecku kubeczek z piciem, zanim podasz pierś lub butelkę, i bądź konsekwentna. Przy każdym posiłku wlej niewielką ilość ulubionego przez dziecko napoju. Postaw kubek przed nim i zachęć do wypicia kilku łyków po każdym kęsie jedzenia („Tu masz soczek do wypicia"). Jeżeli odsunie kubek, nie nalegaj. Powtarzaj tę czynność codziennie bez zmuszania dziecka, zmieniając tylko kubki i napoje. Być może pewnego dnia, gdy będzie szczególnie spragnione, zaskoczy cię, chwytając kubek i wypijając kilka łyków.
* Zmień napój. Podając w butelce napój, do którego mała nie jest przyzwyczajona, możesz zmniejszyć jej niechęć do kubeczka. Kiedy się do niego przyzwyczai, możesz napełniać go jej ulubionymi napojami.
* Nie zgadzaj się na to, aby odstawianie od butelki zależne było od zaakceptowania przez dziecko kubka. Jeżeli tak to potraktujesz, maluch będzie odtrącał kubek, traktując go jako niemożliwy do przyjęcia substytut butelki. Zamiast tego zacznij ograniczać liczbę karmień butelką, nawet jeśli dziecko nie chce pić z kubka. Ludzki organizm domaga się płynów i w końcu twoja córeczka będzie musiała ulec. (Jeżeli pije mniej mleka w okresie odzwyczajania od butelki, zapewnij jej inne źródła wapnia, takie jak sery i jogurty pełnotłuste; patrz str. 435.)
* Ochrona przed rozlewaniem napojów. Picie z kubeczka będzie się kojarzyć z niezbyt estetycznym widokiem, dopóki dziecko nie nabierze wprawy. Duży śliniaczek lub pelerynka, folia lub gazeta rozłożona na stole i pod nim ochroni ubranie, blat stołu i podłogę przed zalaniem. Możesz też zacząć podawać dziecku najpierw wodę lub mocno rozwodnione soki, co ochroni podłogę i ubranka przed poplamieniem. Nie rób szumu z powodu rozlania napoju, gdyż może to być kolejną przyczyną niechęci do używania kubka.

ODSTAWIANIE OD BUTELKI

Wiem, że powinnam zacząć odzwyczajać mojego synka od butelki, gdyż skończył już roczek, lecz wydaje mi się, że nie jest on jeszcze gotowy do współpracy.

Sztywne trzymanie się czasu nie jest istotne. Kiedy jednak przyjdzie pora na odstawianie dziecka od butelki, ma ono ogromne znaczenie. Odzwyczajenie twojego synka właśnie teraz to odpowiedni czas z wielu powodów.

Łatwość przystosowywania się. Choć nie jest on już tak podatny jak sześć, siedem miesięcy temu, to mimo wszystko w tym wieku możesz jeszcze poradzić sobie znacznie łatwiej niż w następnych miesiącach. Wtedy właśnie przeciwstawianie się wszystkiemu, częsty bunt, walka o postawienie na swoim będą znacznie utrudniać włączenie go w proces odzwyczajania od butelki.

Osłabianie apetytu. Dzieci pijące z butelki spożywają zazwyczaj zbyt duże ilości mleka i soków. W okresie gdy dziecko zacznie jeść mniej, picie w nadmiarze mogłoby osłabić jego apetyt i wywołać problemy z jedzeniem.

Problemy zdrowotne. U niemowląt, które opróżniają butelki, leżąc płasko na plecach, istnieje zwiększone ryzyko infekcji uszu. Problem ten może trwać i dotyczyć starszych dzieci, które nie zostały odzwyczajone od picia z butelki.

Wprowadzenie mleka krowiego

Większość dzieci przechodzi na mleko krowie bez oporów, lecz zdarzają się takie, które wolą mieszankę mleczną, którą jadły do tej pory. Jednym ze sposobów ułatwiających tę zmianę jest rozcieńczanie mieszanki niewielką ilością mleka krowiego. Stopniowo, w czasie kilku tygodni, zwiększaj ilość mleka krowiego. Redukuj przy tym ilość mieszanki, aż wreszcie dziecko zacznie pić czyste mleko krowie. Nie stosuj słodzonych i wzbogacanych mieszanek, gdyż może to spowodować, że w przyszłości twój maluch nie będzie chciał pić czystego mleka krowiego.

Nowe zagrożenie zdrowia. W tym wieku większość dzieci ma przynajmniej kilka zębów i butelka może stanowić dla nich duże zagrożenie. Częstym zjawiskiem jest próchnica, której przyczyną są mleko lub inne płyny naturalnie lub sztucznie słodzone przepływające przez jamę ustną i zalewające zęby podczas częstych, regularnych opróżnień butelek (gdy dziecko pije z kubka, zjawisko to nie ma miejsca). Jest to szczególnie szkodliwe, gdy pije ono z butelki w łóżeczku, przed zaśnięciem. Cukry zawarte w płynach (laktoza w mleku i fruktoza w sokach) rozkładają się pod wpływem bakterii w jamie ustnej. Podczas tego procesu tworzy się kwas, który niszczy szkliwo i doprowadza do psucia się zębów. Tego rodzaju próchnica u niemowląt bywa na tyle poważna i rozległa, że może zaistnieć konieczność usunięcia zepsutych zębów i zainstalowania tymczasowego mostka. Koszt tego jest bardzo wysoki — i dosłownie, i w postaci emocjonalnych problemów, które mogą się pojawić (małe dziecko bez zębów może mieć problemy z poprawną mową). Aby zapobiec próchnicy u niemowląt, Amerykańska Akademia Pediatrii oraz Amerykańska Akademia Stomatologii Dziecięcej zalecają odstawienie dziecka od butelki i wprowadzenie picia z kubka, gdy skończy ono pierwszy rok życia.

Oczywiście, do przekonania waszego malucha, aby już nie używał butelki, nie wystarczą naukowe dowody, doświadczenia profesjonalistów lub prosta logika. Pierwszym krokiem powinno być zapewnienie dziecku czegoś w zastępstwie butelki, czyli kubka. W tym wieku wiele dzieci dobrze już sobie radzi z piciem z kubeczka. Jeżeli twoje to potrafi, twoja rola w całym przedsięwzięciu będzie niewielka. Jeżeli nie potrafi, patrz str. 48.

Gdy dziecko umie już wypić z kubka kilkadziesiąt mililitrów napoju za jednym razem, możesz zacząć mówić: „Do widzenia, butelko". Wybierz jedną z propozycji odzwyczajania dziecka od butelki (biorąc pod uwagę, jak znosi ono zmiany i jak bardzo przywiązane jest do butelki).

Metoda „zimnego prysznica". Jeżeli twoje dziecko nie jest szczególnie uparte, nie protestuje z powodu zmian, łatwo przystosowuje się do nowych sytuacji, nie jest bezgranicznie uzależnione od butelki oraz daje sobie radę z trzymaniem kubka i piciem z niego, metoda „zimnego prysznica" może być najbardziej skuteczna. Wybierz moment, w którym nie nastąpią żadne zmiany w życiu dziecka — i kiedy możesz poświęcić mu dużo czasu. Wybierz dzień, który dobrze się zapowiada (jeżeli któreś z was wstało lewą nogą, odłóż całą akcję). Rozpocznij dzień, ogłaszając uroczyście, że synek jest już dużym chłopcem („tak jak kuzyn Adam" lub „tak jak tatuś") i że może już pić mleko i soczki z kubka (tu okrzyki radości i oklaski). Zabierz go do sklepu, aby sam wybrał kilka nowych kubków. Najlepiej, gdy będą kolorowe, we wzorki. W domu wspólnie wyrzućcie butelki i smoczki do kosza na śmieci. (Zachowaj jedną lub dwie butelki do zabawy w wannie lub do karmienia lalek i misiów.) W okresie odzwyczajania od butelki twoje dziecko może być bardziej kapryśne i wrażliwe niż zwykle, może również częściej ssać kciuk (lub zacząć to robić). Poświęć mu wtedy więcej czasu i uwagi, często przytulaj, by zrekompensować mu stratę przyjemności, jakiej dostarczała mu butelka. Jeżeli dziecko nie okazuje żalu i nie upomina się o butelkę przez kilka dni, możesz uważać się za szczęściarza, a akcję za zakończoną. Jeżeli natomiast namyśli się i zacznie bić pięściami, by dostać butelkę z powrotem (może się tak zdarzać przed snem lub w ciągu dnia, w chwilach, gdy dużo dla niego znaczyła), wyciągnij butelkę, którą przeznaczyłaś do zabawy, umyj ją, napełnij wodą do picia i podaj dziecku (woda nie niszczy zębów). Bądź jednak nieugięta. Jeżeli poprosi o mleko lub sok w butelce, powiedz stanowczo, że te napoje od dzisiaj można pić tylko z kubeczka.

Stopniowe odzwyczajanie od butelki. Dla większości dzieci takie podejście jest najlepsze.[6]

1. Jeśli dziecko umie pić z kubka, zaproponuj mu w trakcie posiłków wraz z pokarmami stałymi napoje w kubeczku (mleko, sok, wodę). Zrób to, zanim poprosi o butelkę, a nie wtedy, gdy już ostro się jej domaga. Czasami pełen brzuszek i zaspokojone kilkoma łykami z kubka pragnienie zadowolą je na tyle, że nie będzie upierało się przy butelce.

2. Ograniczaj liczbę sytuacji, w których dziecko pije z butelki. Nalegaj, aby używało jej, siedząc na twoich kolanach lub na wyznaczonym krześle, nie zezwalaj na picie w trakcie zabawy. Gdy pijąc z butelki, chce wstać i odejść, powiedz mu, że to koniec posiedzenia z butelką. Nie zezwalaj na chodzenie po domu i trzymanie jej w rękach lub w buzi.

3. Ogranicz liczbę karmień butelką. W ciągu kilku tygodni zmniejsz liczbę karmień butelką. Zrezygnuj najpierw z tego, które ma najmniejsze znaczenie dla twojego dziecka, a na końcu z tego, które jest dla niego najważniejsze.

4. Zmień rozkład dnia. Jeżeli to możliwe, tak zorganizuj dzień, aby dziecko jak najwięcej czasu spędzało poza domem: w sytuacjach, które nie będą przypominać mu o butelce, w miejscach, w których jego umysł zajęty będzie ciekawymi dla niego wydarzeniami (wystawy o tematyce dziecięcej, centrum handlowe z atrakcjami dla dzieci, plac zabaw, wizyta u znajomych, których dziecko nie pije już z butelki). W domu organizuj maluszkowi więcej zajęć niż zwykle, wymyślaj zabawy, w których ręce będą zajęte (malowanie farbami za pomocą palców, zabawy zręcznościowe). Kiedy tylko jest to możliwe, zmieniaj sytuacje, które kojarzą się dziecku z butelką. Na przykład w czasie zasypiania włącz cichą, spokojną muzykę. Jeżeli zawsze do łóżka dostawało butelkę, zastąp ją ulubionymi herbatnikami. Jeśli butelka działa na dziecko uspokajająco, szczególnie w trudnych momentach, na przykład gdy się przewróci i coś je boli, weź je na kolana i pobawcie się w jakąś zabawę palcami („Idzie kominiarz po drabinie...").

5. Stopniowo doprowadź do tego, że dziecko będzie dostawało ulubioną butelkę tylko raz dziennie. Jeżeli twój maluch należy do typowych pod tym względem, to z pewnością największą przyjemność sprawia mu ostatnie picie przed snem. Przed wyeliminowaniem ostatniej butelki miej w zanadrzu coś, co wpłynie na dziecko kojąco (patrz str. 80 — więcej informacji na temat rutynowych czynności przed snem). Niech to będzie kubek mleka i niesłodka przekąska (przed myciem zębów), kąpiel i spokojna bajka. Nie podawaj butelki bez potrzeby. Jeżeli dziecko o nią poprosi, zaproponuj mu wodę w kubku („Nie możesz teraz pić mleka, bo przed chwilą umyłeś ząbki"). Bądź bardzo stanowcza. Jeżeli dziecko prosi o butelkę, napełnij ją wodą — ryzyko wystąpienia próchnicy będzie wtedy mniejsze. Dziecko, gdy butelka nie jest napełniona mlekiem lub sokiem, samo z niej zrezygnuje. Jeżeli twoje dziecko lubi pić wodę z butelki, pozwól mu na to przez kilka tygodni przed snem. Potem zmień smoczek na inny, z bardzo małymi dziurkami, aby ssanie wymagało wielkiego wysiłku. To powinno na dobre zniechęcić malca do butelki.

Spodziewaj się, że w okresie odstawiania dziecka od butelki będzie ono bardziej kapryśne i wrażliwe niż zwykle. Straciło swojego przyjaciela i teraz będzie potrzebowało wiele wsparcia w przyzwyczajaniu się do jego braku i zmian z tym związanych. Zapewnij mu poczucie bezpieczeństwa, poświęcaj dużo uwagi i dostarczaj wielu interesujących pomysłów do zabaw i rozrywek, zwłaszcza o tej porze dnia i w tych momentach, kiedy najbardziej będzie domagało się butelki. Zachęcaj, żeby brało ze sobą do łóżeczka coś, co pomoże mu się wyciszyć — ulubionego misia lub lalkę, mięciutki kocyk lub mały jasiek albo górną część twojej dobrze znanej mu piżamy.

KIEDY ZACZĄĆ ODZWYCZAJAĆ OD SSANIA PIERSI

Myślałam, że dzieci same wiedzą, kiedy już na dobre zrezygnować ze ssania piersi. Moja córeczka skończyła już rok i nie okazuje najmniejszego zniechęcenia do tej formy jedzenia.

Jeżeli będziesz czekać, aż twoja córeczka sama zdecyduje, że jest gotowa na bardziej dojrzałą formę odżywiania się płynami, to może to być bardzo długie oczekiwanie. Niektóre dzieci same rezygnują ze ssania piersi, zwykle pod koniec pierwszego roku życia, ale są i takie, które nigdy samodzielnie nie zdecydują się na ten krok. Jeśli

[6] Jeżeli opiekunka zajmuje się twoim dzieckiem przez cały dzień czy też od czasu do czasu, wprowadź i ją w akcję odzwyczajania dziecka od butelki.

Jak odzwyczaić dziecko od piersi

Nagłe odstawienie rocznego dziecka od piersi nie jest tak fizycznie niewygodne dla matki, jak mogłoby być we wcześniejszym okresie. Ponieważ dziecko w tym czasie je już wiele pokarmów stałych, produkcja mleka w piersiach znacznie maleje, mija ryzyko ich przepełnienia i związanego z tym dyskomfortu. Jednak i w tym wypadku najlepszym rozwiązaniem dla obu stron — matki i dziecka — jest robienie tego stopniowo. Mają oni wówczas czas na przyzwyczajenie się do pożegnania z tą szczególną fazą w ich życiu.

Odstawienie dziecka od piersi będzie łatwiejsze, gdy otoczysz je w tym okresie większą miłością i poświęcisz więcej uwagi. Zastąp czas, w którym karmiłaś dziecko, zabawą. Nie okazuj niezadowolenia, jeżeli poszuka ono sobie innego sposobu na uspokajanie (ssanie kciuka, przytulanie się do kocyka, jaśka lub pluszowego zwierzątka). Dzieci potrzebują tego w tym okresie.

Odstawienie od piersi, gdy dziecko skończyło rok, może być stosunkowo łatwe (jeżeli ty i twoje dziecko jesteście gotowi na ten krok) lub trudne (jeżeli oboje jesteście mocno przywiązani do tej formy karmienia). W każdej z tych sytuacji pomocne będą następujące wskazówki:

Krok pierwszy: Upewnij się, że dziecko umie pić z kubka (patrz str. 48).

Krok drugi: Wybierz odpowiedni moment. Nie rozpoczynaj odzwyczajania, gdy dziecko przechodzi inne ważne zmiany w życiu (nowa opiekunka, pójście do żłobka, narodziny drugiego dziecka w rodzinie), gdy jest chore lub w złym nastroju. Poczekaj, aż sytuacja się unormuje.

Krok trzeci: Zachowaj karmienie piersią na koniec (oprócz karmienia przed snem). Gdy dziecko obudzi się rano lub z popołudniowej drzemki albo gdy jest po prostu głodne, podaj mu najpierw coś do picia w kubku lub coś do jedzenia. Jeżeli będzie chciało jeszcze possać pierś, pozwól mu. Stopniowo ilość wypijanego przez nie mleka będzie malała. Zmniejszy się też wydzielanie pokarmu, ułatwiając ci przejście przez tę fazę.

Krok czwarty: Podawaj pierś przed, a nie po rutynowych czynnościach przed snem (kąpiel, ubieranie w piżamkę, bajka, kolacja, mycie zębów itp.). Spróbuj nie pozwalać dziecku na zasypianie przy piersi (puszczając żywą muzykę, mówiąc do niego, zezwalając na aktywną obecność innych osób w pokoju) i zachęcaj dziecko do samouspokajania przed odejściem w krainę snu (patrz str. 137).

Krok piąty: Stopniowo ograniczaj dzienną liczbę karmień. Zacznij od opuszczania tych, na których dziecku najmniej zależało. Zwykle są to popołudniowe karmienia. Prawdopodobnie zajmie ci to kilka tygodni. Zmiana rozkładu dnia oznacza zabieranie dziecka w miejsca, w których zazwyczaj nie karmi się piersią (zakupy, plac zabaw, wystawy, muzea itp.), i może ułatwić odzwyczajanie od piersi. Ostatecznie ogranicz liczbę karmień do jednego — ulubionego. W większości wypadków będzie to tuż przed snem, chociaż niektóre dzieci bardzo przywiązane są do pierwszego porannego karmienia. Jeżeli zdarzy się, że twoje piersi będą nabrzmiałe w wyniku przepełnienia mlekiem, odciągnij mleko ręcznie lub za pomocą ściągacza, aby zmniejszyć ciśnienie w piersiach.

Krok szósty: Zrezygnuj z jedynego karmienia. Jednym ze sposobów ułatwiających przeprowadzenie tego zabiegu jest zaangażowanie taty lub babci do usypiania dziecka przez kilka wieczorów, podczas gdy ty jesteś poza domem. Możesz też przeprowadzić tę operację, gdy będziecie spędzać kilka dni poza domem u rodziny lub na wakacjach; gdy będziecie w miejscu, które nie kojarzy się dziecku z karmieniem, może ono nie pragnąć go tak bardzo. Pomocna może też być rozrywka w postaci nowej zabawki, książeczki, magnetofonu lub odwiedzin kogoś miłego.

Jeżeli nie spieszysz się z odzwyczajaniem dziecka od piersi, możesz odłożyć ten ostatni krok na później. Wiele kobiet i ich dzieci czerpie ogromną radość z jednego karmienia dziennie. Trwać to może przez całe tygodnie, a nawet dłużej. Jednakże w niektórych przypadkach jest to niemożliwe, ponieważ piersi przestają produkować mleko, nie będąc stymulowane częstym opróżnianiem.

jesteś już gotowa do odstawienia dziecka od piersi, powinnaś zainicjować ten proces sama (patrz ramka powyżej.) Jest to w końcu dwustronny układ partnerski, który każda ze stron ma prawo w każdej chwili zakończyć.

Mój synek chciałby już przestać pić z piersi, ale ja nie jestem do tego gotowa. Nie chcę, aby ten okres w jego życiu już się zakończył.

Obserwowanie, jak dziecko przechodzi z jednej fazy rozwoju w drugą, zawsze wywołuje mieszane uczucia — napełniając cię to dumą (jaki już jest duży!), to melancholią (już nigdy nie będzie malutkim dzidziusiem). Niektóre z tych zmian bardziej niż inne odbijają się na przeżyciach matki. Tak dzieje się w wypadku odstawiania dziecka od piersi.

Karmienie piersią jest niezaprzeczalnie satysfakcjonującym doświadczeniem, ale karmienie syna, ponieważ ty nie jesteś gotowa, aby z niego zrezygnować, nie jest w porządku. Jeżeli twoje dziecko chce zrobić krok naprzód, podążaj za nim. Nie odbieraj jego niechęci do piersi jako ataku na ciebie. Dziecko nie odrzuca matki, odrzuca natomiast dzieciństwo, z którego wyrasta, i stawia krok prowadzący do niezależności. Choć nie jesteś do tego przekonana, jest to krok, który ono musi postawić.

Na początku będziesz prawdopodobnie tęsknić za fizyczną bliskością z twoim synkiem, jakiej dostarczało ci karmienie go piersią. Lecz istnieje mnóstwo innych gestów i czynności, aby utrzymać tę bliskość (przytulanie, obejmowanie, wspólne zabawy, czytanie bajek itp.). Zamiast karmienia piersią częściej oddawaj się tym czynnościom.

Ponieważ smutek, jaki odczuwasz, może być wzmacniany zmianami hormonalnymi wywołanymi przez odstawianie dziecka od piersi, powinnaś przejść przez ten proces stopniowo, przez kilka tygodni lub nawet miesięcy (patrz ramka na str. 51). Daj i swojemu ciału, i umysłowi dużo czasu, aby przywykły do nowej sytuacji, a z pewnością to nastąpi.

Chciałabym kontynuować karmienie mojego synka piersią jeszcze przez co najmniej rok. Dlaczego mam go zacząć odzwyczajać, jeżeli oboje jeszcze tego nie chcemy?

Nie musisz wcale odstawiać go od piersi teraz. Chociaż czasami zaleca się odstawianie dziecka od piersi po skończeniu roku, nie jest to obowiązująca zasada. Podobnie jak decyzja o podjęciu karmienia piersią, jest to bardzo osobista decyzja. Niektóre mamy i ich dzieci wyrażają chęć kontynuowania karmienia piersią znacznie dłużej i uważają, że jest to cenne doświadczenie. Są jednak pewne czynniki, które należy wziąć pod uwagę przed podjęciem decyzji:

Wiek dziecka. W wielu wypadkach odstawienie od piersi po upływie roku jest właściwe. Dziecko, które ssało pierś przez cały rok, skorzystało na tym optymalnie (odżywczo i emocjonalnie). Oprócz tego nie można mu jeszcze przypisać przydomka „nieznośny dwulatek", więc łatwiej będzie je teraz odzwyczaić niż później, gdy „programowo" będzie bardziej uparte. W końcu, ponieważ nie pamięta jeszcze wielu rzeczy, szybciej zapomni o tych miłych przeżyciach związanych z ssaniem piersi i tym samym zakończenie tego okresu będzie dla niego mniej bolesne.

Potrzeby odżywcze. Zarówno skład pokarmu kobiecego, jak i potrzeby odżywcze dziecka zmieniają się pod koniec pierwszego roku. Samo mleko matki nie zaspokoi wymagań odżywczych dziecka. Najświeższe badania wskazują, że dzieci, które są karmione piersią dłużej niż rok, rozwijają się gorzej niż te, które zostały odstawione od piersi po około dwunastu miesiącach. Chociaż istnieje potrzeba głębszych badań w tej dziedzinie, to jednak pewne jest, że mleko matki po roku nie ma już wartości odżywczych. Tak więc, jeśli zdecydujesz się karmić przez cały następny rok, nie możesz traktować swojego mleka jako głównego źródła żywienia dziecka, lecz raczej jako niewielki dodatek.

Wpływ na zęby. Chociaż problem ten jest bardziej powszechny wśród dzieci karmionych butelką, te karmione piersią nie są wolne od zwiększonego ryzyka próchnicy. Zagrożenie wzrasta zwłaszcza, gdy dziecko regularnie zasypia przy piersi lub w ciągu nocy budzi się, by possać pierś (mleko przechodzi przez jamę ustną, przepłukując dokładnie wszystkie zęby i osadzając się między nimi na wiele godzin). Możesz jednak obniżyć ryzyko wystąpienia u dziecka próchnicy, karmiąc je tylko w dzień i czyszcząc mu zęby po każdym piciu.

Wpływ na apetyt. Dzieci karmione piersią (lub butelką) często tracą apetyt na pokarmy stałe, których potrzebują, aby dobrze się rozwijać w drugim roku życia.

Wpływ na wzajemne oddziaływanie matki i dziecka. Czasami matki czerpią tyle przyjemności z karmienia swoich dzieci piersią, że nie zdają sobie sprawy, iż za mało czasu poświęcają na inne rzeczy — gry i zabawy, czytanie bajek, wychodzenie na plac zabaw. Postaraj się, aby do tego nie doszło. Gdy dziecko odzwyczai się od piersi, będziesz miała więcej czasu i energii na tego rodzaju rozrywki.

Potencjalne zagrożenie zdrowia. Karmienie (piersią lub butelką np. w łóżku) dziecka leżącego na plecach zwiększa prawdopodobieństwo zapalenia ucha środkowego.

Możliwość przesadnego uzależnienia dziecka od matki i/lub matki od dziecka. Nie jest to kwestia do końca wyjaśniona i nie ma naukowych dowodów na jej poparcie. Warto jednak pomyśleć, czy tak długie karmienie nie zahamuje w tobie i w dziecku dążenia do rozwijania się. Również warto się zastanowić, czy taka bliskość dziecka z matką i ich wzajemne uzależnienie nie wyłączają z tego układu ojca, uniemożliwiając mu nawiązanie bliższych i czulszych więzi z dzieckiem?

Ograniczenie nauki innych sposobów pocieszania samego siebie. Dziecko, które zawsze może zwrócić się do mamusi i possać pierś, aby się pocieszyć w trudnej sytuacji (gdy się uderzy, gdy jest zmęczone lub nie może dostać tego, co chce), może nie potrafić w inny sposób poprawiać swojego nastroju, gdy mamy nie będzie w pobliżu. Twojemu dziecku niewątpliwie będzie potrzebna ta umiejętność w późniejszym życiu — zwłaszcza po odstawieniu od piersi.

Wpływ na stosunki małżeńskie. Karmienie piersią trwające przez drugi rok życia dziecka, zwłaszcza jeśli odbywa się w waszym łóżku, może mieć zły wpływ na twoje pożycie małżeńskie. Oprócz niedogodności, jakie wprowadzać może w wasze intymne życie, może też podświadomie zaspokajać twoje emocjonalne i fizyczne potrzeby bliskości, osłabiając zainteresowanie seksem. Twój mąż może się poczuć mniej ważny niż dziecko. (Pamiętaj, mąż jest na całe życie. Dziecko dorośnie, opuści dom i znajdzie swojego partnera. Zachowaj więc trochę czułości dla męża. Patrz str. 651.)

NIECHĘĆ DO PLACU ZABAW

Mój synek do tej pory chętnie bawił się na ogrodzonym placu zabaw przed domem, gdzie był bezpieczny i zadowolony, a ja mogłam w tym czasie zrobić coś w domu. Teraz wrzeszczy, by wyjść, za każdym razem, gdy go tam zostawię.

Dla dziecka, które stało się teraz bardziej ruchliwe, aktywne, żądne odkrywania świata, zostawienie go w zamkniętym ogródku czy na placu zabaw to tak, jakby ktoś zamknął je w więzieniu — nic dziwnego, że płacze za swobodą. Daj mu więc tę wolność. Oczywiście, aby to zrobić, musisz przygotować jedno pomieszczenie (najlepiej cały dom; patrz str. 620). Ale nawet w takim pomieszczeniu będziesz musiała wzmóc swoją czujność, poświęcić maluchowi większą uwagę i zapewnić opiekę. Innymi słowy, więcej wolności dla dziecka oznacza mniej wolności dla ciebie.

Jeżeli masz trudności z wykonywaniem jakiejkolwiek pracy w domu, gdy dziecko jest blisko, pomyśl, aby odłożyć ją do popołudniowej drzemki twojego synka albo do czasu, gdy zjawi się ktoś, kto będzie przy nim dyżurować.

ZBYT MAŁO SNU W CIĄGU DNIA

Jedyne miejsca, w których moja córeczka zasypia w ciągu dnia, to wózek i samochód. Te krótkie drzemki ani nie zapewniają jej odpowiedniego wypoczynku, ani nie pozwalają mi na zrobienie czegokolwiek w domu.

Przeciętnemu dwunastomiesięcznemu dziecku nie wystarcza jedynie sen w nocy, aby zaspokoić jego potrzebę wypoczynku. Zwykle potrzebuje ono dwóch godzinnych drzemek w ciągu dnia, jednej przed i jednej po południu. Jednakże niewielki odsetek dzieci, ku dużemu niezadowoleniu ich rodziców, zadowala się kilkoma kwadransami snu w różnych porach dnia. Niewielka liczba dzieci potrzebuje tylko jednej drzemki, są też takie, które śpią w dzień bardzo długo.

Jeśli dzieci nie otrzymują porcji snu, jakiej wymagają ich organizmy, zwykle stają się marudne, drażliwe i szybko się denerwują każdym niepowodzeniem. Dokładnie tak samo reagują rodzice, których pociechy nie śpią w ciągu dnia.

Niełatwo jest zmienić w dziecku przyzwyczajenie do krótkiego podsypiania; czasami jest to wręcz niemożliwe. Ale nie masz nic do stracenia, dlatego spróbuj. Następujące wskazówki mogą okazać się pomocne:

* Zaczynaj każdy dzień o tej samej porze. Budząc dziecko o tej samej godzinie każdego ranka, możesz doprowadzić do tego, że zmęczy się również o tej samej godzinie po południu. (Patrz str. 138 — propozycje, jak regulować poranne budzenie.)
* Kończ każdy dzień o tej samej godzinie. Nieregularne kładzenie dziecka do snu może być przyczyną zburzenia całego rozkładu dnia (w tym pór snu). Przyzwyczajanie dziecka do odczuwania zmęczenia o określonej porze dnia wymaga stałych godzin zasypiania wieczorem.
* Wyczerpanie. Niektóre dzieci są tak podniecone swoją aktywnością i ruchliwością oraz możliwościami, które się przed nimi pojawiają, że niechętnie robią przerwę na odpoczynek. Bywa, że są tak bardzo zmęczone, że nie są w stanie zasnąć. Spróbuj nie dopuszczać do tego, aby twoje dziecko osiągnęło ten stan. Co pewien czas zachęcaj je do zastępowania bardzo aktywnego zajęcia spokojniejszym (rysowanie, budowanie z klocków, czytanie bajek) — zwłaszcza na pół godziny przed planowaną drzemką.
* Wybierz odpowiednią porę na sen. Zaobserwuj, kiedy dziecko traci aktywność i się wycisza i spróbuj położyć je spać. Dla większości dzieci będzie to wczesne popołudnie.
* Wywołaj senny nastrój. Odbywaj rutynowe czynności przed snem w dzień, tak jak to robisz wieczorem. Zacznij od podania dziecku

czegoś do jedzenia (mleko i kilka herbatników). Następnie zaciemnij pokój (zasłoń okna zasłonami lub żaluzjami) i przy słabym świetle lampki przeczytaj mu spokojną bajkę. W tle może płynąć nastrojowa muzyka. Ułóż maluszka w łóżeczku, zaśpiewaj kołysankę, powiedz szeptem kilka miłych słów i po cichu wycofaj się z pokoju. Nawet jeśli dziecko nie zaśnie w ciągu kilku kolejnych dni, powtarzaj te czynności przez co najmniej tydzień lub dwa, zanim się poddasz. Istnieje szansa, że twoja pociecha zaakceptuje ten rytuał i nauczy się zasypiać. Może też zadowolić się dwudziestominutowym lub półgodzinnym odpoczynkiem bez zasypiania.

* Złagodzenie niepokoju z powodu rozstania. Rozstanie z tobą, gdy dziecko idzie spać, może być jednym z powodów jego niechęci do snu. Daj mu więc do łóżeczka oprócz ulubionych przedmiotów i przytulanek mały „kawałek ciebie": sweter, trykotową koszulkę lub bluzkę, którą miałaś na sobie tuż przed położeniem go spać. Może to być również jasiek z twojego łóżka, który zastąpi dziecku twoją obecność.

* Jeżeli nie możesz dziecka pokonać, przyłącz się do niego. Jeśli nie możesz po prostu uśpić go w łóżeczku, spróbuj robić to w wózku i pospacerować godzinę (wiele dzieci, które lubią spać w wózkach, budzi się natychmiast, gdy wjedziesz do sklepu lub innego pomieszczenia). Ten sposób nie tylko zwiększy ilość snu w ciągu dnia, ale i tobie pozwoli się dotlenić i zażyć ruchu (zwłaszcza gdy narzucisz sobie szybkie tempo pchania wózka). Oczywiście, już nic więcej nie jesteś w stanie zrobić w tym czasie, ale wyspane i wypoczęte dziecko pozwoli ci lepiej wykorzystać resztę dnia w domu.

OPÓŹNIENIE W MOWIE

Słyszymy, jak inne roczne dzieci wypowiadają prawdziwe słowa, a nasz synek nie mówi nic, co inni mogliby zrozumieć.

To, że nie potraficie zrozumieć słów, które wypowiada wasze dziecko, nie oznacza, że nie wypowiada słów. Mowa nie musi być zrozumiała, aby ocenić jej rozwój, zwłaszcza w tak wczesnym wieku; dotyczy to także całego drugiego roku życia.

Dzieci używają dwóch rodzajów języka. Jeden brzmi jak bełkot, ale jest przez fachowców określany mianem „żargonu". Żargon dziecięcy może nie brzmieć dla rodziców jak ich własny język, ale brzmi tak dla dziecka, które się nim posługuje. Posłuchaj uważnie, gdy maluch bełkocze, a prawdopodobnie wyczujesz rytm i usłyszysz pewne końcówki polskiego języka mówionego. Mówienie żargonem zaspokaja u dziecka potrzebę naśladowania rozmów dorosłych, nawet przy jego ograniczonych możliwościach językowych. Inny rodzaj mowy, którego używają małe dzieci, składa się z jedno- lub dwusylabowych dźwięków. Zazwyczaj dźwięki te nabierają dla dziecka konkretnego znaczenia na długo przed rozszyfrowaniem ich przez rodziców. „Ba" może oznaczać butelkę, „da" — daj. Na początku pojedyncza sylaba może wyrażać całą myśl. Na przykład „da" może znaczyć: „Daj mi to" lub „Co to jest?" Pierwsze zrozumiałe słowa mogą też mieć kilka znaczeń. „Ma-ma" w różnych sytuacjach może oznaczać: „Chcę do mamy", „To jest mama", „Nakarm mnie, mamo" lub „Weź mnie na ręce, mamo".

Wsłuchaj się uważnie w to, co twoje dziecko z siebie wydobywa, a będziesz zaskoczona, jak wiele z tego rozumiesz. (Jeżeli niewiele, to też nic złego.) Pamiętaj, potrzeba wielu lat, aby nauczyć się płynnie mówić, a małe dzieci są zwykle zbyt zajęte doskonaleniem innych umiejętności (zwłaszcza sprawności fizycznej), aby ćwiczyć mówienie. W wyścigu werbalnych i fizycznych możliwości te pierwsze najczęściej zostają w tyle.

Większość dzieci wypowiada pierwsze słowo między dziesiątym a czternastym miesiącem życia. Ale słyszy się też o dzieciach, które w ósmym miesiącu potrafią mówić jedno lub dwa słowa, oraz o takich, co nie jest niczym niezwykłym, które nie mówią nic zrozumiałego w wieku osiemnastu miesięcy. Składa się na to wiele czynników, które umieszczają wasze dziecko w określonym miejscu w tym szerokim przedziale czasowym.

Dziedziczność. Jeśli chodzi o mowę — dzieci wiele dziedziczą po rodzicach. Zapytajcie swoich rodziców, jak u was rozwijała się mowa, a być może będzie to jakaś wskazówka, jak z tą umiejętnością będzie radziło sobie wasze dziecko. Niektóre dzieci wcześnie i w dużym stopniu rozumieją, co się do nich mówi, a same późno zaczynają mówić, ponieważ genetycznie uwarunkowany wolniejszy rozwój mięśni ich ust i języka nie pozwala im na to.

Kolejność narodzin. Pierwsze dziecko może zacząć mówić wcześniej zarówno dlatego, że jego rodzice mają więcej czasu, by je do tego zachęcać, jak i dlatego, że nie ma starszego rodzeństwa. Te maluchy, które mają starszą siostrę lub brata, mogą później zacząć mówić, ponieważ

Uogólnianie

Pierwsze słowa, które dziecko wypowiada, to „nazwy" ludzi lub przedmiotów. Ponieważ jednak nie ma ono doświadczenia, często stosuje zbytnie uogólnienia. Jeśli ten siwy mężczyzna ze zmarszczkami na twarzy nazywa się „dzia-dzia", to wszyscy siwi mężczyźni nazywani są przez nie „dzia-dzia". Jeżeli krowa to „muu", to wszystkie inne zwierzęta też są „muu", lub jeśli czworonożne zwierzę z ogonem to „pies", kot również jest tak nazywany. Czy należy dziecko poprawiać, czy ignorować te uogólnienia? Właściwie należy robić po trosze jedno i drugie. „Masz rację, to zwierzę ma cztery nogi i ogon tak jak krowa i żyje na wsi w gospodarstwie, ale nazywa się owca i mówi «bee», a nie «muu»". „To prawda, że ten siwy pan wygląda jak nasz dziadek, ale on się inaczej nazywa. Może on jest dziadkiem kogoś innego?" Z czasem twój malec zacznie zauważać różnice między podobnymi osobami i przedmiotami, ale przedtem nieraz wprawi cię w zakłopotanie, wskazując na każdego mężczyznę w banku i nazywając go „ta-ta".

Chociaż większość dzieci uogólnia, niektóre zaczynają mówić, stosując coś zupełnie odwrotnego. Zamiast nazywać wszystko, co nadaje się do czytania (gazety, czasopisma, listy), „książką", nazywają tak wyłącznie bajkę, którą mama czyta im przed snem. „Wózek" może odnosić się jedynie do jego własnego wózka. Zarówno zawężanie, jak i uogólnianie znikają, gdy język dziecka staje się bardziej wyrafinowany.

często nie mogą dojść do słowa lub dlatego, że starsze rodzeństwo odczytuje ich potrzeby i często wyręcza je, ograniczając możliwości wypowiadania się. Ale nie zawsze tak się dzieje. Czasami dodatkowa stymulacja werbalna ze strony starszych domowników przyspiesza używanie języka przez młodsze dziecko.

Płeć. Przeciętnie dziewczynki zaczynają mówić szybciej niż chłopcy. Może to być częściowo spowodowane wrodzonymi różnicami, a częściowo tendencją rodziców do częstszego mówienia do córek niż do synów (rodzice często przedkładają nabywanie przez syna sprawności fizycznych nad sprawność werbalną). Oczywiście niektóre dziewczynki później zaczynają mówić niż ich rówieśnicy chłopcy. Jednym słowem, nie ma w tej kwestii jednoznacznej reguły.

Otoczenie. Dzieci, które przebywają w otoczeniu aktywnym werbalnie i mają wiele okazji i zachęty do doskonalenia mowy, zwykle zaczynają mówić wcześniej[7]. Jeżeli w domu mówi się więcej niż jednym językiem lub jeżeli opiekunka mówi do dziecka w obcym języku, rozwój mowy może być czasowo spowolniony (dziecko nie mając pewności, jakim językiem powinno mówić, może w ogóle powstrzymywać się od mówienia). Później jednak zwykle płynnie opanowuje obydwa języki.

Zorganizowanie opieki nad dzieckiem. Duży wpływ na rozwój mowy może mieć to, gdzie i z kim dziecko spędza większość dnia. Dzieci w żłobkach często zaczynają mówić wcześniej z konieczności. Taki sposób sygnalizowania swoich potrzeb jest tam najbardziej skuteczny. Poza tym zachętą do szybszego nauczenia się mowy jest chęć komunikowania się z innymi dziećmi mówiącymi już lepiej.

Rozumienie języka. Zanim małe dziecko nauczy się mówić, musi rozumieć słowa innych. Większość dzieci zaczyna coś niecoś rozumieć na długo przed ukończeniem pierwszego roku życia. Z reakcji dwunastomiesięcznego dziecka łatwo się zorientować, że rozumie ono takie zdania jak: „Chcesz pić?", „Idziemy na spacerek", „Nie wolno dotykać". Tak więc nawet takie dziecko, które jeszcze nie wypowiedziało poprawnie ani jednego słowa, zaangażowane jest w rozwijanie umiejętności językowych.

Indywidualne predyspozycje. Do czynników wpływających na rozwój mowy dziecka należy też jego indywidualność. Każde dziecko rozwija się w tej dziedzinie, jak zresztą we wszystkich innych, we własnym tempie. Moment, w którym wypowie ono wyraźnie pierwsze słowo, może równie dobrze nastąpić przed ukończeniem pierwszego roku życia, jak i drugiego. Niektóre potrafią mówić całymi zdaniami, zanim nauczą się chodzić, inne nie potrafią „sklecić" dwóch słów, póki nie nadejdzie dzień drugich urodzin. Chociaż wcześniaki w tej dziedzinie mają szansę zostać bystrymi gadułami, to te dzieci, które zaczynają później, nie muszą być zawsze w tyle. Zanim rozpoczną naukę w szkole, często doganiają lub nawet przeganiają swoich rówieśni-

[7] Taka zachęta to zupełnie coś innego niż naciski na dziecko, aby się produkowało, co nie jest dobrym podejściem (patrz str. 388).

ków, którzy wcześnie opanowali umiejętność posługiwania się językiem.

Nie martw się i nie czuj się winna, że twoje dziecko jeszcze nie mówi. Jeśli tylko nie izolujesz go od świata mowy (patrz dalej), to nie możesz sobie nic zarzucać. Wszystko potoczy się naturalnym biegiem.

Jeżeli twoje dziecko w ogóle nie próbuje mówić, a zwłaszcza jeżeli nie rozumie, co do niego mówisz, być może ma wadę słuchu (lub inny problem medyczny). Porozmawiaj na ten temat z lekarzem.

BRAK ROZUMIENIA MOWY

Usilnie próbujemy zrozumieć naszego synka, ale jego język jest nie do rozszyfrowania. To go denerwuje, a my nie wiemy, co z tym problemem zrobić.

Każdy, kto kiedykolwiek był w obcym kraju, którego języka nie znał, pojmuje, jak denerwujący jest fakt, że nikt go nie rozumie. Dziecko, które nie potrafi mówić własnym językiem, przeżywa coś gorszego niż taki turysta. Nie ma rozmówek lub słownika do pomocy i nie jest tak odporne na frustrację, która go ogarnia, gdy język, którego używa, tak jasny dla niego, jest niezrozumiały dla innych.

Z czasem żargon zmieni się w oderwane, rozpoznawalne słowa, zbitki słów, potem zdania i obustronna frustracja minie. Tymczasem, pomagając mu w opanowaniu języka rodziców, zrozum jego potrzebę bycia rozumianym.

Najważniejsze to słuchać uważnie. W tym jego bełkotaniu może być coś więcej ponad to, co dociera do twoich uszu. Patrz uważnie na dziecko, gdy go słuchasz. Wyraz twarzy (uśmiech, grymas, podniesione brwi) i język ciała (podnoszenie ramion, tupnięcie nogą, wskazanie palcem) mogą ci wiele powiedzieć. Unikaj przerywania dziecku przez własną niecierpliwość — pozwól mu powiedzieć wszystko, co zamierza, obojętnie, jak długo to będzie trwało. Słuchaj uważnie, nawet jeśli nic nie rozumiesz. Pomocna może być prośba: „Pokaż mi paluszkiem, co chcesz" lub „Zaprowadź mnie tam, dokąd chcesz iść". Jeżeli się zdenerwujesz, nie okazuj tego — to tylko pogłębi frustrację dziecka. Wykorzystaj poniższe wskazówki pomagające przyspieszyć rozwój mowy.

CO WARTO WIEDZIEĆ

Zachęcanie dziecka do mówienia

Mowa jest bardzo istotna. Umożliwia dziecku nie tylko porozumiewanie się z innymi, ale również rozwój własnego myślenia. Jest to zasadnicze narzędzie umożliwiające uczenie się i pracę twórczą.

Na szczęście nawet noworodki potrafią się doskonale porozumiewać. Ich pierwsze potrzeby ograniczają się do jedzenia, snu i wygody. W pierwszych tygodniach swojego życia dzieci płaczem przekazują wszystkie pragnienia. Płacz sprawi, że niemowlę otrzyma pierś lub butelkę, otoczą je czułe ramiona albo dostanie suchą pieluchę. Wkrótce, gdy dziecko zacznie szukać towarzystwa, gaworzenie zacznie zastępować płacz. Gdy potrzeba komunikowania się wzrasta, gaworzenie ustępuje miejsca dźwiękom, następnie grupom dźwięków wypowiadanych pojedynczo (większość dzieci w wieku dwunastu miesięcy posługuje się jednym lub dwoma), żargonowi przypominającemu słowa, następnie prawdziwym słowom, grupom słów, wreszcie całym zdaniom. W ciągu dwóch lat płaczący noworodek przeistacza się w rozmawiające dziecko, używające średnio 200 słów[8] — prawie połowę z 500 najczęściej stosowanych w typowych rozmowach ludzi dorosłych. Do trzeciego roku życia słownik przeciętnego dziecka rozrasta się pięciokrotnie, czyli do 1000 słów. Liczba ta podwaja się do osiągnięcia przez dziecko wieku szkolnego.

Ta naturalna ewolucja odbywa się w indywidualnym tempie. Od kołyski niektóre niemowlęta spędzają więcej czasu, próbując zaangażować wszystkich bardziej we własny rozwój społeczny niż w rozwój fizyczny. W rezultacie szybko zaczynają mówić. Innym fizyczne wyzwania pochłaniają tyle czasu i uwagi, że często są zbyt zajęte przewracaniem się z pleców na brzuch i odwrotnie, wstawaniem, wspinaniem się na

[8] Norma wynosi od kilkudziesięciu do 400 lub więcej słów.

meble, stawianiem kroków, aby skupić się na porozumiewaniu się. Rozwiną swoje umiejętności werbalne nieco później, w drugim i trzecim roku, gdy ich rozgadani już rówieśnicy będą nadrabiać zaległości w rozwoju fizycznym.

Niezależnie od tego, do jakiego typu zaliczamy dziecko, z naszą pomocą może ono zacząć mówić szybciej. Oto pewne wskazówki, jak mu w tym pomóc:

Wzbogacaj jego doświadczenia. Na długo przed tym, zanim dzieci zaczną mówić, uczą się odbierać język — przechowywać słowa i pojęcia w umyśle. Oznacza to, że rozumieją wiele wyrazów i pojęć, zanim potrafią ich użyć w mowie. Dlatego też dbaj, aby dziecko przebywało w różnorodnym otoczeniu (sklep, plac zabaw, biblioteka, muzeum, autobus, przystań, zagroda wiejska) i mów o tym, co oboje widzicie, używając prostego języka. Możesz na przykład utrwalić nowe doświadczenia za pomocą książki: czytanie książeczki o zoo po wizycie w nim zachęci do nauki nazw zwierząt („Pamiętasz małpkę, którą widzieliśmy?"). Prezentuj dziecku proste pojęcia („duże" i „małe", „suche" i „mokre", „wysoko" i „nisko", „w środku" i „na zewnątrz", „puste" i „pełne", „siadanie" i „wstawanie", „wesołe" i „smutne", „jasne" i „ciemne", „złe" i „dobre"). Pokazuj przyczynę i skutek („Stawiamy wodę na gaz i robi się gorąca, wkładamy ją do lodówki i robi się zimna, wkładamy ją do zamrażarki i robi się twarda"). Regularnie też pobudzaj zmysły dziecka, mówiąc o kolorach, fakturze, dźwiękach i zapachach pojawiających się w jego otoczeniu.

Mów, mów, mów. Aby dzieci mogły używać języka, muszą go najpierw rozumieć. Żeby rozumieć język, dziecko musi go bez przerwy słyszeć. Musimy mówić, aby ono zaczęło. Tak więc mów jak najwięcej, nawet jeśli czujesz się głupio i masz wrażenie, że dziecko nie ma pojęcia, o czym rozprawiasz.

Śpiewaj, śpiewaj, śpiewaj. Dzieci mają wrodzone zamiłowanie do muzyki i z uwagą słuchają prostych piosenek. Śpiewaj im, pomagając sobie nagraniami magnetofonowymi lub z towarzyszeniem instrumentu, jeżeli potrafisz. Dzieci szczególnie lubią piosenki, które wymagają klaskania lub innych podobnych gestów (np. „Kosi-kosi-łapci"). Liczne powtórki pomagają rozbudować słownictwo dziecka, więc nie wahaj się śpiewać wiele razy tę samą piosenkę. Prawdopodobnie dziecko i tak będzie się tego domagało. Nie martw się poziomem swoich zdolności muzycznych; dziecko chętnie i z przyjemnością będzie cię słuchało, nawet jeśli będziesz fałszować.

Nazywaj, nazywaj, nazywaj. W każdym języku istnieją tysiące słów, a dziecko musi się ich nauczyć po kolei. Najlepszym sposobem ich przyswajania jest nazywanie rzeczy w miarę, jak się pojawiają. Nazywaj wszystko, co spotkacie na ulicy (samochód, rower, światła, pan, pani, pies), w domu (stół, krzesło, kanapa, sok, kubek, widelec, łyżka), czytając książeczkę (krowa, dziewczynka, gospodarstwo, koń, kaczka, żaba). Po nazwaniu przedmiotu zachęć dziecko do powtórzenia jego nazwy („To jest książka. Powiedz: «książka»").

Mów jak dorosły. Z ust małych dzieci często rozbrzmiewają najzabawniejsze słówka: „puciak" (poduszeczka), „titit" (samochód), „bala" (lampa), „kukaja" (kiełbasa). Odczuwamy dużą pokusę, aby używać tych słów w codziennych rozmowach z dzieckiem. Pomyśl jednak, że dziecko może być zdezorientowane, słysząc, jak ty używasz dziecinnego języka. Nie pomoże to w rozwoju jego mowy. Natomiast stosowanie zdrobnień w rodzaju „kiciuś" jest jak najbardziej dopuszczalne.

Słuchaj. W czasie zabawy małe dzieci uwielbiają mówić do siebie i wcale nie wymagają słuchaczy. Jednak gdy kierują swoje zdania do kogoś konkretnego, lubią (jak zresztą wszyscy), by ich słuchano. Gdy dziecko mówi do ciebie, poświęć mu należytą uwagę. Nie chwytaj za telefon, nie zaczynaj mówić do męża, nie powracaj do czytania gazety lub oglądania telewizji, nie wychodź z pokoju. Przestań robić to, co robisz, patrz na dziecko i słuchaj, nawet jeśli do końca nie rozumiesz, co do ciebie mówi (patrz str. 362).

Zwracaj uwagę dziecka na różne dźwięki. Wyostrzanie słuchowej orientacji dziecka pomoże mu w odszyfrowywaniu niuansów językowych. Przysłuchiwanie się rozmowom jest ważne, ale nie bardziej od słuchania śpiewu ptaków, dzwonka telefonu, budzika, wycia syreny czy szumu wody. Zwracaj uwagę malca na te odgłosy i słuchajcie ich wspólnie.

Reaguj, gdy dziecko mówi. Nawet jeśli nie masz najmniejszego pojęcia, co dziecko właśnie powiedziało, możesz odpowiedzieć: „Hmm, to ciekawe" lub „Naprawdę?" Jednak zanim ocenisz jego mowę jako niezrozumiałe mamrotanie, spróbuj wpatrzyć się w język ciała, wyraz twarzy i inne towarzyszące mowie gesty. Jeżeli malec zbliża się do drzwi z kurteczką w ręku, odpowiednią reakcją byłoby pytanie: „Chcesz iść na dwór? Zaraz razem wyjdziemy". Gdy trze oczka i marudzi, zapytaj: „Jesteś zmęczona? Pójdziemy spać?" Gdy wskazuje na lodówkę, mówiąc coś przy tym, zapytaj: „Czy chcesz się czegoś napić? Chcesz kawałek sera?" Czasami uda ci się odgadnąć intencje dziecka, a nawet jeśli nie, to i tak będzie zadowolone, że zareagowałaś. Brak zainteresowania może wywołać smutek lub łzy, a natychmiastowa reakcja dostarcza dziecku motywacji do mówienia.

Dopuść dziecko do głosu. Czasami małe dzieci nie mówią, ponieważ nie stwarza im się do tego okazji — albo przewidujemy ich potrzeby i spełniamy je, zanim dziecko coś powie, albo sami zbyt dużo mówimy, nie pozwalając mu dojść do głosu. Bądź więc wyczulona na ten problem i stwarzaj małemu rozmówcy jak najwięcej okazji do zabierania głosu.

Cierpliwe potwierdzanie. Powtarzanie wypowiedzi dziecka swoimi słowami („Chcesz mleczka?", „Tak, to jest piesek", „Chcesz iść na dwór?") ma podwójne znaczenie. Pokazuje, że zrozumiałaś, co dziecko powiedziało, oraz umożliwia ci poprawienie jego błędnej wymowy w sposób naturalny, a nie krytyczny. Używanie zróżnicowanej barwy głosu, wysokich i niskich tonów pomaga w utrzymaniu u dziecka zainteresowania treścią twoich wypowiedzi.

Pytaj. Naukowcy zbadali, że zadawanie pytań dzieciom jest jednym z najlepszych bodźców do rozwoju ich mowy. Jeżeli dziecko nie zna jeszcze słów, ale potrafi pokiwać głową na „tak" lub „nie", wskazywać palcem na przedmioty, najlepiej zacząć od stwarzania mu możliwości do wykorzystania tych prostych odpowiedzi („Czy chcesz teraz chlebka?", „Pokaż mi, którą książeczkę chcesz obejrzeć").

Kiedy dziecko stanie się bardziej wprawne w mowie, możesz namawiać je do odpowiedzi słownych. Gdy wskaże palcem na piłkę lub zbliży się do książki, nie dawaj mu tych przedmiotów natychmiast, lecz zapytaj: „Co byś chciał?" Gdy wyda jakiś dźwięk, potraktuj to jako prośbę o ten przedmiot i powiedz: „O, chcesz piłeczkę?" lub: „Chciałbyś obejrzeć tę książeczkę?" Jeżeli nie otrzymasz odpowiedzi, nie zmuszaj do niej dziecka. Zamiast tego postaw następne pytanie: „Chcesz tę piłeczkę... lub tę książeczkę?" Przyjmij chrząknięcie, kiwnięcie głową, wskazanie palcem jako odpowiedzi, a następnie przełóż to dziecku na słowa: „Aha, chcesz książeczkę. Proszę, weź". Gdy dziecko zainicjuje rozmowę, spróbuj wyciągnąć od niego więcej informacji. „Czy chcesz wyjść na dwór?" Poczekaj chwilę na odpowiedź. „Dokąd chciałbyś pójść?" Znów odczekaj chwilę. „Czy chciałbyś pójść do parku?" Nie naciskaj jednak zbyt mocno i nigdy nie nalegaj, aby dziecko udzieliło odpowiedzi. Jeżeli zauważysz, że maluch staje się nerwowy, gdy zadajesz mu pytanie, to prawdopodobnie jest to znak, że należy przestać.

Powtarzaj słowa. Gdy mówisz do dziecka, próbuj używać tego samego słowa w różnych kontekstach. „Widzisz rower? Chłopczyk jedzie na rowerze"; „Patrz, ptaszek na niebie. Widzisz, ptaszek fruwa. Ptaszek fruwa po niebie". Rób to samo, gdy dziecko powie jakieś słowo. „Tak, to jest kwiatek. Kwiatek jest różowy, kwiatek jest ładny. Kwiatek ładnie pachnie (pociągnij nosem). Czy podobają ci się kwiatki?" Na następnym etapie możesz rozbudować wypowiedzi, dodając przymiotniki („zły pies", „duża książka", „wesoła piosenka") i przysłówki („on idzie szybko", „oni mówią głośno", „ona je wolno").

Mów prostym językiem. Niewiele małych dzieci rozumie długie, skomplikowane zdania, wszystkie zaimki i czasowniki w czasie przeszłym. Gubią się również, gdy słowa wypowiadane są szybko i chaotycznie. Czy rozumiałabyś francuski film po roku nauki tego języka w szkole? Pamiętaj, twoje dziecko ma za sobą tylko rok nauki polskiego. Należy więc mówić do niego głośno, wyraźnie, powoli i prostym językiem. Ułatwi mu to i zrozumienie słów, i poznanie różnych mechanizmów językowych, i wreszcie odtwarzanie mowy, której się przysłuchuje.

Bądź tłumaczem dziecka. Choć nie zawsze dobrze rozumiesz swoje dziecko, to i tak prawdopodobnie lepiej sobie radzisz pod tym względem niż inne osoby. Przejmij więc rolę tłumacza w kontaktach z innymi osobami. Przekładaj to, co one mówią, na język prostszy, bardziej dla malca zrozumiały — i odwrotnie, tłumacz im to, co dziecko chce wyrazić. Rób to tylko wtedy, gdy okaże się, że jesteś potrzebna. Daj szansę obydwu stronom. Być może sami się nawzajem zrozumieją.

Akceptuj język dziecka. Pamiętaj: zachęcaj, a nie zmuszaj. Jeżeli dziecko poczuje nacisk, by coś zrobić, natychmiast obudzi się w nim wewnętrzny sprzeciw. Dotyczy to również mówienia. Gdy maluch będzie gotowy, słowa i całe zdania posypią się jak z rękawa. Pamiętaj, że dzieci starają się poprawnie wymawiać słowa i używać zaimków, liczby mnogiej zasad gramatycznych. Minie jednak kilka lat, zanim będą je właściwie stosowały. Twoje krytykowanie i poprawianie nie tylko nie pomoże, ale najprawdopodobniej sprawi przykrość. Musisz jednak używać poprawnej wymowy. Gdy powtarzasz źle wypowiedziane przez dziecko słowo lub tłumaczysz, że zwierzę skaczące na obrazku przez księżyc to krowa, nie pies, powinnaś używać tonu przyjaznego, nie krytycznego. Nie powinnaś karać dziecka za błędy językowe lub niezrozumiałą dla ciebie wymowę („Przykro mi, nie dostaniesz tej lalki, dopóki nie poprosisz o nią poprawnie!"). Dzieci, które słyszą krytykę za każdym razem, gdy się odezwą, często w ogóle przestają mówić. Najlepiej nauczą się, słysząc poprawną mowę innych w swobodnej i miłej atmosferze. Pamiętaj również, że twoje dziecko będzie często słyszeć i powtarzać słowa, których nie rozumie. „Obiecuję" wypowiadane przez małe dziecko prawdopodobnie nie oznacza tego, co *ty* przez to rozumiesz. Dopiero gdy dziecko osiągnie wiek szkolny, będziesz mogła liczyć na to, że będzie miało świadomość tego, co mówi.

Pochwały. Gdy dziecko powie słowo, które zrozumiesz, lub wskaże na psa na obrazku i powie: „Hau, hau", pochwal je („Bardzo dobrze! To jest piesek"). Nie przesadzaj jednak w zachwytach, bo może zwątpić w twoją szczerość; nawet małe dziecko zorientuje się, że wypowiedzenie takich słów jak „auto" lub „dom" to ważny krok naprzód, ale nie jest to światowe osiągnięcie. Niektóre maluchy mogą być przygniecione nadmiarem owacji i przestaną mówić.

Jeżeli rozwój mowy twojego dziecka mieści się w normie (patrz str. 54), ale jest wolniejszy niż przeciętny lub wolniejszy niż rówieśników, nie martw się tym. Rozwój mowy nie świadczy o zdolnościach intelektualnych; dzieci, które są wcześnie aktywne werbalnie, często zawdzięczają to predyspozycjom genetycznym, a nie inteligencji. Oczywiście, jeżeli rozwój mowy dziecka jest zdecydowanie opóźniony, musisz zgłosić się do lekarza. Wczesne działania często pomagają nadrobić zaległości w rozwoju mowy.

CO TWOJE DZIECKO POWINNO WIEDZIEĆ

Inni ludzie mają swoje prawa

Cały świat kręci się wokół dzieci. Towarzysze zabawy, rodzice, babcie, dziadkowie, opiekunki, nawet psy i koty — wszyscy żyją, aby wypełniać wolę dwu-, trzylatków. Jedynie ich życzenia się liczą, ich potrzeby są niekwestionowane, ich uczucia są najważniejsze.

Jest rzeczą absolutnie pewną, że ci mali imperialiści muszą się nauczyć, iż inni też mają jakieś prawa. Pewne jest również to, że będzie to trudna lekcja i będzie trwała przez kilka lat. Lecz już teraz możesz zacząć przestrzegać następujących zasad:

* Nie odgrywaj roli męczennika. Częścią roli rodziców jest stawianie potrzeb dziecka przed własnymi — przez większość czasu. Stawianie potrzeb córki lub syna przed własnymi przez *cały* czas może spowodować dwa niepożądane skutki. Pierwszy: możesz zacząć czuć się spychana na dalszy plan i tym urażona, nawet jeśli należysz do najbardziej oddanych dziecku rodziców. Drugi: może to utrwalić lub przedłużyć u dziecka poczucie, że jest ono najważniejsze na świecie; zamiast wyrosnąć z tej typowej fazy rozwoju, ten mały egoista stanie się wyjątkowo zepsutym dzieckiem. Jako rodzice musicie chronić swoje prawa dla dobra własnego i dziecka. Chociaż wasze prawa z pewnością nie będą tak rozległe jak w okresie, gdy nie mieliście jeszcze dziecka, niektóre jednak powinny pozostać nienaruszone. Powinnaś pamiętać, że masz prawo do czytania książki od czasu do czasu, zamiast nieustannej zabawy z domagającym się tego dzieckiem; do używania toalety, gdy tego potrzebujesz, a nie odkładania tego na później, gdy dziecko ci zezwoli; do utrzymania porządku we własnej sypialni i niezezwalania na przynoszenie tam klocków i innych zabawek; do powstrzymania dziecka, aby nie „wykopywało" cię z twojego łóżka w nocy. (Niektóre prawa muszą ustąpić wymaganiom życia z małym dzieckiem, jak na przykład prawo do długiego spania w dni wolne od pracy lub do kochania się ze współmałżonkiem, gdy tylko przyjdzie na to ochota.)
* Nie tylko domagaj się swoich praw, lecz tłumacz je dziecku. Zamiast powiedzieć: „Nie mogę się teraz bawić, czytam książkę", wytłumacz: „Czytanie tej książki to duża przyjemność dla mnie, taka sama jak zabawa klockami dla ciebie. Teraz ja będę mieć radość z czytania mojej książki, a ty z budowania

Inni ludzie też mają uczucia

Być może za wcześnie spodziewać się, że dwuletnie dziecko przestanie traktować swoich współtowarzyszy zabaw jak przedmioty. Nie jest jednak za wcześnie, aby zacząć uczyć je, że te „przedmioty" mają własne uczucia. Gdy twój malec zabierze zabawkę innemu dziecku, nie mów jedynie: „Oddaj, to nie jest twoje!" (co nie przemawia i tak do dziecka w tym wieku, ponieważ jest ono święcie przekonane, że wszystko jest jego). Wytłumacz: „Jeśli zabierzesz Kasi laleczkę, to będzie jej smutno. Pamiętasz, jaka byłaś smutna, gdy Zuzia zabrała ci twojego misia?" Gdy twój synek uderzy inne dziecko, nie wystarczy powiedzieć: „Nie wolno bić!" Powiedz: „Ojej! Gdy bijesz Adasia, to go bardzo boli". Kiedy dziecko postępuje życzliwie, znów podkreśl stronę uczuciową zdarzenia: „Popatrz, jaki Maksio jest zadowolony, że dzielisz się z nim autkami". Pochwal też: „Bardzo ładnie się zachowałeś!" Chociaż upłyną lata, zanim twoje dziecko będzie zdolne przedkładać czyjeś uczucia nad swoje, ukazywanie mu, że inni też odczuwają, jest dużym krokiem w kierunku rozwoju empatii.

z klocków". To pozwoli dziecku zauważyć, że ty również masz potrzeby i uczucia. Gdy rozmawiasz przez telefon, a dziecko prosi cię usilnie o przeczytanie mu bajki, nie wystarczy tylko powiedzieć: „Musisz poczekać!" Zamiast tego powiedz: „Muszę teraz porozmawiać przez telefon. Gdy skończę, zacznę czytać ci bajkę". (Więcej wskazówek, co robić w takich sytuacjach, znajdziesz na str. 132-133.) Tłumacz dziecku również, aby szanowało prawa rodzicielskie, towarzyszy zabawy lub obcych ludzi. Powiedzenie: „Twoja siostra zajęła się właśnie rozwiązywaniem krzyżówki i potrzebuje trochę spokoju" jest bardziej pouczające niż obcesowe: „Trzymaj się od niej z daleka!" Podobnie wytłumaczenie, że: „Ludzie próbują rozmawiać w tej restauracji, a gdy ty uderzasz pięściami w stół, oni nic nie słyszą", znaczy o wiele więcej niż: „Przestań walić w stół!" Oczywiście dzieci są tylko dziećmi i twoje prośby, choćby były najlepiej sformułowane, mogą być często nie respektowane. Trzeba się tego spodziewać i do pewnego stopnia to zaakceptować. Najważniejsze jest jednak, żeby zaszczepić w umyśle dziecka, że inni ludzie też mają prawa.

* Mów dziecku o uczuciach (patrz ramka powyżej).

* Szanuj prawa własnego dziecka. Wielu rodziców, próbując wychować swoje pociechy na osoby wielkoduszne, stawia prawa współtowarzyszy zabaw ponad prawa własnych dzieci. Bez pytania o pozwolenie proponują ulubioną zabawkę swojego dziecka maluchowi, który przyszedł z wizytą. Gdy maluchy wyrywają sobie łopatkę w piaskownicy, rodzice nie zastanawiają się, że może to ich dziecko ma rację, i biorą stronę gościa. Niestety, takie podejście zamiast uczyć szczodrości, może zachęcać do bycia samolubem. Dziecko, którego prawa są na każdym kroku spychane na dalszy plan lub zagrożone, staje się jeszcze bardziej zdeterminowane, aby się nie dzielić i nie współpracować z innymi. Prawa twojego dziecka powinny być szczególnie szanowane, gdy pojawi się nowe rodzeństwo. Ciągłe prośby o ustąpienie lub zgodzenie się na coś tylko dlatego, że „jesteś starszy", nie są w porządku i mogą wywołać wrogość w stosunku do gościa. (Więcej informacji na temat rodzeństwa znajdziesz w rozdziale dwudziestym czwartym.)

* Szanuj uczucia własnego dziecka. Dzieci nie nauczą się szanować uczuć innych, gdy z ich uczuciami będziemy rozprawiać się krótko. Jeżeli będziesz zawstydzać swoją pociechę przed innymi („Oj, ty gapo! Zobacz, wylałeś mleko") lub nigdy nie będziesz brać pod uwagę jego opinii („Ten sweterek nie pasuje do tych spodni!"), lub nie będziesz mówić o nim jak o równym sobie („Ten dzieciak doprowadza mnie do szału!"), to nie tylko zniszczysz jego poczucie własnej wartości, ale nauczysz, że ignorowanie uczuć innych nie jest niczym złym.

* Bądź przykładem. Tak zwykle bywa, że to, co mówisz do dziecka, nie zapada w jego umyśle tak głęboko jak to, co robisz. Gdy najpierw prosisz, aby dziecko respektowało prawa i uczucia kolegi lub koleżanki, a potem zawstydzasz publicznie opiekunkę lub „warczysz" na sprzedawcę w sklepie albo przeciskasz się z końca kolejki na przód, uświadamiasz swojemu dziecku, że takie zachowanie jest dopuszczalne, nieważne, jak je skomentujesz.

2
Czternasty miesiąc

CO TWOJE DZIECKO POTRAFI ROBIĆ

Przed końcem czternastego miesiąca twoje dziecko powinno umieć:

* kiwać na pożegnanie;
* samodzielnie stać;
* wkładać przedmiot do pojemnika;
* świadomie używać słów „mama" i „tata" (do 13 i 1/2 miesiąca);
* wykonać proste jednostopniowe polecenie ustne (do 13 i 1/2 miesiąca).

Uwaga: Jeżeli twoje dziecko nie opanowało jeszcze tych umiejętności lub nie wykonuje rączkami pewnych celowych czynności, takich jak chwytanie i podnoszenie przedmiotów, skontaktuj się z lekarzem. Takie tempo rozwoju może być zupełnie normalne dla twojego dziecka, ale musi ono zostać fachowo ocenione. Zasięgnij porady lekarza, jeśli twoje dziecko niezbyt wyraźnie reaguje na różne bodźce, nie śmieje się, wydaje tylko kilka dźwięków lub żadnego, nie słyszy dobrze, jest nieustannie rozdrażnione lub żąda stałego poświęcania mu uwagi. (Pamiętaj, roczne dziecko, które urodziło się jako wcześniak, często pozostaje w tyle za swoimi rówieśnikami urodzonymi o czasie. Te różnice rozwojowe stopniowo się zmniejszają i zwykle całkowicie zanikają pod koniec drugiego roku życia.)

Przed końcem czternastego miesiąca twoje dziecko prawdopodobnie będzie umiało:

* schylić się i podnieść przedmiot (do 13 i 1/2 miesiąca);
* pewnie chodzić (do 13 i 1/2 miesiąca).

Przed końcem czternastego miesiąca twoje dziecko być może będzie umiało:

* rzucić przedmiot na ziemię, naśladując czyjś ruch;
* używać 3 słów (do 13 i 1/2 miesiąca).

Przed końcem czternastego miesiąca twoje dziecko może nawet umieć:

Małe dzieci czerpią wiele zadowolenia z wyciągania rzeczy ze swoich miejsc — o wiele więcej niż z wkładania ich tam z powrotem.

* zbudować wieżę z 2 klocków (do 13 i 1/2 miesiąca);
* używać 6 słów lub więcej (do 13 i 1/2 miesiąca);
* biegać;
* wchodzić po schodach;
* wykonać dwustopniowe polecenie ustne.

CO MOŻE CIĘ NIEPOKOIĆ

NEGATYWIZM

Obojętnie, co powiemy naszemu synkowi lub o co go poprosimy, ma jedną odpowiedź: „Nie!" Śmieszyło nas to na początku, ale teraz nasza cierpliwość już się wyczerpuje.

Nie" — nie jest pierwszym słowem, którego uczy się małe dziecko, ale dla wielu szybko staje się ulubionym. Jest to, przynajmniej na początku, kwestia fizjologii: łatwiej jest wypowiedzieć „nie" niż „tak", potrząsanie głową w prawo i w lewo jest łatwiejsze niż z góry na dół. Może to mieć również związek z faktem, że dzieci dużo częściej słyszą słowo „nie" niż „tak".

Negatywizm u małych dzieci znajduje swoje wytłumaczenie w psychologii. Chociaż teraz dziecko potrafi powiedzieć „tak", to jednak zdecydowanie woli mówić „nie" — nie przez przekorę, lecz dlatego, że to krótkie, dosadne wyrażenie pozwala mu zademonstrować jego nowo odkrytą tożsamość. Zamiast być jedynie częścią ciebie, tak jak to było przez cały okres niemowlęctwa, teraz jest już małą osobą. Powtarzając bez końca „nie", podkreśla swoją niezależność, sprawdza twoją władzę i swoją autonomię. „Nie" staje się jego deklaracją niezależności, jego obwieszczeniem emancypacji. Będzie odpowiadało „nie" na twoje prośby, „nie" na twoje polecenia, „nie" na twoje zakazy, „nie" na prawie wszystko, co od ciebie usłyszy — czasami nawet w odniesieniu do czegoś, co chce uzyskać. Nie będziesz jedynym obiektem negatywizmu swojego dziecka; dobrym celem będą też współtowarzysze zabaw, opiekunki i rodzeństwo. Usiłując zachować swoje prawa jako niezależna osoba, dziecko nagle poczuje się właścicielem swoich rzeczy, swojego dobytku i każdy, kto zagrozi zagarnięciem tych rzeczy, spotka się z niedwuznaczną reakcją ze strony malca.

Negatywne zachowanie twojego dziecka nie jest krytyką ciebie (jako matki lub ojca). Wszystkie dzieci, począwszy od drugiego roku życia (czasami nawet wcześniej), przechodzą przez fazę negatywizmu. U niektórych trwa ona krótko i ma łagodny przebieg; u innych jest bardziej dokuczliwa dla otoczenia. Dziecko nie jest w stanie kontrolować swojej skłonności do oporu wobec władzy, tak samo jak nie może kontrolować ząbkowania czy wzrostu. Testowanie twojego autorytetu jest czymś zdrowym i normalnym, formą wyrażania samego siebie, zasadniczą częścią budowania własnego „ja", ważnym krokiem na drodze do stania się osobą.

Świadomość, że takie zachowanie dziecka jest zdrowe i normalne, nie ułatwia jednak życia z tym problemem. Dziecko może w końcu doprowadzić do wyczerpania się cierpliwości rodziców, zwłaszcza gdy jest ono za małe, aby z nim dyskutować. Na szczęście negatywizm jest fazą, która przemija — w najgorszym wypadku trwa nie dłużej niż pięć, sześć miesięcy. Około drugich urodzin większość dzieci zaczyna myśleć i zachowywać się pozytywniej oraz współdziałać z otoczeniem. Rodzice mogą wówczas odetchnąć z ulgą — przynajmniej do czasu, gdy faza buntu nie powtórzy się znów w wieku dojrzewania. Tymczasem przestrzeganie kilku podstawowych zasad może uczynić ten trudny okres mniej dokuczliwym dla ciebie.

Ogranicz swoje „nie". Dzieci uczą się znacznie szybciej na przykładzie niż przez zwracanie uwagi. Gdy rodzice, którzy słyszą na okrągło od swoich dzieci „nie", posłuchają samych siebie, to nierzadko częściej usłyszą „nie" niż „tak". Nadużywanie przez ciebie przeczeń może udzielić się dziecku — pomyśl więc, zanim powiesz „nie".

Ogranicz jego „nie". Jeżeli nie chcesz usłyszeć w odpowiedzi swojego dziecka „nie", formułuj uważnie swoje pytania. Zamiast „Czy chcesz włożyć sweterek?" lub „Chodź, włożę ci sweterek", zaproponuj wybór: „Czy włożysz sweterek z kapturem, czy ten ze słoniem?" Nawet dziecko, które nie potrafi jeszcze mówić, wskaże, co wybrało. Zamiast powiedzieć: „Czas umyć ręce przed obiadem", spróbuj: „Czy chcesz umyć rączki w zlewie w kuchni, czy w umywalce w łazience?", „Czy chcesz umyć rączki mydełkiem w płynie, czy zwyczajnym?" Dając dziecku jak najwięcej okazji i inicjatywy w podejmowaniu różnych decyzji, pomożesz mu poczuć, że ma kontrolę nad swoim życiem, co tym samym zredukuje jego potrzebę buntu.

Nie dawaj wyboru, gdy go nie ma. Jeżeli sprawa jest jednoznaczna, przedstaw ją dziecku jasno i zdecydowanie. Pytanie: „Czy chcesz już iść do domu?", gdy nie ma wyboru i trzeba iść do domu, jest po prostu prowokowaniem buntu. Lepiej powiedzieć: „Pora iść do domu".

Nie śmiej się z „nie". Zachowanie poczucia humoru w okresie trwania fazy negatywizmu jest bardzo istotne. Ważne jest też, aby się z malucha nie podśmiewać. Dla dziecka jego negatywizm wcale nie jest zabawny — traktuje go bardzo poważnie i oczekuje poważnych reakcji z naszej strony.

Nie rozkazuj. Każdy w końcu zbuntowałby się, gdyby mu wciąż rozkazywano. Zamiast polecenia: „Masz usiąść na foteliku" (w samochodzie) spróbuj: „Usiądźmy teraz na foteliku". Często też sprawdza się udawanie, że nie wiesz, o co chodzi, i prowokowanie dziecka do przejęcia inicjatywy. „Dobrze, jesteśmy w samochodzie. Co teraz musimy zrobić?" lub: „Gdzie jest twój fotelik?" Następnie: „Bardzo dobrze, to jest twój fotelik". Dalej: „Czy potrafisz usiąść na foteliku?" I wreszcie radośnie: „Jaki duży chłopak!"

Opanuj się. Gdy dziecko się buntuje, a ty się denerwujesz, pogarszasz jeszcze sprawę. Od ciebie zależy, aby nie doszło do awantury (patrz str. 638). Nie karaj też dziecka za negatywizm. Szanuj jego prawo do powiedzenia „nie", tłumacząc, że czasem musi robić to, co ty mu każesz, nawet jeśli tego nie chce.

Pochwal pozytywne zachowanie. Zauważ, że pochwały i nagrody za dobre zachowanie o wiele bardziej stymulują pozytywne działania niż kary za złe zachowanie.

Unikaj sytuacji, w których ktoś musi przegrać. Pamiętaj, że dobrzy rodzice nie zawsze do końca wykorzystują swoją władzę. Czasami ustępują. Im więcej dasz swojemu dziecku okazji do samostanowienia, tym rzadziej będzie się ono czuło zmuszone walczyć o swoje prawa, mówiąc „nie".

Czasami ustępuj. Wiadomo, że nie można ustąpić dziecku, gdy nie chce usiąść na foteliku w samochodzie, wziąć lekarstwa lub iść spać. Lecz bywają sytuacje, gdy stawka nie jest zbyt wysoka i wówczas można przystać na dziecka „nie". Powiedzmy, że miałaś zamiar zatrzymać się w jeszcze jednym miejscu (w pralni) w drodze do domu z wyprawy po zakupy, ale wchodząc tam, maluch zaczął marudzić: „Chcę do domu!" Jeżeli ta sprawa może zostać odłożona, powiedz: „Dobrze, wiem, że jesteś zmęczony. Ja też. Jutro wstąpimy do pralni, a teraz pójdziemy do domu". Gdy czasem pozwolisz dziecku wygrać, to zdarzające się przegrane nie będą tak bolesne. Ustępuj jednak, zanim „nie" przerodzi się w napad złości. Doprowadzanie dziecka do wściekłości jest prawie zawsze błędem (patrz str. 285).

STAWIANIE OGRANICZEŃ

Nie przywiązuję zbyt dużej wagi do dyscypliny, a mój mąż uważa, że powinniśmy zacząć stawiać naszej córeczce pewne ograniczenia. Obawiam się, że może ona poczuć się nie kochana.

Punkt dla taty. Ograniczanie swobód dziecka nie powoduje, że czuje się ono mniej kochane; tak naprawdę jest wręcz przeciwnie. Większość dzieci pragnie tych ograniczeń, chociaż niektóre bardziej potrzebują zewnętrznego pokierowania ich zachowaniem. Dzieciom, które jeszcze nie potrafią narzucić sobie pewnych ograniczeń, świadomość, że ich rodzice robią to za nie, daje szczególnie uspokajające poczucie bezpieczeństwa. Chociaż nie zawsze są one w stanie wytrzymać tę próbę. Rozsądne granice dają dziecku do zrozumienia, czego może oczekiwać i czego się od niego oczekuje. Zapewniają mu poczucie bezpieczeństwa w tym burzliwym okresie rozwoju. Dzieci, które nauczą się teraz żyć według pewnych zasad, później zachowują się lepiej i są szczęśliwsze.

Kiedy twoja córeczka podrośnie, stanie się dla niej jasne, że wprowadziliście pewne zasady, ponieważ zależy wam na domu, innych ludziach, a zwłaszcza na niej. Jeśli powiesz jej, że musi włożyć czapkę i rękawiczki, ponieważ na dworze jest mróz, będzie wiedziała, że nie chcesz, aby zmarzła lub się zaziębiła. Gdy będziesz nalegać, żeby poszła spać o określonej godzinie, stopniowo zacznie zdawać sobie sprawę, że zależy ci, aby obudziła się rano wypoczęta i w dobrym nastroju. Jeżeli będziesz nalegać, aby odkładała swoje zabawki na miejsce, zacznie w końcu rozumieć, że chcesz, aby jak najdłużej były w dobrym stanie i aby mogła mieszkać i bawić się w miłym otoczeniu.

Dorastanie w warunkach, w których istnieją pewne ograniczenia i reguły zachowania, to coś więcej niż zapewnienie dziecku poczucia bezpieczeństwa i miłości. Sprawi ono, że dziecko również stanie się bardziej kochające. Dzieci wychowane bez jakichkolwiek ograniczeń — gdy mogą robić, co chcą i kiedy chcą — nie są zazwyczaj lubiane poza domem.

Oczywiście — za dużo zakazów, podobnie jak za mało, może też mieć negatywny wpływ na dziecko. Jeżeli wprowadzicie tak dużo ograniczeń, że wasz dom zmieni się w państwo policyjne, dziecko albo nauczy się je ignorować (ponieważ aż tyle nie potrafi znieść), albo się zbuntuje (kiedy tłumione będzie jego naturalne dążenie do niezależności) lub też zamknie się w sobie i popadnie jakby w letarg. Dzieci, które w domu poddawane są bardzo surowej dyscyplinie, zwykle poza domem (gdy znajdą się poza zasięgiem wzroku rodziców) nie potrafią same narzucić sobie dyscypliny. Te, którym nigdy nie zezwala się dokonywać samodzielnych wyborów, mogą wyrosnąć na ludzi niezdolnych do podejmowania mądrych decyzji w dalszym życiu.

Zakazy muszą też być stosowane w granicach rozsądku, gdyż inaczej mogą wywołać bunt („Nie możesz dzisiaj wyjść na dwór, bo ja mówię nie!"). Nie można też wymagać, aby małe dziecko zawsze odkładało na miejsce wszystkie swoje zabawki albo ściszało głos w pomieszczeniach. Oczywiście, aby zasady były skuteczne, muszą być przestrzegane (patrz str. 120).

Tak jak prawo różni się nieco w różnych krajach, tak zasady wychowywania dzieci różne są w różnych rodzinach. Dopasuj zakazy do własnej rodziny, tak aby odpowiadały i rodzicom, i dzieciom. Więcej informacji na temat znalezienia odpowiedniej równowagi między zakazami a swobodą dla dziecka znajdziesz na stronie 119.

IGNOROWANIE ZAKAZÓW

Mój synek zawsze odpowiada mi „nie", ale gdy ja powiem „nie", to ignoruje to zupełnie lub chichocze i robi dokładnie to, czego mu zabroniłam.

Dzieci uwielbiają odpowiadać „nie", ale nie znoszą, gdy to wobec nich używa się tego słowa. W zmaganiach o niezależność rodzicielskie zakazy stanowią zagrożenie ich samostanowienia. Dla dziecka stosowanie się do zakazów oznacza uznanie twojej władzy. Jednak zamiast akceptować, woli wystawić ją na próbę. Jest to normalne zjawisko w rozwoju dziecka, choć może rodzicom dać się we znaki. Chociaż całkowita uległość dziecka jest nierealnym marzeniem — nie tylko teraz, gdy ma ono dwa, trzy lata, ale przez całe dzieciństwo — teraz możesz zacząć starania, które ją nieco przybliżą.

* Musisz wiedzieć, kiedy powiedzieć „nie". To słowo ma duże znaczenie — zwłaszcza w kwestiach zdrowia, bezpieczeństwa i higieny — ale nadużywane może zahamować rozwój dziecka, a czasami doprowadzić do całkowitego ignorowania zakazów. Aby twoje „nie" były bardziej skuteczne, używaj ich tylko wtedy, kiedy jest to niezbędne. Eliminuj, jeśli tylko to możliwe, momenty konfliktogenne. Niech twój dom będzie dla dziecka bezpieczny (patrz str. 529) — zabezpiecz drzwi od łazienki przed łatwym otwarciem, schowaj łatwo tłukące się rzeczy, postaw sprzęt grający na najwyższej półce — a będziesz mieć mniej powodów, do mówienia „nie". Zostawiając kilka rzeczy w zasięgu ręki dziecka — tych, które nie ucierpią pod niezbyt delikatnym dotknięciem jego rączki — możesz zacząć uczyć malca trudnej sztuki samokontroli. Gdy zbliża się do tych kuszących przedmiotów, wytłumacz mu: „To tatusia; nie możesz się tym bawić". Zaproponuj mu coś w zamian: „Proszę, ta kaczuszka jest twoja. Możesz się nią bawić". Czasami pozwól mu pod twoją kontrolą dotknąć czegoś zakazanego: „Nie możesz sam włączać magnetofonu, ale możemy to zrobić razem".
* Nie uprzedzaj wypadków. Nawet jeśli dziecko idzie prosto w kierunku magnetowidu, poczekaj, aż go dotknie. Wtedy powiedz: „Nie wolno dotykać magnetowidu!" Przedwczesne wydanie zakazu zachęci do niepożądanego działania. Należy więc zaufać dziecku. Oczywiście, jeżeli zmierza w kierunku czegoś, o czym nie wie, że jest zakazane lub że stanowi zagrożenie, powstrzymaj je od razu.
* Miej pozytywne nastawienie. Więcej dobrego osiągniemy pozytywnym podejściem niż negatywnym. Na przykład: „Proszę cię, idź po chodniku" daje większą szansę na dostosowanie się do prośby niż: „Nie wchodź w błoto". Albo: „Spróbuj rysować mazakiem po papierze, a nie po stole" odniesie lepszy skutek niż: „Nie rysuj po stole!"
* Jeżeli już powiesz „nie", wymagaj posłuszeństwa. Jeżeli od niechcenia rzucisz: „Nie jedz psiego jedzenia", gdy dziecko zacznie obwąchiwać psią miseczkę, potem odwrócisz się, a ono i tak spróbuje, to przy następnej okazji nic sobie nie zrobi z twojego zakazu. Jeżeli powiesz „nie", musisz mieć pod kontrolą przebieg całej akcji. Być może będziesz musiała zabrać miskę lub dziecko albo odwrócić

jego uwagę innym sposobem. Pamiętaj też, aby powstrzymać śmiech, gdy po twoim zakazie zobaczysz ten szelmowski, rozbrajający uśmieszek. Musisz być poważna, aby dziecko potraktowało twój zakaz poważnie.

* Mów „nie" ze spokojem. Złość daje dziecku poczucie przewagi („Jeśli tatuś aż tak się wścieka, to ja muszę przejąć kontrolę nad sytuacją"). Stanowczość da twojemu autorytetowi większą wiarygodność.

* Wytłumacz swoje prośby i wymagania. Wiedząc, po co istnieją zasady, łatwiej nam ich przestrzegać. I nawet małe dzieci potrafią to zrozumieć. Jeśli tylko jest to możliwe, wyjaśnij dziecku: „Umyj teraz rączki, żeby na serku nie było piasku"; „Nie możesz dotykać grzejnika, bo jest gorący i możesz się oparzyć"; „Nie ciągnij psa za ogon; to go boli i może cię ugryźć". Wyjaśnij prosto i zwięźle; długie wyjaśnienia zniechęcają dziecko do słuchania.

* Pochwal dziecko, gdy cię posłucha. Jeżeli malec zastosuje się do twojego zakazu — nawet jeśli będzie to jeden raz na pięćdziesiąt — pochwal go („Dziękuję, że odłożyłeś tę książkę, tak jak cię o to prosiłam").

STRAJK GŁODOWY

Gdy próbuję nakarmić moją córeczkę, zaciska buzię i kiwa przecząco głową. Nie mogę jednak pozwolić jej na samodzielne jedzenie, ponieważ wiąże się to z okropnym bałaganem i zabiera za dużo czasu.

Kiedy małe dziecko je samodzielnie, podłoga, ściana i ubranie stanowią niezbyt przyjemny widok. Poza tym jedzenie zajmuje mu trzykrotnie więcej czasu, niż gdybyś ty wzięła łyżkę do ręki. Niestety w tym, jak i w wielu innych przypadkach nie ma powodzenia bez wyrzeczeń. Osiągnięcia, jakie dziecko ma w tym względzie poczynić, są dla niego bardzo ważne — mogą dać mu poczucie niezależności oraz zdrowe podejście do spożywania posiłków, będą wprawą w samodzielnym jedzeniu. Jeśli będziesz karmiła dziecko sama, zyskasz sporo czasu i unikniesz sprzątania, ale odbierzesz dziecku te cenne zdobycze. Nie pozwalając malcowi samodzielnie spożywać posiłków, możesz zapoczątkować problemy z jedzeniem.

Najlepiej przeznacz więcej czasu na posiłki twojej córki. Rozłóż coś na podłodze i odwróć wzrok, jeżeli nie możesz znieść widoku samodzielnie jedzącego dziecka — ale pozwól mu to robić. Przeczytaj wskazówki na str. 40-41, w jaki sposób poprawić estetykę spożywania posiłków przez małe dziecko.

OPRÓŻNIANIE WSZYSTKIEGO, CO MOŻLIWE

Mój synek chodzi po domu i opróżnia wszystko, co widzi: szuflady, kosz na śmieci, skrzynkę z zabawkami. Ale niestety nie można go nakłonić, aby wkładał te rzeczy z powrotem.

Przewrotna matka natura znów daje znać o sobie: obdarza człowieka umiejętnością „opróżniania" na kilka miesięcy przed umiejętnością „wkładania". Ale to opróżnianie to nic śmiesznego dla twojego dziecka — to poważna, rozwijająca praca.

Jak możesz pomóc swojemu dziecku w udoskonalaniu tej ważnej umiejętności bez wywrócenia całego domu do góry nogami? Spróbuj zastosować się do poniższych porad:

Chroń dziecko przed opróżnianiem miejsc z niebezpieczną zawartością. Zamontuj zamki lub zabezpieczenia w szafkach i szufladach, w których znajdują się niebezpieczne dla dziecka przedmioty: środki czystości, chemikalia, noże, zapałki, nożyczki, szkło, porcelana i inne łatwo tłukące się rzeczy. Ponieważ upłynie jeszcze wiele czasu, zanim dziecko samo będzie potrafiło powstrzymać się od dotykania zabronionych niebezpiecznych przedmiotów, zależy wyłącznie od ciebie, czy będą one dla niego całkowicie niedostępne. Patrz str. 529 — wskazówki dotyczące zabezpieczenia domu.

Stwarzaj możliwość bezpiecznej zabawy. Rób dziecku przyjemność i zaspokajaj jego potrzebę wyrzucania różnych rzeczy przez podsuwanie mu pudełek ze skrawkami materiałów o jaskrawych barwach (uważaj jednak, aby nie znalazły się w nich tasiemki lub sznurki — dziecko mogłoby się nimi udławić); koszy z zabawkami; szuflad ze starymi garnkami, pokrywkami, drewnianymi łyżkami i różnymi plastykowymi pojemnikami. Zarzuć wannę i piaskownicę plastykowymi kubeczkami, buteleczkami i wiaderkami, aby dziecko mogło je napełniać i opróżniać do woli.

Zabawa „we wkładanie". Zacznij uczyć dziecko, jak wkładać rzeczy z powrotem: „Ty włóż tę zabawkę do skrzynki, a ja tę" lub: „Zobaczmy, kto szybciej napełni swoje pudełko zabawkami!" Nie spodziewaj się, że dziecko będzie wkładać rzeczy z takim samym zaangażowaniem, jak je wyrzucało. Wkładanie z powrotem to dla niego znacznie trudniejsza i dająca też mniejsze zadowolenie sztuka. Nawet jeśli twój tuptuś wreszcie nauczy się wkładać rzeczy z powrotem, to i tak prawdopodobnie — ku twojemu niezadowoleniu — będzie kończył każdą zabawę wyrzuceniem wszystkiego na podłogę (wyrzuci, włoży, wyrzuci). Oczywiście zdarza się i takie dziecko, które tak lubi wkładać różne rzeczy do różnych miejsc, że mama znajduje swoje kluczyki od samochodu w szufladzie ze skarpetami, a tata swój portfel w wiadrze na śmieci. Jeżeli twoje dziecko nie przepada za odkładaniem rzeczy, nie zmuszaj go do tego i nie karaj. Pamiętaj, że opróżnianie, chociaż męczące dla ciebie, jest nowym, pouczającym doświadczeniem dla niego. Jednak by mieć kontrolę nad chaosem i dać dziecku do zrozumienia, że wyrzucanie na podłogę wszystkiego, co się da, nie jest w porządku, powinnaś schować ulubiony przez niego pojemnik.

Wytłumacz, o co chodzi. Tłumaczenie nie przyniesie rezultatów, dopóki dziecko nie skończy osiemnastu miesięcy, kiedy zaczyna więcej rozumieć. Wówczas, za każdym razem, gdy maluch wyrzuci wszystko z jakiejś szuflady lub szafki na podłogę albo porozrzuca po całym pokoju, wskaż na niedogodności, jakie taki bałagan stwarza: ktoś może się potknąć i przewrócić, można nadepnąć na porozrzucane przedmioty i połamać je. Wytłumacz, że dom wygląda znacznie ładniej, kiedy wszystko jest na swoim miejscu. Prawdopodobnie żaden z tych argumentów — przynajmniej w najbliższym czasie — nie powstrzyma dziecka przed wyrzucaniem rzeczy ani nie zachęci do wkładania ich z powrotem, jednak zaszczepi w jego umyśle świadomość, że za zakazem wyrzucania kryją się poważne powody.

RZUCANIE PRZEDMIOTÓW NA ZIEMIĘ

Moja córka czerpie ogromną przyjemność z rzucania na ziemię różnych rzeczy, gdy siedzi w łóżeczku, na wysokim krzesełku lub w wózku sklepowym. Jest jeszcze bardziej rozbawiona, kiedy widzi, jak je podnoszę z ziemi.

Takie zachowanie pod koniec pierwszego roku życia oznaczało, że dziecko miało wystarczającą kontrolę nad swoimi palcami, aby wypuszczać z rąk chwycony przedmiot. Tak jak w przypadku innych umiejętności, żeby robić to dobrze, musiało ćwiczyć bez końca. Nie interesowało go jednak, co dzieje się z rzuconym przedmiotem. Gdy mała podrosła, rzucanie stało się dla niej naukowym doświadczeniem: „Co się stanie, gdy to upuszczę? Dokąd to się potoczy?" Jak młody Isaac Newton obserwuje z fascynacją, jak przedmiot spada na ziemię. Jeszcze bardziej się podnieca, gdy przedmiot się rozbija.

Dla wielu małych dzieci, w tym dla twojej córeczki, rzucanie rzeczy na ziemię jest wspaniałą rozrywką. Niezłą zabawą jest, na przykład, wyrzucanie przez poręcz łóżeczka wszystkich zwierzątek po kolei lub puszczanie z wysokiego krzesełka zielonego groszku. Obserwowanie dorosłych schylających się, by podnieść te rzeczy, daje podwójną przyjemność. Jednakże to, co rozbawia twoje dziecko, wyczerpuje ciebie, nie mówiąc już o wysiłku, na jaki narażony jest twój kręgosłup i kolana. Aby zniechęcić dziecko do upuszczania wszystkiego, co znajdzie się w jego rączkach, podejmij następujące kroki:

Przestań narzekać. Przeciętny malec, wiedząc, że pewien rodzaj jego zachowania denerwuje rodziców, staje się jeszcze bardziej skłonny do powtarzania go. Tak więc zamiast zrzędzić na temat ciągłego rzucania różnych rzeczy na ziemię, udawaj, że w ogóle cię to nie obchodzi.

Posadź dziecko na podłodze. Gdy dziecko jest w nastroju do rzucania, a ty nie jesteś w nastroju do podnoszenia, posadź je na podłogę, aby mogło rzucać i podnosić do woli. Najczęściej jednak dziecko traci na to ochotę z chwilą znalezienia się na podłodze.

Zakończ posiłek. Jeżeli maluch rzuca na podłogę jedzenie, zabierz talerz i jak najszybciej zakończ posiłek.

Zachęcaj do rzucania w konkretne miejsca. Pozwól, aby dziecko ćwiczyło umiejętność wrzucania przedmiotów do określonych pojemników — klocków do wiaderka, listu do skrzynki, zabawek do pudełka, rodzynków do ciasta itd.

Zabawa w „podnoszenie". Podnoszenie rzeczy nigdy nie sprawia takiej przyjemności jak ich rzucanie (chyba że jest to kosz z ciekawymi śmieciami, który dziecko przewróciło na chodniku). Aby to zajęcie uatrakcyjnić, można zabawić się w „podnoszenie" (na przykład: „Zobaczmy, jak szybko podniesiemy wszystkie zabawki, które upuściłaś" lub: „Czy zdążysz podnieść wszystkie te klocki, zanim skończy się ta piosenka?").

„Ostrożnie — szkło". Powtórzmy to jeszcze raz. Te dzieci, które są właśnie w fazie rzucania, nie powinny mieć w swoim zasięgu delikatnych, tłukących się naczyń ze szkła, porcelany, ceramiki oraz niczego, co chciałabyś zachować w całości.

KŁOPOTY Z KONCENTRACJĄ UWAGI

Nasza córeczka nie potrafi skoncentrować się na niczym dłużej niż przez kilka minut.

Wygląda na to, że twoje dziecko rozwija się normalnie, chociaż w twoim odczuciu koncentruje swoją uwagę na bardzo krótko. Małe dzieci na niczym nie skupiają się dłużej niż kilka minut, chwytając się jednego zajęcia, by po krótkiej chwili zabrać się do czegoś innego. Żądanie, aby czternastomiesięczne dziecko koncentrowało się dłużej na czymkolwiek — zabawce, układance, książeczce lub wystawie muzealnej — jest zbyt wygórowane. Podobnie jak z jedzeniem, twoja córeczka lepiej strawi doświadczenie życiowe, jeżeli pozwolisz jej gryźć je małymi kęsami.

Nie oznacza to, że twoje dziecko od czasu do czasu nie zaskoczy cię dłuższym zaangażowaniem w jakąś czynność. Będzie się tak zdarzać coraz częściej, w miarę wydłużania się jego okresów koncentracji. Patrząc jednak realistycznie, dopiero w wieku szkolnym (około szóstego roku życia) większość dzieci rozwija zdolność koncentracji na jednej czynności przez dłuższy czas, odcinając się od innych bodźców lub czynników rozpraszających jego uwagę (patrz str. 159).

SZPOTAWE KOLANA

Nasza córeczka zaczęła chodzić, ale martwią nas jej łukowato wygięte w kolanach nogi.

Prawie każde dziecko, które zaczyna chodzić, ma sporą szparę między kolanami. Przestrzeń ta może być różna u poszczególnych dzieci. Jeśli córeczka otrzymuje witaminę D w mleku lub w kroplach (niedobór tej witaminy może prowadzić do krzywicy i stałego wykrzywienia nóg), szpotawość jej kolan jest wtedy po prostu częścią normalnego rozwoju. Do jej drugich urodzin szpotawość kolan prawdopodobnie zupełnie zniknie — kolana najprawdopodobniej staną się koślawe (zwłaszcza u dziewcząt — przyp. red. nauk.) (Jeżeli dziecko będzie się rozwijać według typowego schematu, patrz str. 279.)

Jeżeli jednak wygięcie jest niesymetryczne, utrudnia chodzenie lub też pogłębia się po skończeniu przez dziecko dwóch lat, zgłoś się do lekarza. Konsultacja medyczna wskazana jest również w wypadku, gdy szpotawość jest znaczna, a dziecku wiele brakuje do dolnej granicy wzrostu na siatce centylowej (patrz wykresy na końcu książki).

STAWIANIE STÓP NA ZEWNĄTRZ

Mój synek, który zaczął chodzić kilka tygodni temu, ma chód jak kaczka, stawia stopy na zewnątrz. Czy to normalne?

Nie tylko jest to normalne, ale konieczne. Stawiając stopy na zewnątrz, małe dzieci lepiej utrzymują równowagę (dorośli też w ten sposób ustawiają stopy, gdy chcą utrzymać równowagę). Takie ustawienie stóp pomaga też wyrównać szpotawość kolan.

Między drugim a trzecim rokiem życia kolana dzieci zmieniają się ze szpotawych w koślawe. Dla lepszej równowagi stopy ustawiają się do wewnątrz. Na tym etapie chód dzieci zaczyna mniej przypominać kaczy, a bardziej gołębi.

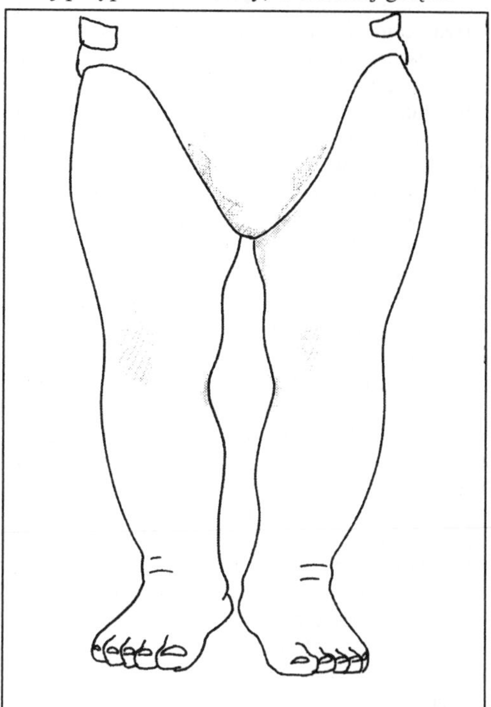

Nie należy się martwić — nogi dziecka są łukowato wygięte do końca drugiego roku życia. Stawianie stóp na zewnątrz i płaskostopie jest również powszechne w tym wieku.

Do ukończenia wieku szkolnego większość dzieci stawia stopy prosto lub prawie prosto. Jednak niewielki odsetek będzie stawiać stopy na zewnątrz, co nie stanowi żadnego problemu.

PŁASKOSTOPIE

Oboje z żoną mamy prawidłowo wysklepione stopy, ale stopy naszego czternastomiesięcznego synka są zupełnie płaskie. Martwimy się, że może to okazać się problemem.

Nie martwcie się. Wasz synek na pewno odziedziczył po was kształt stóp, ale jeszcze przez kilka następnych lat nie będzie to widoczne. W niemowlęctwie i wczesnym dzieciństwie płaskostopie jest normą, nie wyjątkiem. Stopy waszego dziecka rozwijają się zgodnie z naturą.

Istnieje kilka przyczyn, dla których małe dzieci mają płaskie stopy. Po pierwsze, kości i stawy, także te w stopie, są we wczesnym dzieciństwie bardzo giętkie. Po drugie, mięśnie wzmacniające stopę nie są jeszcze w pełni rozwinięte; potrzeba wiele chodzenia, o wiele więcej niż większość dzieci ma za sobą, aby mięśnie te się wzmocniły. Ciężar ciała dziecka sprawia, że z powodu słabych jeszcze stawów i mięśni łuk stóp spłaszcza się i jest zupełnie niewidoczny. Poza tym warstwa tłuszczu, która otacza łuk stopy, skutecznie ukrywa jakiekolwiek wyżłobienie, jeśli istnieje. Większość zaczynających chodzić dzieci stawia stopy na zewnątrz, by poprawić równowagę ciała. Dodatkowy ciężar przypada więc na łuk stopy, powodując jego spłaszczenie.

Prawdopodobnie wasz synek, przekraczając próg „zerówki", będzie już posiadaczem dwóch dobrze wysklepionych łuków stóp. Jeżeli tak się nie stanie (u około 10% do 20% ludzi płaskostopie zostaje na całe życie), nie będzie to jeszcze powodem do zmartwienia. Chociaż w czasie II wojny światowej młodzi mężczyźni z płaskostopiem byli uważani za niezdolnych do służby wojskowej, obecnie specjaliści doszli do wniosku, że płaskostopie nie jest kalectwem, a w pewnych przypadkach może być nawet korzystne. (Z powodu większej zdolności płaskich stóp do odbierania wstrząsów osobom z płaskostopiem rzadziej zdarzają się urazy stóp, np. zerwanie ścięgien lub zwichnięcie stopy, w porównaniu z osobami mającymi duży łuk stopy.)

Czekając na wyrobienie się u waszego dziecka odpowiedniego łuku stóp, unikaj pokusy „zrobienia czegoś".

Specjalne buty, wkładki ortopedyczne i ćwiczenia, o których być może słyszeliście, nie tylko nie pomagają, ale mogą wyrządzić dziecku krzywdę. Najlepiej pozostawić tę sprawę naturze.

Jeżeli jednak stopy waszego dziecka są sztywne, nie zginają się, wykonują ograniczone ruchy i dziecko odczuwa ból albo ma trudności z chodzeniem, zwróćcie się do lekarza; leczenie może się w tym wypadku okazać konieczne.

CHODZENIE NA PALCACH

Nasza córeczka właśnie zaczęła chodzić. Chodzi tylko na palcach i wygląda, jakby udawała baletnicę. Jej stopy nigdy nie przylegają całą powierzchnią do podłogi.

W taki sposób chodzi wiele małych dzieci, nie tylko tych, które urodziły się, by zrobić karierę w balecie. Po prostu dobrze się czują, chodząc na palcach. Takie zjawisko nie trwa długo. Zwykle w połowie drugiego roku życia dzieci opanowują normalny sposób stawiania stóp, zaczynając od pięty.

Jeżeli wasza mała po kilku miesiącach chodzenia nadal chodzi wyłącznie na palcach i nie potrafi stanąć na całych stopach, porozmawiajcie o tym z lekarzem. Tymczasem nie szczędźcie pochwał za jej pełne wdzięku osiągnięcia w trudnej sztuce chodzenia.

URAZ PO POZOSTAWIANIU DZIECKA, BY SIĘ WYPŁAKAŁO

Próbowaliśmy zostawiać naszą córeczkę, aby się wypłakała, gdy budziła się w nocy, i niestety nie wyszło nam to na dobre. Tak ją to rozstroiło nerwowo, że teraz, gdy tylko mówimy o spaniu, patrzy na nas z przerażeniem. Co mamy robić?

Pozostawienie dziecka, by się wypłakało, ma mu dobrze służyć, a nie je krzywdzić. W większości przypadków pomaga, gdyż jest okazją do nauki samodzielnego zasypiania. Jednak zdarzają się bardzo wrażliwe dzieci, które nabawiają się urazu, pozostawione na tak zwane „przetrzymanie". Gdy coś takiego się zdarzy, należy się nieco wycofać. Jeżeli dziecko boi się być samo wieczorem w łóżku, siedź przy nim tak długo, aż zaśnie. Cicho do niego mów lub śpiewaj, jeśli tego potrzebuje. Jeżeli nie, to po prostu bądź przy nim. Gdy się obudzi w środku nocy, uspokój je i posiedź przy nim, aż zaśnie. Ale nie przenoś do swojego łóżka. W końcu twoja córeczka stanie się spokojniejsza, poczuje się bezpiecznie i dojdzie do tego, że będziesz mogła ją zostawiać samą, zanim zaśnie.

POCZĄTKUJĄCY ARTYŚCI

Kiedy mam zacząć dawać mojej córeczce kredki i papier do rysowania?

Gdy małe dziecko potrafi utrzymać w rączce kredkę, to znaczy, że dorosło już do bazgrania. Istnieje więc szansa, że twoja córeczka poradzi sobie z rysowaniem, gdy tylko stworzysz jej możliwości i udzielisz podstawowych instrukcji. Jest bardzo prawdopodobne, że bazgranie po papierze stanie się dla niej nowym, ekscytującym doświadczeniem. Ponieważ jednak ekscytacja ta ma dużą szansę rozszerzyć się w bazgranie po ścianach, podłodze, książkach i meblach oraz w obgryzanie kredek, pozwalaj jej rozwijać artystyczne zdolności tylko w twojej obecności. Dawaj jej kredki świecowe zamiast ołówkowych, ołówków lub długopisów, ponieważ nie są one tak ostre i nie stanowią dużego zagrożenia dla oka czy skóry (gdyby dziecko upadło). Gdy kredka zaczyna wędrować do buzi, zabierz ją natychmiast. Zademonstruj na kartce, że: „Kredki są do rysowania. Nie jemy ich". Przerywaj rysowanie i powtarzaj to za każdym razem, gdy dziecko zaczyna gryźć kredkę, a jeśli jest ono zainteresowane tylko gryzieniem, zakończ sesję rysowania i ogłoś przerwę na drugie śniadanie: „Zobacz, co mamy na talerzyku. To jest właśnie do jedzenia".

Mimo wielu wysiłków nie uchronisz dziecka przed spróbowaniem kawałka kredki, a ściany przed pobazgraniem. Kupując kredki, upewnij się więc, że są nietoksyczne i zmywalne. (Jeżeli zdarzy się, że dziecko, rysując ołówkiem, weźmie go do buzi, nie martw się tym. Ołówki nie są już wyrabiane z ołowiu, a farba, którą są pomalowane, jest nietoksyczna.) Grube kredki są wygodniejsze do trzymania przez małe dzieci. Starszaki wolą typową grubość umożliwiającą rysowanie cieńszej linii. Dla początkujących artystów dobry jest papier w rolce o dużej szerokości — wtedy dzieło nie wyjdzie poza jego brzegi. Możesz też pożytecznie wykorzystać niepotrzebne listy czy inne papiery i zachęcić dziecko, aby ozdobiło ich nie zapisane strony. Jeśli przykleisz kartkę taśmą do stołu, do blatu wysokiego krzesełka lub do podłogi, nie będzie się przemieszczała wraz z każdym przesunięciem ręki. Ułatwi to dziecku wykonanie rysunku. (Więcej sposobów zachęcania do twórczości plastycznej prezentujemy na str. 311.)

CO WARTO WIEDZIEĆ

Zabawa jest dla dziecka pracą

Bawią się ptaki, gady, ssaki. Właściwie bawią się wszystkie zwierzęta do tej pory zbadane. Chociaż nazwy zabaw mogą różnić się w poszczególnych kulturach czy pokoleniach, to zabawa jest czymś powszechnym. Czy jest to szczeniak goniący swój własny ogon, czy mała żabka skacząca przez kwiaty lilii, afrykański chłopiec bawiący się pałeczkami, które ojciec wystrugał mu z drewna, lub dziewczynka z Europy bawiąca się wózkiem dla lalek kupionym w sklepie z zabawkami, każda zabawa jest częścią dorastania. Naukowcy zaobserwowali, że u zwierząt w czasie zabawy rozrastają się połączenia synaptyczne w mózgu, i wnioskują, że być może taki sam rozwój mózgu dokonuje się trakcie zabaw ludzkich dzieci.

Jednakże wielu rodziców uważa zabawę za stratę czasu. Wychowując dzieci w taki sposób, aby mogły wkroczyć w świat pełen współzawodnictwa, gdzie żyją dobrze i odnoszą sukcesy często tylko intelektualnie najsilniejsi, zastanawiają się, czy czas na zabawy nie mógłby być wykorzystany bardziej konstruktywnie.

Wygląda to na świetną zabawę — i jest nią rzeczywiście. Ale dla małego dziecka zabawa to także praca.

Zabawki dla dzieci na początku drugiego roku życia

Kupując lub pożyczając zabawki, wybierz po jednej lub kilka z kategorii podanych poniżej. Niektóre wielofunkcyjne zabawki pojawiają się na dwóch lub trzech listach; to wyjątkowo dobry wybór. Wiele z tych zabawek będzie interesowało twoje dziecko przez cały drugi rok, a nawet dłużej. Sposób, w jaki będzie ono do nich podchodzić, będzie się zmieniał wraz z jego dojrzewaniem.

* Zabawki, które pomagają w małym rozwoju motorycznym: zabawki do ustawiania w wieże, proste drewniane puzzle o dużych elementach, pojemnik z otworami o różnych kształtach do wrzucania odpowiednich klocków, klocki do budowania, pudełka i pojemniki do napełniania i opróżniania, tablice z przesuwanymi koralikami, z przyciskami, z tarczą do kręcenia i innymi elementami do manipulowania.

* Zabawki, które pomagają w dużym rozwoju motorycznym: piłki różnych rozmiarów, zabawki do ciągnięcia, zabawki do pchania, zabawki, na których można siedzieć i jeździć, zabawki, na które można wchodzić, huśtawki, zjeżdżalnie.

* Zabawki, które pobudzają wyobraźnię: pluszowe zwierzęta, lalki i meble dla lalek, samochodziki, ciężarówki i samoloty, książki w sztywnej oprawie, o tekturowych kartkach, wyposażenie kuchni i przybory kuchenne (również te prawdziwe, bezpieczne do zabawy), zabawki-sprzęty domowe (telefon, koszyk na zakupy), ubrania do przebierania się oraz dodatki (kapelusze, walizki, torebki), klocki do budowania i ich systemy (takie jak Duplo).

* Zabawki, które pobudzają twórczość: kredki, pisaki i papier, plastelina, papier kolorowy do wycinanek i wydzieranek, farby plakatowe, pędzelki i kawałki gąbki (patrz str. 314)*.

* Zabawki, które rozwijają muzycznie: bębenki, tamburyny, fujarki i inne instrumenty dmuchane, ksylofony, proste organy, magnetofony i kasety z nagraniami dla dzieci.

* Zabawki, które zachęcają do nauki o świecie dorosłych: lalki (z wózkami, łóżeczkami), sprzęty kuchenne (lodówka, kuchenka, zlew, naczynia, sztuczne produkty spożywcze), narzędzia i sprzęty domowe (małe szczotki, szufelki, grabie, kosiarki), pojazdy (samochodziki, ciężarówki, pociągi, samoloty, wozy strażackie), zestawy narzędzi „mały stolarz" lub „mały mechanik", elementy ubiorów lub mundurów (kask strażaka, czapka policjanta, marynarza, torba lekarza, sukienka baletnicy itd.), maszyny do pisania, kasy i wózki sklepowe.

* Zabawki, które zachęcają do odkrywania i zainteresowania się światem fizycznym, które uczą o tym, jak pewne rzeczy działają, mówią o przyczynach i skutkach, o liczbach, kształtach i wzorach: wywrotki, klocki i systemy do budowania dla małych dzieci, pojemniki z otworami o różnych kształtach do wrzucania odpowiednich klocków, pudełka i pojemniki do napełniania i opróżniania, piaskownica i zabawki do piaskownicy, nietłukące lusterka, przedmioty do zabawy w wodzie (takie, które pływają, „pryskają" wodą po naduszeniu, które można napełniać wodą i opróżniać).

* Sprawdź, czy wszystkie przybory plastyczne są nietoksyczne i bezpieczne dla małych dzieci.

Dla małego dziecka nie ma bardziej konstruktywnego zajęcia niż zabawa; gry komputerowe lub lekcje akrobatyki nie dostarczą twojemu dziecku tak zdumiewających korzyści. Oto one:

* Zabawa pozwala małemu dziecku być wszechmocnym. W swoich grach i zabawach dzieci mogą być kimś ważnym. W trakcie zabawy znika frustracja z powodu bycia małym i bezsilnym. Nikt też nie mówi im wtedy, co i kiedy mają robić. Bez udziału i interwencji dorosłych dzieci same dokonują wyborów, formułują reguły gry, kontrolują jej przebieg, po prostu odgrywają przedstawienie.

* Zabawa pomaga dzieciom poznawać otaczający je świat. Poprzez zabawę dzieci mogą badać i odkrywać; sprawdzać teorię, poznawać kształty, relacje przestrzenne i kolory; zgłębiać związki przyczynowo-skutkowe, funkcje społeczne, wartości rodziny. Dziecko w czasie zabawy może być naukowcem, ojcem lub mamą, strażakiem, budowniczym, tancerzem, muzykiem, pasterzem; faktycznie nie ma obszaru życia, o którym nie można by się czegoś nauczyć poprzez zabawę.

* Zabawa podnosi ambicje i poczucie własnej godności. Dzieci najchętniej bawią się w coś, w czym są dobre, w coś, co — jak sądzą — przyniesie im sukces. Fakt, że wymyślają reguły podczas gry, podwyższa ich szansę na sukces. Bez towarzystwa dorosłych, którzy mówią im, co robią źle, dzieci poczują się wolne i swobodne w podejmowaniu prób i w niepowodzeniach. Gdy im się nie powiedzie, to znów próbują — bez przekonania, że się do tego nie nadają.

Bałagan

Jeżeli istnieje ciemna strona dziecięcych zabaw, to jest nią zamieszanie i bałagan, który nieodłącznie im towarzyszy. Mimo wielkiej wartości, jaką mają zabawki, nieraz będziesz marzyć o chwili, w której wreszcie znikną z twojego domu i nie będziesz już musiała wiecznie schylać się po klocki, lalki, części puzzli, samochodziki. Z czasem, dzięki twojej wytrwałości, twoje dziecko może nauczyć się sprzątać po zabawie; zanim to nastąpi, oboje próbujcie skumulować cały bałagan w jednym miejscu.

* Kącik do zabawy. Najlepiej, aby było to miejsce, na które możesz łatwo zerkać z miejsca, w którym spędzasz najwięcej czasu. Określ przestrzeń, w której mogą znaleźć się zabawki (dywan w salonie, pokój dzienny, pokój dziecięcy). Na początku niewiele to będzie znaczyć dla twojej pociechy; zabawki i tak będą roznoszone po całym domu. Jednak jeśli będziesz nieustannie przypominać, że po zabawie należy wszystko odnieść w wyznaczone miejsce, dotrze to w końcu do dziecka i zacznie tam właśnie spędzać czas zabaw. Byłoby dobrze, aby kącik ten miał jakieś przytulne miejsce do odpoczynku — fotel, małą kanapę, na której możesz usiąść z dzieckiem, poczytać mu bajkę lub coś opowiedzieć; dwa małe krzesełka (jedno dla twojego dziecka, drugie dla koleżanki lub kolegi) i mały stół, na którym można by układać puzzle, rysować, grać i oczywiście jeść podwieczorki; bezpieczne, praktyczne, łatwo dostępne pojemniki do przechowywania zabawek; dywan lub wykładzina dywanowa, aby dziecko nie zmarzło, bawiąc się na podłodze w chłodne dni.

* Pojemniki na zabawki. Kolorowe, duże koszyki, ustawione na głębokich półkach świetnie się nadają do przechowywania zabawek. Obranie innego koloru dla każdego rodzaju zabawek ułatwi ich sortowanie, przyspieszy sprzątanie oraz pomoże dziecku w rozpoznawaniu kolorów (zielony na klocki, niebieski na samochodziki, żółty na maskotki itd.). Jeżeli używasz pudełek na zabawki, patrz str. 533.

* Regularne sprzątanie. Spróbuj wprowadzić zwyczaj regularnego sprzątania po każdej dłuższej zabawie lub na koniec dnia. Chociaż większość tej pracy przypadnie tobie, to angażowanie dziecka jest ważnym krokiem w kształtowaniu jego odpowiedzialności za swoje osobiste rzeczy. („Pora odłożyć zabawki. Klocki wkładamy do zielonego koszyka. Czy potrafisz je tam schować?") Staraj się sprzątać z dzieckiem po kolei każdy rodzaj zabawek (klocki, puzzle, książki itd.), unikniesz w ten sposób zamieszania. Śpiewanie lub nucenie jakiejś specjalnej piosenki przy sprzątaniu może je uatrakcyjnić. Trochę starszemu dziecku możesz zaproponować wyścig na czas („Czy zdążysz posprzątać, zanim policzę do stu?"). Takie zawody potrafią zmienić nużący obowiązek sprzątania w wesołą zabawę.

Wskazówki, jak uczyć starsze dziecko dbania o własne rzeczy, znajdziesz na str. 355.

* Zabawa kształtuje poprawne zachowania społeczne. Przygotowuje dzieci do doświadczeń społecznych na długo przed pierwszymi kontaktami społecznymi. Ponieważ pierwsi współtowarzysze zabaw to zwykle przedmioty i postacie nieożywione i niczym nie zagrażające — miś, lalka, ciężarówka — są więc idealnym narzędziem do kształtowania umiejętności wzajemnego oddziaływania dziecka i jego otoczenia. Później zabawa z rówieśnikami budowana na tych fundamentach uczy, że trzeba się dzielić z innymi, czekać na swoją kolejkę, stawać w obronie własnych praw i brać pod uwagę prawa innych. Zabawy z rodzicami również kształtują odpowiednie zachowania społeczne; badania dowiodły, że dzieci, których rodzice bawią się z nimi, lepiej radzą sobie później w kontaktach społecznych.

* Zabawa daje dzieciom możliwości wyrażania uczuć. Poprzez różne role odgrywane w zabawach maluchy uczą się okazywać różnorodne emocje: złość, lęk, smutek, niepokój. Dziecko, które przeżywa strach związany z wizytą u dentysty, może sobie z nim poradzić, organizując klinikę dla chorych pluszowych zwierzaków.

* Zabawa przyspiesza rozwój mowy. Puzzle, samochód, lalka, klocki. Skacz, huśtaj się, zejdź, wejdź do góry. Moje, twoje, nasze, podziel się. W górę, w dół, nad, pod. Podczas zabaw dziecko używa wielu słów, niektóre z nich bardzo często powtarza, co służy rozwojowi mowy.

* Zabawa daje dziecku sposobność wykraczania poza możliwości jego wieku. Wszystko, czego dziecko nie może robić w prawdziwym życiu, ponieważ jest za małe, może robić w zabawie. Może być którymś z rodziców, policjantem, lekarzem. Może prowadzić samochód, lecieć samolotem, czytać książki,

Właściwy zakup

Istnieje coś, co zmienia każdego dorosłego w dziecko, gdy przychodzi do kupowania zabawek. Niektórzy wręcz zapominają, dla kogo kupują. Zamiast nabywać zabawki odpowiednie do wieku dziecka i jego poziomu, wybierają coś, co najbardziej ich zadowala: kolejkę elektryczną dla niemowlęcia w kołysce, elektroniczną grę uczącą alfabetu dla dziecka, które jeszcze nie potrafi wypowiedzieć ani jednego słowa, rowerek na trzech kółkach dla malucha, który jeszcze nie postawił ani jednego kroku w swoim życiu. Przedwczesne zakupy nie tylko nie interesują małych odbiorców, ale są kompletnie bezużyteczne, a czasami nawet niebezpieczne.

Aby uniknąć wpadnięcia w taką zabawkową pułapkę i zapełniania szafek na zabawki nieodpowiednimi zakupami, przestrzegaj zaleceń ze str. 558 oraz skorzystaj z rad przedstawionych poniżej:

* Nie wybieraj zabawek, do których twoje dziecko jeszcze nie dorosło. Owładnięta nieprzepartą chęcią możesz pokusić się o zakup Barbie dla swojej dwuletniej córeczki. Ale ona nie potrafi jeszcze jej ubierać, a jak już się nauczy, to lalka będzie się nadawała do śmieci. Wstrzymaj się też z elektrycznymi kolejkami, zdalnie sterowanymi pojazdami i innymi kuszącymi zabawkami, które przemawiają najbardziej do ciebie i do dziecka, które często ukryte jest w tobie. Masz zadowalać twoje dziecko i pamiętaj: najdroższe i najatrakcyjniejsze zabawki często bawią przez krótki czas.
* Nie pomiń rzeczy, które nie są zabawkami, a świetnie służą do zabawy — plastykowa kuchenna miarka służąca teraz do napełniania piaskiem; duży karton, do którego maluch może wchodzić; małe pudełko, które można wykorzystać jako garaż dla samochodzików lub stół dla lalek; torby papierowe do robienia masek, kostiumów, kukiełek, do przenoszenia zabawek; koc, który narzucony na dwa krzesła świetnie udaje namiot. Równie wspaniałe są plastykowe łyżki i miski, małe (zamknięte) puszki z jedzeniem lub puste pudełka po płatkach, ciastkach, plastykowe naczynia i zastawa stołowa.
* Nie kupuj rzeczy, które nie mieszczą się w systemie twoich wartości. Jednak czasem bądź otwarta na kompromis, gdy chodzi o coś, czego twoje dziecko naprawdę bardzo pragnie (patrz str. 204).
* Unikaj nadmiaru. Małe dzieci nie rodzą się z wielkimi oczekiwaniami — dorośli (a także rówieśnicy naszych dzieci i telewizja) doprowadzają do tego, że oczekiwania dzieci rosną. Nawet jeśli stać cię na zabawkowy przepych, zrezygnuj z niego. Dzieci, których pokoje zapełnione są po sufit zabawkami, często nie doceniają tego i nie cieszą się nimi. Jeżeli twoja pociecha ma już pokaźną kolekcję rzeczy do zabawy, zostaw kilka, resztę schowaj i za jakiś czas wymień z tymi, które już się znudziły.
* Pożyczaj komuś i od kogoś. Nawiąż współpracę z innymi rodzicami w celu wymiany nie zniszczonych zabawek.
* Zwracaj uwagę na uniwersalność. Zabawki powinny dostarczać różnorodnych możliwości, a nie prezentować różnorodności złożonych cech; powinny stymulować dziecko do działania, a nie odwrotnie, działać na dziecko.
* Nie zniechęcaj dziecka do indywidualnego sposobu wykorzystywania zabawek. Powinno ono bawić się w taki sposób, w jaki chce, a nie w jaki przewidywał projektant. Jedynym wyjątkiem jest sytuacja, w której takie eksperymentowanie może stwarzać niebezpieczeństwo.

budować wieżowce; konstruować skomplikowane drogi i aranżować samochodowe kolizje. Ten rodzaj potęgi nie tylko ożywia dziecko, lecz również podnosi jego ambicje, uczy o świecie i pomaga identyfikować się z dorosłymi.

* Zabawa pobudza twórczość i wyobraźnię. Budowanie zamku z piasku lub garażu z pudełka po butach, karmienie pluszowego baranka butelką lub podawanie talerza z zupką lalce-szmaciance, wkładanie ubrań mamy lub taty pozwala dzieciom rozszerzyć granice ich świata i doświadczać radości udawania.
* Zabawa pobudza duży rozwój motoryczny. Aktywność motoryczna — chodzenie, bieganie, skakanie, wspinanie się, jazda na rowerze, huśtanie się, rzucanie, łapanie, ciągnięcie, pchanie — wyrabia w dziecku wdzięk i koordynację ruchów, zdolności sportowe oraz stanowi podbudowę dla przyszłego, aktywnego stylu życia.

Innymi słowy, zabawy dziecięce są pobudzającą, efektywną pracą przynoszącą zadowolenie. Czas spędzony na grach i zabawach nie jest stracony. Tak więc pozwól dziecku bawić się, bawić się, bawić się.

CO TWOJE DZIECKO POWINNO WIEDZIEĆ
Wszystko o dziadkach

Dawniej całe rodziny mieszkały razem. Dziadkowie, dzieci, wnuki, ciotki, wujkowie i kuzyni żyli, jeśli nie w jednym domu, to przynajmniej w sąsiedztwie. Dzisiaj takie rodziny są rzadkością. Rozstania podyktowane są albo koniecznością, albo wyborem. Obecnie tylko co dziesiąta para dziadków mieszka z rodzinami swoich dzieci, a wiele wnuków widuje swoje babcie lub dziadków nie częściej niż raz, dwa razy w roku. Wiele rodzin rozproszonych jest po całym kraju, a nawet poza jego granicami.

Jeżeli niektórzy lub wszyscy dziadkowie w twojej rodzinie (niektóre dzieci w wyniku rozwodów i powtórnych małżeństw ich rodziców mają nawet ośmioro dziadków) mieszkają daleko, trudno jest pomóc dziecku w nawiązaniu bliskich więzów z nimi. Jednak jest to możliwe dzięki nowoczesnym sposobom komunikacji i podróżowania.

Następujące wskazówki pomogą w utrzymaniu bliższych kontaktów z dziadkami (i innymi dalszymi, ale bliskimi sercu członkami rodziny):

Wizyty. Odwiedzaj dziadków przynajmniej raz lub dwa razy w roku. Obniż koszty podróży, planując wyjazdy poza sezonem. Bądź czujna na wszelkie obniżki cen biletów lotniczych lub podróżuj tańszym środkiem transportu, tzn. pociągiem lub samochodem. (O podróżowaniu z małym dzieckiem przeczytaj na str. 222.) Zapraszaj dziadków do siebie (koszty podróży są niższe, jeśli są emerytami). Aby uniknąć spięć, które często zdarzają się, gdy pod jednym dachem przebywają trzy pokolenia przez kilka lub więcej dni, zaplanuj wiele atrakcji — np. wycieczki do wesołego miasteczka, muzeum, teatru dziecięcego itp. Możecie też z mężem rozważyć wspólny wyjazd na cały weekend lub wyjście na noc, jeśli pozostałym stronom (dziadkom i dzieciom) spodoba się ten pomysł i będą chciały zostać ze sobą[1].

[1] Jeżeli masz zamiar odwiedzić swoich rodziców, upewnij się, czy ich dom lub mieszkanie przygotowane jest pod względem bezpieczeństwa na wizytę małego wnuka (patrz str. 529). Nie kładź dziecka na noc do swojego starego łóżeczka, dopóki nie sprawdzisz, czy jego stan odpowiada standardom bezpieczeństwa opisanym na str. 553. Poproś również swoich rodziców, aby nie zostawiali na wierzchu lekarstw. Gdy dziadkowie mają zostać sam na sam z dzieckiem w twoim domu, przekaż im te same informacje dotyczące bezpieczeństwa, których udzielasz opiekunce.

Telefon. Telefonowanie to też sposób na kontakt z rodziną — pod warunkiem że dziecko umie rozmawiać przez telefon. Niektóre maluchy uwielbiają rozmawiać przez telefon, inne wycofują się wystraszone, słysząc głos w słuchawce, nie widząc osoby. Próbuj jednak, bo nigdy nie wiadomo, kiedy oporny brzdąc będzie miał ochotę pogawędzić. Za każdym razem, gdy rozmawiasz z rodzicami lub teściami, powiedz: „Babcia (lub dziadek) jest przy telefonie i chce z tobą rozmawiać". Przyłóż słuchawkę do ucha dziecka, aby usłyszało głos. Jeśli spotkasz się z niechęcią, nie zmuszaj malca do rozmowy. Spróbuj przy następnej okazji.

Album ze zdjęciami. Przygotuj specjalnie dla twojego dziecka album z fotografiami dziadków i innych członków rodziny. Często pokazuj mu ten album, nazywaj po imieniu osoby na zdjęciach, opowiadaj mu o nich; przypominaj dziecku prezenty, które od nich dostało, wizyty w ich domach; mów o świętach, które nadejdą i które wspólnie spędzicie.

Magnetofon. Kto powiedział, że babcia nie może opowiadać dziecku jego ulubionej bajki, dlatego że mieszka 200 km od was? Może to zrobić, jeśli nagra bajkę na kasetę magnetofonową. Wymiana kaset to wspaniały sposób na utrzymanie kontaktu między dziadkami a wnukami — między jedną a drugą wizytą. Dziadkowie mogą czytać na głos proste bajki lub śpiewać kołysanki młodszym dzieciom; później mogą dodać historyjki z czasów, gdy mama i tata byli mali lub po prostu opowiedzieć o czymś, co dzieje się w ich życiu teraz (o pogodzie, o planowanym wyjeździe, o przyjęciu z okazji jakiejś rocznicy czy święta). Dzieci natomiast mogą na taśmie trochę pogaworzyć, pochichotać, zaśpiewać coś, naśladować krówkę „muu", zaszczekać jak piesek „hau, hau". Nawet jeśli wydawane przez wnuczka dźwięki będą niezrozumiałe, to i tak dla uszu dziadków będą brzmiały jak muzyka.

Wideo. Taśmy wideo nie tylko przypominają brzmienie głosu wytęsknionych osób, ale także ich obraz. Domowy film nie musi być zrobiony przez artystę, aby otrzymać Oscara od wdzięcznych dziadków. Możesz sfilmować dziecko w czasie kąpieli, zabawy, modlitwy, śpiewania piosenek, nawet gdy płacze. (Nie zapomnij przypadkiem uwiecznić tych pierwszych najważniejszych w życiu osiągnięć: pierwszych kroków, pierwszego obcinania włosów, urodzinowego przyjęcia, w którym dziadkowie nie mogli uczestniczyć itd.) W zamian twoi rodzice mogą sfilmować siebie w scenach z życia codziennego: jak opowiadają lub czytają bajki, śpiewają piosenki, rozmawiają, pracują w ogródku, pieką ciasteczka (mogą przesłać je wnukowi wraz z taśmą), szyją ubranka dla lalek, robią na drutach sweterek w dziecięcym rozmiarze, robią coś w domowym warsztacie itd. Regularne oglądanie dziadków między jedną a drugą wizytą sprawi, że będą oni znacznie bliżsi wnukom, gdy staną któregoś dnia na progu waszego domu lub gdy wy wybierzecie się do nich.

Prezenty. Większość dziadków uwielbia obdarowywać wnuki prezentami, a wszystkie wnuki uwielbiają otrzymywać prezenty. Ważne jest jednak, aby dziecko dokładnie wiedziało, kto je przysłał. Zdjęcie babci i dziadka dołączone do pudełka z podarunkiem byłoby pomocne, jak również przypominanie dziecku za każdym razem, gdy bawi się jakąś zabawką, wkłada sweterek, je ciasteczka, że: „Dostałaś to od babci i/lub dziadka".

Podróże z dziadkami. Niektórym dzieciom może się bardzo podobać spędzenie z dziadkami jednego dnia i nocy w hotelu, w jakiejś atrakcyjnej miejscowości wczasowej. (Dzieci, które płaczą przy każdym rozstaniu z rodzicami, nie są dobrymi kandydatami na taki wypad; poczekajcie, aż nabiorą pewności siebie.) Taki wyjazd powinien być poprzedzony przynajmniej jedną nocą, a najlepiej kilkoma spędzonymi wspólnie w waszym domu. Na pierwszą wycieczkę dziadkowie i wnuki nie powinni wyjeżdżać zbyt daleko od domu, gdyż należy się liczyć, że może nastąpić nagły i silny atak tęsknoty za domem i rodzicami i trzeba będzie wracać. Jednak gdy pierwsza noc minie bez zakłóceń, można spróbować spędzić tam cały weekend, a nawet kilka dni. Najlepsze są wycieczki do ośrodków rekreacyjnych przeznaczonych dla dzieci, ponieważ zapewniają one specjalne wyżywienie, rozrywki, a czasem nawet opiekunów.

3
Piętnasty miesiąc

Co twoje dziecko potrafi robić

Przed końcem piętnastego miesiąca twoje dziecko powinno umieć:

* dobrze chodzić;

* schylać się i podnosić przedmioty;

* używać przynajmniej 1 słowa.

Uwaga: Jeżeli twoje dziecko nie opanowało jeszcze tych umiejętności, skontaktuj się z lekarzem. Takie tempo rozwoju może być zupełnie normalne dla twojego dziecka, ale musi ono zostać fachowo ocenione. Zgłoś również lekarzowi, jeśli twoje dziecko nie daje się kontrolować, jest niekomunikatywne, zbyt bierne, do wszystkiego negatywnie nastawione, nie śmieje się, wydaje tylko kilka dźwięków lub żadnego, nie słyszy dobrze, jest nieustannie rozdrażnione lub żąda stałego poświęcania mu uwagi. (Pamiętaj, roczne dziecko, które urodziło się jako wcześniak, często pozostaje w tyle za swoimi rówieśnikami urodzonymi o czasie. Te różnice rozwojowe stopniowo się zmniejszają i zwykle całkowicie zanikają pod koniec drugiego roku życia.)

Przed końcem piętnastego miesiąca twoje dziecko prawdopodobnie będzie umiało:

* używać 2 słów (do 14 i 1/2 miesiąca);

* pić z kubeczka;

* bazgrać kredkami;

* wskazać na pożądany przedmiot.

Przed końcem piętnastego miesiąca twoje dziecko być może będzie umiało:

* wskazać na 1 część ciała, gdy się je o to poprosi;

* posługiwać się łyżką i/lub widelcem (nieporadnie);

* budować wieżę z 2 klocków.

Przed końcem piętnastego miesiąca twoje dziecko może nawet umieć:

* karmić lalkę.

Rozwój emocjonalny. Od dziecka w wieku piętnastu miesięcy oczekuje się wyrażania radości, okazywania uczuć, zainteresowania nowymi sytuacjami i doświadczeniami; wspólnych gier i zabaw z rodzicami; protestowania, pierwszych kroków w nauce akceptowania ograniczeń.

Czego możesz oczekiwać w czasie badania okresowego

Przygotowanie do badania. Sporządź listę problemów i spraw, które cię zaniepokoiły od czasu ostatniej wizyty z dzieckiem u lekarza. Zabierz ten spis ze sobą, abyś była przygotowana na ewentualne pytanie lekarza: „Czy coś panią niepokoi?” Zanotuj także każde nowe osiągnięcie swojego malca (chodzenie, wspinanie się, posługiwanie się łyżką, nowo poznane słowa), abyś nie czuła się zaskoczona, gdy lekarz zapyta: „Co dziecko potrafi robić?" Zabierz również ze sobą książeczkę zdrowia dziecka, aby zanotowano w niej wzrost, masę ciała, przeprowadzone szczepienia i inne informacje uzyskane po badaniu okresowym.

Na czym będzie polegało badanie okresowe. Jego przebieg może się nieco różnić u różnych lekarzy, lecz badanie piętnastomiesięcznego dziecka przeważnie zawiera:

* Pytania dotyczące rozwoju twojego dziecka, jego zachowania, jedzenia i zdrowia od czasu ostatniej wizyty. Mogą również paść pytania, jak cała rodzina sobie radzi na co dzień z dzieckiem, czy zdarzają się jakieś poważniejsze stresy, jak układają się stosunki rodzeństwa (jeżeli jest) z waszym maluchem, jak zorganizowana jest całodzienna opieka nad nim. Lekarz będzie chciał też wiedzieć, czy masz jakieś inne pytania lub problemy.

* Ocenę rozwoju fizycznego (wzrost, masa ciała, obwód głowy) w porównaniu z danymi z poprzedniej wizyty. Wyniki można nanieść na odpowiednie wykresy (siatki centylowe) zamieszczone na końcu książki i porównać je z poprzednimi.

* Nieformalną ocenę rozwoju intelektualnego (umysłowego) i fizycznego, wzroku i słuchu opartą na obserwacji i wywiadzie.

W zależności od potrzeb lekarz może zalecić:

* Badanie krwi (hematokryt lub hemoglobina), jeżeli u dziecka podejrzewa się niedokrwistość. Test może być wykonany między dwunastym miesiącem a czwartym rokiem życia (w Polsce badanie to wykonuje się wyłącznie na indywidualne zlecenie lekarza ze szczególnych wskazań — przyp. red. nauk.).

* Badanie krwi na wykrycie ołowiu, jeśli dziecko było narażone na kontakt z tym metalem.

* Test tuberkulinowy Mantoux — badanie w celu wykrycia gruźlicy u dzieci z grupy wysokiego ryzyka, jeżeli nie było przeprowadzone w dwunastym miesiącu życia.

Szczepienia ochronne

* Przeciw odrze, śwince, różyczce.

* Hib (*Haemophilus influenzae* typu b), szczepionka skojarzona, jeżeli wcześniej dziecko nie było zaszczepione.

* HBV (wirusowe zapalenie wątroby typu B), jeżeli seria jeszcze się nie zakończyła. (W Polsce dostępna jest również szczepionka przeciw wirusowemu zapaleniu wątroby typu A, tzw. żółtaczce pokarmowej — przyp. red. nauk.).

* Di-Te-Per (błonica, tężec, krztusiec); lub DTaP — szczepionka ta może być podana teraz lub w osiemnastym miesiącu.

* HbOC-Di-Te-Per (ta złożona szczepionka może być podana zamiast HBV i Di-Te-Per).

* Doustna szczepionka przeciw chorobie Heinego-Medina (polio); szczepionka ta może być podana teraz lub w osiemnastym miesiącu.

Wskazówki na przyszłość. Lekarz może również poruszyć takie tematy, jak: pozytywne działania rodziców w wychowywaniu dziecka; dyscyplina; bezpieczeństwo i ochrona przed wypadkami; zachowania samouspokajające (na przykład ssanie palca); oglądanie telewizji; wsparcie rodziców; gotowość do nauki korzystania z nocnika; sen i problemy ze spaniem; odżywianie, jedzenie i związane z tym nawyki, odzwyczajanie od piersi lub butelki, przekąski i preparaty witaminowe; formy opieki nad dzieckiem (żłobek, opiekunka); inne tematy, które będą ważne w nadchodzących miesiącach.

Następne badanie kontrolne. Jeżeli twoje dziecko cieszy się dobrym zdrowiem, następne badanie przypadnie w osiemnastym miesiącu życia. Jeżeli w tym czasie nasuną ci się pytania, na które nie znajdziesz odpowiedzi w tej książce, lub jeśli zauważysz u dziecka objawy jakiejś choroby, natychmiast skontaktuj się z lekarzem.

CO MOŻE CIĘ NIEPOKOIĆ

BRUDNA ZABAWA

Mój synek znalazł sobie nową świetną zabawę — ściąganie brudnej pieluchy i zabawę jej zawartością. Nie muszę chyba mówić, że dla mnie rezultaty tej zabawy nie są przyjemne.

Małe dzieci będą się bawić dosłownie wszystkim, co trafi do ich rąk. Jeśli to coś daje się dusić, rozmazywać, rozgniatać i jest zabronione — to jeszcze lepiej. Teraz, gdy twój synek odkrył, co można zrobić z zawartością pieluchy, trudno będzie go powstrzymać przed tą zabawą. Zanim straci zainteresowanie tą rozrywką (co może nastąpić po kilku dniach lub miesiącach), poniższe wskazówki pomogą ci zminimalizować problem:

Ograniczenie dostępu. Dziecko nie wybrudzi rączek kałem, jeśli nie włoży ich do pieluchy. Pilnuj więc, aby nie była ona zbyt luźno założona i nie dała się zsunąć. W wypadku pieluch bawełnianych można spinać je po bokach specjalnymi agrafkami, przypiąć je do koszulki, zakładać na nie plastykowe majteczki (wzrasta wówczas ryzyko odparzeń skóry, należy więc częściej zmieniać pieluchy). Bądź jednak czujna, bo dziecko może okazać się tak pomysłowe, że znajdzie sposób na dotarcie tam, gdzie nie trzeba, mimo zastosowania przez ciebie wszelkich środków zabezpieczających.

Uprzedzanie. U wielu dzieci wypróżnienia odbywają się regularnie, a więc dadzą się przewidzieć (u jednych jest to zaraz po każdym posiłku, u innych raz dziennie po śniadaniu, jeszcze inne zawsze budzą się z pełną pieluchą itd.). Jeżeli udało ci się „rozpracować" schemat wypróżnień u swojego dziecka, spróbuj dotrzeć do jego pieluchy, zanim ono to zrobi.

Zapewnianie czegoś w zamian. Rozduszanie i rozmazywanie to czynności, przed którymi małe dziecko nie może się powstrzymać. Zapewnij mu więc dużo innych możliwości przeprowadzania takich doświadczeń, to być może przestanie ich szukać w pieluchach. Dawaj mu do zabawy miękkie zabawki (upewnij się, czy są odpowiednie do wieku dziecka i że ich części nie dadzą się odgryźć). Zezwalaj na malowanie palcami, na zabawy w piasku (zwłaszcza w połączeniu z wodą), na lepienie z nietoksycznej plasteliny, ale pamiętaj, że większość tych zajęć wymaga uważnego nadzoru kogoś dorosłego.

Nie rób szumu wokół sprawy. Niestety jest bardzo prawdopodobne, że mimo twoich wysiłków w celu zniechęcenia dziecka lub powstrzymania go, ono i tak będzie kontynuować eksperymenty z zawartością pieluchy. Musisz jednak pamiętać, że im żywsza jest twoja reakcja na te zabawy (nieważne, czy negatywna, czy pozytywna), tym chętniej dziecko będzie je powtarzać. Powstrzymaj więc i śmiech, i złowrogi wyraz twarzy. Nie pozwalając się ponieść nerwom, daj dziecku wyraźnie do zrozumienia, że takie zachowanie jest nie do przyjęcia („Nie wolno dotykać kupki[1]. Jest brudna").

Pokaż dziecku, co się z tym robi. Wykorzystaj okazję i pokaż dziecku, gdzie powinny trafiać efekty jego wypróżnień. Zainteresowanie malca kałem nie oznacza gotowości do korzystania z nocnika czy sedesu, ale możesz spróbować zabrać go do łazienki wraz z pełną pieluchą i pokazać, że: „Kupka musi iść do sedesu". Możesz nawet pozwolić mu spuścić wodę, jeżeli ma ochotę i jeśli nie boi się głośnego szumu. Jeżeli całe to przedstawienie nie podoba mu się, następnym razem oczyszczaj pieluchy sama. (Zawsze zamykaj drzwi ubikacji na klucz, nie tylko ze względu na bezpieczeństwo, ale także dla ochrony twoich rzeczy. W przeciwnym razie może się okazać, że twoje klucze, listy i wiele innych rzeczy zostało spłukanych w toalecie.)

NOCNE PRZEBUDZENIA

Nasza córeczka nadal budzi się w środku nocy. Do tej pory baliśmy się zostawić ją, aby się wypłakała, ale teraz już nie dajemy rady. Po prostu potrzebujemy snu.

Ona też potrzebuje snu. Budzenie się w nocy jest czymś normalnym — każdy budzi się trzy, cztery razy podczas nocy. Nienormalne są natomiast kłopoty z ponownym zaśnięciem. I to jest problem waszego dziecka.

Dotyczy on wszystkich członków rodziny. Nie tylko zostaje zakłócony ich sen, ale także możliwości normalnego funkcjonowania w ciągu dnia. Dla dziecka jednak jest to naprawdę powa-

[1] Możesz używać innych określeń, które być może są tradycyjnie używane w twojej rodzinie i które bardziej ci odpowiadają.

żny problem. Jeżeli za każdym razem, gdy tylko obudzi się w nocy, ktoś znajdzie się przy niej, nigdy nie nauczy się ponownie samodzielnie zasnąć. Kiedy się przebudzi, nie zaśnie, dopóki nie zapewnisz jej tego, czego oczekuje, czy to będzie butelka, smoczek, przytulanie, kołysanie, czy przeniesienie do twojego łóżka.

Tak więc nie tylko w twoim, ale i w jej najlepszym interesie jest, aby skończyły się wreszcie te męczące noce, a zaczęły normalne, przesypiane przez całą rodzinę. Przejście to na pewno byłoby łatwiejsze, gdyby nastąpiło w drugiej połowie pierwszego roku życia, kiedy to dzieci w ogóle łatwiej przystosowują się do zmian. Teraz twoja mała jest bardziej uparta, zawzięta i potrafi już w jakimś stopniu słownie wyrazić swoje opinie. Następujące wskazówki mogą jednak ułatwić ci pracę nad rozwiązaniem tego problemu:

Właściwy start. Badania wykazują, że dzieci, które zasypiają same (bez towarzystwa rodziców lub kogokolwiek), łatwiej samodzielnie zasypiają, gdy przebudzą się też w środku nocy. Jeśli „pomagasz" swojej córeczce zasnąć, siedząc przy niej wieczorem, pomagasz również utrwalać jej nocny zwyczaj domagania się towarzystwa po każdym przebudzeniu (patrz str. 80).

Dobre warunki do snu. Fizyczne niedogodności utrudniają zasypianie. Dopilnuj, aby temperatura w pokoju dziecka nie była ani za wysoka, ani za niska. Dzieci, które się wiercą, często odkrywają się w czasie snu. W chłodne noce ubieraj więc malucha w cieplejszą piżamkę. Wiosną i jesienią w ciepłe dni zmieniaj piżamkę na cieńszą, a w upalne lato wystarczy sama pielucha. Ustal, czy twoje dziecko lubi spać w ciemnym pokoju, czy przy słabym świetle lampki. Zastosuj się do jego upodobania. Jeśli hałas przeszkadza w zaśnięciu, zamykaj drzwi do pokoju. (Mogłabyś spróbować włączyć w pokoju wentylator lub nawilżacz powietrza, które wydają monotonny, uspokajający szum, lecz wówczas istnieje również możliwość, że dziecko się przyzwyczai i nie będzie umiało zasnąć w idealnej ciszy.) Jeżeli malec lepiej śpi, gdy krzątacie się wokół swoich spraw w domu, zostaw drzwi od jego pokoju otwarte.

Przeczekaj kwilenie. Wielu rodziców popełnia ten błąd i natychmiast reaguje na najmniejsze odgłosy płynące z łóżeczka, często budząc dziecko będące w półśnie. Istnieje duża szansa, że malec zasnąłby sam. Dlatego ważne jest, aby nauczyć się rozpoznawać odgłosy, jakie wydaje nasz maluch podczas snu (a jest ich wiele). Większość z nich nie wymaga jednak reakcji rodziców. (Oczywiście musisz być pewna, że łóżeczko i jego otoczenie są całkowicie bezpieczne; patrz str. 533.)

Zbadaj sytuację. Jeżeli kwilenie przeradza się w zawodzenie, wślizgnij się do pokoju dziecka, aby sprawdzić, czy nie jest chore lub czy nie zaplątało się w kocyk. Popraw przykrycie, jeśli to konieczne. Zmień pieluchę, jeśli jest mokra (najlepiej nie wyjmując dziecka z łóżeczka i przy najbledszym świetle). Jeżeli dziecko stoi, połóż je i przykryj. Następnie...

Zrób coś uspokajającego. Mów spokojnym, cichym głosem. Chodzi o to, aby pomóc dziecku w samouspokojeniu się, a nie robić tego za nie. Nie wyciągając go z łóżeczka, delikatnie poklepuj lub masuj po plecach przez krótką chwilę. Dodaj usypiające: „A-a-a, a-a-a", jeśli uważasz, że to pomoże. Poczekaj, aż się uspokoi, ale nie aż zaśnie. Po cichu powiedz, że wracasz do swojego łóżka, i wyjdź z pokoju. Jeżeli dziecko zacznie płakać (co jest bardzo prawdopodobne), poczekaj pięć minut, zanim wrócisz do pokoju. Powtórz procedurę uspokajania. Jeżeli płacz będzie się powtarzał po każdym twoim wyjściu z pokoju, wracaj do dziecka, za każdym razem odczekując dodatkowe pięć minut, tak aby upłynęło dwadzieścia minut, zanim znów znajdziesz się przy nim. W jakimś momencie na pewno zaśnie samo, nie doczekawszy się ciebie. Przez następne kilka nocy płacz powinien trwać coraz krócej, a po czterech, pięciu nocach prawdopodobnie w ogóle nie nastąpi. (Możesz usłyszeć ciche kwilenie, kiedy dziecko się przebudzi.) Jeżeli dziecko jest bardzo wystraszone, że nie ma nikogo przy nim, lub miewa koszmarne sny, musisz w inny sposób podejść do tego problemu. Jeśli maluch całą noc śpi niespokojnie, kaprysi i często się budzi, zgłoś się do lekarza, aby upewnić się, czy nie cierpi na bezdech we śnie (patrz str. 158).

Odpowiednia temperatura

18°C to odpowiednia temperatura w pomieszczeniu, w którym śpimy. Jeżeli mieszkasz w przegrzewanym budynku, w zimie otwórz nieco okno, by ochłodzić pokój. Latem dobrze jest ustawić w pokoju dziecka wentylator, aby mieszał nagrzane powietrze. Nigdy nie ustawiaj wentylatora tak, aby dmuchał bezpośrednio na dziecko.

Gdy winna jest krowa

Czasami, mimo iż rodzice stosują się do wszystkich zaleceń ekspertów od snu, ich dzieci i tak budzą się kilka razy między zmierzchem a świtem. W wielu przypadkach przyczyną jest alergia na mleko (patrz str. 39) lub jego nietolerancja (patrz str. 305), najczęściej związana ze spożywaniem mleka krowiego i jego przetworów. U tych dzieci wyeliminowanie mleka krowiego z diety zwykle „leczy" bezsenność.

Możesz podejrzewać alergię lub nietolerancję produktu spożywczego, jeżeli:

* Wypróbowałaś techniki ze str. 77, które powinny pomóc dziecku przesypiać całą noc i mimo starań nie przyniosły one pomyślnego rezultatu.
* Bezsenność zaczęła się lub nasiliła, gdy dziecko przeszło z mleka matki na mleko krowie.
* Lekarz stwierdził, że przyczyna zakłóceń snu nie jest natury medycznej (na przykład bezdech periodyczny we śnie).
* W rodzinie występują przypadki alergii na pewne produkty spożywcze lub nietolerancji laktozy.
* U dziecka często występują katary, infekcje uszu, biegunka, wyprysk skórny, nocne sapanie i/lub pocenie się.
* Testy wykazują, że dziecko ma podwyższone wartości immunoglobuliny i antylaktoglobuliny we krwi.

NOCNE KARMIENIE

Nasza córeczka nadal budzi nas w nocy co najmniej raz. Ponieważ oboje z mężem pracujemy przez cały dzień i potrzebujemy snu, uciekamy się do najprostszego sposobu, aby uśpić dziecko — dajemy jej butelkę. Zdajemy sobie sprawę, że to niewłaściwy sposób, ale nie wiemy, jak z niego teraz zrezygnować.

To zrozumiałe, że idziecie po linii najmniejszego oporu, aby uśpić dziecko w nocy, jeśli macie w perspektywie ciężki, pełen obowiązków dzień, a wasza wymagająca córeczka nadużywa waszej cierpliwości, i to o drugiej lub trzeciej nad ranem.

Macie jednak rację, że karmienie dziecka w środku nocy w tym wieku (obojętnie — piersią czy butelką) to zły pomysł z wielu powodów. Karmienie w nocy jest przyczyną próchnicy zębów (patrz str. 49). Poza tym dziecko nie potrzebuje już jedzenia w nocy tak samo jak wy[2]; jego organizm jest już przygotowany na dziesięcio-, dwunastogodzinną przerwę nocną bez jedzenia. Niepotrzebne karmienie może doprowadzić do nadwagi, do niewłaściwego zrozumienia celu jedzenia i do jedzenia z niewłaściwych powodów. To zaś może wywołać problemy z wagą w późniejszym życiu. Spożywanie płynów w nocy może też być przyczyną częstych przebudzeń z powodu mokrych pieluch. Karmienie dziecka nad ranem może łatwo zepsuć mu apetyt na pokarmy stałe w porze śniadania. Wreszcie, karmienie malucha, aby szybciej zasnął, nie daje mu możliwości nauki samodzielnego zasypiania, umiejętności, której będzie potrzebował przez resztę swojego życia.

Wy i wasze dziecko dostaliście się w tryby błędnego koła. Wypełniacie brzuszek dziecka jedzeniem, a jego brzuszek budzi je (i was) co noc, domagając się tego — tak jak ktoś, kto regularnie je obiad w południe, może się spodziewać „ssania" żołądka, gdy minie dwunasta. Jedynym sposobem sprawienia, aby dziecko przesypiało całą noc jest zlikwidowanie karmień nocnych i ustawienie na nowo wewnętrznego zegara łaknienia.

Możecie się spodziewać poważnego oporu — w postaci budzenia się i płaczu. Lecz w końcu i wy, i wasze dziecko doczekacie przespanych nocy.

Macie podwójne zadanie: należy zakończyć nocne budzenie dziecka i nocne karmienie. Możecie spróbować obydwu naraz, wykorzystując opisane poniżej techniki prowadzące do zlikwidowania nocnych przebudzeń oraz zdecydowanie zaprzestać podawania jedzenia w nocy. Inne rozwiązanie proponuje odzwyczajenie najpierw od nocnego dokarmiania, a później od budzenia się, jeśli będzie się jeszcze zdarzać. Według tego podejścia, gdy dziecko obudzi się w nocy, zastąpcie mleko w butelce wodą. Wpłynie to na ośrodek regulacji łaknienia i zlikwiduje nocną potrzebę jedzenia, redukując zagrożenie dla zębów i ryzyko nadwagi. W końcu nawet butelka z wodą przestanie być konieczna. Wiele dzieci uważa, że nie warto budzić się dla wody.

[2] Chyba że dziecko nie rośnie i nie przybiera tak jak powinno (patrz wykres na końcu książki). Wówczas przeanalizuj z lekarzem dzienny skład i rozkład posiłków, aby ustalić, czy nie jest konieczne dokarmianie (patrz rozdział 18).

Teraz kładę się spać

Kładzenie się spać może być przeżyciem przyjemnym — oczekiwanym z niecierpliwością, gdy dzień chyli się ku końcowi — lub nieprzyjemnym, znienawidzonym zarówno przez dziecko, jak i przez jego rodziców. Wszystko zależy od tego, jakich sztuczek i sposobów użyjesz. Aby było to miłe wydarzenie dnia, postaraj się stworzyć schemat czynności i zachowań, regularnie stosowany przed snem. Trzymaj się tego schematu jak najdokładniej (jego przewidywalność działa na dziecko uspokajająco i pomaga mu przestawić się z dnia na noc), odbiegając od niego tylko wówczas, gdy nie masz wyboru. Schemat ma na celu stworzenie swobodnej i spokojnej atmosfery (przenieś łaskotanie i głośne, aktywne zabawy na wcześniejszą porę dnia). Może on obejmować następujące czynności i powinien być dopasowany do potrzeb twoich i twojego dziecka:

Mycie. Prawie każdy znajduje ogromną przyjemność w zanurzaniu się w wannie z ciepłą wodą, dzieci również. Tak więc kąpiel stanowi idealny początek całego rytuału. (Jeżeli twoje dziecko boi się wody i kąpieli, zrezygnuj na razie z tego elementu i przeczytaj informacje na str. 99. Jeśli twoje dziecko ma bardzo suchą skórę, być może będziesz musiała kąpać je rzadziej; patrz str. 398.)

Przebieranie. Ubieranie się w piżamkę jest kontynuacją przejścia z dnia w noc (piżamka powinna być wygodna, miękka, bez ostrych szwów i drapiących kołnierzyków, zwłaszcza gdy skóra twojego dziecka jest wyjątkowo wrażliwa). Rano szybko zmień piżamkę na ubranko dzienne, aby stała się wyraźnym symbolem nocy i snu.

Lekka kolacja. Jeśli dziecko je wcześnie obiad, lekka kolacja tuż przed snem może zaspokoić jego głód na tyle, że nie obudzi się w środku nocy, aby nieco podjeść. Odpowiednio dobrane pożywienie może też pogłębić sen. Takim nasennym daniem może być na przykład kombinacja białka z węglowodanami (trochę naturalnego jogurtu z pokrojonym w plasterki bananem i kiełkami pszenicy; kawałek sera, krakers i trochę soku pomarańczowego; herbatniki i kubek mleka).

Mycie zębów. Mycie zębów przed snem jest najistotniejsze. Bakterie znajdujące się na zębach, jeśli nie zostaną usunięte, mają przed sobą całonocną ucztę, powodując niszczenie delikatnego szkliwa prowadzące do próchnicy. Pomagaj dziecku w bardzo dokładnym szczotkowaniu zębów (patrz str. 422).

Jeżeli malec nie przestanie budzić się w środku nocy lub po wręczeniu butelki z wodą wpada w złość, nie macie wyboru i musicie spróbować ostatecznego rozwiązania.

ZACHOWANIA ASPOŁECZNE

Mam trzynastomiesięcznego synka, który dołączył do grupy rówieśników z sąsiedztwa. Często razem się bawią. Grupa liczy pięcioro dzieci w wieku od dwunastu do piętnastu miesięcy. Wszyscy potrafią dobrze się bawić osobno, ale nie ze sobą.

Większość małych dzieci z trudnością nawiązuje kontakty towarzyskie — czasami trudno sobie wyobrazić, że kiedykolwiek do tego dojdzie. Zamknij w jednym pomieszczeniu grupkę półtorarocznych maluchów, a na pewno nie zaobserwujesz wspólnej zabawy.

Jednak to typowe „aspołeczne" zachowanie jest czymś zupełnie normalnym i naturalnym. We wczesnym stadium procesu uspołeczniania małe dzieci postrzegają inne dzieci jako przedmioty, które się poruszają i wydają dźwięki, ale mimo wszystko przedmioty. Można je odepchnąć, obrócić, ich zabawki i jedzenie nadają się do zagarnięcia. Są to przedmioty, które można z zainteresowaniem obserwować, szturchać, popychać, ale z którymi trudno współdziałać.

Wspólna zabawa wymaga, aby twoje dziecko nauczyło się postrzegać te przedmioty jako ludzi. Jednakże dziecko wygodnie ulokowane w centrum wszechświata (we własnym odczuciu) nie jest jeszcze gotowe zauważać i brać pod uwagę potrzeb, pragnień i uczuć tych, którzy krążą wokół niego.

Mimo to nie jest za wcześnie, aby zacząć przygotowywania twojego dziecka do wejścia w życie społeczne. Sztuki tej musi się nauczyć, ponieważ dzieci nie rodzą się ucywilizowane i nie otrzymują w genach zdolności do nawiązywania kontaktów społecznych tak jak dziedziczą na przykład zdolności muzyczne czy niebieski kolor oczu. Podobnie jak w przypadku innych umiejętności, dziecko najlepiej nauczy się poprzez połączenie praktyki z przykładem oraz stwarzanie odpowiednich sytuacji.

Bycie częścią rodziny to pierwszy i najważniejszy krok, a bycie częścią grupy bawiących się

Czytanie. Przytulcie się do siebie i codziennie w tym samym miejscu czytajcie razem bajki, opowiadania, wierszyki. Powinny być o miłej i spokojnej treści: żadnych czarownic, potworów, ponurych miejsc akcji. Z czasem, gdy dziecko podrośnie i będzie już miało poczucie czasu i ilości, ustal czas na czytanie (np. trzy książeczki lub 15 minut). Gdy będziesz zbliżać się do końca, uprzedź o tym dziecko, aby nie było zaskoczone i zawiedzione, że przyjemność tak nagle się skończyła.

Przytulanie. Przytulenie się do dziecka podczas słuchania taśmy z ulubionymi kołysankami lub inną relaksującą muzyką może zastąpić czytanie bajek i jest wspaniałym wstępem do snu.

Wspominanie. Zanim dziecko zaśnie, znajdź chwilę na przypomnienie mu, co się zdarzyło w ciągu dnia, w co się bawiliście, gdzie byliście, jak bardzo je kochasz.

Dobranoc całemu domowi. Taki finał bardzo pomaga dziecku, które rozstaje się z dniem pełnym radosnych zabaw i wchodzi w samotność nocy. Zamiast od razu położyć malucha do łóżeczka, weź go w pożegnalną trasę po mieszkaniu. Razem mówcie dobranoc mamie, tacie, rodzeństwu, zwierzętom domowym, zabawkom, kanapie, lodówce, gwiazdom i księżycowi za oknem — nawet odbiciu dziecka w lustrze. Ogranicz jednak każde spotkanie do krótkiego dobranoc — inaczej obchód może trwać godzinami.

Pozwól zabrać kilku przyjaciół. Ulubiony kocyk, miś lub poustawiane w rządku na półce obok łóżeczka lalki i zwierzątka umilą dziecku chwilę zasypiania. Na koniec obejmij dziecko, pocałuj, powiedz coś na pożegnanie („Do zobaczenia rano"). Nie ociągaj się z odejściem, nawet jeśli dziecko prosi, abyś została. Pozostanie przy nim aż do zaśnięcia pozbawia je możliwości nauki dobrych nawyków związanych ze spaniem. Możesz również pogłębić problemy ze snem.

Mimo dobrych intencji może się zdarzyć, że dziecko zaśnie w trakcie tych rytualnych czynności. To, jak sobie poradzisz w takiej sytuacji, zależy od tego, jakiego śpiocha masz na rękach. Jeżeli wiesz, że twój malec przebudzi się, ale kiedy tylko włożysz go do łóżeczka, zaśnie bez problemów, możesz go delikatnie obudzić. Jeżeli natomiast zacznie marudzić i ponowne zaśnięcie będzie sprawiać trudność, pozwól mu spać i ostrożnie przenieś go do łóżeczka. Jeżeli będzie się to powtarzać co wieczór, musisz nieco wcześniej rozpocząć przygotowania do snu, tak aby dziecko doczekało momentu położenia go do łóżeczka i zasnęło samodzielnie.

razem dzieci jest następnym bardzo ważnym krokiem (patrz str. 110). Nie spodziewaj się, że dziecko szybko opanuje normy społeczne. Chociaż większość małych dzieci lubi towarzystwo rówieśników, na ogół jednak niechętnie odnosi się do wspólnej zabawy. W ciągu najbliższych miesięcy zauważysz w grupie rówieśniczej wiele przejawów zachowania, które wydawać ci się będzie bezmyślne i nieuprzejme. Bardziej agresywne dzieci będą próbowały dominować nad bardziej uległymi. Zabawy równoległe (jedno dziecko obok drugiego) będą regułą, a wspólne — wyjątkiem. Najczęstszą formą współdziałania będzie popychanie i zabieranie. Prawdopodobnie nie będzie mowy o dzieleniu się (chociaż wiele piętnastomiesięcznych dzieci „nie rozumie" pojęcia posiadania i bez walki ustępuje, gdy ktoś zabierze im zabawkę). Rzadko zdarza się, że małe dziecko z własnej woli daje drugiemu swoją zabawkę.

Mimo braku współpracy w zabawie, członkowie grup rówieśniczych zdobywają cenne doświadczenia, które pewnego dnia dobrze wykorzystają. Jeżeli dzieci spotykają się regularnie, w końcu zauważysz oznaki prawdziwego społecznego współdziałania.

Nastąpi to szybciej, niż się spodziewasz. Kiedyś uważano, że dzieci nie są w stanie bawić się wspólnie do trzeciego, czwartego roku życia, i nie potrafią nawiązać przyjaźni lub koleżeńskich stosunków z rówieśnikami, dopóki nie ukończą piątego roku. Jednak obserwacje poczynione wśród dzieci, zwłaszcza tych, które uczęszczają do żłobków i które regularnie spędzają dużo czasu z rówieśnikami, dowodzą, że wspólne zabawy i przyjaźnie możliwe są już pod koniec pierwszego roku życia.

Chociaż nauka kontaktów społecznych we wczesnym dzieciństwie może dać dziecku lepszy start w żłobku czy przedszkolu, to jednak nie ma dowodów na to, że dzieci te lepiej radzą sobie w kontaktach społecznych jako dorośli. Tak więc nie przejmuj się, jeżeli nie możesz zapewnić dziecku zbyt wielu możliwości kontaktowania się z innymi dziećmi; nadrobi ono zaległości, gdy pójdzie do przedszkola i szkoły. Nie martw się również, jeżeli dziecko nie jest szczególnie zainteresowane nawiązywaniem kontaktów z rówieśnikami albo sobie z nimi nie radzi. Stwarzaj maluchowi okazje, ale do niczego go nie zmuszaj. Jak będzie gotowy, by stać się istotą społeczną, to się nią stanie. (Pamiętaj jednak, że

Większość dzieci w tym wieku bawi się obok siebie (zabawa równoległa) zamiast ze sobą. Po pewnym czasie i po zdobyciu pewnych doświadczeń dzieci zaczynają współdziałać w zabawie — wspólnie stawiane budowle z klocków zajmują miejsce tych budowanych indywidualnie.

istnieje wiele poziomów rozwoju społecznego. Niektóre dzieci z natury są bardziej towarzyskie niż inne. Zaakceptuj naturę własnego dziecka.)

Zagonieni rodzice często zdają sobie sprawę, że dla drugiego, trzeciego czy następnego dziecka w ogóle nie są w stanie zorganizować grupy rowieśniczej do zabawy. Jednak ich dzieci nie cierpią z tego powodu — prawdopodobnie dlatego, że mają swój udział w domowym życiu towarzyskim. Przecież dziecko, które nauczyło się ładnie bawić z rodzeństwem, może nauczyć bawić się z każdym.

BICIE RÓWIEŚNIKÓW

Spotykam się czasem z koleżanką, która ma dziecko w wieku mojego. Kilka razy czułam się nieprzyjemnie, kiedy moja córeczka uderzyła tamto dziecko. Wprawdzie nic się nie stało, ale mogło.

W tym wieku agresywne zachowanie nie wypływa ze złych intencji lub złośliwości. Małe dzieci grzmocą lub spychają inne, które znajdą się na ich drodze. Nie można jednak uważać takiego zachowania za celowe. Dzieci nie chcą zranić innych fizycznie lub psychicznie, ponieważ nie wiedzą jeszcze, że inni mają uczucia.

Jest jeszcze za wcześnie, aby oczekiwać od twojego dziecka empatycznego zachowania (dziecko, uderzając swojego kolegę, jest najbardziej ciekawe skutku), nie jest jednak za wcześnie, aby zasiać nasiona. Gdy twoja córeczka weźmie zamach na koleżankę, powiedz stanowczo: „Nie bij! Bicie boli, prawda?" Kiedy to twoje dziecko jest ofiarą, pociesz je i powiedz: „Bicie boli, dlatego nie wolno bić". Prawie zawsze twoje słowa będą musiały znaleźć poparcie w czynach. Przyglądaj się uważnie wspólnym zabawom i natychmiast wkraczaj do akcji, gdy pojawią się zachowania agresywne. Rozdziel dzieci szybko i skieruj ich uwagę na coś innego, aby przywrócić porządek. Jeśli jest to konieczne, wyjdź z dzieckiem na chwilę lub zastosuj inne techniki dyscyplinujące (patrz str. 125).

Nigdy nie reaguj na agresję swojego dziecka uderzeniem go. Bicie uczy je, że przemoc jest właściwą reakcją w sytuacjach stresowych. Trzymaj więc nerwy na wodzy. Wskazówki na temat, jak radzić sobie z poważniejszymi przejawami agresji u małych dzieci, znajdziesz na str. 173.

ZWIERZĘTA W DOMU

Mieliśmy psa, który zdechł, zanim urodził się nasz syn. Chcielibyśmy wziąć następnego. Czy to odpowiednia pora?

Pies może być dla dziecka nie tylko najlepszym przyjacielem, ale również jednym z najlepszych narzędzi pomocnych w nauce. Prawda ta dotyczy wszystkich zwierząt trzymanych w domu, a szczególnie psów. Od psa małe dziecko może zdobywać wiadomości o zwierzętach i przyrodzie; uczyć się odpowiedzialności, empatii, współżycia z innymi, bezwarunkowej miłości i lojalności. Dziecko może pomagać w pielęgnacji i karmieniu psa — rola mile widziana przez kogoś, kto zazwyczaj jest w tym samym położeniu co pies. Może ono liczyć na obecność psa, gdy jest taka konieczność lub gdy ma chęć na towarzystwo; w przeciwieństwie do rodziców psy prawie nigdy nie są zbyt zajęte, aby się pobawić i pobaraszkować. Ponieważ psy, zwłaszcza młode, lubią biegać, skakać, brykać i figlować tak jak dzieci, mogą brać udział w zabawach, na które rodzicom często nie starcza energii lub entuzjazmu.

Koty nie zawsze są zgodnymi towarzyszami małych dzieci. Chociaż niektóre (zwłaszcza te wychowywane od małego z dziećmi) są bardzo miłe i cierpliwe w stosunku do dzieci, większość z nich woli jednak towarzystwo dorosłych. Są również mniej tolerancyjne wobec dziecięcych psot, co może okazać się dla malca frustrujące i często niebezpieczne. Jeżeli chcesz mieć kota w domu, bądź bardzo ostrożna w jego wyborze.

Zwierzę w domu może być dla dziecka bardzo cennym dodatkiem do jego domowego życia, lecz dla rodziców jest to wielka odpowiedzialność, którą powinni poważnie wziąć pod uwagę. To, czy nadeszła odpowiednia pora na włączenie zwierzaka do rodziny, będzie zależeć od wielu czynników:

* Czy twoje dziecko dobrze czuje się wśród zwierząt? Jeżeli się ich boi, pozwól mu nabrać nieco doświadczenia poprzez przebywanie w towarzystwie czworonogów w innych domach i poczekaj, aż się oswoi, zanim przyniesiesz zwierzątko do domu (patrz str. 91).

* Czy w twoim domu jest dosyć miejsca i dla dziecka, i dla zwierzęcia? Podobnie jak dzieci, zwierzęta, a szczególnie szczeniaki, potrzebują miejsca do zabawy. Rozważ, czy oboje będą mieli przestrzeń do wspólnego biegania i zabaw.

* Czy znajdziesz dość czasu w swoim rozkładzie dnia dla dziecka i dla zwierzęcia? Oboje wymagają opieki, uwagi, odpowiedniego prowadzenia i oboje muszą się wiele nauczyć, chyba że dostaniesz zwierzę odpowiednio wyszkolone. Pomyśl, czy będziesz mieć czas, aby karmić, pielęgnować, zabawiać i uczyć jednocześnie i psa, i dziecko.

Wybór właściwego psa jest równie ważny, jak odpowiedni moment na jego włączenie do rodziny. Zanim więc odwiedzisz sklep zoologiczny lub schronisko dla zwierząt, weź pod uwagę następujące cechy zwierzęcia:

Rasa. Nie wszystkie rasy są odpowiednie dla dzieci. Wybierz taką, która uchodzi za przyjazną i cierpliwą w stosunku do nich. Często mieszańce są mniej agresywne, bardziej cierpliwe i inteligentniejsze niż osobniki czystej rasy. Ważniejszy od rasy jest charakter konkretnego zwierzęcia. Dobrze byłoby więc spędzić, na próbę, jakiś czas z psem, aby lepiej go poznać, zanim założymy mu smycz i przyprowadzimy do domu. Dobry pies jest miły, przyjacielsko nastawiony, czuły, nie ucieka przed małymi dziećmi i nie gryzie, gdy zostanie pociągnięty za ucho czy ogon.

Płeć. Z reguły suki są łagodniejsze od psów. Natomiast koty bardziej kochają ludzi i są bardziej czułe niż kotki. Kastracja sprawia, że zarówno psy, jak i koty stają się mniej agresywne, spokojniejsze i łatwiejsze w prowadzeniu. Obcinanie pazurów u kota może też być korzystne, lecz i w tym przypadku indywidualny temperament zwierzęcia odgrywa zasadniczą rolę.

Wiek. Kupienie szczeniaka lub małego kotka ma tę zaletę, że mogą one dorastać z dzieckiem, przez co rozwijają się silne więzy między nimi. Wadą jest to, że masz w domu drugie „dziecko", które wymaga dużo uwagi. Dojrzałe zwierzę pilnuje domu, sygnalizuje, że chce wyjść się załatwić — to niewątpliwa korzyść, lecz z drugiej strony ma już własne przyzwyczajenia i nie zawsze potrafi zaprzyjaźnić się z małym dzieckiem. Najlepsze byłoby dorosłe zwierzę, które wychowywało się z dziećmi. Jeżeli jest jednak bardzo stare, może wymagać poświęcania mu więcej czasu, niż jesteś gotowa na to przeznaczyć.

Decydując się na zwierzę domowe, weź pod uwagę następujące fakty:

* Zwierzęta muszą być wyszkolone pod kątem obcowania z dziećmi. Jeżeli twoje nowo nabyte zwierzę nie jest przyzwyczajone do małych dzieci, musi początkowo przebywać w ich towarzystwie jedynie pod twoim nadzorem. Spotkania powinny być krótkie, tak aby ani zwierzęciu, ani dziecku nie dostarczać zbyt wielu emocji.

* Dzieci muszą być przyzwyczajone do kontaktu ze zwierzętami, gdyż mogą niechcący wyrządzić krzywdę zwierzęciu, okazując mu swoją czułość.

* Dzieci i zwierzęta muszą być, przynajmniej na początku, izolowane od siebie. Ponieważ reakcje obojga są nieprzewidywalne, prawdopodobieństwo wyrządzenia krzywdy (zamierzonej lub nie) jednej stronie przez drugą jest

bardzo duże. Oprócz pilnowania dziecka i psa, gdy są razem, zapewnij dziecku bezpieczne miejsce do zabawy, do którego zwierzę nie będzie miało dostępu (sprawdza się przegroda umieszczona w progu drzwi między jednym a drugim pomieszczeniem).

* Zwierzęta i dzieci nie powinny jeść razem. Karm psa, gdy twój brzdąc właśnie ucina sobie drzemkę lub poszedł spać na dobre, siedzi w wysokim krzesełku lub jest czymś zajęty w innym pokoju. Możesz też wystawić zwierzęciu miskę z jedzeniem, gdy wychodzicie właśnie na zakupy lub plac zabaw. Po każdym posiłku zabieraj miskę z podłogi, chyba że jest w miejscu niedostępnym dla dziecka. Takie postępowanie nie tylko uniemożliwia dziecku np. jedzenie psich chrupek, ale również psu schrupanie dziecięcych paluszków mieszających w psiej misce; nawet przyjaźnie nastawione zwierzęta mogą stać się niebezpiecznymi wrogami, gdy ktoś zabiera im ich jedzenie. Sensownie jest również wyprowadzać zwierzę z pomieszczenia, w którym dziecko właśnie je. W przeciwnym wypadku posiłki szybko przekształcą się w szaleństwo i więcej jedzenia znajdzie się w brzuchù twojego zwierzaka (i na nim) niż w brzuchu dziecka.

* Zwierzęta też muszą być szczepione. Szczepienia należy wykonywać w wyznaczonych terminach. Wścieklizna jest zagrożeniem nie tylko na obszarach wiejskich, ale i na przedmieściach; choroba przenosi się na zwierzęta domowe z żyjących w okolicy wiewiórek i lisów. Wścieklizny mogą nabawić się zarówno koty, jak i psy. Zarażone stają się bardziej agresywne oraz mogą przenosić chorobę dalej.

* Bądź miła dla zwierzęcia, a zwierzę będzie miłe także dla ciebie. Ostre traktowanie czworonoga może wprawiać go w złość, co grozi ugryzieniem, poza tym stanowi zły przykład dla dziecka. Traktuj zwierzę stanowczo, ale z szacunkiem. Jeśli to możliwe (i konieczne), zapisz je na szkolenie w zakresie posłuszeństwa i właściwego zachowania.

POWRÓT DO RACZKOWANIA

Nasza córeczka zaczęła chodzić tydzień temu, ale teraz znów powróciła do raczkowania. Czy coś jest nie w porządku?

Rozwój jest często procesem, w którym następuje jeden krok naprzód i jeden wstecz, zwłaszcza gdy dotyczy tak poważnego przedsięwzięcia jak chodzenie. Nagły powrót waszej córeczki do raczkowania spowodowany jest prawdopodobnie jednym z następujących czynników:

* Mieszane uczucia wobec niezależności. Chodzenie to wielki krok naprzód w kierunku dorosłości. Wiele dzieci pragnie tej niezależności i poprzez nią rozwija się i dorośleje, lecz dla niektórych jest to perspektywa niepokojąca.

* Frustracja. Aby perfekcyjnie opanować sztukę chodzenia, potrzeba cierpliwości, a większość dzieci ma jej zbyt mało. Frustracja z powodu licznych upadków, wolnego tempa chodzenia, nieudanych zakrętów i innych przeszkód może sprawić, że niektóre dzieci powrócą do poprzedniego sposobu poruszania się do czasu, aż jego nóżki i stopy odpowiednio się wzmocnią.

* Poważny upadek. Po wyjątkowo boleśnie zakończonym upadku niektóre, ostrożne z natury, dzieci wolą dwa razy pomyśleć, zanim znów staną na nóżki. Ostatecznie decydują się na powrót do raczkowania do czasu, gdy uraz minie.

* Zmiany w otoczeniu. Nowa sytuacja, w której znalazło się wasze dziecko, np. zmiana sposobu opieki, narodziny nowego dziecka w rodzinie, powrót mamy lub taty do pracy, może wywołać rodzaj emocjonalnego stresu objawiającego się powrotem do dawnych zwyczajów typowych dla niemowlęcia.

* Nowe osiągnięcia. Często nie do końca opanowana umiejętność chodzenia może zostać tymczasowo zarzucona, gdy dziecko skupi całą swoją uwagę na innej, na przykład na mówieniu.

* Zbliżające się przeziębienie lub inna choroba. Na kilka dni przed pojawieniem się objawów przeziębienia, grypy lub innego wirusa dzieci są często apatyczne i nie mają ochoty na aktywne działanie. W takim wypadku chodzenie, które nadal jest dla nich wyzwaniem, może zostać zarzucone na korzyść lepiej znanego i mniej stresującego raczkowania.

* Złe dni. Każdy je czasem miewa, a niektórym dzieciom zdarza się to dosyć często. Marudzenie i rozdrażnienie mogą czasowo osłabić energię malucha i odebrać mu chęć do chodzenia.

Oczywiście, jeżeli twoje dziecko nie chce w ogóle chodzić, jest wyjątkowo drażliwe lub kuleje albo też nie potrafi stać prosto, zgłoś to lekarzowi, aby wykluczyć problem fizyczny, taki jak nie zdiagnozowany do tej pory uraz lub choroba.

POGORSZENIE MOWY

Przez pewien czas nasz synek używał wielu słów. Jednak w ostatnim tygodniu jego zasób słów zmalał. Czy nie powinno być tak, że wraz z upływem czasu słownictwo się poszerza?

Niemożliwe, aby zasób słów, których używa wasze dziecko, był coraz uboższy, prawdopodobnie jest ono zajęte zdobywaniem nowej umiejętności. To typowe, iż małe dzieci przerzucają się z jednego osiągnięcia na inne. W jednym tygodniu koncentrują się na mowie, w następnym na doskonaleniu sprawności fizycznej, ćwiczeniu zręczności, a w kolejnym na kontaktach społecznych, później znów na używaniu słów. Często tak bardzo skupiają się na doskonaleniu osiągnięcia danego tygodnia, że zaniedbują pozostałe umiejętności. Możliwe jest również, że wasze dziecko robi sobie przerwę w mówieniu, podobnie jak wiele małych dzieci, po opanowaniu pierwszej partii słownictwa. Przerwa taka daje im czas na skonsolidowanie zdobytej wiedzy i zakodowanie słów, które słyszą i rozumieją, by za jakiś czas pochwalić się prezentacją zupełnie nowej listy słów.

Jeszcze inną przyczyną pogorszenia mowy waszego synka może być nagła zmiana życiowa (nowa opiekunka lub pójście do żłobka, wyjazd na wakacje, dłuższa nieobecność mamy lub taty). Jeżeli to właśnie jest przyczyną, dodatkowe wsparcie, dodanie dziecku pewności siebie i otuchy szybciej pomoże mu mówić tak jak przedtem.

Dziecko może być pod zbyt silną presją rodziców, którzy pragną, by mówiło jak najwięcej i jak najlepiej. Naciskanie na malca, aby rozwijał swoje słownictwo, prawie zawsze napotyka na opór. W tym wypadku złagodzenie nacisku może pomóc dziecku odzyskać mowę.

Jeżeli wasze dziecko przestało zupełnie mówić lub po upływie tygodnia, dwóch nie nauczyło się żadnego nowego słowa albo też jeśli temu nagłemu zahamowaniu mowy towarzyszy apatia, ciągłe niezadowolenie lub inne niepokojące objawy, zgłoście się z dzieckiem do lekarza. Być może są to objawy jakiejś choroby.

JĘZYK JASKINIOWCA

Nasza czternastomiesięczna córeczka rozumie prawie wszystko, ale potrafi powiedzieć zaledwie sześć słów. Jeżeli coś chce, ogranicza się do chrząkania, pchania lub ciągnięcia kogoś.

Zadziwiające, ile małe dziecko potrafi osiągnąć bez wypowiedzenia choćby jednego słowa. Jak mały jaskiniowiec ciągnie mamę za spódnicę do kuchni, pcha nogi taty w kierunku drzwi, odpowiadając na pytania, kiwa głową twierdząco lub przecząco, wskazuje ręką na rzeczy, które chce otrzymać. Tak długo, jak długo będzie próbować się porozumiewać, możecie być zadowoleni z jego bystrości i pomysłowości i nie musicie się martwić słabym rozwojem jego mowy.

Powinniście jednak próbować zrozumieć ten prymitywny język i reagować na niego oraz zachęcać malca do używania go. Powinniście również pomagać dziecku w rozwijaniu werbalnych form języka. Jeżeli córeczka ciągnie was w kierunku lodówki, mówcie: „O, chcesz iść do lodówki. Co byś chciała? Chcesz trochę soku?" Jeżeli kiwa głową i pokazuje palcem pajacyka siedzącego na półce, powiedzcie: „Chcesz pajacyka? Czy mam ci go podać?" A potem: „Oto twój pajacyk". Więcej wskazówek na temat stymulowania rozwoju języka znajdziecie na str. 56.

ZNAMIONA

Myślałam, że znamię naczyniowe na ciele mojego synka nie będzie już w tym wieku tak bardzo widoczne, ale niestety jest.

Sezon na truskawki nadal trwa — te jaskrawe znamiona (przypominające powierzchnię truskawki) zazwyczaj utrzymują się na skórze przez kilka lat. Prawdopodobnie jednak znamię twojego synka [kliniczna nazwa naczyniak (łac. *haemangioma*] hemangioma) coraz mniej przypomina truskawkę, staje się jaśniejsze i bardziej szare, mniejsze i bardziej płaskie, ale ty nie zauważasz tych zmian, ponieważ widzisz to znamię codziennie. Pediatra twojego dziecka prawdopodobnie ogląda je podczas każdej wizyty i nie rozmawia o tym z tobą. Jeżeli zrobiłaś zdjęcie znamienia zaraz po jego ukazaniu się, porównaj je z obecną postacią. Na pewno zauważysz, że nastąpiła poprawa.

Aby śledzić zmiany w wyglądzie znamienia, zrób kolorowe zdjęcie. Mierz jego wielkość przynajmniej raz w roku. W ramce poniżej przeczytasz na temat postaci tego rodzaju znamion utrzymującej się w następnych kilku latach życia dziecka.

Znamiona rok później

Noworodki mogą przyjść na świat z różnego rodzaju znamionami — małymi bądź dużymi, płaskimi albo wystającymi, jaskrawymi lub bladymi. Niektóre znamiona zblednąpo pewnym czasie, inne zmniejszą się, jeszcze inne pozostaną takie same przez całe życie. Niewiele z nich może lub powinno zostać usunięte. Jeśli twój maluch ma znamię, to zwykle jest ono teraz mniej widoczne niż przedtem albo dlatego, że się zmniejszyło, albo dlatego, że twoje dziecko urosło, albo też dlatego, że ty przyzwyczaiłaś się do jego obecności. Oto charakterystyka najbardziej pospolitych znamion i ich postaci rok lub więcej po urodzeniu.

Obrzęk łososiowy rogówki. (Plama Hutchinsona.) Te bladoróżowe lub koralowe plamki występują u 40 do 45% noworodków. Zwykle pojawiają się na powiekach, między brwiami, a najczęściej na szyi (na karku). Zazwyczaj zmiany na powiekach blednąprzed upływem roku, te na czole nieco później, a umiejscowione na karku mogą w ogóle nie zniknąć, ale z reguły są przykryte włosami. Zdarza się czasami, że plamy, które pozornie zniknęły, pojawiają się znów, gdy dziecko płacze lub mocno się wysila.

Znamię naczyniowe płaskie. Znamiona te występują rzadziej, zdarzają się u 1 na 200 dzieci i przybierają barwę od różowej do ciemnoszkarłatnej. U dzieci o śniadej cerze mogą być czarne. Pojawiają się w różnych miejscach na ciele i są płaskie (czasami lekko wypukłe), a ich brzegi są regularne. Bardzo rzadko ich występowanie wiąże się z innymi nieprawidłowościami (jeżeli coś cię niepokoi, zwróć się do pediatry). Znamiona naczyniowe płaskie czasami nieznacznie zmieniają kolor, ale zazwyczaj nie znikają. Można je tuszować specjalnymi kremami. Badania wykazują, że terapia laserowa znacznie poprawia wygląd tego rodzaju znamion, nie pozostawiając blizn. W przeciwieństwie do terapii argonem, która często powoduje powstanie blizn u dzieci poniżej szesnastego roku życia, terapię laserową można stosować u niemowląt i małych dzieci. Więcej informacji na ten temat udzieli ci dermatolog dziecięcy.

Znamię naczyniowe wrodzone. Przed końcem pierwszego roku życia, u około 8 do 10% dzieci pojawiają się jaskrawoczerwone znamiona wystające ponad powierzchnię skóry. Przypominają dojrzałą truskawkę. Mogą być niewielkie jak piegi lub bardzo duże (5-7 centymetrów średnicy). Gdy dziecko osiągnie wiek dwóch, trzech lat, te skupiska rozszerzonych naczyń włosowatych stopniowo zaczynają blednąć i szarzeć. W końcu zupełnie zanikają — u 50% dzieci przed ukończeniem piątego roku życia; u 70% — siódmego; i u 90% — dziewiątego. Najlepiej jest pozostawić tego rodzaju znamiona nie leczone, chyba że występują w drażliwym miejscu (np. na powiece, gdzie z powodu swojej wypukłości mogłyby utrudniać ruch powieki i widzenie) lub zostaną zaka-

CO WARTO WIEDZIEĆ

Wyostrzanie zmysłów

Uważamy swoje zmysły za coś najzupełniej naturalnego. Chociaż używamy ich codziennie od chwili przebudzenia, prawie nigdy nie wykorzystujemy ich pełnego potencjału. Ilu z nas zatrzymuje się przy krzaku róży, aby powąchać te piękne kwiaty, słucha śpiewu ptaków, delektuje się smakiem cynamonu w ciastku, bada końcami palców strukturę dotykanych rzeczy lub zwraca uwagę na każdy piękny widok?

Natomiast małe dzieci zatrzymują się nie tylko, aby powąchać róże, lecz by na nie popatrzeć, dotknąć i bardzo często spróbować ich smaku. Używają zmysłów w taki sposób, w jaki naukowiec używa laboratorium. To dzięki tym pięciu cudom małe dzieci dokonują odkryć w skomplikowanym świecie, w którym żyją, odkryć, które na tym etapie rozwoju następują szybko i szaleńczo.

Nawet bez zachęcania dziecko instynktownie wkracza w te naturalne bogactwa, a z twoją zachętą jeszcze pełniej je wykorzysta. Poniżej przedstawiamy kilka porad, jak stymulować percepcję zmysłową dziecka i jak zainspirować własne strategie stymulujące dziecko.

Wzrok. Ponieważ małe dziecko nie ma jeszcze wykształconej zdolności wizualnej selekcji, wszystko, co znajduje się w zasięgu wzroku, skupia jego uwagę. Park jest jak kalejdoskop: wysokie drzewa, kolorowe kwiaty, mała dziewczynka na rowerku, chłopiec jadący na des-

żone, zranione do krwi, pokryją się wrzodami albo zaczną się rozrastać. Dziecko, u którego występuje wiele znamion naczyniowych, również wymaga opieki medycznej. W rzadkich przypadkach, w których leczenie jest konieczne, stosuje się zabiegi chirurgiczne, steroidy, uciski, terapię laserową, krioterapię i napromieniowanie.

Naczyniaki jamiste. Te znamiona składają się z większych naczyń krwionośnych niż te, które tworzą znamiona naczyniowe widoczne. Mają kolor niebieskawy i mniej wyraźne kontury niż znamiona wrodzone. Występują rzadziej (u 1 lub 2 dzieci na 100) i wolniej zanikają — chociaż w większości wypadków stają się niewidoczne, zanim dziecko stanie się nastolatkiem. Czasami pozostaje po nich blizna. Sposoby leczenia, jeśli okaże się ono konieczne, są takie jak w przypadku naczyniowego znamienia wrodzonego.

Plamy mongolskie. Te sinoczarne plamy, które wyglądają jak siniaki i najczęściej występują na plecach i pośladkach (rzadziej na nogach i ramionach), są bardzo powszechne wśród murzyńskich (98,8%), azjatyckich (81%) i południowoamerykańskich (70%) niemowląt. U większości zanikają przed końcem pierwszego roku życia; rzadko zdarza się, aby pojawiły się w późniejszym dzieciństwie i przetrwały do wieku dorosłego.

Brązowe plamki. Te płaskie plamy mogą przybierać barwę od beżowej do ciemnobrązowej. Zazwyczaj pozostają widoczne przez całe życie. Można tuszować je fluidem kosmetycznym. Jeżeli twoje dziecko ma wiele takich plamek, wspomnij o tym swojemu lekarzowi; może mieć to związek z jakimiś dziedzicznymi zaburzeniami.

Wrodzone znamiona barwnikowe („pieprzyki"). Małe znamiona o barwie od jasnobrązowej do czarnej, które rosną wraz z dzieckiem, są dość powszechne i występują u 1 na 100 dzieci. Chociaż nie znikają, to jednak nie powinny budzić niepokoju, chyba że szybko się rozrastają, zmieniają kształt lub kolor. Duże pieprzyki, płaskie lub wypukłe, osiągające wielkość pięciozłotówki, a nawet melona, czasami pokryte włoskami, występują rzadziej niż małe, ale częściej mają charakter nowotworowy. Zaleca się usuwanie dużych oraz małych pieprzyków, które budzą jakieś podejrzenia. Natomiast te, które nie nadają się do usunięcia, powinien od czasu do czasu kontrolować specjalista.

Nabyte znamiona lub „pieprzyki". Większość ludzi o jasnej cerze nabywa w ciągu całego życia wiele małych pieprzyków, choć zwykle nie zdarza się to wcześniej niż po ukończeniu piątego roku życia. Jednakże jeżeli na ciele twojego dziecka pojawi się nowy pieprzyk i ma większą średnicę niż gumka na końcu ołówka, nieregularny obwód lub różne odcienie, należy pokazać go lekarzowi.

korolce, mężczyzna pchający wózek dziecięcy, uprawiająca jogging kobieta, wiewiórka zbierająca żołędzie, pies goniący motyla. Gdy jest tak wiele do zobaczenia, niełatwo jest niewprawnym oczom dziecka skupić się przez dłuższą chwilę tylko na jednej części tego obrazu.

Możesz pomóc dziecku w ćwiczeniu skupiania jego uwagi, wskazując po kolei na poszczególne przedmioty lub fragmenty sceny. Na początku mów po prostu: „Spójrz na dziewczynkę na różowym rowerku. Jedzie na rowerku". Gdy dziecko będzie starsze, możesz dodać inne detale: „Ona umie dobrze jeździć na rowerze. Spójrz na jej włosy, są związane ładną, czerwoną wstążką. A jej spodnie są w czerwone kwiatki".

Gdziekolwiek pójdziecie, bawcie się w „wypatrywanie". Najlepszą ucztą dla oczu będzie plaża, zoo, zatłoczony chodnik. Spróbujcie tej zabawy również w mniej atrakcyjnych miejscach, w poczekalni u lekarza, na parkingu przed sklepem, na poczcie. Przypatrujcie się przedmiotom, które widzieliście już wiele razy. Następnie zachęć dziecko, aby wypatrzyło coś nowego w znanym mu otoczeniu lub wskazało przedmioty, których jeszcze nigdy nie widzieliście. Taka zabawa nie tylko uczy dziecko skupiania wzroku, ale również (gdy nazywasz słowami to, co widzicie) pomaga przyspieszyć jego rozwój i zmienia potencjalnie nudny albo uciążliwy obowiązek (np. gdy czekasz w kolejce do kasy w sklepie) w czas pożytecznie spędzony.

Dziecku z pewnością spodoba się oglądanie świata z innej perspektywy:

* W lustrze. Małe dzieci lubią patrzeć na siebie i innych w lusterku (większość rozpoznaje samych siebie przed ukończeniem piętnastego miesiąca życia). Można też pokazywać im, jak w tym magicznym przedmiocie wyglądają ich zabawki i inne przedmioty.

* Przez różowe okulary. Zmiana kolorów widzianych przez przyciemnione okulary często intryguje małe dzieci, podobnie jak zniekształcenie widoków i kształtów oglądanych przez cienką zasłonę, szklaną kostkę lub szkło witrażowe.

* Przez szkło powiększające. Starsze dzieci fascynuje badanie otoczenia za pomocą szkła powiększającego (upewnij się, że soczewka jest nietłukąca). Pokaż młodemu badaczowi, jak działa szkło powiększające, a następnie stwórz mu w domu i na dworze jak najwięcej okazji do jego wykorzystania.

Dźwięk. Podobnie jak oczy twojego dziecka, jego uszy także są na co dzień mocno „bombardowane" z zewnątrz. Nawet w domu panuje szalone współzawodnictwo dźwięków dochodzących do uszu dziecka: z radia płynie muzyka, tyka zegar, w sąsiedztwie szczeka pies, na ulicy słychać syrenę pogotowia, nad głową rozlega się dźwięk lecącego samolotu, mama rozmawia przez telefon, w kuchni szumi wentylator. Zachęcanie dziecka do skupiania się na pojedynczych odgłosach (odcinając się od innych, tak aby tylko jeden dźwięk mógł być w pełni słyszalny i doceniony), stanowi dobre ćwiczenie dla młodych uszu. Ćwicz słuch swojego dziecka, bawiąc się w słuchanie. Zwracaj jego uwagę na dochodzące dźwięki, gdy siedzicie w pokoju, jedziecie samochodem lub spacerujecie po parku. „Słyszysz syrenę (uuu, uuu, uuu)? To chyba straż pożarna". „Słyszysz, jak ptaszek śpiewa (tuit, tuit, tuit)? Ładnie, prawda?" „Słyszysz, jak samolot leci po niebie (wruuummm)? Głośno, prawda?" (Zatykaj uszy dłońmi, by podkreślić, jak silny jest ten hałas.) Gdy dziecko nieco podrośnie i będzie więcej rozumieć, możesz dodać więcej szczegółów do swoich wypowiedzi: „Nie widzimy ptaszka, ponieważ siedzi zbyt wysoko na drzewie, ale słyszymy jego śpiew". „Wóz strażacki jedzie do pożaru". „Ciekawe dokąd leci samolot. Może do Poznania, tam gdzie mieszka babcia". W wypadku starszego dziecka możesz wzmocnić doświadczenia słuchowe i podwoić radość z zabawy, zastępując grę w słuchanie zabawą w zgadywanie. Niech dziecko zamknie oczy. Następnie po kolei prezentuj różne odgłosy (tykanie zegarka, dzwonienie dzwoneczkiem, muzykę z pozytywki) i zachęcaj malucha do odgadywania. Niektóre dzieci lubią bawić się w tę grę z zawiązanymi oczami, inne boją się ciemności. Dźwięki muzyki nie tylko mogą bawić czy uspokajać dziecko, ale również mogą je uczyć uważnego słuchania. Umożliwiaj maluchowi słuchanie różnych gatunków muzyki (klasycznej, country, ludowej, jazzu, spokojnego rocka[3]) z taśmy lub z radia. Chodźcie na koncerty. Włączaj muzykę, aby rozbrzmiewała w tle, gdy dziecko się bawi, lub organizuj śpiewane zabawy, takie jak: „Stary niedźwiedź mocno śpi", „Mam chusteczkę haftowaną", „Kółko graniaste", „Rolnik sam w dolinie". Na umuzykalnienie dziecka dobrze wpływa też taniec (samodzielnie, w twoich ramionach lub trzymając się za ręce). Nie zapomnij też dać dziecku szansy tworzenia jego własnej „muzyki" — przez bębnienie w pokrywkę drewnianą łyżką, uderzanie jedną metalową łyżką o drugą, granie na instrumencie-zabawce, uderzanie palcami w klawisze pianina, drapanie paznokciami różnych powierzchni (dywanu, żaluzji, ściany, kartki).

Dźwięki głosów ludzkich są następnym fascynującym przedmiotem badań. Używając magnetofonu, nagrywaj różne głosy: dziecka, swój, taty, rodzeństwa, babci, dziadka, przyjaciół, opiekunki. Następnie odtwarzaj taśmę i spróbujcie razem odgadywać, czyje to głosy. Możesz też nagrywać inne głosy do identyfikacji: szczekanie psa, trąbienie klaksonu, wirowanie pralki, wypływanie wody z kranu, dźwięk dzwonka u drzwi.

Zapachy. Nosy małych dzieci nie są zbyt wrażliwe na zapachy — co prawdopodobnie tłumaczy, dlaczego zapach dolatujący z zabrudzonej pieluchy nie przeszkadza im tak jak wszystkim wokół albo dlaczego przytulają się do taty, który właśnie zjadł sałatkę z ogromną ilością czosnku, gdy inni uciekają od niego, gdzie się da. Do tego wszystkiego nosy nie ostrzegają ich i nie powstrzymują przed spróbowaniem niebezpiecznych substancji (takich jak: środki do utrzymania czystości, zepsute jedzenie), które mają odstraszający zapach dla starszych dzieci i dorosłych. Mniej więcej w okresie, w którym malec uczy się korzystać z toalety, zaczyna rozróżniać zapachy i potrafi dzielić je na przyjemne i nieprzyjemne. Należy więc dostarczać dziecku jak najwięcej doświadczeń węchowych, aby wyostrzyć ten zmysł, tak żeby dziecko nie tylko potrafiło wąchać róże, ale również odróżniało ich zapach od smrodu nawozu, którym zostały podlane.

Wąchajcie kwiaty w wazonie, pranie dopiero co wyjęte z pralki, brzoskwinie i banany dojrzewające w kuchni, jedzenie w psiej misce, kotlety na półmisku w czasie obiadu. Gdy gotujesz, przerwij na chwilę i daj dziecku do powąchania cebulę, którą właśnie kroisz do gulaszu, cukier waniliowy i cynamon, które dodajesz do ciasteczek, parmezan, którym posypujesz zapiekankę, tuńczyka, którego dodajesz do sałatki. Uważając, aby wąchanie nie zamieniło się w in-

[3] Uważaj, aby muzyka nie była zbyt głośna; może to uszkodzić dziecku słuch.

halację, pozwól dziecku sprawdzić zapachy wszystkich przypraw w słoiczkach — od delikatnej szałwii do kręcącego w nosie imbiru. Gdy jesteście poza domem, również wąchajcie. W parku nachylajcie się nad bzem i kapryfolium, wąchajcie igły sosny i świeżo skoszoną trawę. Gdy pójdziecie na targ, wąchajcie pomarańcze, cytryny i świeże zioła, ciastka i kurczaki z rożna. Ze starszym, lubiącym przygody dzieckiem możesz zabawić się w „zgadywanie zapachów", zawiązując mu oczy. Przykładaj maluchowi do nosa różne pachnące przedmioty (wodę po goleniu, dojrzałego banana, grzankę, truskawki), aby rozpoznawało je po zapachach.

Smak. Większość małych dzieci mniej chętnie ćwiczy swoje kubki smakowe niż inne zmysły. Są takie, które zaciskają zęby na widok wszystkiego, co nie przypomina płatków kukurydzianych. Mimo wszystko nie zaszkodzi spróbować. Nawet najbardziej wybredny malec może zaskoczyć cię entuzjastyczną reakcją na nowy smak. Eksperymentuj, wprowadzając pokarmy o różnorodnym smaku, konsystencji, kolorze i formie. Możesz przygotować na dużym talerzu smacznie wyglądające próbki różnych produktów (uważaj, aby jeden nie dotykał drugiego; wiele dzieci nie lubi mieszanki smaków). Taki kolorowy talerz nie tylko pobudzi zmysł smaku, ale (co jest dodatkowym plusem) i wzroku. Wprowadzaj nowe wrażenia smakowe wraz ze znanymi, ulubionymi smakołykami. Gdy dziecko jest właśnie w trakcie jedzenia, zachęć je do opisania smaku potrawy: banany (słodkie i miękkie), kostki sera (słone), mus jabłkowy (słodki, soczysty), twarożek (kremowy). Jednak nigdy nie zmuszaj dziecka, nie błagaj, nie przekupuj, by spróbowało jakiejś potrawy. Zrodzi to w nim jeszcze większy opór i być może zapoczątkuje problemy z jedzeniem. Dzieci używają też zmysłu smaku do badania rzeczy niejadalnych. Niektóre maluchy nadal biorą wszystko do buzi, chociaż rzadziej niż w okresie niemowlęcym. Należy więc bacznie obserwować, co dziecko bierze do rączki, gdyż z pewnością powędruje to do jego buzi.

Dotyk. Dzieci odkrywają otaczający je świat w dużym stopniu — rodzice często uważają, że w zbyt dużym — za pośrednictwem palców. Odkrywają na przykład, że wyrywanie kartek z czasopisma jest świetną zabawą (zwłaszcza gdy dany egzemplarz nie został jeszcze przeczytany i towarzyszy temu odpowiednia reakcja ze strony rodziców). Również manipulowanie pilotem do wideo lub telewizora dostarcza brzdącowi wiele radości (szczególnie gdy powtarza mu się, że ma przestać). Biorąc pod uwagę, ile szkód małe dzieci potrafią wyrządzić, nie jest dziwne, że rodzice znacznie rzadziej zachęcają swoje pociechy do rozwijania zmysłu dotyku niż pozostałych czterech zmysłów. Przez dotyk jednak dziecko potrafi się wiele nauczyć. Zachęcanie go do dotykania w bezpiecznym dla niego otoczeniu (patrz str. 212) nie tylko pomaga rozwijać ten zmysł, lecz również minimalizuje codzienną frustrację życia w świecie, w którym tak wiele rzeczy jest zabronionych. Zachęć dziecko, aby rano pogładziło ręką szorstkie, nie ogolone policzki tatusia, a następnie poczuło ich gładkość po ogoleniu. Podsuń mu bluzkę z miękkiego jedwabiu i szorstki sweter, puszystą kulkę waty i kruchy, zeschnięty liść. Wybierzcie się na obchód domu i jego otoczenia, aby podotykać: wypukły haft na ozdobnej poduszce, nierówności wybrukowanej dróżki, rzeźbienia na drewnianych tralkach, miękkie jak aksamit płatki kwiatów, ostrą, szorstką powierzchnię świeżo skoszonego trawnika. Gdziekolwiek pójdziecie, dotykajcie różnych rzeczy, aby wyczuć różnorodną fakturę materiałów, z których zostały wykonane. Niech dziecko przeciąga palcami po szorstkiej powierzchni brezentowej torby, po zimnym metalu lub śliskiej tapecie. Zachowaj kawałki materiałów (welur, jedwab, tetra, flanela), dywanu, papieru ściernego i innych o ciekawej strukturze i trzymaj je w specjalnym pudełku. Pomóż dziecku sortować je według wrażenia, jakie odczuwa ono podczas dotyku — które z nich są szorstkie, które gładkie, miękkie itd. Możesz zawiązać dziecku oczy i dawać mu do rąk różne znane mu przedmioty, aby je rozpoznało przez dotyk i nazwało (szczotka do włosów, klucze, samochodzik, jabłko). Możesz też włożyć wszystkie te przedmioty do kartonowego pudełka, wyciąć w bocznej ściance otwór, przez który dziecko będzie mogło włożyć rączkę do środka i „wymacać" wymieniony przez ciebie przedmiot.

Chociaż możesz wiele zrobić, by pobudzić rozwój zmysłów u dziecka, zadając mu różne stymulujące zadania, musisz jednak bardzo uważać, by nie przesadzić. Dzieci też muszą mieć czas, aby posiedzieć i podumać, oraz możliwość dokonywania własnych samodzielnych odkryć. Sygnałem tego, że twoje naciski są zbyt mocne, jest reakcja dziecka. Gdy zainteresowanie i podniecenie maleje i wyczuwasz, że malec wyłącza swoją uwagę, wycofaj się.

CO TWOJE DZIECKO POWINNO WIEDZIEĆ

Nikt nie jest doskonały

W pełnych uwielbienia oczach małego dziecka jego rodzice jawią się jako wszechmogący, wszechwiedzący i mający zawsze rację. Krótko mówiąc: są doskonali. Niestety, większość z nas dobrze wie, że jest to tylko złudzenie. Nawet najlepsi i najmądrzejsi mają słabości i wady — nikt, naprawdę nikt nie jest idealny.

Dobrze byłoby, aby dzieci dowiedziały się o tym jak najwcześniej. Te, które są uczone, że każdy — nawet rodzice, nawet dziadek i babcia, nawet nauczyciel — popełnia czasem błędy, swobodnie dorastają, próbując swoich sił najlepiej jak potrafią i rozmyślnie podejmują ryzyko bez obawy niepowodzenia.

* Nie wymagaj od dziecka, by było doskonałe. Wymaganie od malca więcej niż potrafi z siebie dać może działać zniechęcająco i niszcząco na jego poczucie własnej godności. Oczekiwania dotyczące zachowania, opanowywania różnych umiejętności, rozumowania powinny być nie tylko na miarę wieku dziecka, lecz również na miarę jego temperamentu i zdolności. To nie oznacza oczywiście, że powinnaś umieścić poprzeczkę nisko lub w ogóle z niej zrezygnować. Dzieci, od których niczego się nie wymaga, zwykle nie potrafią nauczyć się samodyscypliny, stawiać czoła wyzwaniom i podejmować ryzyka. Pozbawia się je samozachęty, która wypływa ze świadomości, że „zrobiłem coś, choć wcale się nie spodziewałem, że potrafię", i często niewiele potrafią w życiu osiągnąć.

* Nie wymagaj od innych, żeby byli doskonali. Akceptuj niedociągnięcia najbliższych. U twojego męża (to co, że zawsze zostawia podniesioną deskę sedesową; co z tego, że nie zakręca tubki z pastą do zębów); u ludzi, z którymi pracujesz; u tych, którzy dla ciebie pracują; u pracowników poczty, sklepów czy banków. Nie oznacza to akceptowania wyjątkowej nieuprzejmości lub braku kompetencji, lecz wyrabianie w sobie cierpliwości i tolerancji — umiejętności przyznania, że nawet najdoskonalszy z nas może czasem się potknąć lub po prostu mieć zły dzień.

* Nie ukrywaj swoich błędów przed dzieckiem. Ważne jest, aby dzieci wiedziały, że rodzice nie są nieomylni i że potrafią się do tego przyznać. Tak więc, jeśli stracisz panowanie nad sobą, zapomnisz dziecku kupić jego ulubiony owoc albo przypomni ci się, że miałaś włączyć *Ulicę Sezamkową* pół godziny temu, przyznaj się, że „zawaliłaś sprawę" i przeproś.

* Nie wymagaj od siebie doskonałości. Nie ma idealnych rodziców. Przebacz sobie, jeśli nie uda ci się zrobić czegoś według własnych oczekiwań. Pamiętaj, jesteś tylko człowiekiem. Wszyscy rodzice popełniają czasem pomyłki, a większości zdarza się to dosyć często. Powinniśmy przyznawać się do błędów, wyciągać z nich wnioski i żyć dalej.

* Do końca wybaczaj dziecku jego błędy. Akceptuj je bezwarunkowo. Nigdy nie mów, że będziesz dziecko mniej kochać (nawet nie udawaj), bo źle się zachowuje. Oczywiście, ponieważ ty też nie jesteś ideałem, nie zawsze będziesz w stanie reagować właściwie na niewłaściwe działania twojej pociechy. Ludzką rzeczą jest czasem się zdenerwować, gdy dziecko wyjątkowo nabałagani czy przeskrobie coś poważnego. Pamiętaj tylko, aby zawsze wiedziało, że twoja miłość nigdy nie ulegnie zachwianiu, nawet jeśli twoje nerwy ulegną. (Więcej na temat gniewu rodziców znajdziesz na str. 636.)

Możesz się obawiać, że gdy dziecko się zorientuje, że nie wymagasz perfekcji, obniży to zarówno twoje oczekiwania, jak i wpłynie negatywnie na jego starania. Tak nie jest. Dzieci, które nie obawiają się popełniania błędów, od których bliscy nie wymagają, aby były idealne, zazwyczaj wywiązują się lepiej z podjętych zadań i radzą sobie lepiej niż te, które nieustannie martwią się o to, by osiągnąć perfekcję. Dzieci, które swobodnie podejmują ryzyko, dorastają w lepszym mniemaniu o sobie, rzadziej cierpią z powodu braku pewności siebie i na ogół nie popadają w poważne depresje.

4
Szesnasty miesiąc

CO TWOJE DZIECKO POTRAFI ROBIĆ

Przed końcem szesnastego miesiąca twoje dziecko powinno umieć:

* naśladować czynności;

* bazgrać (do 16 i 1/4 miesiąca).

Uwaga: Jeśli twoje dziecko nie opanowało jeszcze tych umiejętności, skonsultuj się z lekarzem. Takie tempo rozwoju może być zupełnie normalne dla twojego dziecka, ale musi ono zostać fachowo ocenione. Zgłoś również lekarzowi, jeśli twoje dziecko nie daje się kontrolować, jest niekomunikatywne, zbyt bierne, do wszystkiego negatywnie nastawione, nie śmieje się, wydaje tylko kilka dźwięków lub żadnego, nie słyszy dobrze, jest nieustannie rozdrażnione lub żąda stałego poświęcania mu uwagi. (Pamiętaj, roczne dziecko, które urodziło się jako wcześniak, często pozostaje w tyle za swoimi rówieśnikami urodzonymi o czasie. Te różnice rozwojowe stopniowo się zmniejszają i zwykle zanikają całkowicie pod koniec drugiego roku życia.)

Przed końcem szesnastego miesiąca twoje dziecko prawdopodobnie będzie umiało:

* używać 3 słów;

* rzucić przedmiot, naśladując czyjś ruch.

Przed końcem szesnastego miesiąca twoje dziecko może będzie umiało:

* używać 6 słów;

* biegać.

Przed końcem szesnastego miesiąca twoje dziecko może nawet umieć:

* kopnąć piłkę;

* szczotkować zęby przy pomocy dorosłego.

CO MOŻE CIĘ NIEPOKOIĆ

STRACH PRZED PSAMI

Gdy moje dziecko zobaczy psa — nawet z daleka — chwyta się mnie z przerażeniem i nie możemy kontynuować spaceru.

Wiele dzieci zachowuje ostrożność w stosunku do psów — i dobrze, że tak się dzieje. Gdy dzieci zupełnie się nie boją, konsekwencje dla obu stron mogą być poważne. Odrobina strachu upewnia cię, że dziecko będzie się trzymać w bezpiecznej odległości od psów z sąsiedztwa. Natomiast zbyt duży strach, oprócz tego, że ogranicza swobodne poruszanie się po ulicach, pozbawia dziecko wielu korzyści płynących z posiadania czworonożnego przyjaciela.

Nie musisz dążyć do całkowitego wyeliminowania lęku u twojego dziecka, lecz jedynie zmienić go z nieracjonalnego w racjonalny — taki, który pozwoli maluchowi zbliżać się do psów

Recepta na zwierzę domowe

Niezależnie od tego, czy macie psa w domu, czy nie, dzieci powinno się jak najwcześniej nauczyć następujących zasad bezpiecznego postępowania ze zwierzętami domowymi:

* Nie dotykaj ani nie zbliżaj się do śpiących lub jedzących psów (i kotów). Nigdy też nie dotykaj ich jedzenia; paluszki dziecka łatwo mogą zostać potraktowane jako zagrożenie — atak jest prawdopodobny nawet ze strony łagodnego zwierzęcia.
* Nigdy nie wkładaj palców w oczy psa, nie ciągnij go za ogon ani za uszy. Głaszcz go delikatnie raczej pod brodą niż na czubku głowy — co oznaczałoby twoją nad nim wyższość. (Pokaż dziecku, jak to robić.)
* Nie drażnij psa, na przykład podając mu kość, a potem zabierając ją lub blokując dojście do miski z wodą. Nigdy nie udawaj, że chcesz go uderzyć itp.
* Trzymaj się z daleka od psów, kotów, wiewiórek i innych zwierząt, których nie znasz.
* Trzymaj się z daleka od zwierząt, które są chore lub zachowują się dziwnie. Zwierzę chore na wściekliznę może mieć jeden lub kilka objawów: kulejący lub chwiejny chód (z powodu paraliżu tylnych łap); piana w pysku (z powodu paraliżu gardła i zesztywnienia szczęk); agresywne zachowanie (atakowanie ludzi, zwierząt, nawet przedmiotów); zmiany w zachowaniu (nocne zwierzę może być aktywne w dzień, a to, które jest z natury aktywne w ciągu dnia, ożywia się nocą); dezorientacja. U niektórych zarażonych zwierząt mogą jednak nie występować żadne zauważalne objawy.
* Trzymaj się z daleka od psów lub kotów, które walczą ze sobą.
* Trzymaj się z daleka od psiej lub kociej matki, kiedy jest przy swoich malutkich potomkach; może ostro zareagować w ich obronie.
* Nigdy nie zbliżaj się do żadnego zwierzęcia bez asysty osoby dorosłej.
* Zbliżając się do zwierzęcia, zawsze poruszaj się powoli. Nie biegnij w jego kierunku ani nie wjeżdżaj w niego rowerkiem; nie wykonuj przy nim nagłych ruchów lub podskoków. (Koty z reguły uciekają przed bawiącym się dzieckiem. Ponieważ jednak małe dzieci nie zawsze dostrzegają różnicę między psem a kotem, dla bezpieczeństwa zasada ta powinna odnosić się do obydwu gatunków.)
* Jeżeli pies warczy i jest zły, nie uciekaj (może cię pogonić); zamiast tego ukucnij, zwiń się w kulkę i zakryj twarz rękami.
* Nigdy nie zbliżaj buzi do pyska psa. (Ponieważ dzieci są niskiego wzrostu, najczęściej gryzione są w tak wrażliwe miejsca, jak twarz, głowa i szyja.) To samo odnosi się do kotów (kocie pazury mogą poważnie zranić delikatną skórę dziecka).

z rozsądną ostrożnością, a nie z bezsensownym przerażeniem.

Zacznij od spędzenia trochę czasu z zupełnie niegroźnymi pieskami. Przytulajcie pluszowe psy; bawcie się psami na baterie, które chodzą i szczekają; oglądajcie książki ze zdjęciami psów różnej rasy. Czytaj dziecku opowiadania, w których jest mowa o przyjaźni między dziećmi i psami. Niech będą to historie przedstawiające zwierzęta jako towarzyszy zabaw, bohaterów i przyjaciół zawsze gotowych do pomocy. Po oswojeniu dziecka z psami nieożywionymi spróbuj zorganizować spotkanie z prawdziwym czworonogiem. Poszukaj u przyjaciół, sąsiadów lub rodziny zwierzęcia, które jest dobrze wychowane (starsze psy i te, które zostały wykastrowane, są zazwyczaj łagodniejsze niż szczeniaki), przyjaźnie nastawione (ale nie nadmiernie, ponieważ skakanie i lizanie może tak samo przestraszyć małe dziecko jak warczenie czy ugryzienie). Pies, z którym maluch ma mieć pierwszy bliższy kontakt, powinien być przyzwyczajony do dzieci (niektóre psy są tak samo ostrożne w stosunku do małych dzieci jak dzieci do nich). Pokaż maluchowi zdjęcie tego psa, zanim dojdzie do spotkania, i porozmawiaj o nim z dzieckiem. Wytłumacz, że warczenie psa to jego sposób mówienia, że machanie ogonem to sposób wyrażania zadowolenia i że czasami pies uderza ludzi swoim ogonem, ale nie oznacza to, że chce ich skrzywdzić.

W końcu zorganizuj właściwe spotkanie. Na początku trzymaj oboje na dystans — dziecko na rękach, a psa niech pilnuje jego właściciel. Pokiwaj psu, mów do niego i o nim po imieniu i zachęć dziecko, by robiło to samo. Jeżeli się zdenerwuje, uspokój je. Wyjdźcie z pokoju tylko wtedy, gdy dziecko naprawdę się wystraszy. Jeżeli w czasie pierwszej wizyty nie jest jeszcze gotowe na bliski kontakt ze zwierzęciem, wyznacz kilka następnych spotkań na odległość. Gdy malec zacznie się czuć swobodniej w towarzystwie psa, zmniejsz odległość między nimi tak, że dziecko będzie mogło go dotknąć (początkowo trzymaj je na rękach, aby zapewnić mu poczucie bezpieczeństwa i przewagę wynikającą z wyższej pozycji). Na tym etapie nie zmuszaj ani nawet nie zachęcaj dziecka do pogłaskania psa; zamiast tego sama to zrób. Powiedz: „Widzisz, głaszczę ładnego pieska. Jest taki milutki. Chcesz go też pogłaskać?" Jeżeli maluch wykaże chęć, weź jego rękę w swoją i pokaż, jak należy delikatnie głaskać. Jeżeli odmówi, powiedz: „W porządku, nie musisz dotykać pieska". Daj dziecku możliwość zmiany zdania przy okazji każdego spotkania z psem i kontynuuj je, aż wreszcie dziecko odważy się wyciągnąć rączkę i pogłaskać swojego nowego przyjaciela.

Przyzwyczajaj stopniowo, bez nacisków, a dziecko na pewno przezwycięży strach wobec zwierząt — być może nawet stanie się ich miłośnikiem.

Jeżeli boisz się psów, musisz pokonać strach najpierw u siebie, zanim zaczniesz zwalczać go u dziecka. Nie próbuj ukrywać najmniejszego lęku czy niepokoju, bo i tak udzieli się on maluchowi, który tylko upewni się, że jest coś, czego należy się bać. Tłumaczenie, że jest wręcz przeciwnie, nic by nie dało.

BRAK STRACHU PRZED PSAMI

Moja córeczka zupełnie nie boi się psów ani żadnych innych zwierząt (nawet takich, których w ogóle nie zna). Martwi mnie to.

Psy i małe dzieci mają wiele wspólnego — potrafią być swawolne, wesołe, zmienne, impulsywne, nieprzewidywalne i często trudne do opanowania. Zostaw je razem, a nieszczęście tuż, tuż. Aby do niego nie dopuścić, zacznij wpajać dziecku już teraz pewne zasady ostrożności. Za każdym razem, gdy podbiega do obcego psa (lub do znanego na tyle, aby mu nie ufać), zatrzymaj je, zanim za bardzo się do niego zbliży. Bez krzyku (ponieważ mogłoby to zrodzić w malcu stały strach przed zwierzętami) wytłumacz: „Psa można głaskać tylko wtedy, gdy mama lub tata jest z tobą i na to pozwoli. A jeśli nie znamy psa, to on może się nas bać, więc nie podchodzimy do niego zbyt blisko i nie dotykamy go". Zacznij też zaznajamiać dziecko z zasadami postępowania z psami, przedstawionymi na str. 91.

NIEJADEK

Moja córeczka bardzo rzadko je, a jeśli już, kończy się to na jednym lub dwóch kęsach. Według opinii lekarza rośnie dobrze, ale jak długo może tak słabo się odżywiać?

Ciało dziecka funkcjonuje w tajemniczy sposób. Małym dzieciom udaje się rosnąć i dobrze rozwijać, spożywając takie ilości jedzenia, jakie z punktu widzenia rodziców mogą zaspokoić potrzeby konika polnego. Prawda jest taka, że większość dzieci określanych mianem „niejadków" naprawdę odżywia się wystarczająco dobrze, mimo iż ich rodzice twierdzą, że „żyją one powietrzem".

Liczne badania wykazują, że dzieci, na które nie wywiera się żadnych nacisków w kwestii jedzenia, nie głodzą się i nie przejadają; jedzą tyle, ile potrzebują do normalnego wzrostu. Twoim zadaniem jest zapewnić dziecku zdrowe jedzenie, a następnie usunąć się na bok i pozwolić mu (i jego organizmowi) zrobić resztę.

Jeżeli mimo to męczą cię wątpliwości, zajrzyj na str. 441 — jak prowadzić rejestr spożywanych przez dziecko posiłków. Znajdziesz tam również wskazówki żywieniowe. Oczywiście, jeżeli zauważysz opóźnienie wzrostu dziecka oraz utratę energii i dobrego samopoczucia, podziel się swoim niepokojem z lekarzem.

ZMIENNY APETYT

Jednego dnia mój synek je niemal bez przerwy, następnego prawie nic. Doprowadza mnie to do obłędu.

Tak poważne wahania mogą budzić niepokój dorosłych, którzy codziennie spożywają podobną ilość jedzenia, rozłożonego na taką samą liczbę posiłków. Taki sposób jedzenia jest jednak bardzo powszechny i normalny wśród małych dzieci. Ich dieta równoważy się samoistnie: jednego dnia maluch może zjeść ogromne śniadanie i nie tknąć obiadu lub kolacji; następnego dnia skubnie coś niecoś na śniadanie, potem zje obfity obiad i znów lekką kolację; jednego dnia zje zę smakiem wszystkie posiłki, następnego wykrzywi się na widok każdego z nich. Jednego dnia suma spożytych przez dziecko kalorii będzie równa zapotrzebowaniu napastnika drużyny piłkarskiej, następnego zrówna się z zapotrzebowaniem pchły.

Jeżeli będziesz zmuszać swoją pociechę do jedzenia, gdy nie ma na to ochoty, lub powstrzymywać od jedzenia, gdy stwierdzisz, że zjadła już za dużo, możesz sprawić, że dziecko nie będzie wiedziało, jak reagować na uczucie głodu i sytości, co w końcu może doprowadzić do problemów z jedzeniem. Jeżeli nie będziesz zwracać uwagi na jego ekscentryczność w jedzeniu, istnieje bardzo duża szansa, że twoje dziecko będzie rosło ze zdrowym podejściem do jedzenia.

Jedna uwaga: małe dziecko nie powinno mieć zupełnej swobody w wyborze jedzenia. Rozsądnie jest pozwalać mu zjadać tyle, ile chce. Nie należy dopuszczać, aby maluch decydował o tym, czy zje pączka, czy miseczkę płatków z mlekiem albo paczkę chrupek zamiast miseczki twarożku. Wybór proponowany dziecku powinien dotyczyć wyłącznie produktów i dań wartościowych odżywczo (np. mięso z ziemniakami lub grzanka z ciemnego chleba z pokrojonym w plasterki bananem, a nie mięso z ziemniakami lub pudełko herbatników). Pilnuj więc, aby dostarczać maluchowi tylko „dobrych rzeczy" proponowanych w „Diecie najlepszej szansy" (patrz rozdział 18) — oraz stosuj się do wskazówek ze str. 280, aby dziecko kształtowało w sobie zdrowe nawyki jedzeniowe.

ZMIANA NAWYKÓW JEDZENIOWYCH

Gdy mój synek był młodszy, jadł wszystko, co mu podsunęłam. Teraz nie chce próbować niczego nowego i nawet odrzuca swoje dawne smakołyki. Czy może to być objawem jakiejś choroby?

Gdy szczęśliwe, aktywne dziecko nagle zmienia styl jedzenia, jest to bardziej oznaką jego niezależności niż choroby. W cudownych czasach niemowlęctwa filozofia twojego synka była prosta: jeżeli coś sprawia przyjemność, należy to robić. Jedzenie, które się do tego zaliczało, było wielką przyjemnością i czerpaniem przyjemności ze zmysłowego doświadczenia. Teraz jego filozofia nie jest tak prosta, podobnie jak jego żywienie.

Ponieważ bunt przy stole jest normalnym zjawiskiem wczesnego dzieciństwa, nie próbuj go zwalczać. Prawdopodobnie i tak ci się to nie uda. Zamiast tego ustąp bez walki. Niech twój mały buntownik sam dokonuje wyborów (w rezultacie pomoże to osłabić jego potrzebę buntowania się). W tym i w innych problemach z jedzeniem pomogą ci wskazówki ze str. 444.

Jeżeli jednak, przy całkowitej niechęci do jedzenia, dziecko jest ciągle marudne, niezadowolone lub nie rośnie i nie przybiera na wadze, porozmawiaj o tym z lekarzem. Przyczyną słabego apetytu twojego malca może być choroba lub inny problem medyczny.

ZMIANA KRZESEŁKA

Kiedy mamy przesadzić naszą córeczkę z wysokiego krzesełka do siedzenia przykręcanego do stołu?

Wybór najodpowiedniejszego siedzenia zależy od dziecka, które ma na nim siedzieć. Niektóre świetnie się czują na wysokim krzesełku do czasu, aż przestaną się na nim mieścić, inne w pewnym momencie zaczynają się w nim wiercić, co jest sygnałem, że należy pomyśleć o zmianie krzesła.

Jeżeli wasze dziecko, siedząc na wysokim krzesełku, więcej narzeka niż je lub jeśli bardzo pragnie siedzieć przy stole z resztą rodziny, pora na zmianę krzesła. Upewnijcie się, że siedzenie, które chcecie kupić, można bezpiecznie przymocować do normalnego krzesła lub do blatu stołu i że można w nim bezpiecznie posadzić dziecko. Jeżeli siedzenie przymocowuje się do blatu stołu, nie wsuwajcie pod nie krzesła; dziecko może wówczas zaprzeć się o nie, siedzenie może się przemieścić i dziecko spadnie.

Gdy posadzicie malucha przy stole, usuńcie z zasięgu jego rąk wszystko, co mogłoby się stłuc, rozlać i co jest niebezpieczne, włączając: sól, pieprz, cukiernicę, gorące napoje, noże, widelce, szklane wazony oraz jedzenie, którym łatwo się udławić.

WYROŚNIĘTY MALUCH

Ponieważ mój synek jest bardzo duży jak na swój wiek, ludzie oczekują od niego, aby zachowywał się jak starsze dziecko, i dziwią się, że nie potrafi zbyt wiele.

Nic na to nie poradzisz, że ludzie oczekują za wiele od twojego dziecka, ale możesz wpłynąć na to, aby to, co mówią i czego się spodziewają, nie sprawiało twojemu dziecku przykrości.

Przede wszystkim szybko oznajmiaj, w jakim dokładnie jest wieku, zwłaszcza gdy zaczną się komentarze w rodzaju: „Ojej, taki duży chłopak, a jeszcze nosi pieluchy?" Mów wtedy: „On ma dopiero piętnaście miesięcy, tylko jest taki duży". Przy tym nie chodzi tu o to, aby oświecić tę bezmyślną osobę lub oszczędzić sobie uczucia zawstydzenia, ale o podtrzymanie w dziecku jego poczucia własnej godności. Ciągłe podkreślanie, że nie radzi sobie z wieloma umiejętnościami, a wygląda, że powinno, może zranić wrażliwe ego maluszka.

Uważaj też, aby nie dać się złapać w podobną pułapkę jak ci nieodpowiedzialni ludzie. Czasami rodzice, którzy zdają sobie sprawę z ograniczeń, jakie nakłada na dziecko jego wiek, podświadomie oczekują więcej albo zmęczeni wysłuchiwaniem uwag: „Dlaczego on jeszcze nie mówi?", nakłaniają dziecko do mówienia, chodzenia, korzystania z nocnika, zrezygnowania

Większość dzieci gotowa jest zamienić wysokie krzesełko na mniej krępujące siedzenie już około połowy drugiego roku życia.

Starsze dzieci często wolą klęczeć przy stole na zwykłym krześle, niż siedzieć na przykręcanym siedzeniu (*patrz str. 143*).

z jeżdżenia w wózku, zanim jest ono do tego gotowe. Takie naciski mogą zahamować naturalny rozwój; maluch nie będzie próbował opanować nowych umiejętności, jeżeli wyczuje, że już na początku mu się nie wiedzie. Doceniaj więc w dziecku to, co potrafi ono robić, i zachęcaj oraz popieraj je w jego dążeniach do maksymalnych osiągnięć w każdym wieku i w każdym stadium rozwoju. Przywyknij do tego, że jeszcze przez wiele lat twój synek będzie musiał spełniać wygórowane oczekiwania wobec niego, bo istnieje duże prawdopodobieństwo, że zawsze będzie większy niż jego przeciętny rówieśnik. Jeżeli ty przestaniesz się tym przejmować, twój synek prawdopodobnie będzie cię w tym naśladował.

STRACH PRZED OBCYMI

Moja córeczka chowa się za mnie, gdy ktoś spoza najbliższej rodziny zbliży się do niej. Czy taki strach przed obcymi nie jest przesadny?

Nie jest przesadny — jest jak najbardziej normalny, biorąc pod uwagę wiek dziecka. Nieufność i strach wobec obcych jest powszechnym zjawiskiem wśród dwu-, trzylatków. W przeciwieństwie do podobnego niepokoju u niemowląt, nieufność starszych dzieci wobec obcych jest bardziej racjonalna — chociaż tobie może się taka nie wydawać. Ponieważ twoja córeczka jest teraz zdolna do bardziej złożonego myślenia, jest również zdolna do przeżywania bardziej złożonego strachu. W tym okresie rozwoju każdy dorosły, który nie jest mamą ani tatą, może być postrzegany przez nią jako zagrożenie; sąsiad, opiekunka, znajomi, nawet wcześniej akceptowani dziadkowie lub inni członkowie rodziny mogą spotkać się z brakiem zaufania ze strony twojego dziecka. Taka reakcja stawia cię często w niezręcznej sytuacji lub może denerwować innych (zwłaszcza osoby wam bliskie), lecz tak naprawdę nie jest to wina dziecka. Z drugiej strony, możesz być spokojniejsza, wiedząc, że twoje dziecko nie pójdzie z pierwszym napotkanym na ulicy obcym, który zaproponuje mu ciastko.

Prawdopodobnie nie tylko strach skłania dziecko do chowania się za ciebie na widok obcej osoby; może w tym być również element irytacji. Pomyśl, jak ty byś się czuła, gdyby ktoś obcy lub mało ci znany podszedł do ciebie i bez twojej zgody, bez wahania pogłaskał cię po głowie, uszczypnął w policzek, połaskotał po brzuchu, uściskał cię, podniósł lub zadawał głupie pytania? Prawdopodobnie i dla ciebie, jako dobrze wychowanej osoby dorosłej, uprzejma odpowiedź byłaby dużą trudnością. Dla dziecka, którego kontakt ze światem dobrych manier jest ograniczony, uprzejma reakcja na takie ataki jest raczej niemożliwa.

Nie ma magicznego lekarstwa, które wyleczyłoby dziecko ze strachu i nieufności wobec obcych. Należy się spodziewać, że minie on prędzej czy później, w różnym czasie u różnych dzieci. Teraz, ponieważ niemożliwe, a nawet niewskazane jest całkowite odizolowanie dziecka od innych ludzi do czasu, aż wyrośnie z lęku przed nimi, spróbuj zastosować się do poniższych zaleceń. Mogą być pomocne i dla ciebie, i dla dziecka.

Powstrzymuj obcych przed atakiem. Spróbuj interweniować, zanim obcy wykona ruch w kierunku dziecka. Nieufny maluch będzie się mniej bał, jeżeli nowa osoba zbliży się do niego wolno, dając czas na przyjrzenie się jej. Nie określając dziecka mianem „nieśmiałe" lub „strachliwe", co mogłoby utrwalić jego zachowania, wytłumacz napastnikowi, że dziecko czuje się lepiej, gdy ludzie zbliżają się do niego powoli.

Fizyczne wsparcie. Jeżeli twoje dziecko chce, abyś trzymała je na rękach w obecności nieznajomych mu osób, weź je i trzymaj tak długo, jak tego chce. Da ci znać, kiedy będzie chciało zejść. Zapewnij mu poparcie i zrozumienie i oszczędź sobie upokarzających komentarzy, takich jak: „Zachowujesz się jak dzidziuś" lub: „Nie wygłupiaj się".

Stwarzaj więcej okazji do spotkań. Twój maluch szybciej oswoi się z obcymi, gdy będzie miał wiele kontaktów ze znanymi mu i nieznajomymi ludźmi. Zabieraj więc swoją pociechę do sklepów, muzeów, zoo, na plac zabaw, do kościoła i na różnego rodzaju towarzyskie i rodzinne spotkania. Podróżujcie autobusami, tramwajami, chodźcie po zatłoczonych chodnikach. Pamiętaj jednak, aby nie zmuszać dziecka do bliższych kontaktów z ludźmi, których tam spotka; zawsze pozwalaj mu decydować w tej kwestii. To, że znajdzie się pośród wielu nieznajomych, jest na razie i tak dużym krokiem naprzód.

Nie zmuszaj dziecka. Często rodzice bardziej przejmują się odczuciami odtrąconej osoby niż własnego dziecka, zwłaszcza jeśli ten „obcy" to znajomy albo ktoś z rodziny, kogo nie chcieliby urazić. Zdarza się więc, że pchają w jego kierunku niechętnego malca, co kończy się łzami lub napadem złości. Paradoksalnie, twoje dziecko będzie się czuło bezpieczniej — i będzie bardziej otwarte w stosunku do ludzi — jeśli potraktujesz jego strach z szacunkiem i zrozumieniem, a nie będziesz zmuszać do pokonania go za wszelką cenę. Możesz wytłumaczyć nieznajomym, że reakcji twojego dziecka nie powinni brać do siebie i że jest ono w takim wieku, w którym ufa tylko rodzicom.

Więcej o strachu u małych dzieci przeczytasz na str. 189.

BRAK STRACHU PRZED OBCYMI

Nasz mały synek jest bardzo odważny i podchodzi natychmiast do każdego obcego człowieka. Bardzo nas to martwi.

Nie każde małe dziecko jest podejrzliwe w stosunku do obcych. Te, które z natury są towarzyskie, lub te, które od urodzenia przebywały w towarzystwie wielu obcych ludzi, w różnych sytuacjach i miejscach, chętnie akceptują nowe twarze. Brak najmniejszych oporów w tym względzie może jednak niepokoić rodziców, gdyż stanowi pewne niebezpieczeństwo.

Ponieważ wasze dziecko jest w wieku, w którym umiejętność przewidywania potencjalnego zagrożenia jest bardzo ograniczona, wasza czujność jest gwarancją jego bezpieczeństwa. Gdy jesteście poza domem, nigdy nie traćcie go z oczu, nawet na chwilę. Jeśli ma skłonności do oddalania się, przeczytajcie na str. 167 o tym, jak zatrzymać je przy sobie.

Chociaż jest jeszcze za wcześnie, aby oczekiwać od dziecka ostrożności i odpowiedniej rezerwy w stosunku do obcych, nie jest za wcześnie, aby rozpocząć budowę fundamentów pod bezpieczne zachowanie w przyszłości. Gdy szkrab sunie do uśmiechającej się obcej mu osoby bez porozumienia się z wami, powiedzcie: „Jeżeli chcesz się z kimś przywitać, musisz powiedzieć o tym mamusi lub tatusiowi". Dziecko może przez pewien czas nie rozumieć sensu tego wymagania, ale jeśli będziecie to powtarzać przy każdej okazji, powinniście osiągnąć cel. Do tego czasu wasza nieustanna obecność ochroni dziecko przed niebezpieczeństwem.

Zapamiętajcie: gdy będziecie uczyć dziecko, że powinno być ostrożne w towarzystwie obcych, uważajcie, aby nie wyrobić w nim przekonania, że każdy obcy stanowi zagrożenie. Nie przestrzegajcie, że: „Obcy ludzie mogą być podli" lub że: „Nieznajomy może cię porwać". Powtarzajcie natomiast dziecku, że zawsze musi zapytać was o zgodę, zanim zacznie rozmawiać z nieznajomym, zanim do niego podejdzie lub będzie chciało gdzieś z nim pójść lub zanim weźmie coś, co obca osoba chce mu dać. Waszym celem powinno być nauczenie dziecka rozważnej ostrożności, a nie nadmiernego strachu.

LICZY SIĘ TYLKO MAMA

Nasz synek nie pozwoli nikomu, nawet swojemu tatusiowi, na zrobienie czegokolwiek przy nim, gdy ja jestem obok. Nie mam przez to chwili czasu na nic innego, a mąż czuje się niepotrzebny.

Według większości małych dzieci mamusia robi wszystko najlepiej (chociaż dla niektórych tatuś jest na piedestale). Nikt tak jak mamusia nie poda soczku do wypicia, nie zrobi kanapki, nie założy bucików, nie zmieni pieluchy, nie pcha wózka i tak długo jak mamusia jest w pobliżu, niech lepiej nikt nie próbuje jej w tym wszystkim zastępować.

To zrozumiałe, że mama jest najważniejszą osobą dla dziecka. W większości domów to ona zapewnia podstawowe potrzeby dziecka od jego narodzin. Jednak czasami (zwłaszcza kiedy mama przeżywa jakiś stres) trudno jest jej odczuwać zadowolenie i wdzięczność za takie wyróżnienie — wręcz przeciwnie, może ją to pognębić. Jeżeli chodzi o ojca, który jest odrzucany, trudno mu konkurować z takim nie słabnącym przywiązaniem, a czasami nawet nie warto.

Tatuś musi wytrwać i starać się nie przejmować za bardzo takim traktowaniem. Faworyzowanie mamy jest u dzieci w tym wieku powszechne i normalne. W żadnym wypadku nie jest ono wynikiem braku rodzicielskich umiejętności ojca lub niechęcią do niego. Poza tym faworyzowanie matki nie trwa wiecznie. Tak samo powszechna i normalna staje się faza rozwoju (w wieku przedszkolnym), kiedy to tatuś staje się dziecka oczkiem w głowie, a zazdrośnie patrząca mama odstawiona jest na boczny tor.

Przy współpracy obojga rodziców można nieco zmienić ten stan rzeczy. Oto co mama powinna robić:

Nie bądź wspólnikiem. Często w głębi serca mama odczuwa zadowolenie, że jest wybranką. Lubi czuć się potrzebna i chciana i podświadomie umacnia w dziecku taką postawę — być może przez monopolizowanie opieki nad nim i wyłączanie taty z tego procesu. Myślenie w rodzaju: „Lepiej ja to zrobię, bo dziecko woli, gdy ja to robię" nigdy nie da ojcu szansy sprawdzenia się lub ćwiczenia swoich umiejętności. Utwierdza to malucha w przekonaniu, że ma rację — mama robi to najlepiej. Jeżeli w twojej rodzinie tak właśnie się dzieje, zrób wszystko, aby dziecko przestało cię wyróżniać.

Nie rezerwuj tylko dla siebie miłych obowiązków. Uczciwe dzielenie odpowiedzialności rodzicielskiej oznacza równy podział nieprzyjemnych i miłych obowiązków związanych z wychowywaniem dziecka. Jeżeli przydzielasz mężowi te prace, których nie lubisz wykonywać (zwłaszcza takie, które wzbudzają w dziecku najbardziej negatywne reakcje — np. doprowadzanie go do normalnego wyglądu po jedzeniu), a dla siebie rezerwujesz tylko te „dobre" (zwłaszcza takie, które wzbudzają w dziecku najbardziej pozytywne reakcje — np. czytanie bajek przed snem), mąż nigdy nie będzie miał szansy ci dorównać.

Usuń się na bok lub, chwilowo, całkiem się wycofaj. Przynajmniej raz na jakiś czas zniknij na kilka godzin i pozwól ojcu wziąć wszystko w swoje ręce. Zmiana taka będzie lepiej przyjęta, jeśli wyjdziesz nie tylko z pokoju, ale i z domu. Zostaw dziecko, nie okazując zdenerwowania. Jak już wyjdziesz, nie wpadaj co pięć minut, by sprawdzać, jak sobie radzą bez ciebie. Musisz wierzyć, że z chwilą, gdy tatusiowie znajdą się w sytuacji „jak nie popłyniesz, to utoniesz", większość z nich wybierze pływanie; a dziecko, gdy stanie przed wyborem „albo tata, albo nikt", nie tylko wybiera tatę, ale jest wręcz zachwycone takim obrotem spraw.

Nawet jeśli jesteście we troje, próbuj stwarzać mężowi jak najwięcej możliwości uczestniczenia w zabawach z dzieckiem. Szansa na zaakceptowanie tatusia zwiększy się znacznie, jeśli wycofasz się i znikniesz z ich pola widzenia.

Uznawaj różnice między rodzicami. Sposób kontaktowania się taty z dzieckiem może się różnić od twojego, ale to nie znaczy, że jest gorszy. Chociaż dziecko nie jest jeszcze gotowe, by powiedzieć: „niech żyją różnice" z czasem tak powie (lub pomyśli); doświadczanie różnych stylów ze strony rodziców wypełni i wzbogaci jego życie.

Zaufaj mężowi. Twój mąż i dziecko natychmiast wyczują, że nie ufasz ocenom i sposobom postępowania partnera, obojętnie, czy będziesz wyrażać to głośno, czy nie. Rezultat: mały nie będzie ufał tatusiowi (jeżeli mamusia uważa, że tatuś nie wie, co robi, to chyba tak jest); tatuś zaś nie będzie ufał własnemu instynktowi i błędne koło odsuwające go na bok będzie się toczyło dalej.

Popieraj go. Jeżeli ty i twój mąż nie zgadzacie się w pewnych sprawach wychowawczych, uważajcie, aby nie toczyć sporów w obecności dziecka. Jeżeli tato mówi „tak", a ty jesteś zdania, że w tym momencie powinno paść „nie" lub odwrotnie, na razie go poprzyj, a dopiero kiedy nie będzie przy was dziecka, omówcie tę niezgodność opinii. Ponieważ niemożliwe jest, abyście się zgadzali we wszystkim, nauczcie się sztuki kompromisu — przyda się wam w latach, które nadejdą. Czasami najlepiej jest zdobyć się na kompromis, a czasami pozwolić wygrać temu z rodziców, które czuje się w danej sprawie silniejsze.

Pochlebiaj mu. Odtrącanie taty może naprawdę go przygnębić — zwłaszcza jeśli bardzo się stara zaskarbić sobie względy malca. Bądź na to wyczulona i staraj się być podporą, a pomoże to zrekompensować niezamierzony, lecz bolesny brak taktu ze strony waszego dziecka. Podobnie, chwal jego starania i dawaj mu do zrozumienia, że je doceniasz, chociaż dziecko jeszcze tego nie okazuje.

Oczywiście istnieją wyjątki od każdej reguły, również i tej dotyczącej rozwoju. Chociaż w tym wieku większość dzieci woli towarzystwo mamy niż taty, niektóre są tatusia córeczkami lub synkami od samego początku. Najczęściej sprawdza się to w rodzinach, w których ojcowie są odpowiedzialni za większość obowiązków pielęgnacyjno-wychowawczych, czy to z wyboru, czy z konieczności. Te same rady dotyczą sytuacji, gdy dziecko zdecydowanie faworyzuje tatę.

ZOSTAWIANIE ŚPIĄCEGO DZIECKA Z OPIEKUNKĄ

Zawsze czekamy, aż nasz synek zaśnie, zanim przyjdzie opiekunka, ponieważ obawiamy się, że gdyby wiedział, że wychodzimy, nie pozwoliłby nam na to.

Chociaż wasza taktyka może się sprawdzać przez jakiś czas, to jednak pewnego dnia, gdy wasz synek obudzi się i zobaczy, że jest w towarzystwie obcej osoby, okaże się niewypałem. Uraz, jaki tego rodzaju szok może spowodować (nie ma ciebie przy nim, nie widział, jak wychodziłaś, i nie ma najmniejszego pojęcia, kiedy wrócisz i czy w ogóle wrócisz), połączy się z normalnym dla tego wieku, irracjonalnym zachowaniem w środku nocy. Rezultat: histeria i niepewność przed każdym zaśnięciem (Czy mama i tata zawsze będą znikać po położeniu mnie spać?). Trzeba dodać do tego komplikacje wynikające z takiej strategii — będziecie się spóźniać na kolacje lub nie zdążycie na początek spektaklu w teatrze, kiedy dziecko nie zaśnie w porę.

Z pewnością przed zaśnięciem waszej pociechy nie będzie tak łatwo wyjść z domu, ale z czasem będzie to coraz łatwiejsze. Wiedząc, że odchodzicie i że zawsze wracacie, dziecko będzie się stopniowo upewniać, że nie należy robić tragedii z waszych wyjść (patrz str. 45).

BRANIE PRZEDMIOTÓW DO BUZI

Sądziłam, że mój synek w tym wieku nie będzie już brał wszystkiego do buzi. To taki okropny nawyk. Jak można go od tego oduczyć?

W tym wieku używanie buzi jako narzędzia do odkrywania świata nie jest okropnym nawykiem. Jest to jak najbardziej normalna faza rozwoju i długość jej trwania, podobnie jak innych faz, jest różna u różnych dzieci. Chociaż niektóre maluchy rezygnują z tego przed ukończeniem pierwszego roku życia, większość kontynuuje odkrywanie swojego otoczenia za pomocą buzi przez cały drugi, a nawet trzeci rok życia. Zamiast próbować wyeliminować na siłę ten nawyk z życia dziecka, pozwól mu wyrosnąć z niego w jego własnym tempie.

Nawet najbardziej zagorzały amator brania wszystkiego do buzi prawdopodobnie przestanie to robić około dwudziestego czwartego miesiąca życia, kiedy to zacznie dostrzegać inne bogactwa zmysłowe (patrz str. 86). Okazywanie dezaprobaty lub krytykowanie takiego postępowania może tylko je przedłużyć u buntowniczego z natury dwulatka; zrezygnuj więc z tego i pozwól, aby rozwój twojego malca przebiegał w sposób naturalny.

Zwracaj baczną uwagę na to, czy przedmioty brane do buzi są bezpieczne. Nie powinnaś się niepokoić, gdy dziecko wkłada do ust nawet nie umyte rzeczy, które znajdzie w domu (chyba że jest to gąbka z łazienki, spleśniały kawałek chleba wygrzebany z wiadra na śmieci lub brudny but). Niebezpieczeństwo grozi wówczas, gdy w buzi dziecka znajdzie się przedmiot toksyczny lub na tyle mały, że mogłoby ono go połknąć lub się nim udławić. Rzeczy, które są niebezpieczne dla dziecka, powinny być przed nim schowane (zamykaj na klucz drzwi od łazienki, przykrywaj wiadro na śmieci specjalną pokrywą, z którą małe dziecko sobie nie poradzi, chowaj buty do szafki, zamykaj na klucz miejsce, w którym przechowujesz toksyczne substancje, regularnie sprawdzaj, czy na wierzchu nie leżą monety i inne drobne przedmioty). Ponieważ jednak mimo największych starań możesz nie zauważyć, że dziecko wzięło do ust coś niebezpiecznego, musisz często je obserwować i sprawdzać, co ma w buzi. Na wszelki wypadek dowiedz się też, jak postąpić, kiedy malec zacznie się dławić (patrz str. 581).

Jeżeli dziecko włoży do ust coś nieodpowiedniego, powiedz zdecydowanie: „Nie wkładaj tego do buzi. Daj to mnie". Jeżeli nie chce tego zrobić, natychmiast zabierz mu to z rąk lub wyjmij z buzi[1]. Dziecko w tym wieku potrafi już zrozumieć i zareagować na takie polecenie (chociaż nie zawsze się z tym zgadza). Wkrótce nauczy się, co można, a czego nie należy brać do ust. To jednak nie oznacza, że wolno ci wtedy przestać go pilnować. Często może jeszcze mu się zdarzyć zapomnieć lub zlekceważyć ustalenia.

Ząbkujące dziecko może brać różne przedmioty do buzi, ponieważ pocieranie obolałych dziąseł przynosi mu ulgę. Jeżeli dotyczy to twojego dziecka, podsuwaj mu do gryzienia ciekawe i bezpieczne zabawki przeznaczone specjalnie do tego celu.

NIECHĘĆ DO KĄPIELI

Mój synek uwielbiał się kąpać i nigdy nie bał się wody. Teraz również się nie boi, więc nie rozumiem, dlaczego nagle zaczął odmawiać wchodzenia do wanny.

Jak prawdopodobnie zdążyłaś zauważyć, odmowy różnego rodzaju są częstym zjawiskiem w drugim roku życia. W tym wieku dziecko może odmawiać jedzenia, wyjścia na dwór, powrotu ze spaceru — po prostu dla samego odmawiania, pozornie bez powodu. Oczywiście powodem jest jego walka o niezależność. Następujące wskazówki mogą pomóc w zachęceniu dziecka do korzystania z wanny:

Zlikwiduj ograniczenia. Jeżeli używasz specjalnego krzesełka do kąpieli w wannie, to być może dziecko odrzuca ograniczenie ruchów, jakie to siedzenie stwarza, a nie samą wannę. Dając mu całkowitą swobodę, możliwość wiercenia się i pluskania, możesz skomplikować przebieg kąpieli, ale też zlikwidować opór dziecka. Pamiętaj jednak o przestrzeganiu zasad bezpieczeństwa (patrz str. 546).

Zrób pianę. Używaj tylko nietoksycznego płynu lub mydła[2]. Zorganizuj flotę złożoną z plastykowych statków, lejków, kubków i innych wodoodpornych przedmiotów, jakie przyjdą ci do głowy. Pozwól, aby zabawki i zabawa — a nie mycie — stanowiły główny cel kąpieli. Zamiast oznajmiać porę na mycie słowami: „Czas do wanny", powiedz: „Patrz na te bąbelki! Jak te wszystkie statki przepłyną przez nie?"

Zmień czas kąpieli. Jeśli będziesz kąpać malca w różnych porach, zaskoczenie może złagodzić opór dziecka. Taka zmiana może jednak oznaczać, że twoja pociecha nie zawsze będzie umyta z najgorszego brudu (jeśli kąpiel została przeniesiona z wieczora na południe), ale na krótką metę jest to lepsze niż brak kąpieli. Zanim malec stanie się bardziej uległy i pora kąpania będzie sensowniejsza, wytarcie mokrym ręcznikiem miejsc najbardziej narażonych na zabrudzenie będzie musiało wystarczyć.

Spróbuj dotrzymać mu towarzystwa. Będzie weselej, jeśli w wannie znajdzie się więcej niż jedna osoba. Mama lub tata to idealni współtowarzysze kąpieli; jeżeli nagość cię krępuje, włóż strój kąpielowy. (Pamiętaj, że małe dzieci nie tolerują takiej temperatury wody, jaką lubią dorośli, nie puszczaj więc ukropu dla własnej przyjemności.) Dobrym kompanem zabaw w wannie może też być rodzeństwo lub koleżanka/kolega (wymagana zgoda rodziców). Ich entuzjazm do kąpieli może po prostu spłynąć na twoje dziecko.

Wypróbuj prysznic. Jeżeli dziecko zdecydowanie odmawia kąpieli w wannie, pozwól mu towarzyszyć ci pod prysznicem. Możesz pomóc dziecku przełamać strach, ustawiając jak najłagodniejszy strumień wody z prysznica lub trzymając je na rękach, aż poczuje się na tyle pewnie, aby stanąć samodzielnie. Podobnie jak w wypadku kąpieli w wannie, woda z prysznica powinna być ciepła, ale nie gorąca.

Wprowadź metodę mycia myjką. Jeżeli mimo twoich wysiłków nie uda ci się zachęcić dziecka do kąpieli w wannie, nie uciekaj się do siły, bo mogłoby to zrodzić u niego długotrwały uraz. Tymczasem zastąp typową kąpiel myciem zmoczoną myjką (nie gąbką, którą dziecko mogłoby wziąć do buzi, odgryźć kawałek i połknąć).

---

[1] Niektóre dzieci protestują, kiedy chcesz wyciągnąć im przedmiot z buzi. Naucz się, jak to robić bezpiecznie (patrz str. 566).

[2] Do mycia używaj łagodnego, nie drażniącego mydła, zwłaszcza gdy chodzi o dziewczynkę, ponieważ są one bardziej podatne na podrażnienia dróg moczowych. Najbezpieczniej jest więc używać pieniącego płynu do kąpieli dla niemowląt.

Czasami strach dziecka przed kąpielą w wannie wywodzi się z jakiegoś nieprzyjemnego zdarzenia — być może kiedyś poślizgnęło się i uderzyło w głowę, woda zalała mu oczy, załatwiło się w wannie i wypadek ten (lub twoja reakcja) wystraszył je. Jeżeli wydaje ci się, że znasz źródło awersji twojego dziecka do kąpieli, spróbuj porozmawiać z nim o tej sprawie, dając mu do zrozumienia, że naprawdę rozumiesz, co czuje. Daj mu szansę pokonania tych obaw, zanim zaczniesz namawiać je do powrotu do wanny.

GOTOWOŚĆ DO KORZYSTANIA Z NOCNIKA

W wieku dwunastu miesięcy zaczęliśmy uczyć naszą córeczkę korzystania z nocnika, bo wyraziła taką chęć. Dobrze sobie radziła przez ponad dwa miesiące, ale nagle zaczęła się buntować. Teraz za żadne skarby nie chce nawet zbliżyć się do nocnika.

W wieku dwunastu miesięcy nowość, jaką było używanie nocnika, idąca w parze z jeszcze wtedy ugodową naturą dziecka, złożyła się na to, iż problem ten mógł zostać pozornie opanowany. Ale to było wtedy, a teraz jest inaczej. Nowość przestała być nowością — korzystanie z toalety lub nocnika stało się teraz obowiązkiem wypełnianym pod presją. Skończył się też złoty wiek zgodności i uległości. Zamiast chęci przypodobania się, wasze dziecko irytuje się i obraża. Sadzaliście córeczkę na nocniku po posiłkach lub gdy tylko się przebudziła ze snu. Teraz mała nie chce, by manipulować nią w ten sposób.

Próby kontrolowania waszej córki w wieku, w którym ma zaprogramowany opór wobec wszelkiej kontroli, grożą niepowodzeniem i wywoływaniem uczucia frustracji u matki i córki. Przymus nic nie przyspieszy, a w rezultacie może doprowadzić do zaparć (jeśli dziecko będzie uparcie powstrzymywać się od wypróżnień w celu utrzymania kontroli nad sytuacją). Zamiast okazywać niepokój, przyjmij, że nauka korzystania z nocnika była rozpoczęta przedwcześnie. Na razie porzuć ten temat — nie próbuj gderać nawet szeptem. Przypomnij natomiast dziecku sposób używania toalety (wskazując, że ty oraz inni członkowie rodziny i znajomi chodzą do ubikacji), pozwalając, aby towarzyszyło tobie w łazience. „Widzisz, mamusia (lub tatuś czy brat, czy ktokolwiek) siusia"[3]. Przy okazji też zwracaj uwagę swojej córeczki na duże dzieci, które nie noszą pieluch (bez wytykania, że ona jest dzidziusiem, bo je nosi), i przypominaj radośnie, że jak będzie dużą dziewczynką, to też będzie chodzić bez pieluchy. Trzymaj na widoku dziecięcą deskę do umieszczania na sedesie. Jeżeli poprosi, pozwól jej z niej skorzystać; jeżeli nie, czekaj tak długo, aż wykaże gotowość (może to nastąpić za kilka miesięcy lub za rok, lub nawet jeszcze później).

Gdy moja córka zabrudzi pieluchę, mówi mi o tym i natychmiast chce być przewinięta. Czy to oznacza, że jest gotowa do nauki korzystania z sedesu lub nocnika?

To, że dziecko chce mieć zmienioną pieluchę, nie oznacza, że jest gotowe do korzystania z nocnika lub toalety, chociaż może to być jedna z oznak tej gotowości, ale nie jedyna. W rozdziale 19 piszemy o tym, jak nauczyć dziecko, aby miało czysto i sucho.

GRYZIENIE KSIĄŻEK

Chciałabym zachęcić moją córeczkę do oglądania książek, ale ona jest zainteresowana tylko ich gryzieniem lub wydzieraniem kartek.

Nikt tak nie pochłania literatury i nie rwie na, strzępy stosów książek czy czasopism jak małe dziecko. Niestety, takie zachowanie nie jest podyktowane umiłowaniem słowa pisanego, lecz smakiem papieru lub fascynacją wyrywaniem. W tym wieku niewiele dzieci jest na tyle rozwiniętych, aby usiąść spokojnie i przez jakiś czas w ciszy przekładać kartki książki, oglądając obrazki.

Jednakże powinnaś spróbować wykorzystać nawet najsłabszą iskierkę zainteresowania dziecka książkami (nawet gryzienie i rwanie) i spróbować rozniecić z niej miłość do literatury. Aby ochronić książki przed zniszczeniem, jednocześnie podtrzymując w dziecku ten płomień, spróbuj zastosować się do następujących wskazówek:

Zainwestuj w niezniszczalne książki. Książki z twardej, sztywnej tektury zniosą prawie każdy atak zębów, dziąseł lub śliny — są też łatwe do

[3] Używaj takiego określenia, jakie ci odpowiada.

kartkowania przez małe paluszki. Duży wybór kolorowych i dostosowanych do wieku dziecka książek z twardej tektury zachęci je do częstego ich przeglądania, zniechęcając do poszukiwawczo-niszczycielskiej misji w twojej biblioteczce.

Schowaj na najwyższą półkę książki nie przeznaczone dla dziecka. Możesz też ułożyć cenne książki (lub czasopisma) tak ciasno na półkach, aby ciekawe paluszki nie zdołały ich stamtąd wysunąć. Staraj się jednak, aby tego, co czytasz (z wyjątkiem bardzo rzadkich i cennych pierwszych wydań, antyków i dzieł sztuki), nie izolować zupełnie od dziecka; pozwól mu je oglądać i dotykać pod twoją kontrolą.

Konsekwentnie zabraniaj niszczenia. Zezwalanie na rozrywanie na strzępy niektórych czasopism czy gazet (na przykład tych, które zostały już przeczytane) i zabranianie dotykania innych może być dla dziecka dezorientujące. Taki mały szkrab nie jest w stanie rozróżnić tego, co się nadaje na makulaturę, od książek i czasopism, które dopiero co zeszły z maszyny drukarskiej. Nie możesz pozwalać na niszczenie ani jednych, ani drugich. Szczególnie uważaj, aby dziecko nie żuło gazet lub czasopism; farba drukarska może być toksyczna.

Staraj się rozbudzić zainteresowanie treścią. Nie chcesz, aby wszystko, co nadaje się do czytania, kojarzyło się dziecku z „nie wolno". Gdy zastaniesz je na niszczeniu, nie karć go za to. Zamiast tego zaproponuj: „Chciałbyś pooglądać tę książeczkę ze mną?" Usiądźcie razem i obejrzyjcie obrazki, przeczytaj głośno kilka zdań. Jeżeli tekst jest za trudny, uprość go lub weź inną, odpowiednią do wieku dziecka książeczkę.

Skieruj skłonności niszczycielskie na coś innego. Jeżeli zainteresowanie twojej pociechy książkami jest dalekie od literackiego, spróbuj organizować jej zajęcia dające podobną satysfakcję, jakiej dostarcza jej rwanie papieru (takie jak sortowanie bielizny do prania, przesuwanie suwaka, przyklejanie lub odklejanie czegoś samoprzylepnego). Gdy dziecko gryzie książkę, zapytaj, czy jest głodne. Być może ma ochotę coś przekąsić. Na stronie 104 przeczytasz, w jaki sposób zaszczepić w dziecku zamiłowanie do czytania.

WSPINACZKA

Odkąd nasza córeczka odkryła, że można się wspinać, nic nie jest bezpieczne — nawet te rzeczy, które schowaliśmy na najwyższe półki.

Wasze dziecko wspina się na wyższe poziomy otaczającego je świata. Raczkujące niemowlę większości odkryć dokonywało tuż przy ziemi. Wstawanie, a potem chodzenie rozszerzyło jego świat w pionie o 70, 90 cm. Teraz, gdy nauczyło się wspinać, granicą jest niebo (lub przynajmniej sufit). Trochę pomysłowości i umiejętności układania wszystkiego w stos i wszystko znajdzie się w zasięgu rąk dziecka. Jest to przyjemne dla niego, ale, co zrozumiałe, przerażające dla was. Nic nie jest już bezpieczne — a najmniej wasze dziecko.

Nie możecie powstrzymać malca od wspinania się, a nawet nie powinniście. Jak w przypadku zdobywania każdej nowej umiejętności, wasza pociecha chce i powinna opanować do perfekcji i tę sztukę.

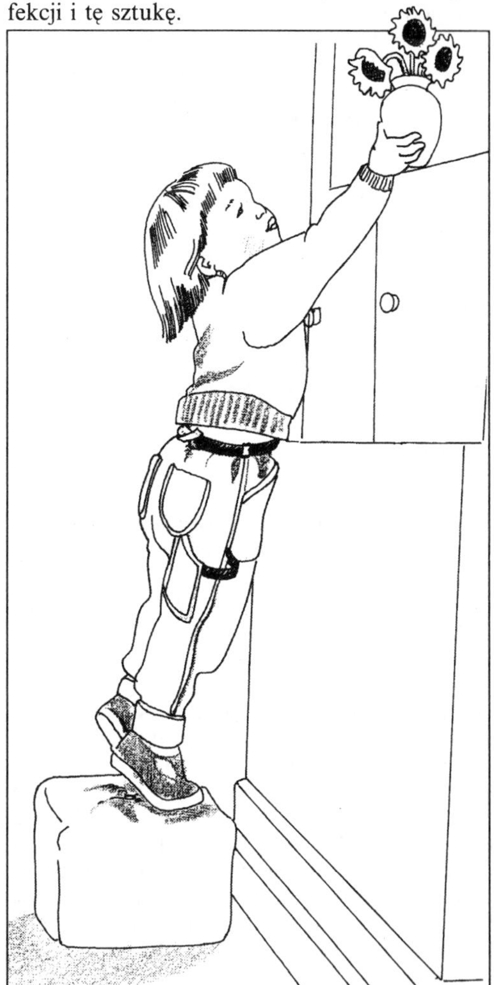

Podstawowa zasada w wychowywaniu małych dzieci głosi, że nic nie jest bezpieczne — nawet jeśli znajduje się na najwyższej półce. Pomysłowość zaprowadzi dziecko prawie na każdą wysokość.

Musi się jednak nauczyć, że nie może trenować, gdzie tylko chce, że może się wspinać tylko w bezpiecznym otoczeniu i w obecności kogoś starszego. Plac zabaw z odpowiednim wyposażeniem jest do tego celu najodpowiedniejszym miejscem. Jeżeli wasze dziecko lubi wchodzić na krzesła, wyeliminujcie z użytku, przynajmniej na pewien czas, te, które się chwieją i są niestabilne. Jeżeli upodobało sobie taborety, na czas zabawy przenieście je z twardej podłogi kuchennej na miękki dywan w pokoju. Jeśli wasza pociecha układa sobie książki w stos i wchodzi na nie, aby dosięgnąć do wyższej półki z książkami, lub wspina się na krawędź wanny, aby dosięgnąć umywalki, przeznaczcie wyłącznie dla niej specjalny stołeczek, który będzie mogła sobie podstawiać w tych miejscach. Pokażcie jej, o ile jest on stabilniejszy od sterty książek. Obejrzyjcie mieszkanie lub dom pod kątem bezpieczeństwa (sprawdźcie na przykład, czy nie ma otwartej półki, która mogłaby pomóc dziecku wejść na kuchenkę do gotowania, albo stołu lub biblioteczki, które mogłyby się przewrócić, gdyby maluch wspiął się na nie). Zróbcie coś, aby miejsca te nie stanowiły takiego zagrożenia. Nie myślcie jednak, że przewidzicie każde posunięcie dziecka i wyeliminujecie każdą niebezpieczną sytuację. Aby chronić swojego małego górala, musicie go uważnie pilnować. Obojętnie, na co by się wspiął, stańcie obok, gotowi go złapać, gdy przypadkiem straci równowagę.

KRZYWE ZĘBY

Obawiam się, że nasza córeczka będzie potrzebowała klamry na zęby, ponieważ wyrastają krzywo.

Na razie nie ma potrzeby oszczędzać na ortodontę. W ciągu najbliższych kilku lat ząbki twojej małej najpierw urosną, a potem wypadną. Dlatego za wcześnie jest jeszcze, aby oceniać, czy będzie potrzebowała klamry.

Często zdarza się, że pierwsze mleczne zęby są nierówne, lecz prostują się w trakcie wyrzynania się kolejnych. Jeżeli tak się nie stanie, drugi zestaw zębów, czyli zęby stałe, dają dziecku drugą szansę. Nie ma bezpośredniego związku między krzywymi zębami mlecznymi, a krzywymi zębami stałymi. Jednakże, gdy wykrzywianie zębów u małego dziecka spowodowane jest brakiem miejsca (kiedy zęby dziecka są za duże w stosunku do wielkości jego buzi), istnieje prawdopodobieństwo, że problem powróci wraz z wyrzynaniem się zębów stałych.

Jeżeli okaże się, że interwencja ortodonty jest konieczna (decyzję podejmuje się zwykle nie wcześniej niż przed ukończeniem ósmego roku życia), mamy dla ciebie dobrą wiadomość. Pomoce ortodontyczne są obecnie znacznie tańsze niż dawniej. Nosi się je znacznie krócej i estetyka ich wykonania jest o wiele wyższa. Co więcej, dobra wiadomość może stać się jeszcze lepsza w ciągu następnych siedmiu czy ośmiu lat, kiedy to z pewnością nastąpi dalszy postęp w ortodoncji.

BOLESNE ZĄBKOWANIE

U naszego piętnastomiesięcznego synka wyrzynają się zęby trzonowe. Znacznie gorzej to znosi niż w przypadku innych zębów.

Znosi to gorzej, bo ma powód. Pierwsze zęby trzonowe ze względu na swoją wielkość i kształt (zwykle pojawiają się między trzynastym a dziewiętnastym miesiącem życia) wyrzynają się przynajmniej dwukrotnie trudniej niż, na przykład, siekacze — i dla wielu dzieci oznacza to przynajmniej dwukrotnie większy dyskomfort. Aby go złagodzić, używaj takich samych sposobów jak w przypadku wcześniejszego ząbkowania: pocieranie dziąseł czystym palcem; schłodzony w lodówce specjalny krążek do gryzienia. (Nie używaj takiego, który wypełnia się płynem, gdyż dziecko, mając już siekacze, mogłoby go przegryźć. Nie zamrażaj go, bo mógłby „oparzyć" dziąsła.) Możesz też dać dziecku częściowo zamrożony precel (gdy się rozmrozi, pilnuj, by malec się nie udławił odgryzionym kawałkiem). Inne stare sposoby nie są bezpieczne teraz, gdy dziecko ma już siekacze. Może ono odgryźć kawałek i udławić się; twarde ciastka u ząbkujących dzieci mogą prowadzić do próchnicy ze względu na dużą zawartość węglowodanów. Pocieranie obolałych dziąseł niewielką ilością koniaku, whisky lub innego alkoholu (popularny ludowy sposób na złagodzenie objawów ząbkowania) jest absolutnie zakazane. Nawet minimalna ilość alkoholu może być dla dziecka toksyczna, a jego regularne smakowanie mogłoby zrodzić w malcu upodobanie do tego smaku. Jeżeli ból z powodu wyrzynania się zębów utrudnia jedzenie i spanie, porozmawiaj z lekarzem o możliwości podawania dziecku paracetamolu w kroplach. Nie stosuj żadnych lekarstw ani nie wcieraj w dziąsła niczego bez porozumienia się z lekarzem. Maści do miejscowego użytku są na ogół nieskuteczne lub działają tylko przez kilka minut.

Chociaż wiele dzieci w okresie ząbkowania marudzi, objawia złe samopoczucie, a nawet oznaki choroby, zgłoś lekarzowi wszelkie niepokojące symptomy (gorączka, biegunka, kaszel itp.); mogą one nie mieć związku z ząbkowaniem i wymagać leczenia.

Często wraz z wyrzynaniem się zębów trzonowych rozpoczyna się nocne budzenie. Dziecko budzi się z bólu, płacze i widzi, że w ten sposób może iść do łóżka mamy i taty lub przywołać ich do siebie — tak więc kontynuuje te praktyki, nawet kiedy ból towarzyszący ząbkowaniu ustąpił. Jeżeli chciałabyś uniknąć takiej sytuacji, próbuj ukoić malca, ale nie uciekając się do nadzwyczajnych metod; ty możesz traktować je przejściowo, ale twoje dziecko z pewnością tak ich nie potraktuje. Więcej informacji na temat budzenia się dzieci w nocy znajdziesz na str. 77.

CO WARTO WIEDZIEĆ

Jak zachęcać do nauki, myślenia i zdobywania nowych doświadczeń

Przez pierwsze kilka lat życia dzieci uczą się więcej niż przez wszystkie następne. Uczą się o stosunkach międzyludzkich i uczuciach (o zaufaniu, o trosce o innych, o wczuwaniu się w czyjąś sytuację, o złości, strachu, zazdrości i urazie), o języku (najpierw uczą się rozumieć słowa, potem je wypowiadać), o tym, jak pewne rzeczy działają (rzuć piłkę w górę, a zawsze spadnie na dół, odwróć kubek do góry dnem, a mleko zawsze się wyleje). Jedną z najważniejszych rzeczy, którą powinny zrozumieć, jest polubienie uczenia się.

Każde dziecko rodzi się ciekawe wszystkiego. To naturalne zainteresowanie stymuluje wczesne uczenie się. Ażeby ciekawość ta popychała je w twórczym kierunku, musi być doskonalona. Gdy rodzice zachęcą dziecko do poszukiwania wiedzy, dziecko będzie kontynuować te poszukiwania jako aktywny i chętny uczestnik procesu uczenia się. Jeżeli rodzice będą je zniechęcać, ono samo nie wytrwa w tych poszukiwaniach, a jeśli nawet wytrwa, to na pewno nie z taką samą ochotą.

Aby wzmóc ciekawość dziecka do tego stopnia, by rozwinęło się w nim na całe życie umiłowanie do nauki:

* Popieraj, zachęcaj i odpowiadaj na pytania. Nic dziwnego, że mając tyle do nauczenia, małe dzieci zadają tak dużo pytań. Chociaż kusi cię, aby zignorować albo zbyć na chwilę malca, gdy pięćdziesiąty raz tego dnia słyszysz: „Cio to?", spróbuj się opanować. Dzieci muszą uzyskać odpowiedź na wszystkie pytania (chociaż czasami najlepszą odpowiedzią na pytanie jest postawienie kolejnego pytania; patrz str. 182). Kiedy pytania są ignorowane lub odpowiedzi ich nie satysfakcjonują (takie jak: „Bo tak jest" lub: „Jesteś jeszcze za mały, aby to zrozumieć"), dzieci mogą w ogóle przestać pytać. Twoje odpowiedzi powinny być dostosowane do wieku dziecka; tłumacz wszystko zwięźle i prosto.

* Popieraj i zachęcaj do odkryć. Dziecięce badania i odkrycia zwykle oznaczają dla rodziców wielki bałagan. Jednak poprzez procesy badawcze maluchy dokonują swoich odkryć; świat jest pełen fascynujących rzeczy i wydarzeń, które dziecko musi przeżyć, ażeby je poznać. Pohamuj więc chęć powstrzymywania swojego małego odkrywcy w imię utrzymania czystości i porządku. Możesz przeszkadzać w zdobywaniu ważnych doświadczeń w procesie uczenia się. (Dawanie dziecku swobody w badaniu świata nie oznacza stawiania domu, rodziny i samego dziecka w stan zagrożenia, patrz str. 216.)

* Popieraj i zachęcaj do eksperymentowania. Dociekliwy umysł dziecka chce wiedzieć. (Co się stanie, gdy oberwę liście z tego kwiata? Gdy sypnę piaskiem w oczy kolegi? Gdy rzucę zabawkę na drugi koniec pokoju?) Oczywiście, tak jak nie chcesz pozwolić swojemu przyszłemu badaczowi na zdemolowanie domu, tak samo nie chcesz hamować jego pędu do eksperymentowania. Gdy doświadczenia przybiorą niebezpieczną lub niszczycielską formę, przerwij je, ale wyjaśnij dziecku, że protestujesz przeciw ich rezultatom, a nie samym procesom („Wiem, że chciałeś zobaczyć, co się stanie, gdy woda przeleje się poza krawędź wanny, ale woda musi zostać w wannie"). Następnie skieruj dociekliwy umysł na coś innego („Zobaczmy, co się stanie, gdy nalejesz wody do tej łódki"). Aby zrobić z twojego dziecka naukowca, zachowując przy tym dom, wymyślaj eksperymenty, które mogą być przeprowadzane w kontrolowanych warunkach. Może to być dmuchanie dmuchawców, przesiewanie piasku przez sitko, mieszanie barwników spożywczych w zlewie kuchen-

nym. Więcej na temat eksperymentów odpowiednich dla małych dzieci znajdziesz na str. 390.

* Zabieraj dziecko w różne miejsca. Muzea, place zabaw, supermarkety, centra handlowe, sklepy z zabawkami, parki, ogrody zoologiczne, zatłoczone chodniki miasta — prawie każde bezpieczne miejsce publiczne może pomóc młodemu człowiekowi w zdobywaniu wiedzy. Większość dzieci wiele się uczy poprzez obserwację; możesz przyspieszyć zdobywanie tej wiedzy, zadając dziecku pytania i dodając własne spostrzeżenia.

* Dostarczaj dziecku różnych doświadczeń. Niech huśta się na huśtawce, zjeżdża na zjeżdżalni, pluska wodą w basenie, sadzi rośliny w ogródku, wyrywa chwasty, gra w piłkę, dodaje mąki do ciasta, gryzmoli kredkami (patrz str. 69), nakrywa stół, naciska dzwonek u drzwi, wciska przycisk w windzie. Możliwości jest nieskończenie wiele, na każdym kroku. Samo doświadczenie jest już cenne, ale twój komentarz podniesie jeszcze jego znaczenie („Widzisz, im mocniej pchasz huśtawkę, tym wyżej wznosi się w górę" lub: „Patrz, gdy naciśniesz guziczek, zapala się czerwone światełko").

* Wprowadzaj twoją pociechę w świat fantazji. Małe dziecko może się równie dużo nauczyć ze świata wyobraźni — z książek, filmów, wideo i wybranych programów telewizyjnych, jak i z prawdziwego życia. Zachęcaj dziecko do udawania podczas zabaw. W świecie fantazji twoje dziecko może być dorosłym na przyjęciu, wiewiórką w lesie, kotem w butach — kim lub czym tylko zechce (patrz str. 313).

* Zniechęcaj do częstego oglądania telewizji. Najszybszym sposobem wyłączenia umysłu jest włączenie telewizora. To prawda, że dziecko może przyswajać informacje (alfabet, kolory, cyfry), oglądając uważnie dobrane dziecięce programy telewizyjne, ale nauka ta jest bierna. Nie zachęca do samodzielności i aktywności w procesie uczenia. Dzieci, które uczą się za pośrednictwem telewizji, oczekują odpowiedzi w postaci jaskrawych, szybko zmieniających się obrazów i wesołych, łatwo wpadających w ucho piosenek. Stają się biernymi uczniami — ich naturalny pęd w kierunku dokonywania własnych odkryć jest hamowany. Ograniczaj więc czas spędzany przez dziecko przed telewizorem, a gdy już coś ogląda, zaangażuj się i ty (patrz str. 153).

* Włącz naukę w codzienne zajęcia. Przy niewielkim wysiłku możesz przejąć rolę nauczyciela z *Ulicy Sezamkowej*. Możesz wypowiadać cyfry („Chcesz jednego czy dwa krakersy? To jest jeden, to są dwa"); kolory („Czy chcesz założyć niebieski, czy czerwony sweterek? Ten jest niebieski, a ten czerwony"); litery („Spójrz na literkę K na tym klocku. Na literę K zaczyna się słowo KASIA, a także słowo KOT"). Celem takich ćwiczeń nie jest nauczenie dziecka liczyć, zanim skończy półtora roku, lub czytać w wieku dwóch lat, lecz rozniecenie zainteresowania tymi tematami oraz stworzenie warunków, które sprzyjałyby uczeniu się. Wykorzystuj również zmysły dziecka jako narzędzie do nauki (patrz str. 86).

* Rozbudzaj chęć uczenia się poprzez rozwijanie poczucia własnej godności. Dziecko, aby mogło się uczyć, musi mieć dobre mniemanie o sobie (patrz str. 255).

* Ucz na wesoło. Jeżeli dzieci są zmuszane do nauki, karane za porażki, a ich wysiłki nie są doceniane („Nie mogę uwierzyć, że ciągle nie odróżniasz A od B") lub przedwcześnie poddawane formalnym sposobom kształcenia, może dojść do tego, że będą się bały uczenia się, zamiast je lubić.

* Bądź dla dziecka przykładem. Pokaż mu, że człowiek nigdy nie jest za stary, aby badać i odkrywać, że uczenie się jest zajęciem na całe życie. Twoja własna ekscytacja nauką będzie wtedy zaraźliwa.

CO TWOJE DZIECKO POWINNO WIEDZIEĆ

Czytanie to podstawa

Czytanie to podstawa, lecz dzisiaj, w dobie telewizji, większość dzieci nie wie, że jest to także zabawa. Jedna sprawa to nauczenie dziecka czytać — za pomocą kilku podręczników i sterty plansz prawie każdy potrafi tego dokonać. Druga sprawa, o wiele trudniejsza, to nauczyć dziecko uwielbiać czytanie. Większość ekspertów jest zgodna co do tego, iż uczenie dziecka czytania — rozpoznawania liter, wymawiania słów i łączenia ich w zdania najlepiej rozpocząć, gdy dziecko wykaże gotowość. Natomiast uczenie go zamiłowania do książek jest procesem, który może rozpocząć się na długo, zanim potrafi ono rozróżnić A od Z. Oto kilka sposobów na zaszczepienie tego zamiłowania:

Dokonuj selekcji. Wybieraj książki z dużymi, kolorowymi, realistycznymi, lecz wesołymi ilustracjami (niektóre piękne ilustracje są zbyt abstrakcyjne, ciemne i wymyślne, aby mogły się podobać dziecku) oraz z krótkim i prostym tekstem. Chociaż większość dzieci woli książki napisane wierszem z rymami (nawet jeśli nie rozumieją zbytnio słów, to przemawia do nich rytm), to nadeszła pora wprowadzenia krótkich opowiadań. Najlepsze do samodzielnego czytania są książki, których kartki wykonane są z grubej tektury; delikatniejsze książeczki oglądajcie wspólnie. Do kąpieli można zabierać książki o kartkach powleczonych winylem. Pamiętaj jednak, aby je dokładnie wysuszyć po każdym moczeniu, aby nie pojawiła się pleśń.

Bądź wytrwała. Wiele dzieci, gdy im się czyta, nie potrafi się skupić, lecz wytrwałość zwykle popłaca. Ustal regularne pory na czytanie. Niech to będzie przynajmniej raz dziennie (najlepiej po kąpieli i przed snem); jeśli masz czas rano, czytaj w swoim łóżku. Nawet jeśli zdążysz przeczytać tylko kilka stron i nawet jeśli twoje dziecko bardziej interesuje się manipulowaniem nową zabawką lub wchodzeniem i schodzeniem z łóżka, to jednak w końcu czytanie stanie się uwielbianym rytuałem, który będziecie oboje wysoko cenić długo po tym, jak dziecko samo już będzie w stanie czytać. Nigdy nie zmuszaj malucha do uważnego słuchania, gdyż może to zmienić przyjemność w obowiązek.

Bądź twórcza. Wiesz lepiej od autora książek, co najbardziej interesuje twoje dziecko. Nie czuj się więc zobowiązana do czytania tekstu słowo w słowo, tak jak jest napisane; częste zmiany zachęcą dziecko do pilniejszego słuchania. Skracaj więc długie, złożone zdania, zastępuj niezrozumiałe dla dziecka słowa prostszymi, według uznania opuszczaj czasem komentarze i objaśnienia. Jeżeli sam tekst nie interesuje zbytnio dziecka, skoncentrujcie się na ilustracjach („Spójrz na te dwa pieski. Jeden jest duży, drugi mały". Lub: „Ciekawe, co ta mała dziewczynka ma w koszyczku").

Oddziałuj na dziecko. Na długo przed tym, jak dziecko nauczy się czytać, może uczestniczyć w czytaniu. Na początku poprzez pokazywanie różnych postaci na obrazkach („Gdzie jest mały kotek?") i przedmiotów („Gdzie jest kapelusz kota?"), później poprzez uzupełnianie luk w zdaniach lub dokańczanie rymów w książkach czytanych już dziesiątki razy. Gdy czytasz bajkę po raz pierwszy, przedstawiaj dziecku postacie, przedmioty, kolory i pojęcia, których nie zna. Podczas następnego czytania tej samej bajki zachęć je (ale nie zmuszaj), aby pokazywało palcem („Gdzie jest słoń?") albo odpowiadało na pytania związane z treścią książki („Co powiedziała krówka?"). Starsze i lepiej mówiące dziecko może nawet odpowiadać na pytania w rodzaju: „Jak myślisz, co się zdarzy później?" lub: „Jak myślisz, dlaczego chłopiec jest taki smutny?" Pobudzaj też malca do czynnego udziału w czytaniu, podsuwając mu specjalne książeczki, w których dziecko przez dotyk rozpoznaje postacie i przedmioty, w których pod klapkami ukryte są niespodzianki, które posiadają tarcze do kręcenia itp. (Ponieważ tego rodzaju książki łatwo zniszczyć, pozwalaj dziecku bawić się nimi tylko w obecności kogoś starszego.)

Bądź pełna ekspresji. Nikt nie lubi słuchać monotonnego czytania. A dla dziecka, które wychwytuje właśnie językowe niuanse, styl pełen ekspresji nie tylko czyni słuchanie ciekawszym, lecz również bardziej zrozumiałym. Włóż więc w czytanie nieco gry aktorskiej.

Powtarzaj. Małe dzieci uwielbiają słuchać wiele razy tej samej bajki czy opowiadania. Choć powtórki takie mogą cię w końcu doprowadzić do szaleństwa, to jednak maluchom sprawiają ogromną przyjemność, a jeśli w tekście występują rymy, to możesz się pewnego dnia zdziwić, ile twoje dziecko zdołało już zapamiętać.

Bądź zwięzła. Dla dziecka, które nie jest w stanie siedzieć spokojnie na jednym miejscu przez dłuższą chwilę, należy wybierać krótkie książeczki. Szybko przekładaj kartki i posuwaj się naprzód w treści, aby widownia nie znudziła się zbyt szybko i sobie nie poszła. Jeśli zachodzi potrzeba, kończ czytanie nawet po upływie kilku minut.

Bądź blisko dziecka. Dzieci, którym czytanie kojarzy się z siedzeniem u mamy lub taty na kolanach i z wtulaniem się w ich ramiona, prawie zawsze chętnie czytają w późniejszym wieku.

Dawaj dobry przykład. Dzieci rodziców, którzy chętnie czytają, z reguły same później chętnie sięgają po książki. Staraj się więc codziennie znaleźć trochę czasu na czytanie — nawet jeśli miałyby to być jedna lub dwie strony. Jeśli nie znajdziesz na to czasu lub po prostu nie lubisz czytać i robisz to sporadycznie, dopilnuj, aby dziecko widziało cię nad książką lub gazetą — choćby od czasu do czasu. Doprowadź do tego, aby materiały do czytania miały w waszym domu swoje stałe miejsce; książki mamy i taty niech na przykład leżą przy łóżku, czasopisma — na ławie, gazety — obok fotela. Ogranicz też czas spędzany przed telewizorem przez całą rodzinę. Badania wykazały, że rodziny, które oglądają mniej, więcej czytają.

5

Siedemnasty miesiąc

Co twoje dziecko potrafi robić

Przed końcem siedemnastego miesiąca twoje dziecko powinno umieć:

* używać 2 słów (do 16 i 1/ miesiąca);

* pić z kubeczka.

Uwaga: Jeżeli twoje dziecko nie opanowało jeszcze tych umiejętności, skontaktuj się z lekarzem. Takie tempo rozwoju może być zupełnie normalne dla twojego dziecka, ale musi ono zostać fachowo ocenione. Zgłoś również lekarzowi, jeśli twoje dziecko nie daje się kontrolować, jest niekomunikatywne, zbyt bierne, do wszystkiego negatywnie nastawione, nie śmieje się, wydaje tylko kilka dźwięków lub żadnego, nie słyszy dobrze, jest nieustannie rozdrażnione lub żąda stałego poświęcania mu uwagi. (Pamiętaj, roczne dziecko, które urodziło się jako wcześniak, często pozostaje w tyle za swoimi rówieśnikami urodzonymi o czasie. Te różnice rozwojowe stopniowo się zmniejszają i zwykle całkowicie zanikają pod koniec drugiego roku życia.)

Przed końcem siedemnastego miesiąca twoje dziecko prawdopodobnie będzie umiało:

* zbudować wieżę z 2 klocków.

Przed końcem siedemnastego miesiąca twoje dziecko być może będzie umiało:

* wchodzić po schodach (do 16 i 1/ miesiąca);

* zdjąć z siebie 1 część ubrania;

* „karmić" lalkę.

Przed końcem siedemnastego miesiąca twoje dziecko może nawet umieć:

* zbudować wieżę z 4 klocków (do 16 i 1/2 miesiąca);

* rozpoznać i pokazać 2 przedmioty na obrazku;

* łączyć słowa;

* rzucić piłkę ręką;

* mówić i być częściowo rozumiane.

Większość dzieci uznaje tylko jeden sposób samouspokajania, niektóre mają ich kilka.

CO MOŻE CIĘ NIEPOKOIĆ

DZIWNE STOLCE

Spodziewałam się, że z chwilą wyrżnięcia się kilku zębów moja córeczka zacznie dokładniej gryźć to, co zjada. Niestety nadal w jej stolcach trafiają się całe kawałki jedzenia.

Jeszcze przez jakiś czas będziesz dokonywać dramatycznych odkryć w pieluchach swojego dziecka, a później w jego nocniku. Z pierwszych kilku zębów jest niewielki pożytek, jeśli chodzi o żucie jedzenia. Gryzienie kogoś lub czegoś oraz dodawanie dziecku urody to ich podstawowe zadanie. Zanim wyrżną się zęby trzonowe, dziecko żuje za pomocą dziąseł. Oznacza to, że jedzenie przed połknięciem nie zostaje dokładnie rozdrobnione. Ponieważ układ trawienny małego dziecka jest stosunkowo słabo rozwinięty, to, co zostaje połknięte, dość szybko przechodzi przez przewód pokarmowy. Nic dziwnego więc, że pewne pokarmy wyglądają prawie tak samo przed połknięciem jak po wydaleniu. W stolcu malucha możesz wypatrzyć następujące pokarmy: całe ziarna zielonego groszku lub całe jagody, kosteczki gotowanej marchewki, ciemnoczerwone kawałki skórki pomidora oraz złociste ziarna kukurydzy.

Gdy dziecko nabierze większej wprawy w żuciu, a jedzenie w wolniejszym tempie pokonywać będzie drogę od żołądka do odbytu, pokarm będzie dokładniej trawiony i wypróżnienia tym samym przybiorą inną postać. Zanim to nastąpi, pilnuj, aby jedzenie, które podajesz dziecku, było na tyle miękkie, aby mogło zostać rozdrobnione dziąsłami (sprawdź nowy produkt, próbując rozgryźć go bez pomocy zębów). Krój jedzenie na drobne kawałki (im mniejsze cząstki dostają się do przewodu pokarmowego, tym mniejsze go opuszczają). Jeżeli twoje dziecko, podobnie jak wiele innych, nie przejmuje się zbytnio rozdrabnianiem pokarmu w buzi, stosując metodę: „Włóż do buzi i połknij", spróbuj zachęcać je, aby najpierw żuło przed połknięciem. Gdy ugryzie kęs, zrób to samo i pokaż mu, jak się żuje („Widzisz, rozgniatam jedzenie w buzi. Umiałabyś to zrobić?"). Gdy dziecko jest starsze i zna już kilka liczb, możesz zaproponować: „Czy umiałabyś pogryźć tę marchewkę w buzi cztery razy?"

Bądź jednak przygotowana na to, że nawet jeśli twoja pociecha będzie już miała pełen zestaw zębów, w jej stolcu pojawią się czasem nie strawione cząstki jedzenia. Dzieje się tak, ponieważ żucie rozdrabnia jedzenie tylko częściowo; trawienie kończy tę pracę. Przewód pokarmowy dziecka jeszcze przez następny rok lub dwa nie osiągnie pełnej dojrzałości.

OTWIERANIE LODÓWKI

Nasz synek odkrył, jak otwierać lodówkę, i robi to około trzystu razy dziennie.

Ciągłe otwieranie i zamykanie to powszechne praktyki w wielu domach, w których są małe dzieci: dziecko otwiera, rodzice zamykają, i tak bez końca. Może to być lodówka, szafka łazienkowa, kuchenna — wszystko, co ma drzwiczki i klamkę odpowiednio nisko, aby dziecko do niej dosięgnęło. Jeżeli to, co jest za tymi drzwiczkami, stanowi zagrożenie, należy zainstalować specjalny zamek, z którym malec sobie nie poradzi (lodówka zwykle zawiera tłukące słoiki i butelki, jedzenie, którym małe dziecko mogłoby się udławić, produkty, które mogłyby wywołać u niego reakcję alergiczną lub zatrucie). Istnieje też możliwość zatrzaśnięcia się dziecka w lodówce (obecnie większość lodówek daje się otwierać od środka, ale jeśli posiadamy stary model, ryzyko nadal istnieje). Tak więc i z tego względu odpowiedni zamek na drzwiach lodówki jest wskazany.

Prawdopodobnie wasz maluch poczuje niezadowolenie z nagłego odcięcia go od możliwości otwierania tego ciekawego urządzenia. Bądź więc przygotowana, by zapewnić mu w zamian coś równie atrakcyjnego (lecz możliwego do zaakceptowania), jak na przykład bezpieczną szafkę wypełnioną plastykowymi pojemnikami, miarkami kuchennymi, drewnianymi łyżkami i tym podobnymi przedmiotami. Jeżeli natomiast dziecko dopomina się w ten sposób o jedzenie, dajcie mu coś do przekąszenia.

RZUCANIE PRZEDMIOTÓW

Mój synek ma zwyczaj rzucania wszystkiego, co podniesie z ziemi. Obawiam się, że może komuś zrobić krzywdę lub coś stłuc.

Opanowywanie nowej umiejętności jest ekscytujące dla dziecka, lecz często wyczerpujące dla jego rodziców. Kiedy patrzysz na dziecko rozrzucające różne przedmioty po pokoju, masz wizję niebezpiecznych skutków tej zabawy. Niestety nieraz skończy się ona podbitym okiem. Jednakże całkowity zakaz rzucania tylko zachęci dziecko do jego praktykowania; co gorsze, pozbawi je możliwości rozwijania tej sprawności, która jest jak najbardziej właściwa dla tego wieku. Twoim zadaniem jest, choć zabrzmi to niedorzecznie, zachęcanie do rozwoju tej umiejętności, lecz w taki sposób, aby nie ucierpiał na tym dom i jego mieszkańcy. Oto w jaki sposób możesz to zrobić:

Rozpocznijcie trening. Stwarzaj dziecku jak najwięcej okazji do zabawy z piłką w bezpiecznym otoczeniu i pod nadzorem, a z pewnością zaspokoi to — przynajmniej w jakimś stopniu — jego żądzę rzucania. Nie spodziewaj się, że maluch będzie łapał piłkę; jego koordynacja oko-ręka nie jest jeszcze na tyle rozwinięta, aby mógł kandydować do pierwszej ligi. Dziecku jednak z powodzeniem wystarczy bieganie i podnoszenie rzucanej do niego piłki.

Zmieniaj piłki. Najlepiej, gdyby dziecko miało różnego typu piłki — plażowe, tenisowe oraz gumowe, małe, średnie i duże. Unikaj twardych piłek, na tyle małych, że mogłyby zmieścić się w buzi, oraz wykonanych z gąbki lub podobnego tworzywa, które dziecko mogłoby ugryźć. Możesz też zaspokoić u dziecka potrzebę rzucania, kupując mu odpowiednie zabawki, na przykład zestaw kółek do rzucania na patyk lub latający talerz. Możesz też wykonać samoloty z papieru, którymi mogłoby rzucać w domu.

Czym nie należy rzucać. Wyjaśnij, że pewne rzeczy są stworzone do rzucania (piłki, kółka itp.), a inne nie (zabawki, klocki, książki, kubki). „To jest piłka — piłka jest do rzucania. To jest książka. Nie rzucamy książką — książka jest do czytania".

Zapoznaj malca z konsekwencjami. W momencie gdy zobaczysz, że dziecko rzuca (lub przygotowuje się do rzucenia) czymś, co jest zabronione, zabierz mu to natychmiast. Wytłumacz prostymi słowami potencjalne konsekwencje takiej zabawy: „Jeżeli rzucisz ten klocek, może on uderzyć kogoś i będzie leciała krew" lub: „Jeżeli rzucisz tę ciężarówkę, może się połamać". Nawet jeśli dziecko wściekle protestuje, trwaj przy swoim. Szybko podaj mu coś odpowiedniego do rzucania, a jeżeli to go nie zadowoli, spróbuj zabawić go zupełnie innym zajęciem.

Każdy — czy to dwulatek, czy trzydziestodwulatek — może od czasu do czasu poczuć ochotę rzucenia czymś ze złości. Dorośli najczęściej potrafią kontrolować takie emocje lub wyrazić je w inny sposób. Większość dzieci natomiast jeszcze się tego nie nauczyła. Jeżeli wydaje ci się, że u twojego dziecka rzucanie wynika bardziej ze złości niż z zainteresowania sportem, spróbuj pomóc mu poradzić sobie z tymi emocjami w sposób łatwiejszy do przyjęcia (patrz str. 160). Może uda ci się nie tylko wyeliminować niepożądane zachowanie, lecz także nauczyć dziecko mechanizmów, które posłużą mu przez całe życie.

TRZYMANIE SIĘ MAMY PODCZAS ZABAW Z RÓWIEŚNIKAMI

Dzieci, z którymi bawi się często mój synek, są zadowolone, gdy mogą oddalić się od swoich mam. Mój mały trzyma się mnie kurczowo cały czas.

Trawa często wydaje się bardziej zielona u sąsiada. Podobnie jest w grupie rówieśniczej — jedno dziecko jest o wiele bardziej rozwinięte społecznie, inne pod względem mowy, jeszcze inne o wiele grzeczniej się zachowuje. Chociaż trudno jest powstrzymać się od porównywania własnego malca z innymi dziećmi, to jednak należy powiedzieć, że jest to niewłaściwe. Dzieci to indywidualiści, o różnych osobowościach i różnym tempie i sposobie rozwoju. Twoje oczekiwania powinny być zgodne z temperamentem i stopniem rozwoju twojego dziecka, a nie z obserwacjami jego towarzyszy zabaw.

Chociaż teraz dziecko trzyma się kurczowo twojej spódnicy, nie oznacza to, że w przyszłości wyrośnie ono na niedopasowanego do społeczeństwa człowieka. Na tym etapie rozwoju niektóre dzieci nie są jeszcze przekonane, że nadszedł ich czas na wyfrunięcie z gniazda. Wolą ciepło i bezpieczeństwo, które oferuje im zależność od matki, niż wolność i swobodę, które obiecuje im brak tej zależności.

Nakłanianie do latania pisklęcia, które jeszcze do tego nie dorosło, może jeszcze wzmocnić jego przywiązanie do matki. Zamiast tego spróbuj sposobów wymienionych poniżej, które wraz z lekkim popchnięciem wprawią w końcu w ruch jego skrzydełka.

Zacznij od zabaw we dwoje. Jeżeli do tej pory dziecko miało ograniczone kontakty towarzyskie, liczna grupa rówieśników może je przytłaczać. Zorganizuj więc kilka spotkań z każdym dzieckiem po kolei. To stworzy twojemu maluchowi szansę poznania każdego kolegi z osobna i nauczenia się wspólnej zabawy.

Zorganizowanie grupy rówieśniczej

W poprzednich pokoleniach małe dzieci przeważnie bawiły się same lub z członkami rodziny, chyba że w sąsiedztwie mieszkał mały chłopiec lub dziewczynka. Do czasu pójścia dziecka do przedszkola kontakty z rówieśnikami zwykle były ograniczone.

Później pojawiły się grupy rówieśnicze zapewniające tym dzieciom, które nie chodzą do żłobków, wczesne doświadczenia w zakresie integracji społecznej poprzez wspólną zabawę. W takiej grupie małe dzieci mogą rozwijać swoje umiejętności nawiązywania kontaktów społecznych, mile spędzając czas w towarzystwie (lub przynajmniej ucząc się mile go spędzać). Grupy rówieśnicze są równie korzystne dla dzieci, jak i dla rodziców, ponieważ okazuje się nagle, że twoje problemy nie są odosobnione — że twoje dziecko nie jest jedynym, które nie lubi się dzielić, gryzie lub bije innych, w złości brzydko się wyraża lub które nie je nic poza płatkami kukurydzianymi, a to może mieć na ciebie wspaniały wpływ leczniczy. Wymiana pomysłów, przekonań, doświadczeń i wskazówek dotyczących radzenia sobie z dziecięcą ekscentrycznością, może wzmocnić efektywność rodzicielskich działań oraz dodać rodzicom pewności siebie.

Organizując grupę rówieśniczą, pamiętaj, że nie ma twardych i niezmiennych zasad obowiązujących w zabawach grupowych; okoliczności i osobowość poszczególnych członków grupy oraz ich rodziców podyktują konkretne rozwiązania. Następujące wskazówki powinny ci pomóc:

Ustal podstawowy zarys. Na spotkania grup, których członkami są małe dzieci, przychodzą również rodzice lub opiekunowie (mogą tam sobie porozmawiać, gdy dzieci się bawią). Taka organizacja spotkań pozwala rodzicom w razie potrzeby przywołać swoje dzieci do porządku i ułatwia utrzymanie spokoju w grupie. Nie pozwala natomiast rodzicom na odpoczynek. Jeśli zależy ci na odpoczynku, musisz pomyśleć o innej formie spotkań dziecięcych, która obejmować będzie zabawę dzieci oraz opiekę nad nimi ze strony kogoś innego.

Określ liczbę uczestników. Idealna grupa liczy sześcioro dzieci — wystarczająco mało, aby zmieścić się w większości domów lub mieszkań i wystarczająco dużo, aby funkcjonować, nawet jeśli jeden lub dwoje maluchów jest nieobecnych. Może być też czworo lub pięcioro uczestników, ale gdy jest ich więcej niż ośmioro, może łatwo dojść do tłoku, chaosu, i spowodować nadpobudliwość dzieci (zbyt mała liczba zabawek, za mało miejsca do podawania jedzenia). Parzysta liczba sprawdza się w sytuacjach, gdy dzieci bawią się parami, wówczas maleje prawdopodobieństwo, że jedno z nich zostanie samo.

Odpowiednio dobierz dzieci. Temperament i zainteresowania, ponieważ są one bardzo zmienne u małych dzieci, nie zawsze dadzą się zharmonizować. Aby uniknąć większych dysproporcji w rozwoju i w umiejętnościach, różnica wieku między najmłodszym i najstarszym nie powinna być większa niż trzy, cztery miesiące. Na ogół grupy złożone z samych chłopców, samych dziewczynek lub równo podzielone pod względem płci sprawują się lepiej niż te, w których jedna płeć dominuje liczebnie nad drugą.

Dobierz również rodziców. Rodzice dzieci, które mają tworzyć grupę do wspólnych zabaw, nie muszą być przyjaciółmi (chociaż mogą się nimi stać). Wszyscy jednak powinni być w miarę zgodni, dopasowani pod względem charakterów i stylu wychowywania dzieci. Przeprowadź test, organizując kilka próbnych spotkań. Jeśli masz zamiar przyłączyć się do istniejącej już grupy, weź udział w kilku spotkaniach, zanim zapiszesz się na stałe.

Zachęcaj do stopniowej integracji. W pierwszym etapie procesu integracyjnego posadź dziecko obok innych i zapewnij mu jakieś ciekawe zajęcie (postaw wiaderko klocków, daj mu kilka książeczek lub jakąś zabawkę). Gdy zacznie się bawić, stopniowo wycofaj się w kierunku pozostałych rodziców. Jeżeli zechce pójść za tobą, pozwól mu na to. Powtarzaj tę procedurę kilka razy w czasie tego i następnych spotkań, aż dziecko poczuje się na tyle bezpieczne, że zostanie samo przez dziesięć lub piętnaście minut. Pokonawszy tę poprzeczkę, być może przystąpi do kolejnego etapu — przyłączania się do innych z własnej woli. Jeżeli nie zdecyduje się na to, zachęć je, siadając obok i włącz do wspólnej zabawy jedno lub dwoje innych dzieci. Tak pokieruj zabawą, aby twoja pociecha nie mogła się powstrzymać przed zaangażowaniem się. Przede wszystkim musi być wesoło. Następnie, gdy już się zaangażuje, wycofaj się. Z pewnością w czasie kolejnych spotkań tego typu będzie spędzać coraz mniej czasu wyłącznie w twoim towarzystwie.

Pozostań niewzruszona. Chwyta za nogawki twoich dżinsów? Co z tego! Objął twoje kolana?

Obierz miejsce spotkań. Większość grup spotyka się po kolei w domach uczestników; inne regularnie w jednym miejscu, takim jak: klub osiedlowy, dom parafialny, kościół, synagoga. Dla odmiany chodzą do parku lub na plac zabaw, gdy jest ładna pogoda, a w deszczowe dni na wystawy o tematyce dziecięcej.

Ustal porę spotkań. Małe dzieci bywają pogodniejsze w pewnych porach dnia. Wybierz taki czas, kiedy wszyscy uczestnicy są wypoczęci (nie przed drzemką). Unikaj końca dnia, kiedy poziom napięcia nerwowego rodziców i dzieci jest zazwyczaj najwyższy. Na początek zaplanuj krótkie spotkania — na przykład godzinne — tak, aby dzieci mogły stopniowo się do siebie przyzwyczaić. Gdy już się zaaklimatyzują w nowych warunkach, przedłużaj spotkania do momentu, aż maluchy zaczną mieć siebie dosyć, co prawdopodobnie nastąpi po około dwóch godzinach.

Planuj regularne spotkania. Gdy już ustalicie czas spotkań, który odpowiada wszystkim, postaraj się uczestniczyć w nich regularnie. Zmieniaj godzinę tylko w wyjątkowych wypadkach (na przykład zbliżająca się burza śnieżna lub epidemia grypy, która dopadła połowę grupy). Jeśli spotkania będą odbywać się nieregularnie (w jednym tygodniu we wtorek o 14.00, w następnym w środę o 11.00) lub będą często odwoływane (ponieważ jedno z rodziców ma spotkanie służbowe, a inne jakieś plany rodzinne), to cała grupa może stracić energię i powoli zacznie się rozpadać.

Ustal reguły postępowania. Spróbuj unikać konfliktów poprzez wcześniejsze omówienie i ustalenie reguł postępowania w pewnych sytuacjach. Na przykład: Kto będzie sprzątał po każdym spotkaniu (dzieci, gospodarze czy wszyscy)? W jaki sposób należy zawiadomić o nieobecności dziecka na spotkaniu? Jakie zachowanie należy uznać za niedopuszczalne? Kto będzie przywoływał dzieci do porządku? (Zalecenia znajdziesz na str. 321.)

Ustal politykę dotyczącą zabawek. Najlepsze zabawki to takie, które zachęcają do współpracy i dają się łatwo dzielić: wiaderko klocków, zbiór samochodzików i ciężarówek, lalki, zestaw filiżanek, talerzyków i sztućców, artykuły spożywcze (plastykowe), przybory do twórczości plastycznej (kredki, papier, plastelina, farby), kostiumy do przebierania, piaskownica itd. Zanim dzieci osiągną odpowiedni wiek, by robić pewne rzeczy na zmianę, wyeliminuj z zestawu zabawek rowerki i inne pojazdy (chyba że jest ich tyle, iż wystarczy dla każdego). Rodzice gospodarze powinni pomyśleć również, aby schować „specjalne" zabawki, którymi ich dziecko wolałoby się nie dzielić z innymi, lub takie, które łatwo się psują. Mogą nawet wyłączyć pokój dziecka z zabawy, jeśli w mieszkaniu jest inne miejsce odpowiednie do tego celu.

Ustal zwyczaje dotyczące jedzenia. Wraz z pozostałymi rodzicami zdecyduj, jakiego rodzaju posiłki będziecie podawać waszym dzieciom (na przykład krakersy, ser, soki, owoce, mleko), a czego będziecie unikać (na przykład słodkie ciastka i herbatniki, napoje gazowane, cukierki).

Obserwuj, ale nie bądź nadopiekuńcza. Dzieci wymagają stałego nadzoru ze względu na bezpieczeństwo. Jednak nadopiekuńczość tłumi w nich rozwój niezależności. Jeśli pragniesz, aby podczas każdego spotkania odbywały się zajęcia wymagające udziału rodziców, staraj się równoważyć je z okresami dowolnych zabaw, które pozwolą dzieciom nauczyć się zajmować sobą. Rodzice powinni wówczas siedzieć z boku i jedynie obserwować dzieci. Gdy pojawią się konflikty (a tak będzie z pewnością), dajcie maluchom szansę rozwiązania ich samodzielnie. Wkraczajcie tylko wówczas, gdy przeradzają się w rękoczyny (gryzienie, popychanie itp.).

Kto by się tym przejmował! Chowa się za twoimi nogami? Żaden problem. Dając dziecku jasno do zrozumienia, że jego uczestnictwo w życiu towarzyskim nie jest takim wielkim wydarzeniem (chce się ciebie trzymać, w porządku, chce za tobą chodzić krok w krok, w porządku), pomożesz mu się zrelaksować. Jeżeli masz kłopoty z utrzymaniem nerwów na wodzy, staraj się pamiętać, że tego rodzaju spotkanie kilkorga dzieci ma być dobrą zabawą, a nie torturą dla ciebie i twojego dziecka.

Akceptuj zachowanie dziecka. Nie doprowadzaj malca do przekonania, że jego towarzyskie niedociągnięcia osłabiają twoją miłość do niego. Bądź tolerancyjna i współczująca. Daj mu do zrozumienia — gestami, wyrazem twarzy, tonem głosu — że na twoją miłość nie ma wpływu jego niezależność. Utwierdź malucha w przekonaniu, że twoja miłość do niego nie zostanie zachwiana, nawet jeśli nie będzie duszą towarzystwa (nawet jeśli wszystkie inne dzieci będą jadły ciasteczka, siedząc w grupce na środku pokoju, a on na twoich kolanach).

Popieraj dziecko. Zaoferuj maluchowi więcej wsparcia, a z czasem będzie potrzebował go mniej. Bądź blisko dziecka tak długo, jak długo ono tego chce. Może się przez to poczuć pewniej i chętniej nawiązywać kontakty z innymi dziećmi, a pewnego dnia ruszy w wir zabawy bez ciebie.

Nie bądź nadopiekuńcza. Bądź blisko twojej pociechy w chwili, gdy cię potrzebuje, ale wycofuj się, kiedy tylko zaczyna sobie dobrze radzić samodzielnie.

Nie oddalaj się. Jeśli dziecko zdecyduje się przyłączyć do zabawy bez ciebie, nie znikaj natychmiast w kuchni; maluch musi cię widzieć, by czuć się pewnie. Od czasu do czasu daj znać o swoim poparciu — pogłaszcz go po głowie lub powiedz coś w rodzaju: „Jaką wspaniałą wieżę zbudowałeś". Dla dziecka będzie wtedy jasne, że przyłączenie się do grupy bawiących się dzieci nie jest równoznaczne z utratą ciebie. Gdy tylko podąży za tobą, przytul je na chwilę, co może dać mu zastrzyk pewności siebie, której będzie potrzebować, by samodzielnie ruszyć w drogę.

Bądź cierpliwa. Może upłynąć wiele miesięcy, zanim twoje dziecko wykaże gotowość przyłączenia się do gromady. Pamiętaj jednak, że nawet jeśli pod koniec ostatniego spotkania poczuło się pewnie, przy następnym będzie znów potrzebowało czasu na pełne włączenie się do zabawy. Daj mu tyle czasu, ile będzie chciało. Takie zachowanie może denerwować rodziców, lecz jest jak najbardziej typowe dla wielu maluchów.

ZŁE NAWYKI PRZEJMOWANE OD RÓWIEŚNIKÓW

Po każdym spotkaniu i zabawie w grupie rówieśniczej nasza córeczka wraca do domu z nowym denerwującym nas nawykiem, który przejmuje od innych dzieci. W jednym tygodniu było to piszczenie, w następnym prychanie i plucie, a potem bicie.

Gdy dzieci rozpoczną życie towarzyskie, dużo uczą się od innych dzieci. Niestety, nie wszystko jest warte naśladowania, a trzeba przyznać, że maluchy są wspaniałymi naśladowcami. Zwykle wypróbowują któryś z przejętych nawyków przez tydzień lub dwa, następnie porzucają go na rzecz innego, który właśnie je zainteresował. Czasami taki dziwny zwyczaj zakorzenia się na dłużej.

Ostre zwracanie uwagi, awanturowanie się lub karanie dziecka za takie zachowanie nie odwiedzie go od powtarzania zakazanych praktyk, może nawet wywrzeć odwrotny skutek. Starajcie się więc ignorować to, co słyszycie, lub skupić uwagę dziecka na czymś innym. Gdy jego zachowanie jest denerwujące i niebezpieczne lub niedopuszczalne — na przykład bicie lub gryzienie — działajcie spokojnie, lecz zdecydowanie. Pomocna może się też okazać konsultacja z innymi rodzicami z grupy. Obranie wspólnego frontu przeciwko niewłaściwemu zachowaniu dzieci może ułatwić ich wyeliminowanie.

PISK I WRZASK

Nasze głowy pękają od ciągłych pisków i wrzasków synka.

Niestety, dzieci nie rodzą się wyposażone w regulator natężenia dźwięku ani z umiejętnością kontrolowania natężenia swojego głosu. Chociaż tobie nie podobają się występy twojego synka, on z pewnością je uwielbia. Nagle odkrył swoje wielkie możliwości w tej dziedzinie i radośnie je wykorzystuje. Jak specjalista od nagrań studyjnych siedzący przed konsoletą twój szkrab eksperymentuje z wysokością tonów i głośnością. Podczas gdy wszystkim wokół pękają głowy, on delektuje się tym hałasem.

Możesz stać się głucha na te odgłosy i pozwolić, aby dziecko wyżywało się do woli według swych naturalnych skłonności. Możesz też za pomocą następujących rad przynajmniej spróbować zmniejszyć hałas o kilka decybeli, by stał się znośniejszy dla twoich uszu:

Nie przyłączaj się do dziecka. Utrzymanie hałasu w domu na niskim poziomie (bez ryczącego telewizora lub radia, głośnej muzyki rockowej, częstego krzyku rodziców) pomoże zniechęcić dziecko do hałasowania. Krzyczenie na dziecko, aby przestało wrzeszczeć, zrodzi u niego chęć współzawodnictwa i zachęci do jeszcze głośniejszego wrzasku. Poza tym uprawomocni takie zachowanie („Jeśli mamusia i tatuś krzyczą, to nie ma w tym nic złego").

Skieruj jego talent w innym kierunku. Gdy maluch zacznie piszczeć, włącz wesołą muzykę i zachęć go do śpiewania. (Jeśli jesteście poza domem, możesz spróbować zachęcić go do wspólnego śpiewania znanych i lubianych piosenek lub recytacji wierszyków.) Nawet jeśli dziecko nie chce śpiewać, może przestać krzyczeć, gdy usłyszy, jak ty śpiewasz. Możesz też zaproponować inne ciekawe sposoby wykorzystania głosu — muczenie jak krowa, miauczenie jak kot, szczekanie jak pies, turkotanie jak samochód. Wydobywanie dźwięków z instrumentów muzycznych może również ograniczyć u dziecka potrzebę hałasowania.

Mów cicho. Gdy dziecko zacznie hałasować, popatrz mu prosto w oczy i szepnij coś. Gdy maluch zobaczy, że twoje usta się poruszają, ale nie będzie w stanie usłyszeć, co wypowiadają, być może na tyle go to zaciekawi, że przestanie krzyczeć i zacznie słuchać.

Pomóż mu szeptać. Małe dzieci z trudnością zniżają głos do szeptu. Gdy malec zacznie wrzeszczeć, zaproponuj zawody w szeptaniu. Szepnij jakieś słowo, a dziecko niech je również powtórzy szeptem. Wprawdzie dźwięk ten trudno będzie nazwać szeptem, jednak gra ta pokaże dziecku, że wesołą zabawą jest nie tylko podnoszenie głosu, ale też zniżanie go.

W pewnych miejscach pozwól krzyczeć. W drugiej połowie drugiego roku życia łatwiej będzie dziecku zaakceptować pewne ograniczenia, również te dotyczące krzyku. Będzie ono już wówczas w stanie zrozumieć pojęcie „głos wewnętrzny" i „głos z zewnątrz" (patrz str. 252) oraz pojąć, gdzie i kiedy można używać mocnego głosu („Możesz krzyczeć w swoim pokoju, ale nie w pozostałych pomieszczeniach domu" lub: „Możesz piszczeć na boisku, ale nie w restauracji"). Wyznaczenie takich granic bardziej się sprawdza niż całkowity zakaz wrzeszczenia; pewne zachowania stają się atrakcyjniejsze, gdy są zakazane.

PIELUCHOWY STRIPTIZ

W dwie minuty po założeniu pieluchy moja córeczka zrywa ją z siebie. Ją to bardzo bawi, a mnie doprowadza do wściekłości.

Naprawdę można się zdenerwować, gdy po trudach związanych z „zapakowaniem" dziecka w pieluchę widzisz, jak ono — zupełnie bez trudu — się „odpakowuje". Do tego dochodzi jeszcze obawa o dywan, kanapę, łóżko czy inne elementy wyposażenia mieszkania, w których pobliżu znajdzie się roznegliżowane dziecko.

Aby zmniejszyć własne napięcie, będziesz prawdopodobnie musiała zwiększyć frustrację dziecka, robiąc coś, co utrudni lub uniemożliwi mu zdjęcie pieluchy. Pieluchy bawełniane przytrzymywane nieprzemakalnymi majteczkami nie stanowią żadnego problemu dla dziecka, które chce je zdjąć. Rozważ więc stosowanie specjalnych agrafek do spinania pieluch po bokach do czasu, aż dziecko wyrośnie ze skłonności do striptizu. Możesz też przypinać agrafkami pieluchę lub podtrzymujące ją majteczki do koszulki lub ubierać dziecko w jednoczęściową bieliznę, tzw. body. To znacznie utrudni pozbycie się pieluchy.

Wszystkie te zabiegi mogą wywołać u dziecka wściekłość. Jeśli jednak konsekwentnie będziesz stosować agrafki, wykażesz opanowanie i postarasz się kierować jego uwagę na coś innego, problem z pewnością ustąpi. Jeżeli twoja córeczka nadal będzie ściągać pieluchę, a osiągnie wiek gotowości do nauki korzystania z nocnika (pod koniec drugiego roku życia), wykorzystaj jej upodobania do nagości i zacznij przyzwyczajać do nocnika. Na tym etapie powiedz jej, że jeśli nie lubi nosić pieluch, może zacząć nosić majteczki treningowe (patrz str. 468), które może ściągać samodzielnie, gdy będzie chciała usiąść na nocniku. (Więcej informacji na temat nauki korzystania z nocnika znajdziesz w rozdziale 19.)

PRZYTULANKI

Nasza córeczka nadal wszędzie zabiera ze sobą stary, podarty kocyk z łóżeczka. Czy nie powinna już z tego wyrosnąć?

Wasze dziecko z pewnością tak nie uważa, a ponieważ dzieci są ekspertami, jeśli chodzi o to, co jest właściwe dla ich wieku, należy liczyć się z jej opinią. Chociaż większość dzieci znajduje sobie stałe przytulanki przed końcem pierwszego roku życia, jednak w pełni uzależnia się od nich w ciągu dalszych miesięcy. Powody są oczywiste — dziecko nie zawsze może ze sobą zabrać mamusię lub tatusia, gdy wybiera się na podbój świata, a nie jest jeszcze gotowe wybrać się tam samotnie. Jakiś przedmiot — stary kocyk, wytarty miś — lub wierny kciuk zapewnia idealne źródło uspokojenia. Poza tym w drugim roku życia pojawią się lęki przed ciemnością, obcymi ludźmi, psami, odkurzaczem i wieloma innymi rzeczami; pewność siebie, jaką dają różnego rodzaju przytulanki, w znacznym stopniu pomaga je przezwyciężać.

Chociaż nie zdajemy sobie z tego sprawy, my, dorośli, również używamy przedmiotów, którymi się w jakimś stopniu uspokajamy w nowych i nietypowych sytuacjach. Jednakże nauczyliśmy się zastępować stare, sprane kocyki z dziecinstwa przedmiotami społecznie akceptowanymi. Może to na przykład być szklaneczka alkoholu, aktówka trzymana w ręku na ważnym zebraniu lub talizman, który pocieramy w trudnych chwilach.

Uznawaj więc prawo dziecka do posiadania własnej przytulanki[1]. Nigdy nie wyśmiewaj się z malca, że nosi ją ze sobą, nie zmuszaj do zrezygnowania z niej na dobre lub pozostawienia w domu. Nie wstydź się też ani za dziecko, ani za siebie, gdy będzie zabierać je ze sobą w różne miejsca poza domem. W tym wieku jest to zupełnie normalne. Jednakże możesz podjąć pewne kroki, aby ograniczyć używanie tych przedmiotów poza domem i ułatwić dziecku zrezygnowanie z nich, gdy będzie już do tego gotowe.

* Próbuj ograniczać ich wykorzystanie, jak tylko będzie to możliwe. Jeśli twoje dziecko nie przyzwyczaiło się jeszcze do zabierania swojej przytulanki wszędzie, spróbuj postawić pewne ograniczenia co do miejsc, w które można ją zabierać. Zaproponuj, że może to być samochód, ale nie sklep, że można ją nosić po mieszkaniu, ale nie na plac zabaw i przedstaw wiarygodne powody (może się zgubić w sklepie lub zabrudzić w piaskownicy). Zgłoś chęć zaopiekowania się kocykiem, gdy twoja pociecha będzie chciała się wspiąć na drabinki lub uczestniczyć w dziecięcym przyjęciu. Wspólnie poszukajcie miejsca, w którym mogłaby zostawić swój kocyk. Nie rób jednak wielkiego hałasu, jeśli nie będzie chciała przyjąć tych ograniczeń; nadejdzie czas, kiedy sama porzuci ukochany kocyk.

* Regularnie pierz przytulankę. Jeśli nie będziesz tego robić, twoje dziecko może tak się przywiązać do jej zapachu, że po upraniu będzie się buntować. Pierz przytulankę, gdy dziecko pójdzie spać, wówczas nie będzie przeżywać rozstania z nią.

* Jeśli to możliwe, postaraj się o duplikat. Kup identyczny kocyk, upierz go kilka razy, aby nie wyglądał na nowy i zaproponuj dziecku jako dodatkowy (może go nie zaakceptować) lub schowaj na czarną godzinę (kiedy na przykład tuż przed snem nie możecie go nigdzie znaleźć). Jeśli na dziecko uspokajająco działa jakaś zabawka lub pluszowe zwierzątko, kupienie drugiego identycznego może służyć temu samemu celowi. Jeśli maluch jest średnio przywiązany do swojego kocyka, możesz pozostać przy jednym egzemplarzu. Gdy się zgubi, dziecko prawdopodobnie uroni kilka łez i pogodzi się ze stratą.

* Zajmij ręce szkraba czymś innym. Wówczas nie będzie w stanie trzymać kocyka lub misia. Podsuwaj mu ciekawe zabawki, zadania plastyczne, puzzle i wszystko, co będzie wymagać koncentracji i odwróci uwagę od przytulanki przynajmniej przez jakiś czas.

* Upewnij się, czy nie wymagasz od dziecka, by osiągnęło zbyt dużo zbyt szybko, by było czymś, czym nie jest, lub by stało się niezależne, zanim będzie na to gotowe. To wszystko może wywołać w dziecku stres i zrodzić potrzebę poszukiwania wsparcia choćby w postaci przytulanki.

* Zadbaj, aby twoja pociecha czuła się przez ciebie kochana. Czasami częste przytulanie dziecka oraz słowa pocieszenia mogą dać mu poczucie pewności siebie i bezpieczeństwa, którego pragnie, zmniejszając przez to przywiązanie do przytulanek. Niektóre dzieci jednak potrzebują pocieszenia z każdej możliwej strony — i od rodziców, i od przytulanek; w tym też nie ma nic złego.

Nie wszystkie przytulanki są nieszkodliwe. Dzieci, które pocieszają się butelką z sokiem lub mlekiem, mogą nabawić się próchnicy zębów (patrz str. 49) lub cierpieć na częste biegunki (od zbyt dużych ilości soków lub niezbyt świeżego mleka). Jeżeli dziecko nalega, by nosić ze sobą butelkę, napełnij ją czystą wodą. Do kategorii niebezpiecznych przedmiotów należą też te, którymi dziecko mogłoby się udławić (patrz str. 534).

Problem może powstać w żłobku lub w przedszkolu, gdy inne dzieci będą chciały bawić się przytulanką twojej pociechy albo gdy wychowawczyni zabroni przynoszenia czegokolwiek z domu (wiele tak robi). Spróbuj nie dopuścić do takiej sytuacji, przekonując dziecko, by schowało sobie swój kocyk gdzieś w domu lub przypięło go do wózka czy fotelika w samochodzie, zanim wyjedzie do przedszkola czy żłobka. (Obiecaj, że gdy wróci, kocyk będzie tam na nie czekał, i dotrzymaj obietnicy.) Jeżeli nie będzie chciało wejść do sali bez niego, zaproponuj, aby zostawiło go w swojej szafce w szatni (żeby był bezpieczny). Jeżeli i to nie pomoże, porozmawiaj z wychowawczynią i przy jej pomocy ustal postępowanie, które się sprawdzi.

Prawdopodobnie między drugim a piątym rokiem życia twoje dziecko utraci to silne przywiązanie do kocyka (lub innej przytulanki).

[1] Przedmioty te mogą mieć rozmaite nazwy, również wymyślone przez dzieci. Nie wahaj się używać dziecięcych określeń, gdy mówisz o tych rzeczach.

Może jednak sięgnąć po niego znów w okresach przeżywania jakichś stresów lub niepowodzeń. Tymczasem nie przejmuj się tym, jeśli dziecko jest szczęśliwe i dobrze się rozwija. Jeśli jednak przytulanka stanie się jego obsesją i będzie spędzać więcej czasu, głaszcząc i tuląc ją, niż bawiąc się zabawkami, oglądając książeczki lub przebywając z innymi dziećmi, musisz uważnie przyjrzeć się przyczynie takiego stanu — na przykład może to być niezadowolenie dziecka z formy opieki nad nim (żłobek, przedszkole, opiekunka), za dużo stresów w domu lub nie zbadany problem medyczny. Jeżeli sama nie możesz wykryć przyczyny i jej zaradzić, skonsultuj się z lekarzem dziecka.

SSANIE KCIUKA

Nasza córeczka ssie kciuk. Robi to zwykle, gdy jest zmęczona lub nie w humorze. Czy należy się tym martwić?

Opuszczając przytulny, bezpieczny świat niemowlęctwa i wkraczając w następny inny, czasami okrutny i nie znany, dziecko pomaga sobie czasem, zabierając ze sobą przyjaciela, by je wspierał. Czy tym przyjacielem jest wypchany miś bez ucha, sprany kocyk czy kciuk, zapewnia on dziecku poczucie bezpieczeństwa, którego potrzebuje ono w tym nowym obcym świecie. Pozwala również oddalić się nieco od rodziców, zapewniając jednak stałe źródło ukojenia.

Nic dziwnego, że wasze dziecko sięga po kciuk najczęściej, gdy zmaganie między niezależnością i zależnością osiąga szczyt lub gdy jest zmęczone, marudne, znudzone lub nie w humorze. Chociaż wiele dzieci porzuca zwyczaj ssania kciuka (piąstki lub palca) przed końcem pierwszego roku życia, wiele jednak trwa w tym nawyku jeszcze dłużej.

W tym wieku ssanie palca z umiarem jest czymś normalnym i nieszkodliwym. Nie ma więc potrzeby, by „robić coś" z tym problemem. Jednakże naciski ze strony rodziców często wręcz utrwalają ten nawyk. Jeżeli przejmujesz się tym, co pomyślą inni ludzie, to źle robisz. Po pierwsze, ssanie palca nie uchodzi obecnie za coś tak złego jak dawniej. Światli i świadomi rodzice traktują to jako normalny zwyczaj dziecka, dostarczający mu uspokojenia, a nie jako znak zaburzeń emocjonalnych. Po drugie, nieważne, co inni myślą — liczy się twoje podejście, dlatego też uprzejmie zlekceważcie każdą uwagę.

Nie martwcie się również, że ssanie kciuka spowoduje nieprawidłowy rozwój ust i zgryzu. Większość ekspertów uważa, że nie ma to wpływu, pod warunkiem że dziecko nie ssie przez cały dzień bez przerwy i że nawyk minie do czwartego roku życia, co najczęściej się zdarza. Zaczerwienienie i podrażnienie skóry, które niekiedy stanowią skutki uboczne ssania palca, również nie stanowią podstaw do niepokoju.

Podobnie jak w wypadku większości innych nawyków samouspokajających, ssanie palca zwykle przemija, zanim malec ukończy trzeci rok życia. Jeżeli jednak okaże się, że nawyk ten jest u waszego dziecka na tyle kłopotliwy, że zakłóca naukę mówienia, przeszkadza w jedzeniu i uniemożliwia używanie rąk do zabawy i nauki, przeczytajcie poniższe informacje.

Nasz synek jest chyba mistrzem świata w ssaniu kciuka. Prawie nie wyciąga go z buzi. Czy powinniśmy się tym martwić?

Martwienie się nic tu nie pomoże. Trzeba zacząć działać. Ponieważ stałe ssanie kciuka w przeciwieństwie do okresowego może doprowadzić do stałego i nieodwracalnego zniekształcenia ust i zgryzu, wy i wasze dziecko musicie popracować, aby nawyk ten nie spowodował wad zgryzu.

Możecie pomóc maluchowi skrócić czas, jaki spędza na ssaniu kciuka, angażując go w zajęcia wymagające używania obu rąk (malowanie palcami, jazda na koniku na biegunach lub rowerku, huśtanie się na huśtawce, zabawa w łapanie piłki, wyrabianie ciasta); powinniście zakładać mu zimą rękawiczki, gdy wychodzi na dwór; poświęcajcie mu jeszcze więcej uwagi i obdarzajcie jeszcze większą miłością; upewnijcie się, że ma odpowiednią ilość wypoczynku i snu.

Jeżeli nie uda wam się rozwiązać tego problemu, nie zaczynajcie odzwyczajać dziecka na siłę, lecz omówcie ten problem z pediatrą oraz ze stomatologiem dziecięcym. Rady na temat zlikwidowania nawyku ssania kciuka u starszych dzieci znajdziecie na str. 374.

SSANIE SMOCZKA

Nie mieliśmy serca, aby zabrać naszemu synkowi smoczek gryzaczek, gdy był niemowlęciem. Później nie mieliśmy siły. Teraz jest on tak do niego przywiązany, że obawiamy się, czy w ogóle kiedyś z niego zrezygnuje.

Można się założyć, że wasz syn wyjmie smoczek z buzi, gdy stanie na ślubnym kobiercu i będzie chciał pocałować pannę młodą. Prawie wszystkie dzieci ssące smoczek, nawet te najbardziej uparte, pozbywają się go, zanim ukończą czwarty lub piąty rok życia, a większość z nich pozbywa się tego problemu jeszcze wcześniej.

Wśród ekspertów używanie smoczka (i na krótką, i na długą metę) prawdopodobnie ma tylu zwolenników, ilu przeciwników. Badania wykazały, że ssanie smoczka jest korzystne dla wcześniaków i dzieci cierpiących z powodu kolki. Negatywny wpływ może się objawić zniekształceniem ust i nieprawidłowym ułożeniem zębów. Często prowadzi to do wad wymowy i zwiększa ryzyko wybicia przednich zębów w czasie niebezpiecznych zabaw lub wypadku. (Panuje przekonanie, że jeśli nawyk ustąpi odpowiednio wcześnie, wszelkie zmiany, które już zdążyły zajść, cofną się samoistnie. To, co należy rozumieć przez stwierdzenie „odpowiednio wcześnie", jest jednak punktem spornym; niektórzy eksperci uważają, że jest to okres do końca drugiego roku życia, inni, że do końca czwartego.) Niewiele wiadomo o skutkach ssania smoczka, gdy dziecko przekroczy ten wiek. W rezultacie większość opinii opiera się na instynkcie.

Wiele pytań dotyczących używania smoczka pozostaje bez odpowiedzi. Czy nawyk ten wykształca większą potrzebę znalezienia sobie w późniejszym życiu substytutu smoczka (tytoń lub inne używki), czy redukuje tę potrzebę? Czy hamuje rozwój mowy lub na przykład utrudnia uśmiechanie się? Czy podawanie smoczka w celu ukojenia i uspokojenia uniemożliwia dziecku naukę samouspokajania? Dopóki nie będziemy dysponować wynikami wiarygodnych badań, sama musisz zdecydować, kiedy wyciągnąć wtyczkę. Oto kilka czynników, których rozważenie pomoże ci podjąć tę decyzję:

* Czy używanie smoczka zaczęło mieć wpływ na usta i zęby twojego dziecka? Jest to prawdopodobne, jeśli dziecko ssie smoczek codziennie przez wiele godzin. By się upewnić, czy dotyczy to twojego dziecka, skonsultuj się ze stomatologiem dziecięcym. Jeżeli tak, musisz rozważyć rezygnację ze smoczka w najbliższym czasie, bez względu na to, jakie będą twoje odpowiedzi na pozostałe pytania.
* Czy używasz smoczka, aby dziecko się uspokoiło lub nie absorbowało cię? Wtykanie smoczka w usta niezadowolonego malca ogranicza jego potrzebę pokazania, że istnieje i ma coś do powiedzenia. Pomyśl, jak czułabyś się, gdyby ktoś wciskał ci w buzię kawałek gumy za każdym razem, gdy chciałabyś coś powiedzieć.
* Czy wydaje ci się, że smoczek ogranicza u twojego dziecka rozwój mowy? Czy maluch bełkocze i pokazuje palcem, gdy coś chce, zamiast wyrazić to słowami?
* Czy smoczek przeszkadza w rozwoju społecznym, utrudniając kontakty dziecka z innymi? (Pamiętaj, że rozwój społeczny małego dziecka i związane z nim umiejętności są jeszcze w tym wieku niedojrzałe.)

Jeżeli czujesz, że gryzaczek ma negatywny wpływ na twoje dziecko i chciałabyś odzwyczaić je od tego nawyku, możesz podjąć następujące kroki:

Ustal granice. Zależeć one będą od tego, jak i kiedy twoja pociecha używa smoczka i jak bardzo cierpiałaby bez niego. Możesz na przykład zaproponować, że teraz, gdy dziecko jest już duże, będzie używało smoczka tylko w domu lub tylko przed pójściem spać.

Dodaj otuchy. Jeżeli twoje dziecko używa smoczka dla dodania sobie otuchy, zapewnij mu inne źródła pocieszenia. Okazuj mu miłość i poświęcaj wiele uwagi, zwłaszcza gdy czuje się niepewnie lub jest przygnębione. Zanim sięgnie po smoczek, przytul je mocno lub zajmij jego uwagę, czytając bajkę. Możesz też włączyć kojącą muzykę, usiąść z dzieckiem na kolanach albo pozwolić mu rozładować niepokój lub gniew za pomocą plasteliny lub farbek. Podejmij też kroki, aby wzmocnić jego poczucie własnej wartości (patrz str. 255).

Nie pozwól odpoczywać buzi. Zadawaj pytania, prowadź konwersacje, zachęcaj do recytowania wierszyków, śpiewania, śmiechu, robienia zabawnych min przed lustrem, picia soku przez słomkę i innych zajęć i zabaw uniemożliwiających ssanie smoczka. Jeśli malec będzie chciał rozmawiać ze smoczkiem w buzi, powiedz mu, że go nie rozumiesz i że musi wyjąć smoczek, jeśli masz wiedzieć, co do ciebie mówi.

Nie pozwól, aby dziecko było głodne lub śpiące. Dziecko, które jest głodne lub bardzo zmęczone, przestaje panować nad sobą i zwraca się o pomoc do znanego mu źródła, jakim jest smoczek. Aby maksymalnie ograniczyć jego potrzebę ssania, pilnuj, żeby było ono dobrze i w porę żywione (podaj jedzenie, zanim spadnie poziom cukru) oraz wypoczęte.

Te sposoby mogą pomóc zredukować potrzebę używania gryzaczka, ale najprawdopodobniej nie zlikwidują jej zupełnie. W tym celu potrzebne są bardziej zdecydowane działania.

Jeżeli zdecydujesz się pozwolić dziecku ssać smoczek trochę dłużej, skonsultuj się ze stomatologiem dziecięcym, aby doradził, jakiego modelu używać. Chociaż istnieje powszechne przekonanie, że tak zwany ortodontyczny smoczek jest potencjalnie mniej szkodliwy dla ust i zębów, niektórzy specjaliści stomatologii dziecięcej zdecydowanie się z tym nie zgadzają. Polecają natomiast taki — jeśli już musi być używany — który ma kształt kciuka. Niezależnie od kształtu, kup taki, który wykonany jest z jednego kawałka, co gwarantuje bezpieczeństwo (nie rozpada się na części). Nigdy nie używaj zwykłego smoczka do butelki, ponieważ dziecko może się udławić. Tarcza smoczka (płaska część między końcówką gumową a kółeczkiem) powinna być sztywna i tak duża, aby nie mogła się zmieścić do buzi dziecka. Powinna również mieć dziurki wentylacyjne. Nie pozwól, aby dziecko biegało ze smoczkiem w buzi. Nigdy też nie zawieszaj smoczka (ani niczego innego) na sznureczku lub tasiemce wokół szyi dziecka. Myj smoczek w zmywarce, jeśli ją masz, lub w bardzo gorącej wodzie z mydłem. Sprawdzaj często jego stan. Jeśli zauważysz ślady uszkodzenia lub zużycia, wymień smoczek na nowy lub spróbuj wykorzystać jego zniszczenie jako pretekst do zrezygnowania z niego na stałe („Przykro mi, kochanie, ale twój smoczek się rozpadł"). Czasem to działa. Jeśli nie, zawsze możesz kupić nowy.

Jeśli wszystkie twoje starania nie przyniosą rezultatu, nie rób nic na siłę. Bardziej drastyczne sposoby konieczne będą za rok lub dwa, kiedy zniekształcenie ust i zębów może stać się prawdziwym problemem. Jak każdy przedmiot dający dziecku uspokojenie, gryzaczek zaspokaja pewną potrzebę. Nie jest więc w porządku pozwolić dziecku uzależnić się od niego, a następnie zmuszać je, by z niego zrezygnowało w momencie, gdy być może najbardziej go potrzebuje.

CZYNNOŚCI SAMOUSPOKAJAJĄCE

Gdy nasz synek szykuje się do snu, wali głową w ścianę (dosłownie). Oboje z żoną bardzo się tym martwimy.

Mała główka waląca w ścianę. Mała rączka pełna wyrwanych z głowy włosów. Kto by się nie przejmował? Jednak te niepokojące i na pozór bezsensowne rytuały, które martwią patrzących na nie rodziców, tak naprawdę przynoszą dzieciom uspokojenie.

Te samouspokajające działania zdarzają się najczęściej silnym, energicznym dzieciom i z reguły wieczorami. Te małe meteory naładowane są energią i muszą dać upust nadmiarowi tej energii; czynią to, waląc głową w twarde powierzchnie, kołysząc się rytmicznie, wyrywając włosy itp.

Czynności przynoszące ukojenie, podobnie jak wszelkiego rodzaju przytulanki, są czymś normalnym w tym wieku i nie są powodem do zmartwień, jeśli dziecko jest szczęśliwe, zadowolone i dobrze nastawione do innych. Niemniej jednak działania takie mogą wzbudzać niepokój domowników lub nawet nie pozwalać im spać, gdy o drugiej w nocy łóżeczko wraz z dzieckiem jeździ po całym pokoju albo gdy nasz maluch wystukuje glinianym kubkiem afrykańskie rytmy na własnej głowie.

Nierozsądnie byłoby zmuszać dziecko, by zaniechało tych praktyk (podobnie jak w wypadku innych zachowań małego dziecka, zakaz najczęściej nie skutkuje, a często wręcz nasila niepożądane zachowanie). Proponujemy jednak podjąć następujące kroki:

Zredukuj napięcie. Próbuj rozładować każdy stres w życiu swojego dziecka — czy jest on wynikiem twojego powrotu do pracy, nowej formy opieki nad dzieckiem (żłobek, przedszkole, opiekunka), przeprowadzki do nowego domu, narodzin kolejnego dziecka, odstawienia od piersi lub butelki albo innej zakłócającej spokój i równowagę sytuacji[2]. Pamiętaj, że bardzo ważne jest, aby dawać dziecku dużo miłości, ciepła i poświęcać mu wiele uwagi. Wpływa to na nie uspokajająco i relaksująco.

Spraw, aby dziecko w inny sposób dawało upust swojej energii. Spróbuj podsuwać maluchowi inne sposoby na pozbycie się nadmiaru energii. Mogą to być zapasy, uderzanie młotkiem-zabawką, uderzanie w bębenek, rzucanie poduszką, piłką oraz zabawy na powietrzu. Dziecku, które lubi wyrywać włosy z głowy, daj maskotkę o długim futerku, aby mogło je targać i ciągnąć do woli. Może to ograniczyć potrzebę ciągnięcia za włosy samego siebie. Jeśli to nie poskutkuje, obcięcie włosów na bardzo krótko może pomóc.

Jak najwięcej huśtania. Dostarczaj dziecku wiele okazji do bujania i kołysania w formach ogólnie

[2] Rady, jak zredukować stres z powodu trudnych sytuacji życiowych, zawarte są w omówieniach poszczególnych tematów: powrót do pracy (str. 650); zmiana opiekunki (str. 45); pójście do żłobka (str. 140); przeprowadzka (str. 659); odzwyczajanie od piersi lub butelki (str. 48, 50); nowe rodzeństwo (str. 633). Przeczytaj również wskazówki na temat technik relaksacyjnych, str. 160.

akceptowanych przez otoczenie. Może to być bujanie się w małym dziecięcym fotelu na biegunach, huśtanie się na huśtawce, taniec, szybowanie niczym samolot oraz zabawy przy muzyce („Kółko graniaste", „Karuzela czeka").

Ustal stałą porę zasypiania. Działania samouspokajające zwykle nasilają się wieczorami; dzieci stosują je, aby się zrelaksować po aktywnym dniu. Regularne chodzenie spać (patrz str. 80) może pomóc maluchowi znaleźć spokojniejszą formę odprężenia się.

Nie kładź dziecka zbyt wcześnie spać. Poczekaj, aż stanie się naprawdę śpiące. Zmniejszy to jego potrzebę uderzania głową w ścianę przed udaniem się w krainę snu. Nie pozwól jednak, aby było zbyt zmęczone, gdyż wtedy skutek będzie odwrotny.

Chroń dziecko i otoczenie. Jeżeli nie możesz powstrzymać swojej pociechy od tych dość drastycznych praktyk, spróbuj zredukować ich potencjalne skutki, odsuwając łóżeczko od ściany, wyścielając czymś miękkim boki łóżeczka lub inne powierzchnie, o które malec uderza głową (bądź przygotowana na to, że miękkie powierzchnie mogą mu się nie spodobać i będzie szukać twardych), usuwając kółeczka z nóg łóżka i wsuwając dywanik pod spód, aby się nie przesuwało.

Większość dzieci zarzuca wykonywanie tych rytmicznych czynności samouspokajających przed końcem trzeciego roku życia bez interwencji rodziców. Jeżeli tak się nie stanie lub jeśli dziecko wyrządza sobie krzywdę albo wydaje ci się, że sprawianie sobie bólu jest dla niego przyjemnością, jeśli jest nieustannie niezadowolone, nie mówi i nie porozumiewa się z innymi, nie lubi być trzymane i dotykane, spędza większość czasu na kołysaniu się lub uderzeniu głową w ścianę, musisz porozmawiać o tym z lekarzem.

BRAK NAWYKÓW SAMOUSPOKAJAJĄCYCH

Nasz synek nie ma żadnych nawyków samouspokajających — nie ssie palca, nie tuli się do kocyka lub misia. W rezultacie trudno mu się uspokoić i wyciszyć. Rola ta spada więc na mnie. Czy to źle?

Nie, nie ma w tym nic złego. Jest to po prostu kwestia innego stylu. Niektóre dzieci czują się bezpiecznie, polegając na przedmiotach, inne, tak jak twój syn, znajdują uspokojenie w obecności kogoś bliskiego. Takie dzieci lubią bawić się misiami i przytulać do kocyka, lecz nigdy nie przywiązują się szczególnie do tych przedmiotów. Taki mają styl bycia — i jest to jak najbardziej prawidłowe.

Ma to swoje dobre strony — maluch nie ciągnie wszędzie za sobą spranego kocyka, nie histeryzuje, gdy zgubi się gdzieś ukochany miś, nie ssie smoczka lub kciuka, od których trzeba będzie go kiedyś odzwyczaić. Jeżeli jedynym źródłem uspokojenia dziecka jesteś ty, to istnieje możliwość, że sama poczujesz się jak wyrośnięty miś lub podniszczony kocyk i zaczniesz się buntować przeciwko odgrywaniu wciąż tej absorbującej roli. Jednak podobnie jak w przypadku innych przytulanek, ważne jest, aby nie zmuszać dziecka, by zrezygnowało z ciebie i ze spokoju, jaki mu zapewniasz, dopóki nie będzie do tego gotowe (patrz str. 330).

CZY PROWADZAĆ DZIECKO „NA SMYCZY"?

Nigdy nie pochwalałam używania przez innych rodziców „smyczy" w celu kontrolowania nadmiernie ruchliwego dziecka. Teraz waham się, czy sama jej nie używać, gdyż mój synek, gdy tylko postawię go na nogi, natychmiast ucieka. Boję się, że pewnego dnia nie uda mi się go dogonić i stanie się coś złego.

W niektórych częściach świata przywiązywanie dzieci jest na porządku dziennym ze względu na ich bezpieczeństwo. Rzeczywiście, w pewnych okolicznościach (w autobusie, w pociągu, na lotnisku, w metrze) założenie dziecku specjalnych szelek, do których przypina się pasek przypominający smycz, ma sens. Szczególnie jest to przydatne, gdy do opieki jest tylko jeden dorosły, a dzieci więcej niż jedno (lub wiele bagaży do pilnowania). Jednak dziecko „na smyczy", kontrolowane przez inną osobę, często nie jest w stanie nauczyć się samokontroli. Tak więc w większości sytuacji — w trakcie spacerów, zabaw koło domu, robienia zakupów — lepiej jest pilnować dziecka, stosując inne techniki (patrz str. 167).

CO WARTO WIEDZIEĆ
Utrzymywanie dyscypliny

Dyscyplina. Dla wielu to nieprzyjemne słowo, kojarzące się z ojcami stosującymi kary cielesne za pomocą pasa, nauczycielami bijącymi uczniów linijką, klapsami, groźbami i innymi upokarzającymi karami.

Jednak dyscyplina nie musi oznaczać żadnej z tych rzeczy; właściwie z definicji nie jest ona żadną z tych rzeczy. Słowo „dyscyplina" pochodzi od łacińskiego słowa oznaczającego „uczyć" i pierwotnie nie miało nic wspólnego z regułami, nakazami, karami lub zadawaniem bólu.

Dlaczego należy od dziecka wymagać dyscypliny? Przede wszystkim po to, aby wpoić mu pojęcia dobra i zła. Chociaż małe dzieci nie są jeszcze na to przygotowane, możesz im w tym pomóc. Po drugie, stosowanie dyscypliny uczy samokontroli. Efekty nie będą natychmiastowe, lecz z pewnością dadzą o sobie znać w przyszłości, jeśli tylko będziemy w nie wierzyć. Po trzecie, dyscyplina uczy szacunku dla praw i uczuć innych ludzi, co oznacza, że dziecko twoje wyrośnie na współczującego i przejmującego się losem innych człowieka. Po czwarte, wychowywanie dziecka w karności podnosi szansę, że wyrośnie ono na szczęśliwego człowieka; niezdyscyplinowane dziecko często cierpi, gdy wkroczy w prawdziwy świat. W końcu ostatni argument to ochrona dziecka, mieszkania i twojego zdrowia psychicznego teraz i przez wiele następnych psotnych lat, które cię czekają.

Wymagając dyscypliny od swojego dziecka, miej na uwadze, że:

* Każde dziecko jest inne, każda rodzina jest inna, każda sytuacja jest inna — dlatego istnieje wiele różnych podejść do dyscypliny. Są jednak uniwersalne zasady, które obowiązują każdego i zawsze.

* Nie możesz polegać na posłuszeństwie dziecka. Rodzice i opiekunowie biorą na siebie całkowitą odpowiedzialność za bezpieczeństwo dzieci, zanim dorosną one na tyle, by zrozumieć, co jest bezpieczne, a co nie, lub przynajmniej, które działania są dozwolone, a które zabronione.

* Grożenie, że dziecko utraci naszą miłość, jeśli będzie nieposłuszne, nie jest metodą utrzymania dziecka w karności. Zagraża to jego poczuciu własnej wartości i stanowi potencjalną przyczynę różnych problemów w przyszłości. Ważne jest, aby dziecko wiedziało, że nawet jeśli jego zachowania nie akceptuje się, to i tak będzie przez nas kochane. („Nie podoba mi się to, co robisz" zamiast: „Nie lubię cię za to").

* Najbardziej skuteczna dyscyplina nie jest ani bezkompromisowo surowa, ani łagodna. Jeśli polega wyłącznie na rodzicielskim musztrowaniu, a nie na zachęcaniu do rozwijania samokontroli, dziecko, które jest jej poddawane, wyrasta na całkowicie posłuszne i uległe rodzicom, lecz często nie potrafi się kontrolować w momencie, gdy wydostanie się spod ich nadzoru lub nadzoru innych dorosłych. Nadmiernie ulegający rodzice też nie doczekają się dobrze zachowujących się dzieci. Najczęściej bywają one samolubne, niegrzeczne, nieuprzejme, skore do kłótni i niechętne do skruchy. Obydwie skrajności mogą doprowadzić dziecko do przekonania, że nie jest kochane. Surowi rodzice mogą wydawać się okrutni i przez to nie kochający; pobłażliwi rodzice mogą wydawać się apatyczni i przez to nie dbający i nie przejmujący się dzieckiem. Najbardziej kształcąca i korzystna odmiana dyscypliny leży gdzieś pośrodku — sprawiedliwie ustanawia granice i narzuca je stanowczo, lecz przyjaźnie. Nie oznacza to, że nie istnieją normalne i akceptowalne sposoby utrzymywania dyscypliny. Niektórzy rodzice są z natury bardziej liberalni, a inni bardziej surowi. Po prostu bądź sobą.

* Efektywną dyscyplinę należy wprowadzać indywidualnie. Jeśli masz więcej niż jedno dziecko, z pewnością zauważysz między nimi różnice osobowości już od urodzenia. Być może odczujesz, że te różnice wpływają na sposób, w jaki stosujesz dyscyplinę wobec każdego z nich z osobna. Jedno na przykład odzwyczai się od dotykania gniazdka elektrycznego po jednym łagodnym upomnieniu. Inne nie potraktuje poważnie tego ostrzeżenia, dopóki nie przybierzesz ostrego tonu. Trzecie trzeba na siłę odciągać od źródła niebezpieczeństwa. Jedno ostre słowo może doprowadzić do łez jedno dziecko, inne zareaguje obojętnością lub wręcz śmieje się prosto w twarz, gdy krzyczysz na nie. Dla niektórych dzieci milczenie dorosłego lub jego ostre spojrzenie bywa najskuteczniejsze. Okoliczności zmie-

niają reakcję dziecka na próby narzucania dyscypliny. Malec, który zwykle wymaga ostrego strofowania, może szybko ulec, gdy jest zmęczony lub przechodzi ząbkowanie. Dostosuj więc swój styl do sytuacji oraz do dziecka.

* Dzieci potrzebują ograniczeń. Często nie potrafią kontrolować swoich impulsów i zaczynają się bać, kiedy tracą kontrolę. Dzięki granicom ustalonym przez rodziców, narzuconym w przyjazny sposób, dzieci wiedzą, czego się spodziewać. Granice te trzymają je w ryzach, które zapewniają im bezpieczeństwo i równowagę w trakcie wzrastania i poznawania świata. Przekraczanie tych granic, ponieważ twoje dziecko to jeszcze dzidziuś, jest nie w porządku wobec dziecka lub wobec osoby, której prawa zostaną naruszone poczynaniami dziecka. Młody wiek nie daje prawa, by ciągnąć za włosy rodzeństwo lub drzeć czasopismo mamy. To, jakie ograniczenia ustanowisz, zależy od twoich priorytetów. W niektórych domach zakaz trzymania nóg w butach na kanapie i zakaz jedzenia w salonie to kwestie oczywiste. W innych najistotniejsze jest, by dziecko trzymało się z daleka od szuflad w biurku. W większości rodzin podstawowym oczekiwaniem jest powszechna uprzejmość i najprostsze przejawy kultury — używanie słów „proszę" i „dziękuję", dzielenie się z innymi, szanowanie uczuć innych. Ustal reguły, co do których jesteś w pełni przekonana, że potrafisz je narzucić. Pamiętaj jednak, by nie było ich zbyt dużo. Nauczenie się akceptowania zakazów i nakazów jest konieczne, by przeżyć w społeczeństwie, w którym stykamy się z nimi na co dzień — w szkole, w pracy i w zabawie. Przyzwyczajenie do ograniczeń już od okresu niemowlęcego może pomóc złagodzić wejście dziecka w ten okropny drugi rok życia. Jest również pomocne w nauce samokontroli. Oczywiście ustanowienie pewnych ograniczeń w stosunku do dziecka to jedno, a egzekwowanie ich to drugie. Nieraz masz ochotę poddać się, gdy po twoim stanowczym „Nie!" na twarzy twojego szkraba maluje się ten rozbrajający uśmieszek, lub zrezygnować i zająć się czymś innym, gdy za piątym razem równie zdecydowanie ci odmówi. Ważne jest jednak, abyś trzymała się swoich zakazów — dla dobra dziecka, jak również dla dobra stołu, który ma być za chwilę pobazgrany kredkami, lub wazonu, który ma przelecieć przez pokój. Teraz może ci się wydawać mało istotne przynoszenie ciastek do salonu (przecież możesz odkurzyć dywan, gdy ciastka się rozkruszą), jednak ma to od początku duże znaczenie. Jeśli malec od początku nie nauczy się przestrzegać przynajmniej kilku reguł, będzie mu później o wiele trudniej, gdy życie narzuci mu ich znacznie więcej. Możesz się spodziewać, że na początku twoje zakazy napotkają opór ze strony dziecka, lecz okres ten przeminie, i zobaczysz, że twój brzdąc zacznie przyjmować i respektować te ograniczenia.

* Maluch, który często „podpada", nie jest zły. Ponieważ małe dzieci nie odróżniają dobra od zła, nie można traktować ich uczynków jako złośliwości czy niegodziwości. Poznają one świat poprzez eksperymentowanie, obserwowanie przyczyn i skutków i sprawdzanie swego otoczenia — w tym także rodziców. (Co się stanie, gdy odwrócę szklankę z sokiem? Czy to samo się zdarzy, gdy jeszcze raz ją odwrócę? Co jest w tej szufladzie kuchennej i co się stanie, gdy wszystko z niej wyrzucę? Jaka będzie reakcja mamusi?) Regularne powtarzanie dziecku, że jest złe lub niegrzeczne, może wpłynąć negatywnie na rozwój pewności siebie, która jest niezbędna do uzyskiwania osiągnięć. Dziecko, które słyszy: „Jesteś ciągle taki niegrzeczny!", w przyszłości może stać się takie („Jeśli mówią, że jestem niegrzeczny, to muszę być niegrzeczny"). Krytykuj działania malca, ale nie jego samego („Bicie jest złe", nie: „Ty jesteś zły"). Czasami nieposłuszeństwo jest przypadkowe. Dziecko może wydawać się niegrzeczne, gdy tymczasem ma jedynie rozproszoną uwagę. Zajęte czymś i niezdolne do skupienia się równocześnie na więcej niż jednym zajęciu, może nie zareagować na to, co mówisz. Czasami dziecko opiera się władzy rodzicielskiej, ponieważ nie potrafi jeszcze przewidywać rezultatów danej sytuacji. Zamiast robić to, co mu się każe, chce spróbować każdej możliwości, po to aby zobaczyć, co się stanie. Może to być postrzegane jako zamierzone nieposłuszeństwo, ale nim nie jest. By zakończyć temat: kontrola impulsów małego dziecka jest jeszcze słaba; chociaż potrafi ono już zrozumieć, że zanurzanie ręcznika kąpielowego w muszli klozetowej jest czymś złym, nie nauczyło się jeszcze, jak poskromić przemożną chęć zrobienia tego.

* Ważna jest konsekwencja. Jeśli dzisiaj zabraniasz wchodzenia w butach na kanapę, a jutro pozwolisz lub jeśli mycie rąk przed obiadem było obowiązkiem wczoraj, a dzisiaj zostało przeoczone, to wynika z tego taki morał, że świat jest zagmatwany, a reguły bez znaczenia. Jeśli nie uda ci się być konsekwentną, utracisz wiarygodność. Jeśli zrobisz już wyjątek, wytłumacz dlaczego.

* Podążanie w ślad za dzieckiem jest istotne. Oderwanie oczu od książki, by rzucić zdawkowe: „Nie wolno" do dziecka ciągnącego za sobą przewód od telewizora nie jest skuteczne. Jeżeli twoje czyny nie są przynajmniej tak wyraźne jak twoje słowa, ostrzeżenia stracą sens. Jeżeli pierwsze „nie" jest nieskuteczne, natychmiast podejmij działania, zwłaszcza w tak niebezpiecznej sytuacji, jak przedstawiona powyżej. Odłóż książkę, złap dziecko, dodając stanowczo: „Nie dotykaj przewodów od telewizora, to niebezpieczne", i zabierz je daleko od pokusy — najlepiej do drugiego pokoju. Następnie odwróć uwagę malca od telewizora i skieruj ją na jego ulubioną zabawkę. Dla większości małych dzieci co z oczu, „to z serca", chociaż niektóre mogą spróbować powrócić do przerwanej czynności. W takim wypadku będziesz musiała powtórzyć upomnienie tyle razy, aż poskutkuje, lub, jeśli to możliwe, zrobić tak, aby zakazany owoc stał się zupełnie niedostępny. Odwrócenie uwagi pozwala też dziecku zachować twarz, kiedy „nie" jest traktowane przez nie jako wyzwanie.

* Małe dzieci mają ograniczoną pamięć. Nie oczekuj od nich, że już po pierwszym razie pojmą całą lekcję. Możesz liczyć się z tym przez długi czas. Bądź cierpliwa i przygotowana na częste powtarzanie tych samych zakazów — „Nie dotykaj wideo" lub: „Nie jedz psiego jedzenia" — codziennie przez całe tygodnie lub nawet miesiące, aż na stałe zapadnie w umyśle dziecka, że nie należy tego robić lub aż fascynacja nimi minie. Poza tym nie zakładaj niczego z góry w kwestii bezpieczeństwa. Nie polegaj na dziecku, choć wydaje ci się, że już się nauczyło unikać niebezpieczeństwa (wybiegania na ulicę, dotykania gorącej kuchenki, zabaw z przewodami elektrycznymi). Pilnuj go uważnie i bezwzględnie stosuj się do zaleceń zamieszczonych w rozdziale 21, bez względu na to, jak bardzo posłuszne i rozsądne wydaje ci się twoje dziecko.

* Dzieci lubią zabawę w „nie". Większość delektuje się rodzicielskim zakazem tak samo jak wspinaniem się na schody lub wciskaniem upartego klocka przez otwór w plastykowej kuli. Tak więc, mimo iż dziecko może cię nieraz prowokować, nie pozwól, aby „Nie!" przerodziło się w sport lub atak śmiechu. Jeśli ty nie potraktujesz poważnie swoich zakazów, to dziecko również tego nie zrobi (patrz str. 64). Chociaż pewna liczba zakazów jest konieczna, to jednak zbyt duża szybko doprowadzi do obniżenia ich skuteczności i może być demoralizująca. Podobnie jak ty nie chciałabyś żyć w świecie, gdzie wszystko, co robisz (lub próbujesz robić), jest blokowane przez surowe „nie" nieustępliwego dyktatora, tak i twoje dziecko nie powinno żyć w takim świecie. Ogranicz zakazy do sytuacji zagrażających twojemu dziecku, innej osobie lub twemu domowi. Pamiętaj, że nie każda sprawa sporna warta jest konfrontacji. Jeśli stworzysz warunki bezpieczne dla małego dziecka, tym samym będziesz miała mniej okazji do stosowania zakazów (patrz str. 529), a stworzysz maluchowi więcej możliwości bezpiecznego odkrywania i poznawania świata. Do każdego „nie" zaproponuj zawsze „tak" jako drugie rozwiązanie: „Nie możesz obrywać listków z tej rośliny, ale możesz wyrywać chwasty; pokażę ci, które" lub: „Nie możesz bawić się nową książką taty, ale możesz pooglądać swoją tekturową książeczkę z ładnymi obrazkami". Próbuj kierować uwagę na pozytywną stronę działań. Dziecku, które opróżniło właśnie twoją szufladę w biurku, tak że zawartość znalazła się na podłodze, powiedz: „To są rzeczy mamusi. Muszą być w szufladzie, a nie na podłodze. Zobaczymy, czy potrafisz wszystko schować do szuflady i zamknąć ją". Nie należy natomiast chaotycznie wpychać wszystkiego samemu, gniotąc i zginając papiery, wygarniając dziecku przy tym: „Patrz, jakiego bałaganu narobiłeś". Pochwal malca, gdy zgodzi się zrobić porządek, dodając stanowczo: „Papiery mamusi muszą zawsze leżeć w tej szufladzie". Dziecko zrozumie, że opróżnianie szuflady nie jest właściwe, ale że ono samo nie jest wcale takie złe.

* Rodzice nie zawsze muszą zwyciężać. Od czasu do czasu, gdy stawka nie jest wysoka lub gdy zdasz sobie sprawę, że popełniłaś błąd, nie bądź zbytnio zmieszana i pozwól dziecku odczuć, że tym razem wygrało. Takie sporadyczne zwycięstwa wynagrodzą mu liczne porażki, które znosi każdego dnia.

* Należy pozwalać dzieciom na popełnianie pewnych błędów po to, by mogły się na nich czegoś nauczyć. Jeżeli uniemożliwisz dziecku popadanie w kłopoty (chowając na przykład wszystkie cenne i delikatne bibeloty), nie będziesz musiała tak często mówić „nie", lecz również stracisz cenną sposobność uczenia dziecka. Bądź elastyczna, zostaw trochę miejsca w jego życiu na błędy, z których się czegoś nauczy, oczywiście, jeśli w grę nie wchodzi jego bezpieczeństwo. Na przykład, jeśli w upalny dzień twoje dziecko chce ubrać zimowe, ocieplane kozaczki, lepiej zrobisz, pozwalając mu popełnić to *faux pas* w zakresie mody,

które da mu nauczkę, niż nalegając na założenie sandałów, co może wywołać awanturę. Gdy wychodzicie z domu, na wszelki wypadek zapakuj parę sandałów lub tenisówek, gdyby zdrowy rozsądek i mokre od potu stopy wzięły górę nad uporem twojego malca.

* Pochwały i nagrody to skuteczne sposoby zachęcania do poprawnego zachowania. Często stosuj pozytywne wzmocnienie — chwaląc i nagradzając dobre zachowanie dziecka. Da mu to poczucie pewności siebie.

* Poprawianie jest o wiele bardziej skuteczne, jeśli jesteś blisko dziecka. Tak więc zamiast wołać z drugiego końca pokoju: „Przestań pukać", podejdź do malca, popatrz mu prosto w oczy i powiedz, co masz do powiedzenia. Język gestów, ton głosu i wyraz twarzy powinny dać dziecku do zrozumienia, że poważnie podchodzisz do egzekwowania posłuszeństwa.

* Emocjonalny szantaż jest niedozwolony. Wywołanie poczucia winy („Gdybyś mnie kochał, nie zachowywałbyś się w ten sposób") jest ciosem poniżej pasa. Nie powinno się prosić dziecka o dobre zachowanie tylko dlatego, by rodzice byli zadowoleni.

* Nie kontrolowany gniew jest nieskuteczny. Zaciemnia twoje myślenie, uczy słabości, może upokorzyć i przestraszyć małe dziecko, a jeśli powtarza się często, może zniszczyć w nim poczucie własnej godności. Okazywany starszym dzieciom i dorosłym prędzej wzbudzi w nich złość niż wyrzuty sumienia. Gdy twoje dziecko zrobiło coś, co cię rozgniewało, odczekaj chwilę, by się uspokoić, zanim zareagujesz (patrz str. 636). Jak tylko opanujesz emocje, wytłumacz dziecku, że to, co zrobiło, jest czymś złym i dlaczego („Nie rzuciłeś piłką, tylko talerzem mamusi. Zbiłeś go i teraz jest mi smutno"). Ważne jest, by to zrobić, nawet jeśli wytłumaczenie wydaje się nie docierać do dziecka lub jeśli swoją uwagę skupi ono już na czymś innym. Kiedy poniesie cię złość, spróbuj sobie przypomnieć (nie zawsze będzie to łatwe), że twoim celem jest nauczenie dziecka poprawnego zachowania i że wykrzykiwanie jest przykładem złej reakcji. Nie martw się jednak, gdy czasem nie uda ci się opanować. Wolno ci mieć słabości i niech dziecko o tym wie. Nic złego się nie stanie, jeśli te wybuchy będą zdarzały się rzadko, będą krótkotrwałe i będą formą ataku na postępowanie dziecka, a nie na samo dziecko. Jeśli stracisz nad sobą panowanie, przeproś dziecko: „Przepraszam, że cię skrzyczałam, ale bardzo się zdenerwowałam". Dodanie: „Kocham cię" uświadomi maluchowi, że czasami złościmy się na ludzi, których kochamy. Nie bądź jednak zbyt pełna skruchy, aby nie wyglądało na to, że przykro ci i żałujesz, że w ogóle zwróciłaś mu uwagę. (Jeśli wydaje ci się, że zbyt często tracisz panowanie nad sobą i wpadasz w gniew, przeczytaj uwagi na str. 638.)

* Używanie niewłaściwego języka przez rodziców nie prowadzi do niczego innego, jak tylko do uczenia używania go przez dziecko. Wielu rodziców na co dzień wtrąca różne nieprzyzwoite słowa, a potem są zaszokowani, gdy słyszą te same słowa w ustach swoich maluchów.

* Przypadkowe przewinienia wymagają innego potraktowania niż zamierzone. Pamiętaj, każdy ma prawo popełnić błąd, a ponieważ dzieci są jeszcze emocjonalnie, fizycznie i intelektualnie niedojrzałe, mają prawo popełniać ich znacznie więcej niż dorośli. Gdy twój brzdąc, sięgając po kromkę chleba, przewróci szklankę z mlekiem, odpowiedni będzie komentarz: „Ojej, mleko się wylało. Kochanie, spróbuj trochę bardziej uważać". Jeśli jednak celowo przechylił kubek i wylał jego zawartość, lepiej będzie powiedzieć: „Mleko jest do picia, a nie do wylewania. Kiedy wylejesz, robi się brudno i mleko się marnuje — widzisz, nie masz już nic w kubku". W każdym przypadku pomocne może być nalewanie niewielkiej ilości płynów, wkładanie dziecku do rąk ścierki, aby pomogło posprzątać, i stwarzanie mu licznych okazji do wykonywania eksperymentów z nalewaniem i wylewaniem płynów w wannie lub w innych, odpowiednich do tego rodzaju zabaw miejscach.

* Rodzice muszą sami być dorośli. Jeśli oczekujesz od swojego dziecka, aby zachowywało się odpowiedzialnie, ty musisz robić to samo. Na przykład obiecałaś mu pójście na plac zabaw, a potem zdecydowałaś, że musisz zrobić pranie albo zaprosić przyjaciółkę na obiecaną kawę. Dorosły, odpowiedzialny człowiek dotrzyma obietnicy, a pranie zrobi później, albo porozmawia z przyjaciółką przez telefon, gotując obiad. Jeśli wymagasz od dziecka, aby przyznawało się do winy, sama też musisz to robić. Jeśli doprowadziłaś dziecko do płaczu z powodu wylanego mleka, a później dowiedziałaś się, że to babcia je rozlała, przeproś malca. Jeśli często zdarza ci się na przykład wymagać, aby coś zostało zrobione dokładnie tak, jak ty tego chcesz, chociaż nic by się nie

Brak pokonanych

Najlepsze rozwiązanie konfliktów między rodzicami a dziećmi pozwala każdej stronie wyjść z nich zwycięsko. Na przykład, jeśli dziecko sprawdza cię, dotykając misternie ułożonej kompozycji kwiatowej, a potem rzuca w twoim kierunku wyzywające spojrzenie, po czym wycofuje się, nie zwracaj na to uwagi. Dotknęło czegoś, co było zabronione (tego właśnie chciało), ale nie posunęło się za daleko i nie wyrządziło żadnej szkody (i to jest dla ciebie najważniejsze). Oboje zachowaliście twarz i oboje wyszliście zwycięsko z potencjalnego konfliktu. Możesz stwarzać podobne sytuacje, w których nie będzie pokonanych, kierując uwagę dziecka na coś innego (ono zbliża się do magnetowidu, ty idziesz po kredki i papier); stosując humor (patrz str. 124), psychologię odwrotności (patrz str. 274) i inne twórcze podejścia (takie jak nastawianie zegara, który zadzwoni, gdy będzie pięć minut do rozpoczęcia obiadu, kiedy to trzeba odłożyć klocki i przyjść do stołu). Każdy może też stać się zwycięzcą, jeśli nieco ponegocjujesz: „Teraz się wykąp, a później poczytam ci twoją ulubioną książeczkę". Negocjuj, ale nie przekupuj. Jeśli malec uparcie odmawia wejścia do wanny, nie obiecuj mu czytania w zamian za uległość. Nie powinnaś też grozić mu: „Jeśli natychmiast nie wejdziesz do wanny, nic ci potem nie przeczytam". Później, gdy dziecko będzie na tyle duże, by to zrozumieć, możesz mu wytłumaczyć, że czyny pociągają za sobą konsekwencje: „Jeśli stracisz teraz dużo czasu i wykąpiesz się późno, nie będzie już ani chwili, aby poczytać bajkę".

stało, gdyby dziecko zrobiło po swojemu, zastanów się i przeanalizuj własne zachowanie.

* Rodzice powinni wiedzieć, czego chcą. Jeśli ciągle gderasz: „Nie wiem, co mam z tobą zrobić...", nie tylko podważasz swój autorytet, ale możesz też wzbudzić w dziecku niepokój, że tracisz nad nim kontrolę.

* Dzieci należy obdarzać szacunkiem. Zamiast traktować je jak przedmioty lub „tylko dzieci", traktujcie je z takim samym szacunkiem jak każdą inną osobę. Bądź uprzejma, mów „proszę", „dziękuję" i „przepraszam". Tłumacz również w prosty sposób (nawet jeśli wydaje ci się, że dziecko tego nie rozumie), gdy chcesz mu czegoś zabronić. Bądź wyrozumiała i współczująca wobec pragnień i uczuć malca (nawet jeśli nie możesz pozwolić mu na coś) oraz unikaj zawstydzania go, krzycząc na niego w obecności obcych ludzi lub rówieśników[3]. Najważniejsze jednak jest to, aby słuchać tego, co dziecko do ciebie mówi. W stadium początkowym, kiedy mamrotanie, wskazywanie palcem i używanie pojedynczych sylab jest głównym sposobem porozumiewania się, słuchanie jest najistotniejsze. Trwa to do momentu, aż mowa stanie się wyraźna, a język rozbudowany (około trzeciego, czwartego roku życia). Pamiętaj również, że dziecko denerwuje się, gdy nie jest rozumiane.

* Powinien istnieć prawidłowy podział praw między rodzicami a dziećmi. Łatwo popaść w skrajności w tej kwestii, zwłaszcza gdy dziecko jest małe. Niektórzy rodzice zrzekają się wszystkich swoich praw na rzecz dziecka — całe życie układają wokół spraw dziecka, nigdy nie wychodzą z domu, aby się rozerwać, zapominają o wartościach, jakie wnoszą w ich życie przyjaciele i znajomi, oraz zaniedbują swoje osobiste sprawy. Inni żyją tak, jakby nadal byli bezdzietni, nie zważając na potrzeby dziecka — ciągną zmęczonego, sennego malucha na przyjęcie dla dorosłych, opuszczają jego kąpiele, bo w telewizji jest ważny mecz, nie zjawiają się na wizytę do pediatry, bo zatrzymało ich coś w pracy. Koniecznie dąż do zachowania równowagi.

* „Nikt nie jest doskonały" i od nikogo nie należy tego oczekiwać. Unikaj stawiania wymagań, których spełnienie jest nieosiągalne dla twojego malca. Dzieci potrzebują tych lat dzieciństwa, aby rozwinąć się do poziomu, w którym będą się zachowywać jak dorośli. Muszą też wiedzieć, że wy ani teraz, ani nigdy nie będziecie od nich oczekiwać, by byli doskonali.

* Rodzice też nie są doskonali. Dorośli, którzy mają na wszystko odpowiedź, nigdy nie tracą panowania nad sobą, nigdy nie krzyczą i nigdy nie odczuwają najmniejszej ochoty, by potrząsnąć niegrzecznym dzieckiem, nie ist-

[3] Czasami należy publicznie przywołać dziecko do porządku. Nie ma nic złego w powiedzeniu: „Nie wolno rzucać" lub: „Nie wolno bić", lecz ostre upominanie powinno odbywać się dyskretnie, po odciągnięciu dziecka na bok. Wtedy należy mówić cicho, lecz wyraźnie, patrząc mu prosto w twarz.

Dyscyplina na wesoło

Humor może czynić cuda w naszym życiu — gdy jesteśmy w kiepskim nastroju, poprawia go nam; skutecznie pomaga wprowadzić dyscyplinę. Używając humoru, unikamy awantur i nieprzyjemnych przeżyć oraz umożliwiamy dziecku wyjście z twarzą w wypadku jego przegranej. Używamy go w sytuacjach, które w przeciwnym razie doprowadziłyby nas do irytacji — na przykład gdy maluch nie chce wsiąść do wózka. Zamiast wdawać się w bezsensowną walkę wśród szarpaniny i wrzasków protestu, rozwiąż konflikt pokojowo, wymyślając jakiś wesoły figiel. Na przykład zaproponuj, że wsadzisz do wózka psa, albo udawaj, że sama chcesz w nim usiąść. Bezsensowność tego, co proponujesz, prawdopodobnie tak rozbawi twoje dziecko, i to na tak długo, że zdążysz umieścić malca w wózku.

Humor można wykorzystać w wielu sytuacjach, w których chcemy wyegzekwować coś od dziecka. Wydawaj polecenia, udając, że jesteś psem, lwem, Myszką Miki lub innym ulubieńcem twojego dziecka; w trakcie nie lubianych przez twego szkraba czynności śpiewaj śmieszne piosenki („Mydło wszystko umyje, nawet uszy i szyję..."); dodawaj rozweselający komentarz („Nadchodzi potwór czyścioszek", gdy namydlona gąbka zbliża się, by przejechać po umazanych brudem policzkach); przenieś dziecko na znienawidzony blat do przewijania głową w dół; rób śmieszne miny do lustra, by rozweselić brzdąca, gdy płacze, zamiast go besztać słowami: „Przestań wreszcie ryczeć, nie mogę już tego znieść!"

Nie zawsze poważne traktowanie siebie nawzajem doda nieco blasku waszym wspólnym dniom, zwłaszcza w tym często burzowym, drugim roku życia. Więcej sposobów na przekształcenie współpracy z dzieckiem w radość i zabawę znajdziesz na str. 148.

nieją; rozładowanie złości jest lepszym i zdrowszym wyjściem niż duszenie w sobie frustracji i nerwów. Taka tłumiona złość zwykle wybucha w niewłaściwej formie, z intensywnością nieproporcjonalną do wykroczenia.

* Dzieci muszą czuć, że mają pewną kontrolę nad swoim życiem. Dla utrzymania dobrego zdrowia psychicznego, każdy — nawet małe dziecko — musi czuć, że w pewnych sprawach decyduje wyłącznie ono. Nie zawsze będzie możliwe, aby dziecko zrobiło coś po swojemu, ale kiedy jest to możliwe, pozwól mu na to. Stwarzaj możliwości wyboru — krakers czy kawałek chleba, huśtawka czy zjeżdżalnia, koszulka ze słoniem czy z pajacem.

* Dzieci są nowicjuszami w przestrzeganiu reguł. Ty wiesz, co masz na myśli, kiedy mówisz swojemu dziecku, aby posprzątało klocki, ale nie zakładaj, że ono wie, co ty masz na myśli. Najbardziej podstawowe zadania muszą być dokładnie wyjaśnione, a nawet demonstrowane, aby dziecko je zrozumiało. Zacznij od pokazania mu, jak wkładać klocki do koszyka i jak odłożyć kosz na półkę z zabawkami. Następnym razem zachęć dziecko, by pomogło ci posprzątać klocki. Kiedy wydaje ci się, że poradzi sobie już z tym zadaniem, przestań mu pomagać (nie rezygnuj jednak z nadzorowania przebiegu sprzątania). W końcu nadejdzie moment, kiedy będziesz mogła powiedzieć: „Posprzątaj, proszę, klocki" i spotkasz się z właściwą reakcją — przynajmniej od czasu do czasu. Pamiętaj, aby wskazówki, których udzielasz, były zawsze proste i jasne. Nie: „Schowaj to", ale: „Powkładaj klocki do koszyka". Unikaj długiej listy poleceń w rodzaju: „Odłóż te książki, potem posprzątaj z podłogi zabawki i ubranka. Następnie umyj ręce i przyjdź coś zjeść". Zanim dojdziesz do końca tej litanii, dziecko zapomni już jej początek. Zamiast tego wydawaj każde polecenie po kolei. Gdy dziecko upora się z jednym zadaniem, zadaj mu kolejne. Nigdy nie rozliczaj malca za nie wykonane zadanie, dopóki nie upewnisz się, że dokładnie wiedział, jak je wykonać.

* Nie każde zadanie jest na miarę możliwości dziecka. Wiele z nich przerasta jego możliwości fizyczne i intelektualne. Jeśli wymagasz, aby twój malec powiesił na wieszaku swoją kurtkę po przyjściu z dworu, upewnij się, że haczyk wieszaka nie jest dla niego za wysoko umocowany. Jeśli wymagasz, aby brudne ubranie powędrowało do specjalnego kosza, upewnij się, że nie jest on zbyt wysoki, pokrywa daje się łatwo podnieść i nie spadnie, przycinając malutkie paluszki.

* Cierpliwość w kontaktach z dzieckiem jest nieodzowna. Jest naturalną cechą małych dzieci, że nie potrafią się skupić dłużej na jednej czynności i bardzo łatwo się rozpraszają czymś, co usłyszą lub zobaczą. Potrzebują więc częstego, ale delikatnego przypominania, aby powrócić i dokończyć rozpoczętą czynność.

NAUKA DOBREGO ZACHOWANIA

Nie ma jednej właściwej metody na nauczenie dziecka posłuszeństwa, ale jest kilka sposobów, które się sprawdzają. Zamieszczamy je poniżej, a to, które z nich wybierzesz i kiedy je zastosujesz, będzie zależało od osobowości twojej i twojego dziecka oraz od okoliczności.

Zauważaj, że dziecko jest grzeczne. Wiele dzieci wcześnie się przekonuje, że bycie grzecznym nie przyciąga uwagi rodziców w takim stopniu jak bycie niegrzecznym (Mama już pół godziny pochylona jest nad rachunkami, które próbuje podliczyć, i ani razu nie spojrzała na mnie. Pora podrzeć kilka listów, które właśnie przyszły. Tatuś po przyjściu do domu zaraz włączył telewizor i ledwie powiedział: „Dzień dobry". Zauważy mnie, gdy wysypię na dywan zawartość psiej miski.) Chociaż proces myślenia dziecka może nie być tak wyraźny, to jednak rezultaty są. Tak więc, gdy następnym razem twój maluch zrobi coś karygodnego, aby skierować na siebie uwagę, postaraj się uniknąć ostrej reakcji (o to właśnie mu chodzi). Gdy jednak widzisz, że maluch przewraca ostrożnie kartki twojej książki lub zachowuje się cicho i układa puzzle, gdy ty zmywasz naczynia, albo podaje ci przedmiot, który upuściłaś, nie żałuj słów pochwały. Rób dużo zamieszania (w pozytywnym sensie) wokół dobrego zachowania dziecka. Poświęcaj mu dużo uwagi (nawet, gdy jesteś bardzo zajęta, przerwij na chwilę i przytul dziecko albo skomentuj jego nowe osiągnięcie, jakim jest zbudowanie bardzo wysokiej wieży z klocków). Malec nie będzie wówczas odczuwał potrzeby ściągania na siebie twojej uwagi poprzez zamierzone złe zachowanie.

Kara powinna być proporcjonalna do przewinienia. Niemożliwe, aby małe dziecko zrozumiało, że zabrania mu się oglądania telewizji z powodu wykonania dzieła sztuki kredkami na ścianie salonu. Szybciej pojmie, o co chodzi, gdy natychmiast zabierzesz mu kredki i oddasz dopiero po obiedzie (nie zapomnij wtedy dołączyć bloku rysunkowego). Jeśli specjalnie wyleje szklankę soku, każ mu zabrać się razem z tobą do sprzątania. Jeżeli porozrzuca klocki po całym pokoju, odbierz mu je na resztę dnia. Jeśli uderzy inne dziecko w piaskownicy, musi odsiedzieć karę poza piaskownicą.

Pozwól dziecku przecierpieć naturalne konsekwencje przewinienia. Jedną z ważniejszych lekcji życia (taką, której niektórzy rodzice nigdy nie uczą) jest ta, że z każdego działania wynikają jakieś konsekwencje. Dasz psu ciastko, nie będzie już ciastka dla ciebie. Wydrzesz kilka kartek z ulubionej bajki, tatuś już ci jej więcej nie przeczyta. Wrzucisz misia do kałuży, nie będziesz mógł się nim bawić, dopóki nie zostanie uprany i wysuszony. Nie próbuj ciągle chronić dziecka przed konsekwencjami jego czynów, jeśli nie były przypadkowe, i nie zapewniaj odszkodowań (następne ciastko, nowy egzemplarz książki, lody, aby powstrzymać płacz). Czas cierpień dziecka w takich sytuacjach jest przeważnie krótki, a nauczka skuteczna.

Spróbuj postawić je do kąta. Nie wszyscy specjaliści uważają stawianie do kąta za mądrą metodę przywoływania dziecka do porządku, ale niektórzy rodzice twierdzą, że jest to nadzwyczaj skuteczny sposób. Poziom skuteczności zależy od zaangażowania rodziców i temperamentu dziecka. Sens tej kary polega na stworzeniu nieposłusznemu malcowi warunków do ochłonięcia; starszym dzieciom czas spędzany w kącie daje możliwość samoanalizy. Często ten moment spokoju może pomóc rozładować rosnące napięcie, zanim osiągnie ono krytyczny stan. Niektórym dzieciom wystarcza od trzydziestu sekund do jednej minuty (czas płynie wolno w tym wieku); inne potrzebują od pięciu do dziesięciu minut. Do odmierzania czasu, który dziecko ma spędzić w kącie lub siedząc na krześle, możesz wykorzystać klepsydrę („Gdy piasek się przesypie, możesz wstać z krzesła"). Starszemu dziecku możemy pozwolić wrócić do swoich zajęć, gdy samo zdecyduje, że jest gotowe zachowywać się poprawnie. Jeśli malec odmówi siedzenia na krześle lub stania w kącie (umiejętność siedzenia prawie nieruchomo jest słabą stroną małych dzieci), stanowczo zawróć go do krzesła lub kąta, a gdy będzie taka potrzeba, połóż rękę na jego ramieniu, by nie mógł wstać. Jeśli po upłynięciu kary dziecko natychmiast powtórzy zabronioną czynność, postaw je ponownie do kąta lub posadź na kilka minut na krześle.

Istnieje kilka ważnych zasad, których należy przestrzegać, stosując wobec dziecka karę stawiania do kąta lub sadzania na krześle. Kara ta powinna być stosowana tylko w przypadku zachowań, przed którymi wielokrotnie ostrzegałaś dziecko, że są nie do zaakceptowania, a nie po pierwszym wykroczeniu. Odsiadywanie tego rodzaju kary powinno odbywać się w bezpiecznym miejscu, widocznym dla rodziców lub opiekuna (nie w odosobnieniu, w szafie lub ciemnym pokoju), lecz z daleka od zabawek. Zupełnie małe dziecko może zostać włożone do kojca, zostawionego wyłącznie do tego celu (w tym

Bić albo nie bić

Lanie jako kara za złe zachowanie w wielu rodzinach stosowane jest z pokolenia na pokolenie. Jednakże większość ekspertów jest zgodna, że nie jest to skuteczny środek. Dzieci, które dostają lanie, powstrzymują się wprawdzie od popełniania tych samych przewinień, lecz powstrzymuje je przed tym jedynie strach. Zamiast uczyć się rozróżniać dobro od zła, uczą się jedynie odróżniać to, za co są bite, od tego, za co nie dostają lania. Rzadko więc uczą się samodyscypliny.

Bicie dzieci ma wiele innych negatywnych aspektów. Po pierwsze, stanowi przykład przemocy. Dzieci, które są bite, częściej używają siły fizycznej wobec rówieśników i w przyszłości wobec własnych dzieci. Po drugie, ucząc dziecko, że najlepszym sposobem rozstrzygania kłótni jest używanie siły, pozbawiamy je możliwości nauczenia się innych sposobów radzenia sobie z gniewem i frustracją. Jest to jaskrawy przykład nadużycia władzy przez dużego i silnego przeciwko małemu i słabemu. Bicie jest upokarzające i poniżające dla obydwu stron. Może również prowadzić do poważnych uszkodzeń ciała, zwłaszcza kiedy bijącego poniesie złość. Bicie po ustąpieniu gniewu jest fizycznie mniej groźne, ale za to bardziej okrutne, bo zaplanowane. Jest też mniej skuteczne, ponieważ kara jest zbyt odległa w czasie od przewinienia.

Opiekunki waszych dzieci powinny zostać poinformowane, że nigdy nie wolno im uderzyć dziecka ani wymierzyć fizycznej kary w jakiejkolwiek formie. Jeśli dziecko chodzi do żłobka lub przedszkola, możesz być całkowicie pewna, że w tych instytucjach używanie siły fizycznej wobec podopiecznych jest surowo zabronione. Nie możesz być jednak do końca pewna, że takie przypadki nigdy się nie zdarzają. Jakikolwiek dowód na stosowanie siły przez opiekuna dziecka wymaga szybkiej i zdecydowanej interwencji. Natychmiast zrezygnuj z takiej opieki, następnie zgłoś ten incydent odpowiednim władzom. Jeśli wynajęłaś opiekunkę przez agencję, poinformuj biuro o tym, co się stało. Jeżeli dziecko doznało jakichś obrażeń, powinnaś zgłosić ten fakt do przedstawicielstwa Towarzystwa Przyjaciół Dzieci lub innych organizacji zajmujących się ochroną praw dziecka.

Niektórzy specjaliści (i rodzice) wierzą, że klaps w pupę w niebezpiecznej sytuacji może przesłać dziecku, które nie rozumie jeszcze słów, ważną informację — na przykład kiedy małe dziecko uparcie zmierza w kierunku ulicy lub gorącej kuchenki mimo ostrzeżenia, że nie wolno się tam zbliżać. Celem nie jest wywołanie bólu, lecz szybkie uświadomienie maluchowi powagi sytuacji. Po takim klapsie powinno nastąpić wyjaśnienie: „Jeśli wybiegasz na ulicę, może cię przejechać samochód". Gdy tylko okaże, że rozumie, co do niego mówisz, używanie siły fizycznej jest nieuzasadnione, nawet gdy w grę wchodzi bezpieczeństwo.

wieku większość dzieci traktuje kojec jako miejsce zbytnio ograniczające zabawę). Nie posyłaj dziecka za karę do łóżeczka lub pokoju dziecięcego, miejsca te powinny się kojarzyć wyłącznie z pozytywnymi doświadczeniami. Dla malucha, który potrafi wyjść z kojca, można wyznaczyć do tego celu specjalne krzesło; powinno ono stać z dala od interesujących przedmiotów (telewizora, okna, książek) oraz niebezpiecznych (kwiata, wazonu, delikatnych bibelotów). Osobiście doprowadź dziecko do krzesła i każ mu na nim usiąść[4]. W tym czasie nie pozwól mu się odzywać. Ten sam dorosły, który zarządził karę, powinien również zwolnić z niej dziecko, gdy minie jej czas. Dezorientację mogłaby wprowadzić sytuacja, gdyby na przykład mama posłała dziecko do kąta, a babcia kazała mu z niego wyjść. Malec mógłby wywnioskować, że mamusia go postawiła tam na stałe, a babcia go wybawiła, sądząc, że nie zasłużył on na tę karę. Jeżeli nie przeraża cię pomysł karania dziecka postawieniem do kąta lub posadzeniem na kilka minut na krześle, wypróbuj tę metodę. Bądź jednak świadoma, że szczególnie wrażliwe dzieci czują się odrzucone lub przeżywają tę karę tak poważnie, że trudno je potem uspokoić. Jeśli tak dzieje się z twoim dzieckiem, to stawianie do kąta nie jest najlepszą metodą przywoływania go do porządku. Celem karania jest nauka dobrego zachowania, a nie zadawanie cierpienia. Bądź też ostrożna, aby nie nadużywać tego rodzaju kary i aby nie była ona jedyną formą wprowadzania dyscypliny. Wykorzystuj je w wyjątkowych sytuacjach, w których naprawdę okazują się skuteczne.

Daj ostrzeżenie. Gdy złapiesz dziecko na czymś złym lub zauważysz, że przygotowuje się do czegoś, co jest zabronione, należy je ostrzec: „Jeśli nie przestaniesz, zanim doliczę do trzech, wtedy..." Później oczywiście musisz dotrzymać słowa — albo twoje słowo nic nie będzie znaczyć. W sytuacjach grożących niebezpiecznymi konsekwencjami — takich, jak zamiar uderzenia

[4] Jeśli dziecko chce pójść do ubikacji lub potrzebuje zmiany pieluchy, dopilnuj załatwienia tych potrzeb przed rozpoczęciem kary.

Kiedy bicie staje się wykroczeniem

Rzadko się zdarza, że rodzice chcą celowo wyrządzić dziecku krzywdę. Większość ludzi, którzy nadużywają siły fizycznej wobec dzieci i stosują kary cielesne, robi to albo w gniewie, albo z wiarą, że czynią to dla dobra dziecka. Sami byli karani w podobny sposób. Jednak wszystko poza klapsem w pupę (dobrze osłoniętą miękką pieluchą) może zagrozić zdrowiu dziecka, zwłaszcza małego. Nawet coś tak na pozór nieszkodliwego jak potrząsanie maluchem może spowodować poważne uszkodzenia. Wyjątkowo niebezpieczne może okazać się użycie paska, linijki lub tym podobnych.

Jeśli kiedykolwiek poczujesz, że nie jesteś w stanie się opanować i będziesz chciała uderzyć swoje dziecko, zwróć się natychmiast o pomoc. Zadzwoń do sąsiadki lub do lokalnego oddziału Towarzystwa Przyjaciół Dzieci. Zrób to samo, gdy ktoś inny, kto sprawuje opiekę nad twoim malcem lub mieszka w twoim domu, będzie próbował je uderzyć lub już to zrobił.

Nigdy nie potrząsaj dzieckiem

Wielu rodziców, którzy nigdy nie uderzyliby swoich dzieci, uważa za zupełnie niegroźne potrząsanie nimi. Jest to według nich sposób na okazanie złości i niezadowolenia. Nie jest to jednak bezpieczny sposób. Chociaż mięśnie karku dziecka są już silniejsze niż u niemowlęcia, potrząsanie dzieckiem, nawet gdy ma ono dwa lub trzy lata, może spowodować poważne uszkodzenia oczu i/lub mózgu.

kogoś, zbliżanie się do otwartego ognia, uderzanie czymś w szybę okienną — konieczna jest natychmiastowa interwencja bez ostrzeżenia.

Wytłumacz przyczynę kary. Nawet małe dziecko potrafi zrozumieć, choć częściowo, że zabierasz mu zabawkę, ponieważ rzucało nią w swoją siostrę, lub że zostało postawione do kąta, ponieważ obrywało liście fikusa. Zawsze wyjaśniaj, co skłoniło cię do zastosowania kary. Wytłumaczenie jednak musi być proste i jasne, gdyż inaczej nie dotrze do dziecka.

Karaj zaraz po przewinieniu. Dzieci mają krótką pamięć i nie potrafią na dłużej skupić uwagi. Często się zdarza, że zanim skończysz swoje moralizatorskie przemówienie, dziecko zapomni już, co skłoniło cię do jego wygłoszenia. Możemy być pewni, że pozbawiając malca deseru po obiedzie z powodu wybryku, który miał miejsce rano, w umyśle dziecka nie powstanie żadne powiązanie między przewinieniem a jego konsekwencjami.

Przeanalizuj zdarzenie. Po odbyciu kary dobrze jest omówić zwięźle zdarzenie, które do niej doprowadziło. Możesz zapytać dziecko, które już potrafi mówić: „Dlaczego musiałeś iść do kąta?" lub: „Dlaczego zabrałam ci piłkę?", chociaż w większości wypadków, gdy dziecko jest jeszcze małe, będziesz musiała sama odpowiadać na te pytania.

Przebacz i zapomnij. Po odbyciu przez dziecko zasłużonej kary życie powinno wrócić do normalności. Odrzuć wszelką urazę i zrezygnuj z rozwlekłych wykładów na temat minionego zdarzenia; nie powinnaś też okazywać dziecku więcej uczuć niż zazwyczaj lub obdarzać je specjalnymi przywilejami, gdyż może to być przez nie rozumiane jako twój żal z powodu zastosowania kary.

CO TWOJE DZIECKO POWINNO WIEDZIEĆ

ABC dobrego wychowania

Nauczenie małego dziecka dobrych manier wydaje się tak nierealne jak nauczenie wilczura marketingu. Szansa na to, aby skłonić dziecko do powiedzenia: „Przepraszam, czy mógłbym odejść od stołu?", zanim powróci do zabawy, jest taka sama jak nakłonienie wilczura, by napisał ofertę sprzedaży. Jest jednak różnica, i to ważna. Nawet najmądrzejszy przedstawiciel psiego rodu nigdy nie będzie w stanie opanować marketingu, a dzieci, które wcześnie zaczniemy uczyć dobrych manier, mają ogromną szansę wyrosnąć na dobrze wychowanych, kulturalnych ludzi.

Prawdą jest, o czym przypominają nam ci, którzy zostali wychowani w bardziej dystyngowanych czasach, że dobre maniery nie są mocną stroną współczesnych dzieci. Dzieje się tak prawdopodobnie dlatego, że ich rodzice wychowują je w stosunkowo swobodnej atmosferze, gdzie można mówić, co się chce i kiedy się chce, a nie jak bywało dawniej, kiedy obowiązywała szkoła wychowania, której główna zasada brzmiała: „Mów tylko wtedy, gdy ci pozwolą".

Jednakże takie wychowywanie dzieci, by były skoncentrowane na sobie i bez ograniczeń wyrażały swoje myśli, tak samo nie jest dobre jak wychowywanie ich na uprzejme automaty, które szybko potrafią powiedzieć „proszę" i „dziękuję", ale boją się wyrazić swoje myśli. Dzieci muszą się nauczyć, jak stawać w obronie swoich praw i równocześnie brać pod uwagę i szanować uczucia i prawa innych.

Na szczęście możliwe jest nauczenie dziecka dobrych manier bez narzucania mu surowych zasad, które obowiązywały w dawnych czasach. Już teraz zacznij uczyć swego malucha uprzejmości i grzeczności, biorąc pod uwagę następujące wskazówki:

Przyjmij prawidłowe założenia. Dobre maniery to nie tylko sprawa stosowania „proszę" i „dziękuję", wyczucia, kiedy należy usiąść, a kiedy wstać i jakich sztućców używać do określonych dań. Podstawową sprawą jest dobre odnoszenie się do innych; innymi słowy, mówienie „proszę" i „dziękuję" powinno świadczyć o tym, że się przejmujesz, a nie, że jesteś po prostu dobrze nauczony. Tak więc, aby naprawdę dobrze wychować dziecko, musisz je uczyć nie tylko, jak stosować dobre maniery, ale i dlaczego. Celem jest nauczenie manier, które płyną z serca (ustępujesz miejsca starszej osobie w autobusie, ponieważ ona bardziej potrzebuje odpoczynku niż ty), a nie z książki (ustępujesz miejsca, ponieważ tak należy robić). Jednak dziecko, od którego wymaga się, by było uprzejme, w dorosłym życiu nie potrafi takie nie być.

Bądź najlepszym przykładem. Najlepszym sposobem nauczenia swojego dziecka dobrych manier jest prezentowanie ich przez samych rodziców. Mów urzędnikowi „dziękuję"; mów „poproszę" do ekspedientki za ladą; powiedz „przepraszam", gdy wpadniesz na kogoś w sklepie; jedz posiłki z serwetką rozłożoną na kolanach i gryź jedzenie z zamkniętą buzią. Siedząc przy stole, poproś o podanie pieprzu, zamiast próbując go sięgnąć, wyciągać rękę przed czyimś nosem i nad czyimś talerzem. Jednak najważniejsze to pamiętać o tych słowach w bezpośrednich kontaktach z dzieckiem. Mów „proszę", gdy wołasz dziecko do stołu, „dziękuję", gdy mały przyniesie ci książkę, o którą go poprosiłaś, i „przepraszam", gdy niechcący przewrócisz jego wieżę z klocków. Aby uczyć szacunku i poważania dla innych, szanuj i poważaj uczucia swojego dziecka zawsze i wszędzie.

Ładnie nakrywaj do stołu. Dziecko nigdy nie nauczy się używać serwetki, jeśli nie będzie jej widziało na stole podczas jedzenia, lub widelca, jeśli nie będziesz mu go podawać. Ładne nakrycie stołu, używanie estetycznych sztućców, zastawy oraz serwetek nadają posiłkom odpowiednią rangę oraz atmosferę. Nawet jeśli teraz twój maluch je jak dziki człowiek, zacznie w końcu dostrzegać i doceniać estetyczny wygląd stołu i cywilizowany sposób spożywania posiłków.

Mów za dziecko. Małe dzieci nie wiedzą jeszcze, że należy powiedzić babci: „Do widzenia" lub gościom: „Dziękujemy za odwiedziny" albo: „Dziękuję, że mogłem być u państwa" po skończonej zabawie w domu koleżanki lub kolegi. Dlatego też powinnaś robić to za dziecko. Słysząc, jak często powtarzasz te magiczne słowa w różnych sytuacjach w domu i poza domem, maluch znacznie szybciej i łatwiej nauczy się ich używać niż poprzez ciągłe strofowanie go, że ma je sam wypowiedzieć. Stawianie na każdym kroku pytania: „No, co się mówi?" może być dla dziecka denerwujące i upokarzające. Może zniechęcić je do wypowiadania oczekiwanych uprzejmości. Należy od czasu do czasu przypomnieć dziecku o czymś, ale najlepiej jest robić to na osobności.

Nie zmuszaj... Dzieci, którym wciąż przypomina się o używaniu zwrotów grzecznościowych lub które karane są za pominięcie „dziękuję" albo nieużywanie widelca, mogą się szybciej nauczyć dobrych manier (jeśli trafi się na uparciucha, może je zupełnie odrzucić). W każdym przypadku dzieci te nie będą tak naprawdę kulturalne i uprzejme, a gdy tylko znajdą się poza zasięgiem wzroku nalegających rodziców, najczęściej zupełnie ignorują zasady dobrego wychowania.

...ale przypominaj. Nie należy zmuszać, ale trzeba przypomnieć. Gdy jesteście sami i dziecko zapomni powiedzieć „proszę", zapytaj: „Pamiętasz magiczne słowo?" Gdy przeoczy „dziękuję", spróbuj powiedzieć: „Czy nie zapomniałeś o czymś?" Jeśli uzyskasz właściwą odpowiedź, to dobrze. Jeśli nie, odpowiedz za malca. Delikatnie podpowiadaj również przy stole: „Co to jest? Do czego służy łyżka? Do wymachiwania w powietrzu? Do kładzenia na głowie?" Lepszy skutek osiągniesz, gdy zamiast pouczać, skłonisz dziecko podstępem: „Mogę się założyć, że nie będziesz miał tyle siły, żeby podnieść na widelcu ten kawałek kurczaka".

Słuchaj dziecka. Dzieci, których się słucha, same są lepszymi słuchaczami. Dobrymi słuchaczami są najczęściej uprzejmi i grzeczni ludzie.

Dostosuj oczekiwania do wieku dziecka. Większość maluchów opiera łokcie na stole, wkłada palce do talerza, zrzuca serwetki z kolan, wylewa napoje. Zabawa jedzeniem przy stole to w tym wieku popularne zajęcie, a bałagan, jaki temu towarzyszy, będzie się powtarzał jeszcze przez pewien czas. To samo dotyczy różnego rodzaju uprzejmości. Upłynie jeszcze wiele lat, w ciągu których będziesz musiała przypominać o nich dziecku, zanim dołączy ono do grona dobrze wychowanych i kulturalnych osób. Bądź naprawdę wytrwała, a pewnego dnia zostaniesz mile zaskoczona, gdy ktoś powie: „Ho; ho, twoje dziecko jest naprawdę dobrze wychowane".

6
Osiemnasty miesiąc

Co twoje dziecko potrafi robić

Przed końcem osiemnastego miesiąca twoje dziecko powinno umieć:

* używać 3 słów;

* wskazać na żądany przedmiot.

Uwaga: Jeśli twoje dziecko nie opanowało jeszcze powyższych umiejętności lub nie potrafi operować symbolami w zabawie, skontaktuj się z lekarzem. Takie tempo rozwoju może być zupełnie normalne dla twojego dziecka, ale musi ono zostać fachowo ocenione. Zasięgnij porady lekarza, jeśli twoje dziecko nie daje się kontrolować, jest niekomunikatywne, nadpobudliwe, zbyt bierne, zamknięte w sobie, do wszystkiego negatywnie nastawione, gdy jest bardzo wymagające bądź wyjątkowo uparte. Pamiętaj, dziecko urodzone jako wcześniak często pozostaje w tyle za swoimi rówieśnikami urodzonymi o czasie. Te różnice rozwojowe stopniowo się zmniejszają i zwykle całkowicie zanikają pod koniec drugiego roku życia.

Przed końcem osiemnastego miesiąca twoje dziecko prawdopodobnie będzie umiało:

* biegać;

* posługiwać się łyżką i/lub widelcem (nieporadnie);

* wskazać na 1 część ciała, gdy się je o to poprosi.

Przed końcem osiemnastego miesiąca twoje dziecko być może będzie umiało:

* kopnąć piłkę przed siebie;

* wykonać dwustopniowe polecenie ustne.

Przed końcem osiemnastego miesiąca twoje dziecko może nawet umieć:

* rozpoznać i nazwać obrazek;

* użyć więcej niż 50 słów.

Rozwój emocjonalny. Większość dzieci, które ukończyły osiemnasty miesiąc życia, demonstruje szeroki zakres zachowań i reakcji emocjonalnych. Potrafią więc okazywać zadowolenie, gniew, czułość, apodyktyczność, zaciekawienie. Nie znają ograniczeń, potrafią bawić się i poznawać rzeczywistość bez asysty rodziców, ale także cieszyć się ich towarzystwem.

Rozwój intelektualny. Osiemnastomiesięczne dzieci potrafią wyrażać swoje życzenia i zamiary. W tym okresie dzieci rozpoczynają naśladować dorosłych i symbolicznie używać zabawek.

Czego możesz oczekiwać w czasie badania okresowego

Przygotowanie do badania. Sporządź listę problemów, które cię zaniepokoiły od czasu ostatniej wizyty u lekarza. Zabierz ten spis ze sobą, abyś była przygotowana na ewentualne pytanie lekarza: „Czy coś panią niepokoi?" Zanotuj także każde nowe osiągnięcie twego malca (np. chodzenie, wspinanie się, bieganie, używanie łyżki, układanie wyrazów w zdania, wskazywanie części ciała), żebyś nie czuła się zaskoczona, gdy lekarz zapyta: „Co dziecko potrafi robić?" Zabierz również ze sobą książeczkę zdrowia dziecka, aby zanotowano w niej wzrost, masę ciała, przeprowadzone szczepienia i inne informacje uzyskane podczas badania okresowego.

Na czym będzie polegało badanie kontrolne. Jego przebieg może się nieco różnić u różnych lekarzy, lecz przeważnie badanie osiemnastomiesięcznego dziecka zawiera:

* Pytania dotyczące rozwoju dziecka, jego zachowania, jedzenia i problemów zdrowotnych, które pojawiły się od czasu ostatniej wizyty. Mogą także paść pytania dotyczące ogólnej sytuacji rodzinnej: czy nie zdarzyły się jakieś poważniejsze stresy, jak układają się stosunki rodzeństwa (jeżeli jest) z waszym maluchem, jak ty sama radzisz sobie z opieką nad dzieckiem, jak wygląda opieka nad nim (jeśli sprawują ją osoby trzecie). Lekarz będzie chciał też wiedzieć, czy masz jakieś inne pytania lub problemy.
* Ocenę rozwoju fizycznego (wzrost, masa ciała, obwód głowy). Wyniki można nanieść na odpowiednie wykresy (siatki centylowe) zamieszczone na końcu książki i porównać je z poprzednimi.
* Nieformalną ocenę rozwoju intelektualnego i fizycznego, wzroku i słuchu opartą na obserwacji i przeprowadzonym wywiadzie. Ocena ta może też dotyczyć sposobu, w jaki dziecko się porusza.

W zależności od potrzeb, lekarz może zalecić:

* Badanie krwi z palca (hematokryt lub hemoglobina), jeżeli u dziecka podejrzewa się anemię. Test może być wykonany między dwunastym miesiącem a czwartym rokiem życia.
* Badanie krwi na wykrycie ołowiu, jeśli dziecko było narażone na kontakt z tym metalem.
* Test tuberkulinowy Mantoux — badanie w celu wykrycia gruźlicy u dzieci z grupy wysokiego ryzyka. Ten prosty test skórny (który odzyskał swe znaczenie wraz z nawrotem gruźlicy w ostatnich latach) może być również przeprowadzony w piętnastym miesiącu.

Szczepienia ochronne

* Di-Te-Per (błonica, tężec, krztusiec), jeśli szczepienie nie zostało przeprowadzone podczas okresowej kontroli w piętnastym miesiącu.
* Doustna szczepionka przeciw chorobie Heinego-Medina (polio), jeśli nie została podana w piętnastym miesiącu.

Wskazówki na przyszłość. W czasie wizyty lekarz może: omówić z tobą problemy związane z odpowiedzialnym rodzicielstwem, zwrócić uwagę na środki zapobiegające nieszczęśliwym wypadkom; dać wskazówki, jak czytać dziecku, jak wyrabiać nawyk dzielenia się, jak racjonalnie karmić dziecko, jak kształtować jego nawyki żywieniowe i uzupełniać niedobory witamin. Może też wskazać sposoby odstawiania od piersi; ustosunkować się do problemu ssania palca, smoczka, kłopotów związanych ze snem, lękami nocnymi; omówić kwestie samokontroli fizjologicznej, dyscypliny, opieki osób trzecich, a także zasygnalizować inne sprawy mogące pojawić się w niedalekiej przyszłości.

Następne badanie kontrolne. Jeśli malec cieszy się dobrym zdrowiem, następne badanie przypadnie w dwudziestym czwartym miesiącu życia. Jeżeli w tym czasie nasuną ci się pytania, na które nie znajdziesz odpowiedzi w tej książce, lub jeśli zauważysz u dziecka objawy jakiejś choroby, natychmiast skontaktuj się z lekarzem (patrz str. 485).

CO MOŻE CIĘ NIEPOKOIĆ

KOLEJNE DZIECKO

Teraz, kiedy nasz synek ma już półtora roku, pomyśleliśmy o kolejnym dziecku. Zastanawiamy się jednak, czy jest to odpowiedni czas.

Nie istnieje „odpowiedni" lub „nieodpowiedni" czas na urodzenie kolejnego dziecka. Mała różnica wieku między dziećmi może przez pewien okres przysparzać intensywnych zajęć (nie kończące się pieluszkowanie), ale później może pozwolić na lepsze wykorzystanie czasu. Pojawienie się kolejnego dziecka po dłuższym czasie, pozwala na regenerację sił między tygodniami nie przespanych nocy, ale oznacza kolejny męczący etap, z którym możesz nie radzić sobie już tak dobrze. Jeśli sądzisz, że dzieci w zbliżonym wieku będą nastawione do siebie przyjacielsko, natomiast w przypadku większej różnicy wieku będą w stosunku do siebie mniej agresywne, pamiętaj: przyjaźń między rodzeństwem jest bardziej sprawą przypadku niż zamierzonego działania. Wzajemne stosunki między dziećmi częściej determinuje podobny temperament, wspólne zainteresowania niż zbliżony wiek. Podobnie też nie ma optymalnej różnicy wieku, która wykluczałaby rywalizację.

Wśród ekspertów nie ma jednomyślności, ale większość uważa, że jeśli okres między jedną ciążą a drugą jest krótszy niż osiemnaście miesięcy, organizm matki narażony jest na zbytnie obciążenie. Ponadto starszemu dziecku skraca się okres niemowlęctwa, pozbawiając je tej szczególnej roli w rodzinie. Dla innych optymalny dystans wiekowy między rodzeństwem to dwa i pół do trzech lat, gdyż daje to starszemu dziecku wystarczająco dużo czasu na cieszenie się uprzywilejowaną pozycją, nie pozwalając na zdominowanie rodziców swą osobą. Nie znaczy to jednak, że taka różnica wieku musi wam odpowiadać. Zamiast więc szukać odpowiedzi w książkach lub wśród ekspertów, lepiej zastanowić się nad tym w zaciszu domowym. Należy tu wziąć pod uwagę wiek twój i męża, stan zdrowia, to, jak szybko wróciłaś do normy po ostatniej ciąży i po porodzie, ocenić własne siły, a także szczególne potrzeby pierwszego dziecka, wreszcie wziąć pod uwagę istotne wydarzenia rodzinne lub zawodowe (ślub w rodzinie, przeprowadzka, zmiana miejsca pracy), które mogą nastąpić w najbliższych kilku miesiącach (pamiętaj, że większość par potrzebuje od trzech do sześciu miesięcy na poczęcie dziecka). Spróbujcie ocenić, jak tego rodzaju zmiany mogą wpłynąć na ciążę i kolejne dziecko. Odwołajcie się też do własnych przekonań. Jeśli oboje uważacie, że nadszedł właściwy moment, to przypuszczalnie jest to prawda, jeśli natomiast oboje czujecie, że przydałoby się wam jeszcze trochę czasu, to widocznie jest on wam potrzebny. Zastanówcie się więc spokojnie nad kwestią drugiego dziecka, przedyskutujcie problem, sporządźcie listę plusów i minusów, nie popadając w przesadę. Nikt jeszcze nie stwierdził, jaka jest optymalna różnica wieku między rodzeństwem; każda konfiguracja ma szanse powodzenia i z pewnością sprawdziła się w niejednej rodzinie.

Wiele osób pyta nas, kiedy zamierzamy mieć drugie dziecko. My natomiast nie jesteśmy przekonani, że chcemy je mieć. Jest nam bardzo dobrze we troje i nie wyobrażamy sobie lepszej pociechy niż nasza córeczka. Czy chęć posiadania tylko jednego dziecka jest czymś nietypowym?

Dzieci to nie chipsy. Możecie poprzestać na jednym, jeśli tego pragniecie. Nikt poza wami nie ma prawa czuć się upoważniony do decydowania o tym. I choć może istnieć wiele ważkich powodów, dla których warto mieć dwoje dzieci, presja przyjaciół, rodziny lub otoczenia nie może być brana pod uwagę.

Dawniej posiadanie więcej niż jednego dziecka było dla rodziców czymś oczywistym. Takie były oczekiwania otoczenia. Dziś coraz więcej rodziców decyduje się tylko na jedno dziecko. Przyczyn takiego stanu rzeczy jest wiele, jedną z nich może być wiek małżonków (starsi rodzice mogą nie czuć się na siłach wychowywać drugiego dziecka, które stanie się zaledwie nastolatkiem, gdy oni będą zbliżać się do sześćdziesiątki). Innym powodem może być tempo życia (mając niewiele wolnego czasu, niektórzy wolą go poświęcić wyłącznie jednemu dziecku) lub rosnące koszty utrzymania. Nie bez znaczenia może też okazać się problem przeludnienia.

Ostatnie badania wykazały, że rodziny z jednym dzieckiem czują się tak samo szczęśliwe i spełnione jak rodziny wielodzietne. Obalony został przesąd, jakoby jedynacy czuli się samotni i nieprzystosowani do otoczenia. Przeprowadzono badania, które dowiodły, że dzieci wychowywane bez rodzeństwa są w takim samym stopniu szczęśliwe i zrównoważone emocjonalnie, jak dzieci z rodzin wielodzietnych. Analizy dowiodły, że jedynacy często lepiej radzą sobie z nauką niż dzieci mające rodzeństwo oraz że wśród osób, które odniosły znaczący sukces, jest więcej jedynaków. Może to być spowodowane tym, że będąc jedynym dzieckiem, doświadczyły więcej swobody w rozwoju, że wykształciły wiarę we własne siły i nie poznały lęku wynikającego ze współzawodnictwa.

Nie oznacza to wcale, że aby w przyszłości doczekać się wybitnego potomka, rodzice powinni poprzestać na jednym dziecku. Wychowywane w atmosferze miłości i troski, każde dziecko, niezależnie od tego, czy jest jedynakiem, czy nie, ma szansę na szczęście i sukces. Wasza decyzja powinna być więc uzależniona od waszych przekonań i od warunków, w jakich żyjecie, a nie od badań, statystyk czy analiz psychospołecznych. Dwoje dzieci może dostarczyć rodzicom podwójnej radości (troje — potrójnej itd.). Inni pragną mieć tylko jedną pociechę. Jedynie wy jesteście w stanie osądzić, który z tych wariantów najbardziej wam odpowiada.

NIECIERPLIWOŚĆ

Kiedy moja córka czegoś chce, musi to dostać natychmiast. Tracę już cierpliwość.

Dla młodszych niemowląt minuta może trwać całe wieki. W połowie drugiego roku życia dzieci ciągle jeszcze mają ograniczone poczucie upływu czasu, jak również nikłą świadomość przeszłości i przyszłości. Żyją chwilą obecną, teraźniejszością. Dlatego właśnie teraz domagają się ciasteczka, soku, przeczytania bajki, podania im ulubionej zabawki. Nie wiedzą jeszcze, że tylko cierpliwi dostają najlepsze rzeczy. Według nich to, co najlepsze, dostaje się na żądanie.

Zwykle w okolicy swych drugich urodzin dziecko jest w stanie podporządkować się prośbie, by „chwilę poczekało". Z biegiem czasu ta „chwila" trwa coraz dłużej, a w wieku trzech lat maluch jest zdolny poczekać już dłuższy czas. Gotów jest nawet zająć się czymś innym. Jednak do tego momentu należy być przygotowanym na owe niezmienne „chcę teraz!"

Czekając, aż dziecko nauczy się cierpliwości, sama musisz wykazywać cierpliwość. Aby łatwiej przetrwać ten okres, wypróbuj następujące metody:

Zrób wszystko, by dziecko zrozumiało, że warto było czekać. Chociaż odczekiwanie dla zasady jest kuszące („niech się uczy cierpliwości"), nie zawsze bywa rozsądne i sprawiedliwe. Głód czy pragnienie są dla malucha potrzebami trudnymi do opanowania i w związku z tym wymagają natychmiastowego zaspokojenia. Jeśli do obiadu pozostało jeszcze pół godziny, a dziecko jest głodne, podaj mu do przegryzienia coś, co złagodzi głód, a nie pozbawi apetytu.

Wymyśl zabawę. Jeśli czekanie na coś jest konieczne i uzasadnione, spróbuj je skrócić przez zorganizowanie jakiejś zabawy. Jeżeli na przykład wracacie do domu samochodem, a twoja pociecha upomina się o obiad, zaśpiewaj jej piosenkę, powiedz ulubiony wierszyk, wymyśl zgadywankę w stylu: „Jak mówi krówka?", zapytaj, czy nie widzi psa za oknem. Być może zdoła to wypełnić czas na tyle, że zdążysz dojechać do domu.

Nastaw minutnik. Jeśli chcesz wyjść z dzieckiem do parku, a potrzebujesz jeszcze pięciu minut, by skończyć pracę w kuchni, nastaw minutnik i zachęć dziecko, aby obserwowało go do czasu, aż zadzwoni. Możesz też wykorzystać do tego celu klepsydrę i nakłonić malca do śledzenia przesypującego się piasku. Da to dziecku poczucie kontroli zarówno nad tobą, jak i nad czasem. Upewnij się jednak, że zostawiasz sobie odpowiedni czas na uporządkowanie spraw, by dotrzymać warunków umowy, gdy czasomierz zadzwoni. Jeśli stanie się inaczej, dziecko więcej ci nie zaufa.

Usuń przedmiot z pola widzenia. Co z oczu, to z serca. Jeśli malec domaga się czegoś, czego nie może lub nie powinien dostać w danej chwili (na przykład zabawki na kółkach, którą chce jeździć po świeżo umytej, jeszcze mokrej podłodze), usuń zabawkę z jego pola widzenia.

Ty też naucz się czekać. Przychodzi pora na kąpiel lub wyjście na spacer, a malec protestuje: „Teraz nie, teraz się bawię". Zamiast więc zmuszać go siłą do przerwania zabawy, spróbuj — jeśli oczywiście możesz sobie na to pozwolić — poczekać minutę lub dwie. Powiedz mu, że nastawisz czasomierz na minutę (lub więcej) i że może się bawić, dopóki zegar nie zabrzęczy. Jeśli dziecko zauważy, że jesteś cierpliwa, samo szybciej wykształci tę zdolność u siebie.

GDY DZWONI TELEFON

Za każdym razem, gdy dzwoni telefon, mój syn, jak na sygnał, zaczyna płakać i domagać się zainteresowania jego osobą. Nigdy nie udaje mi się skończyć rozmowy.

Dziecko nie przyjmuje do wiadomości, że mogłabyś skierować swą uwagę na coś innego. Wszystko mu jedno, czy chodzi o list, który trzeba napisać, o posiłek, który trzeba przygotować, czy o telefon, który należy odebrać. Nie oznacza to, że maluch nie potrafi zająć się sobą — potrafi doskonale, ale woli sam o tym decydować. Dziecko może czuć się zagrożone i niepewne, gdy widzi, że traci kontrolę nad tobą. Jego defensywne zachowanie jest sposobem na odzyskanie twego zainteresowania, a jedyną techniką, jaką zna, by ten cel osiągnąć, jest płacz. Maluch wie, że to metoda skuteczna — niewiele osób potrafi skupić się na rozmowie telefonicznej, trzymając na kolanach wrzeszczące dziecko. I tak, za każdym razem, gdy tylko podnosisz słuchawkę, twoje maleństwo sprytnie ucieka się do tej wypróbowanej metody.

Chociaż wiele zależy od temperamentu dziecka i od twoich sposobów radzenia sobie z tą sytuacją, musisz pogodzić się z faktem, że swobodną pogawędkę przez telefon możesz odbyć tylko wtedy, gdy maluch zabawiany jest przez kogoś innego, gdy śpi lub gdy jest poza domem. Te „zakłócenia na linii" będą coraz rzadsze, ale dziecko może jeszcze długo nie przestać walczyć z telefonem. Z czasem sposób zakłócania rozmów płaczem zastąpi protest słowny („Jestem głodny, mamo, przestań rozmawiać!"), aż nieuchronnie rywalizacja o ciebie zamieni się w rywalizację z tobą („Mamo, proszę cię, skończ już rozmawiać, czekam na telefon").

Nie istnieją, niestety, żadne magiczne czy technologiczne sposoby rozwiązania tego rodzinnego kryzysu telekomunikacyjnego. Można jednak wypróbować kilka metod, by zaradzić problemowi:

Nie zwracaj uwagi na dziecko, które się tego domaga. Słysząc dzwonek telefonu i przewidując rozwój wypadków, nie mów dziecku: „Nie chcę, żebyś mi teraz przeszkadzał", gdyż z pewnością zrobi odwrotnie. Gdy dzwoni telefon, zapytaj spokojnie: „Ciekawe, kto to może być?"

Pohamuj złość. Musisz uświadomić sobie, że ciągłe domaganie się przez malucha zainteresowania swoją osobą, jakkolwiek ogromnie męczące, wymaga zrozumienia, a nie złości. Nie reaguj gniewem, gdyż to tylko pogłębi w dziecku potrzebę poczucia bezpieczeństwa i nasili zachowanie, z którym walczysz.

Kup telefon bezprzewodowy. Takie urządzenie pozwoli ci na prowadzenie rozmowy i jednocześnie poruszanie się z dzieckiem, które dzięki temu nie czuje się zignorowane. Nie ulega wątpliwości, że trudno jest skupić się na konwersacji, gdy maluch dziarsko wymachuje ci przed oczami klockami czy ciężarówką, ale lepsza taka pogawędka niż żadna.

Odmierzaj czas rozmów. Postaw klepsydrę obok telefonu i odwróć ją do góry dnem, gdy zaczniesz rozmawiać. Obiecaj dziecku, że odwiesisz słuchawkę, gdy cały piasek znajdzie się w dolnym naczyniu. Niech maluch cię kontroluje. Obserwowanie przesypującego się piasku może być dla niego absorbujące, a ponadto może mu dać poczucie panowania nad sytuacją. Jeśli oczywiście nie skończysz rozmowy w czasie, który wyznaczyłaś, metoda ta stanie się nieskuteczna.

Daj dziecku słuchawkę. By oswoić malucha z telefonem, pozwól mu porozmawiać z kimś, z kim jesteś w zażyłych stosunkach. Możesz na kilka minut podać dziecku słuchawkę i zapytać, czy nie zechciałoby porozmawiać z ciocią Hanią. Trzeba sobie jednocześnie uświadomić, że dochodzący ze słuchawki głos może dziecko wprawić w zakłopotanie i spowodować niechęć do rozmowy. Jeśli malec nie kwapi się do trzymania słuchawki i woli raczej, byś ty rozmawiała, nie zmuszaj go do kolejnej próby. Może udało ci się w ten sposób zyskać kilka minut?

Niech dziecko też telefonuje. Telefon-zabawka może złagodzić wrogość dziecka wobec tego urządzenia. Kup maluchowi aparat telefoniczny w sklepie z zabawkami lub pozwól bawić się starym, już nie używanym (ze względu na bezpieczeństwo pamiętaj o usunięciu przewodów i odłożeniu ich w miejsce, do którego dziecko nie ma dostępu). Nie dawaj maluchowi tej zabawki zbyt często, tak aby przedmiot ten stanowił dla niego stałą atrakcję. Kiedy dzwonisz do kogoś, podaj dziecku jego słuchawkę i zaproponuj, aby zatelefonowało do kogoś, kogo lubi — do dziadka, do kuzynki, do kolegi z sąsiedztwa, do postaci z ulubionej bajki lub filmu rysunkowego. Jeśli natomiast zamierzasz odebrać telefon, podnieś najpierw jego słuchawkę i, podając mu ją, powiedz: „To do ciebie". To, że dziecko jest tu jedynym, na dodatek mocno jeszcze niesprawnym językowo rozmówcą, nie ma znaczenia. Taka jednostronna konwersacja może sprawić mu radość i zająć na kilka minut.

Miej w zanadrzu specjalną telefoniczną atrakcję. Może to być jakaś szczególna zabawka, wręczana dziecku tylko w czasie twoich rozmów telefonicznych i na tyle atrakcyjna, by przyciągnąć jego uwagę. Oczywiście, nie powinny to być zabawki, które irytują dziecko lub którymi zabawa wymaga twojej asysty.

Bądź w fizycznym kontakcie z dzieckiem. Wasza wzajemna bliskość w czasie twoich rozmów telefonicznych może nieco złagodzić zazdrość malca o przedmiot, który odciąga cię od niego. Niech czuje, że jest dla ciebie ważny, mimo że rozmawiasz z kimś innym. Pogłaszcz mu rączki, pomasuj ramionka, przytul je, pokołysz na kolanach, potrzymaj za rękę lub poukładaj z nim klocki.

Nagrywaj rozmowy. Jeśli telefon dzwoni często, może rzeczywiście zakłócać harmonijne współżycie z dzieckiem. Nie dziwmy się więc, że jego uprzedzenie do tego urządzenia może się pogłębiać. Jeśli planujesz zabawę lub czytanie dziecku, włącz automatyczną sekretarkę. Odbieraj tylko najistotniejsze telefony. Daj maluchowi odczuć, że cenisz jego towarzystwo bardziej niż telefonicznego intruza. Niewykluczone, że wówczas twój brzdąc sam zacznie przychylniej reagować na dźwięk telefonu. Jeśli nie masz automatycznej sekretarki lub nie jesteś przekonana do tej formy komunikacji, powiedz osobom dzwoniącym, że zatelefonujesz, gdy dziecko pójdzie spać lub gdy będzie zajęte zabawą. Jeśli maluch zorientuje się, że czas z nim spędzany ma dla ciebie duże znaczenie i że byle powód nie jest w stanie zakłócić waszej zabawy, stopniowo sam zacznie uznawać twoje prawo do swobodnego kontaktu z innymi.

Doceń dobrą wolę dziecka. Ostatecznym celem twoich zabiegów jest to, by twoja pociecha zrozumiała, że masz prawo do swobodnych rozmów przez telefon. Pamiętając o tym, doceń fakt, że malec pozwolił ci porozmawiać przez telefon. Nawet gdyby takie sytuacje zdarzały się rzadko, poświęć mu w tym momencie więcej uwagi i nadaj całemu wydarzeniu dużą rangę. Powiedz na przykład: „Byłeś kochany, pozwoliłeś mi porozmawiać przez telefon. Za to teraz się pobawimy".

GOŚCIE

Gdy tylko ktoś do nas przychodzi, a dotyczy to zarówno przyjaciół, członków rodziny, jak i hydraulika czy inkasenta, nasza córka uniemożliwia nam rozmowę.

Większość dzieci pragnie znajdować się w centralnym punkcie sceny i najlepiej jeśli nikt na tę scenę nie wkracza. Jeżeli jednak ktoś się na niej pojawi, nasza primadonna zacznie manifestować swą obecność donośnym i wyrazistym głosem. Jeśli do domu przychodzi przyjaciel czy ktoś z rodziny, z kim chcielibyście usiąść i porozmawiać przez chwilę, lub gdy zjawia się mechanik albo inkasent, któremu musicie poświęcić kilka minut, malec protestuje, gdyż nie na niego skierowane są reflektory. I podobnie jak w przypadku rozmów telefonicznych, zrobi wszystko, by zwrócić na siebie waszą uwagę. Lamentując, będzie się więc czepiał waszych nóg, wdrapywał na kolana, pociągał za włosy, szarpał bluzkę, a nawet zamykał wam usta ręką i kierował waszą głowę w swoją stronę.

Na tym etapie rozwoju dziecka, kiedy jedynie jego potrzeby mają dla niego znaczenie, nie jest łatwo uczyć je szacunku dla potrzeb innych ludzi. Ale taka lekcja, mimo iż może potrwać kilka lat, powinna się zacząć już teraz. Przy dużej dozie cierpliwości i zrozumienia wasze dziecko może z powodzeniem dzielić scenę z gośćmi, choćby od czasu do czasu. Oto wskazówki, które pomogą wam osiągnąć ten cel:

Kieruj się potrzebami dziecka. Jeśli wymagasz od dziecka, by szanowało czas, który spędzasz z innymi, musisz szanować czas, który ono spędza z tobą. Nie przerywaj zabawy, jeśli nie jest to konieczne, i nie rób czegoś, co mogłabyś zrobić, gdy maluch jest pochłonięty zabawą lub gdy śpi. Jeśli masz do załatwienia sprawę nie cierpiącą zwłoki, spróbuj zaangażować w nią także swoją pociechę (weź kąpiel w towarzystwie dziecka, pozwól mu poustawiać na podłodze puszki z jedzeniem, które zamierzasz wykorzystać na obiad, kup mu notatnik, w którym będzie mogło sporządzać listę zakupów, tak jak ty to robisz. Jeśli niespodziewanie wpadnie do ciebie znajoma, a ty jesteś zajęta zabawą z dzieckiem, poproś znajomą, aby poczekała, aż skończycie. Poświęć dziecku jeszcze z pięć minut lub, jeśli malec akceptuje towarzystwo przyjaciółki, zaproś ją do wspólnej zabawy).

Planuj porę wizyt. W miarę możliwości przyjmuj znajomych, kiedy dziecko śpi. Otwieraj drzwi, zanim goście zdążą zadzwonić — można wywiesić na drzwiach kartkę z prośbą o ciche pukanie i nieużywanie dzwonka. Jeśli macie psa, który zwykle anonsuje przybycie gości, wypuśćcie go w tym czasie na zewnątrz lub zamknijcie w innym pomieszczeniu.

Nie usuwaj malca na dalszy plan. Jeśli dziecko nie śpi, pozwól mu także odgrywać rolę gospodarza. Jeśli jest osobą towarzyską, niech uczestniczy w spotkaniu, choć nie należy tego robić na siłę. Zaproponuj, by pokazał gościom swą ulubioną książkę lub lalkę. Niech asystując tobie, pomoże wskazać inkasentowi licznik. Z bezpiecznej odległości może się też przyglądać, jak np. hydraulik rozkręca rury pod umywalką. Jeśli oczekujesz szczególnego gościa, włącz dziecko w przygotowania do wizyty. Razem sprzątnijcie pokój, niech mały pomaga przy wypiekach (lub przy zakupie czegoś słodkiego), niech udekoruje swój pokój na cześć zaproszonej osoby (jeśli dzieło zostanie zauważone, wzmocni to poczucie własnej wartości twego malca).

Przygotuj rekwizyty. W pomieszczeniu, w którym będzie odbywało się spotkanie towarzyskie, warto urządzić kącik dla dziecka. Wybierz do tego celu zabawki, którymi maluch może się bawić samodzielnie, a więc klocki, krążki do piramidki, foremki do wkładania jednej w drugą, książeczki, obrazki składane (jeśli nie masz nic przeciwko temu, by raz po raz pomóc mu w umieszczeniu trudnego fragmentu w odpowiednim miejscu). Jeśli dziecko lubi w zabawie naśladować dorosłych, może w tym czasie przygotowywać własne przyjęcie (np. dla postaci z bajek). W ten sposób będzie mniej absorbować cię swoją osobą.

Podawaj drobne przekąski. Nawet jeśli goście nie są jeszcze głodni, ustawienie półmiska z przekąskami, którymi może się poczęstować także dziecko, może dać chwilę wytchnienia. Z pełną buzią trudniej jest zakłócać spokój. Przygotowuj więc przekąski z myślą o dziecku. Niezbyt słodkie ciasteczka, małe drożdżowe bułeczki własnego wypieku, drobne kanapki, pokrojone w różne kształty byłyby najbardziej odpowiednie.

Rób przerwy. Dziecko jest w stanie bawić się samodzielnie tylko przez pewien czas. Jeśli wizyta przedłuża się, raz po raz przeproś towarzystwo i poczytaj dziecku lub pomóż ustawić wieżę z klocków, z którą samo nie może sobie dać rady (nie przerywaj sobie, jeśli dziecko wydaje się zadowolone, poczekaj, aż znudzi je samodzielna zabawa). Z góry ustal, jaka długa ma być przerwa („Teraz przeczytam ci bajeczkę, a kiedy skończę, wrócę do gości, a ty spróbujesz złożyć układankę"). Gdy wyznaczony czas minie, podaj dziecku wspomnianą układankę lub inną zabawkę, która wzbudzi jego zainteresowanie, i wróć do gości. Utrzymuj stały kontakt słowny z dzieckiem. Powiedz mu na zachętę: „Założę się, że potrafisz zbudować jeszcze większą wieżę". Pochwal: „Kolacja, którą przygotowałeś dla lalek, wygląda znakomicie" lub okaż zainteresowanie: „Oglądasz książeczkę o zwierzątkach, prawda?" Uszczknij trochę czasu, by mieć z malcem kontakt fizyczny. Jeśli bawi się przy twoim fotelu, nie żałuj mu czułości w postaci głaskania, masowania ramion itd.

Nie pozwól, by dziecko przez cały czas było osobą pierwszoplanową. Masz prawo przyjmować gości od czasu do czasu, a także poświęcić kilka minut osobie wezwanej do naprawienia czegoś w domu. Jeśli choć raz dasz dziecku do zrozumienia, że jesteś skłonna zrezygnować z takich praw, skrzętnie to wykorzysta. Podczas wizyt towarzyskich bądź dla dziecka serdeczna, ale stanowcza. Zdejmuj jego rączki ze swoich ust, ilekroć będzie je tam przykładało, reaguj, gdy przeszkadza, ale też angażuj do wspólnej zabawy, przytulaj, łagodnie łaskocz, gdy jesteś zajęta rozmową. Nie pozwól jednak, by to ono decydowało, kiedy opuścić kurtynę. Pamiętaj, że ty jesteś szefem i jeśli pozwolisz, by twoja pełna wigoru mała gwiazda wzięła górę nad tobą, jeszcze przez długie lata będziesz obserwować jej samolubne popisy sceniczne.

Wiedz, kiedy opuścić kurtynę. Jeśli goście przychodzą na krótko, dziecko łatwiej ich toleruje.

Pochwalaj i nagradzaj współpracę. Jeśli maluch choć w niewielkim stopniu wykazał chęć współpracy z tobą (np. płakał tylko przez pewien czas), oceń to jako odruch pozytywny i nie podkreślaj nieustannie zachowania negatywnego („Cieszę się, że pozwoliłeś mi porozmawiać z Teresą, kiedy nas odwiedziła. Za to zrobimy teraz coś niezwykłego"). Wyprawa do parku, długa zabawa, wspólne rysowanie — to najlepsze sposoby pokazania dziecku, jak bardzo doceniłaś jego zachowanie i jak wiele można zyskać dzięki cierpliwości. Jeśli malec płakał przez cały czas wizyty, o żadnych nagrodach naturalnie nie ma mowy.

PROBLEMY Z ZASYPIANIEM

Jeszcze do zeszłego tygodnia moja córka była cudowna, jeśli chodzi o zasypianie — spała dwa razy dziennie bez najmniejszych zakłóceń. Teraz, gdy chcę ją położyć do łóżeczka przed południem, zaczyna protestować.

Prawdopodobnie maluch daje ci do zrozumienia, że nie potrzebuje już przedpołudniowej drzemki. Większości dzieci w tym wieku wystarcza już tylko sen popołudniowy. Podczas gdy tobie przydałby się mały odpoczynek, dla dziecka nie jest on już niezbędny. Jak każdy, kto musi przyzwyczaić się do nowego rytmu, dziecko może być senne i marudne w porze, gdy normalnie zwykło sypiać. Kryzys taki minie, gdy jego organizm przywyknie do nowego rozkładu dnia. Korzystne może okazać się przesunięcie pory obiadu na 11.00 lub 11.30; jest bowiem szansa, że malec zaśnie wcześniej po południu. Pory, w których dziecko zwykło sypiać, można teraz wykorzystać na wspólne czytanie lub słuchanie muzyki.

Usypianie mojej córki drugi raz w ciągu dnia zabiera mi prawie całe popołudnie. Gdy wreszcie zaśnie, jest już blisko 17.00, a gdy obudzi się około 20.00, jest gotowa do zabawy przez kolejne kilka godzin. Taka sytuacja nie sprzyja próbom ustalenia regularnych godzin snu.

Jest kilka powodów, dla których rodzice są przeciwni zbyt późnemu układaniu dziecka do drugiej drzemki. Po pierwsze, dzieci zasypiające późnym popołudniem przesypiają porę ciepłej kolacji i zwykle dostają coś mniej pożywnego. Jeśli z kolei zjedzą ciepły posiłek po przebudzeniu, dostarcza im on sporego zasobu energii w najmniej przez rodziców pożądanym czasie. Po drugie, dzieci, których druga drzemka przypada na zbyt późne godziny, jak sama zauważyłaś, mają kłopoty z zasypianiem o normalnej porze, a to sprawia, że rodzice mają wieczorem niewiele czasu dla siebie.

Kroki, jakie należy podjąć, by zmienić nawyki dziecka, tak by pory jego snu przypadały na bardziej korzystne godziny, zależą od aktualnych przyzwyczajeń malucha.

* Gdy mała sypia tylko po południu. Osiemnastomiesięczne dziecko potrzebuje średnio półtorej do dwóch godzin snu w ciągu dnia. Kładzenie go do łóżeczka powinno odbywać się w miarę wcześnie, tak aby nie wpływało niekorzystnie na odpoczynek nocny. Postaraj się więc, by malec zasypiał wczesnym popołudniem. Możesz rozpocząć codzienny rytuał wyciszania przed drzemką — dziesięć lub piętnaście minut wcześniej niż zwykle. Kiedy po kilku dniach dziecko przywyknie do nowego rozkładu, przyspiesz porę snu o kolejny kwadrans. Postępuj w ten sposób do czasu, aż uznasz, że twoja pociecha zasypia o rozsądnej porze. Nie pozwól jej spać dłużej niż dwie godziny, unikniesz w ten sposób kłopotów z wieczornym zasypianiem.
* Gdy dwie drzemki w ciągu dnia to zbyt dużo. Większości dzieci w tym wieku wystarcza jedna drzemka. Spróbuj więc zrezygnować ze snu przed południem, codziennie opóźniając porę drzemki o kwadrans, aż przypadnie ona na wczesne popołudnie. W ten sposób dziecko samo wyeliminuje drugi, poobiedni sen (taka zmiana może na jakiś czas spowodować pewne skutki uboczne, patrz str. 136).
* Gdy jedna drzemka w ciągu dnia to zbyt dużo. Zdarza się, że osiemnastomiesięczny brzdąc hasa przez cały dzień bez odpoczynku. Jeśli to dotyczy twojego dziecka, korzystniej jest ułożyć je do snu nocnego już o 19.00 lub 19.30, niż pozwolić na przedwieczorny sen, po którym maluch gotów bawić się do północy. Popołudniowy sen można z powodzeniem zastąpić relaksującą zabawą (patrz wyżej). Jeśli dziecko jest bardzo zmęczone, prawdopodobnie przyśnie na chwilę w tym czasie.
* Gdy dziecko budzi się zbyt późno. Śpiochy mają skłonności do sypiania w późniejszych porach dnia. Aby to zmienić, budź dziecko codziennie o dziesięć lub piętnaście minut wcześniej, dopóki nie uznasz, że wstaje o odpowiedniej porze. Takie postępowanie sprawi, że zarówno dzienne pory drzemki, jak i sen nocny przypadną na wcześniejsze godziny.
* Gdy wydłuża się sen przedpołudniowy. Zbyt długa drzemka przed południem wydłuży okres czuwania po obiedzie. Zacznij więc układać dziecko do snu codziennie o kwadrans wcześniej. Podobnie postępuj po obiedzie, aż obie drzemki przypadną na bardziej dogodną porę.
* Gdy dziecko śpi dwie, trzy godziny przed południem. Taki długi sen poranny z pewnością źle wpłynie na wypoczynek popołudniowy. Spróbuj więc codziennie budzić malca o kwadrans wcześniej, tak żeby przedpołudniowa drzemka nie trwała dłużej niż godzinę.

Są sytuacje, w których popołudniowa drzemka jest bardzo pożądana. Jeśli oboje rodzice pracują do późna, mogą po przyjściu do domu w spokoju zjeść obiad i gdy dziecko się obudzi, spędzić z nim trochę czasu. Jeśli taka sytuacja ma miejsce w twojej rodzinie, najlepiej nie wprowadzać chwilowo żadnych zmian.

Dotychczas nasz synek zasypiał po południu na dwie godziny. Ostatnio jednak, mimo moich usilnych starań, nie daje się położyć do łóżeczka. Czy oznacza to, że mały nie potrzebuje już drugiej drzemki?

Dziecko potrzebuje snu bardziej, niż mu się wydaje. Problem w tym, by je o tym przekonać. Dzieci widzą, jak wiele jest do zrobienia, a jak niewiele czasu mają do dyspozycji, i usiłują uszczknąć godzinę lub dwie z czasu przewidzianego na sen. W końcu cóż to za atrakcja leżeć w zaciemnionym pokoju, gdy można wspinać się po meblach, biegać, penetrować otoczenie i bawić się w oświetlonym słońcem pokoju.

Niechęć do pójścia spać może być spowodowana jakimś wydarzeniem, które zachwiało dotychczasowy porządek dnia. Może to być przyjęcie urodzinowe, wyjście do kina, weekend u babci (gdzie tyle się dzieje, iż nie sposób spać). Rzadziej zdarza się, że dziecko eliminuje drzemkę, ponieważ nie potrzebuje już tyle snu. Jeśli malec dobrze sypia w nocy, budzi się wypoczęty i jest pogodny w ciągu dnia, może zrezygnować z drzemki. Jeśli jednak wieczorem lub w porze swego dotychczasowego snu ciągle kaprysi, jest zmęczony, łatwo się irytuje lub ma nieskoordynowane ruchy (np. depcze sobie po nóżkach), spróbuj łagodnie przekonać go, że musi się położyć do łóżeczka. Wskazówki, jak usypiać dziecko, znajdziesz na str. 53.

Na początku dziecko może mieć problemy z zaśnięciem o wyznaczonej porze; może też sypiać nieregularnie. Niewiele można tu poradzić, ale konsekwentne układanie malucha do łóżeczka może spowodować, że skapituluje. Nawet jeśli nie zaśnie od razu, taki okres cichego czuwania pozwoli mu odprężyć się po dniu pełnym wrażeń. Może się też okazać, że taka chwila wyciszenia całkowicie wystarczy, by zregenerował siły. Przestrzegaj regularnego kładzenia dziecka spać. Nie jest istotne, czy mały zasypia od razu, czy nie. Oczywiście, jeśli reaguje złością i nie potrafi leżeć spokojnie, zaniechaj tych prób. Dziecko, które protestuje przed pójściem spać i nie daje się wyciszyć, a zdradza objawy zmęczenia, należy położyć spać wcześniej.

WCZESNE WSTAWANIE

Nasza córka budzi się codziennie o świcie — około 5.00. Jesteśmy wyczerpani i jedyne, co pozwala nam względnie dobrze funkcjonować nazajutrz, to pójście spać o 20.30.

Rodzice małych dzieci są jak farmerzy, nie potrzebują budzika, gdyż poranny krzyk ich pociechy jest jak pianie koguta — potrafi zbudzić każdego. Kogut jednak po swym porannym koncercie wraca do kurnika, dziecko natomiast tak wytrwale będzie dawało o sobie znać, że postawi cały dom na nogi.

Jeszcze przez wiele lat wygrzewanie się rano pod pierzyną pozostanie dla was w sferze marzeń. Dopiero gdy dzieci rozpoczną naukę w szkole i naprawdę będą musiały wstawać rano, będą marzyły o dłuższym śnie. Jednak zanim to nastąpi, warto skorzystać z kilku rad, a niewykluczone, że zyskasz dla siebie kilka chwil relaksu.

Reguluj tempo życia dziecka. Dużo ruchu na świeżym powietrzu i przerwy na odpoczynek gwarantują zdrowy sen. Z kolei zbyt dużo wrażeń w ciągu dnia, a zwłaszcza przed pójściem spać, może zakłócić spokojny wypoczynek nocny.

Nie pozwalaj na zbyt wczesną drzemkę przed południem. Jeśli mała budzi się o 5.00, a o 8.00 zapada w poranną drzemkę, należy zrobić wszystko, aby ów moment opóźnić. Takie wczesne budzenie się dziecka można traktować jako przebudzenie w środku nocy, a drzemka poranna to jakby uzupełnienie wynikłych z tego strat snu. Aby dziecko nie zapadało zbyt wcześnie w poranny sen, należy codziennie kłaść je dziesięć minut później, aż malec zacznie zasypiać o 10.00 lub 10.30. Na początku może być nieco marudny, ale gdy jego organizm przywyknie do nowego rytmu, nie będzie budził się tak wcześnie.

Przeczekaj. Zamiast wbiegać do pokoju dziecka, gdy tylko zakwili, odczekaj dziesięć, piętnaście minut, nie zważając na płacz. Zdarza się, że malec chwilę pokaprysi, po czym zaśnie powtórnie.

Odwlekaj porę pójścia spać. Zbyt wczesne układanie do snu nie rokuje nadziei na pobudkę o rozsądnej porze. Jeśli malec zasypia o 19.00, spróbuj kłaść go do łóżeczka o dziesięć minut później każdego dnia, aż zacznie zasypiać o 19.30 lub o 20.00. Należy jednak pamiętać, że przemęczone dziecko sypia niespokojnie i budzi się wcześnie, więc nie zyskamy wiele, przesadnie odwlekając porę snu.

Niech w pokoju panuje półmrok. Niektóre dzieci są bardzo wrażliwe na światło słoneczne. Zatem by dziecko mogło spać dłużej, warto szczelnie zasłonić okna. Można w tym celu powiesić ciemne zasłony lub umieścić na oknach żaluzje bądź rolety. Jeśli ciszę poranną zakłóca ruch uliczny lub roboty drogowe, okna w pokoju dziecięcym powinny być zamknięte. Gdy inni członkowie rodziny wstają wcześnie, drzwi do pomieszczenia, w którym maluch śpi, również powinny być zamknięte.

Daj dziecku jego zabawkę. Bardzo możliwe, że umieszczając w łóżeczku malca niektóre z jego ulubionych zabawek, zapewnisz mu rozrywkę zaraz po przebudzeniu. W ten sposób możesz zyskać dla siebie kilka chwil odpoczynku. Upewnij się jednak, że zabawki są bezpieczne i że stąpając po nich, dziecko nie wypadnie z łóżeczka. Należy niestety liczyć się z tym, że wasza pociecha nie spocznie, dopóki nie ujrzy kogoś z was.

Ogranicz ilość płynów wieczorem. Jeśli dziecko wypija przed snem butelkę mleka, soku czy hebaty, przyczyną wczesnego budzenia się może być mokra pielucha. Zaprzestań obfitego pojenia malca przed snem.

Przesuń porę śniadania. Karmienie dziecka tuż po przebudzeniu sprawia, że jego organizm przyzwyczaja się do przyjmowania posiłków o świcie. Spróbuj przesunąć jedzenie na nieco późniejszą porę. Zastosuj metodę dziesięciominutowych przesunięć w czasie, aż dojdziesz do pory, którą uznasz za odpowiednią na spożycie śniadania. Jeśli malec szczególnie natarczywie upomina się o jedzenie, daj mu coś lekkiego do przegryzienia, krakersa lub trochę płatków bez mleka, i postaraj się przetrzymać go do śniadania.

Pogódź się z tym, czego nie jesteś w stanie zmienić. Chociaż twoje wcześnie zasypiające i wcześnie budzące się dziecko nie pozwala ci się

Kronika rytmu snu

Ile razy twoje dziecko przebudziło się w ciągu ostatniej nocy, a ile w ciągu przedostatniej? O której położyłaś je do łóżeczka, a o której rzeczywiście usnęło? Prawdopodobnie nie pamiętasz. Jeśli nawyki senne dziecka są dla ciebie źródłem problemów, zaprowadź specjalny dziennik, w którym przez dwa tygodnie będziesz odnotowywać pory chodzenia spać, godziny zaśnięcia, nocne pobudki i karmienia (jeśli jeszcze się zdarzają) itd. Notuj czas trwania nocnego czuwania i karmienia. Warto też ująć w kronice wszelkie drzemki; gdzie i kiedy malec spał oraz jak długo.

Prześledzenie rytmu snu twojego dziecka pozwoli ci wniknąć w specyfikę jego nawyków sennych i ułatwi rozwiązanie ewentualnych problemów. Dowiesz się, ile czasu maluch rzeczywiście przesypia i jaki jest jego rytm biologiczny. Jeśli ów biologiczny zegar kłóci się z porządkiem dnia przyjętym przez rodzinę, powinnaś zmienić przyzwyczajenia dziecka związane ze snem (patrz str. 77). Omawiając powyższe problemy z lekarzem, warto mieć przy sobie notatki.

wyspać — musisz to zaakceptować. Może ono należeć do tych dzieci, które nie potrzebują tyle snu, ile byś sobie życzyła. Z drugiej zaś strony, niewielu jest rodziców, którzy mogą poszczycić się śpiochem. Większość, tak jak ty, ma w swym gniazdku rannego ptaszka.

BUNT W PORZE ZASYPIANIA

Kładzenie dziecka spać to w naszym domu istna batalia. Nasz synek stawia opór, gdy ma iść do łóżka, a kiedy już się w nim znajdzie, krzykiem doprowadza nas do rozstroju nerwowego.

Łóżko znajduje się w czołówce tych miejsc, w których dzieci najmniej chętnie przebywają. Należą do nich również stół do przewijania i gabinet lekarski.

Największą radość dzieci odczuwają wówczas, gdy daje im się nieograniczoną swobodę. Dlatego pora pójścia spać wiąże się dla nich ze sporym stresem. Nie tylko bowiem muszą rozstać się z zabawkami i rodziną na dziesięć lub dwanaście godzin, ale także przerwać pasjonujące poznawanie rzeczywistości. Gdy dodamy do tego lęk przed ciemnością i samotnością, trudno się dziwić, że dziecko stawia opór i targuje się, gdy przychodzi pora snu.

Aby wykształcić w maluchu bardziej pozytywny stosunek do spania, należy go kłaść do łóżeczka o ustalonej godzinie (patrz str. 80). Zastanów się też, czy drzemki w ciągu dnia nie mają wpływu na porę, w której dziecko zasypia. Musisz też ocenić, czy wyznaczona dziecku pora snu jest odpowiednia. Przeciętnie osiemnastomiesięczne dziecko potrzebuje od godziny do półtorej snu w ciągu dnia i jedenaście, dwanaście godzin w ciągu nocy (oczywiście jedne potrzebują go więcej, inne mniej). Nakłanianie do spania dziecka, które nie jest zmęczone, może doprowadzić do istnej batalii. Jeśli stwierdzisz, że niechęć malucha do spania wynika z lęków nocnych, patrz uwagi na str. 270. A oto dodatkowe rady:

* Należy wytłumaczyć dziecku, że sen jest niezbędny dla jego zdrowia, że bez niego nie będzie mogło bawić się, biegać i radośnie spędzać czasu. Wspomnij też, że wszystkie znane dziecku osoby (koleżanki i koledzy z przedszkola, kuzyni, dziadkowie, rodzice itd.) również śpią w nocy.
* Spróbuj położyć malca spać nieco później. Usypianie brzdąca, który nie jest zmęczony, to syzyfowa praca. Jeśli maluch nie może zasnąć w ciągu godziny, opóźnij porę pójścia do łóżka o trzydzieści minut.
* Nastaw minutnik na dziesięć minut przed rozpoczęciem codziennych czynności związanych z układaniem dziecka do snu. Pozwoli mu to oswoić się z myślą, iż wkrótce będzie musiało udać się na spoczynek. Pamiętaj także, że na dziesięć minut przed snem malec nie powinien angażować się w zabawy, które silnie absorbują jego uwagę.
* Jeśli dziecko twierdzi, że nie jest zmęczone, nie nalegaj, by zasnęło natychmiast. Możesz zaprowadzić je do łóżeczka, ale nie zmuszaj do zaśnięcia. Pozwól mu obejrzeć obrazki w książce lub przy zgaszonym świetle posłuchać kaset z bajkami. Na pewno wkrótce ogarnie je senność. Najważniejsze, by dziecko cały czas pozostawało w łóżku.
* Podaj dziecku przed snem jakiś przedmiot, który zapewni mu komfort psychiczny. Pozwoli to maluchowi łagodniej przejść z etapu zabawy do etapu snu i pogodzić się z utratą twojego towarzystwa. Przedmiotem takim może być cokolwiek, co można bezpiecznie

pozostawić w łóżeczku i co spełni swoją rolę (może to więc być miś lub inne pluszowe zwierzątko, twój podkoszulek albo ulubiona zabawka, którą dostaje się tylko w szczególnych momentach, np. przed pójściem spać).

* Uważaj, abyś ty nie stała się owym szczególnym obiektem dającym ukojenie. Powstrzymaj się od asystowania dziecku, dopóki nie zaśnie. Jeśli choć raz ulegniesz, maluch będzie domagał się twojego towarzystwa co wieczór.
* Gdy już ułożysz dziecko czule w łóżeczku i otulisz kołderką, nie żałuj czasu na pieszczoty; utul malucha do snu i ucałuj na dobranoc. Ale gdy już zapewnisz mu całkowity komfort, bądź stanowcza. Nie należy oczywiście lekceważyć żadnych pytań lub próśb dziecka, ale powinnaś odnosić się do nich zdawkowo, nie ulegać emocjom i monotonnym tonem wyjaśniać ewentualne problemy. Staraj się przy tym, by wasza konwersacja była dla dziecka mało ekscytująca i niewarta podtrzymania. W efekcie malec poczuje się znużony stale powtarzającymi się odpowiedziami, aż w końcu ogarnie go sen. Jeśli to możliwe, rozmawiaj z dzieckiem, stojąc w wyjściu. Gdy zorientuje się, że nie jest w stanie przywołać cię do siebie, nie będzie długo upierało się przy swoim. Pozwól pogawędzić mu jeszcze przez dwie, trzy minuty, po czym zakomunikuj: „Na dziś koniec z pytaniami, wychodzę, śpij dobrze, bardzo cię kocham, do zobaczenia rano"[1].
* Spróbuj przewidzieć potrzeby dziecka. Postaw na nocnej szafce kubeczek z piciem i przygotuj pokój dziecka według jego specjalnych upodobań (niech drzwi od szafy będą zamknięte, niech pali się nocna lampka, niech w pobliżu malucha leży jego ukochana zabawka, a kołderka niech będzie ułożona tak, jak malec lubi). Upewnij się, że nie jest mu ani za ciepło, ani za zimno, że ma sucho i nie jest głodne. Podanie deseru, którego maluch nie zjadł po obiedzie, może zaspokoić ewentualny niedosyt. Deser nie powinien być jednak zbyt słodki (patrz str. 432).
* Jeśli dziecko rozpacza, gdy opuszczasz pokój, nie reaguj natychmiast, gdyż sam płacz może wprawić je w senność. Jeśli po dziesięciu minutach malec nadal płacze, wróć do pokoju i szepcząc, postaraj się go uspokoić. Pogłaszcz dziecko po pleckach i wyjdź. Jeśli płacz nie milknie, powtarzaj tę czynność w regularnych odstępach czasu, aż sen nim całkowicie zawładnie. Ważna jest konsekwencja. Nie możesz poddawać się i po półgodzinnych próbach brać malca na ręce, kołysać czy karmić. Jeśli ulegniesz, dasz dziecku do zrozumienia, że wytrwałym płaczem może osiągnąć wszystko, a zwłaszcza wymusić twoją obecność.
* Ponownie ułóż dziecko do snu. Gdy wstaje lub wychodzi z łóżeczka, ponownie połóż je i otul pościelą. Staraj się jednak ograniczyć kontakt do minimum, nie wdając się w żadną rozmowę.
* Doceń to, że malec łatwo daje się ułożyć do snu. Dzieci uwielbiają, gdy za dobre zachowanie w łóżku przyczepia im się na specjalnej tablicy złote gwiazdki lub inne naklejki. Obiecaj nagrodę, kiedy owe znaczki wypełnią dwa rzędy na tablicy.
* Nie trać cierpliwości. Im bardziej cierpliwie znosić będziesz każdą kolejną wyprawę do pokoju dziecka, tym mniej ich będzie w przyszłości.

GDY TRZEBA SIĘ ROZSTAĆ W CIĄGU DNIA

Za każdym razem, gdy zaprowadzam małą do żłobka, dziecko wpada w istną panikę. Wychowawczyni twierdzi, że mała dobrze sobie radzi w ciągu dnia. Rzeczywiście, gdy ją odbieram, wydaje się zadowolona. Jednakże owe poranne dramaty bardzo utrudniają mi pożegnanie z nią.

Nie jesteś jedyną matką, której z trudem przychodzi rozstać się z dzieckiem. Chociaż na pozór wydaje się ono dojrzalsze niż kilka miesięcy temu, jest nadal rozdarte między niezależnością a zależnością od rodziców. Biorąc jednak pod uwagę to, że małej wraca dobry nastrój, gdy ty już znikniesz, oraz że nie wygląda na nieszczęśliwą, gdy przychodzisz po nią, prawdopodobnie odpowiada jej zarówno wychowawczyni, jak i rozkład zajęć w żłobku. Ponieważ jednak niepokój związany z rozstaniem jest w drugiej połowie drugiego roku życia bardzo silny, dziecku może wydawać się, iż zostało porzucone, pozostawione samo sobie; może odczuwać lęk z powodu twojej nieobecności. Niepokój taki nasila się wraz z rosnącą mobilnością dziecka. Malec widzi, że nie tylko ty możesz go zostawić, ale że on może także oddalić się od ciebie.

[1] Jeśli rytuał układania do snu był dotychczas dość liberalny, nie należy go zmieniać zbyt drastycznie w czasie, gdy dziecko np. ząbkuje, gdy jest chore albo przechodzi trudny okres z innych względów (nowa opiekunka, nowy żłobek, nowo narodzony brat lub siostra), a nawet gdy opanowuje nową umiejętność, np. uczy się samodzielnie załatwiać potrzeby fizjologiczne.

Trzylatek, który ma już spore doświadczenie, jeśli chodzi o rozstanie z rodzicami, i którego niepokoje z tym związane były eliminowane z życzliwością i zrozumieniem, nie odczuje rozstania boleśnie. Zanim jednak dziecko osiągnie ten wiek, warto zwrócić uwagę na poniższe sugestie, które mogą ułatwić rozłąkę:

Wczuj się w sytuację dziecka. Zapoznanie się z informacjami na temat lęku przed rozstaniem (patrz str. 43) pozwoli zrozumieć, jakie przeżycia towarzyszą dziecku w takiej sytuacji, i łatwiej ustosunkować się do tego problemu.

Daj dziecku miły drobiazg. Maluch nie może zabrać do żłobka ciebie, ale jeśli przepisy pozwalają, może mieć przy sobie ukochanego misia, kocyk czy inny drobiazg poprawiający samopoczucie (patrz str. 113). Jeśli do żłobka nie wolno przynosić przedmiotów z domu, być może mała pamiątka (chusteczka lub zdjęcie w kieszonce) zapewni poczucie kontaktu z tobą.

Nie podsuwaj dziecku żadnych pomysłów. Prowadząc swoją pociechę do żłobka, nie drąż tematu rozstania. Nawet o nim nie wspominaj. Nawet jeśli przeczuwasz najgorsze, udawaj, że przebrniecie przez problem gładko. Rozmawiajcie o tym, co dziecko będzie robić w żłobku (jeśli nie wprawia go to w zły nastrój) lub o tym, co będziecie robić po powrocie do domu. Używaj przy tym pojęć znanych dziecku, np. „przed kolacją" albo „jak odpoczniesz w łóżeczku". Możecie też rozmawiać o pogodzie, małym piesku, który właśnie przebiegł drogę, o zielonej ciężarówce, która zatrzymała się na światłach.

Nie dolewaj oliwy do ognia. Jeśli dziecko zauważy, że mu współczujesz i że jego żale odnoszą sukces, nie przestanie narzekać. Dziecko potrzebuje twojego wsparcia, ale nie litości. Nie zostawiasz go przecież ze złą czarownicą.

Podkreślaj pozytywne strony. Po przyjściu do żłobka zapytaj wychowawczynię, jakie zajęcia zaplanowała na początek. Porozmawiaj na ten temat z dzieckiem. Zanim wyjdziesz, postaraj się, by dziecko zaangażowało się w zabawę. Dowiedz się także, co dzieci będą robiły pod koniec dnia, tuż przed przyjściem rodziców. Napomknij o tym dziecku. W ten sposób będzie wiedziało, kiedy zbliża się pora spotkania z tobą.

Eliminuj aspekty negatywne. Nie zwracaj się do dziecka, jakby było jeszcze maleństwem. Nie używaj pieszczotliwych imion. Dziecko, które i tak jest pełne obaw, czuje się przez takie traktowanie dodatkowo upokorzone i jeszcze bardziej nieszczęśliwe. Daj mu raczej odczuć, że to, co przeżywa, jest uzasadnione. Nie próbuj go przekupywać ani też nie groź mu. Nawet jeśli takie metody odnoszą skutek („Jeśli nie przestaniesz płakać, nie będziesz oglądała dziś bajki na dobranoc" lub: „Jeśli przestaniesz płakać, przyniosę ci pyszne ciastko, kiedy po ciebie przyjdę"), tworzy się niepożądany precedens i wykształca w dziecku zdolność do ukrywania uczuć, zamiast umożliwić mu przeżywanie różnorodnych stanów emocjonalnych.

Nie oglądaj się za siebie. Jeśli to zrobisz, nie zamienisz się oczywiście w słup soli jak żona Lota, ale widok twojej pociechy, rozpaczliwie wyciągającej ręce w twoim kierunku i błagającej, byś nie odchodziła, sprawi, że zaczną tobą targać sprzeczne emocje (a o to właśnie chodzi). Tak więc opuść pomieszczenie szybko i zdecydowanie. Jeśli jest możliwość obserwowania dziecka z ukrycia, zapewne będziesz świadkiem, jak uzależniona od matki, opuszczona istota zmienia się w niezależne, wesołe dziecko. Jeśli nie możesz obserwować dziecka, porozmawiaj z wychowawczynią na temat jego adaptacji w żłobku[2]. Wychowawczyni prawdopodobnie potwierdzi, że malec ma dobre kontakty z rówieśnikami i chętnie włącza się do zabaw. Jeśli występują problemy adaptacyjne, należy omówić je z wychowawcą i poszukać sposobów ich rozwiązania.

Odbieraj dziecko punktualnie. Nawet kilkuminutowe spóźnienie dziecku może wydawać się wiecznością, zwłaszcza gdy widzi, że inni rodzice przychodzą po swe pociechy. Jeśli dziecko wie, że nie może liczyć na twoją punktualność, jego poczucie bezpieczeństwa zostanie zachwiane i każdorazowa próba zostawienia w żłobku będzie kończyła się protestem. Kiedy już się zjawisz, by dziecko odebrać, nie rób kwaśnej miny i nie wracaj do porannych przekomarzań. Przywitaj malucha z uśmiechem i zadowoleniem i zapomnij o przykrych przeżyciach. Na str. 337 przeczytasz, jak postępować z dziećmi chodzącymi do przedszkola, które przeżywają stres związany z rozstaniem.

NIESFORNOŚĆ W CZASIE JEDZENIA

W czasie posiłków nasz syn nie potrafi nawet przez chwilę usiedzieć na miejscu. Jeśli próbujemy

[2] Jeśli masz wątpliwości co do jakości opieki nad dzieckiem, patrz str. 685.

przypiąć go do krzesełka, wrzeszczy, wstaje, wierci się i domaga się, by go z niego wysadzić, zanim jeszcze cokolwiek zje.

Dla większości maluchów w tym wieku jedzenie nie stanowi największej atrakcji. Tak jak niemowlęta poznają rzeczywistość poprzez branie wszystkiego do ust — czerpiąc z posiłków wiele nowych doświadczeń — tak nieco starsze dzieci poszerzają swój zakres wrażeń poprzez chodzenie. Posiłek jest dla nich wówczas stratą czasu. Dziecko jest w stanie zjeść parę kęsów, ale z pewnością nie usiedzi spokojnie. Jedzenia nie da się jednak uniknąć, tak więc, by sprowokować malca do jedzenia, a tym samym dostarczyć mu niezbędnej energii, spróbuj wykorzystać następujące rady:

Posadź dziecko w innym miejscu. Niewykluczone, że posadzenie malca przy waszym stole lub przy specjalnym, dziecięcym stoliku da mu poczucie większej swobody i dojrzałości.

Nie karm go. Pragnienie niezależności i chęć zdobywania nowych doświadczeń są u dziecka znacznie silniejsze niż głód. Nawet jeśli maluch nie nabył jeszcze sprawności samodzielnego jedzenia, pozwalając mu jeść samodzielnie, można sprawić, że chętniej będzie ćwiczył nową umiejętność (patrz str. 41).

Dotrzymuj mu towarzystwa. Nawet jeśli pory posiłków dziecka nie pokrywają się z twoimi, dotrzymuj mu towarzystwa. Prowadź z nim rozmowy, unikając jednakże tematów związanych z tym, jak mało zjadł lub jak opornie mu to idzie. Niektóre maluchy wręcz przeciwnie — jedzą znacznie lepiej, gdy nie asystują im osoby dorosłe. Obecność starszych rozprasza je. Mimo to, jeśli twoje dziecko nie jest przypięte do krzesełka i nie rozlewa jedzenia, usiądź przy stole obok malucha i dotrzymaj mu towarzystwa.

Nie zmuszaj, gdy ma dosyć. Kiedy dziecko nie ma ochoty na dalsze jedzenie i daje nam to do zrozumienia, próbując wstawać albo bawić się tym, co znajduje się na talerzu, nie staraj się go zmuszać. Nawet jeśli zjadło niewiele, pozwól mu odejść od stołu, raczej stwierdzając: „Już się najadłeś, to dobrze", niż narzekając: „Jak zwykle nic nie zjadłeś". Nie biegaj za dzieckiem z jedzeniem i nie wołaj błagalnie: „Jeszcze tylko jedna łyżeczka". Zmuszanie do jedzenia nie tylko może źle wpłynąć na późniejsze nawyki żywieniowe, ale także wykształcić w dziecku manierę unikania jedzenia przy stole, gdyż: „Mama lub tata mogą nakarmić mnie także wtedy, gdy się bawię". Jeśli malec poczuje się głodny później, powinien spożyć posiłek przy stole.

ZAPEWNIANIE ROZRYWKI W PORZE POSIŁKU

Odkąd nasza córecza skończyła roczek, jej posiłki stały się koszmarem. Nie przełknie nic, jeśli nie zapewnimy jej jakiejś rozrywki. Czujemy się czasami jak klauni w cyrku. Jak można to zmienić?

Jak najszybciej należy przestać bawić się w klaunów. Dziecko, które nakłaniane jest do jedzenia za pomocą akrobatycznych sztuczek rodziców, piosenek, tańców lub znanych chwytów komediowych, zacznie oczekiwać takich popisów przy każdym posiłku i bez programu rozrywkowego odmówi zjedzenia czegokolwiek.

Zadaniem rodziców nie jest nakłanianie, lecz umożliwienie dziecku spożywania posiłków. Aby uniknąć w przyszłości problemów z jedzeniem, należy pozwolić dziecku, by jego własny apetyt był dla niego przewodnikiem w wyrabianiu nawyków żywieniowych. Dziecko musi kojarzyć jedzenie z zaspokojeniem głodu („Burczy mi w brzuchu, dostanę pewnie coś do jedzenia"), a nie z rozrywką („Tata staje na głowie, pewnie zbliża się pora jedzenia").

Definitywnie skończ z popisami w czasie obiadu. Kiedy dziecko odegra swoje melodramatyczne przedstawienie, począwszy od histerii, walenia ręką w stół, a skończywszy na proteście głodowym, oszczędź sobie kolejnego występu cyrkowego, nawet gdybyś wierzyła, że to ostatni raz. Bądź opanowana i rzeczowa, tak jakby to, czy dziecko je, czy nie, nie obchodziło cię zupełnie (w gruncie rzeczy nie musisz się tym zbytnio przejmować, jeśli twoja pociecha rozwija się normalnie). Możesz być spokojna, że kiedy głód zatriumfuje nad uporem, dziecko będzie pałaszowało posiłki, nie domagając się dodatkowych atrakcji. Jednak to, że nie zapewniasz już maluchowi programu rozrywkowego przy jedzeniu, nie oznacza, że nie możesz dotrzymywać mu towarzystwa przy stole (nie musisz jeść obiadu, wystarczy, że masz coś lekkiego do przegryzienia). Jedząc z dzieckiem, uczynisz z posiłku pozytywne doświadczenie społeczne, a i samo jedzenie stanie się interesującym wydarzeniem. Siedząc przy stole, rozmawiaj z dzieckiem o wszystkim, z wyjątkiem tego, jak dużo lub jak mało zjadło. Napomknij o porannym spacerze w parku, o koledze, który przyjdzie dziś po

Bezpieczne siedzenie

Tylko ty możesz stwierdzić, kiedy twoje dziecko jest już na tyle dojrzałe, by mogło siedzieć na wysokim krzesełku bez przypięcia. Najczęściej zmiana krzesełka jest możliwa, gdy maluch zaczyna rozumieć zasady bezpieczeństwa i przestrzegać ich lub gdy sam potrafi wydostać się z krzesełka, względnie poprosić o pomoc. Kiedy maluch zacznie narzekać na „uprząż" i wydaje się już dość dorosły, by siedzieć samodzielnie, przez kolejnych kilka posiłków pilnie obserwuj jego zachowanie, by przekonać się, czy rzeczywiście tak jest.

Kiedy już przestaniesz dziecko przypinać, nie pozwól, by stawało na krzesełku. Oczywiście, pewna doza aktywności u dziecka szczególnie energicznego jest dopuszczalna i nieunikniona, ale stawanie na krzesełku jest ogromnie niebezpieczne. Dzieci, które lekceważą taki zakaz, powinny być nadal przypinane szelkami. Jeśli stawiają opór, nie powinny jadać przy stole.

Pod koniec drugiego roku życia lub na początku trzeciego dzieci potrafią bezpiecznie siedzieć przy normalnym stole, podwijając nóżki. Jednak także należy najpierw sprawdzić, czy maluch już to potrafi.

południu, by się z nim pobawić, o kwiatach w ogrodzie, które widzieliście, wracając do domu. Nawet jeśli na początku udział dziecka w rozmowie jest znikomy, takie wzajemne oddziaływanie na siebie da mu do zrozumienia, że to rozmowa, a nie przedstawienie cyrkowe jest bardziej stosownym tłem dla posiłków.

Warto też przyrządzać dziecku dania „na wesoło". Jest to pewna forma zaspokojenia potrzeby rozrywki w porze posiłku. Na str. 449 znajdziesz wskazówki dotyczące tego, jak uatrakcyjniać dania serwowane maluchowi.

BUNT W CZASIE JAZDY SAMOCHODEM

Gdy tylko próbujemy posadzić naszą córkę na jej fotelik w samochodzie, mała gwałtownie zgina się w pałąk, co uniemożliwia nam przypięcie jej szelkami.

Dziecko protestuje przeciwko takiemu podwójnemu ograniczaniu jego swobody. Przypinając małą, nie tylko dokonujecie zamachu na jej niezależność (nad którą tak bardzo pracuje), ale także na jej swobodę ruchu (w tym wieku poruszanie się jest zajęciem nowym i frapującym). Z tego względu trudno się dziwić, że dziecko podejmuje walkę z takim krępowaniem jego wolności.

Z drugiej strony, dzieci nie przypięte do fotelików w samochodzie (do wózków, wysokich krzesełek, wózków sklepowych itd.) narażone są na poważne niebezpieczeństwa. Prawo amerykańskie wymaga, by dziecko jadące samochodem siedziało w specjalnym foteliku. Nierespektowanie tego przepisu jest igraniem ze śmiercią (nawet w czasie banalnej stłuczki). Nie ma więc w tym względzie żadnych wyjątków — nawet jeśli udajesz się tylko na sąsiednią ulicę, musisz przypiąć dziecko do fotela[3].

Nie ulega wątpliwości, że w tej walce na charaktery ty musisz zwyciężyć. Postaraj się jednak, by maksymalnie ułatwić dziecku uporanie się z tym problemem. Poniższe strategie mogą okazać się pomocne:

Zapewnij dziecku komfort. Jeśli paski fotelika zbyt ciasno opinają dziecko, plastykowe siedzenie jest zbyt niewygodne, metalowa klamra rozgrzana słońcem i parzy, jeśli obicie siedzenia drażni skórę, a fotelik jest za wąski, to dziecko nie czuje się w nim dobrze i buntuje się jeszcze bardziej[4]. Wyeliminowanie tych mankamentów może zmienić stosunek malca do jazdy samochodem.

Bądź dyplomatą. Zamiast rozpoczynać każdą podróż samochodem od słów: „A teraz przypniemy cię do fotelika" — co natychmiast spotka się z protestem — uśpij czujność dziecka, kierując rozmowę na inny temat („Popatrz na śnieg, widzisz, jak ładnie wygląda", „Chciałabyś pojechać do babci i dziadka dziś po południu?", „Jak tylko zajedziemy do domu, zjemy pyszny obiad"). Manipulując przy klamrach, możesz zająć uwagę małej pytaniami w stylu: „Jak mówi piesek, a jak krówka?", „Pokaż, gdzie mama ma nos". Spróbuj też układać w tym czasie różne niemądre rymowanki lub piosenki, np.: „Przypniemy teraz brzuszek, mały brzuszek łakomczuszek". Możesz mieć w zanadrzu jedną albo dwie ulubione zabawki, które angażują dziecko emocjonalnie i ruchowo. Nie zastanawiaj się, czy

[3] Aby upewnić się, że dziecko jest rzeczywiście przypięte, patrz uwagi na str. 552.

[4] Dzieciom, które ukończyły osiemnasty miesiąc, można instalować foteliki mniej krępujące ich ruchy.

maluch jest świadomy tego, co się dzieje, czy nie, ważne, by metody były skuteczne.

Więcej muzyki, maestro! Zawsze miej w samochodzie kasetę z muzyką, którą dziecko lubi i która poprawia mu nastrój. Jeśli nie masz magnetofonu w samochodzie, używaj sprzętu przenośnego.

Zaplanuj zabawę. Mimo iż próba zabawiania dziecka w czasie jazdy samochodem nie zawsze kończy się sukcesem, warto ją podjąć[5]. Przygotuj różne zabawki, których dziecko może używać na zmianę. Przyczep je do fotelika plastykowymi kółkami, tasiemką lub sznurkiem (nie dłuższym jednak niż piętnaście centymetrów). Przedmioty nie umocowane są niebezpieczne. Podrzucane przez malucha lub przemieszczające się gwałtownie, np. w czasie hamowania, mogą osłabić koncentrację kierowcy. Mogą także rozzłościć malca, gdy wypadną mu z rączek i znajdą się poza jego zasięgiem. Nie powinno się wozić zabawek hałaśliwych, np. dziecięcych instrumentów muzycznych, gdyż one również mogą rozpraszać uwagę osoby kierującej.

Obowiązek dotyczy wszystkich. Zapinanie pasów jest regułą, którą należy stosować wobec wszystkich osób znajdujących się w samochodzie. Jeśli kierowca nie jest przypięty, szansa wyjścia z wypadku bez szwanku gwałtownie maleje. Tak więc, zapinając pasy, kierujmy się względami bezpieczeństwa.

Pozwól dziecku na przypięcie jego przytulanki. Jeśli pasy są wystarczająco długie, pozwól dziecku, by najpierw przypięło nimi do fotelika swego misia, lalkę albo inną przytulankę. Można w tym celu użyć osobnego paska i przywiązać nim zabawkę do fotelika. Wytłumacz malcowi, że pasy bezpieczeństwa uchronią od wypadku nie tylko ludzi, ale także lalki.

Pozwól dziecku się wykazać. Kiedy uznasz, że maluch jest na tyle dojrzały, iż rozumie ideę stosowania pasów bezpieczeństwa, wyznacz mu rolę osoby kontrolującej współpasażerów. Raz na jakiś czas zapomnij się przypiąć i pozwól dziecku, by cię upomniało. Nie ruszaj jednak z miejsca, zanim przypomni ci o twoim uchybieniu.

[5] Chociaż podawanie maluchowi jedzenia w celu uspokojenia go w czasie jazdy samochodem jest i kuszące, i skuteczne, nie jest to sposób rozsądny (chyba że dziecko jest głodne), zwłaszcza jeśli robimy to regularnie.

Nie zgadzaj się na żadne wyjątki. Nawet jednorazowe ustępstwo: „No dobrze, dzisiaj wyjątkowo nie przypnę cię pasami", może okazać się fatalnym błędem. Zwykła przejażdżka może okazać się tragiczna dla dziecka, które nie było przypięte pasami bezpieczeństwa. Podporządkowanie się woli malucha może postawić pod znakiem zapytania twój autorytet i dać dziecku pewność, że skoro raz ustąpiłaś, możesz ustępować w nieskończoność. Wszyscy doświadczeni rodzice wiedzą, że jest to błąd taktyczny.

NIECHĘĆ DO JAZDY WÓZKIEM

Rzadko udaje mi się usadzić małą w wózku bez protestu z jej strony. Mieszkam w mieście i wózek jest czasami niezbędny, by w krótkim czasie przemieścić się z jednego miejsca w drugie.

Zachowanie dzieci często kłóci się z podstawowymi zasadami logiki. Nie pozwalają włożyć sobie butów, choć same nie potrafią tego dokonać. Buntują się przed pójściem spać, choć są bardzo zmęczone i kapryśne. Stawiają opór, gdy chcesz posadzić je do wózka, choć nie są w stanie dotrzymać ci kroku, gdy się spieszysz.

Niestety, jest to sytuacja typowa (jeśli ktoś uważa inaczej, prawdopodobnie nigdy nie miał do czynienia z małym dzieckiem). Dzieci i wygoda wykluczają się wzajemnie, a skoro zrezygnowanie z pierwszego nie wchodzi w rachubę, trzeba przygotować się na wiele wyrzeczeń. I choć warto wziąć pod uwagę poniższe rady, warto też pogodzić się z istniejącą sytuacją i przyjąć do wiadomości, że poruszanie się z dzieckiem jest męczące i na dodatek trwa dwa razy dłużej.

Wczuj się w sytuację dziecka. Kiedy maluch zacznie buntować się przeciwko usadzeniu go w wózku lub znalazłszy się w nim, wykrzykiwać: „Chcę wyjść!" — bądź wyrozumiała. Powiedz mu: „Wiem, że nie chcesz jechać wózeczkiem, ale nie mamy teraz czasu, abyś spacerował. Będziesz mógł iść, kiedy będziemy blisko domu".

Wózek nie może stać się źródłem konfliktu. W naturze dziecka leży zasada: im większe znaczenie rodzice przywiązują do czegoś, tym bardziej należy z tym walczyć. Dlatego jeśli twoja pociecha protestuje przeciwko wsadzeniu jej do wózka lub domaga się, by ją z niego wysadzić, nie dawaj ponieść się emocjom i zachowaj spokój.

Zmieniaj pozycje. Jeśli masz wózek wielofunkcyjny, możesz wozić dziecko tyłem lub przodem do siebie, tak by mogło obserwować świat z różnych stron.

Wprowadź elementy zabawy. Używając tasiemki bądź sznurka (nie dłuższego jednak niż piętnaście centymetrów), zawieś na wózku różne drobne zabawki. Miniaturowe instrumenty muzyczne potrafią doskonale zająć uwagę dziecka, można więc ich używać w czasie przejażdżki, jeśli nie udajesz się do biblioteki, muzeum czy innego miejsca, w którym wymagana jest cisza. Wymieniaj zabawki jak najczęściej, w ten sposób podróże wózkiem mogą stać się dla dziecka miłą rozrywką.

Mów, śpiewaj. Idąc, pokazuj dziecku psy, kwiaty, okna wystawowe, betoniarki i wywrotki. Opowiadaj o miejscu, do którego idziecie, i o tym, co będziecie tam robić. Podśpiewuj: „A kółeczka od wózeczka kręcą się i kręcą". Taka nieprzerwanie trwająca rozmowa i śpiew może skierować uwagę malucha na inne tory i spowodować, że przestanie narzekać. Kiedy już dziecko nauczy się rozpoznawać kolory, cyfry i litery, można bawić się z nim w spostrzegawczość: „Kto pierwszy dostrzeże kolor czerwony lub literę A, lub cyfrę 2 — ten wygrywa".

Wiele dzieci niechętnie wsiada do wózka, który ogranicza ich swobodę. Gdy jednak mama lub tata proponują im spacer pieszo, zaczynają wykazywać zainteresowanie wózkiem.

Pozwól dziecku dreptać. Wejdź w jego położenie — właśnie teraz, gdy nauczyło się chodzić, pozbawia się je przyjemności ćwiczenia nowej sprawności i odkrywania tego, co je otacza. Tak więc, jeśli to tylko możliwe, pozwól, by malec spacerował (nawet jeśli oznacza to, że musicie wyjść z domu nieco wcześniej lub dojść do celu trochę później). Niech pomoże ci w popychaniu wózka (zakładając, że nie ma nic przeciwko temu; patrz uwagi niżej). Dziecko będzie w stanie dotrzymać ci kroku. Niech drepcze tak długo, jak długo ma na to ochotę. Kiedy się zmęczy, samo zatęskni za odpoczynkiem w wózku.

Nasz synek nie chce już jeździć w wózku, natomiast uwielbia go pchać. Nie byłoby w tym nic złego, gdyby nie wjeżdżał nim we wszystkich i wszystko. Gdy usiłuję pozbawić go tej przyjemności, wrzeszczy ze złości. Czy jest jakieś wyjście?

Dzieckiem kieruje chęć sprawowania kontroli nad tym, co się dzieje — nieważne, czy chodzi o wybór śniadaniowego menu, pory pójścia spać, czy też o prowadzenie własnego wózka. To ostatnie może jednak powodować najeżdżanie na przechodniów, kolizję z drzewem, wtargnięcie na trawnik itd., powodując przykrości, zniszczenia i narażając malca na niebezpieczeństwo.

Chociaż są sytuacje, w których można (a nawet powinno się) przekazać dziecku ster, kiedy się tego domaga, w przypadku wózków nie jest to rozsądne. Oto sposoby uniknięcia problemów z tym związanych:

Zostaw wózek w domu. Poruszanie się z dzieckiem bez wózka może nie być rzeczą łatwą, ale może okazać się prostsze niż zmagania z malcem, który upiera się, by pchać własny wózek. Jeśli to możliwe, nie planuj pieszych wypraw z wózkiem, zastąp je samochodem lub środkami komunikacji miejskiej.

Zachęć malca, by siedział w wózku. Jeśli potrafisz uczynić z wyprawy wózkiem atrakcyjną przygodę (patrz wyżej) dziecko może nie nalegać na objęcie funkcji kierowcy.

Trzymaj rękę na pulsie. Steruj wózkiem tak, by mały tego nie widział. Dziecko będzie miało wrażenie, że to ono decyduje o kierunku jazdy, a jednocześnie nie będzie narażone na niebezpieczeństwo. Odwróć jego uwagę od twojej dyskretnej ingerencji, śpiewając mu piosenkę lub pokazując ciekawe rzeczy w otoczeniu. Jeśli cię przyłapie, że mu pomagasz, i zacznie protestować (co w przypadku dzieci mocno zdeterminowanych jest nie do uniknięcia), nie próbuj dyskutować na temat, kto powinien kontrolować sytuację. Zamiast więc stwierdzać: „Muszę ci pomóc, bo jesteś jeszcze mały", co rozzłości go jeszcze bardziej, spróbuj raczej powiedzieć: „Opieram rączkę na poręczy wózka, bo jest trochę zmęczona. Rączka lubi, gdy ją wieziesz". Trudno powiedzieć, czy odniesie to żądany skutek, ale zawsze warto spróbować. Można także oznajmić maluchowi, że pozwolisz mu pchać jego pojazd, ale tylko z twoją pomocą.

Niech pcha coś mniejszego. Znacznie łatwiejszy w utrzymaniu „odpowiedniego kursu" jest wózek dla lalek lub koszyk na kółkach w sklepie spożywczym. Ponieważ wózki zabawki są lżejsze, nie są w stanie spowodować poważnych szkód, nawet gdy dziecko najedzie nimi na przechodnia czy stoisko w sklepie (pamiętajmy jednak, że nawet w przypadku takiego wózka dziecko wymaga stałej kontroli, szczególnie przy przechodzeniu przez jezdnię). Zabieraj wózek dla lalek tylko na krótkie trasy, w przeciwnym razie, gdy nogi odmówią małemu posłuszeństwa, masz w perspektywie dźwiganie i dziecka, i wózka.

BUNT PRZY MYCIU WŁOSÓW

Jesteśmy przerażeni, gdy przychodzi moment mycia głowy naszej córce, która kopie i wrzeszczy wniebogłosy. Czy jest jakiś sposób, żeby obyło się bez takiej wojny?

Kapelusik z daszkiem chroni oczy przed wodą i mydlinami.

Gdyby tylko można było na czas mycia i czesania „zdjąć" włosy z głowy malucha — nie byłoby problemu, twierdzą rodzice. Ponieważ jest to niemożliwe, trzeba uciec się do innych sposobów, umożliwiających umycie głowy szamponem:

Ścinaj włosy krótko. Im krótsze włosy, tym krótsze mycie. Jeśli dziecko ma włosy długie, które trudno się rozczesują, zastanów się, czy nie lepiej je przystrzyc i w ten sposób ułatwić ich pielęgnację (patrz str. 268).

Używaj delikatnych środków. Zawsze kupuj szampon bezzapachowy i łagodny dla oczu.

Zapobiegaj supłaniu się włosów. Delikatne włoski dziecka skręcają się, gdy są mokre. Warto więc uczesać je, zanim nałożymy na nie szampon (ułatwi to rozczesywanie włosów po umyciu). Będą także mniej skłębione, jeśli unikniesz gwałtownych ruchów i będziesz łagodnie wcierać szampon.

Przygotuj wszystko. Zanim przystąpisz do mycia, upewnij się, że wszystko masz przygotowane (wodę o odpowiedniej temperaturze, szampon, ręcznik itd.). W ten sposób czynność ta nie będzie się niepotrzebnie przedłużała. Aby sam czas mycia głowy ograniczyć do minimum, używaj szamponu, który już zawiera odżywkę.

Chroń oczy. Nawet najbardziej łagodny szampon (a niekiedy sama woda) potrafi wywołać u dziecka łzawienie. Spróbuj więc osłaniać oczy malucha specjalnym kapelusikiem z daszkiem, który można kupić w sklepach z artykułami dziecięcymi. Można także chronić oczy, przykładając do czoła ręcznik. Gogle lub maska pływacka mogą również spełniać podobną funkcję.

Spłukuj uważnie. Spłukiwanie włosów prysznicem pozwala na lepszą kontrolę strumienia wody. Jeśli nie masz prysznica, możesz w tym celu wykorzystać konewkę-zabawkę, którą maluch może bawić się w wannie w czasie kąpieli.

Pozwól dziecku robić to samo. Maluch może czuć się mniej zgnębiony, gdy sam będzie mógł umyć komuś włosy, np. lalce. Niech również używa swojej konewki do spłukiwania. Sposoby odwracania uwagi dziecka od tego, co przykre, znajdziesz w ramce na str. 148.

Pozwól dziecku obserwować. Jeśli zainstalujesz nad wanną lustro z nietłukącego szkła, zmienisz mycie włosów w widowisko sportowe. Świetną zabawą może także okazać się układanie piany na włosach w różne kształty (staraj się przy tym, by włosy nie skręciły się za mocno). Zachęć dziecko, by w podobny sposób wykonywało „rzeźby" na głowie swojej lalki.

Nie przesadzaj. Wystarczy, jeśli włosy dziecka myjemy raz na tydzień. W szczególnych przypadkach, np. gdy jest upał lub gdy malec ma wyjątkowo tłuste włosy (względnie zabrudzone jedzeniem), można to robić częściej.

NIECHĘĆ DO MYCIA RĄK

Po porannej zabawie nasze dziecko ma nieprawdopodobnie brudne ręce. Gdy jednak chcemy mu je umyć przed jedzeniem, protestuje.

Dzieci i brud to nierozłączni przyjaciele. Czarne kolana, ręce brudne po łokcie, oklejona buzia — to skutek zabawy w piaskownicy. Jest to faza, przez którą musi przejść każde dziecko, a którą można porównać do okresu napadów złości czy kaprysów w czasie jedzenia.

Podczas gdy z myciem całego ciała można poczekać do wieczora, brudne ręce trzeba myć przed każdym posiłkiem — zwłaszcza że prawdopodobnie maluch będzie się nimi posługiwał. Chociaż większość dzieci jest z reguły zadowolona, gdy zanurza się im ręce w ciepłej wodzie, spora ich część — do niej należy twoje dziecko — stawia opór. Ale bez względu na to, czy mu się to podoba, czy nie, należy w dziecku wyrobić nawyk mycia rąk. Jest to podstawowy zabieg higieniczny każdego człowieka, nie tylko uniemożliwiający wtargnięcie brudu do pożywienia, ale także rozprzestrzenianie się bakterii. Aby mycie rąk stało się bardziej przyjemne, spraw, żeby:

Dziecko brało sprawy w swoje ręce. Im bardziej pozwolimy dzieciom na samodzielność w czynnościach, które ich dotyczą, tym większe prawdopodobieństwo, iż zaczną się do nich odnosić z aprobatą. Jeśli dotychczas myłaś ręce maluchowi, podaj mu teraz mydło, puść wodę, a zobaczysz, że jego uprzedzenie znacznie zmaleje. Nie dąsaj się z powodu podłogi, którą niewątpliwie zachlapie — można ją przecież wytrzeć. Pamiętaj jednak o tym, aby woda miała odpowiednią temperaturę i dziecko nie oparzyło się. Gdy maluch podrośnie i nie będzie potrzebował już asysty osoby dorosłej, naucz go najpierw odkręcać zimną wodę, by uniknąć poparzeń. Kiedy malec skończy myć ręce, skontroluj efekty. Jeśli ręce niewiele będą się różniły od stanu wyjściowego, powinien je umyć jeszcze raz. Możesz też zaproponować maluchowi mycie rąk na zmianę — ty myjesz jego, on twoje.

Dziecko miało łatwy dostęp do umywalki. Jedną z najbardziej dokuczliwych stron mycia rąk jest dla dziecka pokonanie przeszkód natury technicznej. Jeśli będzie miało łatwy dostęp do umywalki, ręcznik i mydło znajdzie się w zasięgu ręki, da mu to poczucie większej niezależności. Pewnym sposobem uatrakcyjnienia czynności mycia jest zainstalowanie obok wanny, na poziomie odpowiednim do wzrostu dziecka, specjalnej dziecięcej umywalki.

Dziecko używało mydła w płynie. Mydło twarde nie tylko się wyślizguje i nie daje łatwo obracać w drobnych rączkach, ale gromadzi na sobie prawie tyle samo brudu, ile ręce malucha. Jest więc siedliskiem bakterii, które łatwo się rozprzestrzeniają. Aby jednak wyciskanie mydła nie przerodziło się w zabawę, podaj dziecku pojemnik, pozwól na wyciśnięcie sporej porcji, po czym odstaw butelkę na miejsce. Pewnym urozmaiceniem jest mycie rąk namydloną myjką. Po skończonej czynności malec spłukuje pianę wodą.

Dziecko używało wilgotnych chusteczek jednorazowych. Poza domem idealnym sposobem na utrzymanie rąk w czystości są wilgotne chusteczki jednorazowe. Są wygodne w użyciu i nawet małe dziecko może się nimi doskonale posługiwać. Zachęć malca do wtarcia w chusteczkę tyle brudu, ile tylko może, a będzie czynił to z ochotą.

ZAZDROŚĆ

Nasz synek chyba jest zazdrosny. Ilekroć mój mąż chce mnie przytulić, dziecko usiłuje nas rozdzielić i jest niezadowolone. Do pewnego momentu wydawało nam się to niewinne, ale teraz przestaje nas to bawić.

Wiele dzieci ma w sobie małego Edypa. Manifestują to zaborczym przywiązaniem do matki, którą nawet chciałyby poślubić. Takie uczucia są zupełnie normalne i jeśli traktuje je się w sposób naturalny, przemijają. U trzy-, czteroletnich chłopców dość powszechne jest zachowywanie pewnego dystansu i niegodzenie się na żadne czułości ze strony matki. Zamiast irytować się z tego powodu (np. odtrącać malca na korzyść ojca, co spotęguje tylko jego zazdrość i wzmoże przekonanie, że ojciec stanowi zagrożenie) czy okazywać dziecku nadmierne zainteresowanie (np. odtrącać ojca na korzyść syn-

Łyżeczka cukru

Mary Poppins miała rację, twierdząc, że lekarstwo łatwiej połyka się z cukrem. Ale skoro cukier niszczy zęby (w ogóle ma zły wpływ na zdrowie), należy zastanowić się nad innymi sposobami przezwyciężania oporów dziecka wobec niektórych nieuniknionych czynności, takich jak: przyjmowanie lekarstw, mycie włosów, ubieranie się, porządkowanie zabawek, kąpiel itd. Oto kilka metod, które pani Poppins i pediatrzy uznaliby za godne polecenia:

Rozweselające piosenki. Nie musisz być gwiazdą estrady, by rozbawić malucha wesołą piosenką w stylu: „Mydło wszystko umyje, nawet uszy i szyję" lub: „Jakie skarpeciuszki założą dziś te nóżki", lub jakąkolwiek inną, wymyśloną przez siebie piosenkę. Im więcej w niej będzie śmiesznych słów, tym bardziej spodoba się ona maluchowi. Za każdym razem, gdy zbliża się czynność, którą dziecko wykonuje niechętnie, śpiewaj ten sam utwór. Zobaczysz, że malec chętniej przystąpi do mycia, ubierania się, kąpania itd., gdyż będzie niecierpliwie czekał na swą ulubioną piosenkę.

Pomyłki mamy lub taty. Dziecku, któremu bez przerwy mówi się, co i jak należy robić, nic nie sprawi większej radości niż wytknięcie rodzicom błędu. Celem takiej zabawy jest dostarczyć dziecku tej szczególnej przyjemności, czerpiąc jednocześnie samemu satysfakcję z jego podporządkowania się waszej woli. Jeśli chcesz, aby maluch wypił mleko, powiedz: „Ale to mleko jest pyszne, mniam, mniam, chyba zaraz je wypiję". Gdy woda w wannie czeka na brzdąca, który właśnie wszczyna bunt, zawołaj: „Jestem już gotowa do kąpieli!" i skieruj się w stronę wanny, udając, że zamierzasz wejść do niej w ubraniu. Dziecko nie tylko będzie zachwycone możliwością przywołania cię do porządku: „To moje mleko!" lub: „To moja woda!", ale także samą niedorzecznością sytuacji. A ty z zadowoleniem będziesz się przyglądać, jak chwyta za kubek z mlekiem lub wdrapuje się do wanny.

Psychologia odwrotności. Wydawanie poleceń przeciwnych intencji sprawia, że dzieci często wykonują je zgodnie z intencją (patrz str. 274).

Humor, który ratuje sytuację. Zasada polega na tym, że przeczuwając zbliżające się kłopoty, nie wpadasz w złość, lecz pozwalasz sobie na drobne błazeństwa. Gdy np. malec nie pozwala włożyć sobie rękawiczek, ty próbujesz nałożyć je na psie łapy. Gdy odmawia ubrania kurtki, ty usiłujesz wcisnąć ją na siebie. Przy odrobinie szczęścia sytuacja taka nie tylko rozśmieszy dziecko, ale także przyniesie żądany skutek: „To są moje rękawiczki!", „To jest moja kurtka!"

Śmieszne miny. Niewiele trzeba, by rozśmieszyć dziecko. Wydęte lub wciągnięte policzki, wytknięty język — improwizacja może iść w dowo-

ka, co zniekształca u chłopca obraz relacji rodzinnych), wykaż się poczuciem humoru. Niech dziecko uczestniczy w waszych wzajemnych czułościach. Gdy próbuje was rozdzielać, obdarzajcie go pocałunkami i przytulajcie, by nie czuł się odtrącony. Powiedz synkowi, że kochasz i jego, i tatę, że kochasz ich obu. Czuwaj jednak, by chłopiec nie rozwijał nadmiernie swej fantazji; choć jego przywiązanie do ciebie jest miłe i dowartościowuje cię, wytłumacz synkowi, że nie może się z tobą ożenić, bo jesteś jego mamą. Może jednak poślubić inną, równie ładną panią, gdy dorośnie.

Istotne jest, abyście stale okazywali dziecku miłość i zainteresowanie. Jeśli malec ma pewne uprzedzenia wobec ojca, niech spędza z nim więcej czasu na zasadzie — „między nami mężczyznami". W ten sposób ich stosunki staną się bardziej zażyłe, a malec w końcu zrozumie, że nie może zająć miejsca ojca, ale może być do niego podobny. Z czasem przyjaźń między ojcem a synem rozkwitnie.

Również wiele dziewczynek na początku preferuje matkę. Inne niemal od urodzenia są córeczkami tatusia (dotyczy to także chłopców). Ważne, by uświadomić sobie, że faworyzowanie jednego z rodziców nie wynika z uprzedzeń wobec drugiego, lecz jest czymś zupełnie normalnym na tym etapie rozwoju. W późniejszym okresie dzieci zaczynają faworyzować drugie z rodziców, by po jakimś czasie znów powrócić do swego pierwotnego wyboru.

WCZESNE NAPADY ZŁOŚCI

Słyszałam o napadach złości u dwulatków. Naszej córce zdarzają się już teraz. Czy to możliwe?

Oczywiście. Słyszy się nawet o dwunastomiesięcznych dzieciach, które zaczynają kopać i wrzeszczeć, gdy ktoś pokrzyżuje ich plany. Typowe dla dwulatków napady gniewu często zdarzają się już w połowie drugiego roku życia.

lnym kierunku, aż malec rozbawi się na dobre i zapomni przeciwko czemu protestował.

Nietypowe odgłosy. Wysokie, niskie, piskliwe, skrzeczące i wszelkie inne nietypowe dźwięki mogą na tyle zająć uwagę dziecka, iż pozwoli to rodzicom na przeprowadzenie nawet najbardziej uciążliwej czynności. Jeśli należysz do rodziców utalentowanych, potrafiących naśladować różne dźwięki (klakson, syrenę, odgłosy zwierząt itd.), korzystaj z tych możliwości, by bawiąc dziecko, jednocześnie łagodzić jego opór wobec niektórych obowiązków.

Fikcyjne zakupy. Malec, który nie znosi wkładania butów, może łatwiej przekonać się do tej czynności, jeśli zaproponujesz mu zabawę w „sklep z obuwiem". Ustaw w rzędzie kilka par butów o różnych rozmiarach i każ dziecku kolejno je przymierzać. Po ucieszenj zabawie, polegającej na przymierzaniu za dużych butów, dziecko z zadowoleniem zareaguje na pasującą parę. Podobną zabawę można wprowadzić przed kąpielą, ubieraniem bądź jedzeniem, udając się odpowiednio do „sklepu z kosmetykami", „sklepu odzieżowego" czy do „restauracji".

Zabawa w wyścigi. Zaproponuj dziecku zawody w myciu rąk (kto szybciej namydli ręce), we wkładaniu rękawiczek (kto pierwszy założy swoje rękawiczki), w zbieraniu przedmiotów z podłogi (kto zgromadzi więcej zabawek).

Udział postaci z bajek. Do mycia głowy można nabrać ochoty, jeśli włosy namydla Kaczor Donald. Buty ubiera się przyjemniej, jeśli sznuruje je Muminek. Wcielając się w ulubione bajkowe postacie, jesteś w stanie wykonać nawet najmniej przyjemną czynność.

Zakłady. Każdy lubi wygrywać zakłady, małe dzieci nie są pod tym względem wyjątkiem. Wyzwanie: „Założę się, że nie uda ci się włożyć butów prędzej ode mnie", znacznie silniej oddziałuje na dziecko niż wszelkie ponaglania, groźby, błagania i krzyki razem wzięte. Dzieckiem nie tylko powoduje chęć zwycięstwa, ale także pokazania tobie, że nie masz racji. Rzucając wyzwanie, możesz zaśpiewać piosenkę („Założę się, że nie zdążysz ułożyć książeczek na półce przed końcem mojej piosenki"), względnie posłużyć się minutnikiem („Założę się, że nie zdążysz umyć rączek przed dzwonkiem"). Jeśli dziecko lubi liczby, możesz zabawić się z nim w liczenie („Założę się, że nie zdążysz ułożyć klocków, zanim skończę liczyć do dziesięciu"). Gdy dziecko jest trochę starsze, możesz liczenie rozpocząć od tyłu (dziesięć, dziewięć, osiem...).

Podstawowa reguła tej gry polega na tym, by dać dziecku wygrać — nawet jeśli oznacza to, że wkładasz buty w żółwim tempie, śpiewasz jak płyta na zwolnionych obrotach lub że liczenie do dziesięciu trwa dwie minuty. Jeśli dziecko nie odczuje satysfakcji płynącej z wygrania zakładu, prawdopodobnie nie podejmie wyzwania następnym razem.

Ważne jest, by nie stosować tu zasady odgrywania się. Na przyswajanie dziecku zasad współzawodnictwa jest jeszcze za wcześnie.

Ataki złości mogą być bardzo nasilone, łagodne lub średnio intensywne. Na str. 288 znajdziesz wskazówki, jak nad nimi zapanować.

JESZCZE NIE CHODZI

Nasz półtoraroczny syn jest jedynym dzieckiem w swej grupie rówieśniczej, które nie chodzi o własnych siłach. Mimo że pod każdym innym względem rozwija się prawidłowo, problem ten nie daje nam spokoju.

Większość dzieci zaczyna chodzić samodzielnie przed ukończeniem osiemnastego miesiąca, ale może się zdarzyć, że prawidłowo rozwijające się dziecko rozpoczyna dreptanie nieco później (ale niewiele). Przyczyną takich opóźnień jest niekiedy lęk przed samodzielnym poruszaniem się, spowodowany upadkiem w przeszłości. Czasami powodem jest opanowane do perfekcji raczkowanie (maluch wie, że na czworakach przemieszcza się znacznie sprawniej niż na dwóch nogach). Inną przyczyną opóźnień może być wolniejszy rozwój funkcji motorycznych. Wreszcie w grę może wchodzić problem natury zdrowotnej, wymagający interwencji lekarza.

Pierwszym krokiem, jaki należy podjąć, by wyjaśnić, dlaczego malec nie nauczył się jeszcze chodzić samodzielnie, jest konsultacja z pediatrą, który najprawdopodobniej skieruje dziecko do specjalisty. Jeśli badanie nie ujawni wad rozwojowych, możecie odetchnąć z ulgą. Warto wtedy próbować różnych metod zachęcających waszego brzdąca do samodzielnego marszu.

* Staraj się, by dziecko chodziło jak najwięcej, trzymając się twojej ręki lub nawet obu rąk.
* Niech maluch wędruje, opierając się o meble (upewnij się, że wszystko, co ma mu służyć jako oparcie, jest stabilne).
* Entuzjastycznie reaguj na udane próby krążenia wokół mebli, samodzielnego stania i cho-

Zabawki i zabawy w osiemnastym miesiącu

Półtoraroczne maluchy są bardzo absorbujące. Już nie wystarcza postawić przed nimi karton z zabawkami, by zająć ich uwagę na pewien czas. Typowe osiemnastomiesięczne dziecko umie wiele wyrazić słowem, jest towarzyskie, potrafi udawać, wykazuje się niezliczoną liczbą nowych sprawności (umie ustawić wieżę z trzech lub czterech klocków, rzucać piłką, ciągnąć zabawkę na sznurku, zamykać i otwierać rozmaite pojemniki, potrafi przewracać strony w książce i odkręcać kran, wkładać figury w puste pola, kołysać lalkę) i ciągle jest gotowe na podjęcie kolejnych wyzwań. Aby sprostać tym oczekiwaniom, należy udostępnić dziecku dużo różnorodnych zabawek, które będą stymulowały wyobraźnię tego zafascynowanego małego człowieka.

Stoliki i krzesełka przeznaczone dla dzieci są idealne do: gier z rówieśnikami, układania puzzli, rysowania, dziecięcych przyjęć itd. Kup krzesła, których nogi rozszerzają się ku dołowi, zmniejsza to ich wywrotność. Zwróć także uwagę na wysokość krzeseł i stołu; powinna być dostosowana do wzrostu dziecka (wysokość krzesła dla dziecka, które nie ukończyło czterech lat, nie powinna przekraczać dwudziestu ośmiu centymetrów, stół powinien mieć około pięćdziesięciu). Ważne jest także, by zapewnić dziecku odpowiednie miejsce do przechowywania zabawek (patrz str. 71). Można również sprawić dziecku specjalny worek lub plecak, w który zapakuje swoje skarby, gdy będzie wyjeżdżało z domu.

Zabawki, o których wspominamy na stronie 70 są nadal odpowiednie dla twego osiemnastomiesięcznego dziecka, ale z pewnością niektóre z nich znajdą teraz inne przeznaczenie. Pamiętaj, żeby z każdej kategorii zabawek wybrać kilka, tak by maluch mógł rozwijać swe zainteresowania i sprawności w różnych kierunkach. Należy oczywiście zwrócić uwagę na odpowiedni dobór zabawek, tak pod względem wieku, jak i bezpieczeństwa (patrz str. 558).

dzenia; nie krytykuj dziecka, jeśli nadal sprawia mu to trudności.

* Gdy stoi samodzielnie albo pomaga sobie, trzymając cię za rękę, wyciągnij w jego stronę małą, bezpieczną zabawkę. Może się nią na tyle zainteresować, że bezwiednie zrobi krok do przodu. Możesz też, stojąc w pewnej odległości od malucha, pokazać mu jego ulubioną zabawkę i zachęcić go do wzięcia jej w ręce. Podobną funkcję może spełniać bezpieczna zabawka ruchoma. Popychając ją, dziecko porusza się, zapominając o lęku.
* Jeśli dziecko używa chodzika, należy pozbyć się go jak najszybciej. W tej sytuacji chodzik może utrudnić maluchowi opanowanie umiejętności samodzielnego stawiania kroków; wymaga bowiem innego sposobu poruszania się niż samodzielne chodzenie.

Co warto wiedzieć

Dzieci a telewizja

W naszych czasach nie trzeba długo szukać, by dotrzeć do przerażających statystyk dotyczących dzieci i telewizji. Znajdujemy je w codziennych gazetach, w tygodnikach i wreszcie w samej telewizji. Wynika z nich, że dzieci w wieku od dwóch do pięciu lat oglądają telewizję przeciętnie przeszło dwadzieścia pięć godzin tygodniowo, niektóre z nich wpatrują się w ekran telewizora pięć lub sześć godzin dziennie. Wynika z tego, że do ukończenia szkoły średniej przeciętne amerykańskie dziecko spędzi ogółem piętnaście tysięcy godzin (prawie dwa pełne lata, dniem i nocą) przed telewizorem. Jest to o cztery tysiące godzin więcej niż czas spędzony w szkole. Przesiadywanie przed telewizorem wiąże się z następującymi problemami:

Syndrom „tępego warzywa". Dzieci oglądając telewizję, nie tylko wyglądają jak bezmyślne stwory, one naprawdę nie myślą. Popadają w rodzaj transu, w którym przemiana materii (szybkość, z jaką kalorie spalają się w organizmie) spada o 16% poniżej normalnego poziomu w stanie spoczynku (kiedy siedzą, niczego nie robiąc), a nawet bardziej, jeśli weźmiemy pod uwagę poziom typowy dla stanu aktywnego.

Niedostateczna aktywność fizyczna, intelektualna i społeczna. Kiedy telewizor jest włączony, dzieci na ogół nie biegają, nie bawią sie z innymi dziećmi, nie oglądają książek, nie słuchają bajek, nie zajmują się przebieraniem, naśladowaniem, rysowaniem czy malowaniem. Nie ćwiczą ciała ani umysłu w żaden inny sposób. Intensywne oglądanie telewizji hamuje u nich rozwój umiejętności niezbędnych do odczuwania głębszej satysfakcji z życia. Dzieci chronicznie gapiące się w telewizor uzależniają się od niego, oczekując od telewizji podniet i zaspokojenia wewnętrznych potrzeb.

Otyłość. Badania wykazują, że telewizja jest jedną z przyczyn ponad pięćdziesięcioprocentowego wzrostu otyłości u dzieci w ostatnich dziesięcioleciach. Wyjaśnienie jest proste — zbyt wiele kalorii. Dzieci uzależnione od telewizji konsumują więcej (oglądanie zachęca do ciągłego przegryzania, a reklamy dodatkowo skłaniają do opychania się niezdrowym jedzeniem). Ponadto, mając mniej ruchu, mają słabszą przemianę materii i mniej spalają.

Wyższy poziom cholesterolu. Długi czas spędzany przed telewizorem sprawia, że młodzi widzowie są otyli, a ich poziom cholesterolu jest podwyższony. Eksperci sugerują, że wynika to ze splotu takich czynników, jak brak ruchu i szkodliwa dla serca dieta, propagowana przez telewizyjne reklamy, a praktykowana w czasie oglądania programów, kiedy to pałaszuje się bezwartościowe produkty. Sugerowano też, że rodzice, którzy nie kontrolują czasu, jaki ich dziecko spędza przed telewizorem, nie ograniczają również ilości tłuszczów w jadłospisie. Nie dbają też, by kontrolować poziom cholesterolu.

Podwyższona agresywność. Choć niektórzy wciąż podają to w wątpliwość, istnieje coraz więcej powodów, by wreszcie uznać istniejące od dawna podejrzenia wielu rodziców za słuszne: oglądanie przemocy i gwałtu w telewizji rodzi agresywne zachowania u dzieci. W najlepszym razie obniża wrażliwość na przemoc i sprawia, że młodzi widzowie przyjmują ją obojętnie. (Czemuż miałoby być inaczej, skoro postać zmasakrowana w jednym epizodzie, wraca do pełnej formy w następnym?)

Wzrost lęku. Małe dzieci z trudem albo wcale nie rozróżniają tego, co jest, od tego, co nie jest prawdziwe. Wszystko, co widzą lub słyszą, biorą dosłownie, wytwory ich fantazji przerażają je, gdyż identyfikowane są z prawdą. Dla nich rzeczy widziane w telewizji są równie prawdziwe jak to, co dzieje się w ich pokoju lub na podwórku. Nawet jeśli wydaje się, że nie są wystraszone, oglądając program budzący lęk, przeżywane później koszmary senne są skutkiem ich oglądania. Kiedy w okresie przedszkolnym dzieci zaczynają odróżniać rzeczywistość od fikcji (choć w pełni będą do tego zdolne dużo później), programy informacyjne przekazujące wiadomości o morderstwach, pożarach, klęskach żywiołowych, katastrofach itd., stają się szczególnie niebezpieczne. Młodzi widzowie mają tendencję do wyobrażania sobie, że to, co widzą na ekranie, może przytrafić się im samym albo ich bliskim.

Wątpliwe wartości. W nielicznych programach dla dzieci czyni się wysiłki, by propagować pozytywne wartości, takie jak tolerancja, współdziałanie z innymi, delikatność czy uczciwość. Natomiast w wielu programach dominują wartości negatywne: aprobata dla przemocy lub kłamstwa, gdy chce się coś uzyskać; przekonanie, że rzeczy materialne czynią człowieka ważnym lub popularnym.

Mniejsze zdolności adaptacyjne. Dziecko jest znudzone, niegrzeczne, zmartwione, ma jakieś problemy? Wielu rodziców ma na to prostą radę — włączyć telewizor. Eksperci przewidują, że dzieci, których rodzice w ten sposób posługują się telewizją, mogą w przyszłości nie dawać sobie rady z normalnymi kłopotami dnia codziennego. Zamiast starać się rozwiązywać problemy lub znaleźć sposób na nudę, mogą one skłaniać się do łatwych uników, a nawet zachowań autodestrukcyjnych. Kiedy ogląda się bajkę o Pinokiu, nie trzeba stawiać czoła rzeczywistości.

Opóźnienie w rozwoju społecznym i intelektualnym. Nie może dziwić prawidłowość, że dzieci oglądające nałogowo telewizję na ogół mają gorzej wykształconą sprawność czytania i osiągają gorsze wyniki w nauce niż dzieci spędzające niewiele czasu przed ekranem. Składa się na to wiele przyczyn: mniej czasu na czytanie i naukę (w efekcie mniejsze skłonności do tych zajęć), przerost oczekiwań (styl nauczania poprzez telewizję, z użyciem zaawansowanych technicznie specjalnych efektów, powoduje, że dzieci stają się bierne i nudzą się lub nie potrafią się skoncentrować. Z kolei nauczanie w szkole nie jest tak ekscytujące i szybkie jak poprzez telewizję). Nadmierne oglądanie telewizji w dzieciństwie może zahamować zainteresowanie dziecka książkami, konieczne dla ciągłego rozwoju intelektualnego.

Osłabienie wyobraźni i kreatywności. Czytanie dostarcza farby i pędzla, ale potrzeba jeszcze pracy umysłu, by rysować, wyobrażać sobie sceny, akcje itd. Telewizja natomiast maluje cały obraz, nie zostawiając niczego dla wyobraźni. Poza nielicznymi wyjątkami programy telewizyjne nie zachęcają dzieci do nowych pomysłów, nie pobudzają twórczych instynktów.

Osłabienie zdolności do samodzielnej zabawy. Dzieci spędzające dużo czasu przed telewizorem często nie umieją się same bawić, bo oczywiście brak im do tego motywacji. Zmanierowane natłokiem wrażeń dostarczanych przez telewizję dzieci ślęczące przed ekranami nie czynią żadnych wysiłków, by wymyślać zabawy wymagające pracy intelektu i wyobraźni.

Osłabienie więzi rodzinnych i społecznych. W rodzinach oglądających telewizję od rana do wieczora więzi pomiędzy poszczególnymi jej członkami stopniowo się rozluźniają. W sytuacji, gdy wszyscy przez długie godziny pogrążeni są w telewizyjnym transie, nie ma czasu na wymianę myśli, uczuć i innych wartości.

Czy te oczywiste fakty skłaniają nas do zabronienia naszym dzieciom oglądania programów telewizyjnych? W większości wypadków nie, i to z następujących powodów:

Walor edukacyjny. Telewizja ma swoje pozytywne strony. Odpowiednio traktowana może stać się wartościowym narzędziem nauczania, choć jej potencjalne możliwości w tym zakresie rzadko są w pełni wykorzystywane.

Nacisk rówieśników. Nawet dla maluchów takie postacie, jak Kulfon, Smurfy, pszczółka Maja, są częścią codziennej rzeczywistości i dziecko nie znające ich mogłoby czuć się odizolowane.

Wygoda. Zapracowani rodzice często używają swej „elektronicznej opiekunki", by „zajęła się" dziećmi, gdy oni przygotowują posiłki, czytają korespondencję lub robią pranie. Gdy w telewizji wyświetlany jest ulubiony film, rodzice nie muszą zabawiać dzieci, podsuwać im nowych pomysłów do zabaw, wsłuchiwać się w ich problemy.

Spokój. Nie ma pewniejszego sposobu na zapewnienie spokoju w domu niż usadowienie potomstwa przed telewizorem (zakładając, że wszyscy są zainteresowani tym samym programem). Dla rodziców, rozpaczliwie pragnących chwili spokoju (choćby od czasu do czasu), pokusa ta jest prawie nie do odparcia: włączenie telewizora to „wyłączenie" rozbrykanego malca.

DZIESIĘĆ PRZYKAZAŃ ROZSĄDNEGO OGLĄDANIA TELEWIZJI

Mimo swych wad telewizja daje dostęp do cudownej krainy obrazów, dźwięków i postaci, których dziecko nie znajdzie nigdzie indziej. Może przenosić malców do odległych zakątków świata, a nawet wszechświata, pokazywać im przyszłość i przeszłość, sprawy zwykłe i egzotyczne, świat sztuki i nauki. Dziesięć przykazań pomoże waszej rodzinie osiągnąć możliwie największe korzyści z tego środka przekazu przy jednoczesnym zmniejszeniu ryzyka.

1. Ogranicz już teraz oglądanie telewizji. Jeśli będziesz czekać, aż dziecko pójdzie do szkoły, by ustalić ograniczenia i przestrzegać ich, to zadanie będzie trudniejsze. Jakie limity są rozsądne w tej mierze? Przed ukończeniem półtora roku dziecko może się łatwo obyć bez telewizora. Gdy skończy osiemnaście miesięcy, wystarczy mu pół godziny dziennie. Sama decyduj o tym, jakie programy malec może oglądać. Gdy będzie nieco dojrzalszy i będzie angażował się w to, co widzi na szklanym ekranie, możesz zaproponować wybór: „Czy chcesz dziś oglądać *Misia Uszatka*, czy *Ulicę Sezamkową*?" Gdy dziecko ukończy dwa lata, rozważ możliwość przedłużenia czasu spędzanego przed telewizorem do godziny dziennie, szczególnie wtedy, gdy zabawa na świeżym powietrzu nie wchodzi w rachubę z powodu złej pogody. Pozwalanie dziecku, które powinno większość czasu spędzać aktywnie, na dłuższe oglądanie telewizji nie jest rozwiązaniem rozsądnym.

2. Przestrzegaj ograniczeń. Ustalanie limitów i przestrzeganie ich to dwie odrębne sprawy. Ograniczenia nie będą miały sensu, jeśli po zakończeniu programu nie będziesz regularnie wyłączać telewizora i nie skierujesz zainteresowań dziecka na coś innego. Zaplanowanie jakiegoś ciekawego zajęcia ułatwi i uprzyjemni zmianę.

Oczywiście, podobnie jak w innych sferach życia, te zasady można złamać, gdy dziecko jest np. chore i powinno ograniczyć aktywność na dłuższy czas lub gdy w telewizji jest coś, co szczególnie interesuje dziecko. Ważne, by uświadomić malcowi, że reguły gry się nie zmieniły, że robimy to wyjątkowo.

3. Wybierz porę oglądania telewizji. Wystrzegaj się włączania telewizora podczas posiłków, które powinny służyć rodzinnej integracji. Nie włączaj go też podczas zabawy, w czasie której dzieci powinny nabywać umiejętności współżycia z innymi, wreszcie w czasie spotkań rodzinnych i świątecznych (z wyjątkiem specjalnych programów okolicznościowych).

4. Oglądajcie wspólnie. Dzieci są mniej skłonne do popadnięcia w telewizyjny trans, jeśli oglądają program z rodzicami i wymieniają uwagi na temat tego, co dzieje się na ekranie: „Czy to nie piękny koń?" lub: „Ten klaun jest taki zabawny" albo: „Ojej, co się stało zajączkowi?" Oglądając telewizję z dzieckiem, sama możesz robić coś innego: albo wspólnie z malcem układać klocki lub puzzle, albo obierać marchewkę, rozwiązywać krzyżówkę, sprawdzać rachunki itd. Godzenie się na to, by maluch samotnie oglądał program, to jakby wystawianie go na wpływ obcych ludzi. Wspólne oglądanie pozwoli ci skorygować błędne poglądy, selekcjonować reklamy i wskazywać na wartości, które akceptujesz. Zdarzy się oczywiście, że będziesz zmuszona pozwolić dziecku na samotne oglądanie programu, lecz nie dopuść, by weszło to w nawyk.

5. Uczyń oglądanie telewizji aktywnym zajęciem. Odwołuj się do postaci z ekranu, dyskutuj o akcji i fabule, organizuj zabawy podobne do tych z ulubionych dziecięcych programów, zadawaj pytania dotyczące tego, co aktualnie dzieje się na ekranie. Zachęć dziecko do śpiewania, tańczenia i innych zajęć artystycznych, które obserwuje u telewizyjnych bohaterów. Do tego rodzaju aktywności można też wykorzystać taśmy wideo. Skłanianie malca do rozmowy o programie (a w rezultacie do krytycznej jego oceny) może uczynić telewizję cennym narzędziem edukacji.

6. Nie używaj telewizji jako namiastki. Nie zatrudniłabyś opiekunki, która paplałaby bezustannie, nigdy nie słuchała dziecka, nie zwracała uwagi na pytania, które zadaje, lub lęki, które objawia. A jednak taką właśnie opiekunką jest telewizja. Używaj jej więc tylko wtedy, gdy jest to absolutnie konieczne. Nie uważaj telewizji za sposób na uspokojenie, pocieszenie czy formę reagowania na potrzeby dziecka. Spróbuj się dowiedzieć, co je dręczy. Pokaż mu, jak poradzić sobie z problemem, zamiast ukrywać go za ekranem telewizora. Dalsze uwagi na temat możliwości radzenia sobie z powyższymi problemami znajdziesz na str. 329.

7. Nie używaj telewizji jako formy przekupstwa lub nagrody ani nie zabraniaj oglądania jej za karę. Kojarzenie telewizji z dobrym zachowaniem (musi być dobra, skoro tylko grzeczne dzieci mogą ją oglądać) lub używanie jej jako pokusy („Jak przestaniesz płakać, będziesz mogła obejrzeć *Śpiącą Królewnę*) z pewnością spowoduje, że wyda się ona atrakcyjniejsza.

8. Dawaj dobry przykład. Twoje dzieci będą bardziej naśladować to, co robisz, niż to, co mówisz. Stań się więc wzorem odpowiedzialnego oglądania telewizji. Nie traktuj jej jako źródła ciągłego hałasu w tle lub nieustającej rozrywki. Z wyjątkiem ulubionych programów, odłóż oglądanie na czas, kiedy dzieci już spokojnie śpią w łóżkach. Jeśli nie lubisz, gdy w domu panuje zupełna cisza, włączaj radio, by posłuchać choćby prognozy pogody lub wiadomości. Możesz też słuchać muzyki, która podoba się tobie i dziecku.

9. Bądź wybiórcza. Staranny wybór programów, które dzieci mogą oglądać, jest równie ważny jak kontrola tego, ile i w jaki sposób oglądają. Tak więc:

* Obejrzyj wcześniej. Zanim pozwolisz maluchowi oglądać jakiś program, postaraj się zobaczyć go najpierw sama i zdecyduj, czy jest odpowiedni (jeśli jest emitowany w porze, gdy na ogół jesteś z dzieckiem, a masz wideo, nagraj go, by obejrzeć później sama).
* Wybieraj właściwie. Poszukuj audycji przeznaczonych dla dzieci, używających prostego języka, ciekawych postaci, wypełnionych muzyką, śpiewem i posiadających walory edukacyjne. Eliminuj programy (łącznie z kreskówkami), w których dominuje przemoc (niektóre dzieci boją się nawet niewielkiej dawki agresywności). Zabroń oglądania audycji propagujących obce ci wartości. Jeśli w domu są starsze dzieci, nie pozwalaj, by twój maluch siedział wraz z nimi przed telewizorem, chyba że program jest odpowiedni również dla niego. Jeśli nie, znajdź dziecku inne zajęcie. Ponieważ w wiadomościach często pokazuje się sceny przemocy, staraj się oglądać je późnym wieczorem, gdy dzieci śpią.
* Nagrywaj na wideo. Jeśli masz magnetowid, możesz nagrywać programy nadawane w nieodpowiednim czasie i pokazywać dziecku w porze, która ci odpowiada. W ten sposób nie będziesz skazana na to, co akurat jest nadawane. Zgromadź najlepsze programy — dzieci uwielbiają powtórki — oraz, na wszelki wypadek, zrób zapas wartościowych kaset wideo. Nie nabierz jednakże błogiego przekonania, że ponieważ na kasetach nie ma reklam, dzieci mogą je spokojnie oglądać godzinami. Nieograniczone oglądanie kaset wideo powoduje te same skutki uboczne co oglądanie telewizji. Ponieważ kasety są zawsze dostępne (nagrane na nie programy można oglądać nawet, gdy nie ma nic interesującego w telewizji), istnieje większe prawdopodobieństwo nadużywania wideo przez rodziców.

10. Osłabiaj negatywne skutki. Negatywne działanie telewizji może być zlikwidowane lub osłabione następującymi metodami:

* Odwrócenie uwagi rodziny od telewizji. W miejsce telewizji wprowadzaj zajęcia zespalające wszystkich członków rodziny (gotowanie, uprawianie ogródka, robótki ręczne, wyprawa nad jezioro, do parku, muzeum lub zoo). Kiedy oglądacie wspólnie telewizję, zajmujcie się jednocześnie innymi rzeczami (np. grajcie w różne gry). Zachęcaj wszystkich do dyskusji na temat tego, co dzieje się na ekranie.

* Kultywowanie zdrowych nawyków. Rozwijaj styl życia, którego elementem jest racjonalna dieta dziecka (nie dopuść do tego, by twoje dziecko zostało oczarowane magią telewizyjnych reklam promujących bezwartościowe jedzenie), propaguj zdrowy stosunek do spożywanych produktów oraz ideę ruchu.

* Przekazywanie wartości. Dyskutuj o złych i dobrych stronach oglądanych przez dzieci programów („Czy uważasz, że ci chłopcy źle traktują Grzesia?", „Czy to nie było miłe, że myszka zrobiła mu przyjemność?", „Spójrz, jak mama tuli dzidziusia, chyba bardzo się kochają").

* Stymulowanie zdolności twórczych i umysłowych. Używaj telewizji do wyrabiania zmysłu obserwacji („Co ten chłopczyk przed chwilą zrobił?"), działań twórczych („Może byśmy zrobili kukiełkę z torebki papierowej tak jak w tym programie?"), intelektu („Jak myślisz, dlaczego ta dziewczynka to powiedziała? Czy uważasz, że to był dobry pomysł?"). Kształtuj u malca wyobraźnię i sprawności manipulacyjne (patrz str. 311), pobudzaj do myślenia i uczenia się innymi sposobami (patrz str. 103).

* Zaspokajanie potrzeb uczuciowych. Dzieciom potrzeba czegoś wiecej niż tylko jedzenia, ubrania, mieszkania i telewizji. Potrzebują, by ktoś zwracał uwagę na ich uczucia, uczył je, jak te uczucia rozpoznawać i jak sobie z nimi radzić.

* Rozmawianie o przemocy. Jeśli dzieci narażone są na oglądanie przemocy (na ekranie, w gazetach, na ulicy) i nikt nie rozmawia z nimi na ten temat, doznają uczucia niepewności i lęku. Mogą także nabrać o przemocy błędnego mniemania. Jeśli nieco starsze dziecko przypadkiem obejrzy fragment wiadomości budzący przerażenie, postaraj się złagodzić to wrażenie uspokajającym wyjaśnieniem („To był okropny pożar, ale widzisz, nikomu nic się nie stało"), pomijając fakt, że jednak było kilka ofiar. To samo odnosi się do sporadycznych gwałtownych incydentów zdarzających się w spokojnych, na ogół, programach lub skądinąd niewinnych filmach wideo. Czasami taki incydent przechodzi nie zauważony przez bardzo małe dziecko, ale jeśli zareaguje, powinnaś się postarać jakoś to wyjaśnić („To był brzydki pan, który zastrzelił mamę Bambi").

CO TWOJE DZIECKO POWINNO WIEDZIEĆ

Wartości istotne dla ciebie

Wychowywanie dzieci tak, by uznawały podstawowe wartości moralne, na pewno nie jest zadaniem łatwym, zwłaszcza w społeczeństwie, które często owe wartości lekceważy. Poza tym, choć wszyscy pragniemy wpoić pewne zasady naszym dzieciom, obawiamy się, że może nam się to nie udać. Przecież pamiętamy, jak będąc nastolatkami, odrzucaliśmy wartości, które nasi rodzice starali się nam wpajać, i jak upieraliśmy się, by chodzić własnymi drogami. Badania jednak wykazują, że po nieuchronnym okresie młodzieńczego buntu większość z nas kultywuje wartości zbliżone do tych, które uznawali nasi rodzice. Rodzice mają niewielki wpływ na wrodzone właściwości osobnicze dziecka; natura ukształtowała nas na różne sposoby. Gdy jednak idzie o wyrabianie norm postępowania, górę bierze wychowanie. Rodzice, świadomie lub nie, mogą silnie wpływać na stosunek dzieci do siebie i otoczenia, na ich stosunek do rodziny, do pomocy innym, do uczciwości, pracy, środowiska i innych kwestii moralnych.

Wielu rodziców instynktownie radzi sobie z przekazywaniem wartości, podobnie jak czynili to ich rodzice i dziadkowie — na ogół rodziny pielęgnują pewne określone normy postępowania. Niemniej jednak następujące wskazówki (w połączeniu ze wskazówkami z innych rozdziałów tej części książki, w których mowa o wartościach i sposobach ich przekazywania) stworzą szansę na to, że twoje dzieci będą w przyszłości szanować te wartości, które uznajesz za najważniejsze:

Uświadom sobie własne wartości. Po pierwsze, zdecyduj, jak dalece chcesz się oddalić od zasad, które wpoili ci rodzice, gdy dorastałaś. Czy pragniesz coś do nich dodać, czy ująć, a może wprowadzić jakieś radykalne modyfikacje? Sporządź listę wartości, które pragniesz przekazać swojemu dziecku — począwszy od najważniejszych — i poproś partnera, by uczynił to samo. Możliwości są niewyczerpane: rodzina, zdrowie, religia, praca, nauka, kultura, środowisko, pomoc innym, tolerancja, dobry smak, zaangażowanie polityczne, oszczędzanie, gromadzenie dóbr itd. Następnie porównaj obie listy. Czy są jakieś rozbieżności? Czy możecie osiągnąć kompromis? Jeśli dojdziecie do porozumienia, potraficie skuteczniej połączyć siły w przekazywaniu określonych norm postępowania waszemu dziecku.

Przestrzegaj swych wartości. Chociaż rodzice pragną, by ich dzieci żyły zgodnie z ustalonymi przez nich normami, to czasem przestrzeganie ich im samym przychodzi z trudnością. Chcą np., by dzieci były uczciwe, ale ukrywają prawdziwy wiek dziecka, by dostać zniżkę na bilet do kina, muzeum czy na przejazd koleją. Pragną, by dzieci szanowały swe zdrowie, ale sami nie dbają o nie — palą papierosy, piją alkohol, źle się odżywiają, nie uprawiają sportu. Namawiają dzieci do tolerancji, ale sami wykazują ciasnotę umysłową w stosunkach z ludźmi o odmiennych poglądach. Aby skutecznie wpajać dzieciom wartości, musisz postanowić, że sama będziesz ich kosekwentnie przestrzegać, i to nie tylko wtedy, gdy dziecko cię obserwuje. Na dłuższą metę to, na kogo wyrośnie twoja pociecha, będzie o wiele bardziej uzależnione od wpływów domu, niż od wszelkich innych wpływów zewnętrznych (łącznie z TV, filmami czy muzyką). Stań się przykładem do naśladowania, a z malucha również wyrośnie wartościowy człowiek.

Formułuj swoje zasady jasno. Życie zgodne z wartościami nie wystarcza. Pomóż swym dzieciom zrozumieć, dlaczego postępujesz tak, a nie inaczej. Wytłumacz, dlaczego lepiej być uczciwym, niż kłamać, dlaczego należy dbać o siebie, dlaczego czynisz bliźniemu tak, jak chciałabyś by bliźni czynili tobie.

Umieść przekazywanie wartości w szerszej perspektywie. Ustalając dla dziecka normy postępowania, zmierzasz w odpowiednim kierunku. Uświadom sobie jednak, że jako matka czy ojciec nic więcej nie możesz zrobić. Dzieci dorastają, zdobywają własne doświadczenia życiowe, które łączą z nauką wyniesioną z domu. Kształtują w ten sposób własny, niepowtarzalny system wartości, podobnie jak ty to czyniłaś.

7

Dziewiętnasty miesiąc

CO TWOJE DZIECKO POTRAFI ROBIĆ

Przed końcem dziewiętnastego miesiąca twoje dziecko powinno wykazywać się umiejętnościami wymienionymi na początku poprzedniego rozdziału.

Uwaga: Jeśli twoje dziecko nie opanowało jeszcze powyższych umiejętności lub nie potrafi operować symbolami w zabawie, skontaktuj się z lekarzem. Takie tempo rozwoju może być zupełnie normalne, ale musi ono zostać fachowo ocenione. Zasięgnij porady lekarza, jeśli twoje dziecko nie daje się kontrolować, jest niekomunikatywne, nadpobudliwe, zbyt bierne, zamknięte w sobie, do wszystkiego negatywnie nastawione, gdy jest bardzo wymagające bądź wyjątkowo uparte. (Pamiętaj, że dziecko urodzone jako wcześniak często pozostaje w tyle za swoimi rówieśnikami urodzonymi o czasie. Te różnice rozwojowe stopniowo się zmieniają i zwykle całkowicie zanikają pod koniec drugiego roku życia.)

Przed końcem dziewiętnastego miesiąca twoje dziecko prawdopodobnie będzie umiało:

* karmić lalkę;
* używać 6 słów;
* chodzić po schodach.

Przed końcem dziewiętnastego miesiąca twoje dziecko być może będzie umiało:

* zbudować wieżę z 6 klocków;
* rozpoznać i nazwać 2 obrazki.

Przed końcem dziewiętnastego miesiąca twoje dziecko może nawet umieć:

* nazwać 6 części ciała (do 18 i 1/2 miesiąca);
* myć i wycierać ręce.

CO MOŻE CIĘ NIEPOKOIĆ

NOCNE WĘDRÓWKI

Odkąd przenieśliśmy naszą córkę do większego łóżka, gdyż urodził się jej braciszek, wstaje w środku nocy i chodzi po mieszkaniu. Martwimy się, że wyrządzi sobie krzywdę. Co powinniśmy zrobić w tej sytuacji?

Dziecko, które krąży w nocy po mieszkaniu, gdyż znalazło sposób na wydostanie się ze swojego łóżeczka, względnie nie natrafiając na oczywiste przeszkody, wychodzi z dużego łóżka, narażone jest na niebezpieczeństwo. Aby ograniczyć ryzyko do minimum, podejmij następujące środki ostrożności:

Zadbaj, by to, co znajduje się w najbliższym otoczeniu dziecka, było bezpieczne. Przyjrzyj się dokładnie, czy pokój i inne miejsca, w których dziecko może się poruszać, nie stwarzają potencjalnego niebezpieczeństwa (patrz str. 529). Gorące grzejniki, elektryczne wentylatory bez specjalnych zabezpieczeń przed dziećmi nie powinny znajdować się w miejscu dostępnym dla malucha (pamiętaj, że dziecko znakomicie się wspina). Usuń meble, o które może się uderzyć, dywany i zabawki, o które może się potknąć, kable elektryczne, o które może się przewrócić, strącając przy tym urządzenia, do których są podłączone. Okna powinny mieć specjalne zabezpieczenia, a linki od rolet lub żaluzji powinny znajdować się poza zasięgiem malucha. Aby zapobiec przykrym epizodom w nocy, możesz zapalić nocną lampkę, chyba że dziecko zdecydowanie woli spać przy zgaszonym świetle.

Ogranicz trasę wędrówki. Aby dziecko nie wydostało się ze swego pokoju, możesz zamknąć drzwi lub postawić w nich specjalną bramkę. Taki płotek-barierka wydaje się rozwiązaniem mniej stresującym dla dziecka, gdyż daje mu możliwość szerszego widzenia otoczenia i nie odcina od reszty rodziny. Na początek możesz wprowadzić tylko jedną barierkę (pamiętaj, że musi ona spełniać wymogi bezpieczeństwa, patrz str. 539). Wiadomo jednak, że maluch, który potrafi wydostać się z łóżeczka, potrafi też wspiąć się na taką bramkę. Umieszczając dodatkową barierkę nad już istniejącą, wyeliminujesz taką możliwość. (Bramki można bardzo łatwo umocować i usunąć, gdy zachodzi natychmiastowa potrzeba.) Z dzieckiem nieco starszym można zawrzeć umowę: „Jeśli nie będziesz wychodziła z łóżeczka, zostawię drzwi otwarte (albo nie będę zagradzać drzwi bramką").

Pamiętaj, by światło na korytarzu paliło się przez całą noc i wszystkie schody były zabezpieczone barierkami. Malec nie może mieć też dostępu do kuchni, a drzwi do łazienki powinny być zamknięte na klucz[1].

Pójdź do dziecka, zanim ono przyjdzie do ciebie. Łatwiej jest zgodzić się, by dziecko, które boi się samotności (lub nie chce być samo), przyszło do waszego łóżka, niż toczyć z nim nocną batalię. Na dłuższą jednak metę takie postępowanie, które w istocie nagradza dziecko za to, że się obudziło (i obudziło także was), przynosi więcej szkody niż korzyści. Tak więc, gdy maluch wydostanie się ze swojego łóżeczka w środku nocy, zaprowadź go z powrotem i ułóż do snu, upominając zdawkowo. Jeśli się boi, usiądź przy nim na chwilę, pogładź po plecach i zapewnij, że wszystko jest w porządku. Nie rozpoczynaj żadnej dyskusji, nie zapalaj świateł i nie kładź się z nim (jeśli to możliwe, zamieniaj się rolami z mężem, będzie wam wtedy łatwiej). Należy uzmysłowić dziecku, że noc przeznaczona jest na sen i nie ma od tego odwrotu. Zachowuj się tak, jakby fakt ten był dla ciebie oczywisty, nawet jeśli w duchu masz pewne wątpliwości.

Jeżeli chcesz się dowiedzieć, jak radzić sobie z dzieckiem, które przeżywa lęki i koszmary nocne, patrz str. 271. O nocnych wędrowcach piszemy na str. 273.

WYCHODZENIE Z ŁÓŻECZKA

Nasz syn jest bardzo ruchliwy i bardzo wysoki jak na swój wiek. Obawiamy się, że wkrótce zacznie wydostawać się ze swego łóżeczka w środku nocy. Czy nasze obawy są uzasadnione? Jeśli tak, co powinniśmy robić?

Chociaż większość dzieci w dziewiętnastym miesiącu życia nie przekracza osiemdziesięciu sześciu centymetrów wzrostu, są wyjątki, które osiągają dziewięćdziesiąt centymetrów. Takim dużym dzieciom nietrudno wyśliznąć się z łóżeczka. Jeśli wasz synek jest aż tak wysoki, względnie zbliża się do takiego wzrostu, wkrótce może zacząć wydostawać się z łóżeczka.

Obniżanie poręczy łóżeczka może nie tylko zachęcić małego uciekiniera do spróbowania wolności, ale także zakończyć się nabiciem sobie guza (lub zrobieniem sobie jeszcze większej krzywdy). Dlatego należy już teraz przedsięwziąć stosowne środki ostrożności. Materac w łóżeczku powinien być maksymalnie opuszczony, a mechanizm blokujący boczne pręty sprawny. Nigdy nie zostawiajcie w łóżeczku rzeczy, które mogłyby posłużyć maluchowi jako drabina (góry zabawek, poduszki, wypchane zwierzątka itd.). Jako dodatkowe zabezpieczenie można położyć na podłodze coś, co zapewni malcowi miękkie lądowanie w przypadku wypadnięcia (może to być stara kołdra, poduszki itp.). Jeśli dziecko rzeczywiście wychodzi z łóżeczka, chyba najlepiej będzie, jeśli zlikwidujecie łóżko, opróżnicie pokój i zostawicie dziecku tylko materac. Zanim sprawicie maluchowi inne posłanie, połóżcie materac na podłodze, przy ścianie. Innym rozwiązaniem jest zabezpieczenie łóżeczka specjalnym „namiotem" z siatki, który można czasami kupić w sklepie z dziecięcymi akcesoriami. Stelaż takiego „namiotu" umocowuje się na bokach łóżka. Zamek błyskawiczny, znajdujący się na zewnętrznej stronie, umożliwia łatwy dostęp do dziecka. Niektóre maluchy będą zachwycone takim bezpiecznym ukryciem. Inne

[1] Jeśli nie zakładasz już dziecku pieluchy na noc, musisz udostępnić mu łazienkę. W tej sytuacji należy również zadbać, by korytarz i miejsca, do których dziecko ma dostęp, były bezpieczne.

Maluchowi, który wychodzi w nocy z łóżeczka, pokrowiec w kształcie namiotu gwarantuje bezpieczeństwo i daje wrażenie przytulnego schronienia.

będą stawiały opór przeciwko ograniczaniu ich swobody.

Można także już teraz wprowadzić rozwiązanie ostateczne i przenieść dziecko do normalnego łóżka. Chociaż większość dzieci gotowa jest do takiego manewru około drugiego roku życia, malec, który zaczyna wydostawać się z łóżeczka, jest odpowiednim kandydatem do takiego awansu. Jeśli zdecydujecie się na ten wybór, przeczytajcie uwagi na str. 276, które pomogą wam przeprowadzić bez kłopotów ową zmianę.

ZĄBKOWANIE JAKO PRZYCZYNA NOCNYCH WĘDRÓWEK

Nasza córka budzi się w nocy od czasu, gdy zaczęły wyrastać jej zęby trzonowe. Nie mam pewności, czy zęby nadal jej dokuczają, czy też budzenie przerodziło się u niej w nawyk.

Bardzo możliwe, że bolesne ząbkowanie było przyczyną nocnych wędrówek dziecka, ale też niewykluczone, że zainteresowanie, jakie okazywaliście małej w tym czasie, przedłużyło i umocniło ten nawyk. Podczas gdy każdy z nas budzi się trzy do czterech razy w ciągu nocy i natychmiast zasypia, dziecko przyzwyczajone do opiekuńczych reakcji rodziców nie zaśnie, dopóki z taką reakcją się nie spotka. Aby odwrócić to uwarunkowanie, patrz sugestie na str. 77.

CHRAPANIE

Nasz syn tak głośno chrapie w nocy, że słychać go na końcu korytarza. Wydaje mi się, że chrapanie u dziecka nie jest zdrowym objawem.

Chrapanie kojarzy nam się z reguły z tęższym dorosłym, a nie z drobnym maluchem. Tymczasem badania wykazały, że 7%-9% dzieci chrapie. Ten wskaźnik jest wyższy wśród rodzin palących. Chociaż chrapanie w największym nasileniu występuje między trzecim a szóstym rokiem życia, często ujawnia się znacznie wcześniej.

Chrapanie spowodowane jest częściowym zablokowaniem dróg oddechowych przez powiększone migdałki podniebienne i/lub tzw. trzeci migdałek. Gdy dziecko jest przeziębione, ma grypę albo nieżyt gardła, części tkanki limfatycznej w gardłowo-nosowym odcinku dróg oddechowych ulegają obrzmieniu. To z kolei powoduje chrapanie. Nawracające alergie i przebywanie wśród osób palących może również przyczynić się do obrzmienia migdałków. Zdarza się, że powiększają się one bez widocznych powodów. W takich przypadkach chrapanie ma zwykle miejsce w czasie snu, chociaż nie wszystkie dzieci z powiększonymi migdałkami chrapią (wydaje się, iż ma to związek ze skłonnościami wrodzonymi lub wpływem środowiska). Dziecko z powiększonymi migdałkami oprócz chrapania będzie także oddychało przez usta (zarówno w dzień, jak i w czasie snu), będzie mówiło przez nos, rzęziło, zwłaszcza w nocy.

Chrapanie samo w sobie nie powinno budzić niepokoju, zwłaszcza że znika, gdy migdałki przestaną się powiększać i zaczną się kurczyć (około siódmego, ósmego roku życia). Kiedy jednak chrapanie łączy się z epizodami bezdechu (chwilowe zatrzymanie oddechu podczas snu, które bywa przyczyną częstych wybudzeń dziecka), należy niezwłocznie zgłosić się do lekarza. Podejrzenia, że nasze dziecko cierpi na tę dolegliwość — zresztą dotyczącą niewielkiego odsetka dzieci chrapiących — mogą powstać, gdy chrapanie jest długotrwałe i bardzo głośne (może to być trudne do stwierdzenia, gdyż to, co dla jednych rodziców jest głośne, dla innych może być ledwie słyszalne), gdy dziecko przestaje chrapać, by zaczerpnąć powietrza, gdy ma trudności z oddychaniem w czasie snu, gdy napina mięśnie szyi i brzucha (napinające się mięśnie wyraźnie widać, gdy malec usiłuje oddychać), krztusi się, łapczywie chwyta powietrze podczas chrapania, sypia niespokojnie, wydaje się zmęczone i apatyczne po pozornie długim śnie, gdy nie rośnie i nie rozwija się prawidłowo. Powyższe objawy powinno się natychmiast zgłosić pediatrze, który może skierować dziecko na badania specjalistyczne.

Zakłócenie snu spowodowane bezdechem daje się łatwo zdiagnozować laboratoryjnie podczas całonocnej obserwacji snu pacjenta. Dziecko zostaje bezboleśnie podłączone do monitora rejestrującego rytm oddychania, serca i poziom tlenu we krwi. Rodzice są zwykle obecni podczas takiego badania. Zaburzenia w oddychaniu i rytmie serca oraz niedostatek tlenu potwierdzają diagnozę. Leczenie, przynoszące pozytywne rezultaty w 95%, polega na usunięciu migdałków podniebiennych i trzeciego migdałka. Zabieg ten, oprócz tego, że umożliwi dziecku normalne oddychanie, może także zmniejszyć częstotliwość lub w ogóle wyeliminować przeziębienia, przewlekłe zapalenia ucha, katary i łzawienia oczu — często doświadczane przez dzieci cierpiące na tę dolegliwość.

PRZEWLEKŁY KATAR

Naszemu synkowi nieustannie kapie z nosa. Nie jest chory i wydaje się, że katar mu nie przeszkadza. Mimo to martwię się, że coś jest nie w porządku.

Ciągły katar nie jest zjawiskiem normalnym, ale jest typowy dla dzieci alergicznych. W tej chwili kapanie z nosa może tylko irytować malca, ale gdy będzie starszy, może go to wprawiać w zakłopotanie. Poza tym niedrożność nosa, która zazwyczaj towarzyszy katarowi, może powodować niewyraźne mówienie, a to z kolei może dziecko zniechęcać do podejmowania rozmów. Aby nie dopuścić do takich problemów, omów kwestię z lekarzem, który być może skieruje dziecko do specjalisty alergologa (patrz str. 594).

Ponieważ dzieci z katarem często wycierają nos rękawem lub zewnętrzną stroną dłoni, zostawiają na policzkach rozmazaną wydzielinę, która z kolei powoduje pierzchnięcie skóry. Jeśli zauważysz, że policzki dziecka bądź okolica poniżej nosa są podrażnione i zaczerwienione, posmaruj je specjalnym kremem nawilżającym, najlepiej z aloesem. Należy też wyrabiać w dziecku nawyk wycierania noska w chusteczkę higieniczną, zamiast w rękawy czy ręce (chociaż upłyną lata, zanim malec wykształci w sobie ten odruch).

NADPOBUDLIWOŚĆ

Od rana, gdy tylko wstanie, aż do momentu, gdy idzie spać, nasz synek nie spocznie ani na chwilę. Mam wrażenie, że jest nadpobudliwy, ale moja żona twierdzi, że to po prostu dziecko. Kto ma rację?

Wygląda na to, że rację ma żona. Patrząc na dziecko, którego zapasy energii są niewyczerpane, większość rodziców sądzi, że ma do czynienia ze wzmożoną aktywnością. Tymczasem tylko u jednego dziecka na dwadzieścioro stwierdza się nieprawidłowość, określaną jako zaburzenia w zachowaniu spowodowane trudnościami z koncentracją[2].

Dzieci, które ostatecznie diagnozuje się jako nadpobudliwe, już jako niemowlęta odznaczały się nerwowością i silnym napięciem emocjonalnym; były płaczliwe, bojowe i niezwykle wrażliwe na dźwięki oraz inne bodźce (choć nie każde nerwowe dziecko staje się nadpobudliwe). Większość dzieci nadpobudliwych osiąga równowagę, gdy ich system nerwowy staje się dojrzalszy i w związku z tym wydłuża się okres koncentracji. Następuje to zwykle w okresie dojrzewania. Niektórzy specjaliści są zdania, że takie zachowanie nie jest wyrazem zaburzeń, lecz formą aktywności, zajmującą krańcowe miejsce na osi aktywności. Dzieci bardzo spokojne, mało aktywne, umieszcza się wówczas na drugim końcu owej osi.

Chociaż sądzi się czasami, że dzieci nadmiernie aktywne mają trudności w nauce, nadpobudliwość nie wiąże się z mniejszą wydolnością intelektualną. W rzeczywistości dzieci te charakteryzują się średnim, lub wyższym niż średni, stopniem inteligencji. Wyglądają na roztargnione, gdyż nie są w stanie opanować swych reakcji i nie potrafią skupić się na niczym dłużej niż kilka minut.

Dziecko nadpobudliwe nie powinno być utożsamiane z dzieckiem „niegrzecznym". Jest ono bardzo ruchliwe, ponieważ nie może usiedzieć w miejscu, a nie dlatego, że chce doprowadzać rodziców do rozstroju nerwowego. Rodzice takiego malucha też nie mogą sobie niczego zarzucać. Jeśli wasze dziecko należy do nadpobudliwych, nie jest to wasza wina. To nie wy jesteście odpowiedzialni za ten stan rzeczy i nie powinniście czuć się winni.

Istnieje wiele teorii mówiących o przyczynach nadpobudliwości, choć dla większości przypad-

---

[2] Stan taki, kiedyś określany po prostu jako nadpobudliwość, można także nazywać zaburzeniami w koncentracji, spowodowanymi nadmierną aktywnością. Dzieci bez wzmożonej aktywności, lecz z zaburzeniami koncentracji, nie potrafią skupić uwagi. Ten rodzaj zaburzeń częściej występuje u dziewczynek.

Sposoby na rozładowanie energii u dzieci nadmiernie aktywnych

Większość małych dzieci ma nieograniczone zasoby energii. Naszym zadaniem jest znaleźć sposoby na jej rozładowanie, sposoby, które byłyby bezpieczne, odpowiednie dla małego dziecka i nie narażały na zbytni wysiłek już i tak zmęczonych rodziców. Gdy malec zaczyna „chodzić po ścianach" (skakać po kanapie, obijać się o szafki i stoliki), spróbuj podłączyć to „dynamo" do któregoś z niżej wymienionych „odbiorników energii" (w razie potrzeby nadzoruj poczynania dziecka):

W mieszkaniu

* ugniatanie ciasta;
* boksowanie w poduszkę lub specjalny bokserski worek;
* granie na garnkach jak na perkusji;
* używanie zabawek, których drewniane elementy można wbijać młotkiem;
* ugniatanie plasteliny;
* tańczenie do skocznej muzyki;
* zorganizowanie dziecięcego aerobiku (proste podskoki, rytmiczne dotykanie na przemian głowy, ramion, kolan i stóp);
* zabawa w wojnę poduszkową (w pomieszczeniu, w którym nie ma lamp stojących i innych łatwo tłukących się przedmiotów);
* rzucanie workiem wypchanym fasolą (również w bezpiecznym pomieszczeniu);
* baraszkowanie na miękkim dywanie lub materacu (w pomieszczeniu, gdzie nie ma ostrych krawędzi i innych przedmiotów mogących zagrażać bezpieczeństwu dziecka);
* organizowanie zabaw w kółku, śpiewanie w grupie;
* skakanie w górę* („Jak wysoko potrafisz podskoczyć"?) lub inne zajęcia ruchowe;
* skakanie w dal („Jak daleko potrafisz skoczyć"?);
* pluskanie się w wannie.

Na zewnątrz

* dowolne zabawy: bieganie, skakanie, wspinanie się;
* wyprawa na plac zabaw: huśtawka, zjeżdżalnia, drabinki, labirynty itd.;
* kopanie, rzucanie piłką (używaj dużej, lekkiej piłki);
* kulanie się na dużej piłce;
* jazda na rowerze na trzech kółkach lub kierowanie innym pojazdem-zabawką;
* pluskanie się w dziecięcym basenie;
* chodzenie po kałużach w deszczowy dzień (w kaloszach i odpowiednim ubraniu);
* jazda na wrotkach lub łyżwach (dla dzieci starszych);
* wyrywanie chwastów w ogrodzie (wskazana tylko dla dzieci starszych, które nie będą wkładały roślin do ust), również kopanie w ogrodzie.

* Mała, bezpieczna trampolina, umieszczona na miękkiej powierzchni w pustym pomieszczeniu, może sprawić dziecku jeszcze większą radość. Wyczyny te muszą odbywać się jednak pod ścisłym nadzorem.

ków są one dziś jeszcze trudne do określenia. Bardzo prawdopodobne, że istnieje kilka rodzajów nadpobudliwości (każdy warunkowany innymi czynnikami), które mogą być kształtowane przez następujące zjawiska:

Niedojrzałość. Wolniejszy rozwój samokontroli emocjonalnej i wysoki poziom koordynacji ruchowej to cechy powszechnie występujące u dzieci nadpobudliwych. W miarę dojrzewania zachowanie ich poprawia się.

Genetyka. Fakt, że nadpobudliwość obserwuje się w jednych rodzinach, a w innych nie, może wskazywać na uwarunkowania genetyczne. Jednakże zaburzenia te mogą być sprawą dziedziczną tylko w niewielkim zakresie.

Płeć. Nadpobudliwość u chłopców występuje nawet do siedmiu razy częściej niż u dziewczynek. Ma to związek z późniejszym dojrzewaniem chłopców.

Warunki rozwoju w okresie płodowym i noworodkowym. U niektórych dzieci nadpobudliwość wiązać się może z nadużywaniem alkoholu, paleniem papierosów, używaniem narkotyków przez matkę w okresie ciąży. U innych może wynikać z przebytych we wczesnym niemowlęctwie chorób, jak np. zapalenie mózgu (*encephalitis*) czy zapalenie opon mózgowo-rdzeniowych (*meningitis*). Są i tacy, którzy sądzą, że nadaktywność u dzieci może być powiązana ze spożywaniem pewnych produktów lub dodatków do produktów.

Nadwrażliwość na bodźce. Niektórzy naukowcy twierdzą, że nadpobudliwość u dzieci wynika z nagłego nagromadzenia się u nich energii pod wpływem pozornie normalnych bodźców (wrażenia wzrokowe, dźwięki). Owo napięcie nerwowe zostaje wówczas rozładowane w niewłaściwy sposób — poprzez zachowanie agresywne, nagłe wybuchy emocji czy narażanie się na niebezpieczeństwo.

Czasami maluch jest nadaktywny i zdradza objawy nadpobudliwości, choć w istocie nie zalicza się do dzieci nadpobudliwych. Często się zdarza bowiem, że nadaktywność jest powszechnym przejawem wysokiej inteligencji, idącej w parze z dużym zasobem energii. Opisywane zachowanie może także wiązać się ze stresem, który dziecko przeżywa, a z którym nie umie sobie poradzić, gdyż go nie rozumie. Być może sytuacja rodzinna pozostawia wiele do życzenia; może któreś z rodziców lub oboje przechodzą kryzys, są w depresji, nadużywają alkoholu lub narkotyków, może warunki bytowe rodziny są trudne.

Jeśli zachowanie twojego dziecka niepokoi cię, spróbuj najpierw porównać je z zachowaniem jego rówieśników. Obserwuj, jak bawi się na podwórku z innymi dziećmi, porozmawiaj z opiekunką domową lub wychowawczynią ze żłobka. Prawdopodobnie stwierdzisz, że inne dzieci są równie nieznośne. Jeśli jednak wydaje ci się, że twój malec bardziej niż jego rówieśnicy wymyka się spod kontroli, przyjrzyj mu się jeszcze uważniej. Poniższe pytania obejmują cechy typowe dla dzieci nadpobudliwych, choć należy pamiętać, że do pewnego stopnia wszystkie dzieci zdradzają te właściwości:

* Czy okres, w jakim dziecko potrafi się skoncentrować, jest krótszy niż u jego rówieśników i czy ma większe niż oni trudności ze skupieniem uwagi? (Czy np. kiedy czytana jest bajka, twoja pociecha zrywa się z miejsca i zaczyna robić coś innego, podczas gdy inni wytrzymują do końca?) Czy łatwiej rozproszyć jego uwagę w czasie zabawy, oglądania telewizji, jedzenia?
* Czy wykonanie prostego polecenia sprawia mu więcej trudności niż innym? Czy masz wrażenie, że nigdy cię nie słucha? (Pamiętaj, że chaotyczne mówienie nie zawsze oznacza nadpobudliwość.)
* Czy jest gadatliwe, ma duże wymagania i ulega emocjom? Czy często wybucha płaczem, reaguje krzykiem, biciem i wykazuje silne zdenerwowanie, nieproporcjonalne do przyczyny złości? Czy często przerywa innym i wtrąca się do rozmów? (Takie zachowanie obserwuje się niekiedy u dzieci, których matki lub opiekunowie przechodzą kryzys psychiczny.)
* Czy siedzenie w jednym miejscu sprawia mu więcej trudności niż innym? Czy jest w ruchu bez chwili wytchnienia? Czy mało sypia? Czy sypia niespokojnie, kopiąc i fikając?
* Czy często naraża się na niebezpieczeństwo (wybiega na ulicę, chwyta gorącą filiżankę kawy, ciągnie obce psy za ogon), nie zdając sobie sprawy ze skutków swego postępowania?
* Czy domaga się ciągłego zainteresowania swoją osobą?
* Czy lekceważy autorytet dorosłych i trwa w swym postępowaniu mimo ostrzeżeń? Czy jego współżycie z innymi cechują ciągłe sprzeczki i niezgoda?

Jeśli odpowiesz twierdząco na przynajmniej trzy z powyższych pytań, powinnaś zwrócić się do lekarza. Ze względu na wiek malca jest mało prawdopodobne, że lekarz postawi diagnozę, iż jest ono nadpobudliwe. Nadpobudliwość podejrzewa się na ogół, gdy dziecko ma dwa lub trzy lata, a potwierdza w wieku pięciu lat. Mimo to specjalista może poddać zachowanie dziecka analizie, zapoznając się z sytuacją rodzinną, obserwując malca i przeprowadzając proste badania psychologiczne.

W tej chwili bardziej niż rozpoznania medycznego potrzeba ci rady, jak zminimalizować skutki złego zachowania się malca; skutki, które nie tylko dają się we znaki całej rodzinie, ale także dziecku. Działania zapobiegawcze mają na celu uchronienie twojej pociechy przed silną postacią hiperaktywności i wynikającymi z niej zaburzeniami w poczuciu własnej wartości. Poniższe uwagi wskażą ci, jak radzić sobie z każdym dzieckiem nadaktywnym, nie tylko takim, u którego nadpobudliwość została rozpoznana:

* Zanalizuj sytuację rodzinną, by upewnić się, że stres, względnie choroba kogoś bliskiego nie jest przyczyną zaburzeń rozwojowych dziecka. Zwróć się o pomoc do lekarza, gdy ty lub ktoś inny w rodzinie cierpi na depresję lub inną chorobę.
* Trzymaj się ustalonego rytmu. Planuj posiłki, sen, spacery, przekąski i kąpiel stale o tej samej porze. Wprowadzając regulamin w życie twojego dziecka, możesz uspokoić jego szalony temperament. Podobny wpływ mogą mieć cisza i spokój panujące w domu.

Metody mające na celu uspokojenie dzieci nadaktywnych

Malec potrafi niekiedy zakumulować tak wiele energii, że żadne wysiłki zmierzające do jej rozładowania nie przynoszą rezultatu. Jeśli zdarzy się taka sytuacja, należy niezwłocznie rozpocząć proces wyciszania dziecka, wprowadzając w życie którąkolwiek z poniższych metod:

* przytulanie, pieszczoty, masaż;
* łagodna muzyka, z tekstem lub bez;
* specjalnie dobrane programy wideo o łagodnej treści;
* opowiadanie bajek, które uspokajają;
* ciepła kąpiel (pod nadzorem osoby dorosłej);
* układanie łatwych puzzli (unikaj układanek, które irytują dziecko);
* rysowanie, malowanie pędzelkiem albo palcem, rysowanie kredką lub kredą;
* ugniatanie plasteliny;
* robienie wypieków, gotowanie (pod nadzorem osoby dorosłej);
* zabawy w wodzie;
* obserwowanie ryb w akwarium;
* zabawa ze zwierzątkiem domowym (jeśli dziecko nie boi się) lub przytulanką;
* zabawa z cierpliwym opiekunem;
* proste zabawy z wyobraźnią (leżąc z zamkniętymi oczami, wyobrażajcie sobie różne przyjemne miejsca; na początku będziesz musiała ukierunkować nieco fantazję dziecka: „Wyobrażam sobie plażę...").

Gdy dziecko się uspokoi, spróbuj określić przyczynę, która była powodem złego zachowania malca. Postaraj się znaleźć sposób na uniknięcie takiej sytuacji w przyszłości.

* Nie narażaj dziecka na porażkę, stawiając je w sytuacji przerastającej jego możliwości (przyjęcie w eleganckiej restauracji, herbatka u cioci w saloniku pełnym antyków, długi film lub przedstawienie, przeciągające się nabożeństwo). Siedzenie cicho i bez ruchu z pewnością będzie dla niego trudne.
* Unikaj fizycznych kar lub związywania, np. szelkami (z wyjątkiem sytuacji, w których istnieje zagrożenie życia lub zdrowia). Narzuć jednak pewne rygory (patrz str. 63). Dziecko nadmiernie aktywne, ulegające nagłym impulsom, potrzebuje pomocy w formie nadzoru — jego brak wywołuje u malca lęk. Uważnie kontrolując poczynania dziecka, pomożesz mu nauczyć się samokontroli. Oczywiście, narzucone rygory i granice powinny być rozsądne. Od żadnego dziecka, a szczególnie nadaktywnego, nie można oczekiwać, by siedziało spokojnie przez dłuższy czas. Bądź na to przygotowana, pozwalając dziecku na dużą aktywność. Powstrzymuj się od komentarzy, póki maluch nie zacznie wymykać się spod kontroli. Narzucenie dyscypliny powinno być konsekwentne i zdecydowane, ale serdeczne (patrz str. 119). Niech twoje uwagi będą pozytywne, a nie negatywne: „Skakanie po łóżku jest niebezpieczne, chodź, będziemy udawać, że na nim śpimy" lub: „Czy możesz poskakać na dywanie?", zamiast: „Przestań skakać po tym łóżku!"
* Pomóż dziecku stopniowo wydłużać okres koncentracji. Jednym ze sposobów jest wyznaczanie dziecku krótkoterminowych celów i pomoc w ich realizacji. Spróbuj na przykład zająć malca czymś na dwie minuty. By zwiększyć szansę na powodzenie, wybierz moment, gdy jest on względnie spokojny i wypoczęty. Upewnij się, że nic go nie rozprasza (radio, telewizor, inne dzieci, otwarte okno, ulubiona zabawka), następnie powiedz: „Ciekawe, czy uda ci się siedzieć spokojnie do czasu, aż zadzwoni dzwonek. Możesz rysować, oglądać książeczkę, układać puzzle lub zająć się inną grą. Kiedy zadzwoni dzwonek, dostaniesz naklejkę z dinozaurem" (lub inną pożądaną nagrodę). Nastaw minutnik na dwie minuty i zachęć dziecko do posłuszeństwa. Gdy malec wykaże, że potrafi siedzieć w skupieniu przez dwie minuty, zacznij wydłużać czas o minutę, aż dojdziesz do dziesięciu minut, a może nawet przedłużysz ten czas jeszcze bardziej. Uczyń z tego zabawę, a przekonasz się, że malec sam będzie dążył do osiągnięcia celu.
* Pochwal spokojną zabawę. Jeśli dziecku uda się spędzić kilka chwil, oglądając książkę lub układając układankę, nie szczędź pochwał. Zachęcaj do takich zabaw, nawet jeśli trwają one krótko.
* Pomagaj dziecku opanować podstawowe umiejętności. Frustracja często prowadzi do gwałtowności. Kiedy dziecko nauczy się samo ubierać, jeździć rowerkiem bądź łapać piłkę, złość z faktu, iż nie potrafi dokonać tego samodzielnie zniknie. Złagodzi to także ogólną frustrację.

* Pokaż dziecku, jak można radzić sobie z różnymi stanami uczuciowymi. Kiedy jest smutne (złe, wystraszone, zniechęcone), daj mu do zrozumienia, że tego rodzaju intensywne emocje są rzeczą normalną. Pomóż mu w znalezieniu sposobów na lepsze samopoczucie. Zaproponuj: bieganie, skakanie, wdrapywanie się, boksowanie poduszki lub nadmuchanej zabawki, taniec, słuchanie na leżąco ulubionej taśmy. Zwróć też uwagę na propozycje na str. 160. Zapewnij dziecko, że może zawsze przyjść do ciebie i przytulić się.
* Wyczul się na niebezpieczeństwo. Upewnij się, że dziecko jest w bezpiecznym otoczeniu — najlepiej na dużej przestrzeni na dworze, gdzie codziennie może bawić się i wyładowywać energię. W tym czasie musisz mieć szczególne baczenie na malca. Wychodząc z domu, ubieraj go w jaskrawe kolory, abyś mogła go łatwo dostrzec w tłumie. Przypomnij sobie zasady udzielania pierwszej pomocy (patrz str. 561), gdyż nawet najbardziej przemyślane środki ostrożności mogą nie zapobiec urazom.
* Podróżując, zabieraj z sobą jak najwięcej zabawek i rób częste przerwy na odpoczynek. Zatrzymywanie się od czasu do czasu, by coś przekąsić, nie wystarcza. Przy okazji każdego postoju daj dziecku możliwość wybiegania się.
* Przyjmij do wiadomości, że twoja pociecha może nie potrzebować tyle snu co inne dzieci w jej wieku. Nie zmuszaj więc malca, by spał dłużej, niż chce. Wieczorami unikaj energicznych zabaw, silnych podniet i nadmiernego hałasu. Przygotowując dziecko do snu, zostaw sobie odpowiednio dużo czasu na wyciszenie malca, na zajęcia rozluźniające, takie jak masaż, ciepła kąpiel, słuchanie relaksującej muzyki i spokojnych opowieści. Stwórz dziecku idealne warunki do spania (temperatura w pokoju, oświetlenie, natężenie hałasu). Gdy jest zimno, ciepła piżama lub wełniane śpioszki sprawią, że nawet jeśli malec rozkopie się, to i tak nie zmarznie.
* Zwracaj uwagę na to, co dziecko je. To kontrowersyjna sprawa, ale niektórzy rodzice i lekarze uważają, że wyeliminowanie cukru i przypraw (w niektórych przypadkach także innych produktów) z diety dziecka nadaktywnego może poważnie wpłynąć na jego zachowanie. Warto spróbować, zwłaszcza że nic nas to nie kosztuje. Jeśli w ciągu miesiąca taka próba nie przyniesie rezultatu, spróbuj zastosować inne metody.
* Sprawdź, czy przypadkiem zanieczyszczenie środowiska, np. tlenkiem węgla (nieszczelny tłumik w samochodzie, niedrożny przewód kominowy) lub ołowiem (znajdującym się w wodzie lub farbie), nie jest przyczyną zaburzeń w zachowaniu dziecka. Choć nie stwierdzono, że czynniki te wywołują nadpobudliwość, należy je wyeliminować, choćby ze względów zdrowotnych (patrz str. 536).
* Dbaj o siebie. Rodzicom bardzo ruchliwych dzieci zdarza się zaniedbywać się, zwłaszcza gdy spędzają całe dnie w domu ze swymi aktywnymi pociechami. Gdy tylko się da, zabiegaj więc o pomoc ze strony współmałżonka, kogoś z rodziny, przyjaciółki lub opiekunki do dziecka. Aby się rozluźnić, stosuj ćwiczenia fizyczne lub techniki relaksacyjne. Im bardziej będziesz rozluźniona, tym łatwiej poradzisz sobie z dzieckiem i pomożesz mu radzić sobie z samym sobą.
* Kochaj dziecko takim, jakie jest (przynajmniej wiadomo, że nigdy nie będziesz się nudzić). Nie przyczepiaj malcowi etykietek w stylu: „Oto idzie nasz straszny Dyzio". Jeśli dziecko uświadomi sobie, że spodziewasz się po nim najgorszego („Nigdzie nie mogę cię zabrać — zawsze wszystko psujesz"), to najprawdopodobniej tak właśnie się zachowa. Przyjmij więc postawę pozytywną: „Wiem, że dziś będziesz się ładnie bawił". Pomóż dziecku konstruktywnie kierować swą energią, nauczy się spożytkowywać ją we właściwy sposób.

Jeśli lekarz stwierdzi u dziecka wczesne oznaki nadpobudliwości, może zaproponować zajęcia terapeutyczne. Można posłać dziecko do specjalnej placówki (jeśli taka jest w pobliżu), prowadzącej zajęcia dla dzieci nadpobudliwych. Wprawdzie nie ma na to jednoznacznych dowodów, ale wielu rodziców uważa, że specjalne ćwiczenia i terapia zajęciowa pomagają w zmniejszeniu ekspansji ruchowej i innych objawów związanych z hiperaktywnością. Środki farmakologiczne (ze względu na ich działania uboczne, szczególnie niebezpieczne dla małych dzieci) zazwyczaj podaje się dopiero dzieciom w wieku szkolnym. U małych dzieci stosuje się je wyłącznie wtedy, gdy nie można sobie inaczej poradzić. Podawania dzieciom witamin w zwiększonych dawkach, uznawanego czasem jako forma terapii, nie zaleca się w żadnym wypadku i traktuje jako niebezpieczne.

DZIECKO MAŁO AKTYWNE

Sądziłam, że małe dzieci są z natury aktywne, gdy tymczasem moje wciąż siedzi i bawi się grzecznie. Inne dzieci w jego wieku biegają, skaczą, wspinają się, na co popadnie.

Małe dzieci często padają ofiarą stereotypów — prawdopodobnie żadna inna grupa wiekowa (może z wyjątkiem nastolatków) nie zachowuje się w sposób tak łatwy do przewidzenia. Trudno jest formułować uogólnienia o niemowlętach, dzieciach w wieku przedszkolnym lub szkolnym, natomiast na temat dwulatków ukuto całą masę obiegowych opinii. Samo słowo „maluch" wywołuje natychmiastowe skojarzenia: negatywny, buntowniczy, łatwo wpadający w złość, zaborczy, przemądrzały, uparty, wszędobylski itd.

Jak w przypadku każdego stereotypu i tu są wyjątki nie pasujące do reguły. Wprawdzie większość szkrabów w tym wieku istotnie bywa uparta i nadmiernie aktywna, niektóre są zawsze spokojne i zgodne. Podczas gdy wiele z nich jest zaborczych, inne są niezwykle szczodre. Jedne bawią się w sposób agresywny, inne manifestują w zabawie delikatność i nastawienie pokojowe. Choć większość z nich rozpiera energia, są i takie, którym wystarcza spokojne obserwowanie otaczającego świata.

Jak wszyscy ludzie, maluchy mają swą własną osobowość. Charakter twojego dziecka określony jest przez jego wrodzony temperament. Zrzędzenie na temat pasywności, krytykowanie biernej postawy lub porównywanie z bardziej aktywnymi rówieśnikami nie odmieni twojej pociechy. Może natomiast zniszczyć jej poczucie własnej wartości i jeszcze bardziej pogłębić bierność. Toteż podkreślaj pozytywne cechy dziecka — pochwal rysunek, wybór książeczki, sprawne ułożenie puzzli. Kiedy zdarzy się, że dołączy do małych rozrabiaków i samo trochę narozrabia, nie szczędź pochwał i słów zachęty.

Pamiętaj, że chociaż w większości wypadków przyjęcie przez dziecko postawy spokojnego obserwatora — zamiast kręcącej się wiecznie frygi — jest absolutnie prawidłowe (i pewnie dużo korzystniejsze dla ciebie i atmosfery w rodzinie), to należy zadbać, by dziecko miało dość ruchu, choćby ze względu na zdrowie. Obserwując amerykańskie dzieci w wieku szkolnym, zauważa się, że stają się one coraz mniej aktywne. Coraz więcej wolnego czasu spędzają przed telewizorem zamiast na świeżym powietrzu. Nie ma gwarancji, że dziecko wcześnie zachęcane do aktywnego trybu życia będzie zawsze zdrowe, ale jest to odpowiedni czas, by taki model wprowadzić w życie. Tak więc, nawet gdy maluch nie czuje silnej potrzeby, by się ruszać, próbuj zachęcać go do niewielkich marszów (i innych ćwiczeń fizycznych, opisanych na str. 258). Zamiast biegania, wspinania się i zabaw siłowych, dziecko może lubić taniec, spacery, skakanie przez skakankę, a gdy skończy trzy lata, może zechcieć uczestniczyć w lekcjach tańca, rytmiki czy gimnastyki.

Jeśli dziecko konsekwentnie wzbrania się przed wszelką aktywnością, skontaktuj się z lekarzem, by upewnić się, że przyczyna nie wynika z przygnębienia, względnie jakiegoś rodzaju dolegliwości. Sprawdź ponadto, czy powodem nie jest brak dostatecznych bodźców (patrz str. 86) lub po prostu brak okazji do aktywności ruchowej. Jeżeli dziecko tkwi godzinami przed telewizorem albo gdy siedzi przypięte do wózka, gdy wychodzisz z domu, wreszcie gdy jest nieustannie zasypywane zakazami („Nie ruszaj tego!", „Zostaw to!", „Wyjdź stamtąd!"), to może jest bierne, bo nie ma innego wyboru.

Zakładając, że twoja pociecha jest zdrowa i ma dość okazji do swobodnych harców, nie ma powodu, by martwić się jej spokojnym sposobem bycia. Akceptuj jej zachowanie, pochwalaj, gdy staje się energiczna, i w pozytywny sposób zachęcaj do większej aktywności.

NIEWYRAŹNA WYMOWA

Nasza mała stała się ostatnio istną gadułą. Ale chyba żadnego słowa nie wymawia dokładnie. Czy potrzebuje fachowej pomocy?

Niepoprawna wymowa (jakże zresztą urocza w tym wieku) jest regułą, a nie wyjątkiem. Niewiele dzieci, nawet tych, które posiadły duży zasób słów, potrafi mówić wyraźnie w drugim roku życia. Przeważnie nikt oprócz rodziców i opiekunów nie potrafi ich zrozumieć. Przed ukończeniem trzeciego roku nie należy się spodziewać, że to, co dziecko mówi, będzie zrozumiałe dla innych. Wynika to z braku umiejętności właściwego manipulowania językiem i ustami, koniecznego do wymawiania większości spółgłosek (spróbuj przeczytać na głos fragment tekstu, nie ruszając językiem ani ustami, a zobaczysz, z jakimi trudnościami zmaga się twoje dziecko).

Kiedy malec nie potrafi wymówić jakiegoś dźwięku, zamienia go na taki, który może wyartykułować. Tak więc dziecko mające problemy z „t", ale nie z „g" może nazywać tatę „gaga". Inne dziecko może mówić „tutułka" zamiast „kukułka", „goda" zamiast „woda", „łuła" zamiast „rura". Zbitki spółgłosek nastręczają kłopotów, a więc „lawa" zamiast „trawa", „lan" zamiast „kran", „fiat" zamiast „kwiat". Większość dzieci jeszcze w czwartym roku życia przekręca niektóre spółgłoski i myli je z innymi. Niektóre nie radzą sobie z wymawianiem wszystkich dźwięków aż do czasu pójścia do przedszkoła lub nawet szkoły. Bez względu na niepoprawność wymowy, nigdy nie podważaj wysiłków dziecka zmierzających do porozumiewania się. Wspieraj je raczej. Kiedy mówi: „Tocham cię", odpowiadaj: „Ja też cię kocham".

Nie zmuszaj malca do prawidłowego wymówienia jakiegoś wyrazu. Im bardziej bowiem będziesz naciskać, tym większy będzie opór wobec mówienia. Może to prowadzić do utraty pewności siebie, a czasem nawet do jąkania się (patrz str. 331).

Oznaki prawdziwych problemów z wymową u dzieci opisujemy na str. 165[3].

OPÓŹNIENIA W ROZWOJU MOWY

Martwimy się, że nasza mała zna zbyt mało słów jak na swój wiek. Większość dzieci, z którymi się bawi, wydaje się znacznie bardziej zaawansowana pod tym względem.

Wszystkie dzieci uczą się mówić w tej samej kolejności: najpierw słowa, potem zwroty, na końcu zdania. Ponadto każde dziecko opanowuje język w sposób indywidualny, zgodnie z własnym rytmem. Czasem zwalnia tempo nauki, czasem przyspiesza, a kiedy indziej zatrzymuje się na jakiś czas na tym samym poziomie. Porównywanie danego dziecka z rówieśnikami (a nawet z nim samym sprzed pół roku) może więc być mylące. Dziewczynka, która pierwsza w grupie zaczęła wymawiać słowa, wcale nie musi być pierwsza w układaniu zdań. W praktyce może to się udać najpierw dziecku, które zaczęło mówić względnie późno.

Zdarza się czasami, że te dzieci, które szybko osiągnęły sprawność fizyczną — szybciej zaczęły chodzić, wspinać się, skakać, rzucać piłką — wolniej rozwijają sprawność mówienia. Do tego stopnia koncentrują swe wysiłki na wyczynach fizycznych, że nie starcza im energii na udoskonalanie mowy. Zbyt mały lub zbyt wielki nacisk na aktywność językową może opóźnić naukę mówienia. Podobny skutek wywołać może zachowanie rodziny, która, pełna dobrych chęci, zgaduje każde życzenie dziecka, zanim ono zdąży cokolwiek powiedzieć. Jednak bez względu na przyczynę opóźnienia, gdy dziecko już zacznie mówić, szybko osiąga prawidłowy poziom sprawności językowej. Ponieważ jest już nieco starsze, może mieć lepszą wymowę, lepsze wyczucie zasad gramatyki i bogatszy zasób słów (gromadzonych przez dłuższy czas).

To prawda, że wiele dzieci w dziewiętnastym miesiącu życia używa stale kilkudziesięciu słów, ale są i takie, do nich z pewnością należy wasze dziecko, które zaczynają werbalne popisy trochę później. Wiele z nich w ciągu kilku następnych miesięcy wręcz rozkwita językowo, inne dopiero wtedy, gdy zbliżają się do wieku dwóch lat. Jednocześnie, aby porozumieć się z otoczeniem, większość maluchów stosuje cały arsenał środków pozajęzykowych (patrz str. 85).

Aby upewnić się, że nie macie do czynienia z czymś innym aniżeli wolniejszy rytm rozwojowy, obserwujcie, jak dziecko reaguje na to, co wy mówicie. Na przykład czy rozumie pytania („Chcesz pić?"), czy wykonuje proste polecenia („Proszę, odłóż książkę na miejsce"), czy reaguje na stwierdzenia („Robimy teraz pa-pa"). Zwróćcie także uwagę na to, czy mała potrafi porozumieć się niewerbalnie (np. pokazując palcem lub chrząkając), gdy chce jeść, dostać zabawkę znajdującą się poza jej zasięgiem, oglądać telewizję lub mieć zmienioną pieluchę. Jeśli rozumie, co się do niej mówi, i potrafi wyrazić swoje życzenia (choć bez słów), nie ma powodu do niepokoju.

Przedyskutujcie z lekarzem wszelkie wątpliwości w celu ewentualnego podjęcia decyzji o zbadaniu słuchu lub specjalistycznym przebadaniu stopnia rozwoju sprawności językowej. Jeśli zostanie stwierdzony defekt funkcji słuchu, lub poważne opóźnienie w rozwoju mowy, należy jak najwcześniej rozpocząć terapię. Uchroni to dziecko przed zachwianiem wiary w siebie, względnie problemami mogącymi się pojawić, gdy dziecko rozpocznie naukę w szkole.

Zauważyłam, że większość dzieci, z którymi bawi się mój synek, już łączy wyrazy. Sam ma dość bogate słownictwo — zna około stu słów — ale na ogół używa ich pojedynczo. Tylko sporadycznie łączy z sobą dwa wyrazy. Czy mam niepokoić się tym, że nie tworzy jeszcze całych zdań?

Absolutnie nie. Rozwój mowy twojego dziecka jest jak najbardziej prawidłowy, a może nawet nieco szybszy. Niektóre dzieci w jego wieku dopiero wypowiadają pojedyncze słowa, a większość z nich ma ich zaledwie kilkanaście w swym repertuarze. Mało jest takich, które w tym wieku potrafią układać całe zdania. Dopiero około drugiego roku życia dziecko zaczyna

[3] Dzieci mające problemy ze słuchem lub cierpiące na schorzenia neurologiczne czy inne często nie są rozumiane przez otoczenie. Fakt ten błędnie utożsamia się z niższym ilorazem inteligencji, trudnościami z przyswajaniem wiedzy. Odpowiednia, wcześnie rozpoczęta i dostosowana do indywidualnych potrzeb terapia pozwala takim dzieciom na rozwinięcie wszystkich potencjalnych zdolności.

łączyć wyrazy w sensowne zdania. Na początku są to zazwyczaj krótkie zwroty, złożone z dwóch wyrazów, np. „Iść tam" lub „Daj to", lub „Jeszcze mleka". Później przychodzi czas na proste zdania, złożone z podmiotu i orzeczenia, np. „Adaś chce iść" lub „Tata da to", lub „Adaś jeszcze pić". Bardziej gramatyczne zwroty nie pojawiają się z reguły przed ukończeniem trzeciego roku.

Jeśli twoje dziecko posługuje się w tej chwili kilkoma słowami, sprawia wrażenie, że rozumie, co się do niego mówi, wykonuje proste polecenia, np. „Chodź tu" lub „Daj, proszę, mamie tę książkę" i potrafi porozumieć się za pomocą pojedynczych wyrazów, gestów, możesz być pewna, że jego rozwój językowy jest w normie. Możesz rozmawiać z synkiem pełnymi zdaniami, unikając przy tym dziecięcego szczebiotu, a to z pewnością zachęci go do układania zdań. Przekładaj jego jednowyrazowe komentarze na pełne zdania. Kiedy mówi: „Ciasteczko", odpowiadaj: „Chcesz dostać ciasteczko? Proszę bardzo, oto ciasteczko". Zadawaj mu pytania prowokujące do odpowiedzi innych niż tylko „Tak" bądź „Nie", np. „Gdzie jest książka?", „W co się bawisz?" Czytaj mu proste wierszyki, kiedy już osłucha się z nimi po kilkakrotnym czytaniu, pozwól mu dopowiedzieć ostatnie rymujące się wyrazy. Następnie pozwól, by dokończył dwa lub trzy słowa, aż wreszcie wyrecytuje całą linijkę.

Zachęcając dziecko do rozwoju sprawności językowych, zwróć uwagę na to, by nie wywołać u niego wrażenia, że coś jest z nim nie w porządku, ponieważ nie mówi jak dorośli. Wywieranie nacisku na przyspieszenie rozwoju mowy nie przyniesie żadnego efektu i może odnieść wręcz odwrotny skutek. Pod wpływem presji dziecko może zamknąć się w sobie. Rozluźnij się i czerp przyjemność z rozmów z twoim malcem. Ani się nie spostrzeżesz, jak stanie się partnerem w rozmowie.

POTULNOŚĆ

Wszystkie dzieci, z którymi bawi się moja córka, odbierają sobie zabawki. Ona natomiast nigdy tego nie robi, tylko stoi i pozwala, by inne dzieci wyrywały jej wszystko. Obawiam się, że nigdy nie nabierze pewności siebie.

Może to i prawda, że ludzie pokornego serca posiądą ziemię, ale w pokoju pełnym dzieci zawsze będą pozbawione zabawek.

Choć zaborczość to typowa cecha maluchów, zdarzają się i takie, które po prostu nie mają jej w naturze. I nie ma w tym nic dziwnego. Zachowanie agresywne, choć powszechne, wcale nie jest niezbędnym ogniwem w normalnym rozwoju dziecka. Nie jest też konieczne dla wyrobienia silnego poczucia tożsamości. Zaborcze dzieci niekoniecznie stają się nieustępliwe w swym dorosłym życiu, tak jak łagodne i grzeczne wcale nie są skazane na to, by stać się mięczakami. Ważne, by twoja córeczka wiedziała, że ma swoje prawa i że nie musi się o nie w sposób przebojowy upominać. Jak długo nie przeszkadza jej zachłanność rówieśników i znajduje sobie inną zabawkę, gdy ktoś odbierze jej własną, wydaje się zadowolona z siebie i z otoczenia, nie ma powodu, by zmieniać jej zachowanie. Możliwe, że z upływem czasu i wraz z nabywaniem doświadczeń w kontaktach z dziećmi mała stanie się bardziej pewna siebie, zwłaszcza jeśli będzie odpowiednio przez ciebie ukierunkowywana. Z drugiej strony, może się już nie zmienić. Wielu ludzi odnoszących sukcesy w życiu mówi cicho i daje sobie radę, nie będąc przebojowym. Jeśli twoja córka ma być taka, zaakceptuj jej łagodny sposób bycia, nawet jeśli ty sama odznaczasz się większym temperamentem.

Gdyby jednak dziecko było zaniepokojone wydzieraniem mu zabawek i niezdolne do obrony przed agresywnymi rówieśnikami, pospiesz mu na ratunek. Jeśli ktoś usiłuje wyrwać twojej córce zabawkę, poradź, by broniła swoich praw, mówiąc: „Teraz ja się tym bawię". Możliwe, że na początku ty będziesz musiała przejąć pałeczkę i powiedzieć w jej imieniu: „Teraz Zuzia się tym bawi". Jeśli zabawka została już zabrana, nie próbuj jej odzyskać (odpłacanie pięknym za nadobne nie jest reakcją właściwą; chodzi przecież o to, by nauczyć dziecko, jak ma się upominać o swoje prawa, a nie jak deptać prawa innych). Zamiast zabierać, poproś grzecznie, acz stanowczo, o zwrócenie zabawki. Jeśli zajdzie konieczność, uczyń to kilkakrotnie. Powiedz, że „Zuzia nie skończyła się jeszcze bawić lalką, chciałaby dostać ją z powrotem". Jeśli dziecko posłucha, nie szczędź podziękowań, a kiedy twoja mała skończy się bawić, zaproponuj, by dała koleżance lalkę. Jeśli natomiast koleżanka nie posłucha, nie wdawaj się w zatarg. Znajdź córce inną zabawkę i dopilnuj, by i tej jej nie odebrano. Stosuj tę metodę zawsze, gdy dziecko popada w towarzyskie tarapaty, gdy np. zostaje wypchnięte z kolejki do zjeżdżalni, gdy ktoś wyrwie mu łopatkę w piaskownicy lub zabierze rowerek na placu zabaw. Obserwuj takie sytuacje z odległości, a zanim wkroczysz, daj małej szansę, by broniła się sama: twoim celem jest nauczyć ją, jak sobie radzić w takich okolicznościach. Zwiększanie częstotliwości kontaktów z dziećmi może okazać się pożyteczne; może mała jest tak przyzwyczajona do siedzenia w domu, gdzie wszyscy szanują jej prawa i własność, że zmaganie się z życiem w brutalnym świecie maluchów sprawia jej trudności. Ucząc się, jak je pokonywać, pozwól jej być sobą i ciesz się, że inni rodzice nie uskarżają się, iż twoje dziecko ciągle dokucza innym.

DZIECKO EKSPANSYWNE

Mój synek, bawiąc się z innymi dziećmi, jest niezwykle aktywny fizycznie. Nie jest agresywny, ale dzieci nieraz złoszczą się, że nie zostawia im zbyt wiele miejsca, rozpychając się i stale kogoś poszturchując.

Takie ekspansywne dzieci jak twój syn wcale nie mają złych zamiarów, kiedy przygniatają lub poszturchują inne dzieci. Poznają świat spontanicznie, a koledzy i koleżanki są właśnie częścią tego świata. Popychają ich więc i szarpią, nie licząc się z manierami ani z tym, że „ofiary" także mają uczucia.

Dodatkowym czynnikiem, który sprawia, że kontakt fizyczny staje się integralną częścią życia towarzyskiego malca, jest jego ograniczona sprawność językowa. Zamiast więc powitać kolegę słowami: „Cześć, jak się masz?", maluch może pacnąć go w ramię. Kiedy zapragnie pokazać koledze swój nowy samochodzik, może zaciągnąć go (dosłownie) po schodach do mieszkania. A kiedy zechce, by chłopiec już sobie poszedł, może go zwyczajnie wypchnąć za drzwi.

Problem w tym, że ten fizyczny „dialekt" nie jest ani zrozumiany, ani akceptowany przez inne dzieci. Mimo że ich własne możliwości językowe są ograniczone, są przyzwyczajone, że ich rodzice i opiekunowie porozumiewają się z nimi za pomocą słów. Przyjazny kuksaniec może być łatwo odczytany jako złośliwy i wymagający odwetu, co z kolei bywa często źle przyjmowane. Powiedzenie: „Nie czyń drugiemu, co tobie niemiłe", zdecydowanie nie jest hasłem przewodnim małych dzieci. Co więc mają robić rodzice takiego ekspansywnego malca? Wypróbuj następujące sposoby:

* Zastanów się nad charakterem twoich fizycznych relacji z dzieckiem. Czy szarpiesz je za ramię, gdy nie chce przerwać zabawy? Czy ciągniesz za ucho, gdy okaże się, że źle się zachowywało w czasie zabawy z dziećmi? Czy poszturchujesz je i podszczypujesz dla zabawy? Maluchy są wybornymi naśladowcami i swoim zachowaniem możesz niechcący dawać przykład, jak mają traktować swych rówieśników. Zweryfikuj swoje przyzwyczajenia, jeśli chcesz, by twoje dziecko obchodziło się z innymi delikatnie.
* Zastanów się, czy nie pozwalasz dziecku na zbyt wiele. Wielu rodziców zezwala na dość żywiołowe zachowanie się dziecka w domu, utrwalając w nim mylące przekonanie, że można się tak zachowywać wobec członków rodziny, ale nie wobec innych ludzi. Kiedy będzie ciągnął cię za ucho lub ubodzie głową w brzuch, daj mu do zrozumienia, że nie jesteś tym zachwycona (nawet jeśli tak naprawdę nie masz nic przeciwko temu): „Proszę cię, nie rób tak, bo to boli". Wytłumacz, że pewne gesty (przytulenie, czułe poklepanie, uścisk dłoni, pozdrowienie przez uniesienie ręki) są przyjęte, a inne nie są dobrze odbierane. Wyjaśnij też, że najlepiej zwrócić na siebie uwagę słowami. Ćwiczenia z wypchanymi zwierzątkami lub lalkami mogą tu być pomocne.
* Pomóż dziecku opanować podstawowe maniery, tak by szły w parze z dobrymi intencjami. Pozwól sobie na pewną oficjalność. Kiedy np. dziecko wejdzie rano do twego pokoju, powitaj je słowami: „Dzień dobry, miło cię widzieć" lub innym tego rodzaju grzecznościowym zwrotem. Witaj je uprzejmie, może nawet uściskiem dłoni, gdy obudzi się z drzemki, gdy wróci z zabawy na dworze. Wobec innych członków rodziny zachowuj się najgrzeczniej, jak tylko potrafisz, i nakłaniaj malca do tego samego. Odnośnie do innych metod uczenia dzieci grzeczności patrz str. 127.

ODDALANIE SIĘ

Kiedy gdzieś wychodzimy z naszym synkiem, on zaraz się oddala, żeby zobaczyć to czy tamto, albo biegnie przed nami w stronę ulicy. Ciągle się za nim uganiamy. Doprowadza nas to do rozstroju nerwowego.

Dla wielu rodziców gonitwa za dziećmi zaczyna się od momentu wyjścia za próg. Malec natychmiast biegnie w lewo, podczas gdy rodzice zamierzają iść w prawo. Kiedy natomiast chcą iść w lewo, maluch oczywiście kieruje się w prawą stronę. Gdy ujrzy na horyzoncie ruchliwe skrzyżowanie, pędzi naprzód, zamieniając spacery w istny koszmar.

Dziecko, które się oddala, nie jest powodowane chęcią dokuczenia rodzicom (no, może czasami), lecz nieodpartym pragnieniem poznania otoczenia. To, że jego droga do odkryć nie jest tą samą drogą, która prowadzi do sklepu, nie osłabia jego zapału, a to, że uciekanie czy pędzenie przed siebie może okazać się niebezpieczne, nie zbija go z tropu. Należy więc zadbać o bezpieczeństwo dziecka, inaczej zaplanować spacer (droga wybrana przez dziecko zawsze wydłuża czas wyprawy) i nie przestając zachęcać brzdąca do poznawania otoczenia, uczyć podstawowych zasad poruszania się w terenie. By to osiągnąć, musisz nastawić się na dwa rodzaje spacerów:

Przechadzka pod nadzorem rodziców. Niektóre miejsca są dla niego szczególnie niebezpieczne: zatłoczony chodnik, jezdnia, zaśmiecone pobocze ulicy itd. Jeśli istnieje zagrożenie względnie jeśli musisz załatwić dużo spraw w krótkim czasie, to naturalna ciekawość dziecka powinna zejść na drugi plan. W takich sytuacjach musisz wyjaśnić mu, że nie wolno mu biec przed siebie ani pozostawać z tyłu, że musi trzymać cię za rękę lub siedzieć w wózku. Dziecko może łatwiej przyjąć te nakazy, jeśli odwrócisz jego uwagę, zadając mu pytania, rozmawiając o tym, co dzieje się wokół, jeśli pośpiewasz mu jakieś zabawne piosenki lub zajmiesz rymowankami. W potencjalnie niebezpiecznych sytuacjach dziecko, podobnie jak mały psiaczek, nie będzie zachowywać się ostrożnie, gdyż nie rozumie tego, co się wokół niego dzieje. Trzeba je nauczyć, by nie wybiegało na ulicę, nie wchodziło w tłum ludzi (jeśli ciebie nie ma obok), by zatrzymywało się, rozglądało i nasłuchiwało na każdym rogu, by nigdy nie wchodziło samo na jezdnię i by zatrzymywało się zawsze wtedy, kiedy mu polecisz. Malec może całą tę wiedzę przyswoić, jeśli od czasu do czasu stworzy mu się możliwość samodzielnego poruszania się. Jeśli w czasie takiego treningu pojawiają się choćby najmniejsze oznaki niesubordynacji, tzn. jeśli czujesz, że dziecko może wbiec na jezdnię lub uciec, gdy przykazałaś mu, by trzymało się ciebie, nie zwlekając, wsadź je do wózka (jeśli oczywiście masz go z sobą) względnie posadź na ławce, by odsiedziało karę, lub wreszcie mocno przytrzymaj za rękę. Wyjaśnij synkowi, że nie może chodzić sam, dopóki nie dorośnie i nie zacznie przestrzegać zasad poruszania się. Bądź zdecydowana i konsekwentna w egzekwowaniu tych wymagań. Jeśli jednego dnia pozwolisz mu biec przed siebie, a drugiego zabronisz, cała nauka pójdzie na marne. Wpojenie dziecku podstawowych zasad poruszania się w terenie wymaga cierpliwego, lecz konsekwentnego powtarzania stale tych samych zakazów i nakazów. Należy to robić na każdym spacerze, a wysiłek okaże się opłacalny. Dzieci, u których nie potrafimy wyrobić odruchu samoobrony przed niebezpieczeństwem ulicznym, podobnie jak małe pieski, które stale prowadzi się na smyczy, są najbardziej narażone na takie niebezpieczeństwo[4]. (Naucz dziecko, by zawsze słuchało poleceń typu: „stój", „idź", „czerwone światło" lub „zielone światło", a pomożesz mu czuć się bezpieczniej.) Malec musi wiedzieć, że kiedy się od ciebie oddala, to może się zgubić. Uświadom mu to, ale nie strasz obcymi ludźmi, którzy mogą go „ukraść", bądź policjantami, którzy mogą go aresztować.

Spacer pod przewodnictwem dziecka. Jeśli masz dość czasu, a droga jest bezpieczna, pozwól dziecku nadawać ton wyprawie. Niech zostanie z tyłu, by kopnąć usypany ze śniegu kopczyk, niech pobiegnie za kotem, który schował się pod zaparkowanym samochodem. Włóż sportowe buty, żebyś była przygotowana na ewentualną interwencję. Będzie o wiele bardziej zadowolony (i o wiele więcej się nauczy), jeśli zabawisz się w towarzyszkę podróży i pokażesz drzewo, z którego spadł znaleziony przed chwilą kasztan, napomkniesz, że kwiat mlecza, który malec wąchał, jest koloru żółtego, a w kamyku, który dumnie dzierży w dłoni, znajdują się błyszczące drobinki, zwane miką. Nie dawaj dziecku odczuć, że jego odkrycia są ci znane, nie wymądrzaj się zbytnio na temat jego zdobyczy; pamiętaj, że to ono jest przewodnikiem tej wycieczki.

Zrozumiałe, że musisz nieustannie sprawować kontrolę. Wystarczy, że odwrócisz głowę na sekundę, a dziecko przepadnie w tłumie lub wbiegnie na ulicę.

OPÓR WOBEC OBCINANIA PAZNOKCI

Paznokcie u rąk i nóg mojej córeczki szybko rosną i brudzą się. Gdy próbuję je obciąć, mała wrzeszczy i wyrywa się.

Przeciętny maluch prędzej zje szpinak niż pozwoli sobie obciąć paznokcie. Ma zresztą ku temu powody. Po pierwsze, obcinanie nożyczkami czy cążkami jakiejś części jego samego (nawet jeśli czyni to mama albo tata) budzi

[4] Kiedy dziecko skończy trzy lata, możesz zacząć pozwalać mu biec przodem. Musisz mieć pewność, że dotrzyma słowa i zawsze będzie zatrzymywało się w ustalonym miejscu — na przykład na rogu — i czekało na ciebie. Na ogół jednak dopiero w wieku dziesięciu lat, kiedy zdolność postrzegania jest na tyle wyrobiona, by właściwie ocenić prędkość i odległość nadjeżdżającego pojazdu, dziecko będzie mogło samodzielnie przechodzić przez ulicę.

zrozumiały lęk. Małe dziecko nie potrafi zrozumieć, że paznokcie nie bolą, gdy się je obcina, i że odrastają. Po drugie, ze względu na bezpieczeństwo, zabieg ten wymaga od dziecka cierpliwości. Nie tylko musi ono siedzieć nieruchomo (co jest dla malucha nie do zniesienia), ale na dodatek pozwolić osobie dorosłej, by mocno trzymała je za ręce i palce.

Wiadomo jednak, że paznokcie obcinać trzeba. Nie tylko gromadzą się za nimi brud i zarazki — nawet jeśli ręce są czyste — ale można nimi, celowo lub niechcący, zrobić krzywdę sobie lub komuś innemu. Choć kwestia obcinania paznokci może jeszcze przez kilka lat być przedmiotem gorącej dyskusji (aż zastąpi ją problem obgryzania paznokci lub wycinania skórek), następujące uwagi mogą pomóc w złagodzeniu tego przykrego przeżycia[5]:

* Używaj tępych narzędzi. Do obcinania paznokci dzieciom najlepiej nadają się specjalnie do tego celu przeznaczone nożyczki, z bezpiecznie zaokrąglonym końcem, lub malutkie cążki. Nie używaj zwykłych nożyczek z ostrym końcem, przynajmniej do czasu, aż dziecko będzie umiało siedzieć spokojnie.
* Obcinaj paznokcie najpierw sobie. Niech dziecko zobaczy, że ty także używasz nożyczek (jak również inni członkowie rodziny). Widząc, ile wam to sprawia przyjemności, być może wasza pociecha zechce być następna w kolejce.
* Obcinaj w wodzie. Ciepła woda uspokaja dziecko i zmiękcza paznokcie, co czyni obcinanie mniej męczącym. Następny manicure spróbuj więc wykonać, gdy tylko dziecko wyjdzie z wanny.
* Zamień obcinanie paznokci w zabawę. Zabawny wierszyk może odwrócić skutecznie uwagę dziecka i pozwoli zastąpić wrzaski chichotem.
* Obcinaj podczas snu. Może się okazać, że najlepszą okazją do obcięcia paznokci jest pora snu dziecka. Działaj szybko i cicho, a może się wcale nie obudzić w trakcie tego zabiegu. Jeśli maluch ma lekki sen lub po przebudzeniu ma trudności z powtórnym zaśnięciem, lepiej będzie, jeśli zaczniesz obcinać tuż przed spodziewanym przebudzeniem się.

CO WARTO WIEDZIEĆ

Jak dzieci nawiązują znajomości

Przyjaźń. Wielu dorosłym słowo to przywołuje na myśl dziesiątki wspomnień z dzieciństwa: leniwe letnie wyprawy do sklepu z napojami, zabawy i gry po lekcjach w chłodne, jesienne popołudnia, zjeżdżanie na sankach i bitwa na śnieżki po zimowej zamieci, ściągawki przemycane na lekcje matematyki w drugiej klasie. Dobrze było być dzieckiem.

Niektórzy pamiętają, jak stali na uboczu i przyglądali się rozkwitającym wokół przyjaźniom, kiedy sami czuli się samotni i opuszczeni. Trudno było być dzieckiem. Bez względu na to, jakie wspomnienia z ich własnego dzieciństwa wywołuje słowo „przyjaźń", rodzice na ogół pragną, by ich dziecko nawiązywało przyjaźnie i doświadczało wszystkich ich radości. Często martwią się, gdy ich pociechy nie sprawdzają się w zabawach grupowych, gdy nie chcą dzielić się zabawkami, gdy popołudnie spędzone w parku z rówieśnikami przeradza się w trzecią wojnę światową.

Tymczasem nie jest to problem, którym powinnaś się przejmować. W przyszłości w życiu twojego dziecka pojawią się przyjaciele. Przyjaźnie, które ty wspominasz dziś z takim sentymentem, nie kształtują się we wczesnym dzieciństwie; na tym etapie dzieci nie są jeszcze zdolne do takiego współżycia z innymi. Na ogół zajmują się sobą; w większości nie mają dość zrozumienia dla innych, by zgodnie pracować lub bawić się. Tak naprawdę, jedyną rzeczywiście liczącą się dla dziecka osobą jest ono samo. W każdej formie wymiany, polegającej na dawaniu i braniu, maluch widzi tylko element brania. Liczą się tylko jego potrzeby. Dzieci nie bardzo jeszcze odróżniają dobro od zła i prawie zupełnie nie wiedzą, co to dobre maniery. Nie potrafią też panować nad swymi impulsami (rzucają zabawką w koleżankę, przewracają zbudowaną przez inne dziecko wieżę z klocków, szczypią kolegę w rękę, gdy się złoszczą).

Jednakże w ciągu następnych paru lat te małe aspołeczne stworzenia mogą opanować sztukę

[5] Obgryzanie dziecku paznokci własnymi zębami jest fatalnym pomysłem; może uszkodzić skórkę i uczy dziecko, że obgryzanie jest przyjętą formą radzenia sobie z tym problemem.

dzielenia się i współpracy z innymi, mogą uwrażliwić się na troski innych ludzi i słownie rozwiązywać sporne kwestie. Krótko mówiąc, nasze pociechy nauczą się być przyjaciółmi. Możesz pomóc dziecku dojść do tego w następujący sposób:

* Kładź nacisk na poczucie własnej wartości. Dzieci muszą mieć pozytywny stosunek do samego siebie, zanim zaczną nawiązywać bliższe stosunki z innymi (patrz str. 255).
* Zaprzyjaźnij się ze swoim dzieckiem. Pierwsze okazje do nawiązywania przyjaznych stosunków stwarzają dziecku jego rodzice. Okazją taką może być obiad przy wspólnym stole, spacer, plac zabaw, czytanie, spędzanie czasu na wspólnych grach itd. Warto więc od początku kształtować w dzieciach prawidłowe nawyki społeczne. Nie bądź zawsze wspaniałomyślnym dorosłym, dającym dziecku pierwszeństwo w wyborze kredek, w rozwiązaniu zagadki, w ugryzieniu wspólnego ciastka. Grając, nie zawsze pozwalaj mu wygrywać, zachęcaj do dzielenia się, przestrzegania reguł gry, używania słów „proszę", „dziękuję". Rozmawiaj o tym, co robisz i widzisz, w taki sposób, by wywołać odzew u dziecka i zmobilizować je do rozwijania zdolności konwersacyjnych. Kreuj takie sytuacje społeczne, w których malec może znaleźć się w przyszłości.
* Zaczynaj od jednej osoby. Małemu dziecku łatwiej bawić się tylko z jednym kolegą lub koleżanką. Organizuj więc spotkania tylko z jednym dzieckiem, zwłaszcza jeśli twój maluch źle się czuje w dużej grupie. Wybieraj ponadto te dzieci, z którymi twoja pociecha czuje się najlepiej. Ograniczaj czas tych zabaw (zacznij od jednej godziny) i zadbaj, by dzieci miały dużo atrakcji w czasie takiego spotkania. Nigdy nie zmuszaj drugiego dziecka do zabawy z twoim malcem; nie dość, że nie jest to w porządku wobec dziecka, to zapewne spotka się z jego gwałtownym oporem.
* Unikaj trójek. Dla maluchów trzy osoby to niemal tłum, który może stać się towarzyskim piekłem. Zdarza się często, że jedno z trójki dzieci (zwykle to najmniej energiczne i bardziej wstydliwe) staje się „ofiarą" pozostałych dwojga.
* Nie oczekuj wspólnej zabawy. Jeśli dotychczas twój maluch nie bawił się w grupie, to jego kontakty z rówieśnikami będą prawdopodobnie miały charakter zabawy „równoległej". Polega to na tym, że dzieci bawią się jedno obok drugiego, ale nie wspólnie. Gdy jednak przyjrzymy się grupce malców bliżej, okaże się, że taka „równoległa" zabawa jest jakby prymitywnym zaczątkiem współżycia społecznego. Obserwując dwójkę dzieci, możemy odnieść wrażenie, że gaworzą same do siebie, że są pochłonięte własną zabawą. W istocie jednak, każde z nich uświadamia sobie obecność drugiego. Można przyłapać je na tym, że rzucają sobie ukradkowe spojrzenia, obserwują się, naśladują i oczywiście często usiłują odebrać coś jedno drugiemu. Za parę miesięcy możesz oczekiwać zachowań bardziej społecznych.
* Zachęcaj do wspólnych zabaw. Są zajęcia, które szczególnie zachęcają do współdziałania. Gry w piłkę, zabawy tematyczne (np. w dom lub w szpital), zabawa w chowanego, wspólna praca nad czymś (np. przygotowanie potrawy, zajęcia twórcze), zabawy w kółeczku („Chodzi lisek koło drogi...", „Ojciec Wergiliusz...") oraz zabawy, które wymagają odczekania na swoją kolej, wyrabiają w dzieciach cechy niezbędne do nawiązywania przyjaźni. Oczywiście, na tej drodze uczenia się współżycia z innymi pojawią się zachowania społecznie niepożądane, np. zabieranie rzeczy innym, bicie, ciągnięcie za włosy, szczypanie itd. (Na str. 174 znajdziesz wskazówki, jak postępować z dzieckiem agresywnym.)
* Zachowaj neutralność i czuwaj w pobliżu. Ponieważ zachowanie małych dzieci, szczególnie w początkowej fazie nawiązywania kontaktów społecznych, jest zmienne i nie da się do końca przewidzieć, nadzór osób dorosłych jest absolutnie konieczny. Miej maluchy nieustannie na oku, nawet jeśli wydaje ci się, że zabawa przebiega harmonijnie. Bądź gotowa do interwencji, gdy nagle dojdzie do konfliktu. Nie stawaj po żadnej stronie, nawet jeśli uważasz, że jedno z dzieci wyraźnie zawiniło. Spokojnie zażegnaj awanturę, rozdziel walczące strony i zaproponuj inną, bardziej pokojową zabawę. Uwagi na temat postępowania w przypadku konfliktów grupowych znajdziesz na str. 174.
* Nie angażuj się osobiście. Trudno nauczyć się przedkładać uczucia dziecka ponad swoje, ale jest to istotny element rodzicielstwa. Nie można dopuścić, by twoje przekonania rzutowały na charakter kontaktów społecznych dziecka. Jeśli sama jesteś osobą towarzyską, a dziecko jest nieśmiałe, to nie dopuszczaj, by twoje rozczarowanie tym faktem skłaniało malca do nawiązywania znajomości na siłę. Nie krytykuj go za nieśmiałość. Nie rób dziecku krzyw-

dy tylko dlatego, że w oczach innych rodziców, z którymi się akurat przyjaźnisz, twój maluch jawi się jako zbyt żywy lub zbyt uległy.

* Szukaj wsparcia. Jeśli mimo uczęszczania do żłobka lub innego miejsca opieki dziennej dziecko niechętnie nawiązuje kontakty towarzyskie, zwróć się o pomoc do wychowawców sprawujących nad nim opiekę. Opiekun potrafi zachęcić bardziej przebojowe dziecko do wciągnięcia nieśmiałego malucha do zabawy (na ogół jest to skuteczniejsze, niż gdyby robił to sam opiekun).

* Akceptuj towarzyski styl bycia dziecka. Dziecko, podobnie jak dorosły, ma swój własny styl bycia w zespole. Jedni od początku są duszą towarzystwa, inni czują się lepiej, mając tylko jednego lub dwu przyjaciół. Niektórzy z entuzjazmem reagują na każdą okazję do poznania nowych ludzi, inni są bardziej wstrzemięźliwi i zanim zrobią ewentualny krok, wolą najpierw przyglądać się z boku. Warto też wiedzieć, że wśród dzieci-obserwatorów są i takie, które nigdy nie będą miały ochoty na zrobienie pierwszego kroku (patrz str. 195). Nie ma w tym nic nieprawidłowego.

* Weź pod uwagę potencjalne problemy. Ania może pragnąć przyjaźni, ale przeszkadza jej w tym wrodzona agresywność. Bartek chciałby mieć przyjaciela, ale przeszkadza mu w tym jego nieśmiałość. Należałoby pomóc dziecku w uporaniu się z takimi problemami jak agresywność (patrz str. 174) i nieśmiałość (str. 345), zanim owe cechy zaczną znacząco wpływać na charakter jego kontaktów towarzyskich.

* Stwarzaj sytuacje umożliwiające nawiązywanie kontaktów. Dzieci, które od początku miały do czynienia z innymi dziećmi — w rodzinie, w grupie rówieśniczej, na podwórku, w żłobku itd. — na ogół szybciej przyswajają zasady współżycia społecznego. Jeśli twój maluch nie miał jeszcze takiej okazji, pomyśl o zorganizowaniu dla niego specjalnej grupy zabawowej lub postaraj się włączyć go do już istniejącej (sugestie, jak tego dokonać, znajdziesz na str. 110). Oprócz zorganizowania dziecku stałego towarzysza zabaw, rób też częste wyprawy na plac zabaw.

* Nie zmuszaj dziecka. Presja rodziców, by ich dziecko jak najwcześniej udzielało się towarzysko, zwykle nie pomaga maluchowi w zdobywaniu przyjaciół i popularności. Biorąc pod uwagę ducha przekory, który charakteryzuje dziecko w tym wieku, skutek może być akurat odwrotny. Jeśli zapewniasz malcowi odpowiednio dużo miejsca i czasu, sam dojdzie do wniosku, że zabawy z dziećmi sprawiają dużą frajdę.

CO TWOJE DZIECKO POWINNO WIEDZIEĆ

Przyjazny stosunek do zwierząt

Obserwując zachowanie dzieci wobec zwierząt, możesz rzeczywiście dojść do wniosku, że dzieciaki są stworzone po to, by dręczyć zwierzęta — by ciągnąć psa za ogon, znęcać się nad śpiącym kotem, rozpędzać stadka gołębi zajadających ziarno i rozdeptywać robaki pełzające po chodniku.

Prawdą jest, że małe dzieci traktują zwierzęta jeszcze gorzej niż swych rówieśników. Zwierzęta, podobnie jak rośliny, przedmioty z otoczenia, towarzysze zabaw, są dla nich obiektami, którymi malec manipuluje dla własnej rozrywki i które bada dla własnej satysfakcji. Jeśli stworzenia mają długie uszy, ogon, futro, pióra albo inne ciekawe „akcesoria", to szarpanie ich, ciągnięcie, ściskanie, skręcanie, gonienie i męczenie wydaje się malcom jeszcze bardziej ponętne.

To jednak, że maluchy dokuczają zwierzętom, nie zdając sobie sprawy z krzywdy, jaką im wyrządzają, nie oznacza, że należy akceptować takie zachowanie. Wyrabianie w dzieciach szacunku dla zwierząt jest tak samo ważne jak wyrabianie w nich szacunku dla ludzi. Brak reakcji na przejawy złego traktowania zwierząt może okazać się fatalny w skutkach zarówno dla zwierzęcia (wiele z nich jest bezbronnych wobec ciekawskiego malucha), jak i samego dziecka (zwierzę, które potrafi się bronić, zwykle to czyni). Aby wskazać dziecku właściwą drogę w postępowaniu ze zwierzętami możesz:

Poszukać przyjaciół wśród zwierząt. Umożliwienie dziecku kontaktu z różnymi zwierzętami sprawi, że poczuje się ono pewniej w towarzystwie skrzydlatych lub czworonożnych stworzeń. A przecież jesteśmy życzliwi wobec tych, z którymi czujemy się pewnie. Odpowiednim i bezpiecznym terenem tego rodzaju doświadczeń może być dom cioci Basi i jej cztery koty, dom dziadków z trzema psami i papugą, małe i duże zoo, park itd. Innym, cudownym terenem „polowania" na tych nowych i odmiennych przyjaciół są książki. Zacznij od prostych książeczek, w których znajdują się duże, wyraźne obrazki zwierząt domowych lub hodowanych na wsi. Przejdź następnie do bardziej egzotycznych gatunków. Dzieci uwielbiają książki o małych zwierzaczkach i o takich, które są im dobrze znane (jak psy i koty).

Przynieść do domu „znajdę". Posiadanie jakiegoś stworzenia w domu znacznie wzmocni sympatię dziecka do zwierząt. Jeśli nie macie jeszcze zwierzaka, pomyśl o przygarnięciu jakiegoś. Para złotych rybek, świnka morska czy chomik nie są wprawdzie wymarzonymi towarzyszami zabaw (patrz str. 82), ale są łatwiejsze do hodowania niż pies albo kot (zwłaszcza gdy dziecko jest małe). Jeśli nie czujesz się na siłach, by podjąć się obowiązków związanych z posiadaniem zwierzęcia, spróbuj zawiesić karmnik dla ptaków w ogródku, na tarasie lub na drzewie przy twojej ulicy. Dziecko będzie miało uciechę, patrząc, jak skrzydlaci przyjaciele przylatują na przekąskę.

Uczyć czułego traktowania zwierząt. Dzieci mają naturalną skłonność do zamęczania zwierząt swoistego rodzaju pieszczotami. Twoim zadaniem jest pokazanie dziecku, jak delikatnie i bezpiecznie obchodzić się z czworonogami. Dla celów poglądowych użyj jednej z dziecięcych zabawek i powiedz maluchowi: „Spójrz, tak się głaszcze ptaszka, delikatnie i powoli. Właśnie takie głaskanie ptaszek lubi". Dziecko może ponadto udawać, że jest pieskiem lub kotkiem, któremu ty okazujesz czułość, drapiąc go delikatnie (możecie zresztą zamieniać się rolami).

Jeśli dziecko boi się zwierząt, staraj się ten lęk przezwyciężyć. Zadbaj także o to, by nauczyć malucha ostrożności wobec zwierząt (zarówno dzikich, jak i domowych). Uwagi na ten temat znajdziesz na str. 92.

Powiedzieć dziecku, że zwierzę cierpi. Wyjaśnij maluchowi, że zwierzęta czują to samo co ludzie, więc należy uważać, by ich nie skrzywdzić. Wytłumacz mu: „Ciągnięcie za ogon, uszy, futerko, kopanie, szarpanie i deptanie boli zwierzę tak, jak bolałoby ciebie"[6]. Wytłumacz, że takie zachowanie jest absolutnie niedozwolone.

Uczyć sztuki obserwacji. Obserwuj razem z dzieckiem, jak mrówka wspina się na kopiec i znika w nim, jak wiewiórka rozłupuje orzech, a motyl lata z kwiatka na kwiatek. Przypatrując się tym zjawiskom, opowiadaj, że mrówka wraca do swojej rodziny, wiewiórka z apetytem je obiad; zwróć uwagę malca na piękno motyla. Od czasu do czasu złap owada do czystego słoika i przyjrzyj mu się dokładniej. Zawsze jednak wypuść go potem na wolność, tłumacząc dziecku, że owad musi wrócić do domu. Stanowczo zwalczaj wszystkie próby niszczenia tego, co żywe, próby, które są niestety typowe dla małych „badaczy". Nie pozwól, by maluch miażdżył robaki, deptał mrówki czy obrywał skrzydełka złapanym ćmom.

Zabraniać drażnić zwierzęta. Drażnienie zwierząt — machanie kością przed psim pyskiem, udawanie, że wyjada się kotu jedzenie z miseczki — nie tylko jest złośliwe, ale niebezpieczne. Powiedz dziecku, że nie należy przerywać zwierzęciu drzemki, przeszkadzać w jedzeniu ani zabierać drobiazgów, którymi się bawią. Zwierzę, tak samo jak człowiek, nie lubi, gdy traktuje się je niewłaściwie.

---

[6] Są zwierzęta bardziej i mniej wytrzymałe na ból, ale niemal każde zwierzę potrafi zaatakować w obronie własnej. Dla dobra dziecka (jak też dla dobra zwierząt, które maluch napotka na swej drodze) powyższa lekcja jest bardzo istotna. Na str. 92 znajdziesz wskazówki, jak dziecko może bezpiecznie przyjaźnić się ze zwierzętami.

8
Dwudziesty miesiąc

Co twoje dziecko potrafi robić

Przed końcem dwudziestego miesiąca twoje dziecko powinno umieć:

* rzucać przedmiotem, naśladując czyjś ruch (do 19 i 1/2 miesiąca);
* posługiwać się łyżką i/ lub widelcem (nieporadnie);
* biegać.

Uwaga: Jeśli twoje dziecko nie opanowało jeszcze powyższych umiejętności lub nie potrafi operować symbolami w zabawie, skontaktuj się z lekarzem. Takie tempo rozwoju może być zupełnie normalne dla twojego dziecka, ale musi ono zostać fachowo ocenione. Zasięgnij porady lekarza, jeśli twoje dziecko nie daje się kontrolować, jest niekomunikatywne, nadpobudliwe, zbyt bierne, zamknięte w sobie, do wszystkiego negatywnie nastawione, gdy jest bardzo wymagające bądź wyjątkowo uparte. (Pamiętaj, że dziecko urodzone jako wcześniak często pozostaje w tyle za swoimi rówieśnikami urodzonymi o czasie. Te różnice rozwojowe stopniowo się zmieniają i zwykle całkowicie zanikają pod koniec drugiego roku życia.)

Przed końcem dwudziestego miesiąca twoje dziecko być może będzie umiało:

* łączyć wyrazy;
* rozpoznać obrazek;
* nazwać 6 części ciała;
* rzucić piłką na wysokość rąk;
* mówić i być częściowo rozumiane;
* wypowiadać co najmniej 50 słów.

Przed końcem dwudziestego miesiąca twoje dziecko może nawet umieć:

* rozpoznać 4 obrazki, pokazując je;
* zbudować wieżę z 6 klocków (do 19 i 1/2 miesiąca).

Co może cię niepokoić

Agresywne zachowanie

Nasz syn jest bardzo agresywny w stosunku do swych rówieśników. Bije ich, popycha, wyrywa im zabawki. Ponieważ sami należymy do ludzi łagodnych, jego zachowanie dziwi nas i niepokoi.

Jest zbyt wcześnie, by zastanawiać się, czy niedaleko upadło jabłko od jabłoni. Agresywne zachowanie waszego syna należy traktować jako normalne dla jego wieku i, do pewnego stopnia, jego płci. Nie należy upatrywać w tym zapowiedzi przyszłego charakteru dziecka.

Jest wiele czynników składających się na dziecięcą agresję.

Chęć okazania niezależności i podkreślenia własnej tożsamości. Podobnie jak mała rybka w sta-

Jak zwalczać agresję

Dzieci nie radzą sobie w sposób naturalny z tłumieniem agresywnych odruchów. Tego należy je nauczyć. Oto sposoby ułatwiające rozwiązanie tego problemu:

Wprowadź zasady prawne. Jeśli tylko nadarzy się okazja — gdy np. jesteście świadkami brutalnych scen w telewizji, gdy widzicie bijące się dzieci, gdy twoja pociecha zamierza się na ciebie, jasno jej uświadom, że używanie siły fizycznej w celu rozładowania złości, załatwienia spornych spraw lub zdobycia czegoś jest nie do przyjęcia. Robienie krzywdy drugiemu człowiekowi jest rzeczą niegodną („Ludzi się nie bije!"). Wpojenie dziecku takiej zasady z pewnością zabierze trochę czasu, ale w końcu stanie się ona jego życiowym kredo.

Nie używaj przemocy. Trudno nam się opanować, by nie wyciągnąć siłą malca z piaskownicy, jeśli stawia opór, by nie popchnąć go, gdy wlecze się niemiłosiernie, a ty spieszysz się na umówione spotkanie, by wreszcie nie dać mu klapsa za kopanie kolegi w czasie zabawy. Jeśli my tak reagujemy, możemy spodziewać się podobnych reakcji ze strony dzieci. One również użyją siły, by rozładować złość i napięcie nerwowe. Tak więc, nawet jeśli jesteś zdenerwowana i brak ci cierpliwości, staraj się przywołać dziecko do porządku, stosując metody zdecydowane, lecz łagodne.

Miej umiar w dyscyplinowaniu. Dzieci agresywne mają z reguły albo bardzo surowych, albo bardzo łagodnych rodziców. Ci pierwsi stosują wobec nich kary fizyczne, podczas gdy ci drudzy w ogóle nie reagują na niewłaściwe zachowanie swych pociech. Są to dwa skrajne podejścia, których należy unikać, jeśli chcemy redukować u dzieci zachowania agresywne (patrz str. 119). Jeśli dziecko jest zaczepne, musisz sprecyzować rodzaj zakazów i wprowadzić pewne rygory. Jednocześnie powinnaś zapewnić dziecku szeroki wybór różnorodnych zajęć.

Doceń, gdy dziecko jest grzeczne. Bicie, gryzienie i inne formy zachowań agresywnych są często sygnałem ostrzegawczym dla rodziców, którzy nie zauważają albo nie doceniają pozytywnych postaw ich dziecka. Maluch, który czuje się ignorowany, zrobi wszystko, by zwrócić na siebie uwagę, łącznie z użyciem siły wobec rówieśników. Doceniaj dobre zachowanie twojego dziecka pochwałą, uśmiechem, czułym gestem. Nie komentuj zbyt szeroko negatywnego zachowania (oczywiście, jeśli szkrab zachowuje się źle, musisz go upomnieć, ewentualnie ukarać).

Szanuj uczucia dziecka. Uczucia nie mogą być niewłaściwe, niewłaściwe może być zachowanie (patrz str. 288). Wyjaśnij dziecku, że to normalne, iż złości się, gdy nie może mieć tego, czego chce, lub gdy ktoś odbierze mu zabawkę, lecz reagowanie biciem nie jest właściwe.

Zachęcaj, by malec wyrażał emocje słowami. Gniew, rozczarowanie, zazdrość, smutek, lęk — przyjdzie czas, że dzieci nauczą się wyrażać te uczucia za pomocą słów, a nie poprzez akty agresji. Patrz uwagi na str. 180, „Rozmowa jest dobra na wszystko".

Stwarzaj okazje do rozładowywania napięć. Nagromadzone frustracje, energia czy złość mogą albo wybuchnąć w formie agresji, albo rozładować się, znajdując sobie różne drogi ujścia (patrz str. 160). Ucząc dziecko wyrażania swych uczuć w bezpieczny, naturalny sposób, przyczynisz się do osłabienia jego agresywnej postawy.

Wyczuwaj moment, gdy dziecko jest zmęczone. Każde zmęczone dziecko może zachowywać się w sposób irracjonalny. W wieku dwóch, trzech lat, kiedy irracjonalność dominuje w zachowaniu dziecka bardziej niż w każdym innym okresie jego życia, zmęczenie zawsze weźmie górę nad rozumem. Zorientuj się, o jakiej porze malec jest najbardziej znużony (u większości dzieci zdarza się to późnym popołudniem lub wczesnym wieczorem), i nie planuj w tym czasie zabaw z innymi dziećmi. Jeśli już ma ona miejsce, niech odbywa się pod nadzorem. Patrz uwagi na str. 177 odnośnie do rozsądnego planowania spotkań z innymi dziećmi.

Walcz z nudą. Dzieci, którym nie zapewniono żadnego zajęcia, potrafią dokonać największych spustoszeń. Spróbuj przewidzieć okresy, w których malec najbardziej się nudzi, i zanim rzeczywiście wstąpi w niego diabeł, zorganizuj ciekawą zabawę.

Unikaj frustracji. Najczęstszą przyczyną agresji u dzieci są nie zaspokojone potrzeby. Pomagając dzieciom w opanowaniu codziennych czynności — umiejętności współżycia z otoczeniem, samodzielnego ubierania się, jedzenia, uczestniczenia w grach zespołowych — możemy złagodzić nie tylko ich frustracje, ale także postawy agresywne.

Wprowadzaj momenty odprężenia. Rób przerwy w ciągu dnia (szczególnie w porze największego napięcia nerwowego dziecka) i poświęć je na gesty czułości wobec malucha, na piosenkę, lekturę lub inne zajęcia, dzięki którym dziecko się odpręży. Dodatkowym plusem takich praktyk jest zyskanie dla siebie chwili relaksu.

Dawaj przykłady postaw pokojowych. Jeśli dziecko, przebywając z wami, będzie widziało, że rozwiązujecie spory w sposób dojrzały, przy użyciu słów, a nie czynów, kompromisu, a nie konfrontacji, samo przejmie podobny styl zachowania. Jeśli zdarzy ci się czasem zareagować w sposób nie mogący służyć jako wzór do naśladowania — gdy np. posprzeczasz się ze współmałżonkiem, z przyjacielem czy z dzieckiem — niech malec zobaczy, że stać cię na przyznanie się do błędu, że przykro ci z powodu własnego zachowania. Jeśli masz problemy z opanowaniem nerwów, patrz str. 636.

Nie wtrącaj się do wszystkiego. Kilka niewinnych popchnięć czy potrąceń nie zrobi nikomu krzywdy i nie wymaga interwencji osoby dorosłej. Jeśli będziesz ingerować, gdy jest to zbędne, pozbawisz dzieci cennej społecznie lekcji. W takich bowiem życiowych sytuacjach maluchy najlepiej się uczą, jak współżyć z otoczeniem, co robić, by kontakty były pomyślne, i co się dzieje, gdy powstają konflikty. Jeśli frustracje narastają szybciej niż umiejętność współżycia z innymi, możesz przeprowadzić z dzieckiem kilka lekcji na temat sztuki kompromisu i utrzymywania zgodnych stosunków z otoczeniem. Jeśli np. dwójka rozrabiaków spiera się o to, kto ma bawić się ciężarówką, zdobądź drugie auto i pogódź zwaśnione strony. Gdy wojna toczy się o zabawkę, której nie można zastąpić, zaproponuj, by dzieci bawiły się nią na zmianę. Oczywiście żadne może nie ustąpić. Wówczas zagroź odebraniem zabawki: „Jeśli nie potraficie się zgodzić, muszę schować rowerek". Zaraz jednak wymyśl zajęcie, które równie mocno zaabsorbuje maluchy.

Wiedz, kiedy interweniować. Jeśli konfrontacja przeradza się w otwartą wojnę (z biciem, gryzieniem i szczypaniem włącznie), z której jasno wynika, że ktoś może odnieść obrażenia, interweniuj natychmiast i próbuj ostudzić zapał walczących. Całą swoją energię skup raczej na ochronie ofiary konfliktu (i na ewentualnym dodaniu jej otuchy) niż na upominaniu inicjatorów bójki. Jeśli to twoje dziecko sprowokowało konflikt, odwróć uwagę osoby pokrzywdzonej, wymyślając dla niej jakąś zabawę, i weź dziecko na stronę. Spokojnie, nie ulegając emocjom, wyjaśnij, że jego zachowanie (cokolwiek to było — uderzenie, ugryzienie, uszczypnięcie, kopnięcie czy popchnięcie) jest nie do przyjęcia. Wyjaśnij też dlaczego („Zadałeś Bartkowi ból, kiedy go kopnąłeś"). Możesz wspomnieć o ewentualnych konsekwencjach, jeśli wybryk się powtórzy („Za karę będziesz siedział ze mną na ławce" lub: „Będziemy musieli iść do domu"). Unikaj jednak takich gróźb, jeśli nie potrafisz ich spełnić, gdyż wówczas próba utemperowania charakteru malucha będzie daremna. (Jak postępować w przypadku, gdy inne dziecko jest inicjatorem konfliktu, patrz str. 321).

Nie opowiadaj się po żadnej stronie. Niektórzy rodzice w obliczu nieporozumienia stają po stronie swojego dziecka, inni solidaryzują się z oponentem, a jeszcze inni usiłują dociec, kto wywołał awanturę. Chociaż wszyscy ci rodzice mają dobre intencje, żadna z reprezentowanych przez nich metod nie jest słuszna. Nie powinno się konsekwentnie obstawać po tej samej stronie. Obwinianie któregoś z dzieci również może być nieobiektywne, gdyż każde z nich zawsze będzie przekonane, że to ono ma rację. Nawet jeśli wydaje nam się, że widzieliśmy, kto zadał pierwszy cios, nie możemy mieć pewności, że przed nim nie było innych. Tak więc, jeśli interwencja jest nieunikniona, powinnaś odgrywać raczej rolę mediatora niż oskarżyciela czy sędziego. Nie jest istotne, kto wszczął bójkę, ważne, by ją jak najszybciej zakończyć.

Pohamuj swój gniew. Dziecko jest przerażone, widząc, jak ukochana osoba, która jest dla niego alfą i omegą, traci panowanie nad sobą. Upominanie go krzykiem lub — gorzej — biciem, ośmiesza je przed innymi i tworzy schemat zachowania, który dziecko samo będzie kiedyś powielać.

Daruj sobie prawienie morałów. To oczywiście ważne, by uświadomić dziecku, że przemoc i brutalność w rozwiązywaniu sporów jest rzeczą złą. Nie ciągnijmy jednak tematu w nieskończoność („Byłaś bardzo niegrzeczna", „Bardzo brzydko traktowałaś dziś swoją koleżankę", „Dzieci nie będą cię lubiły, jeśli będziesz się tak zachowywać" itp.). Nie wszczynajmy dyskusji na pół godziny przed wyjściem na podwórko („Pamiętaj, nie popychaj dzieci", „Podziel się swoimi zabawkami", „Nie wolno bić ani gryźć"). Udzielanie takich wykładów nie wpłynie na zachowanie malca, może wręcz pobudzić jego złe instynkty i spotęgować złość i agresję. Nagradzając jego złe postępki przez zbytnie poświęcanie im uwagi, możemy jeszcze bardziej zachęcić dziecko do takich wybryków.

Zmieniaj tempo zabawy. Gdy postawy agresywne dają o sobie znać, spokój może zostać przywrócony dzięki interwencji dorosłego (który może zaproponować kanapkę, konkurs rysunkowy, zabawę w kółku). Ważne, by odwrócić uwagę zwaśnionych stron od istoty sporu. Włączenie się któregoś z rodziców do zabawy w krytycznym momencie zapobiega przerodzeniu się zabawy w bójkę.

Sprawuj ciągły nadzór. Nawet najlepiej sprawującym się maluchom zdarza się użyć siły fizycznej w kontaktach z rówieśnikami. Z tego też względu zabawy dziecięce powinny odbywać się pod ścisłym nadzorem.

wie, która rośnie z każdym dniem, dziecko również powiększa zakres swego działania (obejmujący najpierw grupy rówieśnicze, później plac zabaw, żłobek i przedszkole). Podkreśla swoją obecność w sposób agresywny, gdyż chce się czuć większe i ważniejsze.

Frustracje. Nie mogąc w pełni ogarnąć tego, co dzieje się wokół, ta żądna władzy mała istotka wpada w złość. Reaguje w typowy dla siebie sposób — kąsa towarzysza zabaw, domagając się, by oddał zabawkę; bije każdego, kto próbuje dobrać się do jego skarbów; spycha na bok brata, który stanął na wprost telewizora i zasłania maluchowi ekran.

Egocentryzm. Większość dzieci w połowie drugiego roku życia nadal postrzega siebie jako centrum wszechświata, manifestując jednocześnie całkowity brak zainteresowania innymi osobami. Rówieśników nie traktuje jak istoty o podobnych uczuciach, lecz jak przedmioty (które można mniej lub bardziej wykorzystać, względnie całkowicie z nich zrezygnować).

Impulsywność. Nawet jeśli maluch zrozumie (mniej więcej około trzeciego roku życia), że bicie sprawia drugiemu człowiekowi ból, nie będzie w stanie pohamować tego odruchu. My sami niejednokrotnie mielibyśmy ochotę przyłożyć komuś, kto działa nam na nerwy, ale zdajemy sobie sprawę, że takie zachowanie wykracza poza społecznie przyjęte normy. Kontrolujemy więc swoje impulsy. Dziecko odczuwa podobne pragnienie, gdy ktoś je zirytuje, ale bije, gdyż nie nauczyło się jeszcze kontrolować odruchów.

Niezdolność przewidywania skutków. Dziecku może być przykro, że wyrządziło koledze lub koleżance krzywdę, ale nie potrafi wcześniej przewidzieć, że taki właśnie skutek odniesie jego zachowanie.

Brak nawyków społecznych. Istoty ludzkie rodzą się ze skłonnościami do walki, która pozwala im przetrwać. Nie rodzą się natomiast z umiejętnością współżycia w społeczeństwie. Tego mogą nauczyć się tylko poprzez życiowe doświadczenie — naśladując odwieczne schematy zachowań, ucząc się metodą prób i błędów oraz słuchając ciągłych instrukcji osób dorosłych.

Brak sprawności werbalnych. Czyny malca z pewnością wyrażają jego potrzeby dobitniej (a także precyzyjniej i skuteczniej) niż jego słowa. Dziecko nie posiadło jeszcze sprawności wyrażania swych uczuć, potrzeb i pragnień słowem ani też nie potrafi środkami werbalnymi zapanować nad trudną społecznie sytuacją. Nic więc dziwnego, że często ucieka się do bardziej „fizycznych" metod ekspresji.

Zainteresowanie związkiem przyczynowo-skutkowym. Niektóre przypadki używania siły wobec innego dziecka mogą być jedynie socjologicznym eksperymentem: „Aha, kiedy uderzyłem Wojtka, to płakał, ciekawe, czy Jacek też będzie płakał, jeśli go uderzę?"

Na postawy agresywne u dzieci rozwijających się prawidłowo mogą wpływać różne czynniki zewnętrzne. Ich wyeliminowanie lub choćby zreukowanie może działać uspokajająco.

Najważniejsze z tych czynników to:

Niedostateczna ilość snu. Być może dziecko zrezygnowało ostatnio z drzemki i nie przyzwyczaiło się jeszcze do nowego rytmu. Może wyrzynają mu się zęby trzonowe i maluch budzi się w nocy. A może po prostu nie mógł zasnąć zeszłej nocy.

Głód. Robiąc długie przerwy między posiłkami względnie dając dziecku produkty o dużej zawartości cukru (choć ta opinia budzi kontrowersje), możemy pobudzić jego złe instynkty.

Choroba. Nadchodząca lub niedawno przebyta choroba może być przyczyną nagłego wystąpienia zachowań agresywnych.

Zaburzony rytm dnia. Wszystko, począwszy od zmiany opiekunki aż do dłuższej nieobecności rodziców, może powodować rozdrażnienie u malca.

Poświęcanie zbyt mało uwagi dziecku. Dzieci, których dobre zachowanie nie jest w żaden sposób zauważane, zaczynają się popisywać, by zwrócić na siebie uwagę.

Zbyt wrogie otoczenie. Wybuchowy charakter osób, z którymi dziecko obcuje — rodziców, opiekunów, rodzeństwa — nasila jego postawę agresywną.

Nadmierny rygor. Kiedy dziecku nie pozwala się dokonywać żadnych wyborów, narastają jego frustracje, a wraz z nimi agresja.

Brak kontroli. Rodzice pozwalający dziecku na całkowitą swobodę działania, mogą nieświadomie sprowadzić malca na złą drogę i wyrobić w nim skłonność do agresji.

Problemy rodzinne. Jeśli rodzice albo opiekunowie przechodzą kryzys, nadużywają alkoholu

Zasady organizowania dziecięcych zabaw

Zostawcie dwoje dzieci bez opieki, a wszystko może się zdarzyć — i na ogół się zdarza. Spotkanie dwojga dzieci może być przykładem idealnego współżycia dwóch małych istot, gdy uroczo bawią się dziecięcymi sprzętami gospodarstwa domowego; może też być zgoła czymś przeciwnym, gdy toczą batalię o plastykowe auto. Aby w czasie zabaw dziecięcych tych uroczych momentów było więcej aniżeli spięć, stosuj się do poniższych porad:

Nie przesadzaj z liczbą wizyt. Jeżeli spotkanie z kolegą lub koleżanką zdarza się raz lub dwa razy w tygodniu, jest ono dla dziecka wydarzeniem, na które czeka z niecierpliwością. Wizyty obcych dzieci codziennie lub nawet co drugi dzień zmieniają zabawę w pewnego rodzaju męczący obowiązek. Dzieciom trudno jest nieustannie się dzielić zabawkami i sprawować się dobrze wobec rówieśników; wystawiając je więc często na taką próbę, nie postępujemy rozsądnie. Jeśli szkrab uczęszcza do żłobka czy innej instytucji opieki dziennej, spotkania z koleżankami lub kolegami powinny być sporadyczne, by nie prowokować towarzyskich spięć. Możesz bardzo łatwo stwierdzić, czy twoja pociecha nie ma zbyt wielu kontaktów z innymi dziećmi. Gdy cieszy się na myśl o spotkaniu z koleżanką lub kolegą — idziesz w dobrym kierunku, natomiast jeśli nie jest zainteresowana takim spotkaniem, jeśli marudzi po drodze i źle zachowuje się w czasie zabawy — ogranicz liczbę spotkań.

Zabawy nie powinny trwać długo. Większość dzieci, szczególnie przed ukończeniem drugiego roku życia, nie wytrzymuje długich sesji zabawowych. Dopóki malec nie przywyknie do dłuższych spotkań z innymi dziećmi, ogranicz wspólną zabawę do godziny lub półtorej.

Organizuj zabawę w optymalnej porze. Unikaj spotkań towarzyskich w tych godzinach, w których dziecko zwykle bywa zmęczone, marudne, gdy jest senne lub przygotowuje się do posiłku (głód może powodować zły nastrój). Idealną porą do zabawy jest moment, kiedy dziecko jest wypoczęte i najedzone.

Nie zapraszaj tłumu. Zabawa we dwoje już jest dla dziecka dostatecznym wyzwaniem. Powiększając grono o jeszcze jedną czy więcej osób, możemy uczynić ze spotkania piekło.

Pozwól dziecku być gospodarzem. Maluchy przeżywają ciężkie chwile, gdy goszczą u siebie inne dzieci — mama, tata, mieszkanie, pokój, zabawki i jedzenie nie są już ich wyłączną własnością. Weź pod uwagę ten stresujący czynnik i przydziel malcowi obowiązki gospodarza. Niech otwiera drzwi i pozdrawia przybyszów, niech sprawuje pieczę nad zabawkami. (Zaproponuj, by dziecko odłożyło wcześniej kilka swoich szczególnie ulubionych zabawek. To może ułatwić zgodne dzielenie się resztą.) Namów swoją pociechę do przygotowania przekąsek (zawczasu) i planowania rozrywek. Dziecko będzie miało wrażenie, że spoczywają na nim poważne obowiązki, co spowoduje, że spotkania towarzyskie będą się odbywały w miłej atmosferze.

Zacznij od przekąski. Przegryzienie czegoś drobnego łagodzi obyczaje (zakładając, że każde z dzieci otrzyma tę samą ilość soku pomarańczowego, te samą liczbę krakersów i kawałków sera).

Pilnuj, pilnuj i jeszcze raz pilnuj. Mając dzieci stale na oku, możemy nie tylko zapobiec ewentualnemu wyrządzeniu sobie przez nie krzywdy, ale również nie dopuścić do innych potencjalnie groźnych psot.

Miej gotowy plan na wypadek „awarii". Zabawa we dwoje może przebiegać harmonijnie przez jakiś czas. Gdyby jednak przybrała charakter walki, miej w zanadrzu zajęcie awaryjne, które odwróci uwagę wojujących od istoty sporu.

Bądź realistyczna w swych oczekiwaniach. Dla dzieci w tym wieku nawet kilka chwil zgodnej zabawy jest sporym osiągnięciem. Jeśli potrafią wytrzymać dłużej, to jest to prawdziwy wyczyn. Czasami możesz być świadkiem takiego wyczynu, ale zdarza się to rzadko.

Nie rób nic na siłę. Jeśli dzieci czują się szczęśliwe, bawiąc się jedno obok drugiego lub w dwu oddzielnych pokojach — zostaw je w spokoju. Nie oczekuj ani też nie każ im bawić się razem. Możesz tylko zachęcać do wspólnych zabaw, proponując odpowiednie zajęcia — zabawę w dom, budowanie z klocków itd.

Bądź dla dziecka „opoką". Są dzieci, które czują potrzebę przytulenia się od czasu do czasu. Zapewnij więc brzdąca czułym gestem, że może czuć się bezpieczny, raz po raz uśmiechnij się, jakbyś chciała powiedzieć: „Jestem tutaj, nie martw się".

Bądź przygotowana na waśnie. Uwagi na temat utrzymywania spokoju i postępowania w razie awantury znajdziesz na str. 174-175. Jeśli czynnikiem sprawczym konfliktu jest niechęć do dzielenia się zabawkami, konsekwentnie używaj minutnika, by sygnalizował, czyja jest teraz kolej.

lub narkotyków względnie mają inne problemy uniemożliwiające im spełnianie normalnych rodzicielskich obowiązków, dziecko może manifestować swą rozpacz poprzez akty złości.

Nie wystarczy wiedzieć, jakie jest źródło złego zachowania dziecka, należy na nie reagować. Jest wiele sposobów przeciwdziałania dziecięcej agresji (patrz str. 174-175).

Jeśli mimo wysiłków dziecko nadal sprawuje się karygodnie, jest bardziej napastliwe niż rówieśnicy, jeśli nie wykazuje skruchy za złe postępki, a dokuczanie innym sprawia mu satysfakcję, powinnaś zasięgnąć porady lekarza. Odwlekanie terapii w wypadku stwierdzenia zaburzeń w zachowaniu może na krótką metę osłabić u dziecka poczucie własnej godności (dzieci specjalnej troski często tracą wiarę w siebie), a w perspektywie doprowadzić do znacznie poważniejszych problemów.

Dla niektórych rodziców agresywne zachowanie jest nie tylko rzeczą normalną, ale wręcz pożądaną. Uważają, że takie bojowe dziecko będzie dobrze przygotowane do dorosłego życia. Niestety tak się nie dzieje, gdyż ludzie agresywni nie zyskują uznania ani wśród rówieśników, ani wśród nauczycieli, ani też wśród późniejszych zwierzchników. Sukces odnosi dziecko, które odznacza się raczej pewnością siebie, umiejętnością dochodzenia do celu bez następowania na cudze odciski. Niekoniecznie też mają rację ci rodzice, którzy sądzą, że dziecko, które nie ma w sobie gorącej krwi, będzie w przyszłości niedorajdą (patrz str. 166).

CIĄGNIĘCIE ZA WŁOSY

Kiedy mojej córce nie udaje się dostać tego, co chce, ciągnie inne dzieci za włosy.

Dla wielu maluchów, które nie radzą sobie z mówieniem, chwytanie i pociąganie za włosy osoby znajdującej się na podorędziu jest sposobem na wyrażenie emocji. Powody są takie same (patrz str. 173, 176), jak w przypadku innych prymitywnych form manifestowania uczuć, takich jak np. bicie czy kąsanie. Podobne są też sposoby przeciwdziałania takiemu zachowaniu (patrz str. 174-175).

Dziecku, które ciągnie za włosy, można dać do zabawy pluszową maskotkę; niech ciągnie ją za futro do woli. Można też zaproponować, by pomogło ci wyrywać chwasty w ogródku (niech robi to w rękawiczkach i pod twoją kontrolą, gdyż istnieje niebezpieczeństwo, że może zjadać rośliny).

KĄSANIE

Moja córka gryzie dzieci na podwórku, jeśli nie chcą dać jej zabawki.

Wybór broni jest tu inny, ale motywy te same co w przypadku bicia i ciągnięcia za włosy. Rozwścieczona własną nieporadnością w manipulowaniu otoczeniem, w wyrażaniu swych potrzeb i pragnień oraz świadoma, że jej słowa nie posiadają takiej mocy, jakiej by pragnęła, mała używa do walki zębów, zdając sobie przy tym sprawę, że jest to broń skuteczna.

Dzieci potrafią jednak kąsać z bardziej błahych powodów. Dla ciekawskiego malca ugryzienie kogoś może być kolejnym sensorycznym doświadczeniem („Ciekawe, jak smakuje ręka Joasi? Czy tak samo jak ucho Azora albo ręka mamy?"). Dla małego pieszczocha kąsanie może stanowić swoisty sposób wyrażania uczucia: „Kocham cię". U innych może wynikać z chęci naśladowania, na zasadzie: „Małpka widzi, małpka robi to samo". Może też być oznaką znużenia, zmęczenia, nadmiaru wrażeń, głodu; może wynikać z potrzeby gryzienia czegoś lub kogoś, powodowanej bólem wyrzynających się ząbków. Niekiedy dziecko gryzie, ponieważ nie czuje się

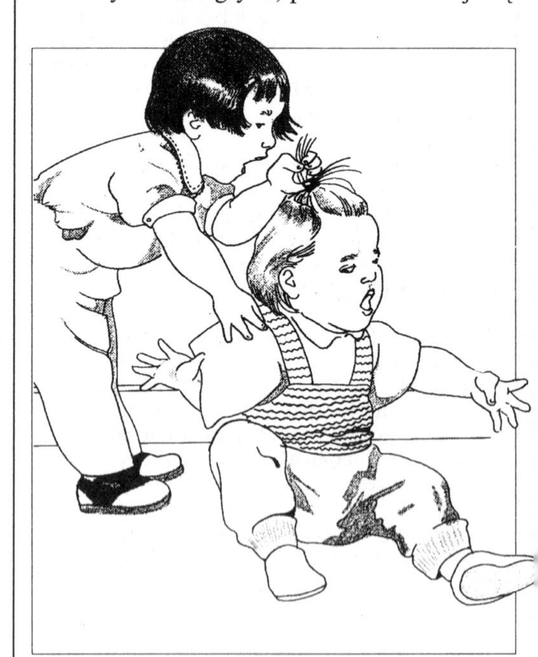

Swe frustracje oraz nieznajomość niezbędnych mechanizmów umożliwiających współżycie z otoczeniem dzieci często manifestują ciągnięciem za włosy, szczypaniem, kąsaniem i innymi formami zachowań agresywnych.

Dziecko typu „A"

Ostatnie badania dowiodły, że usposobienie typu „A" ujawnia się we wczesnym dzieciństwie jako rezultat cech wrodzonych lub nabytych. Badania te wykazały, że z czworga dzieci jedno posiada cechy typu „A", tzn. jest stale na wysokich obrotach, jest spięte, niecierpliwe, wybuchowe i bardzo ambitne. W wieku przedszkolnym w stanie napięcia emocjonalnego stwierdza się u takiego dziecka podwyższone ciśnienie krwi. W wieku szkolnym natomiast taki uczeń miewa bóle głowy, brzucha, ma kłopoty ze spaniem, jest nieustannie zmęczony. Może to prowadzić do obniżenia poczucia własnej wartości, trudności w skupieniu uwagi, osłabienia koncentracji, problemów z nawiązywaniem kontaktów towarzyskich i kłopotów w szkole (chociaż ze względu na silną potrzebę współzawodnictwa niektórzy radzą sobie z nauką bardzo dobrze). Podejrzewa się, choć nie ma co do tego absolutnej pewności, że dziecko typu „A" stanie się w przyszłości dorosłym typu „A". Potwierdzenie tej teorii wymaga przeprowadzenia dodatkowych badań, ale nie zaszkodzi zawczasu uczyć dziecko sztuki relaksowania się (patrz str. 162), zgodnego współżycia z otoczeniem, cierpliwego czekania na sukces (patrz str. 132). Rodzice nie powinni kłaść nacisku wyłącznie na pracę i osiągnięcia dziecka. Powinni raczej podkreślać znaczenie więzi rodzinnej i wypoczynku. Może to zresztą pomóc odprężyć się zagonionym od rana do wieczora rodzicom, choć w przypadku osób typu „A" może to nie być łatwe.

dobrze w nowym otoczeniu. Wreszcie, jak w przypadku innych, odbiegających od normy zachowań, kąsanie może być sygnałem, że należy poświęcić dziecku więcej uwagi.

Ponieważ gryzienie wydaje się zachowaniem wstecznym, upodobniającym człowieka do zwierzęcia, rodzice są bardziej przerażeni, gdy dziecko gryzie, niż gdy bije. Tymczasem ten, kto bije, jest nie mniej nikczemny niż ten, kto kąsa. Większość dzieci między pierwszym a trzecim rokiem życia ma na swym koncie grzech gryzienia innych, ale u niewielu z nich takie zachowanie przechodzi w stan chroniczny. Kilka prób zazwyczaj zaspokaja pragnienie kąsania. Są jednak dzieci, których zachowanie nie ulega zmianie i powoduje problemy.

Poniższe metody przeciwdziałania gryzieniu oraz sposoby zwalczania agresji u dzieci (patrz str. 174-175) mogą pomóc zwalczyć te zachowania u twego malucha:

Dawaj malcowi coś do przegryzienia. Zdarza się, że dzieci gryzą, gdyż są głodne. Zanim więc pozwolisz twemu małemu „gryzoniowi" na zabawę z innymi dziećmi, daj mu posiłek lub przekąskę (unikaj cukru, gdyż według niektórych teorii nasila on postawy agresywne u dzieci, patrz str. 432).

Nigdy nie odpłacaj tym samym. Jeśli w odwecie ugryziesz dziecko, będzie zdezorientowane (podobnie jak w przypadku bicia). Twój czyn da mu do zrozumienia, że jednak można kąsać innych, jeśli cię rozzłoszczą (chociaż twierdzisz, że nie wolno tego robić). Nawet jednorazowe ukąszenie „instruktażowe", by dać dziecku odczuć ból, jaki powoduje, na niewiele się zda, gdyż malec prawdopodobnie nie skojarzy swego cierpienia z cierpieniem, jakie zadaje innym. Ugryzienie dziecka może zadać mu ból lub przerazić je, nie powstrzyma go natomiast przed powtarzaniem niepożądanych zachowań.

Reaguj jak najszybciej. Rozdziel „gryzonia" i ofiarę tak szybko, jak to możliwe (jeśli poszkodowane dziecko rozpacza, dodaj mu otuchy, jeszcze zanim ukarzesz napastnika). Nie przesadzaj w represjach, nie krzycz ani nie wygłaszaj kazań. Odejdź z dzieckiem na bok i spokojnie, lecz zdecydowanie wyjaśnij, że nie należy gryźć: „Gryzienie boli. Anię bardzo bolało, gdy ją ugryzłaś". Jeśli dziecko kąsa, bo nie potrafi inaczej wyrazić swych emocji, pomóż mu znaleźć odpowiednie słowa: „Wiem, że jesteś zdenerwowana, można być zdenerwowanym, ale nie możesz krzywdzić drugiej osoby tylko dlatego, że jesteś zła. Wypędźmy złość w jakiś inny sposób".

Nie stosuj podwójnej miary. Niektórzy rodzice lubią pieszczotliwie gryźć palce stóp malucha lub pozwalają, by dziecko kąsało ich w policzki czy ręce — zwłaszcza jeśli robi to delikatnie. Gdy jednak ugryzie koleżankę lub kolegę — karzą je. Aby uniknąć wszelkich nieporozumień pod tym względem, należy kąsanie na zawsze wyłączyć z repertuaru zabaw.

Traktuj gryzienie jako poważną sprawę. Niektórzy rodzice nie mogą pohamować śmiechu, gdy dziecko zatopi zęby w ich ciele. Taka reakcja jest najlepszą zachętą do dalszego kąsania, dlatego też powstrzymaj śmiech.

Rozmowa jest dobra na wszystko

Nie musisz mieszkać w Genewie czy być dyplomatą, by prowadzić rozmowy pokojowe. Tak naprawdę, gdyby wszyscy rodzice uczyli swe dzieci, jak ważne jest rozwiązywanie konfliktów, rozładowywanie napięć, złości i różnic w opinii za pomocą słów, a nie siły, pokojowe rozmowy stałyby się jedyną formą rozwiązywania wszelkich waśni na świecie.

Zważywszy na fakt, że małe dzieci mają ograniczone zdolności posługiwania się językiem, próba przekonania ich, że same słowa mogą odnieść skutek, może wydawać się syzyfową pracą. To, że maluchy tak często używają pięści, wynika właśnie z nieskuteczności ich słów. W tej chwili może ci się wydawać, że przesłanie to nie dociera jeszcze do dziecka, jednak regularne uświadamianie i wpajanie mu tej zasady przez następne kilka lat doprowadzi do tego, że zakorzeni się ona na stałe w jego umyśle.

Dyskutuj, ale dawaj też przykład. Jeśli twoje słowa zostaną poparte dobrym przykładem, twoje dziecko szybciej pojmie, że spory należy rozwiązywać za pomocą słów, a nie czynów. Przykładem, który zrobi największe wrażenie na maluchu, będzie spokojne rozwiązywanie spornych kwestii między tobą a twoim mężem. Unikaj trzaskania drzwiami w złości i uderzania pięścią w stół; zakomunikuj sąsiadowi, że jego pies przewrócił pojemnik i rozgrzebał śmieci, zamiast w zemście przerzucać je na jego trawnik. Przede wszystkim jednak usiądź z dzieckiem i wytłumacz mu, z czym wiąże się używanie przemocy, i nie bij go za bicie.

Wyręczaj dziecko w mówieniu. Twoja pociecha nie jest prawdopodobnie na tyle mocna w słowach, by upomnieć się o wyrwaną przez rówieśnika zabawkę. Nie potrafi wyrazić słowami swego niezadowolenia, gdy nie może dopasować ośmiokątnego klocka do odpowiedniego otworu w plastykowej kuli. Jeśli jesteś pewna, że nie potrafi sama się wysłowić, możesz jej pomóc, wyręczając ją w wyartykułowaniu niektórych rzeczy. Wkrocz w momencie, gdy konflikt na tle zabranej zabawki zaczyna przybierać na sile, i zaproponuj, by dzieci bawiły się na zmianę (minutnik może ci pomóc w realizacji tej niezwykle dyplomatycznej misji). Powinnaś też usiąść przy dziecku i wczuć się w jego położenie, porozmawiać o dziwnym kształcie klocka („Jesteś zły? Trudno ci włożyć ten klocek w odpowiednią dziurkę? A może razem uda nam się to zrobić?").

Zachęcaj malca do rozmów. Dzieci powinny mieć swobodę w wyrażaniu swoich uczuć, nawet negatywnych, takich jak: gniew, rozczarowanie, niezadowolenie. Pomagaj swojemu szkrabowi w identyfikowaniu uczuć i omawiaj je z nim: „Dlaczego go uderzyłeś? Jesteś na niego zły? Czym tak cię zdenerwował?" Nie hamuj w dziecku próby samodzielnego wyrażania własnych emocji. Powiedzenie: „Nienawidzę cię" brzmi bardzo nieprzyjemnie dla uszu rodziców, ale jest o wiele bardziej cywilizowaną formą zachowania niż porwanie się na kogoś z pięściami. Ostra reakcja na używanie przez dziecko obelżywego języka powinna nastąpić później, gdy jest ono już świadome różnicy między wypowiedzeniem swojego zdania a ordynarnym wyrażaniem się. Tymczasem, unikaj niestosownego wysławiania się, a będzie to stanowić pozytywny przykład, za którym twoje dziecko z pewnością podąży.

Inni też pokojowo rozwiązują problemy. Zwracaj dziecku uwagę na zgodne współżycie na placu zabaw („Spójrz, jak ładnie dzieci dzielą się zabawkami w piaskownicy"), ale nie dodawaj mentorskiego komentarza („Dlaczego ty nie potrafisz się tak bawić?"). Czytaj książeczki, w których ukazywane są zalety rozwiązywania waśni za pomocą rozmów. Unikaj programów telewizyjnych i filmów, w których różnice zdań doprowadzają do używania przemocy (filmy animowane wiodą prym w tej kategorii), i wybieraj takie, które uczą dzieci, że rozmowa jest dobra na wszystko.

OKO ZA OKO

Bardzo mnie denerwuje, gdy moja córeczka mnie bije lub gryzie. Moją natychmiastową reakcją jest odpłacanie jej tym samym. Zdaję sobie sprawę, że świadczy to o mojej niedojrzałości, ale czasami po prostu nie mogę się opanować.

Nic tak nie prowokuje rodziców do zniżania się do poziomu dziecka jak jego postępowanie. Nawet najbardziej opanowanym rodzicom trudno zachować spokój w obliczu prowokacyjnego zachowania potomka. Chęć, by mu oddać (cios za cios), bywa niezwykle silna, czasami nawet zwycięża.

Nie ma nic nienaturalnego w odczuwaniu impulsu: „Oko za oko, ząb za ząb" i większość rodziców miewa od czasu do czasu takie odruchy. Problemy zaczynają się wówczas, gdy taka reakcja przeradza się w czyn. Po pierwsze, daje to dziecku fatalny przykład radzenia sobie ze złością i nie zaspokojonymi potrzebami. Po drugie, może wywołać w dziecku strach. Może wreszcie przerodzić się w stałe nadużywanie siły wobec dziecka. Tak więc, zamiast je bić, gdy cię uderzy, gryźć, gdy ono ugryzie, spróbuj zareagować w odpowiedniejszy sposób (wskazówki znajdziesz na str. 174-175 i 178-179).

Jeśli raz na jakiś czas dasz dziecku klapsa bądź pacniesz w rączkę, nie czuj się winna, ale zaraz przeproś: „Przepraszam, że cię uderzyłam. Tak się zezłościłam, że nie wiedziałam, co robię". Jeśli klaps został wymierzony w obawie o bezpieczeństwo dziecka, a nie ze złości, również wytłumacz: „Zbiłam cię, gdy wybiegłaś na ulicę, ponieważ bałam się, że może ci się coś stać. Chciałam, żebyś pamiętała, by nigdy tego nie robić".

Gdy wyżej opisane reakcje przydarzają ci się często, gdy jeden klaps prowadzi do następnych, jeśli uderzenie jest na tyle silne, że pozostawia na ciele ślady, względnie jeśli wymierzone jest w twarz, uszy lub głowę, jeśli używasz do bicia paska, linijki albo innych przedmiotów, jeśli zdarza ci się uderzyć dziecko, gdy jesteś pod wpływem alkoholu bądź narkotyków, powinnaś porozmawiać na ten temat z pediatrą, lekarzem rodzinnym, bliską ci osobą duchowną lub kimś innym, kto zawodowo zajmuje się tego rodzaju problemami. Możesz także porozmawiać ze specjalistą z Towarzystwa Przyjaciół Dzieci.

AGRESJA WOBEC ZABAWEK

Nasz synek bywa bardzo agresywny podczas zabaw. Nie robi nikomu krzywdy, ale dla rozrywki rzuca swoim misiem w ścianę lub okłada pięściami lalkę swojej siostry. Martwimy się, że może to doprowadzić do używania przemocy w stosunku do innych dzieci.

Wygląda na to, że wasz syn odkrył bezpieczny sposób radzenia sobie z uczuciem złości i wynikającą z niego agresywnością. Przeniesienie agresywnych uczuć na przedmioty nieożywione jest bardziej akceptowane społecznie i znacznie lepiej widziane niż przenoszenie ich na rodzeństwo czy towarzyszy zabaw. Poza tym, jest skuteczne, gdyż rozładowuje frustracje. Tak jak dorosły wyładowuje nagromadzone napięcie poprzez zaciętą grę w piłkę lub zafundowanie sobie kilku rund z workiem bokserskim, tak i twoje dziecko pozbywa się nadmiaru energii bez wyrządzania komukolwiek krzywdy. (Oczywiście, zachowanie takie nie ma czasami nic wspólnego z negatywnymi uczuciami, a wynika po prostu z chęci przeprowadzenia drobnego eksperymentu: „Rzucę tym miśkiem o ścianę, a on zjedzie po niej w dół — ale pomysł!")

Tak długo, jak nic złego się nie dzieje — ani ludziom, ani przedmiotom — zabawa taka nie jest szkodliwa. Ponieważ robienie szumu wokół takiego zachowania tylko je wzmaga, najlepiej jest nie zwracać na nie uwagi. Spójrzcie jednak na str. 174-175, gdzie podajemy sposoby przeciwdziałania agresji; zastosowanie ich może zapobiec nasileniu się impulsywności dziecka.

Jeżeli malec stanie się bardziej gwałtowny, zacznie niszczyć zabawki, meble i inne sprzęty domowe lub wyładowywać złość na ludziach bądź zwierzętach, będziecie zmuszeni położyć kres takiemu zachowaniu.

Chociaż nie trzeba regularnie kontrolować stylu zabawy dziecka, wskazane jest sporadyczne zwrócenie mu uwagi, jeśli źle traktuje zabawki czy pluszowego misia. Zabawki, które niszczy, nie mają uczuć, ale ludzie i zwierzęta je posiadają, niedźwiadka nie boli, gdy maluch rzuci nim o ścianę, ale prawdziwy miś (pies, człowiek) bardzo by cierpiał.

Jeśli gwałtowność przeradza się w obsesję i bardzo często obserwujesz u dziecka akty agresji, np. wobec pluszowych zwierzątek, zwróć się do lekarza.

AGRESYWNI TOWARZYSZE ZABAW

Dzieci, z którymi bawi się moja córka, są bardzo ofensywne i każda zabawa kończy się tym, że rozpychając się, właściwie przestają zauważać jej obecność. Nie wiem, czy mam ją zachęcać, by dopasowała się nieco do stylu zachowania rówieśników, czy też cieszyć się, że nie jest zaczepna.

Jest różnica między zasadą „oko za oko" a stawaniem w obronie swoich praw. Ucząc dziecko odpłacania się „pięknym za nadobne", nauczysz ją rozwiązywania problemów za pomocą siły: jeśli ktoś cię uderzy, oddaj mu, jeśli ktoś cię popchnie, ty popchnij go również, jeśli ktoś uderzy cię zabawką w głowę, ty zrób to samo. I chociaż taki rewanż może być pozornie satysfakcjonujący, rzadko eliminuje tarcia między poróżnionymi stronami. W istocie sprowadza się do współzawodnictwa o to, które z dzieci jest odporniejsze i bardziej nieustępliwe.

Nie oznacza to oczywiście, że masz wpajać dziecku zasadę stawania z boku i odgrywania roli ofiary. Wszystko zależy od tego, do jakiego stopnia dziecko czuje się pokrzywdzone. Jeśli nie przeżywa aż tak bardzo agresywności innych i potrafi zająć się inną zabawą, nie ma potrzeby ingerować. Możliwe, że jego ego i poczucie własnej wartości nie zależą od ilości zgromadzonych zdobyczy.

Jeśli natomiast dziecku jest przykro z powodu napastliwości innych, kilka lekcji na temat, jak bronić się przed takim traktowaniem, nie zaszkodzi (patrz str. 166). Jeśli więc towarzysze zabaw zaczną popychać, kopać, kąsać i ogólnie zachowywać się bojowo, twoja pociecha będzie potrzebowała pomocy. Twoja interwencja powinna polegać na próbie skierowania uwagi dzieci na inne zajęcie, podaniu kanapek, zmianie miejsca zabawy („A może poszlibyśmy na chwilę na podwórze?"). Na str. 174-175 znajdziesz wskazówki, jak reagować na dziecięce awantury.

ZATRZYMANIE ODDECHU

Raz po raz, podczas ataku złości, nasz synek przestaje oddychać. Wczoraj bezdech trwał tak długo, że mały stracił przytomność na minutę. Czy może to mieć wpływ na jego zdrowie?

Widok dziecka, które przestało nagle oddychać i straciło przytomność, był niewątpliwie dużym wstrząsem dla was, ale tak naprawdę tylko wasze nerwy narażone tu były na szwank.

Zatrzymanie oddechu, występujące najczęściej w drugim roku życia i znikające zwykle w wieku czterech lat, po raz pierwszy pojawia się przeważnie podczas napadu płaczu wywołanego np. uderzeniem się. Rzadziej występuje podczas ataku złości. Najpierw dziecko płacze tak intensywnie, że robi się czerwone na buzi. W miarę jak płacz nasila się, dziecko przestaje oddychać, a usta sinieją mu z braku tlenu. Jeśli bezdech przedłuża się, skóra jego staje się sina (niekiedy blada), a dziecko traci przytomność. Utrata przytomności nie zagraża tu zdrowiu, jest raczej reakcją obronną organizmu, przywracającą proces oddychania. Właśnie dzięki takiej reakcji dziecku, które nagle przestaje oddychać, nie może stać się nic złego. Jedynym negatywnym skutkiem nagłego zatrzymania procesu oddychania, oczywiście oprócz przerażenia rodziców, jest prawdopodobieństwo rozpieszczenia dziecka. Aby uniknąć okoliczności mogących spowodować taki stan, rodzice ustępują dziecku na każdym kroku, spełniając wszystkie jego życzenia. Inteligentny malec szybko zacznie korzystać z takiej okazji i będzie celowo wstrzymywał oddech, by podporządkować rodziców swym kaprysom. Taka sytuacja może nie tylko uczynić z niego tyrana, ale także wykreować osobnika nie potrafiącego radzić sobie z frustracjami, rozczarowaniem, odmiennością opinii, zakazami; osobnika nie przystosowanego do rzeczywistości.

Traktuj zatrzymanie oddechu tak samo jak traktujesz każdy inny przejaw dziecięcej impulsywności (patrz str. 290).

CO TO JEST?

Chyba ze trzysta razy dziennie moje dziecko pyta: „Co to jest?" Pyta nawet wtedy, gdy zna odpowiedź.

Ciekawość, wynikająca z nieodpartej chęci poznawania rzeczywistości, jest jednym z czynników sprawiających, że dziecko stale pyta: „Co to jest?" Innym czynnikiem jest potrzeba ćwiczenia swych umiejętności językowych (to ona sprawia, że maluch zadaje pytania, mimo że zna na nie odpowiedź). Dla świeżo upieczonego gawędziarza używanie zwrotu: „Co to jest?", jest znacznie bardziej ekscytujące niż używanie pojedynczych wyrazów. Stałe powtarzanie tego pytania sprawia dziecku jeszcze większą uciechę.

Smyk ma oczywiście jeszcze jeden powód, by powtarzać to pytanie jak zacinająca się płyta — przyciągnięcie waszej uwagi. Nie trzeba wiele czasu, by dziecko zorientowało się, że stawianie pytań spotyka się z dłuższą i bardziej złożoną reakcją rodziców niż wypowiadanie stwierdzeń. Gdy zawoła: „Piesek", zazwyczaj kiwamy głową na znak, że ma rację, lub bezmyślnie mruczymy: „Aha". Gdy jednak zapyta o coś, staramy się udzielić pełnej odpowiedzi.

Kiedy dziecko stanie się bardziej wymagające i znudzi je powtarzanie: „Co to jest?", zacznie zadawać pytanie bardziej skomplikowane (choć krótsze), mianowicie — „Dlaczego?" (Na str. 264 znajdziesz wskazówki, jak reagować na to pytanie.) Jednak zanim to nastąpi, wykaż cierpliwość i odpowiadaj na niezliczone: „Co to jest?" Jeśli podejrzewasz, że twoja pociecha zna odpowiedź, zapytaj ją: „A jak sądzisz, co to jest?" Oszczędzisz sobie w ten sposób uporczywego powtarzania ciągle tego samego, dając jednocześnie dziecku zadanie do rozwiązania.

OD KŁOPOTLIWEGO NIEMOWLĘCIA DO KŁOPOTLIWEGO DZIECKA

Trudno nam było wytrzymać z naszą córką, gdy była niemowlęciem — założę się, że pobiła rekord świata w kolce i płaczu. Teraz, jako prawie dwulatek, jest nie tylko dzieckiem trudnym, jest po prostu nie do wytrzymania.

Trudno powiedzieć, jakie dziecko jest tylko kłopotliwe, a jakie szczególnie kłopotliwe. Wybuchy złości, negatywizm, nieposłuszeństwo są zwykle postrzegane przez rodziców jako przejściowe i nie utożsamiane z cechami dziecka kłopotliwego. Szacuje się, że u jednego malucha na czterech występują cechy dziecka szczególnie trudnego — bardziej podatnego na ataki gniewu, bardziej negatywnego, nieposłusznego i nieustępliwego. Te szczególne dzieci — tak jak twoje — należały zwykle do kłopotliwych niemowląt: płaczących i grymaszących o wiele częściej niż ich rówieśnicy. Częściej też cierpiały na ostre postacie kolki jelitowej. Trudno było z nimi wytrzymać, gdy były niemowlętami, jeszcze trudniej, gdy są dwulatkami. Świadomość, że nie jesteś osamotniona, że około 25% rodziców płynie tą samą rozkołysaną łodzią, na niewiele się tu zda. Jednakże wyżalenie się innym, wymiana uwag i skonfrontowanie różnych przypadków, może przynieść ulgę i okazać się przydatne. Spróbuj więc dotrzeć do tych rodziców, którzy także mają trudne dzieci, i rozważcie zawiązanie grupy wzajemnej pomocy (informację o pierwszym spotkaniu można powiesić w poradni, gdzie przyjmuje twój pediatra). Prawdopodobnie akcja spotka się z szerokim odzewem. Świadomość, co czyni twoje dziecko kłopotliwym i jak można temu zaradzić, bardzo ułatwia życie. W ramce na str. 184 przedstawiamy informacje na temat dzieci trudnych oraz sposoby postępowania z nimi.

Zapoznanie się z poniższymi uwagami może ułatwić ci współżycie z takim dzieckiem, a także nauczyć cię cenić tę wyjątkową istotę.

* Istnieje wiele typów osobowościowych, wiele kombinacji tych typów, i zawsze znajdą się przykłady reprezentujące skrajne postacie każdej z tych kategorii. Cechy ekstremalne nie powinny być jednak postrzegane jako nienormalne ani negatywne. To, czym dwuletnie dziecko doprowadza rodziców do ostateczności, może za dwadzieścia lat być dla nich powodem do dumy. Bardzo trudne dzieci, jeśli okazać im wystarczająco dużo mądrości i cierpliwości, wyrosną na pracowitych, ambitnych, odnoszących sukcesy zawodowe dorosłych.
* Wrodzony temperament waszej pociechy nie jest jej winą. Ona nie może w żadnym znaczącym stopniu wpływać na to, kim jest: kiedy postępuje zgodnie ze swoją naturą, to nie znaczy, że jest niedobra albo że chce być uciążliwa — ona po prostu jest sobą. Karanie lub krytykowanie jej za zachowanie, nad którym dziecko nie jest w stanie zapanować, byłoby tak samo niesprawiedliwe i bezsensowne jak karanie za kolor oczu lub za to, że fałszuje. (Wrodzony charakter dziecka nie jest również winą rodziców, nawet jeśli wydaje się, że odziedziczyło go po tobie lub po kimś z rodziny.)
* Zaakceptowanie dziecka takim, jakie jest, a nie ciągła walka o to, żeby zmieniło się zgodnie z twoim wyobrażeniem, pomoże ci docenić i wzbogacić jego wrodzoną naturę i uczyni z niej zaletę, a nie wadę. Pomoże to też dziecku rozwinąć dobre mniemanie o sobie i poczucie własnej wartości.

SZTUKA NAŚCIENNA I INNE SZKODLIWE RYSUNKI

Mój maluch uwielbia rysować kredkami, ale niestety nie na papierze. Dzisiaj, kiedy weszłam do jego pokoju, zauważyłam, że pobazgrał całe ściany czerwoną kredką. Czy powinnam mu odebrać kredki do czasu, aż urośnie na tyle, żeby używać ich zgodnie z przeznaczeniem?

Pani maluch jest przekonany, że używa ich zgodnie z przeznaczeniem — w końcu są do rysowania. Zabranie mu kredek pozbawi go możliwości swobodnego wyrażania jego talentu. Do rysowania należy zachęcać, a nie zabraniać.

Nie oznacza to jednak, że powinnaś pozwolić swemu domorosłemu Michałowi Aniołowi zamienić dom w jego własną wersję Kaplicy Sykstyńskiej. Maluch musi wiedzieć, że po ścianach się nie rysuje[1]. Ale trzeba być wyrozumiałym i okazać szacunek dla jego intencji, które w przypadku fresku w sypialni miały podłoże artystyczne, a nie wynikały ze złośliwości. Poniższe wskazówki pomogą ukierunkować twórczość artystyczną twojego malca:

* Jeżeli przyłapiesz malucha na przemalowywaniu pokoju, policz do dziesięciu, zanim zareagujesz. Trzeba bowiem pamiętać, że on na pewno jest bardzo dumny ze swojej pracy i oczekuje, że ci, którzy go kochają, będą tę dumę podzielali; krytykowanie jego dzieła może nie tylko boleśnie urazić jego dumę, ale nawet zniechęcić go do wszelkiej późniejszej działalności artystycznej. Jeżeli zaś lubi zwracać na siebie uwagę zachowaniem, choćby tworzeniem domowych graffiti, gwałtowna reak-

[1] Mimo zakazu malec może nie zrezygnować z tej działalności artystycznej. Jeśli ściany w pokoju dziecka nie są zmywalne, może będzie trzeba je pomalować jakąś nietoksyczną farbą (patrz str. 531).

Jak żyć z dzieckiem kłopotliwym

Wychowywanie małego dziecka nigdy nie jest łatwe, wychowywanie trudnego dziecka graniczy czasami z czymś, co wydaje się ponad ludzkie siły. Stres wynikający z obcowania z dzieckiem, które nawet przez chwilę nie potrafi się skoncentrować, które nie usiedzi spokojnie ani minuty, które nie toleruje najmniejszej zmiany i na dodatek zachowuje się głośno, może wyczerpywać, zniechęcać do życia i osłabiać zdolność racjonalnego myślenia. Najgorsze jednak jest to, że może wywołać w pełnych dobrej woli rodzicach poczucie całkowitej bezradności.

To, jakie dzieci możemy zaliczyć do szczególnie trudnych, a jakie do typowych, zależy w dużej mierze od punktu widzenia. Zachowanie, które jedni rodzice odbierają jako naturalne i dające się opanować, może przerastać możliwości innych. W każdym przypadku, kiedy dziecko przysparza problemów wychowawczych, należy podjąć kroki zmierzające do poprawy sytuacji.

Niektóre dzieci są kłopotliwe tylko przez pewien czas, w tak zwanej „fazie przejściowej" (np. „straszny dwulatek"), lub stają się trudne ze względu na skomplikowaną sytuację rodzinną (np. choroba). Złe zachowanie jest chwilowe, a nie wrodzone.

Poniższa analiza wyodrębnia podstawowe kategorie zachowań nietypowych i zawiera wskazówki, co robić, by uczynić własne życie i życie dziecka bardziej znośnym*. Panując nad takim zachowaniem, ułatwisz dziecku rozwinięcie bardziej pozytywnych stron jego osobowości, a stłumienie niepożądanych. Pamiętaj, że podczas gdy niektóre trudne dzieci można niemal idealnie zakwalifikować do jednej kategorii, inne zdradzają zachowania należące do kilku grup. Ponadto poszczególne cechy charakteru są u jednych silniejsze, u innych słabsze.

Dziecko szczególnie ekspansywne. W porównaniu z takimi dziećmi zwyczajnie ruchliwy malec może wydawać się muchą w smole. Nie usiedzą spokojnie, buntują się przeciwko każdej próbie ograniczenia ich swobody (w samochodzie, na wysokim krzesełku, nawet w łóżeczku), są nieokiełznane, łatwo tracą panowanie nad sobą.

Strony pozytywne: Dzieci, które nauczą się konstruktywnie wykorzystywać nadmiar swej energii, mogą w dorosłym życiu wiele osiągnąć i mieć stale duże zapasy energii.

Postępowanie: Zapewniaj dziecku dużo ruchu na świeżym powietrzu i stwarzaj okazje do rozładowywania energii. Mając na względzie bezpieczeństwo dziecka, wprowadzaj jednocześnie pewne ograniczenia: zakazuj np. skakania po łóżku, wspinania się na kanapę, zbiegania na wyścigi po schodach itd. Nie dopuść, by zachowanie ekspansywne przerodziło się w zachowanie, nad którym tracisz kontrolę. Jeśli dziecko zaczyna „wpadać w szał", odejdź z nim na bok i upomnij: „ Zaczynasz zachowywać się w sposób niedopuszczalny, jeśli się nie uspokoisz, będziesz musiał zakończyć zabawę na zjeżdżalni" (wyjść z piaskownicy, przestać grać w piłkę itd.). Jeśli szaleństwo przybiera na sile, wprowadź „fazę odprężenia", stosując którąś z metod zasugerowanych na str. 162. Możesz też próbować zamienić niewłaściwe sposoby rozładowywania energii na takie, które są dla dziecka bardziej korzystne (patrz str. 160). Uszanuj także to, że malec nie jest zdolny usiedzieć spokojnie i unikaj sytuacji, w których musiałabyś tego od niego wymagać (inne wskazówki odnośnie do postępowania z dzieckiem nadaktywnym znajdziesz na str. 162).

Dziecko o zmiennej koncentracji uwagi. Niezdolność do skupienia uwagi jest typowa dla małych dzieci. Maluchy o zmiennym natężeniu uwagi prawie wcale nie są zdolne do skupienia się na czymś. Przeskakują z jednej czynności do drugiej, tracą zainteresowanie zajęciem, zanim jeszcze zdążą się w nie naprawdę zaangażować. Nie potrafią słuchać rodziców, nauczycieli, opiekunów, a nawet rówieśników. Brak zdolności koncentracji uwidacznia się szczególnie wtedy, gdy dziecko nie jest zainteresowane jakąś czynnością lub tym, co się do niego mówi.

Strony pozytywne: Dzieci takie, odpowiednio ukierunkowywane, mogą w przyszłości należeć do niezwykle fascynujących ludzi, o szerokim wachlarzu zainteresowań.

Postępowanie: Ponieważ żadne dzieci w tym wieku nie potrafią skoncentrować się na dłuższy czas, dzieci o zmiennym natężeniu uwagi nie wymagają jakiegoś specjalnego traktowania. Możesz jedynie próbować wydłużać okresy koncentracji, proponując zajęcia, które najbardziej przyciągają jego uwagę. Wiedząc, co malec lubi, możesz odpowiednio dobierać książki, gry, zabawki, programy telewizyjne, filmy wideo itd. Unikaj zajęć, które go zdecydowanie nudzą, i nie próbuj zmuszać dziecka, by skupiało się na danej czynno-

* Materiał ten powstał na podstawie pracy dr. Stanleya Tureckiego *The difficult child* uznanej przez wielu rodziców za lekturę niezwykle pożyteczną. Ta publikacja jest z kolei napisana na podstawie książki dr Stelli Chase i dr. Alexandra Thomasa.

ści dłużej, niż jest w stanie. Spokój i cisza w domu mogą także mieć dodatni wpływ na wydłużenie okresu koncentracji. Namawianie dziecka, aby patrzyło ci w oczy, gdy do niego mówisz lub wydajesz polecenia, jest dobrym sposobem chwilowego odwrócenia jego uwagi od spraw, które je rozpraszają. Pragnąc przyciągnąć jego uwagę, powiedz: „Proszę, chodź tutaj i usiądź przy mnie, chcę z tobą porozmawiać". Mając dziecko blisko siebie, np. trzymając je kolanach, popatrz na nie i powiedz: „Spójrz na mnie i posłuchaj, co mam ci do powiedzenia". Proponuj, by tę metodę stosowali wszyscy, którzy mają do czynienia z twoim dzieckiem.

Dziecko trudno adaptujące się. Takie dzieci uwielbiają niezmienność, trzymanie się utartych szablonów, *status quo*; mają swe ulubione ubranka, potrawy i zabawki. Na każdą zmianę reagują niepokojem i rozdrażnieniem. Gdy jednak przywykną do nowej sytuacji, akceptują ją w pełni. (Po wybuchu histerii związanej z wyjściem na podwórko, by pobawić się z dziećmi, taki malec z reguły dostaje histerii po raz drugi, gdy musi opuścić towarzystwo.) Dzieci należące do tej kategorii są uparte i nieustępliwe, podatne na długie okresy złości, potrafią wytrwale płakać, by osiągnąć upragniony cel.
Strony pozytywne: Dzieci trudno adaptujące się często w dorosłym życiu charakteryzuje rzadka i cenna właściwość konsekwentnego trwania przy raz wybranym zajęciu.
Postępowanie: Jeśli to możliwe, wcześniej przygotuj dziecko do mającej nastąpić zmiany: „Po obiedzie idziemy na plac zabaw". Gdy zbliża się pora powrotu do domu, zapowiedz: „Możesz jeszcze raz zjechać ze zjeżdżalni, a potem pomaszerujemy do domu". Starsze dziecko może się lepiej sprawować, jeśli wcześniej zapoznasz je z całym popołudniowym programem zajęć („Po obiedzie pójdziemy na plac zabaw, potem wstąpimy do sklepu, aby kupić mleko i chleb, a później pójdziemy do domu, żeby coś zjeść"). Używanie minutnika może również ułatwić maluchowi przystosowanie się do zmiany („Gdy zegar zadzwoni, weźmiemy kąpiel). Możesz złagodzić przejście od jednej czynności do drugiej, wybierając optymalny moment na taką zmianę (np. poczekaj, aż znudzi mu się układanka, i wtedy zakomunikuj, że przyszła pora na obiad). Bądź szczególnie cierpliwa i wyrozumiała w sytuacjach, gdy nagła zmiana jest nie do uniknięcia. Dla tej kategorii dzieci wszelkie przeobrażenia w otoczeniu mogą być równie przykre jak zmiany w rozkładzie dnia. Chociaż wiadomo, że nie da się ich uniknąć, powinnaś je wprowadzać tylko wtedy, gdy są one naprawdę konieczne. Zamiast więc kupować kolejne ubranka w odmiennych kolorach i fasonach, wybieraj takie, które będą mu najbardziej przypominały stare rzeczy, z których wyrósł. Pozwól, by malec codziennie nosił ten sam dres, jeśli takie jest jego życzenie. Warto kupić dwie sztuki tej samej odzieży na zmianę. Niech je ciągle to samo, jeśli daje mu to poczucie stabilności. Zmiany w diecie wprowadzaj tylko wówczas, gdy wymaga tego racjonalne odżywianie się. Gdy zmiana jest nieunikniona — np. gdy trzeba wyrzucić stare adidasy i zastąpić je nowymi — daj dziecku trochę czasu, by oswoiło się z tą myślą. Zacznij poruszać temat nowych butów na kilka dni przed zakupem. Daj malcowi czas na przyzwyczajenie się do nowych adidasów (niech je ogląda, trzyma, nosi w rękach); nie nalegaj, by je włożył natychmiast po odejściu od kasy. Bądź wyrozumiała, jeśli twoja pociecha nie od razu zaakceptuje nową sytuację i pozwalaj jej powoli przezwyciężać opór. Nie stosuj przymusu ani też nie przyklejaj etykietki: „No tak, Bartek jest taki nieśmiały". Więcej uwag na temat nieśmiałości znajdziesz na str. 345, a na temat przywiązania do stałego rytmu — na str. 218. Jeśli masz problemy z ubieraniem dziecka, spójrz na str. 245.

Dziecko wyjątkowo nieśmiałe. W zetknięciu z nowymi ludźmi, miejscami, sytuacjami, z nowym jedzeniem czy ubrankiem tego rodzaju dziecko wycofuje się na pozycje obronne, płacze, wtula się w rodziców, a gdy próbuje mu się dodać animuszu — dostaje histerii.
Strony pozytywne: Jest duże prawdopodobieństwo, że takie dziecko, gdy dorośnie, będzie osobą starannie analizującą każdą sytuację, nie podejmującą pochopnych decyzji (z pewnością nie będzie typem człowieka, który poznaje kogoś w poniedziałek, a bierze ślub w piątek).
Postępowanie: Podobnie jak w przypadku dziecka trudno adaptującego się, nie wprowadzaj zbyt często zmian w diecie, kupuj ubranka podobne do tych, z których maluch właśnie wyrósł, nie zmieniaj koloru farby, jeśli chcesz odświeżyć ściany w sypialni. Gdy kupno czegoś nowego jest nieuniknione, niech dziecko uczestniczy w zakupie. Jednocześnie pozwól, by oswoiło się ze świeżym nabytkiem, zanim zacznie go używać. Pozwalaj dziecku długo się oswajać z nowościami, bądź wyrozumiała i cierpliwa. Nie szczędź czasu na przygotowanie go do nowych okoliczności — opowiedz, dokąd się wybieracie na spacer, pokaż mu zdjęcia osoby lub domu, do którego zamierzacie pójść z wizytą. Takie wprowadzenie może pomóc odblokować dziecko. Zwróć też uwagę na wska-

Cd. tabeli na str. następnej

Cd. tabeli ze str. poprzedniej

zówki odnośnie do dziecka trudno adaptującego się (powyżej) i dziecka nieśmiałego (str. 345).

Dziecko hałaśliwe. Nawet jeśli takiego dziecka się nie widzi, to z pewnością się je słyszy. Wszyscy, którzy znajdują się w pobliżu, natychmiast wiedzą, czy malec jest niezadowolony, szczęśliwy, wściekły, rozżalony czy znużony.
Strony pozytywne. Ten hałaśliwy ekstrawertyk zwykle dobrze radzi sobie w tych zawodach, w których sprawą istotną jest donośny głos (polityka, estrada, handel).
Postępowanie: Jeśli potrafisz wyrobić w dziecku nawyk ściszania głosu w domu i pozwolisz na pewną swobodę w używaniu strun głosowych, gdy jest na zewnątrz — osiągniesz dużo i oszczędzisz dziecku częstych nawrotów chrypki (sugestie, jak postępować, by to osiągnąć, znajdziesz na str. 252). Jeśli maluch nie potrafi regulować natężenia głosu, patrz str. 188. Stwarzaj dziecku częste okazje do ćwiczeń wokalnych, jeśli oczywiście otoczenie nie ma nic przeciwko temu. Niech dziecko śpiewa równolegle z piosenką na płycie czy kasecie, niech imituje głosy zwierząt lub recytuje proste rymowanki.

Dziecko nie poddające się rytmowi dnia. Jako niemowlęta, dzieci te nigdy nie jadały ani nie sypiały regularnie. Rodzice nie byli w stanie przewidzieć pory przebudzenia się ani zaśnięcia, drzemki ani głodu. Nie wiedzieli, kiedy będzie marudne, a kiedy nastrojone pogodnie. W okresie poniemowlęcym ta zgadywanka trwa nadal. Typowe u tego rodzaju dzieci — i trudno się dziwić — są problemy ze spaniem.
Strony pozytywne: Dzieci nie poddające się żadnemu rytmowi mogą doskonale radzić sobie w sytuacjach nieprzewidzianych. Jako dorośli często sprawdzają się w zawodach nie wymagających stałych godzin pracy (mass media, dziennikarstwo, estrada, służba zdrowia).
Postępowanie: Po pierwsze, nie licz, że dziecko kiedykolwiek podda się wytyczonemu schematowi. Jeśli sama nie przywiązujesz zbytniej wagi do regularnego trybu życia, wychowywanie takiego dziecka nie będzie nastręczało większych trudności. Jeśli natomiast żyjesz według określonego rytmu, musisz z pewną dozą tolerancji ten rytm wprowadzić także w życie twojego dziecka. Jeśli np. malec nie jest głodny w porze obiadu, zaproponuj mu, by siedząc z wami, przegryzł coś lekkiego. Nie zmuszaj go, by zjadł cały obiad; odczekaj raczej, aż nabierze apetytu, i wówczas podaj mu główny posiłek. Podobnie zrób ze śniadaniem. Przygotuj je, a jeśli okaże się, że dziecko nie ma na nie ochoty, a pora już wyjść do żłobka lub opiekunki, nie każ mu jeść na siłę (wspomnij opiekunce lub wychowawczyni, że malec może być nieco wygłodniały w porze obiadu). Utrzymuj stałe pory układania do snu (możesz kłaść dziecko raz trochę wcześniej, raz trochę później, jeśli taka forma mu odpowiada) i kiedy położysz dziecko w łóżeczku, nie żądaj, by natychmiast zasnęło. Powiedz mu, że prosisz tylko, by leżało spokojnie. Poświęć kilka chwil na lekturę, zabawę lub włącz kasetę z kołysankami. Malec pewnie wkrótce zaśnie.

Dziecko o niskim progu wrażliwości (dziecko nadwrażliwe). Skarpetki się pofałdowały, sweter „gryzie", kurtka jest za ciepła, zegar tyka za głośno, lampa świeci zbyt jasno, pies brzydko pachnie, masło orzechowe się przykleja, a lody się rozpuszczają. Podczas gdy każde dziecko ma swój czuły punkt, dziecko nadwrażliwe jest przeczulone na punkcie wszystkiego. Drażnić je może światło, dźwięk, kolory, rodzaj tkaniny, temperatura, ból, smak, zapach. Bodźce, które na innych

cja może go tylko zachęcić do dalszych wysiłków. Zamiast atakować swoją pociechę („Co ty wyrabiasz z tą ścianą?") należy spokojnie wyjaśnić, że wybór podłoża był co najmniej niewłaściwy („Ależ wspaniały obraz narysowałeś, kochanie, ale nie powinieneś tego robić na ścianach").

* Jeśli twego malca nie opuścił jeszcze twórczy zapał, usiądź i pokaż mu, że rysuje się na papierze. Im większa kartka, tym większa szansa, że rysunek nie znajdzie się na stole, podłodze lub ścianie. Zwój papieru, który można rozwijać wraz z powiększaniem się dzieła artystycznego, może małemu artyście bardzo przypaść do gustu. Nie należy zaglądać dziecku przez ramię. Trzeba jednak mieć malucha na oku, żeby mieć pewność, że nie powróci do rysowania po ścianach.

* Aby utrwalić w dziecku przekonanie, że nie rysuje się po ścianach, można zatrudnić je do zmywania ścian jego własną ściereczką (jeżeli malec będzie również używać jakichś środków chemicznych, należy się upewnić, że nie są one toksyczne). Dziecko nie powinno używać gąbki, gdyż może ją ssać, obgryzać, a nawet połknąć kawałek.

* Trzeba wygospodarować trochę wolnego czasu na codzienne rysowanie, tak aby maluch miał dość czasu na rozwijanie swoich artystycznych zdolności. Jeżeli nie możesz nad-

zupełnie nie działają, u nich będą wywoływały stan napięcia.
Strony pozytywne: Takie dzieci mogą znakomicie wykorzystać swe wrażliwe zmysły do wielu pożytecznych i ważnych zadań twórczych lub naukowych.
Postępowanie: Podobnie jak w przypadku każdego trudnego usposobienia, wyrozumiałość i akceptacja są tu sprawą zasadniczą. Skarpetki, które się pofałdowały, rzeczywiście są niewygodne, a sweter istotnie może „gryźć". Te dokuczliwości nie są ani wymyślone, ani przesadzone. Uznaj rację dziecka i powiedz: „Wiem, że trudno ci wytrzymać w tym hałasie ulicznym" lub: „Wiem, że kubeł ze śmieciami nie pachnie zbyt przyjemnie". Poprzez codzienne działanie pokaż dziecku, że szanujesz jego uczucia. Kup skarpetki, które się nie ściągają (nie mogą też być za ciasne i nie powinny mieć ostrego szwu na palcach), wybieraj miękkie, bawełniane ubranka, które nie drażnią skóry (warto je przeprać przed włożeniem, by zmiękły), unikaj odzieży, która ma sztywne szwy wewnętrzne, ostre obrzeża, wysokie, sztywne lamówki, usuwaj wszelkie metki, które mogą drażnić wrażliwą skórę dziecka. Jeśli wiązanie i rozwiązywanie sznurowadeł zabiera rano zbyt dużo czasu, następnym razem kup buty zapinające się na przylepce. Postaraj się zapamiętać, a nawet zanotuj, jakie potrawy dziecko zjada najchętniej. Takie dania będą przez malca mile widziane. Jeśli dziecko nieustannie twierdzi, że jest mu za ciepło, ubieraj je „na cebulkę", by w razie potrzeby pozbyć się zbędnych warstw. Unikaj też zbyt ciężkich, krępujących ruchy kurtek. Jeśli maluch jest wyczulony na niektóre kolory, weź i to pod uwagę, robiąc zakupy lub upiększając mieszkanie. Gdy dziecko reaguje na zapachy, zainstalujcie w kuchni wyciąg i używajcie wyłącznie rzeczy bezwonnych (począwszy od nieperfumowanych chusteczek higienicznych, na środkach czyszczących skończywszy). Jeśli to możliwe, dostosuj natężenie światła i dźwięku w domu do oczekiwań dziecka. Można np. zastąpić tykający zegar elektronicznym, zainstalować ściemniacz światła, słuchać radia i telewizji po cichu i stosować różne metody tłumiące dźwięk (patrz str. 188). Odnośnie do ubierania dzieci nadwrażliwych, patrz str. 245.

Dziecko nieszczęśliwe. Takie dzieci rzadko się uśmiechają jako niemowlęta, również płaczą i utyskują częściej niż przeciętny dwulatek. Określa się je czasami jako dzieci mające „poważny" stosunek do życia.
Strony pozytywne: Poważne i rozważne dziecko może nie być tak lubiane przez rówieśników jak niefrasobliwy, zadowolony ze wszystkiego mały dreptuś. Jednakże dzięki swemu usposobieniu może odnosić sukcesy w szkole, a później w wielu dziedzinach życia, zwłaszcza tam, gdzie ceni się trzeźwość umysłu i rzeczowość.
Postępowanie: Posępnemu, ulegającemu nastrojom dziecku najlepiej pomożesz, akceptując je i uznając, że nie ma w tym niczyjej winy**. Karcenie lub karanie dziecka za negatywne nastawienie do otoczenia jest krzywdzące — nie od niego to przecież zależy — i może wzmóc tylko smętny nastrój malca. Problem można złagodzić, reagując na inne cechy dziecka (np. na trudności z przystosowaniem się do otoczenia). Te inne cechy osobnicze mogą wpływać na pozorną posępność malucha. W każdym razie uśmiechaj się często, a być może złagodzisz złe nastroje dziecka.

** Jeśli jednak dziecko dotychczas było radosne, a nagle staje się pochmurne i sprawia wrażenie przygnębionego, to przyczyną takiej zmiany może być stres, a nie usposobienie malca. Upewnij się, czy to nagłe przeobrażenie w zachowaniu dziecka nie jest wynikiem złego traktowania go przez opiekunkę lub nie wynika z nagłych zmian w stosunkach rodzinnych.

zorować jego działalności artystycznej, lepiej schowaj kredki.

* Możesz urządzić na ścianie lub na lodówce wystawkę prac twojej pociechy. Zachwyty nad pracami na papierze mogą ukierunkować jej działania we właściwą stronę.

WSTRĘT DO CZYSTOŚCI

Nasza córka nie może wytrzymać czysto ubrana nawet przez dwie minuty. Jak tylko ją umyję i przebiorę, zaraz się brudzi. Co mam robić?

Poddać się. Bycie dzieckiem to bardzo brudzące zajęcie i wasz maluch musi przez to przejść. Oczekiwać, że wasza córeczka nie będzie się brudzić, to tak jak spodziewać się, że nie będzie się ruszać. Żadna z tych rzeczy nie leży w naturze dziecka, natomiast obie mogą zahamować jego rozwój, gdyż nie pozwalają na swobodne poznawanie i badanie świata. Karcenie córki może odnieść wręcz odwrotny skutek, wzmacniając jej chęć do brudzenia się.

Najlepiej nie wymagać zbyt wiele i skoncentrować się tylko na podstawowych wymaganiach higieny. Żądaj, by myła ręce przed jedzeniem i po korzystaniu z toalety lub kiedy dotknie czegoś naprawdę brudnego (zwykły brud się nie liczy). Nie rezygnuj z wieczornej kąpieli, unikaj takich skupisk bakterii, jak miejsca piaskowych kąpieli ptaków, kałuże na ulicy, zwierzęce od-

Czas na ciszę

Jeśli twoje dziecko należy do tych głośnych maluchów, których krzyki doprowadzają cię do szaleństwa, czy też jest tak wrażliwe, że niepokoi je każdy nie znany dźwięk, warto spróbować uszczelnień dźwiękochłonnych. Można zastosować grube i miękkie wykładziny, ciężkie zasłony, wygłuszenie ścian, ściany korkowe, zawiesić duże korkowe tablice lub ustawić rzędy roślin doniczkowych. Takie urządzenie mieszkania, żeby miejsce zabaw dziecka znajdowało się z dala od hałasu pralki, suszarki czy innego głośno pracującego urządzenia, może okazać się pomocne. Żeby odizolować się od hałasu z ulicy, warto zawiesić dźwiękochłonne zasłony lub żaluzje i uszczelnić okna. Jeśli mieszkacie w domu jednorodzinnym, warto zasadzić żywopłoty, drzewa i krzewy ozdobne, które również pochłaniają uliczny hałas.

chody. Upewnij się, że ubranka i buty, w których dziecko się bawi, nadają się do częstego prania i są wytrzymałe na zużycie.

BOJAŹLIWOŚĆ NA PLACU ZABAW

Nasz syn nie chce bawić się na zjeżdżalni ani na huśtawce. Chyba się boi, dlatego trzyma się blisko piaskownicy.

Ostrożność waszego dziecka może wynikać ze zdolności przewidywania — to znak, że zaczyna sobie zdawać sprawę z potencjalnego niebezpieczeństwa, które może grozić na śliskiej zjeżdżalni czy na huśtawce. Może ona też wynikać z doświadczenia — może maluch pamięta, jak spadł kiedyś z huśtawki lub zjeżdżalni, i jeszcze nie odzyskał pewności siebie. Możliwe, że widział, jak inne dziecko spadło, i boi się, że jemu też się to przytrafi. A może po prostu taką ma naturę — niektóre dzieci od urodzenia są ostrożniejsze niż inne.

Bez względu na powód, do obaw dziecka należy się odnosić z szacunkiem, nie wolno ich bagatelizować. Jednak przy każdej okazji warto zachęcać malca do korzystania z tych urządzeń. Możecie je razem wypróbować, co powinno zmniejszyć obawy dziecka. Jeżeli maluch odmówi lub po jednym wspólnym zjeździe czy kilku chwilach spędzonych na huśtawce nie będzie chciał dalej się bawić, nie namawiaj go. Powiedz, że przecież możecie wrócić na huśtawki, kiedy będzie miał na to ochotę, a piaskownica też jest wspaniałym miejscem do zabawy. Wykaż zainteresowanie zamkami z piasku i autostradami, które wybudował, zamiast krytykować go za strach przed huśtawką czy zjeżdżalnią.

Chociaż nie należy zmuszać malucha, żeby stawił czoło swoim lękom, delikatna manipulacja może mu pomóc je przezwyciężyć. Urządzenia na placu zabaw mogą wzbudzać lęk, ale może mniejsze, domowe ich wersje będą mu się wydawać mniej groźne. Pożycz je albo pozwól malcowi skorzystać z nich u znajomych, w sali gimnastycznej lub w poczekalni w przychodni. Znowu nie wolno zmuszać, ale warto zachęcać. Poszukaj książeczek, w których dzieci przeżywają podobne problemy albo po prostu bawią się na huśtawkach, zjeżdżalniach, w wesołych miasteczkach i poczytaj je swojemu dziecku, ale powstrzymaj się od lekceważących komentarzy i porównań z jego osobą.

Upewnij się, że przez nadmierną czujność i nadopiekuńczość nie pogłębiasz lęków swojego dziecka, kiedy ono wykazuje chęć do zdobywania świata. Może zbyt gwałtownie reagujesz na niepowodzenia malca. Może znosisz go po schodach, zamiast nauczyć go schodzić samemu. Wzmocnij jego wiarę w siebie, wyposażając go w umiejętności, które pozwolą mu bezpiecznie korzystać z urządzeń na placu zabaw. Zachęć go, ale nie zmuszaj, a jeżeli zdecyduje się wspiąć na zjeżdżalnię, ubezpieczaj go. Jeśli mały będzie miał ochotę, posadź go na huśtawce i pokaż, jak może sam się huśtać, uginając kolana. Czasem poczucie kontroli nad sytuacją pomaga opanować lęk. Obiecaj, że nie będziesz go popychać na huśtawce, dopóki sam nie poprosi, i dotrzymaj słowa. Pamiętaj, pozwól dziecku pokonywać trudności w jego własnym tempie, a jeśli odniesie się do zabawy z niechęcią, zaakceptuj to.

Nawet najbardziej bojaźliwe dzieci z pomocą cierpliwych rodziców nauczą się w końcu korzystać ze wszystkich urządzeń na placu zabaw. Musisz jednak zdawać sobie sprawę, że są dzieci, u których huśtawki, zjeżdżalnia, a w późniejszym wieku diabelski młyn i inne podobne atrakcje nie wywołują entuzjazmu.

Tymczasem usiądź sobie spokojnie na ławce w parku i pomyśl, jakie to błogosławieństwo być matką ostrożnego dziecka. Przede wszystkim nie musisz siedzieć jak na szpilkach, gotowa do biegu, a musiałabyś, gdyby twoja pociecha była bardziej odważna. (Zapoznaj się z zasadami postępowania na placu zabaw, które podajemy na str. 550.)

NADWRAŻLIWOŚĆ

Gdy tylko skarcę mego syna, zupełnie się rozkleja. Jak mogę zwrócić mu uwagę, nie raniąc jego poczucia własnej godności?

Delikatnie. Każde dziecko, tak jak i każdy dorosły, stanowi indywidualność obdarzoną własnym, niepowtarzalnym temperamentem. To właśnie ten temperament decyduje, jaki rodzaj dyscypliny odniesie najlepszy skutek. Agresywne dziecko może wymagać wyjątkowo zdecydowanego traktowania (możesz nawet używać bardziej kategorycznego głosu niż wymagałaby tego sytuacja). Wesoły i beztroski maluch dobrze reaguje na mieszaninę humoru i zdecydowania. Dziecko nadwrażliwe wymaga wyjątkowo wyrozumiałego podejścia. Nie oznacza to, że nie wolno zwracać mu uwagi czy że nie powinno mieć jasno wytyczonych zasad zachowania. Tyle tylko, że osoba wymierzająca karę powinna to robić delikatnie. Jeśli masz wrażliwego malucha, zapoznaj się ze wskazówkami na str. 119. Zwróć szczególną uwagę na następujące sprawy:

* Zasady muszą być ustalone oraz konsekwentnie przestrzegane i dziecko musi wiedzieć, jakie one są.
* Unikaj podnoszenia głosu lub używania szorstkiego tonu, kiedy zwracasz uwagę. Lepiej powiedzieć coś z humorem, odwrócić uwagę dziecka lub użyć innej metody pośredniej (patrz str. 148), jeśli to tylko możliwe. Nie zapominaj o magicznej mocy dotyku — weź malca na kolana, chwyć go za rękę lub podnieś z ziemi, żeby wiedział, że kochasz go, nawet kiedy karcisz.
* Kiedy to tylko możliwe, proponuj konstruktywne rozwiązanie lub wyjaśnienie. Unikaj bezpośredniej krytyki, np.: „Przecież wystarczy, żebyś grzecznie poprosił siostrę o twój samochodzik, nie musisz jej od razu bić". Nigdy nie obciążaj dziecka winą za złe zachowanie. Krytykuj postępowanie, a nie dziecko: „To nieładnie tak bić siostrzyczkę", a nie: „Ależ z ciebie niegrzeczne chłopaczysko, żeby tak bić swoją siostrę". Unikaj długich kazań.
* Jak w przypadku wszystkich dzieci, powinno się unikać kar cielesnych. Nawet jeśli chcesz użyć siły fizycznej tylko po to, żeby przerwać przepychankę o zabawkę, czy też nie chcesz marnować czasu w drodze do sklepu, pamiętaj, żeby nie stosować przemocy fizycznej.
* Daj malcowi do zrozumienia, że go karcisz, bo wiesz, że może się poprawić, ale nie oczekuj od niego zbyt wiele.

CO WARTO WIEDZIEĆ
Jak sobie radzić z lękami i fobiami u dzieci

Coś stuka w nocy, wyje, hałasuje, wciągając wszystko do swego wnętrza, coś z hukiem dudni w klozecie. Dla dorosłego to rutyna, rzeczy nieszkodliwe i oczywiste. Dla malucha mogą być wprost przerażające.

Lęki są typowe dla wczesnego dzieciństwa, zwłaszcza między drugim a szóstym rokiem życia. Wraz z wiekiem zmieniają się tylko powody do strachu. U niemowląt i małych dzieci dominuje lęk przed obcymi. W drugiej połowie drugiego roku życia pojawia się strach przed niespodziewanymi hałasami, nie znanymi zwierzętami i lekarzami. Mniej więcej w drugim roku życia zaczyna się obawa przed ubikacją, ciemnościami, ludźmi w maskach i przebierańcami (np.: klaunami i Świętym Mikołajem). Dzieci trochę starsze zaczynają się bać stworów z wyobraźni i uszkodzeń ciała. Oczywiście lęki wielu dzieci nie pokrywają się z tym stereotypem. Zdarzają się maluchy osiemnastomiesięczne, które już boją się, żeby ich nie spłukać z wodą w toalecie, i trzylatki, które ni z tego, ni z owego zaczynają się bać psów.

Lęki nie są rzeczą tak naprawdę złą. Zupełnie pozbawiony obaw maluch może stwarzać sytuacje groźne dla swego zdrowia i życia. Niemniej jednak nadmierny strach może utrudniać życie zarówno dziecku, jak i jego rodzinie, i dlatego ważne jest, by rodzice i opiekunowie znali podłoże dziecięcych lęków i wiedzieli, jak z nimi postępować.

PODŁOŻE DZIECIĘCYCH LĘKÓW

Niemowlak, to niewinne, bezbronne stworzonko, które przeważnie reaguje instynktownie i jest niezdolne do zastanowienia, stanowi klasyczny przykład wiary w to, że nieznane nie może być groźne. Ale w pewnym okresie,

Co tak bije?

Starsze dzieci mogą zauważyć, że kiedy się boją, ich serduszko bije szybciej i mają kłopoty z oddychaniem. Wyjaśnij dziecku, że są to objawy normalne — tak po prostu reagują nasze organizmy, kiedy się boimy. Pokaż mu też, że wystarczy wziąć parę głębszych oddechów i pomyśleć o czymś miłym (np. o ulubionej piosence) albo wdrapać się tacie lub mamie na kolana, żeby wszystko wróciło do normy.

najczęściej w drugim roku życia, następują zmiany rozwojowe, które odmieniają ten stan rzeczy.

Zdobywanie wiedzy. Poznawanie nowych rzeczy może sprawiać, że świat wyda się dużo bardziej niebezpiecznym miejscem, niż się to na początku mogło wydawać. Maluch jest dumnym posiadaczem wielu nowych myśli, dziesiątków konceptów, góry nowych informacji i sprawniejszego procesu przetwarzania myśli, który może te wszystkie dane połączyć w przerażające scenariusze.

Niewielkie doświadczenie życiowe. Dziecko umie już dostrzec związki przyczynowo-skutkowe, ale nie jest w stanie rozpoznać rządzących nimi mechanizmów. Dlatego zdarza się, że maluch pochłonięty jest rozważaniami na temat „Co by było, gdyby" i wyobraża sobie sytuacje, z punktu widzenia dorosłych, zupełnie niedorzeczne („Jeśli odkurzacz wsysa brud i kurz, to może wessać i mnie?" lub: „Jeśli pies sąsiadów złapał tatusia za nogawkę, to pewnie wszystkie psy gryzą", „Jeśli woda z wanny spływa rurami, to czy człowiek, zwłaszcza taki maleńki jak ja, też może spłynąć?").

Poczucie różnicy rozmiarów. Małe dzieci dostrzegają już, jakie są małe w porównaniu z tymi, którzy je otaczają. Wyobraź sobie, jak idziesz ulicą wśród ludzi dwa lub trzy razy większych od siebie, i zrozumiesz, dlaczego ta różnica rozmiarów może być źródłem lęku.

Rozwój wyobraźni. Wyobraźnia, która zdolna jest przenieść bawiącego się w przebieranki malucha z kąta pokoju na pełne morza lub też z paru kamieni wyczarować średniowieczny zamek, może też pomagać w zabawie. Kiedy jednak ta sama wyobraźnia przeniesie dziecko z przytulnej i bezpiecznej sypialni do jaskini smoka czy chatki Baby Jagi, staje się źródłem wszechogarniającego lęku. Wraz z rozwojem wyobraźni często rozwijają się i lęki.

Rozwój pamięci. Niemowlęta zapominają o smutnych lub niepokojących wydarzeniach prawie natychmiast. Ale małe dzieci mogą zachować w pamięci takie wydarzenie bardzo długo. Podrapanie przez kota, zbyt wysokie wahnięcie huśtawki czy upadek ze schodów mogą stać się przyczyną trwałego lęku przed kotami, huśtawkami albo schodami. Nawet wydarzenia fikcyjne mogą spowodować lęk, na przykład to, że Śpiąca Królewna ukłuła się w palec, że uwięziono mamę słonika Dumbo, że babcię Czerwonego Kapturka zjadł wilk.

Wzrost sprawności ruchowej. Malec, który sam się porusza, napotyka więcej niepokojących zjawisk (takich jak węszący pies, pająk zwisający z pajęczyny, kosiarka do trawy) niż niemowlak noszony na rękach.

Skupienie na sobie. Małe dzieci są wyjątkowo egocentryczne. Wszystkie zabawki należą do nich; skupiają na sobie całą uwagę; są podmiotem wszelkich doświadczeń. Dlatego pojawia się u nich przekonanie, iż jeśli małego chłopca z książki ścigał wielkolud, może to przytrafić się również im. Jeżeli małą bohaterkę filmu użądliła pszczoła, może je też użądlić. Jeśli rodzeństwo może chorować, mogą i one.

Łatwość ulegania wpływom. Emocje otoczenia łatwo udzielają się maluchom. Jeżeli kolega z podwórka boi się windy albo potworów, one również mogą zacząć się ich bać. Jeśli rodzice są niespokojni, dzieci mogą się czuć niepewne lub nawet zagrożone.

JAK RADZIĆ SOBIE Z LĘKAMI U MAŁYCH DZIECI

Lęki małych dzieci nie tylko utrudniają życie, ale jeśli wymkną się spod kontroli, mogą nawet spowodować opóźnienie (zwolnienie tempa) zahamowania wzrostu i rozwoju. Aby pomóc swemu dziecku w opanowaniu lęków[2]:

---

[2] Zapoznaj się również z uwagami na temat poszczególnych lęków, np.: lęk przed obcinaniem włosów — str. 268, przed kąpielą — str. 99, przed ciemnościami — str. 369, przed dentystą — str. 268,

Stawianie czoła lękom

Z wielu lęków małe dziecko wyrasta w wieku przedszkolnym. Niektóre jednak utrzymują się przez całe wczesne dzieciństwo, a nawet, jeśli się im nie zaradzi, nie opuszczają dziecka, gdy dorośnie. Pomoc w konfrontacji z lękami, to najlepszy sposób, żeby dziecięce lęki dnia dzisiejszego nie stanowiły problemu w przyszłości. A oto, jak pomóc dziecku przezwyciężyć lęki:

Wyjaśnienie. Zwykłe racjonalne wyjaśnienie może wystarczyć, żeby starsze dziecko poczuło się pewniej. Możesz na przykład wyeliminować lęk przed dźwiękiem syren, wyjaśniając, że: „Wozy strażackie muszą robić tyle hałasu, żeby samochody i ludzie zdążyli usunąć im się z drogi na czas i żeby jak najszybciej dojechały do pożaru. To dobry głośny dźwięk". W przypadku małych dzieci nawet najprostsza definicja może nie być zrozumiała. Sposobem na umocnienie jego pewności siebie jest wówczas pokaz. Np. maluch, który w kąpieli boi się, że spłynie razem z wodą, może się poczuć trochę lepiej, gdy zobaczy, co może, a co nie może spłynąć rurami (woda i piana z mydła się zmieszczą, a gumowe kaczuszki i dzieci nie). Dziecko, które lęka się odkurzacza, może poczuć ulgę, kiedy się przekona, że chociaż odkurzacz wsysa okruszki z ciastek, to nie daje rady samochodzikom, klockom czy maminej nodze.

Konfrontacja pośrednia. Malec, który obawia się, że spłynie z wodą w klozecie, może zyskać trochę pewności siebie, jeśli przeczyta mu się książeczkę o dziecku, które korzystało z toalety i bezpiecznie przeżyło to doświadczenie. Dziecku, u którego występuje lęk przed wozami strażackimi, może pomóc oglądanie książeczki o strażakach lub wizyta w straży pożarnej. Maluchowi bojącemu się psów mogą się one wydać mniej groźne po obejrzeniu filmu o dziewczynce i piesku. Dzieci, które odczuwają strach przed zjawiskami naturalnymi (np. burza z piorunami), mogą się mniej bać po przeczytaniu prostej książeczki wyjaśniającej te zjawiska. Należy unikać książek, obrazków i filmów, które mogłyby wzmóc lęki dziecka. Najlepszy film o przyjaźni między pieskiem a dziewczynką nie pomoże, jeżeli dziecko będzie świadkiem sceny ataku psa na człowieka.

Utrzymanie bezpiecznej odległości. Wystarczy trzymać dziecko na rękach w drugim końcu pokoju, kiedy tatuś odkurza, lub w drzwiach łazienki, kiedy z wanny spływa woda, żeby pomóc mu przezwyciężyć lęk, pozostając w bezpiecznej odległości od niepokojącego zjawiska. Podobnie dziecku obawiającemu się psów można pokazać, jak dzieci sąsiadów wesoło baraszkują z psem, z takiej jednak odległości, żeby nasze dziecko czuło się bezpiecznie i jednocześnie mogło słyszeć radosne śmiechy bawiących się malców.

Umożliwienie dziecku kontrolowania sytuacji i zmniejszenie bezpiecznej odległości. Strach sprawia, że doświadczająca go osoba czuje się bezradna, i to bez względu na wiek. Dlatego trzeba pomóc dziecku zdobyć poczucie choćby częściowej kontroli nad wzbudzającą strach rzeczą lub zjawiskiem. Złagodzi to jego lęk. Włączanie i wyłączanie odkurzacza pozwoli malcowi przekonać się, że to człowiek kontroluje maszynę, a nie odwrotnie. „Ujeżdżanie" odkurzacza, gdy ten stoi wyłączony i nie hałasuje, też może pomóc. Dziecko obawiające się potworów można wyposażyć w „broń", która zwiększy jego poczucie władzy i kontroli nad sytuacją. Mogą to być: latarka, lampka nocna, drużyna misiów, która pomoże „przepędzić" niepożądanych gości, magiczne słowo, które sprawia, że potwory znikają, czy też buteleczka magicznej wody w sprayu.

Rozmowa. Wszystkim nam przynosi ulgę, gdy możemy o swoich lękach porozmawiać. Dzieci nie stanowią tu wyjątku. Poproś malca, żeby ci opowiedział o swoich lękach i wysłuchaj go ze zrozumieniem.

Poczucie humoru. Co prawda pod żadnym pozorem nie wolno wyśmiewać dziecięcych lęków, to jednak pewna doza humoru może pomóc dziecku opanować strach (patrz str. 162).

* Przyznaj, że lęki są prawdziwe. Mogą się wydawać nieracjonalne, ale są — podobnie jak lęki dorosłych — zupełnie realne. Chociaż niezwracanie uwagi często pomaga w przezwyciężeniu różnych innych niepożądanych zachowań, w przypadku lęków się nie sprawdza. Prawdę mówiąc, udawanie, że lęki nie istnieją, zwykle je umacnia, a może nawet stać się źródłem wielu innych. Na przykład lęk przed ptakami może przerodzić się w lęk przed wszystkimi zwierzętami, a lęk przed pająkami — w strach przed wszystkimi owadami.

---

przed lekarzem — str. 266, przed psami — str. 91, przed stratą penisa — str. 197, przed urządzeniami na placu zabaw — str. 188, przed zasypianiem — str. 270.

Kiedy małe lęki zaczną was przerastać

Większość lęków (np. przed obcymi, przed ciemnościami, przed psami, przed kąpielą), które dzieci przeżywają w drugim i trzecim roku życia, stopniowo zanika, czasem zastępują je bardziej złożone (np. przed więzieniem, policją, dzikimi zwierzętami). Zazwyczaj w wieku sześciu lat wszystkie one ustępują. Jeżeli jednak lęki twego dziecka zakłócają normalne życie rodzinne czy codzienne zajęcia (np. malec boi się wyjść z domu, żeby nie spotkać psa, albo nie chce umyć rąk lub się wykąpać ze strachu przed wodą), należy zasięgnąć porady specjalisty.

* Nie próbuj siłą nakłaniać malucha, żeby stawił czoło swoim lękom. Metoda wrzucania na głęboką wodę rzadko zdaje egzamin w tym przypadku. Zmuszanie dziecka, które boi się psów, żeby pogłaskało owczarka sąsiadów, wrzucanie do basenu malca, który boi się wody, albo nakłanianie takiego, który lęka się potworów, żeby sprawdziło pod łóżkiem i w szafie, że nocny gość nie przyszedł, może przemienić lęki w fobie. Strofowanie dziecka: „No, pokaż, jaki jesteś odważny" lub: „Nie zachowuj się jak mały dzidziuś", też nie jest dobrym wyjściem. Zamiast tego spróbuj zmniejszyć poczucie lęku, zapewniając dziecku wsparcie, zrozumienie i stopniowo zapoznając malca ze źródłem lęku (patrz str. 191).

* Zauważ, że w walce z lękami dziecko jest w gorszej sytuacji niż dorosły. Dorośli często mogą uniknąć sytuacji, które wzbudzają w nich lęk — jeśli boimy się latać samolotem, możemy pojechać pociągiem, jeśli boimy się wind, możemy pójść po schodach. Dzieci, które nie kontrolują sytuacji w takim stopniu jak dorośli, nie zawsze są w stanie opanować swój strach.

* Powiedz swemu dziecku, że każdy się czegoś boi. Że nawet dorośli, tacy jak tatuś i mamusia, też się czasem boją. Możesz nawet opowiedzieć starszemu dziecku, czego się bałaś, kiedy byłaś mała, i jak przezwyciężyłaś strach. Postaraj się nie mówić o nowych lękach, o których twoje dziecko jeszcze nie pomyślało. Zawsze się człowiek lepiej czuje, jeśli wie, że inni też przez to przeszli.

* Staraj się nie okazywać swoich lęków. Jeżeli dziecko zauważy, że ty jesteś w stanie kontrolować strach, może w końcu spróbować ciebie naśladować. Jeśli zaś na widok pająka będziesz podskakiwać ze strachu, pokażesz dziecku, że to lęk panuje nad tobą, a nie ty nad nim.

* Nie wyśmiewaj się i nie dokuczaj swojemu bojaźliwemu maluchowi. Nawet tacy mali ludzie traktują swoje lęki poważnie. O ile drobne przekomarzanki mogą przekonać małego uparciucha, żeby ubrał się rano do przedszkola, o tyle gonienie dziecka bojącego się psów na czworakach i szczekanie na pewno nie pomoże rozwiązać problemu, a tylko wzmoże lęk.

* Rozwijaj, a nie ograniczaj poczucie własnego „ja" u twojego malca. Pewność siebie bardzo pomaga w przezwyciężaniu lęków. Dlatego chwal dziecko za najmniejsze nawet postępy i nie karć go, gdy się cofa. Pamiętaj, żeby twój maluch czuł, że kochasz go równie mocno bez względu na to, czy się boi, czy nie.

* Okaż swemu dziecku, że może na tobie polegać. Lękliwe maluchy potrzebują pomocnej dłoni, która zrekompensuje brak poczucia pewności siebie. W trudnych sytuacjach zachowuj się spokojnie i pewnie, tak aby twoje dziecko wiedziało, że nie pozwolisz go skrzywdzić.

* Jednak nie przesadzaj z tym. Nadopiekuńczość może ograniczyć samodzielność twojej pociechy. Rozpieszczanie może wzmocnić w dziecku przekonanie, że jest się czego bać. Z drugiej strony okazywanie lęku może też być jednym ze sposobów na przyciąganie uwagi rodziców.

* Postaraj się usunąć z życia twego dziecka wszelkie powody do strachu. Budzące lęk książki (patrz str. 384), filmy, kreskówki i wiadomości telewizyjne (nawet jeśli wydaje się, że dziecko nie zwraca uwagi na ekran, krótkotrwały obraz rozbitego samolotu może mieć dalekosiężne skutki), wszystkie mogą stanowić źródło dziecięcych lęków. W tym okresie życia dziecka najlepiej unikać takich bodźców. Kiedy to nie jest możliwe (np. wybraliście się do kina, spodziewając się, że zobaczycie zabawny film rodzinny, a tu scena z wiedźmami tak wstrząsa twoim dzieckiem, że zalewa się ono łzami, albo spacerując po parku, jesteście świadkami walki psów), należy krótko i przystępnie wyjaśnić malcowi, co się stało. Nie

trzeba jednak zbyt długo się nad tym rozwodzić. Lepiej postarać się odwrócić uwagę dziecka. Nawet takie pozornie niegroźne przedmioty, jak pluszowy słoń, tańczące misie zdobiące kołyskę czy urocza tapeta w zwierzątka na ścianie pokoju dziecinnego mogą u niektórych dzieci budzić lęk. Wówczas trzeba je schować lub zakryć przynajmniej na jakiś czas, a niekiedy na stałe, żeby ułatwić dziecku opanowanie strachu.

* Sprawdź, czy sam nie prowokujesz niektórych lęków swego dziecka. Czasami źródłem dziecięcych strachów są często powtarzane przez rodziców ostrzeżenia (np. „Unikaj obcych, bo cię ukradną"), działania (zamykanie dziecka w ciemnym pokoju) czy groźby („Jeśli nie będziesz grzeczny, to cię sprzedamy"). Chociaż zbyt surowa dyscyplina może wzmóc lęki u dziecka, to, paradoksalnie, brak jakiejkolwiek dyscypliny może również rodzić u dziecka strach. Rodzice powinni również unikać wprowadzania nowych lęków, których dziecko jeszcze nie zaznało lub które nie zostały dotychczas określone. Powiedzenie maluchowi: „Nie bój się kotka", kiedy go zobaczycie na spacerze, może niepotrzebnie dziecko wystraszyć, a nie uspokoić. Lepiej wtedy powiedzieć: „Zobacz, jaki śliczny kotek. Przyszedł nam powiedzieć «Dzień dobry»".

CO TWOJE DZIECKO POWINNO WIEDZIEĆ

Radość dawania

Próby nauczenia dwulatka miłości bliźniego mogą się wydawać bezowocne, bowiem niewiele jest dzieci, które w tym wieku wykazują zachowania altruistyczne. Jednak naukę życzliwości wobec innych można zacząć wcześniej, niż się to powszechnie wydaje — nawet wtedy, kiedy maluch wciąż jeszcze przejawia właściwe dla swego wieku skupienie na własnej osobie i brak zrozumienia innych. Będzie to oczywiście proces stopniowy i raczej niezauważalny — przez wiele lat może nie będzie widać rezultatów. Ale raz zasiane ziarna życzliwości, odpowiednio pielęgnowane, wzrosną i w końcu twój maluch wyrośnie na życzliwego i wielkodusznego człowieka.

A oto kilka wskazówek na początek:

Stwórzcie rodzinę, w której panują bliskie, serdeczne więzi. Badania wykazują, że dzieci, które potrafią okazać zrozumienie innym, pochodzą z takich właśnie rodzin. Ale nie wystarczy być czułym i kochającym. Potrzebne są też ograniczenia. Dzieci wyrastające bez żadnych ograniczeń stają sie samolubne.

Niech dawanie stanie się rodzinną tradycją. Nikt nie jest bardziej przywiązany do tradycji niż dziecko; jeśli z dawania uczynisz rodzinną tradycję, twoje dziecko będzie chętnie dawać. Dawanie prezentów w czasie tradycyjnych świąt, np. w Boże Narodzenie, może stanowić dobry przykład. Jeśli więc w tym czasie robicie razem z maluchem zakupy, możesz go poprosić, żeby pomógł wybrać jakiś prezent dla jakiegoś mniej zamożnego dziecka. Wyjaśnij mu, że nie wszystkie dzieci mają tyle zabawek i rzeczy, ile on, i że miło jest coś im ofiarować. W późniejszym wieku dziecko może „dołożyć się" do zakupu z własnej skarbonki.

Święty Mikołaj na wszystkie pory roku. Dawać można zawsze, bez względu na okazję. Jeśli prezenty pojawiają się tylko na Gwiazdkę, to dziecko odnosi mylne wrażenie, że dawać należy tylko na Gwiazdkę. Dlatego dawaj prezenty przez cały rok i zawsze staraj się w to zaangażować swojego malca. W tym wieku dzieci uwielbiają wrzucać monety do różnych puszek i skarbonek. Pozwól więc swojemu brzdącowi wrzucić drobne do skarbonki Czerwonego Krzyża czy na tacę w kościele. Wyjaśnij krótko i bez zbędnych wstrząsających szczegółów, na co te pieniądze zostaną przekazane (żeby pomóc wyzdrowieć chorym dzieciom, żeby wybudować nowy kościół). Oczywiście na początku będziesz musiała sponsorować datki twego dziecka, ale później należy je zachęcać, żeby dawało z własnego kieszonkowego lub, dużo później, z zarobionych przez siebie pieniędzy. Jeżeli masz zabawki i ubranka, z których twoje dzieci już wyrosły, poproś malucha o pomoc przy ich pakowaniu i wyjaśnij, że dajecie je innym dzieciom, które ich potrzebują. Namów dziecko, żeby coś narysowało, i dołączcie to do paczki. Robiąc cotygodniowe zakupy, zaproponuj dziecku, żeby wybrało coś dla bezdomnych i razem zanieście to do siedziby opieki społecznej.

Dawaj siebie. Biedni potrzebują pieniędzy, ale potrzebują również twego czasu i wysiłku. Twoja pociecha też nauczy się więcej, jeśli dasz jej dobry przykład i zrobicie coś razem niż z samego tylko dawania pieniędzy. Upieczcie ciasteczka i wyjaśnij dziecku, że zaniesiecie je chorym dzieciom do szpitala. Upieczcie dodatkowe ciasto na Wielkanoc i zanieście je do stołówki dla biednych (upewnij się najpierw, czy przyjmują tam taką formę pomocy). Raz w miesiącu zgłoście się do pomocy w organizowaniu obiadów w schronisku dla bezdomnych albo w dostarczaniu ich ludziom samotnym, przykutym do łóżka. Dziecko zauważy, że jesteś zaangażowana i na pewno wywrze to na nim długotrwałe wrażenie. Kiedy podrośnie i będzie w stanie samo pomóc, nie będzie zbyt onieśmielone, żeby zgłosić się na ochotnika. Udzielajcie się całą rodziną: zaproponujcie jakiejś starszej osobie, której rodzina mieszka zbyt daleko, że możecie ją odwiedzać. Weźcie udział w imprezie na cele charytatywne. Spędźcie popołudnie, biorąc udział w akcji sprzątania pobliskiego parku.

Dawaj z uśmiechem. Dawać można „aż do bólu", pod warunkiem jednak, że ten ból znosi się z uśmiechem. Jeśli twoje dziecko odniesie wrażenie, że dawanie to przyjemność i satysfakcja, a nie ciężki obowiązek, łatwiej mu będzie odczuwać radość, która nierozerwalnie się z tym wiąże.

Nie oczekuj cudów. Istnieje ważny powód, dla którego wczesne dzieciństwo nie ma żadnego świętego patrona — cnota nie przychodzi berbeciom zbyt łatwo. Jako że są one z natury skupione na sobie, trudno oczekiwać, by były wzorami do naśladowania w kwestii dobrych uczynków. Wykaż zrozumienie dla etapu rozwoju, na którym się znajdują, jednocześnie starając się rozwijać wszystkie te pozytywne cechy w sobie. Kto wie, może kiedyś zachowanie twego dziecka potwierdzi przysłowie: „Zbierzesz, coś zasiał".

9

Dwudziesty pierwszy miesiąc

CO TWOJE DZIECKO POTRAFI ROBIĆ

Przed końcem dwudziestego pierwszego miesiąca twoje dziecko powinno umieć:

* zbudować wieżę z 2 klocków (do 20 i 1/2 miesiąca);
* pokazać część ciała, gdy się je o nią zapyta.

Uwaga: Jeśli twoje dziecko nie opanowało jeszcze tych umiejętności, skontaktuj się z lekarzem. Takie tempo rozwoju może być zupełnie normalne dla twojego dziecka, ale musi ono zostać fachowo ocenione. Zgłoś również lekarzowi, jeśli twoje dziecko nie daje się kontrolować, jest niekomunikatywne, nadpobudliwe, zbyt bierne, zamknięte w sobie, do wszystkiego negatywnie nastawione, gdy jest bardzo wymagające bądź wyjątkowo uparte. (Pamiętaj, że dziecko urodzone jako wcześniak często pozostaje w tyle za swoimi rówieśnikami urodzonymi o czasie. Te różnice rozwojowe stopniowo się zmniejszają i zwykle całkowicie zanikają pod koniec drugiego roku życia.)

Przed końcem dwudziestego pierwszego miesiąca twoje dziecko prawdopodobnie będzie umiało:

* kopnąć piłkę;
* rozpoznawać 2 obrazki;
* samodzielnie się rozebrać.

Przed końcem dwudziestego pierwszego miesiąca twoje dziecko być może będzie umiało:

* z pomocą mamy umyć zęby.

Przed końcem dwudziestego pierwszego miesiąca twoje dziecko może nawet umieć:

* ubrać się.

CO MOŻE CIĘ NIEPOKOIĆ

OBSERWATOR

Martwimy się, bo nasza córeczka nigdy nie włącza się do zabaw innych maluchów. Tylko przygląda się z boku.

To, że wasza córeczka nie bierze bezpośredniego udziału w zabawie, nie oznacza, że w ogóle w niej nie uczestniczy. Naukowcy obliczyli, że aż 20% okresu czuwania małe dzieci poświęcają na obserwację. Właściwie spędzają one więcej czasu na przyglądaniu się przedmiotom, ludziom i wydarzeniom niż na kontaktach społecznych. W wieku około dwóch lat czas poświęcany na interakcje społeczne wzrasta do około 20%, a na obserwację spada do 14% — ciągle jeszcze dość znaczny okres. Jest więc jasne, że obserwacja zajmuje dzieciom wiele czasu, tak że często wydaje się, zwłaszcza na początku, że jest to jedyna forma ich udziału w zabawie.

Chociaż niektóre szczególnie towarzyskie dzieci (jak również dorośli) bez wysiłku włączają

Niektóre maluchy czują się lepiej, jeżeli z boku przyglądają się różnym wydarzeniom, przynajmniej dopóki ich dokładnie nie ocenią. Namawianie, by przyłączyły się do zabawy, gdy one wolą tylko poobserwować, może takie dzieci zupełnie zniechęcić do udziału w zabawach.

się w wir wydarzeń, bez względu na to, czy jest to gra, rozmowa czy inne działanie, to jednak wiele musi się najpierw przyjrzeć wszystkiemu z zewnątrz, nim podejmie jakąkolwiek decyzję.

Wasza córka może nigdy nie być duszą towarzystwa, ale możecie jej pomóc rozwinąć się społecznie, jeśli dacie jej wiele:

Czasu. Jeśli malec potrzebuje dużo czasu, żeby się „rozgrzać" i ocenić sytuację, pozwólcie mu na to. To, co tobie może się wydawać czasem zupełnie zmarnowanym, dla niego może stanowić bardzo cenne doświadczenie.

Przestrzeni. Nie „wiś" stale nad swoim dzieckiem, kiedy ono przygląda się rówieśnikom. Nie popędzaj go, żeby dołączyło do innych. Popychanie go na siłę, żeby włączyło się do zabawy na nic się nie zda, dziecko może się nawet zbuntować i zupełnie zamknąć w sobie.

Akceptacji. Osobowość dziecka jest bardzo ważnym elementem jego tożsamości. Jeśli spróbujesz ją zmienić, dziecko może myśleć, że jest nieprzystosowane do waszych oczekiwań („Coś musi być ze mną nie w porządku, jeśli nie mogę być taka, jak by chcieli tatuś i mamusia"). Lepiej dajcie córce odczuć, że akceptujecie i szanujecie ją taką, jaka jest. Poprzez swoje zachowanie i słowa pokażcie, że uznajecie jej stosunek do zabaw z innymi dziećmi w tym samym stopniu, co zachowanie dziecka towarzyskiego. Dzieci ruchliwe i aktywne mogą wyrosnąć na polityków i dyrektorów, a obserwatorzy, tacy jak wasza córka, mogą stać się dziennikarzami i naukowcami, którzy ich opisują i badają.

Wsparcia. Bądź u boku swego dziecka, kiedy będzie wyglądać na niepewne, zawstydzone czy onieśmielone w towarzystwie. Zapewnij mu nie wzbudzające lęku spotkania i zabawy z jednym tylko rówieśnikiem. Aby pomóc dziecku opanować nieśmiałość, zapoznaj się z radami na str. 345; na temat zachowania w nowych sytuacjach piszemy na str. 219.

POŁYKANIE PRZEDMIOTÓW

Nasz syn znalazł na placu zabaw monetę, włożył ją do ust i zanim zdążyłam go powstrzymać, połknął ją. Wydaje się, że nic mu nie jest. Co powinnam zrobić?

Czekać. Jeśli malec nie ma kłopotów z oddychaniem i przełykaniem, nie kaszle, nie krztusi się i nie skarży się na bóle w klatce piersiowej, najlepiej przez następne parę dni pilnie obserwować stolce. Najczęściej połknięte monety i inne niewielkie przedmioty wydostają się tą drogą. Jeśli w ciągu kilku najbliższych dni u dziecka pojawi się gorączka lub jeśli moneta po czterech lub pięciu dniach nie pojawi się w pieluszce ani w nocniczku, poradź się lekarza. Może będzie trzeba zrobić prześwietlenie, żeby sprawdzić, gdzie moneta utknęła. W niektórych przypadkach może być wskazane usunięcie przedmiotu za pomocą endoskopu (wkładanego do przełyku elastycznego instrumentu, który pozwala lekarzowi zobaczyć, co jest w środku). Interwencja chirurgiczna może być konieczna, jeśli przedmiot znacznych rozmiarów zatrzyma się w przewodzie pokarmowym.

Zawsze jednak, jeśli maluch po połknięciu ciała obcego kaszle, ma kłopoty z przełykaniem lub odczuwa bóle w klatce piersiowej, trzeba natychmiast wezwać lekarza lub pojechać na pogotowie. (Na temat pierwszej pomocy, gdy dziecko krztusi się — patrz str. 581.) Należy również szukać natychmiastowej pomocy lekarskiej, jeśli przedmiot był ostry (szpilka, igła, ość, zabawka o ostrych brzegach) lub niebezpieczny w inny sposób (np. bateria guzikowa). Czasami rodzice lub opiekunowie nie wiedzą, że ich dziecko włożyło coś do buzi i połknęło lub krztusi się tym. Jeśli zaobserwujesz u swojego malca wyżej opisane objawy, powinnaś wziąć pod uwagę, że to się mogło stać. Wezwij wówczas lekarza.

WKŁADANIE PRZEDMIOTÓW DO RÓŻNYCH OTWORÓW W CIELE

Nasza córka ciągle wkłada sobie coś (jedzenie, zabawki, kredki) tam, gdzie nie trzeba, np. do nosa, ust, uszu. Boję się, że może się pokaleczyć.

Każdy otwór, który dokądś wiedzie, budzi ogromne zainteresowanie maluchów. I chociaż badanie sobie uszu, nosa i ust (a czasami i innych otworów w ciele[1]) może niepokoić rodziców, jest rzeczą zupełnie normalną.

Normalną, lecz nie pozbawioną niebezpieczeństwa. Wtykanie czegoś do ucha może spowodować przebicie bębenka, do nosa — krwawienie lub infekcję, do ust — zakrztuszenie lub zatrucie, do pochwy — infekcję. Jeśli przedmiot jest gorący lub żrący, może spowodować poparzenie.

Chociaż zachęcanie dzieci do poznawania świata jest ważne, to trzeba pamiętać, żeby zabezpieczyć je przed skutkami ich własnej ciekawości. Jeśli zauważysz, że twój malec wkłada sobie coś tam, gdzie nie trzeba, wyjaśnij mu, że to niebezpieczne, i powiedz, do czego służy dany przedmiot („Rodzynki się je, a nie wkłada do noska"). Zabierz mu ten przedmiot, jeśli dziecko nie reaguje na zwracanie uwagi lub jeśli przedmiot jest niebezpieczny i maluch w ogóle nie powinien się nim bawić (np. nóż do otwierania listów lub przycisk do papieru). Nie wzbudzaj w malcu poczucia winy ani nie mów mu, że był niegrzeczny.

Czasem zdarza się, że dziecko w chwili, kiedy rodzice nie zwracają na nie uwagi, włoży sobie coś do nosa, ucha lub, rzadziej, do pochwy. Można przypuszczać, że tak się stało, jeśli z otworu wydobywa się brzydki zapach lub nieznana wydzielina (niekoniecznie krwawa), lub jeśli dziecko skarży się na ból w tym miejscu. Wskazówki, jak bezpiecznie usunąć ciało obce, którego nie można łatwo chwycić, i co zrobić w przypadku wynikłych obrażeń, znajdują się na str. 564.

ZMARTWIENIA ZWIĄZANE Z PENISEM

Od kiedy nasz syn zobaczył swoją maleńką siostrzyczkę nago i zauważył, że ona nie ma penisa, boi się, że może stracić swojego.

Jest to bardzo często spotykany lęk, zwłaszcza u chłopców, którym urodziła się mała siostrzyczka. Taki lęk można szybko usunąć, przeprowadzając krótką lekcję biologii. Wyjaśnij synowi, że chłopcy rodzą się z penisami i nigdy ich nie tracą, a dziewczynki rodzą się z pochwami i też nigdy ich nie tracą. Bardzo prosta książeczka dla dzieci o budowie ciała ludzkiego, która pokazuje różnice między chłopczykiem a dziewczynką i między kobietą a mężczyzną, pomoże unaocznić dziecku ten problem i powinna je uspokoić.

[1] Zdarza się, że niektóre dzieci, bez względu na płeć, badają sobie odbyt.

Czas na naukę

Dla małego dziecka istnieje tylko czas teraźniejszy. „Wczoraj", „dziś", „rano", „jutro", „wieczorem", „za chwilę", „później" — to wszystko słowa bez większego znaczenia. Minuty nie różnią się od godzin, a godziny od dni. Nie można oczekiwać od takiego malca, by pośpieszył się, gdy powiesz: „Mamy mało czasu", lub by był cierpliwy, gdy każesz mu czekać. Dziecko w tym wieku nie jest w stanie zrozumieć tych pojęć ani też się im podporządkować.

W połowie drugiego roku życia większość maluchów skupia się na teraźniejszości. Przeszłość i przyszłość nadal są dla nich niezrozumiałe. „Teraz" chcą jeść albo żeby mama wróciła do domu, albo wyjść na dwór, albo pojechać do babci. Ale wraz ze zbliżaniem się drugich urodzin następuje duży skok w rozumieniu pojęcia czasu. Dzieci zaczynają rozumieć „wkrótce" i „później". W wieku trzech lat, kiedy to oddzielają się pojęcia „dzisiaj", „wczoraj" i „jutro", następuje dalszy postęp. Granice między nimi nie są jednak zbyt wyraźne. Wiele dzieci używa słowa „wczoraj" w znaczeniu „kiedykolwiek w przeszłości". Niektóre dzieci bez zająknienia używają również słowa „jutro", ale prawdziwe rozumienie tego pojęcia pojawi się dopiero w rok lub dwa później. Ponieważ pojęcie czasu jako nieprzerwanej linii wyklarowuje się dopiero w wieku około sześciu lat, dziecko nie będzie przywiązywać żadnego znaczenia do zegarka aż do wczesnych lat szkolnych. Tymczasem możesz pomóc mu w uczeniu się tych pojęć, stosując się do następujących wskazówek:

Powtarzaj tę samą wiadomość dwa lub trzy razy. Kiedy rozmawiasz ze swoim maluchem, opisuj czas na parę sposobów, jeśli to tylko możliwe, np.: „Pójdziemy na dwór po południu, zaraz po twojej południowej drzemce" albo: „Dziś rano, zaraz po śniadaniu przyjdzie Joasia i będziecie się mogły pobawić". Starszemu dziecku możesz podać dokładną godzinę: „Pójdziemy na dwór dziś po południu, o pierwszej, zaraz po obiadku".

Wypracuj jakiś porządek. Przedstaw dziecku swój plan dnia w sposób uporządkowany: „Najpierw pójdziemy do sklepu, potem do biblioteki, a potem zjemy obiadek" albo: „Najpierw się wykąpiemy, potem zjemy ciasteczka i wypijemy mleko, a na końcu mamusia opowie ci bajkę". Możesz też zacząć wprowadzać pojęcia „przed", „zanim" i „po" („Zjemy coś, zanim pójdziemy do parku", „Sara z mamą przyjdą do nas po śniadaniu") oraz „wkrótce", „niedługo" i „później" („Niedługo będzie trzeba posprzątać klocki w twoim pokoju" lub: „Później upieczemy placek"). Ale nie spodziewaj się, że twój malec będzie rozróżniał wszelkie niuanse znaczeniowe tych słów.

Używaj pomocy wizualnych. Konkretne przykłady pomogą twojemu dziecku ująć przeszłość w perspektywę przemijania, upływu czasu. Pokaż mu jego zdjęcia z przeszłości („Przedtem byłaś taka maleńka") i najnowsze („A teraz jesteś taka duża"). Kiedy przeczytacie książeczkę, streść ją w porządku chronologicznym („Najpierw chłopczyk poszedł popływać, potem bawił się w parku, a na końcu wrócił do domu i zjadł lody"). Jeśli twoje dziecko musi na coś poczekać, nastaw zegar kuchenny, żeby zilustrować upływ czasu. („Nastawię ten zegar na pięć minut, jak zadzwoni, będę mogła z tobą malować").

Wyraźnie zaznacz różnice między dniami tygodnia. Rozróżnianie dni tygodnia będzie dla twego dziecka łatwiejsze, jeśli każdy dzień będzie się łączył z inną czynnością: „W poniedziałki chodzimy na plac zabaw, we wtorki do biblioteki, w niedziele jeździmy do babci". Duży ścienny plan tygodnia z przyklejonymi obrazkami regularnie powtarzanych czynności lub ich symbolami też mogą ułatwić zrozumienie pojęcia regularności czasu. Pamiętaj, żeby rozmawiać z dzieckiem o najważniejszych wydarzeniach dnia wczorajszego („Wczoraj jedliśmy obiadek poza domem"), dzisiejszego („Dzisiaj byliśmy w muzeum") i planach na jutro („Jutro pójdziemy do Bartka"). Jeśli twój malec nie może się doczekać wizyty ukochanej cioci, która ma przyjechać za dwa dni, spraw, by dzień jej przyjazdu wydał się bardziej namacalny: „Jeszcze dwie noce i ciocia Ania będzie z nami".

ZAZDROŚĆ I CIEKAWOŚĆ ZWIĄZANE Z PENISEM

Wczoraj wieczorem wykąpałem się razem z naszym synem, który bardzo się zdenerwował, kiedy zobaczył, że jego penis jest mniejszy niż mój. Nie wiedziałem, co mu powiedzieć.

Powiedz mu prawdę. Jego penis jest mniejszy, bo on jest małym chłopcem. Pokaż mu, że jego dłonie, stopy, ręce, nogi i usta też są mniejsze z tego samego powodu. Pokaż mu w lustrze różnicę między wielkością waszych nosów i zębów. Porównajcie rozmiary waszych dłoni, stóp i paznokci.

Wyjaśnij, że wszystkie te części ciała będą

rosły razem z nim i kiedy on już wyrośnie na dorosłego mężczyznę, będą mniej więcej tej samej wielkości co twoje. Prosta książeczka ilustrująca fizyczne różnice między chłopcem a mężczyzną, a także twoje zdjęcia z dzieciństwa pomogą mu zrozumieć proces wzrostu.

Kiedy ostatnio nasza córeczka poszła bawić się z dziećmi, widziała, jak jakiemuś chłopcu zmieniano pieluszkę. Zaniepokoił ją widok penisa i teraz martwi się, że ona czegoś takiego nie ma.

Dla malucha najważniejszą rzeczą jest posiadanie i dlatego zazdrości wszystkiego, czego nie ma. Dotyczy to zabawek, słodyczy, miejsca w piaskownicy i części ciała. Kiedy małe dziecko zda sobie sprawę, że w tej ostatniej dziedzinie też można coś mieć lub czegoś nie mieć, często drażni je ta nierówność społeczna.

Nie czas jeszcze na dokładne informacje o „ptaszkach i bułeczkach" i nie należy o tym mówić, dopóki dziecko samo nie zapyta, ale wtedy trzeba być na to przygotowanym (patrz str. 358). Na razie powinno się dziecko trochę uspokoić i wyjaśnić, że chłopcy (i mężczyźni, tacy jak tatuś) mają penisy, a dziewczynki (i kobiety, jak mamusia) mają pochwy. Chłopcy różnią się od dziewczynek i tak po prostu jest.

Prosta książka dostosowana do wieku dziecka utrwali udzielone przez ciebie informacje.

CAŁOWANIE W USTA

Czy możemy nadal całować naszą córeczkę w usta? Moja teściowa mówi, że to niezdrowe.

Sposób okazywania czułości, który jednym rodzicom wydaje się naturalny, inni mogą uznać za niewłaściwy. Wpływ na to mają osobowość, uwarunkowania społeczne, wychowanie i inne obciążenia zebrane na drodze do rodzicielstwa.

Jeśli uważacie, że delikatne całowanie waszej córki w usta (pod warunkiem, że nikt z was nie ma na myśli nic lubieżnego) jest w porządku, to znaczy, że jest w porządku, zwłaszcza że to jeszcze takie małe dziecko. Zbyt mocne pocałunki są oczywiście niewłaściwe. Jeśli jednak czujecie się nieswojo, nawet ledwo muskając usta dziecka, możecie ją całować w policzek lub w czoło.

OKAZYWANIE UCZUĆ

Nasze starsze dziecko bardzo lubi pieszczoty i przytulanie sprawia mu wyraźną przyjemność. Za to nasze młodsze dziecko wyraźnie robi nam łaskę, gdy się pozwoli przytulić.

Jeszcze jeden dowód na to, że nawet w tej samej rodzinie nie znajdzie się dwojga takich samych dzieci. Niektóre są towarzyskie, a inne nieśmiałe. Niektóre płaczą przy najmniejszym afroncie, a inne prawie wcale. Niektóre lubią pieszczoty, a inne nie. Takie różnice są w zupełności normalne i rodzice powinni je szanować. Jeśli wasze dziecko (w dowolnym wieku) sztywnieje, kurczy się lub w inny sposób okazuje niechęć do nadmiernego okazywania czułości, uszanujcie to. Niektóre dzieci lubią się przytulać w domu, ale przykrość sprawia im robienie tego w miejscach publicznych. To też należy respektować. Jeśli jednak wasze dziecko nigdy nie pozwala się dotykać ani trzymać na rękach i wydaje się zarówno fizycznie, jak i emocjonalnie niedostępne, skontaktujcie się z lekarzem.

Oboje z żoną nie wiemy, jakie są granice okazywania czułości naszej małej córeczce. Tyle się słyszy o seksualnym wykorzystywaniu dzieci, że człowiek się boi, iż przytulenie czy klepnięcie po pupie może być nie na miejscu.

Dotyk to bardzo ważny element związków uczuciowych. Nawet wśród zwierząt z rodziny naczelnych młode nie rozwijają się normalnie bez stałego fizycznego kontaktu z matką.

Ale istnieją pewne granice. Należy unikać dotykania, które jest dla dziecka przykre, czy to ze względu na rodzaj przytulania, czy jego intensywność. Również dotknięcie, które podnieca dorosłego lub dziecko seksualnie, jest niezdrowe. Jeśli czujesz, że chciałbyś dotykać swoje dziecko właśnie w ten sposób, natychmiast zwróć się po poradę lekarską. Jeśli tak nie jest, możecie się ściskać i przytulać do woli.

PROBLEM Z KOCHANIEM DZIECKA

Wiem, że kocham moje dziecko, ale czasami ono jest takie nieznośne i niemiłe, że wydaje mi się, iż dłużej go nie zniosę.

Nie ma takiego okresu w życiu dziecka, poza wiekiem dojrzewania, który wystawiałby rodziców na większą próbę niż wczesne dzieciństwo. (Zawsze można się pocieszać, że dziecko nie ma jeszcze samochodu, dziewczyny i trądziku.) Przekora, niechęć do współpracy, wojowniczość, irracjonalne zachowanie czyhają tylko, żeby wypróbować twoje postanowienie zachowania spokoju i opanowania, żeby zniechęcić cię do

Nie jesteś sam

Tylko tobie się zdarza, że twój maluch rzuci się na ziemię na środku chodnika, krzycząc i wierzgając. Tylko twoje dziecko nie chce włożyć butów i płaszczyka w śnieżny, styczniowy dzień. Tylko twoje dziecko potrafi w sklepie wywrócić całą półkę ze słodyczami. Tak ci się przynajmniej wydaje. Ale prawda jest taka, że wszystkie dzieci sprawiają kłopoty, przynajmniej raz na jakiś czas. Rozejrzyj się wokół, a zauważysz, że to nie tylko twój okropny brzdąc ma trudne chwile. Wszyscy rodzice małych dzieci mają te same kłopoty. Po prostu bardziej cię denerwuje, kiedy to twoje dziecko się źle zachowuje; wobec innych jesteś bardziej tolerancyjna (w końcu, jeśli to jakiś inny maluch leży na chodniku, krzycząc i wierzgając, to cię wcale nie dotyczy.)

Jeśli tysiące spraw poruszonych w tej książce, o które pyta tak wielu rodziców, nie przekonują cię, że nie jesteś sam, możesz dołączyć do istniejących grup wzajemnego wspierania się albo taką grupę zorganizować. Na pewno ci ulży, jeśli będziesz się spotykać z innymi rodzicami i na własne oczy przekonasz się, że inne dzieci też miewają napady złości albo że nie chcą włożyć płaszczyka. Pozwoli ci to na wymianę nie tylko problemów, ale i sposobów ich rozwiązywania.

To, że zdasz sobie sprawę, że nie tylko ty masz kłopoty ze swoim maluchem, nie zamieni twego życia w bajkę, ale może pomóc w przetrwaniu najtrudniejszych chwil. Pamiętanie o tym, że inne dzieci też przechodzą trudne chwile, pozwoli ci zachować dystans i spokój, kiedy twoje będzie miało zły dzień. Pozwoli ci to również pozbyć się poczucia winy, kary, poczucia, że jesteś prześladowana, i uwolni cię od zadawania sobie pytań: „Dlaczego ja?" lub: „Co zrobiłam nie tak?"

zachowywania się odpowiednio do twojego wieku, żeby osłabić twoją wolę zachowania dystansu. I w końcu zmuszą cię do powątpiewania w twoją miłość do dziecka, które przecież obiecywałaś sobie kochać bez żadnych zastrzeżeń.

Nie tylko ty stajesz przed dylematem niepewności uczuć. Niektóre dzieci sprawiają mniej kłopotów, inne zaś są trudne. Ale niewielu jest rodziców, którzy choć raz w życiu nie przekonali się, że z ich dzieckiem trudno wytrzymać, a czasem nawet trudno je kochać. Nie ma więc powodu, by czuć się winnym i wpadać w rozpacz. Na pewno przeżyjecie jakoś te trudne czasy, a kiedyś może będziecie je wspominać z rozczuleniem lub choćby z rozbawieniem. A pomyśl tylko — zostało ci jeszcze dobre dziesięciolecie, zanim rozpocznie się typowa dla wieku nastoletniego walka podporządkowania z niezależnością.

Tymczasem ciesz się dobrymi chwilami swojego malca, choćby ich było niewiele, i staraj się, o ile to możliwe, nie zwracać uwagi na złe momenty. Jeśli dziecko zauważy, że poświęcasz mu więcej uwagi, kiedy jest grzeczne, może dojdzie do wniosku, że lepiej nie broić. Kiedy sprawia, że tracisz nerwy, postaraj się skierować swoją złość na jego zachowanie, a nie na dziecko. To pomoże wam lepiej radzić sobie ze swoimi uczuciami. Ustalenie wyraźnych granic i przestrzeganie ich oraz innych metod utrzymywania dyscypliny (patrz str. 125) powinno ograniczyć zachowania niepożądane i ułatwić ci życie. Wraz z upływem czasu twoja pociecha wyrośnie z zachowań typowych dla małych dzieci.

I nie zapominaj tego znanego sloganu: „Czy przytuliłeś już dzisiaj swoje dziecko?" Terapia codziennego przytulania: przytulaj, głaszcz, całuj i ściskaj swoje dziecko tyle razy dziennie, ile się tylko da. Przytulaj je, kiedy tylko poczujesz na to ochotę, a nawet częściej. Kiedy przepełniają cię wrogie uczucia, a zachowanie twego malca jest szczególnie skandaliczne, wyciągnij rękę i zbliż się do niego. Poklepanie po karku, pogłaskanie policzka czy niespodziewane objęcie dziecka może czasem zdziałać cuda, rozwiać złość i wszelkie negatywne uczucia oraz zamienić trudne chwile w radosne popołudnie. Trzeba przyznać, że to nie zawsze działa, ale zawsze warto spróbować.

Oczywiście trzeba pamiętać, że nie wszystkie dzieci lubią być dotykane, dlatego należy dostosować swoje czułości do wymagań malca. Jeśli wykręca się z twoich uścisków, może wystarczy „przybić piątkę" albo „pogłaskać" je tylko słownie. Znajdź jakiś sposób, żeby przypomnieć jemu i sobie, że je kochasz.

Chociaż sporadyczne odczuwanie gniewu w stosunku do dziecka jest normalne, stały antagonizm lub tak silny, że ma się ochotę mu poddać, nie jest rzeczą naturalną. Porozmawiaj z lekarzem, jeśli twoja złość jest tak intensywna, że mogłabyś uderzyć malucha, lub jeśli masz wrażenie, że się od niego oddalasz. Jeżeli kiedykolwiek poczujesz, że jesteś tak zdenerwowana, iż mogłabyś uderzyć lub obrzucić dziecko obelgami, przeczytaj na str. 638, jak opanować nerwy. Jeśli czujesz, że tracisz panowanie i możesz zrobić swemu dziecku krzywdę, zadzwoń do telefonu zaufania dla rodziców, miej zawsze ten numer w pobliżu telefonu, lub poproś sąsiadkę albo opiekunkę do dziecka, żeby zajęła się małym, a ty spróbuj w tym czasie ochłonąć.

IDENTYFIKACJA Z PŁCIĄ

Martwimy się, bo nasz syn nie chce się bawić samochodami i ciężarówkami. Woli zabawy w „udawanki" i zabawy lalkami i pluszowymi zabawkami. Wybiera też na swoich przyjaciół małe dziewczynki.

W tym wieku większość chłopców zachowuje się jak chłopcy, a większość dziewczynek jak dziewczynki. Ale czasami zdarza się, że dzieci przekraczają tradycyjne linie podziału między płciami. Niekiedy niektórzy mniej agresywni chłopcy wolą bawić się z dziewczynkami, bo chłopcy, których znają, zachowują się zbyt brutalnie. Albo też bawią się z dziewczynkami, bo są ich jedynymi rówieśnikami. Mogą wówczas preferować lalki i misie, bo tym właśnie bawią się ich koleżanki, chociaż mogą ich używać nieco inaczej niż dziewczynki, udając, że jakaś lalka jest wielkim bohaterem, a nie nowo narodzonym maleństwem. Czasem chłopcy przekraczają linie podziału między płciami, ponieważ naśladują swoje starsze siostry lub też z czystej ciekawości.

W trzecim roku życia dzieci rozwijają silne poczucie własnej osoby i tego, kim zostaną w przyszłości. Większość chłopców zwraca się wówczas w kierunku „męskich" przyjaźni i tradycyjnych „męskich" zabawek i gier. Ale nawet wtedy współcześni chłopcy w wieku przedszkolnym, w przeciwieństwie do swoich rówieśników sprzed lat, mogą chętnie dołączyć do zabawy w dom, przynajmniej od czasu do czasu. Wielu z nich, naśladując zachowanie swoich ojców, będzie kołysać i kąpać lalkę, mruczeć kołysankę i podawać butelkę z mlekiem albo piec kołacz z miodem dla Misia Puchatka. Małego chłopca, który wykazuje takie opiekuńcze zachowania, powinno się chwalić za to, że jest dobrym tatusiem, a nie dokuczać mu, że bawi się w mamusię.

Nie należy też zmuszać chłopców, żeby zamienili się w małe urwisy. Chociaż wszystkie dzieci powinno się zachęcać do aktywności fizycznej, chłopcy, którzy wolą rysować, oglądać obrazki czy bawić się w dom, nie powinni być karani za swoje preferencje. Prawdziwi mężczyźni również czytają, piszą, malują i pomagają w domu. Prawdziwi mężczyźni zostają pisarzami, lekarzami, naukowcami, biznesmenami, artystami i rodzicami, a nie tylko zawodowymi sportowcami.

Wielu rodzicom, którzy zauważą, że ich syn przekracza tradycyjne linie podziału między płciami, wydaje się, że ich dziecko wykazuje tendencje homoseksualne. Ale za wcześnie jeszcze na takie wnioski. Dopiero w wieku trzech lat ustalają się zachowania typowe dla danej płci. A nawet wówczas wybór zabawek nie świadczy o późniejszych preferencjach seksualnych[2].

Nasza córka rozrabia z chłopcami, kiedy inne dziewczynki w jej wieku wożą lalki w wózkach. Raz nawet powiedziała, że chce być chłopcem.

Wczesne dzieciństwo to dla człowieka czas wielkich odkryć i to na wielu polach: naukowym, towarzyskim i intelektualnym. Ale najważniejsze jest odkrywanie samego siebie. I w większości dokonuje się go, eksperymentując.

O ile rodzice zwykle pochwalają eksperymenty na polu naukowym i intelektualnym (chyba że polegają one na rozlewaniu hektolitrów soku na dywanie w pokoju gościnnym), o tyle zazwyczaj przerywają te związane z własną płcią. Jednakże te eksperymenty są również normalne i potrzebne.

Być może wasza córka chce tylko sprawdzić, jak żyje ta druga połowa ludzkości, a niekoniecznie chce sama taka być już na zawsze. Być może jej ciekawość pobudziły zabawy z chłopcami; na pewno zauważyła, że chłopcom wolno robić różne rzeczy, na które jej się nigdy nie pozwala. Zazdrość na tle płci mogła się pojawić również dlatego, że odmawia się dziewczynce tradycyjnie chłopięcych zabawek, które wzbudziły jej zainteresowanie (np. kolejka elektryczna lub klocki), lub też dlatego, że zmusza się ją do noszenia falbaniastych sukieneczek, kiedy jej jest wygodniej w dresie lub kombinezonie. Mogła też powiedzieć, że chce być chłopcem po to tylko, żeby sprawdzić waszą reakcję — straszenie rodziców sprawia czasem maluchom perwersyjną wprost przyjemność; możliwe też, że odezwał się w niej duch przekory i chciała was zdenerwować. Cokolwiek jest przyczyną, zachowanie waszej córki nie powinno wzbudzać niepokoju.

Nie starajcie się walczyć ani nawet krytykować tych eksperymentów waszej córki. Dajcie jej tyle wolności, ile dalibyście synowi. Pozwólcie się jej bawić tak, jak chce, zamiast stale ją upominać: „Dziewczynki tego nie robią". Zachęcajcie ją, aby bawiła się, z kim chce (organizujcie spotkania zarówno z chłopcami, jak i z dziewczynkami, jeśli tego sobie życzy), i noszenia rzeczy, jakie chce. Równocześnie zapewnijcie jej pozytywne wzorce zachowań kobiecych, a na pewno szybko odkryje, że chce być dziewczynką.

---

[2] Jeżeli jednak rodzice trzylatka, który bawi się tylko i wyłącznie lalkami, unika innych chłopców i stale chce się przebierać w dziewczęce łaszki, mają pewne wątpliwości, rozwiać je może pediatra.

Jeżeli po skończeniu trzech lat, kiedy to u dzieci rozwija się silna identyfikacja z własną płcią, wasza córka nadal będzie niezadowolona z bycia dziewczynką i będzie chciała być chłopcem, porozmawiajcie o swoich wątpliwościach z lekarzem.

Mój syn ciągle tylko bawiłby się samochodzikami i ciężarówkami, a nie chce się bawić lalkami, które mu kupiłam, chyba że nimi rzuca.

Możesz zaprowadzić dwuletniego chłopca do wózka z lalkami, możesz też pokazać dwuletniej dziewczynce garaż z samochodzikami, ale nie zmusisz ich, żeby się nimi bawili. Jeśli w końcu chłopiec da się namówić na zabawę lalką, to po to, żeby rzucić ją i zobaczyć, jak spada, a dziewczynka użyje samochodzika, żeby zabrać lalki na przejażdżkę. O tym właśnie, ku swemu niezmiernemu rozczarowaniu, przekonuje się coraz więcej nowoczesnych rodziców, kupujących swoim synkom lalki, a córeczkom samochodziki. Stereotypy dotyczące płci są silniejsze, niż nam się wydaje.

Ile w naszych zachowaniach zależy od natury, a ile od wychowania? Nasza wiedza na temat stereotypów związanych z płcią znacznie się w ostatnich czasach rozwinęła. Badania wykazują, że rodzice inaczej zachowują się w stosunku do dziewczynek niż do chłopców od samego początku, dotykając niemowlaków-dziewczynek z większą czułością niż chłopców i szybciej reagując na płacz dziewczynek niż chłopców. Dziewczynki się więcej pieści i do nich gaworzy, w kontaktach z chłopcami zaś więcej jest agresji i przekory. Dziewczynkom mówi się: „Jaka z ciebie słodka, maleńka dziewczynka", a do chłopców: „Ale z ciebie duży i silny chłopak". W późniejszym wieku na dziewczynki nakłada się więcej ograniczeń, a chłopcom daje się więcej wolności. Rodzice chętnie odpowiadają dziewczynkom i rozwiązują ich problemy, natomiast chłopców zachęca się, żeby „sami pomyśleli". W rozmowach z dziewczynkami używa się więcej słów związanych z emocjami, podczas gdy do chłopców mówi się raczej o przedmiotach, a nie o uczuciach.

Chociaż niektóre oczekiwania wiążą się z różnicami związanymi z rolami społecznymi mężczyzn i kobiet, istnieją również pewne uwarunkowania biologiczne, które sprawiają, że wielu specjalistów uważa, iż skłonności do wychowywania dziewczynek inaczej niż chłopców wynikają, przynajmniej częściowo, z różnic w ich zachowaniu. Różnice w budowie mózgu i w gospodarce hormonalnej uwidoczniają się w temperamencie i zachowaniu dzieci już od urodzenia. Ogólnie rzecz biorąc, chłopcy są żywsi i bardziej aktywni fizycznie, a nowo narodzone dziewczynki są spokojniejsze i szybciej reagują na widok twarzy i na głosy. Zazwyczaj chłopcy są bardziej agresywni, a dziewczynki — towarzyskie; chłopców bardziej interesują przedmioty, a dziewczynki — ludzie.

Jak wszystkie stereotypy, tak i te związane z płcią opierają się na uogólnieniach. Wiele dziewcząt i chłopców nie pasuje w pełni lub wcale do tych stereotypów. Niektóre dziewczynki wykazują duże zdolności w dziedzinach uznawanych za typowo „chłopięce", takich jak matematyka i mechanika, a niektórzy chłopcy — w typowo dziewczęcych zajęciach, takich jak język i zachowania opiekuńcze. Większość dzieci jednak łatwo dopasować do tradycyjnych wzorców charakterystycznych dla każdej z płci, bez względu na to, jak bardzo ich nowocześni rodzice starają się wychowywać je w warunkach uniwersalnych, za pomocą zabawek, które skonstruowano bez uprzedzeń związanych z płcią.

To, że istnieją różnice między płciami (niektórzy mówią: „niech żyją różnice"), nie oznacza, że któraś z nich jest lepsza od drugiej. Wprost przeciwnie — społeczeństwo jest obecnie gotowe przyznać, że kobiety i mężczyźni są sobie równi, choć się od siebie różnią. Także ogromny wpływ natury nie oznacza, że wychowanie nie ma wpływu na kształtowanie człowieka.

Możecie nadal dawać swojemu synowi różnego rodzaju zabawki, ale nie wywierajcie na niego nacisku, żeby bawił się tym, co go nie interesuje. Im bardziej będziecie go zmuszać, tym większa zrodzi się w nim niechęć. Umożliwcie mu zabawy z dziećmi obu płci, ale nie krzywcie się, jeśli odrzuci towarzystwo dziewczynek. Zachęcajcie go do wyrażania swoich uczuć, tak jak zachęcacie go do szaleństw na placu zabaw. Jeśli to możliwe, nie pomińcie innego ważnego elementu w procesie wychowania opiekuńczego, wrażliwego, bezstronnego mężczyzny — pokażcie mu wzór do naśladowania. Chłopiec wyrastający w domu, w którym mężczyzna dzieli obowiązki domowe, zmienia pieluszki, zabiera dzieci na plac zabaw, czyta bajki, kąpie, całuje, żeby odpędzić smutki, i tuli, kiedy coś boli, ale także umie grać w piłkę, naprawić rower i zrobić zakupy, na pewno wyrobi w sobie pozytywny stosunek zarówno do mężczyzn, jak i do kobiet i zrozumie, że oboje mogą wykonywać te same obowiązki. Jeśli w waszej rodzinie brakuje takiego ojca, poszukajcie takiego wzoru gdzie indziej. Poproś przyjaciela domu lub jakiegoś krewnego, żeby spędzał trochę czasu z twoim synem i przekazał mu te pozytywne uczucia. Albo poszukaj wzoru dla swojego syna w społeczności, w której żyjesz, lub we wspólnocie religijnej, do której należysz; również pediatra może ci pomóc znaleźć model, którego poszukujesz.

KRYTYKOWANIE UCZUĆ SYNA

Mój mąż mówi, że powinniśmy być bardzo twardzi w stosunku do naszego syna, bo nie chce, żeby wyrósł na beksę i maminsynka. Ale ja myślę, że nasz synek jest jeszcze za malutki, żeby już robić z niego mężczyznę.

Mimo że w większości kultur i przez wiele pokoleń wyrażanie własnych uczuć przez mężczyzn uważano za coś niewłaściwego, oni też mają uczucia i nie powinno się ich zniechęcać do ich wyrażania. Prawdę mówiąc, nauczenie się wyrażania uczuć w dzieciństwie jest bardzo ważne dla prawidłowego wzrostu i rozwoju. Dzieci (i to zarówno dziewczynka, jak i chłopiec), które potrafią powiedzieć: „Jest mi smutno", „Czuję się urażony", „Jestem rozczarowana", „Boję się", mają większe szanse, żeby wyrosnąć na zrównoważonych emocjonalnie dorosłych, niż te dzieci, które zmusza się do ukrywania uczuć.

Specjaliści są zgodni co do tego, że nie trzeba ograniczać wrażliwości chłopca i wyrabiać w nim postawy i sposobu myślenia twardziela. Nie chodzi przecież o to, żeby wyrósł na młodego, pewnego siebie mężczyznę, który nie ma kłopotów z identyfikacją z własną płcią. To, że obecnie w naszej kulturze gruboskórni brutale kierujący się zasadą: „Kochaj, a potem rzuć", wypierani są przez bardziej wrażliwych i wyrozumiałych mężczyzn, typu: „Kochaj i zostań z nią", którzy zdolni są do odczuwania bólu i do płaczu, można łatwo zauważyć, obserwując współczesnych bohaterów srebrnego ekranu.

Chociaż uważa się, że temperament i reakcje kobiet i mężczyzn w znacznej mierze są zdeterminowane czynnikami biologicznymi (patrz str. 317), umiejętność i brak umiejętności wyrażania uczuć bierze się, przynajmniej częściowo, z uwarunkowań kulturowych, którym poddani jesteśmy już od kołyski. Badania wykazują, że małym dziewczynkom poświęca się więcej uwagi i więcej się z nimi rozmawia niż z małymi chłopcami. Jest to niesprawiedliwy wzorzec, który powtarza się przez całe dzieciństwo. Na przykład, kiedy dziewczynka spadnie ze swojego trzykołowego rowerka, bierze się ją na ręce, tuli i uspokaja. Kiedy natomiast zdarzy się to chłopcu, sprawdza się tylko, czy sobie nic nie zrobił, poklepie po ramieniu i każe jechać dalej.

Okazywanie uczuć dziecku, które czuje się urażone lub zaniepokojone, i zachęcanie go do opowiedzenia o swoich uczuciach, zarówno dobrych, jak i złych, w żadnej mierze nie przeszkodzi mu wyrosnąć na silnego i pewnego siebie dorosłego człowieka. Takie podejście może nawet pomóc rozbudować wewnętrzną siłę, która drzemie w każdym człowieku. Na pewno nie zamieni ono chłopca w beksę. Pomoże raczej wychować wrażliwego, opiekuńczego człowieka, który zdolny jest nie tylko przyjmować czułość i miłość, ale również je dawać[3]. Po prostu wychować prawdziwego człowieka w najpełniejszym znaczeniu tego słowa.

W ZAWODY Z CÓRKĄ

Nasza córka jest bardzo bystra. Nie chcielibyśmy ograniczać jej rozwoju poprzez narzucanie jej stereotypów związanych z płcią. Co mamy robić, żeby upewnić się, że nie popełniamy tego błędu?

Już zrobiliście ten najważniejszy krok, oświadczając, że tego właśnie chcecie. Drugi krok — rozbudzanie zainteresowań waszej pociechy w wielu dziedzinach (intelektualnych i sportowych) — jest obowiązkiem wszystkich rodziców wobec każdego dziecka, bez względu na płeć. Kiedy wasza córka będzie miała jakiś problem, np. jak wydobyć zabawkę, która wpadła za kanapę, lub jak wcisnąć trójkącik we właściwy otwór, zachęćcie ją do samodzielnego poszukania rozwiązania, a nie spieszcie się z podpowiedziami. Rozszerzajcie jej horyzonty poprzez dostarczanie zabawek i gier pobudzających do myślenia, takich jak układanki, proste gry wyrazowe i liczbowe, podstawowe eksperymenty naukowe, książki, które wyjaśniają, jak i dlaczego coś się dzieje. Nie nakładajcie na nią zakazów obowiązujących tylko jedną płeć — „Nie wchodź do błota, bo się cała ubrudzisz" czy „Ta górka jest dla ciebie za stroma. Nie wchodź tam". Mała dziewczynka, której dziś nie pozwala się dotykać dżdżownicy, bo jest „be", jutro będzie czuła odrazę na lekcjach biologii w szkole. Dziewczynka, której nie pozwala się grać z chłopcami w piłkę, może później czuć niechęć do wszelkich gier sportowych, a nawet do uprawiania sportów w ogóle.

Pamiętając, żeby ją pochwalić za rysunki, sprawność na drabinkach czy zrobienie układanki, nie zapominaj jej pochwalić także za to,

[3] Nie należy jednak przesadzać z okazywaniem czułości i strzec się przed nadopiekuńczością.

że się ładnie ubrała, albo zauważyć, jakie ma śliczne włosy. Popieraj wszelkie zainteresowania córki, które dotyczą tradycyjnie bardziej dziewczęcych dziedzin: lalek, domków dla lalek, balików, dzieci i ubrań. Nie ma dowodów na to, że dziewczynki, które w dzieciństwie bawiły się lalkami, nigdy nie obejmą wysokich stanowisk i że jest to zarezerwowane dla dziewczynek bawiących się samochodzikami. Umniejszanie typowo żeńskich zachowań przy jednoczesnym rozbudzaniu męskich zainteresowań może sprawić, że wasza córka dojdzie do wniosku, że bycie mężczyzną to coś lepszego niż bycie kobietą, a to przecież nieprawda. Może to też wzbudzić w niej poczucie winy i zmusić do prób zahamowania kobiecych instynktów. A jeśli więcej w niej przekory niż posłuszeństwa, może spróbować być najbardziej kobiecym kobieciątkiem pod słońcem.

Najważniejszym elementem w budowaniu poczucia własnej wartości u córki jest zawsze przykład, jaki daje matka. Mała dziewczynka, która widzi w domu zadowoloną z siebie matkę, która wzbudza szacunek innych, bez względu na to, czy pracuje zawodowo, czy też nie, wyrośnie na człowieka dumnego z tego, że jest kobietą. (Więcej na temat ról związanych z płcią znajdziesz na str. 317.)

PISTOLETY I INNE ZABAWKI WOJENNE

Wzdragamy się na myśl, że nasz syn mógłby się bawić pistoletami. Jednak wielu jego kolegów bawi się już zabawkami wojennymi; coraz trudniej odseparować go od tego typu zabawek i brutalnych zachowań z nimi związanych.

Mali chłopcy naśladują żołnierzy, odkąd istnieją żołnierze i wojna. Wielu dzisiejszych rodziców wolałoby jednak wychować gołąbki pokoju niż bojowe sokoły. Dla nich myśl, że ich syn z grzechotki przerzuci się na karabin, jest okropna, zwłaszcza jeśli dokonali przeglądu zabawek wojennych dostępnych na rynku. Ołowiane żołnierzyki i stroje z Dzikiego Zachodu ustąpiły miejsca siejącym śmierć robotom i doskonałym replikom broni maszynowej — zakupy w sklepie zabawkarskim przypominają zakupy w Pentagonie, tyle tylko, że nie ma ochrony z wykrywaczami metali.

Trudno ustalić, w którym momencie nad naturalnymi instynktami chłopca zdobywa przewagę wpływ społeczeństwa. Każdy, kto widział dwulatka wychowywanego przez rodziców pacyfistów, którzy nie kupowali mu zabawek wojennych, nie pozwolili oglądać brutalnych kreskówek i wiadomości telewizyjnych, jak chwyta za patyk, miotłę czy szczotkę do włosów i wymachuje nią jak najniebezpieczniejszą bronią, musi się zastanowić, czy wychowanie może stłumić naturę.

Badania są jednak zgodne co do jednego. Chociaż rodzice nie mogą zapobiec zabawom w policjantów i złodziei, w wojnę czy w inne zabawy w zabijanie, niemal zawsze mogą nie dopuścić do tego, żeby z dziecka wyrósł stosujący przemoc dorosły. Muszą jednak zdawać sobie sprawę z tego, że:

Historia opowiada o wojnach. Nie da się ukryć przed dzieckiem faktu, że wojny istnieją. Można o nich czytać na kartach niemal każdej książki historycznej. Ale chociaż nie da się wykreślić wojen z naszej historii, można je pozbawić blasku chwały. Jeśli twój malec uwielbia żołnierzyki i prowadzenie bitew, wykorzystaj to i naucz go trochę historii (np. o wojnie o niepodległość Stanów Zjednoczonych, wojnie Północy z Południem czy drugiej wojnie światowej), unikając przerażających obrazków i opisów. Wyjaśnij, że wojna to nie zabawa, że prawdziwi ludzie zostają ranni, jeśli kraje przystąpią do wojny, zamiast spróbować inaczej rozwiązywać kwestie sporne.

Pamiętaj o owocu zakazanym. Zabranianie czegoś często czyni tę rzecz szczególnie atrakcyjną (tak jak w przypadku Ewy i jabłka). Dziecko, któremu zabrania się bawienia się zabawkami wojennymi, będzie udawać i użyje innych przedmiotów jako broni.

Nie zabraniaj używać wyobraźni. Jeżeli nie chcesz w domu żadnych zabawek wojennych, możesz ich nie mieć. Ale jeśli twoje dziecko bawi się w wojnę za pomocą innych przedmiotów lub używa takich zabawek u kolegi, nie rób z tego problemu. Nie kupując mu zabawek wojennych i uświadamiając go, co o tym sądzisz, wyraźnie określasz swoje stanowisko w tej sprawie.

Pomyśl o kompromisie. Niektórzy rodzice zgadzają się na niewinnie wyglądające pistolety wodne, rewolwery sześciostrzałowe, plastykowe miecze, łuki i strzały, które nie stanowią nowoczesnego arsenału broni, i równocześnie zakazują tych zabawek, które wyglądają zbyt realistycznie lub agresywnie (np. pistolety wodne, które wyglądają jak prawdziwe karabiny maszynowe).

Powiedz dziecku o swoich zastrzeżeniach. Bez względu na to, czy zdecydujesz się na zakazanie używania zabawek wojennych, czy nie, powinnaś wyjaśnić dziecku, dlaczego masz do nich

Czy można już zacząć chodzić z dzieckiem na mecze, do kina, do teatru czy na koncert?

Filmy dla całej rodziny, recitale szopenowskie dla dzieci i mecze kuszą do wzięcia w nich udziału. Starsze rodzeństwo i rodzice nie mogą się już doczekać wspólnych wyjść. Nie ma też wątpliwości, że takie wydarzenia kulturalne mają korzystny wpływ na rozwój maluchów i pogłębianie ich doświadczenia życiowego. Jeśli tylko zdołają na nich wytrzymać. Ale większość malców nie jest w stanie wysiedzieć spokojnie dwóch minut. Nawet myślenie o zabraniu ich gdzieś, gdzie musiałyby siedzieć spokojnie przez co najmniej dwie godziny, zakrawa na szaleństwo.

Dzieci to dzieci i jedyne, co w ich zachowaniu da się przewidzieć, to to, że nie da się go przewidzieć. Nie sposób powiedzieć, jak zachowają się na jakimkolwiek widowisku i czy zawsze będą się zachowywać tak samo. Rodzicom pozostaje jedynie kierować się przeczuciami, zaryzykować i mieć nadzieję, że wszystko będzie w porządku. Zanim jednak wydacie pieniądze na bilety, warto rozważyć następujące kwestie:

* Czy widowisko zainteresuje twoje dziecko? Ogólnie rzecz biorąc, na pewno masz całkiem niezłe rozeznanie, co twoje dziecko może zainteresować. Filmy animowane lepiej spełniają ten warunek niż filmy fabularne, tak samo jak przedstawienia kukiełkowe, musicale i sztuki, w których aktorzy poprzebierani są w barwne kostiumy, a nie dramat klasyczny. Nawet jeśli maluch nie jest w stanie śledzić fabuły, jego uwagę mogą przykuć tęczowe kolory, ciekawi bohaterowie, ładne dekoracje i żywa muzyka. Niektóre koncerty dla dzieci opierają się na tekstach i naśladowaniu dźwięków, które mogą wciągnąć malucha, podczas gdy inne adresowane są raczej do dzieci w wieku szkolnym. Zanim zarezerwujesz miejsca, sprawdź telefonicznie, czy dany program będzie się nadawał dla twojego malca. Niemal każde przedstawienie cyrkowe oczaruje dziecko, ale jego zainteresowanie wyczerpie się na długo przed końcem programu, musisz się więc przygotować na wcześniejsze wyjście. Wartkie wydarzenie sportowe może przykuć uwagę jednego malucha, inny jednak znudzi się na długo przed końcem pierwszej połowy i zacznie biegać między siedzeniami.

* Czy przedstawienie lub wydarzenie sportowe może wystraszyć twoje dziecko? Niektóre maluchy uwielbiają animowane czarownice i wieloryby połykające drewnianych chłopczyków, inne jednak są nimi przerażone. Jeszcze inne dzieci mogą się z tego samego śmiać jednego dnia, a płakać innego. Jedne mogą chcieć być jak najbliżej klaunów i słoni, inne mogą się ich bać. Niektóre maluchy bywają oczarowane przez kukiełki i poprzebieranych aktorów, inne mogą się czuć zaniepokojone. Niektóre ochoczo dołączają się do głośnych owacji publiczności, inne swoim przerażonym wyciem mogą je zagłuszyć. Na podstawie przypuszczeń lub wcześniejszych doświadczeń zastanów się, jak zareaguje twoje dziecko na wybrany przez ciebie program, i przygotuj się na to, że się zupełnie myliłaś.

* Jak długo trwa przedstawienie? Im krócej, tym lepiej. Przerwy w programie, które dzielą go na krótsze części, mogą pomóc twemu dziecku wysiedzieć w czasie przedstawienia, pozwalając mu na rozładowanie energii.

* Czy tobie lub starszym dzieciom zależy, żeby obejrzeć cały program? Jeśli tak, lepiej zorganizuj opiekunkę do dziecka w domu lub zabierz na przedstawienie kogoś, kto będzie gotów wziąć dziecko do domu, jeśli zajdzie taka potrzeba.

* Czy łatwo wam będzie niepostrzeżenie opuścić salę? Przy wyborze miejsc decydujące znaczenie powinna mieć łatwość wyjścia. Często oznacza to siedzenie z tyłu i blisko przejścia. Oczywiście, jeśli dobra widoczność jest niezbędna, aby maluch był zadowolony, powinniście usiąść z przodu, ale również przy przejściu.

* Czy w pobliżu można przeczekać do końca przedstawienia? Upewnij się, że gdzieś niedaleko znajduje się skwer, park, sklep z upominkami, kawiarenka lub jakieś inne, neutralne, a przyjazne dziecku miejsce, gdzie ty, inny członek rodziny czy opiekunka będą mogli poczekać z dzieckiem na resztę rodziny.

* Czy gra jest warta świeczki? Tylko jeśli pieniądze nie grają roli, warto ryzykować i zmuszać malucha, żeby wysiedział przez cały długi i drogi program. Może się zdarzyć, że będziecie musieli wyjść wcześniej lub spędzić większą część przedstawienia w hallu lub na zewnątrz budynku.

Jak zawsze, kiedy wychodzisz z dzieckiem, powinnaś być do tego dobrze przygotowana. Zabierz ze sobą coś do jedzenia, książeczki i zabawki. Pamiętaj o typowych dla wieku twego dziecka ograniczeniach i weź ze sobą dobry humor.

Rutyna

U większości dorosłych słowo „rutyna" wzbudza same negatywne skojarzenia: przewidywalne, nudne, monotonne, ciągle to samo. Dzieci jednak oczekują rutynowych czynności z niecierpliwością, bowiem zapewniają one spokój, a nie nudę. Świadomość tego, czego mogą oczekiwać w ciągu dnia, czynność po czynności, zapewnia dzieciom poczucie bezpieczeństwa i kontroli nad sytuacją. Zwłaszcza w obfitującym w wydarzenia okresie wczesnego dzieciństwa rutyna stanowi jedyną bezpieczną przystań.

Rodzice również mogą zyskać na wdrażaniu rytuału. Może on pomóc maluchom zaakceptować zmiany, zmniejszyć możliwość oporu przy przechodzeniu od jednej czynności do drugiej — od czytania do obiadu, od podwórka do domu, od klocków do łóżeczka. Oszczędza też czas przy planowaniu dnia. Kiedy raz ustali się jakiś sposób postępowania, nie trzeba się już nad tym zastanawiać. Nie ma już zamieszania, które powstaje, gdy robi się coś w ostatniej chwili, ogólnie rzecz biorąc, ułatwia gładki przebieg dnia.

Jednak rutyna nie sprawdza się w przypadku wszystkich dzieci jednakowo. Prawdę powiedziawszy, może nawet zachwiać równowagę dzieci, które są z natury „nieregularne" (patrz str. 186). Może też być przyczyną stresu w rodzinie, w której najważniejsze jest poczucie wolności, poprzez krępowanie jej spontanicznego stylu życia. Również nie we wszystkich rodzinach sprawdzają się te same sposoby. Ale większość rodzin zgadza się, że jakiś ustalony rytm, czy to w wymiarze tygodniowym, czy dobowym, jest przydatny.

Przed pójściem spać. Od niego zależy, czy dzień waszego malca zakończy się szczęśliwie. Rady na ten temat znajdują się na str. 80.

Na dzień dobry. Najważniejsze to dobrze zacząć dzień — najlepiej od porannego przytulenia. Ustal jakąś najwcześniejszą godzinę — kiedy na dworze robi się jasno, kiedy włącza się budzik, a gdy dziecko zacznie rozpoznawać cyfry, kiedy na zegarze jest szósta czy siódma — tak, żeby maluch nie zaczął budzić się w środku nocy i domagać pieszczot. Albo zacznijcie od specjalnego powitania: dania buzi, uściskania lub ulubionej piosenki (odśpiewanej na żywo lub z taśmy).

Wyjście do pracy. Kiedy jedno lub oboje rodzice wychodzą rano do pracy, rozstanie mogą ułatwić: „niedźwiedzi" uścisk, „specjalne" słowa używane tylko przy pożegnaniu, wyglądanie i machanie przez okno.

Sprzątanie. Czy uważasz, że należy odłożyć na miejsce jedną zabawkę, zanim weźmie się drugą; czy jesteś zwolennikiem gruntownych porządków po zakończeniu zabawy lub pod koniec dnia — przyzwyczajanie dziecka, żeby sprzątało po sobie zawsze się opłaca. Połączenie sprzątania z odśpiewaniem piosenki (np.: „A teraz poukładamy zabawki, a teraz poukładamy zabawki, a teraz poukładamy zabawki, bo kończy się już dzień") pomoże wyrobić ten nawyk na początku i ułatwi utrzymanie go na dłuższą metę. Takie samo zadanie może spełnić wprowadzenie sprzątania jako gry, np. ustawienie klepsydry i sprzątanie „na wyścigi" (więcej na temat sprzątania znajdziesz na str. 355).

Witamy w domu. Nieważne, czy ktoś wraca do domu z pracy, z przedszkola, czy z zerówki, warto

negatywny stosunek. Powiedz np.: „Wiem, że lubisz bawić się pistoletami, ale prawdziwe pistolety, noże i miecze sprawiają ludziom ból". Przy każdej sposobności mów swojemu dziecku, że lepiej jest porozmawiać niż walczyć i że tylko żołnierze i policjanci powinni używać broni, żeby zapewnić innym ludziom bezpieczeństwo.

Niech w twoim domu panuje spokój. Największy wpływ na to, na kogo wyrośnie dziecko, ma środowisko, w jakim to dziecko wyrasta. Malec, który widzi, że jego rodzice rozwiązują swoje problemy i spory poprzez dialog, a nie przemocą, na pewno zastosuje ten sam wzorzec w dorosłym życiu (bez względu na to, czym i w co się teraz bawi). Otaczanie dziecka miłością, podkreślanie takich wartości, jak prawa innych, tolerancja, uprzejmość i doskonalenie umiejętności porozumiewania się z innymi ludźmi (patrz str. 362), będą miały większy wpływ na wychowanie w szacunku dla bliźnich niż zakazywanie używania zabawek wojennych.

Uczyń literaturę swoim sprzymierzeńcem. Poszukaj książek, które mówią o pokojowym zakończeniu bitew.

Eliminuj przemoc pokazywaną w telewizji, w kinie i na wideo. Nawet kreskówki, w których pokazuje się więcej przemocy niż twoje dziecko jest w stanie sobie wyobrazić, mogą podstępnie znieczulić malucha na stosowanie siły fizycznej (patrz str. 151).

NIERACJONALNE ZACHOWANIE

Wiem, że nasza córka jest jeszcze za mała, żeby próbować przekonać ją za pomocą racjonalnych argumentów, ale jej niedorzeczne zachowanie czasami doprowadza mnie do szaleństwa.

wprowadzić jakiś rytuał powitalny. Radosny tumult, wspólne czytanie książki albo oglądanie ulubionego programu w telewizji, zanim zasiądziecie do stołu. Czytanie listów i inne obowiązki pozwolą wszystkim odsapnąć chwilę po ciężkim dniu. Wykonywanie powyższych czynności może stanowić część rytuału — możecie razem nakryć do stołu, pójść do skrzynki po listy itd.

Przy stole. Może to pozbawić posiłki romantyzmu, ale świadomość, że w poniedziałki jest ryba z marchewką, we wtorki spaghetti, a w środy pizza z surówką, zmniejszy kłopoty związane z robieniem zakupów i gotowaniem obiadów. W soboty i niedziele, kiedy jest więcej czasu, można się zdobyć na coś bardziej wyszukanego. Oczywiście w stosunku do dziecka trzeba być bardziej elastycznym, nawet jeśli uprze się codziennie jeść makaron z żółtym serem. Jeżeli ustalenie stałego jadłospisu ci nie odpowiada, możesz pomyśleć o innych rytuałach przy stole, np.: o odmawianiu modlitwy przed posiłkiem, opowiadaniu o tym, jak każdy z domowników spędził dzień, słuchaniu muzyki, grze w słówka.

Wypoczynek. Odkąd w domu pojawiło się dziecko, nie ma co marzyć o spontaniczności tak typowej dla okresu przedrodzicielskiego (gdzie te czasy, gdy można było zjeść śniadanie w łóżku i kochać się do południa, po południu wybrać się na pchli targ). Dlatego również w sobotę i w niedzielę można rozpocząć jakieś ustalone zajęcia, na które i wy, i wasze dziecko będziecie oczekiwać z radością. Na przykład porcja wspólnych pieszczot na dzień dobry, na śniadanie naleśniki z malowanymi dżemem buziami, w sobotę po południu spacer z mamą, a w niedzielę do parku z tatą.

Nawyki higieniczne. Dla malucha, który nie lubi się myć, to, że będzie wiedział, kiedy się tego spodziewać, może być mniej denerwujące. Dlatego warto ustalić plan mycia rąk, zębów, kąpania się i mycia głowy.

Wychodzenie/wracanie. Wielu dzieciom trudno jest wyjść od kolegi, wracać z podwórka czy od babci. Ustalenie jakiegoś rytuału pożegnalnego — śpiewanie piosenki pożegnalnej, recytowanie wierszyka, potem pożegnania indywidualne, a w drodze powrotnej oglądanie szczeniaków na wystawie sklepu ze zwierzętami — może złagodzić niechęć do pożegnań.

Wychodzenie do przedszkola. Żeby ułatwić dziecku drogę do przedszkola, można śpiewać zawsze tę samą piosenkę, np.: „A teraz idziemy do przedszkola, a teraz idziemy do przedszkola" czy jakiś inny tekst. Można też iść lub jechać zawsze tą samą drogą, wyliczać imiona wszystkich dzieci w grupie albo grać „w zielone" lub jakąkolwiek inną zabawę, którą wymyśliłaś, aby uczynić chodzenie do przedszkola rzeczą zwyczajną, przewidywalną i przez to mniej niepokojącą.

Pamiętaj, że raz wprowadzonego rytuału należy zawsze przestrzegać, bez względu na to, czy są wakacje, czy przyjechali goście, czy coś innego zachwiało ustalony porządek. Niektóre maluchy źle znoszą zmiany, zwłaszcza te czynione w ostatniej chwili. Jeśli musisz przerwać codzienny rytuał, spróbuj przygotować na to swoje dziecko i zdobądź się na dodatkową cierpliwość w okresie, kiedy będzie musiało znosić zakłócenia rytmu.

Może racjonalnie myślącemu dorosłemu wydaje się to nieprawdopodobne, ale maluchy mają swoje powody, żeby zachowywać się niedorzecznie: nie chcieć założyć płaszczyka w chłodne dni, nie zjeść zupy mlecznej, o którą chwilę wcześniej prosiły, najpierw wyrwać pół strony z ulubionej książeczki, a potem płakać po stracie.

Najbardziej oczywistym powodem jest to, że dzieci chcą w jakiś sposób zdobyć się na samodzielność. Na podejmowanie własnych decyzji, nawet jeśli są złe. Chcą same odkryć, jak to wszystko naprawdę jest, nawet jeśli to jest przykre zarówno dla nich, jak i ich rodziny. Niedorzeczne zachowanie może też być po prostu wynikiem zmęczenia, głodu lub w ogóle złego samopoczucia.

Racjonalne argumenty, jak słusznie zauważyłaś, na pewno do twojej córeczki nie trafią. Spróbuj więc następujących metod:

Daj jeść lub pozwól odpocząć. W przypadku niedorzecznego zachowania najpierw pomyśl o jedzeniu i odpoczynku. Nic się nie da zrobić z głodnym lub zmęczonym dzieckiem, dopóki się nie naje lub nie odpocznie. Przy okazji sama coś zjedz. Nierozsądne dzieciaki są mniej denerwujące, jeśli cię nie skręca z głodu.

Zastanów się nad typem osobowości dziecka. Niektóre dzieci zachowują się niedorzecznie. W rzeczywistości jednak ich zachowanie zgodne jest z ich typem osobowości. Jeśli jeszcze tego nie zrobiłaś, sprawdź, czy to, co uważasz za niedorzeczne zachowanie, nie zgadza się z syndromem „trudnego dziecka" (patrz str. 184). Jeśli tak jest, postępuj zgodnie z umieszczonymi tam zaleceniami.

Nie pozwól rządzić irracjonalizmowi. Jeśli maluch odmawia siedzenia na foteliku w samochodzie, a ty musisz odwieźć starsze dziecko do szkoły, przypnij go pasami, choćby wrzeszczał i wierzgał. Jeśli wyrzuca wszystkie książki z półek, odciągnij jego uwagę, zaprowadź go na dwór lub w jakikolwiek inny sposób przerwij tę działalność. Nie pozwól, żeby irracjonalne zachowanie dziecka rządziło twoim życiem.

Niech przyczyna ma swój skutek. Jeśli nie zagraża to życiu lub zdrowiu dziecka i jeśli nie sprawi zbyt wielkiego kłopotu innemu członkowi rodziny, pozwól maluchowi odczuć skutki jego niedorzecznego zachowania na własnej skórze. Jeśli nie chce założyć płaszczyka, niech zmarznie (jeśli panuje trzaskający mróz, nie wypuszczaj dziecka na dwór); jeśli nie chce jeść, niech głoduje; jeśli podrze swoją książeczkę, to nie będzie mogło oglądać obrazków. Zajmie to dużo czasu, ale w końcu metodą prób i błędów dziecko przekona się, że rodzice mają rację.

Powstrzymaj się od uwag w rodzaju: „A nie mówiłam". Czasem możesz mieć ochotę utrzeć nosa maluchowi, który właśnie wlazł do kałuży w tenisówkach, ale nie rób tego. Skutek — zimne, mokre stopy — jest wystarczającą karą za to, co zrobił. Nie potrzeba do tej szkody dodawać jeszcze twoich kąśliwych uwag. Zamiast tego podkreśl płynącą z tego doświadczenia naukę bez złośliwości (np.: „Ojej, nóżki są całe przemoczone. Do chodzenia po kałużach trzeba zakładać kaloszki").

Bądź przebiegła. Jak w każdym zawodzie, tak i w opiece nad małymi dziećmi istnieją pewne sztuczki. Nie zawsze działają, ale warto je wypróbować, gdyż pozwolą ci na osiągnięcie twoich celów bez narażania malca na utratę twarzy. Jeśli twoje dziecko wpada w „niedorzeczny" nastrój, spróbuj: zacząć robić coś innego, trochę głupiej niekonsekwencji, psychologii odwrotności (patrz str. 274), zaśpiewać starą piosenkę, zagadać dziecko („A zgadnij, co mamy dziś na obiadek?"), wszystko, żeby tylko odwrócić jego uwagę.

Nie zapominaj o poczuciu humoru. Zamiast wpadać we frustrację z powodu nieracjonalnego zachowania dziecka, śmiej się z tego, co robi (po cichu oczywiście). Zachowaj dystans, powtarzając sobie, że choć trudno w to teraz uwierzyć, wszystko mija.

CO WARTO WIEDZIEĆ

Sztuka pocieszania (mamusia podmucha i zaraz przestanie boleć)

Robiła to twoja matka i matka twojej matki. Pewnie robiły to już matki w czasach jaskiniowych, choć trudno to wywnioskować z rysunków naskalnych. Kiedy dzieci znajdowały się w potrzebie z powodu otartego kolana, rozbitej wargi czy urażonej dumy, z pomocą przychodziły matki (a teraz często również ojcowie), które podmuchały i przestawało boleć.

Dodawanie dzieciom otuchy jest tak samo podstawowym elementem rodzicielstwa jak zapewnianie jedzenia; dziecko potrzebuje obu tych rzeczy do prawidłowego rozwoju. Pocieszanie jest sprawą naturalną, instynktowną — szybkie przytulenie, muśnięcie wargami, otarcie łez zwykle wystarcza, żeby maluch, który się właśnie potknął, podreptał szczęśliwy dalej. Ale czasem „podmuchać" nie wystarczy. Potrzeba więcej wysiłku i czasu, żeby pocieszyć dziecko, zwłaszcza gdy rośnie i jego natura staje się bardziej złożona.

Musisz zdawać sobie sprawę ze swej siły. Chociaż uważasz, że jesteś tylko człowiekiem, w oczach dwu-, trzylatka jesteś wszechmocny. Co prawda twoja wszechmoc będzie się stale zmniejszać i kiedy dziecko osiągnie wiek dojrzewania, znów będziesz zwykłym śmiertelnikiem, ale póki co twój kochający dotyk i uspokajające słowa mają ogromną moc. Kiedy otoczysz malca swoimi ramionami i wypowiesz magiczne słowa: „Wszystko będzie w porządku", dziecko na pewno poczuje się lepiej. Pocieszenie, które możesz zaoferować swojemu dziecku, jest najlepszym lekarstwem na ból fizyczny i psychiczny.

Bądź spokojną wyspą na wzburzonym oceanie... Jeśli zwykle na codzienne potknięcia reagujesz spokojnym: „Bach. Nic się nie stało", dziecko też uzna, że nic się nie stało. Jeśli zaś zaczniesz piszczeć: „Ojej, moje biedactwo. Bardzo cię boli?", malec na pewno wykorzysta okazję, żeby głośno i wyraźnie powiedzieć: „Tak!" Nic tak nie przeraża dziecka jak wystraszeni rodzice, nic go tak nie niepokoi jak zdenerwowani rodzice. („Jeśli mój filar spokoju się kruszy, to musi się dziać coś bardzo złego"). Chociaż więc dotkliwie odczuwasz ból swego dziecka, nie okazuj tego zbyt mocno. Będziesz dużo lepszym źródłem otuchy, jeśli zachowasz spokój — i to nie tylko w słowach, ale również w mimice i ruchach całego ciała. Maluchy, których rodzice nie przesadzają przy każdym niepowodzeniu, wyrastają na dzieci, które umieją szybko pozbierać się po upadku, otrząsnąć się i pójść wesoło dalej.

...ale nie udawaj, że nie dostrzegasz sztormu. Chociaż nie należy się rozklejać nad każdym draśnięciem, nie wolno też zupełnie ignorować bólu dziecka, zwłaszcza jeśli jest to ból natury emocjonalnej. Wszystkim nam potrzebna jest świadomość, że jest ktoś, kogo interesują nasze uczucia — i wszyscy mamy prawo od czasu do czasu robić z igły widły. Jest to szczególnie ważne dla małych dzieci, z których perspektywy igła może łatwo urosnąć do rozmiaru wideł. Jeśli wszystkie problemy i niepokoje dziecka zbywasz słowami: „Nic ci się przecież nie stało. Wszystko jest w najlepszym porządku", to oznacza, że nie dbasz o jego uczucia.

Bezwarunkowo pocieszaj. Nawet jeśli zachowanie dziecka było nieznośne, w razie skaleczenia trzeba je koniecznie pocieszyć. Pociesz je, nawet jeśli właśnie spadło z krzesła, na które zabroniłaś mu przed chwilą wchodzić, albo gdy przytrzaśnie palec drzwiami biurka, którymi zakazałaś się bawić.

Wysłuchaj i pozwól się wypłakać. Rana duchowa często wymaga tyle samo pocieszenia co rana zadana ciału. Zachęć dziecko, żeby z tobą o tym porozmawiało („Wyglądasz na zmartwioną, czy coś się stało?"), kiedy zraniono jego uczucia. To może być trudne, zwłaszcza że mówienie ciągle jeszcze zawodzi, a do tego dochodzi również stres. Możesz nie zrozumieć, o co chodzi, ale dziecko na pewno doceni twoje wysiłki, ponieważ dostrzegłaś jego uczucia i starałaś się je pocieszyć.

Wysłuchaj, ale powstrzymaj się od kazań. Zranione fizycznie lub emocjonalnie dziecko potrzebuje, żeby go wysłuchać, dostrzec stan ducha, pocieszyć i okazać zrozumienie. Jednak na pewno nie potrzebuje wykładów, krytyki i słów w rodzaju: „A nie mówiłam". Strzeż się jednak przed okazywaniem zbyt wielkiej sympatii. Jeśli przesadzisz, możesz wychować niesamodzielnego mazgaja, który uwielbia cierpieć i się umartwiać.

Nie przypisuj nikomu winy. Oskarżycielski ton („Gdybyś nie zostawił tego samochodzika na środku podłogi, tobyś się nie wywrócił") nie pocieszy i niczego nie nauczy. Lepiej powiedzieć: „Zastanówmy się, dlaczego się przewróciłeś". Jeśli dziecko odpowie: „Przewróciłem się o samochodzik", możesz odpowiedzieć: „A co trzeba zrobić, żeby to się więcej nie stało?" Zwalanie winy na kogoś innego też nie pomoże („Dorotka zawsze tak porozrzuca twoje zabawki, nic dziwnego, że nie możesz później znaleźć wszystkich pionków do tej gry"). Zamiast tego możesz powiedzieć: „To co zrobimy, żeby następnym razem pionki się nie pogubiły?"

Nie przesadzaj. Jeśli twoje dziecko wyrzuciło ciężarówkę przez okno, a ona się rozstrzaskała, powiedz: „Tak mi przykro, że twoja ciężarówka się roztrzaskała". Nie pędź jednak do sklepu, żeby natychmiast kupić mu nową. Jeśli nie pozwolisz swojemu dziecku uczyć się na błędach, to będzie je stale powtarzać.

CO TWOJE DZIECKO POWINNO WIEDZIEĆ

Wszystko na temat dobra i zła

W każdym dziecku tkwi coś z Pinokia. Dopiero co pojawiło się na świecie i ma mało życiowego doświadczenia. Dlatego tak jak Pinokio dzieci są ciekawskie i psotne, uwielbiają się bawić, a czasem są naiwne aż do bólu. Brakuje im też tego wewnętrznego kompasu, który pozwoliłby im określać, co jest dobre, a co złe, tego kompasu, który nazywamy sumieniem. Tyle tylko, że rolę Świerszcza — przewodnika po życiu i moralności — spełniają rodzice i opiekunowie.

To właśnie na nich oglądają się maluchy, żeby sprawdzić, czy mogą wziąć ciastko od pana zza lady, czy mogą pobawić się zabawkami w poczekalni przychodni lekarskiej. To właśnie oni zwracają uwagę, że nie wolno bić Jurka tylko dlatego, że akurat bawi się tą samą ciężarówką, na którą one mają ochotę. Oni też mówią, że czekanie w kolejce na zjeżdżalnię to rzecz trudna, ale inaczej nie można. To oni przypominają, że trzeba podziękować cioci Marysi za pudełko z diabełkiem na sprężynce, i nie pozwalają sypać piaskiem na inne dzieci na plaży.

I tak jak w przypadku Pinokiowego Świerszcza, rodzice nie są stałymi dostawcami sumienia dla swoich dzieci. Są tylko suflerami, którzy pomagają określić, co jest dobre, a co złe, dopóki one same nie potrafią tego zrobić.

Naukowcy uważają, że moralne zachowanie małych dzieci umotywowane jest przez korzyść własną i strach przed negatywnymi konsekwencjami swoich czynów[4]. Później motywacja się zmienia — moralne zachowanie opiera się na potrzebie pochwały, szacunku dla starszych i zrozumieniu konieczności utrzymania istniejącego porządku społecznego („Co by było, gdyby wszyscy tak robili?").

[4] W Stanach Zjednoczonych badania na ten temat rozpoczął profesor Lawrence Kohlberg z Uniwersytetu Harvarda.

10 Dwudziesty drugi miesiąc

Co twoje dziecko potrafi robić

Przed końcem dwudziestego drugiego miesiąca twoje dziecko powinno umieć:

* używać 6 słów (do 21 i 1/2 miesiąca);

* wchodzić po schodach (21 i 1/2 miesiąca).

Uwaga: Jeśli twoje dziecko nie opanowało jeszcze powyższych umiejętności lub nie potrafi operować symbolami w zabawie, skontaktuj się z lekarzem. Takie tempo rozwoju może być zupełnie normalne dla twojego dziecka, ale musi ono zostać fachowo ocenione. Zasięgnij porady lekarza, jeśli twoje dziecko nie daje się kontrolować, jest niekomunikatywne, nadpobudliwe, zbyt bierne, zamknięte w sobie, do wszystkiego negatywnie nastawione, gdy jest bardzo wymagające bądź wyjątkowo uparte. (Pamiętaj, że dziecko urodzone jako wcześniak często pozostaje w tyle za swoimi rówieśnikami urodzonymi o czasie. Te różnice rozwojowe się zmniejszają i zwykle całkowicie zanikają pod koniec drugiego roku życia.)

Przed końcem dwudziestego drugiego miesiąca twoje dziecko prawdopodobnie będzie umiało:

* budować wieżę z 4 klocków;

* wykonywać dwustopniowe polecenia bez pomocy gestykulacji (do 21 i 1/2 miesiąca).

Przed końcem dwudziestego drugiego miesiąca twoje dziecko być może będzie umiało:

* budować wieżę z 6 klocków;

* rozpoznawać i wskazywać palcem 4 obrazki;

* myć i wycierać ręce.

Przed końcem dwudziestego drugiego miesiąca twoje dziecko może nawet umieć:

* podskakiwać (do 21 i 1/2 miesiąca).

Co może cię niepokoić

PROBLEMY Z CZEKANIEM NA SWOJĄ KOLEJ

Odnosimy wrażenie, że nasz syn nie rozumie konieczności czekania na swoją kolejkę. Nie potrafi ustępować na placu zabaw czy też bawiąc się z innymi dziećmi. Zawsze pcha się do przodu i upiera się, aby być pierwszy.

Dzieje się tak, ponieważ w świecie dzieci to on musi być pierwszy. Wasz syn jest gwiazdą, reżyserem i kierownikiem sceny w teatrze, jakim jest życie, a wszyscy inni są po prostu drugorzędnymi aktorami. To on jest ulubieńcem tłumów, oczekuje i domaga się specjalnych praw i przywilejów — pierwszeństwa korzystania (a nawet wyłącznego korzystania) ze zjeżdżalni, huśtawek, konia na biegunach i fontanny.

Takie samolubne zachowanie nie oznacza, że dziecko nieodwołalnie wyrośnie na egoistę i bezwzględnego tyrana, ale że ma przed sobą jeszcze długi okres dorastania (podczas którego rodzice będą mu musieli udzielić jeszcze wielu rad), zanim zacznie respektować prawa innych ludzi. Prawdopodobnie szybciej nauczy się czekać na swoją kolejkę, jeżeli będzie uczęszczał do żłobka, przedszkola lub też często będzie się bawił z innymi dziećmi. Można spróbować mu w tym pomóc, korzystając z następujących wskazówek:

Wykonywanie czynności na zmianę z rodzicami. Ponieważ dziecko w kontakcie z rodzicami odczuwa zwykle mniejszą potrzebę współzawodnictwa aniżeli w przypadku rówieśników, łatwiej pogodzi się z koniecznością czekania na swoją kolejkę w warunkach domowych. Podczas śniadania jedzcie na zmianę kanapki; w wannie na zmianę ochlapujcie się wodą; czytając książkę, na zmianę przewracajcie strony.

Zacznij zamieniać się rolami. Zamieniając się rolami ze swoim dzieckiem, nie pozwól, aby zawsze było pierwsze. Postępuj odwrotnie: „Dzisiaj rano ty położyłeś na wieży ostatni klocek, teraz moja kolej, żeby zaczynać".

Bądź taktowna. Wykonywanie czynności na zmianę powinno być zabawą, a nie męką. Rozpoczynaj trening, kiedy twoje dziecko jest w wesołym nastroju, a nie kiedy jest zmęczone, głodne lub rozdrażnione. Kiedy zabawa powoduje napięcie — przerwij ją.

Korzystaj z zegarka. Używanie zegara jako bezstronnego sędziego podczas zabaw (w dwójkę lub w grupie) jest jednym z najbardziej efektywnych sposobów uczenia dzieci wzajemnych ustępstw. Pozwala to dziecku wyrzec się zabawki, łopatki, samochodzika lub lalki bez narażania się na utratę twarzy. Kładzie to również kres nie kończącym się sporom — trudniej dyskutować z zegarem aniżeli z rodzicami. Wytłumacz: „Nakręcę zegarek. Kiedy zadzwoni, twój czas się skończy i przyjdzie kolej na Marysię". Zaakceptowanie przez dziecko zegara może wymagać kilku pokazów i prób, ale przy odrobinie cierpliwości metoda ta przynosi dobre rezultaty.

Nie trać cierpliwości. Pamiętaj, że po dziecku nie należy się spodziewać pełnego uczestnictwa w procesie wzajemnych ustępstw wobec innych dzieci, przynajmniej do ukończenia przez nie trzeciego roku życia.

OCHRONA CENNYCH RZECZY

Kolekcjonujemy porcelanę i inne dzieła sztuki. Zależy nam, aby nasz syn nauczył się je szanować i zdawać sobie sprawę z ich kruchości. Boimy się jednak, żeby nie uczył się kosztem naszej kolekcji.

Bardzo mądrze. Chociaż nadszedł już czas, aby zacząć artystyczną edukację dziecka, wasza kolekcja, tak jak się obawiacie, znajdzie się w poważnym niebezpieczeństwie, jeżeli nie zabezpieczycie jej na czas nauki, który może potrwać rok, dwa, a nawet dłużej.

Często odnosi się wrażenie, że celem każdego dziecka, w którego zasięgu znajdzie się cenny przedmiot, jest jego rozpoznanie i bezlitosna destrukcja. Ale to rzadki przypadek. Za zachowaniem dziecka stoi zwykle niebezpieczna mieszanka ciekawości i niezdarności. Widząc ciekawą rzecz, dziecko podnosi ją, aby bliżej się jej przypatrzeć i (bum!) upuszcza. Jeżeli przedmiot jest kruchy — tłucze się.

Wasze hołubione zbiory z pewnością będą miały większe szanse na przetrwanie, jeżeli je zabezpieczycie i schowacie na kilka lat. Jednakże ochrona delikatnych przedmiotów polegająca na trzymaniu ich z daleka od dziecka nie nauczy go szacunku dla, mniej lub bardziej kruchej, cudzej własności. Was natomiast pozbawia radości posiadania. Najlepszym rozwiązaniem w tej sytuacji jest przestrzeganie czterech poniższych zasad: ochrona cennych rzeczy, uczenie dziecka reagowania na polecenie: „Nie dotykaj!", nauka delikatnego i ostrożnego obchodzenia się z nietłukącymi się przedmiotami oraz zaszczepianie dziecku szacunku dla waszych skarbów.

Ochrona cennych rzeczy. Wybór właściwego sposobu postępowania zależy od tego, co kolekcjonujecie, jak duże są wasze zbiory, gdzie je przechowujecie oraz czy dziecko zwykle bawi się w ich pobliżu. Bez względu na sytuację, wszystkie kruche, łamliwe lub niebezpieczne dla dziecka przedmioty muszą być umieszczone poza jego zasięgiem (nie zapominajcie, że dziecko doskonale radzi sobie ze wspinaniem się). Przedmioty unikatowe powinny zostać usunięte, nawet jeżeli przedsięwzięto już inne środki ostrożności. Najlepiej byłoby schować również resztę kolekcji, przynajmniej na jakiś czas, w miejscu niedostępnym dla dziecka, a potem umożliwić mu dostęp tylko wtedy, kiedy malec znajduje się pod kontrolą dorosłych. Jeżeli dziecko często przebywa w pomieszczeniu, w którym przechowywane są zbiory, szafka z drzwiczkami z nietłukącego się szkła lub półka na wysokości około dwóch metrów mogą posłużyć jako zastępcza forma eksponowania kolekcji.

Uczenie dziecka reagowania na polecenie: „Nie dotykaj!" Umieść jeden lub dwa przedmioty w widocznym miejscu, w zasięgu ręki dziecka i zapowiedz, że nie wolno ich ruszać (ponieważ nie należy spodziewać się od razu absolutnego

Umiejętność dzielenia się rzadko bywa mocną stroną dziecka.

posłuszeństwa, rzeczy te powinny być nietłukące. Nie powinny też w żaden sposób zagrażać dziecku). Za każdym razem, kiedy dziecko się do nich zbliży, ostrzeż je: „Nie dotykaj!" Wytłumacz malcowi, że te przedmioty nie są zabawkami i nie wolno mu bawić się nimi, ponieważ są „wyjątkowe". Jeżeli mimo to dziecko zapragnie ich dotknąć (co się najprawdopodobniej stanie), weź jeden z nich do ręki i pozwól, aby dziecko go dotknęło, kiedy ty go trzymasz. Jeżeli całkowicie zabronisz dotykania, u dziecka wzrośnie jedynie chęć dostania przedmiotów w swoje ręce. Powiedz maluchowi, że za każdym razem, kiedy będzie chciało dotknąć tych przedmiotów, musi poprosić o pomoc dorosłego.

Nauka delikatnego obchodzenia się z przedmiotami. Zbyt często zabrania się dzieciom dotykania, nie próbując ich nawet uczyć, w jaki sposób delikatnie obchodzić się z przedmiotami. Uczenie dziecka delikatności w obchodzeniu się z przedmiotami nieożywionymi (cenna zastawa stołowa, kruchy bibelot, książki) czy też z istotami żywymi (małe dzieci, zwierzęta domowe, kwiaty) powinno się zacząć wcześniej. A oto jak to zrobić:

* Wybierz bezpieczne miejsce. Usiądźcie razem na dywanie, na szerokim łóżku lub kanapie.
* Wybierz bezpieczny przedmiot. Nie zaczynaj od cennych prekolumbijskich wyrobów garncarskich, ale wybierz coś, bez czego, jeżeli zajdzie taka konieczność, z łatwością się obejdziesz (na przykład talerz na słodycze w kształcie banana, który podarowała ci z okazji zaręczyn ciocia Ewa).
* Mądrze wybierz moment na lekcje „dotykania". Dzieci najlepiej się uczą — a tym samym istnieje mniejsze prawdopodobieństwo, że w przypływie złości rozbiją na kawałki kruchy przedmiot — kiedy nie są rozdrażnione, głodne, zmęczone, chore, ewentualnie bardziej zniecierpliwione lub sfrustrowane niż zwykle.
* Ucz najpierw na przykładach. Weź do ręki kruchy przedmiot z przesadną ostrożnością, jakby to była chińska waza z okresu dynastii Ming, i powtarzaj te same słowa: „Ostrożnie", „Widzisz, jaka jestem ostrożna?", „Widzisz, jak ostrożnie tego dotykam?"
* Pozwól dziecku na bezpośredni kontakt. Połóż przedmiot obok i dotknij dziecka, głaszcząc je w ten sam sposób, w jaki przed chwilą gładziłaś przedmiot, i powtórz: „Widzisz, jak ostrożnie". Potem pokaż swojemu dziecku, w jaki sposób delikatnie dotykać ciebie. Weź jego rękę i poprowadź ją po swojej skórze, upominając: „Bądź delikatny". Następnie, trzymając dziecko w ramionach lub na kolanach, podaj mu przedmiot, polecając, aby go ostrożnie dotykało.
* Pamiętaj, aby lekcje były krótkie. Kończ zawsze, kiedy jesteś górą i zanim coś się stłucze, miejmy nadzieję.
* Często powtarzaj lekcje. Nie muszą odbywać się codziennie, ale dostatecznie często, aby dziecko nie zapominało tego, czego się nau-

Zakupy z dziećmi: zadanie niewykonalne

Oto jeszcze jeden z paradoksów rodzicielstwa: wychowywanie dziecka zmusza do robienia większych zakupów, a jednak właśnie z powodu dziecka stają się one prawie niemożliwe. Pojawienie się dziecka z pewnością oznacza koniec łatwych zakupów, do jakich przywykliście. Dziecko może zniknąć pomiędzy lodówkami z mrożonkami, przewrócić się na stercie starannie ułożonych pudełek z płatkami zbożowymi lub schować się za regałem. Może głośno domagać się zakupu smakołyka lub zabawki, którą właśnie wypatrzyło na półce, lub w obecności pełnych dezaprobaty świadków rzucić się na podłogę w przypływie dziecięcej furii. Jeżeli nie jest głodne (tu i teraz!), spragnione (tu i teraz!) lub jedno i drugie jednocześnie, to musi skorzystać z łazienki (za późno!).

A jednak zakupy są koniecznością. Zastosowanie się do niżej przedstawionych wskazówek nie uczyni robienia zakupów zajęciem całkowicie bezbolesnym i bezstresowym, może jednak zadanie to ułatwić.

* Zostaw dziecko w domu. Wyłączając sytuacje, w których konieczne jest przymierzanie (na przykład butów), nawet zakupu ubranek wygodniej jest dokonywać bez dziecka (niewykluczone przecież, że ona lub on i tak odmówi mierzenia). Wykorzystaj każdą szansę na zakupy, jeśli w pobliżu jest ktoś, kto może zostać w domu z dzieckiem. W takich sytuacjach korzystaj ze sklepów całodobowych lub czynnych w weekendy. Postaraj się o opiekunkę do dziecka lub rób zakupy razem z przyjaciółką, która również ma dziecko — możecie na zmianę pilnować dzieci. Podziel się obowiązkiem robienia sprawunków ze swoim małżonkiem — niech jedno z was zostanie w domu z dzieckiem, a drugie idzie do sklepu. Jeżeli oboje pracujecie poza domem, umówcie się, że jedno z was zatrzyma się w sklepie, a drugie pójdzie z dzieckiem do domu.

* Jeżeli maluch musi ci towarzyszyć, upewnij się, że jest w stosunkowo pogodnym nastroju — nakarmiony, wypoczęty, niczym nie rozdrażniony. Nie ma sposobu, aby przewidzieć zachowanie dziecka, ale nie ma też sensu przygotowywać scenariusz katastrofy (sugerowany tytuł: „Słoń w składzie porcelany"), zabierając ze sobą do sklepu głodne, zmęczone i/lub rozdrażnione dziecko. Wychodząc z domu, zabierz ze sobą wszystko, co może się przydać w sytuacjach awaryjnych (patrz. str. 223).

* Postaraj się o pomoc. Nadaje się do niej każdy, kto może rzucić się w pogoń za uciekającym między rzędami regałów malcem. Nawet starsze dziecko, które jest za małe, aby samodzielnie sprawować opiekę nad maluchem, może go popilnować, kiedy rodzice robią zakupy.

* Przygotuj listę zakupów. Przed wyjściem z domu sporządź szczegółową listę potrzebnych produktów. Zadanie to będzie łatwiejsze, jeżeli najpierw przygotujesz główną listę, ułożoną zgodnie z porządkiem, w jakim zwykle poruszasz się po sklepie (lub sklepach), grupując obok siebie artykuły znajdujące się w tych samych działach (lub sklepach). Na końcu listy umieść mrożonki i inne artykuły łatwo ulegające zepsuciu oraz zostaw trochę wolnego miejsca na „specjalne" artykuły. Potem zrób kilkanaście kopii listy dla ułatwienia sobie cotygodniowych zakupów. Sporządź też listy dla sklepów z odzieżą, aptek, sklepów gospodarstwa domowego i innych placówek handlowych. Mimo że zabiera to trochę czasu w domu, radykalnie skraca czas, który spędzasz w sklepie. W ten sposób unikniesz pośpiesznego wycofywania się w ostatniej chwili z kolejki do kasy, aby wrócić po jakiś zapomniany produkt.

---

czyło. Poza tym wykorzystaj każdą okazję, aby wspomnieć o ostrożnym dotykaniu. Przypominaj o tym, kiedy twój maluch chce dotknąć noworodka, pogłaskać psa sąsiadów, potrzymać śliczną porcelanową figurkę w czasie wizyty u babci albo kwiat w ogrodzie. Pamiętaj, że w przypadku dzieci powtórki przynoszą rezultaty.

* Zasypuj malca pochwałami — w trakcie i po lekcji. Nic tak nie wyrabia uległości u dziecka jak pochwały.

* Ufaj mu. Jeżeli obdarzysz dziecko swoim zaufaniem, zrobi wszystko, aby cię nie zawieść (wzbudza to też w dziecku ogromną wiarę we własne siły). Nie oznacza to wcale, że aby dowieść swojego zaufania, powinnaś pozwolić dziecku biegać po sklepie z porcelaną. Z drugiej jednak strony nie wpadaj w panikę za każdym razem, kiedy w zasięgu ręki znajdzie się stolik z serwisem do kawy.

* Nie ryzykuj. Żadna liczba ćwiczeń z zakresu „delikatnego dotykania" nie może zagwarantować, że nie zdarzy się wypadek. Tak więc wszystko, co ma dla ciebie wartość — a szczególnie przedmioty trudne do zastąpienia — powinno być przechowywane poza zasięgiem

* Zadbaj o pozytywne nastawienie dziecka. Zapowiedz, co dokładnie zamierzasz kupić (żywność, trampki, książkę), ale nie podsuwaj dziecku pomysłów, zastrzegając się: „Nie będziemy kupować słodyczy, nowych bucików i zabawek". Dzieci są wystarczająco inteligentne, aby samemu wpaść na podobne pomysły (jeżeli do tego dojdzie, ty z kolei musisz być dostatecznie stanowcza, aby powiedzieć: „Nie"). Staraj się pozytywnie nastawić dziecko. Na przykład, zanim przekroczysz próg supermarketu, powiedz: „Będziesz jechał w wózku na zakupy, możesz pomóc mi szukać produktów, które są na naszej liście, i wkładać je do wózka", zamiast: „Nie chodź po całym sklepie i niczego nie dotykaj!" I nie zapominaj o kilku słowach pochwały, jeśli twoje dziecko wykaże chociaż trochę opanowania.

* Postaraj się o środek transportu. Możesz skrócić czas zakupów, jeżeli przekonasz swojego brzdąca, aby w supermarkecie zamiast biegać między regałami, jechał w wózku z zakupami (oczywiście, małe dzieci należy zabezpieczyć pasami bezpieczeństwa. Tysiące dzieci rocznie odnosi obrażenia wymagające natychmiastowej pomocy medycznej w wyniku wypadnięcia z wózka). Jeżeli na swojej liście masz tylko kilka rzeczy do kupienia, korzystaj ze spacerówki. Przymocuj do niej mały koszyk i poruszaj się po sklepie z dzieckiem w wózku (unikaj przeciążenia koszyka. Jeżeli produkty przeważą ciężar dziecka, wózek przewróci się do tyłu!). Spacerówki mogą być doskonałym rozwiązaniem w wielkich centrach handlowych. Koniecznie weź ze sobą zabawki lub grzechotki, aby zająć czymś dziecko. Wszystkie zabawki powinny być mocno przymocowane, abyś nie musiała tracić czasu na szukanie przedmiotów upuszczonych przy poprzednim rzędzie półek albo, co gorsza, w poprzednim sklepie.

* Śpiesz się. Pozostaw studiowanie etykietek, analizy porównawcze cen i dokładne oględziny na solowe wyprawy do sklepu. Jeżeli zaczniesz się zastanawiać nad każdym produktem, twoje dziecko znajdzie się trzy regały dalej.

* Doceń zalety małych sklepów spożywczych. Jeżeli potrzebujesz jedynie kartonika mleka i kilku bananów, rób zakupy w małych sklepikach mimo wyższych cen.

* Unikaj kłopotów. Jeżeli dobrze znasz swój sklep, nie powinnaś mieć trudności, aby ominąć lub przynajmniej szybko przemknąć przez potencjalnie „gorące miejsca" (dział z zabawkami, porcelaną i kryształami lub ze słodyczami). Niektóre supermarkety prowadzą kasy z darmowymi batonikami, aby wyeliminować (przynajmniej teoretycznie) niebezpieczeństwo dziecięcych ataków furii („Kup mi gumę, bo będę płakać!").

* Zajmij czymś ręce i umysł dziecka. Malec zajęty pomaganiem ci w pchaniu wózka z zakupami, dźwigający paczkę ulubionych krakersów, liczący pudełka jogurtu, wypatrujący litery „a" albo czerwonego koloru lub wybierający między dwoma wskazanymi przez mamę galaretkami, może nie mieć ani czasu, ani ochoty, aby oddalać się czy urządzać scenę. Istnieje również prawdopodobieństwo, że postąpi tak malec popychający miniwózek z zakupami i załadowujący go (pod kontrolą rodziców) nietłukącymi artykułami. (Jeżeli w twoim supermarkecie nie ma takiego wózka — są tylko w niektórych bardziej „postępowych" sklepach — będziesz musiała zabierać taki wózek ze sobą.) Mimo że z tego rodzaju pomocą robienie zakupów prawdopodobnie potrwa trochę dłużej, to przynajmniej masz pewność, że w ogóle coś kupisz. Twoje dziecko z kolei będzie zadowolone, że może ci pomóc, a może nawet nauczy się czegoś o robieniu zakupów.

dziecka, nawet jeżeli uważasz, że twoje dziecko ukończyło kurs ostrożności w obchodzeniu się z cennymi przedmiotami.

* Staraj się panować nad sobą, jeżeli coś się zbije lub zostanie zniszczone. Wypadki zdarzają się wszystkim, a dzieciom po prostu częściej.

Nauka doceniania prawdziwej wartości. Dzieci rozumieją, dlaczego wielki misio albo chodząca lalka są wyjątkowe, ale trudno im zrozumieć, na czym polega wartość wazy ze śmiesznymi znaczkami na bokach, malutkiej porcelanowej filiżanki czy kryształowego wazonu. W miarę jak malec dorasta, staraj się mu wyjaśnić, dlaczego przedmioty należące do twojej kolekcji mają dla ciebie wartość. Powiedz na przykład: „Te wazy i dzbanki powstały bardzo dawno temu. Teraz nikt już ich nie robi, a więc dla mnie są bardzo wartościowe" albo: „Te filiżanki pochodzą z bardzo daleka i przywiozła je tutaj nasza prababcia. Nie chcę, aby coś im się przytrafiło, tak abym pewnego dnia, kiedy będziesz miała swój własny dom, mogła ci je dać". Pomóc mogą też krótkie wycieczki do muzeum, w którym twoje dziecko zobaczy podobne przedmioty. Jeżeli kolekcjonujesz stare przedmioty, wyjaśnij dziecku znaczenie słowa „antyk" i wskaż przykłady innych antyków.

FASCYNACJA MECHANIKĄ

Moja córka jest zafascynowana mechaniką i elektrycznością. Zawsze próbuje dokładnie zbadać maszyny i przewody. Z tego właśnie względu obawiam się o jej bezpieczeństwo.

Wygląda na to, że wychowujesz przyszłą panią inżynier i, jako zapobiegliwa mama, masz dwa problemy do rozwiązania. Po pierwsze, wypada zacząć oszczędzać na studia córki na politechnice, a po drugie należy chronić ją przed jej własną ciekawością.

Ciekawość dziecka zwykle wykracza poza zdrowy rozsądek, a zadaniem rodziców jest zapobieżenie temu, aby brak rozeznania nie postawił dziecka w obliczu niebezpieczeństwa. Oczywiście najprościej byłoby w ogóle zabronić dziecku zbliżania się do maszyn i urządzeń. Chociaż zakaz ten zapewniłby bezpieczeństwo ciału dziewczynki, to prawdopodobnie osłabiłby jej dociekliwość. W gruncie rzeczy konieczne środki ostrożności nie muszą automatycznie pociągać za sobą zakazu wszelkich badań.

W zamian za to postaraj się, aby zasady bezpieczeństwa (patrz str. 525) stały się nieodłączną częścią twojego życia. Koniecznie dopilnuj, aby dziecko wiedziało, jakie kuszące przedmioty i urządzenia są dla niego całkowicie zakazane (kontakty elektryczne, piekarnik, kuchenka mikrofalowa), a do których może się zbliżać tylko pod opieką dorosłych. Chroniąc życie i zdrowie dziecka, staraj się rozwijać jego zainteresowania, stwarzając mu wiele okazji do bezpiecznego i nadzorowanego przez dorosłych zaspokajania jego naturalnej ciekawości. Pozwól, aby dziewczynka włączała radio lub telewizor, obsługiwała magnetowid, przyciskała klawisze klawiatury komputera i manipulowała myszą, tworząc na ekranie litery, cyfry lub obrazki. Kupuj lub pożyczaj zabawki, które można rozebrać na części i od nowa złożyć (upewniaj się jednak, czy są właściwe dla jej wieku. W przeciwnym wypadku frustracja może wziąć górę nad fascynacją). Podaruj jej zabawki lub modele (na przykład zestawy konstrukcyjne lub dziecięce gry komputerowe), nad którymi może pracować wspólnie z rodzicami lub opiekunem. W przedszkolu zapisz ją do grupy „poszukiwaczy", jeżeli taka istnieje. Kiedy tylko możesz, zabieraj ją do dziecięcych muzeów z wystawami naukowymi i pozwól, by przyciskała, ciągnęła i przesuwała, jak długo ma na to ochotę. Podsuń dziecku książki, które przybliżają świat nauki lub są poświęcone tym tematom, które je interesują.

PRZYŁAPANI NA GORĄCYM UCZYNKU

Pewnej nocy kochaliśmy się w sypialni, a nasza córka wymknęła się ze swojego pokoju i przyszła do nas. Przez kilka chwil nie zauważyliśmy jej, a więc musiała widzieć, co robimy. Czy to może być niebezpieczne dla jej psychiki?

Prawdopodobnie nie. Nie wiedziała, co robicie i być może była zbyt śpiąca, aby coś zapamiętać. Jeżeli nazajutrz sprawiała wrażenie wstrząśniętej tym doświadczeniem, znaczy to, że prawdopodobnie przestraszyła się, że robicie sobie krzywdę. Dla dziecka, które nie ma pojęcia o tym, co się dzieje, pozycje podczas stosunku mogą wydawać się agresywne, a miłosne westchnienia przypominają bardziej reakcje na ból aniżeli na przyjemność. Jeżeli podniosła temat przemocy, upewnijcie ją, że nie robiliście sobie krzywdy, ale przytulaliście się, całowaliście i kochaliście się w szczególny sposób, w jaki robią to rodzice. Nie wdawajcie się w żadne skomplikowane wyjaśnienia, dopóki nie będzie się ich domagać, co jeszcze przez jakiś czas nie nastąpi (patrz. str. 358). Jeżeli po zauważeniu jej krzyczeliście na nią i wypędzaliście — przeproście. Wyjaśnijcie, że byliście zaskoczeni i trochę się przestraszyliście.

Ponieważ w przyszłości przyłapywanie was na gorącym uczynku może wytrącić dziecko z równowagi i z pewnością nie wpłynie pozytywnie na wasze życie seksualne, dobrze byłoby podczas aktów miłosnych zamykać drzwi na klucz (jeżeli w drzwiach nie ma zamka, zastanówcie się, czy go nie wstawić, albo po prostu załóżcie haczyk, którego mała nie dosięgnie).

Jeżeli pewnego dnia, w przypływie namiętności, zapomnicie zamknąć drzwi na klucz i dziecko znów wejdzie do pokoju, zachowujcie się spokojnie. Powiedzcie, że potrzeba wam trochę prywatności, i poproście, aby zaczekało chwilę na zewnątrz. Szybko coś na siebie narzućcie, a potem spokojnie położźcie je do łóżeczka, starając się, aby nie czuło się niespokojne, zawstydzone lub winne. Nie zrobiło nic złego — podobnie jak wy.

Większość dzieci szybko zapomina o takich incydentach, zwłaszcza jeżeli nie robi się wokół nich wielkiego zamieszania. Ale jeżeli malec chce potem o tym porozmawiać, należy mu na to pozwolić. Odpowiedzcie na wszystkie pytania na poziomie odpowiednim do wieku dziecka.

DOTYKANIE MIEJSC INTYMNYCH

Od chwili gdy nasza córka wyrosła z pieluszek, kiedy tylko może, wsuwa rączki pod spodenki. Ponoć jest to normalne, ale martwię się, szczególnie kiedy zachowuje się tak w miejscach publicznych.

Do niedawna miejsca wstydliwe pozostawały przeważnie poza zasięgiem rączek waszej córki — jeżeli można tak powiedzieć — owinięte. Teraz stały się znacznie bardziej dostępne. Nauka korzystania z nocnika sprawiła, że znalazły się w centrum uwagi dziecka, zwiększając świadomość własnego ciała.

Wszelkiego rodzaju oględziny są dla dziecka czymś naturalnym. Odkrywanie miejsc intymnych jest dla niego tak samo niewinne, jak badanie palców u rąk i stóp, pępka i uszu. Do pierwszych prób badania genitaliów popycha zwykle ciekawość, wkrótce dziecko zauważa, że dotykanie miejsc intymnych jest przyjemne, i to odkrycie sprawia, że jego rączki ciągle wracają w to samo miejsce. Zachowanie to może przypominać masturbację, ale w przypadku dzieci tak nie jest (nie jest tak nawet w przypadku małych chłopców, którzy przeżywają erekcję, gdy manipulują penisem). Jakkolwiek przyjemne, uczucie to nie ma nic wspólnego z seksem.

Nakaz, aby dziecko trzymało ręce z daleka od spodenek, uczyni tę czynność jedynie bardziej pociągającą. Wyrobi też w dziecku przekonanie, że odkryte przez nie przyjemne uczucia są złe i zakazane, a nie normalne i zdrowe. Jak więc należy postąpić? W domu — lekceważ takie zachowanie.

Jeżeli jednak zaniepokoi cię, że rączka dziewczynki powędruje do spodenek w czasie zabawy w grupie, spróbuj zachęcić ją do innej czynności wymagającej aktywności rąk; takiej jak wybieranie figur albo zabawa klockami. Jeżeli jej ręce uparcie pozostają tam, gdzie były, poddaj się i patrz w inną stronę.

Jednakże dotykania miejsc intymnych w miejscach publicznych należy unikać. Nie dlatego, że takie zachowanie jest złe, ale dlatego, że jest niewłaściwe w miejscach publicznych i że może sprowokować niebezpieczne reakcje u obserwującego je pedofila. Tak więc wcześniej zacznij tłumaczyć twojemu dziecku różnicę pomiędzy miejscami „publicznymi" i „prywatnymi" oraz to, że niektóre rzeczy można robić w domu, ale nie wypada w miejscu publicznym. Jeżeli dziecko zapomni o upomnieniach i wsunie rączki w spodenki, kiedy będziecie poza domem, spokojnie mu o tym przypomnij. Weź je za rękę, ściśnij ją, odwróć uwagę dziecka i pochwal je za to, że jest „takie duże".

Niektóre dzieci przytrzymują genitalia, kiedy powstrzymują się przed oddaniem moczu, tak jakby sądziły, że pomoże im to wytrzymać. Jeżeli dotykanie miejsc intymnych przez twoje dziecko ma jakiś związek z potrzebą skorzystania z nocnika, kiedy dostrzeżesz charakterystyczny ruch rąk, zapytaj je, czy chce skorzystać z łazienki.

Bywa, że malec spędza większość dnia, dotykając miejsc intymnych. Przyzwyczajenie, które zakłóca codzienne funkcjonowanie, może mieć swoje źródło w lękach i niepokojach. Zachowanie takie bywa związane z innymi rodzajami stresu (nowa opiekunka do dziecka, przeprowadzka do nowego domu, powrót mamy do pracy itp.). Rzadko jest ono objawem zaburzeń seksualnych. Jeżeli dziecko sprawia wrażenie, jakby miało na tym punkcie obsesję, poradź się lekarza.

PROBLEMY Z POSTAWĄ

Nasza mała córeczka jest szczupła, ale ma wystający brzuszek. Mam ochotę powiedzieć jej, aby wciągnęła go i stała prosto, ale nie sądzę, aby mnie zrozumiała. Co mogę zrobić?

Nic. W tym wieku, pod koniec drugiego roku życia, większość dzieci ma jeszcze wystające brzuszki. Ale zanim ukończą trzy lub cztery lata, mięśnie brzucha dojrzeją, wzmocnią się i dzieci wyszczupleją, jeżeli oczywiście nie zaczną objadać się słodyczami. Na razie wasze dziecko nie potrzebuje żadnych ćwiczeń na mięśnie brzucha ani upomnień, a jedynie wielu okazji do aktywności fizycznej.

Należy pamiętać, że o ile zachęcanie do przyjmowania właściwej postawy jest elementem pozytywnym, o tyle przywiązywanie nadmiernej wagi do szczupłej sylwetki, czy w ogóle wyglądu, nigdy nie przynosi dobrych rezultatów. Wyznaczanie trudnego do osiągnięcia celu fizycznej doskonałości może podważyć poczucie własnej wartości dziecka, szczególnie w okresie, gdy jego ciało rośnie i zmienia się. W przyszłości takie wygórowane oczekiwania mogą nawet spowodować problemy z jedzeniem.

Jeżeli brzuszek twojego dziecka jest znacznie bardziej wystający aniżeli brzuszki większości dzieci, z którymi się bawi, zasięgnij porady lekarza. Bardzo rzadko szczególnie wydatny brzuszek bywa objawem jakiejś choroby.

NAPADY ZŁOŚCI W OBECNOŚCI RODZICÓW

Nasze dziecko w obecności opiekunki zachowuje się bez zarzutu. Ale gdy tylko wracamy do domu

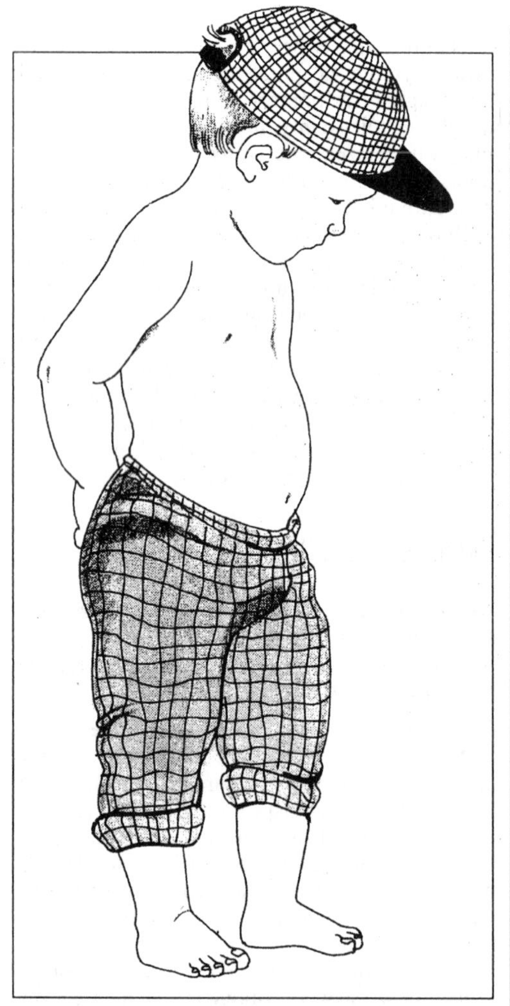

Wydatny brzuszek jest charakterystyczną cechą sylwetki dziecka i nie musi być sygnałem, że zjada ono zbyt wiele ciastek.

z pracy, zaczynają się napady złości. Dlaczego tylko przy nas?

Ponieważ was kocha. Jakkolwiek złość i furia mogą się wydawać osobliwym komplementem, w gruncie rzeczy te napady gniewu powinny wam pochlebiać. Świadczą one o tym, że dziecko czuje się przy was dostatecznie bezpieczne, aby stracić panowanie nad sobą bez obawy, że je opuścicie. Po całym dniu przyzwoitego zachowywania się w obecności opiekunki (z którą wyraźnie czuje się mniej bezpieczne), kilka napadów złości jest jedynie sposobem na zrekompensowanie sobie długiej walki z potrzebami serca.

Najgorsze wystąpienia „strasznego dwulatka" skierowane są przeciwko rodzicom, ponieważ to z nimi, a nie z opiekunką czy nauczycielem, walczy o niezależność. Uwalnia się od tych, którzy są mu najbliżsi i od których jest najbardziej uzależniony, i tu właśnie tkwią korzenie buntu. To wobec rodziców malec musi zaznaczyć swoje terytorium, zbuntować się i potwierdzić autonomię.

Napady złości po powrocie rodziców z pracy mogą też być najszybszym znanym dziecku sposobem na zwrócenie na siebie uwagi (nie należy zapominać, że nawet karcenie jest lepsze niż brak zainteresowania). Nic bardziej nie zmusza mamy lub taty do rzucenia wszystkiego i skupienia się na dziecku jak napad złości. Czasami takie ataki gniewu po powrocie rodziców z pracy są sposobem dziecka na okazanie rodzicom swojego żalu za to, że je opuścili w ciągu dnia. Malec może tak postępować, nawet jeśli naprawdę przyjemnie spędza czas z zastępującym rodziców opiekunem.

Należy także pamiętać, że napady złości zdarzają się najczęściej, kiedy zarówno wy, jak i dziecko, jesteście zmęczeni, głodni, zestresowani. Tego wszystkiego doświadczacie aż w nadmiarze po powrocie z pracy (w przeciwieństwie do was, opiekunka do dziecka każdego ranka przybywa świeża i wypoczęta). Na stronie 238 znajdziecie porady, w jaki sposób uniknąć nerwowej atmosfery po powrocie z pracy. Wskazówki, jak radzić sobie z dziecięcymi napadami złości, znajdują się na stronie 291.

ZACHOWANIA RYTUALNE

Dla mojego dziecka wszystko jest rytuałem. Zawsze pije sok pomarańczowy z tej samej szklanki, wymaga, by jego kanapka była zawsze pokrojona w dokładnie ten sam sposób i z uporem nosi te same zniszczone, niebieskie kapcie.

O ile w wypadku dorosłego tego rodzaju zachowanie zakrawa na obsesję lub terroryzowanie otoczenia, o tyle w wypadku dziecka jest ono zupełnie normalne. Choć nie każde dziecko tak bardzo potrzebuje rytuału — to także normalne — wielu malców wymaga absolutnej przewidywalności, jeżeli chodzi o posiłki, napoje, ubrania i czynności codzienne. Nawet najmniejsze odstępstwo od normy może spowodować gorące protesty.

Podobnie jak negatywny stosunek do rzeczywistości czy napady złości, zachowania rytualne są sposobem, w jaki dziecko próbuje uzyskać pewną kontrolę nad swoim życiem. Walka ta — jeżeli ma się niecałe dwa lata, mniej niż metr wzrostu i jest się całkowicie uzależnionym od tych, którzy są znacznie większi i silniejsi — nie jest łatwa. Kontrola nad drobiazgami (z której szklanki pije, jak się kroi jego kanapkę, które kapcie zakłada) ma ogromne znaczenie dla dziecka i jego poczucia własnej godności.

A więc zamiast usiłować odzwyczaić dziecko od jego rytuału, spróbuj go z uśmiechem tolerować. Zapoznaj z nim wszystkich, którzy zajmują się dzieckiem, i wytłumacz, w jaki sposób sobie z tym radzisz. (Przychodząca do domu opiekunka będzie prawdopodobnie dogadzać waszemu dziecku tak jak wy, ale nie zawsze będzie to możliwe w przedszkolu czy żłobku.) Wasze dziecko może być bardziej otwarte na zmiany, pod warunkiem że je kontroluje. Tak więc od czasu do czasu zaproponuj dziecku, aby wybrało nową szklankę, z której będzie piło, pokaż mu zabawny sposób jedzenia kanapki (posłuż się specjalnym nożykiem do krojenia, aby kroić w gwiazdki, zwierzątka albo serca i zaproponuj, aby dziecko w podobny sposób postąpiło ze swoją kanapką). Zaproponuj zakup sandałów podobnych do sandałów tatusia, aby było w czym chodzić na plażę. Jeżeli jednak dziecko nie wykazuje zainteresowania zmianami, do niczego go nie zmuszaj. Z czasem i przy odrobinie cierpliwości rytuały przestaną krępować wasze dziecko.

POKARMOWY FETYSZYSTA

Pomóżcie! Mój syn nie zje niczego, co dotknęło jakiegoś innego rodzaju żywności.

Spróbuj go przechytrzyć. Używaj talerza z przegródkami i wypełnij każdą przegródkę innym rodzajem jedzenia lub też podawaj każdą potrawę w osobnej miseczce. Nie martw się, że ulegasz zachciankom swojego dziecka. Jeżeli będziesz się starała je udobruchać i dogadzać jego kapryśnym przyzwyczajeniom, ta bardzo powszechna obsesja z czasem przeminie. Natomiast jeżeli będziesz je besztać, czynić sarkastyczne uwagi lub krzywić się, może być jeszcze gorzej!

Moje dziecko wpada w złość, jeżeli krakers lub ciastko, które mu podaję, ma odłamany kawałek. Na czym polega problem?

Dziecko nie odkryło jeszcze, że nikt (i nic) nie jest doskonałe. O ile dzieci z całą pewnością nie wymagają doskonałości od samych siebie, o tyle często oczekują jej (lub przynajmniej czegoś, co postrzegają jako doskonałość) od wszystkich i wszystkiego, co je otacza — nie wyłączając ciastek. Psychologia dziecka czasami wiąże fobię na punkcie połamanych ciasteczek z lękiem przed byciem złamanym lub naruszonym („Jeżeli ciasteczko może się połamać, to ja też"). Niezależnie od tego, czy przyjmiesz to wyjaśnienie, czy też przypiszesz wymagania twojego dziecka względem krakersów i ciasteczek typowej dziecięcej przekorze i pragnieniu kontroli nad otoczeniem, najlepszym rozwiązaniem jest w miarę możliwości dogadzanie jego zachciankom. Z czasem, kiedy twój maluch nabierze „doświadczeń życiowych" (prawdopodobnie mniej więcej po ukończeniu trzech lat), pogodzi się z tym, że ciasteczko się kruszy.

Tymczasem staraj się ostrożnie obchodzić z ciasteczkami i krakersami, kup ich trochę więcej i unikaj ciastek, które się zbyt łatwo kruszą (pszenne rogale, obwarzanki lub chleb sprawiają mniej trudności). Z pokruszonych ciasteczek i krakersów możesz zrobić kruszonkę do ciasta, zamiast sama je zjadać, co swoją drogą może prowadzić do pojawienia się innych problemów...

Ale nie folguj zbytnio ekscentrycznemu zachowaniu swojego dziecka. Jeżeli dziecko samo pokruszy krakersa, nie dawaj mu następnego. W takiej sytuacji brzdąc musi się nauczyć ponosić konsekwencje własnych działań.

NIECHĘĆ DO ZMIAN

Jakakolwiek drobna zmiana — nowe siedzenia w samochodzie, nowe zwyczaje podczas kładzenia do łóżeczka, moje nowe okulary — i nasza córka jest wyprowadzona z równowagi.

Dla niektórych dzieci coś takiego jak zmiana na lepsze nie istnieje. Wszystkie zmiany są niepożądane. Tak jak wiele innych cech dziecka, niechęć do zmian ma swoje korzenie w dążeniu do uzyskania maksymalnej kontroli nad otoczeniem. W obliczu zmiany, nawet jeżeli jest ona błaha i nie ma bezpośredniego wpływu na malca, dziecko może się czuć przestraszone, sfrustrowane, zagrożone lub niepewne.

Choć nie wszystkie dzieci w tym wieku reagują na zmianę gwałtownym sprzeciwem, większość postrzega ją przynajmniej jako niedogodność i wyraża swoje niezadowolenie w znacznie większym stopniu, aniżeli czynią to niemowlęta czy starsze dzieci. Zrozumienie, że taka niechęć do zmian jest czymś normalnym i typowym dla danego wieku oraz że na większą elastyczność w tych sprawach przyjdzie jeszcze przynajmniej rok poczekać, pozwala łatwiej przetrwać ten okres. Póki co, szanuj nieufność swojego dziecka do tego, co nowe i inne. Przyjmij, że tak już po prostu musi być. Spróbuj pomóc swojemu dziecku czuć się bardziej bezpiecznym i wyeliminować możliwe punkty sporne. Wszystkie zmiany, na które jeszcze można poczekać — nowy dywan, spacerówka, malowanie pokoju dziecinnego lub nowy porządek dnia — powinny być odłożone do czasu, kiedy malec stanie się bardziej „elastyczny". Jeżeli na jakąś poważną zmianę nie można czekać (na przykład gdy konieczna jest nowa opiekunka do dziecka), postaraj się przygotować dziecko i pomóż mu przystosować się do nowych warunków. Należy się jednak spodziewać, że dziecko przestraszy się, poczuje zagrożone i będzie bardziej podatne na frustrację. Zamiast gniewnie reagować na jego uczucia, udziel mu dodatkowego wsparcia i zrozumienia. Jeśli będziesz dla niego ostoją w morzu zmian, pomoże mu to pogodzić się z nowościami.

Jeżeli dziecko złości się na każdą zmianę lub nowe doświadczenie, jego zachowanie może oznaczać coś więcej aniżeli przemijający okres w rozwoju. Takie postępowanie może być oznaką wrodzonego temperamentu. Na str. 185 znajdziesz wskazówki, jak radzić sobie z takim temperamentem.

POWTÓRKI Z CZYTANIA

Każdego wieczoru mój syn chce, aby mu czytać tę samą książkę. I to nie raz, ale dwa lub trzy razy. Nudzę się!

Dzieciom nigdy nie dość tego, co dobre — bez względu na to, czy chodzi o ulubioną potrawę czy też o ulubioną książkę. To, co dorosłym wydaje się monotonne, dla dzieci jest źródłem wielkiej radości. Dzieje się tak z kilku przyczyn. Po pierwsze, dzieci z reguły nie lubią zmian. Czują się bezpieczniej i pewniej w obliczu tego, co znane i przewidywalne. Z tego powodu czytana wielokrotnie książka staje się ukochanym przyjacielem. Po drugie, powtórki poszerzają słownictwo i pogłębiają zrozumienie tekstu. Kiedy opowiadanie jest czytane po raz pierwszy, dziecko najczęściej nie rozumie wszystkich słów. Przy każdym ponownym czytaniu rozumie coraz więcej. W momencie kiedy ty umierasz z nudów, twoje dziecko prawdopodobnie zna każde słowo w książce (możliwe, że na pamięć) i jest to osiągnięcie, z którego z całą pewnością jest niezwykle dumne. Po trzecie, dobra znajomość opowiadania pozwala maluchowi pełniej uczestniczyć w czytaniu, przewidując, co się stanie, tu i tam podpowiadając słówka i wskazując znajome obrazki. Po czwarte, rytm opowiadania sprawia dziecku przyjemność (zwłaszcza w wypadku bajek pisanych wierszem). Poza tym w opowiadaniu zawsze jest jakiś element, który szczególnie przemawia do dziecka, pomaga mu zapanować nad jego lękami i uczuciami.

Innymi słowy, znajomość tekstu, która nudzi rodziców, cieszy dziecko. Aby podtrzymać tę radość (oraz kontynuować naukę), będziecie musieli przystać na powtórki. Kiedy z czasem dziecku znudzi się jego ulubione opowiadanie lub bajka (i prawdopodobnie natychmiast wybierze sobie następne), pozwól, aby to ono zainicjowało zmianę.

Tymczasem staraj się, żeby wielokrotnie czytana książka sprawiała dziecku jak najwięcej radości (a ciebie mniej nudziła).

* Organizuj małe przedstawienia. Mimo że czujesz pokusę, aby po prostu nacisnąć przycisk na pilocie telewizora, opowiadanie sprawi wam obojgu więcej radości, jeżeli przeczytasz je z ożywieniem. Jeżeli macie na to ochotę, próbuj każdego wieczoru zmienić głos i sposób czytania.
* Przydziel dziecku rolę pomocnika. Jeśli zechce, pozwól, by dopowiadało końcówki rymu, strony i tak dalej. Poproś malucha, aby odgadł dalszą fabułę (nawet jeżeli oboje znacie ją na wyrywki, dziecko odczuje prawdziwy dreszcz emocji, wykazując się taką znajomością tekstu), rozpoznał postaci, kolory lub przedmioty na ilustracjach. Podczas każdego czytania staraj się zwrócić uwagę na coś, co do tej pory pozostawało nie zauważone (na przykład czerwona obroża u pieska czy ukryta w trawie wiewiórka). Następnym razem poproś, aby dziecko odnalazło te szczegóły.

Ulepszając czytane na bieżąco teksty, nie dawaj za wygraną i proponuj stale coś nowego. Co wieczór oferuj nową bajkę (nigdy jednak nie nalegaj, aby ją przeczytać). Nawet jeżeli twoje dziecko nie ma ochoty wyrzekać się swojej ulubionej opowieści, może zechcieć wysłuchać obu opowiadań. Twoje szanse na wylansowanie nowego przeboju wzrosną, jeżeli zaproponujesz bajkę, która jest kolejną częścią ulubionej opowieści, występują w niej te same postaci, napisał ją ten sam autor lub ilustrował ten sam rysownik. Rozszerzaj literackie horyzonty swojego dziecka, zabierając je do biblioteki i udostępniając mu różnorodne książki. Zachęć, aby wybrało jedną lub dwie, i wypożycz. Zaglądaj do księgarni i pozwól, aby malec wertował książki. Jeżeli babcia zechce mu sprawić prezent, zasugeruj książkę. Podaruj także książkę jako urodzinowy lub świąteczny prezent, wybierając nie tę, która odpowiada tobie, ale tę, która spodoba się twojemu dziecku. A jeszcze lepiej pozwól, aby samo wybrało sobie książkę.

Jeżeli twoje dziecko nie jest jeszcze gotowe na czytanie nowych książek i co wieczór niezmiennie domaga się tej samej bajki, zgódź się na to z uśmiechem. Pamiętaj, że ten etap nie będzie trwał wiecznie. Pewnego dnia to właśnie różnorodność zacznie je pociągać i usłyszysz: „To już znam!"

MUZYCZNA MONOTONIA

Nasza córka ciągle puszcza tę samą kasetę. Mam już dość słuchania w kółko tych samych piosenek. Co mogę zrobić, aby zaczęła słuchać czegoś innego?

Puść to jeszcze raz, mamo (lub tato)! Słuchanie w kółko tej samej kasety lub płyty kompaktowej, podobnie jak wielokrotne czytanie tej samej książki, sprawia radość dziecku, które jest przywiązane do rytuału. Tak jak w wypadku książki, słuchanie kasety jest pouczającym doświadczeniem. Jeżeli dziecko słucha w kółko tej samej kasety, stopniowo nauczy się melodii i słów, co bez stałego powtarzania byłoby zupełnie niemożliwe. Co więcej, dziecku (podobnie zresztą jak starszym słuchaczom) najwięcej radości sprawia słuchanie znajomej muzyki. (Pamiętacie czasy, kiedy byliście nastolatkami i stale słuchaliście tych samych przebojów?)

Nie oznacza to jednak, że powinniście całkowicie skapitulować. Aby nie zwariować, a jednocześnie, aby poszerzyć muzyczne zainteresowania dziecka, od czasu do czasu starajcie się wprowadzać nowe kasety — zwłaszcza gdy poprzednie zostały już dosyć dobrze opanowane. Szanse na dołączenie nowych utworów do kolekcji przebojów waszego dziecka rosną, jeżeli starannie wybierzecie nowe nagrania. Najlepiej, jeśli nowa kaseta zawiera kilka piosenek, które dziecko już zna, ponieważ słyszało je w ulubionym programie telewizyjnym, na filmie lub od rodziców czy opiekunki. Dobrze, jeżeli śpiewa je ten sam wykonawca, który śpiewał piosenki na ulubionej kasecie. Gdy już wybrałaś kasetę, najpierw sama ją przesłuchaj, zaznajamiając się z piosenkami (czasami kasecie towarzyszy zeszyt z tekstami) i wyławiając elementy, które powinny spodobać się twojemu maluchowi. Zanim dokonasz premierowego przesłuchania, przygotuj dziecko, śpiewając mu niektóre z piosenek. Wreszcie, spróbuj wsunąć nową kasetę do magnetofonu, kiedy dziecko jest skupione na jakiejś innej czynności — układa puzzle, rysuje lub buduje zamek. Jeżeli nie zareaguje, niech magnetofon gra. Jeżeli zacznie się skarżyć, zacznij zachwalać kasetę: „Posłuchaj tej piosenki! To ta sama, którą zawsze śpiewa ci babcia!" lub: „Czy to nie zabawna piosenka? Pamiętasz, jak śpiewały ją Smurfy?"

Jeżeli uczysz dziecko zamieniania się rolami i ustępowania, możesz posłużyć się wprowadzeniem nowej kasety jako przykładem. Kiedy jedziecie do supermarketu zabierz ze sobą magnetofon lub odtwarzacz CD i pozwól dziecku wybrać pierwszą kasetę, potem powiedz: „W porządku! Teraz moja kolej. Teraz ja wybiorę kasetę".

Nigdy nie skarż się, nie wyśmiewaj i nie odmawiaj dziecku, jeżeli upiera się, aby posłuchać swoich ulubionych piosenek. Postępując w ten sposób, spowodujesz jedynie, że malec z większą determinacją będzie się domagać, aby słuchać tylko tej jednej, jedynej kasety. Bądź cierpliwa, z czasem wszystko się znudzi.

GOTOWOŚĆ DO NAUKI KORZYSTANIA Z NOCNIKA

Jedna z rówieśniczek naszej córeczki prawie całkowicie opanowała umiejętność korzystania z nocnika. Jednak nasza mała nie wykazuje najmniejszego zainteresowania. Czy powinniśmy zacząć ją do tego zmuszać?

Przymus jest gwarancją porażki w przypadku nauki korzystania z toalety („nauka korzystania z toalety" — to dobre określenie, ponieważ podkreśla rolę dziecka jako uczącego się, a nie rodziców, jako nauczycieli). Podobnie jak w wypadku innych umiejętności, takich jak czołganie się czy chodzenie, należy pozwolić dziecku, aby opanowało je zgodnie ze swoim własnym kalendarzem.

Mniej więcej po ukończeniu przez dziecko dwudziestego drugiego miesiąca układ wydalania jest na tyle rozwinięty, że wypróżnienia następują rzadziej i w bardziej przewidywalny sposób, co wskazuje na gotowość do podjęcia nauki korzystania z toalety. Zdarza się, że dziecko osiąga tę gotowość szybciej, jednak w wypadku większości dzieci zmiany te następują później. Sama tylko fizyczna dojrzałość nie jest jednak gwarancją sukcesu. Istnieje wiele sygnałów, które wskazują na to, że dziecko jest gotowe do podjęcia nauki korzystania z nocnika. Ich lista, jak również dalsze informacje dotyczące nauki korzystania z nocnika znajdują się w rozdziale 19 (str. 463).

Nawet jeżeli zaobserwujesz u swojego malca wszelkie objawy gotowości, nie oczekuj, że nauczy się on korzystać z łazienki w jedną noc. Zanim twoje dziecko nauczyło się chodzić, minęły tygodnie prób i błędów (wymagające od otoczenia sporej dozy cierpliwości). W przypadku nauki korzystania z toalety będzie podobnie.

NAUKA KORZYSTANIA Z TOALETY I KOLEJNE DZIECKO

Za dwa miesiące urodzę drugie dziecko. Nasz synek sprawiał wrażenie, że jeszcze nie jest gotów, aby uczyć się korzystać z łazienki, więc go do niczego nie zmuszaliśmy. Teraz jednak, kiedy uświadomiliśmy sobie, ile będziemy potrzebować pieluszek, mamy wątliwości.

W wypadku nauki korzystania z toalety jest tylko jeden kalendarz, który ma znaczenie dla dziecka — jego własny. Mimo że próby zgrania jego i waszych planów wydają się potrzebne, nie są one realne. Podobnie jak w wypadku innych ważnych etapów w rozwoju dziecka, nauka korzystania z toalety przebiega najlepiej i najefektywniej, kiedy dziecko jest do niej gotowe, a nie rodzice. Wywieranie presji na malca, aby przedwcześnie zrezygnował ze swoich pieluszek, prawie nigdy nie przynosi rezultatu, zwłaszcza gdy naciski te mają związek z narodzinami kolejnego dziecka. Nawet malec, który bez trudu korzysta z nocnika, może cofnąć się w rozwoju, kiedy w domu pojawi się rodzeństwo. Dziecko, które dopiero zaczyna się uczyć, ma jeszcze mniejsze szanse na utrwalenie świeżo nabytych umiejętności.

Oczywiście, jeżeli zauważycie, że wasza pociecha wykazuje szczere zainteresowanie nauką korzystania z nocnika, nie czujcie się w obowiązku czekać, aż zaakceptuje swoją rolę starszego brata lub siostry. Wykorzystajcie moment i rozpocznijcie naukę (patrz rozdz. 19). Zachowajcie jednak szczególną ostrożność, oczekujcie powrotów do poprzednich zwyczajów i bądźcie gotowi odstawić nocnik, jeśli maluch będzie sobie tego życzył.

SZCZODROŚĆ, KTÓRA PRZERODZIŁA SIĘ W ZACHŁANNOŚĆ

Moja córeczka zawsze była bardzo szczodra w stosunku do swoich rówieśników — dałaby im wszystko, czego by sobie zażyczyli. Nagle, zupełnie niespodziewanie, stała się zachłanna.

Świat to ciągła walka i wasza córka, podobnie jak większość maluchów w drugim roku życia, nagle zdała sobie z tego sprawę. Kiedy była zupełnie mała, własność nie miała dla niej większego znaczenia. To, co posiadała, rzadko bywało zagrożone przez otaczających ją ludzi i w konsekwencji nie odczuwała potrzeby obrony swojej własności. Teraz ma nowe wyobrażenie o sobie („To ja!") i własności („To moje!"). Spotkała inne skoncentrowane na swoich potrzebach dzieci — z ich ciekawskimi rączkami — i nie można się dziwić, że wzięła się do obrony swojego kawałka piaskownicy i zabawek.

Ważne jest, aby zrozumieć, że dążenie, aby strzec tego, co moje (a od czasu do czasu położyć rękę na tym, co cudze), znamionuje nie zachłanność, ale pewną fazę w rozwoju dziecka. Prawdziwa szczodrość jest niemożliwa, dopóki człowiek nie ma poczucia własności i nie wyraża zgody, aby się czymś podzielić. Chęć dzielenia się z innymi dziećmi podczas zabawy najprawdopodobniej nie pojawi się przez najbliższy rok. Możecie próbować przyspieszyć moment, kiedy „dawanie" będzie znaczyło w życiu waszego dziecka przynajmniej tyle samo, ile „branie", ucząc dziecko dzielenia się z innymi (patrz str. 236).

CO WARTO WIEDZIEĆ

Podróże z dzieckiem

Dla wielu rodziców już samo pozostawanie w domu z dzieckiem jest wyzwaniem; wyruszenie z nim w podróż — czy to na jednodniową wycieczkę, czy dwutygodniowe wakacje — napełnia ich autentycznym przerażeniem. Przypływ dziecięcej furii w domu? No cóż, zawsze można pozamykać okna i drzwi. Napad szału w supermarkecie? Nic nie stoi na przeszkodzie, aby pośpiesznie wycofać się do samochodu i wrócić do domu. Ale atak wściekłości na wysokości dziesięciu tysięcy metrów, na całe dwie godziny przed lądowaniem, lub w zatłoczo-

Nie wyjeżdżaj z domu z pustymi rękami

Niech podręczna torba twojego dziecka będzie zawsze spakowana i gotowa do zabrania, kiedy wyjeżdżasz z domu*. Włóż do niej pieluszki, wilgotne chusteczki, które możesz wykorzystać do mycia rąk, jak również w innym celu, śliniczek, jeżeli twoje dziecko go używa, papierowe serwetki, zapasowe ubrania i buty. Jeżeli istnieje niebezpieczeństwo toaletowej „wpadki", weź też z sobą kilka worków na zużyte pieluszki lub na mokre ubrania lub pieluszki z tetry, a także, o czym nie należy zapomnieć, kilka przedmiotów dla zajęcia uwagi dziecka (książki, pudełko z kredkami, ulubioną pluszową zabawkę, lalkę lub samochodzik. Unikaj zabawek wieloczęściowych).

Bez względu na to, jak długo zamierzasz pozostawać poza domem oraz ile czasu minęło od ostatniego posiłku, zabierz również ze sobą coś do jedzenia (kanapki, banany, przecier jabłkowy lub wieloowocową galaretkę, serek w pudełku lub krojony, płatki, krakersy, ciasteczka z owocami, świeże owoce)** oraz napoje (kartonik z sokiem lub bardziej przyjazny środowisku termos czy butelkę z sokiem). Jeżeli żywność, którą ze sobą zabierasz, może łatwo ulec zepsuciu, zapakuj ją do hermetycznej torby razem z kostkami lodu.

Pamiętaj, aby nie proponować jedzenia lub picia jako lekarstwa na nudę, nadpobudliwość czy jako antidotum na humory. Sięgaj po nie tylko podczas przerw na posiłki lub kiedy twój malec oświadcza, że jest głodny.

* Wskazówki dotyczące pakowania bagaży na podróże dłuższe niż jednodniowe znajdują się na str. 234.

** Chleb, krakersy i ciastka powinny być pełnozbożowe. Wskazane jest, aby po posiłku bogatym w węglowodany dziecko zjadło trochę sera (zapobiega próchnicy) lub przepłukało usta wodą.

nym autobusie dalekobieżnym śni się rodzicom w najstraszniejszych koszmarach.

Ale drogi ciągle kuszą (podobnie jak dziadkowie i znajomi niecierpliwie oczekujący waszej kolejnej wizyty), przybywa nie wykorzystanego urlopu i przychodzi czas, kiedy trzeba się spakować i pojechać. A więc ruszaj w drogę, ale przedtem planuj, planuj i jeszcze raz planuj.

GDZIEKOLWIEK JEDZIESZ

Jakkolwiek może się wydawać bardzo niesprawiedliwe, że jedna bardzo mała osoba decyduje o wakacjach całej rodziny, planowanie wyjazdu zgodnie z upodobaniami waszego najmniejszego turysty jest naprawdę najlepszym rozwiązaniem. Tak czy inaczej, jeżeli wasze dziecko nie będzie się dobrze bawić, to nikt nie będzie się dobrze bawił. Tak więc w interesie was wszystkich:

Poradź się lekarza. Jeżeli planujesz jakąś większą podróż za granicę, staraj się zaplanować wizytę u pediatry na dwa miesiące przed wyjazdem. Jeżeli twoje dziecko ma przewlekłe problemy ze zdrowiem, takie jak astma czy cukrzyca, zapytaj, jakie szczególne środki ostrożności powinnaś przedsięwziąć na czas podróży oraz w miejscu, do którego się udajesz. Jeżeli malec regularnie przyjmuje lekarstwa, poproś o dodatkową receptę, na wypadek zgubienia leków w czasie podróży. Jeżeli planujesz podróż samolotem z dzieckiem, które często choruje na przeziębienia lub alergie dróg oddechowych, dowiedz się, czy należy wziąć ze sobą leki antyhistaminowe lub inhalator. Jeżeli wyjeżdżasz za granicę, poproś o doradzenie ci lekarstwa na związane z podróżą kłopoty żołądkowe. Podróż do niektórych krajów wymaga specjalnych szczepień lub zachowania dodatkowych środków ostrożności[1].

Zadbaj o noclegi. W większości hoteli, moteli i ośrodków wczasowych można otrzymać kołyskę dla niemowląt. Jeżeli twoje dziecko śpi w łóżeczku, sprawdź przedtem, czy przeznaczone dla dziecka łóżeczko można ustawić pomiędzy ścianą i twoim łóżkiem. Jeżeli odwiedzasz rodzinę, postaraj się pożyczyć kołyskę lub łóżeczko ze szczebelkami. W najgorszym wypadku dziecko (jeżeli nie jest zbyt małe) może spać w swoim śpiworze na podłodze. Przedtem upewnij się jednak, że w pokoju jest czysto i nie ma żadnych przedmiotów stanowiących zagrożenie dla dziecka (patrz str. 231).

Ogranicz liczbę zwiedzanych miejsc. Wakacje z dzieckiem są najbardziej udane, jeśli spędzasz je w jednym miejscu — odwiedzasz krewnych, ośrodki oferujące specjalne atrakcje dla rodzin, spędzasz urlop w domku nad morzem lub w mieście. Nie poleca się dalekich wypraw i podróży

[1] Postaraj się, aby dziecko było szczepione co najmniej sześć tygodni przed wyjazdem. Dziecko powinno posiadać wszystkie podstawowe szczepienia (patrz tabela na końcu książki) oraz szczepienia dodatkowe w zależności od celu podróży.

oceanicznych, zarówno ze względu na fakt, że małe dzieci wymagają stałej opieki na pokładzie, jak również dlatego że mogą odnieść obrażenia lub przestraszyć się kołysania statku (można jednak spotkać się z ofertami podróży na otwartych morzach dla rodzin z dziećmi, patrz str. 230). Planując wakacyjną wyprawę, ogranicz liczbę miejsc, które chcesz zwiedzić, tak aby nie być ciągle w drodze. Innymi słowy, nie próbuj zwiedzać siedmiu miast w ciągu tygodnia. Jeżeli twoje dziecko nie jest wyjątkiem łatwo przystosowującym się do nowych warunków, sprowadzisz sobie na głowę kłopoty.

Nie oczekuj zbyt wiele. Tajemnicą względnie udanego wypoczynku z dzieckiem są niewielkie oczekiwania i spora doza cierpliwości. To prawda, że twoje dziecko może wszystkich zaskoczyć, przystając na wszelkie propozycje, łatwo adaptując się do nowego otoczenia, pogodnie towarzysząc w wyprawach na zakupy i zwiedzaniu zabytków, nienagannie zachowując się w samolotach i pięciogwiazdkowych restauracjach. Jednak z dużo większym prawdopodobieństwem można oczekiwać, że twoje dziecko zachowa się jak... dziecko. Podczas nie kończących się dni w muzeach, butikach i autokarach nuda doprowadzi większość maluchów do łez (dosłownie!). Tak więc planuj rozsądnie!

Ogranicz zwiedzanie. Jeżeli zamierzasz zwiedzać zabytki, pamiętaj, że trudno ci będzie zachowywać się jak typowy turysta. Być może zapragniesz zobaczyć, czy wszystkie miejsca opisane w przewodniku istnieją, jest jednak bardzo prawdopodobne, że twoje dziecko nie będzie miało na to ochoty. Tak więc jeżeli nie stać cię na zabranie ze sobą opiekunki do dziecka lub członka rodziny, który mógłby zaopiekować się malcem podczas twoich wycieczek, będziesz musiała zdecydować się na kompromis pomiędzy tym, co interesuje ciebie, a tym, co wzbudza zainteresowanie dziecka (zoo, muzea dla dzieci, plaże, parki, wesołe miasteczka). Nie próbuj też planować zbyt wiele na jeden dzień. Dziecko przeważnie toleruje po jednej wyprawie przed i po południu.

Staraj się zaplanować zwiedzanie interesujących ciebie muzeów, kościołów, zabytków i innych miejsc, kiedy dziecko (miejmy nadzieję) drzemie w wózku lub nie jest niczym rozdrażnione. Jeżeli w waszym gronie są przynajmniej dwie osoby dorosłe, zastanów się nad możliwością zwiedzania i zajmowania się dzieckiem na zmianę. Jeżeli jesteś sama, rozważ możliwość zatrudnienia chwilowej opiekunki do dziecka (twoje wymagania względem opiekunki do dziecka poza domem powinny być takie same jak wymagania wobec stałej opiekunki, patrz str. 690), tak abyś mogła sobie pozwolić na samotne zwiedzanie interesujących cię zabytków.

Małe dzieci mogą być nawet na tyle zafascynowane formami, kolorami i kształtami w muzeum lub galerii, że pozwolą rodzicom na wielogodzinne zwiedzanie, szczególnie jeżeli są wygodnie usadowione w wózku. Starsze maluchy chętniej uczestniczą w zwiedzaniu, jeżeli jest ono połączone z jakąś zabawą. Spróbuj na przykład zaproponować zabawę w odnajdywanie miejsc. Po przyjeździe na miejsce skieruj się prosto do sklepu z pamiątkami i zachęć dziecko, aby wybrało kilka pocztówek z ciekawymi obrazami i eksponatami z muzeum. Potem poproś swojego małego turystę, aby podczas zwiedzania rozpoznał miejsca i przedmioty z pocztówek („Rozpoznasz tego rycerza w zbroi i ten śliczny obraz?"). Oczywiście, postaraj się dotrzeć do miejsc, gdzie można obejrzeć te przedmioty.

Informacje o atrakcjach dla dzieci można znaleźć w miejscowym przewodniku i/lub odszukać w lokalnej gazecie, jeżeli taka jest wydawana.

Staraj się zapanować nad chaosem. W dniach, kiedy plan zwiedzania jest bardzo napięty, staraj się zjadać śniadania w pokoju hotelowym przed wyruszeniem na trasę, a kolacje po powrocie. Dzięki temu nie tylko nie musisz tak często przemieszczać się z jednego miejsca w drugie, lecz również stwarzasz w hotelu bardziej domową atmosferę. Ułatwi to również zachowanie zwyczajów związanych z myciem i układaniem do snu. Najlepiej jeśli twój pokój wyposażony jest w lodówkę lub barek. Możesz wtedy zrobić zapasy żywności i napojów, zmniejszając w ten sposób stres (oraz wydatki) związane z ciągłym jedzeniem poza domem.

Nie zapominaj o poczuciu humoru! Poczucie humoru jest niezbędne podczas podróży z dziećmi. Jeżeli potrafisz się śmiać, kiedy nic się nie udaje (a tego nie sposób uniknąć), będzie ci o wiele lżej!

PODRÓŻE SAMOLOTEM

Zarezerwuj wcześniej bilety. Jeżeli to możliwe, postaraj się kupić bilety dużo wcześniej. Dzięki temu będziesz mogła wybrać lot i miejsca do siedzenia. Przedstawiciel biura podróży powinien nie tylko zarezerwować ci wcześniej bilety (bez dodatkowych kosztów), lecz również zaopatrzyć cię w karty pokładowe, co zaoszczędzi ci czasu i nerwów na lotnisku.

Unikaj podróży w okresach wzmożonego ruchu turystycznego. Im mniejszy tłok na pokładzie, tym lepiej będziesz się czuła, otrzymasz lepszą obsługę, a zachowanie twojego dziecka w mniejszym stopniu wpłynie na pozostałych pasażerów. Staraj się wybrać lot w porze, w której twoje dziecko zwykle śpi (na dalekie podróże najlepsze są nocne loty, na krótkie — godziny popołudniowej drzemki). Być może, ale tylko być może, dziecko rzeczywiście na chwilę zaśnie na pokładzie.

Pomyśl o rozbiciu długiej podróży na etapy. Jeśli podróżujesz w ciągu dnia, krótka przerwa w pięciogodzinnym locie może wiele ułatwić. Wybieraj połączenia bezpośrednie, tak aby postój nie wymagał zmiany samolotu i abyś mogła zostawić bagaże na pokładzie, kiedy wyjdziesz z dzieckiem. Wykorzystaj czas na lotnisku, aby coś zjeść, umyć się, zmienić dziecku pieluszkę lub skorzystać z toalety. Niech malec straci trochę energii, przygląda się, jak lądują i startują samoloty i — jeżeli to możliwe — odwiedzi miejscowe centrum gier i zabaw dla dzieci. Jeżeli zachodzi konieczność zmiany samolotu, upewnij się, czy wystarczy wam czasu, aby w spacerowym tempie dotrzeć do następnego wejścia. Na niektórych dużych lotniskach wejścia bywają bardzo oddalone. Jeżeli to możliwe, unikaj lotów z kilkoma postojami.

Zastanów się nad wykupieniem dodatkowego siedzenia. Mimo że dzieci do dwóch lat mogą podróżować bez biletu, rodzice często decydują się na wykupienie im dodatkowego miejsca. Dziecko uwięzione na kolanach mamy lub taty podczas startu, lądowania i wstrząsów w czasie lotu zwykle kręci się, wierci i głośno domaga wolności. Zakup pełnego biletu dla malca może się wydawać ekstrawagancją (chociaż niektóre linie lotnicze oferują 50% zniżki dla dzieci), ale ułatwi to wam obojgu siedzenie, zabawę i spożywanie posiłków, a jednocześnie sprawi, że twoje dziecko poczuje się ważniejsze (z własnymi pasami bezpieczeństwa, tacą z jedzeniem i słuchawkami). Maluchy usadowione na osobnych fotelach są również bezpieczniejsze podczas zakłóceń lotu aniżeli dzieci przytrzymywane w ramionach rodziców. (Dla większego bezpieczeństwa weź ze sobą samochodowy fotelik dziecięcy.)

Jeżeli podróżujesz z inną dorosłą osobą, istnieje możliwość, że przedstawiciel biura podróży zarezerwuje dla ciebie siedzenie zewnętrzne i siedzenie przy oknie, z jednym miejscem wolnym pośrodku, zakładając, że na pokładzie nie będzie tłoku. Jeżeli poinformujesz, że podróżujesz z dzieckiem na kolanach, linie lotnicze nie sprzedadzą tego miejsca, jeżeli nie będzie to absolutnie konieczne. Jeśli miejsce nie zostanie sprzedane, będziesz mogła tam posadzić swojego malca. Jeżeli miejsce zostanie wykupione, możesz być pewna, że osoba siedząca w środku chętnie zamieni się z jednym z was, aby podczas trwania lotu uniknąć podawania dziecka nad swymi kolanami.

Wybieraj siedzenia zewnętrzne. Dzieci uwielbiają miejsca przy oknie, ale ty wkrótce pożałujesz, że zrezygnowałaś z dostępu do przejścia. Zatem, jeżeli podróżujesz sama, z dzieckiem na kolanach, wybierz miejsce na zewnątrz, inaczej bowiem wystawisz na próbę cierpliwość osób, obok których będziesz się przepychać, aby zaprowadzić swojego niespokojnego malca do toalety lub na spacer. Oczywiście, jeżeli cały rząd zajmują osoby odbywające podróż razem z tobą, możesz mieć jednocześnie miejsce przy oknie i na zewnątrz. Rezerwując miejsce przy oknie, upewnij się, że widoku nie zasłoni ci skrzydło samolotu. Sprawdź również, czy zajmujesz miejsca przy wyjściu awaryjnym, gdyż mogą je zajmować jedynie dorośli. Siedzenia przy pomieszczeniach gospodarczych nie zapewnią intymności (stanowi to problem, szczególnie jeżeli nadal karmisz piersią), ale gwarantują łatwy dostęp do toalety i obsługi samolotu.

Rodzice często preferują siedzenia, które zapewniają więcej miejsca z przodu. Malec może wymachiwać nogami (nie niepokojąc pasażerów z przodu) i kiedy nie trzeba mieć zapiętych pasów, bawić się lub spać na podłodze. Jednak oprócz kilku zalet rozwiązanie to posiada liczne wady. Po rozłożeniu na kolanach tac z posiłkami brakuje miejsca dla dziecka; poręczy zazwyczaj nie można podnieść (a więc dziecko nie może ułożyć się do drzemki na dwóch siedzieniach); podczas projekcji filmu siedzisz tuż przed ekranem; na poziomie podłogi jest mniej tlenu, w razie nagłego spadku zawartości tlenu w powietrzu bawiące się lub śpiące na podłodze dziecko może zacząć się dusić lub przekoziołkować, jeżeli nastąpią niespodziewane zakłócenia w locie; nie ma miejsca na bagaż pod siedzeniem, a więc nawet rzeczy pierwszej potrzeby podczas startu i lądowania trzeba ułożyć na półce ponad głową.

Na terenie Stanów Zjednoczonych palenie podczas lotu jest zabronione, jeżeli jednak lecisz za granicę, postaraj się zarezerwować miejsca jak najdalej od części samolotu wydzielonej dla palących.

Nie oczekuj na pokładzie samolotu regularnych posiłków. Względy ekonomiczne powodują, że poczęstunki serwowane na pokładach samolotów stają się coraz uboższe w kalorie. Dawniejszy posiłek dzisiaj może być już tylko skromną przekąską. Telefonuj wcześniej i dowiedz się dokładnie, co będzie podane i czy oferuje się posiłki dla dzieci. Inne „specjalne" dania, które ewentualnie możesz zamówić w zależności od upodobań twojego dziecka, to owoce, sery lub płatki. Poproś również o dokładny opis wszystkich dań, ponieważ większość z nich składa się z potraw, których przeciętne dziecko nie dotknęłoby, nawet gdyby miało umrzeć z głodu (rogaliki z szynką i serem, piętrowe kanapki). Czasami poczęstunek na pokładzie ogranicza się do napoju i paczki orzeszków ziemnych, które ze względu na niebezpieczeństwo zakrztuszenia się są niewskazane dla dzieci do lat dwóch. Bez względu na to, co obiecują linie lotnicze, nigdy nie wchodź na pokład bez własnego zapasu żywności dla dziecka (patrz str. 222). Opóźnienia przy starcie mogą spowodować opóźnienia w serwowaniu posiłków, wózki z jedzeniem mogą poruszać się między przedziałami nieprawdopodobnie wolno, a dania „specjalne" mogą być nieosiągalne.

Ponieważ podczas lotu płyny są szczególnie ważne (powietrze w samolocie jest bardzo suche), zabierz ze sobą ulubione napoje twojego dziecka, na wypadek gdyby nie podawano ich na pokładzie samolotu.

Odpowiedni ubiór. Strój niedzielny to nie najlepszy wybór na podróż, ubierz się w wygodne rzeczy, na których nie widać plam i które nie tracą fasonu, nawet gdy są pogniecione. Jeżeli chcesz zrobić dobre wrażenie u celu podróży, przebierz się po przybyciu na miejsce lub zabierz ze sobą eleganckie dodatki, takie jak kapelusz lub kamizelka, aby je założyć tuż przed wyjściem z samolotu. Ponieważ trudno przewidzieć, jaka będzie pogoda, gdy dotrzecie na miejsce, ubierz się wielowarstwowo. Dla przykładu, podróżując w zimie, ubierz swoje dziecko w podkoszulek, bluzę z długim rękawem i sweter, tak abyś mogła dodawać lub zdejmować warstwy w zależności od temperatury na pokładzie samolotu i lotniska. Zadbaj również o to, aby strój dziecka pozwalał na łatwą wymianę pieluszek i korzystanie z łazienki.

Skorzystaj z punktu nadawania bagażu. Aby uniknąć dźwigania dziecka, wypożycz na lotnisku wózek bagażowy z wmontowanym siedzeniem dla dziecka lub, jeżeli linie lotnicze na to pozwalają, zabierz ze sobą na pokład małą spacerówkę, aby ułatwić sobie poruszanie się po lotnisku. Jeżeli zabierasz spacerówkę, ale nie możesz zabrać jej ze sobą na pokład, poproś bagażowego, aby ją opakował i przypilnował, żeby nie przygniotły jej ciężkie walizki.

Nie wchodź na pokład samolotu zbyt wcześnie. Zwykle pasażerowie z małymi dziećmi mogą wejść do samolotu wcześniej, ale im szybciej znajdziesz się na pokładzie, tym więcej czasu będziesz musiała spędzić w zatłoczonych kabinach. Jeżeli podróżujesz z inną dorosłą osobą, jedno z was może wcześniej wejść na pokład z bagażami, podczas kiedy drugie powinno czekać z dzieckiem na otwartej przestrzeni aż do ostatniego dzwonka wzywającego do wejścia na pokład. Przedtem jednak koniecznie zmień dziecku pieluszkę lub skorzystaj z łazienki. Zarówno jedno, jak i drugie będzie trudniejsze do przeprowadzenia w samolocie[3], szczególnie podczas manewrowania na płycie lotniska i startu, które na ruchliwych lotniskach mogą trwać ponad pół godziny lub, w przypadku opóźnienia, znacznie dłużej.

O co można poprosić. Poduszki, koce, karty, a często zabawki dla małych podróżnych (upewnij się, że są odpowiednie dla wieku twojego dziecka) są zazwyczaj dostępne na pokładach samolotów. Czasami istnieje również możliwość zwiedzenia kabiny pilotów podczas wchodzenia na pokład lub po lądowaniu.

Uważaj na uszy. Podwyższenie ciśnienia w kabinie podczas startu i jego obniżenie podczas lądowania są zawsze trudne do zniesienia dla uszu małego pasażera. Spowodowane tym donośne skargi są z kolei zawsze trudne do zniesienia dla uszu siedzącego obok dużego pasażera. Jeżeli twoje dziecko jest nadal karmione butelką lub piersią, ssanie podczas startu i lądowania może przynieść ulgę, w sposób naturalny zmuszając do połykania, co obniża powstające w uszach ciśnienie. (Zacznij, kiedy samolot przyśpiesza na pasie startowym, a przed końcem podróży, kiedy pilot zapowie: „Schodzimy do lądowania".) Jeżeli nie, każ swojemu dziecku pić z kubka z dzióbkiem lub ze słomką, daj mu do zjedzenia coś, co wymaga intensywnego żucia. Możesz mu dać gumę do żucia, jeżeli jesteś pewna, że dziecko jej nie połknie (w wypadku większości dzieci pewności takiej nie ma przed ukończeniem czwartego lub piątego roku życia).

Pomóc też może jeden ze znanych domowych

---

[3] Nie wyrzucaj pieluszek w łazience na pokładzie samolotu. Linie lotnicze wolą, aby opakowywano je w plastykowe torebki i oddawano obsłudze lotu (kiedy nie roznosi się posiłków).

Podróż za granicę

Samotna podróż za granicę z dzieckiem wymaga specjalnych dokumentów. Nawet jeżeli lecisz niedaleko, niektóre linie lotnicze mogą nie zezwolić ci na wejście z dzieckiem na pokład samolotu lecącego poza obszar kraju, dopóki nie przedstawisz pisemnej zgody drugiego z rodziców na wyjazd dziecka lub zaświadczenia, że jesteś jego jedynym prawnym opiekunem. Pamiętaj zatem, aby opuszczając kraj, zabrać ze sobą odpowiednie dokumenty.

sposobów łagodzenia bólu uszu spowodowanego podwyższeniem ciśnienia:

* Gorące ręczniki. Poproś obsługę samolotu, aby podgrzano dwa ręczniki. Sprawdź, czy nie są zbyt gorące (dotknij nimi wewnętrznej strony przedramienia), przyłóż po jednym ręczniku po obu stronach głowy malca. Ciepło rozrzerza powietrze w uchu środkowym, obniżając parcie na bębenek uszny.
* Gorące serwetki. Zmocz kilka papierowych serwetek lub ręczników gorącą, ale nie wrzącą wodą (poproś, aby zrobiła to obsługa samolotu, jeżeli nie masz pewności, czy ręczniki nie będą za gorące), złóż je w dwa papierowe stożki i przyłóż po jednym do każdego ucha. Podobnie jak poprzednio ciepło obniża ciśnienie.
* Dmuchanie. Jeżeli twoje dziecko wie, jak dmuchać przez nos, każ mu to zrobić, a sama ściśnij oba nozdrza. Mimo że początkowo jest to bolesne, pozwala przepchać uszy i obniżyć ciśnienie. Blokada kanałów słuchowych, wynikająca z przekrwienia nosa spowodowanego przeziębieniem lub alergią, zwykle nasila ból uszu. Jeżeli twoje dziecko było chore, przed wyjazdem udaj się na wizytę kontrolną do lekarza. Pediatra może zalecić podanie na godzinę przed startem, a jeżeli lot będzie trwał dłużej niż działanie leku, na godzinę przed lądowaniem antyhistaminy i/lub leku zmniejszającego przekrwienie. Lekarz może też w ogóle zalecić przesunięcie terminu lotu.

Jeżeli wszystko zawiedzie i twoje dziecko płacze zarówno podczas wznoszenia się, jak i opadania samolotu, zlekceważ potępiające spojrzenia pozostałych pasażerów. (Pamiętaj, że prawdopodobnie nigdy więcej ich nie zobaczysz!) Nie zapominaj również, że krzyk zmniejsza ciśnienie w bębenkach usznych twojego dziecka i łagodzi ból!

Najważniejsze jest bezpieczeństwo. Jeżeli twoje dziecko ukończyło dwa lata i/lub wykupiłaś dla niego osobne miejsce, zabierz ze sobą na pokład fotelik samochodowy — zapewnia on większe bezpieczeństwo aniżeli tylko same pasy. Nie powinnaś spotkać się ze sprzeciwem ze strony obsługi samolotu.

Jeżeli dziecko siedzi ci na kolanach, n i e p r z y p i n a j go do siebie pasami — nawet niewielkie ich naprężenie może spowodować poważne obrażenia. Sama jednak zapnij pasy, a potem obejmij dziecko wokół pasa; podczas startu i lądowania zaciskaj dłonie wokół swoich nadgarstków. Nie pozwól maluchowi samotnie wędrować po pokładzie, spać bądź też bawić się na podłodze, ponieważ w wypadku niespodziewanych zakłóceń lotu może odnieść obrażenia.

Przestudiuj również instrukcję użycia maski tlenowej oraz dowiedz się, gdzie znajdują się dodatkowe maski, jeżeli twoje dziecko nie ma zarezerwowanego dla siebie osobnego siedzenia. Pamiętaj, najpierw ty załóż maskę, a dopiero potem pomóż dziecku. Jeżeli będziesz próbowała to zrobić w odwrotnej kolejności, przy nagłym obniżeniu zawartości tlenu w powietrzu, możesz stracić przytomność, zanim zdołasz założyć którąkolwiek z masek.

PODRÓŻ POCIĄGIEM

Zarezerwuj bilety. Wcześniejszy zakup biletów pozwoli ci uniknąć stania w długich kolejkach przed kasami. Jeżeli to możliwe, wykup również miejscówkę. Pamiętaj, że rezerwacja biletów gwarantuje miejsca siedzące, ale niekoniecznie obok siebie. Dowiedz się, czy w pociągu, którym planujesz jechać, podaje się posiłki dla dzieci, a jeżeli tak, to jakie dania.

Jeżeli to możliwe, nie podróżuj w godzinach szczytu. W godzinach szczytu pociągi mogą być bardzo zatłoczone, szczególnie w okresie wakacyjnym. Staraj się podróżować poza godzinami szczytu. Jeżeli twoje dziecko zasypia w pociągu, dobrym rozwiązaniem może być podróż późnym wieczorem.

Niezbędny bagaż. Jeśli wybierasz nocny pociąg, twoja podręczna torba powinna również zawie-

Podróże i kłopoty z brzuszkiem

Dzieci, podobnie jak wszyscy podróżujący, są narażone na biegunkę. Możesz zmniejszyć ryzyko zachorowania, podając dziecku wyłącznie pasteryzowane mleko i soki z butelek. Jeżeli masz wątpliwości co do czystości wody, podawaj do picia wyłącznie przegotowaną wodę lub wodę z butelek (zrezygnuj z kostek lodu, chyba że zamrożono przegotowaną wodę). W krajach takich jak Meksyk, gdzie świeże owoce i warzywa mogą być skażone, zrezygnuj z warzyw, których nie dogotowano, nie obrano ze skórki lub nie wymyto w roztworze chloraminy i nie spłukano wrzącą wodą (zapytaj w restauracji, jeżeli odpowiedź jest niejasna, nie jedz posiłku). Owoce powinny być wymyte i obrane ze skórki. Upewnij się również, czy mięso, ryby lub kraby są dokładnie ugotowane (nie jedz *sushi* i innych tego typu dań) oraz że sery, jogurty i inne produkty mleczne są pasteryzowane. Korzystaj tylko z tych restauracji, które sprawiają wrażenie, że przestrzega się w nich przepisów sanitarnych podczas przygotowywania potraw (patrz str. 453). Bezwzględnie unikaj żywności oferowanej przez ulicznych sprzedawców. Sama dbaj o higienę i sprawdzaj, czy wszyscy członkowie rodziny dokładnie myją ręce po wyjściu z toalety (lub po zmianie dziecku pieluszki) i przed jedzeniem. Jeżeli dziecko mimo wszystko rozboli brzuszek, przeczytaj na str. 508 wskazówki odnośnie do leczenia biegunki.

Dzieci w podróży po kraju mogą również dostać zaparcia z powodu zmian w diecie, rozkładzie posiłków lub z braku ruchu. Aby uniknąć tego problemu, postaraj się, aby maluch zjadał mnóstwo świeżych lub suszonych owoców i warzyw (patrz zasady bezpieczeństwa powyżej), razowego pieczywa i płatków zbożowych, pił odpowiednie ilości płynów i codziennie brał udział w zabawach wymagających wysiłku fizycznego. Zabranie ze sobą nocnika może ułatwić dziecku załatwianie się, a także zapewnia higienę.

rać rzeczy na noc — piżamę, czystą bieliznę, przybory toaletowe i inne niezbędne rzeczy, które przydadzą się w pociągu tobie i twojemu dziecku. Powinno to ustrzec cię przed przekopywaniem starannie zapakowanej walizki.

Przyjdź na dworzec wcześniej. Sprawdź wcześniej na planie, o której twój pociąg przyjeżdża na stację. Jeżeli pomiędzy przyjazdem i odjazdem jest dziesięć lub piętnaście minut przerwy, staraj się dotrzeć na peron przed wjazdem pociągu, a nie tuż przed odjazdem. Masz wtedy większe szanse na to, że cała rodzina będzie siedziała razem. Jeżeli w podróż wybierają się dwie osoby dorosłe, wyślij jedną, gdy tylko wjazd pociągu zostanie zapowiedziany, aby zajęła miejsca, podczas kiedy druga w żółwim tempie będzie posuwać się z dzieckiem wzdłuż peronu. W ostateczności wynajmij bagażowego, nie tylko po to, by zaniósł ci bagaże, ale również po to, by zajął ci jak najlepsze miejsca. Jeżeli pociąg nie jest zatłoczony lub jeśli podróżujecie w czwórkę, po dwa miejsca naprzeciwko siebie przy oknie powinny was całkowicie zadowolić (zakładając, że dwojgu spośród was odpowiada siedzenie tyłem do kierunku jazdy). Staraj się zająć miejsce przy oknie, przez które dziecko może oglądać mijane krajobrazy.

Wykorzystaj przerwy w podróży. Nawet piętnastominutowa przerwa stworzy tobie i dziecku możliwość opuszczenia pociągu i rozprostowania nóg, a nawet spaceru wzdłuż pociągu, aby obejrzeć ciągnący pociąg elektrowóz (zadbaj jedynie, aby ktoś przypilnował waszego bagażu oraz aby w porę wejść do pociągu).

Nie licz na bar z przekąskami. Nawet jeżeli w pociągu znajduje się wagon restauracyjny, a szczególnie jeżeli jest to jedynie bar z przekąskami, bądź przygotowana na najgorsze — nie znajdziesz tam nic, co twoje dziecko mogłoby zjeść. Aby zapobiec gastronomicznej katastrofie, zabierz ze sobą tyle jedzenia, aby starczyło na całą podróż. Uzupełnij je mlekiem i zakupionymi w pociągu sokami.

Zabierz ze sobą poduszkę i koc. Jeżeli wybierasz się w długą podróż nocą, zarezerwuj przedział sypialny. Jeśli nie ma takiej możliwości, zabierz z domu jasiek i koc dla dziecka.

Aby uniknąć nieszczęścia. Zdarza się, że znudzone długą jazdą pociągiem dzieci zaczynają szaleć i biegać po przedziale lub korytarzu pociągu. Ponieważ nagłe szarpnięcie podczas jazdy może rzucić dziecko na przeciwległe siedzenie lub innego pasażera, nalegaj, aby twój maluch poruszał się po pociągu jedynie w towarzystwie dorosłego.

PODRÓŻE SAMOCHODEM

Nie wyjeżdżaj bez fotelika dla dziecka. Specjalny fotelik dla dziecka jest konieczny w przypadku podróży samochodem, bez względu na to, czy jedziesz daleko, czy blisko. Jeżeli wypożyczasz samochód, poproś wypożyczalnię o dostarczenie ci fotela dla dziecka lub weź ze sobą własny. Zaopatrz siedzenie w przytulną poduszeczkę pod głowę i zestaw zabawek (grzechotki, nietłukące lusterka, mała kierownica — wszystkie zabawki muszą być bezpiecznie przymocowane do siedzenia), aby zmniejszyć uciążliwość przymusowego bezruchu. Praktyczne są również zabawki, które przywierają do tacy przy siedzeniu dziecka lub do okna.

Jeżeli w podróży bierze udział kilka osób, od czasu do czasu zmieniaj miejsca siedzenia wszystkich oprócz dziecka (przenoszenie fotela dziecka z miejsca na miejsce jest zbyt kłopotliwe), aby malcowi urozmaicić jazdę, a pozostałym pozwolić odpocząć.

Nie doprowadzaj dziecka do szaleństwa. Czas, kiedy można było jechać prosto do celu, nie zatrzymując się po drodze, żywiąc się mocną kawą i przełkniętymi w pośpiechu hamburgerami lub pączkami, bezpowrotnie minął. Kiedy dziecko śpi, rozsądnie jest jechać jak najdalej, w przeciwnym wypadku należy często się zatrzymywać, aby rozprostować kości, posilić się, odprężyć itp. Postąpisz rozsądnie, jeśli wyruszysz w drogę wcześniej i postarasz się spędzić kilka godzin za kierownicą, kiedy dziecko wciąż jeszcze śpi (chyba że twoje dziecko raz przebudzone, drugi raz nie zasypia). Po przerwie na śniadanie, po przebraniu się w codzienne rzeczy i krótkich harcach na świeżym powietrzu, zapakujcie się z powrotem do samochodu na następne kilka godzin jazdy (urozmaicone przynajmniej jedną przerwą na rozprostowanie nóg). Jeżeli to możliwe, zatrzymaj się na obiad w miejscu, w którym jest plac zabaw, centrum handlowe lub lokalna atrakcja, którą możecie obejrzeć po posiłku. Potem znowu wyruszcie w drogę, planując przyjazd do celu późnym popołudniem, tak aby przed kolacją i pójściem spać znaleźć jeszcze czas na wypoczynek na basenie lub na placu zabaw. Jazda nocą, kiedy dziecko śpi, a drogi są mniej zatłoczone, jest kusząca, ale może być również wyczerpująca i niebezpieczna, szczególnie jeśli czujesz się znużona po długim dniu. Niektórzy rodzice preferują jazdę, kiedy dziecko śpi, i planują podróż w czasie popołudniowych drzemek oraz wieczorami (po przyjeździe na miejsce zawsze można przenieść śpiące dziecko z samochodu do łóżeczka). Unikaj jednak jazdy wieczorem i nocą, jeżeli nie jesteś dobrze wypoczęta.

Nie zatrzymuj się jedynie po to, aby odpocząć. Spędzanie długich godzin w samochodzie nikomu nie przychodzi z łatwością, ale jest szczególnie trudne dla aktywnego z natury dziecka. Staraj się więc urozmaicić podróż wieloma przerwami na ćwiczenia pobudzające krążenie. Zabierz ze sobą dużą, plażową piłkę (dmuchaną, jeżeli samochód jest mały), aby podczas postoju na bezpiecznym, trawiastym terenie toczyć ją lub odbijać. Potem ustaw rodzinę w rządku i zanim powrócicie do samochodu, zachęć do kilku podskoków i skłonów.

Rozrywka. Zabierz ze sobą pokaźny zapas zabawek, książek i kaset. Przedmioty, które nie są przymocowane do siedzenie dziecka, powinny znajdować się w zasięgu ręki dorosłego lub starszego dziecka, które w razie potrzeby będzie je pojedynczo podawało. Przygotuj się również na śpiewanie piosenek, recytowanie wierszyków i wymyślanie zabaw w „odnajdywanie". Maluch może próbować wypatrzyć psa, krowę lub konia, ciężarówkę, dom, stodołę, samolot, autobus lub most. Starsze dzieci mogą rozglądać się za niebieskim samochodem, czerwonym domem, białym kościołem. Dzieci, które potrafią już rozróżniać kształty, mogą szukać kół, kwadratów i trójkątów. Jeżeli umieją rozpoznawać litery i cyfry, mogą próbować je wypatrzyć w terenie. Zadbaj jednak, aby gry i zabawy nie rozpraszały uwagi osoby prowadzącej samochód.

Dodatkowy bagaż. Poza przedmiotami niezbędnymi w każdej podróży (patrz str. 234), w podróż samochodem należy również zabrać papierowe ręczniki, kilka toreb na śmiecie, woreczki na wypadek ataku choroby komunikacyjnej, koc i poduszkę dla każdego podróżującego dziecka, a także lekkie swetry dla wszystkich.

Zasady bezpieczeństwa. Bezpieczeństwo jazdy samochodem wymaga, aby wszyscy pasażerowie byli przypięci pasami. Nie prowadź auta, jeżeli jesteś zmęczona (zwiększa to ryzyko wypadków) i po spożyciu alkoholu. Zabroń w samochodzie palenia papierosów, włóż ciężkie bagaże i potencjalnie „latające obiekty" do bagażnika lub, jeśli masz przyczepę, zabezpiecz bagaże pod brezentem w tyle przyczepy.

NOCLEG – WYBÓR MIEJSCA POSTOJU

Kurorty. Kurorty nastawione są na goszczenie rodzin i mogą zadowolić każdego. Udaj się w jedno miejsce, unikając przeprowadzek z jednego motelu do drugiego oraz wyszukiwania restauracji oferujących dania dla dzieci. Propozycje zorganizowanych zabaw dla dzieci pozwalają rodzicom na odpoczynek i dają trochę upragnionego czasu dla siebie. Wliczenie wszystkich usług w cenę eliminuje nieustanne przekopywanie kieszeni w poszukiwaniu portfela i żal, kiedy wyjątkowo wybredny mały gość odmówi, chociażby nawet spróbowania, trzech dań, których zamówienia przedtem się domagał, jak również pozwala uniknąć dodatkowych opłat za atrakcje, które twojemu dziecku na pewno by się nie spodobały.

Hotele i motele. Hotele i motele, które wybieracie, by zatrzymać się po drodze, jak i te, które będą waszym domem przez cały tydzień, powinny spełniać pewne podstawowe warunki. Po pierwsze, dostępność kołyski, jeżeli twoje dziecko nadal jej potrzebuje. Po drugie, możliwość uzupełniania diety dziecka między posiłkami, a więc pokój z lodówką lub — jeszcze lepiej — małą kuchnią. Jeżeli to niemożliwe, rozejrzyj się za całodobową restauracją lub sklepem. Po trzecie, rozrywka na miejscu, dla przykładu brodzik dla dzieci i/lub plac zabaw, odpowiednie pomieszczenie do zabaw wewnątrz budynku lub pokój gier. Po czwarte, pralnia lub usługi pralnicze po niewygórowanej cenie. Po piąte, co jest już absolutnym minimum, wypożyczalnia kaset wideo lub przynajmniej telewizja kablowa z kanałami dla dzieci. Jeżeli to możliwe, staraj się zarezerwować pokój, który nie sąsiaduje ze wszystkich stron z innymi pokojami lub na końcu korytarza, tak aby zmniejszyć ryzyko, że twoje dziecko zakłóci spokój pozostałym gościom. Wreszcie nie zapomnij zapytać o specjalne rabaty dla rodzin — wiele hoteli i moteli oferuje niższe ceny.

Dom, mieszkanie czy posiadłość wiejska. Zawsze przed dokonaniem rezerwacji warto się dowiedzieć, co się wynajmuje. Wybór ten nabiera szczególnego znaczenia, jeżeli w wynajętym na wakacje domu zamieszkasz z dzieckiem. Jeżeli nie możesz obejrzeć domu lub mieszkania osobiście, wypytaj o szczegóły (mile widziane zdjęcie lub nawet film wideo). Wybierz lokalizację w pobliżu centrów handlowych, restauracji, ośrodków opieki nad dzieckiem, lekarza (kliniki lub szpitala) i innych udogodnień, abyś codziennie nie musiała pokonywać samochodem wielu kilometrów. Absolutną koniecznością jest dostępna na miejscu lub bardzo blisko pralka. Dobrze jest też znać miejscową ofertę w zakresie rozrywki. O ile spacery na łonie natury mogą bez reszty pochłonąć ciebie, o tyle niekoniecznie muszą one wprawiać w nieustanny zachwyt twoje dziecko. Poza tym kilka dni deszczu może wydać się wiecznością, jeżeli w pobliżu nie ma niczego poza obcym otoczeniem.

Jeżeli dom, który bierzesz pod uwagę, znajduje się przy ruchliwej drodze, upewnij się, czy posesja jest ogrodzona. Jeżeli jedziesz nad morze, sprawdź, czy dom nie stoi na krawędzi klifu. Widok może co prawda zapierać dech w piersi, ale obawa przed nieszczęśliwym wypadkiem może w ogóle zatrzymać bicie serca. Jeżeli dom stoi tuż na wodą, sprawdź, czy plaża, z której będziecie korzystać, nie jest skalista, nie ma nagłych urwisk, prądów i wirów wodnych. Jeżeli na terenie posiadłości znajduje się basen, zapytaj, czy jest ogrodzony. Nie ogrodzone baseny stanowią poważne niebezpieczeństwo dla małych dzieci. (Jeżeli wybierzesz dom z basenem lub wodą w pobliżu, będziesz musiała być niezwykle czujna, nadzorując wyprawy na dwór twojego dziecka — brodzenie może szybko doprowadzić do zanurzenia, jeżeli ma się mniej niż metr wzrostu.) Dom powinien być przygotowany na przybycie małego, aktywnego dziecka lub też dać się z łatwością przemeblować, tak aby malcowi nic nie zagrażało (patrz str. 529). Unikaj domów pełnych antyków lub innych cennych, kruchych przedmiotów, domów wielopiętrowych, z uciążliwymi schodami oraz pozbawionych podstawowych zabezpieczeń.

Na wolnym powietrzu. Jeżeli kusi cię nocleg pod gwiazdami, zastanów się, czy naprawdę tego chcesz. Nawet jeżeli jesteś doświadczonym turystą, wakacje pod namiotem z małym dzieckiem mogą stać się prawdziwym koszmarem, szczególnie jeżeli pogoda nie sprzyja. Jeśli mimo to chcesz spróbować wypoczynku pod chmurką, zapewnij sobie rozwiązanie awaryjne, takie jak pobliski motel z wolnymi miejscami. Upewnij się również, że posiadasz odpowiednie zapasy jedzenia i picia, artykułów pierwszej potrzeby oraz wszystko, czego może potrzebować twój malec.

Dla niektórych rodzin wspaniałym rozwiązaniem na wakacje jest samochód kempingowy, która zapewnia wszystko — wygodę obozowania, czystą sypialnię, lodówkę, kuchenkę, toaletę, prysznic, a nawet klimatyzację. Taka podróż stanowi szczególną atrakcję dla rodzin z małymi dziećmi. Wady: wynajęcie samochodu może być drogie, prowadzenie trudne, samochód może spalać ogromne ilości benzyny i doprowadzać niektórych (nie wyłączając najmłodszych) do szaleństwa.

Na morzu. Do niedawna podróże oceaniczne były wyłącznie domeną dorosłych. Obecnie coraz więcej linii oceanicznych oferuje rejsy, w czasie których przewiduje się posiłki i zajęcia dla dzieci, a w niektórych wypadkach nawet dla niemowląt. Zanim zdecydujesz się wykupić bilet, zastanów się nad kilkoma rzeczami: Czy będziesz w stanie zrelaksować się, wiedząc, że twoje dziecko biega po pokładzie? Czy twoje dziecko ma skłonności do choroby lokomocyjnej? Jak długo trwa rejs? Czy oferuje się specjalny program zajęć dla dzieci? Jaki to program? Zapytaj o pomieszczenia do zabaw, boiska, posiłki, bezpieczeństwo, pomoc medyczną. Czy posiłki oferuje się tylko w wyznaczonych godzinach? Czy dostępne jest specjalne menu dla najmłodszych pasażerów?

Bez względu na to, gdzie będziesz spędzać wakacje, zanim pozwolisz dziecku na samodzielne wędrówki, upewnij się, że będzie bezpieczne. Sprawdź, czy nie ma otwartych okien, drzwi, dostępnych kontaktów (zabierz ze sobą wtyczki ochronne), luźnych kabli od lamp, zwisających sznurów od zasłon, ozdobnego szkła. Pilnuj, aby drzwi do łazienki były zamknięte (jeżeli trzeba, zablokuj je krzesłem lub walizką). Sprawdź też, gdzie są wyjścia awaryjne, i na wszelki wypadek zapoznaj się z planem ewakuacji. Jeżeli dużo czasu spędzasz na wolnym powietrzu, zwłaszcza na terenach zalesionych, postaraj się zachować środki ostrożności zalecane na stronie 548.

JAK POKONAĆ NUDNOŚCI

Wiele małych dzieci, nawet tych, u których normalnie nie pojawiają się objawy choroby lokomocyjnej podczas krótkiej jazdy samochodem do sklepu czy zoo, cierpi męki podczas długiej podróży samochodem, samolotem, pociągiem i statkiem, szczególnie, jeżeli miały miejsce istotne zmiany w diecie (na przykład frytki ze smażalni i porcja lodów zamiast obiadu). Nawet jeżeli twój malec nigdy przedtem nie miał problemów z chorobą lokomocyjną, a szczególnie jeśli na nią cierpi, powinnaś podczas podróży zachować następujące środki ostrożności:

Zasięgnij porady lekarskiej. Jeżeli twoje dziecko miało nudności, poradź się lekarza, czy należy podać mu tabletki przeciwko chorobie lokomocyjnej. Jednak do leków uciekaj się tylko w ostateczności, ponieważ w niektórych wypadkach mogą one wywołać poważne skutki uboczne. Nigdy nie podawaj dzieciom nieznanych leków.

Postaraj się o opaski uciskowe. Opaski uciskowe to elastyczne taśmy, które łagodzą nudności, uciskając punkty po wewnętrznej stronie nadgarstków. Marynarze stosują je od lat (takie samo działanie mają na lądzie), są tanie, łatwe w użyciu, bezpieczne, wygodne w zastosowaniu i często skuteczne. Opaski uciskowe są dostępne w sklepach żeglarskich i turystycznych, jak również w niektórych aptekach, sklepach ze zdrową żywnością, sklepach z artykułami dla małych dzieci oraz w sprzedaży wysyłkowej. Jeden rozmiar teoretycznie pasuje dla wszystkich, jeżeli jednak opaski nie opinają ściśle przegubów dziecka, zmniejsz je za pomocą kilku szwów.

Unikaj pustego brzuszka. Ryzyko wystąpienia objawów choroby lokomocyjnej wzrasta, jeżeli brzuszek twojego dziecka jest pusty. Tak więc w trakcie podróży karm malca z umiarem, ale często. Razowe krakersy, precelki i chleb są najlepsze.

Nie podawaj kwaśnych owoców i soków. Pomarańcze, grejpfruty, cytryny, ananasy oraz soki z tych owoców są często utrapieniem dla brzuszka małego turysty. Zapotrzebowanie na witaminę C zaspokajaj w podróży za pomocą mniej kwaśnych owoców i warzyw (melona, papryki, soku jabłkowego bogatego w witaminę C). Jeżeli jest gorąco lub dziecko wymiotuje, staraj się uzupełniać utracone płyny, podając mu wodę lub niekwaśne soki. Pomóc może też lizanie loda. Unikaj napojów gazowanych, a nawet wody sodowej, ponieważ mogą one wywołać problemy żołądkowe. Dzieci potrzebują dziennie około 50 ml płynu na każdy kilogram masy ciała (a więc dziecko, które waży piętnaście kilogramów, potrzebuje mniej więcej 750 ml płynu). W czasie upałów albo podczas podróży samolotem (taka podróż odwadnia), kiedy dziecko wymiotuje lub ma biegunkę, zapotrzebowanie na płyny zwiększa się do około 80-100 ml na kilogram masy ciała[4].

Wyeliminuj tłuszcze. Jedną z przyczyn wystąpienia objawów choroby lokomocyjnej może być spożywanie tłustych pokarmów. Unikaj więc podawania dziecku frytek, chipsów, hamburgerów, obfitych deserów i innych bogatych w tłuszcze pokarmów.

Wpuść trochę świeżego powietrza... Świeże powietrze wpadające przez otwarte okno samochodu może skutecznie zapobiec chorobie lokomocyjnej. Na statku może pomóc spacer po

[4] Zdarza się, że dziecko, które wymiotuje w wyniku choroby lokomocyjnej, odwadnia się. Najczęściej zdarza się to w samolocie lub podczas upałów, kiedy maluch dodatkowo się poci. Jeśli zauważysz objawy odwodnienia (patrz str. 511), podejmij odpowiednie kroki.

Dziecko i podróże między strefami czasowymi

Podróżowanie z dzieckiem do innej strefy czasowej przypomina czasami najgorsze horrory, z tą jednak różnicą, że akcja nie kończy się po kilku godzinach, ale bywa, że trwa całymi dniami.

Dla dzieci, podobnie jak dla dorosłych, przemieszczanie się z jednej strefy czasowej do drugiej nie jest łatwe. Zegar biologiczny znacznie trudniej przestawić aniżeli zwykły zegarek. Nawet jeżeli wiemy, że budzik obudzi nas do pracy o właściwej porze, większość z nas przyzwyczajona do budzenia się o tej samej godzinie i tak obudzi się na czas bez pomocy budzika. Nasze wewnętrzne zegary mówią nam, kiedy jesteśmy zmęczeni i powinniśmy pójść spać, a kiedy jesteśmy wypoczęci i możemy rozpocząć nowy dzień.

O ile jednak dorosły obudzony przez zegar biologiczny o właściwej porze w niewłaściwej strefie czasowej rzuci okiem na zegarek, przewróci się na drugi bok i będzie spał dalej, o tyle dziecko prawdopodobnie tak nie postąpi. Z całą pewnością obudzi śpiącą obok mamę, aby zapewnić sobie towarzystwo. Mimo że zdaniem specjalistów łatwiej przystosować swój rytm biologiczny do strefy czasowej, która jest opóźniona w stosunku do swojej własnej, wielu rodziców uważa, że mniej stresująca jest podróż z dzieckiem do strefy, która wyprzedza strefę, z której się wyjeżdżało.

Bez względu na to, w jakim kierunku podróżujecie, przyda się wam kilka wskazówek, które ułatwią pokonanie trzech lub czterech stref czasowych.

Zastanów się, czy warto przestawiać zegar biologiczny twojego dziecka. Jeżeli wyjeżdżasz z domu na krócej niż tydzień, będzie lepiej, aby dziecko nie zmieniało swoich przyzwyczajeń. W przeciwnym wypadku, wkrótce po opanowaniu nowego rozkładu dnia, przyjdzie czas na ponowne przestawienie zegara przed powrotem do domu. Jeżeli planujesz krótką podróż, ale z jakichś przyczyn musisz wszędzie być na czas (na przykład codziennie wcześnie rano masz samolot i nie możesz czekać, aż twoje maleństwo „odeśpi" swoją normę), poszukaj wskazówek w dalszej części tekstu.

Zacznij przestawiać zegar biologiczny dziecka przed wyruszeniem w podróż. Jeżeli podróżujesz z zachodu na wschód, to przynajmniej na trzy dni przed planowanym wyjazdem zacznij kłaść spać dziecko trochę wcześniej i budź je trochę wcześniej. Jeżeli podróżujesz ze wschodu na zachód, co wieczór próbuj przesunąć nieco godzinę zasypiania. Postaraj się również, aby dni bezpośrednio poprzedzające wyjazd nie były zbyt męczące, szczególnie dla dziecka. Unikaj napiętych terminów i czynności wymagających wysiłku, które mogą spowodować zmęczenie, a zmęczenie potęguje charakterystyczne uczucie znużenia i otępienia.

Przestaw swój zegarek. Po wyruszeniu w drogę przestaw swój zegarek zgodnie z czasem obowiązującym w docelowej strefie czasowej i staraj się dopasować posiłki i sen do nowego planu dnia. Jeżeli twoje dziecko zapada w drzemkę podczas podróży, uniemożliwiając w ten sposób trzymanie się jakiegokolwiek harmonogramu, nie próbuj go budzić. Zakłócony porządek dnia może tak zdezorganizować rytm biologiczny malucha, że przestanie odróżniać dzień od nocy, a to z kolei ułatwi przystosowanie się do nowego czasu u celu podróży.

Jeżeli to możliwe, przestawiaj zegar stopniowo. Jadąc samochodem lub ewentualnie podróżując pociągiem, masz okazję przyzwyczajać dziecko do nowego czasu stopniowo, strefa po strefie. Zadanie będzie nawet łatwiejsze, jeżeli robisz to

pokładzie. W samolocie możesz jedynie zmienić ustawienie wentylatorów nad głową.

...i postaraj się o miejsce z widokiem. Obserwowanie widoków za oknem pomaga zwalczyć atak choroby lokomocyjnej. Jeżeli to możliwe, posadź dziecko przy oknie i od czasu do czasu zwracaj jego uwagę na to, co widać za szybą. Odradź oglądanie książek czy inne rozrywki wymagające skupienia uwagi na bliskich przedmiotach, gdyż może to doprowadzić do nasilenia nudności. Mimo że jazda z przodu jest przyjemniejsza niż z tyłu (ta ostatnia powoduje mdłości), ze względu na bezpieczeństwo nie zaleca się wożenia dzieci do lat czterech na przednim siedzieniu.

Zachęcaj do drzemki. Jeżeli dziecko może podczas podróży spać lub przynajmniej odpoczywać z zamkniętymi oczami, ryzyko ataku choroby lokomocyjnej znacznie maleje. Powstrzymaj dziecko od wiercenia się, które powoduje nasilenie nudności.

Odwracaj uwagę. Czasami odwrócenie uwagi od żołądka może przynieść bardzo dobre rezultaty. Wykorzystaj do tego zabawki, kasety, piosenki, opowiadania, gry na spostrzegawczość itp.

wolno, spędzając po kilka dni w każdej strefie czasowej.

Przestaw zegar całkowicie. Z punktu widzenia podróżnego nie wystarczy spać, kiedy śpią miejscowi. Aby pomóc dziecku przestawić jego zegar biologiczny, trzeba również pomóc mu jeść, budzić i bawić się oraz drzemać o tej samej porze co pozostali. Zacznij pierwszego dnia, budząc dziecko o rozsądnej porze, zamiast pozwalać mu spać, jak długo chce. Zrób to delikatnie i bądź przygotowana na przykre konsekwencje (wpuszczenie do pokoju światła słonecznego może wiele ułatwić). Zjedzcie śniadanie zaraz po przebudzeniu i staraj się trzymać nowego rozkładu dnia tak ściśle, jak to tylko możliwe. Pod koniec dnia z pewnością pojawi się zmęczenie i dziecko szybciej niż zwykle pójdzie spać. Rezygnacja z popołudniowej drzemki malucha może pomóc mu przyzwyczaić się do wcześniejszego zasypiania, ale może też wywołać przeciwny skutek. Nadmiernie zmęczony malec będzie zasypiał z trudem. Pomimo twoich wysiłków, aby przestawić zegar biologiczny dziecka, może ono przez jakiś czas nadal trzymać się domowego rozkładu dnia. Przygotuj sobie jakąś cichą formę rozrywki na wypadek, gdyby malec obudził się w środku nocy i nie mógł dalej spać. Miej też pod ręką coś do jedzenia, gdyby poprosił o śniadanie o trzeciej w nocy.

Nie zapominaj o świetle. Światło odgrywa ważną rolę w procesie przestawiania zegara biologicznego. Cała rodzina szybciej przystosuje się do nowego czasu, jeżeli tuż po przyjeździe spędzicie jak najwięcej czasu w słońcu, na wolnym powietrzu. Jadąc z zachodu na wschód, powinniście postarać się wstać jak najwcześniej następnego dnia, jadąc ze wschodu na zachód, wstańcie późnym popołudniem. (Jeżeli jesteście narażeni na upały, należy zachować odpowiednie środki ostrożności, patrz str. 400). Jeżeli pokonujecie więcej niż cztery strefy czasowe, powinniście wziąć pod uwagę różne czynniki. Jadąc z zachodu na wschód, na przykład z Los Angeles do Londynu, doświadczycie radykalnej, ośmiogodzinnej zmiany. Wielu rodziców uważa, że najlepiej jest polecieć późnym wieczorem (o 22.00 lub 23.00). Dzieci zwykle przesypiają większą część lotu, ale ich sen jest niespokojny, szczególnie jeżeli o świcie przez okienka w samolocie wpada światło, i następnego dnia są wyczerpane. Zmęczenie powoduje, że chętnie idą wcześniej spać, co zbliża je do czasu londyńskiego. Podobnie wracając z Londynu do Stanów, dobrze jest wybrać lot późnym wieczorem. Chociaż dziecko spędzi na pokładzie samolotu trochę niespokojną noc, gdy wczesnym rankiem dotrzecie do domu, będzie prawdopodobnie na tyle wyczerpane, aby położyć się spać. Ciemność i znajome otoczenie pomogą mu zasnąć. Podczas dłuższych podróży, czy to z zachodu na wschód, czy ze wschodu na zachód, kontakt całej rodziny z południowym (a nie rannym czy wieczornym) słońcem ułatwi przestawienie zegara biologicznego.

Nie oczekuj, że na przestawienie wewnętrznego zegara wystarczy jedna noc. Zwykle zabiera to kilka dni i wymaga sporej dozy cierpliwości. Dziecko bywa znużone, kapryśne i ogólnie nie w formie. Jeżeli zareagujesz ze zrozumieniem, osiągniesz lepsze rezultaty. W miarę możliwości w ciągu pierwszych kilku dni unikaj większych wypraw poza dom. Te przystosowawcze dni najlepiej spędzić, odpoczywając na plaży, pluskając się w basenie lub spacerując po okolicy. Podobnie postępuj podczas pierwszych kilku dni po powrocie do domu.

W ogóle poza domem trzymaj się rozkładu dnia mniej rygorystycznie — nowy rozkład dnia jest przecież tylko tymczasowy. Rób wszystko, na co macie ochotę. Może się przecież zdarzyć, iż będziesz mile zdziwiona tym, że twoje dziecko prawie nie zauważyło zmiany czasu.

Zaopatrz się w worki plastykowe. Jeżeli wszystkie wymienione powyżej sposoby zawiodą, bądź przygotowana na najgorsze. Wybierając się w podróż samochodem lub pociągiem, miej pod ręką duże, plastykowe torby (w samolotach woreczki znajdują się w kieszeniach siedzenia), ale trzymaj je poza zasięgiem rąk dziecka. Zabierz też dodatkowy komplet ubrań, bardzo dużo chusteczek (będziesz ich potrzebować, aby wyczyścić dziecko, ubrania, siedzenia, tapicerkę i dywan), a także odświeżacz powietrza.

Kiedy dziecko poczuje się źle, może nie być w stanie opisać symptomów choroby, której doświadcza po raz pierwszy. Niektóre dzieci mówią po prostu, że jest im niedobrze, inne skarżą się na ból gardła i ściskają sobie krtań. Jeszcze inne kaszlą (reakcja na dławienie się), bledną lub zielenieją. Może się jednak zdarzyć, że wyraźne symptomy nie wystąpią, dopóki dziecko nie zwymiotuje.

Jeżeli atak wymiotów nastąpi, kiedy ty jesteś za kierownicą, zatrzymaj się przy pierwszej sposobności i wyczyść wszystko najlepiej jak można. Dziecku każ zamknąć oczy i odpocząć przez chwilę, zanim pojedziecie dalej. Może też pomóc zimny okład na skroń oraz dopływ świeżego powietrza. Kiedy dziecko zwymiotuje, staraj się zachować spokój, inaczej sprawisz, że malec poczuje się winny tego, co się stało.

PAKOWANIE

Oprócz miłego towarzystwa dobrze jest zabrać ze sobą:

Torbę podręczną. Jedną torbę z wieloma kieszeniami na pieluszki (torba turystyczna lub plecak mogą pomieścić podstawowe rzeczy, których będziesz potrzebowała przez cały czas). Torba na ramię ułatwia jednoczesne dźwiganie bagażu i dziecka. Portmonetkę lub portfel z większą ilością gotówki i/lub czekami, karty kredytowe, dokumenty, bilety i recepty bezpiecznie schowaj w głównej kieszeni torby, zapinanej na suwak. Trochę drobnych i jedną lub dwie karty kredytowe włóż do łatwo dostępnej bocznej kieszeni lub do kieszeni ubrania. Do torby podręcznej powinnaś również zapakować:

Pieluszki lub spodenki. Dla dziecka, które wciąż korzysta z pieluszek, zapakuj wystarczającą ich liczbę na przewidywany czas podróży oraz dodatkowy zapas na cały dzień, tak abyś była zabezpieczona na wypadek nieoczekiwanych opóźnień, zagubienia bagażu lub biegunki. Zabierz też ze sobą woreczki (możesz wykorzystać reklamówki) na brudne pieluszki, na wypadek gdyby w pobliżu nie było śmietnika. Zużyte pieluszki koniecznie włóż do zapinanej na suwak kieszeni albo w inny sposób zabezpiecz przed dzieckiem. Dodatkowe pieluszki zapakuj razem z resztą bagażu.

Dla dzieci, które nie używają już pieluszek, na wszelki wypadek zapakuj kilka dodatkowych par spodenek. Radość i podniecenie oraz wytrącający z równowagi rozkład podróży mogą spowodować więcej „wpadek" niż zwykle. Jeżeli twój maluch podczas podróży będzie dużo spał, a zwykle podczas snu nosi pieluszkę, zabezpiecz go w ten sposób również w drodze.

Chusteczki, chusteczki i jeszcze raz chusteczki. Do brudnych rąk, umorusanej buzi, poplamionych ubranek, wybrudzonej tapicerki. Jeżeli w pobliżu nie ma łazienki lub jeżeli łazienka jest bardziej brudna niż ręce, które zamierzarz umyć, chusteczki doskonale zastąpią wodę i mydło.

Ubrania na zmianę. Bez względu na to, dokąd jedziesz, zabierz ze sobą przynajmniej jeden pełen komplet rzeczy na zmianę (włączając w to skarpetki, bieliznę i buty). Aby ograniczyć zamieszanie przy karmieniu, zapakuj też plastykowy, łatwo zmywalny śliniaczek (jeżeli twoje dziecko go używa).

Prowiant. Podróżując z dzieckiem na lądzie, morzu czy w powietrzu, zabieraj ze sobą jedzenie i picie, inaczej gorzko tego pożałujesz. Jeżeli nie masz przenośnej turystycznej lodówki, weź nie psującą się żywność, taką jak pokrojone kanapki z masłem orzechowym, pełnoziarniste krakersy, precelki i płatki w plastykowych pojemnikach, ciasteczka owocowe i suszone owoce (pod warunkiem, że zaraz po jedzeniu można umyć lub przepłukać zęby), rogale i bagietki. Moża też zabrać plasterki sera, jajka na twardo, jogurty owocowe i pojemniki z pokrojonymi owocami, pod warunkiem że są przechowywane w chłodzie (w hermetycznej torbie z kostkami lodu) lub jeżeli zostaną zjedzone w ciągu dwóch godzin. Do picia przygotuj termos z mlekiem, sokiem lub wodą. Weź też ulubiony kubek dziecka, kilka plastykowych łyżeczek, plastykowy nóż i mały otwieracz do konserw.

Mała apteczka pierwszej pomocy. Wszystkie niezbędne dla dziecka leki przechowuj w zapinanej na suwak (lub jeszcze lepiej zamykanej) apteczce, która zmieści się do podręcznego bagażu, nie pakuj jej do torby, którą nadasz na bagaż. Tam też trzymaj inne leki zalecane przez pediatrę na podróż (patrz str. 223), dziecięcą szczoteczkę i pastę do zębów, paracetamol, artykuły pierwszej pomocy (plaster, gazę wyjałowioną, bandaż, chusteczki nasączone spirytusem, maść antybiotykową lub płyn dezynfekujący w aerozolu), krem nawilżający do spierzchniętej skóry (podróż odwadnia), oliwkę na wysypkę i podrażnienia (zmieniona dieta i nieregularna zmiana pieluszek podwyższają ryzyko wystąpienia wysypki), olejek do opalania i płyn przeciw owadom (patrz str. 553). Oprócz dokumentów dobrze jest również zabrać informacje o stanie zdrowia całej rodziny (wiek, waga, szczepienia, regularnie przyjmowane leki, alergie i grupy krwi).

Kilka niespodzianek. Mimo że dla podróżującego dziecka najważniejsze są zabawki, które zna i lubi, magicznie wyczarowana nowa zabawka lub książka będzie przydatna, kiedy zacznie mu doskwierać nuda. Pozwoli ci to lepiej skoncentrować się na prowadzeniu samochodu, a dziecku poprawi humor. Zainwestuj w zestaw nowych zabawek i dawaj je dziecku w miarę potrzeby.

W podróż warto także zabrać:

Turystyczny nocnik. Lekki, składany, przenośny nocnik, który ułatwi twojemu dziecku korzys-

Ataki złości w podróży

Gdyby dziecko kiedykolwiek szukało pretekstu do ataków złości, to na pewno znalazłoby go podczas wakacji: zakłócony porządek dnia i nocy, nieregularne posiłki, długie okresy przymusowego siedzenia, nie znane otoczenie. Jako że ataki złości w podróży są nawet trudniejsze do opanowania aniżeli w domu, najlepiej robić wszystko, aby ich uniknąć.

Senność, głód lub nuda mogą wywołać burzę. Staraj się przewidzieć potrzeby dziecka, zanim zacznie ono donośnie krzyczeć, aby zwrócić na siebie uwagę. Jeżeli wiesz, że posiłki będą opóźnione, zabierz ze sobą coś do jedzenia, odłóż zwiedzanie muzeum, aby dziecko mogło się zdrzemnąć, zajmij czymś malca. Zostań mistrzem w odwracaniu uwagi i z czarodziejskiej podręcznej torby wyciągaj nowe zabawki, aby czym prędzej zająć czymś doprowadzonego do ostateczności malca. I pamiętaj, napięty plan ma zazwyczaj fatalne skutki — wolniejsze tempo podróżowania zapobiegnie nadmiernemu podnieceniu dziecka i tym samym pozwoli uniknąć napadów złości. Katastrofie może również zapobiec zaplanowanie w ciągu dnia czasu na odpoczynek, czytanie, słuchanie muzyki i trochę pieszczot.

Bądź cierpliwa, kiedy mimo wszystko dojdzie do katastrofy. Jeżeli dziecko dostaje ataku złości w miejscu publicznym, największym problemem dla rodziców jest zwykle ich własne zakłopotanie. Staraj się nad nim zapanować. Kiedy twoja pociecha leży na posadzce poczekalni dworcowej i kopie nogami, zlekceważ przyglądających się ludzi i spróbuj postępować z dzieckiem tak, jakbyście byli sami (patrz str. 293 — wskazówki na temat radzenia sobie z napadami złości).

tanie z obcych łazienek, szczególnie jeżeli jest już do niego przyzwyczajone. Ewentualnie zabierz ze sobą płyn dezynfekujący w aerozolu lub obłóż sedes papierem toaletowym. W wypadku większości dzieci nie można liczyć na to, że „wytrzymają", tylko dlatego, że następny przystanek jest oddalony o kilka kilometrów. Niektóre dzieci odmówią również korzystania z łazienki, która nie jest czysta lub jest po prostu „obca". A więc jeżeli planujesz jazdę samochodem, zastanów się, czy nie zabrać ze sobą przenośnego nocnika, z którego dziecko mogłoby skorzystać na poboczu drogi.

Plecak dla dziecka. Noszenie plecaka sprawia, że dziecko czuje się ważne, a także zapewnia mu łatwy dostęp do cennych rzeczy osobistych. Pozwól, aby maluch zapakował do plecaka ulubione zabawki, książki, blok rysunkowy i kredki. Dla małego pilota dużą atrakcją może być mapa (wykorzystaj starą mapę, której już nie potrzebujesz) i kompas-zabawkę (upewnij się, że jest bezpieczny). Portfel wypełniony pieniędzmi i kartami kredytowymi „na niby" także przysporzy wiele radości. Unikaj długopisów, ołówków i innych ostro zakończonych przedmiotów, które mogą być niebezpieczne w razie niespodziewanego hamowania lub szarpnięć w pociągu lub samolocie. Unikaj także rewolwerów-zabawek lub zabawek metalowych (szczególnie podróżując samolotem, chyba że nadajesz je razem z bagażem, inaczej mogą zostać skonfiskowane przez obsługę lotniska), zabawek hałaśliwych, wieloczęściowych, łatwo wywracających się, oraz baloników.

Ulubiony przedmiot. Jeżeli twoje dziecko ma ulubiony koc, misia lub jakiś inny przedmiot, to koniecznie go ze sobą zabierz. W samolocie lub pociągu trzymaj tę rzecz w podręcznej torbie.

Muzyka i opowiadania. Magnetofon wraz ze słuchawkami dostarczy dziecku zajęcia na długo (będziesz musiała tylko pomóc zmieniać kasety). Zabierz ze sobą wybór ulubionych przebojów i bajek. Jeżeli dziecko nie chce korzystać ze słuchawek, będziesz musiała słuchać kaset razem z nim — jeśli odmówisz, przyjdzie ci słuchać płaczu dziecka. Można słuchać kaset w pociągu, ale jeżeli nie zajmujesz całego przedziału, wskazane jest korzystanie ze słuchawek, aby nie przeszkadzać innym pasażerom. Może się zdarzyć, że nie będziesz mogła korzystać z własnego magnetofonu, jednak wiele linii lotniczych umożliwia korzystanie ze słuchawek i oferuje specjalne audycje dla małych pasażerów.

Wózek turystyczny. Wózek jest prawie niezastąpiony podczas wakacji z dzieckiem. Malec może wygodnie jechać, a nawet drzemać, kiedy ty spacerujesz lub zwiedzasz. Wózek ułatwia również poruszanie się w muzeach, wesołych miasteczkach i innych obiektach. W zależności od potrzeb, wybierz lekką, składaną spacerówkę (sprawdź przedtem, czy linie lotnicze pozwalają zabrać wózek na pokład, czy też musisz go nadać na bagaż) lub nowy, wielofunkcyjny wózek-siedzenie nadający się do wykorzystania zarówno w samolocie, jak i w samochodzie.

Pakowanie ubrań. Zapakuj tylko te rzeczy, które wydają ci się niezbędne. Dla dziecka zabierz ubranka, które się łatwo pierze i suszy. Zaplanuj przepierkę w drodze. Najlepsze są stroje kombinowane; jeżeli w trakcie obiadu koszula zostanie poplamiona lodami czekoladowymi, można ją łatwo zastąpić inną, która również pasuje do zestawu. Nawet kiedy jest ciepło, zabierz dla dziecka lekki sweter na chłodne wieczory lub na czas pobytu w klimatyzowanych pomieszczeniach. Mimo że sandały są dobre na plażę (z wyjątkiem obszarów, gdzie występują pasożyty), zabierz ze sobą trampki lub inne pełne buty na spacery i zabawy na świeżym powietrzu, szczególnie jeśli masz zamiar spędzać wakacje na łonie natury.

CO TWOJE DZIECKO POWINNO WIEDZIEĆ

Wszystko na temat dzielenia się

Dla dziecka nie istnieje „moje", „twoje", „nasze" — istnieje tylko moje. Malcowi, który właśnie zaczął pojmować, czym jest własność, nawet nie przychodzi do głowy, że mogłaby się ona odnosić także do innych. Dzieci uważają za swoje nie tylko rzeczy, które im się słusznie należą (ich zabawki, łóżeczko, krzesło, rodzina), ale również te, które należą do innych (książka brata, klucze mamusi, portfel cioci). Nawet przedmioty, które z natury rzeczy należą do wszystkich (autobus, zjeżdżalnia na placu zabaw, kwiaty w parku), może postrzegać jako swoją własność. Póki co, „moje" to ulubiony wyraz dziecka.

Zachłanność w tym wieku nie oznacza jednak egoizmu. Zabieranie innym i przywłaszczanie sobie jest jedynie jednym ze sposobów, w jaki dziecko manifestuje swoją autonomię i tożsamość oraz testuje „przebieg granic" i broni swych praw.

Zachłanność dziecka jest nie tylko czymś normalnym, ale jest wręcz koniecznym, podstawowym krokiem na drodze do opanowania sztuki dzielenia się. Dopóki maluchy nie poznają radości posiadania, nie będą potrafiły się dzielić. Z punktu widzenia rozwoju dziecka „posiadanie" wyprzedza w czasie „dzielenie się". Większość dzieci po ukończeniu półtora roku rozumie, co to znaczy posiadać, ale nie potrafi się dzielić przed ukończeniem trzech lub czterech lat.

Inną poważną przeszkodą w opanowaniu umiejętności dzielenia się jest niechęć do pożyczania. Dzieci nie pojmują, że kiedy pozwalają rówieśnikowi używać czegoś (bez względu na to, czy chodzi o zabawkę, czy o to, kto pierwszy zjedzie ze zjeżdżalni), otrzymają tę rzecz lub możliwość wykonywania danej czynności z powrotem. Dzieci stawiają znak równości pomiędzy dawaniem i poddawaniem się.

Kiedy malec oferuje ulubionego misia bratu, który płacze, lub dzieli się ciasteczkiem z mamusią, która miała ciężki dzień, gesty te są bardziej znakiem współczucia aniżeli szczodrości. Dziecko pociesza, ale nie dzieli się. Mimo to jednak należy zachęcać je do takich zachowań i za nie chwalić. Dzieci skłonne są powtarzać zachowania, za które spotykają je pochwały. A zachowania, które się powtarza, z czasem wchodzą w nawyk.

Dziecko może też „proponować" zabawkę lub inną rzecz rówieśnikowi lub członkowi rodziny, a następnie czuć się urażone, jeżeli druga strona rzeczywiście przyjmie propozycję. Oznacza to, że malec po prostu popisuje się, a nie szczerze coś ofiarowuje.

Tak jak naturalny jest sprzeciw dziecka wobec dzielenia się, tak naturalne jest dążenie rodziców, aby je tej sztuki nauczyć. A oto jak tego dokonać:

* Wpajaj dziecku poczucie własnej wartości. Dzieci, które nie są pewne siebie, znacznie trudniej się czymkolwiek dzielą, często gromadzą zapasy i wykorzystują nagromadzone dobra, aby podbudować własne wyobrażenie o sobie. Na str. 255 znajdziesz wskazówki dotyczące zaszczepiania dziecku poczucia własnej wartości.

* Nie zmuszaj dziecka, aby się dzieliło. Zmuszanie do dzielenia się oznacza, że uważasz jego potrzeby za mniej ważne od potrzeb innych dzieci. W tej szczególnej fazie rozwoju, kiedy poczucie tożsamości i własnej wartości zaczyna się dopiero formować, twoja pociecha musi się czuć tak samo ważna jak inne dziecko. Dzieci potrzebują poczucia bezpieczeństwa. Świadomość, że przedmioty, które do nich należą, mogą zostać im odebrane, sprawia, że maluchy czują się zagrożone i niespokojne. A one muszą być przekonane, że pewne rzeczy należą tylko i wyłącznie do nich. Wreszcie, zmuszanie dzieci do tego, aby się dzieliły, nie uczy ich szczodrości i jeżeli w takich wypadkach ustępują, robią to wyłącznie dlatego, że im kazano.

* Wprowadź pojęcie cudzej własności. Jakkolwiek dzieciom trudno jest się pogodzić, że nie wszystko, co je otacza, jest ich własnością, muszą się dowiedzieć, że pewne rzeczy są wspólne (zabawki w przedszkolu, sprzęt na placu zabaw) lub należą do innych ludzi (na przykład lalka koleżanki lub samochodzik kolegi, książki mamy). Powinny także dowiedzieć się, że należy na zmianę korzystać ze zjeżdżalni, czekać na swoją kolej przy huśtawce i że nie wolno odbierać rowerka jadącemu na nim dziecku. Wpajaj konsekwentnie powyższe zasady. Jeżeli napotkasz opór, będziesz musiała wprowadzić je w życie siłą, zabierając swoje dziecko z placu zabaw. Bądź wyrozumiała, ale stanowcza.

* Patrz na niechęć dziecka do dzielenia się z właściwej perspektywy. Odmowa rozstania się z samochodzikiem nawet na piętnaście minut (dla dziecka to piętnaście godzin!) może się wydawać nieuzasadniona, ale w rzeczywistości ma solidne podstawy. Postaw się w sytuacji dziecka; chciałabyś rozstać się ze swoim samochodem, ulubionymi butami lub biżuterią chociażby na jedną noc i pożyczyć je nawet zaufanemu przyjacielowi? Dla dzieci, które nie rozumieją, że to, co pożyczają, dostaną z powrotem, dzielenie się jest jeszcze trudniejsze.

* Przyznaj swojemu dziecku rację, że dzielenie się jest trudne. Zamiast upominać: „To nieładnie, że nie chciałeś pozwolić Tomkowi pobawić się twoim samochodzikiem", powiedz ze współczuciem: „Wiem, że trudno ci pożyczyć ten samochód. Bardzo go lubisz". Zrozumienie pomoże dziecku pokonać niechęć do dzielenia się. Możesz również próbować pomóc malcowi, starając się wzbudzić w nim współczucie dla innych dzieci: „Kasia będzie smutna, jeżeli nie pozwolisz jej ułożyć twojej układanki".

* Nie dziel się zamiast twojego dziecka. Zabawki dziecka należą do niego. Udowodnij, że to rozumiesz. Zawsze pytaj o zgodę, zanim zaproponujesz jakąś zabawkę innemu dziecku. Jeżeli nie uzyskasz takiej zgody, nie nalegaj. Na dłuższą metę okazywany dziecku szacunek wzbudzi w nim szczodrość i malec przestanie zazdrośnie strzec swojej własności. Jeżeli twoje dziecko musi się podzielić (gościsz inne dzieci), ustal wcześniej, które zabawki powinny być odłożone, a które malec jest skłonny zaproponować swoim rówieśnikom. Zanim dzielenie się wejdzie w nawyk, zachęcaj pozostałe dzieci, aby przyniosły ze sobą kilka zabawek na wszelki wypadek, gdyby gospodarz domu był w wyjątkowo zaborczym nastroju. W miarę jak w maluchach rozwijają się zdolności negocjacji, zaczynają się one wymieniać zabawkami, a to już początek dzielenia się. Gdy dochodzi do sporu, staraj się jak najdłużej nie wkraczać do akcji, chyba że pięści pójdą w ruch. Jeżeli spór zakończy się pokojowo lub jedno z dzieci wykaże się wielkodusznością, gorąco je pochwal.

* Dziel się ze swoim dzieckim. Podobnie jak w innych wypadkach, malec najlepiej się uczy na twoim przykładzie. Staraj się dzielić ze swoim dzieckiem jak najczęściej. Zaproponuj kawałek twojego ciasteczka, plasterek sera z twojego talerza, obejrzenie twojej gazety (oczywiście pod kontrolą), przymierzenie twoich butów. Wytłumacz: „To jest moje, ale chciałabym się z tobą podzielić". Wymyślaj zabawy w dzielenie się: „Ty pozwolisz mi pobawić się twoją lalką, a ja pozwolę ci pobawić się moimi kartami". Dzielenie się z tobą jest dla dziecka mniej ryzykowne aniżeli z rówieśnikami, jest to dobre i pouczające ćwiczenie.

* Wprowadź zwyczaj pożyczania sobie. Wytłumacz, że jeżeli coś się od kogoś pożycza, to należy mu to oddać, a jeżeli coś się komuś pożycza, to dostaje się to z powrotem. Szukaj przykładów w życiu codziennym. Na kilka minut pożycz misia, a potem go oddaj. Pozwól, aby dziecko pożyczyło sobie twoje okulary przeciwsłoneczne, a potem poproś, aby ci je oddało. Zwróć uwagę, że kiedy dzieci bawią się na huśtawkach na placu zabaw, nie zabierają ich do domu, podobnie, jeżeli bawią się klockami w domu innego dziecka, to nie zabierają klocków ze sobą. Po prostu je na chwilę pożyczają.

* Chwal wszystkie próby dzielenia się, bez względu na to, jak niechętnie dziecko je podejmuje. Zawsze kiedy twoja pociecha zgodzi się czymś podzielić, dostrzeż i pochwal taki „akt uprzejmości". Kiedy to możliwe, staraj się pomóc dziecku zauważyć zalety dzielenia się; jeżeli pożyczy innemu malcowi łopatkę — zbudują większy zamek, jeżeli pożyczy samochodzik — będą mogli urządzić wyścig. Z czasem, w wyniku doświadczeń i zręcznego postępowania rodziców (jeżeli dziecko odmawia pożyczenia jakiejś zabawki, zaproponuj inną), maluchy uświadamiają sobie, że dzielenie się może być zabawne, a kłótnie prowadzą jedynie do marnowania cennego czasu. Do wniosku tego zazwyczaj szybciej dochodzą te dzieci, które częściej przebywają z równieśnikami — czy to w żłobku, czy w przedszkolu.

11
Dwudziesty trzeci miesiąc

CO TWOJE DZIECKO POTRAFI ROBIĆ

Przed końcem dwudziestego trzeciego miesiąca twoje dziecko powinno umieć:

* kopnąć do przodu małą piłkę.

Uwaga: Jeśli twoje dziecko nie opanowało jeszcze powyższej umiejętności lub nie potrafi operować symbolami w zabawie, skontaktuj się z lekarzem. Takie tempo rozwoju może być zupełnie normalne dla twojego dziecka, ale musi ono zostać fachowo ocenione. Zasięgnij porady lekarza, jeśli twoje dziecko nie daje się kontrolować, jest niekomunikatywne, nadpobudliwe, zbyt bierne, zamknięte w sobie, do wszystkiego negatywnie nastawione, gdy jest bardzo wymagające bądź wyjątkowo uparte. (Pamiętaj, że dziecko urodzone jako wcześniak często pozostaje w tyle za swoimi rówieśnikami urodzonymi o czasie. Te różnice rozwojowe stopniowo się zmniejszają i zwykle całkowicie zanikają pod koniec drugiego roku życia.)

Przed końcem dwudziestego trzeciego miesiąca twoje dziecko prawdopodobnie będzie umiało:

* składać słowa (22 i 1/2 miesiąca);
* nazywać 6 części ciała;
* używać 50 lub więcej słów.

Przed końcem dwudziestego trzeciego miesiąca twoje dziecko być może będzie umiało:

* włożyć samodzielnie jakąś część garderoby.

Przed końcem dwudziestego trzeciego miesiąca twoje dziecko może nawet umieć:

* zidentyfikować 4 przedmioty na obrazku, odpowiednio je nazywając;
* używać przyimków.

CO MOŻE CIĘ NIEPOKOIĆ

NIEZNOŚNE KAPRYSY O PIĄTEJ PO POŁUDNIU

Każdego popołudnia, gdy wracam do domu z pracy, mój maluch jest nie do zniesienia. Staje się pobudliwy, kapryśny i wręcz nie do opanowania. Ta pora dnia jest dla mnie przerażająca.

Ten, kto wymyślił określenie „popołudniowa kawka", z pewnością nigdy nie spędził późnego popołudnia z dwulatkiem. Pora ta — mniej więcej między 16.00 a 18.00 — rzadko kiedy pozwala na relaks i rozluźnienie. Atmosfera panująca wtedy w domu jest raczej napięta i nieznośna. U schyłku długiego dnia maluchy są często przemęczone i rozdrażnione; częściej więc niż o innych porach zdarzają im się napady totalnego braku rozsądku i negatywnych zachowań. To nieznośne zachowanie wypada niestety w czasie, kiedy cierpliwość rodziców jest już na skraju wyczerpania po całodziennej opiece nad energicznym, aktywnym dwulatkiem lub po ciężkim dniu w pracy. Jest to pora, która nawet najspokojniejszego człowieka wyprowadza z równowagi.

Nic nie jest w stanie zagwarantować spokoju, ciszy ani psychicznej równowagi. Są jednak sposoby, by złagodzić popołudniowe grymasy malucha i wyciszyć trochę rodziców podenerwowanych monotonią zajęć przy dziecku.

Rozluźnij się, zanim przekroczysz próg domu. Nie tylko dziecko ma skłonności do złych humorów około 17.00. Mając na głowie obiad, pozbieranie porozrzucanych przez dziecko przedmiotów i codzienny kierat w postaci prania, telefonów itd., a za sobą niełatwy dzień w pracy, mama z pewnością stresuje się ponad miarę. To napięcie udziela się, rzecz jasna, dziecku. Spróbuj więc się rozluźnić przed odebraniem dzieci ze żłobka czy od opiekunki albo przed wejściem do domu. Wysiądź z autobusu lub tramwaju parę przystanków wcześniej i przejdź resztę drogi do domu pieszo. Posłuchaj spokojnej, kojącej muzyki w samochodzie czy z walkmana. Posiedź przez pięć minut w samochodzie, nawet gdy dojechałaś już na miejsce, i zrelaksuj się, wykonując kilka głębokich wdechów. Przede wszystkim jednak unikaj nieustannego zaprzątania sobie głowy tym, co musi być zrobione. Zamiast tego pomyśl o czymś miłym, a to pomoże ci się uspokoić, zanim zacznie się przysłowiowy młyn.

Jeśli spędziłaś cały dzień w domu, opiekując się dzieckiem, będziesz musiała zrelaksować się razem z nim.

Zrób przerwę w zajęciach. Zamiast natychmiast zabierać się do domowych prac, spróbuj zafundować sobie chwilę relaksu (jeśli dziecko jęczy, czepiając się twojej nogi, i tak nic nie zrobisz). Weź kilka głębokich oddechów, odłóż na później przygotowywanie kolacji i zasiądź do jakiejś zabawy z maluchem — najlepiej z dala od widoku, który przypominałby ci, jak wiele jeszcze pozostało do zrobienia. Poprzytulaj swego brzdąca, czytając mu wierszyki lub słuchając muzyki dla dzieci (puszczając co wieczór tę samą muzykę, wyrobisz w sobie i w dziecku odruch Pawłowa: oboje będziecie kojarzyć tę muzykę z czasem relaksu). Można też zająć dziecko zabawą, którą oboje lubicie (układanie puzzli, czytanie książek, oglądanie obrazków, wspólny odpoczynek w ciemnym, zacisznym pokoju, wspólna kąpiel w wannie pełnej ciepłej wody i piany, lepienie z plasteliny, rysowanie kredkami, zabawa zabawką wymagającą nadzoru osoby dorosłej). Można się również rozluźnić, uprawiając wspólnie jakieś ćwiczenia fizyczne: przejść się na podwórko czy plac zabaw, pobiegać wokół bloku, poćwiczyć jogę czy aerobic na dywanie. Jeśli już musisz zabrać się do przygotowywania kolacji, spróbuj wciągnąć dziecko do pomocy.

Przygotuj odpowiednią scenerię. Wyłącz telefon albo włącz automatyczną sekretarkę, przyciemnij jaskrawe i ostre światło, wyłącz telewizor, usuń wszelkie możliwe źródła hałasu zakłócającego popołudniową ciszę — to ma być czas relaksu. Spróbuj zachęcić dziecko do spokojnej zabawy — o tej porze unikamy raczej pochłaniających energię harców. Wiele przykładów na spokojną zabawę dla małych dzieci podajemy na str. 162.

Nakarm dziecko. Brzuszek dwulatka pracuje inaczej niż żołądek dziecka starszego lub osoby dorosłej. Przetrzymywanie małego dziecka do czasu, aż sami będziemy gotowi zasiąść do stołu, jest żądaniem wygórowanym. Ponieważ głód jest dość powszechną przyczyną złości malucha, wcześniejsze podanie posiłku nie tylko zadowoli skurczony żołądek, ale może również przywrócić humor dziecku. Istnieją też inne ewentualne korzyści płynące z wcześniejszej kolacji: maluch będzie jadł lepiej (tak jak przemęczone dziecko nie może spać, tak i zanadto przegłodzone często nie może jeść); ty zjesz posiłek w spokoju (siedzenie przy wspólnym stole z rozgrymaszonym brzdącem może każdemu odebrać apetyt); będziesz wreszcie miała trochę czasu dla siebie i dla męża (szczególnie jeśli zwykle spożywacie kolację w spokoju dopiero po położeniu dziecka spać).

Staraj się uspokoić dziecko. W tym pełnym napięcia okresie nie zachęcaj malca do zabaw, które mogłyby go denerwować: gry czy zabawy przekraczające jego umiejętności, rysowanie lub malowanie (jeśli rezultat może przynieść rozczarowanie), budowanie z klocków (jeśli widzisz, że rozsypujące się wieże wyprowadzają go z równowagi).

LEWORĘCZNOŚĆ

Mój syn ma skłonności do sięgania po różne przedmioty lewą ręką. Czy powinnam skłaniać go do używania prawej ręki?

Ręce precz od dziecka! Chociaż prawa ręka jest częściej używana przez większość populacji, 5-10% ludzi — mających w przyszłości być leworęcznymi — niechętnie się nią posługuje.

Istnieje kilka powodów, dla których powinnaś raczej zaufać naturze i czasowi, które wybiorą dominującą u twojego dziecka rękę.

Po pierwsze, istnieją niezbite dowody na to, że preferowanie którejś z rączek przez dziecko jest uwarunkowane genetycznie. Gdy każde z rodziców jest leworęczne, prawdopodobieństwo, że i dzieci będą leworęczne wynosi 50%. Gdy tylko jedno z rodziców jest leworęczne, prawdopodobieństwo spada do 17%. Kiedy żadne z rodziców nie jest leworęczne, prawdopodobieństwo leworęczności u dzieci wynosi 2%. Ponieważ jest to kwestia natury, a nie wychowania czy szkolenia, zachęcanie dziecka do używania prawej ręki nic nie pomoże, a może tylko przysporzyć kłopotów.

Po drugie, leworęczność nie jest sprawą oczywistą aż do ukończenia przez dziecko trzech lat, a w wypadku niektórych dzieci trwa to nawet dłużej. We wczesnym dzieciństwie dzieci zwykle z jednakową zręcznością władają obiema rączkami — aż do momentu, gdy jedna z nich wyda im się sprawniejsza. Około 20% dzieci nigdy do końca nie posługuje się wyłącznie jedną ręką, a do pewnego stopnia zachowuje oburęczność. Niektóre oburęczne dzieci równie sprawnie posługują się prawą i lewą rączką i potrafią którąkolwiek z nich wykonywać każdą czynność. Inne używają np. prawej ręki do jedzenia, a lewej do rzucania.

Małe dzieci zyskują poczucie bezpieczeństwa, które daje im gromadzenie różnych przedmiotów — im więcej posiadają na własność w danym momencie (w torbach, plecakach, kieszeniach), tym lepiej.

Po trzecie, badania wykazują, że kiedy rodzice próbują zmuszać dziecko do używania ręki, która genetycznie nie jest tą sprawniejszą, efektem mogą być różne problemy, np. z kaligrafią. Spróbuj, jak ciężko pisze się drugą ręką, tak po prostu dla zabawy; wyobraź sobie, jak ciężko byłoby ci posługiwać się tą ręką, gdyby tego od ciebie wymagano.

Chociaż nie da się w sposób absolutny przewidzieć, którą rękę dziecko będzie w przyszłości preferowało, rodzice mogą czasami zaobserwować oznaki przyszłej lateralizacji w bardzo wczesnym dzieciństwie. Niektóre z nich są bardziej znamienne (rączka, którą dziecko używa do rysowania lub rzucania piłeczki), inne mniej (rączka, w której trzyma łyżkę). Nagarnianie jedzenia do rączki lub sięganie po zabawki są na tyle przypadkowe, że rzadko kiedy można z nich wnioskować o trwałej preferencji używania jednej z rączek.

Pomimo iż o leworęczności często krążą złe opinie, ani dziecko, ani rodzice naprawdę nie mają powodu do zmartwienia. Ludzie leworęczni podobno radzą sobie lepiej w niektórych dziedzinach niż praworęczni, a szczególnie w tych, które wymagają dobrego poczucia relacji przestrzennych: w sztuce, architekturze czy sporcie. Jedyny minus: wykazują oni zwiększoną podatność na urazy w wyniku wypadków. Jest to prawdopodobnie związane z funkcjonowaniem w świecie przeznaczonym dla ludzi praworęcznych. Jeśli twoje dziecko rzeczywiście okaże się leworęczne, dostosuj otoczenie do jego odmienności, kupując mu np. „lewe" nożyczki czy inne przybory do prac ręcznych, „lewe" kubeczki czy meble i wyposażając mieszkanie w drzwi otwierające się łatwo lewą ręką. Potraktuj też szczególnie poważnie rady, których udzielamy w rozdziale 21.

CHOMIKOWANIE

Moja córeczka lubi obładowywać się różnymi torbami i wkłada do nich, co tylko się da. Ciągle te torby rozpakowuję i zanoszę przedmioty z powrotem na swoje miejsce.

„Moje" jest bardzo ważnym słowem w słowniczku typowego dwulatka. Może się to odnosić zarówno do przedmiotów rzeczywiście należących do dziecka, jak i tych, które do niego nie należą. Gromadząc pieczołowicie swój dobytek, maluch często przypomina wiewiórkę przygotowującą się do zimy. Może więc gromadzić czy chować zabawki, ubrania, książki, resztki jedzenia, najprzeróżniejsze przedmioty z domowego gospodarstwa (od codziennych rupieci po naprawdę wartościowe rzeczy), żeby nie wspomnieć o kluczach, butach, krawatach, szalikach czy biżuterii należącej do innych członków rodziny. Rusz się z domu z takim dwulatkiem, a coś natychmiast się w nich znajdzie. Schowa do kieszeni broszury na temat pożyczek, które właśnie wzięłaś z banku, patyki i kamienie pozbierane w parku, a nawet — jeśli nie będziesz uważać — cukierki i gumę do żucia w supermarkecie.

Takie chomikowanie jest dla tego wieku normalne i nie należy tego wiązać z ewentualną kleptomanią czy manią kolekcjonowania rupieci w przyszłości. Zdobywanie, sortowanie czy układanie „skarbów" daje maluchowi poczucie zadowolenia i bezpieczeństwa; takie kolekcjonowanie nie jest też bez znaczenia w budowaniu własnego ego.

Bądź więc tolerancyjna dla ciągotek swojego malucha do chomikowania. Baw się razem z nim, dając mu torbę podróżną, dziecięcą walizeczkę albo plecaczek, do którego będzie mógł wkładać przedmioty. Wyznacz mu też jakąś pustą szufladę, gdzie mógłby przechowywać swoje skarby przez dłuższy czas. Żeby zaś uniknąć awantury, a jednak mieć pod kontrolą zawartość takiej szuflady czy walizki, przejrzyj je, gdy dziecko śpi, i usuń to, co jest zupełnie zbędne. Żeby uniknąć ciągłego rozpakowywania dziecięcych toreb, pozbieraj porozrzucane po domu drobiazgi, które są w zasięgu rączek dziecka. Zostaw trochę do zabawy, resztę pochowaj. Przy drzwiach zainstaluj wieszaczek na klucze i torebkę, buty pochowaj do szafki, szczotkę do włosów do szuflady itp. Zamknij na klucz przedmioty wartościowe i pilnie obserwuj rączki malucha w sklepach (możesz nawet posprawdzać mu kieszonki, stojąc już przy kasie; jeśli okaże się, że coś sobie przywłaszczył, patrz str. 379). Delikatnie przypomnij mu, co można zbierać, a co nie; z czasem mały zrozumie, o co chodzi.

ZŁOŚĆ Z POWODU MYCIA ZĘBÓW

Mój dwulatek awanturuje się i zaciska buzię, kiedy próbuję umyć mu ząbki.

To jego buzia i w ten sposób dziecko informuje cię, że nie podoba mu się twoja ingerencja. Szamotanie się o szczotkę do zębów jest jeszcze jedną potyczką w dzielnych zmaganiach o niezależność. Ponieważ jest mało prawdopodobne, by maluch ustąpił, a twoja uległość byłaby nierozsądna (nawet mleczne ząbki muszą być chronione przed próchnicą; patrz str. 420), trzeba pójść na mały kompromis:

Poszukaj sprzymierzeńca. Jak być może zauważyłaś, ktoś z zewnątrz często ma większy wpływ na dziecko niż mama lub tata. Zwróć się więc do pediatry lub do dentysty z prośbą o wyjaśnienie dziecku, jak ważne jest mycie zębów. Gdy brzdąc zaczyna ponownie marudzić, przypomnij mu: „Pan doktor powiedział, że musimy myć twoje ząbki, żeby były zdrowe".

Pozwól dziecku wybrać szczoteczkę. Niech brzdąc wybierze dwie lub trzy kolorowe dziecięce szczoteczki w drogerii (upewnij się, że włosie jest delikatne i dobrej jakości). Następnie codziennie rano i wieczorem pozwól mu wybierać, którą szczoteczką chce tym razem myć ząbki. Może to na tyle odwrócić uwagę dziecka, że zapomni o proteście.

Pozwól mu umyć zęby samodzielnie, mamo! Daj dziecku szczoteczkę do rąk, by spróbowało wykonać to zadanie samodzielnie. Nie martw się o to, czy zrobi to poprawnie ani też o stan szczoteczki; pozwól mu po prostu wykonać to najlepiej jak potrafi. Nie szczędź pochwał, nawet jeśli niespecjalnie mu się udało. Jak już nabierze nieco wprawy, możesz pozwolić mu myć zęby rano, a ty będziesz mu pomagać wieczorem. Nie oczekuj jednak od dziecka całkowicie sprawnego i samodzielnego umycia zębów przed ukończeniem przez nie mniej więcej siedmiu lat.

Pozwalanie dziecku na mycie zębów jakiejś pluszowej zabawce lub lalce (szczoteczką przeznaczoną do zabawy) może sprawić, że będzie bardziej posłuszne i pozwoli komuś innemu umyć swoje ząbki.

Potem zrób to sama. Po zapewnieniach, jak wspaniale umył ząbki, sama przejdź do ich mycia (patrz str. 422, wskazówki dotyczące mycia zębów). Posadź malucha przed lustrem — by mógł obserwować, co robisz — i stwarzaj wrażenie, że nadal we wszystkim bierze udział. Podejście do dziecka od tyłu i leciutkie odchylenie jego głowy może dać dobrą widoczność i pole manewru. Możesz też usiąść na podłodze, posadzić małego na kolanach i odchylić troszkę — tak by się o ciebie oparł. Jeśli pozwolisz mu

Małe dzieci chętniej zabierają się do mycia swoich ząbków, gdy mogą najpierw umyć zęby któregoś z rodziców.

trzymać szczoteczkę razem z tobą, uzna, że nadal kontroluje sytuację. W tym czasie pokaż mu właściwą technikę mycia zębów. Możesz spróbować sposobu: „Raz ja, raz ty" (komentując: „Te dwa ząbki są już czyste i ładne, spróbujmy umyć następne dwa") albo też innego: „Ząb za ząb", gdzie ty myjesz zęby dziecku, a ono tobie. Wtrącenie do tego trochę żartów — przypadkowe umycie szczoteczką noska czy policzka (czystą wodą) może również rozluźnić spiętego malucha.

Kontrolujcie się nawzajem. Po zakończeniu przez dziecko mycia ząbków każ mu otworzyć buzię, by można było sprawdzić i upewnić się, że zniknęły wszystkie resztki jedzenia. Pozwól dziecku ocenić efekty w lustrze. Możesz również pokazać mu swoje zęby po umyciu. Więcej wskazówek dotyczących higieny jamy ustnej znajdziesz na str. 420.

ZJADANIE PASTY DO ZĘBÓW

Moja córeczka zjadłaby całą tubkę pasty do zębów, gdybym jej pozwoliła. Nie robię tego oczywiście, ale mała za każdym razem prosi o więcej jak tylko zobaczy tubkę.

Połknięcie odrobiny pasty do zębów (większość maluchów to robi) nie zaszkodzi dziecku, jednak chroniczna konsumpcja tego artykułu może być szkodliwa[1]. Fluor — o czym dziś już wiemy — jest jednym z tych pierwiastków, których nie możemy spożywać w nadmiarze. O ile mała ilość fluoru wzmacnia dziecięce zęby i zmniejsza ryzyko próchnicy, o tyle wielkie ilości mogą „upstrzyć" zęby plamkami albo wręcz trwale je przebarwić (stan znany jako fluoroza). Amerykański Związek Stomatologiczny nie zaleca używania pasty z fluorem przez dzieci poniżej drugiego roku życia. Ponieważ dzieci w wieku 2 do 5 lat również mogą jeszcze połykać pastę, trzeba je pilnować w trakcie mycia zębów.

Pamiętaj:

Wystarczy odrobina. Tak naprawdę to nie pasta czyści zęby twojego dziecka, a raczej wytężona praca. Większość dentystów jest zdania, że woda jest równie skuteczna — jeżeli nie lepsza — w przypadku maluchów (nie ma piany i dokładnie widzisz, jak czyścisz). Pasta nie jest również konieczna ze względu na zawartość fluoru; większość dzieci w tym wieku otrzymuje go z innych źródeł (patrz str. 424). Jednak większość dzieci nie będzie chciała myć ząbków bez odrobiny smacznej pasty. Jeśli twój brzdąc należy do tej większości, wyciśnij na szczoteczkę naprawdę odrobinkę, rozprowadź po całej szczoteczce i wciśnij między włosie, by dziecko nie mogło jej zlizać. Wytłumacz też, że pasta służy do mycia zębów, a nie do jedzenia.

Płukanie jest najtrudniejsze. Integralną częścią procesu mycia zębów jest wypłukiwanie pasty i resztek jedzenia z buzi. Naucz dziecko jak „obracać" wodę w buzi i potem ją wypluć. Większość maluchów jakoś radzi sobie z tym pod koniec drugiego roku życia. Dziecko, które nie potrafi płukać ust, nie powinno wcale stosować pasty zawierającej fluor.

Co z oczu, to i z myśli, i... z buzi. Tubka pasty do zębów na półce w łazience jest zbyt wielką pokusą dla twojego dziecka, by mogło się jej oprzeć. Zamiast trzymać ją na widoku, schowaj, a nawet trzymaj pod kluczem — jeśli zajdzie taka konieczność — w domowej apteczce. Nałóż pastę na szczoteczkę, następnie szybko schowaj tubkę, zanim dziecko wejdzie do łazienki. Być może w ten sposób unikniesz płaczu i próśb o „dokładkę".

Nawet jeśli zachowasz ostrożność i będziesz dokładnie rozprowadzać pastę po szczoteczce, dziecko i tak może wyssać ją spomiędzy włosia.

---

[1] Używanie pasty nie zawierającej sacharyny (jest ich przynajmniej kilka na rynku) zmniejsza teoretycznie ryzyko, ale jeśli pasta zawiera fluor, nierozsądnie jest pozwalać dziecku spożywać ją w większych ilościach.

Jeśli tak się zdarzy albo jeśli malec będzie się domagał więcej pasty, należy ją na razie wyeliminować. Wyjaśnij, że dopóki córeczka będzie próbowała zjadać pastę lub robić awantury o dokładkę, dopóty pasty na szczotce nie będzie. W takim wypadku można też przejść na środek do czyszczenia niemowlęcych dziąseł i ząbków, który nie zawiera związków fluoru i jest bezpieczny nawet wtedy, gdy się go połknie. Przyrzeknij dziecku, że wtedy gdy będzie umiało myć ząbki bez połykania pasty i dobrze je wypłukać, znów zacznie używać rodzinnej pasty do zębów.

ODMOWA UŻYWANIA PASTY DO ZĘBÓW

Mój synek nie może znieść smaku pasty do zębów i nie chce przez to myć ząbków. Czyż nie potrzebuje zawartego w nim fluoru?

Pasta do zębów dodaje koloru, smaku, poczucia świeżości i ułatwia proces mycia zębów. Czyszczenie ich czystą wodą daje jednak ten sam rezultat. Jeśli zaś chodzi o fluor, twoje dziecko prawdopodobnie otrzymuje go w wystarczającej ilości, pijąc wodę, odwiedzając dentystę (aplikowany miejscowo) czy też w postaci związków mineralno-witaminowych, które mu podajesz (patrz str. 424). Jeśli smak pasty, której używasz, zniechęca malucha do mycia zębów, spróbuj ją zmienić. Jest wiele gatunków pasty o lubianym przez dzieci smaku i w efektownym opakowaniu. Jeśli żadna się nie spodoba — zrezygnuj na razie z pasty i stosuj czystą wodę.

AWANTURY PRZY CZESANIU

Moja córeczka krzyczy wniebogłosy i wyrywa się, kiedy tylko próbuję wyszczotkować jej włosy. Jeśli jednak ich nie rozczeszę, kołtuny stają się coraz gorsze.

Nieziemski krzyk. Tęgie lanie? Krwawa bitwa? Czy to scena z filmu Alfreda Hitchcocka? Nie, to coś gorszego: to mama czesze dwulatkowi włosy! Nie ma kropli krwi, ale leją się łzy po obu stronach szczotki w trakcie odgrywania tego mrożącego krew w żyłach dramatu. To, że musi zostać odegrany codziennie przynajmniej dwa razy, sprawia, iż sama perspektywa czesania jeży rodzicom włos na głowie.

Żeby wyeliminować ból podczas rozczesywania włosów:

Otwórz salon fryzjerski. Posadź dziecko na krześle lub wysokim krzesełku przed lustrem (podłóż nawet poduszkę dla lepszej widoczności) i zabaw się w salon fryzjerski. Podczas gdy ty czeszesz swoją klientkę, niech klientka czesze swoją: daj jej ulubioną długowłosą lalkę lub pluszowe zwierzątko oraz szczoteczkę lub grzebień do układania fryzury.

Rozplątujcie włosy we dwójkę. Dziecko mniej będzie się opierało czesaniu, jeśli będzie mogło w nim uczestniczyć. Gdy zmęczy je już czesanie włosów lalki, niech czesze swoje. Ty czesz lewą stronę, a ono prawą. Potem się zamieńcie — żebyś mogła poprawić.

Bądź delikatna. Używaj grzebienia o szerokich zębach lub plastykowej szczotki; gęste grzebienie mogą szarpać i ciągnąć. Rozczesuj włosy, rozpoczynając od końców, małymi pasmami: najpierw rozplącz końce, potem sięgaj grzebieniem coraz wyżej. Żeby zanadto nie ciągnąć, przytrzymaj włosy przy skórze głowy, gdy rozczesujesz końcówki. Możesz wykorzystać ułatwiające rozczesywanie odżywki do włosów (zwłaszcza gdy rozczesujesz włosy na sucho, bez ich mycia).

Pozbądź się kłopotów z kołtunami. Jednym ze sposobów na uniknięcie problemów ze splątanymi włosami jest ostrzyżenie dziecka na krótko. Taką fryzurę łatwiej rozczesać i utrzymać. Wymaga znacznie mniej uwagi niż włosy długie (łatwiej tak oczywiście powiedzieć, niż zrobić; więcej wskazówek dotyczących obcinania dzieciom włosów znajdziesz na str. 268). Aby poradzić sobie z długimi włosami, można zapleść je w warkocz albo też zawiązać z tyłu kitkę. Rozpuszczone włosy nie tylko łatwo się plączą, ale też sklejają, trafiając często do jedzenia, błota, farby i innych substancji, z którymi styka się dziecko. Jeśli jednak zdecydujesz się zapleść włosy lub związać je w kitkę, nie ściągaj ich zaraz przy skórze głowy — może to spowodować trwające przez jakiś czas „łysinki". Wszelkie dziecięce fryzury zabezpieczaj wsuwkami, spinkami, miękkimi gumkami i innymi ozdobami przeznaczonymi specjalnie dla dzieci. Nie używaj zwykłych gumek, które pękają i ciągną włosy przy zdejmowaniu (sprawiają ból dziecku i są niezdrowe dla jego delikatnych włosków). Inną jeszcze metodą na długie włosy dziewczynki jest zaplatanie ich na noc. Zakładamy, że mała nie będzie się bronić, a włosy są wystarczająco długie. Rozczesanie takich włosów następnego ranka nie powinno sprawić problemu. Bez względu na to, jaką dziecko ma fryzurę, wyczesanie supłów przed myciem ułatwi znacznie rozczesanie włosów po umyciu. Warto też w tym celu myć włosy delikatnymi ruchami, zamiast energicznie je pocierać i plątać w celu uzyskania piany. Rozczesanie będzie również łatwiejsze, jeśli zastosujesz odpowiednią odżywkę albo szampon z odżywką.

Ozdabiaj fryzurę kokardką lub spinką. Uczesz małą, wpinając jej we włosy ładne ozdoby (niech sama wybierze) w nagrodę za to, że była grzeczna przy czesaniu.

WOJNA O BUTY

Za każdym razem, gdy próbujemy włożyć synkowi buty, bardzo się złości. Kopie i bije do tego stopnia, że musimy to robić na siłę.

Wkładanie butów kojarzy się dziecku z tym wszystkim, czego ono nie lubi i przed czym się broni: ograniczeniem, kontrolą, robieniem za niego tego wszystkiego, co wolałoby robić samo, no i wreszcie — jeśli jest wrażliwe na dotyk — krępowaniem niewygodną garderobą. Jeśli dodamy do tego odrobinę charakterystycznej dla dziecka w tym wieku negacji, nie możemy się dziwić, iż dla wielu maluchów wkładanie butów jest jednym z najbardziej stresujących momentów w czasie ubierania się.

Jakiekolwiek by były przyczyny, czy też ich splot, jeśli takie „rodeo" zdarza się codziennie, może całkowicie zwalić z nóg i popsuć humor każdemu, kto właśnie szykuje się do wyjścia. Chociaż czas w końcu rozwiąże i ten problem (z tej fazy rozwoju — jak i z innych — dziecko w końcu wyrośnie), podane niżej rady mogą ci pomóc:

Unikaj butów sznurowanych. I wysokich cholewek. I klamerek. Kupuj raczej obuwie wsuwane, zapinane na przylepce, lekkie i sportowe. Jest jednak wyjątek: jeśli twoje dziecko lubi zdejmować buciki, daruj sobie obuwie lekkie i sportowe, gdyż tego typu buty łatwo się zdejmuje.

Kupuj buciki, które z czymś się kojarzą. Włóż dziecku na nóżkę zebrę, małpkę czy słonia. Buty przypominające w kształcie lub kolorze ulubione zwierzątko lub też w ogóle kolorowe i wzorzyste łatwiej dzieciom nałożyć. Ponieważ z maluchem znacznie łatwiej się porozumieć, jeśli da mu się możliwość wyboru, niech twój tuptuś czynnie uczestniczy w kolejnym zakupie obuwia.

Pozwól mu samodzielnie założyć buty. Z bucikami, które łatwo się wkłada, nawet niespełna dwuletni maluch może poradzić sobie sam (połóż buty przed dzieckiem, odpowiedni bucik przed odpowiednią nóżką). Nawet jeśli mu się nie uda, możesz pozwolić mu zapiąć przylepiec. Sprawi to, że wkładanie obuwia stanie się rodzajem zawodów, w których dziecko uczestniczy. Takie metody znacznie zwiększają szanse współpracy z dzieckiem.

Bądź delikatna, jeśli dziecko jest bardzo wrażliwe. Dzieciom szczególnie wrażliwym na dotyk niektóre rodzaje ubrań — golfy, sweterki ściśle przylegające do szyi, kombinezony, buty i skarpetki — mogą się wydawać okropnie niewygodne i ograniczające. Bądź cierpliwa. Z czasem będzie lepiej, choć szanse na to, by problem całkowicie zniknął, są raczej słabe (patrz str. 186). Upewnij się, że obuwie jest dopasowane, zapięcie nie za ciasne, że nie uwiera, a tkanina wewnątrz jest zupełnie gładka. Wybieraj obuwie, które dziecko może nałożyć samo, oraz gładkie, dopasowane skarpetki, spełniające wymogi opisane w dalszej części poradnika.

Spróbuj przemówić do rozsądku. Zwróć uwagę dziecku, że każdy nosi buty — pan listonosz, mały synek sąsiadów, babcia i dziadek, kuzyn Staś, ciocia Basia. Wyjaśnij, że: „Nosimy buty, żeby nogi się nie brudziły, żeby było w nie ciepło i żeby się nie pokaleczyć. Bez butów możemy zrobić sobie krzywdę, gdy jesteśmy na dworze". Nie oczekuj, że mały tak od razu cię posłucha. Z czasem jednak pomoże mu to zrozumieć przeznaczenie obuwia.

Spróbuj pożartować. Udawaj, że wkładasz buciki dziecka sobie (albo swoje buty małemu) lub misiowi; spróbuj włożyć je malcowi na uszy czy ręce i następnie pozwól, by cię poprawiał; chichoty mogą rozpogodzić ponurą buzię. Jeśli ten rodzaj żartobliwej perswazji nie poskutkuje za pierwszym razem (u niektórych dzieci się nie sprawdza), nie próbuj więcej.

Spróbuj odwrócić uwagę malca. Zamiast podejść ze słowami: „Czas już włożyć buciki, kochanie", zajmij dziecko, odwracając jego uwagę np. zabawną piosenką, gdy zabierasz się do wkładania mu butów. Możesz też szybko zacząć opowiadać o tym, jak to wspaniale będzie na spacerze. Albo zwróć uwagę na coś, co dzieje się za oknem czy drzwiami. Jest nadzieja, że będzie na tyle zainteresowany tym, co mówisz, by nie zwrócić uwagi na to, co robisz.

Bądź cierpliwa. Nic tak nie prowokuje przekornego malucha jak twoje nerwy. Nie irytuj się więc, a raczej „przyklej" sobie beztroski uśmiech do twarzy. Będzie to oczywiście prostsze, jeśli nie będziesz się spieszyć i zaczniesz wkładać dziecku buty na długo przed wyjściem.

Pozwól dziecku spróbować spaceru bez butów. Jeśli malec absolutnie odmawia włożenia butów, niech spróbuje usiąść w wózku w skarpetkach. Buty jednak zabierz ze sobą. Kiedy zmarzną mu nóżki lub zechce wyjść z wózka, pokaż buty jako coś praktycznego, a nie na zasadzie: „A nie mówiłam?!" Zwróć się do dziecka ze słowami: „O, zapomniałeś włożyć swoje buciki! Włóżmy je szybciutko, żebyś mógł wyjść i się pobawić".

Nigdy, oczywiście, nie pogarszaj sytuacji, zmuszając dziecko do noszenia butów, jeśli nie jest to konieczne. Choć bieganie boso po parku może okazać się niemożliwe i niebezpieczne, niech maluch biega boso w domu i gdzie tylko można. Nie tylko dlatego, że pozwoli to uniknąć konfliktów, ale dlatego, że stopy rozwijają się najlepiej, gdy nie są niczym skrępowane.

PROBLEMY ZE SKARPETKAMI

Bez względu na to, jak starannie wkładam mojej córeczce skarpetki, stale narzeka, że jej przeszkadzają.

Tak jak bohaterka baśni *Księżniczka na ziarnku grochu*, która nie mogła spać, mając nawet najmniejsze ziarenko grochu pod materacem, twoje dziecko jest prawdopodobnie nadzwyczaj wrażliwe na dotyk (albo też ma niski próg czucia — patrz str. 186). Wszystko, co przylega bezpośrednio do skóry, a nie jest absolutnie miękkie i gładkie, może sprawiać dyskomfort dziecku wrażliwemu na dotyk — bez względu na to, czy jest to para obejmujących je w uścisku rąk, czy też para zmarszczonych skarpetek. Uświadomienie sobie, że ta wrażliwość jest czymś, czego dziecko absolutnie nie potrafi opanować, stanowi pierwszy krok do niesienia maluchowi pomocy w tej kwestii. Należy pomyśleć, które rzeczy mogą dziecku dokuczać, i trzeba ograniczyć ich używanie. Unikaj grubych bawełnianych skarpet, które mogą rolować się wewnątrz butów, oraz skarpetek o grubych szwach (będą one mniej przeszkadzać, jeśli znajdą się u nasady palców, a nie u ich końców). Zamiast takich skarpetek wybierz elastyczne skarpetki z orlonu, które gładko przylegają; nie mogą być ani za duże — gdyż będą wystawać poza palce — ani za małe (będą wówczas zostawiały czerwone ślady i pręgi na stopach dziecka). Zanim włożysz dziecku buciki, upewnij się, że skarpetki dobrze leżą. Włożenie skarpetek w zabawne wzory może również okazać się pomocne — jeśli tylko wzorki nie będą uciskać. Kiedy tylko malec nauczy się sam wkładać skarpetki — pozwól mu. Sam lepiej je sobie dopasuje i skończą się może awantury.

FOCHY PRZY UBIERANIU

Za każdym razem, gdy próbuję ubrać moją córeczkę, mała się złości. Nigdy nie chce włożyć tego, co dla niej wybiorę.

Nawet jeśli chodzi o ulubioną kanapkę, umiarkowanie głodny dwulatek będzie z pewnością stawiał opór, jeśli wyboru dokonano bez jego wyraźnej zgody. Podobnie jak przy karmieniu, przy ubieraniu maluchy także wyzywają rodziców na pojedynek.

Następnym razem, gdy zostaniesz sprowokowana:

Daj dziecku wybór... Oddanie całkowitej kontroli nad codzienną garderobą nie jest oczywiście praktyczne i nie ma sensu (dziecko włoży kostium kąpielowy i sandały w mroźny dzień albo zimowy kombinezon i rękawiczki w lipcu), ale danie mu choćby minimalnej swobody może w dużej mierze zapobiec dysputom na temat ubioru. Zaproponuj więc małej dwa lub trzy stroje do wyboru. Jeśli przyjdzie jej do głowy jakiś zwariowany pomysł (chociażby ten kostium kąpielowy w styczniu), idź na kompromis — jeśli to możliwe, pozwól jej włożyć ten kostium pod inne rzeczy. Żeby zmniejszyć ryzyko wkładania nieodpowiednich rzeczy w nieodpowiedniej porze roku — w lecie pochowaj odzież zimową i na odwrót. Przed wyjściem z domu pozwól maluchowi wybrać ulubione ubranie spośród tych, które wcześniej przygotowałaś. Nie ma żadnej gwarancji, że zechce je włożyć, ale zawsze istnieje jakaś szansa (więcej wskazówek na temat podejmowania decyzji znajdziesz na str. 353).

...ale niezbyt duży. Jeśli pokażesz małej szafę pełną ubrań, sama ukręcisz na siebie bicz. Zbyt wielki wybór przytłacza i frustruje każdego, a już szczególnie małe dziecko. Niech więc „wybór" ograniczy się do dwóch, trzech strojów.

Pochwal malucha za wybór. Pochwal dziecko za strój dobrze dobrany, ale nie krytykuj, jeśli coś do czegoś nie pasuje lub — twoim zdaniem — jest wręcz niefortunne. Zasugeruj coś, jeśli brzdąc jest otwarty na sugestie („Ta niebieska koszulka w paski ładnie pasowałaby do niebieskich spodenek"). Nie martw się, jeśli cię nie posłucha. Ma dużo czasu na wyrobienie sobie dobrego gustu i własnego stylu.

Mój synek codziennie chce nosić te same spodenki. Problemem jest nie tylko ich wypranie: są coraz bardziej wytarte, no i wszyscy mamy ich już dość. Możemy sobie wyobrazić, co myśli pani w żłobku...

Nie przejmuj się tym, co myślą panie w żłobku, inni rodzice czy też nieznajomi. Nie tylko twoje dziecko uwielbia ciągle nosić to samo lub wychodzić na dwór w zniszczonych rzeczach. Jeśli ma ci to poprawić nastrój, wyjaśnij sytuację pani w żłobku — być może będzie w stanie delikatnie skomentować strój dziecka w jego obecności, co skłoni je do zmiany (ale w końcu nie ona jest jego mamą).

Jeśli możesz, kup jeszcze ze dwie pary takich samych spodenek jak te ulubione i spróbuj co drugi dzień zastąpić nimi nieśmiertelny strój malucha (wypierz je najpierw kilka razy, by nie były sztywne i nie wyglądały na zbyt nowe). Próbuj nadal podsuwać dziecku inne, ale jeśli zdecydowanie je odrzuca, nie przejmuj się tym. Widocznie znajduje komfort i bezpieczeństwo w niezmienności.

Nie trać też poczucia humoru, bo jeszcze będzie ci potrzebne. Chociaż ekstrawagancje dotyczące stroju zwykle zmniejszają się z upływem czasu, z pewnością powrócą, i to w ostrzejszym wydaniu, w wieku dojrzewania.

Nasza córeczka awanturuje się każdego ranka, kiedy próbujemy ją ubrać. Jest to tak ciężka próba, że skłonni bylibyśmy zrezygnować z walki, gdyby nie to, że musimy ją odprowadzić do żłobka.

Codzienne ubieranie dwulatka może stanowić próbę dla wszystkich, których to dotyczy. Jak można znieść kopanie i krzyki o głupią koszulkę czy skarpetki? Jeśli jednak nie zamierzacie wyprowadzić się do kolonii nudystów, trzeba przez to przejść każdego ranka. A oto kilka rad, jak się zachowywać, by próba ta nie była aż taka straszna:

Przytul dziecko. Zanim zaczniesz ubierać malucha, przytul go, byście oboje „nastroili" się pozytywnie. Jeśli w trakcie ubierania brzdąc zacznie się denerwować, przytul go ponownie, by się uspokoił.

Zmień temat. Podczas ubierania odwróć uwagę dziecka, opowiadając mu, co będzie robić w żłobku, jak będziecie bawić się po południu czy wreszcie o deszczu padającym właśnie za oknem.

Pozwól mu się ubrać. Dziecko będzie znacznie bardziej chętne do ubierania się, jeśli pozwolisz mu to zrobić samodzielnie. Zrób więc, co tylko możesz, by mu to ułatwić. Wybierz takie spodenki, które łatwo nałożyć — np. dres czy legginsy — i pomóż włożyć odpowiednią nóżkę do odpowiedniej nogawki. Następnie skłoń malucha do samodzielnego podciągnięcia spodenek. Zgromadź kilka bawełnianych bluz i sweterków, które są luźne, mają duże wycięcie na głowę — a więc łatwo się je wkłada. Unikaj rzeczy z dużą liczbą guzików czy zatrzasek — nie tylko udaremnią samodzielne próby ubierania się twojego dziecka, ale znacznie zwolnią cały proces, nawet jeśli ty będziesz to robić.

Pozwól dziecku ubierać innych. Cały proces ubierania będzie mniej bolesny, jeśli pozwolisz dziecku „zadawać ten ból" komu innemu. Niech więc ubieranie lalki czy misia stanie się częścią porannego rytuału. Dostarcz maluchowi łatwo dających się włożyć rzeczy, w które sam może ubrać swoje „dziecko". Jeśli zaś woli, by przy takim ubieraniu asystował ktoś dorosły, ty ubierz lalkę według jego życzenia.

Zamień ubieranie w zabawę. By przełamać opór i załagodzić sytuację, spróbuj zrobić z ubierania zabawę. Wołanie: „Gdzie jesteś? Nie mogę cię znaleźć!" może uczynić z momentu wkładania bluzeczki przez głowę wesołą zabawę w chowanego. Podobne pytania w stylu: „Co stało się z twoją nóżką?" (lub rączką) albo: „Nie mogę znaleźć twoich paluszków. Gdzież one mogą być?" z całą pewnością wywołają chichoty zamiast łez i złości.

Bądź delikatna w stosunku do dziecka wrażliwego na dotyk. Dwulatki często nie znają odpowiednich słów, by wyrazić, że jest im niewygodnie, a nawet mogą nie zdawać sobie sprawy z tego, dlaczego nie lubią danego ubrania. Po prostu płaczą i grymaszą, gdy dokucza im szorstki sweterek czy sztywne dżinsy. Jeśli podejrzewasz, że twój malec jest wrażliwy na dotyk, dostosuj się do jego potrzeb i dobieraj odzież miękką, wygodną i luźną. Unikaj golfów, drapiącej wełny, sztywnych tkanin syntetycznych i krochmalonej bawełny, jak również guzików, zatrzasek czy wystających z bucików ozdób, które mogą ocierać gołą skórę. Kupuj odzież z tkanin miękkich i spranej bawełny. Zawsze pierz rzeczy, zanim włożysz je dziecku po raz pierwszy.

Łaskotki

Nic tak nie wzbudza śmiechu u większości maluchów jak łaskotanie. Chociaż jednak wielu śmieszków świetnie się przy tym bawi, inne są naprawdę biedne, szczególnie gdy łaskotanie staje się mało delikatne lub trwa zbyt długo. Dzieje się tak, ponieważ śmiech w tej sytuacji jest mimowolny — jest to reakcja ciała na stymulację receptorów bólu znajdujących się na skórze.

Reakcja na łaskotanie — tak jak reakcja na ból — jest różna u różnych dzieci. Są maluchy, które uwielbiają je wszędzie i o każdej porze, oraz takie, które lubią to tylko od czasu do czasu. Są jednak i dzieci, które boją się łaskotania (jest to dla nich wręcz bolesne), i takie, które łaskotek w ogóle nie mają.

To, jak intensywnie i jak często łaskotać dziecko i czy w ogóle to robić, zależy od reakcji malucha. Nigdy do końca nie wiadomo. Obserwuj oczy dziecka, wyraz jego twarzy, gesty, by stwierdzić, czy chce jeszcze, czy może ma już dość lub w ogóle nie ma na takie żarty ochoty. Jeśli wyczuwasz u malca bardziej strach niż przyjemność — natychmiast przestań. Jeśli obserwując dziecko, nie dochodzisz do żadnych wniosków, a maluch jest już na tyle „dorosły", że rozumie twoje pytania, zapytaj wprost: „Lubisz, jak cię łaskoczę?"

Mamy bardzo żywe dziecko, zawsze czymś zajęte, a ubieranie go rano do żłobka przypomina maraton. Biegnę za nim do pokoju, by przełożyć mu podkoszulek przez głowę, następnie do salonu, gdzie czasami uda mi się włożyć jeden rękaw i do kuchni w celu włożenia drugiego. Potem kolej na dżinsy...

Pozytywną stroną tego zjawiska jest to, że malec pomaga wam utrzymać formę. Negatywną, oczywiście, że jesteście już grubo spóźnieni do czasu, gdy druga noga znajdzie się wreszcie w dżinsach...

Takie zachowanie może być sposobem zwracania na siebie uwagi, gdy wszyscy są zajęci przygotowaniami do rozpoczynającego się dnia. Jeśli przypuszczacie, że o to właśnie chodzi, spróbujcie trochę popracować nad „jakością" wspólnego poranka, włączając w jego rozkład przeczytanie krótkiego opowiadania, chwilę zabawy, wspólne zjedzenie śniadania. Można też wypróbować jedną ze starych metod typu: „Jeśli się pospieszysz i ubierzesz, będziemy mieli jeszcze czas, by przeczytać twoją ulubioną książeczkę, zanim..."

Jeśli natomiast takie metody są według was jedynie niepotrzebną stratą czasu i energii, spróbujcie ubrać brzdąca zaraz po obudzeniu, zanim się rozkręci. Spróbujcie też uspokoić dziecko muzyką czy opowiadaniem. Jeśli to możliwe, niech jedno z was zajmie się ubieraniem malca, podczas gdy drugie w tym samym czasie będzie czytać bajkę. Wreszcie — jeśli czas i cierpliwość na to pozwolą — można by kontynuować ten codzienny maraton przez jakiś czas i zrobić z tego zabawę: „No, jedną rączkę udało nam się złapać w sypialni. A gdzie pobiegniemy, by złapać drugą?" Wasze zaangażowanie może odebrać małemu chęć do ganiania po całym domu i być może z tego zrezygnuje. Jeżeli zupełnie nic nie pomaga, a czas rano jest zbyt cenny, po prostu przytrzymajcie dziecko siłą i ubierzcie.

WALKA O KURTKĘ

Nie mogę bez utarczki włożyć mojej córeczce kurtki bez względu na to, jak zimno jest na dworze.

Chociaż nakładanie niektórych lub wręcz wszystkich części garderoby może powodować opór dwulatka, kurtki i kombinezony są prawdopodobnie najbardziej znienawidzone. I niby dlaczego miałoby być inaczej? Nic tak bardzo nie krępuje ruchów jak kurtka. Problem polega na tym, że o ile możemy dziecku dać możliwość wyboru innych części garderoby (jeśli np. mała za nic na świecie nie chce włożyć sukienki na przyjęcie urodzinowe i w końcu trafi na nie w rzeczach do piaskownicy, nic wielkiego się nie stanie), o tyle nie jest to możliwe w wypadku kurtki. Kiedy kurtka jest konieczna — naprawdę trzeba ją założyć. Jak więc najłatwiej założyć ją takiemu protestującemu brzdącowi?

Odpowiedni materiał (i odpowiednie ocieplenie). Niektóre ciężkie zimowe kurtki prawie uniemożliwiają poruszanie się. Unikaj tych zanadto opiętych, grubych, „drapiących", ciężkich, krępujących ruchy. Wybieraj odzież z lżejszych i ciepłych tkanin.

Wybór. Nie powinnaś oczywiście wypełniać szafy dziecka ubraniami kupionymi według chwilowej dziecięcej fantazji, ale możesz przecież następnym razem kupić kurtkę dwustronną. W ten sposób maluch będzie mógł zawsze wybrać, którą stronę chce włożyć danego dnia. Kiedy jest dostatecznie ciepło, daj dziecku możliwość zrzucenia tej jakże niechętnie noszonej części garderoby w zamian za dodatkową ciepłą bluzę i grubszy sweter.

Bogate zdobnictwo. Stara, znoszona kurtka może stać się tą wybraną i ulubioną, kiedy ozdobi się ją zwariowanymi aplikacjami. Zapomnij o dobrym guście i pozwól dziecku na rozwinięcie skrzydeł wyobraźni — bez względu na to, jak dziwaczne miałoby to być — w jakimś tandetnym sklepie z ozdóbkami i naszywkami. Ponaszywaj aplikacje na „nową" kurtkę. Nigdy nie wyszywaj imienia dziecka na zewnętrznej stronie kurtki. Nie chcesz zapewne umożliwiać obcym przyciągania uwagi twojego dziecka.

Odwrócenie uwagi. Zanim zbliżysz się do dziecka z kurtką, odwróć jego uwagę jakimiś przedmiotami (zabawką, czasomierzem do gotowania jaj, kluczami) i rozmową. Mów szybko, a ubieraj jeszcze szybciej.

Działanie przez zaskoczenie. Zrób coś zabawnego z kurtką, zanim spróbujesz ubrać malucha. Włóż ją np. na siebie (powinno to wyglądać co najmniej komicznie) i obwieść: „No cóż, jestem gotowa do wyjścia". Albo też narzuć kurtkę na pluszowego dinozaura lub pieska. Przy odrobinie szczęścia brzdąc zacznie się tak śmiać, że zapomni zaprotestować, gdy zaczniesz mu tę kurtkę wkładać. Może nawet do tego stopnia przejąć się tym, że próbujesz przywłaszczyć sobie coś z jego ubrania, że będzie wręcz nalegać, byś mu włożyła tę nieszczęsną kurtkę...

Przemawianie do rozsądku. Zanim dziecko osiągnie to stadium złości, w którym rozum już nie funkcjonuje, spróbuj mu przemówić do rozsądku. Jeśli masz okno, przez które widać przechodniów, posadź dziecko przy nim i pokaż przechodzących w dole ludzi, komentując ich ubiór: „Zobacz, jak zimno jest na dworze. Każdy ma na sobie kurtkę. Brr..."

Jeśli żadna z rodzicielskich sztuczek nie działa i nie skłania twojego dziecka do włożenia kurtki dobrowolnie, nie będziesz miała innego wyjścia, jak i tak mu ją włożyć. Bądź twarda, ale wyrozumiała („Wiem, że nie lubisz nosić kurtki, ale kiedy jest zimno na dworze — trzeba"), a jak tylko dokonasz tego dzieła, natychmiast odwróć uwagę dziecka.

BITWA O CZAPKĘ I RĘKAWICZKI

Jak tylko włożę mojej córeczce czapkę i rękawiczki, mała natychmiast je ściąga. Powtarzam czynność setki razy i w końcu daję za wygraną.

Prawie każdy dwulatek wielokrotnie ćwiczy wkładanie i zdejmowanie czapki i rękawiczek. Chociaż z gołymi rączkami i odkrytą głową może być dziecku zimno (szczególnie z gołą głową, gdyż większość ciepła z ludzkiego ciała uchodzi przez głowę), od tego raczej nie zachoruje, gdyż to głównie wirusy wywołują chorobę. Tak więc w większości wypadków nie należy panikować, gdy dziecko zrzuci czapkę i rękawiczki.

Jednak w dni szczególnie chłodne, gdy temperatura spadnie poniżej zera, istnieje ryzyko odmrożeń. Jeśli maluch nie zechce ubrać się właściwie, to w takie dni nie powinien wychodzić na dwór. Nie wolno mu też bawić się śniegiem bez rękawiczek. Zasada ta jednak nie obowiązuje, jeśli załatwiasz sprawy przy użyciu samochodu. Rączki z pewnością nie zmarzną w czasie krótkiego sprintu z domu do samochodu czy z samochodu do sklepu. Jeśli jednak wyprawa wymaga dłuższego spaceru, możesz spróbować rozłożyć budkę wózka, by ciepło aż tak nie uciekało. Gdy i to nie pomaga — trzeba zaangażować opiekunkę do dziecka na czas twojej nieobecności, jeśli malec uporczywie odmawia włożenia czapki i rękawiczek. Gdy będzie musiał zostać w domu parę razy, może zreflektuje się, że jednak opłaca się ustąpić.

Istnieją pewne sposoby, które pomagają szybciej przekonać dziecko w kwestii ubioru. Pozwól małej wybrać nową czapkę i rękawiczki. Kup czapeczkę z miękkiej, miłej w dotyku dzianiny syntetycznej zamiast „gryzącej" czapki z wełny. Możesz także rozważyć inne rozwiązania: obszerny kaptur nie będzie tak uciskał jak opięta czapka; czapka o zabawnym fasonie (na przykład z uszkami jakiegoś zwierzaka); tzw. kominiarka okrywająca nie tylko głowę, ale również szyję i brodę, nie wymagająca zawiązywania i rozwiązująca sprawę szalika; opaska na głowę i nauszniki — nie ochronią specjalnie przed zimnem, ale zabezpieczają uszy przed odmrożeniem. Wełniane rękawiczki z pięcioma palcami też będą chyba przez dziecko lepiej przyjęte aniżeli tradycyjne dziecięce z jednym palcem: będą bardziej wygodne i mniej skrępują ruchy — choć nie są tak ciepłe. A może rękawice przypominające pluszową maskotkę (pokaż dziecku, jak rączki mogą ze sobą „rozmawiać")? Są też rękawice nieprzemakalne, które pozwolą dziecku bezpiecznie bawić się śniegiem.

Przymocuj rękawiczki do rękawów kurtki, żeby twoja pociecha nie mogła twierdzić: „Nie wiem, gdzie są". Dobrym pomysłem jest kupienie dwóch par takich samych rękawiczek. Jeśli zagubi się jedna rękawiczka, nadal można będzie skompletować parę. Zawsze na spacerach miej przy sobie dodatkowe rękawiczki na wypadek „zniknięcia" tych, które dziecko przed chwilą jeszcze miało na łapkach.

Nie bądź zdziwiona, jeśli żadna z tych sztuczek się nie uda. Nie należy się jednak martwić, dopóki temperatura na dworze jest dodatnia. Zabieraj ze sobą czapkę i rękawiczki i zaproponuj je dziecku, gdy tylko zauważysz, że zaczyna pocierać rączki lub skarżyć się na zimno.

FRUSTRACJE PRZY SAMODZIELNYM UBIERANIU SIĘ

Moja córeczka chce ubierać się samodzielnie od stóp do głów — bez pomocy z mojej strony. Zwykle jednak tak się tym męczy, że wszystko kończy się jedną wielką złością.

Pragnienie robienia wszystkiego samodzielnie (sławetne „Ja sam!") niestety znacznie wyprzedza umiejętności. Umiejętność samodzielnego ubierania się pojawia się około trzeciego roku życia. Frustracja wynikająca z braku korelacji między chęciami a możliwościami często wywołuje u dziecka napady złości. Chociaż niemożliwe jest nieustanne chronienie malucha przed frustracją (jest to też niepożądane, gdyż pewna doza frustracji daje motywację do rozwoju i osiągania celów), możesz zminimalizować złość malucha, jeśli podejmiesz następujące kroki:

Spróbuj ułatwić dziecku zadanie. Kiedy kupujesz ubranka lub wybierasz je z szafy, poszukaj dających się łatwo wciągnąć spodenek, szortów, spódniczek na gumce i w ogóle rzeczy bez zamków, guzików czy przylepców. Wszystko, co wciąga się przez głowę (bluzy, swetry, pulowerki, sukienki), musi mieć duże wycięcie.

Zrzucaj winę na rzeczy, nie na dziecko. Gdy maluch zaczyna się złościć przy ubieraniu, skrytykuj ubranie, a nie jego marne próby: „Ten sweterek jest dziś naprawdę nieznośny, zupełnie nie wie, co robi! Zobaczymy, czy uda nam się go razem założyć".

Pozwól dokończyć zaczęte przez ciebie dzieło. Jeśli założenie czegoś od początku do końca jest jeszcze dla dziecka za trudne (zawsze wkłada dwie nóżki do jednej nogawki albo wkłada sukienki tyłem do przodu), zacznij z nim i pozwól mu dokończyć dzieło. Jeśli poudajesz, że to ty potrzebujesz pomocy (np.: „Nie mogę podciągnąć tych spodenek. Możesz to zrobić za mnie?"), będzie to dla brzdąca szczególnie budujące. Więcej wskazówek na temat sztuki ubierania podajemy na str. 428.

Mój synek nie wykazuje choćby najmniejszego zainteresowania samodzielnym ubieraniem się.

Nie każdy maluch lubi robić wszystko sam. Są też takie dzieci, które siedzą sobie spokojnie i pozwalają się sobą zajmować. Nie jest to kwestia wrodzonego lenistwa, a raczej braku gotowości. W wieku prawie dwóch lat wiele dzieci nie opanowało jeszcze trudnej sztuki samodzielnego ubierania się, chociaż większość z pewnością potrafi się rozebrać. Niektóre wolą wcale nie próbować do czasu, aż poczują, że umieją to robić z łatwością i bezbłędnie.

Czasami to rodzice są nieświadomymi niczego współsprawcami nie kończącego się braku zainteresowania samodzielnym ubieraniem się. Albo są nadopiekuńczy, instynktownie wyczuwając każdą najmniejszą potrzebę malucha i będąc na każde jego skinienie, albo też szybko popychają go ku niezależności, co powoduje, że brzdąc we wszystkim zdaje się na siebie. Bywa też i tak, że spragnione uwagi dziecko zostaje pozostawione samemu sobie i odkrywa, że wołanie o pomoc przy ubieraniu się jest jednym ze sposobów wyegzekwowania tak potrzebnej mu uwagi.

Chociaż potrwa to jeszcze z rok, zanim twoje dziecko będzie umiało całkowicie się ubrać, możesz pomóc mu w tym procesie usamodzielniania się.

Daj dziecku kilka lekcji. To, jak włożyć koszulę lub spodnie, może wydawać się oczywiste dla kogoś doświadczonego. Małe dziecko jednak nie bardzo wie, jak zacząć, i potrzebuje wskazówek.

Rzuć pierwszą przynętę. Zanim pośpieszysz dziecku z pomocą, zawsze daj mu szansę ubrania się czy rozebrania samodzielnie. Zawołaj na przykład: „Czas się rozebrać do kąpieli. Ja napuszczę wody do wanny, a ty w tym czasie się rozbierzesz!" Jeśli woda jest już w wannie, a malec nawet się nie ruszył, zaproponuj mu pomoc. Tak samo postępuj rano. Rozłóż rzeczy i daj mu czas na samodzielne działanie, zanim się włączysz.

Delikatna prowokacja. Włóż małemu spodenki do połowy, następnie odejdź, poprzyglądaj się trochę i powiedz: „Nie, nie, tak nie może być.

Jak sądzisz, co się tutaj nie zgadza?" W swej chwilowej bezmyślności mały może się zapomnieć i wciągnąć spodenki do końca. Za każdym razem zostawiaj dziecku nieco więcej do dokończenia. Jeśli odmówi — zrób to sama bez żadnego komentarza.

Zawsze chwal, nigdy nie krytykuj. Najmniejszy wysiłek — podniesienie skarpetek i wręczenie ich tobie lub zapięcie suwaka przy bluzie — powinien spotkać się z pochwałą. To samo dotyczy prób nieudanych. Co z tego, że koszulka została włożona tyłem do przodu? Przecież zrobił to sam! Jeśli dziecko nie ma ochoty na poprawienie swojego błędu (albo jeśli taki błąd nie przeszkadza w normalnym funkcjonowaniu, czego nie można powiedzieć np. o dwóch nogach w jednej nogawce spodni), nie rób tego na siłę. Niech tak zostanie. Wszelkie groźby („Jeśli się nie ubierzesz, wyjdziesz na dwór w piżamce") albo wyśmiewanie dziecka, że nie potrafiło się samo ubrać („Tylko dzidziusie potrzebują pomocy przy ubieraniu, duzi chłopcy ubierają się sami") zadziała wręcz odwrotnie. Taka taktyka będzie wywoływała negatywne skojarzenia i może w przyszłości spowodować poważne problemy.

Ćwicz swoją cierpliwość... Być może twój dwulatek nie interesuje się samodzielnym ubieraniem się, gdyż ciekawi go sto innych rzeczy. Może właśnie przechodzi dużo większy i bardziej znaczący skok rozwojowy aniżeli opanowywanie nudnej sztuki ubierania się. Nie naciskaj specjalnie, ale i nie wycofuj się — bądź konsekwentna.

...ale nie bez końca. Do czasu, gdy dziecko ukończy dwa lata, powinnaś skłonić je przynajmniej do rozpoczęcia nauki samodzielnego ubierania się. Gdy będzie już miało trzy latka, powinno umieć całkowicie się ubrać, choć może jeszcze nie potrafić zapinać guzików, klamerek i innych temu podobnych „pułapek". W tym momencie trzeba dziecko dokładniej przypilnować. Nie pozwól na zabawę, dopóki nie wyegzekwujesz samodzielnego ubierania się lub choćby bardziej entuzjastycznej próby.

PODRZUCANIE

Nasz synek chyba niespecjalnie przepada za podrzucaniem, ale mój teść twierdzi, że to tylko go wzmocni.

Podrzucanie dziecka, które tego nie lubi, z pewnością go nie wzmocni, a tylko uczuli na jakikolwiek kontakt fizyczny z osobą podrzucającą. Różne dzieci różnie reagują na podrzucanie — tak jak i różne są ich reakcje na ściskanie i obejmowanie. Z wszelkimi „gwałtownymi" zabawami — tak jak ze ściskaniem i obcałowywaniem — trzeba uważać; należy obserwować reakcję dziecka i unikać tego, czego wyraźnie nie lubi.

Notoryczne podrzucanie malucha może doprowadzić do wystąpienia u niego przesadnych stanów lękowych (a nawet nocnych koszmarów), szczególnie jeśli zabawa ta odbywa się na krótko przed spaniem. Może też znacznie narazić na szwank stosunki między dzieckiem a dziadkiem. Porozmawiaj o tym z teściem i zasugeruj zabawy, które dziecko lubi — jeżdżenie samochodzikami, budowanie z klocków itd.

Ważne jest również uświadomienie teściowi i innym osobom, które mogłyby podobnie się z malcem obchodzić, że zawsze istnieje ryzyko poważnego urazu (z odklejeniem się siatkówki oka i uszkodzeniem mózgu włącznie). Nie przejmuj sią jednak podrzucaniem, które już miało miejsce w przeszłości; jeśliby doszło do uszkodzeń, byłyby wyraźne tego objawy.

POBAW SIĘ ZE MNĄ, MAMO...

Za każdym razem, gdy zasiądę do pisania listu lub chcę przejrzeć gazetę albo w ogóle do czegoś się zabrać, moja córka żąda, bym się z nią bawiła. Jak nauczyć ją bawić się samodzielnie?

Maluchy, które potrafią się bawić same nawet krótko, są rzadkością, a ich rodzice szczęściarzami. Większość małych dzieci potrzebuje partnera do zabawy, ponieważ albo z natury są towarzyskie, albo nie na tyle jeszcze rozwinięte, by mogły same zorganizować sobie zabawę. A rodzice są idealni do zabawy, prawie zawsze w zasięgu ręki...

Chociaż codzienna zabawa z maluchem jest bardzo ważna dla jego rozwoju i obopólnego kontaktu, chociaż może być relaksem, wzbogacić i dać uczucie wypełnienia, nie możesz czuć się na okrągło zobowiązana przybiegać na każde zawołanie. Dla wspólnego dobra trzeba dziecko uczyć, że musi pobawić się również samo. Musi zdawać sobie sprawę, że mama ma swoje obowiązki i swoje rozrywki — nie tylko budowanie domków z klocków i organizowanie małych przyjęć dla dwulatków.

Widząc ciebie przy pracy i dostrzegając, że ci się to podoba, malec szybko pojmie, że czynności wykonywane samodzielnie mogą być niezłą zabawą. Jeśli już zajmie się sobą przez jakiś czas, z pewnością odkryje, że może być dla siebie wspaniałym towarzystwem. Takie uczucie będzie dla dziecka bardzo budujące. Naucz je tylko, jak do tego dojść.

Daj parę lekcji. Często zakładamy, że dzieci rodzą się z umiejętnością bawienia się. Jednak prawda jest taka, że często potrzebują pomocy przy korzystaniu z rozmaitych zabawek — doradzenia, jak najlepiej połączyć klocki, by się nie rozpadły, jak obrócić trójkąt, aby pasował do odpowiedniego otworu w wielościennej bryle, albo od czego zacząć układanie puzzli. Im więcej czasu poświęcisz, pomagając dziecku odkrywać, ile radości mogą dać zabawki, tym szybciej maluch zacznie się nimi bawić sam.

Zacznij zabawę wspólnie z dzieckiem. Za każdym razem, gdy chcesz, by malec pobawił się trochę sam, zacznij zabawę razem z nim, a następnie dyplomatycznie odejdź, stwierdzając, że w czasie gdy on wykonuje swoją pracę, ty wykonasz swoją. Bądź jednak pomocna, gdy od czasu do czasu zajdzie taka potrzeba.

Dotrzymaj towarzystwa. Twój dwulatek będzie z pewnością chętniej bawił się sam w twoim towarzystwie aniżeli w całkowitym odosobnieniu. Rozłóżcie się więc na przykład na tapczanie, ty ze swoją książką, a malec ze stosem swoich. Powiedz dziecku: „Ja będę teraz czytała moją książeczkę, a ty pooglądaj swoje". Innym razem posadź je przy kuchennym stole, daj papier i kredki, podczas gdy sama będziesz nadrabiała zaległości korespondencyjne. Gdy masz coś do zrobienia w ogrodzie, daj dziecku plastykową łopatkę do wykopywania chwastów. Uważaj jednak, by przy tej okazji twoja pociecha nie zjadała stokrotek lub ziemi...

Zorganizuj dziecku towarzystwo. Jeśli twój maluch jest z natury istotą towarzyską, która uwielbia bawić się z innymi, umów dzieci na wspólną zabawę, dołącz do innych bawiących się maluchów i regularnie wychodź na podwórko, żeby dziecko przyzwyczaiło się do zabaw z rówieśnikami. Inną możliwością jest zaangażowanie pomocy do dziecka. W czasie gdy opiekunka będzie towarzyszyć dziecku w zabawie, ty możesz dopełnić swoich domowych obowiązków. Do takich celów świetnie nadają się starsze dzieci lub nastolatki, gdyż maluchy chętnie się z nimi bawią, a wynagrodzenie zatrudnionego „towarzystwa" nie jest wysokie.

Strzeż swoich praw... Rodzice małych egoistów mają również prawo wymagać tego i owego. Przejrzenie poczty i rachunków, napisanie listu, posortowanie prania, ugotowanie obiadu, sporadyczne choćby przejrzenie gazety czy książki (co dodatkowo jest dobrym przykładem dla dziecka) to twoje prawo. Pozwalaj dziecku na stawianie jego żądań ponad twoje prawa, a wychowasz egoistę i egocentryka, któremu będzie się wydawało, że może robić wszystko i o każdej porze. Strzeż swoich praw i sama wymagaj, a malec w końcu nauczy się, że i tobie coś się należy. Będzie to ważnym krokiem w kierunku respektowania praw innych ludzi (patrz str. 59).

...bądź jednak realistką. Spójrzmy prawdzie w oczy. Wiele praw, które ci przysługiwały, zanim zostałaś matką, a więc prawo do swobody, prywatności, ciszy i spokoju zawsze, gdy miałaś na to ochotę, to już niestety przeszłość. Choć odrobina czasu dla siebie nie jest żądaniem wygórowanym, chęć na swobodę w każdej chwili na tym etapie życiowego wyścigu już nim jest.

Odmierzaj swój czas. Jeśli musisz przez chwilę być bardzo skoncentrowana — masz na przykład do sprawdzenia książeczkę czekową, musisz zatelefonować w pilnej sprawie albo też trzeba w domu zrobić coś, w czym dziecko absolutnie nie może uczestniczyć — nastaw czasomierz na tyle minut, ile ci potrzeba. Niech dziecko przygląda się, jak zegarek tyka — to też pewna forma zabawy. Nie tylko zajmie je to, podczas gdy ty będziesz zajęta, ale da dziecku poczucie pewnej kontroli nad mamą, a tego przecież małe brzdące najbardziej pragną. Pilnuj jednak, by być do dyspozycji dziecka, jak tylko zegarek zadzwoni.

Bądź cierpliwa. Uczenie dziecka, jak polubić zabawę w pojedynkę, jest procesem długotrwałym. Jeśli uda wam się nauczyć malucha spędzania choć kilku minut sam na sam z zabawkami, to już jest sukces i poważny krok na drodze do samodzielności.

NIEZDARNOŚĆ

Mój dwulatek chodzi już od roku, ale nadal kilka razy dziennie przewraca się i potyka. Czy możliwe jest, by miał problemy z koordynacją ruchów?

Większość dwulatków ma problemy z koordynacją, ale wyłącznie dlatego, że są jeszcze małe. Choć wiele z nich ma już za sobą długą drogę, sporo kilometrów jest jeszcze do przejścia. Nadal jeszcze nie potrafią szybko się zatrzymywać i ostro skręcać. Gdy już dziecko raz opanuje te umiejętności, liczba upadków wyraźnie się zmniejszy.

Jednak niektóre przyczyny notorycznej i długotrwałej niezdarności u dwulatka wcale nie muszą być związane z koordynacją. Po pierwsze, dzieci w tym wieku są w nieprzerwanym ruchu, który nie uznaje granic i nie ustaje nawet, gdy napotyka na przeszkody. Po drugie, dzieci są niesamowicie ciekawe i całkowicie skupione na sobie. Tak bardzo, że nie patrzą, dokąd idą. A że umiejętności motoryczne znacznie wyprzedzają na tym etapie rozwoju zdolności rozumowania — efektem jest upadek.

Tak długo, jak długo dziecko się często przewraca, trzeba podejmować szczególne kroki ostrożności, by teren, po którym się porusza, był w miarę bezpieczny (patrz str. 529). Jeśli jednak ma trudności z chodzeniem, powłóczy nóżkami, utyka i w ogóle ma kłopoty z utrzymaniem równowagi, lepiej udać się do lekarza.

CIĄGŁE „NIE"

Czasami słyszę, jak moja córeczka dość ostro zwraca się do swojego pluszowego misia: „Nie!" Zastanawiam się, czy to ja nazbyt często nie używam tego słowa.

Jeśli naśladowanie jest najszczerszą formą pochlebstwa, to dziecko ci schlebia. Możesz też oczekiwać, że jeszcze nieraz będziesz obiektem pochlebstwa jako jedna z czołowych postaci w sztukach twojego dziecka.

Pierwsze próby inscenizacji dramatycznych prawie zawsze dotyczą życia rodzinnego, a ich dialogi to często słowa wypowiadane przez rodziców. Nic więc dziwnego, że wśród nich znajduje się nasze słynne „NIE".

Naśladowanie rodziców nie jest jednak jedyną przyczyną „nie" adresowanego przez maluchy do lalek i pluszowych zwierzaków. Jest to także chęć zademonstrowania swojej władzy, sposób na zaprowadzenie porządku, możliwość ustanawiania praw i wydawania poleceń.

Wszystko to jest jak najbardziej normalne i zdrowe i nie warto zawracać sobie tym głowy. Trzeba jedynie uważać, czy nasze „nie" nie pada zbyt często. Może w niektórych momentach należałoby dać porządzić trochę dziecku?

HAŁASOWANIE W MIEJSCACH PUBLICZNYCH

Jak tylko wybierzemy się do restauracji, nasz synek jest tam najgłośniejszą osobą. Im bardziej zaciszne miejsce, tym głośniej rozmawia. Jest to takie żenujące...

Małe dziecko uwielbia brzmienie własnego głosu. Jeśli zaś ten głos zabrzmi w ustronnym, wielkim pomieszczeniu, gdzie w dodatku jest duży pogłos, to jeszcze większa frajda. Dodajmy do tego świadomość bycia w centrum zainteresowania — odwracające się głowy obcych ludzi, rodzice rumieniący się ze wstydu — i dziecko jest w siódmym niebie.

Za tymi typowymi dla maluchów psotami stoi jednak coś więcej. Dwulatki po prostu nie rozumieją, co znaczy poprawnie się zachowywać w miejscach publicznych. A nawet gdyby rozumiały, miałyby niemałe trudności ze stosowaniem się do ogólnie przyjętych norm, ponieważ nie potrafią jeszcze kontrolować swoich impulsów. Nie umieją też modulować głosu i różnicować jego natężenia. Jeśli dodamy do tego fakt, że w restauracjach rodzice siłą rzeczy nie pilnują aż tak bardzo swoich pociech (są zajęci czytaniem menu, rozmową, jedzeniem), a odegranie jakiejś scenki stanowi najpewniejszy sposób zwrócenia na siebie uwagi — zachowanie dziecka jest w pełni wytłumaczalne. Innym gościom zachowanie waszego malca może nie odpowiadać; mają przecież prawo do spożywania posiłku we względnym spokoju, bez krzyków jakiegoś tam małego Kowalskiego.

Co robić? Można po prostu zrezygnować na jakiś czas ze wspólnego odwiedzania miejsc publicznych, ale w ten sposób dziecko nie nauczy się dobrych obyczajów, a ponadto zakłóci to wasz styl życia. Można spróbować zastosować się do wskazówek na temat bywania z dzieckiem w lokalach gastronomicznych (str. 454). Można wreszcie pomóc dziecku zachowywać się spokojnie w restauracji, ucząc je, jak modulować głos.

Dwa rodzaje głosu. Przed następnym wyjściem posadź dziecko i wyjaśnij mu — demonstrując — że istnieją dwa rodzaje głosu: cichutki, czyli szept, i donośny. Ten cichutki jest bardzo delikatny. Używamy go w domu, gdy ktoś śpi albo z kimś rozmawia, gdy oglądamy telewizję, jak również wtedy, gdy jesteśmy w restauracji, bibliotece, muzeum czy w kościele. Donośny głos jest odpowiedni na podwórzu, placu zabaw i na ruchliwej ulicy. (Nie wspominaj raczej o letnich kawiarenkach na powietrzu — przynajmniej do czasu, aż dziecko pojmie tę subtelną różnicę między miejscami otwartymi, gdzie można mówić głośno, a miejscami zamkniętymi, gdzie wypada mówić po cichu.) Każ małemu spróbować mówić po cichu w domu. Niech poćwiczy również ten drugi rodzaj głosu, gdy będzie się bawił na powietrzu.

Chwalić dziecko... ale do jakiego stopnia?

Dzieci potrzebują pochwały. Różne są jednak opinie co do tego, jak chwalić i do jakiego stopnia. Niektórzy eksperci zalecają chwalenie dziecka szczodrze i bez ograniczeń. Inni ostrzegają przed nadmiernym aplauzem, twierdząc, że dziecko będzie miało w końcu trudności z trzeźwym i precyzyjnym osądzaniem swoich osiągnięć. Zaleca się, by chwalić zachowanie („Bardzo ładnie, że pozwoliłeś koledze się pobawić ciężarówką"), a nie dziecko („Jesteś najwspanialszym chłopczykiem na świecie"). Ustawiczne bowiem wpajanie dziecku, że jest najlepsze, może doprowadzić do wychowania nieporadnego perfekcjonisty, który tak bardzo obawia się, że nie spełni wygórowanych oczekiwań rodziców, iż przestaje próbować. Jeszcze inni sugerują skupienie uwagi na samym wysiłku, gdyż rezultaty różnych prób maluchów nie zawsze są zadowalające („Bardzo się starałeś być cicho, gdy dzidziuś spał; dziękuję ci"). Jest jeszcze inna metoda wyrażania aprobaty (i dezaprobaty), sugerowana przez naukowców, tak zwana pochwała frazowa w zdaniach typu: „Podoba mi się..." („Podoba mi się sposób, w jaki pozbierałeś klocki"). Które podejście stosować, chwaląc swoje dziecko? Wybierz to, które wydaje ci się najbardziej skuteczne w wypadku twojego dziecka. Jeśli mały wydaje się poirytowany twoim skąpym: „Bardzo się starałeś narysować kółko", wybierz coś bardziej konkretnego, by docenić jego wysiłek, może: „O, świetne zawijasy, naprawdę! Wspaniale!" Jeśli uznasz, że zbyt hojne pochwały i zachwyty zanadto rozluźniają malca i staje się on przez to niestaranny i wręcz niechlujny w tym, co robi, zmień taktykę i spróbuj ocenić poczynania dziecka nieco uczciwiej: „Ułożenie wszystkich tych części jest prawidłowe, ale założę się, że potrafisz dokończyć tę układankę, jeśli bardziej się postarasz" (upewnij się jednak, że cel, który wyznaczasz dziecku, jest w zasięgu jego możliwości). Wzmocnij uczucia malca, który jest dumny ze swojego osiągnięcia. Naucz go doceniać samego siebie („Czyż nie jesteś z siebie dumny, że sam wszedłeś na zjeżdżalnię?"), by jego poczucie wartości nie było zależne tylko od twoich komplementów. Dziecko samo będzie wiedziało, jak cieszyć się ze swojego sukcesu. Zawsze pochwalaj takie cechy, jak poczucie humoru, uprzejmość, umiejętność znalezienia różnych przedmiotów, życzliwość, jak również bieżące osiągnięcia. Którekolwiek stanowisko obierzesz — bądź precyzyjna, chwaląc swoją pociechę („Wykonałeś doskonałą robotę, sprzątając zabawki"), nie generalizuj („Bardzo dobrze"). Udzielaj pochwał często, by zachęcić dziecko do działania, ale nie za często, gdyż będą brzmiały nieszczerze albo też spowszednieją i stracą swoją mobilizującą moc. Unikaj pochwał, na które dziecko w gruncie rzeczy nie zasłużyło (dzieci zwykle wyczuwają, że pochwała jest w danym momencie przesadą), ale nie umieszczaj poprzeczki tak wysoko, by nie było za co chwalić. Jeśli od dawna malca za nic nie chwaliłaś, koniecznie wyszukaj coś wartego twoich komplementów. Nie powinno to być aż tak trudne, gdyż każdy dzień dwulatka pełen jest milowych kroków do przodu.

Pomimo opinii wydawanych przez naukowe autorytety nie wahaj się powiedzieć: „Byłeś dziś takim grzecznym chłopcem!" albo: „Jesteś bardzo dobrą dziewczynką, gdyż pozwoliłaś Zosi pojeździć na twoim rowerku" — jeśli masz na to ochotę. Szczera i sporadyczna pochwała od rodziców ma naprawdę wielką wartość, nawet gdyby była różna od tych, które zalecają eksperci.

Nie zachowuj komplementów tylko dla dziecka. Niech maluch widzi, jak szczerze i spontanicznie chwalisz wszystkich członków rodziny, opiekunki, odwiedzające dom inne dzieci, pana, który naprawił telewizor, oraz pana, który wywozi śmieci, za dobrze wykonaną pracę czy uprzejme i troskliwe gesty.

Pamiętaj też, że pochwała nie zawsze musi przyjmować formę werbalną — czasami wystarczy poklepanie po ramieniu, objęcie czy pełen dumy uśmiech.

Pozwól dziecku trochę pokrzyczeć. Daj swojemu maluchowi szansę użycia pełnego zakresu decybeli do woli. Niech sobie głośno śpiewa i piszczy w odpowiednim czasie i miejscu (ale pod kontrolą, gdyż w przeciwnym razie może w końcu zachrypnąć).

Pochwal go za użycie odpowiedniego tonu. Zawsze, gdy dziecko mówi szeptem w odpowiedniej chwili — nawet jeśli mruczy coś tam sobie pod nosem w kuchni — nie zapomnij go za to pochwalić. Nagroda ma większą moc niż krytyka. Jeśli jednak twój łobuz jest z gatunku tych, co to mają tysiące pomysłów, gdy tylko podsuniesz mu jeden (chwalisz go np. za to, że mówił po cichu, a on natychmiast przypomina sobie, jak zabawnie byłoby trochę pokrzyczeć), zachowaj komplementy na ten moment, kiedy na twoją prośbę przejdzie od krzyku do szeptu.

Wyprowadź krzykacza na zewnątrz. Jeśli dziecko zacznie przeraźliwie głośno paplać w restauracji i nie reaguje na zwracane mu uwagi, zabierz je, gdzie wolno krzyczeć: na zewnątrz. Nie rób

Szczęście to dużo rodzicielskiego ciepła...

Przepis na szczęśliwe życie dla twojego dziecka? Jedyny i najważniejszy składnik, co do którego zgadzają się eksperci w zakresie psychologii rozwojowej dziecka, to pełen miłości kontakt fizyczny. Długotrwałe badania analizujące jednostki od wczesnego dzieciństwa do wieku trzydziestu lat wykazały, że wychowanie obfitujące w uściski, pocałunki i przytulanie owocowało w przyszłości poczuciem szczęścia u tych ludzi, a nawet wydawało się wykluczać takie potencjalne zagrożenia, jak bieda, rozbita rodzina czy stres. Studium to sugeruje również, że dzieci, które są często przytulane, nie tylko mają większą od innych szansę bycia w przyszłości szczęśliwymi, ale i znalezienia satysfakcji we wszystkich dziedzinach życia, włączając w to małżeństwo, rodzinę, przyjaźń i karierę zawodową. Miej więc na względzie tę wszechmocną siłę fizycznego kontaktu i często zadawaj sobie pytanie: „Czy przytuliłam dziś mojego brzdąca?”

Przytulanie dziecka naturalnie nie gwarantuje mu dozgonnego szczęścia. Uczucie to wyrasta również na gruncie udanych związków, niesienia pomocy innym, uwieńczonych sukcesem przedsięwzięć, poczucia własnej wartości, znajomości siebie i własnych celów. Ważne jest więc, by pomóc dzieciom rozwinąć wszystkie te aspekty ich życia. Trzeba pamiętać, że tak naprawdę kowalem swego szczęścia każdy bywa sam, że nie przychodzi ono wraz z bogactwem, stosowaną dietą czy innymi czynnikami zewnętrznymi.

Nie chcemy przez to powiedzieć, że dziecko musi mieć całkiem bezstresowe dzieciństwo, by zaznać szczęścia. W gruncie rzeczy chowanie malca pod kloszem może spowodować, że przeżyje on szok, gdy wreszcie zderzy się z rzeczywistością. Lepiej jest uzmysłowić dziecku, że nikt nie jest szczęśliwy przez cały czas, że są chwile smutne i radosne, ale miłość pomaga poradzić sobie z najgorszym. Staraj się zawsze odgrywać rolę niepokonanej — jeśli to możliwe, tryskaj optymizmem i zadowoleniem z tego, co masz. Szczęśliwi rodzice bowiem zwykle wychowują szczęśliwe dzieci. Nie usiłuj jednak za wszelką cenę udawać szczęśliwej, jeśli coś cię gnębi (chyba że stale jesteś przygnębiona; patrz str. 637). Możesz nawet porozmawiać z dzieckiem o tym, że jesteś smutna, ponieważ coś nie tak poszło w pracy albo wyjechała twoja najlepsza przyjaciółka. Porozmawiaj o rzeczach pozytywnych, które czynisz, aby polepszyć sobie nastrój — o przytuleniu kogoś bliskiego, posłuchaniu ulubionej muzyki, pograniu na pianinie, poczytaniu książki, rozwiązywaniu krzyżówki, pobieganiu dla sportu, porozmawianiu z przyjacielem lub udzieleniu komuś pomocy. Unikaj takich sugestii, jak zjedzenie czegoś dobrego lub dokonanie jakiegoś zakupu dla polepszenia sobie humoru — może to skrzywić wyobrażenie o szczęściu. Nigdy też nie uciekaj się do alkoholu lub narkotyków, gdy jesteś w dołku — ani przy dzieciach, ani poza zasięgiem ich wzroku.

z tego powodu specjalnego szumu i nie unoś głosu.

Na koniec jeszcze jedna uwaga: bądź realistką, gdy idziesz z małym dzieckiem do restauracji. Nie wymagaj, by mały cicho siedział przy stole przez bardzo długi czas. Gdy widać, że ma już dość i zaczyna się wiercić, należy pójść z nim na krótki spacer.

BŁĘDY GRAMATYCZNE

Moja córeczka zaczyna mówić całymi zdaniami. Robi przy tym dużo błędów gramatycznych. Czy powinnam poprawiać ją już teraz, by od samego początku uczyła się mówić poprawnie?

Każdy język pełen jest wyjątków i reguł, których się nie przestrzega. To, co poprawne, często nie ma sensu dla kogoś, kto styka się z tym po raz pierwszy, a to, co błędne, często wydaje się bardziej logiczne. Oto dlaczego małe dzieci albo cudzoziemcy robią tak wiele błędów np. przy tworzeniu liczby mnogiej (pies — „piesy”), odmianie czasowników przez osoby (budować — ja „budowam”) czy użyciu odpowiedniego rodzaju (dziewczynki mówią często „pisałem”, „czytałem”, a chłopcy na odwrót — „pisałam”, czytałam”).

Twoje dziecko dopiero co poczuło się na tyle sprawne językowo, by eksperymentować z zestawieniem słów w zdania; nie jest to więc odpowiedni moment na zawracanie mu głowy regułami. Tak wczesna presja na używanie poprawnych form językowych w bądź co bądź trudnej nauce języka może zniechęcić dziecko do mówienia w ogóle (gdyż będzie się bało popełniać błędy), zamiast zintensyfikować rozwój werbalny. Dobrze jest powtórzyć po dziecku poprawnie, gdy sformułowało ono zdanie źle (dziecko mówi: „Piotruś sama to zrobił”, a ty na to: „Tak. Piotruś sam to zrobił”). Nie należy jednak bez przerwy zwracać dziecku uwagi (mała mówi: „Jedna mysza i dwie piesy”, a ty na to: „Nie, tak się nie mówi: Powinnaś powiedzieć: Jedna mysz i dwa psy”).

Daj dziecku czas, stymuluj chęć mówienia i służ dobrym przykładem, a mała w końcu odnajdzie sens w swoim ojczystym języku.

BŁĘDY W UŻYWANIU ZAIMKÓW

Mój synek posiada już dość bogaty zasób słów, ale nadal mówi o sobie w trzeciej osobie liczby pojedynczej („Piotruś zrobił", „Chodź do niego"). Czy mam go poprawiać?

Chociaż słownictwo twojego dziecka rozwija się prawidłowo, wiele jego kategorii nadal jeszcze umyka jego uwagi, a wśród nich właśnie zaimki. Imiona, a szczególnie własne imię, mają dla dziecka dużo konkretniejsze znaczenie aniżeli jakieś „ja" czy „mnie". Większość dzieci zaczyna poprawnie używać zaimków mniej więcej między drugim a trzecim rokiem życia. Do tego czasu popełniają mnóstwo błędów.

Najlepiej nie zniechęcać malucha do komunikowania się, ciągle go poprawiając. Zamiast krytykować, powtórz po dziecku daną frazę, wstawiając w dane miejsce poprawiony już zaimek (mały mówi: „Idziemy z oną", a ty na to: „Tak. Idziemy z nią").

Uważaj również na to, jak sama odzywasz się do malucha. Używaj zaimków, nawet jeśli sądzisz, że mogą być niezrozumiałe dla dziecka. Powiedz np.: „Czy i ty chcesz trochę soku?" zamiast: „Czy Piotruś chce trochę soku?" albo: „Ja muszę teraz przygotować kolację" zamiast: „Mamusia musi teraz przygotować kolację". Jeśli maluch niespecjalnie pojmuje użycie zaimków, używaj podwójnych sformułowań, aż „zaskoczy" („Mamusia musi teraz przygotować kolację. Ja muszę teraz przygotować kolację").

A, B, C... i 1, 2, 3...

Niektóre dzieci, z którymi bawi się mój syn, potrafią już recytować alfabet i liczyć. Mój syn nie wykazuje żadnego w tym kierunku zainteresowania. Czy oznacza to, że z chwilą rozpoczęcia nauki w szkole będzie opóźniony?

Liczą, rozpoznają litery, niektóre nawet zaczynają rozpoznawać słowa. Czy umiejętności te u dzisiejszych przedwcześnie i szybko dojrzewających dzieci są dowodem talentu? Nie. Najczęściej oznacza to, że maluchy intensywnie oglądają telewizję. Wiele z nich zawdzięcza swój przedwczesny rozwój takim programom jak *Ulica Sezamkowa*, które uczą czytać i liczyć z pomocą urzekających bohaterów programu, chwytliwej muzyki i niezliczonej liczby powtórzeń. Niektóre dzieci wynoszą z oglądania takich programów wstępne umiejętności czytania i liczenia, inne naśladowania mimiki, którą obserwują.

Telewizja nie jest oczywiście jedynym bodźcem tak wczesnej edukacji. Innym czynnikiem jest sprzyjająca atmosfera domu czy też wrodzone zdolności dziecka. Chociaż takie wczesne początki nie są niczym złym, ich brak nie powinien również martwić. Dzieci, które nauczyły się trochę czytać i liczyć, zanim poszły do szkoły, mogą mieć nad rówieśnikami chwilową przewagę. Badania wykazują jednak, że ta przewaga szybko mija, gdyż inne dzieci błyskawicznie nadrabiają takie zaległości.

Fakt, iż malec w wieku dwóch czy trzech lat nie wykazuje zainteresowania czytaniem czy liczeniem w żaden sposób nie powinien sugerować, że nie będzie dobrym uczniem. Nie panikuj i akceptuj dziecko takie, jakie jest. Wzbogacaj jego wiedzę i stymuluj jego rozwój (patrz str. 86); rozmawiaj z malcem, czytaj mu, licz z nim schody podczas wchodzenia na górę albo krakersy, gdy mu je wydzielasz, pooglądajcie wspólnie zabawne książki, potnijcie kanapki na trójkąty, kwadraty, prostokąty i kółka. Jeśli ogląda w telewizji jakiś program edukacyjny, zasiądź razem z nim i wzmacniaj swoim poparciem jego pozytywne reakcje. Pokaż dziecku, że uczenie się nowych rzeczy jest czymś fascynującym i nęcącym (patrz str. 103), ale nie krytykuj go, gdy nie nauczy się dostatecznie wcześnie czytać lub liczyć. Ma jeszcze dużo czasu na opanowanie tych umiejętności. Na tym etapie dobre samopoczucie i zadowolenie z siebie są ważniejsze niż wiedza.

CO WARTO WIEDZIEĆ

Wpajanie poczucia własnej wartości

Patrząc na większość małych dzieci, trudno uwierzyć, że brakuje im poczucia własnej wartości — wydają się aż nadto pewne siebie. A jednak... Chociaż mogą być pewne tego, czego chcą — dwuletnie maluchy żyją w gruncie rzeczy w niepewności, kim są.

Jest to najbardziej odpowiedni moment, by zasiane w okresie niemowlęcym ziarna poczucia własnej wartości pielęgnować i pobudzać do wzrostu. Jak wykazują badania naukowe, dzieci, które wcześnie nauczą się wierzyć w: „Jestem dobrym i wartościowym człowiekiem", mają duże szanse dorastania w poczuciu własnej wartości. Czują mniejszą potrzebę imponowania innym lub uzyskania ich aprobaty, aby się dowartościować, są zdolne do satysfakcjonujących je związków z innymi ludźmi, lepiej stawiają czoło presji, potrafią odrzucić narkotyki czy inne destrukcyjnie działające środki. Mają duże poczucie własnej wartości.

Chociaż stworzenie takiego poczucia własnej wartości jest czymś, co dziecko musi zrobić samodzielnie — cegiełka po cegiełce — cały proces może przebiegać płynniej przy pomocy rodziców, przy ich poparciu i cierpliwości. Dużą pomocą w konstruowaniu poczucia własnej wartości u dziecka — a i w ochronie własnego zdrowia — będzie z pewnością poczucie humoru. Oprócz niego przydadzą ci się także następujące rady:

Daj dziecku miłość... Istoty ludzkie nie są w pełni szczęśliwe, jeśli nie zaznają uczucia miłości, tego wyjątkowego rodzaju bezgranicznej miłości, która mówi: „Kocham cię bez względu na wszystko".

...i poświęć uwagę. Bez względu na to, jak pewnie się czujesz, zaczęłabyś w końcu wątpić w swoją wartość, gdybyś była ustawicznie ignorowana przez swojego partnera, pracodawcę, gospodarzy przyjęcia czy znajomych przy obiedzie. Dziecko również potrzebuje uwagi, by czuć się kimś ważnym. Porozmawiaj ze swoim maluchem. Naprawdę posłuchaj, gdy dziecko mówi. Zwróć uwagę na jego potrzeby i pragnienia — nawet wtedy, gdy nie możesz ich spełnić; nie wolno ci ich ignorować. Unikaj ustawicznego: „Jestem zajęta..."

Daj też dużo swobody. Deptanie dziecku po piętach, przychodzenie z radą lub pomocą, zanim jeszcze malec o to poprosi, może stłamsić jego motywację. Takie postępowanie może sprawić, że dziecko zacznie oczekiwać od ciebie rozwiązywania jego problemów, a nie będzie próbować rozwiązywać ich na własną rękę. Tam, gdzie zostaje zniszczona motywacja, zniszczeniu ulega także satysfakcja i pewność siebie, a właśnie te uczucia towarzyszą uwieńczonym sukcesem próbom. Wzmacnianie u dziecka poczucia pewności siebie polega również na skłanianiu go czasami do samodzielnej zabawy. Malec odkrywa wówczas, że może być niezależny, nie musi oglądać się na innych, by się pobawić, i jest dla siebie wspaniałym towarzyszem (patrz str. 250).

Daj dziecku odczuć, że jest ważne. Poczucie własnej wartości u dziecka zależy w dużej mierze od tego, jakim respektem jest ono obdarzane przez ciebie i innych. Niech malec czuje się wartościowym członkiem rodziny, kimś, kogo myśli, uczucia i pragnienia są również ważne i nie bagatelizowane. Okaż swój szacunek tej małej osóbce, będąc do jej dyspozycji; nie przedkładaj notorycznie życia towarzyskiego, pracy, praktyk religijnych czy obowiązków domowych ponad potrzeby własnego dziecka. Jest to szczególnie trudne w wypadku osób samotnie wychowujących dzieci, niemniej jednak konieczne.

Pokaż dziecku, jaka ty sama jesteś ważna. Bądź dla dziecka przykładem szanowania własnej osoby. Unikaj oczerniania się, wątpienia we własne osądy, pobłażania sobie destrukcyjnymi zachowaniami (palenie papierosów, nadużywanie alkoholu lub narkotyków, objadanie się). Przebywanie z rodzicami, którzy mają o sobie wysokie mniemanie, inspiruje małe dziecko do równie pozytywnego postrzegania swojej osoby.

Bądź fair i nie porównuj. Twoje dziecko jest jednostką wyjątkową. Dokonywanie jakichkolwiek porównań w zachowaniu, rozwoju czy temperamencie między twoim maluchem a jego rodzeństwem, kolegami z podwórka, przedszkola lub sąsiedztwa jest niesprawiedliwe i nierozsądne. Dotyczy to nie tylko tzw. porównań negatywnych („Dlaczego nie jesteś taki grzeczny jak Mateusz?", „Nie możesz jeść tak ładnie jak twoja siostra?", „Dlaczego nie idziesz tak jak wszyscy twoi koledzy z grupy?"), ale i pozytywnych. Dzieci chronicznie chwalone („Rysujesz lepiej niż ktokolwiek inny!", „Nikt nie jest tak piękny jak ty!", „Umiesz liczyć lepiej niż którykolwiek z twoich kolegów!") mogą mieć trudności z dostosowaniem się do tego doskonałego wizerunku. Te zaś, które uwierzą, że są rzeczywiście lepsze od innych, często stają się nieznośnie aroganckie. W efekcie mogą być mniej lubiane przez rówieśników i innych, co prowadzi do osłabienia poczucia własnej wartości (chociaż jednostki takie na zewnątrz mogą wydawać się pewne siebie). Akceptuj i doceniaj indywidualność swojego dziecka (patrz str. 339), a ono z tym większą ochotą również zaakceptuje siebie.

Uważaj, jak i co mówisz. Staraj się nie używać poniżających przezwisk i określeń, dokuczając nimi dziecku, nawet w zabawny sposób („Ale z tej Ani grubasek!" albo: „O, Jaś jest jeszcze takim dzidziusiem!"). Takie igraszki mogą być poważnie potraktowane przez poważnego malucha. Nie zaczynaj każdej reprymendy od słów: „Ty zawsze..." albo: „Ty nigdy...", gdyż jest to niesprawiedliwe i nieprawdziwe. Jeśli za często będziesz używać takich słów, dziecko zacznie wierzyć, że to prawda. Unikaj zrzucania winy na malucha: „Gdyby nie ty, moglibyśmy od czasu do czasu wyskoczyć do kina" albo: „Twoje przedszkole jest tak drogie, że nie możemy pozwolić sobie na wakacje".

Nie wymagaj zbyt wiele ani zbyt mało. Zmuszanie dziecka do wielkich osiągnięć — mówienia całymi zdaniami, zrezygnowania z pieluszki czy rozpoznawania liter — niekoniecznie musi szybko doprowadzić do zamierzonego celu. Może natomiast spowodować u dziecka poczucie niepowodzenia z tytułu niespełnienia twoich oczekiwań. Z drugiej jednak strony stawianie poprzeczki zbyt nisko nie motywuje dziecka dostatecznie do osiągania lepszych rezultatów. Sztuką jest więc wyważenie swoich wymagań tak, by uwzględniały jego wiek i umiejętności, a jednocześnie dostarczały bodźców do osiągania coraz to ambitniejszych — ale realnych — celów. Takie traktowanie malucha pomoże mu w wykreowaniu poczucia własnej wartości.

Określ konkretnie swoje wymagania i bądź konsekwentna. Jeśli jednego dnia żądasz, by dziecko usiadło z przekąską przy stole, a następnego pozwalasz mu kręcić się z nią po pokoju, to jesteś niekonsekwentna i wprowadzasz zamęt, co z kolei prowadzi do zaniżenia u dziecka poczucia wartości. Gdy dziecko dokładnie zna wymagania, czuje się pewne i bezpieczne — przy założeniu oczywiście, że wymagania te mieszczą się w granicach rozsądku. Żądanie od dwuletniego dziecka np. ścielenia własnego łóżka lub sortowania brudnej bielizny nie jest rozsądne.

Zaakceptuj uczucia dziecka. Równie ważne jak zaakceptowanie osobowości dziecka, jego uzdolnień i umiejętności jest zaakceptowanie jego emocji — nawet jeśli wśród nich znajdą się te negatywne i trudne do tolerowania, jak zazdrość i złość. Nauczenie malucha, jak w cywilizowany sposób dawać wyraz takim uczuciom, a nie ich krytykowanie i tłamszenie, sprawi, że dziecko będzie się czuło pokrzepione i spokojne w kwestii swoich uczuć, a więc i siebie samego.

Pozwól maluchowi podejmować decyzje. Dawanie dziecku wyboru w każdej kwestii jest nierealne. Gdyby tak było, maluch chodziłby spać o najprzeróżniejszych porach, na obiad jadałby lody, popijając je oranżadą i nosiłby krótkie spodenki podczas śnieżnej zawiei. Realne i wręcz pożądane natomiast jest dawanie dziecku wyboru w sprawach mniej ważkich. Taka wcześnie rozpoczęta praktyka w podejmowaniu decyzji nie tylko przygotowuje dziecko do wejścia w prawdziwe życie — gdzie na każdym kroku trzeba wybierać — ale również jest podstawą poczucia własnej wartości u dziecka. Mądry dyrektor nie ukrywa przed podwładnymi, że docenia ich sądy i respektuje wybór. Jest to bowiem znakomity sposób na podniesienie wydajności pracy i morale załogi. Jeśli już dajesz dziecku wybór, unikaj zarzucania malucha mnogością możliwości (np. na śniadanie). Taka różnorodność bowiem przygniata, frustruje i w rezultacie powoduje niezdecydowanie. Więcej informacji na temat podejmowania decyzji podajemy na str. 353.

Pozwól dziecku popełniać błędy. Podejmowanie decyzji oznacza popełnianie błędów — przynajmniej czasami. Popełnianie zaś błędów jest częścią procesu uczenia się, jak coraz trafniej te decyzje podejmować. Jeśli odbierasz dziecku szansę popełniania błędów, odbierasz mu też szansę uczenia się na nich. Kiedykolwiek więc umożliwiasz dziecku podjęcie decyzji, obstawaj przy niej. Jeśli okaże się, że wybór nie był najszczęśliwszy, nie krytykuj malca — nie atakuj jego poczucia własnej wartości słowami: „A nie mówiłam?" Uświadom dziecku (i sobie), że nikt nie jest idealny (patrz str. 90) i że nic się nie stało.

Krytykuj konstruktywnie. Krytyka powinna uczyć, a nie ranić, budować poczucie wartości, a nie je burzyć.

Krytykuj zachowanie, a nie dziecko. Dzieci powinny odczuwać, że miłość rodzicielska nie będzie ani trochę mniejsza i nie skończy się, jeśli źle się zachowają. Żeby mieć pewność, że takie przesłanie jasno i konkretnie dociera do dziecka, okazuj dezaprobatę w stosunku do tego, co maluch zrobił („Niełądnie tak rozrzucać zabawki"), a nie, jaki jest („Och, ty nieznośny dzieciaku!"). Możesz również okazać, że pomimo wszystko masz o dziecku dobre zdanie, mówiąc: „Jestem naprawdę zdziwiona, że to zrobiłeś. To do ciebie niepodobne, byś uderzył kolegę".

Krytykuj umiarkowanie. Konieczność korygowania zachowania dziecka jest nie do uniknięcia. Jednakże ustawiczne krytykowanie może zaniżyć poczucie wartości u malucha, wcale nie poprawiając jego zachowania. Dziecko, które stale słyszy: „Jesteś nieznośny", może w końcu zacząć w to wierzyć i nie będzie widziało korzyści w próbie „bycia dobrym". Jeśli już koniecznie musisz wyrzucić z siebie coś negatywnego, idź się wyładować do innego pokoju, gdzie nie usłyszy cię twój maluch. Unikaj okrutnych i nieludzkich kar z biciem włącznie, jak również kar, które żenują (np. szydzenie z dziecka w obecności towarzysza zabaw), straszą („Jeśli nie będziesz się dobrze zachowywał, zawołam policję, by cię zabrała") i umniejszają („Jesteś niczym!"). Właściwie w ogóle należy unikać kar (patrz str. 125 — lepsze sposoby na utrzymanie dyscypliny).

Naucz dziecko wczuwania się. Niesienie pomocy innym pomaga i rodzicom, i dzieciom osiągać satysfakcję. Na stronie 60 znajdziesz wskazówki, jak rozwijać u dziecka empatię.

Karm i ciało, i ducha. Dzieci głodne, dzieci, które zjadają zbyt dużo niewłaściwych produktów, oraz te, które zbyt mało odpoczywają, bardzo szybko się męczą i mają tendencję do łatwego wpadania we frustracje. Takie uczucia natomiast mogą zniszczyć ich poczucie wartości. Może do tego również dojść w wyniku negatywnej reakcji otoczenia na ich napady złego humoru lub w ogóle na złe zachowanie.

Spraw, by sukces był rzeczą pewną. Wasz dom powinien być dla dziecka bezpieczny, ale i przystosowany do korzystania z niego przez małego obywatela. Kup dziecku mały stołeczek, by mogło samo sięgać do kranu, umieść ręcznik na odpowiedniej wysokości, a półkę z książkami i zabawkami tak, by nie musiało wspinać się na palce. Ubrania, które łatwo dają się wkładać i zdejmować, zabawki, które pobudzają do rozwoju, ale w granicach intelektualno-fizycznych możliwości malucha również gwarantują sukces tak potrzebny w kreowaniu poczucia własnej wartości.

Zachęć dziecko do pracy. Wyznaczając swojemu małemu pomocnikowi pewne prace do wykonania, sprawisz, że dziecko poczuje się użyteczne i zadowolone, że wierzysz w jego umiejętności. Kiedy jest się tak małym, pomaganie komuś znacznie starszemu może dobrze wpływać na ambicję. Jeśli już maluch nabierze pewności w jakimś działaniu, nie niszcz tego krytyką — nawet jeśli dziecko jest niezdarne i bardziej ci przeszkadza niż pomaga. Pamiętaj, by nie dawać malcowi zadań ponad jego możliwości; żeby zaś dziecko nie przeżywało stresującego je zawodu, wyznaczaj tylko takie zadania, co do których jesteś pewna, iż dziecko im podoła. Pomóż maluchowi, jeśli bez pomocy nie będzie umiał dokończyć dzieła.

Przejdź na „wolne obroty". Ponieważ wiele czynności jest dla dwulatka nadal jeszcze czymś nowym, dziecko wykonuje je w żółwim tempie. Podczas gdy tobie ubranie się zajmuje piętnaście sekund, komuś, kto dopiero uczy się tej sztuki, może to zająć piętnaście minut. Nie ponaglaj więc dziecka, które przeżywa ciężkie chwile, mocując się ze szczoteczką do zębów albo ze spodenkami, niecierpliwym: „Pospiesz się. No, pospiesz się!" Wykonanie danej czynności za dziecko, ponieważ nie możesz już wytrzymać tak powolnego tempa, demonstruje twój brak zaufania, co ściśle wiąże się z obniżeniem u twojego dziecka poczucia własnej wartości. Zamiast się denerwować, pozwól „grzebalskiemu" się pogrzebać i dodaj do swojego rozkładu dnia kilka minut na „zrobię to sam". Kiedy już jednak zaczynasz spoglądać na zegarek, daruj sobie zrzędzenie i pogoń malucha wyzwaniem w stylu: „Zobaczymy, kto pierwszy założy buty!"

CO TWOJE DZIECKO POWINNO WIEDZIEĆ

Istota sprawności fizycznej

Zapisujemy nasze niemowlęta na gimnastykę, zanim jeszcze nauczą się przewracać na boczek, na pływanie, zanim nauczą się chodzić. Zamartwiamy się ich wagą, niepokoimy niezdarnością. A jednak pomimo dobrych intencji i wczesnych interwencji dzisiejsi mali Polacy — jako grupa — są mniej sprawni fizycznie niż jakakolwiek inna generacja dzieci w historii naszego kraju i mniej sprawni niż ich rówieśnicy w innych rozwiniętych krajach.

W przeszłości sprawność fizyczna była u dzieci czymś naturalnym. Ulubionymi rozrywkami bowiem były czynności utrzymujące dzieci w ruchu — zabawa w berka, chowanego, dwa ognie, skakanka, gra w klasy. Starsze dzieci pomagały w domu, ogrodzie, w polu czy w prowadzeniu rodzinnego kramu. Dzisiaj natomiast dominują rozrywki, które nie mają nic wspólnego z aktywnością fizyczną — oglądanie telewizji i wideo oraz gry komputerowe. Wiele dzieci traktuje aktywność fizyczną jako jeszcze jedne obowiązkowe zajęcia, a nie naturalną, spontaniczną część codziennego życia. Jeśli zajęcia ruchowe w szkole z jakichś powodów się nie odbędą, dzieci na ogół są zupełnie pozbawione ćwiczeń fizycznych; zwykle same wypełniają sobie ten czas, zapuszczając korzenie w fotel i oglądając programy telewizyjne — zamiast ćwiczyć mięśnie na powietrzu.

Jako rodzice dwulatka macie jednak możliwość zapobieżenia temu trybowi życia, pokazując dziecku już teraz, jak atrakcyjny może być sport. Możesz znacznie zwiększyć szanse na to, że ruch będzie towarzyszył dziecku przez długie, długie lata. A jak?

Wyłącz telewizor z sieci. Nie pozwól, by kreskówki czy kasety wideo przytwierdzały twoje dziecko do kanapy w okresie, kiedy zaczyna się kształtować jego sylwetka. Bawienie dziecka, wypełnianie mu czasu czy wreszcie poprawianie humoru za pomocą programów telewizyjnych nie tylko niweczy wszelkie próby zajęcia malca czymś bardziej rozwijającym, jak czytanie czy odpowiednia zabawa, ale i nie daje sposobności ćwiczenia mięśni poprzez gry ruchowe. Eksperci upatrują przyczyn tak marnej kondycji fizycznej u współczesnych dzieci i młodzieży właśnie w nadmiernym oglądaniu telewizji. Telewizja bowiem — ich zdaniem — nie tylko odciąga od aktywności fizycznej, ale zachęca do konsumowania produktów o wysokiej zawartości soli, cholesterolu i bogatych w kalorie.

Dbaj o ruch dziecka. Dbaj o to, by od samego początku swojego życia dziecko spędzało codziennie trochę czasu na powietrzu: na placu zabaw, na podwórku, w pobliskim parku czy na łące — wszędzie, gdzie bieganie, wspinanie się i skakanie jest bezpieczne i wręcz trudno mu się oprzeć. Kup maluchowi różnej wielkości piłki, siatkę na motyle, trójkołowy rowerek czy inną jeżdżącą zabawkę, a jeśli to możliwe — urządź mu mały tor przeszkód.

Ćwicz razem z dzieckiem. Jeżeli maluch nie garnie się do ćwiczeń, zachęć go, ruszając się razem z nim. Zastąp „siedzące" zabawy z dzieckiem (czytanie, układanie puzzli, rysowanie) zabawami ruchowymi (w chowanego, berka, w „Chodzi lisek koło drogi").

Dawaj dziecku przykład. Pomyśl o tym, jaki przykład dajesz swojemu maluchowi, czy często przesiadujesz w wygodnym fotelu przed telewizorem lub w samochodzie? A może bywasz na ścieżce zdrowia, w sali gimnastycznej i jeździsz rowerem? Przyszła sprawność fizyczna twojego brzdąca zależy w dużo większej mierze od tego, jak ty spędzasz swój wolny czas, niż od tego, na jak wiele ćwiczeń, zajęć gimnastycznych i tanecznych dziecko zapiszesz. Badania wykazały, że dzieci, których matki ćwiczą, mają dwa razy większą szansę na sprawność od dzieci, których rodzice prowadzą siedzący tryb życia. U tych zaś, których ojcowie są aktywni ruchowo, prawdopodobieństwo prowadzenia aktywnego trybu życia jest prawie czterokrotne. Zamiast więc notorycznie korzystać z samochodu, przejdź się do sklepu, biblioteki czy do koleżanki; jeśli jest to spory kawałek drogi, zabierz wózek, ale zachęć dziecko do odbycia części drogi pieszo. Ciesz się, a nie narzekaj, jeśli przyjdzie ci wejść parę stopni pod górę przy okazji odwiedzin albo przejść się od parkingu do sklepu na deptaku. Zabieraj dziecko ze sobą, gdy wychodzisz na poranne przechadzki (nawet jeśli większość drogi spędzi w wózku). Niech ci towarzyszy podczas ćwiczeń, które wykonujesz codziennie. Niech cała rodzina uprawia ruch na świeżym powietrzu (np. zjeżdżanie na saneczkach w parku) i odpoczywa czynnie, a nie biernie (objadanie się cukierkami w kinie).

Zanim zapiszesz dziecko na zajęcia, zrób rozeznanie. Nie ma nic złego w tym, że chcesz zapisać dziecko na cotygodniowe ćwiczenia, gimnastykę czy zajęcia ruchowe (ale nie przesadzaj, patrz str. 326), jeżeli tylko głównym celem prowadzącego jest rozwijanie sprawności fizycznej poprzez zabawę. Zanim zapiszesz dziecko na takie zajęcia, zrób rozeznanie. Poszukaj instruktorów, którzy motywują, ale nie zmuszają; sprzętu, który jest odpowiedni dla wieku dziecka i bezpieczny; form preferujących wolną zabawę, a nie surową dyscyplinę.

Naucz dziecko szacunku dla własnego ciała. Kiedy dzieci nauczą się szanować swoje ciało, zaczynają przejawiać o nie troskę. Naucz malucha tego szacunku, zdrowo żywiąc rodzinę, unikając papierosów, narkotyków, nie nadużywając alkoholu. Niech malec ma okazję obserwować rodzinę ćwiczącą razem. Porozmawiaj z nim też o tym, jak ważną rzeczą jest dbałość o ciało. Jeśli my nie zadbamy o nasze ciało, ciało nie zadba o nas.

12

Dwudziesty czwarty miesiąc

CO TWOJE DZIECKO POTRAFI ROBIĆ

Przed końcem dwudziestego czwartego miesiąca twoje dziecko powinno umieć:

* zdjąć jakąś część garderoby;
* nakarmić lalkę;
* zbudować wieżę z 4 klocków;
* identyfikować 2 przedmioty na obrazku, wskazując je palcem (w wieku 23 i 1/2 miesiąca).

Uwaga: Jeżeli twoje dziecko nie opanowało jeszcze tych umiejętności, jeśli nie wykonuje prostych poleceń, a jego język jest wciąż niezrozumiały, skontaktuj się z lekarzem. Takie tempo rozwoju może być zupełnie normalne dla twojego dziecka, ale musi ono zostać fachowo ocenione. Zasięgnij porady lekarza, jeśli dziecko jest nadpobudliwe, wyjątkowo wymagające, uparte, do wszystkiego negatywnie nastawione, ogólnie opóźnione w rozwoju, pasywne i niekomunikatywne, smutne lub trudne do rozbawienia, jeśli ma trudności w nawiązywaniu kontaktów i bawieniu się z innymi. W tym wieku większość dzieci urodzonych jako wcześniaki dogoniła już w rozwoju swoich rówieśników urodzonych o czasie.

Przed końcem dwudziestego czwartego miesiąca twoje dziecko prawdopodobnie będzie umiało:

* zbudować wieżę z 6 klocków;
* rzucić piłeczką znad głowy;
* mówić i być rozumiane w 50%;
* identyfikować 1 przedmiot na obrazku, nazywając go;
* identyfikować 4 przedmioty na obrazku, wskazując je palcem.

Przed końcem dwudziestego czwartego miesiąca twoje dziecko być może będzie umiało:

* podskakiwać;
* włożyć jakąś część garderoby (w wieku 23 i 1/2 miesiąca).

Nie zawsze można dostać to, co się chce; dla dziecka jednak efekt wydaje się mocniejszy, jeśli żądanie stawia się głośno i publicznie.

Przed końcem dwudziestego czwartego miesiąca twoje dziecko może nawet umieć:

* narysować pionową kreskę, naśladując inną osobę;
* zbudować wieżę z 8 klocków;
* brać udział w rozmowie złożonej z 2-3 zdań.

Rozwój emocjonalny. Dwulatki prezentują szeroką gamę emocji, takich jak miłość, przyjemność, radość i złość. Ich zachowanie może być stanowcze i apodyktyczne; takie maluchy często protestują. Rozmawiają, bawią się, oddziałują na rodziców i innych, odkrywają coraz to nowe czynności i koniecznie chcą robić wszystko samodzielnie.

Rozwój intelektualny. Dwuletnie dzieci są intelektualnie lata świetlne do przodu w stosunku do swojego poziomu sprzed roku. Teraz już potrafią tworzyć w swoim umyśle obrazy, wydawać sądy, kategoryzować rzeczowniki (psy i koty to zwierzęta, kubki i talerze to naczynia) i układać przedmioty w odpowiednim porządku (układanie klocków np. według wielkości). Wspomnienia dwulatka są już dużo bardziej złożone; taki maluch zaczyna rozumieć coraz bardziej abstrakcyjne pojęcia, jak różnica między „więcej" a „mniej" (chociaż jest mało prawdopodobne, by używał liczb), „później" a „wcześniej" (ale nie „w przyszłym tygodniu"), „taki sam" a „inny". Jego wyobraźnia jest bardziej wybujała, a zabawy twórcze; nie jest to już prosta imitacja tego, co widział lub słyszał.

CZEGO MOŻESZ OCZEKIWAĆ W CZASIE BADANIA OKRESOWEGO

Przygotowanie do badania. Sporządź listę problemów, które pojawiły się od ostatniej wizyty u lekarza. Zabierz ze sobą ten spis, abyś była przygotowana na ewentualne pytania lekarza. Skrzętnie notuj wszelkie nowe osiągnięcia swego malucha (np. samodzielne chodzenie po schodach, posługiwanie się kubeczkiem czy łyżeczką, łączenie pięciu czy sześciu klocków, reagowanie na dwuczęściowe polecenia, rysowanie pionowej kreski lub kółka, mycie rąk, korzystanie z toalety itd.), abyś nie czuła się zaskoczona, gdy lekarz zapyta: „Co dziecko potrafi robić?" Przynieś też książeczkę zdrowia dziecka, aby zanotowano w niej wzrost, masę ciała, przeprowadzone szczepienia i inne informacje uzyskane po badaniu okresowym.

Na czym będzie polegało badanie kontrolne. Jego przebieg może się nieco różnić u różnych lekarzy, lecz przeważnie badanie dwulatka zawiera:

* Pytania dotyczące rozwoju dziecka, jego zachowania, jedzenia, problemów zdrowotnych, które pojawiły się od czasu ostatniej wizyty. Mogą także paść pytania dotyczące ogólnej sytuacji rodzinnej — czy zdarzyły się jakieś poważniejsze zmiany, stresy, jak układają się stosunki rodzeństwa (jeżeli jest) z waszym maluchem, jak ty radzisz sobie z opieką nad dzieckiem. Lekarz będzie chciał też wiedzieć, czy masz jakieś inne pytania lub problemy.
* Ocenę rozwoju fizycznego (wzrost, masa ciała, obwód głowy). Wyniki można nanieść na odpowiednie wykresy zamieszczone na końcu książki i porównać je z poprzednimi.
* Nieformalną ocenę rozwoju fizycznego i intelektualnego.
* Ocenę słuchu i wzroku (by stwierdzić, czy oczy są odpowiednio rozstawione).

W zależności od potrzeb, lekarz może zalecić:

* Badanie krwi z palca (hematokryt i hemoglobina), jeśli u dziecka podejrzewa się niedokrwistość. Rutynowo wykonuje się takie badanie raz między 1 a 4 rokiem życia.
* Badanie krwi na zawartość ołowiu[1].
* Test tuberkulinowy Mantoux — badanie w celu wykrycia gruźlicy u dzieci z grup wysokiego ryzyka.

Szczepienia ochronne. Należy wykonać przewidziane szczepienia ochronne, jeśli są jakieś zaległe.

Wskazówki na przyszłość. W czasie wizyty lekarz może omówić z tobą problemy związane z od-

[1] Jest to nowe zalecenie Amerykańskiej Akademii Pediatrii i nie każdy lekarz zaleca przeprowadzanie takiego testu rutynowo. Są różnice w opiniach, czy badanie wszystkich dzieci nie jest zanadto kosztowne w stosunku do potrzeb i efektów takiego testu.

powiedzialnym rodzicielstwem, zwrócić uwagę na środki zapobiegające urazom, dać wskazówki, odnośnie do żywienia, snu, korzystania z toalety przez dziecko, opieki nad maluchem, żłobka, rozwijania języka i zwrócić uwagę na inne kwestie, które zapewne będą dla ciebie i dziecka istotne w kolejnym roku.

Następne badanie kontrolne. Jeśli malec cieszy się dobrym zdrowiem, następne badanie czeka dziecko w wieku 3 lat[2]. Jeżeli w tym czasie nasuną ci się pytania, na które nie znajdziesz odpowiedzi w tej książce, lub jeśli zauważysz u dziecka objawy jakiejś choroby, natychmiast skontaktuj się z lekarzem.

CO MOŻE CIĘ NIEPOKOIĆ

PRZYJĘCIE Z OKAZJI DRUGICH URODZIN

Planujemy urządzić naszej córeczce przyjęcie z okazji drugich urodzin. Jak bardzo przewidującym trzeba być, mając dziecko w tym wieku?

Nie przejmujcie się tym wydarzeniem aż tak bardzo. Żeby uniknąć kłopotów, najlepiej organizować taką fetę, kierując się zasadą czterech przymiotników: małe, proste, sensowne i krótkie. To oczywiście nie zagwarantuje doskonałego przyjęcia (niczego nie można zagwarantować, jeśli chodzi o dwulatki), ale pomoże zmniejszyć ryzyko totalnego niewypału, a zwiększyć szanse na radosne, pamiętne wydarzenie.

Odpowiedni goście. Najważniejszą rzeczą jest sporządzenie listy gości składającej się ze znanych i lubianych przez dziecko osób dorosłych. Jeśli planujesz zaprosić na tę uroczystość również i inne dwulatki — nie przesadź. Stosowana od lat praktyka zapraszania o jedno dziecko więcej z każdym rokiem na tym etapie może oznaczać o jedno dziecko za dużo. Dwoje dzieci — twoja solenizantka i jakiś jej rówieśnik — z całą pewnością wystarczy. Jeśli jednak jesteś z określonych przyczyn zmuszona do zaproszenia więcej niż jednego dziecka (jeśli twój malec należy do grupy dzieci, które zawsze bawią się razem), spróbuj zachować parzystą liczbę małych uczestników przyjęcia, by dzieci mogły bawić się parami. Ponieważ nie da się przewidzieć, jak maluchy zareagują na rozstanie z rodzicami, lepiej zaprosić i rodziców. Gdy przewidujesz obecność innych dzieci, gościem z pewnością niepożądanym będzie domowy zwierzak. Niektóre brzdące boją się psów i kotów, inne są alergikami, a nawet najlepiej wychowane zwierzę może zachować się w sposób nieoczekiwany w pokoju pełnym ruchliwych i hałaśliwych dzieci. Usuń więc wszelkie zwierzęta na czas trwania przyjęcia.

Odpowiednia pora. Kiedy przyjdzie nam zaplanować cokolwiek z udziałem małego dziecka — wyjście na obiad, wycieczkę do muzeum albo udane przyjęcie urodzinowe — najważniejsza jest odpowiednia pora. Zaplanuj przyjęcie tak, by nie naruszyło normalnego rozkładu dnia dziecka. Nie może to być np. pora, o której dziecko zwykle śpi (ani też bezpośrednio przed czy po spaniu), o której zwykle zaczyna być głodne (nawet jeśli na przyjęciu będzie jedzenie, nakarm malucha wcześniej, żeby głód nie psuł mu nastroju), ani też pora, o której twój dwulatek chronicznie wręcz marudzi. W większości przypadków najlepsze będzie przedpołudnie albo wczesne popołudnie. Pamiętaj jednak, by przyjęcie trwało krótko (1-1,5 godziny), gdyż istnieje wtedy szansa, że twoje dziecko będzie grzeczne.

Odpowiednie miejsce. Dla dziecka w wieku dwóch lat najlepiej urządzić przyjęcie w domu — czy to w zamkniętym pomieszczeniu, czy w ogrodzie. Gdziekolwiek planujesz jednak tę uroczystość, pamiętaj, by było to miejsce bezpieczne dla dzieci. Nawet jeśli twój maluch świetnie radzi sobie ze schodami, nie możesz być tego pewna w przypadku innych dzieci. Klatki schodowe powinny być zatem niedostępne. Rozejrzyj się wokół, czy nie ma innych potencjalnych źródeł zagrożenia dla małych gości — składanych krzeseł, które mogłyby nieoczekiwanie się złożyć i wyrządzić krzywdę dziecku, ostrych przedmiotów (np. noże do krojenia ciasta) w zasięgu dziecięcej rączki, otwartych drzwi łazienki itp. Innym rozwiązaniem jest urządzenie małego przyjęcia w żłobku czy innym miejscu zbiorowej opieki. Można wówczas przynieść kubeczki, ciasteczka czy też inne smakołyki i poprosić o podanie ich dzieciom w trakcie np. drugiego śniadania lub podwieczorku.

[2] W Polsce w wieku 4 lat.

Odpowiednia pomoc. Trudno jest urządzać przyjęcie dla więcej niż trojga czy czworga małych dzieci i obejść się bez pomocy. Jeśli na liście gości znajdzie się więcej niż dwoje dzieci, a nie chciałabyś angażować do pomocy ich rodziców, rozważ zatrudnienie jednej czy nawet dwóch nastolatek do przypilnowania dzieci i całej zabawy.

Odpowiednia oprawa. Nie przesadzaj z dekoracjami. Możesz przyozdobić pokój obrazkiem ulubionego przez solenizanta bohatera z filmów Disneya albo *Ulicy Sezamkowej*. Stół najlepiej nakryć obrusem z materiału lub plastyku; papierowy może zaraz na początku zabawy ulec zniszczeniu. Można powiesić nieco serpentyn i kilka zwykłych baloników. Nie używaj baloników z kauczuku (patrz str. 559)[3]. Unikaj również masek i wszelkich innych przedmiotów, które mogą przestraszyć małych gości.

Odpowiednie menu. Serwuj takie przekąski i napoje, które są bezpieczne dla małych dzieci (patrz str. 462). Wiele najczęściej podawanych na przyjęciach zakąsek, takich jak: orzeszki, minifrankfurterki, popcorn, winogrona, grozi zakrztuszeniem się. Nawet jeśli przekąski te nie znajdują się na dziecięcym stole, łatwo mogą dostać się w nieodpowiednie ręce i trafić do nieodpowiedniej buzi. Alkohol — trucizna dla małych dzieci — jest również ryzykowny. Wysączenie kieliszka rumowego ponczu zajmie maluchowi zaledwie kilka sekund, jeśli ktoś z dorosłych nieopatrznie pozostawi swojego drinka na niskim stoliczku do kawy. Mając na względzie zdrowie wszystkich gości, ogranicz albo wręcz zrezygnuj ze słodyczy. Żeby zaś uniknąć niepotrzebnego bałaganu, podaj małe kruche ciasteczka lub pokrojone już ciasto albo też jogurt czy lody w maleńkich rożkach. Żeby nie było kłopotu z wywabianiem ciemnych plam, unikaj podawania soku z ciemnych winogron czy w ogóle napojów i poczęstunków o intensywnym kolorze. Bezpieczniejszy będzie dla wszystkich sok jabłkowy lub gruszkowy. Jeśli zamierzasz podać coś więcej niż ciasto i lody, mogą to być takie drobne zakąski, jak koreczki z sera, grzanki z serem, galaretka lub kanapki zabawnie pokrojone w kółeczka, trójkąciki czy kwadraciki; plasterki jabłka lub gruszki; pokrojona w różne figury geometryczne pizza; maleńkie kosteczki melona. Dla bezpieczeństwa przypilnuj dzieci, by spożywały zakąski, siedząc w jednym miejscu, a nie biegając z jedzeniem po domu, gdyż może to doprowadzić do zakrztuszenia się. Dobrze by było, żeby w trakcie jedzenia był przy maluchach ktoś dorosły. Zasada jedzenia „na siedząco" uchroni również meble i dywany przed zabrudzeniem.

Odpowiednie zabawy. Magicy, śmiesznie pomalowani klauni, specjalnie zatrudnione osoby do opowiadania bajek (czasami w strasznych maskach) mogą przestraszyć dwuletnie dzieci. Lepiej dać sobie spokój z taką „profesjonalną" rozrywką i spróbować mniej formalnych sposobów.

* Gry — najlepsze są takie, w których każdy jest zwycięzcą (małe dzieci niechętnie przegrywają). Takie zabawy w kółku, jak: „Budujemy mosty", „Rolnik sam w dolinie", „Mam chusteczkę haftowaną", znakomicie się sprawdzają.
* Tańce — włącz po prostu muzykę i pozwól dzieciom wyładować energię.
* Śpiewanie — zachęć wszystkie dzieci, intonując którąś ze znanych, dziecięcych piosenek, np.: *Ogórek, ogórek*, *Wietrzyku psotniku*, *Pszczółka Maja*.
* Czytanie bajki — zaangażuj kogoś, kto lubi głośno czytać bajki, i poproś o przeczytanie jakiejś znanej i lubianej historii.
* Zabawy plastyczne — zaplanuj zabawę, która jest ambitna i wesoła, ale nie przesadź, by dzieci nie sfrustrować. Przyozdobienie obrazkami słomianej maty, przylepienie nalepek do papierowych kapeluszy, zrobienie urodzinowej korony na głowę, pokolorowanie dużych płacht gazety, indywidualne rysowanie albo zbiorowe wykonanie rysunku dla solenizantki to zajęcie w sam raz dla takich maluchów. Jeśli każde dziecko otrzyma własne pudełko kredek lub pisaków (dających się zmyć, no i oczywiście nietoksycznych), może da się uniknąć sprzeczek.
* Dowolna zabawa — wyposaż pokój w klocki, przybory do rysowania, mechaniczne zabawki i podziel między dzieci (upewnij się, że wszystkiego jest pod dostatkiem dla wszystkich).
* Zdmuchiwanie świeczek na torcie urodzinowym to również zabawa. Przećwicz ze swoją solenizantką zdmuchnięcie świeczek przed przyjęciem. Gdy świeczki będą zapalone, szczególnie uważnie pilnuj dzieci.

Rozsądne wymagania. Żądanie od dziecka, by było uroczą małą gospodynią grzecznie witającą swoich gości, skromnie przyjmującą prezenty (i całusy od cioci Kazi...), pozwalającą najpierw

[3] Balony stanowią również zagrożenie ekologiczne. Przeczytaj porady ze str. 364, jeśli nie chcesz, by przyjęcie urodzinowe twojego dziecka wywarło negatywny wpływ na środowisko.

innym skosztować tortu czy pobawić się nową zabawką, jest nierozsądne i nierealne. Dziecko jest dokładnie tym, kim jest: egocentrycznym dwulatkiem, o nie dających się przewidzieć zachowaniach, o silnej woli lub nieśmiałym i nietowarzyskim. Dodatkowy stres wynikający z bycia solenizantem może spowodować jeszcze większą chęć demonstrowania nieodpowiednich manier. Trzeba się również liczyć z tym, że maluch może przynieść nam trochę wstydu (dostanie np. prezent, który mu się nie spodoba, i oczywiście bezceremonialnie to okaże). Mogą zdarzyć się również „wypadki" (pełen kubek mleka wyląduje na kanapie). No i rzecz najważniejsza: nie bądź zdziwiona, jeśli twój pupil całkowicie zignoruje wszystkich gości i całą tę fetę; to również normalne.

DLACZEGO? DLACZEGO? DLACZEGO?

Co drugie słowo wypowiadane przez moją córeczkę to: „Dlaczego?" Pyta nawet wtedy, kiedy jestem absolutnie pewna, że zna odpowiedź. Powiedzcie mi dlaczego?

Dlaczego dwulatek zadaje pytanie: „Dlaczego?" Czasami z tej prostej przyczyny, że potrzebuje wyjaśnienia. Czując ciągle nienasyconą chęć dowiadywania się i mając jeszcze tyle do nauczenia się o tak przecież skomplikowanym świecie, trudno się dziwić, że ciągle pada pytanie: „Dlaczego?" Inną przyczyną zadawania przez małe dziecko tego pytania (i innych) jest niesamowita satysfakcja, jaką daje temu małemu dyskutantowi samo zadawanie pytania i uzyskiwanie na nie odpowiedzi — nawet wtedy, gdy doskonale tę odpowiedź zna.

Niemniej jednak pragnienie poznawania świata i chęć komunikowania się nie są jedynymi powodami dziecięcych pytań. Mały brzdąc bardzo szybko rozumie, że pytanie: „Dlaczego?" (tak jak i pytanie: „Co to jest?") nie tylko gwarantuje uzyskanie odpowiedzi, ale i zwrócenie na siebie uwagi. To z kolei zachęca do powtarzania go w nieskończoność. Wszystko zaś, co jest wielokrotnie powtarzane, z czasem staje się nawykiem.

Chociaż nieraz ma się ochotę naprawić tę dziecięcą „zdartą płytę" i zignorować kolejne „Dlaczego?", nie jest to najlepszy pomysł. Nie tylko dlatego, że mogłoby to znacznie ograniczyć naturalną u dziecka ciekawość, osłabić apetyt na poznawanie świata i stłamsić potrzebę komunikowania się, ale również dlatego, że doprowadziłoby to do frustracji — a tego z pewnością należy unikać. Ktoś, kto i tak ma niewielką kontrolę nad tym, co się wkoło dzieje, a w dodatku nie uzyskuje odpowiedzi na nurtujące go pytania, czuje, że jego „władza" jest jeszcze mniejsza.

Zamiast więc się denerwować, uruchom rezerwy cierpliwości (można to osiągnąć, zamykając na chwilę oczy i licząc do dziesięciu) i odpowiadaj cierpliwie tak długo, jak długo będą padały pytania. Czasami udaje się przełamać tę monotonię, odpowiadając na pytanie: „Dlaczego?" również pytaniem: „A jak sądzisz, dlaczego?" Pobudza to też dziecko do samodzielnego myślenia. Jeśli jednak wydaje ci się, że metoda „pytanie za pytanie" drażni malucha (czasami tak będzie), nie egzekwuj odpowiedzi — sama jej udziel.

Bezsensowne „Dlaczego?" u twojego dziecka zniknie wraz z rozwojem umiejętności komunikowania się, chociaż — miejmy nadzieję — dziecko nigdy nie przestanie pytać z sensem. Na razie należy pamiętać, że choć dziecięca ciekawość wystawia na próbę rodzicielską cierpliwość, jest jednym z najbardziej wartościowych instrumentów poznawczych.

POWRÓT DO SIUSIANIA W PIELUCHĘ

Pomocy! Dziś są drugie urodziny mojej córeczki. Po wielu miesiącach suchych majteczek i używania nocniczka nagle odmawia siadania na nim... Wiele razy zdarzyło jej się nasiusiać w majtki...

Przychodzi taki moment w życiu większości maluchów, kiedy główną sporną kwestią w domu jest rządzenie. U niektórych dzieci chęć rządzenia pojawia się po pierwszych urodzinach, u innych później (mniej więcej około drugiego roku życia); u niektórych jest to proces krótkotrwały, u innych trwa i trwa. Tak czy inaczej kwestia, kto rządzi, prawie zawsze się pojawia.

Walka o władzę może być manifestowana w najprzeróżniejszy sposób: twoja córka odmawia wkładania rzeczy przez ciebie przygotowanych i upiera się, by włożyć coś innego: nie chce jeść tego, co ma na talerzu, i żąda całkowitej zmiany jadłospisu; nie chce korzystać z ubikacji i zdarza jej się robić siusiu w majtki. Ogólnie rzecz biorąc, jest to jej sposób informowania cię, kto tutaj rządzi.

Niektórzy rodzice zwlekają z nauką korzystania z nocnika do czasu, aż maluch jest bezapelacyjnie gotowy. O ile rzadko kiedy odbywa się to bez wysiłku, o tyle cały proces przebiega wówczas nieco łagodniej. Ale nawet wtedy bardzo możliwy jest opór dziecka i powrót do moczenia się. Bez względu na to, kiedy się taka odmowa korzystania z nocniczka pojawi, najlepiej ją przezwyciężyć, stosując następujące kroki:

Odwiedź lekarza. Zdarza się, że nawrót moczenia się dziecka ma podłoże chorobowe. Przyczyną może być np. infekcja dróg moczowych (patrz str. 470). Wyklucz taką ewentualność, zanim zaczniesz podejmować dalsze kroki.

Zlikwiduj zaparcia. Czasami to zaparcia sprawiają, że dziecko nie chce korzystać z nocniczka. Zaparcia u dzieci — tak jak i u dorosłych — mogą być zlikwidowane przez zastosowanie odpowiedniej diety i ćwiczenia oddziałujące na dziecko także psychologicznie. Porady, jak najlepiej postępować w przypadku zaparć, znajdziesz na str. 521.

Chroń dziecko przed stresem. Cofanie się w rozwoju, jeśli chodzi o naukę korzystania z nocnika, może być u dziecka związane wcale nie z walką o władzę, ale ze stresem. Powodem takiego dziecięcego nieszczęścia może być słodkie małe rodzeństwo, jak również nowy żłobek lub opiekunka. Zmniejszenie stresu może przywrócić wszystko na właściwe tory.

Nie wywieraj presji. Ponieważ twój maluch może reagować na presję właśnie moczeniem się — przestań naciskać. Na jakiś czas spróbuj stworzyć wrażenie, że sprawa korzystania z toalety w waszym domu nie istnieje. Niech nocnik będzie dostępny, ale nie obowiązkowy. Związane ze stresem moczenie się dziecka czasami spowodowane jest zwiększoną częstotliwością oddawania moczu. Niektóre dzieci w wyniku stresu czują potrzebę siusiania trzy, cztery razy na godzinę, a korzystanie z nocniczka tak często może być po prostu uciążliwe. Może to trwać od kilku tygodni do kilku miesięcy. Wspomnij jednak o tym lekarzowi przy okazji. Unikaj robienia min, kręcenia głową czy zrzędzenia, kiedy musisz dziecko przebrać. Zachowuj się tak, jakby nic się nie stało. Chociaż to pozorne cofanie się w rozwoju jest dla ciebie z pewnością frustrujące, ważne jest, by nie wyrażać uczucia zawodu — czy to werbalnie, czy w inny sposób.

Ułatw dziecku szybką zmianę decyzji. Ubierz małą w coś, co łatwo daje się ściągnąć, by mogła sama usiąść na nocniczku, jeśli się nagle na to zdecyduje.

Zminimalizuj potencjalną szkodę. Jeśli dziecku zdarza się moczyć w niezręcznych sytuacjach — w samochodzie, w domu znajomych, w żłobku — przejdź na pieluchy jednorazowe (patrz str. 468). Pieluszki z tetry oczywiście bardziej by małemu uświadamiały, co zrobił, i zapewne czułby się w nich mniej komfortowo, ale mało prawdopodobne jest, by zechciał je ponownie nosić.

A może trochę odmiany? Niewielka zmiana może spodobać się dziecku na tyle, że zaprzestanie walki z nocniczkiem. Jeśli do tej pory używało tradycyjnego nocniczka, zastanów się nad kupnem specjalnego dziecięcego sedesu, który nakłada się na normalny sedes dla dorosłych. W ten sposób maluch poczuje, że jest traktowany jak każdy inny członek rodziny. Weź go ze sobą do sklepu, by dokonać tego zakupu, i niech sam wybierze rodzaj i kolor sedesu. Niektóre sedesy wyposażone są dodatkowo w drabinkę (będąc tak małym, trzeba się trochę powspinać...); w przypadku braku drabinki można dziecku zaproponować stabilny mały stołeczek. Jeśli dobrze poszło z dziecięcym sedesem, spróbuj przejść na tradycyjny nocniczek. Ponownie weź ze sobą dziecko, aby dokonało zakupu razem z tobą. Można też oczywiście wykorzystać nocnik pożyczony od znajomych lub sąsiadów, jeśli ich dzieci już z niego wyrosły.

Zdaj się na dziecko. Trzymanie moczu jest czymś, czego nie nauczysz, jeśli dziecko samo do tego nie dojrzeje. Miej więc serce i ustąp dziecku w tej kwestii. Wskazówki co do tego, jak obarczyć odpowiedzialnością dziecko, znajdziesz na stronie 471.

Daj maluchowi porządzić w innych kwestiach. Małe dzieci odczuwają fundamentalną wręcz potrzebę stawiania na swoim. Daj więc dziecku możliwość wyboru w niektórych sprawach (co ubierze, co będzie jadło, z kim się pobawi), a może skończą się wasze potyczki o nocnik.

Nie upokarzaj dziecka. Nazywanie dziecka dzidziusiem za moczenie majteczek sprawi, że tym bardziej będzie chciało nim być. Ignoruj takie zachowanie, podobnie jak inne „dzidziusiowate" zagrania, i doszukuj się w dziecku zachowań dojrzałych, które mogłabyś pochwalić („Zupełnie sama założyłaś buciki? Ale z ciebie już duża dziewczynka!").

Czas wszystko załatwi. Każdy wcześniej czy później zaczyna korzystać z toalety. Jak mówi stare porzekadło: „Nikt nie idzie do ołtarza w pieluchach". O ile „wcześniej" jest z pewnością wygodniejsze dla rodziców umęczonych wiecznym przebieraniem dziecka, o tyle „później" (trzy lata i więcej) też mieści się w normie. Nie ma żadnego związku między wiekiem, w którym dziecko zaczyna używać nocnika, a zdolnościami intelektualnymi czy karierą naukową. Dzieci długo siusiające w majtki nie są mniej błyskotliwe i uzdolnione niż dzieci od dawna używające nocnika. Twoja pociecha korzystała już z nocniczka w przeszłości i będzie ponownie go używać za jakiś czas — gdy sama poczuje się gotowa. Więcej wskazówek uczenia malucha czystości znajdziesz w rozdziale 19.

STRACH PRZED LEKARZEM

Ostatnie dwa razy, gdy odwiedzaliśmy pediatrę, musieliśmy siłą wciągać naszego synka do gabinetu. Był przerażony.

W okresie niemowlęcym, gdy różne doświadczenia przychodziły i ulatniały się bez zostawiania trwałego śladu, każda wyprawa do lekarza była nowym wydarzeniem, nie różniącym się niczym od wyjścia do sklepu. Jednak dzięki rozwijającej się pamięci sprawy uległy zmianie. Obecnie twoje dziecko przypomina sobie badanie sondą, poszturchiwanie, opukiwanie, by nie wspomnieć o sporadycznych ukłuciach. To wszystko odbywało się podczas poprzednich wizyt lekarskich i myśl o tym, że tym razem będzie tak samo, po prostu je przeraża.

Współczucie i uznanie podstawy dziecięcych obaw to pierwsze i najważniejsze kroki, które pomogą maluchowi przezwyciężyć strach. A oto następne:

Dużo dziecku czytaj. Im więcej dziecko wie o lekarzach i gabinetach lekarskich, tym mniej będzie drżało, gdy się z nimi zetknie. Wyszukaj w bibliotece jakąś prostą książeczkę z obrazkami, która przedstawiałaby wizytę dziecka u lekarza. Przeczytaj ją maluchowi, często w trakcie czytania komentując. Uważaj jednak, by wyjaśnienia nie były przesadzone lub zbyt fachowe. Najważniejsze, by podkreślić, iż pan(-i) doktor to miła osoba (nie zapomnij wpleść w całą tę historię znanego dziecku lekarza), która dba o zdrowie dzieci, a gabinet lekarski jest całkiem bezpiecznym miejscem.

Dużo z dzieckiem rozmawiaj. Od czasu do czasu porozmawiaj o pani doktor, o tym, że jest miła, że potrafi z dzieckiem żartować, że jest przyjacielem, że pomaga dzieciom chronić się przed chorobami albo leczy je, jeśli już zachorują.

Niech maluch pobawi się w lekarza. Kup dziecku „Małego lekarza" i zachęć do zabawy. Niech praktykuje na tobie, kolegach, starszym rodzeństwie, na pluszowych zwierzakach lub na samym sobie. Pokaż mu różne narzędzia, którymi posługuje się lekarz, i zademonstruj, jak bada się nimi uszy i gardło, jak słucha się bicia serca lub mierzy ciśnienie krwi. Wiedza o tym, co je czeka w gabinecie, pomoże dziecku opanować strach w trakcie badania i nie czuć się jak bezbronna ofiara. Niech zabierze „Małego lekarza" ze sobą, gdy udacie się do gabinetu, i niech poćwiczy swoje praktyki na tobie w oczekiwaniu na wizytę. Gdy już zostaniecie poproszeni do środka, zapytaj, czy na początek dziecko może pobyć trochę lekarzem i zbadać najpierw pana doktora, zanim ten przystąpi do właściwego badania.

Nie czyń obietnic, których nie możesz dotrzymać... Zapewnianie, że badanie nie będzie bolesne, może wzbudzić u malca podejrzenia. W końcu, gdy idziecie kupić nową kurtkę albo odwiedzić znajomych, nie wspominasz o tym, że nie będzie bolało. Mała wzmianka o ewentualnym bólu może sprawić, że malec będzie przygotowany i bardziej skłonny go zaakceptować. Jeśli badanie rzeczywiście będzie choćby odrobinę bolało, dziecko już nigdy nie uwierzy twoim zapewnieniom.

...i nie strasz dziecka lekarzem. „Lepiej połknij lekarstwo (albo witaminy, albo załóż czapkę), bo zachorujesz i będziemy musieli pójść do lekarza na zastrzyk". To odwieczne, ulubione powiedzenie rodziców. Stosowanie go jednak sprawia, że dziecko odbiera wizytę lekarską jako karę.

Wybierz odpowiednią porę. Jeśli można, unikaj wizyt, które zbiegają się w czasie z porą spania czy karmienia dziecka albo też z porą, kiedy malec jest zazwyczaj marudny. Lepiej też nie odwiedzać poradni w godzinach szczytu (sobotnie poranki czy wczesne godziny popołudniowe, po lekcjach), gdyż personel nie ma wówczas ani czasu, ani cierpliwości na cackanie się z kapryszącymi maluchami.

Obiecaj dziecku coś przyjemnego. Obiecanie jakiejś przyjemności po wizycie u lekarza — porcji jogurtu, pójścia na plac zabaw, do muzeum lub do ulubionej koleżanki — da dziecku przyjemny temat do rozmyślań podczas badania. Trzymaj się planu bez względu na to, jak brzdąc zniesie wizytę. Wycofanie się z obietnicy, ponieważ dziecko nie było grzeczne u lekarza, jest nie fair i mogłoby w przyszłości zniechęcić je do współdziałania. Uczyń wręcz z tej nagrody rytuał (np.

Zastrzyki, które naprawdę nie bolą?

Na to wygląda. Nowe miejscowe znieczulenie pod nazwą EMLA, wyprodukowane w Szwecji, a obecnie dostępne również w innych krajach, podobno eliminuje lub znacznie zmniejsza ból przy podawaniu zastrzyków, włączając w to szczepionki (w większości przypadków). Zapytaj pediatrę twojego dziecka o ten cudowny krem na ból, umawiając dziecko na kolejne szczepienie. Krem należy zastosować przynajmniej na godzinę przed podaniem zastrzyku, by uzyskać pożądany efekt, tak więc lekarz może poprosić cię o odebranie go w gabinecie wcześniej i zaaplikowanie dziecku w domu, przed wizytą. Uwaga: Jak każde inne lekarstwo EMLA może wywołać efekty uboczne — lekkie zaczerwienienie skóry, obrzęki z powodu zmniejszonego wydalania wody, skoki temperatury, wykwity na skórze, swędzenie i wysypkę. Kremu nie powinien stosować nikt, u kogo stwierdzono wcześniej wrażliwość na leki znieczulające, szczególnie na lidokainę i/lub prokainę. Trzeba również pamiętać o tym, że krem jest drogi i choć zmniejsza ból, badania wykazały, że nie zmniejsza strachu, jaki towarzyszy dzieciom przed podaniem zastrzyku. Stosowanie go jest najbardziej zalecane dzieciom, które muszą wielokrotnie poddawać się badaniu krwi lub otrzymywać zastrzyki. U dziecka, które potrafi dmuchać, należy tę umiejętność wykorzystać. Bowiem dmuchanie podczas podawania zastrzyku również zmniejsza ból.

chodzenie na plac zabaw za każdym razem), by wyrobić u malca choć jedno przyjemne skojarzenie z lekarzem.

Zapewnij komfort. Zapewnienie dziecku komfortu wtedy, gdy go najbardziej potrzebuje, nie może być uważane za rozpieszczanie. Zrób więc wszystko, co możesz, by dziecku było dobrze. Weź ze sobą ulubiony kocyk dziecka, by rozłożyć go na stole do badania pokrytym zwykle ceratą. Namów malucha, by zabrał ze sobą ulubione pluszowe zwierzątko lub inną zabawkę, która doda mu otuchy w trakcie badania (może lekarz zgodzi się — jeśli czas na to pozwoli — zbadać uszy, nos i oczy zwierzątku, mamie i potem dziecku?). Jeśli uważasz, że malec lepiej zniesie badanie, siedząc na twoich kolanach, niech usiądzie — przynajmniej na jakiś czas. Jeśli będzie płakał, nie wyśmiewaj go. Niech wie, że może popłakać i nic mu się nie stanie. Musi jednak wiedzieć, że nie wolno mu się ruszać, jeśli lekarz go o to poprosi. W przeciwnym razie badanie się przedłuży.

Opanuj własny niepokój. Strach i niepokój są bardziej zaraźliwe niż wietrzna ospa. Obserwowanie mamy, której nie przeraża lekarska wizyta, może pomóc maluchowi opanować własny strach. Spróbuj więc sprawiać wrażenie rozluźnionej i pewnej. Gdy przychodzi już pora, by udać się do lekarza, obwieść to w sposób pogodny: „Czas już odwiedzić panią doktor Adamską" zamiast złowieszczego: „Musisz teraz pójść do lekarza", czy zrezygnowanego: „No cóż, trzeba wreszcie iść do tego lekarza..." W gabinecie natomiast okaż odwagę. Zgłoś się pierwsza do zbadania rytmu serca stetoskopem lub też uszu otoskopem. Nie zakrywaj oczu ani sobie, ani dziecku na widok igły. Nie pozwól, by niepokój o zachowanie się dziecka przyprawiał cię od razu o ból głowy. Lekarz i cały personel medyczny mają z czymś takim do czynienia nie po raz pierwszy. Jeśli twój niepokój jest czymś uzasadniony (niska masa urodzeniowa dziecka, przewlekła choroba, zabieg operacyjny itp.), będziesz musiała się bardzo postarać, by nie okazać swoich uczuć.

Przygotuj lekarza. Delikatny lekarz przeprowadza badanie powoli, pozwalając dziecku oswoić się z różnymi przyrządami, zanim zostaną użyte. Zwykle zna też kilka sztuczek rozluźniających napięcie małego pacjenta (łącznie z rezygnacją z noszenia białego kitla). Nie zaszkodzi jednak zadzwonić wcześniej do lekarza lub asystującej mu pielęgniarki i porozmawiać o obawach dziecka i tym, jak je zmniejszyć. W przypadku gdy lekarz całkowicie zignoruje twoje uwagi (jest to mało prawdopodobne) lub jest w stosunku do dzieci nieprzyjaźnie nastawiony, należy rozważyć zmianę lekarza.

Czekaj na wizytę w poczekalni. Wiele poczekalni w poradniach dla dzieci to kąciki zabaw wypełnione zabawkami, książkami i drabinkami do wspinania się. Spięty maluch mniej będzie się bał, jeśli poczeka na swoją kolejkę właśnie tam, aniżeli w ciasnym i sterylnym przedsionku gabinetu. Zapytaj więc w rejestracji, czy możliwe jest wezwanie twojego dziecka w ostatniej chwili, jeśli nie, zapytaj, czy w przedsionku są również zabawki. Jeżeli nie, weź ze sobą kilka drobiazgów z poczekalni albo wyciągnij coś z własnej torby, by zająć dziecko. Jeśli trzeba malca rozebrać, upewnij się, czy można to zrobić bezpośrednio przed przybyciem lekarza; rozebrany maluch może czuć się bardziej zagrożony.

Nie czekaj z pochwałami. Chwal dziecko za współdziałanie, nawet jeśli jest ono minimalne („Prawie wcale nie płakałeś"), ale nie gań, jeśli kopie i krzyczy. Nie bagatelizuj jego strachu, raczej mu współczuj („Wiem, że tego nie lubisz, ale kontrole u lekarza są bardzo ważne i każdy musi je przejść"). Pamiętaj, że dla niektórych dzieci zachowanie spokoju w gabinecie lekarskim jest nieziemskim wysiłkiem. Po wszystkim więc pochwal malucha, wyszczególniając dokładnie momenty, w których rzeczywiście dzielnie się spisał. Pomoże mu to nabrać pewności i spisać się jeszcze lepiej następnym razem.

STRACH PRZED DENTYSTĄ

Zawsze bałam się wizyt u dentysty. Teraz nasza córeczka musi odwiedzać dentystę i obawiam się, że będzie przeżywała to samo.

Większość dorosłych wolałaby zetknąć się z chirurgiem aniżeli z dentystą. Małe dziecko jednak, które nigdy wcześniej nie doświadczyło borowania, nie ma takich uprzedzeń względem stomatologów. Dla malucha wyprawa do dentysty może być zarówno zabawną przygodą, jak i straszną próbą. Jego stosunek do dentysty i leczenia zębów musi być cały czas kształtowany i w efekcie będzie zależał od stosunku rodziców, wcześniejszego przygotowania i nastroju wytworzonego przez lekarza.

Najważniejszym chyba czynnikiem jest osoba dentysty. Poszukaj takiego, który specjalizuje się w stomatologii dziecięcej lub jest stomatologiem rodzinnym i którego „drugą specjalizacją" jest cierpliwość i dobry humor (sprowokuj ewentualnego kandydata do pogawędki z dzieckiem, jeśli nie jesteś co do niego przekonana). Szukaj również gabinetu z miłą obsługą i wyposażeniem przystosowanym do przyjmowania małych pacjentów.

Drugim ważnym czynnikiem jesteś ty sama. Największą przyczyną strachu dziecka przed dentystą jest strach rodziców. Za wszelką więc cenę próbuj ukrywać swój lęk.

Przed wizytą u dentysty przygotuj malca w ten sam sposób, w jaki przygotowałabyś go do wizyty u pediatry. Poczytaj malcowi książeczki o dentystach, pozwól odegrać mu rolę dentysty z tobą w roli pacjenta; niech leczy ząbki lalek, pluszowych zwierzątek i innych zabawek; unikaj rozmów o bólu. Zapytaj asystentkę stomatologa, co dokładnie czeka twoje dziecko, byś mogła przećwiczyć ten scenariusz w domu. Najpierw ty zagraj rolę dentysty, później dziecko. Dowiedz się, jakie „przynęty" są przewidziane po takiej wizycie (zabawki, nalepki, szczoteczki do zębów), byś zawczasu mogła poinformować malca, co na niego czeka.

Jeśli to możliwe, porozmawiaj z lekarzem o swoich obawach, gdy umawiasz dziecko na wizytę. Wyjaśnij, że wolałabyś, by pierwsza wizyta była po prostu zapoznaniem się z gabinetem, sprzętem, by znalazł się czas na przyjazną rozmowę z dentystą i zakończyła się szybkim przejrzeniem zębów. Jakakolwiek interwencja niech ma miejsce następnym razem. Ustal również, czy dentysta chce, byś była obecna w gabinecie. Niektórzy stomatolodzy twierdzą, że osiągają lepsze rezultaty, gdy rodzice pozostają w poczekalni. Inni proszą rodziców o pozostanie.

Pamiętaj jednak, że chociaż kombinacja: „przygotowanie—delikatny dentysta—spokojni rodzice" może znacznie zmniejszyć dziecięcy strach, nie może zapobiec nieoczekiwanej scenie w samym gabinecie. Jeśli twoje dziecko ma skłonności do wpadania w panikę, zrozum je i pomóż mu ją opanować.

STRACH PRZED FRYZJEREM

Próbowałam zaprowadzić synka do fryzjera, by po raz pierwszy obciąć mu włosy, ale nie chciał spokojnie siedzieć i był bardzo przestraszony, gdy fryzjer zbliżył się do niego z nożyczkami. Musiałam zabrać go do domu z nie ostrzyżonymi włosami.

Jeśli dobrze się nad tym zastanowić, strach przed fryzjerem rzeczywiście ma swoje uzasadnienie. Jakiś zupełnie obcy pan zbliża się z parą nożyczek (narzędziem, przed którym dziecko ostrzegałaś, że jest niebezpieczne). Czy to rzeczywiście dziwne, że malec wije się, robi uniki i trzęsie ze strachu?

Kiedyś jednak i tak trzeba będzie odwiedzić z dzieckiem fryzjera. Następujące rady mogą sprawić, że strzyżenie nie będzie aż taką torturą:

* Wyjaśnij dziecku, że włosy odrastają. Niektóre dzieci traktują obcinanie włosów jak obcinanie jakiejś części ciała. Gdy pomożesz maluchowi zrozumieć, że obcinanie włosów nie boli i że za jakiś czas urosną ponownie, malec może przełamać swoje obawy. Ciachnij trochę swoich włosów i każ dziecku ich dotknąć, zgiąć, skręcić („Widzisz, włosy nie bolą"). Pokaż mu zdjęcia z okresu niemowlęcego i te obecne, by zilustrować, jak włosy rosną („Twoje włoski były takie króciutkie, jak byłeś maleńki. Potem urosły aż tak! Jak obetniemy, znów urosną").

Mów prawdę

Otwartość w stosunku do dziecka owocuje zaufaniem. Nie szykuj żadnych niespodzianek — czy to na temat wizyty kontrolnej u dentysty, czy to zastrzyku, czy też podcięcia włosów. Bądź wobec dziecka uczciwa. Nie wychodź z malcem z domu z zamiarem pójścia na plac zabaw i nie skręcaj nagle do dentysty. Nie mów dziecku, że nie będzie zastrzyku, jeśli wiesz, że właśnie będzie. Nie obiecuj, że badanie nie będzie bolesne lub że nie potrwa długo, jeśli nie masz co do tego absolutnej pewności. Do każdego wydarzenia przygotuj malca najlepiej, jak to możliwe, jednak nie wzbudzaj w nim narastającego strachu przez natłok informacji lub niepotrzebne szczegóły.

* Otwórz salon fryzjerski dla pluszowych misiów. Zorganizuj dla malca „Małego fryzjera" z parą bezpiecznych dziecięcych nożyczek (prawdopodobnie nie będzie jeszcze umiał skoordynować ruchów, by nimi ciąć, ale może się nieźle bawić, próbując to zrobić), grzebień, szczotkę i ręcznik. Otwórz „salon" przed podłużnym lustrem i niech brzdąc czesze swoich pluszowych klientów. Koniecznie wyjaśnij, że włoski misia — w przeciwieństwie do jego własnych — nie odrosną po obcięciu.

* Wybierz taki zakład fryzjerski, który specjalizuje się między innymi w strzyżeniu dzieci. Personel tam zatrudniony będzie bardziej cierpliwy w stosunku do wrogo nastawionych małych klientów niż ten, który obsługuje dzieci sporadycznie. Niektóre zakłady oferują nawet kolorowe dziecięce fartuszki, kreskówki na wideo, krzesełka o zabawnych kształtach lub specjalne podwyższenia, no i oczywiście zabawki, by wypełnić dziecku okres oczekiwania na jego kolejkę.

* Poobserwuj fryzjera przy pracy. Wybierz się tam z dzieckiem; niech sobie popatrzy (siedząc bezpiecznie na twoich kolanach), jak strzyże się włosy innym dzieciom. Po tym, jak zobaczy, że siadają na krześle i wstają z niego w całości, powinno być przekonane, że nic mu nie grozi. Albo jeszcze lepiej: sama daj sobie podciąć włosy, a malec niech się przygląda. Wykorzystaj tę okazję, aby przedstawić maluchowi twojego fryzjera, by nie był on już taki zupełnie nieznajomy.

* Jak zawsze, wybierz stosowny czas. Nie prowadź dziecka do fryzjera w porze, w której dziecko zwykle kaprysi lub jest zmęczone, gdy może być głodne lub gdy w zakładzie jest pełno klientów, a personel spieszy się i denerwuje.

* Daruj sobie i dziecku mycie włosów. Konieczność odchylenia główki do tyłu w celu umycia włosów w zakładzie może być wyjątkową torturą dla małego dziecka (umycie w domowych pieleszach jest już wystarczająco kłopotliwe). Kilka psiknięć wodą powinno na tyle zwilżyć włosy, że zostaną podcięte równo, bez dodatkowego stresu mycia ich szamponem.

* Bądź dla malca podwyższeniem. Dziecko może czuć się samotne i przestraszone na dużym, wysokim krześle. Siedzenie u mamy na kolanach podczas „ceremonii" może być trudne i niewygodne dla mamy lub fryzjera (zapytaj od razu, czy zaakceptuje on taką strategię), ale sprawi, że to pierwsze doświadczenie nie będzie dla malca aż takie stresujące. Trzymaj malucha na swoich kolanach twarzą do lustra, gdy fryzjer strzyże go z przodu, następnie obróć go twarzą do siebie, by można było podciąć włosy z tyłu. Poproś przy okazji o pelerynkę dla siebie, by ochronić swoje ubranie.

* Zaplanuj dla dziecka nagrodę. Pamiętaj, że pójście do fryzjera to twój pomysł, a nie dziecka. By osłodzić nieco tę wycieczkę, skojarz ją również z pójściem do ulubionego parku, muzeum, ukochanej koleżanki czy kuzynki lub czymkolwiek innym, co dziecko odbiera jako specjalną okazję („Dziś idziemy do lunaparku, ale najpierw wstąpimy obciąć włosy"). Powinno to odwrócić uwagę dziecka od obaw związanych ze strzyżeniem i przenieść ją na czekającą je przyjemność. Gdy malec zawaha się przed drzwiami zakładu fryzjerskiego, przypomnij mu: „Pospieszymy się, by zdążyć do lunaparku, zanim go zamkną".

* Chwal nawet najmniejsze starania. Choćby najskromniejsze próby kooperacji ze strony malca powinny spotkać się z twoim gorącym aplauzem. Obsypuj go pochwałami i oszczędź krytyki — nawet jeśli całe strzyżenie było nie lada wysiłkiem.

* Sama obcinaj włosy dziecku. Jeśli twój brzdąc stanowczo odmawia chodzenia do fryzjera, spróbuj zrobić to sama w domu. Zdobądź jakiś poradnik na temat strzyżenia, użyj nożyczek fryzjerskich (nie swoich domowych) i — żeby zmniejszyć ryzyko obcięcia zbyt krótko — zetnij tylko troszeczkę.

STRACH PRZED ZAŚNIĘCIEM

Nasza córeczka zasypiała kiedyś w momencie, gdy przykładała główkę do poduszki. Teraz płacze, przywołuje nas, prosi o picie i robi, co tylko można, by nie zamknąć oczu. Tak jakby bała się zasnąć...

Dla dziecka zasypianie oznacza nie tylko odpływanie do krainy snów. Jest to również pozostawienie rodziców, zabawek, zwierzątek, zabawy i wszystkiego, przy czym czuło się takie bezpieczne — dla ciemności, ciszy i samotności. Pójście spać jest formą separacji i wiele maluchów nie może do tego przywyknąć. Najlepszym sposobem na strach przed zaśnięciem jest zapewnić dziecko, że nie ma się czego bać. Niech rytuał poprzedzający zaśnięcie obfituje w spokój, komfort i poczucie bezpieczeństwa (patrz str. 80). Niech zabierze ze sobą do łóżeczka coś, co bardzo lubi. Jeśli nie ma takiego przedmiotu, zaproponujcie coś z własnych rzeczy (starą bawełnianą koszulkę, szlafroczek). Towarzystwa może dotrzymać również pluszowa maskotka. Upewnijcie się, że dziecku niczego nie trzeba, i pożegnajcie je zapewnieniem: „Do zobaczenia rano", co przypomni małej, że rozstanie jest tylko chwilowe. Nie reagujcie natychmiast, gdy ponownie was woła (prosi o picie, jeszcze jednego całusa czy cokolwiek).

Jeśli płacze, gdy odchodzicie, nie wracajcie do niej natychmiast. Dajcie jej piętnaście, dwadzieścia minut na ułożenie się do snu. Jeśli nadal płacze, idźcie do niej, jeszcze raz pocałujcie i pogłaskajcie, zapewniając, że rano się zobaczycie. Nie bierzcie jednak dziecka na ręce i nie siedźcie przy łóżeczku. Gdy ponownie opuścicie dziecięcy pokój, nie czyńcie sobie wyrzutów. Wytłumaczcie sobie, że waszym zadaniem jest położyć dziecko spać, a jego zadaniem jest zasnąć.

Niektóre dzieci jednak wpadają w prawdziwą panikę, gdy się je zostawia nawet na krótko, i wręcz zanoszą się od płaczu. Jeśli dotyczy to waszego dziecka, patrz str. 68.

BUDZENIE SIĘ W NOCY

Nasze dziecko od roku już przesypiało całą noc, kiedy nagle zaczęło budzić się i popłakiwać. Co się dzieje?

Budzenie się po wielu już miesiącach przesypiania całej nocy może mieć bardzo wiele przyczyn: wyrzynanie się zębów trzonowych (patrz str. 158); złe sny (str. 271) lub nocne lęki (str. 272); strach przed ciemnością (str. 369) lub przed zaśnięciem (str. 270); niepokój wywołany jakimś stresem w rodzinie, zmianą rozkładu dnia na skutek podróży lub z innych przyczyn; zakłócenia oddechowe znane pod nazwą zespołu bezdechu sennego, przerośnięty trzeci migdałek lub powiększone migdałki podniebienne (str. 158); choroba, a szczególnie infekcja uszu (str. 515 i 517); rzadziej mogą to być owsiki, które powodują swędzenie skóry w okolicy odbytu i to szczególnie nocą (str. 716). By stwierdzić, który z tych czynników jest przyczyną budzenia się waszego dziecka, przeanalizujcie każdy z nich z osobna. Gdy odkryjecie już przyczynę, szybko ją usuńcie, by sen dziecka — i wasz — znów przebiegał bez zakłóceń.

BUDZENIE SIĘ NA SKUTEK STRESU

Nasza córeczka zawsze bardzo dobrze spała. Musiałam jednak wyjechać na dwa tygodnie do ciężko chorej matki. Od tamtej pory mała wciąż budzi się w nocy.

Dla dziecka w tym wieku zniknięcie jednego czy obojga rodziców nawet na krótko jest z pewnością dużym przeżyciem. Niemniej jednak rozstania takie czasami są konieczne. W momencie zaś gdy osoba nieobecna wraca do domu, nadmiar szczęścia może być równie trudny do zniesienia.

Budzenie się może być reakcją na nową opiekunkę, nowy dom, nowy żłobek albo też nowo narodzone rodzeństwo czy nieobecność rodziców. By spać lepiej w nocy, zestresowane dziecko potrzebuje szczególnej miłości i uwagi za dnia, ale nie można też mu nadmiernie pobłażać. Mogłoby to wzbudzić u niego podejrzenia, że te wszystkie nagrody i prezenty otrzymuje dlatego, że jest ci przykro i czujesz się winna, że musisz wyjechać. To z kolei mogłoby doprowadzić dziecko do przekonania, że ma cię całkowicie w garści. Jednak staraj się poświęcić więcej czasu na zabawę z dzieckiem, by poczuło się pewniej. Zaplanuj jakieś wypady, które z pewnością mu się spodobają. Najważniejsze zaś jest to, byś często je przytulała i zapewniała, że je kochasz.

Zmiany w rozkładzie dnia dziecka podczas twojej nieobecności również mogły rozstroić małą emocjonalnie i stąd ten niespokojny sen. Szybki powrót do normalnego trybu upewni małą, że wraz z twoim powrotem wszystko wraca do normy.

Przed zaśnięciem dziecko może wymagać szczególnej troski. Gdy będziesz je układać do

Anioł stróż

Pełne strachu maluchy potrzebują maksimum wsparcia, kiedy udają się na spotkanie z nocą. To wsparcie może przybrać postać pluszowego misia, lalki czy innej figurki spełniającej rolę anioła stróża przy łóżeczku; może to być migające światełko, gdy ciemności są tak straszne, przynosząca szczęście maskotka, „magiczna" różdżka albo „potwór w aerozolu" (nietłukąca się butelka płynu w aerozolu), by odpędzić wszelkie straszydła, wielka gumka, która wymaże złe sny czy straszne zjawy; coś należącego do rodziców (fotografia, kołdra, nocna koszula), co będzie po prostu obok. Niektóre dzieci lubią też odpędzać złe duchy jakimś zabawnym porzekadłem („Duchy, duchy, odjeżdżajcie, małym dzieciom już spać dajcie").

snu, zapewnij jeszcze raz, że nigdzie nie wyjedziesz w najbliższym czasie i że rano się znów zobaczycie (szczególnie jeśli ostatnim razem wyjeżdżałaś, gdy maluch już spał). Jeśli panicznie boi się zostać sam w pokoju i chce, byś pozostała z nim, aż zaśnie, posiedź przy łóżeczku (ale nie kładź się z nim ani też nie bierz do swojego łóżka) do czasu, aż bezpiecznie możesz się wymknąć. Po kilku nocach dziecko powinno czuć się już na tyle uspokojone, że będziesz mogła opuścić pokój przed jego zaśnięciem — czyli osiągnąć swój cel.

Jeśli dziecko obudzi się w środku nocy, idź do niego, uspokój, że jesteś, ale nie przebywaj w pokoju dłużej niż kilka minut. Jeśli będzie płakać, gdy wyjdziesz, nie wracaj przez dziesięć, piętnaście minut — do tego czasu powinno usnąć. Jeśli nadal płacze, idź ponownie, uspokój i tym razem nie wracaj dłużej niż piętnaście minut. Wydłużaj przerwy — dziecko powinno w końcu zasnąć na nowo.

ZŁE SNY

Ostatnio nasza córeczka budzi się w środku nocy zapłakana i roztrzęsiona, jakby miała jakiś sen. Czy to możliwe u małego dziecka?

Nikt nie lubi złych snów, z wyjątkiem autorów scenariuszy horrorów, którzy mogą wykorzystać taki sen w nowym strasznym filmie. My, dorośli, mamy przynajmniej tę przewagę, że umiemy się obudzić ze świadomością, iż był to „tylko koszmar". Małe dzieci, ze swoim skromnym jeszcze doświadczeniem, nie potrafią tak dobrze odróżnić snu od rzeczywistości. Gdy dziecko budzi się w środku nocy, dzikie zwierzęta, duchy, potwory czy inne okropne stworzenia, które nękały je we śnie, nadal żyją i zagrażają.

Jest kilka czynników, które mogą powodować złe sny u dziecka: stres (wywołany np. niesnaskami rodzinnymi lub napiętą atmosferą w domu); zmiana (koszmary pojawiają się częściej

Straż w postaci pluszowego misia w rogu łóżeczka może dać poczucie bezpieczeństwa i spokoju przestraszonemu maluchowi.

z przyjściem nowej opiekunki, ze zmianą mieszkania, żłobka czy przedszkola, łóżeczka lub pokoju); wydarzenia poprzedzające pójście spać (podniecenie, zabawa, jedzenie); choroba (gorączka lub pewne lekarstwa[4]). Najbardziej jednak rozpowszechnioną przyczyną złych snów u małych dzieci jest rozwijająca się pamięć i rosnąca wyobraźnia, nie kontrolowana przez rozum. Proste i mgliste obrazy z mniej dojrzałych snów stają się coraz ostrzejsze i przez to straszniejsze.

By zmniejszyć ryzyko występowania u dziecka złych snów i uspokoić przerażonego malca, spróbuj zastosować się do poniższych rad:

* Nie ekscytuj specjalnie dziecka żadną zabawą przed położeniem go spać. Unikaj podrzucania, oglądania strasznych bajek w telewizji lub czytania zbyt emocjonujących historii. Nie udawaj „wielkiego, złego wilka", gdy przychodzisz, by zaprowadzić malucha do łóżeczka; nie odgrywaj „łaskoczącego potwora", gdy układasz już brzdąca do snu.
* Gdy dziecko się przebudzi, niech opowie ci swój zły sen. Może poczuje się lepiej, kiedy podzieli się z tobą tą straszną wieścią. Pomóż mu opowiedzieć całą historię, gdy widzisz, że brakuje mu słów.
* Upewnij malca, że jest już bezpieczny. Gdy dziecko budzi się ze złego snu, czuje się biedne i zagrożone, bardziej niż czegokolwiek innego trzeba mu zapewnienia, że nic mu nie grozi. Okaż mu tyle czułości, ile trzeba: powiedz, że je kochasz, że już nic złego się nie zdarzy i że ten sen nie był prawdą, lecz tylko historyjką — taką, jakie czasami czytasz w książeczkach. Wyjaśnij, że każdy od czasu do czasu miewa złe sny, nawet dorośli. Twoje zapewnienia będą bardziej wiarygodne, jeśli sama zachowasz spokój i nie będziesz panikować.
* Pokaż dziecku, że jest bezpieczne. Włącz światło, by pokazać, że pokój w nocy jest tak samo przytulny i bezpieczny jak w ciągu dnia. Jeśli sobie zażyczy, żeby światło pozostało przez resztę nocy włączone — zgódź się. Albo też włącz nocną lampkę. Jeśli boi się, że coś czyha za zamkniętymi drzwiami szafy lub pod łóżeczkiem, dokładnie „poszukaj" potwora. Jeśli przedmioty powieszone na ścianach, lampy, draperie lub inne rzeczy w pokoju przyjmują złowieszcze kształty w cieniu, zmień wystrój lub usuń je. Branie obaw dziecka na serio i udowadnianie, że nie ma się czego bać, powinno dać dziecku poczucie bezpieczeństwa, którego potrzebuje, by ponownie zasnąć. Jeśli będzie miało problemy z ponownym zaśnięciem, daj mu łyk wody i powiedz, że posiedzisz przy nim chwilkę.
* Zanim wyjdziesz z pokoju, upewnij się, że maluch czuje się bezpieczny. Twoje dziecko czuje się nadzwyczaj małe w porównaniu z monstrualnymi zjawami, których się boi.
* Następnego ranka wzmocnij u dziecka poczucie bezpieczeństwa. Złe sny zwykle pamięta się bardziej niż inne, więc nawet jeśli malec nie pamięta wszystkich szczegółów, może obudzić się rano z nękającym go poczuciem niepokoju. Porozmawiaj z nim o tym złym śnie, poświęć mu trochę uwagi i bądź szczególnie wyczulona na wszelkie przejawy niepokoju u dziecka. Pochwal je również za to, że było odważne i zasnęło ponownie.
* Jeśli zdarzyło się coś w życiu twojego dziecka, co wywołało stres i może być przyczyną złych snów, spróbuj coś z tym zrobić.

[4] Jeśli koszmary zaczęły się z chwilą przyjęcia przez małą jakiegoś nowego specyfiku, zasięgnij porady lekarza.

LĘKI NOCNE

Którejś nocy nasz synek zaczął płakać i krzyczeć przez sen. Rzucał się z oczami otwartymi i wybałuszonymi; jego twarz była wykrzywiona i spocona. Byliśmy przerażeni. Zanim jednak udało się nam go obudzić, spał już dalej spokojnie. Czy to mógł być zły sen?

Był to raczej nocny lęk aniżeli zły sen. Chociaż widok dla obserwującego jest straszny, w przypadku nocnych lęków nie należy się specjalnie przejmować ani też podejmować żadnych kroków.

Warto się upewnić, że nic w domu nie zagrozi dziecku, gdyby zaczęło chodzić przez sen (str. 273). Kiedy taki epizod się zdarzy, siedźcie spokojnie przy maluchu, by nie zrobił sobie krzywdy, rzucając się w łóżeczku. Jeśli sytuacja się powtórzy (a nie musi), nie przytulajcie dziecka ani też nie uspokajajcie. Gdy raz tak zrobicie, maluch będzie to wykorzystywać w przyszłości. Nie próbujcie też rozbudzać go bez względu na to, jak silny wydaje się „atak"; to tylko przedłużyłoby całą sprawę. Zamiast tego po prostu obserwujcie i czekajcie. Lęki nocne trwają zwykle od dziesięciu do trzydziestu minut. W tym czasie dziecko powinno się uspokoić (bez przebudzenia) i będziecie mogli ułożyć je wygodnie w łóżeczku, by spokojnie już przespało resztę nocy. Kiedy dziecko obudzi się następnego ranka, najprawdopo-

Złe sny a lęki nocne

Dziecko budzi się w środku nocy z krzykiem. Zły sen czy nocny lęk? Łatwo odgadnąć, jeśli zna się różnicę.

Częstotliwość. Złe sny i koszmary zdarzają się w wieku przedszkolnym częściej niż nocne lęki. Jednak większość dzieci doświadcza przynajmniej raz nocnych lęków. Jeśli epizody takie zdarzają się często, zwykle ma to podłoże genetyczne. U niektórych maluchów lęki występują już w wieku sześciu miesięcy (charakteryzując się wyjątkowym niepokojem i rzucaniem się przez sen).

Pora. Lęki nocne zwykle zdarzają się krótko po zaśnięciu. Koszmary przychodzą później, w drugiej połowie nocnego snu.

Faza snu. Złe sny pojawiają się w fazie snu znanej pod nazwą REM (ang. *rapid eye movement*), to znaczy w fazie snu płytkiego. Chociaż dziecko przesypia sen, budzi się po jego zakończeniu, zwykle przerażone. Lęki nocne zaś są częściowym wybudzeniem się z fazy bardzo głębokiego snu. Dzieci doświadczające takich epizodów zwykle nie wybudzają się w pełni, chyba że ktoś je obudzi.

Objawy. W czasie lęku nocnego maluch zwykle obficie się poci i ma przyspieszone bicie serca; wydaje się przestraszony i nie wie, gdzie jest. Dziecko może cię wołać, a potem odpychać. Może krzyczeć, płakać, jęczeć, mówić przez sen lub nawet mieć halucynacje: może siadać, wstawać, chodzić lub rzucać się w łóżeczku. Oczy mogą być otwarte, wpatrzone w coś, nawet wybałuszone, ale dziecko nadal śpi. Maluch nawiedzony z kolei przez zły sen może wydawać się trochę niespokojny, ale panika, płacz i krzyk mają miejsce dopiero po całkowitym obudzeniu się. Gdy rodzice przychodzą na pomoc, malec tuli się zdesperowany. Dziecko potrafiące już mówić będzie próbowało opowiedzieć zły sen, natomiast nie będzie pamiętało nocnego lęku.

Czas trwania. Lęki nocne trwają od dziesięciu do trzydziestu minut, po czym dziecko śpi dalej. Koszmar jest zwykle krótki i kończy się obudzeniem. Czas trwania okresu paniki następującego po obudzeniu się dziecka jest różny, w zależności od rodzaju snu i wrażliwości dziecka.

dobniej nie będzie pamiętało całego zajścia, choć może odczuwać lekki niepokój.

Ponieważ lęki nocne zdarzają się częściej, gdy dziecko jest przemęczone, pilnujcie, by rozkład zajęć nie był zanadto napięty i by malec mógł również w ciągu dnia trochę pospać. Większość dzieci wyrasta z nocych lęków we wczesnym okresie szkolnym, tzn. w wieku sześciu, siedmiu lat. Jeśli u waszego dziecka jest inaczej lub jeśli zdarzają się mu takie lęki częściej niż trzy razy w roku, poradźcie się lekarza. Istnieje wszakże prawdopodobieństwo (choć niewielkie), że problem polega na nocnych zaburzeniach snu, które można opanować, stosując — gdy trzeba — odpowiednie leczenie. Objawy takich zaburzeń to szczególne, powtarzające się, czasami gwałtowne ruchy, wierzganie nogami i trzepanie rękoma.

NOCNE WĘDRÓWKI

Czasami budzimy się w nocy i widzimy, że nasza córeczka wędruje po całym domu, śpiąc. Czy należy się takim chodzeniem przejmować? Czy powinniśmy jej przerywać?

Chociaż chodzenie przez sen może wystraszyć kogoś, kto obudził się nagle w nocy i coś takiego zaobserwował, zdarza się dość często i jest zupełnie normalne. Jedynym ryzykiem jest to, że taki „lunatyk" zrobi sobie jakąś krzywdę — spadnie ze schodów, uderzy się o kant stołu, zahaczy o kabel telefonu lub potknie się o zabawki porozrzucane po podłodze. Z tego właśnie powodu niezłym pomysłem jest umieszczenie bramki w drzwiach dziecięcego pokoju. Jeśli mała radzi sobie i z tą przeszkodą, zastanówcie się nad założeniem dwóch bramek, jednej nad drugą. Jeśli takie rozwiązanie się nie podoba lub dziecko denerwuje się, że ograniczacie mu przestrzeń w czasie nocnych spacerów, podejmijcie inne środki ostrożności. Zamknijcie na klucz lub klamkę drzwi do łazienki, zabezpieczcie kuchnię i zablokujcie wejście na schody, usuńcie z podłogi drobne przedmioty. Jeśli dziecko często wstaje w nocy, niech sprawdzanie mieszkania pod kątem czyhających na niego niebezpieczeństw stanie się waszym nawykiem, zanim pójdziecie spać.

Wędrując w nocy, dziecko zwykle zmierza w kierunku światła lub sypialni rodziców. Zostawienie więc włączonej lampki nocnej w pokoju dziecka może je tam zatrzymać. Jeśli maluch przyjdzie do waszego pokoju lub natkniecie się na niego gdzieś w domu, delikatnie, nie budząc dziecka, zaprowadźcie je do łóżeczka.

Zapewnienie bezpieczeństwa to wszystko, co powinniście zrobić dla waszego Jasia Wędrowniczka. Takie „lunatykowanie" zwykle samo z czasem przechodzi. Chociaż często przerywa sen rodzicom, niekoniecznie musi budzić dziecko. Tak jak i w przypadku malca nękanego od czasu do czasu lękami nocnymi, nie należy Jasia Wędrowniczka zanadto przemęczać w ciągu dnia i ekscytować przed położeniem spać, a nocne wędrówki być może ustaną.

DALTONIZM

Nasz synek nie odróżnia kolorów. Czy jest daltonistą?

Jest zbyt wcześnie, by to stwierdzić. Bardziej prawdopodobne jest, że jeszcze nie zna kolorów niż to, że nie potrafi ich odróżnić. Większość dzieci nie rozróżnia kolorów do wieku trzech, czterech lat. Te, które potrafią, zawdzięczają tę umiejętność szczególnym wysiłkom rodziców lub opiekunów.

Jeśli chcielibyście poświęcić czas i wysiłek na tego rodzaju edukację, możecie spróbować od zaraz. Nie ma jednak gwarancji, że maluch od razu pojmie, o co chodzi. Zacznijcie od nazywania kolorów, pokazując dziecku odzież, samochody, kredki, zabawki i inne znane mu przedmioty. Odłóżcie na później subtelniejsze barwy, np. różową, beżową i purpurową, dopóki dziecko nie opanuje tych podstawowych. Może to trwać nawet rok lub dwa.

Gdy malec po raz pierwszy zaczyna operować nazwami kolorów, wszystkie przedmioty są czerwone, niebieskie lub zielone. Nie znaczy to, że jest daltonistą, a świadczy o małym jeszcze doświadczeniu. Jeśli nadal myli kolory, a ma już cztery latka, można go przebadać, czy nie znajduje się wśród tych siedmiu procent chłopców ze stwierdzonym daltonizmem.

Daltonizm, przekazywany zwykle z matki na syna (nosicielką tej cechy może być i córka, jeśli ma ojca daltonistę, ale kobiety rzadko są daltonistkami), jest spowodowany częściową lub całkowitą nieobecnością jednej z wrażliwych na światło substancji w komórkach siatkówki oka. Tego rodzaju upośledzenie ogranicza zdolność rozróżniania koloru czerwonego od zielonego, a czasami nawet niebieskiego. Istnieją różne stopnie daltonizmu. Niektórzy daltoniści widzą kolory normalnie przy dobrym oświetleniu, ale mają trudności przy słabszym świetle. Inni potrafią rozróżniać pewne barwy przy dowolnym świetle. W najcięższym przypadku daltonizmu (i najrzadziej spotykanym) wszystko odbierane jest jako odcienie szarości.

Daltonizm w żaden sposób nie rzutuje na ostrość widzenia. Nie ma też związku z niższym poziomem inteligencji czy przyszłymi problemami z uczeniem się. Nie ma też na niego lekarstwa. Poza niemożnością uczestniczenia w dziecięcych grach i zabawach polegających na rozróżnianiu kolorów, daltoniczne dziecko nie doświadcza specjalnego dyskomfortu w obcowaniu z rówieśnikami. Chociaż kolorowe filtry zakładane na okulary lub soczewki kontaktowe mogą pobudzić u starszych daltonicznych dzieci i dorosłych widzenie kontrastów, nie pomagają im w odróżnianiu kolorów.

PSYCHOLOGIA ODWROTNOŚCI

Mój typowy dwulatek jest bardzo uparty. Ostatnio spróbowałam dość szczególnej taktyki „na odwrót" („Nie jedz tej marchewki" albo „Nie próbuj przypadkiem wchodzić do wanny") i zadziałało jak czar. Mam jednak wątpliwości, czy można tak robić.

Ponieważ nie ma lekarstwa na dziecięcą negację poza upływem czasu, postąpiłaś mądrze, znajdując jakiś środek odnoszący pożądany skutek. Nawet jeśli małe dzieci ulegają rodzicielskiej motywacji, reagują często na odwrót, ponieważ po prostu podoba im się taka zabawa. Stosowanie podejścia „na odwrót" pozwala na to, by i wilk był syty, i owca cała: mały ma satysfakcję, że robi coś, na co mu nie pozwoliłaś, a ty masz satysfakcję, patrząc, jak zmierza do wytyczonego przez ciebie celu. Innymi słowy jest to gra, w której obie strony wygrywają. Podobne techniki znajdziesz na str. 148.

Stosując tę metodę, trzeba wziąć pod uwagę pewne przeciwwskazania. Po pierwsze, nie stosuj jej, jeśli nie masz pewności, że dziecko wie, o co ci naprawdę chodzi. Chociaż wie, że chcesz, by zjadło marchewkę lub weszło do wanny, może nie wyczuwać twoich właściwych intencji w jakiejś innej sytuacji i czuć się zdezorientowane. Po drugie, upewnij się, że dziecko ma pełną świadomość, iż całe to przekomarzanie się jest zabawą. Wszak nie chcesz, by myślało, że to w porządku robić za każdym razem coś wręcz przeciwnego w stosunku do tego, co mówisz. Jak w każdym przypadku dobrotliwego dokuczania, jeśli wydaje się, że dziecku taka taktyka nie odpowiada, po prostu z niej zrezygnuj.

Oczywiście nie zaleca się podobnych sztuczek, kiedy w grę wchodzi zdrowie lub bezpieczeństwo: wsiadanie do samochodu, ostrożność w przechodzeniu przez jezdnię czy np. obchodzenie się z niebezpiecznymi przedmiotami. Nie powinno ci przejść przez gardło — nawet w żartach — „No już, pobiegnij na ulicę" albo „W tej chwili włóż ten nóż do buzi".

WYJĄTKOWE ZDOLNOŚCI

Moja córeczka nie tylko bardzo wcześnie zaczęła mówić, ale rozpoznaje już litery i umie liczyć. Czy ma wyjątkowe zdolności? Jeśli tak, co mam dalej zrobić?

Każde dziecko jest na swój sposób szczególnie uzdolnione. Czasami rodzice muszą tylko lepiej się przyjrzeć, aby stwierdzić, gdzie ukryły się te talenty. Jedne pięknie mówią, inne liczą, jeszcze inne mają genialną pamięć. Niektóre posiadają zdolności logicznego myślenia i analizowania, inne przodują w myśleniu abstrakcyjnym. Jedne są specjalistami od relacji przestrzennych i mechaniki, inne mają wrodzony talent muzyczny lub plastyczny. Są także dzieci, które celują w sporcie i w tańcu, takie, które są duszą towarzystwa, i takie, które mają niezwykły dar rozumienia ludzkiej psychiki. Są dzieci, których uśmiech rozjaśnia cały pokój, takie, które ujmują uprzejmością i troskliwością, i takie, które umieją wodzić rej wśród dzieci i dorosłych. Niektóre maluchy ujawniają swoje zdolności bardzo wcześnie, inne nieco później. Wiele dzieci przejawia talent w taki sposób, że tradycyjne metody jego oceny nigdy go nie wychwycą.

Dziecko błyskotliwe, ciekawe i szybko się uczące może być oczywiście utalentowane intelektualnie. Pytanie brzmi jednak, czy to ważne, by być tego świadomym na tak wczesnym etapie jego życia? Czy z przyczepienia dziecku etykietki „utalentowane" wypływa dla malca jakaś korzyść? Prawdopodobnie nie.

Nie znaczy to, że należy ignorować bezsprzeczne zdolności swojej pociechy. Powinnaś robić to, co wszyscy rodzice: stymulować, prowokować, zachęcać i poświęcać uwagę. Trzeba też zapewnić maluchowi dużo uczucia i wzbudzać w nim poczucie bezpieczeństwa. Jest to najlepsza droga, jaką można wytyczyć dziecku, by wykorzystało swój potencjał.

Zachęcaj dziecko do rozwijania zdolności, ale motywuj również w dziedzinach, w których aż tak nie przoduje. Mała jest dobra w słowach i liczbach? Za wszelką cenę stymuluj jej rozwój w tym kierunku — często jej czytaj, pokazuj znane i nie znane litery i słowa („Spójrz, zaświecił się napis «IDŹ». Możemy teraz przejść przez ulicę"), pograj w gry liczbowe („Ile plasterków banana zostało na twoim talerzu?"). Chwal jednak dziecko również, gdy potrafi wejść na wyższy niż poprzednio szczebel drabinki na placu zabaw lub chętnie dzieli się kanapką z koleżanką.

Jeśli podejrzewasz, że twoja pociecha jest wyjątkowo utalentowana, nie śpiesz od razu do psychologa, by to zweryfikować. Testowanie dziecka w tym wieku nie jest specjalnie zalecane, ponieważ wyniki nie zawsze są dokładne: taki test obejmuje tylko ograniczoną liczbę umiejętności, no i na tym etapie niewiele jeszcze można z tymi wynikami zrobić. Dobry rezultat testu na inteligencję może w gruncie rzeczy mieć zły wpływ na malca i twój do niego stosunek. Rodzice, których poinformowano, że ich dziecko jest uzdolnione intelektualnie, mają tendencję do zawyżania swoich wymagań względem dziecka i często idą w nich za daleko. Efektem jest stres, poczucie nieszczęścia, nierównomierny rozwój (dziecko może np. wspaniale czytać, ale być „niedojrzałe" społecznie) i wczesne „wypalenie się". Próba przekształcenia szczęśliwego malucha w cudowne dziecko mogłaby ograbić go z tego rodzaju normalnego dzieciństwa, którego każde dziecko potrzebuje. Unikaj więc kreowania swojej pociechy na miarę swoich ambicji (patrz str. 388) i ciesz się jej niczym nie skrępowanym, naturalnym rozwojem.

NOSZENIE NA RĘKACH

Przez jakiś czas moje dziecko wszędzie chciało chodzić o własnych siłach. Obecnie żąda, by je nieść. Nie tylko jest mi ciężko, ale obawiam się, że mały uwstecznia się w swojej samodzielności.

Chodzenie było czymś nowym, kiedy malec po raz pierwszy zaczął przebierać nogami. Możliwość całkowicie swobodnego poruszania się po tylu miesiącach uzależnienia od wózków, nosidełek i rąk osób dorosłych była czymś radosnym i nie do powstrzymania. Każdy samodzielnie wykonany krok pogłębiał subtelne poczucie dumy i spełnienia.

Potem nowość spowszedniała. Chodzenie stało się swego rodzaju odpowiedzialnością — czymś, czego oczekiwano i wręcz wymagano. Zgodnie więc z typową dla dwulatka teorią negacji mały zaczął reagować na presję rodziców odmową i „gumowymi" nogami. „Jeśli oni chcą, bym chodził — tak pewnie rozumuje — to wystarczająca przyczyna, bym tego nie robił".

U wielu dzieci ambiwalentne odczucia na temat niezależności i oderwania od rodziców również skłaniają je do odmawiania chodzenia o własnych siłach na korzyść czepiania się matki lub ojca — i w przenośni, i dosłownie. Poniższe rady pomogą postawić dwulatka z powrotem na nogi:

Spraw, żeby chodzenie było przyjemnością. Nawet jeśli masz do załatwienia jakieś sprawy, spacer do celu może być zabawą. Po drodze pobaw się z maluchem („Zobaczymy, czy uda nam się nie wejść na żadną pękniętą płytę chodnika" albo: „Ile dzisiaj piesków uda nam się zobaczyć"); pośpiewaj piosenki, pokazuj ciekawostki po drodze. Ogólnie rzecz biorąc, odwróć uwagę dziecka od samej czynności chodzenia. Nie zachęcaj go, jeśli zatrzymuje się, by przyjrzeć się czemuś intrygującemu na drodze. Wychodź z domu dostatecznie wcześnie, by dziecko miało czas na swoje „badania".

Wyznacz malcowi rolę asystenta. Maluchy uwielbiają „pomagać". Gdy idziecie na rynek, niech brzdąc trzyma listę zakupów (ale zaopatrz się w zapasową na wszelki wypadek...). W drodze powrotnej daj mu ponieść małą torbę z lekkimi (i nietłukącymi) zakupami. Daj mu odegrać jego rolę: powiedz, że bez jego pomocy nie doszłabyś z tyloma zakupami do domu. Spraw, by poczuł się „duży", zakładając mu na plecy plecaczek lub czyniąc go odpowiedzialnym za trzymane przez niego „dziecko" — ulubioną lalkę lub pluszową maskotkę.

Zniż się do jego poziomu. Czasami niechęć do chodzenia związana jest po części ze świadomością bycia tak małym, gdy wszyscy wokół są duzi. Schyl się więc od czasu do czasu, by złagodzić u malca to uczucie. Kiedy zatrzymacie się na światłach lub przed sklepem, porozmawiaj z dzieckiem „oko w oko", uściśnij je lub połaskocz. Takie nieoczekiwane drobne gesty również mogą sprawić, że nie będziesz tak często słyszeć płaczliwego refrenu: „Ponieś mnie!"

Spróbuj nie spieszyć się i nie poganiać dziecka. Pamiętaj, że twój maluszek ma krótkie nóżki i dojście do przecznicy oznacza dwa razy tyle kroków, ile ty musisz postawić. Znaczy to również, że dziecko zmęczy się znacznie wcześniej niż ty. Pilnuj się więc, by nie wymagać od niego zbyt wiele i chodzić powoli. Miej w zanadrzu inne wyjście: wózek, autobus lub krótszą drogę. No i daruj sobie zrzędzenie, jeśli malec nie dojdzie do celu na własnych nogach. Nie zapominaj, że w tym wypadku to dziecko trzyma rękę na pulsie. W końcu i tak nie możesz go zmusić do chodzenia. Spróbuj, a dostaniesz nauczkę w postaci biernego oporu. Jeśli dziecko zacznie kuśtykać albo spróbuje sztuczki z siadaniem na środku chodnika, możesz je podnieść i nieść na ręku lub zmusić do siedzenia w spacerówce (o czym z pewnością marzy). Nie możesz natomiast zmusić go do stawiania jednej nogi przed drugą...

Chwal dziecko za chodzenie. Stosuj wzmocnienie pozytywne. Po spacerze — nawet krótkim — pochwal malucha. Powiedz mu, jaki jest już duży, podkreśl, że chodzenie to jedna z tych wielu zabawnych czynności, które on już opanował, a małe dzidzie na rączkach u mamusi (lub w wózkach) po prostu jeszcze nie.

Nie krytykuj nieudanych prób. Nie nazywaj malucha dzidziusiem, nawet jeśli spacer kończy się w twoich ramionach lub w wózku. Nie podsycaj też zazdrości, mówiąc mu, że nie możesz go wziąć na ręce, bo jesteś w ciąży albo musisz właśnie nieść na ręku jego maleńkiego braciszka lub siostrzyczkę.

Zawrzyj umowę. Jeśli zaledwie kilka przecznic dzieli was od domu, mały ma już dość chodzenia, a autobus nie nadjeżdża — spróbuj zawrzeć umowę: „Do skrzyżowania pójdziesz sam, a do następnego cię poniosę". Zmieniajcie się w ten sposób, aż dojdziecie do domu.

Daj przykład. Jeśli cała rodzina dużo spaceruje, dziecko będzie robić w końcu to samo, szczególnie jeśli nie będziesz wyolbrzymiać jego obecnej do tego niechęci.

ZMIANA ŁÓŻECZKA

Chcemy przenieść naszą córeczkę do łóżka i zlikwidować dziecięce łóżeczko. Jak zrobić to najlepiej?

Istnieje prawdopodobieństwo, że maluszek będzie się czuł zagrożony w „dorosłym" łóżku; w psychice dziecka może tkwić jeszcze coś, co będzie rozpaczliwie wołało o zachowanie ostatnich związków z okresem niemowlęcym. Nie wyrzucajcie więc łóżeczka i nie wstawiajcie nowego mebla, nie uprzedzając o tym dziecka. Popracujcie nad taką zmianą, stwórzcie tzw. okres przejściowy. Upewnijcie się, że nadeszła odpowiednia pora. Jeśli w życiu dziecka zachodziły ostatnio jakieś zmiany — pojawiło się lub właśnie ma się pojawić nowe rodzeństwo, maluch zaczyna chodzić do przedszkola, jest w trakcie uczenia się, jak korzystać z toalety lub w trakcie odstawiania od piersi, właśnie wyszedł z jakiejś choroby — byłoby rozsądnie odłożyć zmianę łóżka na później, gdy sprawy się nieco ustabilizują. Poszukajcie może jakiejś bajeczki, która opowiadałaby o podróży malucha z dziecięcego łóżeczka do dużego łóżka. Przeczytajcie ją kilka razy, zatrzymując się często, by wtrącić wasz komentarz („Widzisz, chłopczyk ma dostać nowe łóżeczko, zupełnie tak jak ty" albo: „Łóżeczko tej dziewczynki jest duże: twoje nowe łóżeczko też będzie duże" itd.).

Gdy maluch przywyknie już do myśli o nowym łóżeczku, można wprowadzić zamiar w życie. Jeśli nie upieracie się przy jakimś określonym typie łóżka, dobrym pomysłem jest, by wasze „duże dziecko" samo wybrało swoje „duże łóżko". Nie zabierajcie go jednak ze sobą na wstępną penetrację sklepów. Ciągnięcie brzdąca od sklepu do sklepu w poszukiwaniu odpowiedniego łóżka z pewnością nie nastroi go optymistycznie. Szukajcie łóżka stosunkowo niskiego, do którego łatwo da się przymocować zabezpieczające barierki[5] i które jest wyposażone w twardy materac. Jeśli macie już upatrzone dwa czy trzy rodzaje łóżek (najlepiej w tym samym sklepie), weźcie dziecko i pozwólcie mu dokonać wyboru. Niech „zapozna się" ze swoim nowym meblem już w salonie sprzedaży (dotknie go, usiądzie na nim, położy się), by nabytek nie był czymś aż tak obcym, gdy trafi do domu.

Bez względu na to, czy jest to nowe łóżko prosto ze sklepu, czy też odziedziczone po bracie lub koledze, należy dać dziecku wybór przy zakupie prześcieradeł, kołdry (chyba że maluch jest bardzo przywiązany do swojej pościeli), a nawet nowego pluszowego zwierzątka, które towarzyszyłoby dziecku w tym „nowym świecie" (razem ze „starymi znajomymi", oczywiście). Nie zapomnijcie o kupnie wodoszczelnego podkładu pod prześcieradło, by nowy materac zbyt szybko się nie zestarzał...

Gdy nowe łóżko już znajdzie się w domu, niech dziecko je sobie pościeli przed pójściem spać. Może wam pomóc w rozłożeniu nowej pościeli i ułożyć na niej swoich ulubieńców (zwierzaki, książki, zabawki), z którymi bezpiecznie może spać, czy inne ulubione przedmioty, by było przytulnie. Wyjaśnijcie maluchowi, że teraz może kłaść się spać z wieloma zabawkami, co nie było możliwe w małym łóżeczku. Gdy łóżko już stoi i jest pościelone, zostawcie dziecko w spokoju. Jeśli jest podekscytowane nowym meblem i nawet raz nie spojrzy tęsknie w stronę starego łóżeczka, usuńcie je z pokoju, zamykając w ten sposób kolejny etap w życiu waszego dziecka.

Jeśli jednak wasza pociecha waha się przy decyzji, które łóżko ma pozostać, a miejsca w pokoju wystarczy na oba, dajcie dziecku czas na przyzwyczajenie się, czyniąc zmianę łagodniejszą. Niech „zapozna się" z nowym łóżkiem bliżej (pobawi się, poprzytula, ułoży w nim misie do snu, posłucha bajki czytanej przez mamę), zanim zostanie w nim ułożone do snu.

Niektóre maluchy lubią najpierw odbywać w dużym łóżku swoje dzienne drzemki, a w nocy wolą przebywać w swoim znanym i bezpiecznym łóżeczku. Jeśli ten rodzaj adaptacji bardziej odpowiada waszemu maluchowi, nie ma w tym nic złego (przy założeniu, że łóżeczko dziecka jest dla niego rzeczywiście oazą bezpieczeństwa — patrz str. 533). Kiedy już nieodwołalnie nadchodzi pora, by ostatecznie pożegnać się z łóżeczkiem, niech odbędzie się to z iście królewską pompą. Powiedzcie dziecku: „Teraz, kiedy jesteś już taka duża i śpisz w dużym łóżku, możemy odstawić łóżeczko". Niech mała pożegna się z nim, ucałuje, jeśli chce. Następnie wystawcie łóżeczko z pokoju lub komuś je oddajcie.

W momencie gdy dziecko znajdzie się w dużym łóżku, pojawi się oczywiście nowy problem: Jak je w nim utrzymać i uchronić przed wypadkami? Choć możecie mieć kłopoty z tym pierwszym, powinniście dać sobie radę z drugim. Kiedy malec przyzwyczaja się do spania w dużym przestronnym łóżku, zawsze istnieje możliwość, że z niego wypadnie (chyba że po bokach zainstalujecie zabezpieczające barierki). Przez pierwsze tygodnie rozkładajcie na podłodze coś miękkiego — pluszowy dywanik, dużą matę, śpiwór, stary materac, gruby pled, rząd poduszek albo nawet stary płaszcz. Nie martwcie się jednak, jeśli brzdąc spadnie na gołą podłogę — uraz z powodu takiego upadku jest mało prawdopodobny.

Wiele dzieci niełatwo znosi zmianę łóżka (nawet jeśli mu się ona podoba). Mogą się nawet pojawić nowe problemy z zaśnięciem. Dziecko może próbować zwlekać z pójściem spać, prosząc ad infinitum o picie, jeszcze jeden uścisk, jeszcze jeden kocyk i jeszcze jedno przytulenie. Reagujcie spokojnie, ale stanowczo na takie próby odsunięcia w czasie tego, co nieuniknione. Pozwolenie maluchowi na odegranie takiego przedstawienia kilka razy zaowocuje chaosem, który będzie się wlókł tygodniami. Zachowajcie więc wieczorny rytuał, poświęcając dziecku maksimum uwagi i ciepła w ciągu dnia, a wszyscy domownicy lepiej się wyśpią.

NIEUPRZEJME ZACHOWANIE

Nasz dwulatek jest nieuprzejmy w stosunku do innych małych chłopców na podwórku, a mnie to denerwuje.

[5] Dziecko, które niespokojnie śpi, może z łatwością odepchnąć łóżko od ściany i wpaść w powstałą w ten sposób szczelinę (może się tam nawet zaklinować). Warto wiąc umocować zabezpieczające barierki po obu stronach łóżka, nawet jeśli jeden bok przylega do ściany. Nie kupuj łóżka na zawiasach (półkotapczanu) — nie jest ono bezpieczne dla małych dzieci.

Nie martw się. Twój maluch zachowuje się jak typowy dwulatek. Nie znaczy to wcale, że nie ma serca, a raczej świadczy o jego skupieniu na swojej osobie. Nie potrafi jeszcze tak kochać sąsiada, towarzysza zabaw czy innego dziecka z piaskownicy, jak kocha siebie. Jego potrzeby są najważniejsze; potrzeby innych na razie go nie obchodzą. A ponieważ nie zaczął jeszcze robić niczego dla siebie (większość jego potrzeb jest wypełniana przez obowiązkowych dorosłych), nie będzie robił nic dla innych. Szczególnie jeśli ci „inni" są innymi dziećmi, które — jak zauważył — też mają wokół siebie dorosłych, spieszących, by zaspokoić ich potrzeby. Małe dzieci, które regularnie spędzają czas z innymi małymi dziećmi (np. w żłobku czy przedszkolu) lub ze starszym rodzeństwem, mają tendencję do wczuwania się i okazywania współczucia (jak i innych bardziej dojrzałych społecznych cech) wcześniej, ponieważ doświadczenie grupowe uświadamia im, że „jadą na tym samym wózku".

Uczenie dziecka uprzejmości w stosunku do innych — tak jak każdej innej wartości — jest procesem stopniowym, a nie czymś, co można przekazać w ciągu jednego popołudnia. Dziecko zaś najlepiej uczy się uprzejmości poprzez przykład, jaki mu się daje. Bądź uprzejma dla innych, a w końcu i malec zacznie reagować uprzejmie — przynajmniej gdy wyrośnie ze swojego naturalnie egocentrycznego wieku. Możesz ten proces przyspieszyć i pomóc dziecku stać się małym dżentelmenem, jeśli zastosujesz się do wskazówek ze str. 60.

ZNUDZENIE DZIECIĘCYMI ZABAWAMI

Moja córeczka ciągle chce, bym się z nią bawiła. Ja jednak nie mogę już wytrzymać nawet dwóch minut — potwornie mnie to nudzi. Mam wyrzuty sumienia, ale nie mogę już dłużej...

Wyrzuty są niepotrzebne. Wielu dorosłych uważa ulubione zabawy dwulatków za nudne — i nic w tym dziwnego. W końcu nie mają dwóch lat. Jednak to nie znaczy, że możesz przestać się sprawą interesować. Bawiąc się z dzieckiem, dajesz mu do zrozumienia, że jest ono dla ciebie ważne i że lubisz jego towarzystwo. A oto kilka wskazówek, jak sobie z tym poradzić:

* Daj szansę dziecięcej zabawie. Jeśli minęły już lata od czasu, gdy sama byłaś takim maluchem, trudno jest, rzecz jasna, uzmysłowić sobie, jak to się bawi, gdy ma się dwa lata. Trudne, ale możliwe. Spróbuj się dostosować do poziomu malca, choć z góry wiadomo, że nie będzie cię to bawić. Jeśli naprawdę postarasz się wejść w świat dziecięcej niewinności i wyobraźni, być może spodobają ci się dziecięce zabawy. Nie oczekuj oczywiście, że przeżyjesz drugie dzieciństwo z jednym okiem utkwionym w telewizorze lub rękoma zanurzonymi po łokcie w zlewozmywaku. Jeśli już rzeczywiście bawisz się z maluchem, poświęć mu całą swoją uwagę. Odłóż na później rozmowy telefoniczne, pranie czy gazety.
* Dostosuj się do dziecka. To, że zostałaś zaproszona przez malca do zabawy, nie oznacza, że to ty ustalasz zasady. Małe dzieci mają dokładną wizję, jak zabawa ma się toczyć, więc istotne jest, by nie przeszkadzać. Jeśli zajęcie staje się nieznośnie nudne lub zbyt monotonne, możesz od czasu do czasu zasugerować coś nowego. Jeśli jednak dziecko opiera się sugestiom, nie zmuszaj.
* Wyznacz granice czasu wspólnej zabawy i uświadom je dziecku. Krótkie chwile twojego pełnego uczestnictwa w zabawie dziecka są więcej warte niż długie godziny biernej nad nim opieki. Jeśli zaczniesz się kręcić i ziewać po piętnastu minutach „szpitala dla misiów" lub „kotki i kociaków" zaanonsuj koniec, zanim porwie cię złość. Bądź jednak fair i daj dziecku znać wcześniej: „Zbadamy jeszcze dwa chore misie i poczytamy bajeczkę, dobrze?" albo: „Kotka i kociak jeszcze raz się do siebie przytulą i potem kotka pójdzie przygotować kolację".
* Wybierz zabawę, którą sama lubisz. Niektórzy rodzice nie przepadają za zabawą w „udawanie", ale uwielbiają przeprowadzać naukowe eksperymenty. Niektórzy lubią czytać, a nie mają cierpliwości do wyścigów samochodowych. Jeszcze inni lubią układać puzzle, a nie znoszą budowania z klocków. Jeśli dziecko chce się bawić, a nie ma specjalnie pomysłu na zabawę, zaproponuj to, co sama lubisz najbardziej. Dziecko najprawdopodobniej zaakceptuje twoją zabawę przez jakiś czas.
* Spróbuj bawić się równolegle. Czasami wystarczy sama fizyczna obecność rodziców, by usatysfakcjonować dwulatka spragnionego towarzystwa. Kiedy więc nie możesz pobawić się z dzieckiem, pobaw się obok niego. Powiedz maluchowi, że ty pobawisz się w swoją zabawę (sprawdzanie książeczki czekowej, odpisywanie na listy), siedząc obok na podłodze, a on niech pobawi się w swoją. W ten sposób

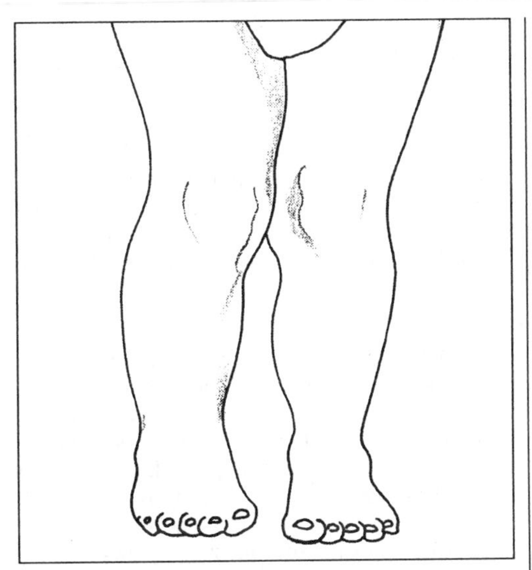

Roczne dziecko o pałąkowatych nóżkach nagle przeistacza się w dwulatka ocierającego kolankiem o kolanko. Jest to absolutnie normalne.

będziesz obecna, gdy zajdzie potrzeba posmakowania ugotowanej „zupki" lub podziwiania „dzidziusia", ale nie będziesz musiała w pełni uczestniczyć w zabawach.

* Zamieńcie się rolami. Raz na jakiś czas zaproś dziecko do wspólnej zabawy z tobą. Daj mu rękawice ochronne, plastykową motykę, wyznacz kawałek zarośniętej ziemi do wypielenia, podczas gdy sama będziesz pracowała obok; daj garść starych nasion, gdy będziesz siała; stos starych magazynów, gdy sama sięgniesz po gazetę — ogólnie pozwól dziecku robić to, co sama robisz. Malec może być wniebowzięty uczestniczeniem w twojej zabawie, ale może się i nudzić. W końcu jego zabawy ciebie też aż tak bardzo nie porywają...

KRZYWE KOLANA

Nasza córeczka miała bardzo krzywe (pałąkowate) nóżki, gdy zaczęła chodzić rok temu. Obecnie wydaje się, jakby ocierała jednym kolankiem o drugie. O co tutaj chodzi?

Otypowe, pałąkowate nóżki w wieku roczku, ocierające się o siebie kolana w wieku dwóch lat. Całkowitego wyprostowania się dolnych kończyn nie oczekujcie jednak wcześniej niż pomiędzy 7 a 10 rokiem życia. Do tego czasu nie należy tym zaprzątać sobie głowy ani nic robić. Specjalne buty, wkładki ortopedyczne i ćwiczenia nie tylko nie pomogą, ale mogą zaszkodzić. Jeśli tylko jedna nóżka jest krzywa lub krzywizna jest uderzająca, lub jeśli dziecko jest dużo niższe niż przewiduje norma, należy zasięgnąć porady lekarza. Może wystąpić konieczność konsultacji ortopedycznej. (Jeśli problemem jest niski wzrost, być może trzeba będzie wybrać się do lekarza specjalizującego się w leczeniu zaburzeń metabolizmu [lub endokrynologa — przyp. red. nauk.].)

NISZCZYCIELSKIE ZAPĘDY

Ostatnio, ilekroć odwracamy się plecami, nasz dwulatek ciągle coś niszczy. Drze gazety na kawałki, gryzmoli kredkami po ścianach, wyciąga pokrętła z telewizora. Nasz dom zaczyna wyglądać tak, jakby przeszedł przez niego tajfun.

Innymi słowy, dom wygląda tak, jakby mieszkał w nim dwulatek. Chociaż jednak dwulatki często mają takie niszczycielskie zapędy, zwykle nie czynią tego celowo. Maluchy drą, tłuką i niszczą z wielu powodów: frustracja („Nie mogę go zmusić, by robił to, co chcę, więc rzucę nim o ścianę"); brak koordynacji („Wstawię mój talerzyk do zlewozmywaka, tak jak robią to dorośli". Trach!); ciekawość („Co się stanie, gdy otworzę pilota i wyjmę z niego całą zawartość?"); brak rozsądku („Mój kubeczek do soczku nigdy się nie tłucze, gdy upuszczę go na podłogę; nic się nie stanie, gdy spróbuję to zrobić z tatusia filiżanką do kawy".) Od czasu do czasu zdarza się, że mały niszczy coś celowo („Jestem na nich taki zły, bo nie pozwalają mi oglądać telewizji, że zrzucę wszystkie książki ze stolika" albo: „Poświęcają tak dużo czasu temu dzidziusiowi, że rzucę tą ciężarówką przez cały pokój").

Czasami można zrozumieć, co było powodem takiego zachowania. Innym razem motywacja dziecka pozostaje dla nas tajemnicą. Tak czy inaczej, trzeba maluchowi uzmysłowić, że niszczenie przedmiotów jest czymś niepożądanym i bez względu na przyczynę nie należy tak więcej robić. Nie wyśmiewajcie dziecka ani też nie wymierzajcie kary — szczególnie jeśli coś zdarzyło mu się niechcący — ale pouczcie, że następnym razem ma być ostrożniejsze i wyjaśnijcie dlaczego („Filiżanki tłuką się na ostre kawałki, kiedy je upuszczasz" albo: „Jeśli rozkręcisz pilota, nie będzie się więcej nadawał do użytku").

Każcie sobie pomóc przy usuwaniu szkody, jeśli to możliwe (powycierać to, co się rozlało, wkleić wyrwaną stronę z powrotem do książki, zetrzeć ślady kredki ze ściany). Jeśli powodem niszczycielskiego zachowania była frustracja, udzielcie dziecku kilku konstruktywnych rad („Jeśli połączysz klocki w ten sposób, to się nie rozpadną"). Jeśli maluchem zawładnęła złość, przypomnij mu, jak inaczej można rozładować emocje (patrz str. 288). Jeśli mały po prostu po raz kolejny eksperymentował, wskażcie inne możliwości bezpiecznego i ogólnie przyjętego poznawania i zmieniania rzeczywistości, np. zabawki, które można rozkręcać i składać na nowo.

Jeśli dziecko nie przestaje broić pomimo waszej interwencji i psuje z premedytacją, zastanówcie się nad przyczyną. Czy jest aż tak sfrustrowane lub rozzłoszczone liczbą zakazów lub wymagań, które przekraczają jego umiejętności? Czy przechodzi właśnie trudny okres lub szczególnie „niebezpieczną" fazę rozwoju? A może potrzebuje więcej uczucia i wsparcia? Czy w rodzinie panuje atmosfera napięcia? Czy możliwe, że w jego życiu pojawił się problem, o którym nie wiecie (niedostatecznie troskliwa lub wręcz chłodna opiekunka, tkwiące gdzieś na dnie serca obawy)? Jeśli usunięcie wymienionych lub podobnych przyczyn nie zmniejsza niszczycielskich zapędów waszego malucha, porozmawiajcie na ten temat z lekarzem dziecka.

PRAWIDŁOWE ŻYWIENIE

Przez pierwsze dwa lata życia mojego dziecka udawało mi się chronić je od spożywania cukru i białej mąki. Obecnie jednak, gdy mała spędza więcej czasu wśród innych dzieci, utrzymanie tej zdrowej diety jest wręcz niemożliwe.

Niestety! Dni kulinarnej niewinności — kiedy to lizaki, czekoladki czy słodkie ciasteczka nigdy nie przeszły twojemu dziecku przez myśl i tym samym nie trafiły do buzi — należą do przeszłości, i to na zawsze. Mogłabyś oczywiście przestrzegać tej wartościowej diety, zamykając dziecko w wieży z kości słoniowej i podając mu tylko zdrowe produkty. Pozwól tylko malcowi żyć w realnym świecie — wśród działających zgubnie wpływów rówieśników, reklam telewizyjnych i cudownie nęcących opakowań — a pokusa zawsze znajdzie się pod ręką, by odwieść twojego tuptusia od pełnoziarnistego pieczywa i bezcukrowych łakoci.

W obliczu takiej pokusy zapewnienie dziecku zdrowego żywienia jest niewątpliwie sztuką. Jednak przy tak solidnych fundamentach, jakie już dałaś dziecku, i uwzględnieniu naszych rad jest to bitwa, z której można w końcu wyjść zwycięsko.

* Zachowanie wymogów dietetycznych. Nie zawsze będziesz zdolna przewidzieć, co dziecko zje poza domem, ale możesz o to zadbać, gdy jest w domu. Zachowując wszelkie wymogi zdrowego żywienia (patrz rozdział 18) z całkowitym — albo prawie całkowitym — wykluczeniem potraw na białej mące, obfitujących w tłuszcz, cukier, sztuczne barwniki, konserwanty i inne bezwartościowe odżywczo składniki, twoje dziecko nie będzie miało innego wyjścia, jak jeść zdrowo.

* Jedzenie musi kusić smakiem. Jeśli w zamian za cukierki czy ziemniaczane chipsy proponujesz dziecku jedynie paluszki z marchewki, maluch zacznie kojarzyć dobre odżywianie z monotonią. Zaoferuj więc kąski, które będą nie tylko wartościowe, ale i s m a c z n e — tak jak te podane na str. 700. Dziecko, którego upodobania smakowe nie zostały niczym skażone, będzie jadło te przysmaki równie chętnie, jak i te bardziej tradycyjne, pozbawione niestety wartości odżywczych.

* Stanowczo zrewiduj swoje przyzwyczajenia kulinarne. Nawet dwulatek poczuje się urażony i w końcu zaprotestuje przeciwko podwójnemu menu przy stole czy to w domu, czy poza domem (tatuś zajada się makaronem z sosem bolońskim, popijając to coca-colą, a dziecku nie wolno tknąć żadnej z tych rzeczy; mamusia spożywa na śniadanie dwa słodkie pączki i kawę, a dziecku podaje owsiankę, owoce i mleko). Zamiast opowiadać, że tylko małe dzieci muszą jeść zdrowo, a mamusia i tatuś mogą jeść to, na co mają ochotę, powiedz: „Cała nasza rodzina uważa, że odpowiednie jedzenie jest bardzo ważne i wszyscy bardzo się staramy, żeby zawsze prawidłowo się odżywiać".

* Twoje zasady muszą być innym znane. Ktokolwiek będzie nadzorował dziecko przy jedzeniu podczas twojej nieobecności — opiekunki w żłobku, opiekunka w domu, rodzice kolegów i koleżanek dziecka, dziadkowie czy inni krewni — powinien wiedzieć, jakie są twoje zasady żywienia. Nie znaczy to, że maluch nie może spróbować urodzinowego tortu w żłobku, gdy wszystkie inne dzieci go jedzą. Znaczy jednak, że opiekunka powinna wiedzieć, że nie życzysz sobie, by karmiono twoje dziecko takim bezwartościowym jedzeniem regularnie i że wyjątki od tej reguły nie powinny zdarzać się zbyt często.

* Zawrzyj układ. Największymi przeszkodami w zachowaniu zdrowej diety twojego dziecka są zwyczaje dietetyczne w domach jego rówie-

śników. Wielu rodziców uważa, że zawarcie umowy z rodzicami przyjaciół dziecka o unikaniu jałowych przysmaków w trakcie dziecięcych spotkań, obiadków, podwieczorków itd. i ograniczaniu ich na przyjęciach ułatwia każdemu dziecku zachowanie zdrowej diety. Eliminuje to również potoczne rodzicielskie: „No i co mam zrobić... Wszystkie inne dzieci to jedzą".

* Czasami zrób wyjątek. Takie purytańskie podejście może spotkać się z grzeczną akceptacją twojego dziecka, gdy jest ono z tobą, ale zachęcać do odstępstw, gdy ciebie nie ma. Gdy od czasu do czasu wyrazisz zgodę na odrobinę zakazanego przysmaku, zaspokoisz dziecięcą ciekawość i pragnienia bez zmiany sposobu żywienia.

NIECHĘĆ DO WYSOKIEGO KRZESEŁKA

Nasz synek odmawia siadania w swoim wysokim krzesełku, a jest za mały, by dosięgnąć stołu z normalnego krzesła.

Nic dziwnego. Siedzenie w ciasnym krzesełku nie tylko znacznie ogranicza możliwość poruszania się (ze stawaniem włącznie), ale również separuje niejako od innych członków rodziny siedzących na normalnych krzesłach.

Możecie spróbować sztuczki z tatusiem próbującym wbić się w krzesełko malca, na co mamusia przybiega z pomocą, wołając: „Zejdź, to jest przecież krzesełko Piotrusia!" Marne są jednak szanse, że mały da się na to nabrać. Jeśli nie, trzeba będzie potulnie zrezygnować z krzesełka. Naleganie, by dziecko nadal w nim siedziało, choć nie wyraża na to ochoty, może spowodować ogólną niechęć do zasiadania przy stole, łącznie z odmową jedzenia. W zamian za to uszanujcie dziecięcą potrzebę ruchu i zaproponujcie synkowi jakieś miejsce, które mniej krępuje ruchy. Niezłym pomysłem jest ustawienie małego stoliczka z niskim krzesełkiem obok dużego rodzinnego stołu. Daje to maluchowi swobodę poruszania się podczas posiłku, odejścia od stołu, gdy zakończył już jedzenie, a mimo wszystko uczestniczenia w posiłkach całej rodziny. Jeśli wasz brzdąc woli siedzieć przy dużym stole na normalnym krześle, niech na nim uklęknie. Można też zaproponować mu mocny kuchenny taboret albo drabinkę z szerokimi stopniami. Większości dzieci takie rozwiązania przypadają do gustu, ale dla bezpieczeństwa lepiej, by obok siedział ktoś dorosły.

„MAŁPOWANIE"

Zamiast robić coś po swojemu, mój synek próbuje naśladować otoczenie — a szczególnie jeśli są to starsze dzieci.

Nie martw się. Chociaż skłonności do przewodzenia można zauważyć już w piaskownicy, naśladująca dziś wszystkich małpka już jutro może przeistoczyć się w wodzireja, jest zbyt wcześnie, by przypinać dziecku jakąś etykietkę.

Dla wielu dwulatków naśladowanie — szczególnie starszych dzieci — jest znakomitym sposobem uczenia się. Papugowanie jest też mniej groźne od przewodzenia i pozwala dziecku na przebywanie w różnych grupach, poznawanie nowych przyjaciół bez ryzyka, że ciągle będą za nim podążać inni — choćby z czystej kokieterii.

Jak długo dziecko czuje się zadowolone, naśladując innych, tak długo nie ma powodu do interwencji. Ważne jest to, jak się czuje, a nie to, że nie przewodzi w zabawie. Pomóż mu w osiąganiu pewności siebie (patrz str. 255), daj mu wiele sposobności do podejmowania własnych decyzji, wiele wsparcia, którego potrzebuje, by wykrzesać z siebie to, co najlepsze. To zaś, czy przewodzi, czy naśladuje, nie ma większego znaczenia.

ZMĘCZENIE ZWIĄZANE ZE ŻŁOBKIEM

Nasza córeczka wydaje się bardzo zmęczona od czasu, gdy zaczęła chodzić do żłobka. Czy jest możliwe, że to dla niej za dużo?

Prawdopodobnie nie za dużo — po prostu inaczej. Chociaż dziecko może być przyzwyczajone do całodziennej aktywności w domu, całodzienna aktywność w żłobku odczuwana jest inaczej. Nawet w domach o dość rygorystycznym trybie życia — ustalonych porach na posiłki, czytanie, kąpiel, spanie — dziecko ma zwykle dużo czasu na spontaniczną zabawę. W żłobku lub przedszkolu już tak nie jest. Chociaż czas wolny jest ujęty w programie każdego ośrodka opieki nad dzieckiem, większość ośrodków wplata w to wiele konkretnych zajęć (podwieczorek, czytanie bajek, drzemka, zajęcia plastyczne, nauka gotowania, zajęcia ruchowe, zajęcia na powietrzu). Dla dzieci przyzwyczajonych do bardziej swobodnego trybu życia w domu to nagłe przestawienie się na „wojskowy" porządek wymaga czasu. Zanim maluch się przyzwyczai, rzeczywiście może odczuwać zmęczenie — i fizyczne, i psychiczne. Program może być wyczerpujący, gdyż nie jest dostosowany do indywidualnych przyzwyczajeń wyniesionych z domu, a raczej do potrzeb całej grupy lub całego żłobka czy przedszkola. Może się więc zdarzyć, że dzieci wychodzą na dwór w czasie, gdy wasz maluch zwykle śpi, lub śpią, gdy on zwykle słucha bajki. Mała może więc nie usnąć w porze spania, bo może być zanadto zmęczona. Starania, by ciągle być grzeczną, również kosztują.

Bardzo prawdopodobne, że waszemu dziecku po prostu trzeba więcej czasu, by przywyknąć do życia w żłobku. Na razie starajcie się nie wypełniać mu czasu w domu aż tak bardzo. Umówione spotkanie na zabawę z kolegami, jakieś zajęcia (gimnastyka, taniec, plastyka itd.) na koniec długiego i męczącego dnia w żłobku jeszcze bardziej wyczerpują, a nie są konieczne. Po przyjściu do domu potrzeba maluchowi całkowitej swobody na rozluźnienie, zdrowej przekąski, a może i drzemki. Jeśli zaś dziecko ma popołudnie wypełnione jakimiś zajęciami, nie zajmujcie go niczym specjalnym rano. Jeśli wydaje wam się, że jest taka potrzeba (i jest to możliwe), niech brzdąc pośpi trochę przed wyjściem z domu.

Upewnijcie się również, czy strach przed rozstaniem — szczególnie jeśli jest to pierwsze doświadczenie tego rodzaju — nie łączy się z ogólnym zmęczeniem. By temu zapobiec, okażcie dziecku maksimum uczucia, uwagi i poświęćcie dużo czasu, gdy z nim przebywacie (patrz str. 337, gdzie mówimy, jak radzić sobie ze strachem).

Jeśli zmęczenie dziecka z każdym tygodniem się potęguje lub jeśli malec jest przeważnie smutny, trzeba sprawę zbadać dogłębnie. Czy program oferowany przez żłobek jest rzeczywiście odpowiedni dla waszego dziecka? A może zbyt ambitny? Może dziecku brakuje poobiedniej drzemki? Może czuje się zanadto podekscytowane lub zagubione, by spożywać posiłki i przekąski z dala od domu? Poszukajcie odpowiedzi na niniejsze pytania właśnie w żłobku. Jeśli ich tam nie znajdziecie lub jeśli dziecko wykazuje jakieś symptomy choroby — oprócz ogólnego zmęczenia, które trwa i trwa — zasięgnijcie porady lekarza.

PÓŹNE ODSTAWIANIE OD BUTELKI

Do tej pory nie próbowałam odzwyczaić dziecka od butelki. Ponieważ tak ją lubił, ciągle odkładałam to i odkładałam. Teraz, kiedy mały ma już dwa latka i stał się taki uparty w każdej kwestii, po prostu sobie nie wyobrażam, czy w ogóle kiedyś mi się to uda.

Odstawienie dziecka od butelki w każdym wieku jest sprawą trudną. Próby uczynienia tego w wieku szczególnie nasilonego oporu, tzn. w wieku dwóch lat, są — jak się domyśliłaś — niewyobrażalnie trudne. Ale i to można osiągnąć przy dużej dozie cierpliwości, determinacji i przyjacielskiej perswazji. Należy to zrobić jak najprędzej, by uniknąć problemów wynikających ze zbyt długiego karmienia butelką[6] (patrz str. 48). Spróbuj skorzystać z następujących rad:

* Wyróbuj wskazówki ze str. 48. Chociaż podałyśmy je z myślą o młodszych dzieciach, mogą pomóc także w wypadku starszych.

* Daj dziecku trochę porządzić. Następnym razem, gdy maluch poprosi o butelkę, daj mu wybór. Weź butelkę z wodą w jedną rękę i kubek z ulubionym napojem dziecka w drugą. Jeśli samo zdecyduje i zda sobie sprawę, że nie zdoła utrzymać obu naczyń jednocześnie, może dojść do wniosku, że ulubiony soczek jest więcej wart od ulubionego naczynia. Nawet jeśli nie sięgnie po kubek za pierwszym razem, nie przerywaj próby: w końcu prawdopodobnie wybierze soczek.

* Spróbuj dać dziecku bodziec. O ile bardzo małe dzieci nie rozumieją prawdopodobnie pojęcia nagrody za jakieś osiągnięcie, o tyle te większe doskonale wiedzą, o co chodzi. Chociaż regularne nagradzanie dziecka za chęć do wykonywania normalnych codziennych czynności nie jest rozsądne, przyznanie nagrody za wykonanie kroku naprzód w ogólnym rozwoju może okazać się i mądre, i owocne. Powiedz dziecku, że masz dla niego coś wspaniałego, jeśli przestanie pić z butelki: nową książkę, zabawkę, wycieczkę do zoo. Nie musi to być nic nadzwyczajnego — jakaś drobnostka, która może przekonać malucha, że warto się poświęcić. Podkreśl jednocześnie fakt, że zrezygnowanie z butelki oznacza, iż malec jest już duży i jeśli się taki okaże, czekają go inne „dorosłe" przywileje: spanie w dużym łóżku, a nie dziecinnym łóżeczku, pozwolenie na włączanie i wyłączanie magnetowidu (pod nadzorem) czy cokolwiek innego, przez co poczuje się nobilitowany i dowartościowany. (Miej jednak na względzie, że podkreślanie „dorosłości" malca może okazać się niewypa-

[6] Jeśli dziecko ma skłonności do częstych infekcji uszu, odstawienie butelki w odpowiednim momencie jest szczególnie istotne, ponieważ połykanie przy leżeniu na wznak może spowodować przedostanie się płynu do trąbki Eustachiusza i wytworzenie sprzyjającego środowiska dla bakterii — co w szybkim tempie prowadzi do infekcji.

łem, jeśli na świat przyszło nowe rodzeństwo i mały jest zazdrosny o przysługujące dzidziusiowi zainteresowanie i hołd.) Pociesz go, okazując mu dużo wsparcia, gdy stara się osiągnąć cel i rozstać się z butelką. Kiedy już tego dokona, przyznaj nagrodę, na którą w pełni zasłużył, i zgotuj serdeczną owację — należy mu się.

Bądź przygotowana na większe i nietypowe grymasy malucha w trakcie odstawiania od butelki i przez jakiś czas potem. Tak jak każdy, kto zrezygnował z czegoś szczególnego, malec potrzebuje czasu, by to przeboleć. Okazanie dużego zainteresowania i uczucia łącznie z częstym przytulaniem oraz wypełnienie czasu wesołą zabawą pomoże dziecku szybciej przyzwyczaić się do nowej sytuacji.

Nadal karmię moją córeczkę piersią dwa razy dziennie. Chętnie bym już zrezygnowała, szczególnie teraz, gdy mała jest już na tyle duża, iż potrafi poprosić o pierś zawsze, gdy ma na to ochotę. Nie wykazuje jednak żadnych oznak braku zainteresowania piersią.

Żeby karmić piersią, trzeba dwóch osób. Jeśli więc jedna z tych osób mówi „dość", nadszedł prawdopodobnie czas odpoczynku dla piersi — choć istnieją inne czynniki, które trzeba rozważyć przy podejmowaniu takiej decyzji (patrz str. 51). Żeby skończyć karmienie, również trzeba dwóch osób. I w tym więc przypadku potrzebna jest współpraca dziecka. Wypróbuj rad, które podajemy na str. 51. Jeśli nie pomogą — trzeba będzie dodać jakiś bodziec (patrz część dotycząca odzwyczajania od picia z butelki, str. 282), by pomóc dziecku zrezygnować z piersi, gdy już jej nie potrzebuje.

Pamiętaj, że z chwilą odstawienia od piersi dziecko straci nie tylko ulubiony rodzaj pokarmu, ale i ulubione miejsce pieszczot. Staraj się więc to zrekompensować, poświęcając maluchowi więcej czasu i uwagi; ofiaruj mu więcej kontaktu fizycznego (obejmowanie, całowanie, przytulanie), bo tego najprawdopodobniej najbardziej dziecku brakuje, ale nie zapominaj o ciekawych zabawach. Nie dziw się (i nie sprzeciwiaj), jeśli malec będzie próbował szukać pocieszenia w ssaniu kciuka, znajdzie sobie kocyk albo inny przedmiot, by się do niego tulić, albo też będzie szukał okazji, by cię poklepać czy pogłaskać — tak jak to było przy karmieniu piersią. Nawet gdy już się przyzwyczai, może od czasu do czasu zaglądać pod bluzkę, by się po prostu przytulić do znanego miejsca. Pozwól na to. Gdy wspomnienia o piersi zbledną, skończą się i tego rodzaju pieszczoty.

MOMENTY ZAŻENOWANIA

Nasza mała dziewczynka bardzo nas zażenowała, gdy jedliśmy obiad w restauracji. Mężczyzna siedzący przy sąsiednim stoliku był wyjątkowo otyły i mała na jego widok krzyknęła: „Jaki gruby pan!" Wszyscy — łącznie z „panem" — to słyszeli. Miałam ochotę zapaść się pod ziemię. Co należało zrobić?

Wszystkim rodzicom zdarza się coś takiego przynajmniej raz. Mogło się to przytrafić w przepełnionym autobusie, w domu towarowym, restauracji, muzeum, banku — w każdym publicznym miejscu. Typowe są tego rodzaju zdarzenia w miejscach, gdzie nie można się schować. Maleńkie dziecko (oczywiście twoje) uparcie wskazuje kogoś, kto — jak zauważyło — jest inny (może to być ktoś wyjątkowo mocno zbudowany, człowiek innej rasy, inwalida na wózku, ktoś podpierający się laską lub bardzo stary), i krzykiem, który przerasta jego drobną posturę, obwieszcza to spostrzeżenie całemu światu (np. „Dlaczego ta pani jest taka gruba?" albo: „Dlaczego ten pan nie chodzi?"). Wszystkie pary oczu i uszu w promieniu dziesięciu metrów zwracają się w twoją stronę — w stronę mamy lub taty, czyli osoby odpowiedzialnej — gdy ty, mając ochotę zapaść się pod ziemię, gorączkowo myślisz, jak najwłaściwiej zareagować, wiedząc doskonale, że reakcja będzie istotna nie tylko dla tego nieszczęsnego przedmiotu komentarza, ale i dla przyszłego stosunku malca do ludzi, którzy są inni.

Nie martw się, jeśli nie udało ci się właściwie zareagować tym razem lub w innych podobnych przypadkach. Ale przemyśl sobie, jak się zachowasz, jeśli coś takiego zdarzy się ponownie (a pewnie się zdarzy).

Ze zrozumieniem. Dla ciebie czynienie uwag publicznie na temat obcej osoby jest obraźliwe i zdecydowanie niegrzeczne. Dla twojego dziecka, które tak niewiele jeszcze wie o manierach i dobrych obyczajach, a jeszcze mniej o tym, co rani ludzkie uczucia, wypowiadanie się na temat czyjegoś dużego brzucha jest tak samo niewinne jak wypowiadanie się na temat ładnego kwiatka czy dużej, czerwonej ciężarówki. Nazwanie kogoś „grubym" jest — w pojęciu dziecka — spostrzeżeniem i ono nie zdaje sobie zupełnie sprawy, że takich uwag nie wypowiada się publicznie. Musisz więc zrozumieć, że komentarz twojego dziecka nie miał na celu dokuczenia „panu" ani wprawienia ciebie w zakłopotanie, a wtedy spojrzysz na całą sprawę z innej perspektywy.

Jedziemy do babci

Niektórzy rodzice stwierdzają, że odstawianie od piersi lub butelki przebiega najlepiej, gdy nie są przy tym obecni. Rodzice ci ekspediują dziecko na weekend do miejsca, gdzie jest kochane i czuje się dobrze, ale gdzie nie ma dostępu ani do piersi, ani do butelki, z której właśnie ma zrezygnować. Może to być dom babci, ale równie dobrze ulubionej cioci, wujka czy przyjaciela rodziny. Pobyt w otoczeniu ludzi, którzy nie kojarzą się dziecku z karmieniem piersią czy butelką, podobno zmniejsza ból po takiej stracie (podobnie jak zmiana miejsca i zajęcia zmniejsza stres u osób próbujących rzucić palenie). Nawet jeśli maluch odczuwa, że „czegoś brakuje", jest zwykle zanadto przejęty zabawą, by robić z tego większy problem.

Gdy weekend dobiega końca i dziecko wraca do domu, ulubiona forma karmienia często pozostaje już tylko wspomnieniem. Jeśli po przyjeździe do domu malec nadal prosi o butelkę lub pierś, obycie się bez niej powinno przebiegać już łatwiej, gdy powiesz: „Przykro mi, kochanie, nie mamy już więcej butelek (albo: „Nie mam już więcej mleczka w piersiach"); ale to nawet dobrze, bo jesteś już duża". Okres przejściowy będzie przebiegał łagodniej, jeśli okażesz dziecku jeszcze więcej uczucia i poświęcisz więcej uwagi oraz całkowicie wypełnisz mu czas wesołą zabawą. Zapomni wówczas o karmieniu.

Dla matek karmiących piersią wszystko to będzie miało sens, jeśli podawanie piersi już wcześniej zostało ograniczone do dwóch karmień dziennie; w przeciwnym wypadku może dojść do bolesnego zastoju pokarmu w piersiach i do zapalenia. Nie stosuj również metody „co z oczu, to i z serca", gdy dziecko przechodzi jakiś szczególnie trudny okres lub musi się przyzwyczajać do innych wielkich zmian. Jeśli czujesz, że oderwanie malucha od ciebie raczej zwiększy aniżeli zmniejszy stres odstawiania go od piersi czy butelki, również zrezygnuj z rozłąki.

Bez strofowania. Nawet jeśli czujesz się upokorzona słowami swojego dziecka lub pełnymi dezaprobaty spojrzeniami i gestami obserwatorów zajścia, nie wyładowuj swojego wstydu, strofując malca. Ponieważ zwykle spostrzeżenia dziecka spotykają się z rodzicielską aprobatą i pochwałą, ono i tym razem oczekuje należnej w jego mniemaniu akceptacji. Spostrzeganie i dociekanie różnic między ludźmi (jak i zwierzętami, samochodami, dniami zachmurzonymi i słonecznymi) jest częścią rozwoju intelektualnego dziecka. Besztanie malucha za anonsowanie spostrzeżenia mogłoby stłumić przyszłe pytania i komentarze. Mogłoby również wywołać u dziecka wrażenie, że to, co „inne", to złe, a więc ludzie „inni" są źli.

Szybko i spokojnie wyjaśniając. Jeśli jest to możliwe, weź dziecko na stronę, gdzie mogłabyś spokojnie z nim porozmawiać; jeśli nie (jesteście np. w autobusie, a przystanek będzie nieprędko, albo w trakcie jedzenia posiłku w barze), przysuń się do dziecka jak najbliżej i porozmawiaj po cichu. Wyjaśnij, że niektórzy ludzie wyglądają inaczej, bo są grubsi lub szczuplejsi, wyżsi lub niżsi, mają inny kolor skóry albo też słabe nogi i nie mogą chodzić, a mówienie tego w ich obecności mogłoby im sprawić przykrość. Powiedz maluchowi, że zawsze ilekroć zauważy jakąś różnicę, może o nią zapytać, ale ma to robić po cichu albo poczekać, aż ten „ktoś" odejdzie dalej. Jeśli nadal jesteście zbyt blisko danej osoby, wyjaśnij dziecku sprawę krótko i nie zachęcaj do dalszej dyskusji na ten temat (gdyż malec zapewne nie będzie dyskutował po cichu). Obiecaj, że porozmawiacie na ten temat później i szybko odwróć uwagę dziecka.

Nie zapominając o szerszym wyjaśnieniu sprawy w domu. Czas, w którym dziecko zaczyna zauważać różnice między ludźmi, jest dobrym momentem do rozpoczęcia dyskusji na ten temat. Pokaż dziecku ilustrowane książki o ludziach, którzy są inni (ludzie niepełnosprawni, starzy, ludzie różnych narodowości i kultur). Porozmawiaj z malcem o tym, co czyni ludzi różnymi, a co upodabnia ich do siebie; zwróć uwagę dziecka na różnice w gronie najbliższej rodziny lub przyjaciół („Ty masz brązowe oczka, a Piotruś ma niebieskie"), ale i podobieństwa („I ty, i Piotruś pięknie umiecie się wspinać"). Aby jeszcze bardziej ułatwić dziecku pojęcie odmienności, sięgnij po rady na str. 295.

Cierpliwie i wytrwale. Może się zdarzyć, że jeszcze kilka razy dziecko cię zawstydzi i trzeba będzie wielu ponownych wyjaśnień i przypomnień, zanim malec nauczy się dyskrecji. Musisz jednak pamiętać o tym, że twoim celem nie jest powstrzymywanie dziecka od publicznych komentarzy na temat odmienności, jaką dostrzega, ale dostrzeganie odmienności w sposób tolerancyjny.

Służąc dobrym przykładem. Twoje stanowisko, działanie i słowa z pewnością wywrą większy wpływ na przyszłe zachowanie dziecka aniżeli wszystkie wykłady razem wzięte.

JĘCZENIE

Jeśli cokolwiek u mojej córki jest w stanie wyprowadzić mnie z równowagi, to jej ciągłe jęczenie. Kończy się to tak, że daję jej wszystko, czego w danej chwili chce, żeby tylko przestała.

Ani kapiąca z kranu woda, ani rysowanie paznokciem po tablicy, ani też skrzypiące hamulce nie dają tak w kość jak jęczące małe dziecko. Jak wymyślna tortura, dziecięce jęki wyjątkowo dają się rodzicom we znaki. Prawdę mówiąc — gdyby był wybór — wielu rodziców wolałoby raczej doświadczyć solidnego wybuchu złości u dziecka (złość taka przychodzi i mija), niż słuchać monotonnego, niesłabnącego i działającego na nerwy głosu małej „jęczybuły" w akcji.

Chociaż zwykle kojarzymy jęczenie z dwu- i trzylatkiem, po raz pierwszy właściwie pojawia się ono już w wieku niemowlęcym jako rodzaj trudnego do opisania płaczu zwanego „kapryszeniem". Chociaż niektóre dzieci jęczą zdecydowanie więcej od innych, w zasadzie każde małe dziecko robi to od czasu do czasu. Skłonność do takiego zachowania nie oznacza, że dziecko jest rozpuszczone i zepsute. Zwykle takie jęczenie pojawia się wtedy, gdy maluch jest zmęczony, głodny, znudzony, zanadto podekscytowany, chory, poirytowany lub nikt nie zwraca na niego uwagi. Jęczenie może mieć miejsce również wtedy, gdy dziecko słyszy rodzicielskie „nie" lub gdy się tego „nie" spodziewa. Całość bywa tym bardziej irytująca, że piskliwy szantaż malucha kończy się najczęściej zmianą decyzji zdesperowanych rodziców z „nie" na „tak".

Najczęściej właśnie rodzice są adresatami ciągłych pojękiwań malucha. Dwulatki mają już zbyt mocno rozwiniętą świadomość, by robić to, pozostając pod opieką innych osób dorosłych. Jednak jeśli pozwoli się dziecku na ciągłe jęczenie do wieku przedszkolnego lub dłużej, zachowanie to może ulec wzmocnieniu, a efekty będą przykre. Dziecko może piszczeć w czasie zabawy, co spowoduje, że rówieśnicy będą go unikać; może przenieść swój zwyczaj do przedszkola i odkryć, że na nikim nie robi to specjalnego wrażenia. Niektóre pojękujące dzieci wyrastają na marudnych dorosłych, a takim trudno jest się z kimś zaprzyjaźnić czy tę przyjaźń utrzymać.

Choć nie ma oczywiście pewnego środka na dziecięce „skamlenie", są sposoby na zredukowanie tych niepożądanych zachowań. Najpierw należy podjąć kroki zapobiegające napadom jęczenia.

Poświęć dziecku trochę czasu. Wiele dzieci zaczyna popiskiwać po kilku nieudanych próbach zwrócenia na siebie uwagi. Bez względu na to, jak bardzo jesteś zajęta, posłuchaj, gdy twoja pociecha ma ci coś do powiedzenia, i staraj się od razu reagować, gdy prosi cię o pomoc. Nie tylko słuchaj, ale daj coś z siebie. Kiedy można, zrób sobie krótką przerwę w pracy (czekając np. aż zagotuje się woda na makaron lub pralka skończy kolejny cykl), by przeczytać małej bajeczkę, ułożyć puzzle czy po prostu przysiąść na kanapie i się poprzytulać.

Wychodź naprzeciw nudzie. Częstą przyczyną jęczenia jest brak zajęcia. Podczas gdy uczenie się samodzielnego zajmowania się sobą jest w przypadku dwulatka bardzo ważne, umiejętność zabawy w pojedynkę jest jeszcze bardzo ograniczona. Gdy czujesz, że malec wyczerpał już swój repertuar, podsuń mu jakąś zabawę, zanim zacznie jęczeć.

Zapobiegaj nadmiernej frustracji. Trochę frustracji stanowi niezbędną część rozwoju i nabierania nowych umiejętności. Uważaj jednak, by nie przesadzić, żądając czegoś, czego dziecko nie jest w stanie wykonać, lub podsuwając zabawki wykraczające poza jego poziom. Gdy widzisz, że jest ogólnie zawiedzione swoim niepowodzeniem, pomóż mu w danej czynności lub odwróć jego uwagę (więcej uwag na temat panowania nad frustracją znajdziesz na str. 329).

Nie dopuszczaj do głodu i zmęczenia. Przynajmniej na ile to możliwe. Zlikwidujesz w ten sposób jedną z głównych przyczyn pojękiwania.

Zademonstruj dziecku takie pojękiwanie. Dzieci często nie zdają sobie sprawy z tego, jak negatywnie odbierane są jęki przez innych, dopóki same ich nie usłyszą. Przy najbliższej okazji nagraj te dźwięki na taśmę. Następnie nagraj dziecko mówiące normalnie. Gdy malec będzie w dobrym nastroju, posadź go i odtwórz nagranie, zwracając uwagę na różnice między głosem normalnym a jękliwym. Oprócz chichotu, jaki z pewnością wywoła różnica między dwoma rodzajami dźwięku, maluch może dojść do wniosku, że nie jest w stanie znieść tego pojękiwania. Wzmocnij to uczucie u dziecka, wyjaśniając: „Nikt nie lubi, jak tak jęczysz. Bolą od tego uszy i nic już potem nie słyszą". Uświadamiając dziecku coś nowego, możesz zaproponować mu zabawę w ćwiczenie „normalnego" głosu. Chwal „normalny" głos. Za każdym razem, gdy brzdąc ładnie o coś poprosi, pokaż mu, jak bardzo podoba ci się ten ton (nawet jeśli niezbyt podoba ci się sama prośba). Powiedz: „Gdy mówisz tak ładnie, «normalnym» głosem, tak miło cię słuchać. Moje uszka bardzo się z tego cieszą".

Pilnuj się, byś sama nie jęczała. Niektórzy rodzice, nie zdając sobie z tego sprawy, odpowiadają na prośby swoich dzieci (i swoich partnerów) gderliwym, jęczącym tonem. Staraj się zawsze sama używać „normalnego" głosu (oprócz stanowczego tonu, jeśli chcesz „ubić interes"). W końcu jeśli ty sama nie potrafisz się wyzbyć jękliwego tonu, jakże możesz oczekiwać tego od dziecka?

Zachęcaj dziecko do dzielenia się swoimi odczuciami. Dziecko, które potrafi mówić o swoich odczuciach, jest mniej skłonne do pojękiwania (patrz str. 180). Pomóż maluchowi zwerbalizować to, co go gnębi.

Unikaj przezywania. Nie nazywaj dziecka „buczkiem"; dzieci są bowiem znane z tego, że zachowują się według oczekiwań rodziców.

Jeśli pomimo twoich wielkich starań maluch i tak popiskuje, możesz temu zaradzić, stosując bardziej radykalne sposoby.

Wyeliminuj rzeczywistą przyczynę. Jeśli buczący maluch jest głodny, nakarm go (ale nie nagradzaj przypadkiem jęczenia słodyczami czy innymi przyjemnościami); jeśli ma mokro, przebierz go; jeśli jest zmęczony, pomóż mu zasnąć lub odpocząć; jeśli się nudzi, znajdź mu jakieś zajęcie. Jeśli dalej marudzi, zastanów się, czy nie zaczyna się jakaś infekcja lub czy dziecko po prostu nie potrzebuje trochę czułości, i odpowiednio zadziałaj.

Nie krzycz. Wrzaskliwe: „Przestań buczeć!" nie rozwiązuje problemu, a często go tylko wzmacnia. Dla chcącego zwrócić na siebie uwagę dwulatka nawet uwaga negatywna oznacza sukces.

Nie krytykuj. Gdy malec zaczyna jęczeć, wyjaśnij, że to do niczego nie prowadzi, gdyż będziesz go słuchać tylko wtedy, gdy przemówi „normalnie". Tak długo, jak długo buczy — nie reaguj. Jeśli przestanie i przejdzie na normalny ton, zrób, co możesz, by spełnić prośbę — przynajmniej przedyskutuj i zaproponuj możliwości: „Nie, nie możesz teraz dostać ciasteczka, ale możesz dostać jabłko lub banana". Jeśli w żaden sposób nie możesz spełnić prośby, wyjaśnij dlaczego: „Nie mogę teraz usiąść i pobawić się z tobą, bo muszę ugotować obiad. Ale możesz pomóc mi nakryć do stołu. A pobawić się możemy po obiedzie" (pamiętaj, by dotrzymać słowa). Nawet jeśli jęki nie ustają (i nawet wtedy, gdy jesteś już bliska obłędu), nie ustępuj żądaniom malca. Jeśli w ogóle masz zamiar i tak ustąpić, lepiej zrób to od razu. Ustąpienie po dwudziestu minutach nieprzerwanego marudzenia uczy dziecko, że kluczem do osiągnięcia celu jest upór w robieniu tego, co właśnie robi — jeśli będzie jęczało dostatecznie długo, otrzyma to, czego chce. Staraj się panować nad sobą w takich momentach, powtarzając sobie nieustannie: „Będę spokojna. Będę spokojna".

Odwróć uwagę dziecka, jeśli nie da się przemówić mu do rozsądku. Odwrócenie uwagi malucha pozwala mu przestać zawodzić i wyjść z tego z twarzą. Piszczy, bo chce jakąś błyskotkę zauważoną właśnie w sklepie. Zignoruj zachciankę i powiedz: „Zapomniałeś, że idziemy dziś po południu na plac zabaw? Jeśli się nie pośpieszymy, to nie zdążymy. Mamy się spotkać z Piotrusiem i jego mamą". Miejmy nadzieję, że taka zmiana tematu odwiedzie malca od wcześniejszego żądania i skończy się zawodzenie.

Spróbuj przytulić dziecko. Czasami niespodziewany uścisk lub leciutkie podrapanie po plecach relaksuje malca i zmienia jego płaczliwy nastrój. A i mama poczuje się lepiej po porcji pieszczot od dziecka...

Rób to samo co on. Zdarza się, że najlepszym sposobem na przerwanie buczenia jest jęczeć razem z dzieckiem. Powiedz: „Mnie też się chce tak buczeć. Popłaczmy sobie razem". Być może wspólne zawodzenie przejdzie we wspólny śmiech, który rozładuje sytuację. Obrócenie wszystkiego w żart również może czasami pomóc. Możesz poudawać np., że nie wiesz, skąd dochodzi płaczliwy głos („Słyszysz ten skrzypiący dźwięk? Co to tak piszczy?"). Kontynuuj, szukając go pod kanapą, za telewizorem i w szafie, zanim „natkniesz" się na źródło hałasu (buzię dziecka, oczywiście). Jeśli i to nie zmieni płaczu w chichot, zaproponuj, że naprawisz tę piszczącą buzię (powinno wystarczyć trochę łaskotek). Można również spróbować przekory („Coś kiepsko jęczysz. Myślę, że będzie lepiej, gdy pojęczysz głośniej"). Bądź przygotowana jednak i na to, że są dzieci, które z pojękiwania przechodzą w perfidną złość. Jeśli twoje dziecko do takich się zalicza, nie próbuj wyżej wymienionych sztuczek.

Pomóż dziecku zwerbalizować uczucia. Dwulatek, który popłakuje, ponieważ nie potrafi się wysłowić, potrzebuje pomocy, a nie reprymendy. „Wiem, że coś cię drażni. Zobaczymy, czy

Zabawki dla dzieci w wieku dwóch lat

Maluchy w wieku dwóch lat mają wiele energii do spalenia. Możesz pomóc swojemu dziecku wyładować część energii, podsuwając mu odpowiednie zabawki i zabawy. Wybieraj zabawki, które będą stymulować szeroką gamę jego talentów — i tych fizycznych, i umysłowych — dziecko przecież się rozwija. Szukaj takich, które rozwijają dziecięce zainteresowanie zajęciami dorosłych (gotowaniem, sprzątaniem, opieką nad dzieckiem, prowadzeniem samochodu, pracą, zabawą); takich, które uczą poznawać świat (jak funkcjonują różne przedmioty, przyczyna a efekt, liczby, kształty, wzory, jak manipulować pokrętłami, gałkami, przyciskami); takich, które pobudzają wyobraźnię i zdolność tworzenia (patrz str. 311); takich, które zachęcają do rozwoju intelektualnego (patrz str. 103). Staraj się ograniczać zabawki, które hamują rozwój wyobraźni (jak np. kolorowanki czy lalki, które mówią), i te, które nie wymagają specjalnej aktywności dziecka (zabawki na baterie, które są w zasadzie tylko do oglądania).

Właściwie wszystkie zabawki, które były odpowiednie dla dziecka rocznego, są odpowiednie i dla dwulatka (patrz str. 70). Najważniejsze to zróżnicować zabawki oraz dobrać je do indywidualnych już potrzeb i upodobań dziecka. Pamiętaj jednak o tym, by sprawdzić, czy zabawki są dostosowane do wieku dziecka i czy są dla niego bezpieczne (patrz str. 558). Można dołączyć do kolekcji nieco ambitniejsze przedmioty, jak:

* Lalki, które można kąpać, karmić i przewijać — unikaj jednak kupowania lalek mających dużo ubranek, gdyż większość dwulatków nie potrafi ubrać lalki.
* Figurki lub pluszowe zwierzątka imitujące postacie znane z bajek.
* Bardziej wyszukane części garderoby (torebki, fartuszki, koszulki) oraz kostiumy i rekwizyty do przebierania się za kogoś (hełm strażacki, czapka policjanta czy marynarza, torba lekarska, spódniczka i baletki dla tancerki).
* Małe maszyny do pisania, kasy sklepowe, wózki na zakupy, komplety narzędzi do majsterkowania.
* Przedszkolny komputer.
* Mały magnetofon dla dwulatka.
* Koraliki lub szpulki do nawlekania.
* Trudniejsze w obsłudze samochody, ciężarówki, samoloty.
* Kukiełki do nakładania na rękę czy palce, kupione w sklepie lub wykonane własnoręcznie.
* Proste układanki z drewnianych klocków (cztero- lub pięcioelementowe).
* Zabawki do zabaw w wodzie (coś, co pływa, puszcza strugę wody, coś do napełniania i nalewania).
* Pojemnik z otworami w kształcie różnych figur geometrycznych.
* Tablica z dziurkami do wtykania kołeczków o różnych kształtach i rozmiarach.
* Zestaw różnych klocków (np. Duplo). Elementy powinny być dostatecznie duże, by dziecko mogło z łatwością brać je do rączek i nie połknęło, gdy przypadkiem znajdą się w jego buzi. Unikaj kupowania dziecku zestawów, z których złożyć można tylko jeden konkretny model; gdy malec nie będzie umiał zbudować tego, co jest na obrazku, przeżyje duży zawód.
* Przybory do sztuk plastycznych*: plastelina, materiały do wykonywania kolaży, farby plakatowe i pędzle (patrz str. 558).
* Klocki z literami alfabetu lub literki magnetyczne; bardzo proste gry liczbowe i literowe; kolorowy toto-lotek; liczydło.
* Każdego rodzaju zabawki muzyczne, a więc bębenki, tamburyny, marakasy, flety i inne instrumenty dęte, magnetofony dla dzieci i mikrofony. Instrumenty są lepsze od grających skrzynek czy zabawek, które wymagają zaledwie wciśnięcia guzika i nie uaktywniają dziecka muzycznie.
* Zabawki-przeszkody do pokonywania — czy to w domowym ogródku, czy na osiedlowym podwórku.
* Piaskownica i przybory do zabawy w piasku.
* Trójkołowy rowerek (dobierz odpowiednią wielkość dla twojego dziecka).
* Mała równoważnia (wąska belka, którą stawia się na ziemi, by dziecko, chodząc po niej, ćwiczyło poczucie równowagi i pewność).

* Sprawdź, czy wszystkie przybory plastyczne są nietoksyczne i bezpieczne dla dziecka w wieku dwóch lat.

uda ci się z moją pomocą powiedzieć, cóż to takiego". Jeśli malec ma już dość duży zasób słów, zachęcaj go raczej do mówienia aniżeli popłakiwania. Jeśli próby nakłonienia dziecka do werbalizacji uczuć tylko je dodatkowo frustrują, spróbuj odwrócić jego uwagę, podsuwając jakieś spokojne zajęcie, np. posłuchanie muzyki czy opowiadania.

Skłonność do pojękiwania osiąga szczyt między trzecim a szóstym rokiem życia, ale wiele dzieci przejawia ją dłużej, szczególnie gdy są w złym humorze. Jęczenie szybciej mija, jeśli dziecko odkrywa, iż nie osiąga nim rezultatu lub jest z tego powodu niepopularne wśród rówieśników. Jeśli jęczy cały czas, jest ogólnie ze wszystkiego niezadowolone i żadna z wymienionych interwencji nie odnosi skutku — należy zwrócić się o pomoc do lekarza.

ZŁOŚĆ U DWULATKA

Nasz syn tak się na nas czasami złości, że musimy siłą powstrzymywać go od bicia pięściami lub gryzienia. Co robić?

Przede wszystkim należy sobie uświadomić, że złość jest normalnym, zdrowym objawem. Bardzo dobrze, że dziecko ją odczuwa i potrafi wyładować.

Następnie trzeba przekazać tę wieść dziecku. Niech wie, że odczuwanie złości lub okazywanie jej nie jest niczym złym. Jednak wyrażanie jej w sposób agresywny — bicie, gryzienie, popychanie, ciągnięcie za włosy czy okładanie rodziców pięściami — jest niedopuszczalne i nie będzie tolerowane.

Zacznij uczyć dziecko, jak wyładowywać złość w bardziej cywilizowany sposób. Gdy malec jest zły, uznaj jego złość („Widzę, że jesteś na mnie zły, bo nie pozwoliłam ci iść do parku. W porządku, masz prawo się złościć") i zacznij z nim o niej rozmawiać („Czy chciałbyś mi opowiedzieć, jak bardzo jesteś zły? Poczujesz się lepiej, zobaczysz"). Jeśli brzdąc dysponuje ograniczonym jeszcze słownikiem — jak większość dwulatków — pomóż mu znaleźć odpowiednie słowa. Jeśli brak słów jeszcze bardziej go rozsierdza, niech wyżyje się na jakichś przedmiotach (a nie na tobie): niech uderza w poduszkę, miota torbą na zakupy, wali pięściami w podłogę, przeskakuje przez przeszkody w swoim pokoju (na str. 160 znajdziesz więcej wskazówek, jak pomóc dziecku bezpiecznie wyładować emocje). Mocne objęcie i przytulenie również może rozwiązać problemy niektórych małych złośników (jak również ich rodziców) i pomóc się opanować (więcej na temat opanowywania się znajdziesz na str. 291).

Najważniejsze to umieć zachować spokój w obliczu złości malucha — nie tylko dlatego, że dzieci odzwierciedlają humory rodziców, ale dlatego, że trudno się gniewać na kogoś, kto zachowuje stoicki spokój. Zamiast na jego złość reagować własną złością, powiedz: „Wiem, że jesteś zły. Nic się nie stało. I tak cię kocham". Nawet gdy usłyszysz: „Nie lubię cię!", nie ma powodu, byś ganiła czy karała dziecko lub brała sobie jego słowa do serca. Kiedy jednak sama się rozzłościsz, staraj się kierować swoimi emocjami w taki sposób, by dać dobry przykład dziecku (jak to zrobić — patrz na str. 636). Jeśli dziecko nie robi postępów w nauce kontrolowania swojej złości lub przejawia ją zbyt często, porozmawiaj o tym z lekarzem malucha.

PUBLICZNE AWANTURY

Zawsze, gdy się gdzieś wybieramy, jednego możemy być pewni: nasza córka urządzi scenę, a to takie żenujące. Zwykle godzimy się na wszystko, czego chce, żeby tylko była cicho.

Małe dzieci błyskawicznie uczą się, że wszelkie sceny wychodzą najlepiej w najmniej odpowiednim czasie i miejscu. Gdy rodzice mają związane ręce i gryzą się w język (albo przynajmniej szczególnie się hamują pod obstrzałem spojrzeń i prychań obserwatorów), kopanie i krzyk szybko prowadzą do celu.

Co mają robić nieszczęśni rodzice? Aż kusi, by udawać, iż to skrzeczące dziecko uczepione u nogi i żądające cukierka nie jest twoje — ale przecież tego nie zrobisz. Pozwolić krzyczeć? Można tak zrobić w domu, ale poza domem jest to co najmniej niepraktyczne, gdy tuzin widzów kręci głową i syczy, widząc takie zachowanie — czy to dziecka, czy mamy lub taty.

Czy jedynym wyjściem, by uniknąć takich publicznych napadów złości, jest zrezygnowanie z wychodzenia gdziekolwiek? Nie. Oto kilka innych rozwiązań:

Kroki zapobiegawcze. Chociaż każde dziecko jest zdolne do urządzania scen, dziecko głodne, zmęczone, znudzone lub przeciążone zrobi je prawie na pewno. Nie można zapobiec każdej publicznej awanturze, ale można zwykle wyeliminować te, które wynikają z nie zjedzonego posiłku, zmęczenia, nudy, nadmiaru wrażeń lub ogólnie zachwianego porządku dnia. Staraj się, by przed każdym wyjściem dziecko było dobrze najedzone i wypoczęte, i nie aplikuj mu zbyt wielu „przystanków". Jeśli się da, w drodze z poczty do sklepu warzywniczego wstąp np. na plac zabaw albo do sklepu zoologicznego. Pomocne może okazać się również zabranie dziecku jakiejś pluszowej zabawki lub lalki, którą miałoby za zadanie się opiekować, podczas gdy ty robiłabyś zakupy czy załatwiała sprawy. Zadanie takie nie tylko będzie dla dziecka czymś konstruktywnym do wykonania (co samo w sobie powinno zapobiec ewentualnym scenom), ale pozwoli mu sprawować nad kimś władzę. Uczucie panowania nad kimś powinno zaś powstrzymać dziecko od utraty panowania nad sobą. (Więcej wskazówek na temat zapobiegania awanturom znajdziesz na str. 291; więcej na temat udanych zakupów z dzieckim — na str. 274.)

Nagroda za dobre zachowanie. Na koniec udanej wyprawy (nawet jeśli były jakieś drobne utarczki) podziękuj dziecku za dobre zachowanie i za mile spędzony z nim czas. Możesz nawet wyznaczyć sobie parę minut na przeczytanie dodatkowej bajki, posłuchanie muzyki lub pobawienie się z malcem, by wyrazić swoje zadowolenie. Nigdy jednak nie przekupuj dziecka i nie nagradzaj materialnie za dobre zachowanie, gdyż może się ono przyzwyczaić, że za każde poprawne zachowanie w miejscu publicznym czeka je jakiś konkretny podarunek.

Odwrócenie uwagi. Jeśli pomimo twoich wysiłków dziecko i tak wszczyna awanturę na spacerze, spróbuj szybko zmienić temat („Chodźmy zobaczyć, czy uda nam się dostać twoją ulubioną kaszkę"). Możesz też spróbować znanej sztuczki „co z oczu, to i z serca" i odciągnąć malca od półki z chrupkami, które właśnie zapragnął posiąść, lub od konserw z tuńczykiem, które ma ochotę poukładać na swój sposób, proponując szybko jakieś superatrakcyjne zajęcie. Odwrócenie uwagi dziecka może łagodnie i skutecznie wyprowadzić je z buńczucznego nastroju. Po inne rady na ten temat sięgnij na stronę 291.

Ustronne miejsce. Jeśli odwrócenie uwagi nie zdaje egzaminu, spróbuj odejść z dzieckiem jak najszybciej w jakieś ciche, ustronne miejsce. Nie ciągnij go na siłę za rączkę, a najlepiej weź na ręce, trzymając mocno, ale nie czyniąc krzywdy. Wynieś małego awanturnika na zewnątrz (gdzie głos stanie się mniej donośny), do samochodu, toalety, przebieralni albo do domu — jeśli jesteście w pobliżu. (Gdy jesteś w towarzystwie innych osób, skuteczniejsze okazać się może wyprowadzenie dziecka przez jedną z ulubionych przez nie twoich koleżanek lub krewnych; taka strategia pozwala uniknąć „przeciągania liny" między dzieckiem a rodzicami.) Jeśli maluch potrzebuje czasu na uspokojenie się, niech dochodzi do siebie w samochodzie, wózku na zakupy, na ławce w parku, na krześle gdzieś w narożniku sklepu, ale nigdy nie zostawiaj go samego. Poczekaj, aż złość całkowicie przejdzie, zanim zdecydujesz się kontynuować wyprawę. Jeśli dziecko awanturuje się nadal — rozważ zakończenie „wycieczki" i przesunięcie jej na późniejszą porę lub inny dzień. Mów do dziecka po cichu, gdy będziecie opuszczać nieszczęsne miejsce. Będzie wyglądało, że panujesz nad sytuacją — co odbije się pozytywnie na twoim dziecku i nie urazi twojej dumy.

Nie przejmuj się świadkami zajścia. Awantura urządzona przez twojego malucha dotyczy tylko was dwojga — nawet jeśli ma miejsce pośrodku zatłoczonego działu w domu towarowym. Skoncentruj się na aktualnym zadaniu — poskromieniu złości dziecka w spokojny, acz stanowczy sposób — i odizoluj się psychicznie od otaczającego cię tłumu. Staraj się podchodzić do publicznych „występów" swojego dziecka na luzie (albo przynajmniej udawaj, że tak jest); w końcu złość jest normalnym, przewidywalnym atrybutem dzieciństwa i wie o tym każdy, kto kiedykolwiek miał do czynienia z małymi dziećmi. Ci natomiast, którzy nie wiedzą, jak to jest, a ośmielają się wygłaszać sądy na temat twoich umiejętności rodzicielskich, nie zasługują na twoją uwagę. Jeśli już nic nie możesz zrobić ze swoim zażenowaniem, przynajmniej go aż tak nie okazuj, gdyż dziecko natychmiast wykorzysta twoją słabość. I nie trudź się opowiadaniem malcowi, jaki to wstyd — na tym etapie rozwoju jest mu dokładnie wszystko jedno, co pomyślą sobie inni. Gdyby było inaczej — nie urządzałby ci scen w miejscach publicznych.

Nie ulegaj. Bez względu na to, jak wielka jest pokusa, i nie bacząc na to, że malec oświadcza, iż się nie uspokoi — nie ustępuj i nie ulegaj żądaniom. Gdy tak postąpisz, będzie to wspaniały precedens.

SŁODKI W SWEJ ZŁOŚCI

Mój synek jest taki słodki, gdy się złości, że nie mogę się powstrzymać od śmiechu...

Ugryź się w język, uszczypnij w ramię, odwróć, wstrzymaj oddech — zrób wszystko, tylko się nie śmiej. Chociaż niektóre napady złości — szczególnie te wczesne — są naprawdę atrakcyjnym widowiskiem, nie ma z czego się śmiać. Dla niektórych dwulatków śmiech dorosłego jest czymś obraźliwym. Uczucia irytacji i frustracji, które spowodowały wybuch złości, są autentyczne; jeśli spotykają się z chichotem rodziców, są — rzecz jasna — umniejszane i złość jest tym większa. Dla innych dzieci śmiech stanowi pozytywne wzmocnienie zachowania, którego przecież rodzice wcale nie pragną wzmacniać. Jeśli malec wyczuwa, że dane zachowanie odbierane jest przez rodziców jako słodkie lub zabawne, będzie powtarzał swoje „urocze" wybryki jeszcze długo — nawet gdy stanowisko rodziców w tej sprawie ulegnie diametralnej zmianie.

Nie znaczy to oczywiście, że masz się zamartwiać z powodu już okazanego rozbawienia — dziecko nie będzie miało ci tego za złe. Ale już od teraz respektuj jego uczucie frustracji i traktuj „słodką" scenkę jak każdy inny przejaw złości.

CO WARTO WIEDZIEĆ
Poskramianie napadów złości

Dla rodziców obserwujących swojego uśmiechniętego, słodkiego malucha przeistaczającego się nagle w skręcającego się od spazmów, szamoczącego się i niepohamowanego furiata określenie „napad złości" jest co najmniej za skromne. Co to za siła zmienia małe cherubinki w małe potworki?

To po prostu normalne. Napady złości są częścią życia dwulatka, zachowaniem właściwie uniwersalnym wśród kompanów z piaskownicy. Zaczyna się mniej więcej pod koniec pierwszego roku życia, u większości dzieci osiąga szczyt w drugim roku i trwa aż do czterech lat (i więcej). Dwulatki nie są więc „złe", gdy wpadają w złość; jest to po prostu zachowanie charakterystyczne dla ich wieku.

CO KRYJE SIĘ ZA ZŁOŚCIĄ DWULATKA

Jest wiele powodów, które wyjaśniają zasadność stwierdzenia: WR (właściwe rozwojowo) w wypadku złości u dwulatka.

* Potrzeba wyrzucenia z siebie frustracji. Silne dążenie dwulatka do doskonałości i autonomii ciągle stanowi dla niego trudny orzech do zgryzienia — albo z powodu dorosłych, albo przez własne ograniczenia (brak umiejętności, by dokończyć układankę, zapiąć guzik czy przejechać się rowerem starszego brata lub siostry).
* Konieczność wyrażania uczuć, potrzeb i życzeń. Większość maluchów nie potrafi jeszcze na tyle dobrze mówić, by wyrazić swoje uczucia i myśli. Złość jest głośniejsza niż słowa.
* Domaganie się uznania i przekazywanie informacji: „Ja jestem ważny. Ważne jest to, czego ja chcę".
* Brak kontroli nad własnym życiem. To rodzice ciągle strofują malucha, co może, a czego nie może robić. Wybuch złości jest często jedynym sposobem, w jaki dwulatek może powiedzieć: „Dość! To moje życie!"
* Brak kontroli nad emocjami. Maluchy są niedoświadczone w kwestii panowania nad swoimi uczuciami. Gdy spod kontroli wymykają się emocje, nad dzieckiem także trudno zapanować.
* Głód, zmęczenie, zbytnie podniecenie, nuda.
* Zbyt wielki wybór, zbyt mało ograniczeń lub na odwrót (patrz str. 64).

Chociaż właściwie każdemu dziecku zdarza się od czasu do czasu wybuch złości, niektóre są do takich zachowań szczególnie skłonne. Około 14% jednolatków, 20% dwu- i trzylatków oraz 11% czterolatków przejawia skłonności do częstych wybuchów złości (dwa i więcej razy dziennie). Te dzieci są potencjalnymi „złośnikami" w późniejszym okresie życia, tzn. w przedszkolu i szkole.

Istnieje bardzo dużo mniej już powszechnych czynników odpowiedzialnych za tę wysoką częstotliwość ataków złości u dzieci.

* Predyspozycje genetyczne. Niektóre dzieci rodzą się z takimi cechami charakteru, które predestynują je do częstej irytacji. Np. wytrwałość lub upór (wspaniałe cechy, jeśli chodzi o ułożenie jakiejś szczególnie trudnej układanki, ale mniej wspaniałe, gdy trzeba tę układankę odłożyć i pójść spać); nadaktywność (te dzieci reagują gwałtownie na prawie każdy rodzaj sytuacji, kopiąc i krzycząc); słabsza zdolność przystosowania (te dzieci są skłonne do irytowania się w obliczu nieoczekiwanej zmiany.
* Ekstrema w dyscyplinie. W atmosferze totalnego rozluźnienia i rzucającego się w oczy braku granic, dzieci mogą się awanturować i złościć, domagając się tym samym jakiegoś

Wybuchy złości zdarzają się nie tylko dzieciom

Gdy mowa o dziecięcej złości, większość ludzi ma na myśli „te okropne dwulatki". Fakt jest jednak taki, że „dzieci" w każdym wieku — nawet dorośli — wybuchają złością.

Te same czynniki, które powodują ataki wściekłości u maluchów, mogą je wywoływać u dorosłych. Frustracja (od trzech godzin sprawdzasz książeczkę czekową i nadal coś się nie zgadza). Brak kontroli nad otoczeniem (ucieka ci pociąg, którym miałaś zdążyć na bardzo ważne spotkanie). Złość (twój partner zapomniał dokonać rezerwacji na samolot i teraz nie ma już miejsc na ten lot). Nawet głód albo zmęczenie — gdy trafią na podatny grunt w postaci innych jeszcze irytujących okoliczności — mogą doprowadzić osobę dorosłą do szału.

Różnica między dorosłymi a dziećmi polega na tym, że ci pierwsi potrafią bardziej kontrolować swoje otoczenie i mają więcej doświadczenia w kwestii radzenia sobie z frustracją, przesuniętą w czasie nagrodą (albo posiłkiem czy porą spania — jeśli to konieczne), przykrymi okolicznościami — a więc zwykle potrafią nad sobą zapanować. A jeśli nie, mogą — dzięki swojej „dorosłej" umiejętności mówienia — wyładować się poprzez mocne słowa i wyrażenia i nie muszą walić pięściami i kopać.

Uświadomienie sobie, że wybuchy złości nie są wyłączną domeną dzieci, a jedynie zachowaniem, któremu wszyscy od czasu do czasu ulegamy, powinno pomóc radzić sobie z nimi w przyszłości.

nadzoru. Mogą też wybuchać przytłoczone zbyt dużą liczbą możliwości oferowanych przez rodziców oczekujących od swoich pociech podejmowania decyzji. Natomiast w domu o zbyt surowej dyscyplinie dzieci mogą robić sceny w nadziei wywalczenia sobie większej swobody.

* Przebyta choroba, niesprawność, problemy zdrowotne. Rodzice w sposób szczególny podchodzą do dziecka, z którym są problemy zdrowotne lub które urodziło się po wielu przebytych przez matkę poronieniach albo po długim okresie prób zajścia w ciążę. Z braku ograniczeń i dyscypliny takie dzieci przejawiają wyjątkową skłonność do napadów złości. Również wybuchowe dzieci, które mają osłabiony słuch lub problemy z mową i porozumiewaniem się; dzieci autystyczne i te z poważnymi wadami rozwojowymi; dzieci nadpobudliwe; dzieci alergiczne lub cierpiące na lekkie, ale nawracające choroby. Niektóre leki również wyzwalają złość.
* Niezgodność osobowości w relacji rodzice–dziecko. Jeśli sama należysz do „przebojowych", a dziecko jest ciche i nieśmiałe, nakłanianie go do bardziej śmiałych zachowań mogłoby niepotrzebnie doprowadzić do częstych wybuchów złości. I odwrotnie: próby uspokajania dziecka aktywnego, ponieważ ty jesteś spokojna, mogłyby kończyć się awanturą.
* Rodzice rozwiedzeni lub żyjący w separacji. Samotna matka lub ojciec prawnie sprawujący opiekę nad maluchem może być zanadto przytłoczony nawałem domowych obowiązków i nie mieć wiele czasu dla dziecka; ten z rodziców, który odwiedza malca, może okazać się zanadto tolerancyjny. Oboje mogą próbować zarzucić dziecko prezentami i specjalnymi przywilejami. W takich warunkach sfrustrowane dziecko jest bardziej skłonne do emocjonalnych wybuchów i może zacząć wykorzystywać swoje napady do zawładnięcia rodzicami.
* Osobiste problemy rodziców, jak: depresja, przepracowanie, zmartwienie, choroba, problemy finansowe. Kiedy problemy rodziców stają się problemami dziecka, rezultatem mogą być częste wybuchy złości u malucha. Trudne warunki materialno-bytowe rodziny mogą również ciążyć dziecku i powodować jego irytację.

JAK STAWIĆ CZOŁO NAPADOM ZŁOŚCI

Najlepszą bronią przeciwko napadom szału jest zapobieganie im. Zmierzając w tym kierunku, zacznij obserwować napady złości u swojego dziecka przez tydzień lub dwa i zanotuj, kiedy mają miejsce (pora dnia, przed czy po spaniu, po posiłkach, po jakimś szczególnym wydarzeniu) oraz — jeśli przyczyna jest znana — dlaczego (głód, zmęczenie, ograniczenia, frustracja). Po jakimś czasie przejrzyj notatki, by stwierdzić, jakie najbardziej typowe czynniki wywołują wybuchy złości u twojego dziecka. Następnie zmień plan dnia w taki sposób, by te czynniki zmodyfikować lub wyeliminować. Działaj według następujących zasad (zachowaj notatki dla porównania):

* Wskaż dziecku (i zachęć) lepsze „ujścia" dla frustracji, złości i innych emocji, które prowa-

dzą do wybuchów szału (patrz str. 160). Upewnij się, że oferujesz malcowi dostatecznie dużo możliwości wyładowania energii. Dziecko, któremu ciągle narzuca się jakieś fizyczne i emocjonalne ograniczenia, jest jak dusząca się pod pokrywką potrawa, która w każdej chwili może eksplodować. Zachęcaj malca do wyładowania złości czy frustracji werbalnie albo w inny cywilizowany sposób. Jeśli słownik dziecka nie pozwala jeszcze na taką werbalizację, pomóż mu: „Chyba jesteś zły, że nie możesz dopasować tej części układanki do całości, prawda?"

* Dostosuj tryb życia malca do jego osobowości. Wiele dzieci przestanie się złościć, jeśli wyreguluje się im pory posiłków, spania i kąpieli. Są jednak i takie, którym regularny tryb życia zupełnie nie odpowiada i tym trzeba nieco popuścić cugle, by zapobiec awanturom (patrz str. 186).

* Unikaj długich wypraw z dzieckiem bez jedzenia. Zabieraj ze sobą coś pożywnego i nie czekaj z przekąską, aż malec stanie się nieznośny.

* Staraj się nie używać zbyt często słowa „nie". Zakaz ze strony rodziców jest często wodą na młyn — dziecko zaczyna się awanturować. Postępuj raczej według wskazówek ze str. 64, łącznie z przystosowaniem domu do potrzeb dwulatka oraz wyznaczeniem jasnych i konsekwentnych granic, aby zredukować liczbę koniecznych zakazów. By dziecko było bardziej uległe, podsuwaj mu więcej zabaw i zadań (patrz str. 148), a mniej dyrektyw, których może nie zechcieć wypełniać.Unikaj narzucania zbyt wielu zasad, gdyż w ten sposób unikniesz scen (patrz str. 64). Przed wprowadzeniem jakiejś zasady zadaj sobie pytanie: „Czy ta zasada (albo ten zakaz) jest konieczna?" Nie ustanawiaj prawa tylko dlatego, żeby pokazać dziecku, „kto tu rządzi". Rozgrywaj swoje potyczki rozumnie, bacząc na zdrowie i bezpieczeństwo malca, a także na spokój i ciszę. Tak samo jednak uważaj, by reguł i granic nie było za mało.

* Kiedy tylko można, mów „tak". Zamiast automatycznie odmawiać wszystkiego, o co malec poprosi, zastanów się, czy jest jakiś powód, by nie powiedzieć „tak". Pozwolenie na coś na samym początku jest dużo lepsze niż wyrażenie zgody pod presją, gdy mały wpadnie w szał. Jeśli nie możesz wyrazić zgody, nie wyznaczając warunków, spróbuj ponegocjować („Nie możesz po prostu się nie wykąpać, ale możesz skończyć oglądanie książeczki, zanim wejdziesz do wanny").

* Nie ociągaj się z podjęciem decyzji. Od razu powiedz albo: „Tak", albo: „Nie" lub też negocjuj kompromis. Jeśli powiesz „być może", gdy tak naprawdę masz na myśli „nie", a nie chcesz konfrontacji, prawie na pewno będziesz miała scenę na środku ulicy. Dla większości bowiem maluchów „być może" oznacza „tak".

* Nie przesadzaj z dyscypliną. Polityka „twardej ręki" (baczna kontrola nad tym, co dziecko je, ubiera, robi) może doprowadzić do rebelii. Ogranicz więc taką absolutną kontrolę do sytuacji, gdzie jest to absolutnie konieczne.

* Daj wybór, jeśli to możliwe. Mając możliwość wyboru przy podejmowaniu decyzji („Chcesz przeczytać tę książeczkę czy tę drugą?", „Chcesz włożyć dżinsy czy te spodenki w paski?"), dziecko czuje się ważniejsze, a to zmniejsza potencjalne zagrożenie awanturami. Unikaj jednak dawania maluchowi wolnego wyboru („Którą koszulkę chcesz założyć?"), bo możesz mieć pewność, że wybierze coś najzupełniej nieodpowiedniego albo też będzie zakłopotany szeregiem możliwości. Postaw też jasno sprawę, że pewne kwestie nie podlegają dyskusji (zakładanie pasów bezpieczeństwa w samochodzie czy podawanie ręki przy przechodzeniu przez ulicę).

* Korzystaj z powyższych rad oraz tych ze str. 288, aby zapobiegać wybuchom złości, gdy wyjeżdżasz gdzieś z dzieckiem.

* Unikaj frustracji, jeśli to możliwe. Staraj się słuchać i rozumieć, co dziecko mówi. Nie usuwaj z jego życia ambitnych zadań (są konieczne dla wzrostu i rozwoju), ale naprawdę ogranicz te, które wykraczają poza zakres możliwości malucha. Wkrocz i pomóż, gdy widzisz, że „wyzwanie" obraca się we frustrację; zamiast jednak robić coś za dziecko, bądź raczej jego przewodnikiem, by malec mógł opanować czynność w miarę samodzielnie (np. obróć trójkąt w taki sposób, by dziecko samo mogło umieścić go w odpowiednim otworze pudełka). Wszelkie wymagania także powinny być realne, a nie tak wysokie, że dziecko nigdy nie może im sprostać.

* Unikaj wszelkiej krańcowości. Kiedy widzisz, że malec jest bliski frustracji, wyczerpania, skrajnego podniecenia, nudy czy jeszcze innego uczucia — odwróć jego uwagę i zajmij go czymś spokojnym, kojącym lub szczególnie

interesującym: przytuleniem, specjalną piosenką, szczególnym miejscem w domu, specjalną zabawką, książką, czynnością, telefonem do babci i dziadka itp.

* Gdy już dojdzie do awantury, trzymaj się swoich zasad. Jeśli ulegniesz, zmiękniesz i kupisz czekoladkę, ponieważ nie możesz znieść krzyku dziecka i spojrzeń widzów, utwierdzisz jedynie malca w jego strategii i narazisz się na kolejny wybuch.

* Chwal zachowanie dobre, a nawet neutralne. Twoja pociecha nie złościła się w trakcie godzinnej wędrówki po sklepach? Niech wie, jak bardzo to doceniasz.

* Staraj się być przykładem spokoju. Widząc, że ty jesteś spokojna i rozsądna — nawet wtedy, gdy jesteś zła i sfrustrowana — dziecko będzie miało doskonały wzór do naśladowania.

JAK SOBIE RADZIĆ ZE ZŁOŚCIĄ

Nie ma cudownego eliksiru, który można by zaaplikować dziecku (lub sobie), ani żadnej opatentowanej rodzicielskiej techniki, która w magiczny sposób łagodzi atak złości. Jak większość uciążliwych dziecięcych zachowań napady złości mijają z wiekiem i to całkiem szybko.

Ale chociaż nie da się ich tak całkowicie przezwyciężyć, często można je złagodzić i zminimalizować. Sugestie, które podajemy, są jednak nadal tylko sugestiami. Prawdopodobnie dojdziesz do wniosku, że jedne dają lepsze efekty niż inne, a niektóre nie sprawdzą się w ogóle. Gdy już znajdziesz swój złoty środek, stosuj go, gdy tylko malec zaczyna „rozwijać skrzydła". Niech inni (opiekunki, krewni), którym przyjdzie borykać się z twoim rozzłoszczonym brzdącem, stosują go również.

* Zachowaj spokój. Nic tak nie rozdrażnia rozpalonego złością malucha, jak rozjuszeni rodzice. Widząc, jak sama tracisz opanowanie, dziecku z trudnością przyjdzie odzyskać własne. Wściekłość rodziców może też przerazić malca mającego przed oczami widmo utraty rodzicielskiej miłości. Wytrącone z równowagi, awanturujące się dziecko potrzebuje twojego kojącego wpływu i zapewnień o twojej bezwarunkowej do niego miłości. I chociaż takie „wyrównanie nastroju" być może nie od razu okaże się skuteczne i z pewnością nie będzie dla ciebie łatwe (chęć wyładowania własnej złości zawsze będzie ci towarzyszyła), w końcu zauważysz, że twoje wysiłki przynoszą efekt — malec zaczyna panować nad sobą. Jeśli podczas szczególnie przykrej awantury lub w nieudany dzień nie zdołasz się pohamować i sama wybuchniesz, nie czyń sobie wyrzutów. Wyjdź gdzieś na chwilę (mając dziecko w polu widzenia) i zastosuj wskazówki ze str. 636, które pomogą ci się uspokoić.

* Mów po cichu. Twoje przekrzykiwanie krzyczącego już dziecka zachęci je jedynie do jeszcze głośniejszego wrzasku, gdyż to ono chce być górą. Łagodny ton głosu natomiast daje do zrozumienia, że jesteś opanowana, co powinno pomóc dziecku odzyskać równowagę. To, że nie słyszy twoich słów przez przeszywające krzyki, może również skłonić je do zaprzestania (choćby z chwilowej ciekawości, co też masz do powiedzenia).

* Nie używaj pasa. Uciekanie się do kary cielesnej zawsze jest złym rozwiązaniem, a uciekanie się do niej w celu ukrócenia dziecięcej złości jest czymś szczególnie niewskazanym. Dziecko jest w tym momencie karane za coś, czego nie potrafi jeszcze kontrolować. A ponieważ i ty tracisz nad sobą panowanie, mogłoby się to skończyć poważnym urazem.

* Nie próbuj przemawiać do rozsądku ani też spierać się z dzieckiem, gdy się złości. Rozjuszone czymś maluchy po prostu nie myślą. Logika („Niepotrzebna ci taka lalka, masz taką samą w domu") idzie generalnie na marne. Zachowaj racjonalne wyjaśnienia na bardziej racjonalne chwile.

* Chroń dziecko i jego otoczenie. Maluch, który w złości kopie i wierzga, może zrobić krzywdę sobie (o ostry kant, twardą podłogę, przewrócone krzesło), innym (rzucając talerzem, kopiąc drzwi, drąc książkę). Wyprowadź więc takiego wierzgającego malucha w miejsce bardziej dla niego i innych bezpieczne. W domu dobrym miejscem na „odegranie" sceny będzie duże łóżko. Na zewnątrz należy w takim przypadku udać się do samochodu lub wózka (i zapiąć pasy). Jeśli to nie jest możliwe, można po prostu przytrzymać malucha gdzieś w zaciszu, by zapobiec ewentualnym urazom. Nie pozwól też dziecku wieszać się na tobie.

* Okaż zrozumienie. Gdy twoja pociecha domaga się czegoś, czego nie może dostać, powiedz: „Wiem, że to trudne, gdy się nie ma tego, czego się chce. Czasami i ja się złoszczę, gdy nie mogę dostać tego, czego ja chcę".

* Mocno trzymaj dziecko. Mocne trzymanie rozzłoszczonego dziecka pomaga niektórym

malcom wziąć się w garść, gdy wszystko się rozpada. Mocny uścisk może również rozładować złość (i u dziecka, i u rodziców) i zamienić się w przyjazny uścisk, gdy wróci opanowanie i równowaga. Niektóre jednak dzieci — szczególnie te starsze i te, które nie lubią się przytulać — będą z jeszcze większym zacietrzewieniem się szamotać, gdy dorosły będzie próbował je przytrzymać. Jak zawsze zrób to, co w wypadku twojego dziecka sprawdza się najlepiej.

* Odwrócenie uwagi. Niektóre dzieci daje się wyprowadzić ze stanu irytacji przymilaniem się — jedne łatwiej, inne trudniej. Inne jeszcze złoszczą się bardziej, gdy dorosły usiłuje odwrócić kota ogonem. Jeśli odwrócenie uwagi działa na twojego malucha, zajmij go ulubioną książką, układanką, której oboje dawno nie układaliście, lub jeszcze inną zabawą; spróbuj zwabić dziecko, by usiadło przy tobie i rozpocznij czytanie lub układanie puzzli (bardzo ważna jest delikatność). Albo włącz taśmę i zacznij tańczyć lub śpiewać. Jeśli malec nie wydaje się obrażony twoją reakcją na tak poważny napad jego złego humoru, możesz spróbować trochę się powygłupiać (stań na głowie, załóż buty na ręce, rób zabawne miny) lub poprzekomarzać („Rób cokolwiek, tylko się nie śmiej... No, nie śmiej się! O, chyba widzę uśmiech"). Możesz też zaprezentować piosenkę albo taniec z jakimś oryginalnym tekstem obrazującym daną sytuację. Spójrz na str. 124 i 148, znajdziesz tam porady, jak stosować humor w radzeniu sobie z dziećmi krnąbrnymi.

* Zniż się do poziomu dziecka. Siedzenie na podłodze może pomóc wyrównać prowadzące do frustracji różnice wielkości między twoim drobiażdżkiem a tobą.

* Zignoruj wybuch. Często tak jest, że najlepszym działaniem jest brak działania; dziecko pozostawione w złości samemu sobie może szybciej dojść do siebie. Takie podejście, określane czasami przez specjalistów mianem „wygaszenia", jest szczególnie skuteczne, kiedy wymagania dziecka całkowicie wyprowadzają cię z równowagi, a jeszcze bardziej wtedy, gdy masz przeczucie, iż dziecko doskonale o tym wie. Rób swoje, nucąc sobie, lub głośno śpiewaj, by zagłuszyć krzyki i dać jasno do zrozumienia, że nic cię ta awantura nie obchodzi. Gdy będziesz systematycznie ignorowała napady złości u swojego dziecka, mogą się przez jakiś czas nasilić (porównaj swoje notatki). W końcu jednak — gdy malec odkryje, że nie warto się tak męczyć, jeśli nikt nie patrzy — częstotliwość takich wybuchów powinna się zmniejszyć. Nie postępuj tak z dzieckiem bardzo wrażliwym, przechodzącym jakiś trudny okres, będącym w jakimś szczególnym stresie lub takim, które szczególnie rozdrażnia właśnie brak uwagi. Takie dziecko trzeba pocieszyć. Jeśli ignorujesz złość u malca uzewnętrzniającego ją w aktywny sposób, upewnij się, że małemu nic nie grozi, gdy ty nie zwracasz uwagi. Poruszaj się, gdyż małemu trudniej będzie w ciebie czymś trafić, jeśli będziesz ruchomym celem. Jeśli nie możesz zignorować całego zajścia, bo jesteś właśnie w sklepie, albo spieszysz się, bo musisz za chwilę wyjść po rodziców na dworzec — patrz str. 288.

* Wyjdź z domu. U niektórych dzieci, szczególnie starszych, wyjście na zewnątrz może sprawić, że „ostygną" i dojdą do siebie.

* Jeśli nie uda ci się stłumić wybuchu w zalążku — nie martw się; widocznie mały musi się wykrzyczeć. Gdy dziecko rozładuje już całe napięcie, histeria się skończy.

Bez względu na to, jak będziesz reagować na napady histerii u twojego dziecka, nigdy nie ulegaj żądaniom stawianym w czasie takiego ataku. Jeśli tak postąpisz, odgrywanie scen stanie się stałym sposobem twojego malucha na dopięcie swego. Jeśli już zamierzasz się na coś zgodzić, lepiej zrób to, zanim awantura nabierze rumieńców.

PO BURZY

Gdy jest już „po burzy", nie wracaj do tematu. Jeśli dziecku uda się szybko opanować, pochwal je: „Świetnie sobie sam poradziłeś z tą złością. Cieszę się, że już jesteś spokojny". Nie roztrząsaj epizodu i nie praw kazań; nie każ przepraszać lub przyznawać się do winy (chociaż ze starszym dzieckiem warto porozmawiać o tym, co doprowadziło je do takiej furii). Nie wymierzaj też kary (jak np. odebranie jakiejś zabawki czy odwołanie spaceru do parku). Malec przeszedł już wystarczająco dużo, a poza tym przecież nie zrobił nic złego. Jeśli to głód, zmęczenie czy frustracja były powodem histerii, usuń przyczynę (przekąską, drzemką lub pocieszeniem). Jeśli to prośba rodziców wznieciła „ogień" (poprosiłaś dziecko, by odłożyło klocki), możesz zasugerować, że waszym wspólnym zadaniem jest teraz przywrócenie spokoju. Jeśli była to odmowa wypełnienia jakiejś prośby, nie rezygnuj i poproś o to samo jeszcze raz, gdy emocje już opadły. Nie możesz bowiem wywołać u dziecka wrażenia, że histerie są niezawodnym środkiem prowadzącym do celu.

Przejdź w miarę szybko do odwracającego uwagę i miłego zajęcia — najlepiej takiego, które nie wywoła protestów (nie chcesz przecież ryzykować kolejnej awantury). Znajdź coś, za co mogłabyś pochwalić twego malca; jego ego poddane było próbie przez ostatnie zmagania i potrzebuje wsparcia. Wiele dzieci lubi, gdy bierze się je na ręce po takiej „burzy", gdyż upewnia się, że mama lub tata nadal je kocha.

Pamiętaj, że są histerie i histerie. Jeśli napady złego humoru zdarzają sę bardzo często (dwa lub więcej razy dziennie), trwają nieprzerwanie, choć dziecko skończyło czwarty rok życia, towaszyszy im uczucie wzmożonej złości, smutku, bezsilności, agresywności i porywczości albo jeszcze inne objawy (zaburzenia snu, niechęć do jedzenia, wyjątkowa wrażliwość na rozłąkę) albo jeśli absolutnie nie możesz sobie poradzić (szczególnie gdy reagujesz gwałtownie), porozmawiaj o tym z lekarzem dziecka. Być może sama potrzebujesz dodatkowego wsparcia — zawsze warto taką sytuację wyjaśnić.

CO TWOJE DZIECKO POWINNO WIEDZIEĆ

Każdy jest inny

Dzieci nie trzeba uczyć zauważać różnic. Podczas gdy siedzące w jednym pokoju niemowlęta nie przejawiają specjalnego zainteresowania różnicą między ciemnoskórym i białym, pulchnym i szczupłym, widzącym i niedowidzącym, siedzące w tym samym pokoju dwulatki zaczną już dostrzegać, że ludzie są różni.

Choć zdolność do postrzegania różnic przychodzi naturalnie — jako część normalnego intelektualnego rozwoju dziecka — strach, brak zaufania i dokuczanie innym z powodu tych różnic już nie. Dzieci bez większego problemu akceptują różnice. Nienawiści zaś są uczone.

Niestety, są dość pojętnymi uczniami. Dzieci od kołyski chowane w atmosferze uprzedzenia mogą przejawiać własne uprzedzenie już około drugiego roku życia. Stosunek do tych, którzy są inni, zaczyna się kształtować około piątego roku życia, a utwierdza się na dobre — często do końca życia — w wieku lat dziewięciu.

Żeby wychować dziecko pozbawione wszelkich uprzedzeń i w pełni tolerancyjne, trzeba zacząć już teraz. A oto kilka sugestii, które mogą wspomóc twoje wysiłki. Miej świadomość, że doświadczenia życiowe wymienione poniżej są oczywiste nawet dla dwulatka, ale wiele z nich osiągnie dla niego znaczenie dopiero około trzeciego roku życia:

* Rozwijaj u dziecka poczucie własnej wartości. Pozytywny stosunek do samego siebie ma wiele wspólnego z pozytywnym stosunkiem do innych. To ludzie niedowartościowani dyskredytują swoje otoczenie; próbują podwyższyć swoją wartość poprzez poniżanie innych. Pomóż dziecku wyrobić pozytywny stosunek do siebie samego, a pozytywne odbieranie otaczającego świata przyjdzie samo (patrz na str. 255 — jak rozwijać poczucie własnej wartości).

* Wskaż dziecku jego korzenie. By pozytywnie odbierać innych, trzeba najpierw czuć się dobrze i identyfikować z własnym dziedzictwem — rodzinnym, etnicznym, religijnym i/lub rasowym.

* Zaspokój potrzeby emocjonalne własnego dziecka. Dzieci, którym brakuje miłości, zainteresowania, troski, mogą zachowywać się wrogo w stosunku do innych, szczególnie w warunkach stresu lub zagrożenia. Atakowanie innych rekompensuje im uczucie bycia nie kochanym i nie chcianym. Zapewnij swojemu dziecku miłość, a ono będzie umiało kochać innych.

* Zaakceptuj swoje dziecko. Dziecko akceptowane bezwarunkowo — takie, jakie jest z zaletami, wadami i wszystkimi innymi atrybutami — będzie prawdopodobnie akceptowało innych takimi, jacy są.

* Pomóż malcowi zrozumieć. Dziecko, które potrafi zrozumieć innych, nie powinno wyrządzić drugiemu krzywdy, przynajmniej świadomie. Zrozumienie nie jest cechą, którą rozwiniemy w dziecku w jeden dzień, nawet jeśli maluch regularnie obserwuje współczucie i zrozumienie okazywane przez rodziców innym i jest do podobnych zachowań zachęcany. Sporadycznie tylko obserwuje się podobne

zachowanie u dzieci w wieku przedszkolnym, a i nieczęsto u dzieci starszych, w wieku dziewięciu, dziesięciu lat. Nigdy jednak nie jest za późno na tego rodzaju edukację (patrz str. 60).

* Wskazuj dziecku różnice. Dzieci, które od najwcześniejszego dzieciństwa obserwują różnego rodzaju ludzi z różnych środowisk jako normalne zjawisko, z większym prawdopodobieństwem wyrosną w poczuciu bezpieczeństwa, a nie podejrzliwości lub zagrożenia. Wybierając żłobek czy przedszkole, szukaj takiego, w którym znajdą się dzieci z różnych środowisk społecznych, a nawet dzieci opóźnione w rozwoju fizycznym czy umysłowym. Organizuj swojemu maluchowi zabawę z dziećmi, które są akceptowane społecznie, ale są „inne". Staraj się odwiedzać place zabaw, gdzie zbierają się różne grupy dzieci. Jeśli wszyscy twoi przyjaciele są typowi, staraj się poszerzać swoje horyzonty. Zapraszaj do domu nowo poznanych ludzi (czy to w przedszkolu, czy przez grupę religijną, czy też w pracy), którzy mają inne pochodzenie etniczne, religijne, rasowe albo są fizycznie upośledzeni. Jeśli masz staruszka w sąsiedztwie lub w rodzinie, rozważ, czy nie warto go do siebie zaprosić albo odwiedzać z dzieckiem od czasu do czasu. Nie tylko rozpogodzi to sędziwego sąsiada, ale pomoże maluchowi wyrobić w sobie zdrowy stosunek do ludzi starszych. Twoje wysiłki, by wprowadzić nieco urozmaicenia do waszego życia, mogą z początku wydawać się przesadzone. Jednak te pierwsze wysiłki stanowią ważny krok w traktowaniu różnorodności jako naturalnej części życia.

* Rozmawiajcie o różnicach. Zetknięcie się z różnymi ludźmi to wiele, ale nie wszystko. W miarę dorastania malucha dobrze będzie porozmawiać o różnicach, które dziecko dostrzega. Zawsze, gdy pojawi się ta kwestia, wyjaśnij, że każdy jest inny, że nie ma dwóch całkowicie identycznych osób. Jedni są niscy — inni wysocy, jedni mają oczy niebieskie — inni brązowe, jedni mają kręcone włosy — inni proste, jedni są młodzi — drudzy starzy, jedni chodzą na nogach — drudzy poruszają się na wózkach inwalidzkich. Zwróć uwagę małemu, że on też wygląda „inaczej" niż inni ludzie. Wyjaśnij także, że w istotnych sprawach ludzie się nie różnią: wszyscy jedzą, piją, kochają, pracują, bawią się, śmieją, płaczą.

* Niech żyje odmienność. Tak jak ważne jest nauczenie dziecka, że różnica powierzchowności nie ma znaczenia, tak samo ważne jest, by nauczyć dziecko doceniać odmienność. Wyjaśnij, że świat jest piękny nie tylko dlatego, że występują w nim najprzeróżniejsze rodzaje kwiatów i drzew, ale również dlatego, iż zamieszkują go różnego rodzaju ludzie. Pokaż dziecku to piękno. Idź z malcem np. na wystawę sztuki Inków do muzeum, pokaz tańców hiszpańskich, na festyn ludowy, nabożeństwo wyznawców innej religii czy koncert z okazji Bożego Narodzenia. Niech i wasz dom będzie pełen tej różnorodności. Wypożycz kasety z muzyką z całego świata oraz książki ukazujące życie i zwyczaje różnych kultur i grup etnicznych. Zwróć uwagę, by książki kupowane dziecku odzwierciedlały różnorodność świata, w którym żyjemy. Kupuj różne lalki. Dobieraj takie programy telewizyjne, które pokazują dzieci z innych stron niż wasze; oglądajcie razem obrazy o życiu innych kultur. Obchodź własne uroczystości, zapraszając — oczywiście w miarę możliwości — przyjaciół dziecka i ich rodziców na wspólną degustację tradycyjnych potraw i praktykowanie zwyczajów.

* Pokazuj dziecku także podobieństwa. Zwracaj uwagę, że tak jak ludzie w wielu aspektach się od siebie różnią, tak i są do siebie w wielu dziedzinach podobni. Choć najlepszy kolega synka chodzi do synagogi, a nie do kościoła, obaj przecież się modlą; choć maleńki chłopczyk ze żłobka nie słyszy, to przecież tak samo lubi rysować i stawiać wysokie domki z klocków; że ta wysoka, postawna pani w restauracji ma takie same włosy jak babcia; że ten pan w wózku inwalidzkim ma brodę — zupełnie jak dziadek. I wreszcie — nawet jeśli twoja córeczka różni się od dziewczynki z sąsiedztwa (ma innego koloru oczy, inne włosy, inne zwyczaje) — istnieje przecież cała gama podobieństw (są w tym samym wieku, tego samego wzrostu, lubią razem bawić się na huśtawce czy wspólnie zajadać pizzę).

* Odpowiadaj na pytania. Nie pozwól, by zakłopotanie powstrzymało cię od udzielenia odpowiedzi na pytania dziecka dotyczące dostrzeżonych przez nie różnic („Dlaczego Ania jest brązowa?" albo: „Dlaczego mama Dominiki tak śmiesznie mówi?" czy: „Dlaczego tatuś Stasia podpiera się kijkiem?"). Zamiast zmieniać temat (co mogłoby wzbudzić u dziecka podejrzenia, że coś jest nie tak), udziel prostej i wyczerpującej odpowiedzi („Ania ma ciemny kolor skóry, tak jak jej mamusia, tatuś i mała siostrzyczka" albo: „Mama Dominiki pochodzi z Francji, gdzie mówi się po francusku, a u nas właśnie uczy się mówić po polsku"

czy: „Tatuś Stasia podpiera się kijkiem, gdyż ma słabą nogę. Taki kijek nazywa się laska i pomaga mu lepiej się poruszać"). Jeśli brakuje ci w danej chwili odpowiedzi i potrzebujesz nieco czasu na jej udzielenie, poinformuj o tym dziecko. Wybierz następnie odpowiednią książkę z biblioteki i razem z malcem poszukaj odpowiedzi na nurtujące pytanie.

* Unikaj stereotypów. Jeśli będziesz generalizować w sprawie różnic rasowych czy etnicznych, to nawet jeśli ogólniki takie nie są negatywne („Murzyni są dobrzy w koszykówce", „Azjaci są dobrymi studentami"), ryzykujesz przekazanie dziecku, iż ludzi można dzielić według tego, czym są jako grupa, zamiast kim są jako jednostki, bez względu na przynależność do jakiejś społeczności. Unikaj określeń zbiorowych typu „ci ludzie", rozmawiając o „tego rodzaju dzieciach" czy określając spotykanych przez was ludzi w zależności od ich etnicznego pochodzenia, rasy, wyznania albo sprawności fizycznej. Jeśli ktoś w rodzinie notorycznie posługuje się takimi stereotypami w rozmowach o innej rasie lub religii, zasugeruj mu zachowanie takich uogólnień dla siebie, gdy słucha was dziecko.

* Krytykuj bigoterię, jeśli się z nią spotykasz. Jeśli ty lub dziecko jesteście świadkami oszczerstw na tle rasowym lub religijnym, zareaguj spokojnie: „Niektórzy ludzie tak mówią, ale to bardzo nieładnie, gdyż można w ten sposób zranić ludzkie uczucia". Jeśli zdarzy się, że dziecko powtarza ten podsłyszany negatywny komentarz, nie denerwuj się, ale i nie puszczaj tego mimo uszu. Wyjaśnij jeszcze raz, że tego rodzaju słowa są nieładne i mogą sprawiać ludziom przykrość.

* Zrewiduj własne stanowisko. Nie wystarczy uczyć tolerancji, trzeba samemu być tolerancyjnym. Zanim ukształtujesz zdrowy, bezstronny stosunek do czegoś u swojego dziecka, musisz być pewna, że takie stanowisko sama reprezentujesz. Kiedy złe słowa pod adresem innych ras i grup etnicznych padają w domu (a jeśli tak jest, dzieci je słyszą, choć rodzicom może wydawać się, że nie słuchają) lub dziecko widzi, że ludzie „odmienni" nie są w ich domu traktowani z szacunkiem, żadne „pranie mózgu" nie wypleni uprzedzeń nabytych tą drogą. Przeanalizuj własne odczucia (nikt nie jest tak całkowicie bezstronny) i zachowanie i dokonaj zmian, jeśli da się coś w tej kwestii poprawić.

13

Od dwudziestego piątego do dwudziestego siódmego miesiąca

Co twoje dziecko potrafi robić

Przed końcem dwudziestego siódmego miesiąca twoje dziecko powinno umieć:

* używać 50 i więcej pojedynczych słów;
* składać słowa (około 25 miesiąca życia);
* wykonywać dwuczęściowe polecenia słowne (około 25 miesiąca).

Uwaga: Jeśli twoje dziecko nie opanowało jeszcze tych podstawowych umiejętności, skontaktuj się z lekarzem. Takie tempo rozwoju może być zupełnie normalne dla twojego dziecka, ale musi ono zostać fachowo ocenione. Zasięgnij porady lekarza, jeśli dziecko jest nadpobudliwe, wyjątkowo wymagające, uparte i do wszystkiego negatywnie nastawione, ogólnie opóźnione w rozwoju, pasywne i niekomunikatywne, smutne i trudne do rozbawienia; jeśli ma trudności w nawiązywaniu kontaktów i bawieniu się z innymi. W tym wieku dzieci urodzone jako wcześniaki doganiają w rozwoju swoich rówieśników urodzonych o czasie.

Przed końcem dwudziestego siódmego miesiąca twoje dziecko prawdopodobnie będzie umiało:

* umyć i wytrzeć ręce;
* podskakiwać;
* włożyć część garderoby;
* umyć zęby (z pomocą).

Pod koniec dwudziestego siódmego miesiąca twoje dziecko być może będzie umiało:

* zbudować wieżę z 8 klocków;
* używać przyimków;
* przeprowadzić 2-3 zdaniową konwersację.

Przed końcem dwudziestego siódmego miesiąca twoje dziecko może nawet umieć:

* stać na każdej nodze przez jedną sekundę;
* włożyć podkoszulek;
* rozpoznać kolegę, nazywając go po imieniu.

Co może cię niepokoić

Rozlewanie napojów

Przypadkowe rozlewanie napojów przez mojego synka nie było aż tak uciążliwe, ale ostatnie całkowicie zamierzone próby tego rodzaju są wręcz nieznośne; mały wylewa picie wszędzie — na podłogę, na stół, na siebie. Nie wiem, czy mam się śmiać, czy płakać.

Nie rób ani jednego, ani drugiego. I płacz, i śmiech są na nic — to już musztarda po obiedzie. No, chyba że zależy ci na tym, by malec kontynuował swoje zajęcia, bo podoba mu się twoja na nie reakcja. Przełknij więc tę gorzką pigułkę lub też powstrzymaj chichot i zachowaj spokój.

Jak słusznie zauważyłaś, istnieją dwa typy

zachowań, jeśli chodzi o rozlewanie picia przez dzieci: przypadkowe i rozmyślne. Rozlewanie przypadkowe związane jest z poziomem rozwoju dziecka. Stabilne utrzymanie kubeczka może wydawać się zadaniem prostym komuś, kto robi to od trzydziestu lat. Jest jednak zadaniem niezwykle skomplikowanym dla nowicjusza, którego koncentracja i umiejętności ruchowe nadal wymagają udoskonalenia. Generalnie trzeba wielu, wielu prób (i tyluż błędów), zanim maluch zacznie sobie z tym radzić.

Rozmyślne rozlewanie płynów wynika bardziej z ciekawości („Co się stanie, gdy odwrócę kubeczek do góry nogami? O, jak mleko fajnie kapie dookoła. Wspaniale!") niż z niezdarności. Dorosłym wydaje się, że jak już raz dziecko sprawdziło efekt takiego eksperymentu, nie powinno go powtarzać. Dzieci są jednak nieubłaganie entuzjastyczne w takich sprawach i notorycznie powtarzają swoje próby. Możesz się więc przygotować, że jeszcze przez wiele miesięcy będziesz wycierała kałuże (przynajmniej od czasu do czasu).

By skończyło się przypadkowe rozlewanie płynów, trzeba praktyki i wysiłków ze strony dziecka; rozlewanie „dla zabawy" natomiast wymaga chęci do współpracy z rodzicami. Z twojej strony trzeba będzie cierpliwości, poczucia humoru, sporej liczby ścierek i stosowania się do naszych wskazówek.

* Zapobiegaj wypadkom, które wcale nie muszą się zdarzyć. Niektórych „rozlań" można uniknąć, dobierając odpowiednie kubki. Dawaj dziecku kubeczki, które mają cięższe dno i są wystarczająco małe, by rączki dziecka mogły je z łatwością uchwycić. Jeśli malec się zgodzi, daj mu kubeczek z dzióbkiem i wieczkiem. Nalej mają ilość płynu — tyle, ile trzeba, by dziecko ugasiło pragnienie — i w miarę potrzeb dolewaj. (Jeśli mały za każdym razem żąda pełnego kubeczka, dawaj maleńki kubek, by ewentualnie rozlany płyn nie spowodował aż takiej szkody.) Staraj się również odsuwać kubeczek od łokci dziecka, gdy nie pije, lecz zjada posiłek. Miej na względzie inne „strefy zagrożenia" (krawędź miejsca, na którym siedzi, brzeg stołu itp.). Nie pozwalaj pić w miejscach, gdzie rozlany napój wyrządziłby dużą szkodę — dywany, pokryte tapicerką meble. Ograniczenie spożywania posiłków do kuchni, jadalni czy salonu nie spowoduje, że „wypadki" przestaną się zdarzać, ale wyeliminuje ich najbardziej przykre konsekwencje.

* Nowy rodzaj kubeczków, z których nic się nie wylewa, rozwiązuje problem całkowicie (nawet odwrócone do góry dnem nie przeciekają), ale nie sprzyjają nauce trzymania w rączce tradycyjnego kubka lub szklanki. Używaj ich więc głównie tam, gdzie jest to konieczne (w samochodzie, u kogoś, kiedy nakryjesz stół najlepszym obrusem) lub wtedy, gdy czujesz, że już nie zniesiesz kolejnej w tym dniu kałuży.

* Nie wiń dziecka za zachowanie typowe dla jego wieku. Przypadki rozlewania napojów powinny być traktowane właśnie jako „przypadki" — nawet jeśli zdarzają się kilkakrotnie w trakcie jednego posiłku. Jedzenie i picie może być dla dziecka wyzwaniem, gdy robicie to w dwójkę, a poczucie własnej wartości u malca może znacznie ucierpieć — bez względu na stopień niezdarności — jeśli dziecko jest ciągle besztane. Kiedy język cię świerzbi, by zganić dziecko za kolejny „wypadek", przypomnij sobie, jak to tobie czy któremuś z gości zdarzyło się rozlać jakiś napój.

* Zamiast potępiać dziecko, daj mu szmatkę. Zaangażowanie malca w sprzątanie bałaganu, którego przez swoje rozmyślne rozlanie narobił, daje dużo lepsze efekty aniżeli krzyczenie na malucha czy pomruki dezaprobaty; może też zniechęcić dziecko do przeprowadzenia takich eksperymentów w przyszłości. Inna jeszcze korzyść: konieczność poniesienia konsekwencji za swoje czyny pomoże dziecku rozwinąć poczucie odpowiedzialności. (Jeśli oczywiście mały zdecyduje, że wycieranie tego, co rozlał, sprawia mu dużą przyjemność, trzeba zmienić taktykę. Pozwól mu się wtedy bawić w rozlewanie i wycieranie przy jego stoliku albo w wannie; jeśli rozleje płyn tam, gdzie nie powinien, sama usuń szkodę.)

* Nalej soku jeszcze raz i delikatnie zwróć uwagę. Nie odmawiaj dziecku ponownego picia, jeśli poprzednie celowo wylało. Daj mu to, o co poprosi, i podziałaj na ambicję („Zobaczymy, czy tym razem będziesz bardziej uważny"), zamiast stawiać warunki („Jeśli jeszcze raz wylejesz...").

* Gdy malec celowo wyleje napój — przyjmij konkretne stanowisko. Daj mu jasno do zrozumienia — bez specjalnego szumu (który byłby tylko wodą na młyn) — że nie akceptujesz takiego zachowania. Jeśli nadal będzie z premedytacją rozlewał, powiedz, że sama potrzymasz kubek, gdy zechce mu się pić. Jeśli wyleje picie, jak tylko weźmie kubek w swoje ręce, odbierz mu go bez żadnych dodatkowych uwag. Pamiętaj jednak, by dostarczyć dziecku wielu okazji do napełniania naczynia i przelewania płynu z jednego naczynia w drugie w wannie czy w innym wyznaczonym do tego celu miejscu.

* Jeśli już krzyczysz, wyjaśnij dlaczego. Widok mleka rozbryzganego na świeżo umytej podłodze albo soku z wiśni wsiąkającego w najlepszy świąteczny obrus może najbardziej opanowanych rodziców doprowadzić do szału. Zamiast robić sobie wyrzuty za wybuch złości, wyjaśnij dziecku, dlaczego do tego doszło („To zupełnie nowy obrus; widok tych paskudnych plam bardzo mnie zdenerwował"), i oczywiście przeproś („Przepraszam, że na ciebie krzyczałam. Wiem, że nie chciałeś tego wylać").

SPOŻYCIE TŁUSZCZU I CHOLESTEROLU

Czy teraz, gdy moje dziecko skończyło już dwa latka, nie powinnam zacząć ograniczać mu spożycia tłuszczów, by nie miało problemów z nadwagą i nadmiarem cholesterolu w przyszłości?

No niestety! Czasy pełnotłustego mleka oraz tłustego sera i jogurtu już minęły — albo przynajmniej nadszedł ich kres. Rozwój płytek blokujących arterie zaczyna się w dzieciństwie i zarówno Amerykańska Akademia Pediatrii, jak i Narodowy Program Edukacji o Cholesterolu (National Cholesterol Education Program — NCEP) sugerują dietę o niskiej zawartości tłuszczu i cholesterolu dla dzieci, które ukończyły drugi rok życia.

Najnowsze zalecenia są dość proste i „Dieta najlepszej szansy dla dwulatka" (patrz str. 431) pomoże ci z pewnością włączyć je w planowanie codziennego jadłospisu dla rodziny. Zasady zdrowego żywienia sugerują, że dzieci wraz z ukończeniem drugiego roku życia powinny:

* Mieć urozmaiconą dietę (albo przynajmniej tak zróżnicowaną, jak pozwalają na to ekscentryczne upodobania smakowe) z wystarczającą do normalnego wzrostu liczbą kalorii.

* Dostawać mniej niż 30% całkowitej liczby kalorii w postaci tłuszczu. Nie więcej niż 1/3 powinna pochodzić z tłuszczów nasyconych (zawartych w produktach mlecznych, mięsie, jajach, orzechach kokosowych), reszta z tłuszczów wielonienasyconych (ziarno słonecznika, soja), a szczególnie z tłuszczów jednonienasyconych (oliwa z oliwek), które uważa się za najzdrowsze dla serca.

* Otrzymywać mniej niż 300 miligramów dietetycznego cholesterolu dziennie. Cholesterol znajduje się tylko w produktach pochodzenia zwierzęcego, jak jaja, mięso, drób, pełnotłuste mleko, ser i inne przetwory mleczne.

Żeby zrekompensować niską podaż tłuszczu, należy wzbogacić dietę dziecka w składniki uzupełniające, bogate w błonnik, pełne ziarno, rośliny strączkowe, owoce, warzywa oraz niskotłuszczowe produkty mleczne, mięso, drób i ryby. By zapobiegać wczesnemu gromadzeniu się płytek w arteriach, dziecko powinno być zachęcane do aktywności fizycznej i jak najmniej czasu spędzać przed telewizorem. Dzieci, które często oglądają telewizję, mają skłonność do wysokiego poziomu cholesterolu — nie tylko dlatego, że w trakcie oglądania programu skubią wysokotłuszczowe produkty, ale dlatego, że siedzą przed ekranem, zamiast obniżać poziom cholesterolu poprzez ruch i ćwiczenia fizyczne.

Pamiętaj jednak — modyfikując dietę swojego dziecka — że nie można i nie powinno się przekraczać pewnej granicy. Bardzo surowa dieta powoduje wiele problemów. Po pierwsze, tłuszcz potrzebny jest dzieciom do rozwoju — i fizycznego, i intelektualnego; dieta zbyt uboga w tłuszcz może źle wpłynąć na masę ciała, wzrost i zdolności uczenia się. Po drugie, pokarmy pozbawione tłuszczu mogą być niesmaczne i trudne do żucia (ważna sprawa dla tych, którzy jeszcze nie do końca opanowali umiejętność gryzienia). Po trzecie, posiłki beztłuszczowe są szybko trawione, pozostawiając uczucie ciągłego głodu i obniżając energię między posiłkami. Po czwarte, przy intensywnym pozbawianiu tłuszczu pewnych produktów, które naturalnie są bogate w tłuszcz — np. produkty mleczne — istnieje ryzyko ograniczenia w nich i innych składników odżywczych. I w końcu, jak to zawsze bywa przy przesadnie ograniczonej diecie, reżim beztłuszczowy może doprowadzić do buntu przy posiłkach i niezdrowego stosunku do jedzenia — szczególnie gdy dziecko zaczyna dostrzegać, że inne dzieci jedzą to, czego jemu nie wolno.

Lista produktów o wysokiej zawartości tłuszczów odpowiednich dla maluchów znajduje się na stronie 437.

Czy powinniśmy zbadać naszemu dziecku poziom cholesterolu?

Nie, jeśli nie ma ku temu wyraźnej przyczyny, a zamartwianie się o przyszłą skłonność dziecka do chorób sercowych taką przyczyną nie jest. Obecnie zaleca się badanie poziomu cholesterolu tylko w wypadku pojawienia się w danej rodzinie choroby serca przed pięćdziesiątym piątym rokiem życia albo jeśli u jednego z rodziców dziecka stwierdzono podwyższony poziom cholesterolu — 240 mg/dl lub więcej (obecnie za górną granicę normy przyjmuje się 200 mg/dl — przyp. red. nauk.).

Poziom cholesterolu u dzieci

W poniższej tabeli podajemy ogólne zalecenia NCEP dotyczące oceny poziomu cholesterolu u dzieci:

POZIOM	CAŁKOWITY CHOLESTEROL	LIPOPROTEINY O MAŁEJ GĘSTOŚCI (LDL*)**
Dopuszczalny	mniej niż 170 mg/dl	mniej niż 110 mg/dl
Graniczny	170-199 mg/dl	110-129 mg/dl
Wysoki	200 mg/dl i więcej	130 i więcej mg/dl

* LDL uważa się za „złe" lub szkodliwe substancje we krwi.

** LDL — ang. LDLs (= LOW-Density Lipoproteins).

Jeśli w rodzinie zanotowano taki przypadek lub jeśli wywiad rodzinny jest pod tym względem nieznany, można porozmawiać z lekarzem dziecka o przeprowadzeniu badania. Dzieci o podwyższonym poziomie cholesterolu (patrz tabela powyżej) powinny — jak i wszystkie inne dzieci w wieku powyżej dwóch lat — być na diecie niskotłuszczowej i niskocholesterolowej. Jeśli trzymiesięczna dieta tego rodzaju nie obniży poziomu cholesterolu, zaleca się tzw. dietę „drugiego stopnia". Zmniejsza ona spożycie tłuszczów nasyconych do mniej niż 7% całkowitej liczby kalorii (mniej niż 1/4 wszystkich kalorii pochodzących z tłuszczów) i ogranicza tym samym cholesterol do mniej niż 200 mg dziennie (mniej niż w jednym żółtku jajka).

WITAMINY DO ŻUCIA

Zawsze był kłopot z zaaplikowaniem naszemu synowi witamin w kroplach. Ostatnio jednak stał się w tym względzie szczególnie uparty. Lekarz zaleca podawanie witamin. Co mamy zrobić?

Małe dzieci nie zawsze wiedzą, co jest dla nich najlepsze, i najczęściej niewiele je to obchodzi. W wieku dwóch lat czują się niepokonane, nie rozumieją, że aktualne działania mają wpływ na ich przyszłość, i są niewzruszone rodzicielskim błaganiem: „Weź witaminki, żebyś był zdrowy i nie chorował". Tak jak i wasze dziecko, większość ekspertów zaleca ostrożność w aplikowaniu i przyjmowaniu lekarstw[1]. Nie znaczy to, że czas już zrezygnować z witamin, ale być może czas zrezygnować z zakraplacza. Mocne zęby oraz ciągła ochota na słodycze są dobrymi sprzymierzeńcami witamin do żucia, a zdecydowana większość maluchów ma i jedno, i drugie. Dwulatki nie tylko chętnie przyjmują nęcące kształty, kolory, owocowe smaki i zapachy łakoci do żucia, ale i sposób ich dozowania raczej nie powoduje sprzeciwu. Zamiast wiecznie uciekać przed goniącą go z zakraplaczem mamą, dziecko samo może zaaplikować sobie swoją witaminę.

Przy doborze „witamin do żucia" dobrze jest najpierw poradzić się lekarza. Jeśli sami dokonujecie wyboru, dokładnie czytajcie ulotki. Niektóre z tych smakołyków zawierają więcej składników odżywczych niż potrzeba waszemu dziecku. Szukajcie więc formuły dającej nie więcej niż 100% dawki dziennej każdego składnika dla dwulatka (dawka dzienna dla czterolatka lub dziecka starszego jest inna).

Chociaż większość maluchów uwielbia „witaminową gumę" i nie może się doczekać swojej dziennej porcji, istnieją i takie jednostki, które nie przepadają za jej smakiem czy zapachem. Można wtedy spróbować podsuwać dziecku różne gatunki, aż trafi się na ten, który dziecko zaakceptuje (chociaż takie eksperymentowanie może okazać się kosztowne). Jeśli tak się nie zdarzy, trzeba będzie uciec się do sztuczek: pokruszcie gumę i zmieszajcie z kompotem z jabłek albo też zmiksujcie w jakimś koktajlu owocowym; „ukryjcie" płynną witaminę w soku owocowym[2] (najlepiej by było, żeby smak soku i „suplementu" był taki sam — na przykład oba pomarańczowe albo oba wiśniowe), wieloowocowym soku lub napoju gazowanym na naturalnym koncentracie owocowym (bąbelki mogą okazać się świetnym sposobem na ukrycie „suplementu"). Podzielenie porcji witamin (w postaci płynnej lub stałej) na dwie dawki i podanie

[1] Uwagi na temat podawania dodatkowych witamin zamieszczamy na str. 438.

[2] Uwaga! Zbyt duże dawki witamin mogą być niebezpieczne.

jednej z nich rano, a drugiej później, w ciągu dnia, również może ułatwić całą operację.

Kiedy już nie ma wyjścia, można rzeczywiście podać dziecku witaminy na siłę. Jeśli dojdziecie do wniosku, że trwonicie pieniądze, wysiłek, czas i dobrą wolę dziecka, usiłując przemycić witaminy w jakimś napoju, zrezygnujcie na miesiąc, a potem spróbujcie ponownie. Może w tym czasie dziecko nieco dojrzeje, stanie się bardziej chętne do współpracy i minie mu wstręt do smaku witamin.

Niestety, te szczególne cechy pewnych suplementów witaminowych, które powodują, że są one miłe dla dziecięcego podniebienia, potrafią także być dla niego groźne. W przeciwieństwie do gorzkiej pigułki, słodkie witaminy mogą skusić malucha do ich przedawkowania. Chrońcie zatem swoje dziecko, trzymając witaminy poza zasięgiem jego ręki, i nigdy nie traktujcie ich jak cukierki. (Zasady te powinny być również przestrzegane przy innych medykamentach — czy to tych w wolnej sprzedaży, czy też na receptę — często łaskoczą podniebienie smakiem i kolorem.)

KOŚCIELNY WIERCIPIĘTA

Kiedy zabieramy naszego malca na mszę, nie potrafi cicho i spokojnie usiedzieć — bez względu na to, ile razy zwracamy mu uwagę. Nie chcemy po prostu przestać go tam zabierać, ale nie możemy też pozwolić, by przeszkadzał wszystkim wokół.

No cóż, prosicie dziecko o dwie rzeczy, których ono jeszcze nie potrafi: spokojnie siedzieć oraz nic nie mówić. Większość dzieci nie umie sobie z tym poradzić, oglądając film Disneya, a co dopiero w kościele.

Tymczasem trzeba się po prostu pogodzić z ograniczonymi nieco możliwościami malucha, które świadczą może nie tyle o jego wychowaniu, ile o wieku. Gdy dojrzeje, będzie umiał kontrolować swoje zachowanie — choć niekoniecznie musi przeistoczyć się w mysz kościelną; na to trzeba będzie poczekać jeszcze wiele lat. Tymczasem wcale nie trzeba rezygnować z uczestnictwa w obrzędach religijnych lub zostawiać malca w domu. Trzeba po prostu wyrabiać w sobie cierpliwość, której i jego uczycie. Spróbujcie także zastosować nasze wskazówki:

Zajmij dobre miejsce. Z możliwością błyskawicznego wyjścia. Najlepiej w nawie bocznej, z dala od innych wiernych (w tylnym lub wolnym rzędzie) i jak najbliżej wyjścia. Zminimalizuje to nie tylko potencjalne zamieszanie wywołane przez malucha (i ciebie wychodzącą i ponownie się wślizgującą z dzieckiem), ale i ograniczy jego aktywność.

Rozbierz dziecko. Dyskomfort z powodu wykrochmalonych kołnierzyków, sztywnych spodni i duszących muszek czy cisnących butów często właśnie jest powodem dziecięcego kapryszenia. Choć malec nie będzie może wyglądał jak z obrazka, włóż mu lepiej codzienny ubiór zamiast niedzielnego najlepszego stroju. Oczywiście niektóre dzieci lubią niedzielny splendor, jeśli twoje dziecko do takich należy — nie sprzeciwiaj się.

Weź ze sobą coś oprócz książeczki do nabożeństwa. Kilka dziecięcych książeczek lub spokojnych zabawek powinno przez jakiś czas zająć malucha. Może więc kazać mu popilnować lalki i misia, by siedziały cicho? Nie zapomnij też zabrać ze sobą coś do picia i jedzenia dla dziecka, co mogłabyś mu podać, jeśli będzie się dopominać. Głód i pragnienie mogą całkowicie popsuć humor dziecku i spowodować okropne zachowanie.

Poćwicz w domu. Raz na jakiś czas pobaw się z dzieckiem w kościół (lub synagogę albo meczet) w domu. Niech maluch poustawia pluszowe zabawki jako „wiernych" i zaaranżuj lekką, luźną zabawę, ćwicząc jednocześnie „cichy głos" (małe dzieci lubią uczyć się szeptu, choć nie zawsze w odpowiednim momencie z tych lekcji korzystają) i grzeczne siedzenie w czasie nabożeństwa.

Rozważ różne możliwości. Jeśli w twoim kościele odbywa się specjalna msza dla dzieci, skorzystaj z niej, jeśli możesz. Jeśli nie ma, spróbuj ją zorganizować w porozumieniu z innymi rodzicami małych dzieci; wówczas rodzice na zmianę mogliby zajmować się dziećmi i uczestniczyć we mszy. Można też w końcu wymieniać się opieką nad dzieckiem ze swoim partnerem lub inną osobą dorosłą.

Nie oczekuj zbyt wiele. Nie groź dziecku i nie besztaj za to, że zachowuje się tak jak dzieci w jego wieku. Jeśli już naprawdę za głośno mówi, delikatnie zwróć mu uwagę, by ściszyło głos. Jeśli nie spełnia twojej prośby, nie strofuj go, a raczej wyjdź z nim na zewnątrz. Musisz zdawać sobie sprawę, że kościół to miejsce, w którym okazuje się respekt właśnie przez spokojne zachowanie.

Pomyśl o tym zawczasu. Jeśli przywiązujesz dużą wagę do religii, staraj się, by kościelne doświadczenia twojego dziecka były przyjemne, by malec nie dorastał negatywnie nastawiony do religii.

ZŁE DNI

Są takie dni, kiedy moja córka od rana do wieczora szuka dziury w całym.

Każdy ma swoje złe dni, a nawet złe tygodnie. Większość dorosłych zachowuje tę „melancholię" dla siebie. Dwulatki zaś wręcz ostentacyjnie obnoszą się ze swoimi emocjami, i wszyscy muszą w tych scenach uczestniczyć. Gdy są zadowolone, zarażają uśmiechem i radością. Gdy są dumne, paradują jak indyki stroszące upierzenie. Gdy natomiast się złoszczą — no cóż, trzeba się strzec.

Nie pogłębiaj złego nastroju malucha swoim negatywnym podejściem (choć może to się wydawać pójściem po linii najmniejszego oporu), a raczej pomóż mu z niego wyjść, stosując poniższe zalecenia:

* Staraj się emanować dobrym humorem. Chandra nie wytrzyma konfrontacji z pogodnym nastrojem. Na grymasy i ponure spojrzenia odpowiadaj uśmiechem, na pomruki — chichotem, na kwaśną minę — wygłupami (ale rób to w taki sposób, by dziecko nie myślało, że się z niego naśmiewasz).
* Jeśli zaczepia — nie daj się sprowokować. Niezadowolone dziecko będzie szukało zaczepki — powodem może być oczywiście wszystko i nic. Nie daj mu tej satysfakcji, że wciągnęło cię w swoją grę. Na prowokację odpowiadaj obojętnością.
* Przypomnij mu coś, co bardzo lubi. Może to być talerz pełen ulubionych ułożonych w „uśmiech" naleśników i „malowanie" ich palcem albo też wspólne pieczenie ciasteczek, a potem kąpiel w puszystej pianie. Podsunięcie dziecku kilku ulubionych przez nie rzeczy, gdy jest w złym nastroju, może znacznie poprawić mu humor. Jeśli nie na długo — nie trać nadziei i zaplanuj jeszcze parę innych ulubionych rzeczy na później.
* Zastanów się nad swoim nastrojem. Zły humor jest zaraźliwy. Dziecko bez wątpienia uległo takiemu „zarażeniu". Pomyśl, jak najlepiej wyjść ze swojego dołka.
* Poświęć maluchowi trochę czasu i uwagi. Czasami marudzenie jest rzeczywiście wołaniem o czułość i miłość, której dostarczyć mogą tylko nie zaabsorbowani żadnym innym zajęciem rodzice.
* Odłóż na później to, czego dziecko nie lubi. Jeśli to możliwe, nie męcz malca niczym, czego nie lubi. Pod żadnym pozorem nie powinnaś w takim dniu wybierać się z dzieckiem po zakup obuwia czy np. zabierać go ze sobą, gdy chcesz się powłóczyć po sklepach.
* A może drzemka? Brak snu jest często powodem złego nastroju u dziecka. Zapewnienie maluchowi odpowiedniej ilości snu w nocy i solidnego odpoczynku za dnia może zapobiec nieznośnemu zachowaniu.

Dzieci, które przez większość czasu pozostają przygnębione, potrzebują szczególnego zrozumienia i być może specjalistycznej konsultacji. Jeśli wydaje ci się, że markotność malca związana jest z chorobą, zasięgnij porady lekarza (patrz str. 485).

ZBYT DUŻO WRAŻEŃ

Nasz syn szaleje, gdy jakieś otoczenie lub sytuacja go podnieca. Jak go uspokoić?

Dwulatki, takie jeszcze małe i nie obeznane z otaczającym je światem, często nie mogą oprzeć się dźwiękom, widokom, zapachom i odczuciom, które na starsze dzieci już tak nie działają albo działają selektywnie. W sytuacji, gdzie wszystkie te elementy przyciągają uwagę jednocześnie (plac zabaw, przyjęcie, dom towarowy, muzeum), bombardując maluchy taką liczbą bodźców, której nie są w stanie przyjąć, i przeciążając dziecięce zmysły, maluchy dostają szału — szczególnie gdy są bardzo wrażliwe na bodźce.

Byłoby idealnie, gdyby rodzice potrafili to przewidzieć i zapobiegać nadmiarowi wrażeń. Należy dopilnować, by dziecko się wyspało i dobrze najadło przed jakimś potencjalnie emocjonującym wydarzeniem. No i nie serwować mu wyczerpujących energię atrakcji jedna po drugiej (na przykład plac zabaw, a zaraz potem dziecięce przyjęcie).

Jeśli widzisz, że twoja pociecha łatwo ulega nadmiernym emocjom, nie próbuj sprowadzać jej na ziemię słowami. Bodziec, który zawiódł je aż tak wysoko, nie ulegnie stonowaniu tylko dlatego, że rodzice o to proszą. Zamiast więc strzępić język:

* Zabierz dziecko z rozentuzjazmowanego otoczenia. Przez jakiś czas izoluj dziecko od

sytuacji, która doprowadziła do aż tak gorących emocji.

* Gdy już minie podniecenie, zastosuj techniki relaksujące. Różne techniki działają na różne dzieci o różnych porach. Wypróbuj niektóre (lub wszystkie), by uspokoić twojego malucha: naprawdę mocny uścisk, delikatny uścisk, drapanie w plecy lub szyję, położenie główki dziecka na swoich kolanach i mierzwienie mu włosków, śpiewanie spokojnej piosenki (szczególnie takiej z powtarzającymi się słowami), czytanie ulubionej bajki, podanie szklanki mleka lub wysokobiałkowej przekąski itd.
* Gdy się już uspokoi, spróbuj logicznie porozmawiać. Dziecko nie umie się skoncentrować na twoich wywodach, gdy jest podekscytowane, ale być może da sobie co nieco powiedzieć, gdy „obroty się zwolnią". Zanim wrócisz do emocjonującego zdarzenia, poproś, by maluch postarał się z całych sił „wyhamować". Pamiętaj jednak, że prosisz o wiele — zważywszy jego wiek. Niech więc po takiej prośbie nie pojawią się natychmiast groźby lub lista żądań.
* Jeśli po powrocie do ekscytującego miejsca dziecko ponownie traci nad sobą panowanie, powtórnie zabierz je stamtąd. Jeśli nie będzie potrafiło się opanować po jeszcze kilku takich „wykluczeniach", zastanów się, czy nie warto zabrać go do domu. Przy odrobinie szczęścia powinno to do malca dotrzeć, zanim będziesz musiała uciec się do tego ostatecznego kroku.

DŁUBANIE W NOSIE

Nasza córeczka zaczęła ostatnio dłubać w nosie, czego naprawdę nie potrafię znieść. Jak mam ją od tego odzwyczaić?

Dłubanie w nosie plasuje się dość wysoko na liście rankingowej nawyków, które irytują rodziców. I tak jak w wypadku innych nieprzyjemnych przyzwyczajeń, jak ssanie kciuka czy obgryzanie paznokci, próby ukrócenia go w zarodku kończą się zwykle tylko nasileniem niepożądanej namiętności u dziecka.

Dzieci, być może, dłubią w nosie z ciekawości, z potrzeby odreagowania stresu, dla zabicia czasu, gdy się nudzą albo też po prostu z silnego nawyku. Najgorliwszymi jednak „dłubaczami" są często dzieci cierpiące na alergie. Z powodu ciągłego wydzielania śluzu i jego zasychania bez przerwy mają uczucie ciała obcego w nosie, co z kolei prowadzi do prób pozbycia się tego uczucia poprzez oczyszczanie nozdrzy w jedyny znany sobie sposób. (Oczywiście odkrycie cudownie lepiącej się substancji, którą wspaniale jest ugniatać palcami, skłania często do pogłębiania wykopaliska, gdy uczucie dyskomfortu dawno już minęło.)

Okazanie niezadowolenia poprzez besztanie i ganienie okraszane spojrzeniami pełnymi obrzydzenia oraz wyszarpywanie paluszków dziecka z nosa da tylko kolejny powód do dłubania: satysfakcję z przeciwstawienia się tobie. Malec może też poczuć się winny i niedobry z powodu czegoś, nad czym przecież nie panuje. Jeśli zostawisz go w spokoju, w końcu znajdzie dla swoich paluszków inne zajęcie, chociaż nawyk publicznego dłubania w nosie może utrzymać się aż do wczesnych lat szkolnych (albo przynajmniej do czasu, gdy dziecko zacznie bardziej dbać o wygląd i dobre obyczaje).

Na razie możesz zredukować brzydki nawyk bez okazywania dziecku niezadowolenia poprzez zajęcie mu rączek czymkolwiek albo oderwanie go od dłubania uściskiem czy czynnością, do której potrzebne są obie rączki. Jeśli malec dłubie zaciekle i kaleczy sobie śluzówkę, w wyniku czego dochodzi do krwawień i strupów, wyjaśnij mu, że dłubiąc w nosku, może się skaleczyć i że powinien postarać się przestać (może się uda, może i nie). Wizyta u lekarza w celu uzyskania tego samego ostrzeżenia może okazać się bardziej skuteczna. Jeśli u podstaw brzydkiego nawyku leży alergia, konsultacja medyczna w celu omówienia terapii jest ze wszech miar pożądana.

NIECHĘĆ DO NOWYCH POTRAW

Mój syn jada dzień w dzień to samo i odmawia spróbowania choćby odrobiny czegoś innego. Jak go przekonać?

Nawet dorośli różnią się znacznie w swoich gastronomicznych upodobaniach. Są tacy, którzy pożerają wszystko to, co się nie rusza (a od czasu do czasu i to, co się rusza), i tacy, którzy sztywno trzymają się swojego kotleta i ziemniaków albo jajek na szynce. Ale ilu znasz dorosłych, którzy nadal zasiadają do kanapek z masłem orzechowym czy dżemem?

Tak więc nadejdzie dzień, w którym i twoja pociecha zechce poszerzyć swoje kulinarne zainteresowania i otworzyć się na nowe potrawy. Są jednak sposoby, aby przyspieszyć ten moment (patrz str. 449). Pamiętaj jednak, że większość dwulatków jest wyjątkowo oporna, jeśli chodzi o zmiany. Nieważne, czy to nowa pani w żłobku, nowa fryzura mamusi, nowa kanapa w salonie albo też nowa potrawa na talerzu. Maluchy mają skłonność do odrzucania wszystkiego, co nowe, ponieważ to nie jest to, do czego są przyzwyczajone. Nie próbuj na siłę wyrabiać u dziecka elastycznego podejścia; krok po kroku przyjdzie samo. Jeśli twoje dziecko jest wyjątkowo nietolerancyjne w stosunku do nowości (patrz str. 448), wprowadzaj potrawy stopniowo. Gdy będzie widziało nową rzecz na talerzu codziennie przez jakieś dwa tygodnie, w końcu przestanie być dla niego nowa i może poczuje się gotowe, by ją zaakceptować.

Na razie nie martw się. Twój tuptuś na pewno nie umrze z głodu. Większość dzieci przechodzi okres grymaszenia przy jedzeniu prędzej czy później — niektóre jedzą wciąż to samo, inne praktycznie nie jedzą nic. Jeśli to, co je twój maluch, jest zdrowe, to wszystko w porządku. Jeżeli jego dieta nie zawiera nic poza płatkami na mleku, mlekiem, bananem, sokiem pomarańczowym, masłem orzechowym, dżemem, pszennym pieczywem, melonem czy paluszkami z marchewek, to w uzupełnieniu z witaminami spełnia wymogi żywieniowe „Diety najlepszej szansy" dla dwulatków (patrz str. 434).

NIETOLERANCJA LAKTOZY

Nasz syn ostatnio złapał jakiegoś wirusa przewodu pokarmowego. Czuje się już dobrze, ale zaczęły występować bóle żołądka po wypiciu mleka. Nigdy nie było takiego problemu i zawsze pił dużo mleka. Czy mógł nagle stać się alergikiem?

Bardziej prawdopodobne jest, że przestał tolerować laktozę. Po przebytym ataku choroby jelit u wielu małych dzieci występuje niedobór laktazy, enzymu potrzebnego do strawienia zawartej w mleku laktozy. Gdy dzieci te piją mleko lub spożywają jego przetwory, mogą wystąpić u nich wzdęcia, gazy, skurcze i biegunka. (Dziecko uczulone na mleko natomiast może mieć wysypkę, biegunkę, zaparcie, duszności, katar, słaby apetyt; może być drażliwe i zmęczone — patrz str. 39.) Często też dolegliwości te mogą spowodować u smakosza mleka — jak w przypadku waszego dziecka — awersję do tego napoju.

Choć zdarzają się dzieci, które nie trawią laktozy od urodzenia, rzadko się zdarza, by permanentna nietolerancja laktozy wystąpiła u dzieci poniżej czwartego roku życia. (Z doświadczeń wielu gastroenterologów dziecięcych wynika, że objawy te nie należą do rzadkości już od pierwszego roku życia — przyp. red. nauk.) Jest więc mało prawdopodobne, by kłopoty waszego malca potrwały dłużej niż kilka tygodni. Tymczasem poradźcie się lekarza w sprawie czasowej zmiany diety dziecka, tak aby zmniejszyć ilość spożywanej przez nie laktozy. Najtrudniej będzie wycofać dziecku z posiłków takie przysmaki, jak mleko, lody i sery czy na przykład twarożek wiejski. Przejście na mleko o niskiej zawartości laktozy (mleko wzbogacone wapniem zapewni więcej wapnia, a mniej laktozy) może załatwić tę sprawę bez specjalnego uszczerbku dla wymogów żywieniowych. Dziecko być może będzie również tolerowało niewielkie ilości serów twardych (takich jak ser szwajcarski lub cheddar) oraz jogurtu z żywymi kulturami bakterii (szczególnie typu *bulgaricus*)[3]. Ograniczenie spożycia przetworów mlecznych tylko do posiłków głównych (i niepodawanie ich jako przekąsek) sprawi, że łatwiej ulegną strawieniu.

Laktaza w tabletce lub w postaci płynnej również może pomóc. Zapytajcie pediatrę o taką możliwość (tabletki te można rozgnieść i dodać np. do musu jabłkowego lub innej papkowatej potrawy przed spożyciem przez dziecko produktu mlecznego; laktazę w płynie dodaje się do zupy lub napoju).

Jeśli dziecko zupełnie nie toleruje nabiału, nawet tego o zmniejszonej zawartości laktozy, jeśli dolegliwości występują nawet po usunięciu go z diety albo jeśli nie ustąpią one całkowicie w ciągu kilku tygodni, udajcie się do lekarza, by zbadać, czy istnieje jeszcze inna przyczyna zachwianej równowagi metabolicznej.

Należy jednak pamiętać, że dziecko i tak potrzebuje składników dostarczanych przez mleko. Jeśli nie może w ogóle jeść nabiału, można tymczasowo uzupełniać zapotrzebowanie na wapń mlekiem sojowym z dodatkiem wapnia. Trzeba też być świadomym tego, że napoje bezmleczne są zwykle mieszaniną tłuszczu i cukru i nie są odżywczymi substytutami mleka. Omówcie wszelkie możliwości z lekarzem, by wspólnie upewnić się, że dieta waszego dziecka nie jest zbyt uboga w główne składniki zawarte w mleku, a więc białko, fosfor, witaminę D i ryboflawinę.

ODRZUCENIE MLEKA

Do tej pory nasza córka chętnie piła mleko. Teraz nie chce go tknąć. Obawiam się, że bez niego nie otrzyma dostatecznej ilości wapnia.

[3] Niektóre osoby nie tolerujące laktozy twierdzą, że pewne marki jogurtu są przez nie tolerowane lepiej niż inne.

Mleko stanowi najpopularniejsze źródło wapnia, ale z pewnością nie jedyne. Szklanka mleka (około 240 ml) zawiera około 30 miligramów wapnia, ale tyle samo wapnia zawiera około 30 gramów twardego żółtego sera parmezan, kubek jogurtu, 1/3 kubka mleka w proszku oraz 1/2 kubka skondensowanego mleka (można je dodać do zupy, budyniu lub koktajlu). Dostępna jest też cała gama pozamlecznych źródeł wapnia, np. zielonolistne warzywa, puszkowany łosoś lub sardynki (razem z ośćmi) oraz tofu (chociaż z wyjątkiem tofu, które można podawać pokrojone w kostki, na chlebie, upieczone lub przyrumienione w rondlu i podawane z sosem, większość niemlecznych źródeł wapnia nie znajduje specjalnego uznania u typowego dwulatka). Dziecko, które nie pije żadnego mleka, prawdopodobnie powinno dostawać suplement witaminowy zawierający odpowiednią dla jego wieku porcję witaminy D. Nie zmuszaj córki do picia mleka; być może z chęcią powróci do tego napoju w przyszłości. Wypróbuj kilka innych źródeł wapnia, aż znajdziesz potrawę, którą mała przyjmie bez protestu.

Może się zdarzyć, że nagła awersja do mleka jest spowodowana nietolerowaniem laktozy — dziecko czuje się niezbyt dobrze po wypiciu i nic dziwnego, że przestaje je lubić (patrz wcześniej).

BEZPIECZNE SPOŻYCIE MLEKA

Słyszałam, że mleko nie dla każdego jest zdrowe. Dotyczy to także dzieci. Czy to prawda?

Dla tych z nas, którzy wychowali się, słysząc ciągle: „Wypij mleko, bo nie dostaniesz deseru!" albo: „Wypij mleko, bo nie urośniesz!", nie do pomyślenia jest, by mleko mogło być dla dzieci czymś nieodpowiednim. Tak jednak uważa pewien nikły odsetek lekarzy i dietetyków, i taką opinię przekazuje zdezorientowanemu audytorium. Według tych nielicznych lekarzy picie mleka ma związek z cukrzycą u dzieci, wysokim poziomem cholesterolu we krwi, występowaniem zaćmy i raka jajników u dorosłych.

Chociaż ci przeciwnicy mleka są wystarczająco głośni, by wszcząć panikę wśród milionów rodziców, którzy — jak i ich rodzice przedtem — zmuszają własne dzieci do wypijania szklanki mleka dziennie, dane przedstawione dla poparcia tego twierdzenia nie są wystarczająco przekonujące, by zmienić generalną medyczną opinię w tym względzie. O ile rzeczywiście pewna część badań wiąże spożycie mleka w okresie niemowlęcym z cukrzycą u dzieci z wrodzonymi skłonnościami do tej choroby, o tyle inne badania tego nie potwierdzają. Zamartwianie się, że mleko przyczynia się do problemów z cholesterolem, jest również niepotrzebne, gdyż dzieci powyżej drugiego roku życia mogą i p o w i n n y pić mleko odtłuszczone oraz jeść głównie niskotłuszczowe przetwory mleczne. Dowodów zaś na powiązanie spożycia mleka z występowaniem zaćmy lub raka jajników — chorób ludzi dorosłych — po prostu brak.

Tak więc, podczas gdy dowody przeciwko piciu mleka są dość wątpliwe, argumenty za jego spożywaniem są niepodważalne. Mleko jest bogatym źródłem wielu podstawowych składników odżywczych, jak wapń, proteiny, witamina D, fosfor i ryboflawina. Jest smaczne (nawet te dzieci, które nie lubią czystego mleka, uwielbiają mleczne koktajle lub chętnie jedzą sery) i łatwiejsze do podania dwulatkowi niż różne substytuty proponowane przez przeciwników mleka. Każdy, kto próbował wcisnąć kilka łyżeczek brokułów przeciętnemu dzieciakowi, może sobie wyobrazić, jak wyglądałoby wciśnięcie brzdącowi od 1,5 do 2 kubków zielonej papki — bo tyle powinien jej zjeść zamiast jednej szklanki mleka. Oprócz tego żaden z zalecanych substytutów — choć są bogate w wapń i inne składniki odżywcze — nie zawiera obecnych tylko w mleku witamin i minerałów.

Dlatego też jedynymi dziećmi, których nie powinno się zachęcać do picia mleka, są te, które nie tolerują laktozy (choć i im można zaproponować mleko o zredukowanej zawartości laktozy), i te rzeczywiście na mleko uczulone (dość rzadkie przypadki). Wegetariańscy rodzice, którzy ze względów filozoficznych nie jadają żadnych produktów zwierzęcych (łącznie z nabiałem) i chcą wychować „bezmleczne" dzieci, będą musieli dostarczyć im podstawowe składniki w inny sposób. Jeśli martwią cię związki chemiczne ewentualnie zatruwające mleko, patrz str. 459.

Jednak dla większości rodziców sprawa jest jasna: mleko jest zdrowe.

ZAANGAŻOWANIE W ZABAWĘ

Nasz syn naprawdę koncentruje się na swojej zabawie. Jest to czasami wspaniałą sprawą, ale często denerwuje. Gdy np. chcę go wykąpać, podać mu posiłek czy gdzieś wyjść, nie mogę go oderwać od tego, co robi.

A ty lubisz, jak przerywa ci się w połowie czytanie dobrej książki? Albo oglądanie interesującego filmu w telewizji? Albo kiedy ktoś odrywa cię od pracy? No cóż, twój dwulatek najprawdopodobniej przeżywa to samo, gdy przeszkadzasz mu w środku zabawy. Dla kogoś całkowicie zaabsorbowanego stawianiem monumentalnego wieżowca z klocków czy pielęgnowaniem chorych misiów albo też ustawianiem samochodów na starcie ekscytującego wyścigu wszelkie wtrącenia („Czas do wanny!") mogą być irytujące i niepożądane. A w przeciwieństwie do dorosłych, którzy potrafią odłożyć książkę (czy film albo papiery) na później — gdy obowiązki wzywają — maluchom trudno oderwać się od tego, co właśnie robią. Częściowo dlatego, że nie są jeszcze dobre w przechodzeniu od razu od jednej czynności do drugiej, ale częściowo dlatego, że nie rozwinęły w sobie samodyscypliny i poczucia czasu.

Ponieważ twoje dziecko wyraźnie ma własny plan — wcale nie mniej ważny dla niego niż twój dla ciebie — musisz wypracować jakąś metodę postępowania, by poradzić sobie z nieuniknionymi konfliktami.

* Uczciwie uprzedzaj. Zażądanie od rozbawionego dziecka, by natychmiast przestało i przyszło jeść albo się wykąpać, jest nie fair i nieskuteczne. W zamian za to odpowiednio wcześniej przypominaj co jakiś czas, by maluch miał czas na przystosowanie się. Najpierw: „Już prawie czas kończyć, bo będzie obiad". Następnie: „Za pięć minut będzie gotowe twoje spaghetti" (ustawienie minutnika na odpowiednią chwilę sprawi, że moment, w którym należy skończyć, stanie się bardzo wyraźny). I wreszcie: „No już, czas zjeść obiadek".
* Pozwól skończyć zaczętą zabawę, jeśli wcześniej uczciwie nie uprzedziłaś, a możesz jeszcze kilka minut poczekać, niech dziecko dokończy budowę wieżowca, zakończy wyścig lub układankę. Zaoferuj mu pomoc — jeśli zechce. Okaż szacunek dla planu dziecka, a ono chętniej dostosuje się do twojego. Ponownie użyj minutnika do wyznaczenia końca zabawy.
* Staraj się pogodzić oba plany, jeśli się da, żeby dziecko nie musiało całkowicie wyskakiwać ze swoich „trybów". Zaproponuj np., że maluch może przynieść ze sobą do wanny samochodziki i wyszorować je, tak jak ty będziesz szorować jego. (Będzie to możliwe tylko wtedy, gdy zabawki są wodoodporne; te, które nie są, mogą „patrzeć" gdzieś z głębi łazienki.) Możesz też pozwolić mu ułożyć klocki albo chore misie w łóżku, zanim go otulisz kołderką. Albo — zakładając, że to coś, czym się bawi, jest przenośne — zabrać to ze sobą, gdy idziecie na zakupy.
* Dokonajcie zmiany razem. Przejście z jednej czynności w drugą będzie łatwiejsze, jeśli w sposób łagodny dokonacie go wspólnie — żeby tego dokonać, najpierw zaangażuj się nieco w zabawę, przynajmniej jako widz. Poglądaj wyścig i podopinguj ulubiony samochód. Zmierz temperaturę misiowi, który złapał grypę. Zacznij budować wieżę w dole ulicy, demontując przy okazji wieżowiec. Następnie, gdy już nadejdzie pora, by zakończyć, zróbcie to razem. Możesz nawet trochę ponarzekać: „Szkoda, że musimy już kończyć, tak dobrze się bawimy... Ale pora już na obiadek".
* Bądź cierpliwa, ale do czasu. Jeśli uprzedziłaś dziecko wcześniej, starałaś się, by przejście z jednej czynności w drugą było łagodne, a maluch nadal nie chce się ruszyć — spokojnie, ale stanowczo daj do zrozumienia, że nadeszła już pora, żeby przestał robić to, co robi, i zaczął robić to, o co go poprosiłaś. Jeśli trzeba — przenieś go po prostu z miejsca, gdzie jest, na miejsce, gdzie powinien być.
* Raz na jakiś czas, kiedy można, zmień swój plan. Jeśli twoja pociecha jest bez reszty oddana jakiejś czynności, a zaplanowane zakupy można przełożyć na później — rozważ taką ewentualność. Jeśli obiad można odgrzać, poczekaj, aż dziecko skończy. Potem możesz już jedynie wierzyć, że choć trochę umiejętności zawierania kompromisów przejdzie na dziecko.

WIERCIPIĘTA PRZY POSIŁKU

Nasze dziecko jest zawsze zbyt zajęte, by spokojnie siedzieć przy posiłku. Kiedy natomiast zmuszamy je, by zasiadło z nami, po chwili próbuje wstać ponownie.

Nawet nieapetyczna potrawa w najpodlejszym barze nie spowoduje niestrawności szybciej niż wspólny posiłek z żywiołowym dzieckiem. Prosisz, błagasz, karcisz, ganisz, by siedziało przy stole, i już wydaje się, że poskutkowało, a tu brzdąc znowu zaczyna się wiercić. Scena powtarza się i powtarza, maluch wstaje i siada, wstaje i siada. Zanim zje kilka niewielkich kąsków, jedzenie jest zimne, a tobie przewraca się w żołądku.

Na tym etapie rozwoju dziecka tak to zwykle wygląda. Większość małych dzieci nie toleruje

Konwersacja z dwulatkiem

Wszystkie te miesiące twoich monologów wreszcie się opłaciły. W wieku dwóch lat większość dzieci potrafi już rozmawiać z rodzicami. Jak zaawansowane są to rozmowy, zależy od dziecka. Przeciętny dwulatek ma w repertuarze około dwustu słów, ale w tym są dzieci, które posługują się zaledwie kilkoma słowami, jak i takie, które opanowały pięćset i więcej. Niektóre dwulatki już od kilku miesięcy potrafią składać słowa i budować skomplikowane zdania, inne zaczynają dopiero wiązać je w proste wyrażenia. Umiejętność mówienia zwykle rozkwita w trzecim roku życia. Dzieci, które były w tym względzie nieco spóźnione, często zaczynają doganiać rówieśników, a słownictwo ulega wzbogaceniu w błyskawicznym tempie. Przed ukończeniem trzech lat przeciętne dziecko posiada zasób tysiąca słów.

W tym też wieku — jak i wcześniej — rozmowa z dzieckiem jest najlepszą metodą „rozgadania" malucha. Chociaż większość rodziców w sposób naturalny świetnie inspiruje swoje dzieci do czynienia werbalnych postępów, poniższe sugestie mogą pomóc stymulować ten rozwój:

Podsuwaj dziecku słowa. Rozwijaj strukturę użytą przez dziecko, a mały wkrótce będzie mówił więcej. Gdy twierdzi, że: „To ładny domek", dodaj: „To jest ładny domek i bardzo duży. Spójrz, jak wysoko do nieba sięga".

Bądź konkretna i precyzyjna. Wyrażaj się możliwie jasno i precyzyjnie. Gdy chcesz pokazać dziecku kotka zmykającego w pośpiechu na drzewo, nie mów po prostu: „Spójrz!", a raczej: „Spójrz! Widać białego kotka wspinającego się na to duże drzewo. Może goni jakiegoś ptaszka".

Opisuj świat. Ubarw świat swojego dziecka, używając przymiotników. Nie mów krótko: „Jest piesek", a raczej: „Jest mały, brązowy piesek o kudłatej sierści. Ma na sobie śliczną czerwoną obrożę".

Używaj trochę bardziej złożonych zdań. O ile rozsądne było zwracanie się do dziecka prostymi zdaniami, gdy było młodsze, o tyle nadszedł już czas, by prowokować je do rozumienia ambitniejszych nieco struktur („Idziemy do parku z bratem Ani, Piotrusiem"), dwu- lub trzyczęściowych poleceń („Podnieś, proszę, tego misia i połóż go na swoim łóżeczku obok innych zabawek"), czasowników w czasie przeszłym („Czytaliśmy tę wesołą bajkę", „Ugotowałam dla nas obiad") oraz zaimków. Nadal jednak mów wyraźnie i donośnie; bądź zawsze gotowa powtórzyć to, co za pierwszym razem nie bardzo do malca dotarło.

Nie przestawaj konwersować. Nawet jeśli twoje dziecko nie mówi jeszcze zdaniami, potrafi zrozumieć, dodać coś i w końcu brać w pełni udział w rozmowach z tobą. Rozmawiajcie o wydarzeniach, które miały już miejsce, które właśnie się odbywają i tych zamierzonych na przyszłość. W drodze do domu — wracając z placu zabaw — porozmawiaj o minionej przygodzie: „Pamiętasz ten zamek z piasku, który zbudowałeś w piaskownicy?", „Ten błękitny ptaszek, którego widziałeś, jak się pluskał w kałuży, był naprawdę śliczny".

zbyt długiego przesiadywania, więc żądanie, by malec siedział spokojnie podczas rodzinnych posiłków, jest nierealne. Żądanie takie może zmienić stół w pole bitwy. I choć czasami skarcenie malucha może odnieść skutek, zwycięstwo bywa najczęściej okupione nieprzyjemną atmosferą i brakiem apetytu.

Poczyń więc starania, by posiłek całej rodziny miał dla dziecka większą wagę i był dla niego przyjemny.

* Zmień dziecku miejsce. Zmiana miejsca przy stole może okazać się pomocna (patrz str. 143).
* Rozmawiajcie na temat, który interesuje dziecko. Rozmowa dorosłych może nudzić malucha i sprawiać, że czuje się zostawiony sam sobie. Odłóż więc taką rozmowę na później, po posiłku. W zamian zaś przykuj uwagę dziecka sprawami je interesującymi. Nie poruszaj jednak tematu jedzenia. Gdy rozmowa się nie klei, spróbuj zagrać w jakąś grę słowną, np. w „Co widzisz?" (każdy przy stole po kolei mówi i nazywa to, co widzi).
* Nie karać dziecka. Nie gań dziecka za to, jak je, albo za to, że nie chce już siedzieć.
* Gdy brzdąc skończył już jeść, pozwól mu odejść od stołu. (Nie pozwól jednak opuszczać stołu z jedzeniem w rączce. Jedzenie i bieganie osobno są do przyjęcia; jedzenie podczas biegania jest niebezpieczne.)
* Swój posiłek spożywaj później. Czasami problem leży nie w dziecku, a w godzinie posiłku. Maluchy odczuwają głód dużo wcześniej niż dorośli. Spróbuj więc nakarmić dziecko, kiedy jest głodne, dotrzymując mu towarzystwa w czasie jedzenia (przekąś jakieś warzywo lub owoc), by nie czuło, że spożywa posiłek samo.

Przy obiedzie możesz porozmawiać z dzieckiem o tym, jak wspaniale rano bawiło się z kolegą i jak to będziecie po południu wspólnie robić wydzieranki i naklejać je na papier. Czekając na autobus, porozmawiaj z dzieckiem o ludziach jeżdżących samochodami — dokąd jadą, skąd wracają. Choć udział malca w tych rozmowach może być na początku skromny — jedno lub dwa słowa — nie będziesz z pewnością czekała długo na autentyczną wymianę zdań.

Ciągle zadawaj pytania. Zadawanie dziecku pytań jest skutecznym sposobem na rozwijanie umiejętności mówienia. Zadawaj pytania aktywizujące słownictwo malca (ale nie frustruj), a nie pytania wymagające odpowiedzi „tak" lub „nie": „Jak myślisz, dlaczego ten dzidziuś się śmieje?"

Czytaj, czytaj, czytaj. Czytanie uczy dziecko języka, no i jest również przyjemnością (patrz str. 104).

Baw się w gry słowne. Za wcześnie na „Scrabble", ale w sam raz na zabawę „Co to jest?" Zasady są proste: gdy czytasz książkę z obrazkami, zatrzymuj się czasami i prowokuj dziecko do identyfikowania poszczególnych przedmiotów na stronie, którą czytasz*. Gdy dziecko utknie lub udzieli błędnej odpowiedzi, pomóż mu, a nie krytykuj („To zwierzątko to zebra. Ma cztery nogi i ogon tak jak konik, ale ma czarne paski, widzisz?"). Możesz też zagrać w „Co ono robi?" Co robi dziecko w kołysce? Albo pies z kością? Wypróbuj także zabawę „Co dalej się dzieje?" — zanim przewrócisz stronę, zachęć malca do zgadywania, jak potoczy się dalej historia. (Gdy dziecko nie wie, co powiedzieć, podsuń mu kilka możliwości: „Jak myślisz, czy pociąg podjedzie pod górę. A może jest już zmęczony i zatrzyma się?") Inną jeszcze zabawą stymulującą rozwój mowy jest zabawa w przyimki do/z, do góry/na dół, na/pod, do której potrzebna jest jakaś mała zabawka i pudełko po butach, by zademonstrować obecne położenie zabawki („Piłeczka była na pudełku. Teraz jest pod pudełkiem").

* Nie zatrzymuj się jednak zbyt często, by malec nie tracił wątku.

Wprowadzaj litery alfabetu... Żeby alfabet nie był czymś zupełnie nowym w momencie, gdy zacznie się nauka czytania, i żeby uczyć dziecko poprawnej wymowy, zaśpiewaj mu piosenkę o literach, poczytaj książki ilustrujące alfabet (zacznij od liter, na które zaczynają się znane twojemu dziecku słowa: „A jak arbuz" będzie lepszym przykładem w tym wieku aniżeli: „A jak antylopa"). Napisz imię dziecka na drzwiach jego pokoju i zacznijcie razem szukać innych słów zaczynających się na tę samą literę („Od M zaczyna się motor, ale również mamusia, mleko, misiu"). Nie naciskaj jednak za bardzo na naukę liter. Zdaj się raczej na zainteresowania (lub ich brak) dziecka w tym względzie.

...ale nie udzielaj lekcji gramatyki. Dziecko dużo lepiej nauczy się poprawnych struktur gramatycznych, słuchając twojej mowy niż nieustannego poprawiania błędów. Sama przestrzegaj zasad, ale nie narzucaj ich maluchowi. Na razie po prostu pozwól słowom płynąć w sposób naturalny — również błędom.

Odczekaj potem, aż zacznie się bawić albo pójdzie spać i dopiero wtedy sama zabierz się do jedzenia. Posiłek będzie ciepły, żołądek spokojniejszy, a dodatkową nagrodą będzie możliwość konsumowania w spokoju.

* Jeśli dziecko opuszcza posiłki lub zjada bardzo mało, zapewnij mu jakieś przekąski. Nie przesadź jednak: przekąski bezpośrednio przed jedzeniem mogą odebrać apetyt, nie dając ci szansy udoskonalania u dziecka dobrych manier przy stole.

„DAJ MI!"

Ostatnio przy każdej wizycie w sklepie mój syn zaczyna jęczeć, bym coś mu kupiła. Nie sądzę, byśmy go rozpieszczali, a stał się naprawdę okropny ze swoim: „Daj mi!"

Nie zawsze się dostaje to, czego się chce, ale to nie powstrzymuje dzieci od próbowania. Chociaż „Daj mi!" nie dotyczy wszystkich małych dzieci, zdarza się dość często. Tak jak i chomikowanie, wynika ono z potrzeby gromadzenia różnych przedmiotów, by zwiększyć swoją wartość.

To, czy te narcystyczne impulsy („Ja to chcę, ja na to zasługuję, powinienem to mieć") miną w dzieciństwie, czy też rozwiną się w niezdrową chciwość, skupienie na rzeczach materialnych i błędne wyobrażenie, że szczęście daje tylko posiadanie, zależeć będzie w dużej mierze od tego, jak zareagujesz w chwili obecnej. Poniższe wskazówki mogą pomóc ci wychować dziecko potrafiące zachować umiar w swoich żądaniach:

* Wytłumacz, że nie można kupić miłości. Kupując dziecku wszystko, czego tylko zapragnie, nie sprawisz, że pokocha cię bardziej, a może

zrodzić chciwość. Żadne też prezenty nie zastąpią innych rodzajów troski. Dzieci najbardziej kochane, najszczęśliwsze to nie te, które otrzymują najwięcej prezentów, ale te, którym poświęca się najwięcej uwagi i okazuje najwięcej szacunku i miłości. Obdarowuj dziecko ciepłymi uściskami, a nie „chłodnymi" podarunkami, by okazać swoją miłość.

* Nie ulegaj takiemu „DAJ MI!", nie uszczęśliwisz dziecka bardziej, kupując mu wszystko, o co prosi. Właściwie efekt może być wręcz odwrotny. Nawet małe dzieci doskonale zdają sobie sprawę, że są przekupywane.
* Nie miej wyrzutów sumienia, że nie ulegasz dziecku. Nawet jeśli maluch skarży się i nazywa cię: „Brzydka mama!", robisz dla dziecka to, co dla niego najlepsze: przygotowujesz je do realiów życia, w którym nikt z nas nie dostaje wszystkiego, czego chce. Ponadto pomagasz dziecku zachować to szczególne podniecenie na „specjalne" okazje. Kiedy każdy dzień obfituje w prezenty, dzieci bardzo szybko zaczynają wymagać szczególnie okazałych podarunków z okazji urodzin lub świąt (a tak naprawdę nigdy żadnego nie doceniają).
* Spróbuj nauczyć malucha, ile radości sprawia dawanie, by nauczył się kojarzyć prezenty z ich otrzymywaniem, ale i z dawaniem (patrz str. 193).
* Ogranicz pokusę. Jeśli to możliwe, rób zakupy, gdy małego nie ma przy tobie (jest w żłobku, bawi się z rówieśnikiem u sąsiadów, jest z kimś na spacerze itp.). Kiedy już musisz go zabrać ze sobą, zrób to, gdy nie jest zmęczony, głodny, szczególnie podniecony, marudny. Wyjaśnij wcześniej, że udajecie się do sklepu kupić buty, rękawiczki, nowy opiekacz do tostów i tylko na to starczy wam czasu. Nie mów, że nie będziesz mu kupowała zabawek, bo najprawdopodobniej nawet o tym nie pomyślał, a ty sama podsuwasz mu pomysł. Zajmuj go czymś cały czas, pozwalając sobie pomagać przy aktualnych zakupach.
* Nie ulegaj pod wpływem sceny, którą urządzi, traktuj ją tak samo, jak potraktowałabyś każdy inny przejaw humoru (patrz str. 291).
* Raz na jakiś czas kup „coś malutkiego", co będzie prawdziwą niespodzianką i o co maluch wcale nie prosił.

KAPRYSY

Nasza córeczka miewa nagłe kaprysy — chce mieć pieska, choć nie ma na niego miejsca w naszym mieszkaniu, albo chce iść na plażę, gdy na dworze pada śnieg. Gdy nie dostaje tego, czego chce, robi koszmarną awanturę.

Małymi dziećmi rządzą zachcianki, nie rozum. Gdy przez umysł przechodzi jakiś impuls, nie analizują go w kategoriach pragmatycznych, tylko od razu stawiają żądanie. I choć niewątpliwie są pod tym względem urocze, dla rodziców jest to prawdziwe wyzwanie.

Gdy maluch nie postawi na swoim, to nie tylko dostaje szału, ale często rewanżuje się, wszczynając wściekłą awanturę lub uciekając się do nieustannych jęków — co daje do myślenia, czy aby niespełnienie prośby było rzeczywiście właściwe. W większości przypadków odpowiedź brzmi „tak". Zachcianki małego dziecka są często nie tylko niepraktyczne, ale i nie idą w parze z dziecięcymi zainteresowaniami i maluchy z czasem o nich zapominają. Tymczasem korzystaj z naszych wskazówek, aby poradzić sobie z tym problemem.

Oceń kaprys. Niektóre kaprysy są dość nieszkodliwe, jak np. chęć założenia kozaczków w słoneczny dzień w lipcu, i nie są warte odmowy kosztem obrazy dziecięcego ego. Inne są nie do przyjęcia, jak np. ochota na zabawę w śniegu w sandałkach.

Od czasu do czasu ulegnij. Gdy zachcianka jest do przyjęcia (kozaki w lipcu), bądź przychylna. Uległość wobec jakiejś ekscentrycznej prośby raz na jakiś czas zaoszczędzi ci wielu utarczek, a dziecku da poczucie panowania nad swoim życiem. A kiedy już nogi mu się spocą i zażąda zdjęcia butów, zaniechaj konkluzji: „A nie mówiłam!" Niech samo dojdzie do tego, że był to błąd.

Powiedz „NIE", kiedy musisz. Kiedy przychylenie się do prośby dziecka jest sprzeczne ze zdrowym rozsądkiem (sandały do zabawy w śniegu), nie wahaj się i nie ulegaj. Wyjaśnij jednak dlaczego. Większość dorosłych narażona jest od czasu do czasu na czyjeś zwariowane kaprysy, ale zwykle wiemy, kiedy i gdzie wyznaczyć granicę. Wyznaczenie jej dziecku od razu pomoże mu wytyczać ją sobie samemu w przyszłości.

Natychmiast odwróć uwagę. Żeby zapobiec wiszącej w powietrzu awanturze z powodu twojej odmowy, należy natychmiast podsunąć jakieś inne rozwiązanie: „Nie, nie możesz dostać zwierzątka, ale możemy zajść do sklepu zoologicznego i popatrzeć na nie przez chwilę". Albo: „Nie, teraz nie możemy pójść na plażę, ale możemy poudawać, że tam jesteśmy. Rozłóżmy koc na podłodze, załóżmy kostiumy kąpielowe, wyjmijmy piłkę plażową i urządźmy sobie piknik w salonie". Jeśli scena jest nieunikniona, nie zmieniaj decyzji. (Patrz na str. 291, jak radzić sobie z wybuchami złości.)

CO WARTO WIEDZIEĆ
Stymulowanie kreatywności i wyobraźni

KREATYWNOŚĆ

Nie każde dziecko rodzi się, by być Michałem Aniołem, Mozartem czy Louisem Armstrongiem, Ernestem Hemingwayem czy Jane Austen, Marią Skłodowską-Curie czy Heleną Modrzejewską. Ale prawie każde dziecko rodzi się ze zdolnością i pragnieniem tworzenia.

Doskonalenie tej zdolności oraz rozwijanie tego pragnienia nie jest gwarancją posiadania „cudownego" potomstwa, ale zwiększa szanse na to, że dzieci, kiedy urosną, wykorzystają swój twórczy potencjał.

Kariera pisana jest dziecku w przyszłości (artysty, bankiera, pisarza, lekarza, poety, stolarza, kompozytora, polityka, nauczyciela, naukowca czy tancerza), stymulowanie kreatywności już teraz pomoże mu przeżyć dużo bogatsze i pełne satysfakcji chwile. Zastosuj poniższe wskazówki, stosując także własne metody pobudzania dziecięcych zdolności:

Niech będzie bałagan. Twórcze dusze powinny czuć się wolne, by skupić się na tworzeniu, a nie być od niego odrywane koniecznością utrzymywania wokół siebie porządku. W przypadku małych dzieci sprawdza się to wyjątkowo. Ważny dla nich bowiem jest nie tylko ich aktualny temat, ale zwykle i jego oprawa (bałagan). Naleganie więc, by wszystkie kredki pozostały w pudełku, żeby plastelina (lub glina) cały czas była zwartą bryłą, a palce, ręce i podłoga pozostały nie zabrudzone, jest utopią. Nawet u dzieci o prawdziwie artystycznych inklinacjach zdolności motoryczne są nadal dalekie od ideału. Każdej próbie tworzenia przypisana jest rozbryzgana farba, porozrzucana glina, rozpaćkany klej i zapaprana podłoga. Daj sobie spokój ze sprzątaniem w trakcie takiej twórczej zabawy; nie próbuj też przewidzieć jej skutków, gdyż mogłoby to skłonić cię do przerwania dziecku wspaniałego procesu twórczego. Hamowanie u dziecka artystycznych zapędów już teraz — w imię czystego mieszkania — mogłoby doprowadzić do zaniechania ich na zawsze. Nie znaczy to jednak, że czysty dom i twórcze dziecko są całkowicie nie do pogodzenia. Podjęcie odpowiednich kroków, zanim maluch zabierze się do sztalug, tablicy rysunkowej lub kuchennego blatu, ochroni i dom, i ubranie malucha bez specjalnej ingerencji w dziecięcą potrzebę tworzenia. Jeśli tylko warunki na to pozwolą, niech dziecko „tworzy" na powietrzu. Można do tego celu przeznaczyć np. stary stół ogrodowy (nakryty gazetą lub starą ceratą). Jeśli „tworzy" w domu, niech to będzie w sąsiedztwie umywalki, by łatwo mogło się umyć. Na podłodze i w innych „czułych" punktach porozkładaj gazety (możesz użyć ich w tym celu wiele razy) albo specjalną tkaninę wielokrotnego użytku dla malarzy. Może to być też folia. Czy to na zewnątrz, czy w domu — podwiń „artyście" rękawy i załóż mu obszerny kitel lub fartuch. Jeśli ten pomysł niezbyt się dziecku spodoba, ubierz je w jakieś stare rzeczy. Jeśli jest ciepło albo jeśli dziecko bawi się w domu, wystarczy mu pieluszka lub majteczki. Nadeszła teraz pora i na to, by zacząć uczyć małego „artystę", że częścią całego procesu artystycznego jest również sprzątanie. Wyposaż malca w szmatę i wodę w spryskiwaczu i poproś o pomoc, gdy sesja tworzenia dobiegła już końca. Poproś również o pomoc w odłożeniu wszystkich przyborów na swoje miejsce.

Niech króluje wolność. Pamiętaj, że tworzenie wymaga uporania się z czymś nowym, co oznacza przełamanie starych zasad. Nie ma „złego sposobu" malowania obrazka, lepienia z gliny, stawiania budowli z klocków. Krążenie za dzieckiem, instruowanie, doradzanie mogą osłabić jego twórczy zapał. Dobrze jest co jakiś czas zapytać: „Jak ci idzie?" lub pozytywnie pracę skomentować. Doradzaj jednak tylko wtedy, gdy zostaniesz o to poproszona. W przeciwnym wypadku dziecko będzie słuchało twoich sugestii tylko po to, by cię zadowolić, ale może odczuć, że finalny produkt nie jest jego własny. Nie odmawiaj oczywiście pomocy, gdy maluch o nią poprosi lub gdy widzisz, że dziecko jest zawie-

Naśladowanie

Dzieci przejawiają zdolności do naśladowania prawie od urodzenia. Imitacja jest zresztą jednym ze sposobów uczenia się. Choć więc ważne jest, by dać im swobodę we własnym tworzeniu, konieczne jest również, by mogły doskonalić swoje umiejętności. Pokaż maluchowi, jak się trzyma kredkę, ołówek czy pędzelek; gdy jednak malec woli inaczej — niech tak będzie. Raz na jakiś czas, przy okazji wspólnego rysowania, narysuj prostą kreskę lub kółko na swojej kartce i powiedz: „Umiesz tak narysować?" Gdy bawicie się plasteliną, zademonstruj, jak można kulać masę, by uzyskać wałeczek lub kulkę. Przy pieczeniu ciasteczek pokaż, jak używać wycinarki do ciastek. Nigdy jednak nie zmuszaj dziecka do zrobienia dokładnie tego samego co ty. Pozwól mu zawsze zrobić coś zupełnie innego, jeśli tak nakazuje mu jego twórcza dusza.

dzione, bo oczekujesz od niego całkowicie samodzielnego działania. Nigdy też nie zmuszaj go do próbowania lub kontynuowania czynności, której nie lubi.

Nie bądź krytykiem. Cały proces i jego efekt mają zadowalać tylko dziecko — nie ciebie lub innych. Nie mów, gdy maluch rysuje laurkę dla babci: „A może babcia nie lubi tych kolorów?" lub gdy ubierze różową bluzeczkę i czerwoną spódniczkę: „To do siebie nie pasuje". Tworzenie polega właśnie na robieniu rzeczy „innych". Nie martw się, że dziecko nie będzie miało dobrego gustu; nadejdzie on z czasem i za sprawą twojego dobrego przykładu, a nie narzucania dziecku swoich sądów. Gdy maluch nie jest zbytnio zadowolony ze swojego dzieła, uszanuj taką opinię, zamiast mówić: „Nie, nieprawda kochanie! To wspaniałe!" Wyszukaj raczej coś konkretnego, co rzeczywiście jest niezłe („Narysowałeś tutaj kilka ładnych prostych kresek"), doradź, jak można dzieło ulepszyć („Jeśli będziesz kulał plastelinę między rączkami — o tak — zrobisz nóżki dla twojego konika"). Zachęć do ponownej próby, ale nie nalegaj.

Doszukuj się wartości w gryzmołach. Staraj się znaleźć w dziełach twojego dziecka coś, co mogłabyś pochwalić. Nawet jeśli rysunek jest jedną wielką bazgraniną, pochwal np. użycie kolorów czy zagospodarowanie przestrzeni. Jeśli koncert odegrany przez malca na jakimś dziecięcym instrumencie przypominał bardziej kakofonię niż symfonię, pochwal żywy rytm i skoczność utworu albo to, jak dobrze idzie dziecku wydobywanie dźwięków z instrumentu. Nie bądź jednak przesadnie wylewna w pochwałach, by dziecko nie zwątpiło w twoją szczerość albo nie przestało w przyszłości dokładać większych starań.

Stań się poważnym kolekcjonerem. Wzmocnij dziecięce uczucie spełnienia, wieszając jego obrazki i wydzieranki w różnych miejscach w domu — na lodówce (za pomocą magnesu), w pokoju dziecka, na drzwiach, na sypialnianym lustrze, przy swoim nocnym stoliczku. Opraw w folię ulubione prace, by malec cieszył się wielokrotnym ich oglądaniem i mógł pokazywać je gościom. Gdy pracujesz poza domem, zabierz od czasu do czasu taki rysunek do pracy i umieść na honorowym miejscu na swoim biurku lub też noś ze sobą w specjalnej przegródce portfela. (Zabranie ze sobą obrazków dziecka, gdy idziesz do pracy, na spotkanie, do znajomej, nie tylko umocni twoją z malcem więź, ale sprawi, że nie będzie on tak bardzo przeżywał rozstania z tobą.) Niech ulepione z plasteliny zabawki znajdą zaszczytne miejsce na stoliku do kawy, stole jadalnym lub specjalnej półeczce. Jeśli to muzyka bez reszty pochłania malucha, nagraj dziecko na taśmę (audio lub wideo) albo organizuj mu występy w salonie; bądź w takich momentach, rzecz jasna, uważnym i zachwyconym słuchaczem (nigdy jednak nie zmuszaj dziecka do występów dla ciebie i innych).

Opowiadaj bajki. Niech opowiadanie bajek stanie się tradycją rodzinną. Zamiast ciągle sięgać po gotowe historie z półki, spróbuj wymyślić kilka opowieści sama. Dziecku szczególnie może się to spodobać, gdy za każdym razem w opowiadaniu będą przewijały się te same postaci, a każde następne opowiadanie będzie kontynuacją poprzedniego. Jak już malec przyzwyczai się do takich historyjek, może znaleźć przyjemność, pomagając ci w rozwijaniu wątków. Zachęć go, zadając pytania: „Jak myślisz, co powinno się teraz wydarzyć?" albo: „Jak możemy uratować Dżo-Dżo?" Jeśli okaże się to zbyt trudne, zaproponuj kilka wyjść i poproś, by dziecko wybrało jedno z nich. W końcu samo może zechcieć dopowiedzieć to i owo do historii albo nawet wymyślić własną. Inny jeszcze sposób na uaktywnienie procesu twórczego dziecka to zostawienie bajki bez zakończenia i zachęcenie maluszka do dokończenia opowiadania (jeśli ma na to ochotę).

Parodiowanie standardów. Przyjemnie jest śpiewać piosenki, które wszyscy znają, ale równie przyjemnie jest od czasu do czasu je zmieniać. Popracuj razem z dzieckiem nad ułożeniem słów, które pasowałyby do piosenek szczególnie przez dziecko lubianych.

Daj twórczy przykład. Nie musisz od razu silić się na malowanie olejnego obrazu, jeśli twoje zdolności rysunkowe kończą się na geometrycznym wizerunku postaci, lub też komponować sonat, jeśli nie potrafisz nawet dobrze zanucić *Wlazł kotek na płotek*. Poszukaj jednak ujść dla własnej kreatywności, leżących w zasięgu twoich możliwości — może to być np. układanie kompozycji z kwiatów, liści i brył tworzących kącik jesienny w ogródku, ozdobienie nieoczekiwanymi kolorami i kombinacjami wzorów twojej codziennej garderoby lub też przygotowanie wystroju mieszkania na przyjęcie, zamiast kupowania gotowych dekoracji w sklepie. Z pewnością zrobisz na dziecku wrażenie.

Odwiedzaj z dzieckiem przybytki sztuki... Wczesne i częste pokazywanie dziecku dzieł sztuki nie tylko wzbudzi zachwyt, ale i chęć naśladowania. Zabieraj malca do muzeów i galerii i oglądaj z nim wiele różnych gatunków sztuki (obrazy, rzeźby, kolaże itp.). Niech te wizyty jednak będą krótkie, odpowiadające dziecięcym możliwościom skupienia uwagi. Jak tylko zauważysz, że maluch ma dość, zakończ wycieczkę. Poświęć czas na czytanie dobrze napisanych, ładnie ilustrowanych i dostosowanych do wieku dziecka książek, by zapoznać malca z dobrą prozą, poezją i sztuką. Chodź z dzieckiem na koncerty dla dzieci, kiedy tylko dojrzeje do tego, by spokojnie usiedzieć; słuchaj też z nim różnego rodzaju muzyki w domu (pieśni religijnych, jazzu, bluesa, rocka, country, muzyki klasycznej, no i oczywiście piosenek dla dzieci). Ukazuj dziecku piękno świata dookoła... Twórcza inspiracja płynie bowiem z drżącego na wietrze jesiennego drzewa, z wiosennego kwiecistego klombu, z miski z owocami postawionej ot tak sobie, ze wzoru, jaki rzuca koronkowa firanka w świetle słońca, z mieniącej się kolorami tęczy kałuży benzyny na mokrym asfalcie.

...ale nie przesadzaj. Zbyt duża presja na zachwycanie się sztuką, muzyką, pięknem itp. („Te obrazy są takie piękne, a ty nawet nie patrzysz!") może również zrazić dziecko.

Nie tylko sztuka. Jest wiele innych dziedzin, w których dziecko może wyładować swą twórczą energię, a które nie mają nic wspólnego z czystą sztuką. Malec może okazać się twórczy w piaskownicy (jako przyszły naukowiec, architekt, inżynier), przy kuchennym blacie (gdzie można mieszać składniki z całego świata i otrzymać nadzwyczajny smakołyk), a nawet w garderobie (w wielu maluchach drzemie projektant mody i aż je korci, by to pokazać). Zachęcaj dziecko do tworzenia w każdej dziedzinie życia.

Zabawa w „przebierańca" pozwala dziecku nosić całą gamę różnych kostiumów — dosłownie i przenośnie.

WYOBRAŹNIA

Co można uczynić ze zwykłego kija do miotły — galopującego ogiera? Albo z garści patyków, kamieni i ściętej trawy — gotującą się

Rozwijanie zdolności twórczych a techniki plastyczne

Sztuka dziecięca może rozpocząć się od kredek, malowania palcem i plasteliny, ale istnieje wiele innych materiałów i technik, które malec może poznać. Wypróbuj poniższe, a potem sama spróbuj dziecku coś zaproponować.

Kredki. Dla niektórych dwulatków grube świecowe kredki są nadal najłatwiejsze do utrzymania i manipulowania, ale większość już woli cienkie kredki ołówkowe. By zapobiec frustracji, papier, na którym maluch rysuje, lepiej przytwierdzić taśmą do stołu, ale można też wykorzystać sztalugi. Jeśli wydzielasz dziecku papier do rysowania z rolki, przytnij większy arkusz, przylep taśmą do kuchennego stołu i niech maluch stworzy jakieś malowidło ścienne, które następnie będziesz mogła powiesić na ścianie w sypialni.

Malowanie palcem. Ta stara, niezawodna metoda przedszkolna cieszy się dużym powodzeniem wśród dzieci, które odczuwają szczególną przyjemność, grzebiąc palcami w mazistych i kleistych farbach. Niektóre jednak dzieci nie chcą tego robić, gdyż nie lubią uczucia klejącej się między palcami farby. Nie nalegaj więc na tę technikę. Inna jeszcze, bardziej czysta opcja: malowanie palcem przy użyciu kremu do golenia lub płynnego mydła podczas kąpieli (tutaj jednak trzeba uważać, by dziecko nie wtarło sobie kremu czy mydła do oczu).

Lepienie z plasteliny. Można ją ściskać, kulać, rozciągać, formować, wyciskać na niej różne przedmioty — nietoksyczna, kolorowa plastelina to prawdziwy raj dla maluchów, choć małe dzieci nie są jeszcze w pełni gotowe do lepienia z prawdziwej plasteliny.

Malowanie pędzlem. W trzecim roku życia wiele dzieci lubi malować farbami wodnymi za pomocą pędzelka. Pędzelek o grubej rączce jest łatwiejszy do trzymania niż cienki i pozwala na śmielsze, bardziej satysfakcjonujące pociągnięcia. Jeśli kupisz farby w dużych pojemnikach, odmierz dziecku małą ilość każdego koloru do małych, nietłukących pojemniczków, by mogło w nich zanurzać pędzelek. By zminimalizować szkody, wytnij w gąbce otworki i wstaw tam pojemniczki z farbą. Stojące sztalugi z miejscem na farbę również zapobiegają ewentualnemu bałaganowi, a i malowanie jest łatwiejsze. Dla uzyskania ciekawego efektu lustrzanego każ dziecku malować na jednej tylko części papieru (zagnij drugą część, by farba się na nią nie przedostała). Gdy praca jest już gotowa, a farba jeszcze mokra, przyłóż zagiętą wcześniej część do pomalowanej i dobrze przyciśnij.

Malowanie gąbką. Gąbki w kształcie różnych zwierząt lub zwykłe kuchenne gąbki, które można pociąć w różne zabawne kształty, zanurzone w małej ilości farby i odciśnięte na papierze są świetną i łatwą dla małych paluszków zabawą. Można też z kawałka gąbki zrobić pędzelek, przytwierdzając ją do klamerki do bielizny. Inne jeszcze warianty pędzelków to: patyczki higieniczne zakończone watą, pióra, szczoteczki do zębów, pędzelki do malowania paznokci.

Malowanie sznurkami. Weź kilka sznurków różnej grubości i każ dziecku zanurzyć w farbie. Następnie ciągnij je po dużym arkuszu papieru.

Malowanie wodą. Świetną zabawą na powietrzu jest malowanie czystą wodą. Daj dziecku wiaderko wody i dużą szczotkę, by „pomalowało" chodnik, wjazd do garażu, a nawet ścianę domu.

Stemplowanie warzywami. Potnij bulwiaste warzywa na kawałki, które dziecko może zanurzyć w farbie, następnie odciśnij na papierze, uzyskując ciekawe stemple. Taka zabawa może się bardziej spodobać starszym dzieciom aniżeli młodszym.

Stemplowanie gumowymi stemplami. Kupione w sklepie gumowe stemple w kształcie zwierząt lub liter alfabetu są frajdą dla starszych maluchów. Uważaj jednak! Jeśli nie dopilnujesz dziecka, będziesz miała ostemplowany cały dom!

Wcieranie. Rozłóż kawałek białego papieru na czymś, co ma interesującą fakturę, np. na kawałku kory. Następnie daj dziecku kredkę i każ mu wcierać ją mocno w papier. Efekt będzie fascynujący.

Kreda. Kawałki kredy w różnych kolorach są pokusą dla większości dzieci. Odpowiednio skonstruowany zestaw tablicy do pisania i sztalug do malowania umożliwia dziecku malowanie na jednej stronie, a pisanie kredą na drugiej; jeśli nie masz tablicy, pozwól dziecku rysować freski na chodniku, frontowych schodach lub na asfalcie w parku. Kredą można się również posługiwać, rysując na papie; czarna papa bardzo dobrze przyjmuje kredę i dziecko może być uradowane, że tak wyraźnie widać na czarnym tle.

Ołówki, pióra, pisaki. Dzieci chcą ich używać po części dlatego, że widzą je u rodziców lub starszego rodzeństwa. Ponieważ jednak ołówkiem dziecko może ukłuć się w oko lub inne wrażliwe miejsce, a atrament trudno się zmywa — gdy np. nagle przyjdzie brzdącowi do głowy trochę się nim pomalować — przybory te powinny być udostępniane dziecku pod ścisłą kontrolą. Dla bezpieczeństwa kupuj tylko nietoksyczne pisaki (grubsze łatwiej będzie dziecku trzymać) i nie zostawiaj tych kuszących przyborów w zasięgu ręki dziecka.

Książeczki do kolorowania. Nie zaleca się regularnego podsuwania dzieciom tradycyjnych kolorowanek. Po pierwsze, nie bardzo stymulują one dziecko do własnej twórczości — pomijając użycie kolorów. Po drugie, chociaż niektóre dzieci lubią kolorować, inne są rozdrażnione, że nie mogą zmieścić się w linijkach. Dla starszych dzieci należy poszukać książeczki o bardziej twórczym charakterze: takiej, która żąda od dziecka samodzielnego narysowania części obrazka. Jeśli już maluch korzysta z kolorowanki, nie ustalaj mu standardów, jak mieszczenie się w linijkach lub użycie konwencjonalnych barw. Zachęć do twórczej swobody.

Robienie książki. Jeśli dzieci urosły już na tyle, że umieją bazgrać, są też wystarczająco duże, by stać się pisarzami. Złóż więc kilka kartek na pół, umocuj zszywaczem, by powstała książka. Dodaj okładkę z kartonu. Następnie pozwól dziecku zilustrować tę „książkę". Możesz nawet zaofiarować się, że napiszesz słowa podyktowane przez młodego autora i umieścisz je pod obrazkami. Taka książka może też zawierać ulubione przez dziecko fotografie lub wycinki ze starych czasopism.

Rulon z rysunku. Weź jakikolwiek wykonany przez dziecko rysunek i zroluj go w rulon, sklejając taśmą po brzegu. Dziecku może spodobać się ta nowa perspektywa, która nadaje jego dziełu nowy kształt. Oczywiście jeśli masz w tym względzie jakieś opory, nie rób tego.

Kolaże. Ta technika pozwala na wszystko. Kawałki tkaniny, pióra, makaron, fasola, pestki, paciorki i guziki, obrazki z czasopism — każdy lekki materiał, który znajdzie się w domu* można nakleić (pod nadzorem oczywiście, no i nietoksycznym, zmywalnym klejem) na twardym kawałku tektury czy brystolu, by uzyskać kolaż. Wycieczka do parku może przynieść mnóstwo materiałów do wykonania kolażu: liście, żołędzie, małe szyszki, gałązki, kamyczki, piasek. Duże szyszki i kamienie — chociaż są za ciężkie do użycia w kolażu — można pomalować lub wykorzystać do dekoracji. Z domowych odpadków (tekturowych rolek po papierowych ręcznikach lub papierze toaletowym, pustych szpulek, korków, pustych pudełek po zapałkach) przyklejonych pionowo do kawałka kartonu lub innego twardego tworzywa dziecko może wykonać surrealistyczne miasto. Gdy klej już wyschnie, daj maluchowi farby i wolną rękę — niech pomaluje swoje miasto na czerwono albo na inny ulubiony kolor.

Uwaga na klej! Małe dzieci mają tendencje do nadużywania kleju — zbyt duża jego ilość potrafi schnąć i kilka dni. Nie psuj jednak zabawy, przyklejając wszystko sama; będzie oczywiście mniejszy bałagan, ale malec niczego się nie nauczy. Możesz wszystkiemu zaradzić, dając dziecku klej w odpowiednim pojemniku albo nakładając go odrobinę do małych papierowych pojemniczków (z których maluch może go nabierać patyczkiem higienicznym zakończonym watą lub też zwykłym patykiem); można też wypróbować klej w tubce z aplikatorem albo — wersja prawdopodobnie najczystsza — w sztyfcie.

Nożyczki. Większość dwulatków nie ma jeszcze tak rozwiniętej koordynacji, by korzystać z nożyczek, ale wiele starszych maluchów lubi nimi tak czy inaczej majstrować. Daj dziecku małe nożyczki o tępych końcach z wyściełanym uchwytem i kontroluj, jak malec się z nimi obchodzi.

Zeszyt. Najlepszy będzie gładki, ze spiralą utrzymującą kartki. Niech tam gryzmoli, co chce — ku własnemu zadowoleniu; większość młodych artystów czerpie niebywałą satysfakcję z zapełniania pustych stron. Taki zeszyt łatwo wsadzisz do torby, a końcowy efekt łatwiej zachować na pamiątkę niż stos luźnych kartek.

Jedzenie. Niech talerz dziecka będzie jego paletą. Pod twoim nadzorem niech dziecko wykonuje buzię pizzy czy naleśnikowi za pomocą rodzynków i plasterków banana, krajobraz z surowych warzyw albo też niech zrobi kolorowy deser z wiejskiego twarożku przyozdobionego owocami.

* Unikaj przedmiotów, którymi malec mógłby się zakrztusić, jeśli nadal wkłada różne rzeczy do buzi (patrz str. 559).

zupę? Z kosza pełnego zwykłych drewnianych klocków — tętniące życiem miasto?

Wyobraźnia — ta płodna wewnętrzna siła, która sprawia, że małe dziecko staje się pomysłowe jak najlepszy inżynier, odkrywcze jak naukowiec, obdarzone fantazją architekta, nowatorskie jak projektant, niepowtarzalne jak poeta lub troskliwe jak mama.

Patrząc z perspektywy czasu, najwięcej osiągnęli najwięksi marzyciele. Jest jednak wiele innych powodów, dla których warto stymulować dziecięcą wyobraźnię.

By skończyła się nuda. Dzieciom uczonym od najwcześniejszych lat korzystania ze swojej wyobraźni rzadziej zdarzają się chwile, w których nie mają co robić. Nawet z najskromniejszych resztek potrafią tworzyć scenerię za scenerią dla udawanej sztuki. Czapka marynarska może zmienić pokój w otwarte morze z misiami w charakterze majtków; dziecięcy stetoskop może przeistoczyć salon w gabinet lekarski; fikająca jak nie ujeżdżony koń miotła może uczynić z kuchni ranczo na Dzikim Zachodzie; lalka-niemowlę może odmienić pokój zabaw w dom z dziećmi w charakterze zabieganych rodziców.

By dziecko lepiej mówiło. Nawet zanim język dziecka zaczyna być zrozumiały dla innych, dzieci posługują się nim, rozwijając fabuły swoich wymyślonych zabaw. Wiele dwulatków rozmawia ze swoimi zabawkami na długo, zanim zacznie rozmawiać z rodzicami lub rówieśnikami.

By rozwinąć umiejętności obcowania z innymi. Gdy dzieci rozmawiają „na niby" z pluszowymi zwierzątkami i innymi zabawkami, nabierają doświadczenia, które przyda im się w kontaktach z rówieśnikami.

By udoskonalić sztukę rozwiązywania problemów. Gdy umysł jest nieustannie ćwiczony w czasie udawanej zabawy, dzieci uczą się samodzielnie myśleć i później lepiej radzą sobie z rozwiązywaniem problemów.

By dać dziecku posmak świata dorosłych. Pozwalając dziecku doświadczać prawie każdej roli, penetrować każdą dziedzinę (od rodziców po pilota, od listonosza po gwiazdę filmową), wymyślona zabawa daje maluchowi świetne fundamenty na przyszłość.

By — być może — zredukować inklinacje do agresji. Badania wykazują, że dzieci zaangażowane w zabawę „na niby" mają mniejszą skłonność do agresji — choć nie jest pewne, czy dzieje się tak dlatego, że oglądają w ten sposób mniej programów telewizyjnych (bo tak jest), czy też działają tu jeszcze inne czynniki.

By zaradzić lękom i problemom. Dzieci mogą odegrać swój strach w udawanej zabawie — brzdąc, który boi się psów, może wyrzucić z siebie strach np. przed pluszowym zwierzakiem.

Choć wyobraźnia przychodzi dzieciom w sposób naturalny, nieco rodzicielskiej stymulacji może ją wzbogacić. By motywować dziecko do korzystania z wyobraźni:

* Oceniaj osiągnięcia wyobraźni dziecka tak samo jak osiągnięcia intelektualne. Gdy dziecko urządza wytworne przyjęcie urodzinowe pluszowej żyrafie, przyjmij to tak samo entuzjastycznie, jak przyjęłabyś nauczenie się przez malca kilku liter alfabetu.

* Zostań na uboczu przez większość czasu. Krążenie za dzieckiem w trakcie zabawy może mu przeszkadzać. Tak samo przerywanie zabawy częstymi pytaniami i wskazówkami. Poproszenie jednak od czasu do czasu o „herbatkę" lub pucharek ulubionych „lodów", symulowanie dolegliwości wymagające ekspertyzy „lekarza", albo po prostu uczestniczenie w zabawie „na niby", gdy zostaniesz do niej zaproszona, dostarczy dziecku ogromnej satysfakcji.

* Niech wyobraźnia malca nadaje ton zabawie. Jeśli nawet kusi cię, by rozkręcić zabawę swoimi pomysłami, opanuj się. Dla dzieci ważne jest, by zabawa toczyła się według ich myśli, nawet jeśli ich pomysły nie są tak rezolutne jak twoje. Ingerencja rodziców w te sprawy nie tylko powstrzymuje dziecko od samodzielnego myślenia, ale może je zawieść, jeśli zmieni cały tok wymyślonej zabawy.

* Sporadycznie dorzucaj własne pomysły. Chociaż zwykle lepiej się nie mieszać, gdy dziecko samo dobrze się bawi, nie wahaj się wesprzeć malca jakimiś pomysłami, gdy widzisz, że jest temu chętny. Bądź więc wielkim pociągiem i małym wagonem, dorosłym kotem i małym kociątkiem, koniem i jeźdźcem, lekarzem i pacjentem. Pobaw się w dom, gospodarstwo, szpital, Bolka i Lolka, Pinokia i cokolwiek innego — ale zawsze pozwól dziecku decydować o tym, co masz robić.

* Dostarcz dziecku rekwizyty. Choć wyobraźnia ma swe źródło w umyśle dziecka, trzeba ją stymulować z zewnątrz. Wybierz zabawki i drobiazgi do zabaw z list na str. 70 i 287.

Uwaga: Dzieci, które bezustannie żyją w świecie fantazji lub powtarzają bez przerwy wymyśloną historię, nie próbując nowej zabawy, mogą potrzebować pomocy. Zwróć się z tym problemem do lekarza.

CO TWOJE DZIECKO POWINNO WIEDZIEĆ

Co to jest mamusia? Tatuś? Umiejętność rozróżniania rodzaju

Mniej więcej dwie generacje wcześniej role przypisane do rodzaju były w większości domów jasne. Były matki noszące fartuchy, dzierżące w dłoniach ścierkę do wycierania kurzu lub odkurzacz (czasami jednocześnie) i wiecznie zamartwiające się o to, czy ich rodziny mają pełne żołądki i skarpetki „od pary". Byli też ojcowie, którzy nosili garnitury i krawaty lub robocze kombinezony, w ręku trzymali aktówkę lub skrzynkę z narzędziami i zamartwiali się o to, czy ich rodziny mają dach nad głową i dość boczku na poranną jajecznicę.

Dziś obraz ten nie jest już tak klarowny. W środkach masowego przekazu i w domach tradycyjne role nie są już żadną normą. Ustąpiły miejsca mieszaninie innych, przyjętych scenariuszy: mama pracuje w domu, tata poza domem; tata pracuje w domu, mama poza domem; i mama, i tata pracują w domu; i mama, i tata pracują poza domem; albo też — w wielu wypadkach — mama i tata nie mieszkają w tym samym domu, taty w ogóle nie ma, nawet na zdjęciu, są dwie mamy (lub ojcowie) zamiast jednej mamy i jednego taty.

Jednakże, choć wiele stereotypów popularnych w latach pięćdziesiątych i sześćdziesiątych już nie funkcjonuje, w wielu domach pokutują ich pozostałości. Choć mama może pracować zawodowo tyle samo godzin co tata, musi nadal wykonać swoją pracę w domu. Choć oboje rodzice mają niewiele czasu wolnego od pracy zawodowej, mama przeznacza go w większości na gotowanie, pranie, zmywanie naczyń i opiekowanie się dziećmi. A jeśli jest mamą samotną, może w ogóle nie mieć czasu dla siebie.

Dla kontrastu jednak istnieją domy, gdzie podział ról i obowiązków nie ma nic wspólnego z płcią i jest równy. W takich domach ojcowie poświęcają swój wolny czas na przewijanie niemowlaka, czytanie bajek, ładowanie bielizny do pralki, sprzątanie łazienki w takim samym stopniu jak matki — bez względu na to, kto pracuje zawodowo poza domem. Nawet jednak, gdy jesteście już doświadczonymi rodzicami, a szczególnie wtedy, gdy sądzicie, że przed wami jeszcze sporo pracy, aby móc się za takich uważać, przekazanie dzieciom egalitarnego spojrzenia na podział ról w rodzinie powinno być dla was kwestią ambicji. By temu sprostać, trzeba podjąć dość szczególne kroki.

Daj przykład równości. Świadomy wysiłek w celu równego podziału prac domowych i obowiązków rodzicielskich pomiędzy oboje rodziców (biorąc pod uwagę to, w czym każdy z partnerów jest najlepszy) pozostawi trwałe wrażenie na dziecku. Jednak przy próbie wychowania dziecka bez opartych na różnicy płci stereotypów trzeba uważać, by w jego świadomości nie zatarły się różnice płci. Mężczyźni i kobiety różnią się na wiele cudownych sposobów i należy to podziwiać i szanować.

Pielęgnuj opiekuńczość. Nie trzeba być mamą, aby podsuwać dziecku ramię, by się wypłakało, albo kolano, by się wtuliło; nie trzeba być tatą, by podnosić malca w górę lub uczyć, jak się kopie piłkę. Nie trzeba też koniecznie być dziewczynką, by móc pozwolić sobie na płacz i tulenie się. Zachęcaj tak synów, jak i córki do trzymania butelki niemowlakowi lub pocieszania zalanego łzami kolegi w piaskownicy. Dzieci, które dorastają, widząc zarówno kobiety, jak i mężczyzn pielęgnujących swoje potomstwo, mają dużo większe szanse same być w przyszłości troskliwymi rodzicami — bez względu na to, czy są chłopcami, czy dziewczynkami. Pozwalanie małym chłopcom na uzewnętrznianie swoich uczuć zamiast nakazywanie im być „twardym" pomoże im wyrosnąć na troskliwych, wrażliwych mężczyzn, mężów i ojców.

Chwal odwagę i siłę. Chwal równo dziewczynki i chłopców, gdy uda im się wejść na szczyt drabinki na placu zabaw, złapać piłkę lub wygrać w „Chodzi lisek koło drogi". Nie wahaj się grać „ostro" ze swoją córeczką, jeśli jej się to podoba. Tą samą miarą mierz małego chłopca i unikaj takich zabaw, jeśli ich nie lubi.

Precz z tabu i stereotypami względem zabawek. Żadna zabawka nie powinna być uważana za nieodpowiednią z powodu tradycyjnych stereotypów płci. Dziewczynkom, które chcą bawić się piłkami, klockami i samochodami, nie powinno się tego zabraniać; również chłopcom chętnym do zabawy w „dom" z użyciem lalek i misiów. Tak samo jednak nie należy narzucać dziecku zabawki (lub jej odbierać), by przełamać tradycyjne stereotypy płci. Chłopcy, którzy gustują w ciężarówkach, nie powinni być zmuszani do bawienia się lalkami; dziewczynki lubiące lalki nie powinny być namawiane do bawienia się samochodami (patrz str. 201).

Szukaj równości w książkach. Spróbuj znaleźć opowiadania, w których zarówno mężczyźni, jak i kobiety są lekarzami, inżynierami, naukowcami, nauczycielami, konstruktorami i w których tatusiowie i mamusie w pełni partycypują w wychowaniu dzieci i pracach domowych. Nie bądź jednak aż tak gorliwa w przesiewaniu opowiadań pod względem stereotypów płci; dziecko nie pozna bowiem w ten sposób najlepszej światowej literatury!

Stwórz dziecku możliwości. Pomóż dziecku wykształcić uczucie, że nie ma nic, czego nie mogłoby zrobić, że każdy może aspirować do pójścia za głosem swoich marzeń. Pokaż mu również, że wykonywanie zawodu lekarza, strażaka czy architekta nie wyklucza bycia mamą lub tatą.

Jeśli jesteś kobietą samotnie wychowującą dziecko, dostarczenie malcowi pozytywnych wzorców roli mężczyzny będzie oczywiście trudniejsze. Oprócz szukania fikcyjnych przykładów opiekuńczych męskich jednostek w książkach, które razem czytacie, dobrze byłoby spróbować znaleźć jakiś prawdziwy, żyjący, kochający i troskliwy wzorzec, z którym maluch mógłby spędzać czas. Może to być przyjaciel, krewny lub nauczyciel — spędzanie z nim czasu spowoduje ogromną różnicę w postrzeganiu przez dziecko roli mężczyzny. To samo dotyczy oczywiście ojca wychowującego dziecko bez matki w domu. Więcej na temat samotnego wychowywania dziecka znajdziesz na str. 666.

14

Od dwudziestego ósmego do trzydziestego miesiąca

Co twoje dziecko potrafi robić

Po ukończeniu trzydziestego miesiąca (2 i 1/2 roku) twoje dziecko powinno umieć:

* identyfikować 1 obrazek, nazywając go;
* włożyć jakąś część garderoby;
* podskoczyć;
* nazwać 6 części ciała;
* identyfikować 4 obrazki przez wskazanie.

Uwaga: Jeśli twoje dziecko nie opanowało jeszcze tych podstawowych umiejętności, skontaktuj się z lekarzem. Takie tempo rozwoju może być zupełnie normalne dla twojego dziecka, ale musi ono zostać fachowo ocenione. Zasięgnij porady lekarza, jeśli dziecko jest nadpobudliwe, wyjątkowo wymagające, uparte i do wszystkiego negatywnie nastawione, ogólnie opóźnione w rozwoju, pasywne i niekomunikatywne, smutne i trudne do rozbawienia; jeśli ma trudności w nawiązywaniu kontaktów i bawieniu się z innymi. W tym wieku dzieci urodzone jako wcześniaki doganiają w rozwoju swoich rówieśników urodzonych o czasie.

Przed końcem trzydziestego miesiąca twoje dziecko prawdopodobnie będzie umiało:

* rozpoznawać 4 obrazki, nazywając je.

Przed końcem trzydziestego miesiąca twoje dziecko być może będzie umiało:

* narysować pionową kreskę, naśladując czyjeś ruchy;
* stać na każdej nodze przez 1 sekundę;
* rozpoznać kolegę z imienia.

Przed końcem trzydziestego miesiąca twoje dziecko może nawet umieć:

* stać na każdej nodze przez 2 sekundy;
* rozpoznawać 1 kolor;
* opisać użycie 2 przedmiotów;
* używać 2 przedmiotów;
* skakać na rozstawionych nóżkach.

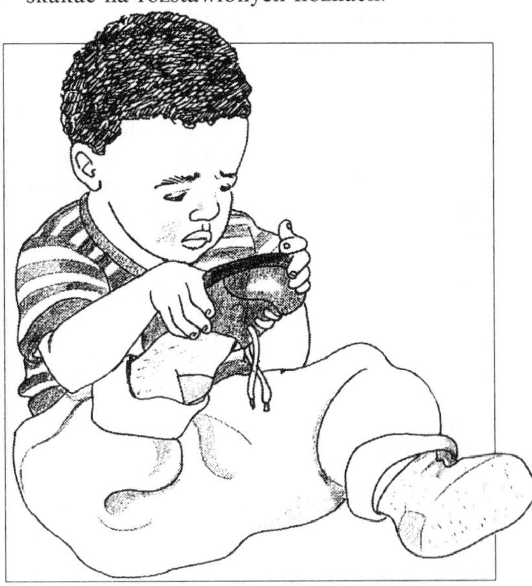

W trzecim roku życia dziecka istnieje jeszcze poważna przepaść między tym, co dziecko chciałoby robić, a tym, co potrafi zrobić. Dostarczanie malcowi wielu sposobności do ćwiczenia jego umiejętności pomaga tę przepaść zniwelować.

CO MOŻE CIĘ NIEPOKOIĆ

DZIECKO, KTÓRE MA WSZYSTKO

Nasz syn jest pierwszym wnukiem dla każdej ze stron. Ma wszystko, czego dziecko może zapragnąć — ubrania, książki, zabawki. Jest bardzo grzeczny, nie jęczy, nie robi żadnych scen. Martwimy się jednak, że jeśli nie będziemy dostatecznie często używać słowa „nie", rozpuścimy go i stanie się rozkapryszonym pędrakiem.

Nie ma wątpliwości, że słowo „nie" ma swoje miejsce w słowniku rodziców („Nie pukaj!", „Nie ma ciasteczek, dosyć", „Nie, nie dotykaj tego gorącego pieca!"). Rozsądne użycie słowa „nie" — szczególnie, gdy chodzi o zdrowie, bezpieczeństwo i sprawiedliwość — jest sprawą podstawową przy wychowywaniu troskliwej i odpowiedzialnej jednostki. Niemniej jednak oszczędzenie sobie od czasu do czasu takiego „nie" wcale nie znaczy, że rozpieszczasz czy psujesz dziecko.

W zasadzie nic nie wskazuje na to, że chowasz rozpuszczonego brzdąca. Trudno bowiem nie zauważyć oznak nadmiernej pobłażliwości (lub niewłaściwej pobłażliwości), a z twojego opisu nie wynika, by u twojego dziecka miały one miejsce. Żeby dalej tak było:

Nie mów „tak", gdy nie ma ku temu powodu. Dawanie dziecku wszystkiego, czego potrzebuje jeśli tylko pozwalają ci na to środki — nie jest samo w sobie błędem. „Tak" w przypadku jakiejś rozsądnej prośby lub uzasadnionego zakupu również nim nie jest. Ale zarówno dawanie, jak i uleganie dziecku z nieusprawiedliwionych powodów — tak po prostu, by dziecko było zadowolone, by uniknąć awantury, by dać mu to, czego sama w dzieciństwie nigdy nie miałaś („Ja nigdy nie miałam kolejki, ale — na litość boską — mój syn będzie ją miał!"), by zrekompensować mu twoją nieobecność — może później stworzyć problemy. Dawanie dziecku tak wiele i tak często, że zaczyna ono być czymś oczywistym, może nie tylko pozbawić dziecko radości z dostawania, ale zmienić malca w potworka w stylu „DAJ MI!", który nie potrafi poczekać na nagrodę (co może przybrać poważniejszą jeszcze postać, szczególnie w okresie dorastania).

Powiedz „nie", gdy istnieje ku temu wyraźna przyczyna. Ciągłe używanie słowa „nie" może dezorientować dziecko i tłamsić jego ego. Zakazuj więc, gdy istnieje ku temu wyraźna przyczyna (dziecko chce huśtawkę, a nie ma gdzie jej w domu powiesić; dziecko chce nowe wiaderko i łopatkę wypatrzone gdzieś w sklepie, a w domu ma już taki komplet; dziecko chce cały dzień oglądać telewizję), a nie dlatego, że czujesz, iż ostatnio mało mu zakazywałaś.

Nie mów tak po prostu „nie". Wyłączając sytuacje, w których istotną rolę odgrywa czas (na przykład gdy dziecko nagle wybiega na ulicę) — nie mów ot, tak po prostu: „Nie". Wytłumacz dlaczego. Chociaż malec nie zawsze będzie w stanie zrozumieć lub zaakceptować twoje wyjaśnienia, w końcu pojmie ich istotę, jeśli będą proste i dostosowane do jego poziomu percepcji. Nie wyłuszczaj np. swoich finansowych problemów dwulatkowi, który poprosił o monstrualnych rozmiarów pluszowe zwierzątko, na które cię nie stać. W zamian za to powiedz: „Ten słoń kosztuje bardzo dużo pieniążków, a my potrzebujemy pieniążki na jedzenie i ubranie i nie możemy wszystkich wydać na zabawki".

Uświadom sobie, że „więcej" oznacza czasami „za dużo". O ile chłopiec, który ma wszystko, niekoniecznie musi być rozpieszczony, chłopiec, który ma więcej, niż mu trzeba lub niż może spożytkować, jest często przytłoczony (taką liczbą zabawek, z którą nie wie, co zrobić) lub nasycony (ma tak wiele zabawek, że wszystkie stają się jednakowo nudne). Długotrwałe pobłażanie maluchowi może doprowadzić do stanu, w którym nie przyjmuje on odpowiedzi odmownej i reaguje na nią gniewem, łzami lub rzucaniem się na podłogę. Mówiąc zwięźle — rozwydrzony pędrak.

Pomóż mu doświadczyć radości dawania. Ponieważ we wczesnym dzieciństwie dziecko jest wyjątkowym egocentrykiem, trudno oczekiwać, iż malec zrozumie, że lepiej jest dawać niż brać. Nie znaczy to jednak, że nie można zacząć wyrabiać u dziecka takiego podejścia, służąc mu dobrym przykładem. Kiedy tylko można, wciągaj malca w swoje próby niesienia pomocy innym, którym nie powodzi się tak dobrze (patrz str. 193); pokaż, jakie to wspaniałe uczucie, gdy można robić dobre uczynki. Dodatkowo zaś postaraj się, by malec mógł doświadczyć radości dawania na gruncie rodzinnym: kupienie lub wykonanie np. specjalnego prezentu dla babci z okazji jej urodzin lub też wykonanie walentynkowej laurki dla tatusia i uszczęśliwienie go nią znienacka przy śniadaniu.

Daj dziecku miłość. Jest to największy dar, jaki można ofiarować lub otrzymać. Jak długo więc dziecko otrzymuje dużo uczucia i zaczyna się uczyć je odwzajemniać, i ty, i ono jesteście na dobrej drodze.

PRZYWOŁYWANIE DO PORZĄDKU INNYCH DZIECI

Jedno z dzieci, które często bawi się z naszą córeczką, ma zapędy do bicia. Gdy nie ma w pobliżu jego mamy, nie wiem, co mam robić, by mały nie krzywdził innych dzieci.

Podczas gdy niewłaściwe byłoby karcenie niegrzecznego dziecka w obecności jego rodziców lub opiekunów, nie tylko właściwe, ale wręcz konieczne jest wkroczenie, gdy dziecko to zostaje pod twoją opieką; to ty w takiej chwili jesteś odpowiedzialna za jego zachowanie.

Następnym razem, gdy jeden z twoich małych gości zacznie „podskakiwać", daj mu do zrozumienia, że nie będziesz tolerowała bicia. Gdy „ofiara" płacze lub jest niespokojna, najpierw jej poświęć swoją uwagę, a następnie winnemu. Bądź stanowcza, ale opanowana, gniew nic tu nie pomoże. Wyjaśnij wprost: „W naszym domu się nie bije. Jeśli nadal będziesz bił, nie będziesz mógł się tu bawić i będziesz musiał pójść do domu". (Więcej wskazówek na temat postępowania w przypadku agresji u dzieci znajdziesz na str. 174.)

Pamiętaj jednak, że dziecko, którego rodziców nie ma, może bić, ponieważ jest niespokojne lub czuje jakiś dyskomfort. Może tak postępować również dlatego, że nikt nie zwraca na nie uwagi. Uważaj więc, by nie faworyzować specjalnie swojego dziecka; jest wystarczająco dużo zabaw, by zająć nimi osamotnionego gościa. Poświęć mu więc trochę więcej uwagi, gdy zachowuje się grzecznie.

DOMOWY PIECUCH

Moje dziecko nigdy nie ma ochoty wyjść, nawet na plac zabaw. Całkowicie zadowala się przebywaniem w swoim pokoju i zabawą. Ja jednak dostaję już białej gorączki od ciągłego przebywania w czterech ścianach.

Tak jak i dorośli, dzieci miewają różne temperamenty i osobowości. I choć większość aż skacze z radości na choćby wzmiankę o spacerze, są i takie, które równie dobrze mogą się bez niego obejść. Sporadycznie zdarzyć się może dziecko, które notorycznie odmawia opuszczenia domu (i swoich zabawek) i wyjścia do parku, na plac zabaw, do koleżanki lub po zakupy.

W większości wypadków taką domową zasiedziałość można z powodzeniem zwalczyć, jeśli dojdziesz do tego, co jest przyczyną odmawiania przez dziecko wyjścia na spacer.

Zmiana. Niektóre dzieci ze względu na swój temperament nie lubią zmian. Nie znaczy to wcale, że nie będą w stanie czynić żadnych zmian w swoim życiu, ale będzie im potrzebny mały okres przejściowy. Na przykład zamiast nagle obwieścić w południe: „Idziemy teraz do sklepu", lepiej jest zacząć napomykać takiemu dziecku o wyjściu już po śniadaniu („Później pójdziemy do sklepu", „Zaraz pójdziemy do sklepu", „Za pięć minut...", „Czas już iść do sklepu"). Pozwoli to maluchowi oswoić się z myślą, że wychodzi, na długo przed samym momentem wyjścia. Więcej wskazówek na temat postępowania z dziećmi, które nie lubią zmian, znajdziesz na str. 219.

Nieodpowiednie miejsce. Może dziecko przestraszyło się któregoś dnia na zjeżdżalni lub spadło z huśtawki i teraz boi się iść na plac zabaw? Albo może po prostu nie lubi wspinać się, zjeżdżać czy huśtać? Jeśli to dobór miejsca zabaw powoduje u malca opory, wybierz inne — muzeum, zoo czy też dom kolegi z piaskownicy. Spróbuj dostosować miejsce spaceru do jego zainteresowań, a być może reakcja będzie bardziej pozytywna. A może małego nudzą zakupy? Jeśli to jest przyczyna, sięgnij po rady ze str. 214.

Rozstanie z zabawkami i innymi „skarbami". Czy to zużyta zabawka, czy pluszowe zwierzątko, czy wreszcie ulubiony przedmiot, którym mały właśnie się bawi — zabranie tego z sobą na spacer może zmniejszyć obiekcje dziecka. Jeśli zaś nie da się zabrać tego przedmiotu na spacer (nie możesz przecież zapakować do wózka całej kolejki), pomóż maluchowi wybrać inną zabawkę lub może książkę i zabrać ją ze sobą.

Zabawa na dworze. Niektóre dzieci przedkładają pewne samotne zabawy w domu (wyścigi samochodowe, rysowanie, układanie puzzli) nad bardziej aktywne harce na powietrzu. Jeśli twoja pociecha do nich należy, wytłumacz jej, że może przecież zabrać swoje auta, zeszyt czy układankę na podwórko i nie musi ciągle biegać czy cały czas być aktywna fizycznie, chyba że chce (chociaż oczywiście lepiej do takiej aktywności zachęcać; patrz str. 258).

Przeładowany program. Niektóre dzieci tęsknią po prostu za chwilą, którą mogą wreszcie spędzić w domu, gdyż albo większość czasu spędzają poza domem (u opiekunki, w żłobku), albo bez przerwy z niego wychodzą. O ile ciągłe wyprawy poza dom niektórym dzieciom bardzo odpowiadają, o tyle inne pragną ciszy, spokoju i komfortu, jaki daje im tylko dom. Jeśli dotyczy to i twojego malucha, spróbuj zrozumieć jego potrzebę „wyhamowania" tempa i — jeśli to możliwe — zrezygnuj z wyjścia po szczególnie intensywnym dniu lub tygodniu.

A może to strach? Gdy dziecko reaguje autentycznym strachem lub paniką na propozycję wyjścia z domu, istnieje ewentualność, że coś złego, o czym nie wiesz, musiało się kiedyś zdarzyć. Jeśli potrafi już dobrze mówić, możesz je zapytać, dlaczego nie chce wyjść. Jeśli nie, będziesz musiała trochę „powęszyć". Czy możliwe, że przestraszyło się psa sąsiada albo słyszało opowieść o kimś potrąconym przez samochód? A może widziało, jak palił się samochód? Popytaj o to opiekunów dziecka, krewnych i spróbuj dojść do sedna sprawy. Jeśli nic specjalnego się nie wydarzyło, powinnaś porozmawiać na ten temat z pediatrą. Być może dziecięcy psycholog zdoła wyciągnąć od dziecka przyczynę lęku, stosując odpowiednią terapię.

Brak przyczyny. Niechęć dziecka do opuszczania domu może być niczym innym, jak normalnym dziecięcym uporem i chęcią odgrywania pierwszych skrzypiec. Przy zastosowaniu metody „ty wygrywasz — ja wygrywam" (patrz. str. 123) można wyciągnąć malca na dwór bez specjalnej awantury. Możesz go również wywabić z domu za pomocą żartów, piosenki, a nawet przynęty („Jeśli chcesz, zatrzymamy się, by pooglądać te wozy strażackie, gdy skończymy zakupy"). Jeśli mały nie będzie chciał dobrowolnie wyjść z domu, ty zaś masz pilną sprawę do załatwienia, a nie ma nikogo, kto mógłby się dzieckiem w tym czasie zaopiekować, możesz nie mieć wyboru i będziesz musiała zabrać go z domu na siłę. Przyjmij przyjazny, acz stanowczy ton, gdy będziesz już niosła go do samochodu lub wózka i postaraj się w trakcie swojej wędrówki wstąpić gdzieś, gdzie mu się z pewnością spodoba.

Kiedy będziesz usiłowała dojść do tego, co jest przyczyną niechęci dziecka do opuszczania domu, nie krytykuj go ani nie wyśmiewaj się z malca lub jego domatorskich inklinacji. Komentarze w stylu: „Wszystkie inne dzieci uwielbiają chodzić na plac zabaw, a dlaczego ty zawsze chcesz zostać w domu?", są niedelikatne, mogą urazić jego ego i spowodować większy upór.

Jeśli dziecko uparcie i całkowicie odmawia wyjścia na dwór lub staje się niespokojne albo wręcz wpada w panikę, kiedy upierasz się, by je zabrać ze sobą — omów ten problem z lekarzem.

NIEUSTANNE MONOLOGI

Czy to normalne u dziecka, że mówi do siebie? Moja córka robi to całymi dniami.

Każdy do siebie mówi — tylko że dorośli potrafią robić to po cichu, przynajmniej przez większość czasu. Twojemu dziecku, które dopiero uczy się przekształcać myśli w słowa, łatwiej to robić głośno — tak jak dziecku, które uczy się czytać, łatwiej zrozumieć to, co czyta, gdy czyta na głos. W tym wieku malec niekoniecznie jeszcze musi znać różnicę między myśleniem a werbalizowaniem myśli.

Dziecięce monologi są również inspirowane ogromną chęcią ćwiczenia umiejętności mówienia i satysfakcją, jaką mali mówcy czerpią ze słyszenia własnego głosu — satysfakcją, która rośnie w miarę rozwoju mowy. W przeciwieństwie do monologów osób dorosłych, dzieci nie milkną, kiedy uświadamiają sobie, co robią. Mało je to obchodzi, co myślą o nich inni. (Sami prawdopodobnie więcej byśmy głośno myśleli, gdybyśmy się nie obawiali, że inni uznają nas za nienormalnych.)

Kiedy malec nauczy się jeszcze lepiej mówić, zacznie częściej myśleć po cichu, choć prawdopodobnie nadal trochę będzie mówił do siebie, przynajmniej przez jakiś czas w okresie przedszkolnym, a jeśli jest taki, jak każdy z nas, to i sporadycznie będzie mu się to zdarzało później. Na razie zaś, zamiast niepokoić się tym gadaniem, staraj się je polubić.

NIE CHCE BYĆ CAŁOWANE

Nasze lubiące niegdyś pieszczoty dziecko nie znosi obecnie, gdy je całujemy — odpycha nas, gdy próbujemy to zrobić. Jak to możliwe?

Jedwabiste policzki, małe noski, pełne ślicznych loczków główki — aż korci, by to wszystko całować. No i naturalne jest, że gdy te pocałunki, od których trudno się powstrzymać, są zdecydowanie odrzucane, czujemy się bardzo przygnębieni. Szczególnie jeśli jeszcze nie tak dawno temu nasze ciepłe gesty spotykały się z radosną aprobatą.

Choć nie wszystkie dzieci odwracają głowę, by uniknąć pocałunku, wiele (najczęściej chłopców) tak właśnie robi. Niechęć do całusów jest być może sposobem na obwieszczenie swojej odrębności i niezależności. U niektórych chłopców odmowa pocałowania mamy może być nawet sposobem opanowania silnego i poniekąd niepokojącego przyciągania, jakie istnieje między nimi a matką.

Nie gań malca, nie proś i nie błagaj o całusy. Takie podejście może spowodować u dziecka wyrzuty sumienia, a ty i tak nie otrzymasz w ten sposób tego, czego chcesz. Skradnij mu całusa od czasu do czasu, goniąc go w zabawie, zagradzając mu drogę i przykładając usta, gdzie tylko się da. Całowanie malca w trakcie takiej zabawy powinno spotkać się z jego akceptacją, a nawet mu się spodobać (choć może ci tego nigdy nie okazać). No i czekaj cierpliwie. Któregoś dnia na pewno wróci mu ochota na twoje całusy i pieszczoty.

NIE CHCE BYĆ PRZYTULANE

Moja córeczka lubiła, gdy brałam ją na ręce, kiedy była mniejsza; teraz wierci się i wyrywa, gdy próbuję ją przytulić. Zaczynam czuć się odtrącona.

Nie bierz sobie tego aż tak bardzo do serca. Ona nie odrzuca ciebie, lecz raczej buntuje się przeciwko ograniczaniu jej czysto fizycznej swobody. Częste uściski (a także wózki, samochodowe foteliki, wysokie krzesełka z barierkami) nie tylko krępują ruchy aktywnemu maluchowi, ale każą iść na kompromis w sprawie tak przecież cennej dla dziecka władzy i autonomii.

To jednak, że twoje dziecko niespecjalnie akceptuje fizyczne przejawy twojego uczucia, tak jak było to dawniej, nie oznacza, że tego nie potrzebuje. Zamiast więc odwrócić się od niej całkowicie, spróbuj zmienić swój sposób okazywania jej miłości i dostosować go do obecnych potrzeb dziecka.

Spróbuj lekko dotknąć... Choć wiele dzieci (szczególnie tych wrażliwych na dotyk, które nawet w okresie niemowlęcym nie przepadały prawdopodobnie za fizycznymi przejawami uczuć) będzie opierać się zniewalającym uściskom, może nie protestować przeciwko szybkiemu i delikatnemu objęciu, przyciśnięciu ramie-

Wiele małych dzieci buntuje się przeciwko jakiemukolwiek rodzajowi ograniczenia — nawet przyjaznemu uściskowi. Pozwól, żeby dziecko powiedziało ci, jak mocno możesz je „ukochać".

nia albo delikatnemu poklepaniu po policzku — przejawom miłości, które nie ograniczają im ruchu czy niezależności.

...lub trochę się podroczyć. Niektóre szczególnie aktywne dzieci uważają przytulanie za zbyt duży sentymentalizm. Łaskotanie, mocowanie się, przybijanie „piąstki" są tymi formami kontaktu fizycznego, które bardziej im odpowiadają.

Znajdź odpowiednią porę. Dziecko chętniej przylgnie do otwartych ramion mamy lub taty przed lub po drzemce, przed pójściem spać wieczorem, kiedy upadnie (ale nie tragizuj w takich momentach tylko po to, by wyegzekwować parę uścisków) lub gdy z innych powodów czuje się zagrożone. Skorzystaj z takich okazji, by zaspokoić swoją potrzebę przytulania. Ustalenie jakiejś regularnej pory — na przykład po kąpieli — na bajkę i pieszczoty z pewnością dobrze zrobi i tobie, i dziecku.

Rób tak, jak chce dziecko. Niech ono daje ci znać, kiedy ma ochotę na czułości, a kiedy chce się uwolnić z twoich objęć. Jeśli będzie wiedziało, że uwolnisz je, jak tylko sobie tego zażyczy, to z pewnością mniej się będzie opierać uściskom.

Nie zaprzestawaj starań. Nawet jeśli maluch nie daje się przytulać teraz, jest prawdopodobnie zadowolony, że jednak mu to oferujesz. Większość onieśmielonych przytulaniem dzieci przeistacza się w „pieszczochów" (choć z odrobiną dojrzalszej już godności). Jakaś jednak ich część — zwykle te wrażliwsze na dotyk — nadal pozostaje oporna. Jeśli twoje dziecko odrzuca wszelkie próby fizycznego kontaktu, możesz poczuć się lepiej, gdy porozmawiasz o tym z lekarzem dziecka.

„CZUŁE" POKLEPYWANIE

Czasami, gdy trzymam synka na kolanach, mały bierze moją twarz w swoje ręce — co ma być gestem miłości — i zaczyna klepać mnie po policzkach, i to mocno! Czy to coś w rodzaju miłości i nienawiści?

Dzieci są mistrzami mieszanych uczuć. Często są rozdarte między pewnością a niepewnością, niezależnością a uzależnieniem, wszechmocą a bezradnością. Nic więc dziwnego, że te mieszane uczucia czasami uzewnętrzniają się w postaci takich przeciwstawnych zachowań, które opisujesz.

Nie przejmuj się tym „czułym" poklepywaniem, jest to rodzaj dotykania, ważna forma dziecięcego kontaktowania się i penetracji, część pewnej fazy rozwoju, która minie, gdy już u dziecka zacznie zanikać ten wewnętrzy chaos. Nie wahaj się jednak powstrzymać dziecko, jeśli „razy" przestają być zabawne. Spokojnie odsuń jego ręce, przytrzymaj i powiedz po prostu: „Nie bij mnie, proszę. To boli". Potem prowadź rączki dziecka delikatnie po swoich policzkach i powiedz: „Widzisz? Tak trzeba, to jest przyjemne". Jeśli takie postępowanie okaże się nieskuteczne, znajdź dla jego rączek coś innego do roboty — wyjmij puzzle lub plastelinę. Noś w torbie piłkę do nadmuchania, małą zabawkę, lalkę lub pluszowe zwierzątko, by mu to wręczyć, gdy zaczyna swoje entuzjastyczne, „czułe" poklepywanie gdzieś poza domem.

JĘZYK OBCY

Angielski jest językiem obcym i dla mojego męża, i dla mnie, co — jak czujemy — stwarza w nas pewne zahamowania. Do dziecka więc mówimy tylko po angielsku. Nasi rodzice mają jednak pretensje, że mały nie mówi po hiszpańsku. Czy uczenie go hiszpańskiego teraz zakłóci proces uczenia się przez malca angielskiego?

Nie. W zasadzie wasi rodzice mają rację. Drugi język może być cenną umiejętnością. A gdy przybliża jednostkę do jej korzeni i kultury, jest tym bardziej wartościowy. Nic straconego jednak, można zacząć i teraz. Wielu ekspertów w tym względzie uważa, że wiek dwóch i pół, trzech lat jest najlepszym wiekiem do rozpoczęcia nauki języka obcego u dziecka. Wprowadzenie go wcześniej bowiem osłabia rozwój obu języków (choć w większości wypadków dziecko z czasem nadrabia te „zaległości"); czekanie do momentu, aż dziecko zacznie czytać po angielsku, może w efekcie ograniczyć płynność posługiwania się językiem obcym.

Jest wiele teorii dotyczących uczenia małego dziecka języka obcego. Jedno z rodziców może mówić do niego w języku rodzimym, drugie w języku obcym. Oboje rodzice mogą mówić do dziecka w języku obcym, a maluch może rozwijać swą znajomość języka ojczystego w żłobku i przedszkolu. W języku ojczystym mogą się do dziecka zwracać rodzice, a w języku obcym dziadkowie, jeśli niedaleko mieszkają, lub zatrudniona na pełen etat opiekunka (jest to jednak metoda, która nie bardzo się sprawdza). Sytuacja, kiedy jedno z rodziców używa obu języków na zmianę, jest najbardziej dezorientująca i utrudnia dziecku kwalifikowanie poszczególnych słów do któregoś z języków.

Na jakąkolwiek metodę się zdecydujecie, upewnijcie się, że „nauczyciel" biegle włada wprowadzonym językiem i zwracając się do dziecka, używa wyłącznie tego języka. Zapewnijcie również maluchowi codzienny kontakt z językiem w postaci gier, książek, piosenek, nagrań wideo, które mają i bawić, i uczyć. Gdy dziecko zacznie już uczęszczać do szkoły, powinno nauczyć się czytać i pisać w tym języku, by utrwalić i pogłębić umiejętności. (Ponieważ niewiele szkół podstawowych ma w programie język obcy od pierwszej klasy, będziecie musieli prawdopodobnie o to zadbać we własnym zakresie.)

RODZINNA NAGOŚĆ

Zawsze byliśmy dość niefrasobliwi, jeśli chodzi o chodzenie nago po domu, pozwalamy naszej córeczce kąpać się razem z nami, nigdy też nie mieliśmy oporów, by się przed nią ubierać czy rozbierać. Teraz jednak, gdy mała ma już ponad dwa latka, zaczęliśmy się zastanawiać, czy to zdrowo pozwalać jej widzieć tatusia nago.

Wielu rodziców ma wątpliwości, czy można pokazywać się nago dzieciom płci przeciwnej, wielu też nie dopuszcza nawet do siebie takiej myśli. To, czy chodzenie w negliżu w obecności dziecka was nie krępuje, zależy, przynajmniej częściowo, od tego, jak was wychowano. Zastanówcie się więc, co czujecie, zanim rozbierzecie się przy dziecku.

Powinniście również liczyć się z uwagami dziecka. Niektóre dzieci zupełnie nie pamiętają, że rodzice chodzili nago. W którymś jednak momencie nadejdzie ciekawość względem poszczególnych części ciała — pokazywanie, zadawanie pytań („Co to jest, co ma tatuś?"), a nawet dotykanie obiektu zainteresowania. Taką ciekawość trzeba traktować ze spokojem, a na pytania odpowiadać krótko, ale precyzyjnie. Ten moment powinien być również znakiem, iż czas przestać pokazywać się nago.

Nawet jeśli dziecko nie przejawia takiego zainteresowania, chodzenie nago może stać się problemem, gdy dziecko skończy trzy latka. Uważa się bowiem, że niektóre dzieci zupełnie nieświadomie ulegają seksualnemu podnieceniu, widząc nagich rodziców, i są zdezorientowane oraz zażenowane takimi uczuciami. Stąd też rozsądniej jest zacząć używać szlafroków i kąpać się oddzielnie, gdy dziecko skończy już trzy latka. Możecie wyjaśnić maluchowi tę zmianę, mówiąc: „Teraz, gdy jesteś już starszy, potrzebujesz trochę intymności. My zresztą też".

Z drugiej jednak strony rozbieranie się i kąpanie w towarzystwie dorosłego tej samej płci może wzmocnić u dziecka pozytywne uczucia względem własnej płci. Matka, która nie wstydzi się rozbierać przed własną córką, może to robić nadal bez żadnych wyjaśnień — tak jak i ojciec rozbierający się w obecności syna. Niektórzy jednak mali chłopcy mogą być poruszeni wielkością swojego członka w porównaniu z ojcowskim. Dziecko można łatwo uspokoić, tłumacząc, że wszystkie części ciała dziecka (rączki, stopy, nóżki i „siusiaczek") są małe i urosną, gdy malec będzie starszy.

Bardziej istotne od praktykowania rodzinnej nagości jest traktowanie przez rodziców i ich stosunek do własnego ciała oraz do ciała dziecka. Właściwie oba ekstremalne stanowiska — purytański pogląd o okrywaniu ciała zawsze i wszędzie oraz ten skrajnie naturalistyczny — są wysoce niepożądane w procesie wychowywania dzieci i wyrabiania u nich stosunku do własnego ciała. Dzieci powinny się nauczyć, że ciało — czy to nagie, czy okryte — należy szanować i o nie dbać; powinno być uważane za coś pięknego, a nie żenującego. A najważniejsze jest to, by umieć je kontrolować.

DZIECIĘCA NAGOŚĆ

Jak tylko uda mi się ubrać moją córkę, mała natychmiast się rozbiera.

Ta niechęć do ubierania się nie znaczy wcale, że mała dożywotnio już będzie członkinią kolonii nudystów. Spontaniczne rozbieranie się jest bardzo powszechne wśród dzieci w wieku od dwóch do czterech lat i istnieje kilka powodów takiego zachowania. Po pierwsze, dzieci, które dopiero co nauczyły się rozbierać, uwielbiają ćwiczyć tę swoją nową umiejętność. Po drugie, osiągają satysfakcję z demonstrowania swojej władzy („Możesz mnie ubrać, ale nie możesz mnie zmusić, bym była ubrana"). Po trzecie, rozkoszują się przeciwstawianiem się zwyczajom, wystawiając na próbę wszystko i wszystkich oraz szokując obserwatorów. I wreszcie dlatego też, że bieganie nago, bez krępującej odzieży, jest po prostu wygodniejsze.

Ten „szał" na rozbieranie się przejdzie i — jak w przypadku większości przejściowych etapów — przejdzie szybciej, gdy nie będziesz wywierać na dziecku presji. Do tego czasu:

* Niech ćwiczy rozbieranie na kimś innym. Daj dziecku lalkę lub misia z dającymi się łatwo nałożyć ubrankami, by mogło próbować rozbierania w granicach społecznie przyjętych. Bądź blisko, byś mogła pomóc, gdyż ubieranie lalki jest zadaniem o wiele trudniejszym dla małych paluszków i może doprowadzić do frustracji.
* Pozwól biegać nago. Jeśli tylko temperatura w domu na to pozwala, niech mała baraszkuje w stroju Ewy (jeśli dziecko siusia jeszcze w majtki, a biega bez pieluszki, uważaj, by nie „zrosiło" ci mebli i dywanów[1]) do woli albo przynajmniej dopóki nie ma w pobliżu obcych.
* Nie pozwalaj biegać nago, gdy „nie uchodzi". Wytłumacz dziecku, że ludzie wokół nie są porozbierani, bo lubią strzec tajemnicy swojego ciała. Kiedy maluch nie powinien biegać na nagusa, spróbuj ubrać go w coś, co się trudno zdejmuje (kombinezon, bluzeczkę zapinaną z tyłu, dżinsy z paskiem itd.).
* Nie dopuść do tego, by twoje skrępowanie krępowało dziecko. Gwałtowna reakcja na rozbieranie się twojego dziecka może być przesłaniem, że powinno się wstydzić swojego ciała — co może w przyszłości wytworzyć u dziecka niezdrowe wyobrażenie o ludzkim ciele.

[1] Wielu rodziców jest zdania, że łatwiej odzwyczaić dziecko od siusiania w majtki, gdy biega nago, niż gdy ma pieluchę; rozważ więc, czy nie warto wykorzystać biegania nago do nauczenia malucha, jak korzystać z nocniczka — przy założeniu, że nadeszła już na to pora (patrz str. 463).

* Nie śmiej się również z jej błazeństw „na golasa". Twoje rozbawienie mogłoby skłaniać małą do ciągłego powtarzania „rozbieranych scen".

W końcu, gdy nowe wyzwania przyciągną uwagę dziecka, rozbieranie się straci swój urok. Około czwartego lub piątego roku życia możesz nawet odkryć, że z dziecka zrobił się wręcz purytanin; wielu przedszkolaków z wyjątkową dbałością strzeże tajemnicy swoich narządów płciowych. Teraz natomiast przymknij oko i raczej nie komentuj „ekshibicjonizmu" córeczki.

PRZEŁADOWANY PROGRAM

Rówieśnicy bawiący się z moją córką zaczynają uczęszczać na różnego rodzaju zajęcia — plastykę, gimnastykę, taniec, a nawet spotkania naukowe. Wydaje mi się, że to bzdura. A może to ja się ośmieszam i nie daję szansy naszemu dziecku?

Bycie dwulatkiem jest w dzisiejszych czasach ciężką pracą, dużo cięższą niż powinno. Ciągane na zajęcia gimnastyczne, plastyczne, muzyczne, filmowe, spotkania i zabawy z rówieśnikami, do żłobka lub przedszkola — niektóre maluchy mają tak napięty program, że wykończyłby on najbardziej energiczną i zorganizowaną osobę dorosłą.

U tych przepracowanych dzieci wyczerpanie jest często jednym z efektów ubocznych ich bogatego planu dnia. Inne to zaburzenia snu, zaburzenia łaknienia, drażliwość i kurczowe trzymanie się rodziców. Przeładowany program zajęć pozbawia również dziecko czasu na słodkie leniuchowanie, samodzielną zabawę, relaks czy rozmyślanie.

Takie obciążanie dziecka od najmłodszych lat ma daleko idące konsekwencje. Zbyt mocna presja na malca w jakiejś dziedzinie, jak np. muzyka czy taniec, może skończyć się całkowitą utratą zainteresowania — często do czasu rozpoczęcia szkoły — nawet jeśli dziecko wykazuje naturalne zdolności w tej dziedzinie.

A zatem jaki program jest odpowiedni dla dwulatka? Zależy to oczywiście od dziecka i jego rodziców. Dla niektórych maluchów — szczególnie tych, które uczęszczają do żłobka lub przedszkola i/lub spędzają dużo czasu na zabawach z rówieśnikami — nawet jedne regularne zajęcia mogą okazać się przesadą. Dla innych pójście raz lub dwa razy w tygodniu na jakieś krótkie zajęcia może być w sam raz. Dla dzieci, które nie są stymulowane w domu i nie mają zbyt wielu kontaktów z rówieśnikami — jak i dla ich rodziców, którzy mogą wiele skorzystać, przebywając z innymi ludźmi — zajęcia dwa lub trzy razy w tygodniu mogą znakomicie wypełnić towarzyską pustkę.

Niemniej jednak uważa się, że regularne zajęcia nie są konieczne dla optymalnego rozwoju dwulatka i że większość dzieci uczy się wystarczająco dużo poprzez codzienną zabawę. Choć jednak zajęcia takie nie są konieczne, nie ma w nich również nic złego, jeśli tylko będziesz pamiętać o następujących radach:

* Jedynym celem zorganizowanych zajęć dla dwulatka powinno być dostarczenie mu przyjemności. Zanim gdziekolwiek zapiszesz swoją pociechę, upewnij się, że chodzi o zabawę, a nie o dokonywanie cudów z dzieckiem. Zapisz córeczkę tam, gdzie jest dużo ruchu, by mogła skakać, podskakiwać i podrygiwać w takt muzyki, a nie ćwiczyć podstawowe pozycje przygotowujące ją do kariery primabaleriny. Zapisz ją na taką gimnastykę, aby mogła swobodnie się powspinać i porozciągać, a nie z zamiarem uczynienia jej mistrzynią olimpijską.

* Zajęcia dla dwulatków powinny przebiegać bez żadnej presji. Niechętni mali „kursanci" powinni być zachęcani, ale nigdy nie zmuszani do udziału w zajęciach przez instruktorów czy rodziców. Instruktorzy powinni prowokować, motywować i chwalić swoich młodych podopiecznych, ale dzieciom, które wolą przyglądać się wszystkiemu z boku, powinno się na to pozwolić. Pamiętaj jednak, żeby malec, który woli być tylko obserwatorem, nie był ignorowany; trochę zachęty to na ogół wszystko, czego trzeba, aby wciągnąć malucha do zabawy.

* Zajęcia powinny być dostosowane do wieku dziecka i bezpieczne. Dzieci powinny być podzielone na grupy według wieku i zdolności. Dwu- i trzylatki — bez względu na talent i podjęte kroki ostrożności — nie powinny znaleźć się w grupie razem z pięcio- i sześciolatkami. Zmuszanie dwulatka, by dorównywał pięciolatkowi, nie tylko doprowadzi do utraty zainteresowania, ale — jako że dwulatki nie są ani tak zwinne, ani dostatecznie silne, by dorównać przedszkolakom — może doprowadzić do wypadków. Wielu akcesoriów (takich jak niektóre farby, materiały do prac ręcznych, nożyczki itp.), które są odpowiednie dla dzieci starszych, nie można dać do rąk maluchom, gdyż byłoby to ryzykowne.

* Zajęcia powinny skupiać się na rozwijaniu całego dziecka, a nie jednej szczególnej umiejętności. Jeśli dziecko uczęszcza na więcej niż

Lekcje pływania? Jeszcze za wcześnie

Kiedy nadchodzi najlepsza pora, by dziecko wskoczyło do wody i zaczęło prawdziwe lekcje pływania? Według Amerykańskiej Akademii Pediatrii nie przed ukończeniem czwartego roku życia. Chociaż pluskanie się w dziecięcym brodziku (pod nadzorem starszych) albo nawet w dużym basenie (w ramionach kogoś dorosłego) może pomóc dziecku nabrać tak ważnej pewności w wodzie i stanowić pierwszy krok w ćwiczeniu bezpiecznego przebywania w wodzie, formalne lekcje pływania przed ukończeniem czwartego roku życia mogą okazać się nieefektywne i niebezpieczne. Rozpoczęty wcześnie trening w pływaniu nie tylko nie czyni z dzieci lepszych pływaków, ale i nie czyni ich bardziej bezpiecznymi. W gruncie rzeczy dzieci, które miały lekcje pływania, mogą być bardziej w wodzie zagrożone niż inne, ponieważ czują się w niej bezpiecznie i pewnie, a czujność ich rodziców, będących pod wrażeniem, że ich pociechy potrafią pływać, jest często uśpiona fałszywym poczuciem bezpieczeństwa. Jest bowiem potężna różnica między umiejętnością pływania a umiejętnością bezpiecznego zachowywania się w wodzie. Małe dzieci nigdy nie są bezpieczne bez nadzoru dorosłych.

Jeśli zdecydujesz się zapisać dziecko na lekcje pływania przed ukończeniem przez nie czwartego roku życia, upewnij się, że zajęcia odbywają się zgodnie z regulaminem ogólnokrajowych przepisów bezpieczeństwa dotyczących przebywania w zbiornikach wodnych, że dziecko nie będzie zanurzane w wodzie (dzieci często połykające wodę przy nurkowaniu są szczególnie narażone na zatrucie wodą, tj. na potencjalnie groźny stan, w którym krew ulega nadmiernemu rozcieńczeniu) i że przypada jeden instruktor na jedno dziecko (zwykle w parze jedno z rodziców–dziecko); instruktorzy muszą być oczywiście przeszkoleni w zakresie ratownictwa wodnego i reanimacji. Więcej na temat bezpieczeństwa w wodzie znajdziesz na str. 551.

jedne zajęcia, program każdego z nich powinien dostarczać innego rodzaju stymulacji. Jedne np. mogą kłaść nacisk na rozwój fizyczny (taniec, gimnastyka), a drugie na zdolności twórcze (muzyka, malowanie, prace ręczne) lub rozwój intelektualny (nauki ścisłe, opowiadanie historyjek).

* Przerwij zajęcia zanadto obciążające dziecko. Jeśli zauważysz symptomy przeciążenia u dziecka (wyczerpanie, drażliwość) lub uznasz, że zajęcia, na które uczęszcza, są zbyt obciążające (malec niechętnie na nie idzie lub nie chce w nich uczestniczyć) albo też, że po prostu go to nie bawi — czas przestać.

WIZYTY W ŚRODKU NOCY

Kilka razy wzięliśmy naszego synka do łóżka, bo miał gorączkę, i teraz mały regularnie do nas przychodzi. Zakłóca nam to sen i poczucie intymności. Obawiamy się, iż stało się to dla niego nawykiem.

Nocne pielgrzymki do łóżka rodziców mogą stać się brzydkim nawykiem i to takim, który trudno wykorzenić. Wszystko zaczyna się najczęściej, gdy dziecko jest chore, marudne z powodu wyrzynających się ząbków, przeżywa jakiś stres (nowy żłobek, nowa opiekunka) lub „przewrót" w domu (rodzinne wakacje, przeprowadzka) i choć splot okoliczności, które powodowały budzenie się malca w nocy i przytulanie do rodziców w poszukiwaniu bezpieczeństwa, stopniowo zanika, wizyty trwają nadal. Żeby się skończyły, będziesz prawdopodobnie musiała działać konsekwentnie.

* Zaofiaruj pocieszenie, a nie swoje łóżko. Jeśli dziecko płacze za tobą w nocy i jesteś pewna, że nie śpi — idź do niego. Pogłaskaj malca, zapewnij, że wszystko jest w porządku, i powiedz, że wracasz do siebie. Jeśli zjawi się w twoim łóżku nieproszony, zanieś go z powrotem do łóżeczka. Choć takie podejście z pewnością będzie cię kosztowało bezsenne noce przez jakiś czas, powinno zakończyć nocne wizyty i zaowocować w końcu nie przerywanym snem. Możecie się zmieniać na nocnym dyżurze — kiedy mama „przechwytuje" nocnego wędrowniczka, tata może spać, następnej nocy odwrotnie.

* Bądź konsekwentna. Zawrócenie malca do jego łóżka w poniedziałek, a pozwolenie na pozostanie z wami we wtorek (ponieważ jesteś zanadto zmęczona, by wstać po poniedziałkowych nocnych ekscesach) nauczy go, że zawsze warto spróbować. Jest za mały, by zrozumieć: „Tylko ten jeden raz". Bądź stanowcza, nie wahaj się. Im bardziej wyczuje, że jesteś niezdecydowana, tym mniej prawdopodobne, by przyjął odpowiedź: „Nie ma spania w naszym łóżku" za ostateczną.

* Bądź cierpliwa i czuła. Bez względu na to, jak jesteś zmęczona i rozdrażniona, staraj się nie wyładowywać tego na dziecku. Zanoś je z po-

wrotem do jego łóżka delikatnie; nie mrucz, nie zrzędź, by nie myślało, że je odpychasz. Jeżeli coś ci się nie podoba, to jedynie jego obecność w twoim łóżku.

* Zapal mu światło. W tym wieku strach przed ciemnością jest powszechny. Jeśli pozwolisz dziecku spać przy włączonej lampce nocnej albo nawet przy przyciemnionym dużym świetle, malec powinien poczuć się bezpieczniej. Można również dodać dziecku otuchy w postaci kocyka, poduszki albo jakiejś części garderoby należącej do mamusi lub tatusia.
* Pobaw się z dzieckiem w „kładzenie spać" za dnia. Używając lalek i pluszowych zwierzaków, odegraj przy dziennym świetle podobną do prawdziwych scenę nocnych wizyt. Niech „dziecko" w tej scenie wstanie ze swojego łóżka i spróbuje wejść do łóżka „rodziców". Zachęć malca do położenia „dziecka" z powrotem do jego łóżeczka.
* Nie miej wyrzutów. Pomagając dziecku zasnąć ponownie we własnym łóżku, nie tylko zapewniasz sobie lepszy nocny sen, uczysz je również radzenia sobie ze sobą i samopocieszenia. Umiejętności te zaś mogą pomóc mu wzmocnić pewność siebie.

ŁÓŻKO RODZINNE

Gdy nasza córeczka była mała, a ja karmiłam ją piersią, pomysł rodzinnego łóżka wydawał się uzasadniony. Nie musiałam wstawać, by ją nakarmić lub uspokoić, gdy płakała. Teraz jednak, gdy mała ma już dwa i pół roku, robi się trochę ciasno. Czy czas już zmienić zwyczaje?

Łóżko rodzinne ma swoich zwolenników: rodziców, którzy cenią radość rodzinnej wspólnoty, jakiej doświadczają, śpiąc *en famille*, oraz tych, którzy cieszą się, że mogą w ten sposób szybko i łatwo reagować na szlochanie dziecka i nie muszą wychodzić z łóżka po kilka razy w nocy, by zawrócić wędrującego brzdąca do jego własnego „królestwa". Jest oczywiście wiele społeczeństw, w których wspólne rodzinne łóżko jest regułą, a nie wyjątkiem.

Niemniej jednak prawdą jest, że we trójkę może być za ciasno. „We troje" oznacza też szereg innych problemów. Naukowcy wiążą takie wspólne spanie z kilkoma potencjalnie negatywnymi efektami ubocznymi:

Mniej snu dla rodziców. Ciągłe próby uniknięcia kopniaka czy szturchańca ze strony małych rączek i nóżek i uważanie, aby nie przygnieść małego człowieczka, sprawiają, iż większość rodziców po prostu się nie wysypia.

Więcej problemów ze snem u dzieci. Zamiast rozwiązywać problemy ze snem — a o to przecież rodzicom chodzi — wspólne spanie z dzieckiem na ogół właśnie takie problemy rodzi. Dzieci śpiące razem z rodzicami budzą się częściej niż te, które śpią osobno. Co więcej, nie mają możliwości się nauczyć, jak to przyjemnie znaleźć się we własnym łóżku lub jak ponownie samemu zasnąć po przebudzeniu, a są to umiejętności na całe życie, pełne czasami bezsennych nocy.

Zakłócone współżycie rodziców. Nie tylko sen nam umyka, kiedy śpimy z dzieckiem. Zakłócona w ten sposób zostaje również prywatność i intymność rodziców. Z małym dzieckiem w domu już trudno o utrzymanie romansu; z małym dzieckiem w łóżku cel ten staje się prawie nieosiągalny i chodzi tu nie tylko o współżycie. Obecność dziecka w łóżku zakłóca i inny rodzaj intymności dorosłych, jak np. bliskie rozmowy czy przytulanie.

Większe prawdopodobieństwo problemów z uniezależnieniem się dziecka od rodziców. Niektórzy naukowcy twierdzą, że dziecko, które sypia w łóżku rodzinnym, może mieć kłopoty z uniezależnieniem się — i fizycznym, i emocjonalnym — od rodziców i staniem się samodzielną jednostką. Podejrzewają również, że u niektórych dzieci tego rodzaju lęki separacyjne trwają dłużej niż u innych. A dokuczanie ze strony rówieśnika w stylu: „Asia nie ma własnego łóżka!" może wpłynąć na poczucie własnej wartości dziecka, zwłaszcza starszego.

Większe prawdopodobieństwo braku czasu dla dziecka w ciągu dnia. Czasami pracujący rodzice lansują (albo przynajmniej na to się godzą) łóżko rodzinne jako rodzaj rekompensaty za brak czasu dla dziecka w ciągu dnia. W ten sposób — uspokoiwszy sumienie, bo przecież w nocy są razem z dzieckiem — nie starają się wygospodarować czasu dla brządca w ciągu dnia. W efekcie każda strona traci. Wskazówki, jak znaleźć czas dla dziecka, znajdziesz na str. 650.

Trudna decyzja. Ponieważ wspólne spanie ze starszymi już dziećmi jest, ze względów choćby kulturowych, niewskazane, rodzice wybierający rodzinne łóżko muszą kiedyś zdecydować się na ten krok i powiedzieć dziecku, iż nadszedł czas, by zaczęło spać osobno. Im starsze dziecko, tym głębiej zakorzeniony nawyk i trudniejsze przejście.

Jeśli dojdziesz do wniosku, że czas już, by dziecko przeszło do własnego łóżka, zastosuj wskazówki ze str. 276. Przedstaw dziecku z wielką pompą jego własne łóżko. Następnie opracuj jakiś wieczorny rytuał, który w sposób delikatny i kojący pomógłby ci ułożyć dziecko w jego nowym królestwie. Dokonaj zmian w dotychczasowym wieczornym rytuale, by stare sygnały, które wiodły do sypialni rodziców, zatarły się w pamięci dziecka. Jeśli brzdąc zacznie płakać, gdy go zostawisz, usiądź lub stań przy jego łóżku (ale się z nim nie kładź), aż zaśnie. Po kilku wieczorach spróbuj zostawić malca, zanim zapadnie w głęboki sen; następnie odejdź już, gdy widzisz, że jest senny. W końcu zostaw go, gdy jeszcze nie śpi. Jeśli będzie płakać, pocieszaj (patrz str. 78). Jeśli dziecko będzie próbowało przyjść do twojego łóżka w środku nocy, postępuj według wcześniejszych wskazówek dotyczących nocnych wizyt.

Jeśli odczujesz, że brak ci tej bliskości dziecka, jakiej doświadczałaś we wspólnym łóżku, weź malucha do siebie wczesnym rankiem, byście mogli się jeszcze do siebie poprzytulać (codziennie lub w weekendy, w zależności od twojego rozkładu dnia).

TRUDNE ZADANIA I FRUSTRACJA

Nasz synek tak się złości, kiedy rysuje lub buduje coś z klocków, a nie bardzo mu to wychodzi, że zaczyna płakać. Jak można zapobiec takiej frustracji?

Pragnienia często wykraczają poza jego możliwości, frustracja jest więc czymś codziennym w życiu malucha. I choć może ona czasami wyprowadzić z równowagi i dziecko, i rodziców, pewna jej doza jest w gruncie rzeczy potrzebna, by pobudzić dziecko do nowych osiągnięć i postępu. O ile więc próba chronienia dziecka przed frustracją jest normalnym rodzicielskim odruchem, o tyle nie tylko pozbawia malca tego bodźca do osiągnięcia sukcesów, ale i źle przygotowuje do życia w świecie obfitującym w rozczarowania. Dziecko musi doświadczyć nieco frustracji, by nauczyć się, jak sobie z nią radzić i umieć wykorzystać ją w sposób konstruktywny.

Jednak prawdą jest, że kiedy dziecko ma dwa i pół roczku i nie rozwinęło jeszcze w sobie silnych umiejętności borykania się z trudnościami, zbyt duża porcja frustracji może udaremnić postęp i sprawić, że przeszkody wydają się zbyt wysokie, by w ogóle próbować. Może to też, rzecz jasna, powodować gniew. By zminimalizować powody do frustracji:

Dobierz zabawki do wieku. Nawet najbardziej błyskotliwe dziecko może przeżyć ogromny zawód, kiedy zabawki nie są dostosowane do jego wieku i wielkości. Dobieraj więc takie rzeczy do zabawy, które są dla brzdąca wyzwaniem, ale nie będą od niego wymagały umiejętności, których jeszcze nie posiada.

Stwórz dziecku warunki, aby mogło być samodzielne. Możesz zmniejszyć rozczarowanie poprzez wyposażenie dziecka w środki, za pomocą których samo dostosuje swoje otoczenie do swoich potrzeb. Daj mu na przykład mały stołeczek, by łatwo mogło dosięgnąć zlewu, małą, dziecięcą szczotkę do włosów, by samo mogło się uczesać, tenisówki na przylepce, by bez niczyjej pomocy mogło je włożyć i zdjąć.

Naucz je pewnych rzeczy. Życie jest dużo mniej frustrujące, gdy wiesz, jak sprostać codziennym wyzwaniom. Dla dziecka oznacza to umiejętność pozbierania i poukładania zabawek, umiejętność korzystania z przyborów do malowania, składania klocków czy ubierania się. Cierpliwie ucz swoje dziecko, jak robić to wszystko samodzielnie, i nie wyręczaj go we wszystkim, a wykształcisz w nim tak ważne cechy, jak niezależność i poleganie na sobie.

Uszanuj jego frustrację. Jeśli malec jest zawiedziony, bo klocki ciągle się rozpadają, nie klep go po plecach, mówiąc protekcjonalnie: „Wygląda dobrze, tak jak jest". Dla niego nie wygląda dobrze. Nie zgadzając się z jego trzeźwą oceną, obrażasz jego sąd. Pochwal więc trud malca i doceń frustrację („Bardzo się natrudziłeś, budując ten domek, a on ciągle się rozpada. To rzeczywiście musi cię denerwować").

Nie przyczyniaj się do jeszcze większej frustracji. Nieudana krytyka i zawyżone wymagania (patrz str. 388) tylko potęgują frustrację. Problem dziecka, by sprostać własnym ambicjom, jest wystarczająco duży i nie powinno ono odczuwać potrzeby zaspokajania i twoich aspiracji.

Udzielaj pomocy rozsądnie. Jeśli wydaje ci się, że twoje dziecko chce samo rozwiązać swój problem, nie wtrącaj się. Ciągłe rozwiązywanie problemów za malca doprowadzi do tego, że będzie prosił o pomoc, zanim jeszcze sam zabierze się do roboty. Jeśli jednak widać, że jest zawiedziony i potrzebna mu pomoc albo jeśli o nią po prostu prosi — udziel mu jej, nie przejmując jednak całego ciężaru na siebie. Zamiast wkroczyć i przebudować wieżę z klocków na swój sposób („Widzisz? Tak się to robi"), naprowadź go raczej na właściwe tory („No, zobaczymy, co też można zrobić, by wieża już się więcej nie przewracała. Nie sądzisz, że byłoby lepiej położyć ten duży klocek pod te małe?"). Włóż malcowi do rączki odpowiedni fragment układanki i naprowadź rączkę na właściwe miejsce, by sam mógł go dopasować. Poluzuj nieco zakrętkę przy słoiku, by miał satysfakcję, że sam go otworzył. Nawet jeśli wychodzi na to, że robisz coś za niego, upewnij się, że zostało dla niego coś do zrobienia, by mógł być dumny ze swojego osiągnięcia.

Wspieraj go, jeśli chce próbować jeszcze raz i jeszcze raz... Dużo zachęcaj i chwal: „To wspaniale, że tak bardzo się starasz i nie rezygnujesz. Jesteś bardzo pracowity".

...ale pozwól mu przestać, gdy zechce. Nie nalegaj, by uczynił jeszcze jedną próbę („Spróbuj jeszcze raz. Na pewno pójdzie ci lepiej"). Przerwanie zajęcia jest doskonałym sposobem na poradzenie sobie z nadmiarem frustracji, szczególnie w wieku dwóch lat. Wiedzieć, kiedy przestać, jest ważną umiejętnością w każdym wieku. Gdy więc malec zdecyduje, że nie chce już dalej próbować — nawet jeśli chce zburzyć wieżę lub podrzeć swój rysunek — nie oponuj. Daj mu odczuć, jak bardzo jesteś dumna z tego, że się tak starał i że może spokojnie już przestać dalej próbować. Nie zamykaj jednak furtki i powiedz: „Może spróbujemy jeszcze innym razem". Kiedy wydaje ci się, że małego trzeba pocieszyć i wesprzeć po przerwaniu danego zajęcia, oczywiście zrób to.

Obserwuj, czy nie nadchodzi burza. Frustracja może czasami przybrać takie rozmiary, że kończy się awanturą. Postaraj się wkroczyć, zanim do tego dojdzie. Pomóż dziecku trochę (jeśli zechce) albo nakłoń delikatnie do zmiany zajęcia na łatwiejsze, może nie tak aktywne i wyczerpujące, może to być np. słuchanie bajki lub kasety.

OBAWA PRZED SAMODZIELNYMI PRÓBAMI

Ponieważ mała nie jest zadowolona ze swoich rezultatów, gdy rysuje, układa puzzle lub wkłada skarpetki, zawsze chce, bym ja to za nią robiła. Tak jest ze wszystkim. Obawiam się, że nigdy nie nauczy się robić niczego sama.

To wielki zawód, gdy małe rączki nie mogą wykonać tego, co wymyśli umysł. Niektóre dzieci radzą sobie z tą frustracją, akceptując swoje ograniczenia i przechodząc do innych zajęć, inne uzewnętrzniają swoje rozczarowanie (złoszcząc się albo np. jęcząc), jeszcze inne, oddając kredkę, łopatkę lub skarpetki w, ich zdaniem, bardziej zręczne ręce — w tym przypadku twoje.

Dziecko, które wybiera ten ostatni sposób na pozbycie się frustrujących uczuć, to często przyszły perfekcjonista; ponieważ rozwinięte u twojej córki poczucie estetyki podpowiada jej, że dorośli robią te rzeczy lepiej, logiczne wydaje się, że dziecko prosi cię o wykonanie czegoś, zamiast robić to samodzielnie. Czasami taki perfekcjonizm jest częścią dziecięcej natury, a czasami wynika z presji, jaką wywierają na dziecko rodzice oczekujący od niego więcej, niż może z siebie dać. Pamiętaj zatem, by nie popychać małej do czynienia rzeczy niemożliwych lub ustalania nierealnych standardów (patrz str. 99). Nie kupuj zabawek ani nie namawiaj do zabaw wykraczających poza zdolności dziecka. Nie krytykuj za nieudaną próbę na jakimkolwiek poziomie. Czy to u dziecka, czy u osoby dorosłej ciągłe cenzurowanie może zniszczyć poczucie własnej wartości, ranić uczucia i zrodzić strach przed podjęciem jakichkolwiek starań.

Jeżeli dojdziesz do wniosku, że to nie ty jesteś powodem strachu przed podjęciem „ryzyka", nie martw się, mała w końcu znudzi się biernym siedzeniem i obserwowaniem. Gdy poczuje się pewniej, sama spróbuje. Na razie zaś zachęcaj ją do partycypowania w tym, co ty robisz.

Zasięgnij jej opinii. Jeśli dziecko zamówiło u ciebie rysunek plaży, poproś, by opisało całą scenę, podczas gdy ty ją rysujesz. Jeśli zabraknie mu pomysłów, pomóż mu coś wymyślić („Czy sądzisz, że można tu narysować małą dziewczynkę? A jakiego koloru włoski ma mieć? Co ma robić?"). Innym razem zapytaj, którą część układanki masz spróbować przymierzyć do całości. Zasięgnij też rady, czy skarpetki mają być podciągnięte, czy może wywinięte u dołu.

Poucz dziecko. Twoje dziecko może się bać próbować, gdyż po prostu nie wie, jak to zrobić. W delikatny, naturalny sposób pokaż mu, jak się trzyma kredkę, wsuwa palce w skarpetkę, dopasowuje fragment układanki, biorąc pod uwagę kolor i kształt.

Poproś, by ci asystowało. Poproś, by mała pokolorowała słońce lub fale na rysunku plaży, wstawiła ostatni brakujący fragment do układanki lub podciągnęła założone już skarpetki. Jeśli nie będzie chciała, nie nalegaj. Nie przestawaj jednak stwarzać dziecku takich możliwości wypróbowania samego siebie dla poczucia bezpieczeństwa i spełnienia. Pamiętaj też, by dawać maluchowi wiele sposobności udzielania ci pomocy przy prostych czynnościach, które potrafi wykonać.

Niech podniesie książkę, która upadła ci na podłogę, powyjmuje puszki z torby z zakupami i powkłada je do szafki, pomoże włożyć bieliznę do pralki lub wyjąć ją z suszarki, przytrzyma drzwi, gdy chcesz wjechać wózkiem, poniesie małą rzecz, gdy jesteś obładowana pakunkami. Asystowanie tobie pomoże rozwinąć ten rodzaj pewności siebie, jakiego trzeba dziecku przy trudnych, samodzielnie wykonywanych zadaniach.

Chwal i za małe, i za duże osiągnięcia. Gdy pokoloruje niebo na niebiesko na twoim rysunku, sama wstawi ostatni fragment układanki lub zdoła włożyć palce do skarpetki, nie rezygnując z próby i nie zdając się na ciebie, pochwal ją za to. Jeśli uda jej się przenieść kubeczek z sokiem większość drogi od szafki do stołu bez potknięcia się i rozlania, również należy się komplement: „Wspaniale! Doniosłaś go prawie na miejsce!", a nie nagana: „Czy naprawdę nie potrafisz zrobić dwóch kroków bez rozlania?" Twoja głośna aprobata starań dziecka umocni jego ego, gdy następnym razem będziesz nakłaniała je do bardziej ambitnej próby.

Dziel uznanie z dzieckiem. Czy to ukończony rysunek, czy umyta zabawka, wmawianie małej, że sama wszystko zrobiła, gdy to ty wykonałaś większość pracy, jest nieprawdą i jest to sztuczka, na którą dziecko nie da się nabrać. W zamian za to więc skomentuj, jaką to dobrą robotę wykonałyście.

NADMIERNA NIEZALEŻNOŚĆ

Mój syn chce robić wszystko sam, nawet jeśli wykracza to daleko poza jego zdolności. Mały jest w końcu sfrustrowany i ja też, gdyż widzę, jak wiele czasu stracił, próbując.

Twoje dziecko nie traci czasu. Ono poświęca czas — aczkolwiek być może nie został on ujęty w twoim rozkładzie — wykorzystując go w sposób wartościowy. Jego zdecydowane wysiłki, choć w tej chwili pozornie daremne, dają mu wiele praktyki, co w efekcie zaowocuje perfekcją albo przynajmniej kompetencją.

Następnym razem, gdy malec zawzięcie zaoponuje, byś go ubrała, pokroiła mu coś na talerzu lub umyła mu ręce i usłyszysz kategoryczne: „Ja sam!" — zgódź się. Nieograniczanie mu jego niezależności może przecież zmniejszyć twoje obowiązki, gdyż nie będziesz musiała poświęcać dodatkowo czasu na jego sprawy. No i bądź cierpliwa, cierpliwa i jeszcze raz cierpliwa, gdy mały tak próbuje, próbuje i próbuje. Przeznacz piętnaście minut na ubranie zamiast pięciu, jeśli upiera się, by zrobić to samodzielnie, i trzydzieści minut zamiast piętnastu na śniadanie, jeśli koniecznie chce jeść sam. Nie odczujesz w ten sposób takiej presji, a i maluszkowi lepiej pójdzie, gdy nie będzie czuł presji z twojej strony. Pomocne mogą się również okazać niektóre twoje wskazówki (przy założeniu, że malec cię posłucha) co do wykonywania pewnych czynności samodzielnie. Na przykład: „Znam niezłą sztuczkę na włożenie tej kurtki, popatrz tylko". Jeśli nie chce, by mu demonstrować, spróbuj chociaż podpowiadać od czasu do czasu: „Czasami, gdy nie mogę włożyć butów, luzuję sznurowadła". (Wskazówki, jak ubierać dziecko, znajdziesz na str. 428.)

Dobrą wieścią w tym wszystkim jest to, że dziecko, które woli wszystko robić samo, będzie — przy twoim wsparciu — szybko samodzielne i kompetentne, ułatwiając ci bardzo twoją pracę. Jego samodzielność zaś umocni jego poczucie własnej wartości, ułatwiając mu życie.

JĄKANIE SIĘ

Wydaje mi się, że mój synek się jąka. Słyszałam, że problem ten związany jest z zaburzeniami emocjonalnymi. Czy mam coś z tym robić?

Nie. Powinnaś być cierpliwa. W tym wieku zacinanie się i jąkanie są często spotykane przeważnie dlatego, że słownictwo dwulatka nie nadąża za jego myślą. Jedno na czworo dzieci w tym wieku powtarza dźwięki, sylaby lub słowa. Ten normalny „brak ciągłości" może trwać parę dni lub parę miesięcy, może też powracać i zanikać. Często dziecko jąka się, gdy jest zmęczone, zdenerwowane, podekscytowane lub gdy wywiera się na nim presję, żeby mówiło lub odpowiadało na pytania. Najlepiej pomożesz maluchowi, mówiąc do niego wolno, spokojnym tonem, koncentrując całą uwagę na nim, kiedy mówi, powstrzymując się od wchodzenia mu w słowo (nawet gdy tylko chcesz mu pomóc wyrazić jego myśli) i akceptując jego jąkanie się bez komentarzy. Nie proś go, by mówił wolniej, powiedział jeszcze raz lub wziął głęboki oddech, zanim coś powie. No i staraj się za wszelką cenę zrozumieć, co mówi, by nie musiał powtarzać — frustracja bowiem może pogorszyć sytuację. Jeżeli twoje dziecko jąka się często (co kilka zdań), okresy jąkania się są długie lub gdy powtarza 4, 5 lub więcej razy to samo, wykazuje oznaki fizycznego napięcia, kiedy próbuje mówić, czuje się niezręcznie i z tego powodu nie chce mówić, zgłoś się po poradę do logopedy.

ZAINTERESOWANIE EREKCJĄ

Któregoś dnia mój synek bawił się swoim członkiem i nagle zapytał, dlaczego „siusiaczek" urósł, gdy to robił. Nie wiedziałam, co powiedzieć.

Dzieci są po prostu wścibskie, zafascynowane każdym jak i dlaczego, i co dzieje się wokół nich. Nic więc dziwnego, że coś, co jest tak bliskie i drogie twojemu dziecku, wzbudziło jego ciekawość.

Malcowi należy się uczciwa i szczera odpowiedź na każde zadane przez niego pytanie. Uczciwość jednak nie obliguje cię jeszcze do udzielenia odpowiedzi wyczerpującej w sensie medycznym czy seksualnym — co mogłoby tylko zacząć chodzić mu po głowie i w efekcie przestraszyć. Wystarczy powiedzieć prosto i zgodnie z prawdą, że czasami „siusiaczek" się powiększa, gdy się go dotyka. Dobrze jest również dodać, iż penis jest czymś intymnym i najlepiej dotykać go w odosobnieniu (patrz str. 217) oraz że nikt więcej nie powinien go dotykać (oprócz rodziców, kiedy go myją, i lekarzy, gdy go badają).

PORANNE GUZDRANIE SIĘ

Każdego ranka przygotowanie naszego malca do wyjścia i doprowadzenie do żłobka jest nie lada osiągnięciem. Jego grzebanie się powoduje, że spóźniamy się do pracy i irytujemy od samego rana.

Wasze dziecko z pewnością nie guzdrze się po to, byście spóźniali się do pracy czy dostawali od tego szału. Ono jedynie porusza się w normalnym dla człowieka tempie, które dla rodziców gorączkowo szykujących się rano do wyjścia jest tempem żółwim.

Nakłanianie syna, by dostosował się do waszego tempa, jest nie tylko nierealne, ale i nie fair — i to z wielu powodów. *Brak doświadczenia.* Pulchniutkie, niewprawne paluszki poruszają się wolniej niż duże palce, co sprawia, że zdjęcie pidżamy i włożenie ubrania jest długą i ciężką próbą. *Tyle ciekawych rzeczy.* Między łóżkiem a rzeczami do ubrania mały musi się natknąć na całą masę atrakcji, które natychmiast przyciągają jego uwagę — od wieży z klocków, którą budował ubiegłego wieczoru, do misia, którego trzeba pobujać, i do układanki, której nie można po prostu minąć i nie dokończyć. Ze stosunkowo krótkim zasięgiem swojej uwagi i tyloma pokusami wokół maluch niedługo trzyma w pamięci wasze: „No ubieraj się już!" *Brak poczucia czasu.* Każecie mu się pospieszyć, bo chcecie zdążyć na czas i do żłobka, i do pracy, ale on naprawdę nie potrafi jeszcze pojąć twoich obaw o spóźnienie się, o uliczne korki, czy niezdążenie na jakieś spotkanie. W tym wieku żyje się w większości „tutaj" i „teraz", a zamartwianie się o „potem" nie jest najważniejsze.

To wszystko wyjaśnia wieczne ociąganie się waszego dziecka, ale nie rozwiązuje oczywiście waszego problemu. By tego dokonać, będziecie musieli nieco popracować nad żółwim tempem swojej pociechy.

Wstań wcześniej. Wczesna pobudka i zabranie się do swoich spraw (prysznic, ubranie się, zrobienie śniadania, przygotowanie kanapek do pracy) pozwolą ci poświęcić więcej czasu na wyprawienie dziecka. Unikniesz w ten sposób robienia wszystkiego na ostatnią minutę lub w wielkim pośpiechu.

Niech i dziecko wcześniej wstanie. Jeśli chcesz, by malec wstał, ubrał się, zjadł, był umyty, miał czyste ząbki i opuścił dom do 8.15, będziesz pewnie musiała obudzić go przynajmniej godzinę wcześniej. Im więcej czasu mu dasz, tym większa szansa, że będzie gotowy na czas, i stracisz mniej nerwów potrzebnych do pogonienia „ślimaka". (Pamiętaj, że im więcej będziesz za nim chodziła, tym bardziej może się ociągać.)

Niech ranek dobrze się zacznie. Nie zostawiaj na rano zbyt wiele do zrobienia (a za to może pośpij dłużej), przygotowując co tylko się da poprzedniego wieczoru. Wyjmij rzeczy dla siebie i dziecka (najlepiej zróbcie to razem, jeśli maluch lubi wyrażać swoją opinię w tej kwestii) i rozłóż je w dogodnym miejscu. Wysłuchaj prognozy pogody w wiadomościach i przygotuj odpowiednie okrycie przy drzwiach (łącznie z obuwiem i, jeśli trzeba, parasolami). Niech maluch wybierze zabawkę, którą będzie rano chciał zabrać ze sobą, i niech i ona czeka przy drzwiach (odnieś się jednak ze zrozumieniem do ewentualnej zmiany decyzji dziecka w tej kwestii). Porozmawiaj o tym, co mały zje następnego dnia na śniadanie (i tu ponownie musisz liczyć się z tym, że do rana gust może mu się zmienić) i przygotuj je na tyle, na ile się da (na przykład suche płatki i rodzynki, do których rano dodasz tylko mleko). Nakryj stół do śniadania i zapakuj to, co trzeba do pudełka na drugie śniadanie. Staraj się unikać zostawiania sobie na rano jakichś nonsensownych czynności (czytanie poczty, przeglądanie gazety czy składanie bielizny).

Zabawki na bok. Żeby dziecko szybciej szykowało się do wyjścia, pomóż mu się ubrać w twoim pokoju lub w łazience — z dala, jeśli to możliwe, od widoku zabawek, klocków, książek, telewizora lub domowego zwierzaka. Albo — być może okaże się to nawet lepsze — ubierz je zaraz po wstaniu, gdy jeszcze na dobre się nie rozbudziło i mniej prawdopodobne jest, by coś odwracało jego uwagę lub by się mocno sprzeciwiało (taka metoda pozwoli mu poza tym trochę się przed wyjściem pobawić). Cokolwiek postanowisz, nie próbuj go ubierać, gdy jest zaabsorbowane zabawą albo ma jakiś plan. Takie bowiem postępowanie z pewnością je rozzłości i zniechęci.

Włącz muzykę. Zamiast budzić dziecko słowami: „Wstawaj, bo spóźnisz się do żłobka", obudź je uściskiem. Przeznacz kilka chwil na czułe pieszczoty, a może nawet na przeczytanie króciutkiej bajki, zanim zaczniesz swoje gorączkowe przygotowania. Nie tylko zrelaksuje to was oboje, ale może sprawić, że dziecko będzie bardziej przychylne i chętne do współpracy.

Nastaw minutnik. Uczyń zabawę z szykowania się do wyjścia. Nastaw czasomierz na wykonanie takich czynności, jak ubieranie się lub mycie[2]; niech mały bierze minutnik ze sobą do pokoju. by mógł słuchać tykania lub przyglądać się, jak przesypuje się piasek w klepsydrze. Staraj się wyznaczyć małemu zapas czasu, by rzeczywiście zdążył przed dzwonkiem. Gdy malec będzie już rozpoznawał cyfry, możesz zacząć używać cyfrowego zegara i pokazywać mu, że: „Kiedy dwiema ostatnimi cyferkami będą dwa i pięć, nadejdzie pora, by się ubierać". I analogicznie, pokaż mu na zegarze, że trzeba będzie się ubierać, „gdy długa wskazówka dotknie piątki".

Ustal, co go zatrzymuje. Gdy zabawka, którą się bawi, lub jakaś oglądana właśnie książka powstrzymują malca, zasugeruj, by wziął ją ze sobą na drogę.

Wymagaj rozsądnie. Nie oczekuj, że dziecko tak zaraz przestanie się ociągać lub będzie gotowe do wyjścia na czas. Zamiast ganić je za żółwie tempo, chwal i zachęcaj, gdy zdąży na czas (lub prawie na czas).

W weekendy i w czasie wakacji, gdy nie trzeba wychodzić tak wcześnie, pozwól dziecku guzdrać się do woli. Każdy potrzebuje „wakacji" od poprawnego zachowania, nawet dzieci.

[2] Nie nastawiaj jednak czasomierza na zjedzenie śniadania. Nie chcesz chyba, żeby dziecko sądziło, iż dobrze jest ścigać się przy jedzeniu posiłków.

OCIĄGANIE SIĘ NA SPACERZE

Droga od domu do supermarketu — a są to raptem trzy przecznice — zajmuje nam całe wieki, gdyż mój syn tak się wlecze. Proszę go, by nieco przyspieszył, ale do niego to nie dociera.

Dla ciebie chodnik jest drogą wiodącą od jednego miejsca do drugiego. Dla twojego dziecka zaś droga ta prowadzi od jednego odkrycia do drugiego. Tyle do zbadania! Do obejrzenia! Do podniesienia! Nic więc dziwnego, że spacer chodnikiem jest taki czasochłonny.

Problem polega na tym, że podczas gdy twój przyszły geolog analizuje jakiś kamienny okaz, ty już jesteś spóźniona. Bez samochodu (autobusu, taksówki lub wózka) nie ma pewności, że szybko pozałatwiasz sprawy, gdy zabierasz ze sobą dziecko. Niniejsze wskazówki jednak mogą ułatwić ci nieco te kłopotliwe wycieczki:

* Daj dziecku czas na ociąganie się — jeśli możesz. Na drogę, która zwykle zabiera ci pięć minut, przeznacz przynajmniej dwadzieścia, gdy bierzesz ze sobą dziecko. Pozwól mu nacieszyć się tym dodatkowym czasem do woli. Nie psuj mu nastroju ciągłym: „Pospiesz się!"

* Naucz się relaksować. Jeśli coś w tobie buntuje się przeciwko takiemu spacerowemu tempu, wypróbuj techniki relaksowania się podczas spaceru (na przykład weź kilka głębokich oddechów i powtarzaj sobie: „Jestem spokojna").

* Pobaw się z dzieckiem w wyścigi. Wyzwij malca na pojedynek w biegu do rogu ulicy (nie biegnij jednak tak szybko, by nie mógł cię dogonić), w podskakiwaniu na jednej nodze, przeskakiwaniu lub skakaniu (nawet tego rodzaju aktywność przybliży cię do celu), w „nie wolno nadepnąć na linię" itp. Albo też przyciągnij jego uwagę czymś interesującym, co widać z daleka — kwitnącym pięknie drzewkiem, czerwonym kabrioletem zaparkowanym przy końcu przecznicy czy jakimś placem budowy.

* Pamiętaj, że dla dzieci czas stoi w miejscu. Małe dzieci żyją chwilą obecną i mają dość prymitywne pojęcie przeszłości i przyszłości, pośpiech nie ma dla nich żadnego znaczenia.

* Przypomnij sobie, że i ty czasami każesz dziecku czekać („Dam ci pić, kiedy skończę z tymi rachunkami"; „Pobawię się z tobą, jak skończę pranie"). Powinno to pomóc ci potraktować ociąganie się malca na spacerach we właściwych proporcjach.

OCIĄGANIE SIĘ Z OPUSZCZENIEM PLACU ZABAW

Moja córka nigdy nie chce zejść z placu zabaw, gdy jest już na to czas, a ja nigdy nie potrafię jej do tego namówić tak, by obyło się bez kłótni i awantury. Doszło do tego, że nie mam ochoty tam chodzić.

Dla dziecka, które zadomowiło się w piaskownicy, jedną rączką nabierając pełną łopatkę piasku, a drugą uklepując fundamenty wznoszącego się zamku, nagłe: „Musimy już iść" z pewnością nie brzmi zachęcająco. „Czy jesteś gotowa już pójść do domu?" wydaje się bardziej dyplomatyczne, ale chyba równie nieskuteczne. Odpowiedź, której możesz za każdym razem oczekiwać, brzmi „NIE!"

Żeby ściągnąć dwulatka z piaskownicy, z huśtawek lub drabinek trzeba być stanowczym, spokojnym i bardzo, bardzo sprytnym.

Pobaw się z brzdącem w piaskownicy. Wszelkie zmiany są zwykle łatwiejsze, gdy nie trzeba ich robić w pojedynkę. Na jakieś dziesięć minut przed planowanym opuszczeniem podwórka przysiądź się do dziecka w piaskownicy i albo mu pomagaj (jeżeli zechce), albo zachwycaj się jego inżynierskimi robotami. Albo — gdy twoja mała Joasia wisi właśnie na drabince — podejdź i poproś ją, by wykonała jakąś ewolucję specjalnie dla ciebie. Nie zapomnij jej oczywiście pochwalić za wyczyn. „Ten skok (albo ten zamek z piasku) był naprawdę wspaniały, chodźmy do domu, to opowiemy o nim tatusiowi" będzie z pewnością delikatniejsze niż: „W tej chwili zejdź z drabinki! Idziemy do domu!"

Uprzedź dziecko. Zamiast tak nagle informować dziecko o wyjściu, uczciwie je uprzedź. W ten sposób malec ma szansę przyzwyczaić się do tej myśli i zacząć „zwalniać obroty", zaliczając kilka ostatnich kolejek na zjeżdżalni, po raz ostatni wspinając się na drabinkę i kończąc swoje piaskowe dzieło. Pierwszy raz wspomnij o wyjściu na dziesięć minut przed faktem, potem na pięć (nie napomykaj jednak o tym zbyt często, by nie popsuć tych dziesięciu minut, które dziecku jeszcze dałaś). Jeśli możesz, pozwól maluchowi dokończyć to, co właśnie robi; ty też nie lubisz przerywać swojego zajęcia w połowie. Daj mu jednak do zrozumienia, że nie może już rozpoczynać czegoś nowego. Jeśli dziecku nieobce jest już pojęcie „jeszcze raz" lub „jeszcze dwa razy", możesz ponegocjować: „Jeszcze tylko dwa razy na zjeżdżalni" albo: „Jeszcze raz na drabinkę". Uważaj jednak, by z „dwóch razy" nie zrobiło się dziesięć, bo wszelkie negocjacje stracą swoją moc.

Niech opuszczenie placu wiąże się z czymś zachęcającym. „Poszukajmy ładnych liści po drodze do domu" albo: „Gdy przyjdziemy do domu, będziesz mogła pobawić się swoimi nowymi klockami" czy: „Jeśli pójdziemy do domu teraz, zdążymy upiec bułeczki" — wszystko to może złagodzić żal dziecka z powodu opuszczenia podwórka. Wystrzegaj się jednak przekupywania dziecka czymś materialnym („Jeśli teraz wyjdziemy, kupię ci w drodze do domu lody na patyku"), a przynajmniej nie czyń tego regularnie; maluch może oczekiwać i wręcz żądać łapówek za każdym razem, gdy będziesz prosiła go o opuszczenie jakiegoś miejsca.

Daj coś „na drogę". Coś do przegryzienia powinno wystarczyć. Małe dzieci często zapominają o głodzie, gdy są bardzo zajęte zabawą, a robią się głodne jak wilki, gdy już przestaną się bawić. Głód, jak wiesz, szczególnie gdy towarzyszy mu jeszcze rozczarowanie lub zmęczenie, może łatwo wywołać złość. Niech więc przekąska będzie pożywna, ale niezbyt syta, jeśli zdążacie do domu na konkretny posiłek.

Spróbuj zwabić dziecko zabawką. Wsuń po kryjomu do swojej torby jakąś ulubioną zabawkę malucha. Gdy nadejdzie czas, by opuścić plac zabaw, pokaż ją dziecku znienacka. Gdy będzie miało ją w rączce, łatwiej zgodzi się wyjść.

Zapewnij sobie środek transportu. To, że dziecko szło pieszo do parku, nie znaczy, że możesz na to liczyć w drodze powrotnej. Maluch ma prawo być zmęczony i nie chcieć maszerować. Pamiętaj więc, gdy idziecie pieszo, by zabrać wózek lub pieniądze na autobus czy taksówkę na drogę powrotną. (Miła perspektywa przejażdżki autobusem lub taksówką również może stanowić dodatkowy bodziec do opuszczenia podwórka.)

Jeśli już nie możesz przekonać dziecka, by opuściło miejsce zabawy z własnej woli, zrób to na siłę, ale czule („Wiem, że chcesz jeszcze zostać, ale musimy już wracać do domu. Jutro znów tu przyjdziemy"). Jesteś mamą i to ty w końcu jeszcze rządzisz.

OCIĄGANIE SIĘ PRZY JEDZENIU

Nasz syn je chyba najwolniej na świecie. Je jeszcze długo po tym, jak wszyscy inni już skończyli. Chce jednak jeść, aż skończy. Jak go pogonić?

Powoli i dokładnie to lepiej niż na wyścigi, ale prawdą jest, że rodziców może to doprowadzać do ostateczności. Niewiele jednak można zrobić z dzieckiem, które woli spokojnie przeżuwać każdy kęs, nie bacząc na to, że wystawia na próbę czyjąś cierpliwość. Ważne jest, by dać dziecku czas potrzebny mu na zjedzenie jego porcji. Poganianie, besztanie, grożenie lub zmuszanie może nie tylko uczynić je jeszcze większym guzdrałą, ale wzbudzić wstręt do jedzenia. W zamian za to pozwólcie mu raczej jeść dłużej. Niech skubie, aż samo zdecyduje, że ma już dość. Upewnijcie się oczywiście, że to nie zabawki, rodzeństwo, telewizja czy jeszcze inne atrakcje zwalniają tempo jedzenia. Jeśli jest inaczej, trzeba to zmienić.

GOTOWANIE NA ŻYCZENIE

Moja teściowa upiera się, że jedynym sposobem nauczenia dziecka, by jadło to, co się mu postawi, jest niedawanie mu wyboru. Twierdzi, że jeśli mała nie je, niech chodzi głodna. Ja jednak w końcu ulegam i daję jej, co tylko chce. Kto ma rację?

Kiedy twoja teściowa wykonywała swoje macierzyńskie obowiązki, dzieci były nie mniej grymaśne, jednak uleganie ich kulinarnym zachciankom uważało się za niczym nie usprawiedliwione pobłażanie. Stół jadalny był mocnym „okrętem" sterowanym przez dorosłych. Kręcenie nosem na porcję pieczonego kurczaka z zieloną fasolką i żądanie w zamian kanapek z masłem orzechowym uważane było za bunt. Jadło się to, co stało na stole, albo nie dostawało się po prostu deseru.

Życie się jednak zmieniło. Dzisiejsi dietetycy przyjmują (choć niekoniecznie przyjmują to babcie), że można dziecko posadzić przy stole, ale nie można zmusić, by jadło to, co na nim postawiono — przynajmniej bez wszczynania bojów. A boje rozgrywające się w dzieciństwie na tle jedzenia bardzo często — jak wykazują badania — pozostawiają blizny w postaci zaburzeń w jedzeniu, anormalnych nawyków przy stole i/lub zmagania się z wagą, co może trwać przez całe życie. Jedzenie powinno być dla dziecka przyjemnym przeżyciem, kierowanym nie tylko przez rozsądek rodziców, ale i w dużym stopniu przez głód, upodobania smakowe i apetyt.

Pozwalanie dziecku przez całe miesiące na jedzenie wyłącznie kaszki, mleka i makaronu albo też chleba z serem (przy założeniu, że dorzuci się do tego kilka dobrze dobranych owoców i/lub warzyw dla zrównoważenia diety) nie jest wcale pobłażaniem czy brakiem odpowiedzialności, a czymś całkowicie dopuszczalnym. W gruncie rzeczy jest niesprawiedliwe, że dzieci mają jeść to, co się im postawi, podczas gdy dorośli mogą rozkoszować się wybieraniem.

Pozwól więc małej schrupać ciastko (ze słodkim owocem, z pełnym ziarnem albo np. z musem marchewkowym) i popić mlekiem na śniadanie zamiast jedzonej przez wszystkich owsianki. Albo miseczkę zimnej kaszki z bananami i mleko na drugie śniadanie zamiast przewidzianej akurat kanapki z tuńczykiem. Albo też wiejski twarożek i melon na kolację zamiast ryby i surówki, którą jedzą inni. Proponuj oczywiście dziecku to, co jecie — gdyby nagle zdecydowało się zerwać ze swoimi tradycyjnymi przysmakami — ale nie zmuszaj. Nie pozwól też, by inni (przykro nam, babciu...) to robili.

Więcej na temat żywienia dziecka znajdziesz w rozdziale osiemnastym.

KROJENIE

Mój syn zawsze chce sam pokroić sobie to, co ma na talerzu. Absolutnie nie zgadza się, bym ja to robiła. Boję się jednak dać mu nóż do ręki.

Żeby pomóc dziecku osiągnąć samodzielność, której się domaga, rodzice mogą zrobić wiele — pozwolić wyjmować z szafy rzeczy, wybierać jedzenie, myć zęby. Uzbrojenie jednak malucha w nóż jest, jak słusznie zauważyłaś, zbyt ryzykowne. W zamian za to uszanuj jego potrzebę samodzielności, pozwalając mu trzymać w palcach danie nie wymagające krojenia, jak np. udko lub skrzydełko z kurczaka, paluszki rybne, krążki gotowanej marchewki, małą pizzę. Albo też postaw przed malcem talerz z pokrojonym już daniem. Żeby zaś spróbował, jak bezpiecznie się kroi, możesz mu pozwolić pokroić paluszki rybne lub kanapkę z masłem orzechowym za pomocą tępego nożyka do masła — a i to pod twoim nadzorem. Może również bezpiecznie kroić kanapki nożem do ciast.

GŁODNY DWULATEK

Moja córka ciągle skarży się, że jest głodna, nawet jeśli od ostatniego posiłku upłynęła dopiero godzina. Nie jest gruba, ale jeśli będę karmić ją przez cały dzień na żądanie, do tego pewnie dojdzie.

Rzadko zdarza się dziecko, które jadłoby tak, jak życzyliby sobie tego rodzice. Zawsze je albo za mało, albo za dużo, albo nie to, co trzeba. Aby małe dziecko wyrosło na człowieka bez uprzedzeń do tego czy innego rodzaju potraw, rodzice powinni pomóc mu regulować apetyt, odbierając wewnętrzne sygnały głodu u malucha.

Dawaj więc córeczce jeść, ilekroć jest głodna, ale upewnij się, że to na pewno głód. Jeśli prosi o jedzenie z czystej nudy, ze zmęczenia, frustracji lub nerwowego napięcia, pomóż jej znaleźć lepsze rozwiązanie nurtujących ją problemów, zanim jeszcze poprosi o jedzenie. Nie każ jej jeść, gdy nie jest głodna, a tym bardziej opróżniać wtedy talerza do czysta; nie próbuj traktować jedzenia jako nagrody, łapówki czy „uspokajacza". No i nigdy nie odmawiaj dziecku jedzenia za karę. Staraj się unikać sytuacji, w których dziecko jadłoby z czystego nawyku — nie dawaj ciasteczka za każdym razem, gdy idziecie do supermarketu, krakersów, ilekroć przypinasz ją pasem do siedzenia w samochodzie czy wreszcie mrożonego jogurtu, gdy wracacie z placu zabaw do domu. By zająć dziecko, używaj w zamian za to innych środków: zabawek, rozmowy, żartów. Upewnij się też, że maluch ma wystarczająco dużo czasu na zjadanie posiłków; dziecko, które je mało w porze posiłku, ma skłonność do częstego pojadania między posiłkami.

Daj dziecku dobry przykład, nie szalej na punkcie jedzenia i nie jedz z nudów, zmęczenia, frustracji lub nerwów. Jeśli masz nawyk bezmyślnego otwierania lodówki, wyciągania pierwszej lepszej rzeczy, która rzuci ci się w oczy, i zjadania jej albo ciągłego pogryzania czegoś w trakcie oglądania telewizji lub wykonywania pracy biurowej — spróbuj te nawyki porzucić. Niech jedzenie będzie nawykiem samym w sobie, a nie dodatkiem do innych czynności. Zasiądź i do posiłku, i do przekąski — niech to będzie zaplanowana część dnia, a dziecko zrobi podobnie.

Nawet jeśli dziecko często wydaje się głodne, nie strofuj go, że się przejada, i nie strasz, że będzie grube. W ten sposób tym bardziej zwrócisz uwagę na jedzenie, a przecież chodzi ci o to, by tę uwagę od niego odwrócić. Jeśli jednak maluch zacznie zbyt szybko przybierać na wadze, skorzystaj z rad przedstawionych na str. 439 oraz zapewnij dziecku dużo ruchu (patrz str. 258). Nie wydzielaj jednak maluchowi jedzenia w obawie przed nadmiernym przytyciem. Kiedy dziecko o przeciętnym apetycie nagle staje się żarłoczne, jest to zwykle związane z intensywnym wzrostem. Jeśli taki wilczy apetyt się utrzymuje i towarzyszy mu wzmożone pragnienie i częste oddawanie moczu połączone z utratą masy ciała — trzeba udać się do lekarza. Niech on stwierdzi, czy dziecko po prostu kocha jeść, czy wzmożony apetyt ma jakąś przyczynę.

NIEPOSŁUSZEŃSTWO

Bez względu na to, czy każemy naszemu dziecku posprzątać pokój, czy ubrać się do wyjścia — mała nie słucha naszych poleceń. Nie wiem, jak to będzie w przedszkolu, gdzie przecież będą oczekiwali jakiegoś współdziałania.

Zanim zrzucisz na dziecko winę za niewypełnianie twoich poleceń, zastanów się, czy to aby nie wina samych poleceń. Bardzo często polecenia rodziców są niejasne lub zbyt skomplikowane, żeby małe dziecko mogło je zrozumieć i wypełnić.

Żeby nauczyć twoją pociechę wypełniania poleceń, udziel jej kilku lekcji. Zrób to w formie zabawy, by maluch bawił się słuchaniem twoich wykładów. Rozłóż np. na kuchennym stole „taśmę montażową" („No, dobrze. Najpierw weź kawałek jabłka. Dobrze. Teraz zanurz go w jogurcie. Wspaniale. Teraz posyp płatkami"). Albo też ustaw jakiś tor przeszkód na podłodze w salonie („Najpierw przeskocz przez gąbkę. Dobrze. Teraz podnieś klocek. Doskonale. A teraz daj mi go. Cudownie. A teraz usiądź na krześle"). Możesz także wypróbować nieco uproszczoną wersję gry w rozkazy. Po kilku takich próbach dziecku powinno wejść w nawyk słuchanie twoich poleceń.

Polecenia powinny być jasne i proste. Uogólnione polecenia w stylu: „Posprzątaj swój pokój", gdy wszystko jest w nim przewrócone do góry nogami, wykraczają daleko poza dziecięce zdolności ich wypełnienia bez dalszych, szczegółowych wskazówek. Wydawaj więc ścisłe instrukcje, jak dziecko ma to zrobić, krok po kroku („Włóż, proszę, swoje brudne rzeczy do kosza z bielizną"; „Połóż swojego misia z powrotem na łóżku"; „A teraz pozbieraj wszystkie swoje pisaki do tego czerwonego koszyka"). Upewnij się też, że dziecko ma dostateczną wiedzę, by wykonywać twoje polecenia: czy wie np., które z jego rzeczy są brudne lub gdzie stoi kosz na bieliznę. Odczekaj, aż maluch prawidłowo wykona jedną czynność (i pogratuluj, oczywiście), zanim wyznaczysz mu kolejne zadanie.

Rzecz jasna nawet wtedy, gdy dziecko rozumie i potrafi wykonywać twoje polecenia, nie zawsze się będzie do nich stosować. Upór i chęć stawiania na swoim często skłonią je do ignorowania tego, co każesz mu robić. Nie martw się jednak o zachowanie w przedszkolu. Najprawdopodobniej będzie tam przestrzegać poleceń, wszystkie dzieci przecież będą robić to samo w tym samym czasie, no i nie będzie mamy ani taty, z którymi można by powalczyć o władzę. Jeśli stanie się inaczej, przeczytaj wskazówki na str. 352.

Typowy dwulatek powinien umieć wykonać dwuetapowe polecenie („Podnieś, proszę, tę książkę i daj mi ją") wydane bez żadnych pomocniczych gestów, jak wskazanie książki lub wyciągnięcie po nią ręki, przynajmniej od czasu do czasu. Jeśli wydaje ci się, że twoje dziecko tego nie potrafi, porozmawiaj na ten temat z pediatrą — być może coś jest nie tak z jego słuchem lub rozwojem i niezbędna jest interwencja lekarza.

NIE CHCE CHODZIĆ DO PRZEDSZKOLA

Każdego ranka mamy ten sam problem: nasz syn musi być wleczony z płaczem do przedszkola. Gdy po niego przychodzimy, jest zadowolony i nawet nie chce wyjść. Martwimy się jednak, że może nie lubi przedszkola.

Być może opór waszego dziecka wcale nie znaczy, że nie lubi ono przedszkola, a raczej że nie lubi zmian. Nawet pozornie nic nie znaczące zmiany mogą być trudne dla dziecka; większe zmiany (jak pójście do przedszkola lub żłobka) mogą być jeszcze trudniejsze (patrz str. 140).

Jak długo protest względem przedszkola jest krótkotrwały i wydaje się, że dziecku podobają się chwile tam spędzone, nie ma się czym martwić. Normalnie bowiem płacz i kurczowe trzymanie się rodziców w momencie rozstania stopniowo mijają, gdy już dziecko przyzwyczai się do nowych rytuałów i przedszkolnego otoczenia. Proces ten u niektórych dzieci trwa dłużej, u innych krócej. Dzieci te mogą mieć kłopoty z chodzeniem do żłobka lub przedszkola nawet jeszcze rok lub dwa. A oto jak można im pomóc:

* Upewnij się, że przed wyjściem do przedszkola dziecko ma dostatecznie dużo czasu, by się obudzić (niewyspane bardziej czepia się maminej spódnicy). Zadbaj też o to, by nie wybiegać z domu w pośpiechu, bez kilku czułych, ciepłych uścisków i jakiejś przyjemnej rozmowy — jeżeli to możliwe w takie gorączkowe poranki.

* Niech dziecko weźmie mały „kawałek domu" ze sobą. Ulubiony kocyk, szczególna maskotka lub zabawka do przytulenia (to nie zbieg okoliczności, że takie akcesoria nazywa się często „przedmiotami przejściowymi") mogą pomóc wypełnić lukę między domem a przedszkolem, jak to było w wypadku wielu młodszych dzieci, gdy udawały się do żłobka. Jeśli personel przedszkola nie popiera przynoszenia z domu zabawek lub jeśli twój brzdąc nie bardzo chce dać się pobawić daną zabawką innym dzieciom, podpowiedz mu, żeby zabrał ją do przedszkola, ale zostawił w szafce w szatni. Jeśli i to nie jest dozwolone, pociesz go, że jego kocyk albo misiu czy cokolwiek innego będą na niego czekać w samochodzie lub w wózku do czasu, aż zakończą się przedszkolne zajęcia.

* Niech weźmie ze sobą mały „kawałeczek ciebie". Rozstanie może być łatwiejsze, jeśli dasz mu jakiś maleńki przedmiot przypominający mu ciebie: chusteczkę, portfel ze starymi kartami kredytowymi, czapkę, zdjęcie, obrazek, który mu narysowałaś, a nawet odciśnięty twoimi pomalowanymi szminką ustami „buziaczek" na jego rączce.

* Bądź niewzruszona; nie martw się z góry, że będą kłopoty. Zamiast namawiać malca w drodze do przedszkola: „Nie będziemy dzisiaj płakać, dobrze?" (co może być tylko inspiracją do takiego zachowania), wykorzystaj drogę do przedszkola na rozmowę, która odpowiednio nastroi dziecko, by mogło przestawić się na przedszkolne tory, zanim dojdzie do drzwi budynku. Pobaw się z nim w „kto wymieni więcej dzieci w grupie"; porozmawiaj o tym, co może być dziś na podwieczorek; zapytaj, kto zajmuje szafkę obok niego, jaka jest jego ulubiona książka, z którymi dziećmi lubi się bawić.

* Uśmiechaj się. Sprawiaj wrażenie, że czujesz się pewnie, zostawiając dziecko w przedszkolu, i jesteś przekonana, że mile spędzi tam czas (nawet jeśli tak nie jest). Jakikolwiek ślad twojej nerwowości czy niepokoju sprawi, że malec zacznie się zastanawiać: „Jeśli mamusia się martwi, że mnie tu zostawia, coś musi w tym być". Jeśli mały widzi, że ty jesteś niepewna, zostawiając go tam, on będzie niepewny, tam przebywając. Nie miej wyrzutów i nie bądź przesadnie współczująca czy przepraszająca (w końcu nie wysyłasz go na Syberię). Jeśli choć raz zawahasz się, dziecko to wykorzysta i poczujesz się jeszcze gorzej.

* Wspieraj, a nie krytykuj. Twoje wsparcie podbudowuje dziecko; krytyka zaś je przybija.

* Przyprowadzaj dziecko do przedszkola w miarę wcześnie, by mogło się wciągnąć i zadomowić, zanim nadejdą tłumnie inne dzieci, i żeby wychowawczyni miała więcej czasu dla niego.

* Zostań przez chwilę w sali zabaw. Zwykle kilka minut spędzonych jeszcze z dzieckiem może pomóc mu poczuć się pewniej. Może to również wzbudzić u niego dumę i poczucie, że jest w przedszkolu „gospodarzem". Staraj się tak zorganizować swój czas, byś nie sprawiała wrażenia, że się spieszysz i żeby tak rzeczywiście nie było. Nie patrz na zegarek, zamiast na to, co pokazuje ci dziecko. Zadawaj pytania („Czy to tutaj właśnie bawicie się w przebierańców? Który strój lubisz najbardziej?"), staraj się również zauważyć pewne rzeczy („To wodne zwierciadło wygląda zabawnie! O, ile tu klocków!"), pochwal dzieła sztuki twojej pociechy, które wiszą na wystawie („Naprawdę śliczne są te kolory na twoim obrazku"). Po takiej rundzie zapytaj malca, od czego chciałby dziś zacząć swój przedszkolny dzień (chyba że zajęcie zostało wybrane już przez nauczycielki), i usiądź z nim na chwilę na początku. Takie „wprowadzające" podejście nie sprawdza się u wszystkich dzieci. Niektóre zachowują się lepiej, gdy rodzice zostawiają je i szybko wychodzą; im dłużej bowiem rodzice zostają, tym trudniej oderwać od nich dzieci, które nie potrafią włączyć się do grupy. Jeśli taki właśnie jest twój maluch, przekaż go wychowawczyni, uściskaj szybko lub ucałuj (albo po prostu pokiwaj mu, jeśli woli) i skieruj się do wyjścia.

* Pożegnaj się krótko i słodko. Gdy już jesteś gotowa do wyjścia, powiedz dziecku — tak, by zrozumiało — kiedy zostanie odebrane (po spaniu, po obiedzie, po spacerze), pożegnaj się w lekki i jednoznaczny sposób i szybko wyjdź. Nie odwracaj się już (bez względu na to, z jakim przekonaniem dziecko błaga) i może tylko pokiwaj mu, gdy jesteś już przy drzwiach. Im szybciej znikniesz, tym szybciej mały rozpocznie swój dzień.

* Poproś wychowawczynię, by towarzyszyła ci w trakcie „przestawiania" się malca z warunków domowych na przedszkolne. Będzie ono przebiegało łagodniej przy pomocy współdziałającej z tobą opiekunki. Poproś, by jedna z nich mogła ci pomóc czy to zająć twoje miejsce w ciągu kilku pierwszych trudnych minut po twoim odejściu, czy też oderwać rączki dziecka od ciebie, byś mogła wyjść. Jeśli nikt nie kwapi się, by ci pomóc, może powinnaś porozmawiać o tym z dyrektorką przedszkola.

* Poproś kogoś innego o odprowadzenie dziecka do przedszkola. Jeśli malec za nic w świecie nie chce odczepić się od twojej spódnicy, niech odprowadza go ktoś inny (mąż, krewna, przyjaciółka). Rozstanie się z tobą w domu bowiem może być dla niego łatwiejsze.

* Odbieraj dziecko punktualnie. Uspokoi je to w końcu i przestanie się codziennie zamartwiać, że już się nie pokażesz. Nie przypominaj mu już też porannej sceny (jeśli miała ona miejsce) w drodze do domu. W zamian za to porozmawiaj o różnych zabawnych rzeczach, które robiło w przedszkolu, i o tym, co będzie robiło, gdy przyjdzie do domu.

Może się zdarzyć, że jest jakaś głębsza przyczyna niechęci dziecka do przedszkola. Może to być choroba (przyjrzyj się ewentualnym jej objawom, takim jak zmęczenie, rozdrażnienie, ból), jakaś inna zmiana lub nadmierny stres (np. nowe rodzeństwo), lub jakiś problem w przedszkolu (niewłaściwy program zajęć lub nie trafiająca do dziecka wychowawczyni; patrz str. 691). Jeśli znajdziesz przyczynę, usuń ją jak najszybciej.

ANIOŁEK W PRZEDSZKOLU – DIABEŁEK W DOMU

Wychowawczyni z przedszkola twierdzi, że nasz synek zachowuje się tam bez zarzutu i że nigdy nie miała z nim żadnych kłopotów. Jednak jak tylko mały przekroczy próg domu, wyrastają mu rogi. Dlaczego?

Często zdarza się, że dziecko, któremu udaje się koncentrować uwagę przez dość długi czas i dawać tym samym przykład wzorowego przedszkolaka, szybko wraca do swej prawdziwej postaci w bezpiecznych pieleszach domowych. Takie „wyluzowanie się" nie jest zwykle efektem braku rodzicielskiej umiejętności kontrolowania dziecka (albo braku samokontroli u dziecka), ale kilku innych czynników. Po pierwsze okres przejściowy — jak już podkreślaliśmy — jest dla małego dziecka trudny; zmiana może być trudna do opanowania. Po drugie, uporządkowany program dnia w przedszkolu skupia i kieruje energię w pozytywny sposób; powrót zaś do stosunkowo swobodnej w tym sensie atmosfery domowej całkowicie rozpręża dziecko. Po trzecie, względna cisza w domu może być drażniąca dla malca po wielu godzinach nieustannej aktywności i stymulacji. I wreszcie chyba najważniejszy czynnik: wiele dzieci lepiej się czuje, rozrabiając w domu — gdzie czują się bezpieczne, gdzie wiedzą, że są kochane bez względu na to, co zrobią — niż w przedszkolu, gdzie brak im poczucia tego absolutnego bezpieczeństwa. Po długim ranku lub popołudniu wzorowego zachowania — co jest nie lada wyczynem dla dwulatka — ulgą jest móc trochę pobroić.

Są pewne korzyści z posiadania dziecka, które pokazuje rogi w domu, a nie w przedszkolu — oszczędza to np. telefonów od rodziców innych dzieci, które miały spięcie z twoim maluchem, a i stosunki między wychowawczynią a rodzicami wydają się przyjemniejsze. Jeśli jednak nawet korzyści nie przemawiają do ciebie, gdy widzisz swojego „wzorowego" przedszkolaka wspinającego się po meblach, wypróbuj poniższe wskazówki, by poskromić energicznego malucha:

Zostań trochę w przedszkolu. Gdy odbierasz dziecko, nie chwytaj po prostu jego rzeczy i nie kieruj się od razu do wyjścia. Poproś je raczej, by pokazało ci swoje osiągnięcia; daj sobie trochę czasu na podziwianie rysunku, wypełnionej do końca układanki czy kolażu wykonanego przez całą grupę. Albo — jeśli wychowawczyni nie ma nic przeciwko temu — usiądź z dzieckiem w kąciku i przeczytaj mu króciutką bajeczkę. Może to pomoże wypełnić tę przepaść między przedszkolem a domem i sprawić, by okres przejściowy był mniej drastyczny.

Przynoś mu zawsze coś smacznego, gdy je odbierasz. Czasami to głód rozbudza w dziecku bestię. Jeśli wszystko, co jadło od czasu wyjścia z domu, to grahamowy sucharek lub kilka kawałków jabłka i soczek, możliwe, że jakaś bogata w białko i węglowodany przekąska (na przykład kawałeczek sera i pszenna bułka) przywróci spokój, którego tak pragniesz.

A może mała wycieczka? Zatrzymanie się na placu zabaw w drodze do domu, żeby malec „wybiegał" trochę energii nagromadzonej w przedszkolu, może zmniejszyć potrzebę wyładowania jej, gdy już dojedziecie do domu.

Zorganizuj mu czas w domu. Zajęcie dziecka jakąś konkretną czynnością podobną do wykonywanych w przedszkolu jest jeszcze jednym sposobem złagodzenia powrotu w domową rzeczywistość. Zanim więc przystąpisz do przygotowania obiadu czy kolacji, zasiądźcie razem do jakiejś książki, kasety, układanki lub zabawki — czegokolwiek, co pozwoli wam nacieszyć się trochę sobą.

Więcej uwag na temat powrotów do domu znajdziesz na str. 238.

CO WARTO WIEDZIEĆ

Akceptowanie indywidualnych temperamentów

Popeye[3] wypowiedział bardzo ważne słowa, gdy dumnie obwieszczał: „Jestem jaki jestem". Pozostaje jednak pytanie, co uczyniło go takim, jakim był? Czy jego tożsamość była przesądzona przez kod genetyczny, czy też formowano ją u niego od kołyski? Czy urodził się, by nieustępliwie i twardo rozprawiać się z wrogami, jak to zwykł czynić? Czy może jego upór był produktem środowiska, w jakim żył?

Możliwe że — jeśli kreskówkowi bohaterowie są odpowiednikami jednostek ludzkich — odpowiedzialność za temperament Popeye'a, za jego siłę i słabości trzeba złożyć na karb genetyki, choć otoczenie również odgrywa tu pewną rolę. Większość ekspertów zgadza się, że każde dziecko rodzi się z określonym temperamentem i zestawem zdolności. Jak wiedzą wszyscy rodzice, którzy mają więcej niż jedno dziecko, nie ma dwojga takich samych dzieci, nawet w tej samej rodzinie. Jedno może okazać się dobrym matematykiem, inne czarodziejem słów. Jedno może być nieśmiałe, drugie odważne. Jedno może być urodzonym sportowcem, drugie fajtłapą; jedno pilne i obowiązkowe, drugie to beztroski lekkoduch. Podczas gdy cechy te mogą być w pewnym stopniu kształtowane przez środowisko domowe i inne środowiskowe czynniki, zwykle są wrodzone.

Gdy twoje dzieci urosną i się rozwiną, będziesz zdumiona, spostrzegając pewne cechy — cechy, które dostrzegasz u siebie, swojego męża, swoich rodziców i swojego rodzeństwa, ukazujące się w najróżniejszych kombinacjach. Niektóre cechy obserwujesz z przyjemnością, co do innych — wolałabyś raczej, żeby zatarły się na

[3] Popeye — popularna postać z amerykańskich kreskówek. Żeglarz z fajeczką, któremu po zjedzeniu szpinaku rosną mięśnie i staje się bardzo silny (przyp. red.).

dobre. Tak czy owak, niewiele możesz zrobić, by zmienić to, czym natura obdarzyła twojego potomka, chociaż ty, nauczyciele, przyjaciele, życiowe wydarzenia i inne czynniki zmodyfikują to w jakimś stopniu.

Zaakceptowanie faktu, że dziecko „jest, jakie jest", przyczynia się na dłuższą metę do tego, że taka jednostka jest bardziej szczęśliwa i produktywna. Żeby zaś pomóc dziecku wykorzystać większość swoich wrodzonych możliwości:

Nie bądź standardowa w swoich oczekiwaniach. Stereotyp mówi, że „typowy" chłopiec powinien lubić sport; twój syn natomiast okazuje się molem książkowym. „Typowa" dziewczynka powinna być opiekuńcza; twoja córka zaś bardziej lubi klocki niż lalki. No więc co? Pozbądź się stereotypowych sądów, jakie dzieci powinny być; od swoich zaś wymagaj, by były jak najlepsze w tym, co umieją — w byciu sobą.

Nie wiń dziecka. Ponieważ cechy, z jakimi dzieci przychodzą na świat są cechami z przypadku, a nie z wyboru, nie karz i nie krytykuj ich za to, jakie są. Nie powinnaś też winić siebie, swojego partnera ani żadnego innego członka rodziny, po którym dziecko być może odziedziczyło swój charakter.

Nie przylepiaj etykietki. Kto miał kiedykolwiek ten problem, doskonale wie, że etykietka nabyta w dzieciństwie jest trudna do oderwania. Dzieci uznane za „nieśmiałe" mają tendencję do ciągłego powątpiewania w swoje społeczne możliwości; te, o których mówiono „agresywne", mają skłonności do tyranizowania, przepychania się przez życie.

Akceptuj bez wyjątku. Popracuj nad zrozumieniem i zaakceptowaniem wrodzonego temperamentu i zdolności twojego dziecka. Bierz je pod uwagę, robiąc różne plany, karcąc, kupując prezenty, wybierając przedszkole (patrz str. 679). Nie upieraj się, by twoja nieśmiała pociecha była duszą towarzystwa na przyjęciu ani też nie wkładaj pod zimny prysznic swego wyjątkowo energicznego synka. Nie próbuj z muzyka zrobić naukowca ani z naukowca muzyka.

Kieruj dzieckiem i kształtuj jego naturalne skłonności. To, że dziecko urodziło się raczej nieśmiałe, nie znaczy, że nie może nabrać pewności i nauczyć się w pełni funkcjonować w społeczeństwie (patrz str. 169). To, że ma w sobie niewyczerpane zasoby energii, wcale nie znaczy, że zawsze musi mieć kłopoty; jego energię można wykorzystać w sposób konstruktywny w sporcie, tańcu i innych aktywnych zajęciach. Dziecko mające problem z liczbami może co prawda nigdy nie dojść do tytułu profesora matematyki, ale przecież można mu pomóc w matematyce i nauczyć, jak doliczyć się reszty, jak obliczyć saldo w książeczce czekowej i obchodzić się z gotówką. Niezależnie od tego, jakie cechy wrodzone ma dziecko, rodzicielska opieka i wychowanie mogą wpłynąć na to, jakim człowiekiem się stanie.

Ciesz się z tych różnic... Tak jak kolor włosów, zdolności muzyczne czy geniusz naukowy, osobowość nie zawsze jest przekazywana w linii prostej, dlatego też dzieci mogą tak bardzo różnić się od swoich rodziców czy rodzeństwa. Ciesz się z tych różnic, zamiast okazywać niezadowolenie, że malec nie jest bardziej podobny do ciebie, do męża czy innego członka rodziny.

...i z tych podobieństw. Czasami nawet łatwiej o konflikt, kiedy dziecko jest zanadto podobne do jednego z rodziców, aniżeli wtedy, gdy jest diametralnie różne. Jeśli twój maluch odziedziczył jakiś aspekt twojej osobowości, z którym ty do dziś sobie nie radzisz (jesteś bardzo nieśmiała i zawsze marzyłaś o tym, by twoje dziecko było przebojowe) — przyjmij to. Popracuj nad zaakceptowaniem samej siebie, żebyś mogła lepiej zaakceptować swoje dziecko.

Szukaj u dziecka pozytywnych cech. Każde dziecko jest szczególne, każde dziecko ma zdolności i mocne strony, jak również słabostki. Nawet u najtrudniejszej osobowości znajduje się jakiś promyczek słońca — to tylko kwestia dostrzeżenia jej poza kłębiącymi się chmurami (patrz str. 184).

Nie zapominaj, że jest wiele zalet, których się nie dziedziczy, zalet kształtowanych przez rodziców, jak odpowiedzialność, zamiłowanie do nauki, uprzejmość, uczciwość czy tolerancja wobec innych. Na dłuższą metę wartości te będą chyba miały większy wpływ na człowieka, którym stanie się twoje dziecko, aniżeli wszystkie geny w rodzinnym banku.

CO TWOJE DZIECKO POWINNO WIEDZIEĆ
Obowiązują pewne zasady

Przestrzeganie reguł nie zawsze jest łatwe. Zrozumienie jednak ich zasadności zwykle ułatwia zadanie. Jeśli nie zatrzymamy się na czerwonym świetle, może dojść do kolizji z samochodem lub pieszym, jeżeli będziemy palić liście, kiedy tyle się mówi o zanieczyszczaniu środowiska, dołożymy swoją cegiełkę do groźnego problemu zanieczyszczenia powietrza. Jeśli nie zabierzemy ze sobą przyborów do zagrzebywania odchodów naszego psa, wyprowadzając go na spacer, ktoś inny — może nawet ktoś z naszej rodziny — będzie je zeskrobywał ze swoich butów.

Choć dzieci mają poniekąd narzucony swój udział w przestrzeganiu reguł, najczęściej nie rozumieją, po co w ogóle reguły te istnieją — życie jest przecież za ich sprawą dużo trudniejsze. Niesienie pomocy dziecku w dostrzeganiu istoty takich zasad nie tylko ułatwi mu życie z nimi, ale ułatwi tobie życie z dzieckiem. A więc:

Zasady trzeba wyjaśnić. Gorzką pigułkę, jaką jest zbliżająca się pora spania, można uczynić przyjemniejszą dla podniebienia, jeśli zaserwuje się ją z wyjaśnieniem („Twoje ciałko nadal rośnie, któregoś dnia będzie duże. Ale żeby urosnąć, potrzebujesz snu"). I podobnie sławetne: „Daj mi rękę, gdy przechodzimy przez ulicę" może spotkać się z mniejszym oporem, gdy towarzyszy mu racjonalne tłumaczenie („Kierowcy nie widzą cię, bo jesteś mniejszy. Widzą jednak mnie, bo jestem duża. Jeśli podasz mi rączkę, będziemy bezpieczni"). Wyłuszcz swoją rację krótko i zwięźle. Jeśli zbyt długo będziesz tłumaczyć prostą rzecz, dziecko przestanie słuchać twojego wyjaśnienia.

Zasad trzeba przestrzegać konsekwentnie. Przestrzeganie reguł jest niemożliwe, jeśli dziecko nigdy nie jest pewne, jakie one są. Jeśli ganisz dziecko jednego dnia za skakanie po twoim łóżku, a drugiego nic na to nie mówisz, dziecko nie będzie traktowało twoich zasad poważnie i może zacząć bawić się w testowanie: „Jaka zasada będzie obowiązywała dzisiaj?"

Zasady muszą być jasne. Kiedy mówisz: „Nie stawaj na meblach" do dziecka, które właśnie stoi na twoim łóżku, czy to znaczy po prostu: „Nie stawaj na moim łóżku"? Na każdym łóżku? A może znaczy to, że nie wolno stawać na żadnym meblu łącznie z łóżkami, fotelami i kanapą? A na podnóżku? Na stole kuchennym? Bądź precyzyjna i pamiętaj, by używać języka w pełni zrozumiałego dla dziecka.

Zasady muszą być rozsądne. Niektóre zasady są dla dwuletniego dziecka niemożliwe do przestrzegania: jeść zawsze z zamkniętymi ustami albo zawsze bez proszenia sprzątać zabawki. Miej na względzie możliwości dziecka, gdy ustanawiasz zasady.

Zasady trzeba powtarzać. Typowe małe dzieci są zwykle tak zajęte uczeniem się nowych rzeczy i ciągłym odkrywaniem, że nie pamiętają o zasadach. Ich koncentracja jest ograniczona i trudno im skupić się na więcej niż jednej rzeczy w danej chwili. Nie sądź więc, że podanie zasady raz czy nawet sześć razy wystarczy.

Nie narzucaj zbyt wielu zasad. Jeśli dziecko nie może się ruszyć, by nie złamać jakiejś zasady, istnieje możliwość, że się im w końcu sprzeciwi — jeśli nie teraz, to później w życiu; jeśli nie w domu, to poza nim.

Niech przestrzeganie zasad będzie łatwe. Nie możesz żądać od dziecka przestrzegania zasady, że wszystkie samochodziki mają być ułożone, jeśli nie pokazałaś mu, jak je ułożyć i gdzie — a powinno to być wydzielone, dostępne dziecku miejsce. Pamiętaj więc, że każda zasada, którą wprowadzasz, powinna iść w parze z wyjaśnieniami.

Nie oczekuj stuprocentowego posłuszeństwa. Dzieci są dziećmi — możesz się spodziewać, że wiecej zasad będzie łamanych niż przestrzeganych, przynajmniej przez jakiś czas. Czasami zostaną złamane nieumyślnie, ponieważ dziecko po prostu zapomni albo jego zainteresowanie lub ciekawość przezwyciężą wszystko inne. Czasami zostaną złamane przez niezdolność dziecka do kontrolowania swojego zachowania. Czasami będą łamane, bo dziecko zechce przetestować ciebie i granice, które wytyczyłaś, czasami zaś zrobi to z wściekłości. Niezależnie od powodu, jeśli przeprowadziłaś już pewne konieczne kroki dyscyplinarne, bądź wyrozumiała i tolerancyjna.

Trzeba sobie zdać sprawę z tego, że niektóre zasady są czasami stworzone do tego, by je łamać. Gdy reguła taka zostaje złamana w momencie dokonywania odkrycia (podekscytowany motylem na podwórku i niecierpliwy, by się z tobą tym wydarzeniem podzielić, mały łamie zasadę „w domu nie chodzi się w brudnych butach" i wnosi świeże błoto do kuchni), nie spiesz się ze zwracaniem na to uwagi, bo zniszczysz radość dziecka. Najpierw przejmij się jego rewelacją, a dopiero później śladami błota. W takim momencie można przypomnieć dziecku o zasadzie „niechodzenia w brudnych butach po domu" i wręczyć mu mokrą szmatkę, by pomogło ci sprzątnąć.

No i wreszcie — sama przestrzegaj zasad. Zawracasz o 180°, gdy wiesz, że w tym miejscu drogi jest to niedozwolone; stoisz w kolejce do kasy obsługującej klientów z mniej niż dziesięcioma artykułami w koszyku, a masz ich czternaście; przechodzisz przez ulicę na żółtym świetle, a nie na zielonym. Te maleńkie „oszustwa" czynione codziennie przez każdego mogą wydawać się dość nieszkodliwe. Jeśli jednak stają się rutyną, sygnalizują dziecku, że jeśli reguły są niewygodne lub nie do przełknięcia, można je złamać. Kiedy wzorzec zachowań (a dla twojego dziecka jesteś wzorcem nr 1) łamie zasady, trudno jest dziecku pojąć, dlaczego ono nie może. Jak zwykle twoje uczynki przemawiają dobitniej niż twoje słowa.

15

Od trzydziestego pierwszego do trzydziestego trzeciego miesiąca

Co twoje dziecko potrafi robić

Przed końcem trzydziestego trzeciego miesiąca twoje dziecko powinno umieć:

* umyć ząbki (z pomocą);
* zbudować wieżę z 6 klocków.

Uwaga: Jeśli twoje dziecko nie opanowało jeszcze tych podstawowych umiejętności, skontaktuj się z lekarzem. Takie tempo rozwoju może być zupełnie normalne dla twojego dziecka, ale musi ono zostać fachowo ocenione. Zasięgnij porady lekarza, jeśli twoje dziecko nie uznaje niczyjego autorytetu lub wydaje ci się nadmiernie ruchliwe, wymaga zbyt wiele, jest uparte, do wszystkiego negatywnie nastawione, zbyt zamknięte w sobie, bierne, niekomunikatywne, smutne lub niezdolne do nawiązywania kontaktów z innymi.

Przed końcem trzydziestego trzeciego miesiąca twoje dziecko będzie prawdopodobnie umiało:

* narysować pionową linię, mając inną na wzór;
* stać na każdej nóżce przez 1 sekundę;
* nazwać kolegę po imieniu;
* przeprowadzić dwu- lub trzyzdaniową rozmowę (przed ukończeniem trzydziestego pierwszego miesiąca);
* zbudować wieżę z 8 klocków;
* umyć i wytrzeć rączki;
* używać przyimków (przed ukończeniem trzydziestego pierwszego miesiąca).

Przed ukończeniem trzydziestego trzeciego miesiąca twoje dziecko być może będzie umiało:

* rozpoznać 1 kolor;
* użyć 2 przymiotników;
* skoczyć w dal;
* włożyć bluzeczkę.

Przed końcem trzydziestego trzeciego miesiąca twoje dziecko może nawet umieć:

* stać na każdej nóżce przez 3 sekundy;
* policzyć 1 klocek.

Wymyśleni przyjaciele są częstymi gośćmi w domach, gdzie są małe dzieci — przywitaj ich serdecznie, gdy zapukają do twoich drzwi.

CO MOŻE CIĘ NIEPOKOIĆ

WYMYŚLONY TOWARZYSZ ZABAW

Nasza córeczka stworzyła sobie wyimaginowanego przyjaciela, który jest z nią przez cały czas. Mała ma kochającą rodzinę i kolegów, z którymi bawi się w grupie. Dlaczego miałaby potrzebować przyjaciela na niby?

Wobec dominującego sposobu bycia dorosłych i zachłanności kolegów, które z dzieci nie chciałoby mieć kogoś, kto byłby pod jego całkowitą kontrolą, spełniał absolutnie wszystkie jego zachcianki, nigdy nie odpowiadał niegrzecznie i nie stanowił zagrożenia ani dla jego osoby, ani dla jego własności? A kto lepiej spełnia te wymagania niż wymyślony towarzysz zabaw?

Oprócz tego, że jest idealnym towarzyszem zabaw, taki wymyślony przyjaciel może pełnić rolę alter ego. To drugie „ja" może się przydać jako kozioł ofiarny (dziecko może w ten sposób sprawdzać granice wytrzymałości rodziców, obwiniając swoje drugie „ja" o własne karygodne zachowanie), sumienie (aby przywoływać się do porządku w wypadku, gdy dziecko się zagalopuje) lub jako ujście dla nadmiernych emocji (złości, niepokoju, strachu, zazdrości), których maluch nie chce (lub jeszcze nie potrafi) wyrazić. Wyimaginowany przyjaciel może być także obrońcą (mającym ustrzec dziecko przed tym dużym, brązowym psem z sąsiedniego domu czy „potworem" czającym się pod łóżkiem) lub po prostu kimś, kto dotrzyma brzdącowi towarzystwa, kiedy czuje się samotny czy znudzony.

Wymyśleni towarzysze zabaw są niezwykle częstym zjawiskiem. Szacuje się, że mniej więcej dwie trzecie wszystkich dzieci tworzy sobie takich towarzyszy w pewnym momencie wczesnego dzieciństwa. Większość z nich pojawia się po raz pierwszy, kiedy dziecko ma dwa i pół, trzy lata, istnieje przez kilka lat i odchodzi, kiedy malec osiągnie wiek pięciu lub sześciu lat. Ogromna większość dzieci wie, że ten wymyślony kolega jest jedynie wytworem fantazji, choć zdecydowanie temu zaprzecza.

Czasami niewidzialny towarzysz zabaw składa wizyty jedynie od czasu do czasu, czasami zaś jest obecny cały czas. Może przybrać wiele różnych postaci (dziecka, dorosłego, mądrego psa czy też baśniowej matki chrzestnej posiadającej wielką moc), może mieć imię (zwykłe bądź wymyślone), określone cechy szczególne (być wysoki lub niski, gruby lub chudy, ładny lub zabawny), a także swoje własne przyzwyczajenia (może zawsze siadać na tym samym krześle, spać po tej samej stronie łóżka, ubierać się zawsze w bluzkę tego samego koloru). Niektóre dzieci mają nawet więcej wymyślonych towarzyszy zabaw — mogą oni się „pojawiać" wszyscy razem lub pojedynczo.

Jakie są efekty posiadania wyimaginowanego przyjaciela? Z badań wynika, że dzieci, które wymyślają sobie towarzyszy zabaw, mają zwykle wielu prawdziwych przyjaciół, posługują się bogatym słownictwem, są twórcze, niezależne, towarzyskie, współpracują z nauczycielami i kolegami. Tak samo jak inne maluchy potrafią rozróżnić to, co prawdziwe, od tego, co wyimaginowane, lecz są bardziej niż inne dzieci skłonne brać udział w wymyślonych zabawach z fikcyjnymi przedmiotami (szybowanie po pokoju jako samolot czy też wręczenie mamie bukietu wymyślonych stokrotek zerwanych w ogrodzie swoich marzeń). Wielu ludzi, którzy w wieku dorosłym są twórczy i odnoszą sukcesy, przypomina sobie, że jako dzieci mieli takiego wymyślonego przyjaciela.

Jeśli chcesz, żeby doświadczenia twojego dziecka dotyczące wymyślonego przez nie przyjaciela były pozytywne dla całej rodziny:

* Pamiętaj o tym, że wyobraźnia jest cennym darem pomagającym dziecku rozwijać się i dorastać. Pozwól maluchowi samodzielnie wyrosnąć z zabaw z wyimaginowanym przyjacielem, nie przeszkadzając mu i nie czyniąc lekceważących uwag. Wyśmiewanie się czy zakazywanie dziecku zabierania ze sobą tego wymyślonego towarzysza zabaw, kiedy wychodzi z domu, także prawdopodobnie nie skłoni go do rezygnacji, a jedynie do utrzymywania wszystkiego w tajemnicy, co mogłoby tylko bardziej wciągnąć dziecko w świat fantazji, niżbyś sobie życzyła.

* Zaakceptuj i przyjmij z otwartymi ramionami jego przyjaciela. Zamiast sprzeciwiać się jego istnieniu (co mogłoby wytrącić z równowagi i prawdopodobnie rozzłościć twoje dziecko), bądź gościnna. Spełniaj życzenia dziecka, zapewniając jego przyjacielowi miejsce przy stole, drugą poduszkę w łóżeczku, a nawet miseczkę kaszki — wszystko to jednak w kontekście wymyślonej zabawy.

* Pozwól, aby to twoje dziecko pokierowało przebiegiem wydarzeń. Nie oferuj jego przyja-

cielowi miejsca przy stole, dopóki twoja pociecha cię o to nie poprosi, i nie całuj jego przyjaciela na dobranoc, póki dziecko nie będzie tego chciało, ale zrób to, jeśli zostaniesz poproszona.

* Bądź ostrożna w „wykorzystywaniu" przyjaciela twojego dziecka. Niektórzy rodzice wykorzystują wyimaginowanego przyjaciela w celu nakłonienia dzieci do współpracy, mówiąc: „Dodo chce, żebyś włożył dziś rękawiczki, bo jest zimno" albo prosząc: „Pokaż Dodo, jak ładnie umiesz myć ząbki". Metoda taka może jednak obrócić się przeciwko tobie. Chociaż niektóre dzieci dobrodusznie odegrają swoją rolę, inne poczują się dotknięte utratą kontroli nad swoim przyjacielem i będą się złościć lub stracą chęć do współpracy. Możesz stosować tę metodę jedynie wtedy, kiedy dziecko nie ma nic przeciwko temu.

* Nie pozwól swojemu dziecku posługiwać się wymyślonym przyjacielem, kiedy chce uniknąć konsekwencji. Wszystko w porządku, dopóki chodzi o towarzystwo, dodanie otuchy czy zabawę angażującą wyobraźnię. Natomiast posługiwanie się wyobrażonym przyjacielem, po to by nie podnosić pudełka kredek, które dziecko zrzuciło na podłogę, przy jednoczesnym zapewnieniu, że: „To zrobił Dodo" nią nie jest. Nie uśmiechaj się bezradnie, słysząc ten chwyt, i nie pozwól, żeby skończyło się to pozbieraniem kredek przez ciebie. Zamiast tego wydaj z siebie porozumiewawcze: „Ahaa", dodając od razu: „Ponieważ jesteś jego przyjacielem, możesz mu pomóc je pozbierać". Jeśli twój malec z uporem będzie odmawiać, przestań odgrywać swoją rolę i nalegaj, żeby samo wykonało tę pracę.

* Zapewnij inne ujścia dla wyobraźni swojego dziecka. Zachęć je do zabawy lalkami (jeśli lalka-niemowlę nie będzie go satysfakcjonować, postaraj się o inną), maskotkami, postaciami z filmów i książek, strojami do przebierania się oraz kukiełkami. Jeśli nie bardzo potrafi się nimi bawić, przyłącz się do niego, żeby mu pokazać. Spróbuj pobudzić wyobraźnię malca, czytając mu książki o różnych postaciach, miejscach i różnej fabule. (Aby dowiedzieć się więcej o stymulowaniu wyobraźni, patrz. str. 313.)

* Zapewnij swojemu dziecku inne sposoby rozładowania negatywnych uczuć. Jeśli wydaje się, że wykorzystuje ono swojego „przyjaciela", aby wyładowywać na nim złość, zazdrość czy inne negatywne emocje, zachęcaj je, żeby raczej tobie o nich opowiedziało (tak jak potrafi) i uwolniło się od nich na inne, bezpieczniejsze sposoby (patrz str. 160).

* Zagwarantuj dziecku wielu prawdziwych kolegów. Kiedy wymyślony przyjaciel wypełnia miejsce prawdziwych lub też zastępuje rodzicielską troskę, należy zrobić wszystko, żeby wypełnić maluchowi te braki, co może zmniejszyć dziecięcą potrzebę posiadania wyimaginowanego przyjaciela.

* Pamiętaj o tym, że twoje dziecko w końcu zrezygnuje ze swojego przyjaciela z wyobraźni. Kiedy poczuje się lepiej w normalnych warunkach społecznych i kiedy będzie potrafiło lepiej się wypowiedzieć, zaniknie prawdopodobnie potrzeba posiadania dodatkowej podpory moralnej.

Dzięki wyimaginowanemu przyjacielowi rodzice mogą czasami uzyskać cenne wskazówki dotyczące umysłu ich dziecka (na przykład niechęć wymyślonego towarzysza do żłobka może sygnalizować problem, który wymaga uwagi). Natomiast samo „wyczarowanie" takiego przyjaciela nie świadczy o tym, że dziecko ma problemy emocjonalne. Jeśli jednak twoja pociecha będzie tak pochłonięta czy zależna od wymyślonego przez siebie towarzysza zabaw, że nie będzie współdziałać z nikim innym, lub jeśli będzie się wydawać zamknięta w sobie albo nieszczęśliwa pod innym względem, porozmawiaj z pediatrą — być może konieczna będzie jego pomoc.

NIEŚMIAŁOŚĆ

Nasza córka wydaje się strasznie nieśmiała w sytuacjach społecznych. Współczujemy jej, ale nie wiemy, co zrobić, żeby jej pomóc.

Następnym razem, kiedy dziecko znajdzie się w pokoju pełnym rówieśników, rozejrzyj się obiektywnie dokoła. Być może zauważysz, że nie jest ono jedynym nieśmiałym dzieckiem w tej grupie i że tak naprawdę wielu jego kolegów zachowuje się równie niepewnie jak ono. Dzieje się tak dlatego, że dwu- i trzylatki są rzadko nastawione na kontakt z innymi, a u większości z nich występują oznaki nieśmiałości, utrzymujące się przynajmniej przez pewien czas. Niektóre maluchy dobrze się czują w towarzystwie dorosłych, ale nie równolatków. Inne z kolei dobrze się czują w małej grupie równolatków, ale nie chcą rozmawiać z osobą dorosłą nie należącą do najbliższej rodziny. Istnieją jeszcze takie, które są nieśmiałe w stosunku do każdego, kogo dobrze nie znają. Po skończeniu sześciu lat około połowa wszystkich dzieci wciąż jeszcze jest nieśmiała, choć połowa z nich pozbędzie się nieśmiałości jako nastolatki. Jednak mniej więcej u jednego dziecka na pięcioro nieśmiałość jest raczej cechą wrodzoną niż rozwojową i te dzieci nigdy całkowicie jej nie zwalczą, chociaż często uczą się ją przezwyciężać.

W tym momencie nie da się jednak na pewno określić, czy nieśmiałość twojego dziecka jest wrodzona, czy wynika z zachowania typowego dla tego wieku. Tak więc zamiast martwić się czy szukać „lekarstwa" na jego nieśmiałość, szukaj sposobów, które pomogą mu myśleć dobrze o sobie i innych, a także czuć się pewnie w kontaktach zarówno z dorosłymi, jak i z dziećmi. Uzyskawszy pomoc, nawet dzieci z wrodzoną nieśmiałością mogą wyrosnąć na przyjaznych i ufających we własne siły dorosłych (aczkolwiek ta nieśmiałość prawdopodobnie przetrwa gdzieś ukryta w głębi). Możesz pomóc swojemu dziecku osiągnąć ten cel poprzez:

Akceptowanie jego nieśmiałości. Może być to szczególnie trudne do wykonania, jeśli jesteś z natury towarzyska, ale jest to także szczególnie ważne. Twoje dziecko jest odrębną osobą, a do tego niespełna trzyletnią i nie można od niego oczekiwać, aby zachowywało się w taki sam sposób jak ty. Postrzeganie jego nieśmiałości jako wady i wyrażanie, nawet w najbardziej subtelny sposób, niezadowolenia z braku osiągnięć społecznych czy dawanie mu do zrozumienia, że jego zachowanie wprawia cię w zakłopotanie, może spowodować, że cecha ta u twojego dziecka jeszcze się pogłębi. Daj mu raczej odczuć, że kochasz je takim, jakie jest.

Nie przyklejaj mu etykietki. Nazywając swoje dziecko „nieśmiałym" w rozmowie z nim samym lub z innymi, ale w jego obecności, sprawisz, że ta etykietka zapadnie mu w pamięć. W ten sposób określenie to może utrwalić jego nieśmiałość, nawet jeśli nie jest ona wrodzona. W przyszłości używanie tej etykietki mogłoby stać się sposobem unikania nieprzyjemnych czy niewygodnych sytuacji: „Jestem nieśmiały, więc nie muszę". Staraj się także nie wskazywać i nie chwalić bardziej towarzyskich dzieci ani też nie porównywać ich osiągnięć z osiągnięciami twojego dziecka. Ryzykujesz to, że nie tylko zranisz jego uczucia, ale także poczucie własnej wartości, którego brak może tylko pogłębić nieśmiałość.

Zrozum je. Nawet jeśli nie jest się nieśmiałym, znalezienie swojego miejsca nie jest łatwym zadaniem (zwłaszcza gdy ma się do czynienia z dobranymi już w pary czy grupy dziećmi). Nie traktuj lekceważąco lęków czy niepokojów dziecka. Zapewnij mu otuchę i wsparcie, którego potrzebuje. Jeśli obawia się pewnego rodzaju sytuacji, nie zmuszaj go, by się w nie angażowało. Ale równocześnie nie staraj się zbyt szybko przychodzić mu z pomocą. Daj mu szansę na odniesienie zwycięstwa, zanim stwierdzisz, że nie da sobie rady.

Zachęcaj je. Chociaż nie należy zmuszać dziecka do podejmowania społecznych zachowań, wskazana jest zachęta do uczestniczenia w zajęciach z innymi dziećmi i pomoc w przełamaniu lodów, kiedy to będzie konieczne. Początkowo może być mu łatwiej obcować z odrobinę młodszymi dziećmi (będzie się czuć mniej zagrożone, a jako „duży" chłopiec czy dziewczynka, być może poczuje się bardziej pewnie) albo o rok lub dwa starszymi (jeśli czuje się lepiej w roli wymagającej podporządkowania). Niezależnie od wieku towarzyszy zabawy, powinnaś wybrać dzieci raczej spokojne, a nie agresywne. Możesz także pomagać maluchowi poprzez pielęgnowanie jego przyjaźni (patrz str. 169, gdzie znajdziesz wskazówki, jak to zrobić), umacnianie jego wiary w siebie i poczucia własnej wartości oraz umacnianie pozytywnych uczuć w stosunku do własnej osoby (patrz str. 255). Możesz także uczyć swojego malca, co robić w sytuacjach, w których czuje się niepewnie (niech, na przykład, pomyśli o czymś miłym czy kilka razy zaczerpnie głęboko powietrza).

Ćwicz z nim. Pod pozorem niestresującej zabawy zachęcaj dziecko do odgrywania odpowiednich ról. Przykładowy scenariusz: miś albo lalka chodzi niezdecydowanie w pobliżu placu zabaw, pragnąc dołączyć do innych i bawić się z nimi, ale boi się spróbować. Poproś swoje dziecko o radę i podsuń kilka dobrych pomysłów, które mogłyby pomóc zabawce w przyłączeniu się do zabawy. Mogą one później przydać się dziecku w podobnych sytuacjach, gdyż dzieci potrafią znakomicie naśladować. Pamiętaj o tym, żeby twój scenariusz miał zawsze szczęśliwe zakończenie (miś dołącza do grupy i świetnie się bawi).

Przygotuj je. Niektóre dzieci są szczególnie wrażliwe na zmiany. Dobre przygotowanie ich do nowych sytuacji czy ułatwienie początku może sprawić, że lepiej sobie dadzą radę. Wprowadzaj swoją pociechę w wydarzenia społeczne — włączając w nie przedszkole — przygotowując ją przez kilka minut, żeby wiedziała dokładnie, co ją czeka. Podaj jej imiona dzieci czy dorosłych, którzy tam będą, powiedz, co może się wydarzyć, jak będzie się witać ze wszystkimi, których spotka. Ale obserwuj uważnie reakcję swojego dziecka, ponieważ nadmierne przygotowania mogą wzmóc strach, zamiast go zmniejszyć. Przyprowadź dziecko do przedszkola kilka minut przed przyjściem innych dzieci, aby mogło się zaaklimatyzować i robić już coś, kiedy pojawią się inne dzieci. Przychodzenie za późno, kiedy wszystkie oczy są zwrócone na spóźnionego, może wprawiać w zakłopotanie nawet dorosłych. Próbuj także znaleźć się wśród pierwszych gości przychodzących na przyjęcia urodzinowe czy inne spotkania, a nie wchodzić, kiedy zabawa już trwa. Jeśli zdarzy ci się spóźnić, powiedz swojemu dziecku przed wejściem, czego może się spodziewać i co zrobicie („Spóźniliśmy się i przyjęcie prawdopodobnie już się zaczęło. Kiedy więc zdejmiemy twój płaszczyk, położysz prezent od siebie na stoliku obok prezentów od innych dzieci. Potem zaprowadzę cię tam, gdzie bawią się pozostałe maluchy"). Kiedy już będziecie w środku, postępuj zgodnie z tym, co powiedziałaś wcześniej.

Wyposaż je. Każdy dorosły bywający na przyjęciach wie, że zawsze łatwiej pojawić się wśród innych, trzymając coś w rękach: torebkę, drinka czy talerzyk z kanapkami. Podobnie wygląda to u dzieci. Twój malec może się poczuć pewniej, wchodząc do grupy bawiących się kolegów, jeśli ma coś ze sobą, na przykład lalkę lub maskotkę. Zabawka da mu poczucie bezpieczeństwa nie tylko dlatego, że jest jego własnością, ale może także stanowić „przepustkę" w kontakcie z innymi dziećmi, niezależnie od tego, czy zostanie wykorzystana w zabawie, czy będzie po prostu podziwiana. Przygotuj jednak swoje dziecko na ewentualność, że będzie się musiało podzielić przyniesioną zabawką z innymi, i pomóż mu wybrać taką, którą chętnie się podzieli.

Pomóż mu, jeśli tego potrzebuje. Jeśli zauważysz, że twoje dziecko patrzy tęsknym wzrokiem na grupę bawiących się dzieci i wydaje się, że chce do nich dołączyć, ale nie wie jak, spróbuj dać mu kilka wskazówek. Nie zmuszaj go do tego, zanim będzie gotowe, zaproponuj sposób, w jaki może to osiągnąć („Dlaczego nie podejdziesz i nie pokażesz dziewczynkom swojej nowej lalki?"). A gdyby potrzebowało towarzystwa, kiedy już się zdecyduje, zaproponuj swoją pomoc, przynajmniej na chwilę. Z jego zgodą weź je za rękę i razem przystąpcie do zabawy, pytając o pozwolenie inne dzieci, zanim to zrobicie („Czy możemy pomóc wam budować zamek z piasku?"). Zostań tak długo, jak maluch będzie cię potrzebował, ale nie dłużej. Wycofaj się, gdy tylko się okaże, że czuje się już swobodnie.

Kiedy twoje dziecko ukończy trzy lata, a będziesz widziała, że jego nieśmiałość przeszkadza mu w życiu (nie będzie uczestniczyć w zajęciach przedszkolnych, zawsze będzie się ciebie trzymać podczas zabawy z rówieśnikami, odmówi chodzenia na przyjęcia), porozmawiaj o tym z lekarzem. Istnieją sposoby, żeby sobie z tym poradzić, a wczesne i delikatne interwencje mogą z powodzeniem złagodzić skrajną nieśmiałość u małych dzieci.

NIEGRZECZNE ZACHOWANIE WOBEC DOROSŁYCH

Zawsze kiedy jesteśmy poza domem i ktoś próbuje powiedzieć „cześć" do mojego synka, staje się on bardzo niegrzeczny. Nie chce się uśmiechnąć ani odpowiadać na pytania, co wprawia mnie w zakłopotanie.

Małe dziecko, które się nie odzywa, kiedy ktoś zwraca się do niego lub nie odwzajemnia czyjegoś uśmiechu, nie jest niegrzeczne, lecz normalne, to znaczy zachowuje się odpowiednio do swojego wieku. Zdecydowana większość małych dzieci czuje się bardzo skrępowana podczas towarzyskich spotkań z dorosłymi, których dobrze nie zna (a czasami nawet ze znajomymi, ale widywanymi niezbyt często). Zwykle dzieci te czują się jeszcze bardziej skrępowane, kiedy im się podpowiada, co mają zrobić, lub kiedy są ponaglane („No, kochanie, powiedz «Dzień dobry» pani Kowalskiej").

Odrzucają one życzliwość nieznajomych, nie kierując się złą wolą czy złym humorem. Wynika to z ich naturalnej nieśmiałości, nie wykształconych zachowań społecznych lub braku wspólnych zainteresowań (pani Kowalska nie bawi się klockami lego ani nie lubi się wspinać na drabinki). Nie będzie łatwo przekonać twojego malca, a może to być nawet niemożliwe przez kilka następnych lat. Poniższe wskazówki pomogą ci zmniejszyć jego (i twoje) skrępowanie w tego rodzaju sytuacjach:

* Troszcz się bardziej o uczucia swojego dziecka niż o pozory. Na pewno to, że twoja pociecha regularnie ignoruje tych, którzy ją witają, wprawia w zakłopotanie. Ważne jest jednak, żebyś odsunęła swoje zażenowanie na dalszy plan, a wzięła pod uwagę jego uczucia i zdała sobie sprawę z tego, że większość osób rozu-

mie powściągliwość dzieci w stosunku do nieznajomych. Tak więc nie naciskaj. Zaakceptowanie powściągliwego sposobu bycia malca i dodawanie mu otuchy, nawet wtedy, gdy nie jest serdeczny dla innych, ułatwi mu lepsze przyswojenie sobie społecznych zachowań wtedy, kiedy będzie już na nie gotowy. Nie przyklejaj mu etykiety, zwracając mu uwagę, żeby nie był tak niegrzeczny lub wyjaśniając jego zachowanie innym osobom jako „wstydliwe". Jeśli będziesz tak postępować, nie zostawisz mu innego wyboru niż tylko dostosowanie się do tej przypisanej mu roli.

* Odpowiadaj zamiast swojego dziecka, jeśli samo odzywa się niechętnie, kiedy zwraca się do niego ktoś obcy. Na przykład, jeśli nie odpowie samo na pytanie sąsiada: „Co dziś robiłeś?", powiedz: „Właśnie byliśmy na placu zabaw, prawda?" Ułatwi mu to nawiązanie rozmowy. W tym momencie dziecko może skinąć potakująco głową lub podzielić się uwagą typu: „Poszedłem się pohuśtać", może jednak dalej nie reagować. Oddawaj mu tego rodzaju przysługi, ale najpierw zawsze daj szansę wypowiedzieć się samemu.

* Spróbuj pobawić się trochę w odgrywanie ról. Pomóż swojemu dziecku ćwiczyć jego społeczne umiejętności w domu, gdzie czuje się bezpiecznie i pewnie. Wymyślona sytuacja może się rozgrywać w domu towarowym. Ty możesz być kasjerką, a dziecko klientem. Zadawaj mu pytania, które może usłyszeć od przyjaźnie nastawionych dorosłych („Ile masz lat?", „Jaką masz ładną czapkę, czy jest to czapka do gry w baseball?", „Jak ma na imię twój miś?") i zachęcaj je do udzielania odpowiedzi. Jeśli będzie się wahać, zamieńcie się rolami i ty sama odgrywaj dziecko. Może będzie mu łatwiej w roli dorosłego zadającego pytania.

* Zaaranżuj rzeczywistą sytuację. Zatrzymaj się i porozmawiaj z przyjaciółmi spotkanymi na ulicy, z kasjerką w sklepie, z kasjerem w banku, z pracownikiem stacji benzynowej, na której masz zamiar zatankować paliwo. Porozmawiaj o pogodzie, cenach kawy, spadku stopy procentowej czy wprowadzonej ostatnio podwyżce cen benzyny. Wymień kilka uprzejmości z wychowawczynią dziecka, kiedy będziesz je odbierać z przedszkola, czy z rodzicami jego kolegów podczas wspólnej zabawy dzieci, a także z pozostałymi rodzicami na placu zabaw. Sztuka prowadzenia krótkich rozmów jest rzadko wrodzona, większość z nas uczy się jej, podsłuchując innych.

Ważne jest, żeby uczyć dziecko dobrych manier, nie dając mu równocześnie do zrozumienia, że oczekujesz od niego nieustannej serdeczności w stosunku do każdej dorosłej osoby lub że musi robić wszystko, co tylko ona mu każe. Jeśli malec czuje się niezręcznie z jakiegoś powodu, może oczywiście odmówić i nie powinnaś brać mu tego za złe.

BRAK PRZYJACIÓŁ

Moja córeczka właśnie zaczęła chodzić do przedszkola. Inne dzieci w jej grupie przeważnie już mają swoich najlepszych kolegów czy koleżanki. Wydaje mi się, że ona nie potrafi nawiązać przyjaźni.

W trzecim roku życia zabawa parami zdarza się częściej niż w drugim, ale oczywiście nie jest to zjawisko powszechne. Dla wielu dzieci nawiązanie przyjaźni nie jest najważniejsze. Często są równie szczęśliwe, a może nawet szczęśliwsze, bawiąc się obok swoich kolegów, same lub ze starszymi dziećmi czy też z osobami dorosłymi (przebieg takiej zabawy daje się łatwiej przewidzieć i jest ona mniej ryzykowna). Doświadczenie, lub jego brak, ma z pewnością wielki związek z tym, w jakim stopniu dziecko jest aktywne społecznie. Wiele dzieci z grupy twojego malca mogło już przez rok czy dwa chodzić do żłobka albo przynajmniej od najmłodszych lat regularnie uczestniczyć w zabawach grupowych. Dzieci z takimi doświadczeniami mają tendencje do wcześniejszego łączenia się w pary niż te, które we wczesnym dzieciństwie mają ograniczone możliwości spotkań towarzyskich.

W ciągu kilku następnych lat (może to nastąpić raczej później niż wcześniej) nadejdzie moment, że twoje dziecko z całą pewnością zacznie nawiązywać przyjaźnie. Jeśli należy ono po prostu do dzieci później się rozwijających pod względem społecznym, może nawet mieć w przyszłości bardzo wypełniony kalendarz spotkań towarzyskich. Nie zmuszaj malca do niczego, ale zapewnij mu swoje wsparcie i pomoc, wykorzystując propozycje ze str. 169, dotyczące rozwijania zachowań społecznych u dziecka. Bądź dla niego przyjaciółką, nawet jeśli nie ma koleżanki lub kolegi w swojej grupie. Jeśli jest nieśmiałe, będziesz musiała pamiętać o tym, pomagając mu nawiązać przyjaźń. Jeśli jest agresywne lub władcze, a obie te cechy mogą przeszkadzać w nawiązaniu przyjaźni, tłumacz mu, że inne dzieci nie lubią bawić się z dziećmi, które tylko rozkazują (albo biją), i podejmij kroki, które pomogą zwalczyć u niego te cechy (patrz str. 351 i 174). Pamiętaj, że niektóre dzieci (podobnie jak niektórzy dorośli) wolą najpierw zapoznać się z sytuacją (taką jak nowe przedszkole), zanim wejdą w nią z pełnym zaangażowaniem. Jeśli dotyczy to także twojego dziecka, pozwól mu obserwować z boku, dopóki samo nie postanowi zrobić kroku. Pamiętaj także, że niektóre osoby są raczej obserwatorami i w ogóle nie wykazują ochoty na zrobienie tego kroku (patrz str. 195).

Kiedy widzisz, że twoja pociecha przygląda się z zewnątrz zabawie, najwyraźniej mając ochotę się włączyć, ale nie ma śmiałości spróbować, możesz zasugerować (ale nie nalegać) pewne sposoby nawiązania kontaktu: „Ania lubi bawić się układankami. Może spytasz, czy nie chciałaby pomóc ci odrobinkę przy układaniu twojej?" albo: „Dlaczego nie zapytasz Dawida, czy możesz się z nim pobawić klockami?" Jeśli twoje dziecko nie może się zdecydować na takie pytanie, możesz od czasu do czasu zapytać za nie, żeby zademonstrować mu, jak to zrobić. Możesz też zaproponować nową zabawę i zaprosić do niej jakieś dziecko. Ale niech te interwencje nie staną się nawykiem, bo maluch może się nigdy nie nauczyć nawiązywać kontaktów samodzielnie.

Najważniejsze jest jednak to, by dziecko samo ustaliło własne tempo dostosowania się do społeczeństwa. Jeżeli dobrze się bawi samo albo z członkami rodziny, zaakceptuj to, gdyż krąg jego przyjaciół nie musi się składać z równolatków. Jeśli jednak wydaje się ono zirytowane tym, że jeszcze się z nikim nie zaprzyjaźniło, wyjaśnij jego przedszkolance (kiedy twojego dziecka nie ma w pobliżu), na czym polega problem. Umiejętna interwencja ze strony wychowawczyni może wciągnąć twoje dziecko w krąg towarzyski.

CZĘSTY PŁACZ

Ogólnie rzecz biorąc, nasz syn sprawia wrażenie całkiem szczęśliwego dziecka, ale jest bardzo drażliwy i delikatny. Wybucha płaczem setki razy dziennie z byle jakiego powodu. Wydaje się to nienormalne, szczególnie że chodzi o chłopca.

Małe dzieci na ogół dużo płaczą. Odnosi się to zarówno do dziewczynek, jak i chłopców. W rzeczywistości, jak wykazują badania, sytuacje wywołujące płacz są przed ukończeniem przez dziecko dwunastego roku życia bardzo podobne dla obu płci. (Po osiągnięciu tego wieku dziewczęta płaczą częściej, prawdopodobnie, jak się obecnie sądzi, z powodu procesów hormonalnych związanych z dojrzewaniem oraz z powodu uwarunkowań społecznych). Współczesna wiedza pomaga nam zaakceptować fakt, że chłopcy płaczą, i przez większość społeczeństwa płacz nie jest już traktowany jako coś, co nie przystoi chłopcom.

Dla małych dzieci płacz jest często sposobem komunikowania się z innymi. Nie posiadając jeszcze łatwości porozumiewania się, próbują płaczem wyrażać swoje uczucia i frustracje. Jest więc prawdopodobne, że twój maluch będzie płakał rzadziej, w miarę jak jego słownictwo będzie się rozwijać. Niektóre dzieci częściej niż inne wybuchają płaczem, ponieważ ich rodzice nieświadomie je do tego zachęcają, albo przywiązując zbyt dużą wagę do urazów fizycznych czy emocjonalnych („Och, biedactwo, uderzyłeś się?"), albo poświęcając dziecku zbyt wiele uwagi, kiedy zaczyna płakać. Nie pozwól, aby stało się to regułą w twoim domu.

Jednak możliwe jest także, że twoje dziecko po prostu jest bardzo wrażliwe. Wrażliwość, podobnie jak nieśmiałość, towarzyskość czy agresywność, jest często wrodzoną cechą osobowości. Zwykle bywa tak, że wrażliwe dziecko, podobnie jak nieśmiałe, powoli przystosowuje się do nowych ludzi i sytuacji, a także trudniej aprobuje wszelkie zmiany. Maluch może być także wrażliwy na dźwięk, światło i/lub dotyk. Podczas gdy większość małych dzieci poznaje świat intensywnie, dziecko wrażliwe poznaje świat wyjątkowo intensywnie. Nawet niewielki uraz fizyczny czy emocjonalny wystarczy w zupełności, żeby wrażliwe dziecko płakało dłużej i głośniej, niż wydaje się to uzasadnione. Zamiast szybko zapomnieć o upadku, wrażliwe dziecko będzie długo szlochać. Zamiast wyrwać z powrotem zabawkę koledze, który wyszarpnął mu ją z rąk, wrażliwe dziecko upadnie z płaczem na podłogę. A jednak, pomimo że wrażliwe dziecko łatwiej wybucha płaczem, nie jest ono nieszczęśliwe. Faktem jest, że nadwrażliwe dzieci wykazują tendencje nie tylko do częstszego płaczu, ale także do częstszego śmiechu. Są również inne pozytywne strony większej wrażliwości: jest bardziej prawdopodobne, że twoja pociecha będzie uświadamiać sobie uczucia innych ludzi czy nawet zwierząt (choć w tym wieku ten rodzaj sympatii będzie jeszcze prawdopodobnie ograniczony). Dziecko może też być bardziej wnikliwe i spostrzegawcze, co będzie mu pomocne w ciągu całego życia.

Bez względu na przyczynę, płacz nie jest do końca złym zjawiskiem. Ten, kto potrafi się wypłakać, zwykle czuje się potem lepiej, jak sądzą naukowcy, prawdopodobnie dlatego, że łzy pomagają obniżyć stężenie substancji wytworzonych przez mózg w czasie trwania stresu. Niektóre badania dowodzą także, że ludzie, którzy płaczą, cieszą się ogólnie lepszym zdrowiem fizycznym i psychicznym niż ci, którzy nigdy nie płaczą. Nie należy więc całkowicie dezaprobować płaczu[1].

Aby jednak obniżyć częstotliwość płaczu do poziomu, który byłby bardziej do przyjęcia dla ciebie i wszystkich innych osób, które troszczą się o twoje dziecko, spróbuj zastosować się do poniższych rad:

* Bądź wrażliwa na wrażliwość swojego dziecka. Wrażliwe dziecko odczuwa ból fizyczny i psychiczny o wiele bardziej dotkliwie niż inni. Wyśmiewanie się z tych uczuć jest przykre i kwestionuje ich wagę. Chcąc, żeby wrażliwe dziecko stało się mniej skłonne do płaczu, nie wmawiaj mu, że powinno „być dzielne", gdyż może się przez to poczuć bardziej odizolowane i podatne na urazy. Przyjmuj jego ból ze zrozumieniem i współczuciem.

* Pobudzaj poczucie własnej wartości u swojego dziecka... Niskie poczucie własnej wartości może prowadzić do wzmożonej wrażliwości i częstszego płaczu. Kiedy tylko będzie ku temu okazja, pobudzaj ego dziecka, chwaląc jego dobre zachowanie i osiągnięcia (patrz str. 255). Uważaj, żeby nie wymagać od dziecka za wiele ani też żeby nie otrzymywało zadań przekraczających jego możliwości.

* ...zamiast zachęcać je do płaczu. Płaczu nie należy nigdy nagradzać (przyjemnościami, specjalnymi przywilejami czy też odwołaniem kroków dyscyplinarnych) ani karać (wyśmiewaniem, krzykiem czy naganą). Jeżeli to możliwe, nie powinno być w ogóle reakcji na płacz dziecka. Zwrócenie uwagi dziecka na coś innego bywa pomocne w osuszeniu jego łez. Jeśli to nie pomoże, powinnaś po prostu pocieszyć malucha, ale w sposób umiarkowany. Jeżeli zaczniesz się nad dzieckiem roztkliwiać, dostarczysz mu tylko motywacji do płaczu. Jeśli to, że je przytulisz, doda mu animuszu, często stosuj ten łatwy i prosty sposób na poprawienie nastroju.

* Pomóż mu zastąpić szlochanie słowami. Naucz swoje dziecko, jak mówić: „To boli" czy: „Jestem smutny", kiedy coś je gnębi. Kiedy dziecko nauczy się jasno wyrażać słowami swój ból, może będzie odczuwało mniejszą potrzebę wyrażania go płaczem.

* Staraj się panować nad własnym złym nastrojem. Ponieważ twoje dziecko jest szczególnie wrażliwe, prawdopodobnie udzielą mu się twoje obawy, napięcie, złość, depresja czy inne nastroje, kiedy nawet będziesz usiłowała je ukryć. Stosuj techniki relaksacyjne (patrz str. 162) jako pomoc w opanowaniu swoich nastrojów. Kiedy będziesz wytrącona z równowagi, postaraj się wyjaśnić dziecku swoje uczucia w bardzo prosty sposób, nie próbując ich ukryć. Będzie się ono czuło lepiej, wiedząc, co ci jest, niż zastanawiając się nad tym czy próbując się tego domyślić. Ale nie traktuj malca jak terapeuty i nie mów mu wszystkiego. Dzieci nie powinny nosić ani dzielić rodzicielskich ciężarów, a dzieci wrażliwe mogą czuć się emocjonalnie zdruzgotane nawet najdrobniejszymi zmartwieniami swoich rodziców.

* Oszczędzaj słów krytyki. Kiedy to możliwe, kamufluj je pochwałą: „Udało ci się wspaniale włożyć ten sweter. Przejrzyjmy się w lustrze i zobaczmy, gdzie jest piesek". Kiedy dziecko zobaczy, że piesek, który powinien być z przodu, jest z tyłu, pomóż mu włożyć sweter prawidłowo, jeżeli będzie tego chciało, ale nie nalegaj. Nie krytykuj wysiłku poczynionego w dobrym kierunku, nawet jeżeli twoim zdaniem jego rezultat daleko odbiega od doskonałości. Na przykład, kiedy dziecko powie ci z dumą, że umyło ręce, nie krytykuj go za to, że wszędzie jest mokro, ale przyjmij jego pomoc przy ścieraniu wody.

* Karaj łagodnie. Dla dziecka wrażliwego nawet uniesione brwi czy spojrzenie pełne rozczarowania lub zaskoczenia zwykle wystarczą, żeby oznajmić mu twoją dezaprobatę. Krzyk, nieodzywanie się do niego albo inne bardziej drastyczne metody karania najczęściej nie są potrzebne. Humor i łagodniejsze środki dyscyplinarne (patrz str. 148) okażą się prawdopodobnie o wiele bardziej efektywne (przy mniejszym prawdopodobieństwie wywołania łez). Nie oznacza to, że nie powinnaś od wrażliwego dziecka wymagać przestrzegania pewnych zasad czy wyjaśniać mu, co zrobiło źle. Oznacza to jedynie, że twoje podejście do stosowania środków dyscyplinarnych powinno być umiarkowane. Połóż nacisk na zapoznanie dziecka z obowiązującymi regułami i pomóż mu w nabyciu sprawności w „prawidłowym" wykonywaniu różnych zadań. Dzięki temu nie będziesz musiała tak często udzielać mu reprymendy.

[1] Mimo że częsty płacz dziecka nie jest zazwyczaj powodem do niepokoju, dziecku w wieku szkolnym, które zawsze reaguje płaczem na krytykę jego osoby, może brakować poczucia własnej wartości. W takiej sytuacji może być potrzebna fachowa pomoc.

* Nie przyklejaj mu etykietki na całe życie. Jeśli nazwiesz swoje dziecko „beksą" czy określisz je jako „wrażliwe", może to do niego przylgnąć na wiele lat. Jeśli o jego wrażliwości trzeba będzie kogokolwiek poinformować (na przykład nauczycielkę czy opiekunkę), zrób to wtedy, gdy malca nie będzie w pobliżu.

* Nie wychodź od razu z założenia, że płacz dziecka jest fałszywym alarmem. Rodzice dzieci wrażliwych, które łatwo wpadają w płacz, często zakładają, że nie ma powodu do płaczu, w związku z czym nie reagują na szloch i nie próbują nawet poznać jego przyczyny. Pamiętaj o tym, że chociaż wrażliwe dziecko może płakać nawet z powodu małego zadrapania, ważne jest, żeby jego płacz zawsze spotkał się z twoim odzewem, żebyś przynajmniej zobaczyła, co się stało, i to nie tylko przez wzgląd na jego poczucie godności, ale na wypadek, gdyby tym razem rzeczywiście alarm był uzasadniony (na przykład poważne obrażenie).

APODYKTYCZNOŚĆ

Nasza córka zawsze wymaga, żebyśmy robili wszystko po jej myśli. Dyryguje nami, żądając, żebyśmy robili za nią rzeczy, z którymi ona sama świetnie potrafi sobie poradzić.

Bez obawy, lojalni poddani. Chociaż ten kompleks władzy jest powszechny u dwu- i trzylatków, zwykle nie zapowiada on tyranii w przyszłości, a jest jeszcze jednym przejawem dziecięcego egocentryzmu. Jako najważniejsza osoba na świecie (przynajmniej ze swojego punktu widzenia), wasze dziecko chce, żeby wszystko toczyło się po jego myśli i w tej sytuacji jest to naturalne. Naturalne jest też to, że maluch pragnie zdobyć trochę władzy w życiu, które często wydaje się całkowicie kontrolowane przez innych. Innymi słowy, dyrygowanie wami jest dla dziecka okazją do odwzajemnienia się za to, co ono od was otrzymuje. W miarę jak brzdąc zacznie dojrzewać i zdawać sobie sprawę, że świat tak naprawdę nie kręci się wkoło niego, oraz kiedy zdobędzie większy wpływ na codzienne wydarzenia (kiedy dacie mu większe możliwości wyboru), powinien trochę poskromić swoje władcze maniery. I chociaż może się zdarzyć, że nadal będzie miał zapędy przywódcze, istnieje szansa, że jeśli dobrze rozegracie tę partię, przestanie być tak bardzo wymagający. Żeby to osiągnąć, weźcie pod uwagę poniższe sugestie:

* Traktuj dziecko tak, jak byś chciała, żeby ono traktowało ciebie. Jeśli chcesz, żeby maluch przestał tobą dyrygować, postaraj się, abyś i ty nie dyrygowała nim przez cały czas oraz o to, by reguły postępowania i oczekiwania były sprawiedliwe, dostosowane do jego wieku i nie wygórowane.

* Poświęć dziecku tyle uwagi, ile będzie potrzebować... Jego żądania mogą być przejawem potrzeby spędzania z tobą większej ilości czasu. Zapewnij mu tyle czasu, ile potrzebuje, żeby nie musiało się go domagać. I staraj się raczej spełniać prośby swojego dziecka tak szybko, jak tylko możesz, zamiast ciągle kazać mu czekać, gdyż być może w ten sposób uda ci się zmniejszyć jego wymagania. Jeśli nie możesz mu pomóc natychmiast, wytłumacz dlaczego i powiedz mu, kiedy będziesz mogła to zrobić.

* ...ale nie pozwól się tyranizować. Nie odpowiadaj, kiedy będzie niegrzeczne. Wymagaj od dziecka, by powiedziało „proszę" i by mówiło stosunkowo grzecznym tonem, kiedy o coś prosi (chociaż kiedy będzie w szczególnie złym nastroju, być może będziesz musiała zrobić wyjątek). Kiedy maluch żąda zbyt wiele, spokojnie mu o tym powiedz i nie poczuwaj się do obowiązku spełniania jego zachcianek.

* Przekaż dziecku trochę władzy. Dając mu możliwość dokonywania wyboru, sprawisz, że poczuje swój wpływ na otoczenie i w ten sposób będzie w mniejszym stopniu zmuszone do prób całkowitego przejmowania inicjatywy.

* Wyznacz dziecku jakieś obowiązki. Zacznij od prostych prac, z którymi może sobie poradzić (patrz str. 356), a kiedy zażąda, żebyś ty zrobiła coś, co samo doskonale potrafi (podnieść kredkę, którą właśnie rzuciło, albo przynieść książeczkę ze swojego pokoju), nie zgadzaj się na to. Wyjaśnij mu, że ty robisz dla niego wiele rzeczy, pewne rzeczy ono samo potrafi zrobić, a niektórych rzeczy w ogóle nie warto robić. Nie przesadzaj jednak i nie odmawiaj dziecku wszelkiej pomocy. Spowoduje to tylko przypływ frustracji i autorytaryzmu, który z niej wypływa.

* Umocnij w dziecku zaufanie do samego siebie. Kiedy rzeczywiście zrobi coś samo, zamiast żądać tego od ciebie, wyraź niezwłocznie swoje uznanie.

* Przyjmij, że pragnienie grania pierwszych skrzypiec może być wrodzoną cechą temperamentu twojego dziecka. Nie będziesz w stanie — nie chciałabyś — wyeliminować tej

cechy, ale możesz pomóc maluchowi rozwinąć ją w sposób pozytywy, ucząc go umiejętności przywódczych, współczucia, sprawiedliwości i dobrego zachowania.

Nasz syn, bawiąc się ze swoim kolegą, zawsze nim dyryguje. Wydaje się, że tamtemu chłopcu to nie przeszkadza, ale nam owszem. Władczość jest tak niepożądaną cechą charakteru.

Dla niektórych dzieci fakt, że mają kolegę słuchającego rozkazów, stanowi okazję do zabawy we władzę. Decydują one o wszystkim od początku do końca: najpierw wybierają, w co się będą bawić, następnie ustalają obowiązujące zasady, wyznaczając sobie w każdym scenariuszu dominującą rolę („Ja będę mamą, a ty dzieckiem"; „Ja będę lekarzem, a ty pacjentem"). Jeśli dziecko zachowuje się w sposób władczy, trzeba wziąć pod uwagę kilka powodów. Niektóre dzieci, odczuwając brak władzy, rekompensują go sobie, rządząc innymi. Rozkazywanie swoim rówieśnikom pomaga im zrekompensować to, że same są rządzone przez dorosłych i starsze rodzeństwo. Innym powodem jest brak nawyków towarzyskich. Ponieważ dziecko nie wie, w jaki sposób zachowywać się wobec dzieci w swoim wieku, nadrabia braki apodyktycznością. Jeszcze innym powodem jest egocentryzm. Wiele dzieci w tym wieku nie zdaje sobie jeszcze sprawy z tego, że świat nie kręci się wokół nich i że inni też mają swoje prawa. Ostatnią z przyczyn może być wrodzony temperament. Istnieją dzieci, które są urodzonymi przywódcami i władczość w dzieciństwie może być przejawem tej tendencji.

Bez względu na powody władczego zachowania waszego dziecka, nie uda wam się go zmienić słowami ani siłą. Jeśli wynika ono bardziej z wieku niż z temperamentu, będzie miało charakter przejściowy, podobnie jak cechy dziecka, które takie zachowanie wywołują. Jeśli jednak spowodowane jest temperamentem, prawdopodobnie się utrzyma. Rozwijając u dziecka poczucie jego własnej godności, ucząc je zachowań towarzyskich, zachęcając do zmiany ról, a także wpajając współczucie dla innych i chęć współpracy we wspólnych zabawach, możecie jednak sprawić, że malec w wieku dorosłym stanie się raczej przywódcą niż osobą w nieznośny sposób autorytarną.

DOKUCZANIE DZIECIOM

Często w żartach dokuczamy naszej córce, a ona wydaje się z tego zadowolona. Tymczasem przyjaciółka powiedziała mi, że dokuczanie dzieciom może zranić ich poczucie własnej godności. Czy to prawda?

Rzeczywiście, niektóre dzieci czują się dotknięte z powodu nawet najbardziej niewinnych żartów, podczas gdy inne uwielbiają dobre żarty. Jeśli wygląda na to, że twój maluch zasmakował w przekomarzaniach, nie ma powodu, byście odmawiali sobie takiej zabawy. Jeżeli dogadywanie jest dobroduszne, a nie przykre czy bolesne, może być nawet korzystne, gdyż wyrabia w dziecku poczucie humoru i przygotowuje je do tolerowania takich zachowań w późniejszym wieku.

Na tym etapie powinnaś bacznie obserwować reakcje dziecka na twoje żarty. Bądź wyczulona na jego zachowanie i wiedz, kiedy przestać (zanim rozzłości się lub zmiesza). Weź także pod uwagę, że małe dzieci biorą bardzo dosłownie wszystko, co usłyszą. Jeśli wróciwszy do domu z deszczu, powiesz: „Wyglądasz jak zmokła kura", to twoje dziecko gotowe jest spodziewać się, że zaraz ujrzy kurę, a jeśli powiesz: „Och, skłamałeś. Wydłuży ci się nos, jak u Pinokia, kiedy będziesz kłamał", też może wziąć to poważnie. Dogadywanie powinno być także delikatne. To, co ty uznasz za subtelny dowcip, maluch może potraktować jako upokarzające poniżenie. A ponieważ ważne jest, żeby dziecko czuło się pewne twojej miłości i aprobaty, unikaj przesadnego czy bezmyślnego dogadywania, które może zburzyć to poczucie bezpieczeństwa.

DZIECKO NIE CHCE SŁUCHAĆ

Często, kiedy mówię mojemu synowi, żeby coś zrobił albo czegoś nie robił, zupełnie mnie ignoruje — udaje, że nawet nie słyszy. W końcu dochodzi do tego, że na niego wrzeszczę, a tego robić nie chcę.

Czyny liczą się bardziej niż słowa, szczególnie gdy chodzi o dzieci, które nie słuchają, co mówią rodzice. Malec może ignorować ich słowa z różnych powodów. Po pierwsze, rodzice w ogóle mogą mówić za dużo lub też, próbując przedstawić zrozumiale jakąś sprawę, zaczynają strofować dziecko albo przytaczać argumenty aż do momentu, kiedy nie ma ono innego wyboru i w samoobronie przestaje słuchać. Po drugie, takie wyłączenie się może być sposobem na uniknięcie konfliktu. Jeśli zignoruje naganę po tym, jak właśnie przewróciło kubeczek wody, to tak, jakby jej nie było, przyjmując zasadę: „Jeśli nic nie słyszę, to nic się nie stało". Po trzecie, fakt, że dziecko nie słucha rodziców, może być jego sposobem na sprawdzenie ich autorytetu i swojej niezależności. Obserwowanie, ile razy mama czy tata mogą coś powtarzać i jak bardzo może to ich rozzłościć, jest dla niego nie tylko nauką, ale i swego rodzaju rozrywką („Nie słuchasz mnie? Mówiłam ci trzy razy, żebyś pozbierał te klocki!"). Jeszcze jedną przyczyną może być fakt, że czasami dzieci są tak zaabsorbowane zabawą czy skupiają na doskonaleniu swoich umiejętności, że blokują wszelkie dźwięki dochodzące z otoczenia, włączając w to głosy swoich rodziców. One naprawdę nie słyszą[2]. Bez względu na to, jak niewinne są powody braku odzewu na słowa rodziców, fakt ten może ich frustrować. Aby pomóc dziecku słyszeć to, co masz mu do powiedzenia:

Słuchaj jego. Rodzice nie zdają sobie często sprawy z tego, ile razy dziennie oni sami nie słuchają swoich dzieci. To prawda, że to, co twoja pociecha ma do powiedzenia, nie zawsze ma dla ciebie wielkie znaczenie, ale zawsze jest to coś ważnego dla niej. Maluch, mając ograniczone możliwości wyrażania swoich myśli, staje się jeszcze bardziej sfrustrowany, kiedy jest ignorowany przez ciebie. Dziecko jest małe, a to, że się go nie słucha, sprawia, że czuje się jeszcze mniejsze. Zawsze, kiedy o to poprosi, staraj się go wysłuchać, a wtedy możesz liczyć na to, że ono odwzajemni ci się tym samym.

Bądź realistką. Rodzice często wydają polecenia niezrozumiałe dla dzieci albo też wydają ich zbyt wiele od razu, podczas gdy przeciętne dziecko w tym wieku może sobie poradzić tylko z dwoma naraz. Bywa też, że proszą o rzeczy niemożliwe: „Odwieś ręcznik na miejsce!", kiedy dziecko nie może dosięgnąć do wieszaka, albo: „Posprzątaj te zabawki!", gdy dziecko nie ma pojęcia, od czego zacząć. Najpierw naucz malca pewnych czynności, a dopiero później oczekuj spełnienia prośby.

Nawiąż z nim kontakt. Nie wołaj z drugiego końca pokoju lub odwrócona tyłem. Podejdź do dziecka i gdy będziesz do niego mówić, popatrz mu prosto w oczy. Jeśli okaże się to konieczne, uklęknij, żeby znaleźć się na tej samej wysokości co ono.

Mów krótko i miło. Czas skupionej uwagi dziecka jest ograniczony. Powiedz to, co masz do powiedzenia w kilku prostych i zrozumiałych słowach, a wtedy dziecku będzie prawdopodobnie łatwiej cię zrozumieć.

Nawiąż kontakt fizyczny. Jeśli malec nie reaguje na słowa, przyciągnij jego uwagę w inny sposób. Nie słucha ostrzeżeń, żeby trzymał się z dala od sprzętu elektronicznego? Weź go na ręce, przenieś do innego pokoju i zajmij czym innym. Zwleka z przyjęciem twojego zaproszenia na drugie śniadanie? Oderwij go od zabawek, weź na ręce i posadź przy stole. Robi komuś krzywdę lub może zrobić sobie coś złego? Zainterweniuj natychmiast. Za pomocą „mowy ciała", tonu, wyrazu twarzy, daj odczuć swojemu dziecku, że mówisz poważnie, ale dalej staraj się być życzliwa. Nie odciągaj go siłą od tego, co robi, chyba że zmusi cię do tego wrzaskami i kopaniem. Lepiej podnieś je ze słowami: „Ojej, chyba mnie nie słyszałeś. Pora na drugie śniadanie. Powiedz zabawkom, że przyjdziesz do nich później. Ale jeśli chcesz, możesz zabrać jedną z nich do stołu".

Pochwal dziecko, jeśli rzeczywiście słucha. Fakt, że dziecko cię słucha, zasługuje tak naprawdę na o wiele więcej uwagi niż to, że nie słucha: „Przyszedłeś na drugie śniadanie, jak tylko cię zawołałam. Bardzo się cieszę. Dziękuję".

PODEJMOWANIE DECYZJI

Wiem, że częściej powinnam pozwalać mojej córce na podejmowanie decyzji, ale ona dokonuje zawsze niewłaściwego wyboru.

Ani dyrektor dużej firmy, ani wybitny polityk, ani też wpływowy finansista nie podejmuje tak wielu trudnych decyzji jak rodzice. Ale do najtrudniejszych z nich należy postanowienie, kiedy i jak często pozwalać dziecku na podejmowanie decyzji.

Pozwalanie, by malec dokonywał własnych wyborów, trochę przeraża, szczególnie we wczesnym dzieciństwie, kiedy brakuje mu jeszcze doświadczenia i rozsądku, a pociągają ekscentryczne zachowania, i kiedy tak wiele decyzji (przynajmniej w oczach rodziców) może być „nieodpowiednich". Jednak to, że dziecko w ogóle ma możliwość podejmowania decyzji, jest bardzo istotne dla jego rozwoju, jest ważnym elementem dorastania. Jest mało prawdopodobne, by maluchy, które wychowały się w domu, gdzie o wszystkim decydowali za nie rodzice, rozwinęły umiejętności samodzielnego podejmowania od-

[2] Czasami może się zdarzyć, że dziecko nie ma problemów ze słuchaniem, lecz ze słuchem. Na stronie 421 możesz przeczytać, jak to stwierdzić i co zrobić w takiej sytuacji.

powiedzialnych decyzji. W przyszłości, gdy dzieci znajdą się z dala od domu rodzinnego — czy to przez kilka godzin spędzonych w domu kolegi, przez część dnia w szkole czy też przez rok spędzony na studiach — staną twarzą w twarz z trudnymi decyzjami („Czy powinienem oszukiwać na sprawdzianie?", „Czy zapalić papierosa?", „Czy powinienem prowadzić auto po alkoholu?") i często dokonają niewłaściwych wyborów albo też pozwolą, aby inni decydowali za nie.

Umożliwienie dziecku dokonywania wyboru zapewni mu poczucie panowania nad sytuacją i nauczy, jak podejmować mądre decyzje w przyszłości, chociaż należy się spodziewać, że początkowo wiele ich decyzji nie będzie miało dużo wspólnego z rozsądkiem.

Wdrażając dziecko do samodzielnego podejmowania decyzji, musisz pamiętać o kilku rzeczach, których nie wolno robić:

* Nie dawaj absolutnej swobody wyboru. W odpowiedzi na pytanie: „Co chcesz zjeść?" twoje dziecko mogłoby poprosić o coś, czego nie masz w domu, albo o coś, czego nie mogłoby dostać, na przykład batonika czekoladowego na śniadanie. Jeśli dasz maluchowi wolny wybór, a następnie go zakwestionujesz, stwierdzi, że tak naprawdę od początku nie miał żadnego wyboru (co zmniejszy jego zaufanie do ciebie) albo/i że jego wybór nie jest prawidłowy (co zmniejszy jego zaufanie do samego siebie i do swoich zdolności podejmowania decyzji). Zatem oferując coś do wyboru, musisz określić, jakie ma możliwości: „Wolisz na śniadanie kaszkę z bananami czy grzankę z masłem orzechowym?"

* Nie proponuj rzeczy mogących narazić na szwank jego zdrowie i bezpieczeństwo. Dla dziecka powinno być jasne, że nie ma wyboru, jeśli chodzi o jazdę w pasach w foteliku samochodowym, noszenie rękawiczek, kiedy temperatura spada poniżej zera, czy wybieganie na jezdnię. Ale nawet w takich wypadkach, choć nie ma miejsca na negocjacje, istnieje zwykle przynajmniej kilka możliwości wyboru, które możesz zaproponować, żeby uniknąć przetargów: „Czy chesz, żebym ja zapięła twoje pasy, czy dziadek?", „Chcesz trzymać mamę czy tatę za rękę, kiedy będziemy przechodzić przez ulicę?"

* Nie zrzucaj na dziecko ciężaru decyzji, której konsekwencje są niezwykle istotne, jak w wypadku wybierania przedszkola. Możesz oczywiście poprosić, żeby brało w tym udział, kiedy już pozostaną ci dwie równie obiecujące możliwości — pozwól mu pomóc sobie w podjęciu ostatecznego postanowienia. Jednakże brakiem odpowiedzialności będzie złożenie całego ciężaru decyzji na barki dziecka. Jeśli okaże się, że wybór nie był trafny, dziecku będzie się o tym przypominało codziennie. Sprawi to, że jego poczucie porażki może być w przyszłości źródłem wahania w obliczu podejmowania decyzji.

* Uważaj, żeby nie przeciążyć dziecka zbyt wieloma decyzjami, z którymi nie będzie mogło sobie poradzić. Ciągłe wybieranie jedzenia, ubrań, zabawek, towarzyszy zabaw czy rodzaju zabawy może być stresujące. Tak więc nie rozpoczynaj słowami: „Czy wolisz..." każdej codziennej czynności, jaką przewidujesz dla dziecka.

Czasami możecie podejmować wspólne decyzje, stanowiące połączenie kaprysów i pragnień twojego dziecka z twoją wiedzą i doświadczeniem. W wypadku wspólnego decydowania, nie uświadamiając tego dziecku, przechodź z nim przez kolejne etapy, jakie zwykle należy pokonać przy podejmowaniu słusznych decyzji. Mów, jakie istnieją możliwości, co należy wiedzieć, żeby podjąć słuszną decyzję („Może padać deszcz, a więc lepiej pójść do biblioteki niż na plac zabaw"), czy ktoś nie poczuje się dotknięty albo smutny („Babcia będzie smutna, jeśli pójdziemy do kina zamiast do niej w odwiedziny"), czy wybór jest trafny, czy też nie („Obiecaliśmy Joannie, że pójdziemy z nią do muzeum. Nie byłoby w porządku, gdybyśmy nie dotrzymali danej obietnicy"). Na tym etapie podejmowania decyzji za wcześnie jeszcze na roztrząsanie poważniejszych zależności dotyczących przeciwstawiania ryzyka korzyściom („Jeśli przejdę przed huśtawkami, szybciej dojdę do piaskownicy, ale ryzykuję, że zostanę uderzony w głowę. Czy warto ryzykować?"). Nie jest natomiast za wcześnie na uczenie dziecka odpowiedzialności za podjęte decyzje („Postanowiliśmy pójść na plac zabaw. Zaczął padać deszcz i przemokliśmy, więc musimy pójść do domu zamiast do biblioteki").

Powiedz dziecku, że czasami popełniamy błędy, chociaż bardzo się staramy dokonać trafnego wyboru. Jeśli będzie wiedziało, że czasami może się pomylić, będzie z mniejszą obawą podejmować decyzje. Kiedy dokona niezbyt udanego wyboru, oszczędź mu słów: „A nie mówiłam" i pozwól, żeby fakty mówiły same za siebie. Pomóż mu, nie krytykując i nie osądzając, przewidzieć konsekwencje każdej decyzji, żeby mogło z nich wyciągać wnioski i zastanowić się, jak można byłoby ją zmienić przy następnej okazji. Na przykład, kiedy córka nalega na włożenie sukienki na plac zabaw, a potem przewróciwszy się, skaleczy kolano, zamiast powiedzieć: „Mówiłam ci, żebyś włożyła spodnie...", spróbuj powiedzieć: „Przykro mi, że skaleczyłaś kolano. Jak myślisz, co możesz zrobić, żeby tego uniknąć następnym razem, gdy tu przyjdziesz?"

Nie spodziewaj się jednak, że ćwiczenie uczyni z twojego dziecka mistrza. W miarę nabierania doświadczenia i osiągania dojrzałości malec zdobędzie umiejętności pozwalające na podejmowanie trafnych decyzji, ale (podobnie jak i w twoim wypadku) nigdy nie będą doskonałe. Podobnie jak jego rodzice, jest tylko człowiekiem.

ZAJĘCIA DOMOWE

Chciałabym, żeby mój syn był odpowiedzialny i pomagał mi w pracach domowych. Zastanawiam się jednak, czy jest już na tyle duży, żeby można mu było wyznaczyć pewne zajęcia.

Dziecko wkładające swoje brudne ubranie do kosza na bieliznę, a nie zostawiające go tam, gdzie popadnie, któremu nie trzeba przypominać o posprzątaniu własnego pokoju, które bez szemrania sprząta naczynia ze stołu po obiedzie, które chętnie poświęca sobotnie popołudnia, żeby skosić trawnik — czy jest to jedynie marzenie rodziców? Chyba tak. Czy to marzenie ma w ogóle szansę się spełnić? Prawdopodobnie nie. Ale na pewno można wychować odpowiedzialne dziecko, takie, które wykona sprawiedliwie mu przydzieloną część domowych obowiązków, narzekając tylko od czasu do czasu, jeżeli tylko weźmiesz sobie do serca poniższe rady:

Zacznij odpowiednio wcześnie. Z pewnością jest zbyt wcześnie, żeby wymagać od twojego dziecka regularnego wykonywania zajęć domowych, ale nie jest za wcześnie, żeby czasami pozwolić mu odczuć smak odpowiedzialności. W istocie, ponieważ większość małych dzieci bardzo lubi naśladować czynności domowe podpatrywane u rodziców, może to być doskonałą okazją do przygotowania malucha, by w przyszłości pomagał w domu. Przydziel mu proste i bezpieczne zadania, takie jak zbieranie zabawek, przynoszenie i odnoszenie ze stołu nietłukących naczyń, „odkurzanie" pokoju dziennego (więcej pomysłów znajdziesz w ramce na str. 356). Wpajaj mu także, żeby wyrzucał śmieci (rysunek, którego nie chce zatrzymać, papier śniadaniowy po zjedzonej kanapce, zużytą chusteczkę higieniczną) prosto do kosza na śmieci, kosza na makulaturę lub pojemnika na surowce wtórne.

Postaraj się uprzyjemniać domowe obowiązki. Kiedy prosisz dziecko o nakrycie stołu do obiadu, daj mu serwetki, które mu się podobają, przyklej na koszu na bieliznę postać jego ulubionego bohatera („Kochanie, daj, proszę, swoje brudne ubranka Myszce Miki"), pozwól mu zbierać zabawki przy dźwiękach jego ulubionych piosenek (więcej pomysłów uprzyjemniających zbieranie zabawek znajdziesz na str. 358).

Niech obowiązki domowe staną się sprawą całej rodziny. Rodzina, która wspólnie sprząta (albo gotuje czy też uprawia ogród), zrobi więcej i będzie się przy tym lepiej bawić. Jeśli tylko podział pracy jest słuszny i sprawiedliwy (zajęcia są podzielone według wieku i umiejętności), to taki rodzaj przeżywania wspólnoty zachęci dzieci do przyszłego wykonywania przeznaczonych dla nich zadań.

Nie stawiaj zbyt wygórowanych żądań. Jeśli nawet twoje dziecko wydaje się bardzo chętne do pomocy, nie nalegaj, żeby robiło więcej, niż ma ochotę lub jest w stanie zrobić. Jeśli teraz narzucisz mu za dużo obowiązków, może się zniechęcić i później, kiedy jego wydatna pomoc będzie o wiele ważniejsza, nie będzie chciało uczestniczyć w pracach domowych.

Nie narzekaj. Jeśli jęczysz i narzekasz za każdym razem, kiedy musisz odnieść brudne naczynia czy przenieść odkurzacz, przekazujesz swojemu dziecku wyraźny sygnał: obowiązki domowe to piekło. Zamiast tego postaraj się uprzyjemnić je sobie, słuchając w czasie pracy muzyki lub pogwizdując ulubioną melodię. Albo, jeśli nie cierpisz zajęć domowych aż tak, że nie potrafisz powstrzymać się od narzekań, przynajmniej zachowaj je dla siebie.

SPRZĄTANIE ZABAWEK

Kiedy moja córka bawi się w swoim pokoju, wyciąga wszystkie zabawki, rozrzuca je i nie chce ich pozbierać. Czy nie nadszedł już czas, żeby zaczęła dbać o czystość w swoim pokoju albo chociaż posprzątała w nim po skończonej zabawie?

Czystość widziana jest różnie, w zależności od tego, kto ogląda, a to, co spostrzega dziecko, zwykle różni się bardzo od tego, co widzą rodzice. Kiedy rozglądasz się po pokoju swojego dziecka, widzisz bezładny galimatias porozrzucanych zabawek i książek, pomiętych papierów

Obowiązki domowe, które może wykonywać małe dziecko

Chociaż jest może jeszcze za wcześnie na to, żeby przekazać w ręce następnego pokolenia odkurzacz, nadszedł jednak właśnie odpowiedni czas, żebyś wyznaczyła swojemu dziecku kilka podstawowych obowiązków domowych. Zdziwiłabyś się, wiedząc, że dwu- albo trzylatek potrafi wykonać tak dużo codziennych prac domowych. Poproś malca o wykonanie któregokolwiek z zadań wymienionych poniżej lub wymyśl własne (mając na uwadze bezpieczeństwo i poziom umiejętności brzdąca). Pamiętaj, że większość z nich będzie wymagać nadzoru osoby dorosłej, a niektóre jej pomocy. Staraj się jednak jak najmniej ingerować, bo obowiązek domowy wykonany „samodzielnie" zawsze daje dziecku więcej satysfakcji.

* Zbieranie i odkładanie na miejsce zabawek (pomocne wskazówki znajdziesz poniżej);
* Wkładanie brudnych ubranek do kosza na bieliznę;
* Pomoc przy oddzielaniu prania białego od kolorowego;
* Wyjmowanie czystych ubrań z zimnej już suszarki do bielizny;
* Wrzucanie listów i wyjmowanie korespondencji ze skrzynki pocztowej;
* Ścieranie kurzu. Daj dziecku ściereczkę lub miotełkę z piór i pokaż, jak należy wycierać kurz, a następnie daj mu wolną rękę. Postaraj się, by na czyszczonej przestrzeni nie było żadnych tłukących się przedmiotów;
* Rozpakowywanie i odkładanie na miejsce kupionych artykułów w nietłukących opakowaniach (papieru toaletowego, ręczników papierowych, chleba, torebek z kaszką, makaronu) do łatwo dostępnych szafek;
* Zamiatanie podłogi za pomocą małej szczotki i szufelki (stojąca szufelka, którą można trzymać za długą rączkę, ułatwi to zadanie);
* Nakrywanie do stołu przy użyciu podkładek, serwetek, nietłukących naczyń i kubków, a także sztućców (bez noży);
* Sprzątanie ze stołu nietłukących przedmiotów;
* Wycieranie nietłukących naczyń, misek, łyżeczek, kubeczków plastykowych;
* Wycieranie wodoodpornych powierzchni za pomocą ściereczki lub gąbki i napełnionego wodą spryskiwacza;
* Mycie, szorowanie i płukanie produktów w zlewie kuchennym (stojąc na stabilnym i wytrzymałym stołeczku);
* Rozdrabnianie sałaty do surówki;
* Łamanie fasolki szparagowej, łuskanie grochu, obieranie kukurydzy, dzielenie brokułów albo kalafiora na kawałki;
* Krojenie ciasteczek lub kanapek specjalną łopatką;
* Formowanie klopsików, klusek lub okrągłych ciasteczek (przed i po tej pracy należy dokładnie umyć ręce, szczególnie wtedy, gdy masa zawiera surowe mięso lub surowe jajko; powinnaś także powiedzieć dziecku, żeby nie próbowało takiej masy);
* Mieszanie czy rozbełtanie jaj, ciasta na naleśniki lub ciasteczka, deseru bez gotowania (jeśli jednym ze składników jest surowe jajko, również nie wolno niczego oblizywać);
* Podlewanie kwiatów (za pomocą małej konewki);
* Wyrywanie chwastów (pod ścisłym nadzorem).

i połamanych kredek. Kiedy twoje dziecko rozgląda się po swoim pokoju, widzi kojąco przytulną oazę w skądinąd nieskazitelnie czystym domu. Możliwe jest wręcz, że nieład, który doprowadza cię do szaleństwa, sprawia dziecku przyjemność i dodaje otuchy.

Jest kilka istotnych powodów, dla których większość małych dzieci i przedszkolaków czuje się lepiej w nie posprzątanym pokoju. Pierwszy z nich jest taki, że dzieci czują się bardziej bezpieczne w otoczeniu własnych rzeczy, kiedy mogą ich dotykać, czuć je i obcować z nimi. Po drugie, zabawa małego dziecka często trwa długo. Kiedy twoje dziecko przestaje się bawić misiami w szpital, żeby zająć się układanką, która właśnie przyciągnęła jego uwagę, nie oznacza to wcale, że skończyło się bawić w lekarza. Odłożenie na miejsce misiów, zanim wyzdrowieją, co może równie dobrze trwać kilka dni, jest brutalną ingerencją w świat jego fantazji.

Jednakże sam fakt, że twoje dziecko nie widzi powodów utrzymywania swojego pokoju lub kącika do zabawy w czystości nie oznacza, że takich powodów nie ma. Na odłożoną na miejsce zabawkę nie można nadepnąć i zniszczyć jej ani się o nią potknąć. Nie znajdzie się ona także w tym niedostępnym świecie roztaczającym się pod łóżkiem. Jest mniej prawdopodobne, że książki odkładane na półki zostaną podarte, pogniecione czy ulegną innym zniszczeniom.

Sprzątanie nie sprawi dziecku trudności, jeśli pojemniki na zabawki będą łatwo dostępne.

Układanki i gry odłożone na swoje miejsce raczej się nie pogubią (przynajmniej przez jakiś czas). Nauka sprzątania dobrze zrobi nie tylko rzeczom należącym do dziecka, ale i jemu samemu. Przygotuje je do spełniania oczekiwań stawianych przez przedszkole, a później szkołę podstawową. Podobnie jak wszystkie inne umiejętności, których się uczy, pomoże mu to cieszyć się dobrą opinią w swoich własnych oczach.

Jeśli wcześniej przygotowałaś dziecko do rutynowych czynności porządkowych (patrz str. 71), ma już za sobą dobry początek. Ale niezależnie od tego, czy to zrobiłaś, czy też nie, stosując się do poniższych punktów, możesz mu teraz pomóc wykształcić nawyk sprzątania zabawek:

Nie sprzątaj zbyt często. Po dziecku można sprzątać przez cały dzień, a wieczorem i tak nie mieć porządku. Jednak wielu rodziców stwierdza, że o wiele praktyczniejszym rozwiązaniem jest sprzątanie pod wieczór, i nie próbuje zapanować nad bałaganem w ciągu dnia. Ten kompromis zapewnia dziecku swobodę zabawy. Może ono odchodzić i powracać do przerwanych zabaw bez obawy, że zabawki zostaną sprzątnięte.

Kiedy jednak dziecko ma już około trzech lat, dobrze jest zacząć zachęcać je do odkładania na miejsce zabawek, którymi przestało się bawić. Gdy skończysz się z nim bawić, zadbaj o to, żebyście razem posprzątali grę czy zabawki. Jest to szczególnie ważne, jeśli dziecko bawi się w pomieszczeniu, gdzie toczy się życie innych domowników i/albo jeśli zabawki, którymi bawi się maluch, składają się z dużej liczby drobnych elementów. Na tym etapie rozwoju nie możesz się spodziewać, że dziecko będzie dokładnie spełniało każde twoje polecenie, ale możesz zacząć mu wpajać pożądane zachowania, co, miejmy nadzieję, zaowocuje kiedyś w przyszłości.

Pozwól na zachowanie ciągłości zabawy. Kiedy dziecko jest w trakcie budowania miasta z klocków albo nakrywania stołu do podwieczorku dla lalek, a właśnie zbliża się czas sprzątania, nie zmuszaj go, żeby złożyło wszystkie zabawki. Delikatnie przesuń je do jakiegoś mniej uczęszczanego kącika i pozwól maluchowi dokończyć zabawę rano. Jeśli dziecko zakończyło już budowę miasta z klocków czy innej konstrukcji, ale nie chce jeszcze rozebrać swego dzieła, uszanuj jego pragnienie. Można odstawić budowlę na mały stolik lub przeznaczyć na nią trochę miejsca na podłodze.

Podziel zadania. Pamiętaj, że to tobie zależy, by w pokoju było czysto. Twoje dziecko ma inne plany. Będzie uczciwie, jeśli ty weźmiesz na siebie przynajmniej część pracy. Zamiast jednak tak jak zwykle wykonać za malca wszystkie czynności (ponieważ chcesz, żeby były zrobione szybko i dobrze), postaraj się, żeby sprzątanie pokoju było przyjemnym wspólnym wysiłkiem. Każde z was może wnieść swój wkład w ten wysiłek (ty wiedzę i doświadczenie, a twoja pociecha energię i dziecięcy entuzjazm). Dokonaj podziału zadań stosownie do umiejętności („Ja pozbieram części tej układanki, a ty możesz ją potem odłożyć na miejsce; ty ułożysz wszystkie książki w stosik, a ja odłożę je na półkę").

Wykonujcie czynności po kolei. Pokój zarzucony zabawkami może stanowić taki widok, że dziecko, zanim jeszcze zacznie sprzątanie, może mieć ochotę z niego zrezygnować. Tak więc, zamiast zajmować się od razu całym dotkniętym klęską terenem, podziel go na kilka łatwiejszych do opanowania odcinków — najpierw kącik z ubraniami, potem sterta klocków, a następnie śmietnik nagromadzony na łóżku. Wykonywanie dużej pracy etapami zmniejsza frustrację i daje lepsze wyniki. Podczas nadzorowania sprzątania przekazuj także kolejne zadania pojedynczo: „Postaw żyrafę na półce, a potem ustaw obok niej świnkę", a nie wszystkie razem: „Pozbieraj wszystkie swoje maskotki i odłóż je na półkę".

Zamień pracę w zabawę. Spróbuj zamienić sprzątanie w wesołe zajęcie. Zamiast warknąć: „W tej chwili posprzątaj zabawki!", zaproponuj to jako formę zabawy: „Już czas, żeby lalki poszły spać... żeby klocki poszły na obiad do swojego pudełka... żeby samochodzikom zrobić w garażu przegląd silników". Zachęcenie dziecka, aby brało udział w wyścigu, który może wygrać, jest kolejnym sposobem potraktowania sprzątania jak przyjemności („Zobaczymy, czy uda ci się pozbierać wszystkie ubranka lalek, zanim zadzwoni dzwonek" albo: „Sprawdźmy, komu uda się włożyć więcej kredek do pudełka, zanim policzę do dziesięciu"). Jeśli będzie wyglądać na to, że sama się dobrze bawisz (zamiast gderać, jęczeć i narzekać), będziesz miała o wiele większą szansę przekonać malca, że sprzątanie nie jest aż takie złe.

Pracujcie przy piosence. W wielu przedszkolach panuje zwyczaj słuchania lub śpiewania specjalnej piosenki „na czas sprzątania", którą dzieci stopniowo kojarzą z odkładaniem zabawek i zmianą rodzaju aktywności. Przeniesienie tego zwyczaju na grunt domowy nada czasowi przeznaczonemu na sprzątanie status rytuału, którego twoje dziecko może nawet oczekiwać. Wybranie żywej piosenki do pracy może zwiększyć aktywność dziecka i w ten sposób przyspieszyć proces sprzątania.

Ucz przy pracy. Ucz kolorów, mówiąc: „Ty pozbieraj wszystko, co ma kolor czerwony, a ja pozbieram to, co jest zielone". Ucz kształtów, mówiąc: „Ty pozbieraj wszystkie okrągłe klocki, a ja pozbieram kwadratowe". Ucz liczb, mówiąc: „Ty posprzątaj jeden-dwa-trzy samochody, a ja posprzątam jeden-dwa-trzy-cztery-pięć samochodów", albo: „Zobaczymy, czy uda ci się posprzątać wszystkie ubranka, zanim policzę do dwudziestu". Staraj się, żeby te momenty nauki przy sprzątaniu były zabawne dla twojego dziecka. Jeśli zaczną je stresować lub stwierdzisz, że malec ich nie lubi, porzuć ten zwyczaj i spróbuj mniej „akademickiego" podejścia.

Ułatwiaj pracę. Przechowywanie zabawek w miejscach trudno dostępnych lub niedostępnych dla małych dzieci uniemożliwia im sprzątanie. Ułatw maluchowi sprzątanie, umieszczając pojemniki na zabawki w jego zasięgu. Półki powinny być nisko położone i otwarte, pojemniki powinny być płytkie i przenośne, wieszaki na ubrania nie powinny zmuszać do stawania na palcach. Przyklejenie na półki i kosze obrazków oznaczających poszczególne rodzaje zabawek, które mają się na nich czy w nich znaleźć, także powinno pomóc, podobnie jak użycie koszy w różnych kolorach na różne rodzaje zabawek. Unikaj wykorzystywania jednej dużej skrzyni jako ogólnej przechowalni zabawek. Zachęca to do robienia wielkiego śmietnika, co może spowodować zniszczenie zabawek i frustrację dziecka, kiedy nie będzie mogło znaleźć poszukiwanej zabawki (takie pojemniki na zabawki mogą być także niebezpieczne, patrz str. 533).

Zapewnij dziecku sprzęt, jaki mają dorośli. Jeśli dziecko pomogło przy sprzątaniu zabawek, podaruj mu w nagrodę małą szczotkę i stojącą szufelkę, żeby mogło zamiatać swoją podłogę. Możesz mu także dać osobny kosz na śmieci i na brudną bieliznę. Jeśli będą one kolorowe, być może malec będzie ich chętniej używać. Oczywiście zawsze przed opróżnieniem kosza na śmieci musisz sprawdzać jego zawartość (mogą się w nim znaleźć klucze, portfel, części układanek i kto wie, co jeszcze). Przejrzyj także dokładnie ubranka z kosza na bieliznę (dosłownie wszystko może się zapodziać w fałdach piżamy czy bluzeczki).

Doceń wysiłek dziecka. Nawet jeżeli twoja pociecha sprzątnie tylko jedną kredkę na dwadzieścia sprzątniętych przez ciebie, nawet jeżeli w połowie drogi na półkę wypadnie mu z rączek pojemnik z zabawkami (i wszystko z niego wypadnie), nawet jeżeli zamiast poukładać wszystkie maskotki równo w rzędzie na komodzie położy je bezładnie, warto wynagrodzić jego wysiłek. Dziecko będzie robiło wszystko coraz lepiej, jeśli nie będziesz mu szczędzić pochwał („Dziękuję ci za poustawianie tych samolotów") i odrobiny krytyki („Dlaczego nie możesz porządniej poustawiać swoich samolotów?").

Nie wymagaj doskonałości. Jeśli odnosisz wrażenie, że twojemu dziecku nie przeszkadza nieład, nie nalegaj na to, żeby utrzymywało swój pokój w nieskazitelnej czystości. Znajdź złoty środek, który pogodzi twoje kryteria z jego kryteriami, pamiętając o tym, że jest to jego pokój.

SKĄD SIĘ BIORĄ DZIECI

Od czasu kiedy powiedzieliśmy naszemu synowi, że spodziewamy się następnego dziecka, bardzo go zainteresowało, skąd się biorą dzieci. Dotychczas unikałam odpowiedzi na jego pytania, ponieważ nie wiem, jak to zrobić.

Nie opowiadaj o bocianach, grządce kapusty ani o kwiatkach i pszczółkach. Obecnie eksperci są zgodni co do tego, że dzieciom powinno się udzielać prawdziwych odpowiedzi

Skąd jeszcze biorą się dzieci

Kiedyś powstawanie życia było proste i przewidywalne: dziewczyna poznawała chłopaka, wychodziła za niego za mąż, dziewczyna i chłopak kochali się ze sobą i poczynali dziecko. Niewiele było wtedy innych możliwości, a jeśli się zdarzały, to towarzyszyła im dezaprobata lub były utrzymywane w tajemnicy.

Obecnie powstawanie życia bywa czasami trochę bardziej skomplikowane, a tym samym trudniejsze do wytłumaczenia ciekawym dzieciom. W dzisiejszych czasach dziewczyna może poznać chłopaka, kochać się z nim, począć z nim dziecko, ale nie zdecydować się na małżeństwo ani nawet na wspólne życie. Bywa też i tak, że dziewczyna i chłopak dowiadują się, że nie mogą mieć dziecka metodą naturalną i postanawiają począć je w laboratorium. Zdarza się, że dwie dziewczyny decydują się całkowicie pominąć chłopaka jako partnera, przyjmując jego udział tylko w roli dawcy spermy. Żeby jeszcze bardziej skomplikować okoliczności towarzyszące narodzinom dziecka, należy dodać, że w prawie 25% przypadków dziewczyna nie może wydać na świat dziecka siłami natury, poprzez pochwę, i jest konieczna operacja w postaci cesarskiego cięcia.

Nawet wiele „tradycyjnych" informacji związanych z rozmnażaniem leży poza możliwościami rozumienia dziecka, a w znacznie większym stopniu dotyczy to nowych faktów dotyczących powstawania życia. Powinno się więc raczej poczekać z przekazaniem tych bardziej złożonych faktów, aż dziecko dorośnie do tego, żeby je przyswoić, i dojrzeje na tyle, żeby spojrzeć na nie z właściwej perspektywy. Jeśli nie odczuwasz, że twoje dziecko bardzo chce poznać całą prawdę właśnie teraz (a na zrozumiałym dla niego poziomie może być bardzo trudno ją przekazać), rozsądnym wyjściem byłoby przedstawienie mu zarysu problemu (odpowiadając na pytania dziecka) bez wnikania w szczególne przypadki. Na przykład wyjaśnienie: „Większość dzieci przychodzi na świat przez pochwę matki" zadowoli prawdopodobnie dziecko pytające o proces rodzenia, a urodzonemu przez cesarskie cięcie oszczędzi przerażających szczegółów na temat rozcinania brzucha. Jeśli nawet sperma nie zapłodniła jajeczka tradycyjnym sposobem (i nawet jeśli tak naprawdę nie należała do taty) albo jeśli dziecko zostało zaadoptowane, malec zadowoli się informacją, że dziecko powstaje ze spermy taty i jajeczka mamy. (Więcej na temat rozmów z dziećmi o adopcji i/oraz rodzin specjalnych przeczytasz w rozdziale dwudziestym szóstym.)

na pytania dotyczące rozmnażania. Nieważne, ile lat ma dziecko, jeśli jest wystarczająco dorosłe, żeby pytać, jest wystarczająco dorosłe, żeby otrzymać jasną odpowiedź, oczywiście dostosowaną do jego wieku. Tak więc:

Nie udzielaj wymijających odpowiedzi. Ignorowanie pytań dziecka albo zbywanie go słowami: „Powiem ci, kiedy będziesz starszy" czy też: „Idź zapytać mamę (lub tatę)" może nasunąć mu na myśl, że w tym, jak powstają dzieci, jest coś wstydliwego, lub że powinno się wstydzić swojej ciekawości. Nie martw się, jeśli będziesz spięta, poruszając ten temat, gdyż taka jest reakcja większości rodziców. Próbuj nie przekazywać swojego niepokoju dziecku, ale nie martw się, jeśli ci się to nie uda. Lepiej przekazać i fakty, i obawy niż tylko same obawy.

Uzgodnij przedstawione dziecku podejście z rodziną. Ty, twój mąż czy ktokolwiek inny, z kim twoje dziecko może poruszać tę kwestię, powinniście się naradzić, aby przyjąć takie samo podejście do tej sprawy.

Przekaż rzetelne fakty. Małe dzieci są ciekawe, jak funkcjonuje ludzkie ciało. Proste i dokładne informacje o tym, jakie są jego funkcje w odniesieniu do powstawania życia, zaspokoją jego ciekawość. Z drugiej strony, okrywanie tego tematu tajemnicą sprawi prawdopodobnie, że będzie bardziej fascynujący albo będzie napawał lękiem. Zbywanie dziecka tradycyjnymi bajkami o zajściu w ciążę i porodzie wprawi je tylko w zakłopotanie, a później, kiedy dowie się prawdy, zachwieje jego wiarę w ciebie. Jeżeli chcesz, żeby przychodziło do ciebie po uczciwe odpowiedzi, musisz od początku odpowiadać szczerze.

Dostosuj odpowiedź do jego poziomu. Proste i zwięzłe wyjaśnienie powinno wystarczyć. Zaspokoi ono jego potrzeby lepiej niż przydługi i zawiły wywód. Nie posługuj się wprowadzającymi zamęt analogiami, poprzestając na rodzicach i niemowlętach. Jeśli nie możesz znaleźć zadowalającego wyjaśnienia, posłuż się opisanym poniżej albo powiedz swojemu dziecku: „Wypożyczymy z biblioteki książkę o tym, skąd się biorą dzieci, i przeczytamy ją razem". (Sprawdź, czy wypożyczana przez ciebie książka jest przeznaczona dla małych dzieci i przedszkolaków.) Pamiętaj jedno: dziecko nie pyta o „seks", ale o „rozmnażanie", o to, jak powstają dzieci.

Podaj właściwą terminologię. Twoje dziecko może się czuć zażenowane stosowaniem eufemizmów określających części ciała. Zamiast nich używaj takich słów, jak prącie, pochwa, macica, jajo (lub jajeczko) czy sperma.

Powiedz dziecku tylko to, o co prosi. Odpowiedz tylko na te pytania, które zadaje. Jeśli zapyta, gdzie się znajduje dziecko, powiedz, że jest w specjalnym miejscu, w którym rosną dzieci, zwanym macicą lub łonem (nie brzuchem ani brzuszkiem, ponieważ terminy te mogą mu się kojarzyć z procesem jedzenia). Wytłumacz mu, że w miarę tego, jak dziecko rośnie, brzuch kobiety także rośnie. Pokazanie mu obrazków w książce dla małych dzieci pomoże zilustrować twoje słowa o tym, jak w macicy rozwija się płód. Jeśli zapyta, jak się stamtąd wydostanie, odpowiedz, że większość dzieci wydostaje się przez pochwę mamy. Jeśli zapyta, w jaki sposób płód dostał się do macicy, powiedz: „Mama i tata bardzo się kochają i tak bardzo kochają ciebie, że postanowili mieć drugie dziecko. Dlatego tata dał mamie swoją spermę, ta zaś połączyła się z małym jajeczkiem, które było przez cały czas w mamie, i dała początek dziecku". Wyjaśnij tylko biologiczną część procesu, pomijając na razie aspekty dotyczące seksu. Jeśli dziecko zapyta, w jaki sposób sperma dostała się do mamy, powiedz po prostu, że przez pochwę. To powinno załatwić sprawę. Natomiast jeśli to nie wystarczy i dziecko będzie kontynuowało swoje dociekania, w jaki sposób udało się dokonać takiej magicznej sztuczki, powiedz: „Prącie taty umieściło spermę w pochwie mamy. Sperma połączyła się z jajeczkiem i dziecko zaczęło się rozwijać". Niektóre dzieci nie przejawiają żadnego zainteresowania tym, jak to się stało, że dziecko znalazło się w mamie, ani tym, jak się z niej wydostanie. Bardziej interesuje je fakt, co ono robi, kiedy już tam jest. Kiedy twój malec zapyta, co je i jak oddycha dziecko znajdujące się w macicy, wyjaśnij po prostu, że otrzymuje wszystko, czego potrzebuje, przez pępowinę, która jest połączona z jego pępkiem. Pomoże to zilustrować obrazek płodu zwiniętego w macicy. Pokazanie dziecku własnego pępka, przez który było kiedyś odżywiane, przybliży mu to zagadnienie.

Pomóż dziecku spojrzeć z perspektywy. Pokazując dziecku swoje zdjęcia w ciąży, kiedy ono miało się urodzić, a następnie jego zdjęcia z okresu niemowlęcego, pomożesz malcowi zrozumieć sens całego procesu.

OKAZYWANIE SOBIE UCZUĆ PRZEZ RODZICÓW

Nie wiemy, ile uczucia powinniśmy sobie okazywać w obecności naszego dziecka, co jest stosowne, a co nie?

Pewne rzeczy, choć nie wszystkie, przychodzące w naturalny sposób, można z czystym sumieniem robić w obecności dziecka. Prawdą jest, że pokazując swojemu dziecku wzajemne uczucia, okazujecie swoją miłość w konkretny sposób. Poczucie bezpieczeństwa dziecka może się wzmocnić, kiedy widzi rodziców otwarcie się obejmujących, trzymających za ręce, leżących na tapczanie i przytulających się do siebie, całujących się, pozwalających sobie czasami na głaskanie czy pieszczoty i nie wahających się powiedzieć: „Kocham cię". Daje to także ważny przykład, który dziecko może w przyszłości naśladować w swoich własnych relacjach z partnerem. Nie jest przypadkiem, że częste okazywanie uczuć przyczynia się do większego scementowania małżeństwa (co jest plusem i dla was, i dla waszego dziecka). Okazywanie bliskości jest jednym z najlepszych sposobów podtrzymywania żarzącego się płomienia miłości.

Trzeba jednak zachować ostrożność. Całkowite wyzbycie się zahamowań w obecności dziecka wprawi je w zakłopotanie i prawdopodobnie przerazi (kiedy przelotne muśnięcie warg przerodzi się w przeciągły pocałunek albo przytulanie się zamieni się w namiętne pieszczoty, a uścisk stanie się mocny i gorący). Uprawianie miłości przez rodziców nie jest po prostu odpowiednim widokiem dla dzieci, niezależnie od ich wieku. Każde okazywanie uczuć, które sprawi, że będziecie się czuć nieswojo, również jest niestosowne.

Wiele maluchów w pewnym momencie swojego dzieciństwa bywa zazdrosnych o wzajemną miłość rodziców do siebie. Żeby ta reakcja przebiegała u dziecka jak najłagodniej, postarajcie się zapewnić mu należną porcję uścisków i pocałunków (zakładając, że dziecko je lubi). Jeśli wygląda na to, że malec chce się przyłączyć, kiedy wy wymieniacie ze sobą uściski, nie odpychajcie go. Dopuśćcie je do rodzinnego uścisku, ale dajcie mu jasno do zrozumienia, że w rodzinie chodzi o coś więcej niż tylko o waszą trójkę: „Mama cię kocha. Tata cię kocha. Mama i tata cię kochają. Mama kocha tatę, a tata kocha mamę. I my lubimy się obejmować tak samo, jak lubimy obejmować ciebie". (Więcej informacji na temat zazdrości znajdziesz na str. 147.)

ŁAPÓWKI I NAGRODY

Często przyłapuję się na tym, że przekupuję naszą córkę specjalnymi nagrodami, żeby robiła to, co powiem. Ale mam wrażenie, że nie postępuję właściwie.

Życie jest pełne zachęt. Za każdym rogiem czeka ktoś, kto zaoferuje ci X, jeśli tylko zrobisz Y. Pracuj wydajnie, a otrzymasz wyższą premię. Kup kosmetyki do pielęgnacji skóry za trzydzieści złotych, a otrzymasz bezpłatną kosmetyczkę. Dostaniesz bezpłatnie sześć numerów czasopisma, jeśli niezwłocznie je zaprenumerujesz. Rodzice w zupełnie naturalnym odruchu stosują tę przekonującą technikę w odniesieniu do swoich dzieci. Zjedz szpinak, to dostaniesz ciasteczko. Posprzątaj swój pokój, to będziesz oglądać *Ulicę Sezamkową*. Jeśli natychmiast zejdziesz z huśtawki, to w drodze powrotnej do domu kupimy naklejki. Nie bij się z Jasiem, to po drodze wstąpimy do sklepu zoologicznego.

Chociaż okazyjne stosowanie tego rodzaju bodźców jest nieszkodliwe, a biorąc pod uwagę współczynnik uporu przeciętnego małego dziecka czasami wręcz konieczne, ciągłe posługiwanie się nimi w celu nakłonienia do ustępliwości może być nierozsądne. Niektóre badania wykazują, że dzieci, które są nieregularnie przekupywane, uczą się oczekiwać na nagrodę. Może się to skończyć tym, że będą robić jedynie tyle, ile muszą, aby dostać nagrodę. Po pewnym czasie w ogóle przestają się interesować wykonaniem czegokolwiek, jeżeli nie obieca im się nagrody. Ponadto często zaczynają sądzić, że każde zadanie, za które obiecano nagrodę, musi być nieprzyjemne albo niepożądane, bo gdyby tak nie było, nie obiecywano by za nie nagrody.

W ten sposób malec nie nauczy się, że można zrobić jakąś rzecz dla niej samej (że można zjeść szpinak, ponieważ jest dobry i pomaga dziecku urosnąć; posprzątać, ponieważ w czystym pokoju jest przyjemniej się bawić, albo też podzielić się zabawkami z kolegą, przez co zabawa staje się przyjemniejsza). Jak sugerują naukowcy, w późniejszym okresie, gdy dziecko pójdzie do szkoły, kreatywność i chęć nauki może zostać zahamowana przez użycie zbyt wielu wyróżnień i specjalnych przywilejów nagradzających sukcesy w nauce. Dzieci te często zużywają na każde zadanie jedynie tyle energii, ile konieczne, aby zapewnić sobie nagrodę, i nie robią ani odrobiny więcej.

Większość rodziców wolałaby, żeby dzieci robiły to, co należy, nie dlatego, że tak im się każe lub że spodziewają się nagrody, ale dlatego, że same wypracowały wewnętrzną potrzebę i hierarchię wartości. Aby pomóc swojemu dziecku to osiągnąć, możesz wykorzystać poniższe rady:

Nagradzaj pochwałami. Jeśli dasz swojemu dziecku odczuć (słowami, uściskami, poklepywaniem po plecach), że jesteś dumna z jego dokonań czy współpracy, dodasz mu o wiele więcej zapału, niż zrobi to bardziej konkretna nagroda. Zwróć uwagę na to, żeby chwalić raczej jego zachowanie („Bardzo ładnie udało ci się posprzątać pokój"), a nie samo dziecko („Jesteś taki kochany, że posprzątałeś pokój"), i żeby z tym nie przesadzić. (Więcej o pochwałach przeczytasz na str. 253.)

Czasami nagradzaj bardziej konkretnie. Chociaż twoje dziecko nie powinno być wynagradzane za odłożenie na półkę swoich zabawek czy zjedzenie porcji szpinaku, w sytuacji, gdy wymaga się od niego współpracy znacznie przekraczającej wyznaczone mu obowiązki, można mu czasami zaoferować specjalną nagrodę (wyjście na plac zabaw, wypożyczenie kasety wideo czy lody). Na przykład jeśli musi ci towarzyszyć, kiedy ty odwiedzasz sklep za sklepem w poszukiwaniu sukni lub butów. W takim wypadku uzasadniona jest obietnica przyjemności na zakończenie zakupów za dobre (jeśli nawet nie idealne) zachowanie. Nagrody mogą być także zalecane, kiedy dziecko próbuje dokonać jakiegoś przełomowego kroku w swoim rozwoju, jak na przykład przestać moczyć się w nocy czy urozmaicić swoje jedzenie. Małym dzieciom wystarczy czasami sporządzenie tablicy z obrazkami przedstawiającymi tego rodzaju osiągnięcia. Starsze lubią wiedzieć, że kiedy już zbiorą pewną liczbę obrazków, będą mogły wybrać sobie prezent albo szczególny przywilej. Jeśli będzie to możliwe, połącz nagrodę z dokonanym przez dziecko wyczynem: zestaw małego lekarza dla dziecka, które poddaje się badaniom lekarskim bez specjalnych sprzeciwów, ubranko dla malucha, który bez protestów towarzyszy ci w wyprawie po sklepach, nową serwetkę w żywych kolorach lub miseczkę do kaszki dla dziecka, które zgodziło się spróbować nowej potrawy.

Spraw niespodziankę. Nagroda, która da najwięcej zadowolenia, to nagroda niespodziewana. Niezbyt częste obdarzanie dziecka nieoczekiwaną przyjemnością za wybitne osiągnięcie czy za szczególnie pożądany rodzaj współdziałania, może się okazać bardzo efektywnym środkiem wzmacniającym pozytywne zachowania.

Unikaj przekupstwa. Łapówki używa się, żeby „kupić" nastawione negatywnie lub oporne dziecko: „Natychmiast przyjdź jeść”, „Nie, teraz się bawię!”, „Jeśli przyjdziesz w tej chwili, dostaniesz lody na deser”. W tym scenariuszu proponowana łapówka ma być sposobem namówienia dziecka, by zastosowało się do polecenia. Uciekanie się do przekupstwa jest w ostatecznym rozrachunku dużym błędem. Zamiast wywoływać dobre zachowanie w przyszłości, zachęca malucha do powiedzenia „nie” także następnym razem, po to żebyś w zamian za współdziałanie znowu zaoferowała mu jakąś nagrodę. Jeśli więc tak czy inaczej masz zamiar wynagrodzić dziecko (czego nie powinnaś robić rutynowo), zaproponuj mu nagrodę, zanim jeszcze zdąży odmówić spełnienia twojej prośby.

Groźby używaj tylko w ostateczności. Groźby, podobnie jak przekupstwo, przyczyniają się do tłumienia wszelkich wrodzonych dążeń do odpowiedzialnego zachowania i osiągnięć. Dziecko, któremu się grozi, może ustąpić, ale tylko po to, żeby uniknąć kary.

Wpajaj dziecku poczucie, że dobre zachowanie jest samo w sobie nagrodą. Pomóż swojemu dziecku dostrzec zalety towarzyszące wykonywaniu dobrych rzeczy. Na przykład kiedy skończysz sprzątanie w jednym pokoju, zawołaj: „Jak miło jest przebywać w posprzątanym pokoju. Naprawdę nie miałam ochoty go sprzątać, ale teraz jestem zadowolona, że to zrobiłam”. Wskaż dziecku także pewne korzyści wynikające z jego dobrego zachowania. Na przykład kiedy przestanie zagarniać zabawki innych przedszkolaków, a potem zostanie zaproszone do zabawy w domu kolegi, możesz powiedzieć: „Myślę, że Piotrusiowi podobała się wczorajsza zabawa z tobą i że jego mama doceniła twoje dobre zachowanie. Pewnie dlatego on chce się dzisiaj z tobą bawić”.

CO WARTO WIEDZIEĆ

Porozumiewanie się z dzieckiem

Napisano na ten temat wiele artykułów i książek. Poświęcono mu niejeden program telewizyjny. Organizuje się na ten temat spotkania z rodzicami. A jednak mimo wszelkich dostępnych informacji, wykazujących wagę komunikacji między rodzicami a dziećmi, pozostaje faktem, że rodzice o wiele za mało rozmawiają ze swoimi dziećmi. Trudno w to uwierzyć, lecz według niektórych badań trwa to jedynie kilka minut dziennie.

Jak twoja rodzina może się przeciwstawić tej statystyce i uczynić rozmowę ważną częścią waszego życia?

Zacznij wcześnie. Nawet dzieci ledwo potrafiące mówić mogą brać udział w konwersacji, więc nie jest jeszcze za wcześnie na dwustronne (lub trójstronne) rozmowy w waszej rodzinie. Zbudowanie solidnych podstaw porozumiewania się już teraz zapewni podstawy dalszego dialogu w miarę dorastania dziecka i może w przyszłości pomóc mu rozmawiać na delikatne tematy (przyjaźń, kłamstwo, znęcanie się nad innymi, randki, seks, alkohol czy narkotyki).

Wybierz specjalny czas na rozmowę. Chociaż nawiązanie rozmowy z dzieckiem jest cenne o każdej porze — kiedy prowadzisz wózek, huśtasz je na huśtawce, przygotowujesz obiad, jedziesz z nim samochodem lub kiedy się przygotowujesz do pracy — taka rozmowa nie jest wystarczająca. Aby nawiązany kontakt był udany, potrzebny jest do tego odpowiednio długi, niczym nie zakłócony czas. Ogólnie rzecz biorąc, odpowiedni jest czas posiłków, pod warunkiem że wprowadzisz zakaz oglądania telewizji, czytania gazet, przeprowadzania rozmów telefonicznych i innych czynności rozpraszających uwagę. Nawet jeśli nie jadasz posiłków ze swoim dzieckiem, siadaj obok niego i wtedy nawiązuj z nim rozmowę. Rozmowa, zwłaszcza dotycząca wydarzeń minionego dnia, może być dla dziecka cennym elementem wieczornego rytuału. Jeżeli możesz, stwarzaj także okazje do pogawędki „na dzień dobry” (w łóżeczku dziecka lub twoim) — będzie to dobry początek każdego dnia.

Słuchaj, gdy twoje dziecko chce mówić. Dla małego dziecka, nie posiadającego jeszcze wyczucia czasu, bliżej nie określone „później”, którym się je zbywa, może być niezwykle frustrujące. Nie tylko dlatego, że to „później” jest odległe o całe wieki, ale też dlatego, że do czasu, kiedy to nastąpi, twoje dziecko prawdopodobnie zapomni sformułowaną z takim trudem myśl, którą natychmiast chce się z tobą podzielić.

Dopóki malec nie nauczy się cierpliwości i nie osiągnie zdolności panowania nad własnymi myślami (około czwartego roku życia), staraj się unikać sytuacji, kiedy musiałby czekać, aż zostanie wysłuchany. Będzie to oczywiście konieczne, gdy na przykład będziesz właśnie rozmawiała ze specjalistą o problemie, jaki masz z komputerem, czy kiedy będziesz prowadzić ważną rozmowę telefoniczną. Pamiętaj jednak o tym, żeby twoja pociecha była następna w kolejności. Dziecko, które jest ciągle zbywane, często zaczyna myśleć w następujący sposób: „Nikt tak naprawdę nie chce słuchać tego, co mam do powiedzenia, więc nie będę się w ogóle odzywać. Zatrzymam to dla siebie".

Nawiąż kontakt podczas rozmowy. Czasami — podczas jazdy samochodem, przeprowadzania wózka przez ruchliwą ulicę, krojenia marchewek ostrym nożem — możesz jedynie słuchać. Ale zawsze, kiedy będziesz mówić lub słuchać, kiedy będziesz rozmawiać i kiedy będziesz karać, spróbuj nawiązać z dzieckiem dodatkowy kontakt (na przykład wzrokowy czy fizyczny). Będzie to dodatkowy, oprócz słów, sposób na zamanifestowanie miłości i szacunku. Jeśli będziesz czymś zajęta albo nie będzie ci po prostu wygodnie siedzieć twarzą w twarz z dzieckiem, spróbuj, mówiąc lub słuchając, spoglądać na nie od czasu do czasu, a także pogłaszcz je czasami po główce lub uściśnij jego rączkę. Jakakolwiek forma kontaktu jest zawsze lepsza niż żadna.

Nastaw się na słuchanie i nie rozpraszaj się. Udawanie, że słuchasz, podczas gdy tak naprawdę absorbuje cię coś zupełnie innego, nie jest uczciwe ani szlachetne. Może się to niekorzystnie odbić nie tylko na poczuciu godności własnej twojego dziecka, ale i na jakości kontaktów rodzinnych. Skup uwagę na swoim maluchu tak bardzo, jak tylko potrafisz, gdy próbuje on się z tobą porozumieć, i okaż swoje zaangażowanie, wypowiadając często swoje zdanie. Dzieciom potrzebne jest przeświadczenie, że to, co jest ważne dla nich, jest także ważne dla ich rodziców. Jeżeli w danym momencie nie możesz słuchać, wytłumacz, dlaczego tak jest, aby uspokoić dziecko, że to nie jego wina. Zapewnij, że wysłuchasz je później.

Bądź cierpliwa. Poświęć swojemu dziecku tyle czasu, ile potrzebuje, żeby ci powiedzieć to, co ma do powiedzenia, lub żeby zebrać myśli i je wyrazić albo przedstawić jakiś pomysł. Nawet wtedy, gdy będziesz zajęta i gdy zapał dziecka będzie znacznie przewyższał umiejętności werbalizowania myśli, bądź cierpliwa. Jeśli nie zostaniesz poproszona o pomoc, nie ubiegaj swojej pociechy zbyt szybko, podpowiadając jej słowa, ani nie uprzedzaj tego, co ma zamiar powiedzieć.

Bądź entuzjastycznym słuchaczem. Bardzo szczegółowy opis przyjęcia może nie być dla ciebie szczególnie pasjonujący, ale jeśli dla twojego brzdąca jest interesujący, wart jest entuzjastycznego przyjęcia z twojej strony. Zamiast odpowiadać: „To miło" albo: „Ahaa", okaż dziecku szczerym zainteresowaniem, że słuchasz i że cię to obchodzi: „Ta herbata tak pięknie pachniała. Czy wypiłeś ją do końca?"

Daj dziecku swobodę. Jeśli maluch nie ma ochoty mówić, nie nalegaj. Daj mu do zrozumienia, że chciałabyś usłyszeć o tym, co zdarzyło się w przedszkolu lub na podwórzu i na tym skończ. Jeśli rozmowa zostanie narzucona, będzie przypominać nieprzyjemne wymuszanie zeznań i twoje dziecko może zamilknąć na dobre.

Słuchaj, ale nie osądzaj. Pozwól dziecku bez skrępowania wyrażać uczucia, te złe i te dobre. Choć może to być trudne, słuchaj i wczuwaj się w jego położenie, nie osądzając. Jeśli malec powie: „Uwielbiam... tę zabawkę (książkę, program telewizyjny)", powiedz raczej: „Zauważyłam to. Co ci się w nim najbardziej podoba?", zamiast: „Uważam, że jest głupi". Kiedy dziecko wypowie się do końca, możesz stwierdzić: „Myślę, że to interesujące". Pamiętaj o tym, żeby twoje komentarze nie były deprymujące. Na narzekania: „Jestem wściekły, kiedy Pawełek zaczyna się bawić moim samochodzikiem" odpowiedz: „Wiem, że trudno ci jest dzielić się twoją zabawką", zamiast przemawiać do jego sumienia, że źle jest nie dzielić się z innymi. Jeśli teraz, kiedy dziecko próbuje wyrazić swoje prawdziwe uczucia, będziesz je krytykować lub prawić morały, może już nigdy nie czuć się z tobą na tyle swobodnie, żeby uczciwie rozmawiać.

Pomóż dziecku wyrażać to, co czuje. Wiele małych dzieci nie zna jeszcze słów określających ich uczucia. Aby pomóc maluchowi je wyrażać, musisz używać słów odnoszących się do uczuć negatywnych (takich jak: smutny, zły, zmęczony, samotny, znudzony, zakłopotany, zraniony, zmartwiony, przestraszony, rozczarowany czy zmieszany) oraz pozytywnych (takich jak: szczęśliwy, dumny, ożywiony, silny, ufny, pełen entuzjazmu, kochający, zadowolony, odprężony). Używaj ich często przy opisywaniu uczuć swoich, swojego dziecka, a także uczuć pozostałych członków rodziny oraz kolegów czy postaci z książek i filmów.

Zwracaj uwagę na język ciała. Podobnie jak słowa, również wyraz twarzy (zasmucone oczy, pełen złości grymas twarzy, przestraszony wygląd) czy wykonywane przez dziecko ruchy (zaciśnięte pięści, wzruszenie ramion, wymachiwanie rękoma) wyrażają bardzo dużo. Podczas rozmowy, szczególnie z małymi dziećmi (którym często brakuje słów), należy brać pod uwagę język ciała. Jeśli malec wyraża co innego słowami, a co innego ciałem, to staraj się dociec prawdy, przeprowadzając delikatne „przesłuchanie".

Nie wysnuwaj zbyt pochopnych wniosków. Zawsze wysłuchaj kogoś do końca, zanim stwierdzisz, co ma do powiedzenia. W wypadku dzieci jest to szczególnie ważne, gdyż to, co chcą przekazać, często bywa powiedziane zawile i rzadko jest uporządkowane.

CO TWOJE DZIECKO POWINNO WIEDZIEĆ

Dbałość o Ziemię: Uczenie troski o środowisko naturalne

Małe dzieci przepadają za ważnymi sprawami. Uwielbiają czuć się potrzebne i, jako że zjednuje im to aprobatę dorosłych, uwielbiają robić to, co jest „właściwe". Z uwagi na to łatwo jest z reguły zjednać je do krucjaty na rzecz środowiska.

To prawda, że wiele pojęć dotyczących troski o środowisko naturalne przekracza granice pojmowania dziecka, ale wczesne wprowadzanie trzech podstawowych zasad — zmniejszenie zużycia, powtórne wykorzystanie i przetwarzanie zużytych materiałów — może sprawić, że zachowanie poprawne z punktu widzenia ochrony środowiska naturalnego stanie się drugą naturą i, miejmy nadzieję, da naturze drugą szansę. Oto, co należy robić, żeby zapewnić dziecku właściwy początek:

Kształtuj własną troskę o środowisko. Aby zostać dobrym obywatelem świata, trzeba poświęcić wiele czasu i wysiłku. W wypadku rodziców małych dzieci, którzy i tak są już przeciążeni, taki dodatkowy ciężar może nie być mile widziany. Jednakże dawanie przykładu w zakresie ochrony środowiska naturalnego służy dwóm ważnym celom. Pierwszy z nich to zaszczepienie dziecku troski o Ziemię, a drugi to stworzenie Ziemi szansy przetrwania, żeby twoje dziecko (i następne pokolenia) mogły o nią dbać.

Wyrób nawyk zbierania surowców wtórnych. I to u całej rodziny. Powierz dziecku odpowiedzialność za zbieranie tworzyw sztucznych, które nadają się do przetworzenia (dopóki maluch nie będzie potrafił obchodzić się bezpiecznie ze szklanymi butelkami i puszkami, powinno się tym zajmować starsze rodzeństwo lub rodzice) i wyrzucanie ich do specjalnych pojemników. Dziecko może także gromadzić gazety i czasopisma (pamiętaj, aby potem umyć mu ręce, żeby usunąć farbę drukarską), a także zbierać zużyte torby plastykowe i papierowe, żeby wrzucać je do odpowiednich pojemników (jeśli najbliższy sklep przyjmuje torby, a jeśli nie, zaproponuj, żeby to robił)[3]. Możesz także namówić rodzinę, aby zbierała makulaturę — twój maluch może na przykład zbierać niepotrzebne rysunki (po wykorzystaniu obydwu stron papieru) do specjalnego pudełka. Wyjaśnij dziecku sens takich przedsięwzięć: „Z tych starych toreb plastykowych (albo puszek, albo butelek) można będzie zrobić nowe torby i nie będą one zapełniać wysypisk śmieci ani nie zanieczyszczą powietrza, gdyby trzeba je było spalić".

Zbieraj surowce wtórne również podczas wyjazdów. Kiedy zabierasz ze sobą na wycieczkę puszki, butelki czy inne dające się przetworzyć surowce, przywieź je z powrotem do domu, a nie wyrzucaj do najbliższego pojemnika na śmieci. To prawda, że będzie to większym obciążeniem dla ciebie, ale mniejszym dla Ziemi. (Nigdy, pod żadnym pozorem, nie wyrzucaj śmieci na ulicę ani przez okno samochodu, ani też nie pozwól swojemu dziecku śmiecić. Korzystaj z koszy na śmieci. Jeśli nie będzie ich w pobliżu, zatrzymaj śmieci, aż znajdziesz kosz. Zawsze miej przy sobie torebkę na śmieci.)

Nawyk powtórnego wykorzystywania. Wielu przedmiotom codziennego użytku można przypisać kolejne przeznaczenie, oszczędzając w ten sposób bogactwa naturalne. Można tu wymienić torby plastykowe (używaj ich jako toreb na śmieci albo wykorzystuj wiele razy, zamiast za

[3] Nie pozwól, aby twoje dziecko bawiło się plastykowymi workami lub zbierało je bez opieki — grozi to uduszeniem.

każdym razem brać ze sklepu nowe); pojemniki na żywność (można w nich przechowywać kasze, orzechy, suszone owoce, kredki, koraliki itp.); stare listy i koperty (na odwrotnej stronie dziecko może gryzmolić); katalogi (wytnij obrazki do kolaży). Przedmioty używane w gospodarstwie domowym, takie jak wytłoczki do jajek, słomki, guziki[4], skrawki materiałów i temu podobne, mogą być wykorzystane, zamiast gotowych, kupionych w sklepie artykułów, do prac artystycznych, kolaży i rzeźb „z resztek". Ozdobione przez malucha pudełka do butów mogą służyć jako pojemniki do przechowywania kredek, samochodzików, ubranek i drobiazgów dla lalek lub innych małych przedmiotów albo też mogą być „łóżeczkami" dla małych lalek lub „garażami" dla samochodów. Wyjaśnij dziecku cel ponownego wykorzystywania materiałów, mówiąc na przykład: „Czy wiesz, że papier robi się z drzew? Wykorzystując do rysowania odwrotną stronę starego listu, zamiast zużywać nowy blok rysunkowy, przyczyniasz się do ocalenia drzewa".

Nawyk oszczędzania materiałów. Im mniej czerpiemy ze środowiska naturalnego, tym więcej może nam ono dać. Zamiast brać każdego dnia nową torebkę na drugie śniadanie, używaj wielorazowego pudełka lub woreczka uszytego z materiału. Zamiast pakować kanapki czy przekąski w plastykowe torebeczki jednorazowego użytku, pakuj je w pojemniczki, które będzie można zabrać do domu i umyć (następny pomysł na wykorzystanie przyniesionych ze sklepu spożywczego plastykowych pudełek). Zamiast kupować napoje w kartonikach, wykorzystuj kubeczki i pojemniczki wielokrotnego użycia (albo dowiedz się, czy w twojej okolicy zbiera się puste kartoniki po sokach). Zamiast nosić zakupy ze sklepu w plastykowych lub papierowych torbach, używaj toreb wielokrotnego użycia zrobionych z materiału lub sznurka (jedną daj dziecku, żeby mogło ci pomóc w niesieniu). Wytłumacz maluchowi, że za każdym razem, kiedy zużywasz torbę, pudełko czy kartonik, przyczyniasz się do zaśmiecania Ziemi. Powiedz też, że jeżeli ludzie dalej będą zużywać tyle rzeczy, nie będzie już na Ziemi miejsca na przechowywanie śmieci: „Można to porównać z zapełnianiem twojego pokoju śmieciami, aż zabrakłoby w nim miejsca i dla twojego łóżeczka, i dla zabawek". Dokładaj także starań, żeby zmniejszyć w swoim domu zużycie prądu i wody.

[4] Jeżeli twoje dziecko nadal bierze przedmioty do buzi, dopilnuj, aby nie bawiło się guzikami lub innymi drobnymi przedmiotami.

Dzieci powinny umieć wyłączać światło, kiedy tylko wychodzą z pokoju, myć zęby czy namydlać ręce przy zakręconym kranie. Nie powinny spuszczać wody w ubikacji dla zabawy i brać zbyt długich pryszniców.

Bądź konsumentem dbającym o środowisko. Podczas zakupów wybieraj produkty wykonane z myślą o środowisku (bloki rysunkowe z makulatury i takie, które mogą być przeznaczone na makulaturę, naturalne środki czyszczące i myjące, produkty w wielorazowych opakowaniach, wkłady uzupełniające). Zwróć dziecku uwagę na zalety dokonywanego przez ciebie wyboru.

Wydawaj przyjazne dla środowiska przyjęcia. Aby zmniejszyć negatywny wpływ urodzin i innych przyjęć dla dzieci na środowisko, połóż na stole podkładki lub wielorazowe obrusy z materiału, a także kolorowe, nadające się do ponownego wykorzystania plastykowe kubeczki i talerzyki. Możesz także używać talerzyków papierowych ulegających biodegradacji, a jeśli masz ochotę, możesz je własnoręcznie przyozdobić. Unikaj jednorazowych plastykowych widelców i łyżeczek (dzieciom będzie i tak wygodniej posługiwać się twoimi sztućcami codziennego użytku) lub zaplanuj menu przeznaczone do jedzenia palcami. Wykonaj samodzielnie ozdoby, które przybiorą stół, zamiast kupować gotowe, zrobione z papieru lub plastyku. Zawijaj prezenty w używany papier, pieczołowicie przechowywany z otrzymanych przez rodzinę prezentów. Jeśli to możliwe, po użyciu przeznacz papiery do ponownego wykorzystania. Zrezygnuj całkowicie z lateksowych baloników; są one niebezpieczne zarówno dla dzieci, jak i dla środowiska naturalnego.

Przekaż dziecku trochę wiedzy. Dziecku będzie łatwiej zrozumieć konieczność przetwarzania surowców wtórnych, jeśli dowie się od ciebie lub z książek, telewizji czy filmów wideo, jak bardzo jesteśmy uzależnieni od przyrody. Poszukaj dostosowanych do wieku malucha książek pokazujących, na przykład, jak z drzew robi się papier, aby mógł zrozumieć, dlaczego musimy dbać o drzewa i nie marnować papieru. Zrozumienie, jak to się dzieje, że to, co jemy, zawdzięczamy Ziemi, a nie sklepom spożywczym, może pomóc dziecku zrozumieć, docenić i szanować przyrodę. Jeśli nie możesz założyć ogrodu warzywnego, spróbuj pokazać dziecku ten związek, odwiedzając gospodarstwo rolne, gdzie uprawia się i sprzedaje jego plony, albo zabierz je na zbiór owoców i warzyw.

Zacznijcie zbierać kompost. Jeśli masz ogród, nawet jeśli jest to tylko kilka grządek, i miejsce na kompostownik, zacznij zbierać na kompost resztki żywności i odpadki z gospodarstwa domowego.

Domagaj się, aby w żłobku lub przedszkolu poruszano problemy ochrony środowiska. Jeśli te placówki nie są jeszcze zaangażowane w wysiłki na rzecz ochrony środowiska naturalnego, zaproponuj, żeby zajęto się w nich zbieraniem surowców wtórnych. Dla zaoszczędzenia zasobów naturalnych zaproponuj rodzicom, żeby przynieśli zużyty papier biurowy, który posłuży dzieciom do rysowania, albo inne rzeczy przydatne przy wykonywaniu prac plastycznych. Przynieś pojemniki na surowce wtórne. Jeśli na terenie przedszkola nie zbiera się ich, zaoferuj, że będziesz zabierać do domu kartoniki lub butelki po sokach, zużytą folię, makulaturę oraz inne surowce. Jeśli grup jest więcej, znajdź innych rodziców, którzy wraz z tobą podejmą się tego zadania.

16

Od trzydziestego czwartego do trzydziestego szóstego miesiąca

CO TWOJE DZIECKO POTRAFI ROBIĆ

Po ukończeniu trzydziestego szóstego miesiąca (3 lat) twoje dziecko powinno umieć:

* rozpoznać cztery obrazki i nazwać je;
* umyć i wytrzeć rączki (3 lata i 1 miesiąc);
* nazwać przyjaciela po imieniu;
* rzucić piłkę znad głowy;
* mówić i być rozumiane przez połowę czasu rozmowy;
* przeprowadzić 2- lub 3-zdaniową rozmowę;
* używać przyimków.

Uwaga: Jeśli twoje dziecko nie opanowało jeszcze tych podstawowych umiejętności, skontaktuj się z lekarzem. Takie tempo rozwoju może być zupełnie normalne dla twojego dziecka, ale musi ono zostać fachowo ocenione. Zasięgnij porady lekarza, jeśli twoje dziecko bardzo często się przewraca, wciąż się ślini, nie daje się kontrolować, jest nadpobudliwe, wymaga zbyt wiele, jest uparte, do wszystkiego negatywnie nastawione, zbyt zamknięte w sobie, bierne, niekomunikatywne, smutne lub niezdolne do nawiązywania kontaktów z innymi. Dzieci urodzone jako wcześniaki w tym wieku zwykle dogoniły już w rozwoju swoich rówieśników, urodzonych o czasie.

Po ukończeniu trzydziestego szóstego miesiąca twoje dziecko prawdopodobnie będzie umiało:

* użyć 2 przymiotników;
* założyć bluzeczkę;
* skoczyć w dal.

Po ukończeniu trzydziestego szóstego miesiąca twoje dziecko być może będzie umiało:

* stać na każdej z nóżek przez 2 sekundy;
* opisać zastosowanie dwóch przedmiotów.

Po ukończeniu trzydziestego szóstego miesiąca twoje dziecko może nawet umieć:

* przerysować koło;
* przyrządzić miseczkę płatków;
* ubierać się samodzielnie;
* nazwać 4 kolory.

CZEGO MOŻESZ OCZEKIWAĆ W CZASIE BADANIA OKRESOWEGO PO UKOŃCZENIU TRZECH LAT

Przygotowanie do badania. Sporządź listę pytań i spraw (nawyki, apetyt, korzystanie z toalety, zachowanie, rozwój mowy czy cokolwiek innego), które cię zaniepokoiły od czasu poprzedniej wizyty. Zabierz ten spis ze sobą, abyś była przygotowana na ewentualne pytanie lekarza: „Czy coś panią niepokoi?” Zanotuj także każde nowe osiągnięcie swego malca (podskakiwanie w miejscu, jazda na trójkołowym rowerze, budowanie wieży z dziewięciu lub więcej klocków, zrozumiałe wypowiedzi, samodzielne ubieranie się, samodzielne jedzenie, odrysowanie koła), abyś nie czuła się zaskoczona, gdy lekarz zapyta: „Co dziecko potrafi robić?" Zabierz również ze sobą książeczkę zdrowia dziecka, aby zanotowano w niej wzrost, masę ciała, przeprowadzone szczepienia i inne informacje uzyskane po badaniu okresowym.

Na czym będzie polegało badanie. Jego przebieg może się nieco różnić u różnych lekarzy, lecz przeważnie badanie trzylatka zawiera:

* Ocenę rozwoju fizycznego (wzrost, masa ciała, obwód głowy) w porównaniu z danymi z poprzedniej wizyty. Wyniki można nanieść na odpowiednie wykresy zamieszczone na końcu książki. Można też sprawdzić stosunek masy ciała dziecka do wzrostu oraz porównać z poprzednimi pomiarami[1].
* Pytania dotyczące rozwoju dziecka, jego zachowania, jedzenia i zdrowia od czasu ostatniej wizyty. Mogą także paść pytania dotyczące tego, jak rodzina radzi sobie na co dzień z dzieckiem, czy były ostatnio jakieś zmiany czy stresy, jak układają się stosunki rodzeństwa (jeżeli jest) z waszym maluchem, jak zorganizowana jest całodzienna opieka nad nim. Lekarz będzie też chciał wiedzieć, czy masz jakieś inne pytania lub problemy, a także prawdopodobnie przeprowadzi „wywiad" z twoim dzieckiem.
* Nieformalną ocenę rozwoju intelektualnego i fizycznego, wzroku i słuchu opartą na obserwacji i wywiadzie. Skontrolowanie, czy nie występuje u dziecka zez (zbieżny, wędrujący lub rozbieżny).
* Badanie krwi (hematokryt lub hemoglobina), jeżeli u dziecka podejrzewa się anemię. Test może być wykonany między dwunastym miesiącem a czwartym rokiem życia.
* Badanie na zawartość ołowiu we krwi, jeśli podejrzewa się, że dziecko było narażone na kontakt z ołowiem.
* Analizę moczu można przeprowadzić między dwunastym miesiącem a czwartym rokiem życia.
* Badania (test Mantoux) na wykrycie gruźlicy u dzieci z grupy wysokiego ryzyka.

Wskazówki na przyszłość. Lekarz może również poruszyć takie tematy, jak prawidłowe zachowania rodzicielskie, ochrona przed urazami ciała, odpowiednie zabawki i formy zabawy, odżywianie, dyscyplina, opieka stomatologiczna czy korzystanie z toalety (jeśli dziecko nadal nosi pieluchy), żłobek lub przedszkole oraz inne tematy, które będą istotne w nadchodzącym roku.

Szczepienia. Żadne, jeśli są przeprowadzane na bieżąco.

Następne badanie kontrolne. Jeśli twoje dziecko cieszy się dobrym zdrowiem, następne badanie odbędzie się w wieku czterech lat. W tym czasie kontaktuj się z lekarzem, jeśli zauważysz u swojego dziecka jakiekolwiek oznaki choroby (patrz str. 485) lub jeśli nasuną ci się jakieś pytania, na które nie znajdziesz odpowiedzi w tej książce.

CO MOŻE CIĘ NIEPOKOIĆ

POTRZEBA SNU

Nasza córka przestała sypiać po południu i martwię się, że nie śpi wystarczająco dużo.

Potrzeba snu jest różna u różnych dzieci, a nawet może być różna u tego samego dziecka w zależności od dnia. W trzecim roku życia dzieci sypiają przeciętnie dwanaście godzin na dobę, ale jest to tylko średnia. Niektóre maluchy sypiają tylko dziesięć godzin na dobę, inne czternaście, są takie, które śpią po południu, i takie, które już tego nie robią.

Jeśli twoja pociecha niedawno przestała sypiać po południu, możesz się spodziewać, że będzie bardziej śpiąca i bardziej niż zwykle skłonna do wybryków, dopóki nie przyzwyczai się do nowego rozkładu snu. Jeżeli potrafi normalnie funkcjonować przy tej ilości snu, jaką otrzymuje, możesz być spokojna, że śpi odpowiednio dużo. Jeśli brzdąc nie będzie w dobrej

[1] Ostatnie badania naukowe dowodzą, że dzieci nie rosną równomiernie, lecz skokowo. Twoje dziecko może więc przez dwa miesiące mieć ten sam wzrost, a następnie nagle urosnąć o dwa, trzy centymetry.

formie, będzie w dalszym ciągu zmęczony i rozbrykany, zastanów się nad trochę wcześniejszym kładzeniem go do łóżka, by zrekompensować brak popołudniowej drzemki.

STRACH PRZED CIEMNOŚCIĄ

Nasz syn nigdy nie miał problemów z chodzeniem spać, ale ostatnio mówi nam, że boi się kłaść w ciemności. Jak mogę temu zaradzić?

Twoim pierwszym odruchem może być lekceważenie („Głuptasku, nie ma się czego bać"), próba zawstydzenia dziecka („Tylko niemowlęta boją się ciemności"), aby wyzbyło się swoich lęków, zmuszanie go, by stawiło im czoło („No, a teraz chcę, żebyś był odważny i został w swoim ciemnym pokoju") albo nawet apelowanie do logicznego myślenia („Spójrz tylko, w twoim pokoju nie ma nic strasznego, nawet wtedy, kiedy zgasimy światło"). Tego rodzaju zachowania prawie nigdy nie pomagają dziecku w pokonaniu strachu. Jeśli mają jakikolwiek wpływ, to raczej przyczyniają się do tego, że malec zaczyna się bać jeszcze bardziej. Lekceważąc jego obawy, możemy jedynie zranić jego ambicję.

Zamiast tego należy pomóc dziecku oswoić się z jego strachem przed ciemnościami, aby go ostatecznie pokonać. Możesz to uczynić następującymi sposobami:

Zdobądź się na współczucie. Często trudno jest rodzicom odnieść się do strachu przed ciemnością lub jakiegokolwiek innego, pozornie irracjonalnego lęku. Ważne jest jednak, żeby uznać jego istnienie i zaakceptować go. Jeśli malec czuje, że dano wiarę jego lękom, łatwiej jest mu się im przeciwstawić. Zamiast mówić: „Jesteś dużym chłopcem, a duzi chłopcy nie boją się ciemności", powiedz: „Czasami ciemności wydają się straszne". Nakłoń dziecko do mówienia o jego odczuciach związanych z ciemnościami i wysłuchaj je bez wydawania sądów.

Zostaw zapalone światło. Dla bojaźliwego dziecka lampka nocna[2] lub przyciemniona lampa pod sufitem jest rozsądnym kompromisem między pokojem czarnym jak smoła, który może przerażać, a tak jasno oświetlonym, że trudno w nim zasnąć. W przyciemnionym świetle kontury zabawek i mebli często dodają otuchy, zamiast przerażać, co mogłoby mieć miejsce, gdyby malec został pozostawiony w ciemności sam na sam ze swoją wyobraźnią. Wiele dzieci nie potrzebuje światła, kiedy osiągnie wiek pięciu lub sześciu lat, gdyż zaczyna sobie wtedy zdawać sprawę, że nic się nie czai w szafie ani w ciemnościach. Inne wymagają jednak odrobiny dodatkowej otuchy przez całe dzieciństwo. I nie ma w tym nic złego, a nocna lampka jest całkiem nieszkodliwą pomocą.

Przeszukaj pokój. W tym wieku wyobraźnia działa pełną parą. Jeśli twoje dziecko nie przestaje mówić o smokach pod łóżkiem lub potworze w szafie, może mu pomóc gruntowne przeszukanie domu przeprowadzone przed pójściem spać, choć niekoniecznie. Potęga wyobraźni jest często większa od rozumu, szczególnie u małych dzieci. Możesz także spróbować odganiać potwora głośno i dramatycznie („Wszystkie potwory, które macie zamiar dostać się do tego domu, odejdźcie, my nie pozwolimy wam wejść"). Należy mieć nadzieję, że w ten sposób brzdąc nabierze przekonania, że sprawujesz kontrolę nad domem nawet wtedy, gdy wszyscy śpią.

Postaw na straży wartownika. Nie możesz i nie powinnaś być przy dziecku zawsze, kiedy ogarnie je strach. Wyznacz więc wartownika, żeby trwał przy nim zamiast ciebie, na przykład odważnego misia albo lalkę. Zapewnij, że taki strażnik potrafi chronić małe dzieci („Wiem, że w tym pokoju nie ma potworków, ale gdyby były, miś zaopiekowałby się tobą"). Niektórym dzieciom pomaga recytowanie „magicznego" zdania lub rymowanki („Potwory uciekajcie i już nie wracajcie"), światło włączonej latarki, przynoszący szczęście „urok" i/albo jakaś specjalna zabawka w łóżeczku.

Dodaj dziecku otuchy... Od czasu do czasu każde lękliwe dziecko potrzebuje mamy albo taty, za którymi może się ukryć. Odpowiednio dawkowana otucha sprawi, że maluch poczuje się silniejszy, a nie słabszy. Kiedy twoje dziecko się boi, podnieś je trochę na duchu, a także przytul czy uściśnij kilka razy. Po wyjściu z pokoju pozostań, o ile to możliwe, w zasięgu jego słuchu (ciemności są dla małych dzieci mniej przerażające, jeśli słyszą krzątaninę rodziców) aż do momentu zaśnięcia. Stresy przeżyte w ciągu dnia mogą prowadzić do lęków nocnych. Jeśli malec

[2] Szczególnie pomocna może być lampka nocna w kształcie ulubionego zwierzątka lub postaci. Sprawdź jednak, czy posiada ona odpowiedni atest i czy jest podłączona do gniazdka położonego z dala od koców, odzieży oraz innych palnych przedmiotów. Znane są przypadki powstawania pożarów w pokojach dziecięcych właśnie na skutek przykrycia rozgrzanej lampki nocnej łatwo palnym przedmiotem. Gdy to możliwe, używaj żarówek jarzeniowych o małej mocy, które się nie nagrzewają.

przeżywa jakieś ciężkie chwile (w związku z nową opiekunką, nowo narodzonym rodzeństwem lub niepokoje innego rodzaju), poświęć mu więcej czasu i uwagi niż zwykle, by łatwiej poradziła sobie z problemami. Może w ten sposób rozproszysz nocne lęki.

...ale nie przesadzaj. Przywiązywanie zbyt dużej wagi do strachu może wywrzeć negatywny skutek, może bowiem spowodować, iż dziecko uwierzy, że jest się rzeczywiście o co martwić, albo też nauczy je wykorzystywania swojego strachu w celu manipulacji („Jak mi przeczytasz jeszcze jedną bajkę, nie będę się bać ciemności"). Któż chciałby zrezygnować z zachowania, które zapewnia dodatkowe przywileje i wiele uwagi? Nie wygłaszaj szczególnych komentarzy na temat jego lęków, ale kiedy okaże choćby odrobinę odwagi, przywiązuj do tego wielką wagę.

Okazuj własną odwagę. Dzieci naśladują postawy dorosłych. Jeśli widzą, że ich rodzice czują się dobrze w ciemnościach, także i one zwykle uczą się tego zachowania. Tak więc, dostrzegając lęki swojego dziecka, nie powinnaś dostarczać im pożywki. Opowiadaj o ciemności jako o czymś miłym i zapewniającym poczucie komfortu. Wyjaśnij mu, że jego pokój jest dokładnie taki sam w ciemności, jak i przy świetle.

Dostarcz dziecku miłych przeżyć. Pomóż swojemu dziecku myśleć o jego pokoju jako o bezpiecznej przystani, nigdy go tam nie wyganiaj za karę lub po to, by się go pozbyć. Pomóż mu także kojarzyć ciemności z przyjemnymi uczuciami. Kiedy przychodzisz na jego wołanie w środku nocy, dodaj mu otuchy, nie włączając uprzednio światła. Wieczorem zorganizuj w pokoju dziennym wspólne śpiewanie pogodnych piosenek czy słuchanie taśmy przy zgaszonym świetle, kiedy wszyscy będą trzymać się za ręce. Albo połóż się w ciemnym pokoju w łóżku ze swoim dzieckiem i niech każde z was na zmianę zamyka oczy, próbując wyobrazić sobie ulubione rzeczy (lody w wafelku, plażę, uścisk babci). Możecie też toczyć świecącą piłeczkę (albo oklejoną taśmą fluorescencyjną) do ciemnego pokoju i poprosić każdego członka rodziny o udanie się za nią w pościg i odnalezienie jej. (Pokój musi być wystarczająco duży, żeby nie zdarzały się zderzenia.) Nie zmuszaj swojego dziecka do wzięcia udziału w którymkolwiek z tych zadań, ale jeśli postarasz się, żeby były zabawne, może ono po prostu chcieć się przyłączyć. Rozmowa o lęku przed ciemnością przeprowadzona przy świetle oraz czytanie książek o dzieciach, które taki lęk pokonały, także może pomóc.

Nie dopuszczaj do przerażających przeżyć. Przerażające filmy, pokazujące przemoc programy telewizyjne, makabryczne książki mogą pobudzić wyobraźnię dziecka w chwili, gdy znajdzie się w łóżku. Wprowadź zakaz oglądania i czytania tego, co może pobudzić strach. Unikaj także zapowiedzi w rodzaju: „Jeśli nie będziesz grzeczny, przyjdzie po ciebie potwór", surowych kar czy nawet samych gróźb dotyczących wprowadzenia tych kar w życie. Oczywiście zdarza się czasem, że dzieci bywają narażone na budzące strach wydarzenia bądź jako obserwatorzy, bądź jako uczestnicy, więc nie uda nam się całkowicie wyeliminować wszystkich przerażających przeżyć. Możemy je jednak ograniczać, a gdy jest już po wszystkim, starać się uspokoić dziecko.

PROBLEMY Z ODDAWANIEM STOLCA

Przez kilka ostatnich dni naszemu synowi zdarzały się w przedszkolu „wypadki" przy oddawaniu stolca. Od prawie roku używa nocniczka, dlaczego nagle teraz miałby się cofnąć?

Nawet dziecku, które już od roku korzysta z toalety, może się od czasu do czasu przydarzyć wypadek. Kiedy jednak stają się one regułą, istnieje zwykle jedno konkretne wytłumaczenie. Może to być na przykład: Stres. Nowa opiekunka, nowo narodzony braciszek lub siostrzyczka, nowe przedszkole (albo nowy wychowawca), wyjazd w podróż czy też inna budząca niepokój zmiana w życiu dziecka może zakłócić działanie jego wewnętrznego zegara i doprowadzić do wypadków przy wypróżnianiu. Nowy rozkład zajęć. Często dziecko, które właśnie zaczęło chodzić do przedszkola, ma kłopoty w przystosowaniu swoich nawyków związanych z wypróżnianiem do nowego harmonogramu zajęć. Niektóre dzieci czują się także niezręcznie, używając ubikacji, która różni się od tej, jaką mają w domu, jest im niezręcznie pytać o to, czy mogą z niej korzystać, albo też czują się nieswojo, będąc z dala od rodziców. Gniew. Małe dziecko, które z jakiegoś powodu jest złe na swoich rodziców, może postanowić zemścić się na nich, robiąc coś, o czym wie, że z pewnością ich rozzłości. Może to być na przykład zabrudzenie majteczek. Skoncentrowanie na zabawie. Często małe dzieci do tego stopnia angażują się w wykonywaną właśnie czynność, że nie zwracają uwagi na swoje naturalne potrzeby do chwili, gdy jest już za późno. Jest to szczególnie prawdopodobne w przedszkolu, gdzie tak wiele rzeczy skupia na sobie ich uwagę. Luźne stolce. Dziecku trudniej powstrzymać luźniejszy stolec, pojawiający się zwykle niespodziewanie. Może on być wywołany zmianą w sposobie odżywiania (więcej błonnika niż zwykle albo zbyt duże ilości soku owocowego, który często podaje się dzieciom w przedszkolu) albo też wirusem jelitowym (jeśli podejrzewasz to ostatnie, patrz strona 508). Zaparcie. Jeśli maluchowi zdarzyło się zaparcie (patrz str. 521) z bolesnym oddawaniem stolca, może ono obawiać się pójścia do toalety. Starając się uniknąć bólu, zaczyna świadomie powstrzymywać wypróżnienia i nie idzie do ubikacji od razu, kiedy tylko poczuje potrzebę. A później, niespodziewanie, podczas słuchania bajki, w trakcie zajęć plastycznych lub na zjeżdżalni następuje nie dające się już dłużej powstrzymywać wypróżnienie. Prosto w majteczki.

Jednakże niezależnie od tego, co wywołuje u dziecka wypadki związane z wypróżnieniem, najprawdopodobniej są one dla niego równie niemiłe i krępujące jak dla ciebie. W większości wypadków problemy z oddawaniem stolca są przejściowe. Aby zapobiec tym nieprzyjemnym epizodom, zastosuj się do poniższych rad:

Okazuj zrozumienie. Wypadek z oddawaniem stolca może być prawdziwym ciosem dla poczucia godności dziecka, zwłaszcza w wieku przedszkolnym. Staraj się okazać zrozumienie, współczucie i dodawaj maluchowi otuchy po tym, co się stało. Nie krzycz i nie wywieraj presji, a także nie nalegaj, żeby wyjaśnił ci, jak to się stało, albo mówił o zdarzeniu, jeśli nie przejawia do tego chęci. Takie „wpadki" odbierają odwagę do tego stopnia, że nawet w obliczu oczywistych dowodów dziecko zaprzeczy. Nie wymagaj, żeby twoja pociecha przyznała się otwarcie do tego, co się stało, wystarczy, że oboje o tym wiecie. Jeśli akurat będziesz z malcem, po prostu zmień mu ubranie, zmieniając równocześnie temat rozmowy. Pomów lepiej o czymś nie związanym z tym incydentem, zamiast komentować nieporządek, jakiego narobił, lub, co gorsza, mówić mu, jaki z niego mały dzidziuś.

Doceniaj wszystkie osiągnięcia dziecka. Bij brawo, kiedy tylko uda mu się wypróżnić do sedesu, a nie w majteczki. Szukaj też i innych dokonań, które będziesz mogła oklaskiwać. Pochwal dziecko, kiedy uda mu się samodzielnie włożyć kurteczkę, kiedy narysuje swój portret, kiedy będzie pamiętało o umyciu rączek przed obiadem. Im lepsze będzie miało o sobie zdanie, tym większe są szanse, że następnym razem uda mu się zdążyć do ubikacji.

Bądź łagodniejsza. Czasami zbyt wielka presja wywierana na dziecko, niezależnie od tego, czy dotyczy korzystania z ubikacji, zjedzenia posiłku, nienagannych manier, czy też innych osiągnięć, powoduje, że malec jakby cofa się w rozwoju. Jednym z przejawów tego uwstecznienia są wypadki przy wypróżnianiu. Postaraj się więc nie piętrzyć przed swoją pociechą zbyt wielu wymagań i oczekiwań.

Zapobiegaj zaparciom. Jeśli źródłem problemu wydają się twarde stolce, podejmij kroki opisane na stronie 521. Pomogą ci one uporać się z zaparciem u dziecka.

Lecz biegunkę. Jeśli zdarzające się twojemu dziecku wypadki przy wypróżnianiu wydają się wynikać z częstych i luźnych stolców, przyjrzyj się jego diecie. Najbardziej prawdopodobnym czynnikiem dietetycznym jest nadmiar soku owocowego. Jeśli twoje dziecko pije dziennie więcej niż ćwierć litra soku, wprowadź ograniczenia. Rozcieńczaj sok wodą, a przy niektórych posiłkach zastępuj go wodą lub mlekiem. Nadmierna ilość suszonych owoców i żywność o dużej zawartości błonnika również może być powodem biegunek, choć jest to mniej prawdopodobne. Przez tydzień lub dwa podawaj dziecku mniejsze ilości tego rodzaju żywności i zobacz, czy sytuacja ulegnie poprawie.

Poproś o pomoc w przedszkolu. Porozmawiaj z wychowawczynią twojego dziecka o jego problemach, ale zrób to na osobności, żeby nie potęgować zakłopotania dziecka. Dowiedz się, czy nie było ostatnio żadnych zmian w toku zajęć, które mogły wywołać te incydenty. Zapytaj wychowawczynię, czy uważa, że dziecko krępuje obecność innych dzieci w pobliżu. Poproś ją, żeby przypominała maluchowi o pójściu do toalety i proponowała mu możliwość odosobnienia, jeśli właśnie tego potrzebuje.

Wstawaj wcześniej. Część kłopotów może być spowodowana tym, że każdego ranka pędzisz dziecko prosto od stołu do wyjścia. Podanie dziecku śniadania (najlepiej zawierającego żywność o dużej zawartości błonnika i sok owocowy) pół godziny wcześniej niż zwykle, a potem zapewnienie mu czasu na aktywną zabawę, a może nawet pójście na krótki spacer, pozwoli mu być może na skorzystanie z ubikacji przed wyjściem z domu.

Jeśli stolce twojego dziecka są luźne, wodniste, zawierają krew czy śluz albo kiedy brudzenie bielizny trwa dłużej niż kilka tygodni, porozmawiaj o tym z lekarzem, żeby sprawdzić, czy istnieje medyczne wytłumaczenie dla tego problemu.

WYPADKI PRZY ODDAWANIU MOCZU

Nasza córka, korzystająca od dość dawna z ubikacji, od ubiegłego tygodnia zaczęła robić siusiu w majtki prawie codziennie. Ciągle jej przypominamy o chodzeniu do toalety, ale ona zawsze mówi, że nie musi, a za chwilę ma znowu mokro.

Życie małego dziecka staje się coraz bardziej wypełnione rysowaniem, jazdą na trójkołowym rowerku, budowaniem z klocków, zabawą w dom i jeszcze mnóstwem innych bardzo pasjonujących zajęć. Nie jest więc dziwne, że właśnie ten nadmiar zajęć jest najczęstszym powodem, dla którego małym dzieciom zdarzają się wypadki przy oddawaniu moczu. Regres może nastąpić także dlatego, że są zestresowane z powodu jakichś zmian dotyczących ich rozkładu dnia czy codziennych czynności albo też wyprowadzone z równowagi. Czasem jednak, szczególnie u dziewczynek, winna jest temu infekcja pęcherza. Ważne jest więc, żeby skontaktować się z lekarzem, jeśli moczenie u dziecka nie ustaje lub jeśli jego mocz jest mętny, różowawy, zabarwiony krwią albo posiada inne cechy świadczące o infekcji czy podrażnieniu (patrz str. 516). W takim przypadku lekarz może zalecić posiew moczu. Jeżeli przyczyną nie jest infekcja ani inne problemy medyczne, możesz się spodziewać, że z czasem te wypadki ustaną. Jednak do tego czasu:

Zachowaj spokój. Reagowanie rozdrażnieniem na zmoczenie bielizny przez dziecko („Znowu zrobiłeś siusiu w majtki?") albo upokarzająca kara („Zacznę ci znowu zakładać pieluchę!") jeszcze bardziej wytrąci dziecko z równowagi, co może z kolei spowodować powtarzanie się tej sytuacji. Potraktuj to lekko i dodaj dziecku otuchy: „Oj, nie zdążyłeś do ubikacji, prawda? To nic, założę się, że następnym razem ci się uda".

Żadnych wyzwisk. Dziecko jest już ubrane na przyjęcie i właśnie macie zamiar wyjść z domu, kiedy nagle po białych, czystych rajstopkach zaczyna płynąć rzeka. W takich momentach łatwo zapomnieć, że jest się dorosłym, i łatwo zacząć ciskać wyzwiska w dziecięcym stylu („Myślałam, że jesteś już duża!"). Jednakże insynuowanie, że dziecko zachowuje się jak niemowlę, nie zachęci go do dorosłych zachowań. Nie wypowiadaj więc głośno myśli, które mogłyby być dla malucha upokarzające.

Dodaj otuchy. Wytłumacz dziecku, że takie wypadki zdarzają się każdemu i że następnym razem zdąży na nocniczek. Jeśli ma ochotę (nigdy do tego nie zmuszaj), by zachować się jak dorosły, bądź mu przychylna, przyjmując jego pomoc przy zmianie ubranka, jak również przy starciu kałuży z podłogi albo spłukaniu kupki, którą zrobiło w majteczki.

Skontroluj ilość przyjmowanych przez dziecko płynów. Małe dzieci, jak wszyscy inni, potrzebują odpowiedniej ilości płynów. Natomiast ich nadmiar (więcej niż sześć szklanek dziennie[3]) może czasami doprowadzić u dzieci do moczenia się. Niektóre rodzaje płynów bardziej niż inne przyczyniają się do nietrzymania moczu, na przykład napoje zawierające kofeinę[4], ponieważ są moczopędne, oraz soki z owoców cytrusowych, gdyż u niektórych dzieci mogą podrażniać przewód moczowy.

Ograniczaj stres. Jeżeli sądzisz, że częste siusianie w majtki może być spowodowane nadmiernym stresem, zastanów się nad trybem życia, jaki prowadzi dziecko, i staraj się ograniczyć napięcie, na ile to tylko możliwe. Zapewnij mu także odpowiednio dużo uwagi i uczucia.

Kąp dziecko w czystej wodzie. Płyny do kąpieli, olejki i ostre mydła do kąpieli (jak również nieodpowiednie proszki używane do prania bielizny dziecka) mogą doprowadzić do podrażnienia dróg moczowych, co bywa częstą przyczyną moczenia. Wystrzegaj się ich; o bezpiecznych sposobach postępowania przy kąpieli przeczytasz na stro.ie 399.

Ciesz się z sukcesów dziecka. Nawet kilka „wpadek" może poważnie zachwiać poczuciem własnej wartości u dziecka. Aby mu je przywrócić, musisz czynić świadome wysiłki i chwalić malca, kiedy rzeczywiście uda mu się zdążyć do ubikacji na czas. Umocnij w nim również wiarę w siebie, okazując, że podziwiasz i inne jego osiągnięcia.

---

[3] Mleko jest płynem tylko w dwóch trzecich, tak więc każda szklanka liczy się w rzeczywistości jak dwie trzecie. Konieczność podawania większej ilości płynów może zaistnieć w upalne dni lub gdy dziecko ma gorączkę.

[4] Napoje zawierające kofeinę są nieodpowiednie dla dzieci również z innych powodów (patrz str. 459).

Poproś, żeby ci towarzyszyło. Jedno z rodziców, tej samej płci co dziecko, może zachęcić je do przerw na oddawanie moczu, traktując to jak jeszcze jeden rodzaj wspólnego spędzania czasu. Jeśli zauważysz u malucha potrzebę pójścia do ubikacji, choć samo zdecydowanie się do tego nie przyznaje, poproś go, żeby towarzyszył tobie. Poczucie koleżeństwa związane z dzieleniem łazienki może skłonić szkraba do naśladownictwa, może tego dokonać również widok sedesu i dźwięk, jaki towarzyszy twojemu korzystaniu z ubikacji. Jeśli w dalszym ciągu nie będzie chciał iść z tobą, nie namawiaj go do tego.

Traktuj pójście do ubikacji jak normalną czynność. Wiele małych dzieci odmawia oddawania moczu przed wyjściem z domu, ale zaraz potem, gdy nie ma w pobliżu toalety, odczuwa gwałtowną potrzebę załatwienia się. Wprowadź taką zasadę: każdy członek rodziny przed wyjściem z domu załatwia naturalne potrzeby. W ten sposób nie będziesz nakłaniać do tej czynności jedynie dziecka, co być może skłoni je do spełnienia prośby.

BRAK ZAINTERESOWANIA NOCNIKIEM

Zaczynamy sądzić, że nasz syn nigdy nie wyrośnie z pieluszek. Ciągle próbujemy nauczyć go siadania na nocniczek, ale on po prostu odmawia współpracy.

Powiedzenie: „Jeśli nie uda ci się coś za pierwszym razem, próbuj aż do skutku" odnosi się do wielu rzeczy w życiu, ale nauka korzystania z nocnika do nich nie należy. Dzieje się tak dlatego, że sukces musi nieodwołalnie być udziałem dziecka, a nie waszym. Innymi słowy, być może powinniście zaprzestać prób i poczekać, aż malec będzie do tego przygotowany. Może to nastąpić za kilka dni, tygodni czy miesięcy.

Istnieje przecież także powiedzenie, które odnosi się do nauki korzystania z nocnika: „Dobre rzeczy zdarzą się tym, którzy na nie czekają". Bądźcie cierpliwi, umożliwiajcie dziecku wybór między korzystaniem z sedesu lub nocniczka, nie wymagając, żeby z niego korzystało (wskazówki na temat nauki wysadzania na nocnik znajdziecie w rozdziale dziewiętnastym), a pewnego dnia pieluszki przejdą do historii.

Pamiętajcie, że niechęć do wczesnej nauki korzystania z nocnika nie ma nic wspólnego z inteligencją dziecka ani jego późniejszymi dokonaniami na innym polu. Może jednak mieć wiele wspólnego z presją, jaką na nie wywieracie. Powstrzymajcie się więc od tego.

MOCZENIE NOCNE

Od prawie roku uczymy naszą córeczkę korzystać z nocniczka w ciągu dnia, ale na noc zakładamy jej jeszcze pieluszkę, która rano jest zupełnie mokra. Kiedy powinniśmy bardziej stanowczo zacząć od niej wymagać, żeby przestała w nocy robić siusiu?

Jeśli staniecie się bardziej wymagający w kwestii moczenia nocnego (w terminologii medycznej zwanego enurezą, jeżeli nie kończy się w wieku dziecięcym), nie przyniesie to dobrego rezultatu. Wynika to z faktu, że dzieci nie moczą się we śnie dlatego, że chcą, ale dlatego, że nie są jeszcze rozwojowo przystosowane do wstrzymywania moczu i ani groźby, ani kary tego nie zmienią. Moczenie nocne ustaje samoistnie u 85% do 90% dzieci w wieku od pięciu do sześciu lat i nie wymaga to żadnej interwencji dorosłych. Nie udało się stwierdzić z całą pewnością, dlaczego pozostałe 5% dzieci (częściej chłopców niż dziewczynek) moczy się w dalszym ciągu. Sugerowano wiele czynników, które mogą się do tego przyczyniać, łącznie z dziedzicznością, mniejszym pęcherzem, nadmiernym wytwarzaniem moczu w ciągu nocy i mocnym snem, z którego trudno się obudzić. Najlepszą kuracją, zwykle nie zalecaną wcześniej niż między szóstym a ósmym rokiem życia, jest specjalny alarm. Urządzenie to budzi dziecko, kiedy ma mokro, co w końcu „uwarunkowuje" je, by w razie potrzeby oddania moczu budziło się samo.

Wymaganie od dziecka, żeby w nocy nie oddawało moczu, nie tylko godzi w poczucie własnej godności malucha, lecz zazwyczaj wzmaga tego rodzaju incydenty (zarówno w dzień, jak i w nocy). Dziecko przestanie się moczyć, kiedy będzie do tego psychicznie gotowe, a na pewno nie przygotuje go do tego krzyk, gderanie czy wieczorne ograniczanie ilości przyjmowanych płynów[5]. Możecie spróbować wysadzić malucha na nocniczek, kiedy sami kładziecie się spać. Nie próbujcie tej metody, jeśli podejrzewacie, że spowoduje kłopoty z zaśnięciem.

Cała rodzina będzie prawdopodobnie lepiej się wysypiać, jeśli będziecie zakładać dziecku na noc pieluszkę do czasu, aż przestanie moczyć się w nocy. Istnieją pewne oznaki pozwalające

[5] Pamiętaj jednak, by dziecko nie piło napojów zawierających kofeinę, która nie tylko jest niezdrowa, ale może również działać moczopędnie. U niektórych dzieci podobne działanie mogą też mieć soki z owoców cytrusowych.

Jak oduczyć dziecko ssania

Wiele dzieci przestaje ssać smoczek, kciuk lub butelkę pod koniec trzeciego roku życia. Jeśli twoje tego nie zrobi, będziesz musiała zadecydować, czy lepiej będzie skończyć z tym nawykiem (lub nawykami) od razu, czy też poczekać jeszcze rok lub dwa. Przy podejmowaniu tej decyzji weź pod uwagę następujące czynniki:

* Czy twoje dziecko ssie smoczek, kciuk lub butelkę przez większość dnia? Całodzienne ssanie jest o wiele bardziej szkodliwe dla ust i zębów niż sporadyczne.
* Czy nawyk ten wpływa niekorzystnie na kształtowanie się zgryzu u dziecka? Może to stwierdzić tylko stomatolog (patrz str. 422). Chociaż niewielkie zmiany zgryzu skorygują się same, jeśli dziecko przestanie ssać przed wyrośnięciem zębów stałych, o tyle poważniejsze zmiany mogą okazać się trwałe.
* Czy nawyk ten zakłóca u dziecka zdolność porozumiewania się, wymowę (zmiany w jamie ustnej wywołane ssaniem mogą doprowadzić do seplenienia), przeszkadzają w kontaktach towarzyskich, radzeniu sobie z sytuacjami stresowymi lub w zabawach? (Nie jest łatwo zbudować wieżę z klocków albo złapać piłkę, jeśli trzyma się kciuk w buzi.)

Jeśli odpowiedź na którekolwiek z powyższych pytań brzmi „tak", byłoby rozsądnie próbować poradzić sobie z tym dziecięcym przyzwyczajeniem już teraz. Oto wskazówki, jak tego dokonać:

Zapewnij sobie pomoc specjalisty. Rodzice mogą upominać dziecko dzień i noc, a i tak nie uda im się wykorzenić u niego żadnego nawyku. Czasami wystarczy dosłownie kilka słów pediatry albo stomatologa dziecięcego: „Czas już skończyć ze smoczkiem (czy butelką, czy kciukiem), bo wykrzywi ci to buzię i ząbki". Niektórzy pediatrzy albo stomatolodzy proszą dziecko, żeby zadzwoniło do niego i opowiedziało mu, że powstrzymało się od ssania smoczka przez dwa lub trzy dni. Dobrym pomysłem jest także, żeby dziecko zatelefonowało do babci albo innej szczególnie ważnej osoby i pochwaliło się swoimi postępami. Im więcej osób się w to zaangażuje, tym motywacja dziecka będzie silniejsza.

Zapewnij sobie współpracę dziecka. Dzieci nie można zmusić do porzucenia nawyku. Muszą one same tego chcieć. Mogą je zainspirować słowa specjalisty, rodziców lub innej osoby dorosłej, wyśmiewających go przyjaciół, poczucie zakłopotania spowodowane nawykiem albo nawet pragnienie stania się bardziej dorosłym, ale jakaś motywacja musi istnieć. Porozmawiaj z dzieckiem na temat wyzbycia się tego przyzwyczajenia: uzgodnij z nim, kiedy najlepiej byłoby to zrobić i czy bardziej odpowiednia będzie metoda natychmiastowego czy też stopniowego porzucenia nawyku.

Podkreślaj dorosłe zachowania dziecka. Nie staraj się tłumić nawyku ssania u dziecka, nazywając go „dziecinnym". Natomiast przy każdej okazji, kiedy na przykład maluch samodzielnie korzysta z toalety, zapnie guziki bluzki czy wykona samodzielnie jakieś zadanie, chwal zachowanie „dużej dziewczynki" (czy „dużego chłopca"). Im więcej zbierze pochwał za dorosłe zachowanie, tym większa będzie zachęta, żeby stać się dorosłym i odrzucić przyzwyczajenia z okresu niemowlęcego.

Nie wywieraj presji. Na wszelkie besztanie małe dzieci prawdopodobnie odpowiedzą buntem, a nie uległością. Groźby („Jeśli nie przestaniesz ssać kciuka, nie będziesz mógł iść do przedszkola") też nie skłonią twojej pociechy do współpracy.

Postaraj się o substytuty. Staraj się, żeby dziecko miało zawsze jakieś zajęcie dla swojej buzi, czy to będzie rozmowa, piosenka, gra na instrumencie dętym, picie soku albo mleka przez słomkę (jako dodatkową atrakcją możesz posłużyć się słomką o wymyślnym kształcie, jeśli znajdziesz sposób na jej umycie). Może to w pewnym stopniu zająć usta dziecka i oderwać jego myśli od smoczka, kciuka czy butelki. W tych porach dnia, kiedy dziecko zwykle najbardziej lubi ssać, zapewnij mu pożywne przekąski wymagające gryzienia, ale uważaj, żebyś nie przekarmiła malca albo nie zastąpiła jednego przyzwyczajenia innym.

Zaproponuj nagrodę. Trzylatek może z większą chęcią próbować zerwać ze swoim przyzwyczajeniem, jeśli zaoferuje mu się jakąś specjalną na-

stwierdzić, kiedy maluchowi nie będzie już potrzebna pieluszka. Są to: mniejsze moczenie w ciągu nocy (dziecko obudzi się rano z wilgotną pieluszką, a nie całkiem przemoczoną), rozdrażnienie spowodowane moczeniem nocnym, brak konieczności oddawania moczu przez trzy lub cztery godziny w ciągu dnia, samodzielne wstawanie w nocy w celu skorzystania z łazienki, budzenie się z suchą pieluszką po drzemce w ciągu dnia, a czasami także po śnie całonocnym.

Aby chronić wrażliwe ego dziecka, a zarazem jego materacyk, załóżcie mu pieluszkę na noc, powstrzymując się przy tym od mogących je zranić komentarzy („Kiedy będziesz duży, nie będziesz nosić pieluszek"). Jeżeli jest mu niewygodnie z pieluszką (tak jak i innym dzieciom

grodę. Ale nawet otrzymawszy obietnicę nagrody, małe dziecko potrzebuje dużo pomocy, aby mogło rozstać się z nawykiem.

Spróbuj ograniczać użycie smoczka. Razem z dzieckiem sporządź plan ograniczający ssanie smoczka. Początkowo możecie na przykład wprowadzić ssanie smoczka tylko w domu. Następnie wyłączcie z tego pokój dzienny; a potem, po kolei, wszystkie pokoje z wyjątkiem sypialnych. Dalsze ograniczenie niech dotyczy wszystkich pokoi z wyjątkiem sypialni dziecka, a na końcu niech dziecku wolno będzie ssać smoczek tylko wtedy, kiedy będzie w łóżeczku lub kiedy będzie siedziało na jakimś wybranym miejscu. Możesz także wprowadzić ograniczenia czasowe, ograniczając używanie smoczka (lub butelki) tylko do czasu po posiłkach albo tylko przed spaniem w ciągu dnia i w nocy. Albo też spróbuj ograniczyć używanie smoczka do trzydziestu minut (włącz minutnik) bez przerwy, potem do dwudziestu, potem do piętnastu, potem do pięciu minut, a na końcu do dwóch. Wszelkie ograniczenia odniosą najlepszy skutek, jeśli w tym czasie będzie się wymagać od dziecka, żeby siedziało podczas ssania; spokojne siedzenie jest dla dzieci praktycznie trudniejsze niż cokolwiek innego, wliczając w to rezygnację z ulubionego przyzwyczajenia. Niech wprowadzone ograniczenie funkcjonuje na zasadzie rzucającej wyzwanie zabawy („Zobaczymy, czy będziesz potrafił powstrzymać się od używania smoczka i butelki w kuchni"), a nie przymusowych restrykcji. Kiedy tylko twojemu dziecku uda się zwalczyć pokusę, nie szczędź mu pochwał.

Odbierz dziecku trochę przyjemności wynikającej z picia z butelki. Napełnij butelkę wodą, a nie mlekiem czy sokiem. Wytłumacz dziecku, że ssanie butelki z mlekiem czy sokiem może spowodować ubytki (czy „dziury") w zębach. Proponując napoje, daj dziecku wybór między kubeczkiem soku czy mleka a butelką z wodą. Może się to w znacznym stopniu przyczynić do zmniejszenia atrakcyjności butelki.

Wypuść powietrze ze smoczka. Ponakłuwaj smoczek albo odetnij jego koniuszek; jeśli ssanie smoczka nie będzie przyjemne, malec może go po prostu wyrzucić.

„Zgub" go. Oczywiście smoczek (lub butelkę). Jeśli szczęście ci dopisze, ulubiony przedmiot, który ssie dziecko, zginie podczas wycieczki. W takiej sytuacji możesz wyjaśnić dziecku: „Nie kupię ci nowego smoczka, ponieważ lekarz powiedział, że jesteś już za duży na ssanie smoczka (czy butelki)".

Zastąp przyjemność ssania inną przyjemnością. Dzieci pozbawione przyjemności, jaką daje ulubione przyzwyczajenie, potrzebują w okresie odchodzenia od niego i jeszcze przez pewien czas potem o wiele więcej dodatkowych przyjemności pochodzących z innych źródeł. Trzymaj maluszka za rączkę, kiedy jest zdenerwowany, poświęcaj mu dużo uwagi, okazuj wiele uczucia, spędzaj z nim więcej czasu na zabawie i zabieraj na wycieczki.

Ze wszystkich nawyków ssania najtrudniej wyzbyć się ssania kciuka lub palca. Podczas gdy możesz wprowadzić ograniczenia dotyczące zabierania ze sobą smoczka czy butelki, nie możesz zabronić dziecku noszenia przy sobie paluszków. Jeśli nie będzie w stanie zrezygnować ze ssania paluszków, nawet za pomocą wymienionych wyżej środków, nie domagaj się tego i nie załamuj rąk. Jeśli będzie to konieczne, zastosujesz bardziej drastyczne środki, kiedy będzie trochę starsze — w dowolnie wybranym okresie między trzecim a piątym rokiem życia, w zależności od stanu jego zgryzu i opinii dentysty. Środki te mogą obejmować smarowanie ssanego paluszka preparatem o przykrym smaku (aby przyzwyczajenie stało się dla dziecka niemiłe) lub założenie na pewien czas metalowej poprzeczki na podniebieniu (żeby ssanie stało się niewygodne i żeby przypominać dziecku, że ma tego nie robić). Możesz także poradzić maluchowi, żeby składał rączkę w pięść, zaciskając kciuk, gdy poczuje nieprzepartą potrzebę ssania. Zamiast ciągle powtarzać: „Wyjmij palec z buzi", posługuj się prostym tajemnym hasłem (na przykład „Ele mele dudki" albo „A-kuku), którego możesz używać, chcąc przypomnieć malcowi, że ma przestać ssać.

Jeśli dziecko ssie kciuk lub smoczek obsesyjnie i sprawia wrażenie przygnębionego i zamkniętego w sobie, ssanie może być czymś więcej niż tylko złym nawykiem. W takiej sytuacji skontaktuj się z lekarzem, który pomoże ci ustalić przyczynę i rozwiązać problem.

chodzącym w ciągu dnia tylko w bieliźnie), załóżcie mu ją dopiero po zaśnięciu. Jeśli będzie wam nieporęcznie albo jeśli się obudzi, spróbujcie wkładać mu majteczki jednorazowego użytku (nie różnią się ciężarem od pieluszek, a zakłada się je jak majteczki). Nieprzepuszczalna podkładka pod prześcieradło pomoże zabezpieczyć materacyk przed zmoczeniem.

BÓLE WZROSTOWE

Moja córeczka, która w przyszłym tygodniu skończy trzy lata, zaczęła się ostatnio budzić w nocy i uskarżać na bóle nóżek. Bóle nie są długotrwałe i mała znowu zasypia.

Brzmi to jak klasyczny przypadek „bólów wzrostowych". Bóle te, występujące najczęściej między trzecim a szóstym rokiem życia, mogą być dość dokuczliwe. Zwykle występują w łydce, udzie i w okolicach kolana, szczególnie w nocy. Nie mają nic wspólnego z procesem wzrostu i są przypuszczalnie spowodowane zmęczeniem mięśni po szczególnie wyczerpującym dniu. Ataki bólu trwają zwykle nie dłużej niż dwadzieścia minut. Otucha, podtrzymywanie na duchu i lekki masaż pomogą maluchowi powrócić do przerwanego snu. Nie opowiadaj dziecku, że nóżki bolą je dlatego, że zbytnio się angażuje w zabawę, bo może się zacząć obawiać zabaw i w ogóle odmówi wszelkiego wysiłku fizycznego. Dobrze byłoby jednak troszkę je pohamować, nie wyjaśniając dlaczego. Nie powinnaś mu także mówić, że to są „bóle wzrostowe", gdyż takie wyjaśnienie może tylko wywołać lęk przed rośnięciem, a nawet sprawić, że zacznie odmawiać spożywania posiłków.

Powinnaś się natomiast zwrócić o poradę lekarską, jeśli ból dokuczający twojemu dziecku w nocy nie mija szybko i jest raczej uporczywy, występuje również w ciągu dnia, jeśli występuje tylko w jednej nóżce, jeśli dziecko utyka czy ma inne kłopoty z chodzeniem lub też oprócz bólu ma gorączkę i inne symptomy choroby. Jeśli bóle wzrostowe utrzymują się przez kilka tygodni, powiedz o nich lekarzowi dziecka. Dzieci, które doświadczą takiego bólu przed upływem trzeciego roku życia, powinny także zostać poddane badaniu lekarskiemu.

WYZWISKA

Byłam bardzo wzburzona, kiedy usłyszałam, że moja córka przezywa swoich rówieśników. Są to dość niewinne przezwiska — często powtarzają się „głuptas" czy „brzydal", ale i tak mnie martwią.

Kiedy dziecko zaczyna przebywać w towarzystwie rówieśników, przezywanie jest tak samo nieuniknione jak wyszarpywanie sobie zabawek. Przezwiska najbardziej cenione przez trzy- i czterolatki mają swoje źródło w słownictwie dotyczącym załatwiania potrzeb fizjologicznych; nocniczek (i jego zawartość) jest jeszcze dla nich czymś nowym i stosowanie terminologii z nim związanej pomaga im zmniejszyć związane z tym poczucie niepewności.

Nie zwracaj zbytniej uwagi na przezwiska, ale także nie zachęcaj dziecka do ich używania, na przykład śmiechem. Kiedy twoje dziecko rzuca pod twoim lub czyimkolwiek adresem słowa, które są według ciebie niedopuszczalne, wytłumacz mu, że używanie pogardliwych słów może zranić ludzkie uczucia, tak jak używanie rąk do bicia może zranić ciało. Powiedz mu, jak w sposób bardziej akceptowany społecznie postępować w trudnych sytuacjach. Może na przykład powiedzieć: „Bardzo mnie złości twoje zachowanie" albo nie wybierać do zabawy kolegi, który je denerwuje. Nie licz na całkowity sukces, ponieważ dziecko nie będzie w stanie w pełni kontrolować swojego języka przez jeszcze co najmniej kilka lat, a przezywanie jest w każdym razie lepsze niż bicie.

Upewnij się, że sama nie dajesz złego przykładu. Wielu dorosłych używa wyzwisk lub posługuje się ordynarnym językiem, żeby wyrazić swoją złość. I chociaż mogą to robić zupełnie nieświadomie, ich dzieci na pewno to zauważają. Tak więc następnym razem, zanim cokolwiek powiesz, pomyśl, gdy będziesz odczuwała pokusę, żeby wyrazić się źle o mężu podczas zażartej kłótni czy o kierowcy, który zajechał ci drogę, o urzędzie telekomunikacyjnym, który pomylił się w wysokości rachunku telefonicznego, czy też nawet o tej przeklętej pralce, która zalała ci łazienkę. Jeśli tego nie zrobisz, na pewno wkrótce usłyszysz te same okrzyki z ust małego naśladowcy.

Czasami wyzwiska nie mają nic wspólnego ze złością, ale są używane po prostu dla zabawy albo żeby przyciągnąć czyjąś uwagę. Jeśli tak jest w wypadku twojego dziecka, powiedz mu spokojnym tonem, że rozumiesz, iż chce ono usłyszeć, jak brzmi to właśnie słowo i że jak najbardziej może ono pójść do swojego pokoju i powiedzieć je tyle razy, ile tylko zechce, a że nie jest ładnie używać takich słów w stosunku do innych ludzi. Dobrym pomysłem jest też zachęcenie dziecka do używania słów mniej obraźliwych. Nie rób z powodu wyzwisk wielkiego zamieszania, zignoruj niecenzuralne wyrażenia, a należy się spodziewać, że maluch przestanie ich szybciej używać. Ale pamiętaj o tym, że niezależnie od sposobów, do jakich mogą się uciekać rodzice, żeby wykorzenić brzydkie słowa, dziecko może ich używać nawet po skończeniu czwartego roku życia.

W miarę dorastania dziecka będziesz prawdopodobnie chciała zupełnie zakazać używania w domu brzydkiego języka, ale na obecnym etapie rozwoju malec nie potrafi się jeszcze kontrolować i nieustannie panować nad swoim językiem.

NIEMIŁE UWAGI

Czasami w trakcie zabawy moja córka mówi coś niemiłego do przyjaciółki, na przykład: „Nie podoba mi się twoja sukienka" albo „To, co narysowałaś, nie wygląda jak dziecko". Obawiam się, że wyrośnie na złośliwe dziecko.

Tego rodzaju komentarze padające z ust trzylatka nie są przejawem złośliwości; są po prostu szczere. Problem polega na tym, że większość dzieci w tym wieku nie nauczyła się jeszcze, że całkowita szczerość może zranić drugą osobę i że nie można po prostu mówić wszystkiego, co przychodzi do głowy.

Chociaż nie powinnaś obwiniać dziecka za szczerość, to jednak stosownie byłoby wyjaśnić mu, że mówienie tego, co myśli, może zranić uczucia innych ludzi. Następnym razem, kiedy się odezwie bez zastanowienia, pociesz jego towarzysza zabawy, powstrzymując się od wypowiadania sądów („Popatrz, jak Ewie teraz przykro!"). Pocieszywszy lekceważąco potraktowanego malca, weź swoje dziecko na stronę i zapytaj, czy potrafi postawić się w położeniu koleżanki. „Jak ty byś się czuła, gdyby Ewa powiedziała, że nie podoba jej się twoja sukienka? Albo gdyby powiedziała, że twój rysunek nie jest ładny?" Jeśli córka nie odpowie, dodaj: „Sądzę, że byłabyś bardzo smutna".

GŁUPIE ZACHOWANIE

Ostatnio nasz syn zachowuje się naprawdę głupio i używa głupiego języka. Na początku było to zabawne, ale teraz staje się denerwujące.

Niektórym dzieciom po prostu nie sposób wybić głupoty z głowy. I prawdę mówiąc, nie należy wcale próbować. Pozwólcie, żeby sprawy biegły własnym torem. Nie zwracajcie uwagi na takie zachowanie (nie pochwalajcie ani nie potępiajcie) i nie próbujcie go tłumić, a minie szybciej. Nie pozwólcie, żeby malec wprawił was w zakłopotanie; większość stykających się z wami ludzi rozpozna, że zachowuje się tak po prostu ze względu na swój wiek.

Pamiętajcie, że humor jest najlepszym antidotum dosłownie na wszystko, a dzieci, zmagając się z wyzwaniami, jakie stawia dorastanie, potrzebują tego specjalnego lekarstwa tak samo jak wszyscy. I chociaż rodzaj humoru uprawianego przez wasze dziecko może nie śmieszyć was, to przemawia prawdopodobnie do jego kolegów. Pozwólcie mu cieszyć się swoim poczuciem humoru, jeżeli nie robi tego w nieodpowiednich momentach.

Kiedy sytuacja wymaga przynajmniej odrobiny dobrych manier (jesteście na nabożeństwie, baliku czy koncercie dziecięcym), wyjaśnijcie smykowi, że jest czas i miejsce na głupie żarty, ale w tej sytuacji nie wypada się tak zachowywać. Jeśli wasze prośby spotykają się jedynie z kolejnymi chichotami, spróbujcie skierować jego uwagę na jakąś zabawę, książkę czy zaprowadźcie go do łazienki. Albo po prostu wyjdźcie na zewnątrz i poczekajcie, aż się uspokoi. Nie koncentrujcie się na jego głupim zachowaniu ani nie wygrażajcie, że zabierzecie je do domu (jeśli tak postąpicie, pokażecie mu, w jaki sposób może łatwo unikać wszystkich nie lubianych przez niego sytuacji: wystarczy po prostu głupio się zachowywać).

PISANIE LITER

Zauważyłam, że niektóre dzieci w przedszkolu mojej córki umieją się podpisać albo przynajmniej pisać jakieś litery, a ona jest jeszcze ciągle na etapie bazgrania. Czy jest opóźniona?

W dawnych czasach czytanie i pisanie stanowiło tajemnicę dla większości dzieci aż do momentu rozpoczęcia szkoły, co zwykle nie następowało przed piątym lub szóstym rokiem życia. Wiele z nich przed osiągnięciem tego wieku nie rozpoznawało nawet liter ani słów. Obecnie więcej maluchów uczęszcza do przedszkola (gdzie umiejętność czytania i rozpoznawanie liter jest zazwyczaj częścią programu), a ucząca liter *Ulica Sezamkowa* znalazła się w codziennym rozkładzie zajęć wielu dzieci, podobnie jak edukacyjne filmy wideo i gry komputerowe. Wszystko to sprawia, że nie należy do rzadkości widok dwu- lub trzylatka bazgrzącego na swoich rysunkach własne imię albo przynajmniej kilka znaczków przypominających litery.

Czy dzieci, które przychodząc do szkoły podstawowej, umieją już pisać, wyprzedzają pozostałe, wolniej opanowujące tę sprawność? Niekoniecznie, choć mogą, przynajmniej chwilowo, mieć trochę wiary we własne siły, wynikającej z opanowania danej umiejętności.

Dziecku nie przejawiającemu zainteresowania literami i cyframi dobrze jest wprowadzać je, stosując opisane na stronie 255 metody bez wywierania nacisku, co często wywołuje pewne zainteresowanie. Żeby zachęcić malca do pisania, napisz jego imię na wykonywanych przez niego rysunkach i zapytaj: „Czyje to imię?" Daj mu mnóstwo kredek i papieru, tablicę, po której pisze się kredą, tablicę metalową (lub drzwi lodówki) z literami na magnes i czytaj mu regularnie. Jeśli okaże zainteresowanie, rysuj linie i koła na papierze i proś dziecko, żeby cię naśladowało. Jeśli spróbuje napisać literę, ale wynik nie będzie zadowalający, nie krytykuj. Wyrażaj natomiast swoje uznanie („Świetnie!"), a potem napisz literę sama („Popatrz, ja tak piszę literkę A").

Pamiętaj jednak o tym, że każde dziecko ma własny kalendarz rozwoju i własne priorytety. Jedno dziecko może nauczyć się jazdy na trójkołowym rowerku, a inne włoży wysiłek w to, żeby nauczyć się pisać litery; jedno może się skoncentrować na nauce rzucania piłką, podczas gdy inne będzie ćwiczyło alfabet. Jeden rodzaj umiejętności nie musi być lepszy czy bardziej wartościowy od innego ani też wskazywać na przyszłe talenty i osiągnięcia. Jeśli w najbliższych miesiącach twoja pociecha nie będzie wykazywać zainteresowania pisaniem swojego imienia czy innych liter, niech tak pozostanie. Będzie jeszcze mieć dużo czasu na rozwinięcie tych umiejętności.

MÓWIENIE PRZEZ SEN

Mój syn często mówi przez sen. Czy powinnam go wtedy obudzić? Czy to oznacza, że coś go niepokoi, a może cierpi na zaburzenia snu?

Jest trochę niesamowite, kiedy słyszy się jęki, pomrukiwanie czy śmiech własnego dziecka w środku nocy, a potem idzie się do jego pokoju zobaczyć, co się dzieje, i stwierdza się, że mocno śpi. Nie stanowi to jednak powodu do niepokoju. Mówienie przez sen jest czymś zupełnie normalnym i nie odzwierciedla emocjonalnego stanu dziecka. Chociaż maluchowi być może śni się jakiś sen albo nawet koszmar (patrz str. 271), nie jest konieczne (ani wskazane), żeby go budzić. Jeżeli jego sen nie jest poważnie zakłócony, a dziecko nie jest bardzo zmęczone, mówienie przez sen nie wymaga konsultacji z lekarzem.

KIEDY PRZYJACIELE NIE CHCĄ DZIELIĆ SIĘ ZABAWKAMI

Moja córeczka dość chętnie dzieli się zabawkami z innymi dziećmi. Ale nie rozumie, dlaczego ma to robić, skoro jej najlepsze koleżanki tak nie postępują.

Próba wytłumaczenia trzylatkowi, dlaczego ma się dzielić z innymi, podczas gdy oni tego nie robią, przypomina trochę próbę wytłumaczenia osobie dorosłej, dlaczego nie powinna oszukiwać przy płaceniu podatku dochodowego, podczas gdy jej znajomi to robią. Dla ciebie hojność i uczciwość mogą być wartościami same w sobie, lecz twoja pociecha może to widzieć inaczej.

Tak więc zamiast podawać swojemu dziecku powody, dla których powinno dalej być szczodre w stosunku do swoich przyjaciół, podczas gdy oni są dla niego skąpi, daj mu odczuć, że jego hojność jest zauważana i doceniana. Skorzystaj z każdej okazji, żeby ją podziwiać („Naprawdę podoba mi się to, że dzielisz się wszystkim z przyjaciółmi"). Miejmy nadzieję, że mile połechtane ego będzie wystarczającą nagrodą za takie postępowanie i że malec będzie się dalej dzielił z innymi — nawet z tymi, którzy nie odwzajemniają mu się tym samym. Jeśli jednak tak się nie stanie, a egoizm przyjaciół wyzwoli w dziecku zachłanność, nie naciskaj („Przecież ty zawsze się dzielisz!"). Hojność powinna być jego pomysłem, a w tym wieku nikt nie powinien wywierać na dziecko presji, żeby oddawało swoje rzeczy, nawet na krótko (patrz str. 236).

Należy się spodziewać, że koledzy twojego dziecka zaczną za rok czy za dwa lata dzielić się z innymi dziećmi, szczególnie gdy będą mieli za przykład zachowanie twojego malucha. Żeby ułatwić mu trwanie w hojności, możesz mu mówić, że jego przyjaciele nauczą się tego, kiedy dorosną, ale prawdopodobnie stanie się to wcześniej, jeśli ono samo będzie im dawać dobry przykład, dzieląc się z nimi.

ZABAWA W LEKARZA

Przyjaciółka powiedziała mi, że ostatnio, gdy weszła do pokoju swojego trzyletniego syna, zobaczyła, że on i jego kolega pokazują sobie nawzajem narządy płciowe. Nie wiem, co bym zrobiła, gdybym przyłapała na tym własnego syna z kolegą.

Cóż, nadszedł chyba czas, żeby zacząć się zastanawiać nad tym, co byś zrobiła, gdybyś przyłapała swojego syna na „zabawie w lekarza", ponieważ istnieje możliwość, że pewnego dnia tak się stanie. Między trzecim a szóstym rokiem życia większość dzieci zaczyna przejawiać zainteresowanie tym, co znajduje się pod bielizną innych ludzi i próbuje zaspokoić swoją ciekawość, składając kolegom propozycję: „Pokażę ci, co ja mam, jeśli ty mi pokażesz, co ty masz".

Ponieważ małe dziecko nie zna jeszcze zasad skromności ani przyzwoitości, bawiąc się w lekarza, nie łamie ich świadomie. Jego ciekawość dotycząca genitaliów kolegi jest równie naturalna i niewinna jak jego ciekawość na temat własnych narządów płciowych i jest motywowana raczej zainteresowaniem naukowym niż seksualnym.

Niektórzy rodzice przeżywają szok, dowiadując się, że ich dzieci bawią się w lekarza, inni reagują rozbawieniem, ale najlepszą reakcją ze wszystkich jest spokój i potraktowanie całej sprawy „z marszu". Karanie, drwiny, besztanie czy wprawianie dziecka w zakłopotanie z tego powodu, że uległo naturalnemu impulsowi (niezależnie od tego, kto brał udział w „badaniu": dwóch chłopców, dwie dziewczynki czy też dziewczynka i chłopiec), może tylko poniżyć, zaniepokoić i/lub sprawić, że owoc, który właśnie został „zakazany", stanie się bardziej intrygujący. Takie doświadczenie może wywołać w dziecku niezdrowe uczucia co do intymnych części własnego ciała, które mogą trwać przez cały okres dojrzewania aż do wieku dorosłego.

Jeśli kiedyś zauważysz, że dziecko bawi się „w lekarza", staraj się z całych sił, żeby nie wprawiło cię to w zakłopotanie, albo przynajmniej nie daj tego po sobie poznać. Zupełnie jakbyś wchodziła do pokoju w czasie zabawy w „szkołę" czy „sklep", zauważ od niechcenia „O, widzę, że obaj próbujecie dowiedzieć się czegoś o swoim ciele. Widzicie, że każdy z was ma penisa" (albo jeśli drugim „lekarzem" jest dziewczynka: „Widzicie, że ty masz penisa, ponieważ jesteś chłopcem, a ty masz pochwę, ponieważ jesteś dziewczynką"). Nie wnikając w żadne skomplikowane wyjaśnienia, oznajmij malcom, że te części naszego ciała są intymne i dlatego nie pokazujemy ich innym ludziom ani też nie pozwalamy im ich dotykać. Powiedz też swojemu dziecku, że chętnie odpowiesz później na jego pytania z tym związane. Potem szybko zaproponuj dzieciom, żeby się ubrały i zaczęły bawić się w coś innego, a najlepiej byłoby, gdybyś mogła nimi się zająć („Przeczytajmy teraz bajkę albo pójdźmy na podwórko pograć w piłkę"). Często zmiana zajęcia przynosi ulgę dzieciom zajętym odkrywaniem swojego ciała; chociaż nie wiedzą dokładnie dlaczego, taka zabawa często wzbudza w nich niepokój.

Po wyjściu kolegi usiądź ze swoim dzieckiem i postaraj się zachęcić je do zadawania pytań. Gdyby ich nie miało albo nie wyrażało ochoty na rozmowę na ten temat, nie nalegaj. Jeśli sądzisz, że być może będziesz się czuć niezręcznie, rozmawiając o tym, albo będzie cię krępować stosowanie związanej z tym tematem terminologii, poćwicz najpierw sama lub z inną dorosłą osobą. Odpowiednia książka o budowie ludzkiego ciała z jasnymi i zrozumiałymi ilustracjami może ci pomóc w wyjaśnianiu, a dziecku w zrozumieniu. Poszukaj w pobliskiej bibliotece albo w dobrej księgarni tytułów polecanych dla trzylatków. Jeśli się nie krępujesz, możesz powiadomić rodziców drugiego dziecka o tym, co zaszło, żeby i oni mogli, jeśli będą chcieli, odbyć podobną rozmowę u siebie w domu.

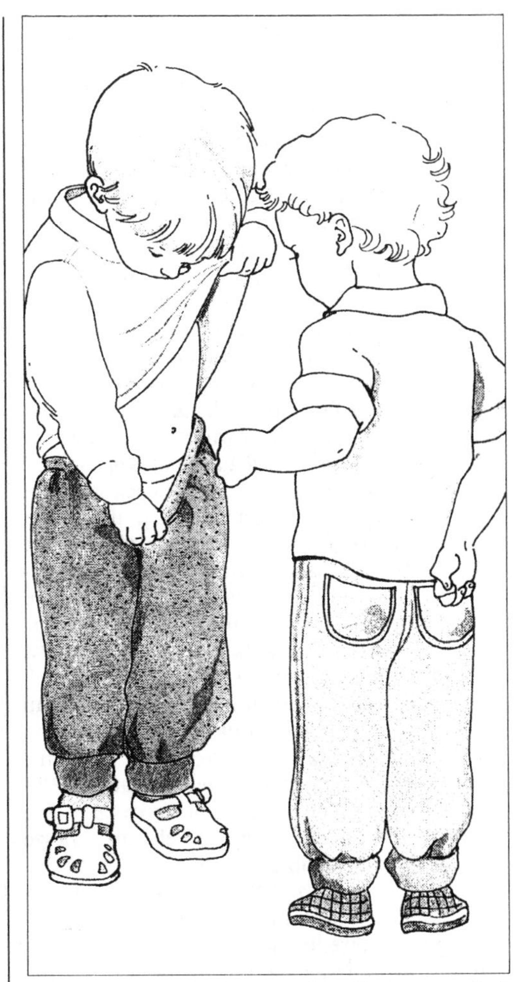

Zainteresowanie ciałem innych osób jest u małych dzieci tak samo normalne jak ciekawość własnego ciała. W okresie, gdy dzieci próbują zaspokoić swoją ciekawość, można się spodziewać sporadycznych zabaw „w lekarza".

Jeśli stwierdzisz, że twoja pociecha ma obsesję na punkcie narządów płciowych innych dzieci, porozmawiaj o tym z lekarzem. Zdarza się, że takie zainteresowania świadczą o tym, że dziecko było wykorzystywane seksualnie.

KRADZIEŻE W SKLEPACH

Wczoraj byłam z córką na zakupach i odkryłam z przerażeniem, że zabrała ze sklepu drobną zabawkę i schowała do kieszeni.

Ten rodzaj drobnych przywłaszczeń może trochę szokować rodziców, ale dla niespełna trzyletniego dziecka z pewnością nie jest postępkiem kryminalnym. W rzeczywistości maluch w tym wieku nie jest w stanie celowo popełnić przestępstwa. Po prostu zobaczył zabawkę, która mu się spodobała, wziął do rączki i zabrał ze sobą, tak jak mógłby postąpić z ładnym kamykiem znalezionym w parku czy muszelką od ślimaka leżącą na trawie. Działanie pod wpływem takiego impulsu jest dla trzylatka najzupełniej normalne. Twoje dziecko mogłoby zrobić to samo z rzeczą, która mu się spodobała w domu koleżanki, u babci czy w restauracji.

Jest to po prostu normalny impuls, który jak się nieszczęśliwie składa, jest niezgodny z prawem. Tak więc nie powinnaś reagować zbyt surowo na drobne przywłaszczenia swojego dziecka, ale na pewno powinnaś je koniecznie naprawić. Wyjaśnij mu, że ludzie muszą zapłacić za zabawki czy inne rzeczy, które chcą wziąć ze sklepu, zanim będą mogli zabrać je do domu. Nie wprowadzaj pojęcia „kradzieży" ani nie nazywaj dziecka „złodziejem", gdyż to oznaczałoby, że jego intencje związane z zabraniem zabawki były nieuczciwe i naganne, a z pewnością takie nie były. Dla podkreślenia swoich słów, a jednocześnie dla propagowania uczciwości, zanieś zabawkę do sklepu i zwróć ją. Nie kupuj jej jednak, bo maluch odkryje nowy sposób zdobywania zabawek — zabieranie, a następnie zmuszanie ciebie, żebyś za nie zapłaciła. Wytłumacz mu, że ludzie nie zawsze mogą sobie kupić w sklepie to, co by chcieli, ale zawsze mogą „po prostu sobie popatrzeć".

Jeśli się dowiesz, że twoje dziecko przywłaszczyło sobie coś z domu przyjaciół albo krewnych, postępuj według tych samych zasad — bez żadnego obwiniania nakłoń malca do oddania zabranej rzeczy przy okazji następnej wizyty.

CZAS PRZEZNACZONY WYŁĄCZNIE DLA DZIECKA

Oboje spędzamy pięć dni tygodnia w pracy, z dala od naszego synka, tak więc w soboty i niedziele pragniemy poświęcić mu tyle czasu, ile to możliwe. Wydaje nam się jednak, że on nigdy nie docenia organizowanych dla niego specjalnych wycieczek. Co robimy źle?

Prawdopodobnie nic, oprócz tego, że za bardzo się staracie i oczekujecie zbyt dużego uznania. Podjęcie wysiłku, który ma sprawić maluchowi przyjemność, nie gwarantuje mu tej przyjemności. W rzeczywistości, wobec dziwnej natury trzylatka, często odnosi to wręcz przeciwny skutek, szczególnie jeśli zapomnieliście omówić wasze plany z samym zainteresowanym.

Dla dziecka ważna jest każda chwila, którą z nim spędzacie. Chociaż specjalne wycieczki mogą być atrakcją, jeżeli są dostosowane do zainteresowań malca i jego ograniczonych możliwości koncentracji uwagi, to odbywane zbyt często mogą stać się ciężarem. Dzieci częstokroć cieszą się i doceniają towarzystwo swoich rodziców tak samo, a może nawet bardziej, budując autostrady z drewnianych klocków czy oglądając w parku kamyki i owady niż podczas ambitnych wycieczek do muzeum, teatru kukiełkowego czy też zoo. Z uwagi na to, że nie są tu konieczne żadne wydatki pieniężne, mniejszy jest stres i nie tak wygórowane oczekiwania, w związku z czym często wszyscy lepiej się bawią, gdy w programie przewidziano zwykłe powszednie przyjemności. Pozwalając dziecku planować czas spędzany z wami, możecie w znacznym stopniu zwiększyć szanse, by każde z was cieszyło się ze spędzenia czasu w rodzinnym gronie.

Jest zupełnie naturalne, że rodzice, którzy nie mogą spędzić ze swoimi dziećmi tyle czasu, ile by chcieli, pragną jak najlepiej wykorzystać te chwile, którymi dysponują. Nadmierne wynagradzanie dziecku rozstań nie jest jednak niezbędne; aby przebywanie ze sobą miało sens, nie musi być wymyślnym, kosztownym i starannie zaplanowanym przedsięwzięciem. Zajęci rodzice mogą nie mieć czasu na bardziej swobodne spędzanie czasu w rodzinie, wzorem wyrytych w ich pamięci wspomnień z powtórek „Tata wie lepiej": ciasteczka, mleko i rozmowy po szkole; picie kakao i przytulanie się przy kominku w zimowe dni; leniwe majówki nad jeziorem w letnie dni z jedzeniem arbuza i wyścigami w workach. Jednak nawet w ciągu najbardziej zabieganego dnia musi się znaleźć moment na uściski, bajkę, łaskotki, bitwę na poduszki czy chlapanie się w wannie pełnej piany. Przyjemne chwile nie muszą być wcale zaplanowane („Wtorek, 17.35 — czas dla syna"), żeby dawały satysfakcję; spontaniczna radość może być równie cenna. A radość nie musi wcale oznaczać zabawy. Wspólnotę rodziny można scementować, kiedy dziecko pomaga mamie nakrywać do stołu lub kiedy pomaga tacie przy zmywaniu naczyń; kiedy rodzina spędza ze sobą godzinę, wypisując wspólnie kartki z pozdrowieniami dla znajomych; kiedy wszyscy dla towarzystwa wspólnie sprzątają pokój dziecięcy. Niewykluczone, że poświęcacie swojemu dziecku o wiele więcej czasu, niż sądzicie. Waszej uwagi uchodzi przypuszczalnie mnóstwo szczególnych okazji nadarzających się każdego dnia, a sprawiających, że wasz smyk czuje się kochany i otaczany troską.

Warto może pamiętać o tym, że trudna sytuacja rodziców pracujących poza domem nie jest czymś wyjątkowym. Nawet ci, którzy przebywają w domu ze swoimi dziećmi, narzekają, że „czas dla dziecka" jest luksusem, którego ciągle nie mają w wystarczającej ilości. Zatem odrzućcie poczucie winy i niepokój, odprężcie się i cieszcie się swoim malcem w tym czasie, którym dysponujecie, czy to zaplanowanym, czy też nie.

TEN OKROPNY, NIE KOŃCZĄCY SIĘ TRZECI ROK

Nasza córeczka ma prawie trzy lata i ciągle jeszcze miewa ataki wściekłości. Czy nie powinna już mieć za sobą tych okropnych cech dwulatka?

Termin „okropny dwulatek" jest bardzo mylący przez to, że przywodzi na myśl konkretne ramy czasowe dla zachowania, które wcale może ich nie posiadać. Chociaż najgorsze zachowanie dziecka przypada na okres między jego drugimi a trzecimi urodzinami, to zwykle granice są o wiele szersze. Okropne zachowania dwulatków zaczynają się u niektórych dzieci ujawniać już pod koniec pierwszego roku ich życia, a u innych nie pojawiają się przed trzecim rokiem; u pewnych dzieci mijają po kilku miesiącach, podczas gdy u innych utrzymują się przez okres przedszkolny.

Negatywizm małego dziecka (patrz str. 62) najczęściej daje o sobie znać u dwulatków. W tym właśnie okresie zachowanie dziecka zmienia się w zależności od gromadzonych przez nie doświadczeń życiowych. Pierwsze „nie" pojawia się w ustach malca, który próbuje się dowiedzieć, z jaką odpowiedzią może się spotkać. Pod koniec trzeciego roku życia dziecko poważniej angażuje się w zdobywanie niezależności i przejawianie swojej woli, w związku z czym potrafi wyrazić negatywne nastawienie na więcej sposobów: „Przestań!", „Nie będę!", „Nie umiem!", „Nie zrobię!"

Wrodzony temperament może wytłumaczyć, przynajmniej w dość dużym stopniu, dlaczego „ten okropny trzeci rok życia" trwa dłużej u niektórych dzieci, na przykład w wypadku silnej osobowości czy osobowości „typu A", a krócej u innych. Napady złości u tych dzieci są często niezbędnym uwolnieniem nagromadzonej energii umysłowej. Niektóre maluchy są z natury bardziej buntownicze i/lub posiadają silniejszą wolę od pozostałych; również i u nich występuje tendencja do dłuższego przechodzenia okresu „okropnego trzeciego roku".

Nie istnieje żadna magiczna strategia gwarantująca natychmiastowe stłumienie zachowań charakterystycznych dla tego okresu. Możecie jednak przyspieszyć ich koniec, stosując następujące metody: W dalszym ciągu traktujcie negatywizm, tak jak radzimy na str. 62, i spróbujcie nie walczyć z dzieckiem o władzę. Wprowadźcie ograniczenia, lecz niezbyt liczne (patrz str. 63). Stwórzcie maluchowi możliwości podejmowania decyzji (patrz str. 353), ale jeśli nie będzie miał wyboru, dajcie mu to do zrozumienia („Czas na obiad", a nie „Czy zjesz obiad?"). Karajcie sprawiedliwie, mając na celu wpajanie dziecku samodyscypliny (patrz str. 119). Starajcie się zapobiegać napadom złości (patrz str. 293), a kiedy już nie da się im zapobiec, traktujcie je z całym spokojem, na jaki was tylko stać. I oczywiście okazujcie wiele uznania dla dobrego zachowania. Jeśli negatywne nastawienie i napady złego humoru nie staną się rzadsze przez kilka następnych miesięcy, zwróćcie się do lekarza. Może być wtedy potrzebne dodatkowe wsparcie kogoś spoza rodziny.

SSANIE KOSTEK LODU

Pamiętam, że jako dziecko zawsze ssałam kostki lodu i nigdy się nad tym nie zastanawiałam. Teraz robi to również moja córka, a ja zastanawiam się, czy nie szkodzi jej to na zęby.

Każde pokolenie ma swoje przyjemności uwielbiane przez dzieci. Niestety niektóre z nich, kiedyś uważane za całkowicie nieszkodliwe, teraz są uznawane za potencjalnie szkodliwe. Należy do nich całodzienna zabawa na słońcu bez nakrycia głowy, posypywanie dłoni solą i zlizywanie jej, jazda na rowerze bez butów i kasku oraz ssanie lodu. Chociaż jest to bardzo kusząca przyjemność (nawet dla wielu dorosłych), rozgryzanie lub ssanie lodu może uszkodzić zęby, szczególnie gdy są już bardziej podatne ze względu na plomby. Jeśli ssanie lodu spowoduje pęknięcie zęba, może nastąpić uszkodzenie nerwu i konieczne będzie leczenie kanałowe. Z uwagi na fakt, że lodem można się także udławić, nie pozwalaj maluchowi nawet na ssanie kostek lodu bez dozoru.

Ponieważ lód na dnie szklanki aż się prosi o to, żeby go rozgryźć, unikaj podawania lodu swojemu dziecku (czy komukolwiek innemu, jeśli jest prawdopodobne, że twoja pociecha wyjmie lód z czyjejś szklanki). W restauracji poproś, żeby nie podawano lodu do wody czy innych napojów. Jeśli pomimo twoich wysiłków malec weźmie jednak lód do ust, powiedz mu, że będzie musiał go wyjąć, i wytłumacz, że może on uszkodzić jego zęby.

NIEPOŻĄDANE TOWARZYSTWO

Mój synek zaprzyjaźnił się w przedszkolu z pewnym chłopcem, z którym ciągle chce się bawić. Ja nie jestem jednak zachwycona tym dzieckiem. Zachowuje się w sposób destrukcyjny i nie sądzę, żeby miało dobry wpływ na mojego syna.

Przysięgałaś sobie, że nie będziesz się wtrącać w życie towarzyskie swoich dzieci, tak jak robili to twoi rodzice, i że pozwolisz im wybierać przyjaciół dla siebie bez względu na to, czy ty ich polubisz, czy nie. A potem dzieje się rzecz nieunikniona — twoje dziecko wybiera sobie przyjaciela, którego nie lubisz, i obawiasz się, że przejmie od niego złe nawyki. Co w takiej sytuacji powinni zrobić światli rodzice? Po pierwsze, nie zamartwiać się. Wpływ domu rodzinnego, wrodzonej osobowości oraz temperamentu na dłuższą metę oddziałuje o wiele silniej na zachowanie dziecka niż przykład dawany przez kolegę. Nieokrzesany i dziki przyjaciel może powodować jedynie chwilowe, a nie trwałe, nasilenie agresji u twojego synka, szczególnie jeśli zadbasz o spokojną i pozbawioną przemocy atmosferę w domu. A po drugie, rzeczywiście się wtrącaj, ale nie za dużo. Nie zakazuj dziecku widywania przyjaciela, który budzi twoje wątpliwości, bo to prawdopodobnie nasiliłoby tylko chęć przyjaźnienia się z tym chłopcem. (Tak czy inaczej, w przedszkolu nie możesz ich rozdzielić.) Spróbuj jednak poszerzyć trochę kontakty towarzyskie malucha. Porozmawiaj z wychowawczynią (ale nie przy dziecku) o tym, co cię niepokoi, i poproś, żeby poradziła ci, które dziecko z grupy mogłoby bardziej pasować do twojego syna. Wychowawczyni może posadzić ich na próbę obok siebie na czas drugiego śniadania czy zalecić wspólną pracę nad jakimś zadaniem. Jeśli wynik będzie pozytywny, możesz zaproponować wspólną zabawę w waszym domu.

Jeżeli pomimo to twoje dziecko będzie się w dalszym ciągu chciało bawić ze swoim „dzikim i zwariowanym" przyjacielem, pozwól mu na to — niektórym maluchom bardzo odpowiada zabawa z kimś bardzo żywiołowym. Z uwagą nadzoruj jednak zabawę, a kiedy ci się uda, organizuj im czas. Nadmiernie aktywne dziecko często bardzo się uspokaja, kiedy jest pochłonięte słuchaniem opowiadania, rysowaniem czy wyzwaniem, jakie rzuca loteryjka. I nie wahaj się stłumić w zarodku wszelkiego zachowania, którego nie aprobujesz lub nie uważasz za bezpieczne.

Jeśli malec jest rzeczywiście agresywny (bije, gryzie, kopie itd.) i zachowuje się w sposób destrukcyjny, powiedz mu, że takie zachowanie nie jest akceptowane w twoim domu i że jeśli będzie chciał jeszcze się tu bawić, musi zachowywać się grzecznie. Wyjaśnij to także twojemu dziecku, żeby mogło zachęcić kolegę do ustępliwości. Jeśli ostrzeżenie nie odniesie oczekiwanego skutku, porozmawiaj z rodzicami dziecka i zapytaj, czy oni mają jakieś propozycje. Być może jedno z nich (lub opiekunka) mogłoby przychodzić na czas wspólnej zabawy, dopóki zachowanie ich malca się nie poprawi. Jeśli rodzice nie będą chętni do współpracy, nie masz innego wyboru, jak tylko zabronić dzieciom wspólnych zabaw do czasu, aż zachowanie kolegi się poprawi.

ZAPOMINALSTWO

Mój syn jest strasznym zapominalskim. Ilekroć go pytam, co robił w przedszkolu albo w domu kolegi, nie potrafi sobie przypomnieć. Nie pamięta także moich próśb, żeby nie chodził po świeżo umytej podłodze. Dlaczego o wszystkim zapomina?

Ponieważ jest małym dzieckiem. W odróżnieniu od niemowląt, małe dzieci posiadają oczywiście umiejętność gromadzenia informacji i zdobytych doświadczeń w swojej pamięci. Problem pojawia się wtedy, gdy trzeba z tych informacji zrobić użytek. Jednym z powodów jest brak doświadczenia w odtwarzaniu swoich przeżyć. Drugi powód można by nazwać syndromem „roztargnionego profesora" — z umysłem pochłoniętym tak wieloma „ważnymi zagadnieniami" dziecko często nie ma czasu na skupienie się na szczegółach. Myśli, na przykład, o zabawce leżącej w drugim końcu pokoju (ważne dla niego) i nie pamięta, że prosiłaś je, żeby nie chodziło po mokrej podłodze (ważne tylko dla ciebie).

W miarę dorastania dziecka jego pamięć też będzie się rozwijać. Będzie w stanie przypomnieć sobie nie tylko to, co robiło w szkole czy u kolegi w domu, ale będzie także potrafiło wymienić wszystkie czynności danego dnia, jak również opowiadać niezliczone (a czasami nawet nie kończące się) anegdoty. Będzie pamiętało nie tylko o tym, że podłoga jest mokra, ale także i to, jak będzie ci przykro, kiedy zostawi na niej ślady zabłoconych butów. Im bardziej ćwiczy się pamięć, tym łatwiej z niej coś wydobyć. Jeśli chciałabyś przyspieszyć rozwój pamięci twojego dziecka, pomogą ci w tym regularne treningi (ale pamiętaj, żeby nie traktować tego zbyt poważnie; nigdy nie krzycz i nie okazuj zawodu dlatego, że twoje dziecko nie potrafi sobie czegoś przypomnieć).

* Baw się z maluchem w gry rozwijające pamięć. Weź trzy różne przedmioty, ustaw je w szeregu, poleć maluchowi zapamiętać ich kolejność, przykryj je, a następnie zapytaj, czy pamięta ich położenie. Albo pokaż mu trzy obrazki (możesz je zrobić sama, naklejając zdjęcia z czasopism na kawałki tektury), następnie odwróć je i zapytaj, czy je zapamiętał. Spróbujcie też przypomnieć sobie imiona wszystkich dzieci z jego grupy przedszkolnej (lub klasy) albo imiona jego kuzynów.
* Przypomnijcie sobie wspólnie. Po spacerze w parku usiądźcie razem i opowiadajcie o tym, co zobaczyliście i co zrobiliście. Jeśli wygląda na to, że dziecko nie pamięta, staraj się odświeżyć mu pamięć („Czy pamiętasz, co widzieliśmy dziś w parku? Czy widzieliśmy wiewiórkę? A co jeszcze? Czy widzieliśmy chłopca karmiącego kaczki?"). Takie podpowiadanie powinno pobudzić wspomnienia malca. Jeśli tak się nie stanie, tym razem przypominaj wszystko sama, a będzie szansa, że następnym razem sam będzie potrafił sobie trochę przypomnieć. Nie bądź zdziwiona, jeżeli dziecko zapamięta nie to, o co ci chodziło (po przejażdżce łódką po porcie może pamiętać, z czym była jego kanapka, ale nie utkwią mu w pamięci mewy nurkujące w poszukiwaniu ryb).
* Wspominajcie miniony dzień. Postaraj się, żeby członkowie rodziny dzielili się wydarzeniami minionego dnia przy kolacji lub przed pójściem spać albo przy obu okazjach. To odtwarzanie dnia wpłynie nie tylko na wyrabianie pamięci dziecka, ale stanie się przyjemną i pieczołowicie podtrzymywaną tradycją.
* Zadawaj pytania pobudzające pamięć. Wydobycie informacji od trzylatka nie należy do łatwych zadań, ale staje się szczególnie trudne, jeśli zadaje się niewłaściwe pytania. Odpowiedzią dziecka na przytłaczające swoim ogromem pytanie: „Co robiliście dzisiaj w przedszkolu?" będzie prawdopodobnie wzruszenie ramion i krótkie: „Nie wiem". Zadawaj raczej pytania szczegółowe i przygotowujące pamięć dziecka na odtwarzanie: „Czy bawiliście się dzisiaj w pokoju z klockami?", „Czy malowaliście dziś farbami?", „Z kim w parze szedłeś dziś do parku?", „Co jedliście na drugie śniadanie?" Spróbuj mu także podpowiadać („Czy dostaliście jabłko i krakersy?"), ale jeśli malec w dalszym ciągu niechętnie się odnosi do opowiadania o swoim dniu albo nie jest w nastroju, żeby mówić, nie nalegaj.
* Wydawaj polecenia, które mają utkwić w pamięci. Rób to tak często, jak to będzie konieczne. Pamięć małych dzieci nie jest tak pojemna jak starszych. Dopóki nie rozwinie się zdolność zapamiętywania, jak i zdolność koncentracji, maluchy często w zrozumiały sposób zapominają, co mają zrobić, a czego nie. Sam fakt, iż mówisz dziecku, że podłoga jest mokra, nie oznacza wcale, że będzie ono pamiętać, żeby po niej nie chodzić, nawet pięć minut po twoich słowach, szczególnie jeśli pochłonęła je jakaś zabawa i potrzebuje swojej maskotki znajdującej się w drugim końcu pokoju. W jego wieku trudno jest skupić uwagę na kilku rzeczach równocześnie, a łatwo o jej rozproszenie. Powtarzaj więc polecenia regularnie i spróbuj być tolerancyjna, kiedy brzdąc będzie w dalszym ciągu o nich zapominał. Ogranicz swoje polecenia do najwyżej dwóch naraz i pamiętaj, żeby były proste i wyraźne („Proszę, żebyś podniósł swoją książkę i położył ją na stole", zamiast: „Proszę pozbieraj swoje zabawki, sprzątnij ubrania i przyjdź na obiad"). W ten sposób rosną szanse, że dziecko zapamięta, o co je prosiłaś. (Pamiętaj też o tym, że twoja pociecha może odmówić wykonania polecenia niezależnie od tego, jak dokładnie je precyzujesz, ale to już zupełnie inna sprawa; patrz str. 352).
* Posługuj się rekwizytami dla przypomnienia. Na przykład po umyciu podłogi powieś znak „zakaz chodzenia po mokrej podłodze" (namaluj jasnoczerwoną farbą krzyż przekreślający tenisówki wycięte z czasopisma lub własnoręcznie narysowane na kartonie).

LEKCJE MUZYKI

Przeczytałam, że już dla trzylatków odbywają się lekcje gry na pianinie i skrzypcach. Czy to dobry pomysł, żeby kazać dziecku rozpocząć naukę w tak młodym wieku?

To zależy od tego, co mu każesz zacząć. Normalne lekcje nie są na ogół zalecane przed ukończeniem przynajmniej piątego czy szóstego roku życia. Natomiast u małych dzieci pożądane są próby zaszczepienia miłości do muzyki. Nie każdy jest uzdolniony muzycznie, ale każdy może się nauczyć cenić muzykę. Możesz pomóc dziecku rozwinąć to zamiłowanie, słuchając różnego rodzaju muzyki w domu, zabierając je na koncerty dla dzieci, zachęcając do śpiewania i tańca oraz do gry na instrumentach (cymbałkach, trójkącie, tamburynie, harmonijce, flecie i innych instrumentach-zabawkach). Jeśli twój maluch wyraża duże zainteresowanie muzyką i gorąco pragnie grać na „prawdziwym" instrumencie, możesz rozważyć zastosowanie metody Suzukiego, w której już trzy- i czteroletnie dzieci uczy się gry na skrzypcach (stosuje się mniejsze wersje instrumentów dla dorosłych). Tak jak przy każdym rodzaju nauki, jaki wybierzesz dla swojego dziecka, nie naciskaj. Jeśli malec okaże zainteresowanie nauką gry na skrzypcach, w miarę możności daj mu szansę spróbować. Jeśli będzie chciał kontynuować lekcje, zachęcaj go. Jeśli zrezygnuje, poczekaj kilka lat z ponowieniem próby, zarówno w kwestii nauki gry na skrzypcach, jak i na innym instrumencie.

WCIĄŻ JESZCZE NIEWYRAŹNA MOWA DZIECKA

Nawet nam ciągle jeszcze trudno zrozumieć nasze dziecko. Źle artykułuje wiele spółgłosek i niewyraźnie wymawia wiele słów.

Niektóre dzieci mają genetycznie uwarunkowaną zdolność wyraźnego mówienia na długo przed skończeniem trzech lat, natomiast inne ciągle jeszcze mówią „plose", zamiast „proszę", kiedy są w wieku przedszkolnym. To, że jedne dzieci mówią wyraźniej, a inne mniej wyraźnie zależy najczęściej nie od inteligencji, ale od tempa, w jakim dziecko rozwija kontrolę nad swoim językiem i mięśniami warg. Tak więc zła wymowa spółgłosek i niewyraźna mowa nie są same w sobie powodem do niepokoju.

Jeśli jednak do trzecich urodzin waszego dziecka będziecie rozumieli mniej niż połowę z tego, co mówi, może to wskazywać na jakiś problem, na przykład osłabiony słuch, który wymaga zbadania. Skontaktujcie się więc z lekarzem prowadzącym dziecko. Wczesne zwrócenie się do specjalisty może być niezmiernie ważne, nie tylko ze względu na rozwój języka, ale ogólnie na proces uczenia się, a co najistotniejsze, ze względu na poczucie własnej wartości u dziecka.

Jeśli problem nie wymaga opieki specjalisty, chcąc przyspieszyć rozwój mięśni ust, możecie spróbować przeprowadzić „ćwiczenia w żuciu": Trzy razy dziennie zalećcie swojemu dziecku żucie gumy bez cukru (jeśli jesteś pewna, że jej nie połknie), selera lub marchewki (pokrojonych w cienkie paseczki) lub trudnej do pogryzienia bułki itp. Ponieważ nawyk ssania może powodować deformacje ust prowadzące do seplenienia, przekonajcie malca, żeby z tego zrezygnował. Również i to może się okazać pomocne.

Nie róbcie jednak wielkiego zamieszania z powodu złej wymowy (pamiętaj, że to normalne), nie próbujcie też nalegać, żeby dziecko mówiło wyraźniej. Nadmierna presja może spowodować, że malec będzie mówić niechętnie, stanie się bardziej nieśmiały i zamknięty w sobie. Takie naciski mogą opóźnić postępy, a nawet wywołać jąkanie się. Zachęćcie malca do nieskrępowanego wypowiadania się, starajcie się bardzo go zrozumieć, unikajcie naśladowania jego błędów (niezależnie od tego, czy robicie to po to, aby je wyeliminować, czy też dlatego, że są „takie zabawne"), a możecie się spodziewać, że stopniowo jego wymowa stanie się wyraźniejsza. Jeśli dziecko, dochodząc do wieku szkolnego, będzie jeszcze ciągle niewłaściwie wymawiać pewne spółgłoski (a to zdarza się wielu dzieciom), zapytajcie lekarza, czy należy skontaktować się z logopedą.

PRZERAŻAJĄCE BAJKI

Chciałabym przeczytać mojej córeczce kilka bajek należących do klasyki gatunku, takich jak* Czerwony Kapturek, Jaś i Małgosia *czy* Królewna Śnieżka, *ale boję się, że mogą ją przerazić.

Babcia zostaje pożarta żywcem przez żądnego krwi wilka. Mądra dziewczynka ratuje swojego brata, który ma stać się obiadem czarownicy, a zanim odejdą, zostawiają wiedźmę w przeznaczonym wcześniej dla Jasia piecu, żeby się w nim spaliła. Zazdrosna królowa-czarownica rozkazuje myśliwemu zabić swoją piękną pasierbicę i wyrwać jej serce, a kiedy ten plan się nie udaje, sama podstępem podsuwa niewinnej dziewczynie zatrute jabłko. Pełne przemocy? Oczywiście! Przerażające? Możliwe. Nieodpowiednie dla małych dzieci? Raczej nie. Chociaż nie ma wątpliwości, że bajki są pełne niegodziwych czarownic, złowrogich bestii, groźnych olbrzymów i innych budzących strach postaci, że obfitują w zdradę i przemoc, to jednak występujące tu zło znajduje swoje uzasadnienie. Dzieje się tak dlatego, że w każdej z tych tradycyjnych bajek prawość triumfuje nad bezprawiem, zło jest ukarane, a dobrzy ludzie cieszą się w pełni zasłużonym szczęśliwym zakończeniem. Bajki oczywiście obfitują też w morały (kiedy, na przykład, Piękna w końcu zakochuje się w Bestii, mały słuchacz dochodzi do wniosku, że nie wolno osądzać nikogo na podstawie wyglądu zewnętrznego).

Tylko ty możesz zadecydować, kierując się swoim instynktem rodzicielskim, osobowością dziecka i dostępnymi ocenami specjalistów, czy te bajki, które opowiadano do snu całym pokoleniom dzieci, powinny usypiać także i twojego malca. Bruno Bettelheim, znany psycholog i autor wielu książek, jednoznacznie wypowiada swoją pozytywną opinię na temat bajek. Nie tylko nie widzi w nich niebezpieczeństwa dla emocjonalnej równowagi dzieci, ale uważa nawet, że bajki są nieodzowne w ich życiu. W książce *Cudowne i pożyteczne. O znaczeniach i wartościach baśni*[6], klasycznej analizie wpływu bajek na dzieci, Bruno Bettelheim napisał, że podczas gdy większość dziecięcej literatury bawi i wzmaga ciekawość, bajki pobudzają wyobraźnię, rozwijają intelekt, kształtują uczucia, umożliwiają identyfikowanie się z dziecięcymi obawami, problemami i aspiracjami oraz zaspokajają potrzebę istnienia magii w świecie, który wydaje się jej pozbawiony. Na przykład w *Czerwonym Kapturku* dziecko staje, między innymi, twarzą w twarz z babcią (matką, ojcem lub innym opiekunem), która z łagodnej i troskliwej istoty przemienia się w okrutną bestię (metafora mogąca zabrzmieć znajomo), po czym wraca do dawnej postaci. *Jaś i Małgosia* opowiada o nędzy (rodzina jest tak biedna, że nie ma co jeść), łakomstwie (dzieci zamierzają zjeść domek z piernika należący do nieznajomej) oraz o zemście skierowanej przeciwko wizerunkowi matki-wiedźmy (początkowo wydaje się miła, ale potem zwraca się przeciwko nim). Natomiast *Królewna Śnieżka* porusza temat rywalizacji i zazdrości w rodzinie oraz zmagań zmierzających do ich zwalczenia (również i ten temat może okazać się aktualny). Weź pod uwagę także to, że większości dzieci nie przerażają bajki (chociaż niektórzy rodzice są do tego stopnia przekonani, że w wypadku ich dzieci tak będzie, iż nie dają klasyce nawet cienia szansy). Kiedy w grę rzeczywiście zaczyna wchodzić strach, często jest zaszczepiony przez rodziców („No, już się nie bój, wilk cię nie pożre").

Zanim zdecydujesz się spalić całą kolekcję bajek razem ze wszystkimi kołowrotkami z całego królestwa, być może zechcesz spróbować najpierw:

[6] Bruno Bettelheim, *Cudowne i pożyteczne. O znaczeniach i wartościach baśni*. Państwowy Instytut Wydawniczy, Warszawa 1985.

Czytać w ciągu dnia bajki przeznaczone do poduszki. Jeśli martwisz się tym, że bajki czytane przed zaśnięciem mogą wywołać u dziecka koszmary lub kłopoty ze snem, czytaj je maluchowi w ciągu dnia, przynajmniej dopóki się nie upewnisz, że smyk dobrze je znosi.

Zacząć od *Nowych szat cesarza*. Albo od *Brzydkiego kaczątka*. Albo od jeszcze innej nie budzącej strachu bajki. Jeśli będzie wyglądało na to, że dziecko dobrze je przyjmie, zacznij stopniowo przechodzić do bajek wywołujących ciarki na plecach, jak na przykład *Jaś i ziarnko fasoli*.

Swoją bliskością zapewnić dziecku poczucie bezpieczeństwa. Siedząc pod miłym kocem lub w ulubionym fotelu, przytulaj do siebie malca podczas czytania bajek. Pomoże mu to czuć się bezpieczniej i nie odczuwać lęku, jaki wywołuje jakaś groźna postać.

Powtarzać ulubione bajki. Małe dzieci zapamiętują bardzo niewiele z opowiadania przeczytanego po raz pierwszy, szczególnie tak bardzo skomplikowanego jak bajka; to właśnie przez powtarzanie wywierają one na nim wrażenie. Każde kolejne czytanie więcej je uczy, pozwala zrozumieć oraz przyswajać sobie więcej wartości przedstawionych w bajce.

Przypominać przeczytane bajki. Tak samo jak w wypadku każdego innego opowiadania, dziecko więcej zrozumie z usłyszanej bajki, jeśli potem będziecie o niej rozmawiać. Zacznij od zadawania pytań ogólnych typu: „Co ci się podobało w tej bajce?" i „Co poczułeś, kiedy przeczytałam ci tę bajkę?" Potem zadawaj pytania w zależności od odpowiedzi dziecka.

Wprowadzać własne zmiany. Nie martw się, że zranisz uczucia autora. Jeśli jakiś fragment fabuły źle na ciebie działa, czytając dalej, przerób go na swój sposób, bo tak właśnie powstawały kiedyś te historie. Dopasuj, jeśli chcesz, każdą z tych starych, szacownych bajek do potrzeb czy temperamentu twojego dziecka albo twojej rodziny. Spraw, że babcia schowa się w szafie, aż do przyjścia leśniczego, który przegoni wilka z powrotem do lasu. Niech Królewna Śnieżka zaśnie, a nie padnie nieżywa po zjedzeniu jabłka. Niech Jaś i Małgosia przed wyruszeniem w drogę powrotną przywiążą czarownicę do krzesła. (Upewnij się jednak, że ilustracje będą pasowały do twoich zmian.) Jeśli feministka w tobie krzywi się na „przystojnego księcia ratującego bezradną, ale piękną księżniczkę", wpleć jakieś elementy dające kobiecie większy wpływ na przebieg wydarzeń (księżniczka przedstawia plan unicestwienia niegodziwej czarownicy albo wyciąga własny miecz i pojedynkuje się z najgroźniejszą z nich). Jeśli sądzisz, że słowa „i odtąd żyli długo i szczęśliwie" malują nierealistyczny i uproszczony obraz stosunków między mężczyznami a kobietami, zakończ swoją historię słowami „i bardzo się kochali, pomagali sobie wzajemnie, dzielili swoje troski i byli dla siebie najlepszymi przyjaciółmi", dając do zrozumienia, że aby małżeństwo było udane, potrzeba czegoś więcej niż samej tylko miłości. Jeśli chciałabyś spróbować czytać dostępne w księgarniach uproszczone wersje bajek, to oczywiście możesz, bo są odpowiednie dla trzy- i czterolatków. Ale nie wyrzucaj wersji oryginalnych. Kiedy twoje dziecko będzie starsze, odniesie więcej korzyści, słysząc właśnie te wersje.

Wskazywać rzeczy zmyślone. Trzylatki nie zdają sobie w pełni sprawy z różnicy między rzeczywistością a fantazją. Rozumieją jednak dobrze rzeczy na niby (piją wymyśloną herbatę z filiżanek-zabawek, całują wymyślone dzieci, rozgrywają bitwy przy pomocy wymyślonych postaci). Tak więc, czytając malcowi bajkę, upewnij się, czy rozumie, że jest ona wymyślona, fikcyjna, a nie prawdziwa. Zapewnij je na przykład, że wilki tak naprawdę nie ubierają się jak babcie i że są po prostu dużymi, dzikimi psami, które nie potrafią nawet mówić.

Czerpać wskazówki od swojego dziecka. Jeśli wydaje się, że jakaś bajka rzeczywiście przeraża dziecko, zachęć je (ale nie zmuszaj), żeby opowiedziało o swoich uczuciach. I nie czytaj mu ponownie tej historii, jeżeli samo cię o to nie poprosi. (Niektóre dzieci uwielbiają, kiedy się je straszy przerażającymi opowiadaniami, i ciągle chcą ich słuchać.)

PRZYJĘCIE Z OKAZJI TRZECICH URODZIN

Nasza córeczka za kilka tygodni skończy trzy lata i zastanawiamy się, jak urządzić jej urodziny, teraz, kiedy jest już trochę starsza.

Za wcześnie jeszcze na wynajmowanie klauna czy magika. Trzylatki wytrzymają nieco więcej atrakcji w trakcie zabawy urodzinowej niż dwulatki, ale tylko trochę więcej. Zbyt wiele wydarzeń może u małych bywalców przyjęć wywołać przesyt, co może mieć niezbyt miłe następstwa. Poza tym trzy lata to wciąż jeszcze wiek stosunkowo niskich oczekiwań. Nawet trzylatki często bywające na przyjęciach urodzinowych są w pełni zadowolone, a czasami nawet szczęśliwe, gdy zaoferuje im się tylko kilka zabaw czy zajęć plastycznych, skromne dekoracje i jakieś lody czy ciasto. Nie jest jeszcze konieczne, i zwykle niezbyt mądre, próbować wywrzeć wrażenie na trzylatkach wyszukanymi przedstawieniami.

Aby wszyscy byli zadowoleni z trzecich urodzin:

Pozwól planować również dziecku. Trzylatek może pomóc podjąć decyzję w kwestii zaproszonych gości, dekoracji, prostych gier, zabaw itd. Weź także pod uwagę specjalne potrzeby zaproszonych; dowiedz się od rodziców, czy dzieci nie cierpią na alergię, sprawdź, jakie są zastrzeżenia co do jadłospisu, ograniczenia aktywności ruchowej oraz inne problemy (na przykład lęk przed psami).

Ogranicz liczbę gości. Najlepiej sprawdza się grupa bliskich sobie dzieci, które dobrze się nawzajem znają, czy to z przedszkola, czy ze wspólnych zabaw. Reguła „jeden gość na każdy rok życia" (plus twoje dziecko), oznaczająca w tym roku dającą się znieść czwórkę, jest w dalszym ciągu dobrym pomysłem. Inną możliwością, być może mniej stresującą, jest urządzenie dziecku i jednemu czy dwojgu wybranych przez nie kolegów dnia urodzinowych atrakcji — można na przykład pójść do kina i na pizzę czy też wybrać się do zoo i na piknik. Jeśli nie chcesz, żeby ktoś czuł się pominięty, możesz zawsze wydać przyjęcie w przedszkolu czy żłobku, podając do jedzenia babeczki i rozdając podarunki (jeśli są dozwolone) w porze posiłku, albo możesz ograniczyć urodziny do grupy twojego dziecka.

Zapewnij dzieciom dobrą opiekę. Jeśli twój solenizant nalega na przyjęcie urodzinowe w domu, a musisz zaprosić więcej niż troje dzieci (na przykład dlatego, że grono jego kolegów liczy pięciu członków, albo dlatego, że dziecko chce zaprosić wszystkich z grupy przedszkolnej), będziesz prawdopodobnie potrzebować pomocy. Jeżeli nie znajdziesz tylu chętnych rodziców, wynajmij odpowiedzialną nastolatkę do pomocy przy podawaniu do stołu, sprzątaniu i zabawach. Możesz też mianować „pomocnikiem" starszego brata lub siostrę.

Weź pod uwagę zaproszenie rodziców. Poproś rodziców gości, żeby zostali, jeśli mają ochotę, ale tylko w przypadku, gdy jesteś przekonana do tego pomysłu. Pamiętaj jednak o tym, że niektóre dzieci zachowują się lepiej, kiedy nie ma w pobliżu ich rodziców. Jeśli rzeczywiście postanowisz objąć zaproszeniem także rodziców, pamiętaj, żeby mieć w zapasie wystarczającą ilość ciasta oraz napojów, na wypadek gdyby wszyscy zdecydowali się wziąć udział w zabawie.

Pamiętaj o rozkładzie dnia gości. Jeśli większość zaproszonych dzieci w dalszym ciągu sypia w ciągu dnia, zaplanuj zabawę w porze nie kolidującej z drzemką. Pomyśl także o posiłkach — jeśli na popołudniowym przyjęciu masz zamiar podać na przykład lody i ciasto, nie czekaj z tym do 16.30 czy 17.00, bo ryzykujesz, że goście odmówią potem zjedzenia kolacji. Skrócenie czasu przyjęcia na pewno wpłynie na lepsze zachowanie dzieci — półtorej godziny zabawy w zupełności wystarczy.

Nakryj ładnie do stołu. Motywy z opowiadań programów telewizyjnych i postacie filmowe cieszą się u trzylatków dużym powodzeniem, a papierowe nakrycia są lubiane przez tych, którzy muszą sprzątać po przyjęciu. Zabierz więc malucha do sklepu z artykułami dekoracyjnymi i dopilnuj go podczas wybierania papierowych kubeczków, talerzyków i serwetek. (Uwagi na temat rozwiązań nie szkodzących środowisku znajdziesz na str. 365.) Ale zamiast kupować pasujący do nich papierowy obrus, który okaże się bezużyteczny przy pierwszej rozlanej porcji soku, kup kolorowy obrus z ceraty, który przetrwa wiele takich wypadków. Możesz też przykryć stół białym mocnym pergaminem, a przy każdym miejscu położyć kilka kredek do bazgrania.

Podawaj nieduże porcje. Zamiast napełniać kubeczki sokiem po sam brzeg, co łatwo może skończyć się rozlaniem, nalewaj około 1/3 i dolewaj w miarę potrzeby. Zamiast kroić wielkie kawały ciasta i rozdzielać podwójne porcje lodów, zachęcając do marnotrawstwa i bawienia się jedzeniem, zacznij od małych porcji i podawaj dokładki tym, którzy już zjedli i mają ochotę na więcej. Ważna uwaga pozwalająca utrzymać porządek: Jeśli na cieście są jakieś specjalne ozdoby albo drobne upominki, albo wcale ich nie podawaj, albo dopilnuj, żeby każdy mały gość dostał swoją część.

Na pierwszym miejscu postaw bezpieczeństwo. Planując menu, unikaj jedzenia, którym dzieci mogą się zakrztusić. Podczas gdy wiele trzylatków ma już wystarczającą liczbę zębów i potrafi pogryźć takie jedzenie jak hot-dogi, prażona kukurydza czy winogrona, u innych występuje jeszcze ryzyko zakrztuszenia się tymi pokarmami, szczególnie jeśli śmieją się czy biegają przy jedzeniu. Aby uniknąć przykrego wypadku, podawaj wyłącznie bezpieczne potrawy (patrz str. 462) i obstawaj przy tym, żeby maluchy jadły na siedząco.

Zrezygnuj z konwencjonalnych rozrywek. Niektóre trzylatki mogą się zachwycać połykaczem noży albo jazdą na kucyku, lecz u innych tego rodzaju wyszukane rozrywki mogą jedynie wywołać płacz. Jeśli koniecznie chcesz wynająć kogoś, kto będzie występował na przyjęciu, najlepszym rozwiązaniem może się okazać entuzjastyczny, ale nie nazbyt dramatyzujący gawędziarz. Przebojem mógłby się okazać także piosenkarz specjalizujący się w piosenkach dla dzieci. Unikaj przebierańców — niezależnie od tego, jak czarujący mogą ci się wydawać, mogą wystraszyć najmłodszych gości. Artyści wykonujący zwierzęta z baloników będą się także cieszyć powodzeniem, dopóki baloniki nie pękną (i staną się zagrożeniem dla dzieci, które łatwo mogą się zakrztusić kawałkami lateksu).

Zabawy mają sprawiać radość. Staraj się, żeby zabawy były krótkie, i unikaj tych, które pobudzają do współzawodnictwa — trzylatki nie słyną ze sportowego zacięcia. Oto niektóre propozycje: „Chodzi lisek"; „Budujemy mosty"; „Mam chusteczkę haftowaną"; „Rolnik w dolinie"; „Figury" (wszyscy zastygają w bezruchu, kiedy przestaje grać muzyka). Zachęć do uczestnictwa, ale nie zmuszaj gości do zabawy. Przygotuj sobie więcej propozycji, niż sądzisz, że będziesz mogła wykorzystać. Nie musisz wyczerpywać wszystkich pomysłów, ale jeśli zabraknie ci konceptu w połowie przyjęcia — to klops!

Postaraj się o przybory plastyczne. Prace plastyczne dostatecznie proste, aby mogli je wykonać wszyscy uczestnicy przyjęcia, są idealnym sposobem na miłe spędzenie czasu. Najlepiej jest pozwolić dzieciom zrobić coś, co mogą zabrać do domu (a nie zlecić im wspólną pracę nad czymś, co zostawią w domu solenizanta) i co będzie jednocześnie sporządzonym własnoręcznie upominkiem z przyjęcia. Oto kilka możliwości: robienie własnych układanek, czepeczki urodzinowe, podkładki na stół, kompozycje z różnych podręcznych drobiazgów, pacynki. Żeby uniknąć nieprzyjemnych starć o klej czy pisaki, zakup wystarczająco dużo wszystkiego, co może być potrzebne do wykonania pracy.

Zrezygnuj z nagród. Jeśli chcesz rozdawać trzylatkom nagrody, musisz je przyznawać wszystkim malcom i za każdą zabawę. Najlepiej i najłatwiej jest jednak brać udział w danej zabawie dlatego, że sprawia to radość, a nie dlatego, że oczekuje się za to nagrody.

Zapisz sobie wszystko. Żebyś nie zapomniała o czymś w rozgardiaszu, sporządź sobie listę poszczególnych zabaw i przewidywanego czasu na każdą z nich. Listę wraz ze wszystkimi potrzebnymi rekwizytami włóż do kartonu lub kosza stojącego na widocznym miejscu, jednakże poza zasięgiem rąk ciekawskich małych gości.

Myśl z wyprzedzeniem. Torby z upominkami rozdaj dzieciom na samym końcu przyjęcia, żeby przed wyjściem goście ich nie popsuli lub nie położyli w niewłaściwym miejscu. Miej w zapasie dodatkowe porcje jedzenia, na wypadek gdyby kawałek ciasta spadł na podłogę czy porcja lodów zsunęła się z rożka, a także aby poczęstować rodzeństwo, które przyjechało z rodzicami odebrać brata lub siostrę.

CO WARTO WIEDZIEĆ
Syndrom genialnego dziecka

„Robi dokładnie to, co powinno robić dziecko w jego wieku". Stwierdzenie takie było kiedyś jak balsam dla uszu rodziców, było pocieszającym potwierdzeniem tego, że ich dziecko jest zdrowe, normalne i że rozwija się w prawidłowym tempie. Jednak w dzisiejszym społeczeństwie, w którym liczą się osiągnięcia i panuje silna konkurencja, wydaje się, że wielu rodziców oczekuje czegoś więcej. Rodzice chcą oczywiście, żeby ich pociechy były zdrowe i normalne, ale chcą także, żeby rozwijały się trochę szybciej i trochę lepiej od pozostałych — robiły więcej, niż wskazywałby na to ich wiek. Chcą, żeby były nad wiek rozwinięte, uzdolnione i utalentowane i żeby miały przewagę nad innymi. Chcą, żeby były dziećmi genialnymi.

Czy ci rodzice pragną, aby ich dzieci były najlepsze dlatego, że chcą dla nich najlepiej? Czasami tak. Jednak zdarzają się i inne czynniki motywujące. Rodzicom, którym nie udało się skończyć renomowanej wyższej uczelni, zależy na wychowaniu dzieci, które będą studiować na Harvardzie. Rodzicom niewysportowanym zależy na tym, żeby ich dzieci przewyższały ich na korcie, boisku sportowym czy na stoku. Rodzice, którzy umieli zaledwie brzdąkać jednym palcem na pianinie, pragną, aby ich dzieci były porównywane do Chopina. Rodzice niezupełnie zadowoleni ze swego losu chcą dla swoich dzieci o wiele więcej. Rodzice traktujący swoje dzieci jak własne odbicie chcą, żeby był to dobry obraz. Nawet ci, którzy nie podzielają opinii, że należy dopingować dzieci, często w końcu to robią, żeby tylko ich pociechy nie zostały w tyle za innymi.

Bez względu na powód dążenia do wychowania geniusza, eksperci są zgodni, że w ostatecznym rozrachunku jest to błędem. Chociaż może to chwilowo zaowocować cudownym potomstwem, o jakim marzą ci rodzice, gdyż możliwe jest nauczenie bardzo małych dzieci, nawet niemowląt, czytać (małpy też można nauczyć czytać), korzyści będą krótkotrwałe, a cena zbyt wysoka. Przeprowadzone badania potwierdzają następujące uogólnienia dotyczące dzieci, od których rodzice zbyt wiele wymagają, w porównaniu z dziećmi, na które nie wywiera się tak dużej presji:

* Ich osiągnięcia na dłuższą metę nie ulegają poprawie. Na przykład dzieci, które wcześnie zostały nauczone czytać, mogą mieć przewagę nad innymi, ale szybko ją tracą, gdyż dzieci, które nauczyły się później, dogonią je. O wiele mądrzej jest poczekać, aż dziecko samo będzie chciało się uczyć, bo wtedy nauka przychodzi łatwiej. To prawda, że wiele dopingowanych dzieci rzeczywiście odnosi wielkie sukcesy w dorosłym życiu, ale często dzieje się to kosztem normalnego dzieciństwa i życia towarzyskiego, a czasami nawet szczęścia.

* Często przedwcześnie się wypalają. Na przykład dziecko prowadzone przez kilka lat do szkółki baletowej jest już często nią zmęczone, zanim rozpocznie pierwszą prawdziwą lekcję, i może się buntować, odmawiając w ogóle chodzenia na te zajęcia.

* Ich własna motywacja jest przeważnie słaba. Od początku kierowane przez rodziców, rzadko uczą się działać samodzielnie.

* Chociaż na krótką metę mogą być bardziej zaawansowane w sprawnościach wyuczonych, na dłuższą metę pozostają w tyle pod względem rozumowania, logiki i myślenia koncepcyjnego. Potrafiąc odtworzyć to, czego ich

Nauka alfabetu i liczb

Twoje dziecko ma przynajmniej dwanaście lat nauki w szkole (dwadzieścia lub więcej, jeśli w grę wchodzi wyższa uczelnia i studia podyplomowe) i nie ma powodu, żeby to przyspieszać. Dzieciństwo powinno stanowić okres nieskrępowanej radości, jaką dają zwykłe przyjemności: zabawa wężem ogrodowym, zabawa w dom, jazda na trójkołowym rowerku, lepienie bałwana, chlapanie się w brodziku, zbieranie szyszek.

Zdarza się jednak, że wiele małych dzieci zaczyna wcześnie wykazywać naturalne zainteresowanie literami i liczbami. I dopóki sprawia im to radość i nie jest wymuszone, nie ma powodu, żeby rodzice nie zaczęli uczyć ich alfabetu i liczb w tak wczesnym wieku. Oto jak należy to robić:

* Zaszczep w dziecku zamiłowanie do książek i czytania (patrz str. 104). Kiedy malec nie interesuje się rozpoznawaniem liter, rozejrzyj się za książeczkami, w których litery kojarzą się ze znajomymi przedmiotami.
* Pobudzaj w dziecku zainteresowanie nauką (patrz str. 390).
* Umieść imię malucha napisane prostymi, drukowanymi literami na drzwiach jego pokoju.
* Na ścianach pokoju umieść plakaty zawierające mnóstwo kolorowych obrazków i wielkich, jaskrawych liter.
* Na półkach ponalepiaj etykietki: „klocki", „lalki", „książki" itd. Przy każdym słowie możesz też umieścić narysowany przedmiot, żeby twoje dziecko zaczęło je ze sobą kojarzyć.
* Licz stopnie, wchodząc po schodach, licz ciasteczka i krakersy, kiedy je rozdajesz dzieciom, licz też składane bluzki, kupowane na rynku pomarańcze i układane klocki.
* Graj z dzieckiem w loteryjkę, bingo i domino obrazkowe, ponieważ dzięki nim malec nabywa wstępnych umiejętności w czytaniu i liczeniu. Szukaj gier, układanek i innych zabawek dla przedszkolaków, które także uczą rozpoznawania liter i liczb. Upewnij się, że są dostosowane do wieku dziecka, bo w przeciwnym razie zniszczą naturalną dla dziecka ciekawość.
* Krój kanapki i ciasteczka w trójkąty, koła, kwadraty i prostokąty. Rozpoznawanie kształtów jest umiejętnością wstępną przy nauce czytania.
* W ciągu dnia zwracaj dziecku od niechcenia uwagę na takie znaki, jak: WYJŚCIE, PRZECHODŹ, NIE PRZECHODŹ, ZATRZYMAJ SIĘ, RUCH JEDNOSTRONNY. Nie popadaj w skrajność, czytając mu wszystkie napisy, chyba że dziecko zacznie pytać: „Co tu jest napisane?"
* Podpisuj rysunki i obrazki dziecka jego imieniem i równocześnie wymawiaj głośno poszczególne litery (M-A-G-D-A czyta się Magda).
* Kiedy twoje dziecko wyrazi tym zainteresowanie, pokaż mu jak pisać jego imię, ucząc jednej literki naraz. Często dzieci wykazują szczególne zainteresowanie, wyszukując słowa zaczynające się tą samą literą, co ich imię: K jak Krzyś i K jak królik.
* Umieść w widocznym miejscu tablicę do przypinania bieżących informacji. Przebywanie w środowisku obfitującym w litery pomaga pobudzić w dziecku ważne umiejętności początkowe potrzebne do nauki czytania.

nauczono, tak naprawdę mogą tego do końca nie rozumieć.

* Ich zdolności twórcze i wyobraźnia są często tłumione. Nacisk kładziony od samego początku na uczenie się z pominięciem swobodnej zabawy mógł wywołać niedorozwój tych ważnych cech.
* Ich ciekawość może zostać stłamszona. Dzięki zabawie małe dzieci mają szansę poznawać świat, wielokrotnie przeprowadzać różne doświadczenia i wyciągać własne wnioski. Możliwości takich zostały faktycznie pozbawione te dzieci, którym udzielono odpowiedzi, zanim nawet miały szansę o cokolwiek zapytać. Można tu zacytować słowa Jeana Piageta, autorytetu w sprawach rozwojowych: „Za każdym razem, kiedy dziecko czegoś uczymy, uniemożliwiamy mu samodzielne odkrycie tej rzeczy".
* Ich pomysłowość może zostać ograniczona. Ponieważ wszystkie ich czynności są dokładnie zaplanowane przez kogoś innego, dzieci te mogą się nie nauczyć samodzielnego planowania. Pozostawione samym sobie, mogą nie wiedzieć, jak zorganizować sobie czas.
* Kiedy pójdą do szkoły, często są mniej entuzjastycznie nastawione do nauki niż inne dzieci, na które nie wywierano tak dużej presji. Dzieje się tak prawdopodobnie dlatego, że ich nauce nie towarzyszy radość i spontaniczność, oraz dlatego, że przyzwyczaiły się do osiągnięć, które mają dawać zadowolenie rodzicom, a nie im samym.

Pielęgnuj naukowe zainteresowania dziecka

Każde dziecko ma wiele naukowych zainteresowań. Przypatrz się dokładnie swojemu maluchowi, a w piaskownicy zobaczysz w nim fizyka, w parku botanika, entomologa i geologa, na plaży oceanografa, w kuchni chemika, w pokoju zabaw wynalazcę, a w oknie astronoma — przez cały czas badającego, dokładnie analizującego, przeprowadzającego eksperymenty, porównującego, formułującego i sprawdzającego teorie. A wszystko z miłości do nauki.

Niestety te naturalne skłonności odkrywcze mijają najczęściej jeszcze we wczesnym dzieciństwie. Często mniej więcej w tym samym czasie dzieci rozpoczynają swoją formalną edukację i niedawne zainteresowanie nauką wygasa, a instynkt naukowca zostaje stłumiony. Można jednak pobudzać w dziecku naukowe zainteresowania przez cały okres szkolny, a nawet przez całe życie. Na początek zacznij od następujących działań:

Klasyfikuj, klasyfikuj, klasyfikuj. Podstawowa umiejętność polega na odkryciu, jakie są podobieństwa, a jakie różnice między poszczególnymi rzeczami. I chociaż małe dzieci mogą jeszcze nie odróżniać gatunku od rodzaju, potrafią już podzielić drzewa na liściaste i iglaste; owoce o jadalnej skórce i takie, które należy obrać przed jedzeniem; pojazdy dwukołowe, czterokołowe i mające więcej kół.

Odkryj elektryczność. Pozwól dziecku potrzeć balonik o swoje włosy, po czym dotknij nimi ściany, albo po uczesaniu się grzebieniem poleć dziecku podnieść za pomocą grzebienia małe kawałeczki papieru.

Zasadź korzenie różnych warzyw. Żeby pomóc dziecku dostrzec, że rosnąć mogą nie tylko ludzie, ale również rośliny, zasadź korzenie różnych warzyw. Zetnij czubki kilku warzyw (na przykład marchewki, pasternaku czy buraka). Następnie połóż ścięty czubek na płaskim talerzyku, wlej na talerzyk trochę wody, postaw w słonecznym miejscu i obserwuj, jak będzie wypuszczał korzonki.

Posiej tuzin nasionek. W pustej wytłoczce do jaj urządź ogródek dla nasion (wykorzystaj nasionka pomarańczy lub innych owoców zjedzonych przez twoje dziecko). Pokaż dziecku, jak się je wysiewa, podlej je i postaw w nasłonecznionym miejscu; równocześnie opowiedz, co jest potrzebne, żeby rosły rośliny, i co jest potrzebne ludziom, żeby mogli rosnąć. Jeśli nasionka nie wykiełkują, wyjaśnij, że tak się czasami zdarza.

Bądź domowym chemikiem. Kuchnia jest miejscem, w którym dokonuje się chyba najbardziej fascynujących odkryć naukowych. Pozwól swojemu przyszłemu badaczowi obserwować (z bezpiecznej odległości), jak pod wpływem gorąca jajko zmienia się z miękkiego i przezroczystego w twarde i białe; jak kromka chleba (miękka i jasnego koloru) zmienia się w grzankę (chrupiącą i ciemną), jak ubijanie białka jaja albo ubijanie śmietanki powoduje, że gęstnieją i stają się puszyste; jak dzięki drożdżom rośnie ciasto; jak dmuchanie na gorące jedzenie ochładza je; jak ocet zmieszany z sodą oczyszczoną (i być może odrobiną barwnika do żywności dla większego efektu) „wybucha" w foremce na ciasteczka jak miniaturowy wulkan; jak kryształki soli czy cukru „znikają" w wodzie; jak rodzynki „tańczą" w szklance pod wpływem bąbelków gazowanej wody.

Dokonaj na nowo wynalazku koła. Co się toczy oprócz koła? Zaproponuj dziecku, żeby przeprowadziło eksperyment z jabłkiem i klockiem, z rolką papierowych ręczników, korkiem, książką i pustą butelką plastykową po wodzie sodowej. Porozmawiaj z maluchem o tym, co wszystkie toczące się przedmioty mają ze sobą wspólnego.

Przyciągnij trochę uwagi. Pozwól dziecku przejść się po domu (pod nadzorem) z dużym magnesem i zobaczcie, co przyciągnie, a czego nie. Zwróćcie uwagę na to, gdzie się przyczepią (a gdzie nie) magnetyczne literki.

Pokaż, co to ciężar. Wybierz trzy przedmioty mniej więcej tych samych rozmiarów (na przykład piórko, łyżkę i banana) i poproś dziecko, żeby ważyło w dłoniach, który z nich jest najlżejszy, który najcięższy, a który średni.

Baw się miarami. Czy do jednej szklanki możesz wlać dwie szklanki wody? Ile szklanek możesz wlać do pustej butelki po mleku? Ile masz wzrostu? (Poleć dziecku zrobić obrys jego stopy, wyciąć go i używać do mierzenia różnych rzeczy — włącznie z tobą, kiedy się położysz.) Co parę miesięcy zaznaczaj kreską wzrost dziecka na ścianie (lub na pasku papieru przyklejonym taśmą do ściany) i obserwujcie oboje, jak kreski sięgają coraz wyżej i wyżej. Możecie obserwować, jak rośnie maluchowi nóżka, sporządzając jej obrys na kalce kreślarskiej, a następnie porównując rozmiary mniej więcej co pół roku. Nadarza się teraz dobra okazja, żeby wyjaśnić dziecku, dzięki czemu rośnie — wypoczynek, jedzenie i picie, świeże powietrze, gimnastyka.

Bądź meteorologiem. Wykształć u dziecka nawyk wyglądania każdego ranka przez okno i zwracania uwagi na pogodę. Jeśli malec opanował już słownictwo dotyczące pogody, poproś, żeby przy śniadaniu przedstawiał prognozę pogody. Umiejętności obserwacji pogody przydadzą się, kiedy dziecko zacznie chodzić do przedszkola; poranne spotkania często zaczynają się od prognozy pogody. Kiedy maluch bardziej zainteresuje się pogodą, stanie się być może bardziej rozsądny, jeśli chodzi o ubieranie się (deszczowy dzień oznacza kalosze i płaszcz nieprzemakalny; upalny, słoneczny dzień oznacza sandały i krótkie spodenki, a pochmurny i zimny — ciepłą kurtkę i rękawiczki). Inny rodzaj aktywności związany z pogodą: w deszczowy dzień postaw przed domem słoik, żeby zbierać do niego deszczówkę, a później zmierz ilość opadów linijką. Kiedy będzie padać śnieg, również dokonaj pomiaru.

Spójrz na świat z bliska. Nietłukące szkło powiększające może pokazać twojemu dziecku świat w zupełnie nowy sposób. Poleć maluchowi, żeby przyjrzał się uważnie kilku kryształkom soli, skórce od banana, twojej skórze, kosmykowi włosów, kawałkowi drewna, zielonemu liściowi i suchemu liściowi, mydlanym bańkom w kąpieli i wszystkim innym rzeczom, które pobudzają jego naukową wyobraźnię. Plastykowe pudełka z powiększającymi przykrywkami również sprawiają wiele radości, zwłaszcza na wycieczkach krajoznawczych.

Poznawaj przyrodę. Zbierajcie liście i igły różnych drzew, a potem porównujcie je. Podzielcie ostrożnie kwiat na części i przyjrzyjcie się im dokładnie (wyjaśnij dziecku, że ten eksperyment może przeprowadzić jedynie za zgodą osoby dorosłej; w przeciwnym razie istnieje duże prawdopodobieństwo, że wszystkie rośliny w ogrodzie zostaną szczegółowo zbadane). Wykopcie wiaderko ziemi z podwórza lub podczas wycieczki do lasu, wysypcie zawartość na gazetę i zbadajcie — może was zaskoczyć, jak wiele żywych stworzeń można znaleźć w odrobinie ziemi. Zróbcie karmnik dla ptaków, pokrywając dużą sosnową szyszkę mieszanką masła orzechowego z mąką kukurydzianą, następnie obtoczcie w ziarnach dla ptaków, powieście na drzewie lub tarasie i obserwujcie przylatujące ptaki, które będą chciały się pożywić. Pójdźcie za niektórymi zwierzętami do ich „domu". Wybierzcie mrówkę niosącą odrobinę pożywienia i pójdźcie za nią aż do kopca; obserwujcie wiewiórkę, która skacze na drzewo; przyglądajcie się ptakowi lecącemu do swojego gniazda. Porozmawiajcie o podobieństwach i różnicach między waszym domem a domami zwierząt i ptaków.

Obserwuj wodę. W wanience lub misce wody ustawionej w łazience lub w kuchni pozwalaj dziecku napełniać i opróżniać różne naczynia. Albo też przygotuj maluchowi wiele wodoodpornych przedmiotów i pozwól mu odkryć, które z nich unoszą się na wodzie, a które toną. Spróbujcie razem wywnioskować, dzięki jakim właściwościom przedmioty pływają. Daj dziecku kilka gąbek (jeśli chcesz, mogą mieć śmieszne kształty, ale bardzo uważaj, jeśli brzdąc wciąż jeszcze bierze wszystko do buzi); obserwujcie, jak gąbki „rosną", kiedy zanurzy się je w wodzie, i jak znowu się „kurczą", kiedy wysychają. Napełnij papierowy kubeczek wodą i każ dziecku włożyć go do zamrażalnika; co jakiś czas obserwujcie zawartość kubka, gdy woda będzie się zmieniać w lód. Kiedy woda już zamarznie, wyjmijcie znowu kubek i postawcie, żeby się rozmroziła. Następnie wlej roztopioną wodę do rondelka, postaw na kuchence i doprowadź do wrzenia. Pozwól dziecku (z odpowiedniej odległości) obserwować, jak woda zamienia się w parę wodną.

Naucz kolejności. Każ malcowi uporządkować grupę przedmiotów w kolejności od najmniejszego do największego. Kiedy oko nabierze większej wprawy, każ dziecku uporządkować te przedmioty od największego do najmniejszego, co jest trudniejszą sztuką.

Połącz naukę ze sztuką. Połóżcie się razem na wznak w parku i obserwujcie przepływające chmury (zwróć uwagę na to, że się poruszają i że zasłaniają czasami słońce). Po powrocie do domu narysujcie kredą lub namalujcie farbą rysunki przedstawiające chmury. Przekrój wzdłuż marchew, żeby sprawdzić, jak wygląda w środku, potem umocz tę przekrojoną część w farbie i zrób odcisk warzywa. Zbierajcie zasuszone liście i szyszki, a następnie wykorzystajcie je w kompozycji. Nazrywajcie kwiatów w waszym ogrodzie (lub w ogrodzie sąsiada, jeżeli wyrazi na to zgodę), powkładajcie między strony grubych książek i czekajcie, aż się zasuszą (wyjaśnij dziecku, że zasuszą się wtedy, gdy wyciśnięta zostanie nagromadzona w nich woda). Poszukajcie na plaży płaskich kamieni albo dużych muszli, przynieście je do domu i pomalujcie (będą z nich wspaniałe przyciski do papieru dla przyjaciół i krewnych).

Obserwowanie kolonii pracujących mrówek jest zarazem rozrywką i nauką.

* Na skutek ciągłego nacisku, żeby dobrze się wywiązywać ze swoich obowiązków, takie dzieci boją się porażki i popełnienia błędu, a często także obawiają się podjąć ryzyko.
* Nacisk na osiągnięcia i niewielka ilość czasu poświęcanego na normalne uspołecznienie dziecka powoduje, że jego rozwój jest nierównomierny, a społeczne zachowania pozostają w tyle.
* Mogą mieć kłopoty w odnalezieniu własnej tożsamości. Dzieci, które zawsze popychano do osiągania różnych celów, wytyczonych przez rodziców, są pozbawione szansy poznania własnych zainteresowań, tego, co sprawia im radość, czyli w istocie odkrycia, kim są.
* Może ucierpieć na tym ich poczucie własnej wartości. Poczucie własnej wartości jest większe, jeśli dziecko odnosi sukcesy, a dzieci odnoszą największe sukcesy, kiedy stawiane im zadania są w zasięgu ich możliwości. Jeśli wcześnie pojawiają się częste porażki, tak jak wtedy, gdy dzieci są popychane do zrobienia czegoś, co przekracza ich możliwości, zwykle traci na tym poczucie własnej wartości. Cierpi ono także wtedy, kiedy rodzice skupiają całą

Oznaki syndromu dziecka genialnego

Czasami rodzice nawet się nie domyślają, że wywierają na dziecko zbyt wielką presję. Niewielu rodziców próbuje celowo i konsekwentnie wychować geniusza, większość rodziców jest nawet nieświadoma tego, że wywiera na malucha nacisk, nie wspominając o tym, że nie wie o jego negatywnych skutkach. Zwróć uwagę na oznaki świadczące o tym, że na dziecko wywiera się zbyt silny nacisk:

* Mało czasu lub brak czasu na nieskrępowaną, spontaniczną zabawę.
* Niepokój, napięcie, zmienne nastroje, zmęczenie, drażliwość, agresywność, skłonności do płaczu, częste ataki histerii, depresja, brak entuzjazmu.
* Problemy związane ze spaniem lub jedzeniem.
* Bóle głowy, bóle brzucha, drgawki, tiki lub (być może) inne zaburzenia psychosomatyczne. (W wypadku takich objawów należy zwrócić się do lekarza, by wykluczyć chorobę.)
* Niezdolność do zabawy lub dobrego współżycia z kolegami.

Każda z tych oznak, niezależnie od tego, czy wiąże się ze zbytnimi wymaganiami, czy innymi kłopotami zakłócającymi życie twojego dziecka, powinna być wnikliwie przeanalizowana. Jeśli wydaje się, że źródłem problemu jest zbyt duża presja wywierana przez rodziców, należy dokładnie przeanalizować sytuację i rozważyć zmniejszenie wymagań.

władzę w swoich rękach, sprowadzając dzieci do roli wykonawcy ich woli: „To, co każą mi robić rodzice, jest ważne, a to, co ja chcę robić, nie. A więc chyba ja sam też się nie liczę".

* W skrajnych przypadkach zupełnie tracą wszelkie przyjemności dzieciństwa. Ponieważ ich rodzice uważają zabawę za stratę czasu, niektóre „genialne dzieci" nigdy nie doświadczają tego, czego potrzebuje każde dziecko: beztroskiego i wypełnionego radością dzieciństwa. Ta strata może zakłócić ich proces dorastania.

Wynika z tego jasno, że argumenty przeciwko próbom wychowania dziecka na geniusza są mocne. Rozwój dziecka jest najszczęśliwszy, najzdrowszy i najkorzystniejszy, gdy otacza je miłość rodziców i jest doceniane za to, jakie jest, a także gdy ma ono możliwość rozwijania się w odpowiednim dla niego tempie.

Niemniej jednak wszystkie dzieci mogą zyskać na tym, że wychowuje się je w stymulującym i rzucającym wyzwania otoczeniu, w którym wrodzona miłość do nauki jest pielęgnowana od najmłodszych lat. Aby zachęcić malca, nie wywierając na niego presji, pozwól mu przejąć inicjatywę. Pilnie śledź, co go interesuje, a co nie. Obserwuj również, co zaspokaja żądzę wiedzy, a co po prostu męczy malucha.

CO TWOJE DZIECKO POWINNO WIEDZIEĆ

Znaczenie uczciwości

Twój trzylatek potrącił przypadkiem pudełko kredek, które się rozsypały na podłogę pokoju, po czym, patrząc ci prosto w oczy, mówi: „Ja tego nie zrobiłem".
Pierwsze kłamstwo dziecka. Trochę niepokojące dla rodziców? Na pewno. Koniec niewinności? Być może. Zwiastun niemoralnego zachowania w przyszłości? Absolutnie nie. Po prostu zachowanie typowe dla małego dziecka. Większość malców nie zdążyła się jeszcze nauczyć, że uczciwość popłaca, chociaż wiele z nich zauważyło już, że nieuczciwość może czasami im pomóc wydostać się z tarapatów.

Jest kilka powodów, dla których dzieci mogą kłamać:

Potrzeba zachowania pozorów grzeczności. Według rozumowania dziecka zaprzeczenie, że zrobiło się coś złego, oddala karygodny czyn i pozwala pozostać dobrym.

Pragnienie uniknięcia konsekwencji czynu. Tok rozumowania jest następujący: „Jeśli nie powiem tacie, że rozsypałem kredki, może nie będę musiał ich zbierać".

Szwankująca pamięć. Kiedy Kuba oskarża Paulinę, że zabrała jego ciężarówkę, nie pamięta już być może, że to on pierwszy ją zabrał.

Trudności z jednoznacznym odróżnieniem rzeczywistości od fantazji. Kiedy Monika dostała nową lalkę, Ewa nie widziała nic nieuczciwego w stwierdzeniu: „Ja też dostałam nową lalkę". Wypowiadając swoje marzenie, poczuła się lepiej. Natomiast Mariusz, chłopiec obdarzony bardzo bujną wyobraźnią, wymyśla różne historie, zapominając wspomnieć, że są zmyślone — jego zdaniem opowiada, a nie kłamie.

Ponieważ kłamstwa małego dziecka nie są złośliwe czy wyrachowane, nie powinny być powodem do niepokoju. Zakładając, że maluch przebywa w atmosferze uczciwości i zaufania, należy przypuszczać, że etap kłamstw kiedyś się skończy. Stopniowo wewnętrzny głos dziecka zacznie się ujawniać coraz częściej i będzie odgrywać większą rolę przy podejmowaniu decyzji oraz w kontaktach społecznych, a dziecko wyrośnie z potrzeby kłamania. Do tego czasu możesz wpajać brzdącowi uczciwość w następująco:

* Nie ułatwiaj dziecku kłamania. Nie pytaj: „Czy ty to zrobiłeś...?", wiedząc bardzo dobrze, że odpowiedź jest twierdząca. Powiedz natomiast: „Wiem, że ty..." albo „Widziałam, że to ty..."
* Ułatwiaj dziecku powiedzenie prawdy. Mówiąc: „Coś się stało z tym sokiem. Zastanawiam się, w jaki sposób znalazł się na podłodze...", masz o wiele większą szansę na uzyskanie przyznania się do winy, niż kiedy zasypiesz dziecko oskarżeniami. Słowa: „Popatrz, co zrobiłeś. Znowu rozlałeś swój sok!" wywołają prawdopodobnie pełną oburzenia reakcję: „Ja tego nie zrobiłem".
* Spraw, żeby dziecku opłacało się mówić prawdę. Jeśli trzylatek przyzna się do rysowania

A co z niewinnymi kłamstewkami?

Zdarzają się one nawet najbardziej prawdomównym z nas — nawet Jerzy Waszyngton nie był prawdopodobnie całkowicie od nich wolny. Twierdzi się, że są nieszkodliwe, a czasami nawet nie dopuszczają do zranienia ludzkich uczuć. W kontaktach z małym dzieckiem wydają się wręcz nieodzowne („Nie możesz dostać następnej porcji lodów, bo już nie ma").

W gruncie rzeczy niewinne kłamstewka są jednak, podobnie jak bezczelne kłamstwa, nieprawdą. Aby pokazać dziecku wartość uczciwości, musisz unikać nieprawdy wszelkiego rodzaju. Chociaż małe dzieci mogą, przynajmniej przez jakiś czas, nabierać się na niewinne kłamstewka rodziców, to w końcu wszystko zrozumieją. A kiedy to się stanie, nauczy je to od razu dwóch niedobrych rzeczy: po pierwsze, że kłamstwo jest najskuteczniejszym sposobem wybrnięcia z trudnej sytuacji i najlepszą metodą, żeby otrzymać to, co się chce, a po drugie, że nie zawsze może ufać swoim rodzicom.

Niewinne kłamstewka są od czasu do czasu konieczne, jeśli nie chce się zranić czyichś uczuć. Żeby pomóc dziecku odróżnić „szlachetne" kłamstwa od samolubnych, zawsze, kiedy ci się zdarzają, próbuj tłumaczyć dziecku, dlaczego tak postąpiłaś. Na przykład: „Nie chciałam zranić uczuć cioci Krysi, więc powiedziałam jej, że smakują mi jej ciasteczka, chociaż nie lubię pierniczków. Czasami można powiedzieć coś, co nie jest prawdą, żeby oszczędzić komuś przykrości. Nigdy jednak nie można powiedzieć kłamstwa, które mogłoby kogoś zranić". Twojemu dziecku może być początkowo dość trudno dostrzec subtelną granicę między niewinnymi kłamstewkami, które są dopuszczalne, a tymi, które nie są. Jednak dzięki wielokrotnemu podawaniu przykładów malec w końcu zrozumie różnicę.

Czasami nie będziesz mogła powiedzieć całej prawdy na jakiś temat, żeby ochronić dziecko przed jej negatywnymi skutkami albo dlatego, że nie będzie w stanie czegoś zrozumieć — kiedy będziesz tłumaczyła, skąd się biorą dzieci lub dlaczego ktoś zmarł (jeśli była to, na przykład, nagła śmierć), albo dlaczego ciocia Ela i wujek Adam już razem nie mieszkają. Nawet w takich sytuacjach spróbuj nie posługiwać się kłamstwem, po prostu powiedz tylko taką część prawdy, którą maluch potrafi przyswoić.

Święty Mikołaj i zajączek wielkanocny również mieszczą się w kategorii „niewinnych kłamstewek". Niektórzy rodzice lubią przekazywać te mity swoim małym dzieciom, a inni nie czują się dobrze, posługując się koniecznym w tej sprawie oszustwem. Rób to, co będzie najlepsze dla ciebie i dziecka, kultywując fantazję tak długo, jak długo będziecie mieli ochotę. Jeśli jednak smyk zapyta w końcu wprost: „Czy Święty Mikołaj istnieje?", zasłuży na uczciwą odpowiedź. Wytłumacz mu, że ludzie lubią wierzyć w istnienie Świętego Mikołaja, bo ich uszczęśliwia, i że szczęście, jakie on „przynosi", jest prawdziwe, chociaż on sam jest wymyślony. Powiedz dziecku, że nie ma niczego złego w fantazjowaniu i że to nie to samo co kłamstwo, a jeżeli wszyscy wiedzą, że się fantazjuje.

kredkami po ścianie, a ty zareagujesz na to gniewem, łatwo przewidzieć, że zniechęcisz go do przyznawania się do następnych przewinień. Jeśli jednak docenisz jego uczciwość („Podoba mi się, kiedy mówisz mi prawdę"), dziecko będzie w przyszłości bardziej skłonne do prawdomówności. (Oczywiście powinno się podjąć odpowiednie kroki dyscyplinarne, nawet jeśli malec przyzna się do popełnionych przewinień — jeśli karą za rysowanie po ścianach jest zwykle pomoc przy zmywaniu rysunków albo zakazanie dziecku na pewien czas rysowania, powinno się tę karę nałożyć.)

* Pomóż dziecku dostrzec całą prawdę. Często malec pamięta tylko część wydarzeń i w takim wypadku być może będziesz mu musiała pomóc odtworzyć całą historię. „Marek mnie uderzył" może być prawdą, ale nie całą, bo cała prawda może być taka, że najpierw twoje dziecko uszczypnęło Marka. W tym kontekście oskarżenie przedstawia się w zupełnie innym świetle i przy odrobinie pomocy z twojej strony dziecko z czasem to zrozumie.

* Nie zmuszaj dziecka do kłamstw. Zbyt duża presja, zbyt wysokie wymagania lub niewspółmiernie duża kara — wszystko to może doprowadzić dziecko do kłamstwa mającego na celu uniknięcie niezwykle nieprzyjemnych konsekwencji.

* Pozostaw krzyżowy ogień pytań detektywom. Jeśli nie zdobędziesz spontanicznego wyznania, nie wymuszaj go za wszelką cenę. Jeśli oboje wiecie, że maluch zrobił coś złego, nie ma potrzeby nalegać, żeby przyznał się do winy. Kiedy dziecko będzie utrzymywać: „Ja tego nie zrobiłem", podczas gdy ty będziesz twierdzić: „Oczywiście, że tak!", wywoła to tylko wzajemne przekrzykiwanie się albo napad histerii u dziecka. Zamiast tego powiedz

mu (nawet jeśli miałoby to być po raz dwudziesty), że to, co się stało, jest karygodne. A jeśli podlega to karze, wyegzekwuj ją. Jeśli natomiast nie jesteś do końca pewna, czy dziecko ponosi za coś winę, nie obstawaj przy swoim. Powiedz mu: „Mam nadzieję, że mówisz prawdę. Jeśli tak nie jest, to będę bardzo zmartwiona".

* Ufaj swojemu dziecku. Prawda i zaufanie są nierozłączne — jeśli jesteś prawdomówny, ludzie będą ci ufać, a jeśli ludzie ci ufają, będziesz prawdomówny. Daj maluchowi do zrozumienia, że mu ufasz (mówiąc mu, na przykład, przed pójściem do kolegi: „Wiem, że będziesz się bardzo starać, żeby się dziś grzecznie bawić", a nie ostrzegając: „Lepiej nie próbuj dzisiaj bić innych dzieci"), a dziecko będzie się prawdopodobnie starało spełnić pokładaną w nim nadzieję. Staraj się, by twoje dziecko mogło także zaufać tobie — zawsze staraj się dotrzymywać słowa, a jeśli nie będziesz mogła, wyjaśnij dziecku powód i przeproś je za to. Kiedy nadarzy się sposobność (na przykład wtedy, gdy twoja pociecha przyzna się do naruszenia ustalonych zasad), porozmawiaj z nią o wartości zaufania — wyjaśnij, że ludziom mówiącym prawdę można zaufać i wierzyć ich słowom.

* Niech uczciwość stanie się twoją dewizą. Nic lepiej nie uczy dziecka uczciwości niż przykład rodziców. Bądź prawdomówna w każdej sytuacji, zarówno w sprawach ważnych, jak i mniej istotnych. Nie mów maluchowi, że wyjęcie drzazgi nie będzie bolało, podczas gdy wiesz, że może boleć; albo nie mów konduktorowi, że twój trzylatek ma tylko dwa lata, tylko po to, żeby wykupić ulgowy bilet; nie mów przyjaciołom, że nie możesz się z nimi spotkać, bo jesteś chora na grypę, podczas gdy prawda jest taka, że wolisz się wybrać do kina; nie mów sąsiadce, że nie masz pojęcia, kto podeptał jej kwiaty, kiedy doskonale wiesz, że zrobił to twój pies. Nawet „niewinne kłamstewka" mogą sprawić, że dla twojego malca uczciwość nie będzie nadrzędną wartością. Jeśli zdarzy ci się skłamać, a twoje dziecko przyłapie cię na tym, przyznaj się do popełnienia błędu, żeby i ono w podobnej sytuacji potrafiło się szczerze przyznać.

Część 2

PIELĘGNACJA, ZDROWIE I BEZPIECZEŃSTWO MAŁEGO DZIECKA

17

Podstawowe wiadomości na temat pielęgnacji małego dziecka

Przecież zaledwie wczoraj, albo przynajmniej tak ci się wydaje, przyniosłaś to małe, cenne zawiniątko ze szpitala do domu, tak niedawno po raz pierwszy je kąpałaś, pierwszy raz myłaś porośniętą puszkiem główkę, pierwszy raz obcinałaś malutkie paznokcie. To małe, cenne zawiniątko nie jest już niemowlęciem i chociaż twoje dziecko rośnie bardzo szybko, w dalszym ciągu wymaga wiele troskliwości i starannej pielęgnacji. Poza kąpielami, myciem włosów, obcinaniem paznokci musisz zajmować się jego oczami i uszami, skórą i zębami, ubieraniem i przebieraniem, a zacząć uczyć je także podstawowych zasad higieny osobistej. Podane w tym rozdziale wskazówki powinny to ułatwić.

OD PIELĘGNACJI SKÓRY DO WSKAZÓWEK DOTYCZĄCYCH UBIERANIA

PIELĘGNACJA

Zwalczanie suchej skóry

Dbałość o to, żeby skóra niemowlęcia była aksamitna, nie zawsze należy do łatwych zadań. Zachowanie delikatnej skóry u małego dziecka może być jeszcze trudniejsze. Ponieważ gruczoły łojowe, odpowiadające za natłuszczenie i ochronę skóry, nie działają przed pojawieniem się hormonów, które ma nastąpić w okresie dojrzewania, młoda skóra jest szczególnie podatna na wysuszanie. Skóra małego dziecka jest z kilku powodów nawet bardziej na to podatna niż u niemowlęcia. Po pierwsze, dwu-, trzylatek jest w ciągłym ruchu, w domu lub na dworze, a przez to jest bardziej narażony na podrażnienia skóry. Po drugie, małe dzieci bardziej się brudzą, a zarówno brud, jak i mycie może podrażniać wrażliwą skórę.

Jest jednak kilka sposobów pozwalających uchronić skórę przed utratą wilgotności. Aby zapobiegać wysuszeniu skóry lub pomóc uzupełnić braki wilgoci, kiedy skóra zostanie przesuszona, zastosuj się do poniższych wskazówek:

Unikaj przegrzewania. Kiedy na dworze spada temperatura, pojawia się pokusa, by ją podwyższyć w domu. Jednak suche, przegrzane powietrze prowadzi do nadmiernego wysuszenia skóry, szczególnie u małych dzieci. Staraj się więc w sezonie grzewczym utrzymywać temperaturę w domu 18–20°C w ciągu dnia oraz 15–18°C w nocy. Aby nie zmarznąć, zamiast odkręcać termostat, wkładajcie ciepłe swetry albo bluzy w ciągu dnia, a flanelowe piżamy i ciepłe śpiochy na noc (bardzo ważne zalecenie, jakże odbiegające od naszych nawyków — przyp. red. nauk.).

Chroń przed wpływem czynników atmosferycznych. Środek nawilżający lub cienka warstwa oliwki ochroni skórę przed wiatrem i zimnem powodującymi wysuszenie i podrażnienia.

Ograniczaj kąpiele. Chociaż większość małych dzieci brudzi się wystarczająco, żeby zapewnić sobie codzienne szorowanie w wannie, tak częste kąpiele mogą nie tylko męczyć malca, ale i wysuszać jego skórę. Jeśli skóra twojego dziecka jest bardzo sucha, kąp je co drugi dzień albo rzadziej, myjąc je tylko miejscowo lub przemywając gąbką w dni, kiedy nie będzie kąpane. Do kąpieli używaj ciepłej, ale nie gorącej wody (im cieplejsza woda, tym bardziej wysusza) i nie stosuj płynu do kąpieli, który może podrażniać i wysuszać skórę. Staraj się, żeby kąpiele w wannie (i mycie pod prysznicem, które wysusza jeszcze bardziej niż kąpiel w wannie) nie trwały zbyt długo. Chociaż dodanie oliwki do kąpieli może zapobiec wysuszeniu skóry, to zbyt śliska wanna może się okazać niebezpieczna dla małego dziecka. Niektóre maluchy mogą być uczulone na pewne składniki oliwki do kąpieli, na przykład barwniki czy środki zapachowe.

Stosuj odpowiednie mydła. Używaj bardzo delikatnego i natłuszczającego mydła. Nie używaj mydeł zawierających środki dezodoryzujące i zapachowe. Wystrzegaj się także mydeł przeciwbakteryjnych, które w rzeczywistości nie zmywają więcej drobnoustrojów niż zwykłe mydło (nawet w szpitalach używa się przeważnie zwykłego mydła), a mogą także podrażniać oraz powodować zaczerwienienia lub łuszczenie skóry. Długotrwałe stosowanie tych mydeł może przyczyniać się do powstawania odpornych szczepów bakteryjnych. Nawet najdelikatniejszych środków używaj w niewielkich ilościach, myjąc mydłem jedynie w razie potrzeby (te części ciała, które brudzą się najbardziej, oraz pośladki i narządy płciowe).

Nie wycieraj dziecka mocno. Zawsze po kąpieli osuszaj skórę dziecka, poklepując ją delikatnie, a nie mocno wycierając.

Stosuj środki nawilżające. Używaj ich po kąpieli, kiedy skóra dziecka jest jeszcze trochę wilgotna. Można je zastosować przed położeniem dziecka spać i przed wyjściem z domu, jeśli będzie taka potrzeba. Najlepsze środki nawilżające dla dzieci zawierają zarówno wodę (żeby uzupełnić jej zapas w skórze), jak i olejek (żeby ją zatrzymać), wystrzegają się środków zapachowych i zawierają niewiele, jeśli w ogóle, dodatków chemicznych. Poproś swojego lekarza, żeby zaproponował odpowiedni środek nawilżający. Dla szczególnie suchej skóry lepiej jest stosować krem niż emulsję, mimo że nie rozsmarowuje się on tak łatwo. Jeśli stan skóry malca pogorszy się po zastosowaniu środka nawilżającego, pojawi się wysypka lub wykwity skórne (nawet produkty „nie wywołujące alergii" i „naturalne"[1] mogą wywoływać reakcje u dzieci uczulonych), natychmiast przestań stosować ten produkt. Spróbuj zastosować środek nawilżający o innym składzie albo poproś lekarza o polecenie innego środka.

Podawaj dziecku odpowiednią ilość płynów. Podawanie zbyt małej ilości płynów może, między innymi, doprowadzić do wysuszenia skóry. Upewnij się więc, czy maluch otrzymuje dostateczną ilość napojów (patrz str. 437). Zwróć na to szczególną uwagę, jeśli niedawno odstawiłaś dziecko od piersi i jeśli nie potrafi jeszcze dobrze pić z kubeczka.

Zachowaj ostrożność w czasie upałów. Kiedy zrobi się cieplej, należy chronić skórę dziecka nie tylko przed wysuszaniem, ale także przed potówkami i słońcem. Tylko najbardziej sucha skóra wymaga latem stosowania emulsji, kremów i olejków. W rzeczywistości, jeśli są gęste (na przykład oliwka), skóra bardziej ucierpi, gdyż uniemożliwione zostanie parowanie wilgoci, co prowadzi do powstania potówek. Zarówno wystawienie na działanie promieni słonecznych, jak i zakładanie maluchowi zbyt ciepłych ubrań może doprowadzić do zaburzeń funkcjonowania skóry w czasie upałów. Poniżej opisane zostały sposoby ochrony przed słońcem, na str. 430 znajdziesz wskazówki, jak odpowiednio ubierać dziecko, a na str. 406 porady, jak postępować w razie wystąpienia potówek.

Pielęgnacja spierzchniętych policzków

Każdego dnia na twarzy dziecka pojawia się wiele różnych substancji (od śliny i śluzu do galaretki i sosu pomidorowego). Malec rozmazuje te substancje po policzkach, przez co skóra staje się zaczerwieniona i podrażniona, szczególnie w okresie zimowym, kiedy jest bardziej wysuszona. Częste mycie buzi zwykle wywołuje podrażnienia.

Jeśli policzki twojego dziecka stają się czerwone wraz z nadejściem pierwszych mrozów i pozostają takie aż do czasu, gdy zakwitną tulipany, to znaczy, że należy im poświęcić więcej uwagi. Aby ograniczyć do minimum pierzchnięcie policzków, zastosuj się do poniższych porad:

---

[1] Pamiętaj o tym, że określenie „naturalny" w praktyce nic nie oznacza, ponieważ jego zakres nie został określony prawnie.

Przyjrzyj się uważnie skórze twojego dziecka

Chociaż skóra jest z pewnością największym organem człowieka, nie poświęca się jej należytej uwagi. Infekcja oka czy ból ucha będą najprawdopodobniej leczone natychmiast, natomiast stan skóry dziecka może nawet nie zostać zauważony, bo przecież duża część jej powierzchni pozostaje przez większość czasu pod ubraniem. Dlatego właśnie lekarze zalecają ostatnio rutynowe badania skóry, które pozwolą rodzicom zapoznać się ze skórą dzieci, by mogli zauważyć wszelkie jej zmiany. Przynajmniej raz w miesiącu przy okazji kąpieli sprawdzaj skórę dziecka, obserwując wszelkie zmiany zachodzące w pieprzykach czy znamionach wrodzonych i zwracając uwagę na wszelkie nowe skazy czy zmiany, których dotychczas nie zauważyłaś. Jeśli pieprzyk lub znamię powiększyło się, jeśli zmieniło zabarwienie, jeśli swędzi, wypływa z niego wydzielina lub krew, tworzy się na nim strup, łuszczy się lub jest wrażliwe na dotyk, powiedz o tym lekarzowi swojego dziecka. Zgłaszaj mu także wszelkie rany, które goją się dłużej niż dwa tygodnie, wysypki, dla których nie znajdujesz uzasadnienia, oraz inne zmiany skórne.

* Kiedy dziecko się nadmiernie ślini oraz po każdym myciu osuszaj jego buzię, dotykając jej delikatnie miękkim ręcznikiem.
* Wystrzegaj się używania mydła do mycia buzi dziecka. Jeśli sama woda nie wystarcza, spójrz na str. 399, żeby sprawdzić, co jeszcze możesz zrobić.
* Delikatnie przemywaj buzię dziecka bezpośrednio po posiłkach, aby usunąć wszelkie pozostałości jedzenia, i szybko ją osusz. Jeśli zauważysz, że jakieś pokarmy lub napoje wywołują podrażnienie skóry dziecka (najczęściej winę za to ponoszą takie, które zawierają duże ilości kwasu, czyli na przykład owoce cytrusowe i soki z tych owoców, truskawki, pomidory i sos pomidorowy), wstrzymaj się od podawania ich dziecku do czasu, aż skóra na policzkach zagoi się.
* Spierzchnięcia na policzkach należy łagodzić delikatnym środkiem nawilżającym (patrz str. 399). Smarowanie oliwką policzków, podbródka i noska zimą przed wyjściem z domu może działać ochronnie, szczególnie w przypadku dziecka ząbkującego, które się dużo ślini, albo malca cierpiącego na katar.

Ochrona przed słońcem

Australijczycy zamieszkujący tę część świata, gdzie promienie słoneczne są szczególnie intensywne, mają na to specjalne słowo, a raczej trzy słowa: *slip, slap, slop* (czyli włóż koszulę, nałóż kapelusz i stosuj ochronę przed słońcem). Jest to rzeczywiście dobre przyzwyczajenie. Warstwa ozonowa wokół Ziemi wciąż się kurczy, zagrożenie rakiem skóry rośnie, a naukowcy przypisują promieniowaniu ultrafioletowemu aż 95% wszystkich zachorowań na tę chorobę. Wobec takich faktów należy na zawsze zapomnieć o zażywaniu kąpieli słonecznych bez żadnego zabezpieczenia. Każdy potrzebuje ochrony zarówno przed promieniami ultrafioletowymi typu A (UVA), powodującymi opalanie, starzenie się skóry i raka skóry, jak i promieniami typu B (UVB), powodującymi poparzenia słoneczne i raka skóry. Natomiast dzieci potrzebują specjalnej ochrony. Istnieją pewne dowody na to, że poważne oparzenia słoneczne powstałe w dzieciństwie mogą się w większym stopniu przyczynić do rozwoju czerniaka złośliwego (odmiany raka skóry), niż wystawianie się na działanie promieni słonecznych przez całą resztę życia. Oparzenia słoneczne stanowią również bezpośrednie zagrożenie dla małych dzieci, ponieważ u nich stosunek powierzchni skóry do masy ciała jest większy niż u dorosłych, rozległe oparzenia słoneczne mogą spowodować poważne zachwianie równowagi płynów i elektrolitów. I chociaż opalanie się wydaje się dość niewinne, nie ma czegoś takiego jak bezpieczne opalanie. Opalenizna jest oznaką uszkodzenia skóry i to w przeciwieństwie do tego, co myśli wielu ludzi, nie ochrania ono skóry przed dalszymi uszkodzeniami.

Aby zabezpieczyć się przed uszkodzeniami skóry spowodowanymi słońcem, zachowuj podane poniżej środki ostrożności (i dopilnuj, żeby każdy, kto opiekuje się dzieckiem, postępował według twoich zaleceń).

Ochraniaj skórę dziecka przez cały rok. Mimo że oparzenia słoneczne kojarzą nam się z okresem letnim, mogą one stanowić zagrożenie także i zimą, zwłaszcza kiedy leży śnieg. Prawdą jest, że promienie słoneczne odbijające się od śniegu mogą być równie intensywne, jak w okresie letnim. I chociaż zimą dociera do Ziemi mniej promieniowania UVB, to promieniowanie UVA, które również jest szkodliwe, występuje przez cały rok. Ponieważ intensywność promieniowania słonecznego rośnie wprost proporcjonalnie do wysokości nad poziomem morza (wzrost o 4% na każde 300 metrów n.p.m.) lub w miarę zbliżania się do równika, należy podjąć szczególne środki ostrożności, przebywając na dużych wysokościach oraz w rejonach równikowych, niezależnie od pory roku. Nie rezygnuj z ochrony nawet w pochmurny dzień, szczególnie przebywając na plaży — przez cienką powłokę chmur może się przedostać duża dawka promieniowania ultrafioletowego.

Mądrze zaplanuj czas spędzany poza domem. W czasie kiedy słońce świeci najintensywniej, czyli między godziną 10.00 a 15.00, albo kiedy twój cień jest krótszy niż ty, staraj się ograniczać czas, w którym dziecko wystawione jest na działanie promieni słonecznych, nawet jeśli jest ono odpowiednio zabezpieczone. Pomyśl o słońcu jako o źródle promieniowania albo jako o olbrzymim reaktorze jądrowym, a wtedy nie będziesz miała takiego poczucia winy, trzymając dziecko poza jego zasięgiem.

Zachęcaj do zabawy w cieniu. Szukaj miejsc, które są dobrze ocienione, lub przygotuj dla dziecka kącik na własnym podwórku, gdzie cień panuje przez cały dzień lub przez jego część.

Wystrzegaj się odbicia światła. Na plaży, gdzie prawdopodobnie nie znajdziesz naturalnego cienia, nie polegaj jedynie na parasolu przeciwsłonecznym, gdyż nie osłoni on odpowiednio dziecka przed odbijającym się od piasku blaskiem słońca. Rozbijaj plażowy namiot, który zapewni bawiącemu się maluchowi ochronę przed słońcem. Uważaj także na promienie słoneczne odbijające się od śniegu, betonu i wody (dziecko pluskające się w baseniku jest bardziej narażone na oparzenia słoneczne niż to, które bawi się obok niego w piasku). Ponieważ promieniowanie UVA przenika przez szkło, co potwierdzi każdy ogrodnik posiadający szklarnię, dziecko siedzące w pobliżu okna samochodu (jeżeli okno nie jest przyciemnione) lub bawiące się w domu blisko dużych okien, jest także narażone na szkodliwe promieniowanie.

Osłaniaj dziecko. Przebywając z dzieckiem poza domem w godzinach, kiedy słońce świeci najintensywniej, nie dopuszczaj do niego promieni słonecznych, używając parasolki lub daszka przy spacerówce, czapeczki[2] lub kapelusika z szerokim rondem, odpowiednich ubrań zapewniających ochronę i wygodę, bucików i skarpetek (bose stopy szybko ulegają oparzeniom słonecznym) oraz preparatu ochronnego na odsłonięte części ciała. Pamiętaj jednak o tym, że promieniowanie ultrafioletowe może przenikać przez przewiewne i luźno tkane materiały w jasnych kolorach — dla typowej koszulki współczynnik ochrony przeciwsłonecznej wynosi jedynie 7 lub 8, co oznacza, że większość małych dzieci (również tych o śniadej cerze) potrzebuje warstwy kremu przeciwsłonecznego, kiedy mają przebywać przez dłuższy czas na dworze. W celu sprawdzenia tkaniny przyjrzyj się jej pod światło — im mniej światła przepuszcza, tym lepiej chroni przed słońcem. Mokre tkaniny chronią o jedną trzecią gorzej niż suche, ciemne kolory chronią lepiej niż jasne (chociaż podczas upałów nie jest w nich tak przyjemnie); gęste sploty chronią lepiej od luźnych. Wydaje się, że dżins daje najlepszą ochronę z możliwych (dżinsowy kapelusz przeciwsłoneczny byłby dobrym rozwiązaniem dla dziecka szczególnie wrażliwego na działanie słońca). Jeśli malec zażywa jakieś lekarstwo lub wystawianie go na działanie słońca byłoby szczególnie ryzykowne dla jego zdrowia, zasięgnij u lekarza informacji na temat specjalnych dziecięcych ubrań zabezpieczających przed słońcem, które są obecnie dostępne w sprzedaży.

Smaruj obficie. Bez względu na to, jak dziecko jest ubrane, środek przeciwsłoneczny jest zapewne pożądanym dodatkiem, gdy czeka was wyprawa w pełnym słońcu[3]. Postaraj się, żeby używanie stosownego preparatu należało do czynności rutynowych, podobnie jak wkładanie butów, i nie podlegało dyskusji tak samo jak podróżowanie w foteliku samochodowym. Jeśli smarowanie środkiem przeciwsłonecznym stanie się nawykiem już teraz, nie będzie prawdopodobnie wzbudzać sprzeciwu w przyszłości. (Dobrze byłoby, gdyby wszyscy członkowie rodziny wykształcili u siebie to przyzwyczajenie.) Zadbaj o to, by niania lub opiekunka twojego dziecka

[2] Obecnie są dostępne czapeczki z daszkiem oraz klapką osłaniającą kark. Jeżeli dziecko o rzadkich, jasnych włosach nie chce włożyć czapki, rozsmaruj mu na głowie nieco środka ochronnego (najłatwiejsze w użyciu są preparaty w aerozolu).

[3] Ostatnie badania podają w wątpliwość skuteczność preparatów przeciwsłonecznych jako zabezpieczenia przed czerniakiem, najgroźniejszą odmianą raka skóry. Nie wyklucza się jednak, że stosowanie środków zabezpieczających zarówno przed promieniowaniem UVA, jak i UVB, może być bardziej skuteczne niż używanie jedynie zabezpieczenia przed promieniowaniem UVB. Ważniejsze stają się przez to inne kroki podejmowane w celu zabezpieczenia skóry, takie jak osłanianie jej kapeluszami i odzieżą oraz ograniczanie czasu spędzonego na słońcu.

Dziecko bardziej zagrożone przebywaniem na słońcu

Chociaż wszystkie dzieci należy chronić przed szkodliwym działaniem promieni słonecznych, niektóre z nich są bardziej zagrożone niż pozostałe. Chodzi tu o dzieci o rudych lub jasnych włosach i jasnej karnacji; dzieci o niebieskich, zielonych lub szarych oczach; dzieci z rodzin, w których zdarzały się zachorowania na raka skóry; dzieci mieszkające w klimacie zwrotnikowym lub podzwrotnikowym albo na dużych wysokościach nad poziomem morza; dzieci posiadające wiele pieprzyków oraz te, które niezależnie od zabarwienia skóry zamiast się opalać, ulegają poparzeniom (nie próbuj jednak sprawdzić, czy twoje dziecko należy do tej ostatniej kategorii). Piegowata buzia może miło wyglądać, ale również piegi są oznaką szczególnej wrażliwości dziecka na słońce. Piegi mogą również świadczyć o tym, że dziecko już wcześniej zostało narażone na nadmierne działanie promieni słonecznych (zbyt długie lub zbyt intensywne). Każdy maluch bardziej zagrożony przebywaniem na słońcu powinien z założenia stosować środek przeciwsłoneczny z faktorem 20 lub więcej oraz spędzać niewiele czasu na słońcu w godzinach południowych.

Co to jest współczynnik ochrony przeciwsłonecznej

Współczynnik ochrony przeciwsłonecznej określa, na ile dany preparat chroni skórę przed słońcem. Na przykład współczynnik 15 oznacza, że osoba, która go używa, nie ulegnie oparzeniu słonecznemu, przebywając na słońcu piętnaście razy dłużej, niż gdyby nie stosowała żadnej ochrony. Oczywiście czas bezpiecznego przebywania na słońcu jest indywidualny dla każdego. Człowiek o jasnej karnacji skóry, który bez żadnego zabezpieczenia mógłby ulec oparzeniu słonecznemu już po upływie piętnastu minut od czasu narażenia się na działanie promieni słonecznych, zabezpieczony preparatem z faktorem 15, mógłby teoretycznie przedłużyć ten czas do trzech godzin i czterdziestu pięciu minut*. Ponieważ jednak nie wiesz dokładnie, w jakim czasie twoje dziecko uległoby oparzeniu słonecznemu lub jak intensywnie świeci słońce danego dnia, niemądrze byłoby przebywać na słońcu aż do tego czasu. Przebywanie bez przerwy przez około godzinę w pełnym słońcu wystarczy nawet temu, kto zabezpieczył się grubą warstwą preparatu ochronnego, włączając w to dzieci o ciemnej karnacji. Nie zakładaj, że możesz spokojnie czekać, aż policzki malca lekko się zaczerwienią, zanim zapewnisz mu jakąś osłonę. Różowienie policzków (albo pleców, ramion i innych bardziej odsłoniętych miejsc) nie jest zauważalne w słońcu. Faktem jest natomiast, że większość oparzeń słonecznych osiąga najintensywniejsze zabarwienie dopiero po upływie sześciu do dwudziestu czterech godzin od opalania.

* Sporną kwestią jest skuteczność środków przeciwsłonecznych o współczynniku wyższym niż 15. Niektórzy specjaliści uważają, że są one przydatne, lecz tylko w przypadku dzieci o większej wrażliwości.

również włączyła tę czynność do swoich obowiązków. Jeśli malec uczęszcza do żłobka lub przedszkola, smaruj go sama każdego ranka, stosując produkty o przedłużonym działaniu — nie zawsze możesz liczyć na to, że wychowawczyni będzie o tym pamiętać. Kupując środek przeciwsłoneczny, poszukaj takiego, który będzie przeznaczony dla dzieci (jest bardziej prawdopodobne, że będzie łagodny i, jako że wiele dzieci jest uczulonych na powszechnie stosowany w środkach przeciwsłonecznych kwas para-aminobenzoesowy, pozbawiony tego składnika) i który będzie zatrzymywał zarówno promienie UVA, jak i UVB. Wybierz środek, którego współczynnik ochronny, inaczej zwany faktorem, wynosi co najmniej 15. Jeżeli twoje dziecko ma ciemną karnację — powinien wystarczyć preparat oznaczony numerem 8. (Patrz ramka powyżej, w której znajdziesz więcej informacji na temat współczynnika ochrony przeciwsłonecznej.) Kremy i olejki mniej wysuszają i dłużej utrzymują się na skórze, podczas gdy preparat w aerozolu łatwiej rozprowadzić. Ponieważ środki przeciwsłoneczne mogą działać skutecznie tylko wtedy, kiedy uda się posmarować nimi dziecko, łatwość użycia jest tu więc sprawą najistotniejszą. (Uwaga! Trzymaj pojemnik z aerozolem z dala od oczu dziecka!) Unikaj także środków perfumowanych z uwagi na to, że mogą przyciągać owady. Nawet kupując preparat zalecany dla dzieci, dobrze jest sprawdzić, czy malec nie jest na niego uczulony. W tym celu rozsmaruj lub rozpyl niewielką ilość środka na skórze dziecka. Jeśli wystąpi zaczerwienienie lub wysypka, nie smaruj nim dziecka, wypróbuj natomiast preparat o innym składzie. Sprawdzaj datę ważności każdego preparatu przeciwsłonecznego, który stosujesz, i zawsze wyrzucaj pozostałość, jeśli upłynął termin przydatności do użycia — może on być po prostu nieskuteczny. Chociaż dzieci znane są z tego, że chcą robić wszystko samodzielnie, smarowanie środkiem ochronnym jest zadaniem dla rodziców, a nie zabawą dla dziecka. Malec nie potrafi równo rozsmarować preparatu (co jest konieczne dla zapewnienia właściwej ochrony), ominąć oczu i ust, a także ubrania. Jeśli chcesz zapewnić sobie współpracę trochę starszego dziecka, możesz zaproponować mu: „Najpierw ty mi posmarujesz plecy, a później ja tobie". Jeśli rzeczywiście zgodzisz się na to, pamiętaj o natychmiastowym wytarciu jego lepiących się rączek. Jeżeli to możliwe, rozsmaruj preparat pół godziny przed wyjściem na słońce, ponieważ tyle właśnie czasu trwa wchłanianie go przez skórę. (Jeśli ci się to nie uda, pamiętaj, że posmarowanie dziecka tuż przed wyjściem z domu jest lepsze niż niestosowanie środka w ogóle.) Smaruj dokładnie, nie pomijając ani kawałeczka wystawionej na działanie słońca skóry (pamiętaj o karku, bo często się o nim zapomina). Uważaj także, żeby preparat nie dostał się do oczu dziecka (dla dzieci o bardzo wrażliwych oczach dostępne są preparaty nie wywołujące łzawienia). Jeśli wieje wiatr lub maluch pluska się w wodzie, smaruj go mniej więcej co godzinę. Możesz stosować środek rzadziej, mniej więcej co dwie godziny, jeśli używasz preparatów wodoodpornych (przeczytaj informacje podane na etykiecie). Miej jednak na uwadze, że nawet preparat wodoodporny może zostać starty przez wielokrotne wycieranie się ręcznikiem; w takim wypadku należy go stosować częściej. Dodatkowym zabezpieczeniem szczególnie wrażliwych miejsc (nos, policzki i brzegi małżowin usznych) będzie nałożenie niewielkiej ilości maści cynkowej lub dwutlenku tytanu. Stanowią one blokady przeciwsłoneczne, właściwie nie przepuszczające żadnych promieni ultrafioletowych. Są one nieprzezroczyste i niezbyt atrakcyjnie wyglądają, ale zapewniają ochronę najlepszą z możliwych. Niektóre preparaty tego rodzaju występują w atrakcyjnych dla dzieci fluorescencyjnych kolorach i dla łatwego użycia są pakowane jak pomadka do ust. Niektóre środki przeciwsłoneczne mają w swoim składzie jeden z tych preparatów ochronnych. Wargi dziecka również wymagają ochrony przed słońcem. Niech nałożenie na usta dziecka balsamu (który powinien być odporny na zlizywanie) będzie taką samą rutynową czynnością, jaką jest użycie preparatu przeciwsłonecznego. Balsam nie tylko chroni usta przed słońcem, ale również zapobiega reaktywacji wirusowej infekcji opryszczki zwykłej, przejawiającej się wystąpieniem na wardze wyprysków lub pęcherzycy ostrej (patrz str. 425). Ochroni także wargi dziecka przed wiatrem i chłodem w czasie zimy, zapobiegając ich pękaniu.

Przestrzegaj „Diety najlepszej szansy". Co dieta ma wspólnego z ochroną przed słońcem? Jak wykazują najnowsze badania, być może bardzo dużo. Wydaje się, że dieta bogata w beta-karoten może zmniejszać szkodliwe działanie promieni UVA.

NAJCZĘSTSZE PROBLEMY DOTYCZĄCE SKÓRY MAŁEGO DZIECKA

Niekiedy zdarza się, że to, co wygląda jak popękana skóra, jest w rzeczywistości egzemą (wypryskiem — przyp. red. nauk.), albo innymi zmianami skórnymi wymagającymi leczenia. Jeśli skóra twojego dziecka łuszczy się, swędzi, jest pokryta pęcherzykami lub sączy się z niej wydzielina, skontaktuj się z lekarzem.

Najczęściej pojawiają się u dzieci następujące rodzaje wysypek:

Pieluszkowe zapalenie skóry (rumień pieluszkowy)

Co to jest? Wysypka lub podrażnienie ciała w miejscach stykających się z pieluszką.

Kto jest podatny? Niemowlęta i małe dzieci używające pieluszek. Dzieci przyjmujące antybiotyki są szczególnie podatne na zakażenia drożdżakowe lub grzybicze.

Objawy i symptomy: Są różne w zależności od przyczyny (patrz ramka str. 404); rumień pieluszkowy u chłopców może mieć postać rany na końcu prącia.

Przyczyny: Patrz ramka str. 404.

Sposób przenoszenia: Zapalenie na skutek otarcia skóry albo zwykłe pieluszkowe zapalenie skóry nie jest zakaźne. Pieluszkowe zapalenie skóry wywołane przez drobnoustroje może się w sprzyjających warunkach rozszerzyć na inne części ciała (na przykład zakażenia drożdżakowe, które dobrze się rozwijają w wilgoci i cieple, mogą atakować już podrażnioną skórę). W sprzyjających warunkach i w przypadku nieprzestrzegania środków zapobiegawczych, zakażenia takie mogą się przenosić na inne dzieci.

Leczenie: W przypadku zwykłego zapalenia na skutek otarcia skóry:

Rodzaje pieluszkowego zapalenia skóry

RODZAJ	OBJAWY	PRZYCZYNA
Zapalenie skóry na skutek otarcia	Zaczerwienienie w miejscu największego tarcia; nie jest dokuczliwe	Wilgoć, otarcie
Atopowe zapalenie skóry	Zaczerwienienie i swędzenie	Alergia lub uczulenie
Łojotokowe zapalenie skóry	Głęboka czerwona wysypka, często łuszcząca się na żółto skóra; może się rozpocząć lub rozprzestrzenić się na owłosioną skórę głowy; nie jest dokuczliwe	Nieznana
Grzybicze zapalenie skóry	Jasnoczerwona, tkliwa wysypka, nasilająca się między udami a brzuchem, towarzyszą jej krosty występujące dokoła; dokuczliwe	*Candida albicans* (grzyb — bielnik biały); bielnik często zakaża wysypkę trwającą trzy dni lub dłużej
Liszajec	Patrz strona 406	Bakterie
Odparzenie	Zaczerwienione obszary o niewyraźnych granicach występujące w miejscach, gdzie skóra styka się ze skórą; może się sączyć biała lub żółtawa wydzielina; przy kontakcie z moczem może wystąpić pieczenie	Pocieranie skóry o skórę

* Dokładnie osuszaj pupę dziecka. Zmień pieluszkę natychmiast, kiedy zorientujesz się, że jest mokra. Jak zwykle po umyciu pośladków, wysuszaj je, lekko poklepując. Posypanie pośladków dziecka mączką kukurydzianą może pomóc zmniejszyć wilgotność, a posmarowanie ich grubą warstwą maści zapobiegającej zapaleniu pieluszkowemu może ochronić skórę przy następnym zmoczeniu (poproś lekarza o dobranie odpowiedniej maści). Ochrona taka ma szczególnie duże znaczenie, gdy używasz pieluszek tetrowych i kiedy nie będziesz mogła przewinąć dziecka natychmiast po zmoczeniu.
* Zapewnij dostęp powietrza. Pozwól dziecku pochodzić po domu bez pieluszki (ale tylko w tych pomieszczeniach, gdzie łatwo będzie usunąć skutki ewentualnego „wypadku"). Niech nocnik będzie na wszelki wypadek zawsze w pobliżu. Jeśli twoje dziecko zwykle nosi nieprzemakalne majteczki i tetrową pieluszkę, zrezygnuj z nich, kiedy tylko będzie to możliwe. Przed wietrzeniem pośladków dziecka nie smaruj ich maścią, gdyż podobnie jak wilgoć, powietrze również nie może się przez nią przedostać.
* Ograniczaj kontakt z czynnikami drażniącymi. Natychmiast zmieniaj mokre lub zabrudzone pieluszki. Przy zmianie pieluszki nie wycieraj pupy dziecka papierem, ogranicz się jedynie do przemycia ciepłą wodą i wytarcia wacikiem albo miękkim ręcznikiem. Do mycia pośladków dziecka używaj zwykłego mydła (patrz str. 399) nie częściej niż raz dziennie. Działanie łagodzące, szczególnie dla chłopców, u których pieluszkowe zapalenie skóry objęło prącie, można uzyskać przez dodanie do kąpieli koloidalnego preparatu z mąki owsianej.
* Zmień rodzaj pieluszek. Różne pieluszki wywołują różne reakcje u różnych dzieci. Chociaż pieluszkowe zapalenie skóry występuje trochę rzadziej przy pieluszkach jednorazowych, niektóre dzieci czują się lepiej w pielusz-

kach z tetry; niektóre maluchy wolą jeden rodzaj pieluszek jednorazowych od innych. Jeśli pieluszkowe zapalenie skóry utrzymuje się pomimo podjęcia powyższych środków zaradczych, spróbuj zmienić rodzaj pieluszek. Jeśli pierzesz pieluszki, dodawaj do płukania pół szklanki octu albo specjalny środek odkażający.

* Przy uporczywym zapaleniu skóry u dziecka wykazującego gotowość do nauki samodzielnego załatwiania naturalnych potrzeb, dopomóż mu w tym, podejmując kroki polecane w rozdziale dziewiętnastym.

Nie stosuj: kwasu bornego (jest toksyczny w przypadku spożycia, a przechowywanie go w zasięgu małego dziecka jest niebezpieczne); talku kosmetycznego czy innego preparatu zawierającego talk (który w przypadku wdychania może spowodować kłopoty oddechowe); ani też lekarstw przeznaczonych dla innych członków rodziny, czy to przepisanych przez lekarza, czy dostępnych bez recepty (pewne składniki leków wieloskładnikowych mogą wywoływać reakcje alergiczne). Wezwij lekarza, żeby obejrzał dziecko i przepisał stosowne lekarstwo, które należy zastosować w przypadku, gdy pieluszkowe zapalenie skóry ulegnie pogorszeniu, stanie się bolesne lub rozprzestrzeni się na inne części ciała; jeśli pojawią się pęcherze, rany, strupy, czyraki, krosty albo rana na końcu prącia; jeśli rumień nie zniknie w ciągu trzech lub czterech dni albo jeśli z niewiadomej przyczyny pojawi się gorączka.

Nie zapomnij zapytać, po jakim czasie lekarstwo powinno zacząć działać. Zasięgnij porady lekarza, jeżeli po rozpoczęciu leczenia stan dziecka nie uległ poprawie w określonym przez niego czasie lub jeśli się pogorszył. Wezwij lekarza natychmiast, gdy dziecko wydaje się bardzo chore lub pojawią się duże pęcherze (o średnicy 2,5 cm lub większe).

Zapobieganie: Utrzymuj skórę dziecka w czystości i dbaj, żeby była sucha; nie czekaj zbyt długo ze zmianą mokrych pieluszek, a pieluszki zanieczyszczone kałem zmieniaj od razu; unikaj podawania dziecku jedzenia, które wydaje się wywoływać podrażnienia (po zjedzeniu bogatego w kwasy pożywienia, na przykład owoców cytrusowych, stolce niektórych dzieci są drażniące); wystrzegaj się także używania ostrego papieru toaletowego oraz nie stosuj tych mydeł, które wydają się wywoływać podrażnienie. Po każdej zmianie pieluszki u dziecka cierpiącego na rumień pieluszkowy pamiętaj o starannym umyciu rąk i dopilnuj, żeby takie same środki ostrożności dotyczące higieny stosowały inne osoby zajmujące się twoim dzieckiem zarówno w domu, jak i w żłobku czy przedszkolu.

Atopowe zapalenie skóry (egzema)

Co to jest? Najczęściej spotykany rodzaj zmian skórnych u dzieci poniżej jedenastego roku życia, określany trafnie jako „swędzenie wywołujące wysypkę". Najpierw dziecko odczuwa swędzenie, a drapanie lub pocieranie swędzących miejsc wywołuje wysypkę.

Kto jest podatny? Najczęściej dzieci z rodzin, w których występowała egzema, astma lub katar sienny albo te, które same cierpią na alergię. W większości wypadków choroba rozpoczyna się w pierwszym roku życia, a prawie we wszystkich do piątego roku życia.

Objawy: Zaczyna się od swędzenia, któremu czasami towarzyszy budzenie się w nocy i płacz; dziecko trze buzią o pościel, a także drapie się (na pościeli mogą być widoczne plamki krwi). Kiedy niemowlę albo małe dziecko drapie lub pociera swędzące miejsca, pojawiają się na nich jasnoczerwone, łuszczące się plamy, występujące najczęściej na policzkach i przegubach rączek u niemowląt, a u dzieci powyżej dwóch lat w zgięciach i fałdach skóry (na łokciach, kolanach, w pachwinach). Plamki te mogą się także rozprzestrzenić na pupę. Często chora skóra ulega zgrubieniu, a u dzieci o ciemnej karnacji może ona dla ochrony wytwarzać więcej melaniny, co sprawia, że zgrubienia wydają się czarne (nadmierna pigmentacja). Zdarza się, że pojawia się wysięk. Dość często dochodzi do wtórnego zakażenia gronkowcem. Pojawiają się grudkowo-pęcherzykowe zmiany chorobowe (wyglądające jak małe krostki lub grudki), które wypełniają się treścią, po czym, przy nasilającym się swędzeniu, sączą się i pokrywają strupem. Chociaż większość dzieci „wyrasta" z egzemy, skłonność do uczuleń skórnych może utrzymywać się również w wieku dorosłym. Dzieci takie są również w późniejszym okresie bardziej podatne na astmę czy alergie wziewne.

Przyczyny: Przyjmuje się, że swędzenie wywołuje wiele czynników (najczęściej u dzieci o wrodzonych skłonnościach do uczuleń), a wśród nich: sucha skóra (główny czynnik) narażenie na zimno lub gorąco (często przy zmianach pór roku), pocenie się, ubrania z wełny i/lub włókien sztucznych, tarcie, mydła i detergenty, pewne pokarmy (najczęściej jaja, mleko, pszenica, orzeszki ziemne, soja, ryby, skorupiaki i kurczaki) oraz prawdopodobnie alergeny wziewne (pyłki, kurz, roztocza, pleśń).

Sposób przenoszenia: Egzema nie jest zaraźliwa, ale zakażenie wtórne wysypki może być zakaźne.

Leczenie: Pomoc lekarska jest **niezbędna**: zapalenie leczy się zwykle maściami steroidowymi, swędzenie — preparatami przeciwhistaminowymi (żeby dziecko mogło spać) i antybiotykami, jeśli wywiąże się zakażenie wtórne. Jeśli istnieje podejrzenie alergii pokarmowej, zaleca się przeprowadzenie testów skórnych i stosowanie odpowiedniej diety. Ważne jest, aby w domu stosować się do następujących zaleceń: obcinać dziecku paznokcie, żeby złagodzić skutki drapania; wystrzegać się kąpieli pod prysznicem, które szczególnie wysuszają skórę; zmniejszyć liczbę kąpieli do trzech pięciominutowych w tygodniu albo dodawać do codziennych kąpieli łagodzący preparat z mąki owsianej; nie myć mydłem zaatakowanych chorobą miejsc; w miarę potrzeby do mycia reszty ciała używać łagodnego mydła (patrz str. 399), także zamiast szamponu; nie pozwalać dziecku pływać w basenach z chlorowaną i słoną wodą (słodka woda jest dopuszczalna); smarować obficie skórę zalecaną przez lekarza maścią natłuszczającą, ale nie stosować żadnego tłuszczu ani oleju roślinnego; ograniczyć do minimum przebywanie dziecka w bardzo wysokiej lub bardzo niskiej temperaturze, zarówno w pomieszczeniach, jak i na zewnątrz oraz w pomieszczeniach o suchym powietrzu (zimą korzystać z nawilżacza; patrz str. 704); ubierać dziecko w ubrania bawełniane (a nie wełniane czy z włókien sztucznych) i unikać strojów wywołujących swędzenie czy takich, które mogą drażnić skórę; chronić dziecko przed drobnoustrojami, które mogą spowodować zakażenie otwartych ran, skrupulatnie przestrzegając higieny, ważne jest, aby opiekunka w przedszkolu czy innej grupie, w której przebywa dziecko, postępowała tak samo; wyeliminować wszelkie pożywienie lub czynniki środowiskowe wywołujące atak choroby (patrz str. 596). Ostatnie badania wskazują, że witamina C może być pomocna także w leczeniu atopowego zapalenia skóry. Zapytaj o opinię lekarza.

Liszajec

Co to jest? Bakteryjne zakażenie skóry.

Kto jest podatny? Najczęściej małe dzieci.

Objawy: Przy zakażeniu gronkowcami występują duże pęcherze o cienkich ściankach, które pękają, a następnie pokrywają się żółtobrązowym strupem. Przy zakażeniu paciorkowcem rozwijają się pojedyncze, nie powodujące bólu pęcherzyki zawierające płyn. Wokół pęcherzyków tworzy się zaczerwienienie skóry. Występują one często wokół nosa, ust lub uszu. Po pewnym czasie może się z nich zacząć sączyć żółtawy płyn, tworzący strupek o żółtawym zabarwieniu. Infekcja może się szybko przenieść na inne obszary skóry.

Przyczyny: Bakterie, takie jak paciorkowce lub gronkowce, wnikające w skórę w miejscach takich, jak zadrapania, ugryzienia, podrażnienia (np. pieluszkowe zapalenie skóry)[4]. Często oba rodzaje bakterii powodują zakażenie tego samego miejsca.

Sposób przenoszenia: Kontaktowe; zakaźne do chwili zniknięcia wysypki albo przez 48 godzin od momentu podania leku i poprawy stanu wysypki.

Leczenie: Konieczna jest pomoc lekarza; **nie próbuj** leczyć samodzielnie. W bardzo łagodnych przypadkach zwykle stosuje się antybiotyki miejscowo i gorące kąpiele (powierzchowne zmiany chorobowe), przy licznych zmianach chorobowych stosuje się antybiotyki doustnie (o szerokim zakresie działania, najlepsze są takie, które zwalczają zarówno gronkowce, jak i paciorkowce).

Zapobieganie: Unikanie styczności z osobami zakażonymi; dokładne przemywanie lekkich ran mydłem i wodą, a następnie smarowanie maścią zawierającą antybiotyk.

Potówka

Co to jest? Czerwona wysypka.

Kto jest podatny? Najbardziej narażone są niemowlęta, lecz może się ona rozwinąć również u małych dzieci, dzieci starszych, a nawet u dorosłych.

Objawy: Małe, różowe krostki na zaczerwienionym fragmencie skóry; mogą się tworzyć pęcherzyki, które po pewnym czasie przysychają. Naj-

[4] W bardzo rzadkich przypadkach zakażenie paciorkowcowe może przenieść się na nerki, a liszajec gronkowcowy może powodować zapalenie wsierdzia lub zapalenie szpiku.

częściej wysypka pojawia się w okolicy szyi i ramion, ale może też wystąpić na plecach i twarzy albo wszędzie tam, gdzie skóra pociera o skórę lub zbyt ciasną odzież.

Przyczyny: Przegrzanie, zbyt ciepłe ubranie.

Leczenie: Dodawanie skrobi kukurydzianej do kąpieli; przykładanie kompresów z waty nasączonych roztworem z 1 łyżeczki dwuwęglanu sodu rozpuszczonego w szklance wody. Unikanie preparatów zawierających talk, gdyż przy wdychaniu może on spowodować kłopoty z oddychaniem.

Zapobieganie: Chroń dziecko przed przegrzaniem, dbając, żeby pomieszczenia, w których przebywa, były możliwie chłodne. (Wskazówki co do ubierania dziecka w ciepłe dni znajdziesz na str. 430.)

Grzybica skóry (*tinea corporis*)

Co to jest? Grzybicze zakażenie skóry.

Kto jest podatny? Wszyscy.

Objawy: Swędzące, łuszczące się czerwone miejsca, które tworzą czerwone, okrągłe lub owalne „ogniska" wokół gładkiego środka.

Przyczyny: Różne rodzaje grzybów.

Sposób przenoszenia: Bezpośredni kontakt z zakażonymi osobami lub zwierzętami oraz przedmiotami, których dotykały osoby chore.

Leczenie: Zwykle po rozpoznaniu choroby w wyniku badania i najczęściej pobraniu próbki ze zmienionego chorobowo miejsca przepisywany jest lek przeciwgrzybiczy o działaniu miejscowym. Jeśli wysypka nie zacznie znikać w ciągu dwóch tygodni, może zostać przepisany lek doustny. Tak jak w innych przypadkach, lekarstwo przeciw grzybicy skóry musi być stosowane przez cały czas zalecony przez lekarza, nawet gdyby wysypka zniknęła szybciej.

Zapobieganie: Unikanie kontaktów z zakażonymi osobami lub zwierzętami oraz ze wszystkimi przedmiotami, które mogły być przez nie dotykane.

PIELĘGNACJA WŁOSÓW

Włosy każdego dziecka, czy to układające się w mnóstwo drobnych pierścionków, czy też długie i proste, wymagają pewnej pielęgnacji. Ponieważ większość małych dzieci (i ich rodziców) obawia się rutynowych zabiegów pielęgnacyjnych, rozsądnie jest ograniczyć je do niezbędnego minimum.

Wybieraj odpowiednie szczotki i grzebienie. Kupując szczotkę czy grzebień dla twojego dziecka, pamiętaj o tym, że muszą one być delikatne. Szczotka powinna być raczej płaska niż zakrzywiona, a jej włosie (ząbki) powinno mieć zaokrąglone końce. Jeśli włosy malucha są kręcone, włosie powinno być długie, sztywne i rzadkie. Zęby grzebienia powinny być rzadkie i nie powinny drapać (aby to sprawdzić, przesuń grzebieniem po wewnętrznej stronie przedramienia, które jest bardziej wrażliwe niż twoja dłoń). Grzebień o rzadkich zębach jest szczególnie ważny w przypadku dzieci mających bardzo gęste lub kędzierzawe włosy. Może się również przydać grzebień przystosowany specjalnie do rozczesywania włosów kręconych lub splątanych. Również wybierając szampon dla swojego dziecka, miej na uwadze to, żeby był delikatny; najlepszy będzie szampon nie powodujący łzawienia, przeznaczony specjalnie dla dzieci. Szampon zawierający odżywkę jest idealnym rozwiązaniem dla dzieci o poskręcanych włosach. Możesz zastosować zamiennie szampon dla dzieci, a po nim, zamiast odżywki, która wymaga dodatkowego spłukania włosów, preparat w aerozolu ułatwiający rozczesywanie.

Bądź delikatna. Szczotkowanie powoduje zwiększone wydzielanie łoju i jest szczególnie zalecane dla dzieci o suchych włosach. Nie szczotkuj jednak mokrych włosów; należy je czesać grzebieniem. Staraj się zawsze robić to delikatnie, unikając szarpania czy pociągania. Do rozczesywania używaj grzebieni o rzadkich zębach, zaczynając zawsze od końcówek włosów podzielonych na pasemka; w razie potrzeby do szczególnie opornych kosmyków używaj odżywki w aerozolu, który ułatwia rozczesywanie. Aby nie dopuścić do łamania się włosów i do ich wypadania, nie ściągaj mocno włosów, czesząc je w warkocz, podpinając wsuwkami czy wiążąc koński ogon. Nie używaj też nigdy zwykłych gumek bez osłonek (używaj tylko gumek przeznaczonych specjalnie do związywania włosów). Sposób postępowania z dzieckiem, które nie pozwala się czesać, znajdziesz na str. 243.

Stosuj szampon tylko w razie potrzeby. Ponieważ gruczoły łojowe w skórze głowy, podobnie jak pozostałe gruczoły łojowe, stają się w pełni czynne dopiero w okresie dojrzewania, codzien-

Guma do żucia we włosach

Małe dzieci nie muszą wcale same żuć gumy, żeby skleiła im włosy — mogą wyjąć gumę wyrzuconą do śmieci przez starsze rodzeństwo lub rodziców. Kiedy już to się zdarzy, nie wpadaj w panikę... wyjmij masło orzechowe. Wetrzyj dużo masła orzechowego w gumę i dokoła niej, po czym rzadkim grzebieniem delikatnie ją wyczesz i umyj włosy szamponem.

ne mycie włosów szamponem rzadko jest u dzieci koniecznością. Wyjątkiem są maluchy, które mają tendencję do szczególnego brudzenia włosów jedzeniem, piaskiem czy ziemią oraz te, które mają szczególnie tłustą skórę głowy. Wielu dzieciom, zwłaszcza tym z bardzo suchymi włosami lub suchą skórą głowy, w zupełności wystarcza mycie szamponem tylko raz w tygodniu. Inne wymagają mycia szamponem co drugi lub co trzeci dzień. Latem, gdy włosy szybciej się brudzą, niejednokrotnie wymagane jest częstsze mycie szamponem. Zawsze dobrze spłukuj włosy po myciu — pozostałości mydła mogą być magnesem dla brudu. Co robić, gdy dziecko buntuje się przeciw myciu włosów szamponem, patrz str. 146.

Nie uznawaj wspólnych grzebieni, spinek itp. W większości przypadków dążenie do wykształcenia u dziecka umiejętności dzielenia się z innymi jest godne pochwały; jednak w wypadku przyrządów do pielęgnacji włosów dzielenie się przestaje być cnotą. Każdy członek rodziny powinien mieć własny grzebień i szczotkę. Pozwoli to uniknąć przenoszenia wszy głowowych lub innych problemów. Grzebienie i szczotki powinny być myte raz w tygodniu lub co dwa tygodnie w odrobinie szamponu rozpuszczonego w ciepłej wodzie.

NAJCZĘSTSZE PROBLEMY Z WŁOSAMI I SKÓRĄ GŁOWY

Utrata włosów (łysienie)

Co to jest? Łysienie to nienormalne gubienie włosów.

Kto jest podatny? Każdy, ale małe dzieci są mniej narażone na pewne rodzaje łysienia, natomiast bardziej na inne.

Objawy: Normalnie człowiek traci od około 40 do 100 włosów dziennie (więcej w dniu, w którym myje włosy), a każdy z nich zastępowany jest nowym. Jeśli jednak twojemu maluchowi nagle zaczną wypadać całe garście włosów i/lub pojawi się pozbawione włosów miejsce, skontaktuj się z lekarzem.

Przyczyny: Zakażenie grzybicze podobne do grzybicy (powszechnej u małych dzieci; patrz niżej); choroby tarczycy; łysienie plackowate (przypuszczalnie alergiczna reakcja na własne włosy, rzadko występująca u dzieci). Łysienie może być także rezultatem złego odżywiania, stresu (chociaż związana ze stresem utrata włosów u małego dziecka jest rzadkością), nawyków, na przykład uderzania o coś głową (w miejscu ciągłego stykania się głowy z jakimś przedmiotem powstaje łysinka) lub skręcania czy pociągania włosów. Możliwe jest również łysienie od zbyt mocnego spinania włosów spinkami, zbyt ciasnego splatania w warkocz czy czesania w koński ogon albo zbyt mocnego pociągania przy czesaniu włosów grzebieniem lub szczotką.

Sposób przenoszenia: Zależy od indywidualnych uwarunkowań (patrz poniżej).

Leczenie: Jest uzależnione od przyczyny; leczenie grzybicy opisano w następnym punkcie; choroby tarczycy leczy się odpowiednimi lekami; łysienia plackowatego zasadniczo się nie leczy (z wyjątkiem poważnych przypadków następuje samoograniczenie[5]). Łysienie od zbyt mocnego związywania włosów może się cofnąć, jeśli będzie się unikać spinek, warkoczy oraz innych fryzur i ozdób mocno ściągających włosy. Niezależnie jednak od powodu utraty włosów, pamiętaj o tym, że po to, aby włosy mogły znowu rosnąć, organizm potrzebuje odpowiedniej ilości białka.

Grzybica skóry owłosionej głowy (*tinea capitis*)

Co to jest? Grzybicze zakażenie skóry głowy.

Kto jest podatny? Wszyscy, ale najbardziej dzieci w wieku od dwóch do dziesięciu lat.

[5] W przypadku łysienia plackowatego u 95% pacjentów dochodzi do całkowitego odrośnięcia włosów w ciągu jednego roku.

Objawy: Włosy stają się cieńsze, na głowie pojawiają się łysiejące miejsca, które łuszczą się i swędzą. (U dwu-, trzylatków odpadająca płatami skóra wskazuje bardzo często na grzybicę, ponieważ nie występują u nich raczej ciemieniucha ani łupież.) Jeśli istnieje nadwrażliwość na dany rodzaj grzyba, może się wywiązać stan zapalny mieszków włosowych; mogą się również tworzyć pęcherze i pęknięcia oraz wystąpić tkliwość uciskowa. U niektórych dzieci dochodzi do poważnych reakcji na zapalenie, takich jak gorączka i obrzęk gruczołów. Grzybica owłosionej skóry głowy może być mylona z innymi problemami skórnymi i dlatego konieczne jest rozpoznanie lekarskie.

Przyczyny: Grzyb, najczęściej *trichophyton tonsurans*, powodujący zakażenie trzonu włosa.

Sposób przenoszenia: Przez kontakt, a także przez szczotki, grzebienie i wszelkie akcesoria fryzjerskie.

Leczenie: Środek grzybobójczy stosowany przez cztery do ośmiu miesięcy w połączeniu z szamponem zawierającym 2,5% roztwór siarczku selenu (sam szampon nie wystarczy, a sterydy pogarszają sytuację).

Wszawica (*pediculosis*)

Co to jest? Inwazja wszy głowowej (*pediculus humanus capitis*) we włosach.

Kto jest podatny? Pomimo stereotypów związanych z wszą głowową, nie jest ona wybredna; potrafi się doskonale zagnieździć na niemal każdej owłosionej głowie, na włosach czystych lub brudnych, długich lub krótkich, gęstych lub rzadkich. Wszy występują częściej u dzieci przebywających w żłobkach, przedszkolach lub innych zbiorowiskach po prostu dlatego, że w grupach istnieją większe możliwości kontaktu.

Objawy: Drapanie się po głowie i ślady drapania za uszami lub na linii włosów, na czole lub karku (chociaż wiele dzieci w ogóle nie zauważa obecności tych niewielkich pasożytów i wcale się nie drapie); zaobserwowanie wszy lub gnid we włosach przy skórze głowy.

Przyczyny: Zakażenie wszą głowową, pasożytem, którego pożywienie stanowią niewielkie ilości krwi czerpane ze skóry głowy żywiciela i który rozmnaża się, składając jaja (gnidy) we włosach żywiciela.

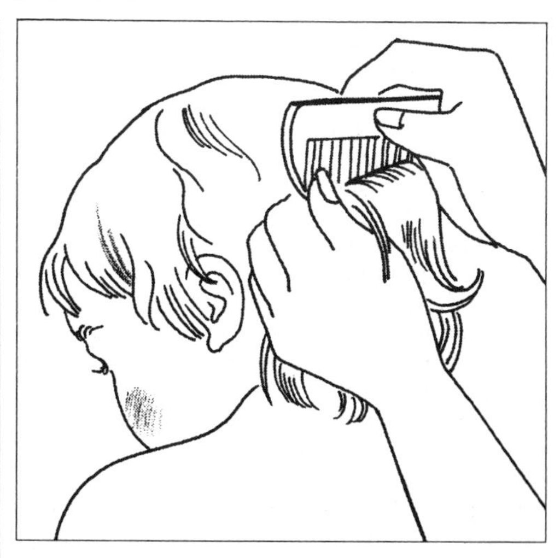

Wyczesanie gęstym grzebieniem wszystkich gnid oraz pustych otoczek jest zabiegiem niezbędnym po zakończonym odwszawianiu.

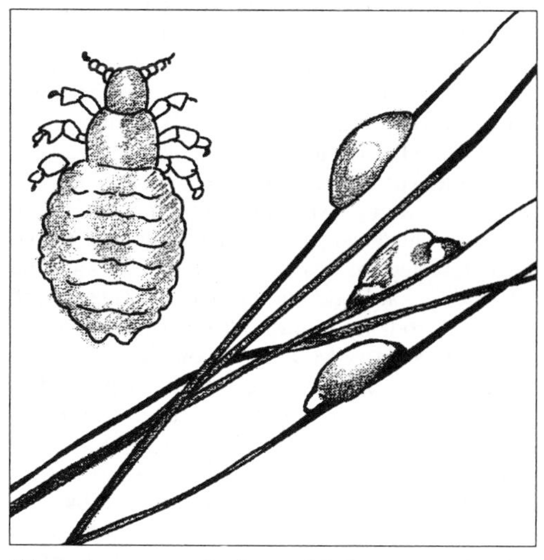

Wesz głowowa ma średnicę od 2 do 4 mm (pokazana po lewej stronie w wielokrotnym powiększeniu), najczęściej składa jaja (gnidy) bardzo blisko skóry głowy. Wesz może przeżyć na żywicielu nie więcej niż dziesięć dni; gnidy, które bardzo mocno trzymają się włosa, mogą przetrwać około trzech tygodni.

Leczenie: Należy zastosować polecony przez lekarza środek zabijający wszy, postępując zgodnie ze wskazaniami podanymi na opakowaniu. W razie jakichkolwiek wątpliwości odnośnie do danego środka, zadzwoń do producenta (większość z nich na ulotce dołączonej do opakowania podaje numery telefonów). Staraj się myć dziecku włosy szamponem w taki sposób, żeby środki chemiczne nie miały kontaktu z jego ciałem. Po zastosowaniu kuracji należy starannie usunąć wszystkie pozostałe wszy oraz gnidy lub otoczki po nich, używając do tego specjalnego gęstego grzebienia (bywa dołączany do preparatu przeciw wszom) lub własnych paznokci. Łatwiej jest usunąć gnidy, jeśli po myciu włosów zastosuje się specjalny krem.

Zapobieganie rozprzestrzenianiu się i powtórnej inwazji: Wprowadź zakaz pożyczania szczotek, grzebieni, ręczników, poduszek czy innej pościeli, ubrań, kapeluszy czy słuchawek. Zniszcz gnidy lub pasożyty mogące jeszcze znajdować się w bieliźnie pościelowej, ręcznikach, ubraniach czy w maskotkach, piorąc je w gorącej wodzie (przynajmniej 55°C) lub wywiruj je w suszarce, stosując program wysokiej temperatury przynajmniej przez 20 minut. Rzeczy, których nie można poddać działaniu tak wysokiej temperatury, powinnaś wyczyścić na sucho lub włożyć do szczelnie zamkniętej plastykowej torby na dwa tygodnie, żeby przed ich ponownym użyciem minął pełen cykl rozmnażania wszy. (Pamiętaj, że wszy mogą przeżyć do 48 godzin na ubraniu, meblach itd.) Wyściełane meble, dywany, materace, siedzenia samochodowe i temu podobne powinny być bardzo dokładnie odkurzone. (Rozpylanie środka owadobójczego nie jest prawdopodobnie konieczne.) Grzebienie i szczotki do włosów powinny być umyte w płynnym środku dezynfekującym, środku wybielającym lub preparacie zabijającym wszy, który był stosowany na włosy dziecka. Poddanie kuracji nie zawszonych członków rodziny wzbudza kontrowersje; zasięgnij opinii pediatry leczącego twoje dziecko. Sprawdzaj głowy wszystkich domowników przez dwa tygodnie od czasu przeprowadzenia ostatniego zabiegu odwszawiającego. Z uwagi na to, że wszy bardzo łatwo się przenoszą, dziecko, które jest ich nosicielem, najczęściej jest odsyłane ze żłobka lub z przedszkola do domu i powraca tam dopiero po pomyślnym zakończeniu odwszawiania; w przypadku pojawienia się wszawicy opiekunki w żłobkach i przedszkolach mogą i powinny co pewien czas sprawdzać włosy dzieci w poszukiwaniu pasożytów.

PIELĘGNACJA PAZNOKCI

Żeby dowiedzieć się, co dziecko robiło w ciągu dnia, wystarczy popatrzeć tylko na jego paznokcie u rąk. Znajdziesz tam, między innymi, piasek (nagromadzony podczas porannej zabawy w piaskownicy), plastelinę (pozostałość po wizycie u kolegi), klej (z wykonanej tego dnia wyklejanki), resztki śniadania, obiadu czy kolacji, a często także i mniej aromatyczne substancje. Paznokci dziecka nie da się utrzymać w czystości przez cały czas, chyba że nałoży się mu rękawiczki. Ponieważ jednak zanieczyszczone paznokcie mogą razem z brudem gromadzić drobnoustroje, będziesz musiała dołożyć starań, żeby:

Krótko je obcinać. Im krótsze paznokcie, tym mniej może się za nimi zebrać. Nalepiej jest także krótko obcinać paznokcie u nóg, które, pozostawione bez kontroli, mogą się podwijać i wrastać. Na str. 168 znajdziesz wskazówki, jak obcinać dziecku paznokcie.

Czyścić je codziennie. Czyszczenie paznokci powinno się stać rutynową czynnością wykonywaną pod koniec każdego dnia. Pomagaj maluchowi szorować paznokcie małą szczoteczką w czasie kąpieli w wannie albo przy okazji mycia rączek przed pójściem spać. Nie dające się umyć pozostałości usuwaj za pomocą zaokrąglonej na końcu drewnianej wykałaczki.

OCHRONA OCZU

Wiesz, jak ważne są oczy i wzrok twojego dziecka, nie tylko wtedy, kiedy jest małe i uczy się poznawać świat, ale przez całe życie. Aby twoje dziecko miało zdrowe oczy i zachowało dobry wzrok istotne są:

Regularne kontrole. Ważne jest, żeby problem ze wzrokiem lub oczami dostrzec wcześnie. Dopilnuj więc tego, żeby oczy twojego dziecka były kontrolowane. Oczy dziecka są zwykle badane przy urodzeniu, w wieku sześciu miesięcy i podczas wszystkich badań okresowych zdrowego dziecka. Jeśli dziecko jest w dużym stopniu zagrożone chorobami oczu (przy urodzeniu ważyło mniej niż 1500 gramów, w rodzinie był przypadek glejaka siatkówki, jaskry wrodzonej, zaćmy lub innych chorób oczu) albo jeżeli zostały zauważone jakiekolwiek nieprawidłowości, może ono zostać skierowane do okulisty w celu dokładniejszego zbadania. Jeśli oczu twojego malca nie zbadano w pierwszym roku jego życia, idź z nim do kontroli jak najszybciej. Następne badanie ostrości wzroku wykonuje się zwykle w wieku od trzech do trzech i pół lat (wcześniej, jeżeli coś budzi szczególny niepokój albo jeśli ktoś w rodzinie ma chorobę oczu). Kolejne badanie przeprowadza się na pewien czas przed pójściem dziecka do szkoły, około piątego roku życia (w Polsce w szóstym roku życia, w klasie „0"— przyp. red. nauk.). Badania te, wykonywane przez pediatrę lub okulistę dziecięcego, nie są bolesne i rzadko są nieprzyjemne dla dziecka.

Wykrywanie kłopotów ze wzrokiem

Małe dzieci na ogół nie potrafią powiedzieć rodzicom, że mają jakieś kłopoty z oczami. Jeśli według nas nie widzą normalnie, one same i tak nie są świadome, że widzą inaczej niż inni. Dużą pomocą dla lekarza w postawieniu odpowiedniej diagnozy są bardzo często obserwacje rodziców. Bądź wyczulona na każde z poniższych zachowań lub objawów, których wystąpienie oznacza konieczność zwrócenia się do lekarza:

* Rzucająca się w oczy niemożność ostrego widzenia, objawiająca się często wyraźną niezręcznością lub potykaniem się (wykraczającą poza zwykłą niezręczność typową dla małych dzieci, patrz str. 31 i 251) lub sprawiająca wrażenie, że dziecko nie zauważa bądź nie rozpoznaje przedmiotów albo ludzi czy to w pobliżu, czy w pewnej odległości.
* Częste mrużenie oczu nie związane z oślepiającym blaskiem słonecznym albo wykrzywianie buzi przy wykonywaniu zadania wymagającego zaangażowania wzroku. (Pamiętaj jednak, że w każdym z tym przypadków może chodzić o przejściowe przyzwyczajenie nie związane z widzeniem).
* Częste tarcie oczu, nie związane z niewyspaniem (kiedy dziecko jest śpiące, tarcie oczu jest zjawiskiem normalnym), co zwykle świadczy o swędzeniu, podrażnieniu lub pieczeniu oczu.
* Nadmierna wrażliwość na światło (przejawiająca się na przykład mrużeniem oczu, kiedy w słabo oświetlonym pokoju włączone zostanie jasne światło) lub częste wpatrywanie się w źródła światła.
* Zbytnie łzawienie oczu nie związane z płaczem.
* Obrzęk, czerwienienie lub ropienie oczu (powieki mogą być sklejone rano), żółtawobiała lub żółtawozielona wydzielina (oznaka zakażenia); opuchnięte powieki lub częste jęczmienie.
* Oczy wydają się „skakać" czy „tańczyć" szybko i rytmicznie albo wydają się wyłupiaste.
* Częste przechylanie głowy w jedną stronę, jakby dziecko starało się lepiej widzieć.
* Sztywno wyprostowane lub nachylone pod kątem ciało przy próbach patrzenia na oddalone przedmioty.
* Zamykanie i otwieranie na zmianę jednego oka na skutek wyraźnych zakłóceń widzenia (w przeciwieństwie do zamykania i otwierania oka od czasu do czasu, żeby zobaczyć, jak wygląda świat oglądany tylko jednym okiem).
* Trzymanie książek, zabawek i innych przedmiotów blisko twarzy, żeby lepiej je widzieć; konsekwentne siadanie zbyt blisko telewizora (chociaż u małych dzieci może to być objawem zwykłej fascynacji wynikającej z bliskiego oglądania rzeczy, a nie oznaką problemów ze wzrokiem).
* Zezowanie lub brak koordynacji ruchów gałek ocznych.
* Źrenice oczu czasami lub zawsze są nierównej wielkości (powinny pracować równocześnie: powiększać się w ciemnościach, a zmniejszać w jasnym świetle) lub wydają się białe zamiast czarne.
* Trudności z rozróżnianiem kolorów (pamiętaj jednak, że małe dzieci rzadko potrafią określać kolory; patrz str. 274).
* Podwójne widzenie; częste bóle głowy, zawroty głowy i/lub wymioty po dłuższym przyglądaniu się czemuś (przy oglądaniu książeczek lub telewizji). Jedynie starsze dziecko, które potrafi już wiele powiedzieć, będzie potrafiło zasygnalizować ci takie objawy.

Ogólnie rzecz biorąc, wcześniaki są bardziej narażone na problemy ze wzrokiem i dlatego u nich należy przeprowadzać kontrole wcześniej i częściej niż u innych dzieci. Pamiętaj, że nie można oczekiwać, by małe dziecko podczas badania oczu uzyskało najlepszy wynik, czyli 20/20. Przeciętnie dwulatek uzyskuje wynik około 20/60. Przez następne kilka lat wzrok poprawia się do 20/40, ale wynik 20/20 jest osiągany dopiero w wieku około dziesięciu lat.

Ochrona przed słońcem. Długotrwałe wystawianie oczu na działanie promieni słonecznych wydaje się zwiększać ryzyko zaćmy w późniejszym wieku. Przyzwyczajaj więc dziecko do noszenia okularów przeciwsłonecznych lub kapelusza z szerokim rondem, kiedy przebywa poza domem (podczas zabawy, spaceru czy też jazdy wózkiem) w ostrym południowym słońcu przez okres dłuższy niż kilka minut. Nie ma zgodności co do tego, czy przebywając na słońcu, dzieci powinny zawsze nosić okulary przeciwsłoneczne. Niektórzy specjaliści zastanawiają się, czy własny mechanizm ochronny oka rozwinie się właściwie bez pewnego narażenia na działanie słońca. Kupując okulary przeciwsłoneczne, szukaj takich, które nie przepuszczają promieni ultrafioletowych zarówno UVA, jak i UVB. Ustalenia Amerykańskiego Instytutu Normalizacji dotyczące oznakowania okularów przeciwsłonecznych dobrze opisują ich zastosowanie: zastosowanie ogóle — przyciemnienie soczewek od średniego do ciemnego, do używania przy wszelkich zajęciach poza domem; zastosowanie specjalne — soczewki stosowane w bardzo jasnym środowisku (na śniegu, na plaży); soczewki kosmetyczne — lekko przyciemnione, przystosowane do używania w mieście. Osłony boczne i gogle dają dodatkową ochronę podczas przebywania w wyjątkowo jasnym świetle (na przykład na ośnieżonych zboczach górskich położonych wysoko nad poziomem morza albo na podzwrotnikowych plażach). Zanim kupisz okulary przeciwsłoneczne, sprawdź, czy soczewki nie zniekształcają obrazu. (Trzymając okulary na odległość wyciągniętej ręki, patrz przez nie na jakąś prostą linię, na przykład na oddaloną o kilka metrów krawędź drzwi czy okna. Powoli przesuwaj szkła przez tę linię; jeśli równa krawędź ulegnie zniekształceniu, będzie falować, wyginać się lub będzie ci się wydawało, że się porusza w jakikolwiek inny sposób, oznacza to złą jakość soczewek.) Przyciemnienie powinno być takie samo na obu szkłach. Oprawki powinny być wytrzymałe i równe, na tyle duże, żeby częściowo zatrzymywać światło boczne, powinny być dobrze dopasowane, tak aby się nie zsuwały. Powlekane soczewki organiczne są najtrwalsze i dlatego są najbardziej wskazane dla małego dziecka. Szare soczewki w najmniejszym stopniu fałszują kolory; zaraz po nich plasują się zielone i brązowe. Unikaj bardzo ciemnych szkieł, gdyż mogłyby one ograniczać u małego dziecka możliwość prawidłowego widzenia. Aby okulary nie zsunęły się podczas zabawy, umocuj je dziecku na głowie specjalną przeznaczoną do tego celu opaską.

Ochrona przed urazami. Wszędzie tam, gdzie istnieje ryzyko uszkodzenia oka, należy nosić okulary ochronne. Najlepsze okulary ochronne posiadają trzymilimetrowe soczewki poliwęglanowe, a ich oprawki zostały dopuszczone do użycia w przemyśle lub sporcie. Okulary wodoszczelne są dobrą inwestycją dla dzieci, które spędzają dużo czasu w chlorowanej wodzie w basenach. Pamiętaj jednak o tym, że pływanie pod wodą nie jest zalecane. Chociaż rodzice od wielu pokoleń powtarzają dzieciom, że czytanie czy zabawa w słabym świetle może spowodować pogorszenie się wzroku, nie jest to prawdą. Ponieważ jednak niedostateczne oświetlenie może spowodować przejściowe bóle głowy czy przemęczenie oczu, dbaj o to, żeby dziecko miało zawsze odpowiednie oświetlenie. Największe ryzyko urazów oczu małego dziecka niosą ze sobą wypadki w domu, w żłobku, przedszkolu lub na placu zabaw. Dlatego zawsze przestrzegaj zasad bezpieczeństwa przedstawionych w rozdziale dwudziestym drugim. Zwróć szczególną uwagę na to, żeby dziecko nie bawiło się bez ścisłego nadzoru ostro zakończonymi zabawkami, prętami, kijami ani długopisami czy ołówkami (nigdy nie pozwalaj dziecku na zabawę nimi w jadącym samochodzie); osłoń ostre narożniki mebli (szczególnie stołów, które są na poziomie oczu twojego dziecka); naucz dziecko, żeby nigdy nie biegało z zabawkami w rączce; przechowuj wszystkie szkodliwe substancje poza zasięgiem malca (wiele z nich może spowodować uszkodzenia oka, jeśli dostaną się do oka; nie pozwól dziecku zbliżać się, kiedy kosisz trawę kosiarką; używaj osłon zabezpieczających sprzęt elektryczny.

Ochrona przy oglądaniu telewizji. Nawet wielogodzinne oglądanie telewizji nie uszkodzi trwale wzroku dziecka, ale może spowodować chwilowe przemęczenie oczu. Ogranicz to ryzyko do minimum (patrz str. 150). Jeśli już pozwalasz maluchowi oglądać telewizję, zadbaj o odpowiednie oświetlenie pokoju — włącz takie światło, które zmniejszy blask bijący z ekranu — i co pół godziny zmuszaj malca do zrobienia przerwy. Dopilnuj też tego, żeby dziecko nie siedziało zbyt blisko odbiornika telewizyjnego (optymalną odległością jest przynajmniej pięciokrotna przekątna ekranu); dziecko, które uparcie przysuwa się do ekranu, może być krótkowidzem i powinno być zbadane przez okulistę. (Siedzenie zbyt blisko ekranu powoduje potencjalny wzrost zagrożenia polem elektromagnetycznym i innymi szkodliwymi czynnikami.)

Ochrona dziecka przed alergenami. Dziecko ze skłonnościami do łzawienia oczu w okresie wiosennym i letnim powinno w miarę możności nosić poza domem szczelnie przylegające okulary lub okulary ochronne, zatrzymujące pyłki i inne czynniki drażniące. W domu podrażnienia może ograniczyć klimatyzacja i filtr powietrza. Pomocne jest także spędzanie lata w chłodnym klimacie, jeżeli to możliwe.

Informacje o tym, jak postępować przy urazach oka oraz w przypadku zakażenia oka, znajdziesz na str. 568.

WADY WZROKU NAJCZĘŚCIEJ SPOTYKANE U MAŁYCH DZIECI

Ponieważ małe dzieci nie potrafią powiedzieć, co im dolega, problemy dotyczące wzroku często bywają u nich nie rozpoznane. Zauważenie niepokojących objawów (patrz str. 411), jeżeli w ogóle wystąpią u twojego dziecka, oraz przedstawienie ich lekarzowi pozwoli na postawienie diagnozy i niezwłoczne podjęcie leczenia, dzięki czemu stan dziecka nie ulegnie dalszemu pogorszeniu i będzie można również zapobiec innym problemom (takim jak trudności z uczeniem się, osłabienie poczucia własnej wartości itd.), które mogą wystąpić u dziecka mającego kłopoty ze wzrokiem. Najczęściej spotykane problemy dotyczące oczu i wad wzroku to:

Mruganie

Co to jest? Powtarzające się zamykanie i otwieranie oczu.

Kto jest podatny? Każde małe dziecko.

Objawy: Ogólnie rzecz biorąc, przejawia się tylko mruganiem, chociaż jeśli przyczyną jest zbyt mała ilość snu, dziecko może też trzeć oczy.

Przyczyny: U niektórych dzieci powtarzające się mruganie jest po prostu przyzwyczajeniem, które się utrwala, kiedy zauważają one, że szybkie otwieranie i zamykanie powiek przyczynia się do powstania interesującej perspektywy wizualnej; u innych jest to zwykłe naśladowanie zachowań obserwowanych u kolegów; u jeszcze innych jest to rezultat niedostatecznej ilości snu (zwykle towarzyszyć będą temu inne objawy, na przykład rozkapryszenie) lub nadmiernego stresu (choć reakcja taka jest o wiele bardziej prawdopodobna u dziecka w starszym wieku). Niezmiernie rzadko mruganie bywa przejawem małego napadu padaczkowego.

Leczenie: Jeśli powtarzającemu się mruganiu nie towarzyszą inne objawy, jest ono niegroźne i ustąpi samoistnie; w większości wypadków wygasa samo, co trwa od tygodnia do kilku miesięcy. Jeśli wydaje ci się, że mruganie może mieć związek ze stresem, należy zmniejszyć napięcie w życiu dziecka, co często kładzie kres temu zachowaniu. Niezależnie od tego, jaka jest przyczyna mrugania, upominanie dziecka z tego powodu przyczyni się jedynie do utrwalenia się tego przyzwyczajenia. Jeśli mruganiu towarzyszą którekolwiek z objawów opisanych na str. 441, jeśli trwa ono dosłownie bez przerwy albo jeśli wydaje się, że przeszkadza dziecku, skontaktuj się z lekarzem.

Krótkowzroczność (miopia)

Co to jest? Niemożność wyraźnego widzenia przedmiotów znajdujących się w pewnej odległości od patrzącego.

Kto jest podatny? Najczęściej dzieci, których rodzice lub jedno z rodziców jest krótkowidzem. Chociaż niektóre dzieci stają się krótkowidzami w wieku dwóch lub trzech lat, stan ten zwykle rozwija się później.

Objawy: Mrużenie oczu, trzymanie książek i innych przedmiotów w bardzo bliskiej odległości, siedzenie blisko telewizora, trudności z rozpoznawaniem odległych przedmiotów.

Przyczyny: Najczęściej wydłużona, nie kulista gałka oczna powodująca, że obraz oddalonych przedmiotów powstaje przed siatkówką w tylnej części oka i przez to jest nieostry. Od czasu do czasu za zniekształcenie obrazu ponosi winę rogówka lub soczewka. Z całą pewnością powstawanie miopii warunkują czynniki genetyczne; mogą jednak istnieć i inne, nie znane dotychczas przyczyny.

Leczenie: Okulary lecznicze lub soczewki kontaktowe mogą skorygować wadę; ponieważ u małych dzieci oko szybko rośnie, może istnieć konieczność sprawdzania (i zmiany) przepisanych soczewek mniej więcej co sześć miesięcy. Przeprowadza się obecnie próby kliniczne mające na celu sprawdzenie długofalowej skuteczności i bezpieczeństwa wykonywania u dzieci keratotomii promieniowej, zabiegu operacyjnego zmieniającego kształt krzywizny rogówki w celu skorygowania miopii.

Dalekowzroczność (hipermetropia)

Co to jest? Niemożność wyraźnego widzenia przedmiotów bliskich.

Kto jest podatny? Wszystkie niemowlęta i małe dzieci są w pewnym stopniu dalekowzroczne, ale u większości widzenie w końcu się normuje. Te, które pozostają dalekowidzami, mają zwykle w rodzinie osoby cierpiące na dalekowzroczność.

Objawy: Oddalanie się od bliskich przedmiotów; brak zainteresowania zajęciami wymagającymi przyglądania się, na przykład przeglądaniem książeczek, układaniem układanek, nawlekaniem koralików czy bawieniem się zabawkami wymagającymi patrzenia z niewielkiej odległości; tarcie oczu; zez (zbieżny).

Przyczyny: Najczęstszą przyczyną jest spłaszczenie gałki ocznej, co skraca odległość do siatkówki, powodując, że oglądany obraz powstaje za nią i przez to wydaje się niewyraźny. Od czasu do czasu dalekowzroczność jest spowodowana osłabieniem rogówki lub soczewki.

Leczenie: Panuje opinia, że szkła korygujące są konieczne jedynie w wypadku niezwykle poważnej dalekowzroczności, która przeszkadza dziecku w zabawie czy innych rodzajach aktywności i/lub powoduje złe samopoczucie czy lekkie bóle głowy.

Astygmatyzm

Co to jest? Widziany obraz jest nieostry lub pofalowany; przedmioty mogą wyglądać jak odbite w krzywym zwierciadle.

Kto jest podatny? Każdy, ale najczęściej astygmatyzm, obecny zwykle od urodzenia, dotyczy dzieci, które są krótkowidzami lub dalekowidzami.

Objawy: Mrużenie oczu, trzymanie książek i innych przedmiotów blisko twarzy, siadanie blisko telewizora, bóle głowy, przemęczenie oczu. Symptomy są podobne do tych, które występują przy dalekowzroczności.

Przyczyny: Nieprawidłowe wysklepienie rogówki.

Leczenie: Przy korygowaniu astygmatyzmu stosuje się zwykle okulary lecznicze lub szkła kontaktowe; bardziej skuteczne są okulary lecznicze, ponieważ trudno jest właściwie dopasować szkła kontaktowe do nierównej powierzchni oka.

Zez

Co to jest? Odchylenie gałek ocznych od prawidłowego równoległego ustawienia. Zez może być wrodzony albo nabyty.

Kto jest podatny? Dzieci, w których rodzinie były przypadki zeza, ale wada ta może się pojawić również niezależnie od tego. Zez występuje zarówno u dzieci nie mających innych wad wzroku, jak i u tych, u których wady występują, przy

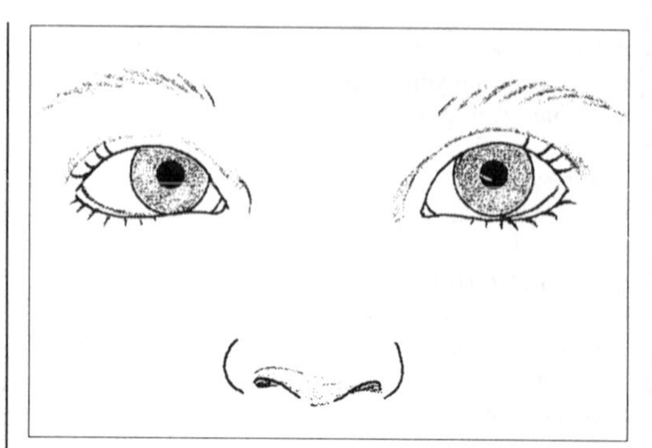

Zez zbieżny. Jedno oko (lub oboje oczu) wędruje w kierunku nosa.

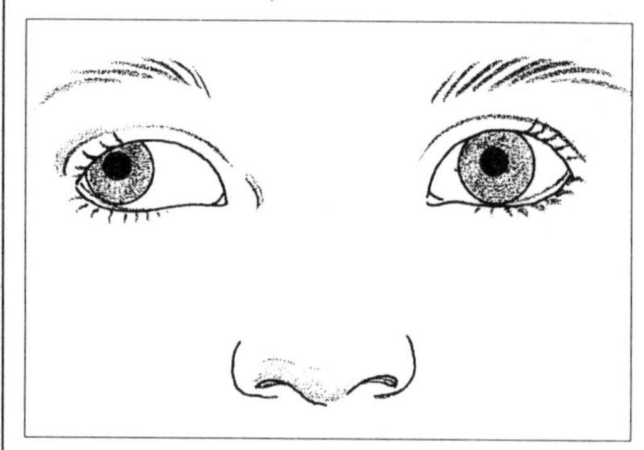

Zez rozbieżny. Jedno oko (lub oboje oczu) wędruje w kierunku skroni.

czym najbardziej narażone są dzieci dalekowzroczne. Zez może u nich wystąpić w trzecim roku życia, kiedy starają się skupić wzrok na bliskich przedmiotach do tego stopnia, że ich oczy się zbiegają.

Objawy: Oczy niemowląt zdają się zbiegać zwykle przez pierwsze kilka miesięcy życia (zez rzekomy) i czasami poruszać się niezależnie od siebie, jednak od połowy pierwszego roku życia oczy twojego dziecka powinny poruszać się równocześnie w prawo i w lewo, w dół i w górę. Niemniej jednak u około 4% dzieci ten brak koordynacji utrzymuje się w dalszym ciągu. Wędrujące oko (lub oczy) może kierować się do wewnątrz w kierunku nosa (zez zbieżny) lub na zewnątrz (zez rozbieżny), w górę lub na dół; niewspółosiowość może występować przez cały czas lub tylko okresowo. Dziecko może często pocierać lub zasłaniać słabsze oko, przechylać głowę, próbując skoordynować widzenie, albo odmawiać udziału w zabawach wymagających oceny odległości (takich jak łapanie piłki). Możesz samodzielnie w warunkach domowych sprawdzić, czy dziecko zezuje (patrz ilustracja).

Sprawdzanie wzroku dziecka

Martwisz się, że twoje dziecko ma problemy ze wzrokiem, ale nie jesteś wystarczająco pewna, żeby umówić się na wizytę u lekarza? Weź pod uwagę przeprowadzenie niektórych z przedstawionych poniżej testów, które można wykonać w domu, ale nie odkładaj wizyty u lekarza, jeśli zauważysz któryś z alarmujących objawów wymienionych na str. 411. Postaraj się także, żeby dziecko przed ukończeniem trzech lat miało za sobą kilka badań wzroku; tylko gruntowne badanie lekarskie może ujawnić niektóre poważne stany chorobowe.

Test czerwonych punkcików: Przyjrzyj się fotografiom rodzinnym. Jeśli na zdjęciach wszyscy mają czerwone punkciki w obu oczach, a twoje dziecko tylko w jednym oku, może to być oznaką niewspółmierności.

Test na rozpoznawanie osób z pewnej odległości. Wyjdź z dzieckiem na ulicę. Poproś męża, przyjaciółkę lub inną znaną dziecku osobę, żeby szła w waszym kierunku z przeciwnej strony. Zaproponuj maluchowi, żeby ci mówił, kto idzie w waszym kierunku. Jeśli potrafi zidentyfikować zbliżającą się osobę mniej więcej w tym samym czasie co ty, ma prawdopodobnie dobry wzrok. Jeśli zajmuje mu to o wiele więcej czasu, może to oznaczać, że jest krótkowidzem.

Sprawdzanie odbicia światła. Poświeć dziecku w oczy niewielką latarką o skupionym promieniu i obserwuj, gdzie się odbija światło. Odbicie światła powinno być widoczne w środku źrenicy każdego oka (patrz ilustracja str. 416); jeśli tak nie jest, trzeba się liczyć z zezem.

Przyczyny: Zez związany jest często z osłabieniem mięśni jednego bądź obojga oczu (każdym okiem porusza sześć mięśni). O zezie mogą decydować również czynniki genetyczne. Zez może towarzyszyć także innym wadom wzroku i chorobom oczu (takim jak zaćma czy dalekowzroczność) lub innym chorobom lub zespołom wad (takim jak zespół Downa czy porażenie mózgowe) czy też, bardzo rzadko, poważnym zaburzeniom neurologicznym lub chorobom oczu.

Leczenie: Zez wymaga oceny okulisty dziecięcego; jeśli wystąpi nagle, natychmiast wezwij lekarza. Z wyjątkiem przypadków, w których zaburzenie koordynacji pracy mięśni jest tak nieznaczne, że mózg może dokonywać połączenia obrazów (stan określany mianem forii), konieczne jest leczenie zapobiegające niedowidzeniu (patrz dalej) oraz utracie wzroku, jak również zapobiec podwójnemu widzeniu. Leczenie może polegać na podawaniu kropli do silniejszego oka, aby widzenie w nim stało się słabsze. Można też zakrywać opaską silniejsze oko (na niezbyt długi czas w ciągu dnia), aby zmusić dziecko do używania słabszego. Stosuje się też okulary korygujące, wyrównujące widzenie w obu oczach, a czasami zalecane są ćwiczenia wzmacniające mięśnie oka. W pewnych wypadkach bywa konieczna operacja, która przywraca napięcie mięśni w jednym lub obu oczach, usuwa zaćmę lub koryguje inną przyczynę powodującą zeza.

Niedowidzenie

Co to jest? Stan występujący u około 4 na 100 dzieci, w którym wzrok w jednym oku jest lepszy niż w drugim; oko gorzej widzące staje się „leniwe". Mózg, zdezorientowany odmiennymi sygnałami i podwójnym widzeniem docierającym do niego z obu oczu, w końcu przestaje uwzględniać sygnały z leniwego oka i zaczyna posługiwać się wyłącznie okiem lepiej widzącym, w następstwie czego drugie oko traci ostrość widzenia.

Kto jest podatny? Dzieci mające problemy z oczami (czasami dziedziczne), takie jak zez, opadanie powiek (patrz str. 416), zaćma lub wada refrakcji, kiedy każde oko widzi inaczej, albo dzieci, które doznały urazu oka.

Objawy: Czasami są niezauważalne dla rodziców, w związku z czym niezwykle istotne są rutynowe badania wzroku.

Przyczyny: Najczęstsze z nich to zez, wada refrakcji lub zaćma.

Leczenie: Leczenie przyczyny lub objawów towarzyszących niedowidzeniu nie usunie samego niedowidzenia, które należy poddać osobnej kuracji. Jeśli wada nie zostanie skorygowana do wieku pięciu lub sześciu lat, może ucierpieć na tym widzenie w słabszym oku, w wyniku czego możliwa jest częściowa utrata wzroku lub nawet ślepota. W procesie leczenia wykorzystuje się opaskę na oko, krople do oczu i/lub okulary. Jeśli niedowidzenie jest wynikiem takiej nieprawidłowości jak zaćma, należy brać pod uwagę operację korygującą.

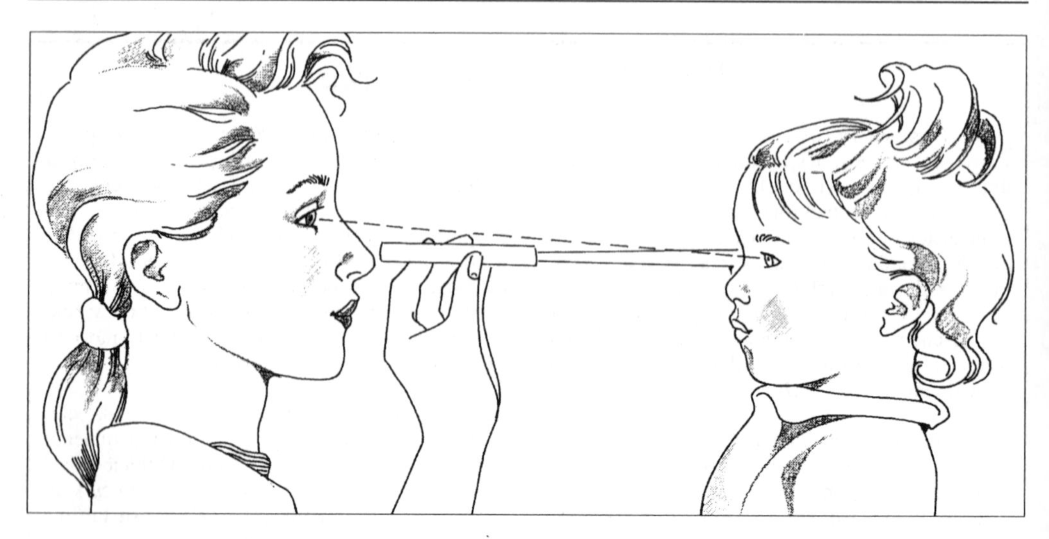

W celu zbadania, czy dziecko nie ma zeza, stań z nim twarzą w twarz, a następnie poświeć mu w oczy niewielką latarką o skupionym promieniu i obserwuj sposób odbicia światła (patrz niżej).

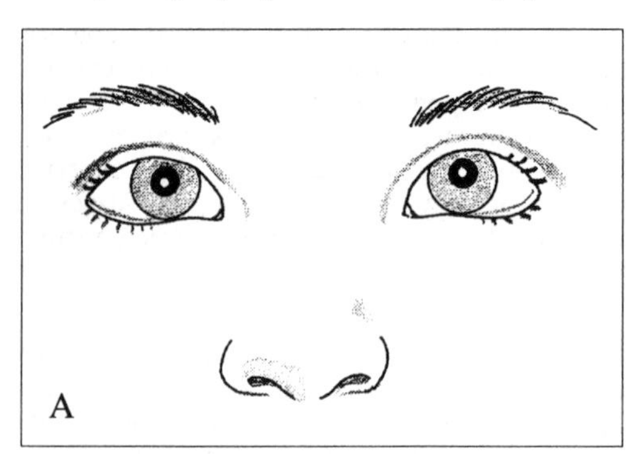

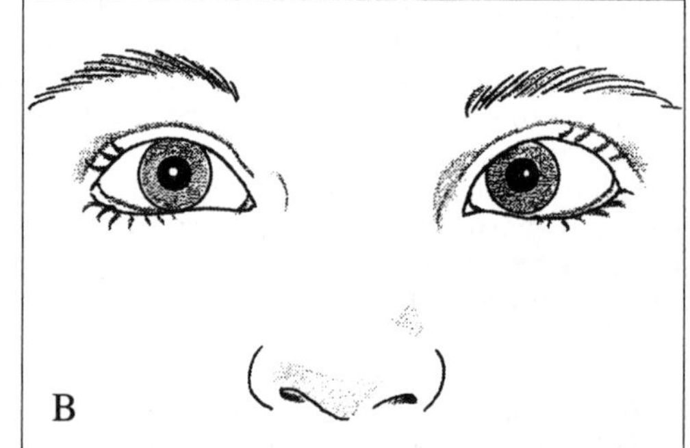

Jeśli odbicie następuje na źrenicach obu oczu (A), zez nie występuje, nawet jeżeli oczy wydają się nieskoordynowane. Jeśli światło odbija się tylko od źrenicy jednego oka (B) poproś pediatrę o skierowanie dziecka do okulisty.

Opadanie powiek (ptoza)

Co to jest? Stan, w którym jedna lub dwie powieki wykazują tendencje do opadania.

Kto jest podatny? Niektóre dzieci rodzą się z tą wadą (często bywa dziedziczna); u innych rozwija się później.

Objawy: Powieka jest powiększona, ciężka lub zwisająca; niekiedy wada dotyczy obu powiek. Zdarza się, że powieka całkowicie zakrywa oko, uniemożliwiając widzenie, lub zniekształca rogówkę, powodując astygmatyzm.

Przyczyny: Na ogół przyczyną jest osłabienie mięśni. Rzadko powody są inne.

Leczenie: Opadanie powiek wymaga leczenia okulistycznego, które może zapobiec powstaniu niedowidzenia (jeśli dziecko nauczy się polegać tylko na oku ze zdrową powieką, oko przysłonięte stanie się leniwe i widzenie nim zacznie się pogarszać). Kiedy problem stanowią słabe mięśnie powiek, operacja (wykonywana zwykle, gdy dziecko ma trzy lub cztery lata) może je wzmocnić i nadać powiece normalny wygląd. Jeśli powodem opadania powiek jest inny problem medyczny, wyleczenie go spowoduje usunięcie tej wady. Inne stany chorobowe oka (takie jak jaskra, zaćma czy glejaki siatkówki [nowotwory oka]) występują u małych dzieci znacznie rzadziej.

JEŚLI TWOJE DZIECKO MUSI NOSIĆ OKULARY

Wiadomość, że dziecko będzie musiało nosić okulary, jest na ogół większym wstrząsem

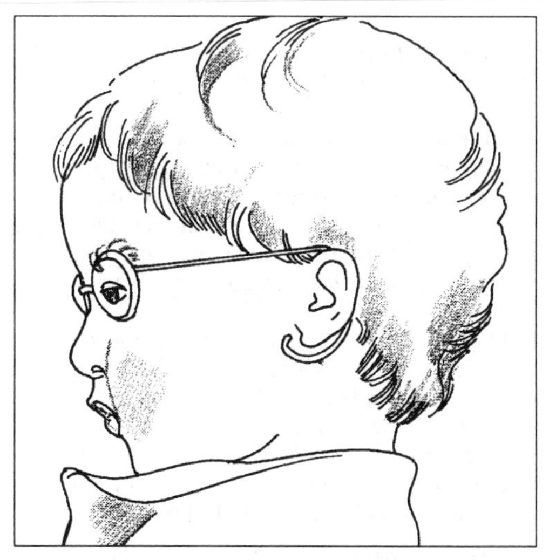

Ponieważ ruchliwe dzieci nie są w stanie utrzymać zwykłych okularów na miejscu, należy im dobrać okulary odpowiednio dostosowane. U niemowląt i małych dzieci okulary są najczęściej przytrzymywane na miejscu za pomocą elastycznej taśmy (rysunek po lewej) zastępującej zauszniki. Starszym dzieciom wystarczą specjalne zauszniki, które dają się owijać wokół uszu (rysunek po prawej).

dla rodziców niż dla samego dziecka. Nie musi tak jednak być, jeśli weźmie się pod uwagę korzyści, jakie odniesie dziecko. Po pierwsze, okulary pomogą mu lepiej widzieć. Jeśli są koniecznością, noszenie ich uchroni malca przed różnego rodzaju opóźnieniami rozwojowymi oraz obniżonym poczuciem własnej wartości, które często dotyka dzieci z wadą wzroku. Po drugie, o wiele łatwiej jest zacząć nosić okulary jako małe dziecko niż później, kiedy najważniejszą sprawą staje się opinia kolegów. Po trzecie, okulary są rzeczą zupełnie normalną. Nosi je co szóste dziecko między trzecim a szóstym rokiem życia. Ponadto pozytywne podejście rodziców może bardzo pomóc dziecku zaakceptować okulary (chociaż, znając „typowe" zachowania dwu-, trzylatka, można się spodziewać oporu, przynajmniej przez jakiś czas).

Wybierz odpowiednie okulary. Wybierając okulary dla dziecka, zasięgnij porady okulisty dziecięcego (poproś pediatrę o polecenie odpowiedniego specjalisty). Kiedy już będziesz w dobrych rękach, zastanów się nad wyborem okularów — ich jakością, praktycznością i stylem. Okulary ze szkła bezodpryskowego, choć stosunkowo odporne na porysowanie, mogą się zbić. Ponieważ są one zazwyczaj za ciężkie dla małych dzieci, często zsuwają im się z nosa. Rozważ natomiast kupno okularów ze zwykłymi soczewkami organicznymi lub wykonane z poliwęglanu (jest to lekkie, wytrzymałe i bezodpryskowe tworzywo sztuczne zmniejszające ryzyko przypadkowego urazu oka). Ponieważ jednak soczewki organiczne łatwo się rysują, dobrym pomysłem może być zabezpieczenie ich powłoką odporną na zarysowania. Powłoka stanowi dodatkowy koszt i może pęknąć, więc nie zapomnij zapytać, czy jest na nią gwarancja, w ramach której nastąpi bezpłatna wymiana okularów, jeśli powłoka zostanie uszkodzona w objętym gwarancją czasie. Bez względu na to, jaki rodzaj okularów wybierzesz, ucz dziecko delikatnego obchodzenia się z nimi już od pierwszego dnia, a najprawdopodobniej będą mu trochę dłużej służyć. Przy wyborze okularów pomyśl też o tym, jak je zabezpieczyć, żeby nie spadły. W okularach dla niemowląt zauszniki zastępuje się zwykle tasiemką elastyczną. Pozwala ona utrzymać okulary na miejscu, nie utrudniając dziecku swobodnego leżenia na boku czy turlania się. Może to być także dobrym rozwiązaniem dla małego dziecka, chociaż większości z nich wystarczą zauszniki, które można zawinąć wokół uszu, nie uciskając głowy (patrz ilustracja). Elastyczne zawiasy są również dobrym pomysłem, ponieważ są bardziej wytrzymałe na uszkodzenia.

Zadbaj, aby okulary były dobrze dopasowane. Okulary nie spełniają swojego zadania, jeżeli dobrze nie leżą, więc odpowiednie ich dopasowanie jest niezwykle ważne. Ponieważ małe dzieci mają stosunkowo szeroki i płaski grzbiet nosa, okulary zwykle im się zsuwają, należy zwrócić szczególną uwagę na zamocowanie noska. Szersze noski (bez lub z przeciwślizgowymi podkładkami silikonowymi) mogą pomóc utrzymywać okulary na miejscu. Możliwe, że optyk będzie musiał przymocować do noska ruchome podkładki, żeby okulary dobrze się trzymały.

Pomóż dziecku przyzwyczaić się do okularów. Wiele małych dzieci niechętnie akceptuje to, co nowe i nie znane (szczególnie jeśli ma to być stałym elementem ich życia). Jednakże umiejętne zaprezentowanie maluchowi nowych okularów może mu pomóc zaprzyjaźnić się z nimi.

* Od samego początku okazuj swoje pozytywne nastawienie do okularów. Jeśli będziesz szeptać innym ludziom: „Biedactwo, musi nosić okulary", twoja pociecha będzie podejrzewać, że noszenie okularów jest dla niej nieszczęściem. Zamiast tego mów: „Czy Ania nie wygląda świetnie w tych okularach?"
* Pokazuj dziecku inne osoby, które noszą okulary: rodzeństwo, kolegów, rodziców, dziadków czy jego ulubione postacie z książek i filmów. Wytłumacz mu, że im wszystkim są potrzebne okulary, żeby lepiej widzieli. Jeśli malec zobaczy, że nie tylko on musi nosić okulary, poczuje się lepiej.
* Zapoznaj dziecko (w skrócie) z korzyściami, jakie ma przynieść noszenie okularów. Wyjaśnij mu, że będzie lepiej widziało i że zabawa będzie mu sprawiała większą przyjemność (lub że nie będzie go już bolała główka). Nie podchodź jednak do tego zbyt entuzjastycznie, bo malec może się zrobić podejrzliwy (nic nie może być tak wspaniałe) albo może się rozczarować (gdyby noszenie okularów nie było aż tak cudowne, jak obiecywałaś).
* Poucz także starsze rodzeństwo i kolegów dziecka. Powiedz im o okularach, zanim dziecko zacznie je nosić, żeby, zamiast robić niemiłe uwagi, dodawali mu raczej otuchy.
* Czytaj maluchowi o innych dzieciach, które nosiły okulary. Poszukaj w bibliotece ilustrowanych książek na ten temat.
* Poproś dziecko o pomoc w wybieraniu okularów. Jeśli to możliwe, po raz pierwszy pójdź do sklepu optycznego sama, żeby zorientować się w fasonach, rodzajach soczewek i cenach oraz aby zapytać o wszystko, co chciałabyś wiedzieć. Kiedy będziesz wiedziała więcej na temat okularów i dostępnych wzorów oprawek, możesz przyjść z dzieckiem, by dokonało wyboru z kilku wstępnie wyłonionych przez ciebie modeli.
* Kiedy okulary będą już gotowe, zabierz ze sobą dziecko, żeby optyk mógł je dopasować i udzielić instrukcji, jak ich używać. Kiedy dziecko założy już okulary, pomów o nich przez chwilę, powiedz, jakie są ładne, po czym zmień temat, przechodząc na zaplanowaną wcześniej przyjemność (pójście na wystawę dla dzieci, do zoo czy na plac zabaw), co oderwie uwagę dziecka od okularów i zapewni zabawę na kilka najbliższych godzin. Bądź cierpliwa i wytrwała przez cały okres przyzwyczajania się dziecka do okularów. Jeśli okulary zostaną przez dziecko odrzucone natychmiast, spróbuj mu je włożyć ponownie po jakimś czasie. Nie pozwalaj jednak na zbyt dużo swobody działania; twoje dziecko musi zrozumieć, że noszenie okularów nie podlega dyskusji, tak samo jak podróżowanie samochodem w foteliku samochodowym. Jeśli w dalszym ciągu będziesz się spotykać z oporem, poproś pediatrę o wsparcie; głos szanowanego przez dziecko autorytetu spoza rodziny może okazać się bardziej przekonujący niż twój.

Naucz dziecko dbać o okulary. Możliwe, że zanim dziecko nauczy się odpowiedzialności za własne okulary, minie jeszcze kilka lat. Nigdy jednak nie jest za wcześnie, by zacząć je uczyć, jak się z nimi obchodzić. Naucz dziecko, że należy zdejmować okulary dwoma rączkami, nie dotykając szkieł i że trzeba je przechowywać w etui, kiedy nie są używane. Nieco starsze dziecko można nauczyć, jak czyścić okulary wodą i miękkim, nie pozostawiającym kłaczków materiałem.

TROSKA O USZY ORAZ SŁUCH DZIECKA

Większość dzieci rodzi się z normalnymi uszami, które, podobnie jak oczy, muszą im służyć przez całe życie. Chociaż inne czynniki też mogą odgrywać pewną rolę, to przyszłe funkcjonowanie narządów słuchu zależy w dużym stopniu od ich pielęgnacji w dzieciństwie.

Rutynowe czynności pielęgnacyjne. Chcąc możliwie najlepiej dbać o uszy swojego dziecka, stosuj się do poniższych zaleceń:

* Bądź wyczulona na oznaki utraty słuchu (patrz str. 421) i jeśli je zauważysz, poinformuj o tym lekarza. Obserwacja jest niezwykle ważna i czasami może nawet wykryć nie rozpoznaną jeszcze przez lekarza wadę słuchu. Nieodzowne są jednak również badania lekarskie. Specjaliści są w trakcie opracowywania testów słuchowych dla noworodków, ale nie są one jeszcze dostępne. Formalne badanie słuchu

Co to znaczy zbyt głośno?

Ucho jest niezwykłym, a przy tym bardzo delikatnym organem; potrafi tolerować tylko pewną ilość dźwiękowych tortur. Ogólna zasada jest taka, że hałas, który musisz przekrzyczeć, żebyś została usłyszana, jest zbyt głośny dla ucha i prawdopodobnie niezdrowy. Potencjalnie szkodzą też dźwięki, po których usłyszeniu w uszach dzwoni lub brzęczy, dźwięki sprawiające ból oraz te, które powodują chwilowe przytłumienie lub utratę słuchu. To, w jakim stopniu hałas może potencjalnie zagrażać uchu wewnętrznemu, zależy nie tylko od jego natężenia (liczby decybeli), ale i od tego, przez jak długi czas ucho jest poddane jego działaniu. Chociaż na ogół im dłuższy czas przebywania w hałasie, tym większe ryzyko, jednak nawet krótkotrwałe wystawienie na pewne szczególnie dokuczliwe hałasy, takie jak odgłos wystrzału czy ryk silnika samolotu odrzutowego, może być przyczyną silnego bólu i urazu. Oto przykłady maksymalnego czasu przebywania w hałasie (bez zastosowania ochrony na uszy):

* Osiem godzin w ciągłym hałasie, głośniejszym niż osiemdziesiąt lub dziewięćdziesiąt decybeli, pochodzącym na przykład z kosiarki do trawy czy silników samochodów ciężarowych.

* Dwie godziny w hałasie większym niż sto decybeli, pochodzącym na przykład z piły łańcuchowej lub młota pneumatycznego.

* Piętnaście minut ciągłego słuchania dźwięków głośniejszych niż sto piętnaście decybeli, na przykład głośnej muzyki rockowej lub dźwięku klaksonów samochodowych.

nie jest zwykle przeprowadzane przed czwartym rokiem życia, jeżeli wcześniej nie podejrzewa się wady słuchu. Jednak przy każdej kontroli pediatra będzie obserwował (i prawdopodobnie zapyta ciebie), jak dziecko reaguje na dźwięki. Jeśli zostanie stwierdzone osłabienie słuchu, jak najszybciej zgłoś się z malcem do specjalisty.

* W czasie kąpieli czyść zewnętrzne zagłębienia uszu dziecka wilgotnym, miękkim ręcznikiem lub bawełnianym wacikiem. Dokładnie sprawdzaj, czy w uszach nie ma ciał obcych (małe dzieci są znane z tego, że wciskają sobie do uszu różne przedmioty; patrz str. 569). Nie badaj wnętrza ucha dziecka palcem, wacikiem ani, jak mówi stare powiedzenie, niczym mniejszym niż twój własny łokieć. Taki zabieg mógłby przebić błonę bębenkową i/lub wcisnąć woskowinę w głąb ucha.

* Jeśli zauważysz nagromadzoną woskowinę (żółtawą, woskowatą substancję widoczną w przewodzie usznym), skontaktuj się z lekarzem, który albo ją usunie, albo przepisze krople pomocne przy jej usunięciu; będzie to można zrobić w domu. W żadnym razie nie próbuj usuwać jej samodzielnie bez zaleceń lekarza i nigdy nie używaj wacików do jej usuwania.

* Jeśli podejrzewasz infekcję ucha, skontaktuj się niezwłocznie z lekarzem; natychmiastowe podjęcie leczenia może uratować słuch twojego dziecka (patrz str. 517).

* Nie pozwalaj na palenie papierosów przy dziecku. Dym tytoniowy zwiększa ryzyko infekcji ucha.

* Jeśli dziecko przechodziło wcześniej infekcje ucha zewnętrznego („ucho pływaka"), ograniczaj mu czas przebywania w wodzie do godziny i dopilnuj, żeby po wyjściu z basenu potrząsało głową w celu pozbycia się wody z uszu. Maluchowi, który często pływa, dobrze zrobiłoby zastosowanie zatyczek do uszu przeznaczonych dla pływaków. Omów tę sprawę z lekarzem.

Ochrona przed hałasem. Jest wiele powodów, dla których należy chronić uszy dziecka przed głośnymi dźwiękami. Nadmierne natężenie hałasu może spowodować utratę słuchu; może ono utrudniać dziecku komunikowanie się za pomocą mowy, a także odbieranie innych sygnałów słuchowych (takich jak ostrzegawcze trąbienie klaksonu); może przyspieszać puls i bicie serca, oddziaływać na inne funkcje organizmu oraz zakłócać sen, a także drażnić (szczególnie wrażliwe dziecko może doprowadzić prawie do szału). Rozsądnie jest więc chronić malucha przed hałasem, stosując się do poniższych wskazań:

* Kupując nowe urządzenia lub narzędzia elektryczne, szukaj takich, które działają ciszej.

* Zwracaj uwagę na głośność telewizora, radioodbiornika czy sprzętu grającego w domu; maksymalne natężenie dźwięku nigdy nie powinno być głośniejsze od normalnej mowy. W sprzedaży są dostępne „ograniczniki" do niektórych urządzeń tego typu. Mogą one

Przekłuwanie uszu

Dla niektórych przekłucie uszu małej dziewczynce jest podyktowane tradycją rodzinną lub kulturową. Dla innych jest sposobem jasnego powiedzenia całemu światu, gdy dziecko ciągle jeszcze ma zbyt mało włosów, żeby związać je w kitkę, że to nie chłopiec, lecz dziewczynka. Niezależnie od motywacji, popularne jest przekłuwanie uszu dziewczynkom, które ledwie wyrosły z kołyski. Chociaż praktyka ta w ogólnym mniemaniu może uchodzić za normalną, nie jest dobrze widziana w środowisku medycznym.

Jednym z powodów jest obawa o to, że w miejscu przekłucia wywiąże się zakażenie, które u małego dziecka może się łatwo wymknąć spod kontroli, zanim jeszcze rodzice zauważą jego obecność. W pierwszych kilku miesiącach po przekłuciu często zdarzają się infekcje, a większość maluchów nie potrafi jeszcze powiedzieć, że ucho swędzi, boli lub jest wrażliwe na dotyk (chociaż niektóre będą się ciągnęły za ucho lub płakały podczas zakładania kolczyków). W rezultacie pierwsze objawy mogą łatwo przejść nie zauważone.

Same kolczyki też mogą stwarzać problemy: małe dziecko mogłoby się nimi ukłuć albo je połknąć. Większość lekarzy doradza zatem przełożyć cały zabieg, aż dziecko skończy przynajmniej cztery lata, a najlepiej około ośmiu.

Jeśli mimo wszystko decydujesz się na to, żeby przekłuć córce uszy, zatroszcz się o to, żeby odbyło się to w sterylnych warunkach i żeby robił to ktoś, kto ma do tego odpowiednie kwalifikacje (poproś pediatrę o wskazanie odpowiedniej osoby). Po przeprowadzonym zabiegu przemywaj codziennie płatki uszne, przykładając do nich waciki nasączone spirytusem lub wodą utlenioną (która może mniej wysuszać) i poruszaj kolczykami (żeby nie przywarły do dziurek). Jeśli zauważysz jakikolwiek objaw infekcji: zaczerwienienie, obrzęk, ropę czy strup, tkliwość lub krwawienie, wezwij lekarza. Nie pozwalaj małej nosić wiszących kolczyków — mogą je wyrwać inne dzieci (nawet rodzeństwo), co grozi rozerwaniem płatka usznego. Jeśli dziecko zacznie próbować wyjmować kolczyki lub bawić się nimi, przestań mu je zakładać i pozwól, żeby otwory się zrosły. Zawsze możesz iść z córeczką do ponownego przekłucia uszu, gdy będzie trochę starsza i bardziej odpowiedzialna.

okazać się pomocne, gdyż pozwalają ci na ustawienie maksymalnej możliwej głośności. Bądź także czujna, kiedy twoje dziecko używa słuchawek. Jeśli dźwięk ze słuchawek dobiega również do ciebie, jego natężenie jest za wysokie. Miej jednak na uwadze, że jeśli sama przez wiele lat słuchałaś głośnej muzyki rockowej (lub byłaś przez długi czas narażona na inne rodzaje głośnych dźwięków), sama cierpisz prawdopodobnie na częściową utratę słuchu i możesz nie potrafić osądzić, co jest „za głośne".

* Nie pozwalaj dziecku używać zbyt głośnych zabawek, na przykład pistoletu na kapiszony.

* W sytuacjach, kiedy nie ma możliwości uniknięcia hałasu (podczas koncertu muzyki rockowej, pokazu sztucznych ogni, jazdy metrem, strzyżenia trawy kosiarką czy przy innych narzędziach elektrycznych), włóż dziecku w uszy zatyczki z miękkiej pianki (do nabycia w aptece) lub nałóż wyciszające dźwięk „nauszniki". Jeśli sama będziesz ich używać, będzie ci prawdopodobnie łatwiej przekonać malca, żeby poszedł za twoim przykładem. Nie polegaj na zwiniętych zatyczkach z waty lub z bibułki, ponieważ te materiały pozwalają na przenikanie szkodliwych fal dźwiękowych, chociaż sam dźwięk wydaje się przytłumiony.

* Naucz swoje dziecko zasłaniać uszy, gdy nagle usłyszy głośny dźwięk (na przykład odgłos syreny strażackiej).

* Jeśli mieszkasz na obszarze o dużym nasileniu hałasu (na przykład w pobliżu kolei naziemnej lub lotniska, patrz str. 419), spróbuj zmniejszyć poziom hałasu we własnym domu. Kiedy dziecko bawi się poza domem, przydatne mogą się okazać wyciszające dźwięk „nauszniki" (upewniaj się jednak najpierw, czy twoje dziecko dobrze słyszy mowę, klaksony samochodów itd. z nausznikami na uszach).

* Naucz swoje dziecko, żeby nigdy nie krzyczało do czyjegoś ucha ani nie pozwalało nikomu krzyczeć do swojego. Sama stosuj się do głoszonych przez siebie haseł zmierzających do ograniczenia hałasu; staraj się nigdy nie krzyczeć głośno, przynajmniej nie w ucho dziecka, ani w jego pobliżu.

PIELĘGNACJA ZĘBÓW

Wczesne dzieciństwo jest burzliwym okresem, jeśli chodzi o zęby. Podczas gdy niektóre maluchy obchodzą swoje pierwsze urodziny tylko z jednym ząbkiem, większość chlubi się pełnym zestawem mlecznych zębów przed ukończeniem trzeciego roku życia (patrz str. 422). Mimo że te mleczne zęby kiedyś wypadną,

Wykrywanie kłopotów ze słuchem

Może się wydawać, że wiele małych dzieci nie słyszy nawet połowy z tego, co mówią do nich rodzice, ale w większości przypadków jest to po prostu wynikiem selektywnego słuchania lub nieuwagi. U dziecka, które naprawdę źle słyszy, zwykle można zaobserwować jeden lub więcej z podanych poniżej objawów utraty słuchu (chociaż niektóre z nich mogą także występować u dzieci normalnie słyszących):

* Wyraźna niemożność usłyszenia tego, co mówią inni, występująca przez cały lub prawie cały czas.
* Kłopoty ze słyszeniem, kiedy dźwięk dociera z boku lub z tyłu i kiedy malec nie stoi zwrócony bezpośrednio twarzą do rozmówcy; wiele dzieci z uszkodzeniem słuchu instynktownie opanowało podstawy czytania z warg i dzięki temu więcej rozumie, jeśli widzi usta mówiącego.
* Konsekwentny brak odzewu, kiedy mówi się do dziecka cicho.
* Konsekwentne niezwracanie uwagi na jakiekolwiek formy werbalne czy inne sygnały dźwiękowe.
* Wyraźny brak umiejętności wypełniania poleceń (w większym stopniu niż się to daje wytłumaczyć młodym wiekiem).
* Słownictwo w porównaniu z rówieśnikami ograniczone, zarówno pod względem percepcji (rozumienie słowa), jak i produkcji (wypowiadanie). (Wymagania wynikające z wieku dziecka znajdziesz w odpowiednich częściach.) Z powodu tego opóźnienia rozwojowego dziecko może być fałszywie ocenione jako „mało zdolne".
* Brak reakcji na muzykę — dziecko nie klaszcze w dłonie, nie śpiewa, nie porusza się rytmicznie do dźwięków muzyki, nie rozpoznaje często słuchanych piosenek, nawet tych przeznaczonych specjalnie dla dzieci.
* Brak reakcji na niuanse językowe (wydaje się, że nie potrafi poznać z tonu twojego głosu, czy jesteś zła, smutna albo czy żartujesz itd.).
* Brak reakcji na odgłosy otoczenia (dzwonek telefonu czy dzwonek do drzwi, brzęczenie minutnika, śpiew ptaka, wycie wiatru).
* Kłopoty przy rozróżnianiu i rozpoznawaniu podobnie brzmiących wyrazów (dawać i stawać, sum i szum, fala i szala), szczególnie jeśli wyraz zaczyna się na głoskę „f", „sz" lub „s".
* Skłonności do udzielania niewłaściwych odpowiedzi na pytania („Czy chcesz poukładać układankę?" „Nie, nie jestem głodny").
* Tendencja do preferowania jednego ucha przy zwracaniu głowy w kierunku dobiegającego dźwięku.
* Niemożność usłyszenia bardzo cichych dźwięków, takich jak tykanie zegarka.
* Tendencja do nastawiania zbyt dużej głośności w telewizorze i magnetofonie albo do stawania zbyt blisko nich, jakby dziecko chciało lepiej słyszeć (zdarza się to także od czasu do czasu maluchowi słyszącemu normalnie, który robi to z ciekawości).
* Narzekanie na ból lub dzwonienie w uszach.

Dzieciom, u których istnieje duże ryzyko wystąpienia wad słuchu, należy wcześnie zbadać słuch, nawet jeśli nie obserwuje się u nich żadnych z wymienionych wyżej objawów. Przyjmuje się, że dzieci należą do grupy wysokiego ryzyka, jeśli:

* Zostały u nich stwierdzone problemy zdrowotne, na przykład zespół Fanconiego, który wiąże się z osłabieniem słuchu.
* W rodzinie dziecka zdarzały się wypadki dziedzicznej utraty słuchu lub utrata słuchu w dzieciństwie z nieznanych przyczyn (u rodzeństwa, rodziców, kuzynów itd.).
* W okresie życia płodowego, szczególnie w pierwszym trymestrze ciąży, dzieci te były narażone na infekcje wirusowe, których następstwem jest uszkodzenie słuchu (takich jak cytomegalowirus [CMV] czy różyczka).
* Dzieci o masie urodzeniowej mniejszej niż 1500 g.
* Dzieci urodzone z nieprawidłowościami ucha lub twarzy (anomalie twarzoczaszki).
* Przy urodzeniu miały niski wynik testu APGAR (poniżej czterech punktów) albo jako noworodki miały poważne problemy zdrowotne, takie jak asfiksja (zamartwica), krwawienie wewnątrzczaszkowe lub jeśli przez dłuższy czas podawano im tlen.
* Zastosowano u nich potencjalnie ototoksyczne (uszkadzające ucho) lekarstwa (takie jak gentamycyna) lub przeszły chorobę (jak na przykład bakteryjne zapalenie opon mózgowych), która może powodować uszkodzenie ucha.

Nawet najmniejsze podejrzenie, że dziecko niedosłyszy, uzasadnia przeprowadzenie badania słuchowego, szczególnie u niemowląt. Dziecko nie musi być całkowicie głuche, aby wymagało leczenia; w rzeczywistości, dziecko z niewielkim deficytem słuchu może z terapii skorzystać najwięcej. Każda wada słuchu, która nie zostaje wykryta i nie będzie leczona, może doprowadzić do trudności w mówieniu i w uczeniu się, a zdolne dziecko będzie postrzegane jako „mało pojętne" albo nawet „opóźnione w rozwoju", co sprawi, że będzie miało niskie poczucie własnej wartości. Listę zawierającą najczęstsze wady słuchu i różne rodzaje terapii znajdziesz na str. 613.

muszą służyć dziecku przy jedzeniu przez następne pięć do dziesięciu lat; ostatnie z nich zostaną zastąpione zębami stałymi między dwunastym a czternastym rokiem życia. Ponieważ każdy ząb od chwili przebicia się przez dziąsło jest narażony na próchnicę, ważne jest, żeby już od najmłodszych lat wpajać dziecku zasady higieny jamy ustnej.

Opieka specjalisty. Panuje ogólna zgodność co do tego, że aby zęby dziecka były zdrowe, potrzebna jest współpraca trzech stron: dziecka, rodziców i dentysty. Nie ma jednak całkowitej zgodności co do tego, kiedy należy zwrócić się do stomatologa. Amerykańska Akademia Pediatrii zaleca obecnie dokonywanie regularnych przeglądów jamy ustnej dziecka we wczesnym dzieciństwie przez pediatrę, a pierwszą wizytę u dentysty w wieku trzech lat. Natomiast zdaniem Amerykańskiej Akademii Stomatologów Dziecięcych dziecko powinno zjawić się u dentysty między szóstym miesiącem a pierwszym rokiem życia, ponieważ wczesne objawy próchnicy mogą zostać wykryte jedynie przez stomatologa. Aby jeszcze bardziej skomplikować sprawę, niektórzy stomatolodzy dziecięcy nie umawiają się na wizyty przed ukończeniem przez dziecko dwóch i pół roku, jeśli nie ma ono żadnych problemów z zębami.

Wybór momentu, w którym zdecydujesz się na ustalenie terminu pierwszej wizyty u stomatologa, będzie zależeć od stanu zębów dziecka oraz od porady pediatry i twojej opinii. Wszelkie nieprawidłowości (nierówny lub w inny sposób „zły" zgryz, krzywe zęby; ciemne plamki lub nierównomierne zabarwienie zębów) wymagają szybkiej konsultacji ze stomatologiem. Staranna pielęgnacja i profilaktyka może zapobiec nie tylko przedwczesnej utracie zębów z powodu próchnicy, ale i nieprawidłowościom układu ust (nieprawidłowy zgryz), mogącym przeszkadzać w rozwoju mowy.

Wybierając dentystę, zwróć uwagę na to, żeby był to stomatolog dziecięcy z praktyką w leczeniu dzieci, znał ich specjalne potrzeby i był lepiej przygotowany na ich obawy, pytania i zdenerwowanie podczas wizyty niż zwykły dentysta[6].

Oczyszczanie zębów z osadów wykonywane co pół roku przez specjalistę od czasu, kiedy wyrżną się już wszystkie zęby i rozpoczną się

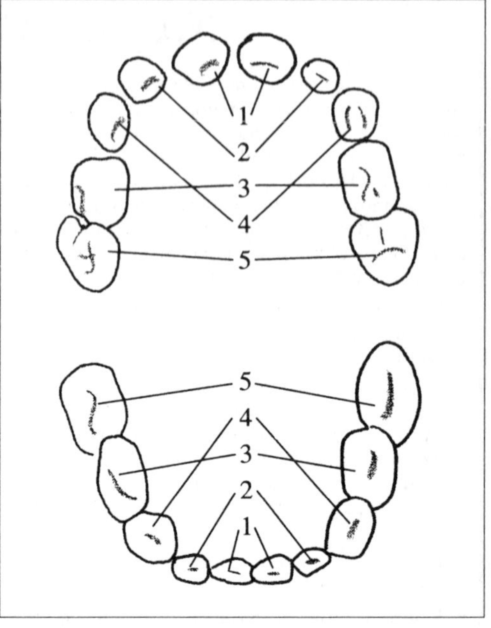

Pełnego zestawu zębów mlecznych należy się spodziewać przed ukończeniem przez dziecko trzech lat. Zęby wyrzynają się zazwyczaj w pewnej określonej kolejności, od 1 do 20, choć czasami zdarzają się od niej odstępstwa.

regularne przeglądy dentystyczne, pomoże ochronić dziąsła oraz zęby przed skutkami psucia się płytki nazębnej (która zaczyna się kształtować jeszcze przed pojawieniem się zębów). Fluoryzacja (patrz str. 424) pomoże wzmocnić szkliwo zęba. W starszym wieku, kiedy wyrosną dziecku pierwsze zęby trzonowe (około szóstego lub siódmego roku życia), dentysta może zastosować uszczelnianie ochronne (cienką, przezroczystą powłoką z masy plastycznej o delikatnym zabarwieniu). Lakowanie wypełnia zagłębienia i szczeliny powierzchni żującej zęba i zapobiega osadzaniu się resztek pokarmów oraz kolonizacji bakterii powodujących próchnicę. Metoda ta nie jest jednak zalecana przez wszystkich dentystów.

Jak radzić sobie ze strachem przed dentystą, patrz str. 268.

Domowa higiena jamy ustnej. Aby móc przez całe życie cieszyć się zdrowymi zębami, należy przyswoić sobie zwyczaj codziennej pielęgnacji jamy ustnej. Tak więc, jeśli jeszcze tego nie zrobiłaś, zacznij przyzwyczajać dziecko do regularnego mycia zębów rano i wieczorem (a także po obiedzie, jeżeli istnieje taka możliwość). Wybierz szczoteczkę przeznaczoną specjalnie dla dzieci (niektóre firmy określają na opakowaniu grupę wiekową, dla której przeznaczona jest dana szczoteczka), z małą główką i miękkim, zaokrąg-

[6] W celu zapobieżenia rozprzestrzenianiu się infekcji w gabinetach stomatologicznych wszelkie narzędzia muszą być po użyciu oczyszczane ultradźwiękami, a następnie sterylizowane w wysokiej temperaturze. Umawiając się na pierwszą wizytę, nie wahaj się zapytać o stosowane przez dentystę metody sterylizacji.

lonym na końcach włosiem. W niektórych sklepach i katalogach dla dzieci oferowane są szczoteczki dla dzieci o specjalnie wyprofilowanej rączce ułatwiającej posługiwanie się nią; wesołe ozdoby mogą sprawić, że dziecko będzie chętniej używać szczoteczki. Po każdym myciu zębów dokładnie płucz szczoteczkę i staraj się, aby stała w swojej podstawce lub kubeczku, a nie leżała byle gdzie, gromadząc w ten sposób bakterie. Zmieniaj szczoteczkę do zębów co trzy miesiące albo częściej, jeśli zauważysz, że jest zużyta, i nigdy nie pozwalaj na wspólne używanie jednej szczoteczki nawet przez członków rodziny. Zmieniaj także szczoteczkę do zębów po chorobie dziecka, aby zarazki na niej pozostające nie wywołały powtórnej infekcji.

Myj zęby delikatnymi ruchami poziomymi wzdłuż powierzchni żującej; ruchem okrężnym myj bok zęba i linię dziąsła oraz, jeśli możesz, ruchami z dołu do góry powierzchnie wewnętrzne. Delikatnie myj te miejsca na dziąsłach, gdzie jeszcze nie wyrosły zęby, lub przecieraj je tamponem z gazy, szczoteczką lub ściereczką. Nie stosuj pasty do zębów, dopóki maluch nie będzie potrafił wypluć jej resztek i wypłukać buzi albo używaj środek czyszczący zęby i dziąsła nie zawierający fluoru, nie tworzący piany i nie powodujący ścierania.

Kiedy dziecko zaczyna wykazywać zainteresowanie myciem zębów, zachęcaj je do tego. Nie próbuj nauczyć dziecka specjalnej metody mycia ząbków; w późniejszym czasie dentysta wskaże mu odpowiednią technikę. Powinnaś pomagać dziecku przy myciu zębów, przynajmniej do siedmiu lat, nawet wtedy, gdy ono samo w pewnym stopniu potrafi to robić. Jeśli twoja pociecha nie chce myć zębów lub nie chce twojej pomocy, patrz str. 241.

Płukanie ust jest nieodzowną częścią procesu mycia zębów. Nie tylko nie dopuszcza do połknięcia pasty, ale także eliminuje kawałki rozdrobnionego pokarmu, który w przeciwnym razie osiadłby ponownie na zębach. Dzieci powinny być możliwie szybko nauczone płukania ust po myciu zębów, zwykle udaje się to około drugiego roku życia. Każdy członek rodziny powinien mieć swój własny kubeczek do płukania (żeby uniknąć zamieszania i sporów, wprowadź różne kolory); pamiętaj o regularnym myciu kubeczków.

Kiedy malec będzie już umiał płukać usta i wypluwać wodę, możesz zacząć nakładać na szczoteczkę niewielką ilość pasty z fluorem (jeśli nie będzie mu odpowiadał jej smak, nie obstawaj przy tym albo stosuj w dalszym ciągu środek czyszczący dla małych dzieci); obserwuj bacznie, czy dziecko nie zjada pasty do zębów (patrz str. 242). Czyszczenie zębów za pomocą nici dentystycznych jest tak samo ważne dla higieny jamy ustnej jak mycie czy płukanie. Nie ma jednak zgodności co do tego, kiedy należy je rozpocząć. Według Amerykańskiego Towarzystwa Stomatologicznego powinno to nastąpić, jak tylko wyrżną się wszystkie mleczne zęby. Wielu dentystów uważa jednak, że należy z tym zaczekać, aż dziecko samo będzie potrafiło to robić. Zasięgnij porady lekarza i poproś o wskazówki, jak czyścić zęby nićmi, gdy nadejdzie na to czas. Będzie to twój obowiązek do czasu, aż dziecko będzie mogło go przejąć w wieku siedmiu lub ośmiu lat. Łatwiej oczywiście powiedzieć, niż robić, bo po pierwsze z trudnością przychodzi manewrowanie dużymi dłońmi w małej buzi, a po drugie dlatego, że większość brzdąców nie chce siedzieć spokojnie tak długo, żeby wykonać cały zabieg. Jeśli twoje dziecko nie jest szczególnie skłonne do współpracy, nie będziesz prawdopodobnie mogła wyczyścić mu co wieczór wszystkich ząbków; w najlepszym wypadku jednego wieczoru uda ci się wyczyścić górne, a następnego wieczoru dolne. Ważniejsze są zęby trzonowe niż siekacze, więc zawsze zaczynaj czyścić od zębów tylnych, stopniowo przechodząc do przednich. Pamiętaj o tym, że ukształtowanie nawyku jest równie ważne jak samo czyszczenie.

Dieta bezpieczna dla zębów. Ubytki tkanki zęba powstają, kiedy bakterie znajdujące się w ustach (zwłaszcza *Streptococcus mutans*), żywiące się cukrami i skrobią z pozostałego w ustach jedzenia, wytwarzają kwas, który powoduje powstawanie ubytków w szkliwie zęba. Od dawna wiadomo, że proces ten może rozpocząć żywność bogata w cukier, ale ostatnie badania wykazały, że żywność zawierająca duże ilości innych węglowodanów (na przykład chleb czy produkty zbożowe) także może się przyczynić do powstawania ubytków, ponieważ w wyniku ich rozkładu powstaje cukier. Kleiste jedzenie, takie jak ciasteczka i ciasta, zawierające zarówno cukry, jak i inne węglowodany, mogą spowodować największe spustoszenie. Jedzenie sera może zapobiegać powstawaniu ubytków tkanki zęba, a nawet wzmocnić szkliwo.

Ważniejsze od tego, ile zostało zjedzone, jest to, jak długo jedzenie utrzymuje się na zębach. Jest na przykład bardziej prawdopodobne, że paczuszka rodzynek jedzona przez cały ranek w większym stopniu przyczyni się do próchnicy niż ta sama paczuszka zjedzona przy śniadaniu z mlekiem i płatkami. Z tego samego powodu dzieci ssące mleko z piersi matki lub popijające mleko czy soki z butelki przez cały dzień są

Rola fluorków w zwalczaniu próchnicy

Chociaż fluorki istnieją od wieków, ich właściwości przeciwpróchnicze nie były znane aż do 1945 roku. Od tego czasu wiele badań klinicznych potwierdziło pozytywne działanie fluorków w zwalczaniu próchnicy zębów i ubytków tkanki zęba. Ponieważ przedstawione dowody są bardzo przekonujące, zarówno Amerykańska Akademia Pediatrii, jak i Amerykańska Akademia Stomatologii Dziecięcej zalecają podawanie preparatów uzupełniających fluor dzieciom, które mieszkają w miejscowościach, gdzie woda nie jest fluoryzowana lub nie zawiera dostatecznej ilości naturalnego fluoru, lub jeśli dziecko w ciągu dnia nie otrzymuje dostatecznej ilości wody czy pożywienia zawierającego wodę*. Pasta z fluorem (można ją stosować, jeśli ma się pewność, że dziecko jej nie połknie) wzmacnia szkliwo, ale nie chroni zębów, które jeszcze nie wyrosły; uważa się, że sama pasta nie zapewni wystarczającej ochrony. Nie zaleca się stosowania przez małe dzieci płynów sprzedawanych bez recepty, ponieważ mogą one połknąć znaczne ich ilości.

Dawki przepisywane małemu dziecku zależą od jego wieku, od ilości fluoru w wodzie użytkowej oraz od ilości wody wypijanej przez dziecko (zakładając, że w ogóle pije wodę lub napoje — na przykład rozpuszczone w wodzie soki — lub dostaje jedzenie przygotowane z dodatkiem wody). Jeśli twoje dziecko pije w domu wyłącznie wodę studzienną lub butelkowaną albo nigdy nie pija wody, uprzedź lekarza, aby wziął to pod uwagę przy ustalaniu odpowiedniej dawki preparatu uzupełniającego fluor. Z preparatu powinno się korzystać, począwszy od momentu wyrzynania się zębów aż do czasu, gdy wyrosną wszystkie zęby stałe.

Ogólnie przyjmuje się, że przy poziomie fluoru w wodzie wodociągowej mniejszym niż 0,3 cząsteczki na milion (ppm), dzieci poniżej dwóch lat powinny otrzymywać 0,25 mg fluoru dziennie, a dzieci między drugim a trzecim rokiem życia 0,5 mg dziennie. Kiedy poziom fluoru w wodzie pitnej wynosi od 0,3 do 0,7 ppm, dawki te powinny być zmniejszone o połowę. W przypadku gdy poziom fluoru w wodzie wynosi 0,7 ppm lub przekracza ten poziom, nie jest potrzebny żaden preparat uzupełniający.

Do zwalczania próchnicy zębów stosuje się także miejscowe leczenie fluorem (dentysta nakłada go bezpośrednio na zęby, aby został wchłonięty przez szkliwo). Chociaż miejscowe leczenie nie może zastąpić preparatów uzupełniających przyjmowanych doustnie, wzmacnia ono szkliwo zęba, bezpośrednio zwalcza próchnicę i może nawet zatrzymać proces chorobowy.

Jeśli dziecko pobiera fluor wyłącznie z wody pitnej, rozcieńczaj nią soki owocowe, by zapewnić mu jej codzienne spożycie. Możesz także posłużyć się zupami, sosami czy kaszką na ciepło w celu dostarczenia dziecku wody, a w ten sposób i fluoru. Gotując makaron, zostaw trochę wody do przygotowania sosu (gotowana woda zawiera witaminy oraz fluor), a jeśli w przepisie jest podane mleko, korzystaj z mleka w proszku rozpuszczonego w wodzie (jeśli dziecko nie ma jeszcze dwóch lat, dodaj także łyżkę lub dwie mleka zmieszanego w równych proporcjach z chudą śmietanką).

* Jeśli dziecko jest w dalszym ciągu karmione piersią, nie traktuj mleka jako źródła fluorków — zawiera ich ono bardzo mało.

szczególnie narażone na powstawanie ubytków tkanki zęba (patrz str. 48 i 50). Dodawanie innych produktów, a szczególnie sera, do jedzenia sprzyjającego próchnicy może znacznie osłabić ten proces. (Orzeszki ziemne i gumy do żucia nie zawierające cukru, a zwłaszcza gatunki słodzone ksylitolem, także mogą hamować rozwój próchnicy. Nie poleca się ich jednak małym dzieciom, które mogłyby się zakrztusić orzeszkami lub połknąć gumę do żucia.)

Kwaśne jedzenie może również uszkadzać szkliwo zęba, każ więc dziecku płukać usta po jedzeniu pomarańczy, makaronu z sosem pomidorowym czy po ssaniu tabletek zawierających witaminę C (kwas askorbinowy). Picie przez słomkę napojów zawierających kwasy (soków cytrusowych, soków pomidorowych lub z innych warzyw, a nawet wody sodowej) może utrudniać kontakt płynu z zębami.

NAJCZĘŚCIEJ SPOTYKANE PROBLEMY DOTYCZĄCE UST I ZĘBÓW

Próchnica zębów

Co to jest? Próchnica polega na rozkładaniu się zęba.

Kto jest podatny? Większość dzieci. Niektóre są szczególnie podatne na to schorzenie, podczas gdy inne zdają się dziedziczyć zęby nie poddające się próchnicy. U dzieci matek przyjmujących fluorek w ciąży i u tych, którym podawano fluorek w okresie kształtowania się zębów, również zauważa się tendencje do większej odporności.

Objawy: Charakterystyczne czarne i brązowe plamki, a w późniejszej fazie także ból zęba.

Przyczyny: Kwasy wytwarzane pod wpływem bakterii występujących normalnie w jamie ustnej (szczególnie *Streptococcus mutans*), żywiących się cukrami i skrobią, wnikają w szkliwo zęba, rozpoczynając proces rozkładu.

Sposób przenoszenia: Próchnica nie jest zakaźna.

Leczenie: Zapobieganie próchnicy, w sposób opisany wcześniej, jest najlepszą metodą leczenia. Kiedy próchnica rozwinie się w zębie, dentysta musi jak najszybciej oczyścić i wypełnić chore miejsce. Pozostawianie nie leczonych ubytków zęba u dziecka naraża je na duże ryzyko poważnych infekcji i utraty zęba. Kiedy w wyniku próchnicy następuje utrata zęba mlecznego, konieczne jest wypełnienie wolnej przestrzeni między pozostałymi zębami, tak aby stały ząb miał w przyszłości dość miejsca.

Nieprawidłowy zgryz

Co to jest? Niewłaściwe ustawienie zębów i szczęk, które może wpłynąć negatywnie na domykanie się szczęk, mycie zębów, higienę dziąseł, wzrost szczęk, rozwój mowy i wygląd.

Kto jest podatny? Każde dziecko, ale najczęściej te z wrodzonymi predyspozycjami, mające nawyk ssania lub wcześnie tracące mleczne zęby.

Objawy: Zęby są powykrzywiane, wyrastają w niewłaściwych miejscach, zwracają się w nieodpowiednią stronę; często zęby dolne nie spotykają się w odpowiednim miejscu z górnymi.

Przyczyny: Dziedziczność, określająca kształt i wielkość ust, szczęk oraz zębów (na przykład odziedziczenie małych ust po kimś z rodziny, a dużych zębów po kimś innym może doprowadzić do nieprawidłowego zgryzu), a także czynniki rozwojowe (utrwalony nawyk ssania smoczka lub kciuka, a także przedwczesna utrata mlecznych zębów).

Leczenie: Dla oceny tej wady można robić badania oraz dodatkowo gipsowy odlew zębów, zdjęcia i/lub prześwietlenia promieniami Roentgena. W wypadku poważnych wad podejmuje się zwykle szybko środki zaradcze, najczęściej stosując pewien rodzaj aparatu ortodontycznego, aby stan się nie pogarszał i aby nowe zęby rosły prawidłowo, a także żeby zapobiec problemom w rozwoju mowy. Niewielka wada u małego dziecka zwykle nie jest leczona do czasu pojawienia się zębów stałych; często bywa tak, że zgryz sam się koryguje.

Herpes labialis (opryszczka warg, pęcherzyca ostra)

Co to jest? Jest to infekcja, która zwykle występuje na ustach, wargach i wokół ust, ale może również oddziaływać na nerw twarzowy i oczy.

Kto jest podatny? Każdy, ale najczęściej do zakażenia pierwotnego dochodzi w dzieciństwie.

Objawy: Zakażeniu pierwotnemu towarzyszą zwykle owrzodzenia dziąseł i jamy ustnej, przebiegające często z gorączką i pobudliwością, czasami bólem gardła, obrzmiałymi węzłami, nieprzyjemnym oddechem, ślinieniem się czy utratą apetytu, chociaż u niektórych małych dzieci przeważnie nie występują żadne wyraźne objawy. Ponieważ symptomy choroby mogą się pokrywać z symptomami ząbkowania (rany mogą nawet wyglądać tak, jakby przez dziąsła miały się właśnie przebijać zęby), jedynie wysoka gorączka (czasami nawet sięgająca 41,1°C) jest wskazówką dla rodziców, że rozwija się infekcja. Kiedy infekcja pierwotna zostanie wyleczona, wirus pozostaje zwykle w stanie uśpienia, po czym uaktywnia się, kiedy organizm jest osłabiony lub pod wpływem stresu. Przy infekcjach wtórnych, czyli nawracających, na jednej z warg lub w jej okolicy pojawia się pręga, która szczypie i swędzi (*herpes labialis*). Następnie na tym zmienionym chorobowo miejscu tworzy się bolesny, sączący się pęcherz, który w końcu się zasklepia w czasami swędzący strup. Jeśli opryszczki się nie leczy, strupek odpada zwykle w ciągu trzech tygodni. Reaktywacja ogniska chorobowego może także powodować bóle głowy i oddziaływać na oczy, powodując zapalenie spojówek, a nawet poważniejsze zakażenia oka. Czasami zakażenie przenosi się na jeden lub więcej palców w postaci wypełnionych ropą pęcherzy noszących nazwę zastrzału opryszczkowego. Do rzadkich komplikacji zalicza się opryszczkowe zapalenie mózgu, które może mieć bardzo poważny przebieg, oraz opryszczkowe zapalenie opon mózgowych, które zwykle przebiega łagodnie i samoczynnie się ogranicza.

Przyczyny: Wirus *herpes simplex* (HSV). Kolejne ogniska chorobowe mogą wywoływać przyczyny fizyczne (przeziębienie, grypa, gorączka, ząbkowanie), zmęczenie i napięcie psychiczne, a także wystawianie ust (nie zabezpieczonych środkiem przeciwsłonecznym) przez krótki lub dłuższy czas na działanie ostrych promieni słonecznych.

Sposób przenoszenia: Przez kontakt z osobą zakażoną, w ciągu całego roku, przez kontakt bezpośredni z wydzieliną z ust lub oczu albo z samym ogniskiem chorobowym. Czas, w którym osoba z aktywnym zakażeniem zaraża innych, nie jest jasno określony. Wirus rozprzestrzenia się nawet wtedy, gdy nie są widoczne żadne rany, tak więc należy zachowywać środki ostrożności aż do czasu wyleczenia ogniska chorobowego. Przyjmuje się, że okres wylęgania choroby wynosi od dwóch do dwunastu dni.

Leczenie: Przy zakażeniu pierwotnym zaleca się łagodne, pozbawione kwasów pokarmy. Do leczenia pojawiających się okresowo ognisk chorobowych stosuje się dostępne bez recepty lekarstwa o działaniu miejscowym i kojącym; w szczytowym stadium choroby można stosować paracetamol, aby złagodzić ból. Przykładanie lodu może także łagodzić ból, ale większość dzieci nie będzie przez dłuższy czas tolerowała tego rodzaju kuracji. Niektórzy chorzy cierpiący na chroniczną pęcherzycę warg, odczuwszy pierwsze swędzenie, zażywają lakcid (*acidophilus-lactobacillus*) w tabletkach lub kapsułkach, co powoduje u nich zatrzymanie rozwoju ogniska chorobowego. Tabletki można dziecku rozkruszyć i podać z jogurtem lub mlekiem (mają mleczny i słodki smak); skontaktuj się z lekarzem w sprawie dawkowania. Wezwij pediatrę, jeśli dziecko wydaje się chore. Kiedy malec cierpi na poważną infekcję opryszczkową lub ma osłabiony system immunologiczny (z powodu innej choroby lub lekarstwa), przepisuje się zwykle lekarstwo przeciwwirusowe (takie jak acyclovir lub vidarabine). Ponieważ środki te nie zostały jeszcze przetestowane pod względem bezpieczeństwa u zdrowych dzieci, nie są im rutynowo przepisywane. Jeśli wirusem opryszczki zainfekowane jest oko, podaje się przeciwwirusowe krople do oczu.

Zapobieganie: Jeśli to tylko możliwe, należy unikać stresu i dużo wypoczywać; w ostrym słońcu stosować balsam do ust ze środkiem ochronnym.

PIELĘGNACJA NARZĄDÓW PŁCIOWYCH DZIEWCZYNKI

Najlepszym sposobem ochrony przed infekcjami jest utrzymywanie okolicy pochwy w czystości i niedopuszczanie czynników mogących wywołać jej podrażnienie. Można to osiągnąć, stosując się do poniższych wskazówek:

* Zawsze wycieraj pupę córeczki od przodu do tyłu, kiedy zmieniasz jej pieluszkę albo kiedy korzystała z ubikacji. Naucz ją takiego samego postępowania, przygotowując ją do samodzielnego wykonywania tego zadania. Jeśli używa jeszcze pieluszek, trzeba rozchylić wargi sromowe przy myciu po szczególnie obfitym wypróżnieniu.
* Zmieniaj pieluszki, jak tylko są mokre czy zabrudzone.
* Kiedy mała przestanie chodzić w pieluszce, wkładaj jej tylko bawełniane majteczki, aby ograniczyć do minimum pocenie się i zapewnić dostęp powietrza do okolicy pochwowej.
* Unikaj płynów i olejków do kąpieli, ostrych mydeł oraz środków do przemywania po zmianie pieluszki, które zawierają alkohol i/lub substancje zapachowe, ponieważ każdy z tych środków może wywołać reakcję alergiczną, podrażnić lub spowodować „pieczenie" pochwy, powodując skłonność do zakażeń pochwy lub zakażeń dróg moczowych. Po kąpieli spłucz małą czystą wodą. Wypłucz okolice pochwy strumieniem ręcznego prysznica, małą konewką lub myjką mocno nasączoną wodą.
* Myj córce włosy pod koniec kąpieli, żeby nie siedziała w mydlinach mogących wywołać podrażnienie. Przy wypuszczaniu wody z wanny postaw małą i wypłucz jej włosy zwykłym lub ręcznym prysznicem, małą konewką albo plastykowym kubeczkiem. Możesz także myć jej włosy nad umywalką.

NAJCZĘSTSZE PROBLEMY DOTYCZĄCE NARZĄDÓW PŁCIOWYCH U DZIEWCZYNEK

Zapalenie sromu i zapalenie pochwy

Co to jest? Jest to zapalenie żeńskich zewnętrznych narządów płciowych.

Kto jest podatny? Każda kobieta w dowolnym wieku.

Objawy: Swędzenie pochwy, upławy o nieprzyjemnym zapachu, a czasami plamienie lub krwawienie (kiedy zakażenie powoduje podrażnienie delikatnej wyściółki pochwy).

Przyczyny: Podrażnienie (od wody przy kąpieli, mokrych pieluszek, włożonych do pochwy ciał obcych, ostrych środków piorących lub mydeł), które powoduje, że wyściółka pochwy staje się podatna na różne ustroje powodujące zakażenia, jak na przykład bielnik.

Leczenie: Konieczna jest wizyta u lekarza; jeśli wystąpi krwawienie, idź z córką do lekarza jeszcze tego samego dnia. Lekarz prawdopodobnie ją zbada i weźmie wymaz w celu wykonania posiewu. Zależnie od wyniku badania przepisane zostaną środki miejscowe i/lub doustne. Jeśli infekcja została wywołana włożeniem do pochwy ciała obcego, zostanie ono usunięte. Lekarz powinien zabronić małej wkładania czegokolwiek do pochwy oraz przestrzec ją, żeby nie pozwalała na to nikomu innemu.

Przywieranie pochwowe (warg sromowych)

Co to jest? Jest to stan, w którym podrażnione wargi sromowe sklejają się ze sobą.

Kto jest podatny? Niemowlęta i małe dziewczynki, ponieważ ich organizmy nie wytwarzają jeszcze estrogenu.

Objawy: Wargi sromowe mniejsze (wargi znajdujące się w środku żeńskich zewnętrznych narządów płciowych) sklejają się ze sobą; w poważnych przypadkach dziecko może mieć nawet kłopoty z oddawaniem moczu.

Przyczyny: Podrażnienie wywołane przez mocz lub pot sprawia, że wargi sromowe stają się rozpulchnione, po czym ich powierzchnie sklejają się ze sobą.

Leczenie: Jeśli uda się rozdzielić wargi sromowe, dziecko może oddawać mocz i nie wiąże się to z bólem, przywieranie warg nie jest powodem do niepokoju. Lekarz jednak przepisze prawdopodobnie krem zawierający estrogen, żeby ułatwić gojenie się warg. W cięższych przypadkach może zaistnieć konieczność stosowania kremu przez dłuższy czas i stopniowego rozdzielenia warg sromowych. W pewnych przypadkach lekarz musi dokonać ich rozdzielenia za pomocą specjalnego przyrządu. Leczenie jest bardzo istotne i niezbędne, gdyż niemożność oddania moczu lub gromadzenie się go pod wargami sromowymi mogłoby doprowadzić do nasilenia się zakażeń dróg moczowych (patrz str. 516). U niektórych dziewcząt schorzenie to występuje aż do wieku dojrzewania, kiedy to organizm zaczyna wytwarzać estrogen.

Zapobieganie: Należy dbać o to, żeby okolica pochwy była sucha; nie dopuszczaj, żeby dziecko chodziło w mokrej pieluszce przez dłuższy czas; unikaj bielizny z włókien sztucznych, żeby nie dopuścić do nawrotów choroby.

PIELĘGNACJA NARZĄDÓW PŁCIOWYCH CHŁOPCA

Prącie obrzezane. Obrzezane prącie wymaga jedynie zwykłego mycia wodą i mydłem.

Prącie nie obrzezane. Prącie nie obrzezane także nie wymaga jakichś specjalnych zabiegów pielęgnacyjnych. Próby ściągania napletka siłą, aby za pomocą wacików, wody czy środka aseptycznego umyć powierzchnię pod nim, są nie tylko zbędne, ale również potencjalnie szkodliwe. Nie martw się serowatą substancją pod napletkiem; są to zwykłe pozostałości komórek odrywających się, kiedy napletek i żołądź prącia zaczynają się od siebie oddzielać. Komórki te same zaczną się stopniowo wydostawać przez ujście napletka i będzie to trwało przez całe życie.

NAJCZĘSTSZE PROBLEMY DOTYCZĄCE NARZĄDÓW PŁCIOWYCH U CHŁOPCÓW

Niezstąpienie jądra (wnętrostwo)

Co to jest? Stan, w którym jedno z jąder (a czasami oba) nie zstąpiły do moszny.

Kto jest narażony? Najczęściej chłopcy urodzeni przedwcześnie, choć stan ten może również wystąpić u noworodków urodzonych o czasie.

Objawy: Jedno jądro (lub w 10% do 30% przypadków oba) nie jest wyczuwalne w mosznie; jeśli jądro nie zstąpi do moszny w ciągu pierwszego roku życia, to na ogół nie zstąpi już samoczynnie. Prawego jądra częściej nie ma w mosznie. Najczęściej ono znajduje się w kanale pachwinowym prowadzącym do moszny (patrz ilustracja str. 428), ale może się także znajdować gdzie indziej, na przykład tuż nad moszną lub wyżej, w jamie brzusznej. W około 10% przypadków jądra w ogóle nie ma.

Przyczyny: Względy hormonalne lub blokada fizyczna, jak przy przepuklinie pachwinowej,

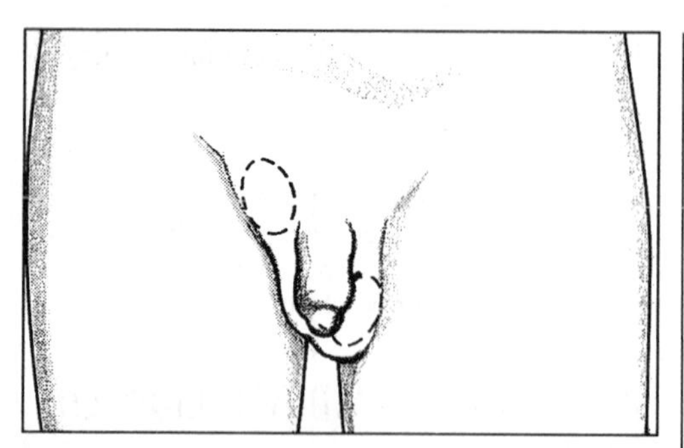

Najczęściej niezstąpione jądro pozostaje w kanale pachwinowym, choć może się znajdować i w innych miejscach.

wyjaśniają pewne przypadki niezstąpienia jąder; przyczyna pozostałych jest nieznana.

Leczenie: Lekarz będzie próbował przy badaniu wprowadzić jądro do moszny. Jeśli okaże się to niemożliwe, a rodzice oświadczą, że nigdy nie widzieli jądra w mosznie, leczenie z reguły jest podejmowane po ukończeniu przez dziecko pierwszego roku życia (wczesne leczenie zdaje się przynosić lepsze rezultaty i powodować mniejszy uraz). Zwykle leczenie polega na podawaniu ludzkiej gonadotropiny kosmówkowej (HCG) w zastrzyku dwa lub trzy razy w tygodniu przez okres trzech tygodni, po czym sprawdza się poziom hormonów. Jeśli podawanie HCG nie spowoduje zstąpienia jądra (lub jąder), na ogół zaleca się zabieg operacyjny (polegający na umocowaniu jądra lub jąder szwem). Zwykle nie zwleka się z przeprowadzeniem zabiegu, gdyż niezstąpione jądra mają tendencje do zmniejszania się, co stwarza w przyszłości potencjalne zagrożenie bezpłodnością. W pewnych przypadkach dokonuje się od razu zabiegu, nie przeprowadzając próby leczenia gonadotropiną. Uważa się, że leczenie hormonalne lub chirurgiczne przeprowadzone we wczesnym dzieciństwie zmniejsza prawdopodobieństwo niepłodności w wieku dorosłym.

Uwaga: Jeśli dziecko z niezstąpionym jądrem uskarża się na ból w pachwinie, należy **natychmiast** wezwać lekarza. Istnieje możliwość, że jądro uległo skręceniu, odcinając dopływ krwi. Jeśli nie podejmie się leczenia, może ono zostać trwale uszkodzone.

Zwężenie cewki moczowej

Co to jest? Stan, w którym przepływ moczu jest utrudniony lub zablokowany.

Kto jest podatny? Każdy mały chłopiec, ale stan występuje częściej u chłopców obrzezanych.

Objawy: Cienki strumień moczu, mocz oddawany powoli lub kroplami, czasami występują również infekcje dróg moczowych (patrz str. 516).

Przyczyny: Podrażnienie koniuszka prącia prowadzi do powstawania tkanki bliznowatej wokół ujścia cewki moczowej. Tkanka bliznowata powoduje zmniejszenie otworu.

Leczenie: Jeśli lekarz stwierdzi, że nieodzowne jest leczenie, przeprowadza się niewielki zabieg, który koryguje wadę. Przed zabiegiem podaje się zwykle ogólny środek znieczulający, a przykre doznania po zabiegu ustępują dość szybko.

Zapobieganie: Unikanie szorstkiej bielizny, ostrych środków piorących, długiego przebywania w mokrej pieluszce lub ubraniu oraz wszystkiego, co mogłoby przez dłuższy czas powodować podrażnienie ujścia cewki moczowej i prowadzić do bliznowacenia.

UBIERANIE DZIECKA

Kostiumy kąpielowe w styczniu. Zimowe kombinezony w lipcu. Swetry zakładane tył na przód. Prawy bucik na lewej nóżce i odwrotnie. Z chwilą, kiedy dziecko zacznie się samo-

Wędrujące jądro

Czasami to, co wydaje się jądrem niezstąpionym, jest w istocie jądrem cofającym się, wędrującym, które niekiedy schodzi do moszny i znowu się cofa pod wpływem niskiej temperatury lub innych czynników. Najlepszym momentem do zaobserwowania, czy jądro w ogóle daje się sprowadzić do moszny, jest obserwowanie jej podczas ciepłej kąpieli; w cieple niezstąpione jądro powraca często na swoje miejsce. Jeśli rzeczywiście znajdzie się w mosznie, nie ma prawdopodobnie powodu do obaw. Cofające się jądra zwykle po okresie dojrzewania pozostają w mosznie na stałe bez żadnego leczenia.

dzielnie ubierać, tego rodzaju sytuacje staną się tak samo nieuniknione, jak pełne uporu: „Ja sam". Niemniej jednak samodzielne ubieranie się jest częścią dorastania dziecka, a włączanie go w tę czynność stanowi ważną część procesu jego usamodzielniania. Możliwe jest zachęcenie dziecka do współdziałania bez wywołania zbędnych konfliktów (przynajmniej w wielu sytuacjach). Jak rozwiązywać problemy dotyczące ubierania — patrz str. 245.

TAJNIKI UBIERANIA SIĘ

My, dorośli, ubierający się sami od dwudziestu lub trzydziestu lat, mechaniczne czynności związane z wkładaniem odzieży traktujemy jako rzecz oczywistą. Jednakże dla małych dzieci nawet najdrobniejsza czynność tego rodzaju może stanowić poważne wyzwanie. Pomóż maluchowi je podjąć, kierując się kilkoma praktycznymi radami:

Pomóż odróżnić przód od tyłu. Twoje dziecko będzie miało mniej kłopotów z odróżnianiem przodu ubranka od tyłu, jeśli strój będzie miał wzór tylko z przodu. W innym wypadku, naucz dziecko odnajdywać metkę, która prawie zawsze znajduje się z tyłu. Ubranka, które nie mają metki z tyłu, można od środka zaznaczyć wodoodpornym pisakiem (oznaczając tył literką „T", zachęcisz dziecko do nauki alfabetu). Chłopcy mają ułatwione zadanie przy zakładaniu bielizny i krótkich spodenek, gdyż ich przód różni się wyraźnie od tyłu; żeby ułatwić zadanie dziewczynkom, można kupować im majteczki z wzorkiem lub kokardką z przodu.

Zapinaj guziki od dołu do góry. Aby mieć pewność, że się równo zapnie guziki czy zatrzaski, najłatwiej jest zacząć od dołu. Chociaż zapinanie ich przekracza możliwości motoryczne większości dobrze rozwiniętych dzieci, możesz powoli zacząć tego uczyć, pokazując maluchowi, jak należy dopasować dolny guzik do dolnej dziurki. Pozwól ćwiczyć zapinanie guzików, zatrzasków oraz suwaków w jego własnych ubrankach (kiedy pozwala na to czas), daj mu także lalkę lub książeczkę z guzikami, zatrzaskami, sznurowadłami czy suwakami, na której będzie mogło się uczyć.

Naucz umiejętnego i ostrożnego zapinania suwaka. Suwaki stanowią bolesne zagrożenie dla wrażliwej skóry, szczególnie u chłopców, którzy ryzykują przycięcie bardzo delikatnej części ciała. Nawet jeśli twoje dziecko nie zapina jeszcze samodzielnie zamka (a zwłaszcza jeśli próbuje), zademonstruj mu, jak ma to robić, trzymając suwak daleko od ciała.

Jeśli bucik jest zawsze zakładany na niewłaściwą nóżkę... Dopasowanie prawego bucika do prawej nóżki (a lewego do lewej) jest jednym z najtrudniejszych elementów nauki ubierania się i większość dzieci ma z tym problemy jeszcze w późnym okresie dzieciństwa. Chociaż powinnaś wykazać dużo cierpliwości, możesz także ułatwić nieco to zadanie, pokazując starszemu dziecku, że sprzączki bucika i paski na rzepy znajdują się zwykle po zewnętrznej jego stronie. Możesz też wewnątrz każdego bucika narysować jakieś drobne wzorki i powiedzieć dziecku, że mają się one zawsze spotykać w środku albo że stanowią one całość. Pomocne może być również to, że buciki będą zawsze stawiane tak, aby były gotowe do włożenia.

Ubieranie w chłodne dni

Kiedy na dworze jest zimno i masz zamiar wyjść z dzieckiem na spacer, podejmij następujące środki ostrożności, biorąc pod uwagę nie tylko temperaturę, ale i siłę wiatru:

Zacznij od samej góry. Kiedy temperatura na dworze spada poniżej zera, czapka najlepiej uchroni dziecko przed utratą ciepła. Dzieje się tak dlatego, że przez odkrytą głowę organizm traci dużo ciepła. Znajdź dla malca wygodną czapkę i nalegaj, żeby ją nosił przy niskiej temperaturze. Jeśli sama również będziesz nosić nakrycie głowy, napotkasz prawdopodobnie mniejszy opór ze strony swojej pociechy. (Na str. 248 znajdziesz więcej wiadomości o nakryciach głowy.) Ponieważ ciepło uchodzi także przez kark i szyję, zadbaj, żeby je dobrze osłonić. Wkładanie dziecku kominiarki lub innego rodzaju czapki przykrywającej szyję oraz, jeśli to możliwe, część twarzy, pozwoli obyć się bez szalika, a wiedząc, jak bardzo dzieci nie lubią być opatulane, taka czapka ułatwi ci zadanie.

Ubieranie „na cebulkę". Jak ubrać dziecko, żeby było mu ciepło, gdy wieziesz je wózkiem na plac zabaw, ale żeby się nie przegrzało, kiedy zacznie się bawić i biegać? Zastosuj warstwy, które dzięki powietrzu znajdującemu się między nimi zatrzymują ciepło, gdy dziecko marznie, a które można w razie potrzeby zdjąć, kiedy maluchowi zrobi się cieplej (albo ociepli się na dworze). W naprawdę mroźny dzień albo kiedy dziecko będzie bawić się na śniegu zacznij ubieranie od ciepłej długiej bielizny, potem włóż golf (który zapewni miłe ciepło nawet przy rozpiętej kurtce), sweter i ciepłe spodnie, dres lub wełniany komplet, a na wierzch kurtkę lub zimowy kombinezon. Wełna dobrze ogrzewa, ale może podrażniać wrażliwą skórę; niektóre szczególnie wrażliwe dzieci nie chcą wkładać wełnianych rzeczy nawet na kilka warstw ubrań.

Kupuj po kilka par rękawiczek. Rękawiczki (do zabawy na śniegu nie powinny przepuszczać wody) mają ogromne znaczenie podczas mrozów, ponieważ palce u rąk są szczególnie podatne na odmrożenia. Jeżeli to możliwe, kupuj dwie lub trzy jednakowe pary, żebyś nie musiała wyrzucać jednej rękawiczki, kiedy zginie druga. Zabieraj na spacery dodatkową parę rękawiczek, żeby zastąpić zgubione lub mokre. Więcej o rękawiczkach — patrz str. 248.

Zapewnij ciepło palcom u nóg. Zimne palce stóp to nie tylko przykre uczucie, ale także duże zagrożenie odmrożeniem, szczególnie wtedy, gdy dziecko bawi się lub chodzi po śniegu. Ocieplane buty są najlepsze na mróz; sprawdź, czy są nieprzemakalne, nie mają zbyt wielu szwów i czy można je ściągnąć na górze (żeby utrudnić przedostanie się śniegu do wnętrza). Utrzymujące ciepło skarpety (nie z bawełny, w których przemoczone stopy są nadal mokre) zapewnią stopom twojej pociechy dodatkowy komfort; unikaj bardzo grubych skarpet całkowicie wypełniających buty — to właśnie powietrze między skarpetami a butami zapewnia większą ochronę przed zimnem. Natychmiast zmień przemoczone buty. Sprawdzaj, czy nogi nie są przemoczone lub zmarznięte. Jeżeli rączki dziecka są zimne, czas wrócić do pomieszczenia i ogrzać się. Jeżeli szyja jest spocona, pomyśl o zdjęciu jednej warstwy odzieży.

Sprawdzaj, czy dziecku nie jest zbyt ciepło. Przegrzany maluch może się czuć równie źle, jak zmarznięty. Sprawdzaj od czasu do czasu, czy kark dziecka nie jest spocony; jeśli będzie wilgotny, możesz rozpiąć mu ubranie lub zdjąć jedną warstwę.

Ubieranie w ciepłe dni

Kiedy na dworze jest gorąco, najwygodniej jest w lekkich, luźnych ubraniach o jasnych kolorach. Do zabawy na słońcu wkładaj dziecku raczej ubrania z mocniejszych, gęsto tkanych materiałów, które stanowią lepszą ochronę przed promieniami ultrafioletowymi (dżins jest najlepszy). Jeśli ubierasz swoje dziecko lekko, posmaruj je kremem z filtrem również pod ubraniem. Kapelusz z szerokim rondem powinien być podstawowym elementem ubioru w gorący, słoneczny dzień.

18

Żywienie dziecka w drugim i trzecim roku życia

„DIETA NAJLEPSZEJ SZANSY" DLA DWU- I TRZYLATKA

Przy całej typowej dla dzieci niechęci do zmian, podejrzliwości w stosunku do wszystkiego co zielone i liściaste oraz braku tolerancji dla nie znanych konsystencji, już samo nakłonienie ich do zjedzenia trzech posiłków dziennie jest wystarczająco trudne, nie wspominając o przestrzeganiu mnóstwa zaleceń dietetycznych. Prawidłowe żywienie dziecka w żadnym innym okresie życia nie sprawia tylu trudności, w żadnym innym okresie życia nie jest również tak ważne. Po pierwsze, nawyki żywieniowe (złe lub dobre) ukształtowane we wczesnym dzieciństwie mogą przetrwać przez całe życie. Nie oznacza to wcale, że twoje dziecko jako dorosły będzie się ciągle żywić makaronem i serem, natomiast oznacza, że preferowanie słodyczy albo słonych, tłustych potraw w dzieciństwie może z łatwością stać się przyzwyczajeniem na całe życie. Po drugie, małe dzieci wykazujące stale niespożytą energię, potrzebują nieustannego dostarczania środków odżywczych, aby mogły prowadzić swój ruchliwy tryb życia. Właściwe żywienie ma zasadnicze znaczenie dla zapewnienia optymalnego wzrostu oraz optymalnego rozwoju fizycznego i intelektualnego. Prawidłowa dieta nie gwarantuje dobrego zdrowia i długiego życia, ale „Dieta najlepszej szansy" zapewni twojemu maluchowi najlepsze możliwości osiągnięcia tych celów.

DZIEWIĘĆ PODSTAWOWYCH ZASAD „DIETY NAJLEPSZEJ SZANSY"

Główne zasady „Diety najlepszej szansy" dotyczące zdrowego żywienia odnoszą się do wszystkich ludzi niezależnie od wieku; poniżej zmodyfikowano je tylko nieznacznie, biorąc pod uwagę szczególne potrzeby dwu- i trzylatka.

Każdy kęs się liczy. Z powodu malutkich brzuszków, zmiennych apetytów oraz ograniczonych i niestałych gustów rodzice mogą się spodziewać, że malec zje jedynie niewielką liczbę kęsów. W takiej sytuacji bardzo trudno jest nadrobić zaniedbania w odżywianiu (kiedy masło orzechowe i galaretka są jedzone na okrągło; kiedy jedynym napojem jest 10% sok z owoców; kiedy deser stanowi babeczka pełna pustych kalorii z tłuszczu i cukru). Ważne jest zatem, żeby każdy kęs jedzenia był jak najbardziej pożywny, żeby chleb był pełnoziarnisty; napoje stanowiły 100% soki, a deser był zdrowy (na przykład świeże owoce lub ciastko z pełnoziarnistej mąki słodzone sokiem owocowym).

Nie wszystkie kalorie są równe. 110 kalorii w 30 g słodzonych cukrem, rafinowanych płatków śniadaniowych nie ma takiej samej wartości odżywczej co 110 kalorii w 30 g pełnoziarnistych płatków śniadaniowych słodzonych sokiem owocowym. Przygotowując posiłki lub przekąski dla dziecka, miej zawsze na uwadze ich jakość kaloryczną.

Opuszczanie posiłków jest niewskazane, ale to przywilej małego dziecka. Opuszczanie posiłków nie jest godne polecenia w żadnym wieku, a dzieci, które regularnie nie jedzą pewnych posiłków, mogą być nie tylko pozbawione energii niezbędnej do prawidłowego funkcjonowania, ale bywają też szczególnie podatne na dziwaczne, irracjonalne zachowania oraz napady złości. Aby mieć pewność, że twój tuptuś ma zapewniony stały dopływ „paliwa", karm go trzy razy dziennie, a między posiłkami podawaj przekąski. Pamiętaj jednak o tym, że przygotowanie jedzenia nie musi oznaczać, że zostanie ono zjedzone. Dzieci nie zawsze jedzą to, co im się przygotuje, wtedy, gdy im się to poda. Twoja pociecha może od czasu do czasu nie zjeść w ogóle jakiegoś posiłku i zaledwie napocząć pozostałe — jest to jej przywilejem. Dopilnuj jednak, żeby później nadrobić opuszczone karmienie pożywnymi przekąskami (nie rób tego jednak na krótko przed kolejnym posiłkiem, bo dziecko może odmówić zjedzenia również jego). Nie martw się tym, że maluch od czasu do czasu nie zje obiadu, i nie wywieraj na niego nacisku. Kiedy zdrowym dzieciom pozwala się jeść tak dużo (czy tak mało), jak chcą, w ciągu tygodnia wyrównują one na ogół ewentualne niedobory.

Efektywność przynosi efekty. Dwu- i trzylatki mają stosunkowo małą pojemność żołądka, warto więc przy wyborze pokarmów dla dziecka brać pod uwagę ich efektywność. Jeśli masz sposobność, podawaj maluchowi jedzenie zaspokajające zapotrzebowanie na więcej niż jeden składnik odżywczy (ser dla wapnia i białka, kantalupa dla witaminy A i C, wyroby pełnoziarniste dla węglowodanów złożonych i żelaza). Takie dobieranie pokarmów może również powstrzymać zbyt szybkie przybieranie na wadze u brzdąca o nieposkromionym apetycie (można na przykład podawać sycące pożywienie, które dostarcza więcej wartości odżywczych przy mniejszej liczbie kalorii, takiego jak świeże owoce i warzywa, pełnoziarniste chleby i makarony bez tuczących sosów). Zasada efektywności daje efekty także w żywieniu dziecka o niewielkim łaknieniu, z niedoborem masy ciała lub przybierającego zbyt wolno (możesz podawać produkty zawierające dużo kalorii w niewielkiej objętości; dobrym wyborem jest tu na przykład masło orzechowe, mięso, owoce awokado, sery, fasola).

Węglowodany to złożone zagadnienie. Chleb, bułeczki i drożdżówki, spaghetti i inne makarony, płatki śniadaniowe — nawet najbardziej grymaśne dziecko lubi zwykle przynajmniej jedną rzecz należącą do rodziny węglowodanów, a niektóre dzieci nie lubią nic innego. Nie wszystkie węglowodany mają jednak równą wartość odżywczą, a niektóre z nich, jak cukier, miód, oczyszczone ziarno oraz przyrządzone z nich pożywienie dostarczają prawie wyłącznie kalorii. Prawdą jest, że mąka biała sprzedawana dla domowego użytku lub do wypieku chleba i innych wyrobów piekarskich jest wzbogacona w cztery składniki pokarmowe (tiaminę, ryboflawinę, niacynę i żelazo), ale prawdą jest także, że mąka ta straciła dwadzieścia, a może nawet więcej składników pokarmowych w procesie oczyszczania, w którym usuwane są kiełki i otręby. Takie węglowodany złożone, jak mąki pełnoziarniste, chleby i płatki, ryż nie oczyszczony z kiełków i otrębów, proso, ryż peruwiański i inne zboża pełnoziarniste, rośliny strączkowe (suszony groch i fasola) oraz makaron o dużej zawartości białka lub pełnoziarnisty dostarczają z drugiej strony zwykle wielu różnych składników pokarmowych, w tym białka, witamin, minerałów i niezwykle ważnego błonnika. Zawsze, gdy robisz zakupy, jesteś w restauracji czy gotujesz samodzielnie, wybieraj właśnie te produkty, natomiast węglowodanów oczyszczonych używaj rzadko lub wtedy, gdy nie masz innego wyboru. W czasach, kiedy wszystkie dostępne węglowodany są pozbawione domieszek, noś ze sobą mały pojemniczek z kiełkami pszenicy, żeby wzbogacać chleby, makarony i pizze sporządzone z białej mąki. Dzieci, które od najwcześniejszych lat przyzwyczają się do posypywanych kiełkami pszenicy potraw, będą to uważały za rzecz oczywistą.

Słodkie nic: nic prócz kłopotów. Rodzice i nauczyciele od lat twierdzą, że dzieci „pod wpływem" cukru przejawiają nadpobudliwość. Pewne badania na temat wpływu cukru na zachowanie niektórych dzieci potwierdzają te opinie, a wiele innych im przeczy. Aby w pełni zrozumieć zależność, jeśli w ogóle taka istnieje, między spożyciem cukru a zachowaniem dzieci, należy przeprowadzić jeszcze wiele badań. Zanim jednak to nastąpi, za ograniczeniem ilości cukru spożywanego przez twoje dziecko wciąż jeszcze przemawia wiele powodów. Po pierwsze, cukier jest zupełnie pozbawiony wartości odżywczej — nie dostarcza żadnych witamin, żadnych minerałów, nie daje nic oprócz kalorii. Lepiej byłoby, gdyby kalorie, które zapewniają słodycze, mogły pochodzić z bardziej wartościowych źródeł. Po drugie, cukier ma niejednokrotnie złe towarzystwo; często się zdarza, że występuje w zestawieniu z innymi niepożądanymi w żywieniu, niezdrowymi składnikami, takimi jak tłuszcze i oczyszczone ziarno, w jedzeniu, które w przeważającej części jest „puste" z punktu widzenia wartości odżywczych. Ponadto cukier i słodka żywność powodują w znacznym stopniu próchnicę zębów, mogą też przyczynić się do otyłości (potrawy zawierające cukier są często tuczące, nie dają ani uczucia sytości, ani wartości odżywczych). Cukier może być również stosowany do podniesienia walorów smakowych trzeciorzędnych składników potraw (na przy-

Płatki śniadaniowe posypane cukrem

Jeśli chodzi o komercyjne programy telewizyjne dla dzieci, to rodzice często w równym stopniu powinni obawiać się tak reklam, jak i samych programów. To właśnie przez te reklamy wiele młodych umysłów z wyobraźnią „poznaje smak" słodkich płatków śniadaniowych. Wiedzione tym „smakiem" odnajdują w sklepie samoobsługowym działy z płatkami, gdzie krzykiem i wrzaskiem wymuszają zakup tych gatunków, które widziały w reklamie telewizyjnej.

Nawet rodzice, którzy próbują ograniczać dziecku oglądanie telewizji do kanałów nie nadających reklam lub do wybranych programów, mogą stwierdzić, że wycieczka do działu z płatkami bywa prawdziwą udręką. Stonowane opakowania odżywczych płatków o niskiej zawartości cukru rzadko zwracają uwagę małego dziecka, wypadając blado w porównaniu z krzykliwymi pudełkami płatków słodzonych, zaprojektowanymi tak, aby przyciągały młode oczy. Większość z tych rodzajów przeznaczonych dla dzieci ma od trzech do siedmiu łyżeczek cukru na porcję, a niektóre z nich zawierają długą listę kwestionowanych sztucznych barwników i aromatów. Tak więc, dla dobra swojej pociechy, przeciwstaw się reklamom przemawiającym za słodkimi, chrupiącymi, czekoladowymi kosteczkami czy chrupkami w polewie miodowej i wprowadź zasadę obowiązującą przy śniadaniu: Zakaz spożywania słodkich płatków. Uważnie zapoznawaj się z zamieszczoną na etykiecie informacją o wartościach odżywczych (najlepiej wtedy, kiedy jesteś bez dziecka, ponieważ czytanie etykiet jest czasochłonne i wymaga skupienia), po czym wybieraj produkty pełnoziarniste o niskiej zawartości cukru lub całkowicie go pozbawione. Lista węglowodanów umieszczana na boku opakowania powinna zawierać nie więcej niż jeden lub dwa gramy sacharozy i innych cukrów na jedną porcję. Wyjątek stanowią płatki zawierające nie słodzone suszone owoce, które warto polecić, chociaż zawierają znacznie więcej cukru; takie owoce wpływają na ogromny, ale naturalny, wzrost zawartości cukru. (Upewnij się jednak, czy tego rodzaju płatki nie mają w swoim składzie również innych węglowodanów, takich jak cukier, syrop kukurydziany, fruktoza itd.) Nie daj się też oszukać znakami zdrowej żywności, które umieszczone są na pudełkach „naturalnie słodzonych" płatków. Wymieniony wśród głównych składników miód wcale nie jest bardziej zdrowy od cukru.

kład w sosie pomidorowym, kiedy pomidory nie mają własnego aromatu), a składnikom bez smaku brak często wartości odżywczych. Przez to, że spożycie cukru wzmaga zapotrzebowanie organizmu na chrom potrzebny do jego przetworzenia, może on być także pośrednią przyczyną rozwoju cukrzycy. Prawdopodobnie jednak najlepszym argumentem przemawiającym za tym, żeby trzymać cukier tak daleko od twojego dziecka, jak to tylko możliwe, jest oszczędzenie mu trwającej całe życie walki z apetytem na słodycze oraz uniknięcie kłopotów z niego wynikających. Badania wykazują, że dzieci jedzące dużo pokarmów bogatych w cukier, są bardziej narażone na to, że staną się nieustannie spragnionymi słodyczy dorosłymi niż ich rówieśnicy nie spożywający cukru. Aby do minimum ograniczyć cukier w diecie twojego dziecka, musisz wiedzieć, gdzie go szukać. Cukier występuje pod wieloma nazwami, na przykład melasa, cukier nierafinowany, fruktoza, glukoza, miód, syrop klonowy, syrop kukurydziany, syrop kukurydziany w kostkach, słodziki, dekstroza i sacharoza. Unikaj tych składników, kupując gotowe produkty (szczególnie jeśli znajdują się one na samej górze listy składników albo jeśli na liście występują dwa lub więcej z nich) i gotując dziecku w domu. Wyjątkami niech będą sytuacje, w których nie ma innego wyboru, na przykład przyjęcia urodzinowe. Ograniczanie cukru nie oznacza jednak całkowitej rezygnacji ze słodyczy. Słodycze z dodatkiem koncentratu soku owocowego i słodzików owocowych mogą cieszyć tak samo jak te słodzone cukrem. Przyrządzaj własne desery słodzone owocami lub szukaj gotowych w zwykłych sklepach lub sklepach ze zdrową żywnością. I jeszcze jedna, nie pozbawiona znaczenia korzyść: istnieje o wiele większe prawdopodobieństwo, że słodzone sokami owocowymi ciasta i ciasteczka będą zawierały dodatkowo więcej składników odżywczych (takich jak mąki pełnoziarniste) niż popularne słodycze.

Dobre jedzenie pamięta, skąd pochodzi. Czasy, w których jedliśmy to, co sami wyhodowaliśmy (lub co wyhodowali nasi sąsiedzi), odeszły dla większości z nas w przeszłość. Zapracowani rodzice z ledwością pamiętają o kupieniu chleba, nie wspominając o tym, że mieliby znaleźć czas na pieczenie go. Jednak nawet w naszych nowoczesnych czasach im bliżej naturalnego łańcucha pokarmowego się znajdujemy, tym lepiej; pokarmy pamiętające własne „korzenie" zachowały część tych wartości odżywczych, które posiadały w momencie zbiorów. Nie oznacza to, że musimy siać własne zboże i mleć je na własną mąkę. Chodzi o to, że powinniśmy raczej kupować chleb, bułki i płatki z pełnego przemiału, a nie z ziarna oczyszczonego, które pozbawiono bardzo wielu występujących w nim początkowo składników odżywczych. Nie musimy też sami wytwarzać płodów rolnych, ale powinniśmy wybierać świeże owoce i warzywa (lub zamrożone w stanie świeżym), zamiast wysoko przetworzonych, sprzedawanych w puszkach lub przegotowanych. Nie musimy też sadzić drzewek owocowych w swoim ogrodzie, ale powinniśmy ograniczać spożycie owoców gotowanych (pozbawionych witamin i błonnika) czy nawet przetwarzanych na sok (pozbawionych częściowo lub całkowicie błonnika). Pamiętaj też, że zagrożenie dla szybko rosnących dzieci stanowi nie to, co ginie w procesie przetwarzania żywności (witaminy, minerały i błonnik), ale to, co zostaje dodane (sól, cukier, dodatki chemiczne; patrz także str. 459). Tak więc, robiąc zakupy lub przygotowując jedzenie dla dziecka, wybieraj taką żywność, która pamięta swoje pochodzenie, szukaj produktów nie rafinowanych i świeżych, a nie przetworzonych. Również we własnej kuchni staraj się jak najmniej przetworzyć jedzenie: unikaj zbyt długiego gotowania, przechowywania i niepotrzebnego narażania żywności na działanie powietrza, wody lub wysokiej temperatury, bo wszystko to pozbawia żywność jej wartości odżywczych.

Zdrowe żywienie powinno być sprawą rodzinną. Podwójne menu (pączki dla ciebie, a płatki i mleko dla twojej pociechy) nie jest sprawiedliwe i rzadko przynosi pożądany rezultat. „Dieta najlepszej szansy" ma największe szanse powodzenia, kiedy do jej zasad dostosowuje się cała rodzina. Jeśli wszyscy będą jedli pełnoziarnisty chleb, nie słodzone płatki, ograniczą spożycie cukru, będą unikać przetworzonej żywności, wtedy odpowiednie żywienie stanie się dla dziecka elementem życia rodzinnego i nie będzie wyglądać jak „specjalna dieta" narzucona tylko jemu. A oczywiście malec nie będzie jedyną osobą, która odniesie korzyść z tego, że odpowiednie żywienie stanie się sprawą całej rodziny.

Złe nawyki mogą sabotować dobrą dietę. Produkty bezwartościowe spotyka się wszędzie — wołają do ciebie z półek sklepowych swoimi kuszącymi opakowaniami, przemawiają z ekranu telewizyjnego poprzez wabiące reklamy. Twoje dziecko zaczyna trochę więcej wychodzić z domu — odwiedza kolegów, gdzie być może podaje się pozbawione wartości jedzenie, gdzie na stole ostentacyjnie pysznią się kanapki z białego pieczywa i czekoladowe ciasteczka i gdzie pije się słodzone cukrem gazowane napoje. Ogólnie rzecz biorąc, kiedy twój maluch widzi, że pozostałe dzieci jedzą co innego, jest mu coraz trudniej ignorować te szkodliwe elementy. Jednakże ścisłe przestrzeganie „Diety najlepszej szansy" w domu ułatwi dziecku trwanie przy niej (przynajmniej przez większość czasu) poza domem. Bezwartościowe jedzenie stanowi obecnie największe zagrożenie dla prawidłowego odżywiania twojego dziecka. Później pojawią się i inne. Staraj się nie zaprzepaszczać dobrej diety paleniem papierosów, używkami oraz nadmiarem alkoholu i kofeiny, a twoje dziecko nauczy się na przyszłość nie tylko zdrowych nawyków żywieniowych, ale także, dzięki twojemu przykładowi, zdrowego stylu życia.

„CODZIENNA DWUNASTKA" DWU- I TRZYLATKA

Karmienie małego dziecka może być wystarczająco trudne nawet wtedy, gdy z przygotowania posiłków nie czyni się laboratoryjnej procedury. Dlatego właśnie w zamieszczonych poniżej dwunastu zasadach diety dla dwu- i trzylatków podano wymagania żywieniowe nie w miligramach, mikrogramach ani międzynarodowych jednostkach składników pokarmowych, ale w porcjach codziennego jedzenia. Małe porcje dla małych żołądków. Jednakże nawet jeśli te małe porcje są i tak za duże dla twojego dziecka lub jeśli woli ono uszczknąć trochę tego i odrobinkę tamtego, niż zjeść całą porcję czegokolwiek, mieszaj i dobieraj poszczególne porcje tak, żeby osiągnąć zalecaną normę. Pamiętaj także o tym, że wiele potraw może pełnić podwójną funkcję odżywczą (niepełna szklanka brokułów nie tylko zaspokaja zapotrzebowanie na zielone warzywa, ale także podwójne zapotrzebowanie na witaminę C i prawie 1/3 dawki wapnia). Nie jest konieczne dokładne odmierzanie porcji (nie staniesz przed sądem dietetyków, jeśli będzie brakowało dziesięć mililitrów soku pomidorowego), ale mierzenie i ważenie jedzenia może być pomocne do czasu, aż nauczysz się oceniać wzrokowo, ile to 30 g sera, 1 i 1/2 łyżki masła orzechowego, 1/4 kubka pokrojonego w kostkę owocu mango. Również używanie łyżeczek i miarek do odmierzania jedzenia dla dziecka pomoże ci bez zbytniego wysiłku ocenić wielkość porcji. „Codzienna dwunastka" powinna być twoim celem, jeśli chodzi o dietę twojego dziecka, ale nie zmuszaj go, nie przekupuj, nie na-

Zróżnicowane jedzenie to coś więcej niż urozmaicenie życia

Dzieci roczne i dwuletnie nie słyną z odwagi przy stole (jeśli nie liczyć stawania na wysokim krzesełku). Dla wielu tuptusiów w tym wieku urozmaicanie jedzenia może oznaczać przerzucanie się z kanapek z masłem orzechowym pokrojonych w trójkąciki na kanapki z masłem orzechowym pokrojone w kwadraciki. Niemniej jednak prawdziwie zróżnicowana dieta nie tylko zapewnia największe szanse prawidłowego odżywiania, ale także zmniejsza potencjalne niebezpieczeństwa związane ze spożywaniem szkodliwej żywności (zarówno pochodzenia naturalnego, jak i wyprodukowanej przez człowieka). Dieta taka nie dopuszcza również do monotonii w jadłospisie malucha. Wczesne wprowadzenie urozmaiconego pożywienia pomaga także rozszerzyć repertuar żywieniowy dziecka lub przynajmniej przygotować pod to grunt.

Możesz próbować podawać na zmianę zimne i ciepłe płatki śniadaniowe, płatki z pszenicy czy owsa. Jednego dnia dodawaj do płatków banana, drugiego dnia truskawki. Przygotuj maluchowi kanapki z bułki grahamki i chleba; podawaj ser cheddar pokrojony w kostkę, ser topiony lub ser szwajcarski pokrojony w plasterki; hamburgery, kawałki kurczaka lub paluszki rybne. Zmieniaj soki, które dziecko zabiera do przedszkola: pomarańczowy (dla witaminy C), morelowy (dla beta-karotenu), z owoców mango i papai (dla jednego i drugiego), jabłkowy i gruszkowy (dla dodatkowego urozmaicenia).

kłaniaj pochlebstwami ani w żaden inny sposób nie wywieraj presji na malca, żeby się stosował do tych zasad. Jeśli tylko codziennie będziesz przestrzegać tych zaleceń i rzadko podawać dziecku produkty obfitujące w „puste" kalorie, twoja pociecha będzie prawdopodobnie otrzymywała zbliżoną do pożądanej ilość składników odżywczych.

Kalorie: średnio od 900 do 1700[1]. Nie musisz wyjmować liczydła ani kalkulatora. Aby ocenić, czy twoje dziecko otrzymuje za dużo kalorii, za mało czy też w sam raz, po prostu śledź przyrost masy jego ciała. Jeśli utrzymuje się ona mniej więcej na tej samej krzywej (patrz wykresy na końcu książki), pozwalając sobie czasami na wzrost lub spadek, kiedy masa ciała szczupłego dziecka wzrasta albo gdy pucołowate szczupleje, pobór kalorii jest odpowiedni. To, ile pożywienia potrzebuje twój malec, żeby przybierał w odpowiednim tempie, zależy od jego obecnego wzrostu, przemiany materii oraz poziomu aktywności. Ważne jest, aby pamiętać o tym, że stały niedobór kalorii może poważnie zagrozić rozwojowi fizycznemu i intelektualnemu (patrz str. 441). Natomiast dostarczanie dziecku zbyt dużej ilości kalorii przez następne kilka lat może spowodować, że dziecko przez resztę życia będzie miało problemy z nadwagą (patrz str. 439).

Białko: cztery porcje (około 25 g). Jedna porcja dziecięca to: 3/4 kubka mleka; 1/4 kubka chudego mleka w proszku; 1/2 kubka jogurtu; 3 łyżki twarożku, 20 g żółtego sera; 1 całe jajko lub 2 białka; 20 do 30 g ryby, drobiu lub mięsa; 60 g tofu; 1 i 1/2 łyżki stołowej masła orzechowego; 30 g makaronu o dużej zawartości białka lub 60 g makaronu z pełnej mąki, 1 zestaw wegetariański dla małego dziecka lub zestaw białkowy (patrz str. 452).

Produkty zawierające wapń: 4 porcje. Jedna porcja dziecięca to: 2/3 kubka mleka[2]; 1/3 kubka mleka wzbogaconego o 1/8 kubka chudego mleka w proszku; 1/2 kubka mleka wzbogaconego wapniem; 1/2 kubka jogurtu; 20-30 g chudego żółtego sera; 40 g tłustego żółtego sera; 120 g soku pomarańczowego o zwiększonej zawartości wapnia. Połowie dziecięcej porcji wapnia odpowiada: 90 g tofu; około 2/3 kubka gotowanych brokułów; 1/2 kubka gotowanej kapusty włoskiej lub rzepy; 45 g łososia z puszki lub 30 g sardynek (ugniecionych z ośćmi).

Produkty zawierające witaminę C: 2 porcje lub więcej[3]. Jedna porcja dziecięca to: 1/2 małej pomarańczy lub 1/4 średniego grejpfruta; 1/4 kubka świeżych truskawek; 1/12 słodkiego melona; 1/4 kubka świeżego lub mrożonego soku

[1] Większa z tych liczb będzie prawdopodobnie odpowiednia dla bardzo wysokiego i ruchliwego trzylatka, ważącego około 17 kg; mniejsza liczba będzie właściwa dla małego i dość spokojnego dziecka w wieku jednego roku, ważącego 9 kg.

[2] Jeśli twoje dziecko ma mniej niż dwa lata, większość spożywanego przez nie nabiału powinny stanowić produkty pełnotłuste. Dzieci powyżej drugiego roku życia powinny przejść na chude mleko i nabiał w większości o niskiej zawartości tłuszczu (lub bez tłuszczu). Pamiętaj jednak, że dieta beztłuszczowa nie jest odpowiednia dla małego dziecka w żadnym wieku.

[3] W okresie grypy lub przeziębienia zwiększ dawkę do czterech lub więcej porcji.

Znaczenie tłuszczu

Staraj się, aby tłuszcz w pożywieniu dziecka pochodził z różnych źródeł. Chociaż częściowo powinien być pochodzenia zwierzęcego (pełnotłuste mleko, ser, mięso), szczególnie w drugim roku życia, to przeważać powinny tłuszcze roślinne (szczególnie w trzecim roku życia i później). Najlepsze oleje zawierają głównie kwasy tłuszczowe jednonienasycone, jak na przykład oliwa z oliwek; zaraz po nich najbardziej wartościowe są oleje zawierające kwasy tłuszczowe wielonienasycone, takie jak olej sojowy, kukurydziany, słonecznikowy. Dość dobre są margaryny na tłuszczach wielonienasyconych i oleje arachidowe. Dzieciom, które ukończyły trzy lata, zdecydowanie należy ograniczać tłuszcze do ilości, która pokrywa 10% dziennego zapotrzebowania na kalorie: olej kokosowy i palmowy, tłuszcze utwardzone lub częściowo utwardzone oraz tłuszcze piekarskie, tłuszcze drobiowe, tłuszcze wołowe i wieprzowe (łój lub smalec), a także masło.

Etykiety podające wartości odżywcze produktu pozwalają określić liczbę gramów tłuszczu przypadających na jedną porcję dosłownie każdego rodzaju pakowanej żywności. Ponieważ jedna porcja tłuszczu dla dziecka wynosi około 7 g, będziesz mogła łatwo obliczyć, czy dany produkt jest zalecany dla dzieci. Pamiętaj o tym, że niewielkie ilości tłuszczu występujące w wielu produktach o niskiej jego zawartości (na przykład w chudym serze twarogowym, bananach, fasoli) sumują się, dając prawdopodobnie równoważnik jednej porcji.

pomarańczowego; 1/3 dużego owocu mango lub 1/2 dużej figi; 1/4 kubka brokułów lub brukselki; 1/2 kubka gotowanej kapusty włoskiej lub innych warzyw liściastych; 1/2 kubka zielonej papryki lub 1/6 czerwonej papryki; 1 mały pomidor, obrany ze skórki; 3/4 kubka duszonych pomidorów lub 1/2 kubka sosu pomidorowego; 1/2 kubka soku z warzyw.

Zielenina, żółte warzywa i owoce: 2 porcje lub więcej[4]. Jedna porcja dziecięca to: 1 średniej wielkości świeża morela lub 2 suszone połówki; 1/8 dużego mango; 1 średniej wielkości nektarynka, obrana ze skórki; 1/2 dużej żółtej brzoskwini, obranej ze skórki; 1/2 średniej figi; 6 szparagów; niecałe 1/2 kubka gotowanych brokułów; 3/4 kubka zielonego groszku; 2-3 łyżek drobno posiekanych gotowanych warzyw; 1/4 małej marchewki; 1/2 łyżki nie słodzonego przecieru z dyni; 1 mały pomidor; niecałe 1/2 kubka soku z warzyw; 1/4 dużej czerwonej papryki.

Inne owoce i warzywa: 1, 2 lub więcej porcji. Jedna porcja dziecięca to: 1/2 jabłka, gruszki, brzoskwini lub duży banan; 1/4 kubka kompotu z jabłek; 1/3 kubka wiśni, jagód lub winogron; 1 duża figa; 2 daktyle; 3 połówki suszonych brzoskwiń; 1/2 suszonej gruszki; 1/2 plasterka ananasa świeżego lub z puszki; 2 łyżki rodzynek, porzeczek lub suszonych plasterków jabłka; 2 lub 3 szparagi; 1/4 średniej wielkości awokado; 3/8 kubka zielonego groszku; 1/2 kubka buraków, bakłażanów lub pokrojonej w kostkę rzepy; 3/4 kubka pokrojonych grzybów, dyni lub cukinii; 1/3 szklanki zielonego groszku; 1/2 małej kolby kukurydzy (przed podaniem dziecku natnij każdy rząd ziaren wzdłuż kolby, obierz również owoce z twardej skórki).

Pełnoziarniste przetwory zbożowe i inne węglowodany złożone: 6 lub więcej porcji. Jedna porcja dziecięca to: 1 łyżka kiełków pszenicy; 1/2 kromki chleba razowego; 1/4 bułki grahamki; 1 babeczka przyrządzona według przepisu zamieszczonego na str. 700 lub inny rodzaj pieczywa; 2-3 razowe krakersy lub paluszki (około 40 kalorii); 1/4 kubka ryżu nie oczyszczonego z kiełków i otrębów; 1/2 porcji (sprawdź na etykiecie wielkość porcji) płatków śniadaniowych razowych, nie słodzonych lub słodzonych owocami; 15 g makaronu razowego lub bogatego w białko; 1/2 kubka gotowanej soczewicy, grochu suszonego, fasoli (gotowanej do miękkości i ugniecionej na papkę lub rozdrobnionej dla bardzo małego dziecka, aby zapobiec udławieniu).

Produkty bogate w żelazo: codziennie trochę. Dobrym jego źródłem są: płatki wzbogacone żelazem; wołowina; melasa z trzciny cukrowej; wypieki z mąki sojowej; mąka razowa; kiełki pszenicy; suszony groch i fasola, ziarno soi; suszone owoce; wątroba i inne produkty (nie przyrządzaj ich zbyt często, gdyż są bogate w cholesterol, a poza tym magazynują wiele chemicznych substancji, które dodaje się do pasz); sardynki; szpinak (nie podawaj go zbyt

[4] Spożywanie dużych ilości owoców i warzyw bogatych w beta-karoten może spowodować żółtawe zabarwienie skóry. Nie jest to powód do niepokoju, świadczy to jednak, że przesadzasz z tym, co dobre. Skontaktuj się z lekarzem, jeśli skóra twojego dziecka robi się żółta bez wyraźnej przyczyny.

Ile mleka?

Po odstawieniu dziecka od piersi lub wyeliminowaniu butelki z podziałką wielu rodziców zastanawia się nad tym, czy ich pociecha otrzymuje dostateczną ilość mleka. Łatwo będzie tego dopilnować, odmierzając 3 kubki mleka (2 i 2/3 kubka zapotrzebowania dziennego plus 1/3 kubka przeznaczona do ewentualnego rozlania) do dzbanka*. Przechowuj dzbanek w lodówce, i niech mleko z niego będzie przeznaczone tylko na potrzeby dziecka (do picia, dolewania do płatków śniadaniowych, przyrządzania sosów, potrawek, budyniów itp). Pod koniec dnia zobaczysz, ile mleka spożył twój malec. Jeśli w dzbanku stale zostaje trochę mleka, zapewnij dziecku wapń w innej postaci (patrz pokarmy bogate w wapń, str. 435).

* Nie przechowuj mleka w szklanym ani półprzezroczystym dzbanku z tworzywa sztucznego; działanie światła niszczy w nim pewną ilość witamin. Nie kupuj także mleka w takich naczyniach.

często, ponieważ zawiera dużo azotanów i kwasu szczawiowego). Żelazo z wyżej wymienionych źródeł zostanie lepiej przyswojone, jeśli równocześnie będzie się spożywać produkty bogate w witaminę C. Jeśli twoje dziecko nie zjada dostatecznej ilości pokarmów bogatych w żelazo lub jeśli cierpi na niedokrwistość, lekarz może zalecić podawanie uzupełniających dawek żelaza.

Produkty bogate w tłuszcze: 5-8 porcji dziennie w drugim roku życia; 4-8 porcji w trzecim roku życia. Po ukończeniu przez dziecko trzech lat ta ilość tłuszczu zapewnia około 20-30% dziennego zapotrzebowania na kalorie. Jedna porcja dziecięca (około 7 g tłuszczu) to: 1/2 łyżki oleju z dużą zawartością kwasów tłuszczowych wielonienasyconych, oliwy z oliwek, masła, margaryny lub majonezu; 1 i 1/2 łyżki serka topionego; 1/4 małego awokado; 1 jajo; 3/4 kubka pełnotłustego mleka; 1 i 1/2 kubka mleka 2%; 3/4 kubka tłustego jogurtu; 1/2 kubka lodów; 3 łyżki mleka wymieszanego pół na pół z chudą śmietanką; 1 łyżka tłustej śmietany; 2 łyżki kwaśnej śmietany; 20 g żółtego sera; 45 g chudej wołowiny, jagnięciny lub wieprzowiny; 75 g ciemnego mięsa drobiowego (bez skórki); 90 g łososia lub innej tłustej ryby; 1/2 kawałka małej pizzy; 9 frytek; 3/4 małego hamburgera; 2 kawałeczki kurczaka; 1/2 kubka sałatki z tuńczyka. Połowa porcji dziecięcej to: 3 kromki chleba pełnoziarnistego; 1/4 kubka kiełków pszenicy; 1 i 2/3 kubka mleka 1%; 90 g tofu; 105 g białego mięsa drobiowego (bez skórki). (Pamiętaj jednak o tym, że zawartość tłuszczu w gotowych potrawach może się znacznie różnić; tam, gdzie to możliwe, proś o podanie informacji o składnikach odżywczych.)

Pokarmy słone: umiarkowanie. Sól, a raczej sód zawarty w chlorku sodu, znanym także pod nazwą soli kuchennej. Komu jest potrzebna? Właściwie każdemu. Nikt jednak nie potrzebuje jej aż tyle, ile przypada średnio na jednego Amerykanina. A ponieważ do smaku soli organizm przyzwyczaja się już od wczesnego dzieciństwa, wczesne ograniczanie spożycia soli może zapobiec spożywaniu słonych pokarmów w późniejszym okresie życia (i potencjalnemu zagrożeniu zdrowia, jakie może to za sobą pociągnąć). Dzieci potrzebną ilość sodu otrzymują wraz z produktami, które go zawierają (na przykład mleko, jogurt, jaja, marchew, seler), i z jedzeniem, które zostało posolone w procesie przetwórczym (chleb i większość wyrobów piekarniczych, ser twarogowy i inne sery, niektóre płatki śniadaniowe). Aby ustrzec dziecko przed zjadaniem zbyt wielkiej ilości soli, a co za tym idzie polubieniem jej, rzadko używaj soli oraz ograniczaj spożywanie bardzo słonych pokarmów, takich jak chipsy ziemniaczane, paluszki, chipsy kukurydziane lub z płatków kukurydzianych, pikle, zielone oliwki i solone krakersy. Jeśli już jednak coś solisz, używaj soli jodowanej, aby zapobiec niedoborom jodu.

Płyny: 4-6 kubków dziennie. Woda jest wszędzie, zawiera ją wszystko — także owoce i warzywa spożywane przez twoje dziecko składają się w 80%-95% z wody. Jednak oprócz wody, którą otrzymuje z tych pokarmów, dwu-, trzylatek potrzebuje jeszcze dodatkowo 4-6 kubków napoju dziennie, aby utrzymać równowagę płynów (małe dzieci, tak jak i my wszyscy, składają się w 50% do 75% z wody). Dodatkowe płyny są ważne szczególnie w czasie upałów albo kiedy dziecko ma gorączkę, jest przeziębione lub cierpi na inną infekcję dróg oddechowych, ma biegunkę lub wymiotuje. Zapotrzebowanie na płyny możesz pokryć, podając malcowi sok owocowy (najlepiej rozcieńczony fluorowaną wodą z kranu[5]), soki z jarzyn, zupy, wodę gazowaną lub zwykłą

[5] Soki jabłkowe, lub zawierające jabłka, najlepiej rozcieńczać wodą wodociągową zarówno ze względu na ich wysoką zawartość cukru, jak i dlatego, że spożywanie wody fluorowanej stanowi dobry sposób na dostarczenie dziecku niezbędnych fluorków.

Co trzeba wiedzieć o sokach

Kiedy witaminy dostają się do organizmu wraz z pożywieniem, zostają przyswojone nie tylko one same, ale także wiele innych składników pokarmowych (o istnieniu niektórych z nich nawet jeszcze nie wiemy), które współdziałają z nimi dla naszego zdrowia. Z tego powodu powinnaś podawać dziecku sok pomarańczowy, ananasowy (o dużej zawartości witaminy C), nektar morelowy (o dużej zawartości witaminy A), sok z mango i soki warzywne (o dużej zawartości obu witamin), a także inne soki o naturalnych wartościach odżywczych. (Sok pomarańczowy z dodatkiem wapnia ma pewną przewagę nad zwykłym sokiem pomarańczowym.)

Sok jabłkowy, będący również napojem naturalnym, znajduje się na drugim miejscu; lepiej, kiedy jest wzbogacony witaminą C*. Chociaż nie zawiera on dużych ilości witamin, naukowcy zaczynają zwracać uwagę na pewne jego składniki; i może już w niezbyt odległej przyszłości wyjaśnią się przyczyny leżące u podstaw powiedzenia: „Jedno jabłko dziennie to zdrowie niezmiennie".

* Nie podawaj dziecku nie pasteryzowanego soku z jabłek, gdyż może on być skażony bakteriami.

Soki wieloowocowe, składające się głównie z soku z winogron i/lub jabłkowego mieszczą się w tej samej kategorii co zwykły sok jabłkowy; i znowu, kupowanie soków wzbogaconych witaminą C jest lepszym rozwiązaniem. Napoje słodzone cukrem (wzbogacone witaminami lub nie), zawierające 10% naturalnego soku oraz wszelkie inne napoje owocowe, mające w składzie cukier lub jego odmiany, powinny być wykreślone z listy napojów podawanych dzieciom. Twojemu dziecku lepiej zrobiłoby łykanie tabletek z witaminą C; przynajmniej wtedy nie zjadałoby żadnych „pustych" kalorii.

Nie podawaj zbyt dużych ilości soku, gdyż może to prowadzić do niedożywienia, w przypadku gdy „puste" kalorie będą zastępowały kalorie odżywcze, a także do chronicznej biegunki. Zmniejsz ilość podawanego dziecku soku jabłkowego oraz innych soków o niewielkich wartościach odżywczych do 0,5-1 szklanki dziennie, zmieszanych pół na pół z wodą. Miej także świadomość tego, że sok, nawet najbardziej wartościowy, nie zastąpi dziecku mleka (potrzebuje ono codziennie 2 i 2/3 kubka) ani pokarmów stałych.

Mleko (składające się w 1/3 z elementów stałych) zapewnia jedynie 2/3 porcji płynu na kubek.

Dodatkowe witaminy. Czy należy wprowadzać preparaty mineralno-witaminowe jako uzupełnienie diety, czy też nie — oto pytanie, nad którym zastanawiają się rodzice, a środowisko lekarskie próbuje osiągnąć w tej kwestii porozumienie. Niektórzy lekarze obstają przy tym, że zdrowe, dobrze rozwijające się dzieci nie potrzebują żadnych uzupełnień, a wszystkiego, co jest im potrzebne, dostarcza im pożywienie. Inni, podkreślając kapryszenie przy jedzeniu oraz dziwne przyzwyczajenia dietetyczne maluchów, sugerują, że stosowanie dodatków witaminowych jako rodzaju ubezpieczenia w zakresie właściwego odżywiania ma sens. Przeprowadzono dotychczas zbyt mało badań naukowych, aby można było poprzeć któreś z tych stanowisk, ale pewne obserwacje ujawniły niewielki, choć wyraźny wzrost ilorazu inteligencji u dzieci przyjmujących preparaty witaminowe. Jeśli masz wątpliwości co do tego, czy twoja pociecha codziennie otrzymuje odpowiednią dawkę składników odżywczych, prawdopodobnie będzie rozsądnie skorzystać z ubezpieczenia, jakie zapewnia codzienne podawanie preparatu mineralno-witaminowego. Pamiętaj jednak o dwóch zastrzeżeniach. Po pierwsze: żaden preparat nie jest w stanie zastąpić właściwego odżywiania; podawanie dziecku witamin nie oznacza, że będziesz mogła zaniedbać „Codzienną dwunastkę" czy dziewięć podstawowych zasad „Diety najlepszej szansy". W jedzeniu znajdują się prawdopodobnie dziesiątki, a nawet setki naturalnych składników odżywczych, których nie można przenieść do preparatów witaminowych, gdyż po prostu nie zostały jeszcze odkryte. Poza tym składniki odżywcze są lepiej przyswajalne z pożywienia (swojego środowiska naturalnego) niż w kroplach czy pigułkach. Po drugie: wybrany przez ciebie preparat powinien być dobrany odpowiednio dla małego dziecka i nie powinien zawierać więcej niż 100% zalecanej dawki dziennej odpowiedniej dla wieku dziecka (czytaj uważnie etykietki, ponieważ skład jest uzależniony od grupy wiekowej). Pamiętaj również o tym, że zbyt dużo witamin i minerałów może być równie niebezpieczne jak ich niedobór (na przykład witaminy A i D mogą być toksyczne już nawet w ilościach niewiele przewyższających zalecaną dawkę dzienną). Nie podawaj maluchowi tranu, który może zawierać toksyczne ilości witaminy A. Dopóki dziecko nie ma zębów trzonowych, używaj preparatów w syropie. Później, kiedy będzie już umiało dokładnie rozgryźć tabletkę (najlepiej bez cukru), możesz przejść na tę formę. (Ponieważ jednak tabletki te będą zawierały

Przykładowy jadłospis dziecka

Jadłospis ten stanowi przykład zastosowania zasady „Codziennej dwunastki" w praktyce. Istnieją dosłownie setki innych możliwości, które mogą być równie dobre (a nawet lepsze dla niektórych dzieci). Porcje są „uśrednione" — oznaczają średnią ilość jedzenia spożytą przez przeciętne dziecko podczas przeciętnego posiłku w zwykły dzień. Nie znaczy to wcale, że to samo dziecko nie będzie chciało pewnego dnia zjeść więcej (całej kromki chleba czy nawet półtorej), a innego dnia mniej (zaledwie raz ugryzie kromkę chleba). Nie znaczy to również, że nie powinnaś dziecku na to pozwolić.

Śniadanie
1/2 kubka soku pomarańczowego
1/2 kubka pełnoziarnistych płatków śniadaniowych
1/2 pokrojonego banana
1/2 kubka mleka do płatków

Przekąska po śniadaniu
1/2 kromki pełnoziarnistego chleba z 2 łyżeczkami masła orzechowego
1/2 kubka mleka

Drugie śniadanie
1/2 grzanki z chleba razowego z serem
kawałek melona
1/2 kubka mleka

Przekąska przedobiednia
Precelki razowe
1/2 kubka soku morelowego

Obiad
30 g makaronu pełnoziarnistego lub wzbogaconego białkiem (z sosem pomidorowym lub bez)
1 łyżka tartego parmezanu
1/4 kubka gotowanej marchewki w plasterkach
1/2 kubka mleka

Przekąska wieczorna
Gruszka pokrojona w plasterki
Ciasteczko słodzone sokiem owocowym
1/2 kubka mleka.

witaminę C, znaną także jako kwas askorbinowy, powinny być podawane tuż przed myciem ząbków albo dziecko powinno wypłukać po nich dokładnie usta.) Dla ostrożności zabezpiecz buteleczkę z tabletkami specjalną zakrętką, której nie otworzy małe dziecko; przechowuj ją w miejscu niedostępnym dla dzieci i nigdy nie mów o tabletkach „cukiereczki". Ich kolor, kształt, zapach oraz smak mogą być niezwykle kuszące, co sprawia, że są atrakcyjne i maluchy chętnie je jedzą. Może to jednak mieć również negatywne skutki, ponieważ czasami stają się zbyt kuszące. Każdego roku dziesiątki tysięcy dzieci połyka nadmierne ilości witamin, często dlatego, że skusiły je atrakcyjne kształty i miły smak tabletek, które akurat znalazły się w ich zasięgu.

PROBLEMY Z WAGĄ: TWOJE DZIECKO ROŚNIE

Jeśli nie ubolewamy, że nasze dziecko jest zbyt pyzate, narzekamy na to, że nie jest dość pulchne. Albo ulegamy sugestiom reklam twierdzących, że panuje moda na szczupłe dzieci, albo też opowiadamy się za staromodnym wyobrażeniem pulchniutkiego dziecka z dołeczkami w policzkach. Żadne podejście nie jest jednak właściwe; dzieci są ludźmi, którzy w różnym tempie spalają kalorie. Niektóre z nich będą miały masę trochę wyższą od średniej, inne nie będą miały nigdy okrągłych kształtów, bez względu na starania rodziców. Aby jeszcze bardziej zagmatwać sprawę, masa ciała i jego budowa w kilku pierwszych latach życia nie musi być wskaźnikiem przyszłej masy i budowy ciała. A ukształtowane we wczesnym dzieciństwie podejście do zagadnień związanych z wyglądem, jedzeniem i ćwiczeniami fizycznymi często może zmodyfikować uwarunkowania genetyczne.

DZIECKO OTYŁE

Otyłość jest często jedynie wrażeniem patrzącego. A kiedy tymi patrzącymi są rodzice, przerażeni tym, że wychowują tłuste dziecko, może się zdarzyć, że pozorna nadwaga dziecka nie znajduje odzwierciedlenia w wykresie jego roz-

Krewni brokułów

Może należałoby się zastanowić nad rezygnacją ze szpinaku na rzecz brokułów. Nie dlatego, że szpinak nie jest wartościowym jedzeniem, ale dlatego, że brokuły i spokrewnieni z nimi członkowie rodziny roślin krzyżowych (kalafior, brukselka, kapusta) są nie tylko cennym elementem menu, ale lekarze zaczynają mnożyć dowody na to, że mogą one chronić przed rakiem. Powodem może być sulforaphane, substancja chemiczna występująca w tych warzywach, która, jak stwierdzono, zapobiega rozwojowi nowotworów prawdopodobnie przez gwałtowne pobudzenie w organizmie produkcji „enzymów fazy 2", które działają jako odtrutka na substancje wywołujące raka, a następnie pomagają je wydalić z organizmu. Badane są także inne składniki występujące w tej rodzinie warzyw. Powinnaś zatem częściej podawać brokuły podczas rodzinnych posiłków.

woju. Wielu rodziców myli zwykłą dla małych dzieci tkankę tłuszczową i charakterystyczną dla nich budowę ciała z symptomami otyłości. Pucołowate policzki, zaokrąglony brzuszek, dołeczki w łokciach i kolanach są typowymi cechami małego dziecka i nie muszą być oznakami otyłości.

Jeśli więc podejrzewasz, że twoja pociecha jest zbyt pulchna, udaj się do lekarza, a nie do działu z dietetyczną żywnością. Lekarz osądzi, czy dziecko jest rzeczywiście otyłe i jeśli okaże się to konieczne, przedstawi plan dalszego działania. Weźmie przypuszczalnie pod uwagę dwie sprawy. Po pierwsze: czy jego zdaniem, jako fachowca, dziecko *wygląda* na otyłe? I po drugie: czy dziecko waży o 20% lub więcej ponad średnią wagę ustaloną dla wieku, płci i wzrostu? Jeśli odpowiedź na oba te pytania będzie negatywna, będziesz mogła przestać się na pewien czas martwić wagą swojego malca; w przyszłości pozbędzie się on prawdopodobnie swoich krągłości i będzie miał lepsze proporcje ciała. Jeśli chciałabyś zyskać większą pewność, że w przyszłości schudnie, lub jeśli ty albo twój mąż walczycie nieustannie z nadwagą i pragniecie oszczędzić takiego losu swojemu potomstwu, możecie dostosować się do poniższych wskazówek, przygotowanych z myślą o dziecku z nadwagą, ale przydatnych także dla malca, który mógłby wkrótce zakwalifikować się do tej grupy.

Jeśli dziecko naprawdę ma nadwagę, bardzo ważne jest, aby już teraz zadbać o jego przyszłe nawyki żywieniowe. Chociaż nadwaga we wczesnym dzieciństwie nie oznacza większego ryzyka otyłości w dojrzałym wieku, to jej utrzymywanie się w wieku czterech lat może być powodem do niepokoju. (Sądzi się, że spośród dzieci z nadwagą, których liczbę ocenia się na 10% do 40% populacji, 50% do 85% z nich będzie także miało nadwagę, gdy dorośnie.) Już teraz nadszedł więc czas, żeby dać maluchowi szansę na prawidłową masę ciała w przyszłości.

Co jada? Na tym etapie ważniejsze jest, żeby zatroszczyć się o nawyki żywieniowe, jakich nabywa twoje dziecko, niż zamartwiać się rozrastającymi się, być może, komórkami tłuszczowymi. Dopuszczenie do tego, by rozwinął się nawyk jedzenia bezwartościowej żywności, może skazać dziecko na wieczną walkę z nadwagą. Z drugiej strony, zachęcenie malca do tego, aby polubił chleb razowy, owoce i warzywa, przetwory mleczarskie o niskiej zawartości tłuszczu (po ukończeniu drugiego roku życia) oraz przysmaki słodzone owocami bardzo pomoże w zapobieganiu przyszłym problemom z wagą (jak również ze zdrowiem). Nadmiar tłuszczu w pożywieniu jest zwykle głównym powodem gromadzenia się zbyt dużej ilości tkanki tłuszczowej. Tak więc, chociaż małym dzieciom nie powinno się ograniczać spożycia tłuszczu czy cholesterolu (dzieci poniżej dwóch lat powinny pić pełnotłuste mleko i jeść jaja, patrz str. 300), rozsądnie jest ograniczać *nadmierne* spożycie tłuszczu. Dieta obfitująca w tłuste jedzenie (takie jak frytki i chipsy) może spowodować nadwagę w każdym wieku. Kiedy maluch skończy drugi rok życia, bardzo ważne staje się odżywianie nie szkodzące sercu. Jest to istotne zarówno dla obecnego i przyszłego zdrowia, jak dla normalnego wzrostu. Przejdź na mleko odtłuszczone lub o niskiej zawartości tłuszczu, chude sery, jogurty oraz inne przetwory mleczarskie; podawaj niewielkie porcje chudego mięsa; ograniczaj spożycie całych jaj oraz żółtek do trzech w tygodniu (białko z jaj, ale tylko gotowanych, możesz podawać tak często, jak chcesz). Z uwagi jednak na to, że zbyt mała ilość tłuszczu w diecie dziecka także nie jest wskazana, nawet po ukończeniu drugiego roku życia, nie zmniejszaj radykalnie spożycia tłuszczu bez porozumienia się z lekarzem. Pamiętaj, że 20-30% wszystkich kalorii dostarczanych w ciągu dnia powinno pochodzić z tłuszczu. A jeśli jeszcze tego nie zrobiłaś, zacznij służyć swojemu dziecku jako przykład racjonalnego odżywiania.

Ile wypija? Dużo dzieci, zwłaszcza tych, które większość płynów piją jeszcze z butelki, wlewa w siebie mnóstwo niepotrzebnych kalorii. Płynem, który ponosi za to winę, jest najczęściej sok jabłkowy (który, nawiasem mówiąc, dostarcza mało wartości odżywczych w stosunku do liczby kalorii). Przyzwyczajaj dziecko do picia z kubeczka, jeśli jeszcze tego nie zrobiłaś, oraz rozcieńczaj soki wodą, szczególnie jabłkowe i bazujące na jabłku, a pomoże to w bezpieczny sposób ograniczyć kalorie.

Kiedy jada? Przekąski są niezbędne w diecie aktywnych małych dzieci, z których większość nie może obyć się bez pożywienia przez cztery do pięciu godzin upływających zwykle między posiłkami. Jednak nie powinno ich być zbyt wiele, jeśli chcemy zachować kontrolę nad wagą dziecka. Podawaj malcowi niezbyt kaloryczne przekąski o dużych wartościach odżywczych, pierwszy raz między śniadaniem a drugim śniadaniem, drugi raz między drugim śniadaniem a obiadem i ostatni raz przed pójściem spać. I na tym poprzestań.

Jak jada? Dzieci ciągle jeszcze karmione łyżeczką przez dorosłych zjadają często więcej, niż chcą czy potrzebują. Dawaj więc maluchowi wiele możliwości ku temu, żeby jadł sam, a gdy straci zainteresowanie posiłkiem, uznaj, że zjadł już dość. Nie staraj się też zapisać swojego dziecka do „klubu czystego talerza", gdyż badania wykazują, że dorośli członkowie tego towarzystwa zwykle ważą więcej niż ci, którzy do niego nie należą. Dzieci, które szybko jedzą, często także szybko przybierają na wadze. Jeśli twoje dziecko pakuje jedzenie do ust bez przerwy, spróbuj zwolnić tempo posiłku konwersacją lub w inny sposób odwróć jego uwagę.

Dlaczego jada? Istnieje tylko jeden wystarczająco ważny powód jedzenia: głód. Dzieci, które wcześnie się o tym przekonały, rzadko miewają jakiekolwiek kłopoty z jedzeniem (czy masą ciała) w późniejszym okresie. Kłopoty zaczynają się wtedy, gdy jedzenie staje się źródłem pociechy, sposobem na odprężenie, ucieczką od nudy czy metodą na zwrócenie na siebie uwagi. Unikaj dawania dziecku ciasteczka, aby ukoić jego płacz, cukierka, żeby móc spokojnie zrobić zakupy, lub chipsów, żeby wypełnić mu czas, podczas gdy ty będziesz sprawdzać stan budżetu domowego. Jeśli nie będziesz mu dawać jedzenia z niewłaściwych powodów, nie będzie w przyszłości z takich powodów jadło.

Ile ma ruchu? Dla dzieci ćwiczących prawie wyłącznie swój apetyt, waga stanie się na pewno problemem, nawet jeśli teraz tak nie jest. Nie jest konieczne przeprowadzanie regularnych lekcji gimnastyki, wystarczy wiele okazji do biegania, wspinania się, skakania i chodzenia. Nie zapominaj sama robić tego, co wpajasz swojemu dziecku. Rodzina, która razem ćwiczy, razem zachowuje szczupłą sylwetkę przez całe życie.

Ile czasu dziennie spędza przed telewizorem? Podczas gdy wykonywanie ćwiczeń fizycznych jest wypróbowanym sposobem na uniknięcie otyłości, zostało udowodnione, że oglądanie telewizji do niej się przyczynia. Nawyk oglądania telewizji, który wykształca się u twojego dziecka we wczesnym dzieciństwie, przypuszczalnie pozostanie z nim na całe życie. Tak więc ograniczaj oglądanie telewizji już teraz (patrz str. 150).

Pamiętaj, że bez względu na to, jak bardzo martwisz się nadwagą twojej pociechy, nie powinnaś wyprowadzać mu żadnej diety. Małym dzieciom do prawidłowego rozwoju i wzrostu potrzebne są kalorie. Nie chodzi o to, żeby dziecko z nadwagą schudło, ale żeby zwolnić tempo przyrostu masy ciała, utrzymując jednocześnie prawidłowy rozwój dziecka.

DZIECKO SZCZUPŁE

Chudość, podobnie jak otyłość, jest często odczuciem subiektywnym. A kiedy temu odczuciu ulegają rodzice, zdarza się, że perspektywa jest nieco zniekształcona. Zamiast zawierzyć swojej ocenie, udaj się z maluchem do lekarza, żeby fachowo ocenił, czy rzeczywiście jest ono za szczupłe. Jeśli lekarz będzie zadowolony ze wzrostu i ogólnego stanu zdrowia małego pacjenta, przestań się zamartwiać i zaakceptuj oraz doceń wygląd swojego dziecka. Jeśli ma rzeczywiście niedowagę, ważne jest, żebyś wspólnie z lekarzem zgłębiła jej przyczyny. Aby ustalić, co dziecko jada i czy u źródeł problemu leży ilość czy może raczej jakość spożywanego jedzenia (lub obie naraz), lekarz może cię poprosić, żebyś przez tydzień lub dwa prowadziła bardzo szczegółowy dziennik spożywanych przez malca posiłków i przyjmowanych napojów, odnotowując nie tylko to, co je, ale także w jakich okolicznościach. (Nie będzie oczywiście łatwo ocenić ilość przyjmowanych przez dziecko pokarmów, zważywszy na to, jak dużo jedzenia z każdego posiłku pozostaje na buzi, ubraniu, krzesełku, podłodze czy gdziekolwiek indziej i nigdy nie trafia do ust.) Niedowagę u dwu-, trzylatka może powodować wiele czynników, z których część może zostać ujawniona dzięki analizie treści dziennika. Na szczęście większości z nich udaje się z łatwością zaradzić.

Nadmiar przyjmowanych płynów. Wiele małych dzieci napełnia brzuszki płynami (mlekiem, sokiem, napojami i/lub wodą), nie zostawiając w nim miejsca na pokarmy stałe. Dokonaj więc rozsądnego ograniczenia płynów (patrz str. 437).

Brak umiejętności skupienia uwagi. Dziecko rozpraszane podczas posiłku zabawkami, telewizją czy towarzystwem rodzeństwa może odejść od stołu, nie najadłszy się do syta. Staraj się zatem, żeby nic nie odwracało uwagi malucha.

Nieśmiałość. Niektóre dzieci nigdy się nie skarżą, że są głodne, a ponieważ nie proszą o jedzenie, ich rodzice mogą nie karmić ich wystarczająco często. W takim przypadku należy szczególnie drobiazgowo przestrzegać regularnego podawania posiłków i przekąsek mniej więcej o tej samej porze każdego dnia.

Niewygodne miejsce. Dziecko, któremu nie jest wygodnie przy stole, nie będzie przy nim siedziało wystarczająco długo, aby zjeść cały posiłek. Na str. 143 znajdziesz rady, jak wygodnie usadzić dziecko przy stole.

Nieodpowiednie warunki do spożywania posiłków. Stres może wpłynąć na apetyt zarówno u dzieci, jak i u dorosłych. Podawaj posiłki w atmosferze sprzyjającej jedzeniu (patrz str. 446).

Pośpiech. Wiele dzieci je dość wolno. W sprzyjających warunkach zjedzą solidny posiłek, natomiast ponaglane, mogą wstać od stołu, zanim skończą jeść, i odchodzą od niego głodne.

Monotonne jedzenie. Czasami podaje się dziecku jedzenie, które nie gwarantuje mu prawidłowego wzrostu oraz przyrostu masy ciała: jedzenie o zbyt niskiej zawartości tłuszczu, zbyt niskiej wartości kalorycznej (na przykład sztucznie słodzone produkty dietetyczne), o niewielkich wartościach odżywczych (dania z barów szybkiej obsługi, jedzenie nadmiernie przetworzone lub rafinowane). Przy planowaniu posiłków dla dziecka z niedowagą nastaw się na żywność bogatą w kalorie i wartości odżywcze oraz taką, która pomoże sprostać wymaganiom przedstawianym w „Codziennej dwunastce" dwu- i trzylatka (patrz str. 434).

Nieumiejętność samodzielnego jedzenia. Niektóre dwu- i trzylatki nie potrafią jeszcze jeść zupełnie samodzielnie; kiedy pozostawi się je same sobie, mogą nie zjeść wystarczająco dużo. Inne jedzą same z wielką ochotą, ale kiedy odmówi im się tej możliwości, nie chcą jeść wcale. Zamień się więc z dzieckiem rolami.

Karmienie piersią. Samo mleko matki nie jest wystarczającym środkiem odżywczym dla dzieci powyżej pierwszego roku życia i malec wciąż jeszcze karmiony piersią może nie otrzymywać wymaganej ilości innych napojów oraz pożywienia stałego (patrz str. 448).

Przekąski podawane o niewłaściwej porze. Podawanie przekąsek tuż przed posiłkami z pewnością wpłynie na zmniejszenie apetytu dziecka. Stosuj się więc do wcześniejszych zaleceń (patrz str. 441).

Niewłaściwe pory posiłków. Dzieci oczekujące zbyt długo na jedzenie często tracą zupełnie apetyt. Podawaj zatem jedzenie wtedy, kiedy malec jest głodny (patrz str. 445).

Nieregularne posiłki. Wielu dzieciom potrzebne jest regularne jedzenie, aby mogły dobrze się rozwijać. Staraj się więc podawać posiłki i przekąski codziennie mniej więcej o tej samej godzinie.

Nieodpowiednie żywienie, kiedy dziecko pozostaje pod opieką innych osób. Pracownicy żłobka lub przedszkola nie są czasami w stanie dopilnować, czy wszyscy podopieczni zjedli cały posiłek. Nieuważna (lub nie doceniająca znaczenia prawidłowego żywienia) opiekunka do dziecka lub niania może także nie karmić odpowiednio twojego dziecka. Jeśli podejrzewasz, że przebywając pod opieką innych osób, twoja pociecha źle jada, natychmiast podejmij środki zaradcze. Spróbuj skłonić opiekunkę, aby prawidłowo karmiła twoje dziecko.

Wzmożona aktywność. Wczesne dzieciństwo jest okresem wielkiego wzrostu aktywności (niektóre dzieci są w ciągłym ruchu). Czasami rodzice nie zdają sobie sprawy, że ta aktywność wymaga stałego dopływu wysokoenergetycznego pożywienia. Dopilnuj, żeby bardzo aktywny malec otrzymywał wystarczającą porcję kalorii. Spróbuj także w ciągu dnia wprowadzić kilka spokojnych zajęć (czytanie, układanki, budowanie z klocków itd.), aby nieco zmniejszyć całkowitą liczbę spalanych kalorii.

Choroba. Przyczyną niedowagi może być wiele schorzeń, włączając w to częste zapalenie ucha i inne infekcje, astmę lub alergię, kłopoty z trawieniem, zaburzenia przemiany materii, niedobór żelaza lub cynku. Pewne lekarstwa, łącznie z niektórymi antybiotykami, mogą także wpłynąć na pogorszenie się apetytu u dziecka. Przedyskutuj ten problem z lekarzem.

Stres. Każdy stres — zmuszanie do jedzenia, problemy rodzinne (takie jak choroba czy utrata pracy), zmiany w rodzinie (rozwód, separacja, następne dziecko, przeprowadzka), trudności

Może one naprawdę rosną z dnia na dzień?

Spodenki, które nagle się skurczyły. Spódniczki, które jeszcze tydzień temu były do kolan, a teraz są mini. Koszule dopinające się bez kłopotu jednego dnia, a następnego już za ciasne. Czy uprałaś je w zbyt wysokiej temperaturze, czy też twoja pociecha naprawdę rośnie tak szybko? Najnowsze badania wykazują, że niemowlęta i małe dzieci rzeczywiście mogą rosnąć skokowo, zyskując od 0,5 cm do 2,5 cm w ciągu doby, zamiast stopniowo. Stwierdzono także, że między tymi zrywami dzieci mogą nie rosnąć wcale. (W grupie badanych dzieci wzrost pozostawał na tym samym poziomie od 2 do 63 dni.) Z pewnością badania te wymagają potwierdzenia, ale niewątpliwie są pewnym poparciem dla słyszanego często stwierdzenia: „Dałabym głowę, że urosło z dnia na dzień!"

w żłobku lub zmiana przedszkola, przeładowany rozkład dnia — może wpływać na apetyt. Kiedy stres jest powodem braku łaknienia u twojego malca, spróbuj wyeliminować lub złagodzić jego bezpośrednią przyczynę, wykorzystuj także techniki relaksacyjne, żeby odprężyć swoje dziecko (patrz str. 162). Jeśli to nie pomoże, zwróć się o fachową pomoc do lekarza.

POWOLNY WZROST

Wzrost dziecka w dzieciństwie może okazać się mylący. Nie udaje się po prostu przewidzieć przyszłego wzrostu dziecka na podstawie jego długości w chwili narodzin. Niektóre dzieci rodzą się małe i rosną początkowo powoli, nabierając jednak rozpędu między czwartym miesiącem a drugim rokiem życia, i ostatecznie okazują się wyrastać ponad przeciętną. Te, które mają zakodowany genetycznie niski wzrost, mogą na początku rosnąć bardzo szybko; mając dużą masę urodzeniową, mogą wzrastać szybko w pierwszych miesiącach życia, ale w miarę jak będą się zbliżać do swojej genetycznej normy, będzie to proces coraz wolniejszy.

Zwracająca się ku dołowi krzywa wzrostu w okresie pierwszych osiemnastu czy dwudziestu czterech miesięcy życia nie powinna być powodem do zmartwienia, jeśli dziecko jest zdrowe, aktywne, dobrze je oraz jeśli spowolnieniu wzrostu towarzyszy również wolniejszy przyrost masy ciała. Kłopot pojawia się jednak wtedy, gdy krzywa rozwoju dziecka, zarówno dla masy ciała, jak i wzrostu, nie wznosi się stopniowo w górę w trzecim roku życia, kiedy to dziecko powinno rosnąć w równym tempie. Gdy zarówno krzywe masy, jak i wzrostu na siatce centylowej utrzymują się poniżej pięciu centyli lub gdy nastąpił spadek masy ciała o dwa centyle, gdy dziecko nie przybiera przez trzy miesiące lub dłużej albo nagle zaczyna chudnąć, a szczególnie jeśli któremukolwiek z tych objawów towarzyszy zmęczenie, apatia lub zmiany w zachowaniu, istnieją powody, aby podejrzewać wystąpienie zespołu określanego jako opóźnienie wzrastania. Oto niektóre przyczyny, których może dopatrywać się lekarz:

Wewnątrzmaciczne opóźnienie rozwoju (tzw. dystrofia wewnątrzmaciczna — przyp. red. nauk.). Dziecko urodzone jako małe w stosunku do wieku ciążowego mogło jeszcze nie dogonić swoich rówieśników, choć prawdopodobnie w końcu mu się to uda. Dzieci urodzone o czasie, ważące mniej niż 1800 g mogą być zawsze mniejsze niż przeciętni rówieśnicy.

Ogólnoustrojowe opóźnienie wzrostu. Niektóre dzieci są tak zaprogramowane, że rosną wolno; ich kości rozwijają się z opóźnieniem od jednego do czterech lat w stosunku do rówieśników. Ten rodzaj opóźnienia może być charakterystyczny dla całej rodziny, ale może też dotknąć pojedyncze dziecko; tak czy inaczej nie ma tu powodu do zmartwień. Chociaż dzieci te mogą przeżywać ciężkie chwile i potrzebować dodatkowego wsparcia uczuciowego we wczesnych latach okresu dojrzewania, udaje im się ostatecznie osiągnąć średni lub nawet wysoki wzrost.

Choroba. Czasami za nieprawidłowym rozwojem dziecka kryje się choroba. Może nią być cukrzyca (często poprzedza ją spadek masy ciała, nawet o kilka kilogramów, natomiast opóźnienie rozwoju zagraża tylko w tzw. niewyrównanej cukrzycy — przyp. red. nauk.), innego rodzaju zaburzenie związane z wydzielaniem wewnętrznym (jak na przykład niedoczynność przysadki mózgowej) albo też zaburzenia przewodu pokarmowego, nerek, serca, płuc czy kości. Wczesne objawy zatrucia ołowiem oraz niedobór cynku albo żelaza mogą opóźniać wzrastanie, co postara się wyjaśnić lekarz.

Stres i niesprzyjające warunki. Poważny stres lub nienormalna sytuacja życiowa mogą również warunkować opóźnienie wzrostu.

Niedobór hormonu wzrostu. Niewielki odsetek dzieci charakteryzujących się niskim wzrostem

Tempo wzrastania twojego dziecka

Tempo wzrastania dziecka zmienia się w różnych okresach jego życia. Niezależnie od tego, jaka była długość ciała przy urodzeniu oraz jakie było tempo wzrastania w pierwszym roku, drugi i trzeci rok życia to zawsze okres, w którym dziecko wolniej przybiera. Poniższa tabelka pokazuje, jak najczęściej przebiega proces wzrastania.

WZROST	
Wiek	**Przyrost wysokości**
Od urodzenia do końca 1 roku życia	18 do 25 cm
1 do 2 roku życia	10 do 13 cm
2 do 3 roku życia	5 do 6 cm
MASA	
Wiek	**Przyrost masy ciała**
Od urodzenia do końca 1 roku życia	5 i 1/2 do 8 kg
1 do 2 roku życia	1 i 3/4 do 2 i 3/4 kg
2 do 3 roku życia	1 i 3/4 do 2 i 1/2 kg

cierpi na niedobór hormonu wzrostu. Niektóre z nich można leczyć zastrzykami zawierającymi syntetyczną postać tego hormonu. Najlepsi kandydaci do tego rodzaju leczenia to dzieci o niskim wzroście, z odbiegającym od normy tempem wzrastania, o twarzach „lalki", z otyłością środkowych partii ciała lub hipoglikemią (niskim poziomem cukru we krwi). U chłopców, u których to schorzenie zdarza się częściej, może się ono wiązać z bardzo małym prąciem i niezstąpionymi jądrami. (W Polsce istnieją ścisłe kryteria kwalifikowania dzieci do leczenia hormonem wzrostu, które prowadzone jest przez wyspecjalizowane ośrodki endokrynologii dziecięcej — przyp. red. nauk.)

Zespół opóźnienia rozwoju „samoistny" lub nieznanego pochodzenia. Czasami nie można dopatrzyć się przyczyny nieprawidłowego rozwoju. Można go jednak leczyć odpowiednim odżywianiem. Ważne jest, żeby rozpoznać i leczyć opóźnienie wzrastania, gdyż może ono również wpływać na inne składowe rozwoju (rozwój społeczny, uczuciowy, fizyczny i psychiczny).

TAKTYKA PRZY STOLE

Gdy w domu jest małe dziecko, nawet najbardziej wyszukane menu często bywa niedocenione. Tuptuś nie chce zjeść tego, co mu się podaje, chce natomiast jeść ciągle te same posiłki, nagle zmienia upodobania (jedzenie, które wczoraj uwielbiał, dziś jest już na czarnej liście). Wielu rodziców przynajmniej od czasu do czasu spotyka się z takimi zachowaniami, a niektórzy obserwują je wszystkie na co dzień. Na szczęście istnieją praktyczne sposoby rozwiązania tych problemów.

PRZECHYTRZANIE NIEJADKA

Każdy, kto kiedykolwiek próbował nakarmić kapryśne dziecko, świetnie zna towarzyszące temu uczucie frustracji. Większość malców przynajmniej w pewnym okresie dzieciństwa grymasi przy jedzeniu, a wiele innych robi to zawsze. Podobnie jak inne ekscentryczne zachowania, grymaszenie wydaje się leżeć w naturze małego dziecka. Próba przemienienia wybrednego dwulatka w żarłoka może zakończyć się niepowodzeniem, ale z pewnością istnieją sposoby, by karmienie nie było takie denerwujące.

Podawaj tylko to, co najważniejsze. Innymi słowy, stosuj „Dietę najlepszej szansy". Jeśli twój brzdąc jada mało albo jest kapryśny, szczególnie ważne jest, żeby to, co rzeczywiście zjada, było jak najbardziej wartościowe. Niewielki apetyt łatwo zaspokoić; jeśli zaspokoisz go frytkami

Szybkie dania — błogosławieństwo czy głupota?

Skończył się długi dzień pracy w biurze, sklepie, żłobku, spędzony w parku, na deptaku, na zakupach czy w innym miejscu. Jesteś zbyt zmęczona, żeby myśleć, nie mówiąc już o gotowaniu. Twoje dziecko jest zbyt głodne, by czekać, i zbyt rozkapryszone, żeby usiąść w restauracji i spokojnie zjeść. Reklamy mijanego właśnie baru szybkiej obsługi zapraszają do środka, obiecując szybki i niedrogi posiłek rodzinny zupełnie nie wymagający wysiłku. Wahasz się przez chwilę, a potem pod wpływem nalegań („Chcę dziecięcy zestaw! Chcę dziecięcy zestaw!") rozwiewa się twoje wcześniejsze postanowienie („Moje dziecko nie będzie nigdy tego jeść!") i poddajesz się. Patrząc na dziecko radośnie zanurzające tłuste frytki i kawałki kurczaka w keczupie i pikantnym sosie z apetytem, który wydaje się zarezerwowany wyłącznie dla jedzenia, którego rodzice nie aprobują, przyrzekasz sobie w milczeniu, że następnym razem będziesz silniejsza i oprzesz się pokusie, w głębi serca zdając sobie sprawę z tego, że nie dotrzymasz tego przyrzeczenia.

Nie bądź jednak dla siebie zbyt surowa. Bary szybkiej obsługi zaspokajają podstawowe potrzeby człowieka, a słabość wobec nalegań twojego dziecka dowodzi jedynie, że jesteś tylko człowiekiem. Aby wycieczki do tego rodzaju miejsc nie narażały na szwank prawidłowego żywienia dziecka oraz jego zdrowia, stosuj się (przynajmniej przez większość czasu) do następujących zaleceń:

* Niech bywanie w barach szybkiej obsługi nie stanie się przyzwyczajeniem. Staraj się ograniczać je najwyżej do kilku razy w miesiącu. Postaraj się, żeby te posiłki były okazją do miłego spędzenia czasu, oczekiwaną z niecierpliwością zarówno przez ciebie, jak i przez twoją pociechę.
* Proś o informacje na temat dań. Wiele barów szybkiej obsługi dostarcza na prośbę klienta analizy wartości odżywczych potraw z jadłospisu. Informacja ta może ci pomóc w dokonaniu wyboru.
* Wszędzie tam, gdzie to możliwe, wybieraj bardziej wartościowe pokarmy. Coraz więcej sieci tego rodzaju barów daje do wyboru „lżejsze", „niskokaloryczne" i „zdrowsze" warianty poszczególnych dań, poczynając od mniej tłustych hamburgerów do pełnoziarnistych bułeczek, z którymi się je spożywa. Również dobrym wyjściem z punktu widzenia wartości odżywczych jest pizza (pod warunkiem, że najpierw „osuszysz" serwetką nadmiar tłuszczu) oraz pieczony ziemniak nadziewany serem i brokułami. Uzupełnieniem posiłku mogą być wartościowe sałatki — utarta marchewka, starty ser, groszek, twarożek czy inne odpowiednie dla dziecka dodatki. Dzieci szczególnie lubiące sałatki mogą sobie nawet zestawić cały posiłek składający się z różnych ich rodzajów, zwłaszcza jeśli oprócz tego wybiorą także makaron lub pieczonego ziemniaka. (Nie pozwól na to, żeby sałatka pływała w bardzo tłustym sosie.) Mrożony jogurt może stanowić wartościowy deser (przynajmniej w porównaniu z ciastkami). Wartość odżywczą posiłku podniesie zapewne zamówienie mleka lub soku pomarańczowego zamiast wody sodowej czy pełnotłustego koktajlu mlecznego.
* W rozsądny sposób uzupełniaj braki. Twoje dziecko nie zjadło ani kęsa wartościowego jedzenia. Nie martw się tym, po prostu po powrocie do domu daj mu marchewkę, talerz pokrojonego w kostkę melona i pełnoziarnistą bułeczkę.
* Niech uczty nie zakłóca poczucie winy. Jeśli nie bywasz z dzieckiem w barach szybkiej obsługi zbyt często, nie narażasz jego zdrowia na niebezpieczeństwo.

lub słodyczami, stracisz okazję, by dostarczyć dziecku niezbędnych składników odżywczych.

Jeśli dziecko ma niedobór masy ciała, proponuj mu tak bogate w kalorie i składniki odżywcze jedzenie, jak: mięso, drób, ryby, masło orzechowe, ser, banany, fasolę i groch, suszone owcce awokado. Aby zwiększyć zawartość białka i kalorii w jedzeniu, możesz dodawać odtłuszczonego mleka w proszku lub zagęszczonego, niesłodzonego mleka z puszki do budyniów, kremów z mleka i jaj, zup, płatków i mleka pełnotłustego. Przygotowując posiłki, używaj oleju, masła, margaryny i majonezu, ale nie aż tyle, żeby kalorie pochodzące z tłuszczu zastąpiły inne istotne składniki pokarmowe. Lekarz może przepisać także preparat wielowitaminowy z żelazem i cynkiem oraz zalecić, abyś podawała dziecku produkty wysokokaloryczne, wysokobiałkowe przekraczające normy diety.

Karm dziecko, kiedy jest głodne. Być może brzmi to jak truizm, ale malec często odmawia zjedzenia posiłku po prostu dlatego, że nie jest głodny w porze, kiedy go zwykle podajesz. Niektóre dzieci wstają rano z łóżek wygłodniałe, gotowe rzucić się na talerz płatków śniadaniowych, innym potrzeba trochę czasu na przebudzenie i nabranie apetytu. Część dzieci może czekać na obiad aż do powrotu rodziców z pracy, inne do tego czasu zupełnie tracą apetyt. Spróbuj się dostosować do indywidualnych potrzeb dziecka. Przez kilka dni, jeśli będzie to możliwe, czekaj, by malec bezpośrednio wyraził zainteresowanie jedzeniem (albo, jeżeli nigdy się nie skarży na głód, wypatruj takich oznak głodu jak rozkapryszenie) i dopiero wtedy podawaj posiłek. Obserwuj, kiedy dziecko zaczyna odczuwać głód, i jeśli dostrzeżesz pewne prawidłowości, próbuj podawać jedzenie, wyprzedzając nieco ten moment (zakładając, że malec nie prosi o jedzenie, dopóki nie zmusza go do tego głód). Kiedy już ustalisz pory posiłków, staraj się ich trzymać; u większości małych dzieci najlepiej sprawdzają się posiłki regularne, podawane w tym samym czasie i w tym samym miejscu. Nie pozwalaj, aby dziecko chodziło głodne do czasu, aż reszta rodziny będzie gotowa, by zabrać się do jedzenia. Jeśli będzie to konieczne, podaj maluchowi jedzenie wcześniej. Albo też podaj mu część posiłku, surówkę lub kawałek chleba na przekąskę, żeby wytrzymało do czasu, aż cała rodzina zasiądzie do stołu.

Podawaj posiłki w sprzyjającej atmosferze. Trudno przełknąć nawet najbardziej apetyczny posiłek, jeśli podawany jest w niesprzyjających warunkach. Zwróć uwagę na to, żeby w twoim domu warunki do spożywania posiłków były przyjemne i sprzyjające, bez sprzeczek, podniesionych głosów i rozgardiaszu. Nie żądaj, żeby wszystko zostało zjedzone, pozwól dziecku wybrać sobie z przygotowanego zestawu coś, co lubi. Kiedy widzisz, że malec już się najadł, pozwól na zakończenie posiłku bez żadnych komentarzy; regularne zmuszanie go do zjadania większych porcji może w przyszłości spowodować problemy z jedzeniem. Wprowadź więc zakaz zmuszania, przekupywania oraz zabaw nakłaniających dziecko do jedzenia wbrew jego woli, pozwalając, aby apetyt dziecka rozwijał się w naturalny sposób.

Nie pozwalaj, aby coś zakłócało dziecku jedzenie. Wyeliminuj czynniki, które mogą przeszkadzać dziecku w jedzeniu. Telewizja może rozpraszać, nawet jeśli malec tak naprawdę jej nie ogląda. Podobnie rodzeństwo bawiące się w zasięgu wzroku; tak więc upewnij się, że dziecka nic nie rozprasza. Wszelkie zabawki leżące na stole lub w pobliżu także stwarzają problemy. Jeśli dziecko nie zechce przyjść do stołu bez ulubionej zabawki, zawrzyj z nim umowę: „Możesz wziąć ze sobą swojego misia (albo ciężarówkę, albo lalkę, albo żyrafę), ale nie możesz się nim bawić. On będzie tylko siedział i patrzył, jak jesz".

Pozwól niejadkowi jeść długo. Wiele dzieci jada wolno, szczególnie wtedy, gdy od niedawna potrafi robić to samodzielnie. Każde ziarenko groszku musi być włożone do buzi pojedynczo, każda niteczka spaghetti wciągnięta po kolei. Daj brzdącowi tyle czasu, ile potrzebuje, by mógł dokończyć posiłek (i poproś o to samo innych opiekunów), poświęcając swój dodatkowy czas, jeżeli będzie to konieczne. Siedź obok dziecka w czasie jego posiłku, żeby nie odeszło za wcześnie od stołu, podtrzymując rozmowę i dotrzymując mu towarzystwa. Kiedy jednak jedzenie zaczyna się przeradzać w zabawę (groszek wrzucany jest do soku pomarańczowego zamiast do buzi, a niteczki spaghetti spuszczane z krzesełka jak girlandy), szybko zakończ posiłek.

Zmień okoliczności. Wprowadź trochę odmiany. Zamiast dania, które malec je palcami, podaj takie, które będzie jadł łyżką, lub odwrotnie; kubeczek z dziobkiem zamień na kubeczek ze słomką; dania śniadaniowe podawaj na obiad i odwrotnie; warzywa gotowane zastąp surowymi; jedzenie dla małych dzieci zastąp jedzeniem dla dorosłych.

Nie krępuj go. Czasami dziecko sprzeciwia się nie samemu jedzeniu, lecz temu, że ograniczona zostaje jego swoboda (na przykład w wysokim krzesełku). Wskazówki na temat doboru mniej krępujących siedzeń znajdziesz na str. 143.

Pozwól wybrednemu dziecku wybierać. Jeżeli przyrządzasz wyłącznie pożywne potrawy, pozwalaj dziecku wybierać to, co mu odpowiada, nawet gdyby miała to być pizza na śniadanie, a płatki śniadaniowe na obiad. Zachęcaj malca, żeby próbował tego, co jedzą pozostali, ale nie nalegaj (przedszkolak powinien zacząć się uczyć jeść to, co mu się podaje; małe dziecko natomiast musi się po prostu nauczyć, jak jeść). Oczywiście w sytuacjach, w których niegrzecznie jest wybrzydzać (jesteście u przyjaciółki, gdzie podano na śniadanie gofry) albo nie ma po prostu takiej możliwości (jesteście u dziadków, gdzie nie ma szans na otrzymanie pizzy), daj dziecku następujące możliwości do wyboru: „Możesz zjeść gofry (lub owsiankę babci), grzanki lub krakersy, które mam w torbie, i popić to szklanką mleka albo możesz odejść od stołu i iść się bawić".

Podsuwaj jedzenie ukradkiem. Owoce i warzywa nie muszą być podawane w całości, nie muszą być nawet widoczne, żeby zapewnić niezbędne wartości odżywcze. Zmieszaj posiekane lub

Zdrowe przekąski

Jak sprawić dziecku przyjemność, podając przekąski i przestrzegając jednocześnie zasad „Diety najlepszej szansy”? Zawsze miej pod ręką następujące zdrowe przysmaki:

* Pełnoziarniste precelki, krakersy, chlebek ryżowy, paluszki, bułeczki lub chleb.
* Ser (paluszki, kostki, plasterki lub grubo starty na tarce).
* Pełnoziarniste ciasteczka i bułeczki słodzone sokiem owocowym.
* Miękkie suszone owoce (morele, rodzynki, daktyle, nie słodzone ananasy, jabłka) dla starszych dzieci.
* Krojone w paski surowe warzywa (zielona lub czerwona papryka, marchew, cukinia, grzyby) dla starszych dzieci.
* Gotowane rośliny strączkowe, takie jak fasola lub groch; dla młodszych dzieci rozgnieć je widelcem.
* Surowego ogórka lub plasterki owoców (jabłek, gruszek, moreli, bananów, brzoskwiń, nektarynek, mango, melonów itd.) stosownie do wieku dziecka.
* Jogurt (czysty, ze świeżymi owocami lub dżemem owocowym bez dodatku cukru albo dostępny w sprzedaży jogurt słodzony owocami).
* Masło orzechowe i galaretkę lub banana z pełnoziarnistym chlebem; obrane plasterki jabłka cienko posmarowane masłem orzechowym.

przetarte owoce z jogurtem; podawaj jogurt w postaci przypominającej deser lodowy z ułożonymi na wierzchu owocami i polany konfiturami; podawaj płatki śniadaniowe z kilkoma plastrami banana; serwuj posiekane lub przetarte warzywa (trudno rozpoznać kalafiora w daniu, które i tak jest białe); drobny, młody groszek zielony dodawaj do makaronu z serem (jeśli dziecko się temu nie sprzeciwia); gotuj zupę jarzynową (dzieci lubią szczególnie zupę z mięsem np. minestrone); dodaj niewielką ilość drobno startej marchewki do ciasta gofrowego (nie zmieni ona prawie konsystencji ciasta). Dodaj banana lub jagody do mleka ubitego z jajkiem (dosłodzonego do smaku koncentratem owocowym); podawaj różne soki bogate w witaminy i minerały oraz ich mieszanki (morelowy, brzoskwiniowy, z owoców egzotycznych, marchewkowy, pomidorowy). Chociaż te ostatnie nie posiadają błonnika zawartego w świeżych produktach, mogą one pomóc kapryśnym dzieciom przyzwyczaić się do nowych smaków, co z kolei może sprawić, że później będzie im łatwiej zaakceptować całe owoce i warzywa. Jeśli twój malec lubi słodycze, zaspokajaj tę potrzebę, pamiętając równocześnie o składnikach odżywczych, dodając pokrojone suszone morele, rozdrobnione suszone owoce (namocz je uprzednio w gorącym soku owocowym, żeby rozmiękły), dojrzałe banany, marchewkę, słodkie ziemniaki lub dynię do pełnoziarnistego chleba, ciastek, bułeczek, ciasta naleśnikowego lub gofrowego. Szukaj napojów orzeźwiających i lodów sporządzonych z dodatkiem pożywnych owoców (moreli, mango, melona, różnego rodzaju jagód) albo przygotowuj własne (patrz str. 701-702).

Dawaj dziecku wybór. Jeśli maluch odrzuca nowe dodatki, które przyrządzasz w tajemnicy, spróbuj proponować jakiś wybór: „Czy chciałbyś jogurt z bananami, czy musem jabłkowym? Jagody czy brzoskwinie do płatków śniadaniowych? Zielony groszek czy brokuły do makaronu z serem?” Jeśli nie zostanie przyjęta żadna propozycja, nic nie stracisz, ale jeśli brzdąc wybierze którąś z nich, będzie to ogromny postęp. Pozwalanie dziecku na wybór daje mu pewną kontrolę nad tym, co je, i często zwiększa szansę, że spróbuje czegoś nowego.

Zapewnij różnorodność. W większości domów w codziennym menu pojawiają się na zmianę te same dwa lub trzy rodzaje warzyw i trzy lub cztery gatunki owoców. A przecież istnieją dosłownie dziesiątki owoców i warzyw, których może spróbować twoje dziecko (patrz str. 436), zanim stwierdzisz, że nie zje żadnego z nich (nie zakładaj, że dziecko nie będzie czegoś lubiło, ponieważ ty sama tego nie lubisz). Pamiętaj, że witaminy i minerały nie występują jedynie w zielonych warzywach. Rzadko które dziecko nie zje przynajmniej jednego rodzaju pokarmu z każdej polecanej kategorii „Codziennej dwunastki”. A na razie w zupełności wystarczy właśnie ten jeden rodzaj, jeżeli będzie spożywany codziennie.

Postaraj się, żeby jedzenie było rozrywką. Wskazówki, jak tego dokonać, znajdziesz na str. 449.

Zadowalaj dziecko przesadnie „porządne”. Wiele maluchów nie weźmie do ust gulaszu, potrawki czy innych „wymieszanych” dań albo nawet potraw, które wzajemnie się „dotykają". Wolą jedzenie podawane osobno na talerzykach, zjadając każdy ze składników posiłku oddzielnie. Dogadzaj takiemu dziecku, podając mu poszczególne rodzaje żywności osobno lub na talerzyku ze specjalnymi przegródkami.

Nie zwracaj uwagi na czystość przy jedzeniu. Większość dwu-, trzylatków zje więcej, jeżeli pozwoli im się jeść samodzielnie. To prawda, że kończy się to wielkim nieporządkiem, ale jednocześnie kontrola nad jedzeniem trafi we właściwe ręce — w ręce dziecka. Lekcje dobrych manier mogą i powinny być udzielane później. Na str. 41 znajdziesz więcej informacji o samodzielnym jedzeniu.

Zacznij od małych porcji. Zamiast podawać góry jedzenia, co może przytłoczyć i przestraszyć dziecko, powodując, że straci ochotę do jedzenia, zanim jeszcze zacznie, albo zrzuci połowę na podłogę, żeby lepiej poradzić sobie z resztą, zacznij od małych ilości. Jeśli maluszek zje, zawsze możesz zaproponować dokładkę, a potem jeszcze jedną.

Uznaj „nie" za ostateczną odpowiedź. Umożliwiaj dziecku spożywanie najróżniejszych potraw (im większa różnorodność, tym lepiej) i nie upieraj się przy jakimś konkretnym rodzaju jedzenia. Jeśli skończyło jeść, nie namawiaj go do przełknięcia „jeszcze jednego kęsa".

Ograniczaj płyny. Zbyt dużo napoju wypijanego między posiłkami i w czasie jedzenia może tak napełnić żołądek, że nie będzie w nim już miejsca na żadne pokarmy stałe. Będzie z tym prawdopodobnie większy problem w przypadku dzieci pijących z butelki (posługuje się nią bardzo biegle większość tuptusiów), a nie z kubeczka, ponieważ butelka jest często łatwiej dostępna (wiele maluchów nosi je ze sobą), a także dlatego, że piją one nie po to, aby ugasić pragnienie, ale dla pocieszenia i z przyzwyczajenia. Czuwaj oczywiście nad tym, żeby dziecko otrzymywało odpowiednią ilość płynów, ale wystrzegaj się ich nadmiaru. Staraj się zwiększyć spożycie pokarmów stałych, podając je do jedzenia najpierw, a dopiero później proponuj płyny. Jeśli twoja pociecha domaga się picia podczas posiłku, nie odmawiaj jej oczywiście, ale nalewaj tylko niewielkie porcje co pewien czas. Postaraj się podawać codziennie nie więcej niż trzy szklanki mleka i dwie szklanki soku (jeśli z samego rana nalejesz do dzbanków dzienny przydział poszczególnych napojów, będziesz mogła łatwiej kontrolować ich ilość); na razie wyeliminuj zupełnie wodę (poza upalną pogodą)[6]. A ponieważ nadmiar wypijanych płynów jest typowy dla maluchów ciągle jeszcze pijących z butelki, ważne jest, żeby dziecko z niedowagą jak najszybciej przyzwyczaić do kubeczka (wskazówki, jak to zrobić, znajdziesz na str. 282). Jeśli nadal karmisz dziecko piersią i nie chcesz jeszcze z tego zrezygnować, podawaj zawsze pokarmy stałe i inne płyny przed karmieniem piersią, żeby przedwcześnie nie zaspokoić apetytu dziecka swoim pokarmem. Jeśli twojemu maluchowi stale się chce pić, zasięgnij porady lekarza.

Dawaj dobry przykład. Jeśli przez cały dzień pogryzasz coś między posiłkami, a do stołu zasiadasz dopiero przy kolacji (albo, co gorsza, nigdy nie jesz na siedząco), twoja pociecha może się nauczyć tego samego. Kiedy na pierwsze śniadanie wystarcza ci keks, a na drugie prażona kukurydza z kuchenki mikrofalowej, dziecko może wkrótce żądać tego samego. Zwracaj więc taką samą uwagę na *swój* sposób odżywiania jak na jedzenie swojego dziecka. Dawaj nie tylko dobry przykład, ale bądź przy tym entuzjastycznie nastawiona. Jeśli dziecko zobaczy, że chętnie próbujesz nowych rzeczy i chwalisz spożywane potrawy: „Och, jaka pyszna sałatka!", „Te brokuły polane sosem serowym są przepyszne!", „To najlepsze mango, jakie kiedykolwiek jadłam!" — będzie postępować podobnie.

Bądź cierpliwa. Gust twojego dziecka *na pewno* się zmieni, a nastąpi to prawdopodobnie szybciej, jeśli nie będziesz wywierać na nie presji.

Utrzymujący się przez cały czas brak apetytu związany jest czasami ze zmianami zachodzącymi w życiu dziecka, jak również z przeziębieniem lub inną chorobą. Jeśli maluch nie przybiera na wadze lub jest w złej formie, patrz str. 441. Wizyta u lekarza może się okazać niezbędna.

OGRANICZONY REPERTUAR

Dorosłym może nie wystarczyć sam chleb, ale wiele małych dzieci może się nim nie tylko najadać, ale nawet świetnie rozwijać przy tak nieurozmaiconej diecie. Praktycznie wszystkie dwu- i trzylatki wyrosną w końcu z narzuconego sobie dobrowolnie reżimu spożywania stałych zestawów składających się z płatków, mleka

[6] Jeżeli źródłem fluorków dla twojego dziecka jest woda z sieci wodociągowej, używaj jej do rozcieńczania koncentratu świeżego soku z pomarańczy lub z innych owoców.

Zabawa przy jedzeniu

Dla małych dzieci jedzenie może być nudne. Wciąż zajęte zabawą, uczeniem się nowych rzeczy i w ogóle miło spędzające czas, często niechętnie zostawiają to wszystko dla nudy czekającej je przy stole. Wiele z nich jednak chętniej usiądzie do stołu, jeżeli przy nim również będą się mogły dobrze bawić. Tak więc, przygotowując następnym razem posiłek dla swojej pociechy, spróbuj dodać do niego szczyptę wesołości. Na dobry początek przeczytaj uważnie poniższe wskazówki, a potem wykaż się własną inwencją, przygotowując wesołe posiłki dla dziecka.

Wykrawaj różne kształty. Za pomocą noża lub foremek do wycinania ciasteczek nadawaj kanapkom, grzankom czy nawet kotlecikom z kurczaka (dobrze rozbitym) intrygujące kształty (kółek, rombów, trójkątów, zwierzątek, serduszek czy gwiazdek). Smaruj duże, cienkie naleśniki, chleb lub pełnoziarniste placuszki kukurydziane konfiturami, musem jabłkowym, serem topionym, sałatką z tuńczyka albo czymś innym, co bardzo lubi twoje dziecko, a następnie je zwijaj (możesz je podawać w całości albo pokroić w plasterki). Z ciasta naleśnikowego formuj twarze, litery, misie, serduszka (najłatwiej wykrawać kształty z naleśników usmażonych); jako dekoracji używaj rodzynek, plasterków banana, jagód, suszonych moreli lub innych owoców. Kupując makarony, szukaj ciekawych kształtów: kół samochodowych, muszelek, kolanek czy liter alfabetu. Mieszaj i dopasowuj do siebie rodzaje, które wymagają jednakowego czasu gotowania.

„Wyrzeźb" posiłek. Razem z dzieckiem puść wodze fantazji, tworząc dzieło godne zjedzenia: łódkę z banana (z rodzynkami jako żeglarzami, daktylem służącym za maszt, falami z galaretki rozbijającymi się o burty); wieżę z kostek sera; krajobraz z brokułami i kalafiorami udającymi drzewa pokryte śniegiem ze startego na tarce sera; „mrówki na kłodzie drewna" (lekko wydrążona połówka banana, wypełniona następnie serem twarogowym, cienką warstwą masła orzechowego lub jogurtu usianego suszonymi porzeczkami); abstrakcję z sera twarogowego pokropionego syropem owocowym i posypanego fantazyjną mieszanką płatków śniadaniowych i świeżych lub suszonych owoców; dom (z razowego chleba, z otwieranymi drzwiami, zasłonami z sera, łóżkami z brokułów); drzewo owocowe (pień z melona, gałęzie z pokrojonych w paseczki kawałków jabłka albo suszonej moreli, liście z połówek winogron albo z jagód) zamiast sałatki owocowej; obłoki (chmury z ugniecionych ziemniaków, deszcz z zielonego groszku lub plasterek żółtej papryki jako słońce).

Niech wszystko będzie mini. Kęs jest odpowiednią wielkością dla małych rączek, ust i apetytów. Kanapki albo grzanki krój na małe kwadraciki, kotlety z kurczaka w kosteczki lub „paluszki"; rób naleśniki wielkości jednej czwartej dużego; podawaj gotowaną marchewkę pokrojoną w plasterki, kup małą patelnię i przyrządzaj malutkie porcje mięsa czy miniaturowe ciastka z marchewki. Rozglądaj się za małymi marchewkami, pomidorami, cukinią, dynią, kukurydzą i innymi malutkimi warzywami, po czym gotuj je na parze, lekko podsmaż, zapiecz lub podaj surowe.

Polewaj sosem. Podczas gdy niektóre dzieci wolą jedzenie bez dodatków, inne lubią, żeby wszystko było polane sosem. Wiele z nich przywiązuje się do jednego rodzaju sosu lub polewy (sosu pomidorowego, keczupu, sosu serowego, musu jabłkowego, polewy z jogurtu) i chcą, żeby wszystko było nią polane. Dostosuj się do tego przyzwyczajenia, nawet jeśli nie odpowiadają ci zestawienia wybierane przez dziecko (kurczak polany sosem pomidorowym, ugniecione ziemniaki polane musem jabłkowym, gofry z sosem serowym czy grzanki polane jogurtem). Dopilnuj jednak, żeby sosy nie zawierały zbyt dużej ilości soli i/lub cukru (zaopatruj się w sklepach ze zdrową żywnością).

Zetrzyj na tarce duże kawałki. Małemu dziecku, które jeszcze nie umie dobrze pogryźć marchewki, podaj ją tartą, usypaną w górę (jeśli chcesz, możesz ją nazywać „pagórkiem"). Możesz także zetrzeć jabłko, ser, czerwoną kapustę i podawać je jako przybranie talerza lub jako danie główne. Dla młodszego dziecka ucieraj wszystko bardzo drobno, żeby nie narazić go na zakrztuszenie się.

Wymyślaj śmieszne nazwy potraw. Ty też dałabyś się raczej skusić na „melanż nowalijek pokropionych sosem vinaigrette" niż na „sałatkę domową". Twój brzdąc także chętniej spróbuje sałatki z jaj, jeśli będą w niej zanurzone kawałki krakersów i nadasz jej nazwę „Sos ciasteczkowy", zje kanapkę z masłem orzechowym i bananem, jeśli nazwiesz ją „M.o. i b.", sadzone jajko położone na grzance i nazwane „Jajko w gniazdku" albo malutki kawałek mięsa „Mięsna bułeczka".

Przygotujcie wspólnie kebab. Pozwól dziecku nadziewać kawałki owoców lub gotowanych warzyw i sera na tępo zakończony szpikulec. Gotowy kebab można potem zanurzyć w sosie. Również tępo zakończonymi wykałaczkami świetnie wychwytuje się smaczne kąski.

Pozwól dziecku brać udział w zabawie. Jedzenie sprawia zawsze większą przyjemność, jeśli pomagało się w jego przygotowaniu (chociażby tylko jednym paluszkiem czy łokciem). Dzieci często chętniej próbują nowych, nie znanych potraw, jeśli same uczestniczyły w ich „gotowaniu".

i soku albo masła orzechowego, dżemu i bananów. To, że dzieci dzień w dzień żądają tego samego jedzenia, wynika z ich przywiązania do rytuału i przewidywalnych sytuacji oraz z niechęci do zmian. Czasem ma to związek z niezwykle wrażliwym podniebieniem dziecka; nadmiernie wrażliwe kubki smakowe sprawiają, że dziecku smakują jedynie bardzo łagodne potrawy. Chociaż często wyrasta się z przejawiającej się w ten sposób nadwrażliwości na smaki, może się ona utrzymywać dłużej (co może stanowić wytłumaczenie faktu, że niektórzy dorośli w dalszym ciągu nie będą jeść szpinaku lub w dalszym ciągu kręcić nosem na śledzie).

Chociaż ignorowanie dziwactw dziecka w zakresie jedzenia może przyjść z wielkim trudem, nie rób zbyt wiele hałasu wokół jego menu. Zarówno nieugięte stanowisko, jak i bardziej subtelne manipulacje przyczynią się jedynie do utrwalenia uporu i przemienią czas posiłku w bitwę. Możesz jednak podjąć pewne kroki:

* Postaraj się o to, żeby ograniczony jadłospis dziecka był nieograniczenie zdrowy i żeby to, co dziecko naprawdę je, spełniało wymogi „Diety najlepszej szansy". Na przykład chleb i płatki śniadaniowe powinny być pełnoziarniste; makarony powinny być również z pełnego przemiału i bogate w białko; soki powinny być jak najbardziej wartościowe; cukier właściwie nie powinien wchodzić w skład menu. Wybieraj produkty, które zostały wzbogacone, lub sama je wzbogacaj: kupuj mleko z dodatkową zawartością wapnia i/lub białka albo też dodawaj odtłuszczonego mleka w proszku do zwykłego mleka (dodaj mleko w proszku do naczynia z mlekiem, wymieszaj i dobrze schłodź przed podaniem); podawaj sok pomarańczowy wzbogacony wapniem; wyroby piekarnicze z dodatkiem odtłuszczonego mleka w proszku lub utartej marchewki, natomiast mięsa, hamburgery i sos pomidorowy z dodatkiem tartej marchewki, z pokrojonym ugotowanym kalafiorem lub innymi warzywami.
* Spróbuj wzbogacić repertuar dziecka o jego ulubione pokarmy. Jeśli, na przykład, chleb jest głównym składnikiem jego pożywienia, próbuj go podawać w różnych zachęcających odmianach, takich jak chleb marchewkowy, dyniowy czy serowy. Możesz również robić z chleba grzanki, przyrządzać z serem w opiekaczu, podawać grzanki z twarogiem lub dżemem owocowym bez dodatku cukru. Jeśli malec chce jeść wyłącznie masło orzechowe, spróbuj dodać do jego ulubionego zestawu plasterki banana, jabłka lub posiekanej suszonej moreli.
* Przy każdym posiłku proponuj dziecku kilka produktów pochodzących ze spiżarni lub z posiłku spożywanego przez rodzinę: kawałeczek kurczaka albo serka tofu, kilka nitek makaronu, parę kęsów sera, połowę ugotowanego na twardo jaja, plasterki banana, gotowaną marchewkę, nowy rodzaj soku owocowego. Zadbaj o to, żeby proponowane produkty były wystarczająco zróżnicowane i na tyle interesujące, aby mogły zachęcić małego niejadka. Może dziecko wolałoby jeść częściej palcami (na przykład pokrojoną w kawałki kanapkę z tuńczykiem zamiast góry tuńczyka przeznaczonego do jedzenia łyżką lub widelcem), co znacznie bardziej ułatwiłoby samodzielne jedzenie.
* Nieustannie zachęcaj do próbowania nowych potraw. Większość maluchów potrzebuje czasu, żeby przyzwyczaić się do czegoś nowego, czy to będzie nowa kanapa w pokoju gościnnym, czy też nowe jedzenie na stole. Nie zakładaj więc, że skoro dziecko raz odrzuciło nowe lub inne jedzenie, będzie się zawsze przed nim wzbraniać. Często potrzebne są kolejne próby, wielokrotne stawianie danej potrawy na stole dziecka, zanim niejadek zdecyduje się na pierwszy kęs. Miej na uwadze także to, że dziecko nie zawsze najpierw będzie chciało zjeść to, co próbujesz mu podsunąć; czasami będzie usiłowało zastosować inne metody badawcze, takie jak dotykanie, dokładne oglądanie, rozdrabnianie na papkę czy obserwowanie, jak jedzą inni ludzie — dopiero potem weźmie do ust pierwszy kęs. (Wzięcie do buzi nie gwarantuje jeszcze, że maluch pogryzie lub połknie nowe jedzenie. Powinnaś zawsze pozwolić mu na to, żeby wypluło je w serwetkę lub papierowy ręcznik, jeśli nie będzie mu odpowiadał smak; chodzi przecież o to, żeby zachęcić do odważnego próbowania potraw, a nie do karania dziecka za to, że spróbowało czegoś nowego.) Nie stosuj przymusu w kwestiach żywienia, a pewnego dnia twoja pociecha może cię zaskoczyć, prosząc o coś, przed czym wcześniej wiele razy się wzbraniała. Oczywiście, jeśli sama propozycja wywołuje protest, powstrzymaj się na pewien czas od rozmów na ten temat. W dalszym ciągu staraj się podsuwać dziecku nowe produkty, ale nie zmuszaj, żeby ich próbowało.
* Codziennie podawaj preparat witaminowy z zawartością minerałów dostosowany do wieku twojego dziecka (patrz str. 438).
* I nie zamartwiaj się — nawet największe niejadki wyrastają na ludzi o normalnych gustach kulinarnych.

ODRZUCENIE ULUBIONEGO JEDZENIA

Właśnie kiedy zaczęłaś myśleć, że nareszcie znalazłaś coś, co twoje dziecko na pewno zje bez sprzeciwu, na przykład płatki na śniadanie, ono zaczyna się przed nimi wzbraniać. Ale jest to przecież zachowanie typowe dla małego dziecka, prawda? Trzymanie cię w ciągłej niepewności, konsekwentne trwanie jedynie w niekonsekwencji. Niezależnie od tego, czy to zachcianka, nuda, demonstracja siły, chwilowy brak apetytu (spowodowany ząbkowaniem lub złym samopoczuciem), czy czysta przekora spowodowała, że twoja pociecha odwróciła się od swojej ulubionej potrawy, skorzystaj z poniższych wskazówek, zanim postanowisz na stałe ją wykluczyć z jadłospisu:

Nie podawaj jej przez jakiś czas. Postąpisz rozsądnie, zabierając dziecku nie chciane jedzenie. Nie próbuj go też podawać przynajmniej przez najbliższy tydzień. Przez ten czas karm malucha produktami zbliżonymi pod względem wartości odżywczych, na przykład pełnoziarnistym chlebem, bułeczkami lub naleśnikami. Być może wkrótce twój niejadek zapyta: „Gdzie są moje płatki?"

Kiedy już do niej wrócisz, wprowadź pewne zmiany. Podawaj jedzenie w innej miseczce, z inną łyżeczką lub o innej porze dnia. Dziecku mogą bardziej odpowiadać płatki na drugie śniadanie albo na kolację niż na śniadanie. Jeśli znudzenie wywołane jest otrzymywaniem wciąż tych samych płatków, spróbuj je urozmaicić lub podać w inny sposób (na ciepło zamiast na zimno, na sucho zamiast z mlekiem, posypane posiekanymi daktylami lub morelami albo też z brzoskwiniami lub jagodami zamiast z bananami).

Nie podawaj jej codziennie. Możesz zapobiec znudzeniu, przyrządzając raz płatki śniadaniowe, raz naleśniki, a innym razem grzanki. Oczywiście pod warunkiem, że twój brzdąc znowu nie polubi czegoś do tego stopnia, że odrzuci wszelkie inne propozycje.

Nie okazuj zniecierpliwienia. Udawaj, że kaprysy dziecka są ci obojętne. Jeśli tylko okażesz swoje obawy, to chwilowe wzbranianie się przed jedzeniem może stać się regułą. To zupełnie naturalne, że przygotowanie posiłku, który nie zostaje zjedzony, wywołuje irytację, ale jeśli dasz to po sobie poznać, problemy z jedzeniem dopiero się zaczną.

DIETA WEGETARIAŃSKA

Niezależnie od tego, czy są wegetarianami w wyniku kaprysu, czy też dzięki filozofii wyznawanej przez pozostałych domowników, wiele dzieci żywi się, opierając się na diecie bezmięsnej. I chociaż budzi to zdumienie niektórych ludzi, dieta wegetariańska dostarcza dziecku wszelkich potrzebnych do życia i wzrostu składników odżywczych, a co więcej, być może jest jednym z najzdrowszych obecnie trybów życia.

Bez względu na to, czy dieta wegetariańska jest pomysłem twoim, czy też twojego dziecka, ważne jest, aby dostarczała wszelkich składników odżywczych.

* Liczy się każdy kęs. Jest to szczególnie ważne w odniesieniu do młodych wegetarianów, chociaż dotyczy również zdrowego odżywiania w ogóle. Ponieważ potrawy wegetariańskie mają często większą objętość niż inne (żeby zapewnić sobie taką samą ilość białka, jaka znajduje się w kilku kęsach kurczaka, małe dziecko musiałoby zjeść prawie szklankę ryżu i fasoli), malec przypuszczalnie szybciej się nimi nasyci. A ponieważ większość dwu-, trzylatków ma bardzo skromne apetyty, nie wolno pozwolić, aby zaspokajały je pokarmy bezwartościowe pod względem dietetycznym, nie pozostawiające wcale lub niewiele miejsca na wartościowe jedzenie.

* Kontrolowanie spożycia białka. Dzieci jedzące nabiał i jaja z łatwością pokrywają dzienne zapotrzebowanie na białko. Dzieci stosujące dietę wegetariańską, nie uznającą żadnych produktów pochodzenia zwierzęcego, mogą mieć niedobory białka. A ponieważ jest ono dziecku konieczne do prawidłowego rozwoju, gwarancja, że otrzymuje odpowiednią jego ilość jest sprawą najwyższej wagi (patrz str. 452). Nie ma pewności co do tego, czy konieczne jest przyjmowanie wszystkich protein zastępczych pochodzenia roślinnego (pokarmów, które w sumie zawierają wszystkie aminokwasy znajdujące się w białku zwierzęcym) podczas jednego posiłku, ale ponieważ jest to stosunkowo łatwe (zupa fasolowa z ryżem, makaron z zielonym groszkiem), rozsądnie jest łączyć ze sobą białka roślinne. Chociaż białko występujące w soi w zupełności wystarcza dorosłym i dzieciom powyżej czterech lat, zawiera ono mało metioniny (dodawanej do mieszanek sojowych dla niemowląt), a zatem soja i serek tofu nie powinny być traktowane jako wyłączne źródło białka w pożywieniu małych dzieci. Jeśli natomiast twoja pociecha

Kombinacje proteinowe dla dwu- i trzylatków

Aby uzyskać różne kombinacje proteinowe, połącz jedną z poniższych porcji z jedną porcją z tabelki zawierającej listę produktów zbożowych i roślin strączkowych (patrz niżej).

2 łyżki twarożku
1/3 kubka mleka
2 łyżki odtłuszczonego mleka w proszku
1/6 kubka skondensowanego mleka
1/3 kubka jogurtu
1/2 jaja lub 1 białko
10 g żółtego sera o niskiej zawartości tłuszczu (na przykład szwajcarskiego lub mozarella)
1 łyżka parmezanu

Białko w diecie wegetariańskiej

Dziecko powinno otrzymywać pewną ilość protein pochodzenia zwierzęcego: z mięsa, ryb, drobiu, jaj lub nabiału. Jeśli ze względu na stosowaną przez ciebie dietę uznasz to za niemożliwe lub jeśli chcesz od czasu do czasu podawać wyłącznie jedzenie wegetariańskie, podane poniżej zestawienie pokarmów zapewni dziecku odpowiednią porcję protein.

Aby uzyskać pełnowartościowy posiłek (około 6 gramów białka), połącz jedną porcję z listy „Rośliny strączkowe" z jedną porcją z listy „Produkty zbożowe".

Uwaga: Orzechy są dobrym źródłem protein i także mogą być łączone z roślinami strączkowymi. Dzieciom podawaj orzechy drobno zmielone.

Produkty zbożowe
15 g soi lub makaronu bogatego w proteiny
30 g pełnoziarnistego makaronu
1 i 1/2 łyżki kiełków pszenicy
1/6 kubka (przed gotowaniem) płatków owsianych
1/3 kubka gotowanego ryżu nie oczyszczonego z kiełków i otrębów, kaszy gryczanej lub prosa*
1 kawałek pełnoziarnistego chleba
1/2 pełnoziarnistej bułeczki lub drożdżówki

Rośliny strączkowe**
3 łyżki soczewicy, grochu, soi lub fasoli
1/4 kubka bobu
1/3 kubka zielonego groszku
30 g serka tofu
3/4 łyżki masła orzechowego

* Ziarna te nie są bogate w białko; dodawaj zawsze do każdej ich porcji 1 i 1/2 łyżeczki kiełków pszenicy.
** Fasola i groch powinny być w połówkach lub lekko ugniecione, aby dziecko się nie zakrztusiło.

je nabiał i/lub jaja, nie ma potrzeby zadawać sobie trudu związanego z włączaniem do diety białek roślinnych. Nawet nieznaczna ilość białka pochodząca z nabiału „uzupełni" wszelkie białka roślinne.

* W miarę potrzeby uzupełnianie witaminy B_{12}. Dzieci spożywające nabiał i jaja nie powinny mieć kłopotów z dostarczeniem organizmowi odpowiedniej porcji tej ważnej witaminy, niezbędnej do prawidłowego wzrostu i rozwoju, a także dla prawidłowego rozwoju układu nerwowego. Mali wegetarianie mogą cierpieć na jej niedobór. Niewiele jest roślinnych źródeł witaminy B_{12}; występuje ona w niektórych wodorostach morskich, ale w tej postaci nie jest dobrze przyswajana przez dzieci. Poza tym ten rodzaj pożywienia może blokować wchłanianie tej witaminy z innych źródeł. Tak więc wegetarianie muszą ją uzupełniać. Ponieważ typowy preparat wielowitaminowy z dodatkiem minerałów nie zawiera witaminy B_{12}, poproś lekarza o przepisanie preparatu, który zapewni dziecku potrzebną mu dawkę dzienną.
* Zapewnienie dostatecznej ilości żelaza. Dzieci nie spożywające mięsa często nie otrzymują wystarczającej ilości tego ważnego minerału. Aby poprawić wchłanianie żelaza znajdującego się w pożywieniu dziecka, zawsze podawaj produkty bogate w ten pierwiastek (patrz str. 436) razem z pokarmami o dużej zawartości witaminy C. Pediatra może także zalecić podawanie preparatu witaminowo-minerałowego zawierającego również żelazo.
* Zapewnienie odpowiedniej ilości wapnia. Stosując dietę pozbawioną nabiału, trudno jest (jeśli w ogóle jest to możliwe) zapewnić organizmowi odpowiednią ilość wapnia. Zaleca się powszechnie, żeby rodzice wegetarianie rozważyli podawanie swoim dzieciom mleka (przynajmniej do końca wieku dojrzewania).

Jeśli nie zaakceptują tej propozycji, konieczne będzie prawdopodobnie uzupełnianie wapnia w jakiejś innej postaci. Często stosowanym rozwiązaniem jest używanie mleka sojowego wzbogaconego wapniem oraz witaminami A i D. Jeśli zamierzasz podawać mleko sojowe, kupuj wyłącznie gatunki wzbogacone wapniem i wspomnianymi witaminami. Czytaj jednak uważnie informacje na opakowaniach: mleko sojowe w większości nie jest wzbogacane. Jeszcze inna możliwość to używanie soku pomarańczowego wzbogaconego wapniem. Miej jednak na uwadze fakt, że nie jest on wzbogacany witaminami A i D oraz zawiera niewielkie ilości białka.

* Podawanie preparatu witaminowo-mineralowego. Ponieważ dziecko, aby mogło się rozwijać i rosnąć, potrzebuje różnych witamin, których może brakować w diecie wegetariańskiej, albo mogą występować w niedostatecznej ilości (jak na przykład witamina D i witaminy z grupy B), dobrym zabezpieczeniem dla dzieci stosujących tę dietę jest podawanie preparatu witaminowego z zawartością minerałów (patrz str. 438).

BEZPIECZNA ŻYWNOŚĆ, BEZPIECZNA WODA

KONTROLOWANIE ŻYWNOŚCI W DOMU I POZA DOMEM

Środki masowego przekazu ujawniają wzrost liczby zatruć pokarmowych spowodowanych nie wysmażonymi hamburgerami, i nagle wszyscy przyrządzają hamburgery dobrze wysmażone. Gazety donoszą o zatruciu wywołanym surowym mięsem i nagle wszyscy wystrzegają się jedzenia befsztyka tatarskiego. Ogłasza się wybuch salmonellozy i nagle wszyscy zamawiają jaja gotowane na twardo.

Niestety, kiedy mija bezpośrednie zagrożenie i problem znika z pierwszych stron gazet, zainteresowanie opinii publicznej stopniowo wygasa. Jednak sprawa bezpiecznej żywności powinna leżeć na sercu każdemu, kto przygotowuje posiłki, szczególnie dla dzieci. Chociaż do środków masowego przekazu trafiają tylko sporadyczne przypadki, szacuje się, że co roku w Stanach Zjednoczonych występuje około 6,5 miliona przypadków zatruć pokarmowych (według niektórych szacunków nawet 80 milionów), w wyniku czego śmierć ponosi 9 tysięcy osób.

A przecież nie jest trudno ochronić rodzinę przed zakażoną żywnością, a podjęty wysiłek ogromnie się opłaci. Oto jak należy postępować:

* Przed kontaktem z żywnością myj ręce mydłem i ciepłą wodą.

* Kupując czy spożywając jedzenie, zwracaj uwagę na datę produkcji i termin przydatności do spożycia. Nie wykorzystuj produktów przeterminowanych.

* Nie ufaj swojemu węchowi, jeśli chodzi o stwierdzenie, czy żywność jest świeża. Nie możesz przecież poczuć zapachu bakterii, chociaż możesz wyczuć rozkład, który powodują; jedzenie może spowodować zatrucie, zanim jeszcze zaczyna wydawać przykry zapach.

* Myj dokładnie warzywa i owoce (patrz str. 459). Po przyjściu do domu myj skórkę melona płynem do mycia naczyń, gorącą wodą i szczoteczką (skóra może być siedliskiem salmonelli, mogącej wywołać poważną chorobę). Umyj każdą powierzchnię, z którą stykał się melon przed umyciem, i dopilnuj, aby na pewno został umyty przed rozkrojeniem. Używaną wcześniej szczoteczkę także umyj płynem do mycia naczyń i gorącą wodą lub w zmywarce do naczyń. Rozkrojony melon powinien być przechowywany w lodówce; nie zostawiaj go dłużej niż cztery godziny w temperaturze pokojowej.

* Nie podawaj dziecku miękkich serów (takich jak brie, camembert lub sery pleśniowe), ponieważ mogące w nich występować bakterie stanowią duże zagrożenie dla małych dzieci (jak również kobiet w ciąży, osób starszych oraz tych, którzy mają osłabiony system immunologiczny). Pozostań przy serach twardych (takich jak szwajcarski, cheddar, gouda), twarogu i jogurcie.

* Uważaj na pleśń. Kiedy pojawi się na miękkim serze, wyrobach piekarniczych, owocach i warzywach (jagodach, winogronach, brzoskwiniach, ogórkach, pomidorach itp.) lub na jogurcie, wyrzuć całą spleśniałą żywność; kiedy pojawi się na twardym serze, odkrój spleśniałe części i jeszcze dodatkowo około 2,5 centymetra (resztę możesz bezpiecznie wykorzystać). Nigdy nie gotuj nic spleśniałego ani

W restauracji

W przeszłości wyjścia do restauracji z małymi dziećmi należały do rzadkości; zanim rodzice zamówili stolik w ulubionej restauracji, starali się o opiekunkę do dziecka. W dzisiejszych czasach, kiedy coraz więcej rodziców nie widuje dzieci w ciągu dnia i niechętnie rozstaje się z nimi wieczorem, często nawet w najlepszych lokalach widuje się dzieci poniżej czterech lat. Wszystkie restauracje starają się zaspokoić potrzeby rodzinnej klienteli, okazując większą gościnność małym gościom i spełniając ich szczególne wymagania.

Zanim zdecydujesz się na posiłek poza domem, weź pod uwagę następujące sprawy, aby wyjście należało do udanych:

Kuchnia. Możesz się delektować wykwintnymi daniami kuchni włoskiej, ale dziecko będzie prawdopodobnie bardziej skłonne zjeść makaron (zostaw na nim ser i zieleninę) i paluszki z kurczaka (z sosem z boku, a nie na potrawie). Aby posiłek upłynął w miłej atmosferze, wybierz restaurację odpowiadającą gustom malucha. Najlepsze są oczywiście lokale oferujące jedzenie dla dzieci, ale równie dobra powinna być każda restauracja, która chętnie przyrządzi potrawy zastępujące wymyślne dania z menu i zatroszczy się o spełnienie specjalnych życzeń dziecka. Bary z przekąskami czy bufety nie zapewniają raczej tej szczególnej atmosfery, ale wyeliminują okres długiego oczekiwania na jedzenie, pozwolą dziecku uczestniczyć w wybieraniu potraw i umożliwią pójście po dokładkę, jeśli mały gość wyrazi na nią ochotę. Często najlepszą znajomością potrzeb małych smakoszy i odpowiedniego dla nich menu wykazują się restauracje chińskie (podając ryż i różnego rodzaju makarony; zimne kluski sezamowe o smaku masła orzechowego szczególnie odpowiadają dzieciom). A ponieważ przyrządzanie chińskich potraw zabiera zaledwie kilka minut, czas oczekiwania jest zwykle bardzo krótki. (Proś zawsze o to, żeby potrawy przygotowywano bez glutaminianu sodowego i ostrych przypraw.) Maluchy uwielbiają też włoskie restauracje z powodu podawanej tam pizzy i makaronu. Dobrym rozwiązaniem może być także restauracja rybna lub mięsna posiadająca w jadłospisie pieczone ziemniaki, które mogą stanowić główny punkt menu (pod warunkiem, że twój malec je lubi). Wybór ten będzie trafny szczególnie wtedy, gdy w menu znajdą się paluszki rybne lub kurczak przyrządzony w ulubiony przez dziecko sposób. Każdej restauracji podającej pełnoziarnisty chleb liczy się to na plus, zwłaszcza gdy dziecko lubi chleb.

Udogodnienia. Wysokie krzesełka, które kiedyś można było znaleźć jedynie w restauracjach dla rodzin z dziećmi, spotyka się obecnie w coraz bardziej eleganckich lokalach. Zadzwoń wcześniej, żeby się upewnić, czy w restauracji jest wystarczająca liczba siedzeń dla dzieci (chyba że twój malec jest przyzwyczajony do klęczenia na krześle). Jeśli twoja pociecha jest szczególnie kapryśna w kwestii miejsca do siedzenia, zapytaj, czy możesz przynieść krzesełko z domu.

Nastawienie. Czy restauracja i jej personel są przyjaźnie nastawieni do dzieci? Odpowiednie wyposażenie nie musi od razu świadczyć o odpowiednim doświadczeniu. Ważne jest także podejście, jakie obsługa wykazuje w stosunku do małych klientów. Kiedy zadzwonisz, powinnaś zadać bezpośrednie pytanie: „Czy dzieci są mile widziane w waszej restauracji?" Odpowiedź niewątpliwie wyjaśni ci tę kwestię.

Poziom hałasu. Duży hałas może utrudniać rozmowę, ale może także zagłuszyć marudzenie dziecka i zabawę sztućcami. Żywa muzyka lub szafa grająca (z przyciskami, które malec będzie umiał obsługiwać) stojąca w pobliżu stolika może być przydatna również dlatego, że oprócz rozrywki stanowi kamuflaż hałaśliwego zachowania małego gościa.

Czas posiłku. Zdecyduj się na wyjątkowo wczesną kolację. Zaplanuj przybycie do restauracji, zanim zapanuje w niej tłok, a personel nie będzie jeszcze bardzo zmęczony.

Czas oczekiwania na posiłek. Nie zdawaj się na przypadek. Jeśli to możliwe, wybierz restaurację przyjmującą rezerwacje. Przypadkowy lokal, który zwykle ich nie przyjmuje, zrobi wyjątek, jeśli użyjesz argumentu „małe dziecko". W innym, jeśli wyjaśnisz sytuację, poproszą cię, abyś zadzwoniła przed przyjściem, i umieszczą twoje nazwisko na liście oczekujących na stolik, co skróci oczekiwanie. Jeśli trzeba będzie poczekać, pozwól maluchowi wyładować trochę energii na zewnątrz (przy sprzyjającej pogodzie i oczywiście pod opieką osoby dorosłej). Małe dzieci na ogół niezbyt dobrze znoszą długie czekanie na stolik, a potem na obiad.

Wybór stolika. Zarezerwuj odpowiedni stolik, jeśli tylko będzie to możliwe. Lokalizacja stolika zwykle nie jest tak istotna, ale gdy wizyta w restauracji z małym dzieckiem ma się zakończyć powodzeniem, odgrywa ona ogromną rolę. Tak więc, kiedy zadzwonisz, aby zarezerwować stolik, określ dokładnie swoje wymagania i oczekiwania. Zarówno dla ciebie, jak i dla personelu będzie korzystniej, jeśli zostaniesz usadzona w przytulnym zakątku (dość daleko od innych gości, aby nie przeszkadzał im nadmierny hałas dochodzący od strony twojego stolika, oraz w znacznej odległości od stanowisk kelnerów i od drzwi do kuchni, żeby nie wydarzyła się żadna katastrofa, kiedy malec nagle odbiegnie od stołu). Wygodny jest także stolik blisko drzwi wyjściowych, aby uniknąć zamieszania przy wyjściu. Dziecko uczące się korzystania z toalety powinno mieć do niej blisko. Najlepszym rozwiązaniem dla dziecka, które jest już zbyt duże, aby siedzieć w wysokim krzesełku, będzie boks; malec będzie mógł bezpiecznie siedzieć między jednym z rodziców a ścianą i unikniesz niebezpieczeństwa, że krzesło przewróci się do tyłu.

Odpowiednie wyposażenie. Wspaniale jest, jeśli w restauracji są kredki i papierowe nakrycia na stół lub podkładki; zaczyna się również rozpowszechniać zwyczaj oferowania miejsca do zabawy. Jeśli jakiś lokal nie posiada tych udogodnień, nie wybieraj się do niego z pustymi rękami. Aby móc w spokoju i w miłym nastroju spożyć posiłek, będzie ci potrzebne coś więcej niż jadłospis, będziesz potrzebować mnóstwa rozrywek dla swojego malca. Spakuj więc do torby książki, kredki, blok rysunkowy lub książeczkę do kolorowania oraz kilka niedużych i niehałaśliwych zabawek i dawaj to maluchowi kolejno. Jeśli nie jesteś pewna, że restauracja, do której wprowadzisz swoje wygłodniałe dziecko, zaoferuje mu natychmiast przekąskę (sałatkę lub inne zimne danie, pełnoziarnisty chleb itd.), przynieś ze sobą coś, co pomoże brzdącowi przetrwać do właściwego posiłku (na przykład bułkę, kromkę chleba lub krakersy). Możesz też pozwolić dziecku na zjedzenie lekkiego posiłku przed wyjściem, ale pamiętaj, że może ono zupełnie stracić apetyt na obiad i ochotę na spokojne siedzenie.

Kiedy już znajdziesz się w restauracji:

Liczy się sprawna obsługa. Nie ma nic przyjemniejszego niż obiad spożywany bez pośpiechu, jeśli wasza pociecha czeka na was w domu z opiekunką. Szybkość jest jednak nieodzowna, jeśli siedzi ono między wami, waląc w stół i domagając się jedzenia, wspinając się na krzesło lub dzwoniąc srebrnymi sztućcami. Waszym celem powinno być wtedy spożycie posiłku i możliwie pospieszne wyjście. Najlepsze są restauracje słynące z szybkiej obsługi (unikaj barów szybkiej obsługi, gdyż serwują one tłuste potrawy; patrz str. 445); niektóre z nich, prowadzące sprzedaż na wynos (na przykład pizzerie), przyjmują telefoniczne zamówienia i obsługują cię natychmiast po przyjściu. Jeśli nie masz takiej możliwości, przejrzyj uważnie menu i zamów jedzenie, jak tylko usiądziesz przy stoliku. Trochę czasu zaoszczędzi ci zamówienie wszystkich dań od razu, a nie składanie zamówienia najpierw na przekąski i/lub napoje. Chociaż w pierwszej chwili pomysł zamówienia najpierw jedzenia dla malucha wydaje się rozsądny, weź pod uwagę możliwość, że może on już skończyć jeść i być w połowie drogi do drzwi, kiedy ty otrzymasz dopiero swoją porcję. Jeśli twoje dziecko nie zalicza się do prawdziwych niejadków (niejadek to ktoś, kto dziobie jedzenie przez co najmniej pół godziny), poproś, żeby przyniesiono posiłek dla wszystkich, jak tylko będzie gotowy. Jeśli w skład twojego dania wchodzi sałatka, zupa lub przekąska, której dziecko nie otrzymuje, to albo poproś, żeby je podano razem z twoim pierwszym daniem, albo też poproś na początek o coś odpowiedniego dla dziecka. Możesz także poczęstować dziecko przyniesionymi z domu krakersami. Dobra będzie też dość twarda bułka lub kawałek chleba, ponieważ jego jedzenie zajmie dziecku sporo czasu. Kiedy pomimo twoich starań nie da się zgrać posiłku w taki sposób, aby wszyscy zaczęli go i skończyli w tym samym czasie — ty będziesz właśnie podnosić do ust pierwszy kęs kurczaka, a najmłodszy gość oznajmi, że już skończył — możesz zamówić mu prosty deser (na przykład surowe owoce lub lody albo przyniesione z domu ciasteczka słodzone sokiem owocowym). Zyskasz w ten sposób czas na dokończenie posiłku.

Okazuj dziecku zainteresowanie. Nie czekaj, aż twoja pociecha zacznie wrzeszczeć, aby zwrócić waszą uwagę, domagając się odrobiny zainteresowania. Poważne rozmowy pozostaw na wieczór spędzany w towarzystwie dorosłych i skoncentruj się na rozmowie z dzieckiem. Zacznij mu po kolei proponować przyniesione z domu zabawki, żeby zająć je do chwili podania posiłku. Jeśli zapomniałaś zabrać ulubione zabawki, weź serwetkę albo jadłospis i baw się z malcem w „akuku", pokazuj mu, jak się bawić palcami, lub zaimprowizuj inne rozrywki.

Zamawiaj ulubione potrawy. Zamawiaj te dania, które dziecko lubi. Nie próbuj przeprowadzać w restauracji eksperymentów z nowymi smakami, chyba że na własnym talerzu. Zaufaj zestawom dla dzieci, jeśli wiesz, że twoja pociecha je lubi; podziel pełne porcje, jeśli w towarzystwie znajduje się dwoje lub więcej dzieci (poproś, żeby to zrobiono w kuchni); zamów przekąskę albo połowę przystawki jako główne danie dla dziecka (albo też zamów całą przystawkę i połowę zabierz do domu); możesz również połączyć składniki poszczególnych dań w jeden zestaw (składający się na przykład z pieczonego ziemniaka, łyżki sera

Dokończenie na stronie następnej

Dokończenie z poprzedniej strony

twarogowego i miseczki brokułów). Jeśli dziecko lubi jeść wszystko osobno, poproś kelnera, żeby nie garnirowano potrawy; ostrzeż go, że nawet odrobina pietruszki na zwykłym makaronie mogłaby spowodować, że malec nie tknie jedzenia i zostanie ono odesłane do kuchni.

Określ granice. Nierozsądnie byłoby oczekiwać od dziecka, żeby przez cały czas spożywania posiłku siedziało jak uosobienie grzeczności i dobrych obyczajów. Byłoby także nie w porządku narażać innych gości na niekontrolowane wybryki dziecka. (Weź pod uwagę, że ludzie przy sąsiednim stoliku mogli zapłacić sporo pieniędzy opiekunce, żeby w ten jeden wieczór móc odpocząć bez potomstwa.) Ustępuj maluchowi, żeby zachowywał się w miarę cicho i żeby był zadowolony w trakcie posiłku; jeśli mimo to stanie się tak nieznośny, że zacznie zakłócać spokój innych gości, będzie to oznaczać, że najwyższy czas, żeby na jakiś czas wyjść z nim z restauracji. Podczas gdy jedno z rodziców pozostanie przy stoliku (rozkoszując się luksusem kilku spokojnych chwil przy obiedzie), drugie powinno zabrać dziecko na dwór, żeby zmienić mu otoczenie i dać szansę na ochłonięcie. Jeśli konieczne będzie więcej niż jedno wyjście, zmieniajcie się; w ten sposób wszyscy dorośli będą mieli okazję zjeść. (Miej się jednak na baczności przed bystrym dzieckiem, które będzie cię wprowadzać w błąd, kaprysząc jedynie po to, aby zmusić cię do odejścia z tego miejsca.) Nie zabierajcie dziecka do domu, dopóki nie skończycie posiłku; takie postępowanie mogłoby nasunąć mu, że wystarczy trochę uporu, aby zniweczyć obiadowe plany rodziców.

Uwaga: Wprowadź taki zwyczaj, że dziecko nie może wstać z miejsca, zanim poprosi o zgodę. Dzieci wędrujące samopas po restauracji mogą zderzyć się z kelnerem niosącym tacę z gorącym daniem lub napojami i spowodować poważny wypadek (nie mówiąc o tym, że same mogą przez to ucierpieć).

Dawaj godziwe napiwki. Specjalne wymagania, makaron wdeptany w dywan, sos pomidorowy rozlany po całym stole, porozlewane napoje i powywracane talerze. Oto pięć wystarczających powodów, dla których kelner obsługujący małego klienta powinien otrzymać dodatkowe wynagrodzenie za swoje wysiłki. Bądź szczególnie hojna, jeśli jeszcze kiedyś zamierzasz przyjść do tej restauracji.

nie pozwalaj nikomu z rodziny na jedzenie spleśniałych, odbarwionych, niesmacznych lub stęchłych orzeszków ziemnych ani masła orzechowego — mogą zawierać aflatoksynę, która jest niebezpieczną trucizną.

* Nie używaj jedzenia z zamkniętych puszek, które są powyginane, wybrzuszone lub ciekną, a także z butelek czy słoików, których zakrętki „wystrzeliły" przed otwarciem lub nie wydają charakterystycznego kliknięcia, kiedy otwierasz je po raz pierwszy.

* Chociaż nie zjedzona żywność, przechowywana w odpowiednich warunkach i podgrzana do temperatury przynajmniej 75°C może być spożywana przez dorosłych członków rodziny, nie podawaj jej małemu dziecku. Jedzenie to może zawierać drobnoustroje, przed którymi tak młody organizm nie umie się obronić.

* Aby uniknąć psucia się przechowywanej żywności, ustaw lodówkę na temperaturę 4°C lub niższą, a zamrażalnik na -17°C lub mniej.

* Surowe mięso wołowe i wieprzowe przechowuj w lodówce nie dłużej niż trzy do pięciu dni; hamburgery, kurczaka i indyka nie dłużej niż jeden lub dwa dni. Temperatura w lodówce powinna wynosić 4°C lub mniej.

* Odmrażaj mięso, drób i ryby w lodówce (lub w zlewie, ale najpierw włóż je do torebki plastykowej, szczelnie zamknij i połóż pod bieżącą wodą), a nie w temperaturze pokojowej.

* Zanim zaczniesz przygotowywać surowe mięso, drób czy ryby, umyj starannie ręce wodą i mydłem. Umyj również wodą i mydłem wszelkie powierzchnie i przyrządy kuchenne, które stykały się z surową żywnością. Do ścierania z nich wody używaj papierowych ręczników, aby nie narazić na skażenie gąbek i ścierek.

* Gotuj dokładnie mięso, drób i ryby. Mięso w środku powinno osiągać temperaturę przynajmniej 70°C (do sprawdzania używaj specjalnego termometru do mięsa); drób powinien osiągać temperaturę 80°C, a ryby 70°C. Mięso i drób nie powinny wyglądać na nie dosmażone; przy kościach kurczaka czy indyka ani w środku hamburgera[7], kotleta wieprzowego czy mięsa wołowego nie powinno być widać różowego zabarwienia; wypływające soki po-

[7] Mielone mięso oraz drób wymagają jeszcze większej ostrożności podczas przyrządzania, ponieważ na skutek zmielenia zwiększa się powierzchnia, która może ulec skażeniu. Mięso mielone może ściemnieć nawet w temperaturze niższej niż 70°C, sprawdź więc, czy wypływające z niego soki nie są różowe.

Deska do krojenia

Od wieków drewno było na całym świecie uważane za najlepszy materiał na deski kuchenne. Kiedy jednak naukowcy zaczęli sugerować, że nacięcia, rowki i rysy, które zostawiają noże, mogą stać się siedliskiem niebezpiecznych bakterii, deska popadła w niełaskę. Zastąpiły je łatwiejsze do umycia i trudniejsze do pocięcia deski z tworzywa sztucznego. Ale to jeszcze nie koniec tej historii. Najnowsze badania wykazują, że drobnoustroje nie utrzymują się na drewnianych deskach do krojenia, być może z powodu pewnej naturalnej substancji zawartej w drewnie. Wygląda na to, że twarde, rzekomo higieniczne powierzchnie z tworzyw sztucznych mogą być w rzeczywistości bardziej gościnne dla zarazków niż drewno. Aby rozsądzić, które deski są lepsze, niezbędne są dalsze badania. Na razie, niezależnie od tego, czy używasz drewna, czy tworzywa sztucznego, postąpisz rozsądnie, podejmując następujące środki ostrożności:

* Używaj jednej deski wyłącznie do surowego mięsa i drobiu, a drugiej do chleba, warzyw i owoców.
* Po każdym użyciu i po kolejnych etapach przygotowania posiłku myj dokładnie deski w gorącej wodzie z płynem; zrobione z tworzywa można myć w zmywarce do naczyń. Od czasu do czasu odkażaj drewniane deski w roztworze dwóch łyżeczek zawierającego chlor środka wybielającego na litr wody, następnie spłucz bardzo dokładnie czystą, gorącą wodą.

winny mieć jasny kolor, a nie różowy czy czerwony. Ryby powinny być nieprzezroczyste i łatwo dzielić się na kawałki. Hot-dogi (których zarówno ze względów zdrowotnych, jak i bezpieczeństwa nie można nazwać wymarzonym jedzeniem dla dziecka), powinny być przed podaniem bardzo mocno podgrzane.

* Nie dopuszczaj do tego, żeby ugotowane jedzenie (czy to ciepłe, czy zimne) stało przed spożyciem dłużej niż dwie godziny w temperaturze pokojowej (godzinę, jeśli temperatura w pomieszczeniu wynosi 30°C lub więcej); z chwilą kiedy jedzenie zostanie wystawione na działanie tej temperatury, zaczynają się w nim rozmnażać drobnoustroje (takie jak bakterie). Podgrzewając jedzenie, pamiętaj zawsze, żeby utrzymać jego temperaturę na poziomie 65°C lub wyższym (dla pewności posługuj się termometrem do mięs).
* Nie przyrządzaj uprzednio mrożonych lub nadziewanych potraw na wolnym ogniu. Piecz je w piekarniku w temperaturze 165°C lub wyższej.
* Po upieczeniu na rożnie lub grillu nie podawaj hamburgerów, kotletów wieprzowych, parówek, kurczaków ani ryb na tym samym talerzu, na którym leżały surowe produkty przygotowane do pieczenia. Pod koniec pieczenia nie polewaj mięsa ani ryb zalewą, w której leżały surowe składniki, ani nie dodawaj tej zalewy do sosu; zawiera ona nie przegotowane soki, które mogą zawierać bakterie.
* Unikaj podawania dziecku surowego mięsa, drobiu i ryb, a także owoców morza (szczególnie mięczaków i ostryg); nie pasteryzowanego nabiału (mleka, sera); surowych lub nie dogotowanych jaj (oraz produktów, które mają je w swoim składzie, jak na przykład ajerkoniak, kogel-mogel, surowe ciasto oraz zaczyn na chleb).
* Kiedy zamierzasz jeść posiłek poza domem, unikaj restauracji z brudnymi oknami, muchami, śladami robactwa itd.; restauracji, w których jedzenie (poza chlebem, ciastkami i świeżymi owocami) leży w temperaturze pokojowej przez dłuższy czas; gdzie kelnerzy dotykają jedzenia gołymi rękami albo mają zauważalne uszkodzenia skóry, rany lub choroby skóry.
* Pakując jedzenie na wycieczkę lub w podróż, przekładaj produkty prosto z lodówki do termosu lub specjalnej torby turystycznej (chłodzonej torebkami z lodem lub wkładem z lodu). Jedzenie przeznaczone do spożycia na ciepło powinno być gorące i w tym stanie włożone do termosu lub torby. Każdy produkt zapakuj osobno. Przechowuj torbę z jedzeniem w cieniu lub w klimatyzowanym samochodzie, a nie w pełnym słońcu czy w bagażniku auta. Kiedy lód się rozpuści lub rozmrozi się wkład z lodu, wyrzuć wszystkie psujące się resztki. Zabezpiecz jedzenie przed muchami, innymi owadami i zwierzętami domowymi. Przed przystąpieniem do jedzenia wszyscy powinni umyć ręce.

KONTROLA SPOŻYCIA SUBSTANCJI CHEMICZNYCH

Substancje chemiczne zawarte w pożywieniu i wodzie są powodem ogromnego niepokoju wielu rodziców, nie ma jednak pewności co do tego, czy jest to niepokój uzasadniony. O efektach działania substancji chemicznych w jedzeniu wiemy mniej niż o skutkach działania drobnoustrojów. Dzieje się tak dlatego, że z powodu groźnych zarazków znajdujących się w naszym drugim śniadaniu możemy być chorzy już przed obiadem, natomiast skutki działania niebezpiecznych chemikaliów mogą się nie ujawniać przez kilkanaście, a nawet przez kilkadziesiąt lat.

Panuje opinia, że małe dzieci są bardziej narażone na potencjalne ryzyko zatruć chemicznych, ponieważ w przeliczeniu na kilogram masy ciała spożywają więcej jedzenia od dorosłych (na przykład osiemnaście razy więcej soku jabłkowego), wolniej przetwarzają i wydalają z organizmu wiele (choć nie wszystkie) substancji stanowiących potencjalne zagrożenie, mają niedojrzały system immunologiczny, są w trakcie rozwoju i mają przed sobą wiele lat, w czasie których substancje te mogą im wyrządzić krzywdę. Nie zostało jednak dowiedzione naukowo, czy szkody są bezpośrednio wywołane działaniem tych substancji, i nie wyjaśniono również, kiedy szkody te powstają.

Kiedy w latach osiemdziesiątych wybuchła panika wywołana skażonymi chemicznie jabłkami, uaktualniły się kwestie związane z bezpiecznym spożyciem płodów rolnych, a wielu rodziców zastanawiało się, czy rozsądne jest dalsze podawanie dzieciom darów natury. Większość specjalistów szybko zajęła w tej sprawie stanowisko, odpowiadając, że szaleństwem byłoby powstrzymywanie się od jedzenia owoców i warzyw, ponieważ chronią one właśnie przed tym rodzajem szkód, o których wywoływanie podejrzewa się substancje chemiczne. Nie ma powodu wpadać w panikę, natomiast rozsądnie jest zastosować środki ostrożności w stosunku do następujących rodzajów żywności:

Płody rolne. Zmniejszysz potencjalne ryzyko, podejmując następujące kroki:

* Kupuj produkty ekologiczne, jeśli są w sprzedaży i możesz sobie na nie pozwolić. Z upraw ekologicznych powinny w pierwszej kolejności pochodzić warzywa korzeniowe (takie jak rzepa, marchew, brukiew czy ziemniaki), ponieważ w nich właśnie gromadzi się najwięcej pestycydów. Uprawa ekologiczna odgrywa mniejszą rolę w wypadku produktów posiadających grubą, niejadalną skórę czy łupinę (melony, pomarańcze, banany), gdyż te zewnętrzne warstwy zapewniają pewną ochronę przed przenikaniem środków chemicznych. Jeśli w pobliskim sklepie nie ma wielkiej różnorodności produktów ekologicznych, wytrwale o to zabiegaj (zachęcaj też swoich przyjaciół, aby robili to samo). Im większy będzie popyt na takie produkty, tym więcej rolników będzie je wytwarzać i więcej sklepów będzie je sprzedawać, a wszystko to wpłynie na obniżenie ich cen. Dowiedz się także, czy sklepy, w których robisz zakupy, pobierają próbki towarów w celu przeprowadzenia badań zawartości pestycydów; jeśli tak, to sprzedawane przez nie produkty pochodzące z uprawy metodami konwencjonalnymi będą bezpieczniejsze od pozostałych. Istnieje również możliwość zakupu produktów ekologicznych w sprzedaży wysyłkowej. Możesz także rozpocząć ekologiczną uprawę roślin wspólnie z przyjaciółmi, rodzicami kolegów twojego dziecka albo członkami dowolnej organizacji, do której należysz.
* Kupuj produkty sezonowe, zyskujesz wtedy większą pewność, że nie są spryskane środkami przedłużającymi świeżość, środkami grzybobójczymi lub pestycydami po zakończeniu zbiorów.
* Weź pod uwagę pochodzenie. Produkty krajowe zawierają na ogół mniej pestycydów niż zagraniczne. Produkt hodowany w pobliżu miejsca sprzedaży nie będzie prawdopodobnie spryskiwany po zakończeniu zbiorów dla zabezpieczenia w czasie transportu.
* Uprawiaj własny ogród metodą ekologiczną. Założenie takiego ogrodu w pobliżu domu lub w okolicy zapewni nie tylko świeże produkty, ale będzie dla dziecka cenną lekcją. Dodatkowa zachęta: małe dzieci będą chętniej jadły owoce (i warzywa) z własnej uprawy niż kupione w sklepie.
* Unikaj kupowania lub obieraj owoce i warzywa, które były powlekane woskiem (najczęściej: papryka, bakłażany, ogórki i jabłka), charakteryzujące się sztucznie błyszczącą powierzchnią. Chociaż sam wosk nie musi być szkodliwy, często dodaje się do niego rakotwórcze środki grzybobójcze stosowane przeciw pleśni i gniciu.
* Niektórzy specjaliści radzą obierać ziemniaki pochodzące z upraw nieekologicznych (przed lub po ugotowaniu), co pozwoli usunąć wraz ze skórką środki chemiczne hamujące kiełkowanie. Ci sami eksperci twierdzą, wbrew powszechnie panującej opinii, że większość składników odżywczych nie przepadnie wraz ze skórką.
* Wybieraj produkty niedoskonałe. Owoce i warzywa pokryte pewną liczbą plamek są

prawdopodobnie hodowane i transportowane przy użyciu minimum środków chemicznych. Nie musisz szukać robaczywych jabłek, ale omijaj te, które wyglądają zbyt dorodnie.

* Przed jedzeniem myj starannie wszystkie produkty. Używaj do mycia roztworu wody z kilkoma kroplami płynu do mycia naczyń (nie używaj do tego celu płynu do mycia w zmywarkach), aby usunąć jak najwięcej pozostałości po środkach chemicznych oraz drobnoustrojach i brudzie. Następnie spłukuj je bardzo dokładnie pod zimną, bieżącą wodą. Szoruj warzywa, które dobrze to znoszą (ziemniaki, marchew, cukinia, seler) twardą szczoteczką do warzyw. Przed myciem dziel na cząstki brokuły i kalafior, odrywaj listki szpinaku, kapusty włoskiej sałaty i liście innych roślin zielonych. Wyrzucaj zewnętrzne liście główek sałaty i kapusty, w miarę możności obieraj owoce i warzywa; przycinaj liście i czubek selera.

* Pamiętaj o tym, że gotowanie rzeczywiście częściowo usuwa środki chemiczne; niestety, wpływa równocześnie na pewne obniżenie wartości odżywczych produktów. Podawaj więc na zmianę surowe i gotowane owoce i warzywa.

* Zapewniaj swojemu dziecku jak najbardziej urozmaiconą dietę, aby uniknąć ciągłego podawania tych samych środków chemicznych występujących w danym rodzaju pożywienia. (Stosuje się różne pestycydy, środki grzybobójcze i inne środki chemiczne w zależności od rodzaju owocu czy warzywa.)

* Jeśli jeszcze karmisz dziecko gotowymi odżywkami, kupuj, jeśli to możliwe, produkty ekologiczne. Są one nie tylko pozbawione pestycydów, ale także nie zawierają cukru, tłuszczu drobiowego i sodu, występujących w wielu innych gotowych posiłkach dla dzieci.

* Unikaj gotowej żywności zawierającej wątpliwe dodatki chemiczne, takie jak sztuczne barwniki, aromaty, sacharynę i azotan sodowy. Okazuje się, że niektóre dzieci są uczulone na glutaminian sodowy — uwodnione białko roślinne; lepiej więc nie podawać dwu-, trzylatkom jedzenia zawierającego te dodatki. Ponadto, ponieważ maluchom nie trzeba ograniczać kalorii, nie zaleca się jedzenia słodzonego aspartamem (Equal, Nutrasweet). Po ukończeniu drugiego roku życia można go podawać dzieciom tylko od czasu do czasu, dlatego że po pierwsze, pożywienie, które go zawiera, rzadko jest wartościowe, a po drugie, nie jest jeszcze znany długotrwały wpływ tego rodzaju środków słodzących na dzieci w okresie wzrostu.

* Nie podawaj napojów zawierających kofeinę, która jest używką i nie jest zalecana dla małych dzieci. Ponadto nie pozwalaj maluchowi próbować napojów alkoholowych ani wyrobów zawierających alkohol, który jest środkiem odurzającym i może być dla dziecka toksyczny.

Mięso, drób, ryby oraz przetwory mleczne. Wiele środków chemicznych zakażających nasze płody rolne zakaża również paszę zwierząt, wodę, którą piją, a także rzeki, jeziora i morza, w których żyją ryby. Ponadto mięso i drób może zawierać pozostałości antybiotyków lub hormonów, którymi karmi się zwierzęta, by zapobiec chorobom, przyspieszyć ich wzrost lub zwiększyć produkcję mleka. Aby ograniczyć ryzyko zakażenia środkami chemicznymi znajdującymi się w produktach zwierzęcych, stosuj się do poniższych wskazówek:

* W miarę możliwości kupuj mięso, drób i ryby posiadające świadectwo hodowli ekologicznej lub hodowane bez stosowania środków chemicznych.

* Podawaj na zmianę mięso, drób i ryby. Jeśli wołowina zawiera ślady hormonów, a drób jest skażony antybiotykami, twoja rodzina spożyje przynajmniej mniejszą ilość każdego z tych środków chemicznych.

* Przed gotowaniem wykrawaj z mięsa tłuszcz i usuwaj skórę z drobiu; środki chemiczne gromadzą się zwykle w tkance tłuszczowej. Unikaj spożywania zwierzęcych narządów wewnętrznych, a szczególnie wątroby, która, przetwarzając toksyny w organizmie zwierzęcia, najczęściej zawiera wysoki poziom potencjalnie szkodliwych substancji chemicznych.

* Z ryb usuwaj skórę, skrzela, ciemno zabarwione warstwy tłuszczu oraz wnętrzności, ponieważ w nich gromadzą się szkodliwe substancje.

* Kiedy dziecko skończy dwa latka, podawaj mu nabiał odtłuszczony lub o niskiej zawartości tłuszczu, gdyż ewentualne środki chemiczne gromadzą się zazwyczaj w tłuszczu mleka. (Nawet jeśli malec spożył niewielką ilość tych substancji przed ukończeniem drugiego roku życia, to nie jest prawdopodobne, aby spowodowało to jakieś problemy w przyszłości.) Jeśli masz możliwość, kupuj mleko od krów, którym nie podaje się hormonów.

* Ogranicz spożycie ryb i skorupiaków do trzech razy w tygodniu, chyba że jesteś pewna, że pochodzą z nieskażonych wód. Z reguły dobrze jest podawać różne gatunki ryb, zwłaszcza małym dzieciom. Unikaj ryb z wód zanieczyszczonych (zwykle jezior i rzek); ryby łowione z dala od brzegu i hodowlane są zwykle najbezpieczniejsze. Ogólnie rzecz biorąc, małe ryby są bezpieczniejsze od dużych, a chude od tłustych. Niektórzy eksperci uważają, że małe dzieci (i kobiety w ciąży) nie powinny w ogóle jeść ryb łowionych dla własnych potrzeb przez wędkarzy amatorów, a rzadko łowione na sprzedaż miecznikі czy okonie z powodu potencjalnie wysokiego poziomu bifenylu polichlorowego (PCB). Zmniejsz także spożycie skorupiaków, gdyż zawierają one często kadm, chrom i arsen.

KONTROLA NACZYŃ I PRZYBORÓW KUCHENNYCH

Jakby zatroskanym rodzicom mało było jeszcze zmartwień związanych z żywieniem dzieci, od czasu do czasu pojawiają się pytania dotyczące bezpieczeństwa garnków, patelni, naczyń i szkła, w których przyrządza się, podaje i przechowuje żywność. Czasami wątpliwości są bezpodstawne, czasami jednak w pełni uzasadnione.

Garnki i patelnie. Odwiedziłaś już wszystkie sklepy w poszukiwaniu najbezpieczniejszej żywności dla swojego dziecka. Czy jednak garnki i patelnie, w których będziesz ją przyrządzać, są bezpieczne?

* Nie powodujące przywierania jedzenia. Wykorzystane do produkcji tworzywo sprawia, że żywność nie przyczepia się do powierzchni tych naczyń, a ono samo nie jest przyswajane przez ludzi. Unikaj jednak podgrzewania tych garnków do zbyt wysokiej temperatury, gdyż, jak się sugeruje, szkodliwe mogą być wydzielające się wtedy opary.

* Aluminiowe. Najnowsze badania wykazują, że stosowanie wykonanych z tego metalu przyborów kuchennych nie ma, jak kiedyś sądzono, związku z chorobą Alzheimera, a więc są one bezpieczne w użyciu.

* Żelazne. Choć ten rodzaj naczyń kuchennych jest trudny w utrzymaniu, żelazo, które uwalnia się przy długotrwałym gotowaniu kwaśnego jedzenia, jest nie tylko nieszkodliwe, ale może być wręcz cennym źródłem tego minerału w pożywieniu.

* Ze stali nierdzewnej. Także te naczynia kuchenne mogą wydzielać do pożywienia żelazo, a także chrom oraz nikiel. Ponieważ jednak żelazo i chrom są ważnymi składnikami pokarmowymi, a nikiel nie stanowi zagrożenia (jeśli twoje dziecko lub ktoś inny w rodzinie nie jest na niego uczulony), ogólnie rzecz biorąc, nierdzewna stal jest bezpieczna w użyciu. Im starsze garnki, tym mniej minerałów przenika do pożywienia.

* Żaroodporne szklane naczynia kuchenne oraz wykonane z metali emaliowanych. Wszystkie wydają się bezpieczne w użyciu. Zawsze jednak zwracaj uwagę na to, aby przy używaniu ich stosować się do zaleceń, ponieważ wysoka temperatura lub bezpośrednie działanie ognia może doprowadzić do uszkodzeń i pęknięć.

* Miedziane. Miedź z nie powlekanych garnków może się przedostawać do żywności i powodować nudności i wymioty. Używaj więc wyłącznie powlekanych garnków miedzianych. Bezpiecznie jest natomiast ubijać pianę z białek w miedzianej misce.

* Naczynia do kuchenek mikrofalowych. Zawsze szukaj etykietki „Można używać w kuchenkach mikrofalowych". Nie wkładaj do kuchenki kubeczków po twarożkach czy jogurtach ani żadnych innych plastykowych pojemniczków; tworzywa sztuczne, z których zostały wykonane, mogłyby się stopić lub przeniknąć do żywności. Podgrzewając pokarmy o dużej zawartości tłuszczu lub cukru (mogące osiągać w kuchence mikrofalowej bardzo wysokie temperatury), używaj raczej naczyń szklanych lub ceramicznych, a nie plastykowych, nawet jeśli dane tworzywo nadaje się do użycia w kuchence mikrofalowej.

Naczynia stołowe i szklane. Należy zwracać uwagę nie tylko na to, w czym się gotuje, ale i na to, w czym się podaje i przechowuje pożywienie. Sprawdź, czy twoje naczynia nie mają domieszki ołowiu (dowiedz się tego od producenta lub od sprzedawcy albo też oddaj je do zbadania); obecność ołowiu jest większa w przypadku antyków i naczyń z importu. Nie używaj do przechowywania żywności kryształów ołowiowych, lutowanych ołowiem puszek cynowych ani aluminiowych, gdyż ołów może przedostać się do jedzenia czy napojów.

KONTROLOWANIE CZYSTOŚCI WODY

Z reguły woda nadaje się do picia, chociaż można jeszcze sporo zrobić, żeby poprawić jej jakość. W niektórych regionach jednak nie są przestrzegane nawet najbardziej podstawowe normy ochrony wody, przez co jest ona skażona wyższym od dopuszczalnego poziomem substancji chemicznych, a czasami niebezpiecznymi drobnoustrojami. W miejscach, gdzie woda nie jest bezpieczna, należy wywierać presję społeczną na urzędników, aby rozwiązali ten problem.

Następujące uwagi pomogą ci w podjęciu słusznych decyzji w sprawie wody, którą pije twoja rodzina:

Badanie skażenia wody. Wąchając wodę z kranu, przyglądając się jej czy nawet próbując, nie możesz niestety stwierdzić, czy jest czysta. Najbardziej niebezpiecznych substancji nie widać, nie są wyczuwalne węchem, nie zmieniają też smaku wody; są one bezbarwne, bezwonne i pozbawione smaku. Jedynie badanie może dostarczyć rzetelnych informacji co do jakości wody płynącej z twojego kranu. Studnia, uznawana kiedyś za niezawodne źródło czystej wody, również podlega zanieczyszczeniom. Jeśli korzystasz z wody studziennej, należy zbadać, czy nie spływają do niej zanieczyszczenia, zwłaszcza jeśli mieszkasz na obszarach przemysłowych lub rolniczych. Należy również okresowo sprawdzać występowanie bakterii w takiej wodzie.

Postępowanie w przypadku wody chlorowanej. Długotrwałe spożywanie chloru, stosowanego w wielu miastach do utrzymywania czystości wody, bywa czasami wiązane z pewnymi kłopotami zdrowotnymi. Jeśli woda z kranu jest bardzo mocno chlorowana (czasami nawet jest to wyczuwalne), przegotuj ją przed użyciem, napowietrzaj ją lub pozostawiaj na noc bez przykrycia, aby umożliwić ulotnienie się chloru. Możesz także używać do oczyszczania wody filtru z aktywnym węglem.

Postępowanie w przypadku wody zawierającej ołów. Ołów w wodzie poważnie zagraża małym dzieciom (oraz kobietom ciężarnym), jest więc niezmiernie ważne, aby rodzice uzyskali pewność, że pita przez ich rodzinę woda nie zawiera tego metalu. Ołów znajdujący się w wodzie pochodzi nie tylko z komunalnego systemu wodociągowego; wymywany jest także do wody pitnej z rur ołowianych lub stopów lutowniczych w instalacjach wodociągowych poszczególnych budynków. Należy więc sprawdzić każdy dom. Badanie, które powinno być przeprowadzone dla każdego ujęcia wody pitnej z osobna najlepiej wykonać rano przy pierwszym odkręceniu wody. Właśnie o tej porze, kiedy woda znajdowała się w rurach przez całą noc, nagromadziło się w niej najwięcej ołowiu. Jeśli woda w twoim kranie zawiera ołów, nie musisz od razu szukać nowego mieszkania. W większości przypadków, aby wypłukać ołów, wystarczy jedynie spuszczać wodę przed każdym użyciem do momentu, kiedy stanie się zupełnie zimna (często będzie się najpierw robić cieplejsza, a dopiero potem zimna). Woda pochodząca z wodociągu miejskiego stale przepływa i niebezpieczna ilość ołowiu po prostu nie zdąży się w niej zgromadzić. Aby uniknąć marnowania wody, możesz pozostawić spuszczaną wodę do mycia naczyń lub innego zastosowania w gospodarstwie domowym. Kiedy woda jest już zupełnie zimna, możesz nią napełnić czajnik, dzbanek i kilka butelek i przed spożyciem przechowywać w lodówce. Nigdy nie używaj do picia ani gotowania ciepłej wody z kranu, ponieważ przedostaje się do niej więcej ołowiu z rur.

Urządzenia do oczyszczania wody. Pomimo hałasu, jaki robią producenci tych urządzeń, są one rzadko nieodzowne. Nigdy nie wydawaj pieniędzy na jedno z nich, zanim nie poznasz dokładnie składu wody. Kiedy filtr jest rzeczywiście potrzebny, jego wybór będzie zależał od rodzaju zanieczyszczeń w wodzie. Filtry węglowe usuwają wiele organicznych środków chemicznych, łącznie z pestycydami, a także przykre zapachy i smak. Kiedy woda z kranu jest słonawa (ma dużą zawartość soli), zawiera dużo azotanów lub ołowiu, żelaza i innych metali ciężkich, zaleca się wprowadzenie systemu osmozy odwróconej. Ponieważ jednak filtry te należą do bardzo kosztownych i powodują duże straty wody, zanim zainstalujesz taki system, sprawdź, czy rzeczywiście jest on konieczny.

Woda butelkowana. Chociaż wiele rodzin, zatroskanych stanem lokalnego systemu wodociągowego, zaczęło używać wody butelkowanej, nie ma absolutnej pewności, że jest ona czystsza czy bardziej bezpieczna niż woda z kranu. Niekiedy woda butelkowana nie jest niczym więcej jak tylko wodą pochodzącą z innego kranu. Niekiedy zawiera ona bardzo mało fluoru lub nie zawiera go wcale, a więc nie chroni zębów niemowląt ani małych dzieci. (Jeśli używasz wody butelkowanej, zasięgnij u producenta informacji na temat zawartości fluoru, po czym zapytaj dentystę, czy zwartość ta jest wystarczająca.) Jeśli wolisz smak konkretnego rodzaju wody butelkowanej od smaku wody z kranu albo jeżeli jakość tej ostatniej pozostawia wiele do życzenia, pij oczywiście wodę butelkowaną i dawaj ją także swojemu dziecku.

Jak uchronić dziecko przed udławieniem się

Żegnaj, niemowlęca papko, witajcie, „dorosłe" pokarmy! Dzięki przybywającym w szybkim tempie zębom większość dzieci jest przygotowana na spotkanie ze światem zupełnie nowych doznań kulinarnych. Istnieją jednak pewne pokarmy, których nie należy im podawać ze względu na niebezpieczeństwo udławienia się. Kilka czynników sprzyja temu, że to właśnie małe dzieci, a nie starsze czy dorośli, są najbardziej narażone na udławienie się. Nawet kiedy mają już wszystkie zęby (zwykle w połowie trzeciego roku życia), umiejętności gryzienia i połykania jest u nich jeszcze nie w pełni rozwinięta; poza tym istnieje prawdopodobieństwo, że udławią się jedzeniem, chcąc szybko powrócić do przerwanej zabawy; mają także tendencje do jedzenia w pośpiechu (i w biegu).

Żeby ograniczyć ryzyko udławienia się dziecka, nie pozwalaj mu na jedzenie następujących pokarmów (dopuszczając podane wyjątki):

Orzechy (szczególnie orzeszki ziemne, których najlepiej unikać do siódmego roku życia), chyba że zostaną zmielone.
Twarde, okrągłe cukierki*.
Kawałki mięsa.
Winogrona (chyba że zdejmie się z nich skórkę, wyjmie pestki i rozdrobni).
Surowe wiśnie (chyba że obierze się z nich skórkę, wyjmie pestki i rozdrobni).
Surowy seler.
Surowe marchewki w całości (dzieci, które mają wszystkie zęby mogą otrzymywać cienkie paski lub „paluszki").
Masło orzechowe jedzone łyżeczką (można je lekko rozsmarowywać na chlebie lub owocach, ale nigdy nie powinno być jedzone łyżką, nawet przez dorosłych).
Prażona kukurydza.
Rodzynki (rodzynki przechowywane w hermetycznym pojemniku powinny być dostatecznie miękkie dla malca posiadającego wszystkie zęby; młodszemu dziecku rozgnieć je lub poprzekrawaj na połówki przed podaniem.
Fasola i groch.

Ponieważ każde pożywienie może spowodować udławienie się, dziecko powinno jeść tylko w obecności dorosłego.

Bez względu na to, co jada twoja pociecha, możesz jeszcze bardziej ograniczyć ryzyko udławienia się, stosując się do poniższych uwag:

* Obstawaj przy tym, żeby dziecko jadło, siedząc. Jedzenie w biegu, w czasie chodzenia, zabawy, leżenia lub w pozycji półleżącej grozi udławieniem się.

* Nie pozwalaj dziecku jeść w samochodzie niczego, czym może się zadławić, szczególnie wtedy, gdy oprócz kierowcy nie będzie z nim nikogo, kto mógłby pomóc, gdyby zaistniała taka konieczność.

* Bądź szczególnie ostrożna, gdy w czasie ząbkowania podasz dziecku preparat powodujący znieczulenie dziąseł. Dopóki nie minie znieczulające działanie leku, dziecko nie będzie w stanie normalnie gryźć; należy mu więc podawać jedynie miękkie pokarmy.

* Przypominaj maluchowi, żeby nie mówił i nie śmiał się z buzią pełną jedzenia.

Łatwiej będzie przestrzegać tych reguł, jeśli będą się do nich stosowali wszyscy członkowie rodziny.

---

* Twarde cukierki w ogóle nie są odpowiednie dla dzieci.

19

Pożegnanie z pieluszką

Twoje dziecko nauczyło się już przewracać na brzuszek, podnosić się, raczkować, wstawać i chodzić. Pokonało drogę od odżywek do kanapek z szynką, od gimnastyki w łóżeczku do zabaw w ogródku jordanowskim, a także (prawdopodobnie) od kołyski do łóżka. Opanowało tak wiele umiejętności, dorosło i dojrzało tak bardzo, zaszło w swoim rozwoju tak daleko w tak krótkim czasie. Jednakże, podobnie jak większość jego rówieśników, wciąż jeszcze nosi pieluszki.

Korzystanie z toalety nie jest bynajmniej ostatnią granicą, jaką musi pokonać małe dziecko. Zmieniając jednak kolejną, nie potrafiłabyś nawet policzyć, którą pieluszkę, nie umiesz sobie wyobrazić, by twój tuptuś miał kiedykolwiek przekroczyć ten próg i wkroczyć w następny etap. Nie trać nadziei. Podobnie jak pozostałe umiejętności rozwojowe, tak i korzystanie z toalety zostanie w końcu opanowane. Niniejszy rozdział poprowadzi cię przez labirynt, jakim jest nauka korzystania z toalety, i pokaże, jak możesz pomóc swojemu dziecku w opanowaniu tej umiejętności.

DO STARTU...

Twoja matka wspomina, że przed ukończeniem pierwszego roku życia nie nosiłaś już pieluszek; synek koleżanki siadał na nocniczek już w dwudziestym drugim miesiącu; dziewczynka z naprzeciwka zaczęła to robić około czwartego roku. Nie chcesz zmuszać swojego malca do siadania na nocniku zbyt wcześnie, ale i nie za późno. Kiedy więc najlepiej rozpocząć naukę samodzielnego załatwiania się? Podobnie jak w przypadku wielu innych aspektów rozwojowych, odpowiedzi na to pytanie powinnaś szukać tylko u własnego dziecka. Tylko ono może powiedzieć ci (nie słowami, ale poprzez różnorodne zachowania), że osiągnęło już tę magiczną kombinację umiejętności i woli, która jest równoznaczna z gotowością do wyjścia z pieluszek. I chociaż możliwe jest przedwczesne zmuszenie dziecka do korzystania z toalety, nie jest to postępowanie rozsądne, gdyż może wywołać opór i niepotrzebne długie zmagania (nie wspominając już o „wypadkach", po których trzeba posprzątać). Jeżeli pozwolisz maluchowi przejąć inicjatywę, oczekując na oznaki gotowości i chęci z jego strony, to nie tylko odniesiesz szybciej sukces, ale również możesz wykorzystać to jako doświadczenie dowartościowujące dziecko i dające mu powód do dumy.

Podobnie jak raczkowanie, chodzenie i mówienie, nauka kontrolowanego załatwiania potrzeb fizjologicznych jest zadaniem natury rozwojowej i dlatego każde dziecko powinno mieć możliwość opanowania tej sprawności zgodnie ze swoim kalendarzem rozwojowym. Wiek, w którym opanowane zostaną te czynności, nie ma żadnego związku z inteligencją dziecka czy też z powodzeniem w innych dziedzinach jego rozwoju. Dziecko, które wcześnie zaczęło mówić lub chodzić, wcale nie musi wcześnie zacząć siadać na nocnik, a dziecko, które wcześnie opanowało tę ostatnią umiejętność, niekoniecznie zaczyna wcześnie czytać. Niektóre maluszki są gotowe do tego rodzaju treningu już przed ukończeniem drugiego roku życia, inne dopiero gdy ukończą trzy lata — dla większości jednak granica ta wypada gdzieś pośrodku. Jeżeli chcesz wiedzieć, czy nadszedł już właściwy czas, to zanim zaczniesz rozglądać się za nocniczkiem, spróbuj zaobserwować u dziecka niektóre z wymienionych niżej oznak gotowości do kontrolowania potrzeb fizjologicznych:

* Gotowość fizjologiczna. Przed ukończeniem dwudziestu miesięcy pęcherz dziecka opróżnia się tak często, że panowanie nad nim jest zbyt

trudne. Dziecko, które w ciągu dnia ma sucho przez godzinę lub dwie i czasami budzi się z drzemki z suchą pieluszką, jest fizycznie przygotowane do nauki korzystania z toalety.

* Regularność. Wypróżnienia mają miejsce w dość łatwych do przewidzenia porach dnia (być może zaraz po przebudzeniu lub krótko po śniadaniu albo też po każdym posiłku), choć u niektórych dzieci nie można tego przewidzieć aż tak dokładnie.
* Zwiększona świadomość funkcji organizmu. Twoje dziecko informuje cię w jakiś sposób — stękając, przybierając określony wyraz twarzy, przykucając w kąciku lub nawet głośno zapowiadając nadchodzące zdarzenie — o tym, że odczuwa zbliżające się wypróżnienie. Malec, który nie jest jeszcze gotowy do nauki siadania na nocniku może zupełnie zignorować cieknący mu po nogach mocz, podczas gdy dziecko przygotowane zwróci na to uwagę, być może skomentuje, pokaże lub będzie wręcz niezadowolone z tego potopu.
* Zainteresowanie czystością oraz tym, by mieć sucho. Nagłe zatroskanie z powodu brudnych rączek lub buzi i większa dbałość o porządek w zabawkach (niestety etap ten w rozwoju większości dzieci nie jest trwały) bardzo często idzie w parze z uczuciem zdegustowania mokrymi pieluchami i potrzebą ich szybkiej zmiany (co, miejmy nadzieję, się utrzyma). Ze względu na rozwój zmysłu węchu dzieci zaczynają zwracać coraz większą uwagę na zapachy mniej więcej w okresie, gdy są gotowe rozpocząć naukę korzystania z toalety — lepiej uświadamiają sobie przez to „zapachy" związane z brudnymi pieluszkami.
* Zrozumienie podstawowych pojęć: dostrzeganie różnicy pomiędzy mokrym a suchym, czystym a brudnym, pomiędzy górą a dołem.
* Znajomość „łazienkowej" terminologii używanej w twoim domu, niezależnie od tego, czy będzie to siusiu i kupka, czy też oddawanie moczu i kału, jak również znajomość nazw części ciała związanych z korzystaniem z nocnika — prącie, pochwa, pupka czy ptaszek.
* Umiejętność komunikowania swoich potrzeb oraz zrozumienie i wykonywanie prostych poleceń.
* Chęć noszenia majtek zamiast pieluszek.
* Umiejętność wkładania prostszych części garderoby, zdjęcia dżinsów lub spodenek, podniesienia spódniczki, zsunięcia i podciągnięcia majtek.
* Ciekawość łazienkowych czynności u innych — chodzenie za innymi osobami (kolegami, rodzeństwem, rodzicami lub innymi dorosłymi) do łazienki, przyglądanie się im i/lub próby naśladowania.

GOTOWI...

Sprawdziłaś już wielokrotnie objawy gotowości swojego dziecka — wydaje się, że wszystko gotowe. Jednak zanim zrezygnujesz z pieluch i po raz pierwszy sięgniesz po nocnik, przyjrzyj się, co się dzieje w twojej rodzinie i w życiu twojego dziecka. Zazwyczaj lepiej jest odłożyć na później naukę korzystania z nocnika w przypadku, gdy w domu pojawi się nowe dziecko, rozpoczyna się nowy etap w rozwoju dziecka, zbliża się przeprowadzka, ktoś jest chory lub w rodzinie dzieje się coś poważnego. Jeżeli nie występują żadne większe przeszkody, przygotuj się, podejmując następujące działania:

Podkreślaj pozytywne strony korzystania z nocniczka. Przygotuj dziecko do nauki, podejmując ten temat w rozmowach: „Czy nie będzie fajnie nosić majtki zamiast pieluszek?", „Już niedługo też będziesz mógł siadać na sedesie — zupełnie tak jak mama i tata!" (Nie mów jednak źle o pieluchach, bo może się zdarzyć, że twój uczeń będzie wrogo nastawiony do nauki.)

Podkreślaj też pozytywne strony dorastania. Aby pobudzić u malca chęć wykonania tego znaczącego kroku, chwal wszystkie przejawy „dorosłego" zachowania — mycie rączek, picie z kubeczka bez rozlewania (nadmiernego), odkładanie zabawek na miejsce, dzielenie się rzeczami z kolegami lub rodzeństwem — a nie zwracaj uwagi na zachowania „dziecinne". Nie wymagaj i nie oczekuj zbyt wiele dorosłości, szczególnie w sytuacjach, gdy z powodu narodzin brata lub siostry względnie w związku z pójściem do przedszkola twoje dziecko zaczyna tęsknić za szczęśliwym okresem niemowlęctwa.

Czytaj dziecku o korzystaniu z nocnika. Postaraj się o odpowiednie dla małych dzieci książeczki z obrazkami na ten temat i oglądajcie je wspólnie na przykład na dobranoc — tekst powinien być jednak lekki i zabawny, a nie przesadnie pouczający. Twoja pociecha będzie lepiej przygotowana do rozpoczęcia nauki, kiedy usłyszy, jak robią to inne dzieci.

Pokaż, jak to się robi. Oczywiście, jeśli tego nie zrobiłaś i jesteś co do tego przekonana. Czynność wydalania przychodzi w sposób naturalny, nie odnosi się to jednak do korzystania z toalety. Kilkuminutowa lekcja poglądowa, w czasie której dziecko zobaczy, w jaki sposób osoba tej samej płci korzysta z toalety, jest lepsza niż tysiąc objaśnień.

Niech i uczeń będzie nauczycielem. Kup lub pożycz od kogoś lalkę, która potrafi pić i siusiać. Zachęcone przez ciebie dziecko może pomóc lalce „nauczyć się" siusiać na nocnik i przejść od pieluch do majteczek.

Wybierz nocnik... Nie jakikolwiek nocnik — zainwestuj w mocny, trwały nocnik ze stabilną podstawą, który nie przewróci się, gdy dziecko będzie z niego wstawać, aby sprawdzić, co zrobiło (przeczytaj następny akapit, jeśli malec wykazuje zainteresowanie „dużą" toaletą). Jeśli wydaje ci się, że wzmocnisz w ten sposób zaangażowanie dziecka, weź je ze sobą na zakupy, gdy będziesz kupować nocnik, albo zapakuj go w postaci „prezentu". Wodoodpornym pisakiem wypisz na nocniku imię dziecka, a następnie zachęć je, by własnoręcznie ozdobiło go samoprzylepnymi naklejkami w miejscach, które rzadko ulegają zamoczeniu. Wyjaśnij, do czego służy nocnik: „Gdy będziesz chciał, możesz użyć nocniczka zamiast pieluszki, żeby robić do niego siusiu i kupkę (względnie oddawać mocz lub kał, zależnie od używanego przez ciebie nazewnictwa)".

...albo nakładkę na sedes. Jeśli dziecko, na wzór pozostałych członków rodziny, wykazuje chęć używania „dorosłej" toalety, postaraj się o specjalną nakładkę, którą można nałożyć na zwykły sedes. Bardzo ważne jest, aby nakładka dobrze pasowała do sedesu (chwiejne siedzenie może odstraszyć dziecko), a stabilny podnóżek zapewni dziecku możliwość podparcia stóp przy wypróżnieniu. Będzie ci również potrzebny mocny i stabilny stołeczek umożliwiający dziecku samodzielne wchodzenie i schodzenie z sedesu.

Zrezygnuj z osłony dla chłopców. Osłona w postaci plastykowej tarczy mającej zapobiec przypadkowemu oddawaniu moczu poza sedes, może urazić lub skaleczyć dziecko w czasie siadania lub wstawania. Aby uniknąć urazów, nie stosuj osłonki. Zastąp ją kilkoma lekcjami na temat kontrolowania strumienia moczu; naucz synka naciskać prącie tak, aby mocz spływał w dół, a nie na zewnątrz (lekcje polegające na celowaniu w papier toaletowy znajdujący się w muszli klozetowej pomagają opanować tę trudną umiejętność).

Zrób kilka prób „na sucho". Zanim zaczniesz używać nocnika, pomóż maluchowi zapoznać się z nim (jest to szczególnie ważne w przypadku dzieci, dla których wszelkie zmiany są trudne). Pozwól, by mógł przenosić nocnik z pokoju do pokoju lub siedzieć na nim w czasie, gdy ogląda książeczki (najlepiej na tematy związane z nocniczkiem), lub nawet, gdy ogląda telewizję. Pozostawienie nocnika do dyspozycji dziecka jest lepsze niż wprowadzanie od początku zasad jego użycia — zachęci to dziecko do samodzielnego korzystania z niego poprzez pobudzenie poczucia własności („To mój nocniczek"). Gdy brzdąc oswoi się już z nocnikiem, powinien poczuć się pewniej w momencie wykorzystywania go zgodnie z przeznaczeniem.

Zmień miejsce przewijania. Zacznij od tego, że pomożesz dziecku skojarzyć ze sobą to, co robi w pieluszki, z tym, co się robi do nocnika. Możesz to uzyskać, przewijając je w łazience (jeżeli pozwala na to miejsce i dziecko nie protestuje). Spłukiwanie stolca z pieluszek w ubikacji może jeszcze bardziej ułatwić to skojarzenie. (Jeśli dziecko boi się dźwięku spłukiwanej wody, po prostu wrzuć zawartość pieluchy do muszli i spłucz później; jeżeli nadmiernie przeżywa również samo wrzucanie stolca do muszli, odłóż na później i tę czynność.)

Zdecyduj się na jednolite słownictwo „nocnikowe". Niezależnie od tego, czy używasz terminologii fachowej, czy potocznej (mocz lub siusiu), nauka pójdzie dziecku łatwiej, gdy te same słowa będą używane przez wszystkich członków rodziny, a ono samo będzie je znało, zanim rozpocznie naukę korzystania z nocnika. Niektórzy specjaliści zalecają stosowanie bardziej formalnego nazewnictwa (parcie, oddawanie stolca, oddawanie moczu) w miejsce sformułowań potocznych lub eufemistycznych. Pozwoli to dzieciom uniknąć powtórnego uczenia się tego rodzaju określeń w okresie późniejszym oraz poczucia zawstydzenia faktem, że posługują się określeniami „dziecinnymi". Jednakże na jakiekolwiek nazwy się zdecydujesz, staraj się stosować je konsekwentnie. Nigdy nie wyrażaj się o kupce słowami typu: „śmierdząca", „cuchnąca", „brzydka" lub innymi negatywnymi określeniami. Traktuj wydalanie jako proces naturalny, pozbawiony negatywnych skojarzeń, a twoje dziecko podejdzie do tego w taki sam sposób.

Zachęcaj do „wsłuchiwania się" w sygnały organizmu. Pomóż dziecku nauczyć się rozpoznawać sygnały, które wysyła jego ciało. Wyjaśnij mu, że to ważne, by słuchać, gdy organizm

Nie spiesz się tak z nocnikiem

Zanim twoje dziecko nauczyło się chodzić, całymi tygodniami potykało się i przewracało — bardzo możliwe, że minie równie dużo czasu (i co najmniej tyle samo potknięć i niepowodzeń), nim nauczy się korzystać z nocniczka. Ta nowa umiejętność będzie wymagała zaangażowania świadomości, koncentracji, koordynacji, panowania nad mięśniami i, oczywiście, dokładnego zgrania w czasie.

Większość dzieci przestaje brudzić pieluszki mniej więcej w tym samym czasie, w którym przestaje się moczyć. Wśród pozostałych większość najpierw uczy się kontrolować wypróżnienia. Jak można się tego spodziewać, chłopcy (którzy muszą osobno opanować kontrolę parcia na stolec i układu moczowego) zazwyczaj nieco później od dziewczynek uczą się kontrolować oddawanie moczu.

Niektóre dzieci (najczęściej starsze) opanowują umiejętność kontrolowania potrzeb fizjologicznych z dnia na dzień i nieprzewidziane wypadki zdarzają im się sporadycznie. Inne, szczególnie te, które charakteryzuje wrodzona niechęć do zmian lub dla których wszelkie zmiany są trudne (patrz strona 185), mogą potrzebować wolniejszego i stopniowego procesu nauki. Rodzice tych dzieci, jeżeli chcą osiągnąć sukces, muszą się wykazać szczególną cierpliwością.

mówi: „Jestem głodny", „Chce mi się pić", „Jestem senny" lub: „Chce mi się kupkę". Złapanie dziecka „na gorącym uczynku" w czasie wypróżnienia w pieluszkę stanowi inny sposób na zwrócenie jego uwagi na te sygnały: „Widzisz, gdy musisz tak się natężać, to znaczy, że robisz kupkę. Niedługo nauczysz się, jak zrobić kupkę na nocniczek". Następnie w normalny rutynowy sposób zmień pieluchę.

...HOP!

Twoje dziecko jest gotowe, ty jesteś gotowa, gotowy jest też nocnik, w końcu nadchodzi czas, by rozpocząć naukę kontrolowanego załatwiania potrzeb fizjologicznych. U różnych dzieci lepiej sprawdzają się różne podejścia, jednakże podane poniżej rady i przeciwwskazania odnoszą się do większości.

JAK UCZYĆ DZIECKO KORZYSTANIA Z TOALETY

* Zamień pieluszki na spodenki treningowe — dobrze sprawdza się tu kombinacja tradycyjnych majtek bawełnianych z jednorazowymi (patrz ramka na stronie 468). Nigdy jednak nie zmuszaj dziecka do noszenia majtek — jedynie mu to zasugeruj. Mając świadomość, że w każdej chwili może zdecydować się na pieluszkę, dziecko odczuje większy wpływ na proces przyzwyczajania się do nocnika (jak również poczuje się mniej zagrożone tą zmianą).
* Pozwól, by malec od czasu do czasu chodził bez majtek, jeśli temperatura jest odpowiednia, a w domu jest jakaś zmywalna powierzchnia (albo masz własne podwórze). Jest to idealny sposób na to, by pomóc w poznaniu sygnałów własnego ciała (bez ochrony, jaką stanowi pielucha, „produktów" wypróżnienia trudno nie zauważyć). Trzymaj nocnik w pobliżu (nawet na dworze, jeśli to możliwe), aby następnym razem dziecko mogło w odpowiedzi na te sygnały podjąć odpowiednie działanie. Jeśli nie chcesz, by zostały pomoczone buciki, możesz pozwolić dziecku chodzić boso (jedynie w domu), ewentualnie włóż mu buciki, które dadzą się łatwo umyć.
* Jeśli dziecko chodzi ubrane, zapewnij mu możliwość łatwego rozebrania się. Dopóki nie opanuje ono umiejętności „wstrzymywania", nie będzie chwili do stracenia. Aby nie tracić cennych sekund na odpinanie opornych zatrzasek i nieporęcznych sprzączek, ubieraj dziecko w łatwe do zdejmowania spodenki z elastycznym paskiem, które można ściągnąć w ułamku sekundy, unikając w ten sposób dodatkowych czynności związanych ze zmaganiem się z zamkami błyskawicznymi, kombinezonami, guzikami i szelkami. Dziecku dużo łatwiej będzie się zdejmowało majtki niż pieluszki (pamiętaj jednak o tym, by nie były one zbyt ciasne).
* Uważnie obserwuj dziecko. Początkowo to ty możesz lepiej niż ono samo dostrzegać sygnały wysyłane przez jego ciało. Zwracaj więc uwagę na znaki ostrzegawcze mówiące: „Odczuwam potrzebę!", i jak tylko coś dostrzeżesz, pytaj malca: „Czy nie trzeba cię wysadzić?" Jeśli wykaże ochotę, zaprowadź go do łazienki lub, jeżeli używasz nocnika, przynieś go. Zrób wszystko do końca, nawet jeśli jest już za późno — samo wzmocnienie powiązania mię-

dzy funkcją organizmu a nocnikiem jest bardzo ważne. Oczywiście, jeśli stwierdzisz, że twoje pytania zawsze spotykają się z automatycznym: „Nie", sformułuj swoje zaproszenie w inny sposób. Możesz na przykład powiedzieć: „Twój nocniczek na ciebie czeka. Pośpieszmy się". I tak jak poprzednio udajcie się do łazienki.

* Pilnuj czasu. Większość dzieci — podobnie jak i dorosłych — wypróżnia się regularnie: po przebudzeniu (po nocy lub dziennej drzemce) oddają mocz, względnie odczuwają parcie na stolec po śniadaniu. Postaraj się zaobserwować rytm u swojej pociechy i spróbuj go wykorzystać. Zachęcaj, lecz nigdy nie zmuszaj dziecka do siadania na nocniku w takich porach dnia, w których szanse na powodzenie są duże.

* Pozwól dziecku siadać i wstawać z nocnika według własnego uznania. Jeśli poczuje, że jest więźniem nocnika, opór i bunt są nieuniknione. Niektóre maluchy wytrzymują dłużej na nocniku, jeśli im się czyta (książeczki związane tematycznie z wykonywaną właśnie czynnością mogą być szczególnie pomocne), inne rozpraszają się wtedy do tego stopnia, że zapominają, co miały zrobić. Pamiętaj także o tym, że „wypróżnienia na rozkaz" są dla małych dzieci trudne i fakt, że siedzą one na nocniku, nie oznacza wcale, że będą w stanie coś zrobić. Zanim nauczą się rozluźniać zwieracze odbytu i cewki, z równie dużym prawdopodobieństwem mogą załatwić się (na podłogę oczywiście) po wstaniu z nocnika, jak siedząc na nim.

* Zachęcaj dziecko, by załatwiało się na zmianę z siusiającą lalką. W tym wieku korzystanie z toalety jest lepszą zabawą, gdy ma się towarzystwo.

* Spróbuj pobudzić oddawanie moczu, puszczając cienki strumień wody z kranu. Odkręć kran w łazience lub w kuchni, gdy dziecko siedzi na nocniku — to stara sztuczka, ale sprawdza się w praktyce.

* Doceń, gdy dziecko poinformuje cię, że się załatwiło, nawet jeżeli jest już po fakcie — to krok w dobrym kierunku. Nawet spóźnione rozpoznawanie sygnałów organizmu powinno być traktowane jako sukces godny odnotowania. Maluchy potrzebują dużo czasu na to, by nauczyć się rozpoznawać objawy parcia na mocz lub stolec na tyle wcześnie, by można było jeszcze wysadzić je na nocnik. Błędem jest doszukiwanie się w takich wypadkach złośliwości lub przekory — to po prostu brak doświadczenia.

* Zamień się w entuzjastyczną publiczność. Sukces na nocniku powinien być oklaskiwany i powszechnie podziwiany. W swoich pochwałach nie posuwaj się jednak tak daleko, by twoje dziecko mogło zakwestionować ich szczerość. Przesadne brawa wieńczące sukces mogą również wywoływać poczucie klęski, kiedy dziecku przydarzy się wypadek.

* Pobudzaj motywację. Nauka zawsze idzie lepiej, gdy uczeń ma motywację. Sposób, w jaki będziesz zachęcać dziecko, zależy od niego, jak również od twoich poglądów na wychowanie dzieci. Dla niektórych maluchów wystarczającą motywacją będzie usłyszeć, że korzystanie z nocniczka jest „dorosłe" i sprawia, że dziecko jest „zupełnie takie" jak rodzice, rodzeństwo czy starsi koledzy. Dla innych, lubiących sprawiać radość rodzicom, zachętą będzie po prostu ich pochwała; jeszcze inne dzieci, które pragną wszystkim rządzić, będą zachęcone, gdy odkryją, że korzystanie z nocnika daje im kontrolę nad funkcjonowaniem własnego ciała. W jeszcze innych przypadkach najlepiej działa namacalny bodziec. Większość specjalistów zgadza się co do tego, że nagrody mogą być przydatne przy jednorazowych osiągnięciach natury rozwojowej, takich jak nauka korzystania z toalety (w ostatecznym rozrachunku dziecko będzie i tak korzystało z toalety, nawet jeżeli działanie bodźca ustanie). Nagrody powinny być jednak drobne — naklejki (dziecko może przyklejać jedną naklejkę za każde powodzenie na nocniku), drobne monety do skarbonki, telefon do babci i dziadka, żeby się pochwalić, para majtek z wesołym wzorkiem lub z ulubionymi postaciami z bajki. Powinny być one wyeliminowane, gdy tylko załatwianie się na nocniku stanie się dla dziecka rzeczą naturalną. (Więcej informacji na temat zalet i wad nagradzania znajdziesz na str. 361).

* Niech malec sam sprawdza, czy ma sucho. Jeśli nauczysz go, w jaki sposób sprawdzać, czy majtki lub pieluszka są suche, zapewnisz mu dodatkową kontrolę nad całym procesem. Pochwal za suche majtki, lecz nie gań, gdy są mokre.

* Zlikwiduj przepaść między nocnikiem a ubikacją. Postaraj się uświadomić dziecku związek między nocnikiem a sedesem, do którego ono w końcu dorośnie. Możesz to uzyskać, korzystając z pomocy dziecka przy opróżnianiu nocnika do muszli klozetowej. Zawar-

Majtki

Przejście od pieluch do majtek na wczesnym etapie nauki korzystania z nocnika stawia dziecko w nowej, „dorosłej" sytuacji. Majtki, które dziecko może z łatwością zdejmować, zazwyczaj bez pomocy osoby dorosłej, zapewniają mu wiekszą kontrolę nad sytuacją i zwiększają szansę, że zdąży ono na nocnik. Ponadto bardziej dorosła odzież często imponuje dziecku. Majtki z bawełny mają jeszcze jedną zaletę: dziecko odczuwa dyskomfort, gdy są one mokre lub pobrudzone, dzięki czemu lepiej uświadamia sobie funkcje wydalania niż maluch używający nadal pieluszek jednorazowych.

Zazwyczaj lepiej jest zacząć od majtek jednorazowych, by w końcu stopniowo całkowicie zastąpić je tradycyjnymi majtkami bawełnianymi.

Majtki jednorazowe. Jest to połączenie pieluchy z normalnymi majtkami, stanowiące idealną bieliznę dla dzieci, które rozpoczynają naukę korzystania z toalety. Majtki jednorazowe wyglądają tak samo i nosi się je tak samo jak zwykłe majtki z tą różnicą, że pochłaniają one wilgoć tak jak pielucha. Na wczesnym etapie nauki ułatwiają one życie zarówno dzieciom, jak i rodzicom. Wyrzuca się je, a nie pierze (co jest szczególnie mile widziane, gdy skutki „wypadku" są wyjątkowo nieprzyjemne), a dzięki temu, że przy ich zdejmowaniu nie trzeba ściągać spodni i butów (wystarczy oderwać boczne skrzydełka majtek), unika się zabrudzenia odzieży. W odróżnieniu od zwykłych majtek nie pozwalają one natomiast, by dziecko odczuwało wilgoć i jeżeli będą używane przez cały czas, mogą hamować postępy w nauce*. Dlatego też, kiedy malec zacznie w pewnym stopniu kontrolować swoje potrzeby fizjologiczne, najlepiej jest korzystać z majtek jednorazowych tylko w sytuacjach, gdy ewentualny „wypadek" mógłby przysporzyć dużo kłopotu (w samochodzie, w sklepie, w czasie odwiedzin u znajomych czy też wszelkich innych miejscach, gdzie są dywany lub inne trudne do oczyszczenia podłogi), eliminując je, w miarę jak dziecko coraz lepiej potrafi się kontrolować.

Tradycyjne majtki bawełniane. Najlepsze są majtki z grubej, chłonnej baweły. Można zacząć używać ich w domu w ciągu dnia zamiast pieluch, gdy tylko dziecko kilka razy z powodzeniem skorzysta z nocnika (nie wcześniej jednak, gdyż w przeciwnym razie dziecko może zostać zniechęcone zbyt częstymi wypadkami). Gdy nieprzewidziane wypadki staną się sporadyczne, dziecko może nosić takie majtki przez cały czas.

* Oto jeszcze kilka wad majtek jednorazowych: Podobnie jak zwykłe pieluchy jednorazowe, tak i majtki tego rodzaju przyczyniają się do większego zanieczyszczenia naszej planety odpadami stałymi, nie stanowią więc najlepszego rozwiązania z ekologicznego punktu widzenia. Ponadto wiele żłobków oraz przedszkoli wymaga, by w miejsce majtek używać raczej zwykłych pieluch, ponieważ zakładanie majtek wymaga zdjęcia pozostałej odzieży (na przykład spodni i butów), podczas gdy pieluchę można zmienić, po prostu opuszczając dziecku spodnie.

tość wyleci z niego łatwiej, jeśli wlejesz do niego trochę wody. Jeżeli maluch lubi spłukiwać muszlę, pozwól mu wykonywać tę zaszczytną czynność. W przeciwnym razie ty to zrób, kiedy twoja pociecha wyjdzie z łazienki.

* Bądź cierpliwa. Pamiętaj, że nauka kontrolowania potrzeb fizjologicznych jest dla dziecka ogromnym zadaniem i to nie jedynym — naturalną rzeczą jest więc, że nawet po opanowaniu tej umiejętności dziecko od czasu do czasu „zapomni się".
* Naucz dziecko zasad higieny (patrz str. 473).
* Przedstaw swoją strategię stosowaną przy nauce korzystania z toalety również wszystkim innym dorosłym osobom, które zajmują się twoim dzieckiem, i poproś je, aby trzymały się tych samych zasad. Konsekwencja jest tu szczególnie ważna.
* Bądź wrażliwa na uczucia i potrzeby dziecka. Stawką jest tu wiara we własne siły i poczucie własnej wartości u dziecka — a nie tylko czyste i suche majtki.

CZEGO NIE NALEŻY ROBIĆ, UCZĄC DZIECKO KORZYSTANIA Z TOALETY

* Nie spodziewaj się od razu zbyt wiele. Większość dzieci potrzebuje wiele tygodni, by opanować umiejętność korzystania z nocnika — na początku możesz być przygotowana na to, że kroków do tyłu będzie tyle samo co do przodu. Zbyt wysokie oczekiwania mogą osłabić u dziecka entuzjazm i poczucie własnej wartości.
* Nie krzycz, nie karaj i nie zawstydzaj. Twój malec długo i bezskutecznie siedzi na nocniku, po czym wstaje i natychmiast moczy dywan. Albo gdy ty jesteś zajęta gotowaniem obiadu,

chce siadać na nocnik co pięć minut bez jakiegokolwiek rezultatu. Albo nie daje się wysadzić przed wyjściem z domu, a następnie po przejechaniu zaledwie pół kilometra moczy siedzenie w samochodzie. W takich przypadkach twoja frustracja będzie silna, a odruch wyładowania jej na dziecku jeszcze silniejszy — jednakże zachowanie spokoju w obliczu tego rodzaju niepowodzeń jest podstawą ostatecznego sukcesu. Pamiętaj, że dla dziecka, które dopiero uczy się wszystkiego, sporadyczna lub nawet częsta błędna interpretacja sygnałów wysyłanych przez organizm jest rzeczą normalną; zbyt silna reakcja może w takich przypadkach zniechęcić dziecko do dalszych prób.

* Nie odmawiaj napojów. Chociaż mogłoby się wydać logiczne, że mniejsza ilość płynów ułatwi dziecku uniknięcie nieprzewidzianych wypadków, postępowanie takie jest niesprawiedliwe, niemądre i niezdrowe — a w ostatecznym rozrachunku nieskuteczne. W rzeczywistości zwiększenie ilości podawanych płynów oznacza, że dziecko będzie miało więcej okazji do skorzystania z nocnika, a co za tym idzie więcej okazji do odniesienia sukcesu.

* Nie wykorzystuj nienaturalnych środków w celu osiągnięcia pożądanych rezultatów. Niektórzy rodzice podają dzieciom środki przeczyszczające, czopki lub stosują lewatywy, chcąc w ten sposób wywołać regularne wypróżnienia. Praktyka ta jest nie tylko nierozsądna (środki tego rodzaju powinny być stosowane wyłącznie na zalecenie lekarza), ale również na ogół bezskuteczna. Mimo że w ten sposób można na krótką metę uzyskać pożądane rezultaty, dziecko nie nauczy się kontrolować parcia, co jest na dłuższą metę bardziej istotne.

* Nie powtarzaj się jak „zdarta płyta". Gderanie prawie zawsze obróci się przeciwko tobie, gdyż dzieci nie lubią, gdy nawet raz mówi im się, co mają robić, nie wspominając już o ciągłym napominaniu. Sporadyczne, swobodne uwagi przypominające o obecności nocnika w pokoju („Gdybyś potrzebował nocniczka, on zawsze tu na ciebie czeka"), względnie zaproszenia („Idę teraz do łazienki, jeśli chcesz, możesz pójść ze mną") mogą być pomocne w utrzymaniu dziecka na dobrej drodze, jednakże nieustanne upominanie prawie na pewno zniweczy twoje wysiłki.

* Nie nalegaj. Nigdy nie zmuszaj dziecka do siadania na nocniku, jeżeli już odmówiło; nie zmuszaj go, by siedziało nadal, gdy ma właśnie zamiar wstać (nawet jeśli wiesz, że „wypadek" jest nieunikniony). Oprócz tego, że takie postępowanie może zahamować postępy w nauce, zmuszanie dziecka może spowodować przesilenie, zaparcie, a nawet uszkodzenie odbytu (patrz strona 521). Wszystko zależy od dziecka — i tylko od niego. Możesz je poprowadzić, lecz ostateczna decyzja zawsze pozostanie w jego rękach. (Czytaj: Możesz zaprowadzić malca do nocnika, ale nie możesz go zmusić, by z niego skorzystał.) Nie zmuszaj, ale gdy to wskazane, użyj podstępu. Na przykład: twoja pociecha jest pogrążona w oglądanym na wideo filmie, jedną rękę zaciska na jabłku, a drugą w kroku. Złóż mu od niechcenia propozycję: „Może potrzymam ci jabłko, a ty zdejmiesz w tym czasie majtki". Zanim dziecko zdąży zorientować się, o co chodzi, siedzi już na nocniku i załatwia swoją potrzebę.

* Nie rób z tego problemu natury moralnej. W kwestii korzystania z toalety nie ma dobra lub zła — jedynie gotowość lub jej brak. Dziecko, któremu udało się zrobić siusiu do nocnika, nie powinno być określane jako „dobre", podobnie jak o dziecku, któremu zdarzyło się zmoczyć majtki, nie należy mówić, że jest „złe". Nazwanie malca, który załatwił się do nocnika, „dużym" lub „dorosłym" może pobudzić jego ego we właściwy sposób, natomiast w przypadku dziecka, które nie jest zdecydowane, czy chce wyrosnąć z okresu dzieciństwa, może to wywołać skutek odwrotny i zniechęcić je do korzystania z nocnika. Zamiast chwalić dziecko („Jesteś kochaną dziewczynką!"), lepiej pochwalić samo osiągnięcie („Świetnie sobie poradziłaś!").

* Nie omawiaj postępów (lub ich braku) w obecności dziecka. Dzieci na ogół słyszą — i rozumieją — więcej, niż się wydaje ich rodzicom.

* Nie traktuj powolnych postępów jako osobistego niepowodzenia. Powolne opanowywanie umiejętności korzystania z toalety nie świadczy w żaden sposób ani o możliwościach twojego dziecka (dzieci, które uczą się tego później, wcale nie są mniej inteligentne), ani też twoich (rodzice takich dzieci wcale nie są mniej kompetentni). Postaraj się jednak nie hamować naturalnych postępów dziecka przez przymus albo przez całkowite ignorowanie tej kwestii.

* Nie zmieniaj łazienki w pole bitwy. Walki toczone nad nocnikiem przedłużą jedynie wasze zmagania. Jeśli spotkasz się z całkowitym oporem, pogódź się z tym, że dziecko nie jest jeszcze przygotowane; na pewien czas zupełnie zaniechaj wysiłków. Nie podejmuj tematu codziennie, nie pokazuj dzieci, które

chodzą w samych majtkach, i nie okazuj złości lub wrogości podczas zmieniania pieluch. Jeśli napotkasz sporadycznie opór, udawaj, że nie zwracasz na to uwagi i kontynuuj naukę.

* Nie trać nadziei. Może ci się wydawać, że nauka kontrolowanego załatwiania potrzeb fizjologicznych trwa wiecznie — tak jednak nie jest. Nawet najbardziej oporne dziecko stwierdzi w końcu, że siadanie na nocnik jest lepsze niż noszenie pieluch, a gdy tak się stanie, korzystanie z toalety stanie się dla twojej pociechy czynnością tak samo rutynową jak dla ciebie.

NIEPRZEWIDZIANE WYPADKI

Są nieodłącznym elementem nauki korzystania z nocnika — podobnie jak nieuniknione są upadki w czasie nauki chodzenia. Jednak niezależnie od tego, czy są one sporadyczne, czy częste, rzeczywiście przypadkowe czy też celowe, im mniej się mówi na ich temat, tym lepiej. Kazania, groźby lub innego rodzaju zamieszanie wokół tego tematu u dzieci buntowniczych pobudzi jedynie opór, a u dzieci bardziej powściągliwych podważy ich pewność siebie. Karanie na pewno nie jest w takim wypadku usprawiedliwione: tak samo jak nie ukarałabyś dziecka za upadek w czasie nauki chodzenia, tak też nie powinnaś brać pod uwagę kary, gdy nie uda mu się coś przy nauce załatwiania się do nocnika. Nie żądaj przeprosin (pamiętaj, że to wypadek) ani przyznania się (jeśli w pobliżu nie ma niesfornego pieska, i tak nie ma wątpliwości, kto to zrobił).

Na wypadki reaguj z jak największą obojętnością. Jeśli dziecko jest zdenerwowane, uspokój je: „Nic się nie stało — to tylko przypadek. Wszystko w porządku. Może następnym razem uda ci się zdążyć na nocniczek". Zmień dziecku ubranko bez negatywnych uwag i bez zwłoki (zmuszanie dziecka, by „za karę" chodziło w mokrych majtkach, jest okrutne i tylko je poniży i/lub rozgniewa, a nie zdopinguje). W celu pobudzenia u malca poczucia samodzielności, zachęć go, aby ci „pomógł" usunąć skutki nieszczęśliwego wypadku, jeżeli ma na to ochotę (mycie rąk po skończonej pracy powinno stać się nieodłącznym elementem tego rodzaju działań).

PRZYCZYNY NIEPRZEWIDZIANYCH WYPADKÓW

Nieprzewidziane wypadki zdarzają się nawet wtedy, gdy dziecko czyni spore postępy w nauce korzystania z nocnika; mogą być nawet częste. Jeżeli jednak dzieje się tak przy praktycznie każdym oddawaniu moczu lub stolca, weź pod uwagę możliwość, że jest jeszcze za wcześnie na naukę i na pewien czas wróć do pieluch (chyba że dziecko upiera się przy siadaniu na nocnik). W ostatecznym rozrachunku zbyt wczesne rozpoczęcie nauki nie przynosi żadnych skutków poza koniecznością prania zabrudzonych ubranek.

Brak gotowości do rozpoczęcia nauki jest najczęstszą przyczyną nieprzewidzianych wypadków i powolnych postępów, niemniej jednak są i inne:

* Stres. Strach przed rozstaniem z rodzicami, nowa opiekunka, przeprowadzka, narodziny rodzeństwa czy rodzinne kłopoty mogą być przyczyną nieprzewidzianych wypadków nawet u dzieci, którym już od jakiegoś czasu udawało się zachować suche majtki.

* Zmęczenie. Zmęczone dzieci często słabiej wykorzystują wszystkie swoje umiejętności. Załatwianie się nie stanowi tu wyjątku. Jest również bardziej prawdopodobne, że powrócą wtedy do swojego „dziecinnego" zachowania.

* Podniecenie. Dzieci często w podnieceniu tracą kontrolę nad pęcherzem.

* Koncentracja. Skupienie się na interesującej czynności lub na nauce czegoś nowego może zakłócić koncentrację potrzebną dziecku, by pamiętało o korzystaniu z nocnika. Nieprzewidziane wypadki zdarzają się częściej, gdy maluchy są czymś bardzo zaabsorbowane.

* Presja ze strony rodziców. U dzieci o rozwiniętym poczuciu niezależności nadmierne zainteresowanie rodziców kwestią załatwiania się często wywołuje reakcję polegającą na wyłączeniu się.

* Konflikt uczuć. Niektóre dzieci moczą się często, ponieważ korzystanie z nocnika kojarzy im się z dorosłością, a one nie są jeszcze całkiem gotowe, by zrezygnować z roli „maleństwa" w rodzinie. Innym wypadki zdarzają się, dlatego że nie chcą, by kontrolę przejęli starsi — nie robią wtedy tego, na czym najwyraźniej zależy ich rodzicom.

* Zwlekanie. Niektórym dzieciom poważne lub drobne wypadki (mogło zmoczyć się lub zabrudzić odrobinę w drodze do nocnika) przytrafiają się dlatego, że czekają one do ostatniej chwili i/lub powoli zdejmują majtki.

* Zakażenie dróg moczowych. Czasami na skutek zakażenia dróg moczowych kontrolowa-

Czy to właściwa pora roku?

Wieść niesie, że najlepszą porą roku na rozpoczęcie nauki korzystania z nocnika jest lato (niektórzy przedstawiciele starszego pokolenia twierdzą, że jest to pora jedyna). Niewątpliwie jest w tym tradycyjnym podejściu pewna doza racji. Dziecko ubrane lekko (albo jeszcze lepiej wcale nie ubrane) ma dużo większe szanse zdążyć na nocnik niż dziecko, które ma na sobie wiele warstw odzieży. Niemniej jednak kwestie związane z porą roku powinny ustąpić miejsca gotowości dziecka — wiosna, lato, zima czy jesień, najlepszą porą rozpoczęcia nauki jest chwila, gdy dziecko jest do tego przygotowane. Jeśli więc okaże się, że osiągnęło ten etap zimą, zwiększ nieco temperaturę w mieszkaniu, by mogło być lżej ubrane. Mniejsza liczba ubrań zwiększy prawdopodobieństwo odniesienia sukcesu.

nie pęcherza może być dla dziecka trudnym zadaniem. Zakażenie należy zawsze wziąć pod uwagę w przypadku dziecka, któremu nigdy nie udaje się zatrzymać moczu (choć wydaje się, że się stara), lub wtedy, gdy po okresie sukcesów następuje nagłe cofnięcie, szczególnie jeżeli występują przy tym i inne objawy (patrz str. 516).

* Problemy natury fizycznej. Chociaż problemy te są bardzo rzadkie, rozsądnie jest zwracać uwagę na objawy, które mogą na nie wskazywać: dziecko zawsze ma trochę mokro (może to oznaczać wyciekanie moczu), moczy się podczas śmiechu (oznaka tak zwanego „nietrzymania moczu spowodowanego śmiechem"), ma cienki strumień moczu, odczuwa ból przy oddawaniu moczu lub oddaje mocz z krwią. W takich przypadkach dziecko powinien zbadać lekarz.

Jeżeli usuniesz przyczyny nieszczęśliwych wypadków związanych z załatwianiem się (dodasz otuchy zdenerwowanemu dziecku, łagodnie przypomnisz, gdy jest zajęte, zapewnisz odpoczynek, gdy jest zmęczone, wyleczysz infekcję i tak dalej), to nauka kontrolowania potrzeb fizjologicznych najprawdopodobniej nabierze dawnego szybkiego tempa.

GDY STARSZE DZIECKO STAWIA OPÓR

Kiedy dwuipółletnie lub starsze dziecko wykazuje wszystkie oznaki gotowości, lecz po kilku miesiącach wysiłków ze strony rodziców nadal odmawia współpracy w nauce korzystania z toalety, niektórzy rodzice mogą stwierdzić, że czas już postawić sprawę na ostrzu noża. W rzeczywistości jednak o wiele lepiej — przynajmniej na dłuższą metę — złagodzić stanowisko i zastosować się do poniższych rad:

Odwróć sytuację. Przekaż dziecku pełną odpowiedzialność za naukę korzystania z nocnika. Wyjaśnij mu: „To twoja kupka i twoje siusiu i możesz je robić na nocnik, kiedy będziesz chciał. Jeśli będę mogła ci w czymś pomóc, możesz mnie w każdej chwili poprosić".

Przedstaw mu wybór. Pieluchy czy majtki, nocnik czy duży sedes, teraz czy później. Swoje opinie na ten temat zachowaj przy tym dla siebie.

Przestań upominać. Jeśli tylko dziecko wie, co ma robić, nie musisz mu mówić ani słowa na ten temat. Wszystko, co powiesz, obróci się przeciwko tobie i jeszcze bardziej opóźni proces nauki.

Nie mów o tym. Niech ten temat przestanie na pewien czas istnieć — nie rozmawiaj o tym z dzieckiem ani w jego obecności.

Zwiększ atrakcyjność nocnika. Mimochodem (tak jakby było ci wszystko jedno, czy dziecko przyjmie wyzwanie, czy nie) zaproponuj nagrodę za sukces na nocniku. Jeśli dziecko wybierze na przykład kalendarz z naklejkami, to może nawet zaznaczać „łazienkowe sukcesy" innych członków rodziny tak, by wyglądało na to, że wszyscy biorą udział w zabawie. Oczywiście jeżeli będzie żądało naklejek lub prezentu nawet wtedy, gdy na nie nie zasłuży, lub będzie bardzo przygnębione tym, że nagroda nie nadchodzi, będziesz musiała zrezygnować z tej metody.

Poszukaj pomocy. Często kilka słów wypowiedzianych przez osobę neutralną, która jest dla dziecka autorytetem, na przykład przez pielęgniarkę, lekarza lub panią ze żłobka, znaczy więcej niż tysiąc słów wypowiedzianych przez mamę lub tatę.

Daj mu czas. Prędzej czy później twoje dziecko zdecyduje, że już czas porzucić pieluchy. Nie naciskaj, by przyspieszyć ten moment, a w końcu nadejdzie.

CO MOŻE CIĘ NIEPOKOIĆ

REZYGNACJA Z PIELUCH

Wkrótce zaczniemy uczyć naszą córkę korzystania z nocnika. Czy od razu powinniśmy przejść na majtki, czy też trochę z tym poczekać?

Jeśli wasze dziecko samo nie poprosiło o majtki, to prawdopodobnie lepiej będzie się z tym nie spieszyć. Ponieważ na wczesnym etapie nauki nieprzewidziane wypadki są bardziej regułą niż wyjątkiem, włożenie majtek, zanim maluch poczyni jakiekolwiek postępy, może oznaczać, że wszystko zakończy się niepowodzeniem. Nieszczęśliwe wypadki w majtkach mogą być nieprzyjemne i kłopotliwe dla dziecka, w związku z czym mogą doprowadzić do zdecydowanego odrzucenia zarówno samych majtek, jak i całego procesu nauki. Zbyt wczesne zastosowanie majtek przysporzy ci również dużo dodatkowej pracy — sprzątania i prania. Tak więc do czasu aż dziecko odnotuje pewne sukcesy w nauce, stosuj pieluchy, albo — gdy podłoga w pomieszczeniu, w którym przebywa, daje się łatwo czyścić i jest odporna na plamy, a temperatura w mieszkaniu jest wystarczająca — pozwól, by chodziło bez majtek.

Jeśli jednak twoja pociecha widziała majtki u koleżanki albo u siostry (względnie u ciebie) i również chce je nosić, nie zniechęcaj jej. Prawdopodobieństwo powodzenia w nauce jest dużo większe, jeżeli dziecko ma własną motywację — jeśli dla twojej córki noszenie majtek jest czynnikiem motywującym, zdecydowanie pozwól je nosić. Ewentualnie możesz na próbę zastosować majtki jednorazowe (patrz strona 468).

Niezależnie od tego, kiedy zdecydujesz się przejść od pieluch do majtek, najlepiej wybrać do tego celu spokojny, pozbawiony stresu dzień, gdy nie będziesz musiała wychodzić z domu i będziesz mogła poświęcić dużo czasu i uwagi wyłącznie dziecku.

ODRZUCENIE PIELUCHY

Mimo że nasz syn dopiero co zaczął korzystać z nocnika, nie chce już wcale nosić pieluch — nawet wtedy, gdy wychodzimy, upiera się przy majtkach. Ciągle jednak przydarza mu się dużo nieprzewidzianych wypadków, a ja nie chcę, by moczył (albo jeszcze gorzej) wszystko, gdziekolwiek pójdziemy.

Ponieważ nauka korzystania z nocnika prawie zawsze przebiega lepiej, gdy jest to pomysł dziecka i ono samo jest za nią odpowiedzialne, zmuszanie go do noszenia pieluch, gdy stwierdziło, że czas już z nimi skończyć, mogłoby zniweczyć ostateczny sukces. Jeśli malec zdecydował się zrealizować to zadanie, ty powinnaś wytrwale mu w tym pomagać — nawet jeśli wiąże się to z koniecznością pogodzenia się z licznymi wypadkami, zarówno w domu, jak i poza nim.

Prawdopodobieństwo nieprzewidzianego wypadku możesz ograniczyć, nakłaniając brzdąca, by załatwił się przed wyjściem z domu, ograniczając w miarę możliwości dłuższe wyjścia, wożąc w bagażniku samochodu nadmuchiwany albo zwykły nocnik (jeśli dziecko jest do niego przyzwyczajone) lub nosząc składaną nakładkę na sedes w podręcznej torbie (jeśli ją woli), wkładając dziecku łatwe do zdjęcia ubrania, uważnie przyglądając mu się, by dostrzec, kiedy musi oddać mocz, oraz składając mu częste propozycje udania się do toalety. Życie we wczesnym, pełnym niespodzianek okresie nauki korzystania z toalety będzie mniej kłopotliwe i stresujące, jeżeli będziesz unikać (na tyle, na ile to możliwe) restauracji, sklepów, domów i innych miejsc, gdzie podłogi są wyłożone drogimi dywanami albo wszystkie siedzenia są tapicerowane. Jeśli uniknięcie tego rodzaju miejsc jest niemożliwe, spróbuj namówić dziecko, by chociaż przy takich okazjach pozwoliło sobie włożyć majtki jednorazowe.

Postaraj się, by wypadki, które się przytrafiają, były mniej nieprzyjemne, zakładając dziecku majtki o zwiększonej chłonności (w miarę możliwości z jednorazową suchą wkładką, jeśli malec na to przystanie) i zawsze nosząc przy sobie przynajmniej jedną kompletną zmianę ubrań (łącznie z bucikami i skarpetkami), wystarczający zapas chusteczek higienicznych i kilka ręczników papierowych, abyś mogła posprzątać po dziecku. A gdy malec zmoczy się lub zabrudzi, nawet jeśli stanie się to w niestosownym czasie i miejscu, nie krzycz, nie wyzywaj go i nie mów, że wiedziałaś, jak to się skończy („Widzisz, powinieneś nosić pieluszkę!"). Po prostu przebierz go szybko i spokojnie, licząc na więcej szczęścia następnym razem.

Oczywiście, jeśli dziecku nigdy nie udaje się zdążyć na nocnik, nie próbuje powiedzieć ci, kiedy musi iść do toalety, i wydaje się nieświadome funkcji wydalania, powiedz mu, że będzie musiało nosić jednorazowe majtki do czasu, gdy będzie gotowe korzystać z nocnika. Taki kompromis może zadowolić obie strony.

Wpajanie zasad higieny

Nauka załatwiania potrzeb fizjologicznych to więcej niż samo tylko opanowanie umiejętności korzystania z toalety. Równie ważne jest nauczenie dziecka, co ma robić potem. Od samego początku ucz dziecko zasad higieny, które powinno stosować przez całe życie:

* Naucz dziewczynkę wycierać pupę od przodu do tyłu, aby uniknąć w ten sposób przenoszenia bakterii z odbytu w rejon pochwy, gdzie mogłyby wywołać infekcję.
* Zachęcaj do delikatności — zbyt silne ruchy mogą podrażnić wrażliwą skórę, otwierając w ten sposób drogę do infekcji.
* Niech mycie rąk stanie się czynnością rutynową. Nawet jeśli to ty wycierasz dziecko, oboje powinniście umyć ręce po każdym skorzystaniu z toalety. W ten sposób w chwili, gdy dziecko samo zacznie wycierać pupę, mycie rąk będzie już nawykiem.
* Zachęcaj do szczególnej ostrożności w toaletach publicznych. Siadając na sedesie w takiej toalecie (nawet jeśli wygląda sucho i czysto, mogą się na nim znajdować bakterie), przykryj go papierową osłoną lub papierem toaletowym. Naucz dziecko, by nigdy nie siadało na obcym sedesie, nie przykrywszy go najpierw. Przekonaj też malca, by spłukując wodę w sedesie, również posłużył się kawałkiem papieru toaletowego — uniknie w ten sposób przeniesienia zarazków ze spłuczki. Jeżeli rolka papieru toaletowego leżała na brudnej podłodze, a musisz z niej skorzystać, przed użyciem rozwiń i wyrzuć tę część, która mogła się zabrudzić.

SPÓR O WYCIERANIE PUPY

Moja córka nie pozwala, bym wytarła jej pupę, gdy się załatwi do nocnika. Sama jednak niezbyt dobrze sobie z tym radzi. Co mogę zrobić?

Walka z dzieckiem, które chce wszystko robić samo, o kontrolę nad papierem toaletowym może skończyć się jedynie buntem w kwestii używania nocnika. Jeśli będzie zmuszone pogodzić się z tym, iż to ty wycierasz mu pupę, może postanowić, że w takim razie wcale nie będzie korzystać ze swojej nowo opanowanej umiejętności — innymi słowy, jeśli nie będzie mogło robić tego samo, możliwe, że będzie wolało wcale tego nie robić.

Będzie więc lepiej, jeżeli pokażesz maluchowi właściwy sposób wycierania pupy, który opisano w ramce powyżej, używając do tego dającej się umyć lalki (nałóż nieco owsianki lub galaretki na pupę lalki, by dziecko mogło zobaczyć, jak trzeba ją wycierać, dopóki papier nie będzie czysty). Następnie pozwól, aby spróbowało samo pod twoim nadzorem.

Opanowanie sztuki wycierania pupy może zająć dziecku kilka lat. Zanim do tego dojdzie, pytaj malca od czasu do czasu, czy możesz sprawdzić, jak sobie z tym poradził, albo nawet czy możesz mu pomóc ostatni raz. Jeśli pozwoli ci sprawdzić swoje osiągnięcia, nie omieszkaj go pochwalić, nawet jeżeli uznasz, że daleko mu do doskonałości. Jeśli w ogóle nie pozwoli, nie nalegaj. Zawsze możesz domyć go w kąpieli.

STRACH PRZED SPŁUKIWANIEM

Nasz syn zaczął właśnie korzystać z toalety, ale przy każdym spłukiwaniu jest przerażony. Obawiam się, że ten strach może zaszkodzić nauce.

To ważna sprawa. Niejednokrotnie strach przed spłukiwaniem opóźnił proces nauki korzystania z toalety. Można temu jednak zapobiec, jeśli uwzględni się obawy dziecka. Po pierwsze pamiętaj, że zmuszanie go, by stawiło czoło swemu strachowi przed spłukiwaniem toalety (lub jakiemukolwiek innemu lękowi), nie pomoże mu go pokonać. Zmuszanie dziecka do tego może nawet spowodować, że strach przerodzi się w fobię (patrz str. 192). Tak więc na razie powstrzymaj się ze spłukiwaniem do chwili, gdy dziecko wyjdzie z łazienki. Następnie stopniowo staraj się przyzwyczaić malca z daleka do dźwięku spłuczki. Spłukuj wodę w toalecie, gdy dziecko jest w pokoju obok, gdzie może słyszeć, lecz nie widzi całego zdarzenia. Gdy nie będzie to już wywoływało u niego paniki, spróbuj trzymać je w drzwiach łazienki w czasie, gdy ktoś inny spłukuje wodę w sedesie. Kiedy i to się uda, spróbuj sama spłukać wodę, trzymając je na rękach. Kiedy będzie już na to przygotowane, pozwól, by samo pociągnęło za dźwignię.

Czasami źródłem stresu nie jest strach przed spłukiwaniem. Dziecko, widząc znikanie spłukiwanego stolca, może odczuwać obawę przed utratą części samego siebie. Również i w takim wypadku dobrze jest spłukiwać wodę w sedesie po wyjściu dziecka z łazienki, gdy zajmie się ono już czymś innym. Niejednokrotnie pomachanie kupce na do widzenia może ułatwić rozstanie. Pomocne może się również okazać spłukiwanie papieru toaletowego (nie próbuj jednak robić tego z rzeczami, których miejsce nie jest w toalecie, ponieważ może się okazać, że stanie się to ulubioną zabawą dziecka, którą będzie ćwiczyć z kluczami, rachunkami, rękawiczkami czy zabawkami).

SIUSIANIE NA STOJĄCO

Właśnie nauczyliśmy naszego syna oddawać mocz w pozycji siedzącej i wychodzi mu to już całkiem dobrze. Nie wiemy jednak, kiedy powinien zacząć robić to na stojąco.

Jeżeli dziecko dopiero co nauczyło się siusiać na siedząco, nie spiesz się z przestawianiem go na pozycję stojącą. Zbyt wczesne wprowadzenie tej zmiany często prowadzi do dezorientacji, a w przypadku, gdy nie dość czasu poświęcono pozycji siedzącej, również do zaparcia. Jeśli więc chłopiec załatwia się w pozycji siedzącej, niech robi to do czasu, gdy dobrze opanuje już podstawowe umiejętności z tym związane.

Oddawanie moczu w pozycji stojącej nie jest łatwe. Wymaga dużej dozy koordynacji tak, aby skierować penis i strumień moczu we właściwą stronę. Jeśli to możliwe, to najlepiej, by instruktażem zajął się w tym przypadku ojciec (który ma w tym względzie doświadczenie) lub inna starsza osoba płci męskiej. W ten sposób chłopiec może otrzymać wskazówki z pierwszej ręki, a być może zobaczyć też jeden czy dwa pokazy.

Jeśli oczekujesz od małego chłopca, że przyjmie pozycję stojącą i trafi strumieniem moczu do małego nocnika, to tak, jakbyś sama prosiła o kłopoty. Tak więc, jeżeli twój synek używa nocnika, będzie musiał najpierw przyzwyczaić się do korzystania z dużego sedesu, a dopiero potem może rozpocząć naukę oddawania moczu w pozycji stojącej. Gdy już przywyknie do dużej toalety, możesz zacząć sadzać go tyłem, czyli twarzą w kierunku klapy sedesu (jest to ten sam kierunek, który przyjmie w pozycji stojącej). W tej pozycji może ćwiczyć swoją umiejętność celowania, znajdując się w małej odległości od celu. Ćwiczenia te mogą stać się niezłą zabawą, jeżeli powiesz mu, by strumieniem moczu „zatapiał statki" z papieru toaletowego[1].

Gdy chłopiec opanuje już zdolność trafiania strumieniem moczu w pozycji siedzącej (albo wcześniej, jeżeli widział ojca, starszego brata lub kolegę oddającego mocz w pozycji stojącej i sam też chce to robić na stojąco), pozwól mu wstać. By znaleźć się na odpowiedniej wysokości, będzie musiał stać na stołku (niektóre nakładki na sedes są wyposażone w specjalne stopnie). Powinien on być tak stabilny, aby dziecko z niego nie spadło (lub nie wpadło do muszli). Następnie z twoją pomocą niech spróbuje skierować penis w stronę otworu odpływowego w dnie muszli klozetowej. Może też nadal ćwiczyć zatapianie papieru toaletowego lub innych celów. Możesz się spodziewać, że część moczu nie trafi do celu, szczególnie, gdy malec nie będzie chciał skorzystać z pomocy. Będzie on potrzebował dużo ćwiczeń — i prawdopodobnie około roku lub więcej — zanim przestanie ochlapywać podłogę i ściany wokół sedesu. Do tego czasu nie szczędź dziecku pochwał, bądź cierpliwa... i miej pod ręką płyn do czyszczenia.

„PRZENOŚNY" NOCNIK

Nasz syn przez cały dzień przenosi swój nocnik z pokoju do pokoju — wygląda na to, że chce go mieć zawsze przy sobie. Czy powinniśmy go nakłonić, by trzymał nocnik w łazience, tak żeby przyzwyczaił się do używania go we właściwym miejscu?

Na tym etapie każde miejsce jest odpowiednie. Jeśli tylko dziecko korzysta z nocnika — i to chętnie — nie ma znaczenia, gdzie to robi. W okresie nauki ważny jest przyjazny, nieskrępowany kontakt z nocnikiem. Jeżeli będzie z tym związane zbyt wiele zasad i ograniczeń, dziecko może wzbraniać się przed jego użyciem.

W końcu dziecko dorośnie do korzystania z toalety, która, na szczęście, nie jest przenośna. Na razie więc pozwól na podróże nocnika.

GDY DZIEWCZYNKA CHCE SIUSIAĆ NA STOJĄCO

Od chwili, gdy nasza córka zobaczyła starszego brata oddającego mocz w pozycji stojącej, chce to robić w ten sam sposób. Próbowaliśmy jej wytłumaczyć, że to się nie uda, ale ona jest uparta.

---

[1] W niektórych sklepach z artykułami dla dzieci można znaleźć specjalne zabawne cele służące właśnie do ćwiczeń tego rodzaju. Możesz też we własnym zakresie wyciąć proste geometryczne kształty z papieru. Upewnij się tylko, czy papier, którego używasz do tego celu, daje się spłukać.

Wiele małych dzieci ulega niekiedy fascynacji sposobem, w jaki przedstawiciele innej płci oddają mocz. Chłopcy, którzy nauczyli się to robić na stojąco, mogą pytać, dlaczego nie powinni siedzieć, a dziewczynki, załatwiające się do tej pory w pozycji siedzącej, zastanawiają się, dlaczego nie mają wstawać. Najodpowiedniejszą osobą, która może wyjaśnić wszystko dziewczynce, jest matka, ponieważ ona również robi to w pozycji siedzącej.

Wyjaśnij córeczce, od czego zależy pozycja przy siusianiu (strumień moczu u chłopca kieruje się do przodu, a u dziewczynki w dół), przedstaw korzyści wynikające z siedzenia (dziewczęta mogą odpocząć, mogą też równocześnie oddawać mocz i stolec), a także zilustruj wszystko przykładem (weź córkę do łazienki, aby pokazać, że ty również zawsze robisz to na siedząco). Jeżeli sprawia jej to przyjemność, możesz jej także pozwolić siedzieć tyłem. Opisane wyżej techniki mogą pomóc, ale nie zawsze. Czasami ciekawość dziecka może być zaspokojona jedynie na drodze eksperymentu. Jeżeli do tego dojdzie, przykryj podłogę w łazience, zdejmij córce buty, skarpetki i ubranie od pasa w dół, przygotuj sobie przybory do sprzątania, po czym pozwól, by spróbowała oddać mocz w pozycji stojącej. Doświadczenie to nie będzie raczej przyjemne. Pamiętając uczucie moczu cieknącego jej po nogach, twoja córka może pogodzić się z tym, że pozycja stojąca nie jest dla niej najlepsza. Nawet jeśli uprze się, by spróbować jeszcze kilka razy, jej ciekawość powinna zostać wkrótce zaspokojona, po czym zwróci się w innym kierunku.

FASCYNACJA STOLCEM

Cieszyliśmy się, gdy nasz syn zaczął korzystać z nocnika, do czasu gdy zobaczyliśmy, jak rozsmarowuje swój stolec po ścianach.

Dla osób dorosłych stolec to stolec — im szybciej się go pozbędziemy, tym lepiej. Natomiast dla niektórych maluchów stanowi on szczególne osobiste osiągnięcie, ukoronowanie dzieła, rzecz, którą należy uczcić, powód do radości i, jeśli coś je natchnie, tworzywo dekoracyjne. Nie ulega tu oczywiście dyskusji, czyj sposób myślenia będzie musiał przeważyć. Z wielu przyczyn (wśród których względy higieny odgrywają główną rolę) będziesz musiała wyjaśnić dziecku, że dotykanie zawartości nocnika nie jest właściwe i że jego stolec nie jest zabawką — należy do nocnika i musi tam zostać do chwili, gdy zostanie spłukany w sedesie. Nie powinnaś jednak na nie krzyczeć, wywoływać poczucia winy z powodu tego, co zrobiło (pamiętaj, że w jego mniemaniu czyn ten jest wspaniałym osiągnięciem, a nie czymś godnym nagany), postaraj się z całych sił zachować spokój. Im spokojniejsza będzie twoja reakcja, tym większe prawdopodobieństwo, że dziecko zaakceptuje twoje zdanie.

Po umyciu malca zajmij go bardziej dopuszczalną formą poszukiwań twórczych, na przykład daj mu farby i pozwól malować palcami, a sama posprzątaj resztę bałaganu. Aby uniknąć powtórzenia się tej sytuacji, przez jakiś czas pilnuj dziecka, gdy korzysta z nocnika, i wyrzucaj zawartość — albo pozwól, by samo to zrobiło, jeśli ma na to ochotę — gdy tylko skończy. Zastanów się, czy twoja twórcza pociecha nie powinna zacząć korzystać z toalety.

OD NOCNIKA DO SEDESU

Postanowiliśmy, że nasza córka najpierw nauczy się korzystać z nocnika i w tej chwili wychodzi jej to już dość dobrze. Nie wiemy jednak, kiedy powinna zacząć korzystać z normalnej toalety.

Ważniejsze jest, aby dziecko czuło się bezpiecznie w miejscu, na którym siedzi, niż aby przeszło na następny poziom zaawansowania w załatwianiu potrzeb fizjologicznych, a większość brzdąców czuje się bezpieczniej na niskim nocniku niż na sedesie, który wydaje im się niebosiężną wieżą. Poczekaj więc do chwili, gdy dziecko samo wykaże zainteresowanie tą zmianą. Jeśli takie zainteresowanie nie pojawi się spontanicznie, spróbuj je sprowokować, zabierając dziecko do łazienki i pytając od czasu do czasu, oczywiście mimochodem, czy chciałoby spróbować, jak się siedzi na „dorosłym nocniku". Jeżeli kupisz nakładkę na sedes i pokażesz dziecku, że może z niej skorzystać w każdej chwili, zmiana może się stać bardziej atrakcyjna. Możesz również postarać się o nakładkę z drabinką lub ustawić przed sedesem stołek, przez co ogromny sedes stanie się dla dziecka mniej odstraszający i uzyska ono większe poczucie bezpieczeństwa.

PIELUSZKOWE ZAPALENIE SKÓRY

Nasz syn nie miał wcale problemów związanych z pieluszkowym zapaleniem skóry, gdy nosił pieluchy przez cały czas. Teraz, gdy zakładamy mu je tylko na noc, budzi się z wysypką na pupie. Dlaczego?

Skóra niektórych niemowląt przyzwyczaja się do działania kwasów zawartych w moczu, nabierając w pewnym stopniu odporności na pieluszkowe zapalenie skóry (natomiast u innych zapalenie może oczywiście być stanem chronicznym). Gdy skóra przywyknie do suchych majtek noszonych w ciągu dnia, może utracić tę odporność i stać się bardziej wrażliwa na moczenie w nocy. Ponadto, ponieważ dziecko trzyma teraz mocz przez dłuższy czas, staje się on bardziej stężony, a co za tym idzie bardziej drażni skórę, gdy w końcu wejdzie z nią w kontakt. Gdy dziecko przestanie moczyć się w nocy, wysypka zniknie. Tymczasem postępuj z nią tak samo, jak w przypadku pieluszkowego zapalenia skóry (patrz str. 403).

NIE CHCE ROBIĆ KUPKI DO NOCNIKA

Nasza córka już od kilku miesięcy oddaje mocz do nocnika, ale przy wypróżnieniach upiera się przy pieluszce. Czy powinniśmy jej na to pozwalać?

Tak, na razie tak. Jeśli zrobisz z tego problem, to nie tylko zaangażujesz się w próbę sił, której nie możesz wygrać, ale możesz wywołać u dziecka poważne zaparcie. Gdy prosi o pieluszkę w celu wypróżnienia, zaproponuj możliwość skorzystania z nocnika. Jeżeli odmówi, daj pieluchę. Jeśli nie będziesz dziecka zmuszać, a tylko stwarzać mu możliwość wyboru, w końcu zmieni postępowanie — szczególnie wtedy, gdy zobaczy, że wszyscy jego koledzy nie noszą już wcale pieluch.

„TOALETOWA EDUKACJA" A PRZEDSZKOLE

Myślimy o tym, by jesienią oddać naszego syna do przedszkola na pół dnia. Nadal jednak nosi pieluchy. Czy powinniśmy przyspieszyć naukę?

Obecnie coraz więcej dzieci zaczyna uczestniczyć w zajęciach przedszkolnych w młodszym wieku — dużo wcześniej, niż zaczną korzystać z nocnika. W związku z tym niektóre przedszkola stały się bardziej liberalne niż kiedyś w stosunku do dzieci noszących pieluchy. Popytaj w okolicznych placówkach, czy personel jest skłonny przyjąć twojego malca w pieluchach i czy pomoże mu w nauce korzystania z nocnika, gdy będzie gotowy ją rozpocząć. Jeśli nie znajdziesz takiego przedszkola, masz dwa wyjścia: albo zatrzymasz malucha w domu do chwili, gdy zakończy „edukację toaletową", albo rozpoczniesz naukę korzystania z nocnika w sposób opisany wcześniej w tym rozdziale. Mimo że pierwsze rozwiązanie może być bardziej wskazane z punktu widzenia nauki używania nocnika, może okazać się niewykonalne, jeżeli będziesz musiała wrócić do pracy, a nie masz opiekunki do dziecka.

Jeśli sprawy mają się w ten właśnie sposób, musisz po prostu przyspieszyć naukę korzystania z nocnika. Jest to również dobre wyjście, gdy dziecko wykazuje wiele spośród oznak gotowości opisanych na str. 463. Jeżeli zdecydujesz się ograniczyć nacisk do minimum (co nie będzie łatwe w takiej sytuacji, choć jest konieczne, by wysiłki zakończyły się sukcesem), złóż główną odpowiedzialność na ręce dziecka i wprowadź jakieś zachęcające nagrody (patrz str. 467). Istnieje duża szansa, że malec w ciągu kilku miesięcy opanuje umiejętność korzystania z nocnika. Nie mów mu jednak, że nie będzie mógł pójść do przedszkola, jeśli nie zacznie zachowywać się jak duży chłopiec — w ten sposób możesz nie tylko wywołać opór przed korzystaniem z nocnika, lecz również przed pójściem do przedszkola.

MOCZENIE NOCNE

Nasze dziecko ma już prawie trzy lata. Od chwili, gdy ukończyło dwa i pół roku, przez cały dzień ma sucho. Jednak ciągle jeszcze budzi się rano kompletnie przemoczone.

Dla większości dzieci utrzymanie moczu w dzień — choć samo w sobie nie jest łatwe — jest o wiele łatwiejsze niż w nocy. Niektóre nie osiągnęły jeszcze tego etapu rozwoju, by były w stanie wstrzymać mocz przez dziesięć lub dwanaście godzin lub by potrafiły obudzić się na sygnał pochodzący z pełnego pęcherza. Chociaż niektóre automatycznie trzymają mocz w nocy, gdy już opanują tę sztukę w dzień, w większości przypadków tak nie jest. Tak więc, ponieważ jest to rzeczą normalną, trening nocny nie jest w tym wieku zalecany.

Kiedy nadejdzie już czas, że malec zacznie regularnie budzić się z suchą pieluchą, możesz zrezygnować z jej zakładania na noc. W przeciwnym razie nie rozpoczynaj wzmożonej kampanii, mającej nauczyć dziecko trzymania moczu w nocy — jest na to jeszcze o wiele za wcześnie. Jeśli moczenie nocne pozostaje nadal problemem, gdy dziecko ma pięć lat, zaoferuj mu nagrodę. Może to być wystarczającym bodźcem, by zaczęło kontrolować się także w nocy. Jeśli to nie wystarczy, można zastosować nagrody w połączeniu z innymi metodami (na przykład alarm włączający się zawsze wtedy, gdy dziecko zacznie się moczyć, który w końcu uwarunkuje je do budzenia się w chwili, gdy pęcherz jest pełny).

20

Utrzymanie dziecka w dobrym zdrowiu

Nikt nie lubi być chory, ale też nikt nie nienawidzi choroby tak mocno jak małe dziecko. Dorośli mogą w tajemnicy rozkoszować się jednym lub dwoma dniami oderwania od pracy lub innych obowiązków, cieszyć się możliwością wylegiwania się w łóżku z książką lub stosem czasopism albo wygodnego wtulenia się w koc i oglądania telewizji, bez konieczności zwracania uwagi na cokolwiek innego niż zapchany nos i pilot od telewizora. Małemu dziecku brak jest cierpliwości, aby być dobrym pacjentem. Z charakterystyczną wytrwałością maluchy w czasie choroby wykazują niechęć zarówno do jej objawów, jak i do leczenia. Leżenie w łóżku i przyjmowanie leków z pewnością nie jest ich ulubionym zajęciem.

Ponieważ razem z twoim dzieckiem cierpisz również ty, nie ma lepszego rozwiązania niż utrzymywanie pociechy w zdrowiu, a kiedy jest to niemożliwe, szybkie i skuteczne leczenie choroby. Rozdział ten ma ci w tym pomóc, opisując najpopularniejsze choroby wczesnego dzieciństwa i ich leczenie oraz dostarczając informacji dotyczących szczepień, gorączki, konieczności wzywania lekarza i sposobów skutecznego podawania lekarstw.

Szczepienia: zapobieganie głównym chorobom zakaźnym

W czasach naszych dziadków dzieciństwo było sprawą ryzykowną. Dziecko urodzone na przełomie wieków było szczęściarzem, jeśli udało mu się uniknąć zachorowania na jedną z wielu tak wówczas powszechnych, potencjalnie śmiertelnych lub prowadzących do inwalidztwa chorób zakaźnych, takich jak: błonica (dyfteryt), dur plamisty, czarna ospa, krztusiec (koklusz), odra i poliomyelitis (choroba Heinego-Medina). W dzisiejszych czasach choroby te, których niegdyś lękali się wszyscy rodzice, są w krajach rozwiniętych wyjątkowo rzadkie. Dzieje się tak dzięki szczepieniom[1].

Niestety, dzieci nie są całkowicie uodpornione na te choroby, nawet jeśli przeszły wszystkie zalecane szczepienia w pierwszym roku życia, dopóki nie otrzymają szczepień uzupełniających w okresie wczesnego dzieciństwa. Aby ochronić swoje dziecko, sprawdź, czy było ono szczepione zgodnie z zalecanym kalendarzem szczepień.

[1] Odnośnie do informacji dotyczących szczepień dla osób podróżujących za granicę, patrz str. 223.

Wymagane szczepienia

Dzieci są obecnie szczepione przeciwko następującym chorobom (zalecany kalendarz szczepień zamieszczamy na końcu książki)[2]:

Di-Te-Per (DTP). Uzupełniająca dawka szczepionki przeciwko błonicy, tężcowi i krztuścowi (kokluszowi) podawana w 15-18 miesiącu życia oraz dawka przypominająca w wieku 4-6 lat, mają zasadnicze znaczenie dla rozwoju odporności dziecka na te niebezpieczne, często śmiertelne choroby. Jeśli dziecko nie wykazywało żadnych poważnych reakcji po wcześniejszych szczepieniach Di-Te-Per (patrz ramka na str. 478), to mało prawdopodobne jest wystąpienie poważnej reakcji na dawkę uzupełniającą. Stosowanie bezkomórkowej szczepionki przeciwko

[2] Jeśli masz jakiekolwiek obawy co do bezpieczeństwa szczepionki, przedyskutuj je z lekarzem dziecka. Patrz również str. 481.

Co należy wiedzieć o szczepieniu Di-Te-Per

Powszechne reakcje na Di-Te-Per. Spotyka się następujące, wymienione tu według częstości występowania, reakcje na szczepienie Di-Te-Per. Trzy pierwsze są najpowszechniejsze i występują u około połowy szczepionych dzieci. Reakcje, które na ogół trwają tylko dzień lub dwa, są mniej powszechne przy stosowaniu szczepionki Di-Te--Per (która zawiera nową bezkomórkową składową szczepionki przeciwko krztuścowi).

* Ból w miejscu wstrzyknięcia;
* łagodna lub umiarkowana gorączka (37,8-40,0°C, przy pomiarze w odbycie);
* kapryśność;
* obrzęk miejsca wstrzyknięcia;
* zaczerwienienie miejsca wstrzyknięcia;
* senność;
* utrata apetytu;
* wymioty.

Często zaleca się (zwłaszcza wtedy, gdy dziecko ma tendencję do drgawek gorączkowych) podawanie acetaminofenu (paracetamolu) tuż przed lub tuż po szczepieniu, w celu zminimalizowania reakcji gorączkowych i bólowych. W usuwaniu nieprzyjemnych dolegliwości może też dopomóc ciepły okład przyłożony do miejsca wstrzyknięcia. Gorączka i miejscowa bolesność może nasilać się z każdą kolejną dawką Di-Te-Per, podczas gdy kapryśność i wymioty zdarzają się coraz rzadziej.

Kiedy należy wezwać lekarza po szczepieniu Di-Te-Per. Jeśli w ciągu 48 godzin od otrzymania szczepionki dziecko wykazuje jeden z niżej wymienionych objawów, zgłoś się do lekarza:

* płacz utrzymujący się przez ponad trzy godziny (prawdopodobnie związany z bolesną reakcją miejscową);
* nadmierna senność (dziecko może być trudne do obudzenia);
* niezwykła wiotkość, bladość lub sine zabarwienie skóry;
* temperatura 40,0°C lub więcej (mierzona w odbycie);
* drgawki (spowodowane prawdopodobnie gorączką poszczepienną).

Kiedy zrezygnować ze szczepienia przeciwko krztuścowi. Amerykańska Akademia Pediatrii zaleca, aby dzieci, które wykazywały jedną z poniższych reakcji na poprzednie szczepienie Di-Te-Per, nie otrzymywały w kolejnych szczepieniach składowej przeciwko krztuścowi. W zamian dziecko powinno otrzymać szczepionkę Di-Te, w skład której wchodzą jedynie anatoksyny błonicza i tężcowa:

* reakcja alergiczna (z obrzękiem ust, gardła lub twarzy bądź z trudnościami w oddychaniu) w okresie kilku godzin od szczepienia;
* objawy zapalenia mózgu w ciągu siedmiu dni od szczepienia, takie jak zaburzenia świadomości (z uwzględnieniem braku reaktywności) lub drgawki, które utrzymywały się dłużej niż kilka godzin.

Szczepionka przeciwko krztuścowi nie jest również na ogół zalecana dla dzieci aktualnie leczonych niektórymi lekami (np. kortyzonem [Cortison], prednizonem [Encorton] lub pewnymi lekami przeciwnowotworowymi) lub przechodzących leczenie promieniowaniem (radioterapię), które powodują obniżenie naturalnej odporności na infekcje. Dotyczy to również dzieci mających w wywiadzie drgawki niegorączkowe lub napadowe bądź podejrzanych o chorobę neurologiczną (np. padaczkę), dopóki choroba taka nie zostanie wykluczona. W niektórych okolicznościach, kiedy choroba jest już dobrze kontrolowana, dziecko z chorobą neurologiczną może otrzymać szczepionkę przeciwko krztuścowi.

Podanie składowej przeciwko krztuścowi może również niekiedy zostać wstrzymane po konsultacji rodziców z lekarzem, jeśli dziecko manifestowało jeden z wymienionych niżej objawów po ostatnim szczepieniu Di-Te-Per:

W ciągu 48 godzin:

* temperatura 40,5°C lub wyższa, nie dająca się wyjaśnić inną przyczyną;
* wyjątkowy, przedłużający się płacz, trwający ponad 3 godziny;
* objawy wstrząsowe (nadmierna senność, brak reaktywności, wiotkość, niezwykła bladość lub sine zabarwienie skóry).

W ciągu 72 godzin:

* drgawki występujące z gorączką lub bez niej.

Procedura podawania szczepionki Di-Te-Per różni się nieco u różnych lekarzy, dlatego wszystkie wątpliwości należy przedyskutować z lekarzem dziecka. Większość pediatrów będzie odkładać szczepienie u dziecka mającego gorączkę (wielu nawet na miesiąc), niektórzy będą to robić nawet u dzieci lekko przeziębionych. Szczepienie nie jest jednak na ogół odkładane, jeśli dziecko cierpi na częste nieżyty nosa, spowodowane raczej przez alergię niż infekcję.

W czasie epidemii nawet dzieci z grup wysokiego ryzyka mogą być szczepione Di-Te-Per, ponieważ ryzyko związane z wystąpieniem krztuśca znacznie przewyższa teoretyczne ryzyko wystąpienia powikłań po szczepieniu.

Nie marnuj szansy

Ostatnie badania wykazały, że dzieci często omijają zalecane szczepienia przypadkowo. Czternastomiesięczne dziecko jest chore. Rodzice zabierają je do lekarza, który zaleca odpowiednie leczenie, i malec szybko zdrowieje. Rodzice myślą „W porządku! Lekarz badał nasze maleństwo w zeszłym miesiącu. Przypuszczam, że wobec tego nie muszę zabierać go na kontrolę w wieku piętnastu miesięcy". W ten sposób zalecane w kalendarzu szczepienia są w niewłaściwy sposób tracone. Nie pozwól, aby twoja pociecha utraciła szansę uodpornienia. Stosuj się do programu regularnych kontroli dziecka zdrowego, niezależnie od tego, jak wiele wizyt lekarskich miało miejsce z powodu choroby pomiędzy planowanymi badaniami kontrolnymi.

krztuścowi, która powoduje mniej efektów ubocznych niż stosowana dotychczas szczepionka pełnokomórkowa i została zatwierdzona do użytku u dzieci w wieku od 15 miesięcy do 6 lat (ale nie u niemowląt), sprawi z pewnością, że reakcje takie będą jeszcze mniej prawdopodobne. Szczepionka ta, w połączeniu z anatoksynami błoniczą i tężcową, oznaczana jest skrótem Di-Te-Per.

WZW typu B — Di-Te-Per. Dostępna jest obecnie szczepionka łączona, chroniąca dzieci zarówno przed wirusowym zapaleniem wątroby typu B (szczepionka oligosacharydowa), jak i przed błonicą, tężcem i krztuścem (Di-Te-Per). Szczepionka ta może być stosowana w wieku dwóch, czterech, sześciu i piętnastu miesięcy lub tylko w trzech pierwszych terminach, z wprowadzeniem w terminie czwartym szczepionki Di-Te-Per i szczepionki przeciwko *Haemophilus influenzae* typu b. Taka strategia łączonych szczepień jest korzystna dla rodziców, pracowników służby zdrowia, a zwłaszcza dla małych dzieci, które dzięki nim są rzadziej szczepione podskórnie.

Odra, świnka, różyczka. Podobnie jak Di-Te-Per, również szczepionka przeciwko odrze, śwince i różyczce ratuje życie wielu dzieciom i chroni ich zdrowie. Odra jest poważną chorobą, która może za sobą pociągnąć potencjalnie śmiertelne powikłania. Podczas gdy świnka (zapalenie ślinianki przyusznej) nie stanowi zwykle w dzieciństwie poważnego zagrożenia, to może mieć poważne następstwa (takie jak niepłodność lub głuchota) u nastolatków lub dorosłych płci męskiej. Wczesne szczepienie zapobiega nie tylko tym przyszłym problemom, ale również chroni przed zakażeniem nie uodpornionych dorosłych mężczyzn przez małe dzieci. Różyczka ma często tak łagodny przebieg, że jej objawy mogą zostać przeoczone. Ale ponieważ może powodować wady wrodzone u płodów matek, które zachorowały na różyczkę w okresie ciąży, więc zalecane jest szczepienie we wczesnym dzieciństwie. Ma ono nie tylko chronić przyszłe dzieci obecnie szczepionych dziewczynek, ale również zapobiegać narażeniu na chorobę ciężarnych matek dzieci chorych na różyczkę. Szczepionka przeciwko odrze, śwince i różyczce jest obecnie podawana pomiędzy 12 a 15 miesiącem życia. Istnieją różne opinie dotyczące tego, czy dziecko szczepione w wieku 12-14 miesięcy potrzebuje późniejszej dawki przypominającej. Dziecko szczepione pierwszy raz w wieku piętnastu miesięcy prawdopodobnie jej nie potrzebuje.

Reakcje uboczne na szczepionkę przeciwko odrze, śwince i różyczce są dość powszechne, ale na ogół bardzo łagodne. Występują one zwykle dopiero po jednym lub dwóch tygodniach po szczepieniu. Około 20% dzieci przez kilka dni ma wysypkę lub niewysoką gorączkę, które spowodowane są składową przeciwko odrze. Mniej więcej 1 na 7 dzieci manifestuje wysypkę lub powiększenie szyjnych węzłów chłonnych, a 1 na 20 pobolewanie lub obrzęk stawów, utrzymujące się do trzech tygodni, a spowodowane składową przeciwko różyczce. Niekiedy wystąpić może obrzęk gruczołów ślinowych (ślinianek), spowodowany składową przeciwko śwince. Znacznie rzadziej występuje cierpnięcie, mrowienie lub ból rąk i stóp (trudne do stwierdzenia u małego dziecka) oraz reakcje alergiczne (patrz niżej).

Szczepienie przeciwko odrze, śwince i różyczce powinno być odłożone, jeśli dziecko gorączkuje. Ostatnie badania sugerują, że szczepienie należy również przesunąć w przypadku łagodnych przeziębień, ponieważ wydają się one zakłócać wytwarzanie niezbędnych przeciwciał przeciwko wirusowi odry. Szczególnej uwagi wymaga również stosowanie szczepionki z białaczką, chłoniakiem lub innymi chorobami obniżającymi odporność organizmu na infekcje, u dzieci pobierających leki obniżające odporność, a także u dzieci, które otrzymywały gamma-globuliny w ciągu ostatnich trzech miesięcy. Szczepionka mogłaby być również niebezpieczna dla dzieci wykazujących w przeszłości reakcje alergiczne na jajka lub neomycynę (jeden z antybiotyków), które były na tyle silne, że wymagały leczenia. (Dzieci takie mogą być szczepione, jeśli testy skórne wykonane rozcieńczoną szczepionką są negatywne. Jeśli zaś są pozytywne, szczepionka może być zwykle bezpiecznie podawana w stopniowo zwiększanych dawkach.)

Doustna szczepionka przeciwko polio (choroba Heinego-Medina). Szczepionka ta ratuje życie dzieci i chroni je przed przewlekłym kalectwem już od ponad trzydziestu lat. Po powszechnym wprowadzeniu tej szczepionki w USA stwierdza się rocznie tylko mniej niż tuzin przypadków poliomyelitis. Doustna szczepionka przeciwko polio stosowana jest w wieku 2 i 4 miesięcy, a następnie ponownie, między 6 i 18 miesiącem życia. Czwarta dawka przypominająca zalecana jest pomiędzy 4 i 6 rokiem życia, zanim dziecko rozpocznie naukę w szkole.

Szczepionka jest całkiem bezpieczna i dzieci rzadko wykazują na nią jakiekolwiek niekorzystne reakcje. Istnieje minimalne ryzyko (około 1 na 8,7 miliona dzieci) wystąpienia porażenia i nieco większe ryzyko (około 1 na 5 milionów), że podatne na chorobę jedno z rodziców lub inny członek rodziny (np. osoba z osłabionym układem odpornościowym) może zachorować na poliomyelitis w wyniku kontaktu z odchodami (kałem) lub wymiotami szczepionego ostatnio dziecka.

Stosowanie żywej doustnej szczepionki przeciwko poliomyelitis jest zwykle odkładane u dzieci z jakimikolwiek chorobami poważniejszymi od przeziębienia. Nie powinna być ona również podawana dzieciom z nowotworami oraz z upośledzeniem odporności, spowodowanym przyczynami naturalnymi, chorobą lub stosowanymi lekami. Zastrzeżenie to dotyczy również dzieci mieszkających z osobami o upośledzonej odporności. W przypadku tych dzieci ryzyko może zostać wyeliminowane poprzez stosowanie podawanej w zastrzykach, inaktywowanej szczepionki przeciwko poliomyelitis, która trafia bezpośrednio do krążenia (zamiast przechodzić przez przewód pokarmowy). W domach wysokiego ryzyka powinno się zachowywać szczególną ostrożność w trakcie mycia szczepionego dziecka po wypróżnieniu lub wymiotach. Należy też pamiętać o dokładnym myciu rąk.

Szczepionka przeciwko *Haemophilus influenzae* typu b (Hib). Ta sprzężona szczepionka chroni przed bakterią nazywaną *Haemophilus influenzae* typu b (która wbrew swojej łacińskiej nazwie nie ma nic wspólnego z wirusem grypy, nazywanej kiedyś influencą), która może powodować u niemowląt i małych dzieci wiele bardzo poważnych chorób, takich jak: zapalenie opon mózgowo-rdzeniowych, zapalenie nagłośni (stan zapalny nagłośni powoduje zwężenie dróg oddechowych), posocznicę („zatruta krew"), zapalenie tkanki łącznej i skóry, zapalenie szpiku kostnego (zapalenie kości) oraz zapalenie osierdzia (zapalenie błony otaczającej serce). Częstość występowania infekcji Hib w USA spadła znacząco od wprowadzenia w roku 1990 rutynowych szczepień. Twoje dziecko było prawdopodobnie szczepione w wieku 2, 4 i 6 miesięcy (lub tylko w wieku 2 i 4 miesięcy, w zależności od rodzaju szczepionki) i otrzyma czwartą dawkę szczepionki pomiędzy 12 i 15 miesiącem życia. Dziecko, które nie było szczepione przez rok, otrzyma najprawdopodobniej dwie dawki szczepionki Hib w okresie pomiędzy 12 i 15 miesiącem życia. Dziecko nie szczepione do 15 miesiąca życia otrzyma prawdopodobnie tylko jedną dawkę.

Szczepionka Hib nie powinna być podawana dzieciom chorym na jakąkolwiek chorobę cięższą niż łagodne przeziębienie oraz tym, które mogą być uczulone na któryś ze składników szczepionki (omów to z lekarzem). Chociaż niekorzystne reakcje są rzadkie, to u bardzo małego odsetka dzieci może wystąpić gorączka, zaczerwienienie i/lub tkliwość w miejscu wstrzyknięcia, biegunka, wymioty lub nadmierny płacz po szczepieniu.

Szczepionka przeciwko ospie wietrznej. Ospa wietrzna jest zwykle chorobą łagodną, bez poważnych efektów ubocznych u dzieci (dorośli, a zwłaszcza kobiety ciężarne są na nie bardziej narażeni). U około 2% dzieci rozwijają się jednak wtórne infekcje skórne (zwykle liszajec), a niekiedy (1-2 przypadki na 1000 chorych dzieci) pojawiać się mogą poważne powikłania, takie jak zespół Reye'a lub infekcje bakteryjne. Przypadki śmiertelne są jednak niezwykle rzadkie i występują głównie wśród dzieci z grup wysokiego ryzyka (np. z białaczką lub niedoborami odpornościowymi) oraz wśród dzieci zarażonych ospą wietrzną natychmiast po urodzeniu. Niemniej jednak koszty choroby są wysokie, jeśli weźmie się pod uwagę koszty leczenia, utratę zarobków (przez rodziców, którzy muszą zostać w domu z chorym dzieckiem) i zaległości w nauce szkolnej. Z tych powodów w Stanach Zjednoczonych rozważa się zalecenie szczepienia przeciwko ospie wietrznej zdrowych dzieci, a nie tak jak dotąd, tylko dzieci z grup wysokiego ryzyka. Oczekuje się, iż zalecone zostanie podawanie rutynowo wszystkim dzieciom jednej dawki szczepionki pomiędzy 12 i 18 miesiącem życia. Zaszczepieniu pojedynczą dawką powinny być również poddane dzieci w wieku od 18 miesięcy do 13 lat, które nie chorowały na ospę wietrzną i nie były wcześniej szczepione przeciwko tej chorobie.

Jeśli zdecydowałaś się nie szczepić dziecka

Aby osiągnięty został cel szczepień, polegający na całkowitej likwidacji chorób, które niegdyś zabijały w USA tysiące dzieci rocznie, a nadal zabijają ich miliony na całym świecie, muszą być one powszechne. Każde dziecko, które może być bezpiecznie zaszczepione, musi zostać zaszczepione.

Tak więc, jeśli twój malec nie był dotąd szczepiony, ponieważ obawiałaś się, że będzie to dla niego szkodliwe, pomyśl o tym raz jeszcze. Dowody naukowe wskazują, że dla zwykłego, zdrowego dziecka nie istnieje żadne poważne ryzyko związane ze szczepieniami, natomiast korzyści są bezpośrednio odczuwalne. Nie jest nawet pewne, że kilka izolowanych przypadków poważnych lub śmiertelnych reakcji związanych ze szczepieniami było rzeczywiście spowodowanych przez szczepionki.

Przy niskim ryzyku i niepodważalnych korzyściach sensowne wydaje się odwiedzenie pediatry i rozpoczęcie odpowiedniego planu szczepień. Podobnie, jeśli szczepienia dziecka zostały na jakimś etapie przerwane z jakiegokolwiek powodu, poproś o ich uzupełnienie.

Skutki uboczne szczepionki są u dzieci minimalne: niekiedy niewysoka gorączka, miejscowy ból, zaczerwienienie, swędzenie, stwardnienie lub wysypka, a także wysypka występująca na dowolnej części ciała. Mały odsetek dzieci, które były szczepione, nie uzyskuje całkowitej odporności i przy ekspozycji na chorobę zapada na ospę wietrzną o zmienionym przebiegu, z bardzo małą liczbą wykwitów. Być może w wypadku dzieci, które otrzymały swe pierwsze szczepienie przeciwko ospie wietrznej we wczesnym dzieciństwie, konieczne będzie podawanie dawki przypominającej w wieku 7-9 lat, ale jak dotąd nie jest to jeszcze pewne.

Grypa. Szczepionki przeciwko grypie są co roku produkowane na podstawie badań i przypuszczeń epidemiologów i ekspertów innych specjalności, dotyczących tego, który typ wirusa grypy najprawdopodobniej zaatakuje w danym roku. Szczepienia przeciwko grypie nie zapewniają więc długotrwałej odporności. Każda osoba musi być ponownie szczepiona każdego roku. Szczepienie nie gwarantuje również, że grypa nie wystąpi, zapewnia bowiem tylko ochronę przed przewidywanym głównym szczepem wirusa.

Szczepienie należy odłożyć, jeśli dziecko ma infekcję układu oddechowego lub w ciągu ostatnich trzech dni otrzymało szczepienie przeciwko Di-Te-Per. Wkrótce zostanie prawdopodobnie zatwierdzony nowy typ szczepionki, podawany drogą wziewną i eliminujący potrzebę zastrzyku.

Szczepienia przeciwko grypie nie stosuje się rutynowo u zdrowych dzieci (chociaż są one bezpieczne i dostępne na prośbę rodziców). Są one jednak zalecane dzieciom szczególnie narażonym (dzieci z przewlekłymi chorobami płuc, takimi jak: astma, mukowiscydoza czy dysplazja oskrzelowo-płucna; dzieci z niektórymi rodzajami chorób serca, a także dzieci HIV-pozytywne, zażywające leki immunosupresyjne oraz cierpiące na choroby krwi). Szczepienie może być również zalecane dla dzieci z przewlekłą chorobą nerek, przewlekłą chorobą metaboliczną, cukrzycą lub długo leczonych aspiryną. (Jeśli szczepionka przeciwko grypie nie jest dostępna, dzieci z grup wysokiego ryzyka mogą być chronione przez podawanie profilaktycznych [zapobiegających] dawek odpowiednich leków przeciwwirusowych.)

Dzieci na ogół otrzymują szczepionkę z rozdrobnionych wirusów. W związku z tym stwierdza się tylko nieliczne efekty uboczne (możliwa jest niewysoka gorączka i bolesność mięśni przez dzień lub dwa). Najlepszym okresem do prowadzenia szczepień jest okres od połowy października do połowy listopada. Jeśli dziecko choruje na infekcję układu oddechowego, szczepienie należy odłożyć, a ponieważ szczepionkę produkuje się, hodując wirusa na jajkach kurzych, więc należy z niej całkowicie zrezygnować, jeśli dziecko wykazuje alergię na białko jaja kurzego. Szczepionka przeciwko grypie nie powinna też być podawana dziecku w okresie trzech dni od szczepienia Di-Te-Per.

Szczepionka przeciwko wirusowemu zapaleniu wątroby typu B (WZW B). Szczepionka ta chroni przed wirusowym zapaleniem wątroby typu B, które jest rzadkie u dzieci, ale u dorosłych może przejść w postać przewlekłą lub nawet prowadzić do raka wątroby. Ponieważ szczepienia dorosłych zawiodły, zaleca się, aby wszystkie dzieci były szczepione przeciwko WZW B, zwykle w pierwszym roku życia. Jeśli dziecko nie otrzymało pełnej serii szczepień w pierwszym roku życia, szczepionka przeciwko WZW B będzie podawana pomiędzy 12 i 18 miesiącem życia.

Wścieklizna. Zarówno ludzka immunoglobulina przeciwko wirusowi wścieklizny, jak i szczepionka przeciwko wściekliźnie, są obecnie dostępne. Obydwie są jednak zarezerwowane dla osób, które zostały szczególnie narażone na zachorowanie (poprzez pogryzienie, zadrapanie albo nawet polizanie przez wściekłe lub podejrzane o wściekliznę zwierzę, patrz str. 570).

Inne szczepionki. Obecnie testuje się lub już wprowadza do użycia szczepionki mające chronić przed całą gamą innych chorób okresu dzieciństwa. Kiedy zostaną one zatwierdzone przez odpowiednie instytucje, rodzice i twórcy polityki zdrowotnej będą musieli zadecydować, które z nich powinny być podawane rutynowo, a które jedynie dzieciom z grup wysokiego ryzyka lub przy zaistnieniu ryzykownych sytuacji. Obejmują one szczepionki przeciwko takim chorobom lub drobnoustrojom, jak:

Wirusowe zapalenie wątroby typu A. Szczepionka przeciwko WZW A (zapalenie wątroby, które rzadko jest śmiertelne i nie przechodzi w postać przewlekłą, ale ponieważ może trwać 6-10 tygodni, pociąga za sobą znaczne koszty) jest obecnie w okresie prób. Dopóki nie będzie ona dostępna, dzieciom z kontaktu z WZW A podawać należy (przez 2 tygodnie od ekspozycji) immunoglobulinę.

Infekcja pneumokokowa. Szczepionka przeciwko tej chorobie, zapaleniu opon mózgowo-rdzeniowych i bakteremii jest obecnie dostępna dla osób powyżej 65 roku życia oraz dzieci poniżej drugiego roku życia z grup ryzyka z powodu przewlekłych chorób lub zakłóceń systemu odpornościowego. W większości przypadków szczepionka podawana jest jednorazowo, jednakże osoby z grup największego ryzyka są doszczepiane po upływie pięciu lat.

Choroba z Lyme. Szczepionka jest w trakcie opracowywania, zarówno dla ludzi, jak i zwierząt przenoszących kleszcze, które rozprzestrzeniają chorobę. Dopóki nie będzie dostępna, ważne jest stosowanie innych środków ochronnych (patrz str. 553).

Wirus oddechowy (RSV). Wirus ten jest główną przyczyną chorób układu oddechowego u dzieci, a prace nad stworzeniem przeciwko niemu szczepionki są w toku. Obecnie jedynym sposobem zapobiegania jest podawanie immunoglobulin dzieciom z przewlekłymi chorobami (w okresie sezonu infekcyjnego RSV, tj. od grudnia do kwietnia), które czynią je bardziej odpornymi na poważne infekcje RSV.

Ludzki wirus upośledzenia odporności (HIV). Chociaż wielu naukowców kontynuuje prace badawcze, stworzenie szczepionki przeciwko HIV, który jest przyczyną nabytego zespołu braku odporności (AIDS), ciągle wydaje się kwestią odległą[3].

Gruźlica. Szczepienie pałeczką Calmette'a-Guerin (BCG) jest powszechnie stosowane w wielu krajach, ale w USA, głównie z powodu wątpliwości co do jego skuteczności, jest stosowane niezbyt często. Może ono być zalecane dzieciom mieszkającym z osobami prątkującymi, które nie są leczone, są leczone nieskutecznie lub są zarażone szczepem opornym na leki. Szczepienie to zalecać można również dzieciom zamieszkałym w regionach o wysokiej częstości występowania gruźlicy. Szczepień tych nie wykonuje się, gdy dziecko ma poważne oparzenia, infekcje skórne lub upośledzenie układu odpornościowego.

Ochrona jednorazowa. Kwestią niezbyt odległej przyszłości wydaje się możliwość stosowania jednorazowej szczepionki, podawanej w okresie niemowlęcym, która będzie chronić przed wszystkimi głównymi chorobami okresu dziecięcego.

ZANIM DZIECKO ZOSTANIE ZASZCZEPIONE

Chociaż szczepienie jest właściwie zabiegiem bezpiecznym, lepiej jest, jeśli zarówno rodzice, jak i pracownicy służby zdrowia podejmą odpowiednie środki ostrożności.

* Przypomnij lekarzowi o wszelkich reakcjach na wcześniejsze szczepienia.

* Upewnij się, że przed szczepieniem zostanie sprawdzony stan zdrowia dziecka, co zapewni wykrycie początkowych objawów ewentualnej choroby. Jeśli malec manifestuje jakiekolwiek objawy choroby, poinformuj o tym lekarza.

* Obserwuj starannie swoje dziecko przez 72 godziny po szczepieniu (a zwłaszcza w ciągu pierwszych 48 godzin) i natychmiast zgłaszaj lekarzowi wszystkie poważne reakcje (patrz str. 478). Pamiętaj o opóźnionych reakcjach ubocznych, występujących tydzień lub dwa po szczepieniu przeciwko odrze, śwince i różyczce (są one rzadkie). Notuj wszelkie zmiany w książeczce szczepień i książeczce zdrowia dziecka.

* Upewnij się, że lekarz lub pielęgniarka wpisuje do karty dziecka nazwę producenta oraz numer serii szczepionki, a także wszystkie zgłaszane przez ciebie reakcje poszczepienne. Przynoś książeczkę szczepień na każde badanie kontrolne, aby mogła zostać uzupełniona.

[3] Dzieci, które są HIV-pozytywne lub cierpią na AIDS, mają nieco zmodyfikowany kalendarz szczepień okresu dzieciństwa (wszelkie informacje uzyskasz od lekarza twojego dziecka).

LEKARZ I MAŁE DZIECKO

PARTNERSTWO RODZICÓW I LEKARZA

Czasy, kiedy lekarze wszystko wiedzieli najlepiej, kiedy czarna lekarska torba przynosiła nie tylko stetoskop i strzykawki, ale i aurę niekwestionowanego autorytetu, kiedy pacjenci byli oglądani, ale nie wysłuchiwani, minęły bezpowrotnie. Postrzeganie lekarza jako kogoś więcej niż zwykłego śmiertelnika jest równie przestarzałe jak rutynowe wykonywanie tonsilektomii (usuwanie migdałków podniebiennych). Obecnie powszechnie wiadomo, że odpowiedzialność za dobre samopoczucie pacjenta spoczywa nie tylko w rękach lekarza, a dobre zdrowie i dobra opieka zdrowotna zależą od współpracy i partnerstwa pomiędzy ludźmi, którzy sprawują opiekę, i tymi, którzy jej potrzebują.

Jednak w sytuacji, kiedy osoba, nad którą sprawuje się opiekę, ma zaledwie rok lub dwa, musi zaistnieć innego rodzaju partnerstwo, które jest przynajmniej tak samo ważne jak partnerstwo pomiędzy pacjentem i lekarzem, a mianowicie partnerstwo pomiędzy rodzicami pacjenta i lekarzem. Rodzice i lekarze muszą pracować razem, aby ochronić zdrowie dzieci, zapewnić im bezpieczeństwo, nauczyć właściwych nawyków zdrowotnych i przygotować do pełnienia takich funkcji w przyszłości w podobnym związku partnerskim.

Jak w każdym udanym związku partnerskim, każdy z partnerów musi wnosić do związku wszystko to, co ma najlepszego. Lekarz zapewnia bezcenną wiedzę medyczną, rodzice zaś wnoszą nieocenione spojrzenie na swe dzieci, dające informacje, które można zdobyć jedynie poprzez codzienny kontakt z dzieckiem. Rodzice są również zaangażowani w codzienną opiekę zdrowotną, zapobieganie wypadkom oraz w naukę i kształtowanie odpowiednich nawyków, które odgrywają często kluczową rolę.

Aby być pewnym, że twoja współpraca z lekarzem dobrze służy zdrowiu twojego dziecka, należy:

Wybrać właściwego partnera. Dobry lekarz będzie chciał współpracować z tobą w zapewnianiu dziecku możliwie najlepszej opieki zdrowotnej. Poza kwalifikacjami (specjalizacja w zakresie pediatrii lub medycyny rodzinnej) oraz dogodną lokalizacją gabinetu i dogodnymi godzinami przyjęć wybrany przez ciebie lekarz powinien być odpowiedzialny, przystępny i potrafiący wczuć się w czyjąś sytuację. Powinien też chętnie słuchać twoich uwag, zachęcać do pytania (samemu również zadając wiele pytań), przedstawiać łatwe do zrozumienia wyjaśnienia i nie żałować czasu dla małego pacjenta. Oczywiście, lekarz, którego wybierzesz, musi mieć także właściwe podejście do dzieci. Mamy nadzieję, że udało ci się już znaleźć właściwego lekarza (lub grupę lekarzy, względnie lekarzy i pielęgniarek). Jeśli jednak tak nie jest lub nie masz pewności, że twoje partnerstwo rodzicielsko-lekarskie działa obecnie prawidłowo, spójrz na str. 485.

Przedstawiać własną i przyjmować cudzą filozofię postępowania. Chociaż partnerstwo z reguły funkcjonuje lepiej, jeśli wszyscy partnerzy wyznają podobną filozofię życiową, to jest mało prawdopodobne, abyś zgadzała się z lekarzem w każdej kwestii. Niemniej jednak, ważne jest, aby uzyskać pewien stopień jedności poglądów. W dyskusjach dotyczących dziecka (opieki, dyscypliny, odżywiania, odstawiania od piersi, stosowania antybiotyków, używania różnych sprzętów, rodzinnego łóżka i innych tematów związanych z dzieckiem) zawsze wyrażaj swoje opinie, a następnie wysłuchaj zdania lekarza. Każde z was może się czegoś nauczyć, kiedy jest otwarte. Jeśli stwierdzasz, że nie zgadzasz się z lekarzem w większości spraw, rozważ znalezienie innego partnera w opiece zdrowotnej nad twoim dzieckiem.

Uzgadniać pewne sprawy. Jeśli więcej niż jeden lekarz przyjmuje w danym zespole, to kto będzie zawsze badał twoje dziecko w czasie wizyt kontrolnych? Kto będzie badał dziecko w przypadku choroby? Czy będzie możliwe ustalenie planu wizyt u wybranego przez ciebie lekarza, czy też plan ten zależy od dostępności lekarza? Inne pytania, które należy zadać, to: Czy możesz dzwonić do lekarza w środku nocy, jeśli dziecko ma wysoką temperaturę, czy też masz czekać do rana? Czy masz dzwonić tylko w wyznaczonych godzinach, czy też możesz telefonować o każdej porze dnia? Czy lekarz przyjdzie z wizytą do domu, jeśli wymaga tego sytuacja? Co masz robić w sytuacjach nagłych? Czy masz udać się do ambulatorium lub do pogotowia? Jeśli tak, to do którego? Czy masz dzwonić do lekarza, że właśnie jesteś w drodze? Co robić, jeśli lekarz jest niedostępny?

Być zawsze przygotowanym. Przechowuj notatki dotyczące opieki zdrowotnej, przebytych chorób, szczepień, etapów rozwojowych, ale notuj też pytania, uwagi i obserwacje dotyczące zdrowia, rozwoju, nawyków żywieniowych i snu dziecka oraz tym podobne. Zabieraj te notatki na każdą wizytę i miej je pod ręką, gdy dzwonisz do lekarza. Gdy dziecko nie czuje się dobrze, zanim skontaktujesz się z lekarzem, upewnij się, że jesteś przygotowana do odpowiedzi na jego przypuszczalne pytania — patrz str. 488.

Mówić zawsze tylko prawdę i całą prawdę. Ukrywanie informacji, niezależnie od tego, czy celowe, czy przez nieuwagę, może spowodować, że lekarz nie będzie mógł zapewnić twemu dziecku możliwie najlepszej opieki. Aby wywiązać się ze swoich partnerskich obowiązków, zadbaj, aby był on zawsze dobrze poinformowany. Na przykład, jeśli palisz, nie próbuj ukrywać swojego nałogu. Informacja ta może bowiem mieć kluczowe znaczenie, jeśli twoja pociecha cierpi na przykład na nawracające infekcje ucha środkowego lub zapalenia oskrzeli. Jeśli w rodzinie są osoby z wysokim poziomem cholesterolu, przekaż również tę informację, przygotowując lekarza na fakt, że twoje dziecko może mieć podobne skłonności dziedziczne. Jeśli zapomniałaś o podaniu kilku dawek antybiotyku, przepisanego przeciw zapaleniu oskrzeli, powiedz o tym lekarzowi, gdy kontaktujesz się z nim, aby poinformować, że kaszel nasila się.

Prosić o wyjaśnienia. Jeśli lekarz zaczyna mówić językiem medycznym, nie wstydź się poprosić o wyjaśnienie. Zawsze domagaj się wyjaśnienia, co oznacza termin, którego nie rozumiesz.

Postępować zgodnie z zaleceniami lekarza... Wprawdzie ty znasz dziecko najlepiej, ale lekarz przypuszczalnie zna się lepiej od ciebie na medycynie. Tak więc, bardzo ważne dla zdrowia twojego dziecka jest staranne wysłuchiwanie zaleceń medycznych i dokładne ich wypełnianie (jeśli chodzi o opiekę nad chorym dzieckiem, dawkowanie lekarstw itp.). Najlepiej zanotuj sobie wszystkie, abyś była pewna, że nic nie umknęło ci z pamięci. Na zakończenie wizyty zawsze krótko podsumuj zalecenia, aby mieć pewność, że zostały właściwie przez ciebie zrozumiane.

...lub wyjaśnić, dlaczego się tego nie robi. Oczywiście, mogą zdarzyć się sytuacje, kiedy zalecenia lekarza nie pokrywają się z tym, co ty wiesz o swoim malcu (na przykład lekarz zapisał lekarstwo, którego dziecko na pewno nie przyjmie lub manifestowało reakcję alergiczną przy ostatnim jego stosowaniu). Niekiedy zalecenia mogą być sprzeczne z tym, o czym sama przeczytałaś (na przykład zalecane postępowanie krytykowano ostatnio w prasie). Poinformuj lekarza o swoich uwagach, aby mógł się do nich ustosunkować. Jeśli dziecko nie toleruje przepisanego lekarstwa, lekarz może zastąpić je lekiem w innej postaci, np. w formie łatwego do połknięcia syropu, tabletek do ssania (jeśli malec potrafi już to robić), czopka lub (jeśli inne możliwości zostały wykluczone) w formie zastrzyków. Lekarz może wskazać przyczyny, dla których mimo wszystko kontrowersyjne postępowanie powinno być kontynuowane, lub też przedyskutować z tobą jakąś inną możliwość.

Przedyskutować niezgodne porady... Jeśli porada, jakiej udziela ci lekarz, różni się od porad uzyskanych z innych źródeł (np. od członków rodziny, przyjaciół, z książek itp.), nie obawiaj się powiedzieć mu o tym.

...ale wywoływać dyskusję, a nie wojnę. Wymiana poglądów (a nawet mały przyjacielski spór od czasu do czasu) może być pouczająca. Ale kiedy rodzice i lekarz są stale skłóceni, nie wygrywa nikt, a dziecko najczęściej na tym traci.

Pytać o rekomendacje. W gabinecie lekarza poszukuj różnego typu rekomendacji. Możesz tam uzyskać informacje o opiekunkach do dzieci, żłobkach, przedszkolach itp. Mogą też skontaktować cię z rodzicami innych dzieci, zainteresowanymi stworzeniem dziecięcej grupy zabaw lub grupy rodzicielskiej bądź ułatwić członkostwo w grupach już istniejących. Mogą także doradzić w kwestii najlepszych mydeł, kremów, filtrów słonecznych, wyposażenia niezbędnego dla twojego dziecka oraz składu domowej apteczki.

Prowadzić profilaktykę (zapobieganie). Aby wychować zdrowe dziecko (które najprawdopodobniej wyrośnie na zdrowego nastolatka i dorosłego), rozpocznij zapobieganie już teraz. Zabieraj malca na wszystkie rutynowe kontrole i szczepienia, nie omijając żadnego. Bądź czujna na wszelkie objawy choroby i zgłaszaj je w razie potrzeby. Wpajaj poszanowanie dla właściwych nawyków zdrowotnych. Stosuj tylko najlepsze diety (takie jak „Dieta najlepszej szansy dla dwu- i trzylatka"). Zachęcaj malca do aktywności fizycznej i zapewniaj warunki do wypoczynku. Stosuj środki zapobiegawcze przeciwko infekcjom. Pilnuj, aby dziecko przeszło wszystkie zalecone szczepienia, dbaj o higienę. Unikaj zbędnych kontaktów z osobami chorymi w domu i poza nim. Chroń żywność przed zepsuciem i zakażeniem bakteryjnym. Staraj się podawać dziecku produkty nie skażone związkami chemi-

Poszukiwanie właściwego lekarza

Wielu rodziców małych dzieci jest w szczęśliwej sytuacji, ponieważ uznają swoje partnerstwo z lekarzem za „właściwe". Inni jednakże z różnych powodów są zmuszeni ponownie poszukiwać tej szczególnej osoby, która zajmie się zdrowiem ich dziecka.

Znalezienie właściwego lekarza nigdy nie jest łatwe, ale szanse na znalezienie go są większe, jeśli poprosisz o pomoc właściwe osoby. Zapytaj swego ginekologa-położnika, położnej, internisty (ale tylko wtedy, jeśli jesteś zadowolona ze sposobu, w jaki się tobą opiekują), przyjaciół i znajomych (zwłaszcza tych, którzy mają małe dzieci), innych rodziców z sąsiedztwa, żłobka lub przedszkola, do którego chodzi twoja pociecha, członków twej wspólnoty religijnej lub kolegów z pracy. Rekomendacje uzyskane od ludzi, którzy mają podobne podejście do wychowywania dzieci, będą najbardziej pomocne w twoich poszukiwaniach. Jeśli mieszkasz tu od niedawna, zadzwoń do miejscowego ośrodka zdrowia z prośbą o podanie nazwiska lekarza. Jeśli wszystko inne zawodzi, poszukaj pomocy w książce telefonicznej (pamiętaj jednak, że niektórzy dobrzy i oblegani lekarze nie podają swych nazwisk w książce telefonicznej, a inni, podający się za specjalistów, nie mają oficjalnych specjalizacji).

Najlepiej byłoby, gdyby przed ostatecznym wyborem lekarza można było umówić się z potencjalnym kandydatem na rozmowę, aby porównać poglądy na istotne dla ciebie tematy, przedyskutować sposób działania gabinetu oraz sprawdzić, jakie ogólne wrażenie wywrze na tobie lekarz. Jeśli nie masz na to czasu (np. zbliża się termin kontroli okresowej lub szczepienia bądź wystąpiła sytuacja nagła), możesz niestety nie mieć takiej możliwości. W takim wypadku musisz poznawać podejście, styl, filozofię i kompetencje lekarza już w trakcie współpracy.

cznymi (patrz str. 457). Zapewniaj maksymalną czystość środowiska, zwłaszcza pod względem dających się uniknąć zagrożeń, takich jak dym tytoniowy lub ołów. Chroń dziecko przed wypadkami i urazami (zawsze używaj pasów w samochodzie, uczyń swój dom bezpiecznym dla dziecka, postępuj zgodnie z instrukcjami bezpieczeństwa dołączonymi do zabawek, upewnij się, że okoliczne place zabaw są bezpieczne, i dowiedz się, co należy robić w razie wypadku lub urazu).

Nie obawiaj się kontaktować z lekarzem. Dobry lekarz (i każdy dobry pracownik służby zdrowia) nie będzie miał nic przeciwko twoim telefonom z zapytaniami i uwagami. Niemniej, w sytuacjach nagłych najpierw sama oceń sytuację i możliwość samodzielnego udzielenia pomocy według zaleceń zawartych w tej książce lub w innych źródłach (patrz str. 488 i 561).

Kiedy jesteś niezadowolona, nie ukrywaj tego. Jeśli współpraca z lekarzem nie układa się prawidłowo, podejmij kroki przeciwdziałające takiej sytuacji. Po pierwsze, przedyskutuj swoje niezadowolenie i jego przyczyny z lekarzem. Oceń, czy możesz przyjąć proponowane rozwiązanie. Jeśli czujesz, że nie dojdziecie do porozumienia lub że twoje zastrzeżenia nie zostały przyjęte, rozważ zmianę lekarza. Zanim jednak z niego zrezygnujesz, znajdź innego pediatrę. Dziecko bowiem nie powinno pozostawać bez opieki medycznej.

KIEDY WEZWAĆ LEKARZA

Świeżo upieczeni rodzice mają skłonność do wzywania lekarza z powodu nawet najdrobniejszych objawów. Wraz z upływem czasu nabierają doświadczenia i pewności i na ogół rzadziej chwytają za słuchawkę telefoniczną. Nadal jednak zdarzają się chwile, kiedy poszukiwanie porady medycznej lub potwierdzenie własnych podejrzeń jest niezbędne.

Zadecydowanie, kiedy należy natychmiast zadzwonić do lekarza, kiedy można zadzwonić w wolnej chwili, a kiedy można się na razie wstrzymać, nie zawsze jest łatwe. Tym bardziej że objaw wymagający natychmiastowego wezwania lekarza występujący u jednego dziecka w danej sytuacji, u innego może skłaniać jedynie do obserwacji i czekania. Z tego właśnie powodu należy poprosić lekarza o wskazówki, kiedy powinnaś niezwłocznie go wezwać. Zanotuj te zalecenia w przygotowanym do tego celu miejscu na str. 448. Jest to szczególnie ważne, jeśli twoje dziecko cierpi na choroby przewlekłe (takie jak: choroby serca, nerek, choroby neurologiczne, niedokrwistość sierpowato-krwinkowa lub inne przewlekłe niedokrwistości, cukrzyca lub astma — patrz rozdział 23).

Niezależnie od podanych zaleceń, jeśli czujesz, że z twoim dzieckiem dzieje się coś złego, dzwoń natychmiast do lekarza, a jeśli nie jest uchwytny, udaj się do ambulatorium lub wezwij pogotowie. Rób tak nawet wówczas, gdy nie możesz potwierdzić swoich podejrzeń z pomocą niżej wymienionej listy objawów, a nawet wtedy, kiedy nie potrafisz określić, z jakim objawem masz do czynienia.

Jeśli dziecko manifestuje któryś z wymienionych niżej objawów, wezwij lekarza. Jeśli objaw, z którym można poczekać do oficjalnych godzin przyjęć, pojawia się w czasie weekendu, możesz wstrzymać się do poniedziałku i wtedy skontaktować z lekarzem. Jeżeli w czasie weekendu stwierdzasz objaw wymagający zgłoszenia w ciągu 24 godzin, dzwoń do lekarza, nawet jeśli musisz pozostawić wiadomość na automatycznej sekretarce.

Gorączka:

* ponad 40,5°C mierzona w odbycie lub jej odpowiednik przy innym sposobie pomiaru[4] — wezwij lekarza natychmiast;
* pomiędzy 40,0°C i 40,5°C — wezwij lekarza w ciągu 24 godzin;
* pomiędzy 39,0°C i 39,5°C — skontaktuj się z lekarzem w czasie oficjalnych godzin przyjęć;
* poniżej 39,0°C w odbycie (gorączka umiarkowana) z łagodnymi objawami przeziębienia lub grypy, które trwają ponad trzy dni — skontaktuj się z lekarzem w czasie oficjalnych godzin przyjęć;
* trwająca ponad 24 godziny, przy braku innych wykrywalnych objawów choroby — wezwij lekarza w ciągu 24 godzin;
* która nie obniża się po podaniu leku przeciwgorączkowego w ciągu godziny — skontaktuj się z lekarzem w ciągu 24 godzin lub natychmiast, jeśli temperatura wynosi 40,5°C lub więcej;
* która gwałtownie rośnie po kilkudniowym okresie utrzymywania się na umiarkowanym poziomie (39,0°) lub która gwałtownie rośnie u dziecka, które chorowało na przeziębienie lub grypę (może to wskazywać na infekcję wtórną, taką jak infekcja ucha środkowego lub angina paciorkowcowa) — wezwij lekarza w ciągu 24 godzin, chyba że dziecko wygląda na chore lub ma w wywiadzie drgawki gorączkowe — wówczas wezwij lekarza natychmiast;
* która wystąpiła po okresie ekspozycji na zewnętrzne źródło ciepła, takie jak słońce w gorące dni lub nagrzane wnętrze samochodu w trakcie upałów — wskazana jest natychmiastowa pomoc medyczna (patrz: udar cieplny, str. 569);
* która gwałtownie rośnie, gdy dziecko z umiarkowaną gorączką było zbyt ciepło ubrane lub zawinięte w koce. Stan ten powinien być leczony jak udar cieplny — natychmiast wezwij lekarza.

Gorączka współwystępująca z:

* wiotkością lub brakiem reaktywności (nie możesz niczym zainteresować dziecka ani wywołać jego uśmiechu) — natychmiast wezwij lekarza;
* drgawkami (ciało sztywnieje, oczy gwałtownie obracają się, kończyny uderzają o podłoże) — przy pierwszym epizodzie wzywaj lekarza natychmiast. Jeśli dziecko miało już drgawki w przeszłości — wezwij lekarza w ciągu 24 godzin, chyba że lekarz zalecił ci coś innego (patrz str. 497);
* drgawkami, które trwają ponad 5 minut — dzwoń natychmiast po pogotowie ratunkowe (numer 999);
* nie dającym się uspokoić płaczem trwającym dwie lub trzy godziny — wezwij lekarza natychmiast;
* płaczem takim jak w czasie bólu, gdy twoje dziecko jest dotykane lub przenoszone — wezwij lekarza natychmiast;
* kwileniem lub jękiem nie związanym z zachowaniem dziecka — wezwij lekarza natychmiast;
* czerwonymi plamami gdziekolwiek na skórze — wezwij lekarza natychmiast;
* trudnościami w oddychaniu, pomimo udrożnienia przewodów nosowych — wezwij lekarza natychmiast;
* silnym bólem głowy (zwłaszcza z wymiotami) — wezwij lekarza natychmiast;
* ślinieniem się i odmową połykania płynów — wezwij lekarza natychmiast;
* sztywnością karku (wyczuwalny opór przy próbie przygięcia głowy dziecka do klatki piersiowej) — wezwij lekarza natychmiast;
* podejrzeniem pieczenia lub bólu w trakcie oddawania moczu (może to być trudne do stwierdzenia u małego dziecka) — wezwij lekarza natychmiast;

[4] Jeśli nie zaznaczono inaczej, wszystkie wartości temperatury odnoszą się do pomiarów wykonanych w odbycie. Patrz str. 499 w poszukiwaniu odpowiedników.

* bólem gardła (patrz str. 511) — skontaktuj się z lekarzem w czasie oficjalnych godzin przyjęć;
* wysypką (patrz str. 706) — skontaktuj się z lekarzem w czasie oficjalnych godzin przyjęć;
* powtarzającymi się wymiotami — wezwij lekarza w ciągu 24 godzin;
* łagodnym odwodnieniem (typowe objawy — patrz str. 511) — skontaktuj się z lekarzem w czasie oficjalnych godzin przyjęć;
* ciężkim odwodnieniem (typowe objawy — patrz str. 511) — wezwij lekarza natychmiast;
* nietypowym zachowaniem — nadmierną kapryśnością lub płaczliwością, nadmierną sennością, ospałością, bezsennością, nadwrażliwością na światło, utratą apetytu, chwytaniem lub uciskaniem ucha — wezwij lekarza natychmiast.

Kaszel:

* trwający ponad dwa tygodnie — skontaktuj się z lekarzem w czasie oficjalnych godzin przyjęć;
* zakłócający sen w nocy — skontaktuj się z lekarzem w czasie oficjalnych godzin przyjęć;
* związany z odkrztuszaniem żółtawej lub zielonkawej wydzieliny — skontaktuj się z lekarzem w czasie oficjalnych godzin przyjęć;
* związany z odkrztuszaniem podbarwionej krwiście wydzieliny.

We wszystkich powyższych przypadkach dzwoń natychmiast.

Kaszel współwystępujący z:

* trudnościami w oddychaniu — wezwij lekarza natychmiast;
* bólem w klatce piersiowej — skontaktuj się z lekarzem w czasie oficjalnych godzin przyjęć;
* świstami (gwiżdżącym odgłosem w czasie wdechu, jak przy astmie) — skontaktuj się z lekarzem w czasie oficjalnych godzin przyjęć;
* wciąganiem (skóra pomiędzy żebrami wydaje się zasysana przy każdym wdechu) — skontaktuj się z lekarzem w czasie oficjalnych godzin przyjęć;
* przyspieszonym oddechem (patrz str. 489) — skontaktuj się z lekarzem w czasie oficjalnych godzin przyjęć.

Ból gardła:

* występujący po kontakcie z osobą z rozpoznaną infekcją paciorkowcową — skontaktuj się z lekarzem w czasie oficjalnych godzin przyjęć;
* u dziecka z wywiadem obciążonym przewlekłą chorobę płuc, gorączką reumatyczną, chorobami nerek — wezwij lekarza w ciągu 24 godzin.

Ból gardła współwystępujący z:

* gorączką powyżej 39,0°C — skontaktuj się z lekarzem w czasie oficjalnych godzin przyjęć;
* trudnościami w połykaniu — skontaktuj się z lekarzem w czasie oficjalnych godzin przyjęć;
* znacznymi trudnościami w połykaniu i ślinieniem się — wezwij lekarza natychmiast;
* białymi plamami lub pęcherzykami na tle zaczerwienionego gardła (patrz str. 512) — skontaktuj się z lekarzem w czasie oficjalnych godzin przyjęć;
* powiększeniem lub tkliwością szyjnych węzłów chłonnych (patrz str. 490) — skontaktuj się z lekarzem w czasie oficjalnych godzin przyjęć;
* wysypką — wezwij lekarza, gdy tylko pojawi się wysypka;
* chrypką, która trwa ponad dwa tygodnie — wezwij lekarza w ciągu 24 godzin.

Krwawienie. Natychmiast zgłaszaj lekarzowi wszystkie następujące objawy:

* krew w moczu;
* krew w stolcu (z wyjątkiem pasm krwi, o których wiesz, że są spowodowane szczelinami odbytu);
* krew w plwocinie lub odkrztuszanej wydzielinie;
* krew cieknąca z ucha.

Zaburzenia ogólne. Wezwij lekarza natychmiast również wtedy, gdy twoje dziecko wykazuje któryś z poniższych objawów:

Szczególne zalecenia dotyczące wzywania lekarza, udzielone przez twojego pediatrę:

* ciężki letarg (zaburzenie świadomości — przyp. red. nauk.), związany z gorączką lub bez niej, stan niepełnego wybudzenia, z którego nie można dziecka wyprowadzić, brak reaktywności;
* płacz lub jęk jak w czasie bólu, kiedy dziecka dotykasz lub przenosisz je.
* niepokój — dziecko nie zapada w sen na dłużej niż 30 minut;
* ciągły płacz, trwający trzy godziny, płacz „na wysokich tonach", słabe kwilenie lub jęk;
* odmowa przyjmowania pokarmu przez cały dzień.

Inne:

* powiększenie węzłów chłonnych (patrz str. 490), których okolica staje się zaczerwieniona, ciepła i tkliwa — wezwij lekarza w ciągu 24 godzin;
* silny ból jakiejkolwiek części ciała, ale szczególnie głowy lub klatki piersiowej — wezwij lekarza natychmiast;
* ból brzucha, który nie jest związany z zaparciem lub nietolerancją laktozy i który trwa ponad trzy godziny lub towarzyszą mu wymioty bądź gdy ból nasila się, jest przerywany lub gwałtownie ustępuje (patrz na str. 490, objawy zapalenia wyrostka robaczkowego) — wezwij lekarza natychmiast;
* zażółcenie białek oczu (twardówek) lub skóry — skontaktuj się z lekarzem w czasie oficjalnych godzin przyjęć.

ZANIM SKONTAKTUJESZ SIĘ Z LEKARZEM

Niezależnie od tego, czy jest godzina trzecia po południu w poniedziałek, czy też trzecia w nocy w piątek, czy znajdujesz się w gabinecie we wtorek rano, czy też w domu w niedzielne popołudnie, telefony do pediatrów dzwonią zawsze. W rzeczywistości lekarze ci tracą więcej czasu na konsultacje telefoniczne niż lekarze innych specjalności medycznych. Odpowiadają na pytania i udzielają porad dotyczących gorączkujących niemowląt, dzieci z zapaleniem ucha środkowego, przedszkolaków z bolącymi brzuchami i pierwszoklasistów, którzy właśnie po raz pierwszy upadli na rowerze.

Spędzając tak wiele czasu przy telefonie, lekarze pediatrzy mają często zbyt mało czasu na wizyty domowe i pomimo dobrych intencji są niekiedy zagonieni i udręczeni. Aby do maksimum wykorzystać czas, jaki poświęca ci lekarz twojego dziecka w trakcie rozmowy telefonicznej, upewnij się, że wykonałaś swoje „zadania domowe", zanim sięgniesz po słuchawkę.

Po pierwsze, korzystając z poprzedniego podrozdziału pt.: „Kiedy wezwać lekarza", określ, jak pilna jest sytuacja, i sprawdź, czy musisz rozmawiać z lekarzem natychmiast, czy też możesz odczekać do oficjalnych godzin przyjęć lub czy może nie potrzebujesz dzwonić wcale. W razie nagłych sytuacji nie trać czasu, próbując złapać swojego lekarza — dzwoń pod numer 999 po pogotowie ratunkowe lub natychmiast udaj się do pobliskiego ambulatorium. Dopiero stamtąd próbuj dodzwonić się do twojego pediatry.

Jeśli zadecydowałaś, że wezwanie lekarza jest konieczne, przygotuj sobie na piśmie wszystkie poniższe informacje, zanim sięgniesz po słuchawkę telefonu.

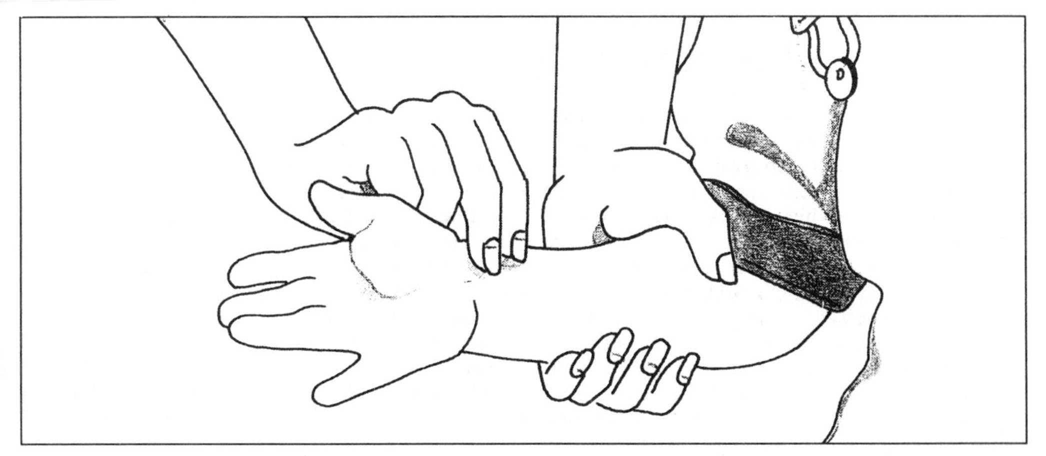

Aby zmierzyć tętno twego dziecka na tętnicy promieniowej, połóż palec wskazujący i środkowy na wewnętrznej stronie nadgarstka po stronie kciuka. Przyciśnij delikatnie, aż do momentu, kiedy wyczujesz puls. Następnie licz uderzenia przez 10 sekund i przemnóż wynik przez 6, aby uzyskać minutową częstość pracy serca.

Informacje dotyczące objawów występujących u dziecka

Często jedno spojrzenie na dziecko wystarczy, aby wiedzieć, że dzieje się z nim coś niedobrego. Lekarz jednak potrzebuje do oceny więcej danych. Tak więc, zanim zadzwonisz, aby zgłosić chorobę, sprawdź podstawowe objawy występujące u dziecka. W większości najprostszych chorób obecne będą jedynie dwa, trzy objawy, ale przejrzenie poniższej listy za każdym razem upewni cię, że nic nie zostało pominięte. Wszystkie stwierdzone objawy zapisuj, tak aby nie zapomnieć temperatury ciała dziecka, w czasie gdy liczysz jego częstość oddechów.

Temperatura. Jeśli czoło dziecka wydaje się zimne w dotyku (patrz str. 493), możesz sądzić, że nie ma ono znacznej gorączki. Jeśli zaś czujesz, że czoło jest ciepłe, wykonaj dokładniejszy pomiar za pomocą termometru (patrz str. 494). Kiedy zgłaszasz temperaturę lekarzowi, poinformuj go, jak, kiedy i jakim termometrem była mierzona.

Częstość pracy serca. Częstość pracy serca może podlegać wpływom choroby i w niektórych przypadkach może stanowić ważną wskazówkę medyczną. Jeśli maluszek wydaje się bardzo ospały lub ma gorączkę, zbadaj tętno na tętnicy promieniowej (na nadgarstku; patrz ilustracja powyżej) lub na tętnicy szyjnej (patrz str. 580). Prawidłowe tętno dziecka w drugim roku życia waha się pomiędzy 80 a 140 uderzeń na minutę. (Może jednak być do dwudziestu uderzeń na minutę wolniejsze w czasie snu i stawać się znacząco szybsze w czasie intensywnego płaczu.) W wieku trzech lat zakres normy tętna wynosi od 80 do 120 uderzeń na minutę. Zgłoś lekarzowi aktualną częstość pracy serca, najlepiej w porównaniu z przeciętnym tętnem dziecka, jeśli je znasz. (Dobrym pomysłem jest określenie podstawowej częstości pracy serca, biorąc dziecko za rękę, kiedy jest zdrowe i bawi się spokojnie przez pół godziny lub godzinę.)

Oddychanie. Mądrze jest również zanotować podstawową częstość oddechów dziecka, kiedy jest zdrowe i bawi się spokojnie. (Częstość oddechów możesz sprawdzić, kontrolując, ile razy w ciągu minuty podnosi się i opada klatka piersiowa twojego dziecka.) Małe dzieci oddychają zwykle z częstością 20 do 40 oddechów na minutę. Oddychanie jest jednak szybsze w czasie aktywności fizycznej (również w czasie płaczu) niż w czasie snu i może ulegać przyspieszeniu lub zwolnieniu w czasie choroby. Jeśli malec kaszle lub wydaje ci się, że oddycha gwałtownie lub nieregularnie, sprawdź częstość oddechów. Jeśli jest ona wyższa lub niższa od przeciętnej lub wykracza poza zakres normy bądź jeśli klatka piersiowa dziecka nie podnosi się i nie opada przy każdym oddechu lub oddychanie jest wysiłkowe i chrapliwe (a nos nie jest zapchany), koniecznie podaj tę informację lekarzowi.

Objawy ze strony układu oddechowego. Czy nos twojego dziecka jest drożny, czy zapchany? Czy wydzielina jest wodnista, czy gęsta? Czy jest przezroczysta, biała, żółta, czy zielona? Jeśli obecny jest kaszel, to czy jest on suchy, urywany, ciężki, czy

Objawy zapalenia wyrostka robaczkowego

Zapalenie wyrostka robaczkowego jest bardzo rzadkie u małych dzieci. Kiedy jednak występuje, jest wyjątkowo trudne do rozpoznania, po części dlatego, że objawy często wydają się zbliżone do zwyczajnego rozstroju żołądka. W typowych przypadkach ból rozpoczyna się wokół pępka, a po kilku godzinach może przesunąć się do prawego podbrzusza (lub gdziekolwiek w obrębie brzucha albo nawet na plecy, jeśli wyrostek jest nieprawidłowo położony). W okolicy występowania bólu może wystąpić tkliwość, a ból może powodować, że dziecko utyka lub chodzi pochylone. Gdy ból się rozpocznie, zaobserwować można utratę apetytu i wymioty. (Wymioty, którym nie towarzyszy ból, są najczęściej związane ze stanami zapalnymi żołądka i jelit lub zwykłym bólem żołądka.) Występować może też łagodna gorączka (38,0°C do 38,5°C), a niekiedy częste oddawanie stolca i gazów (stolec jest rzadki i skąpy, ale nie wodnisty, jak w czasie biegunki). Jeśli na podstawie objawów, które stwierdzasz u swego dziecka, podejrzewasz zapalenie wyrostka robaczkowego, natychmiast dzwoń do lekarza. Jeśli ból ustępuje po kilku godzinach, nie stwierdzaj od razu, że wszystko jest w porządku. Mogło to bowiem być podrażnienie wyrostka robaczkowego i wezwanie lekarza jest ciągle konieczne.

piejący? Czy wydaje się pochodzić z gardła, czy też z klatki piersiowej? Czy kaszel jest produktywny, tzn. czy powoduje odkrztuszanie śluzowej wydzieliny? Czy twoje dziecko wymiotowało śluzem podczas nasilonego kaszlu?

Zachowanie. Czy zachowanie dziecka zmieniło się pod jakimś względem? Czy dziecko jest śpiące lub ospałe, kapryśne i drażliwe, nie dające się uspokoić lub niereaktywne? Czy możesz wywołać u niego uśmiech?

Sen. Czy dziecko śpi znacznie więcej niż zazwyczaj, czy wykazuje niezwykłą ospałość lub jest trudne do obudzenia? Czy ma może trudności ze spaniem?

Płacz. Czy dziecko płacze więcej niż zazwyczaj? Czy jego płacz ma inny dźwięk, nienaturalną intensywność lub bardzo wysoki ton?

Apetyt. Czy pojawiły się nagłe zmiany w apetycie dziecka? Czy odmawia przyjmowania płynów lub pokarmów stałych? Czy też może zjada i wypija wszystko, co mu wpadnie w ręce?

Skóra. Czy skóra dziecka wygląda inaczej lub jest inna w dotyku? Czy jest czerwona i przekrwiona? Biała i blada? Niebieskawa lub szara? Czy w dotyku jest wilgotna i ciepła (spocona), czy wilgotna i zimna? Czy jest może wyjątkowo sucha i pomarszczona? Czy wargi, nozdrza lub policzki są nadmiernie suche lub popękane? Czy obecne są plamy lub inne zmiany gdziekolwiek na skórze twojego dziecka — pod pachami, za uszami, na kończynach, tułowiu lub gdzieś indziej? Jak można opisać ich kolor, kształt, rozmiar i strukturę? Czy twoje dziecko drapie lub pociera skórę w miejscu występowania powyższych zmian?

Jama ustna. Czy dziąsła są obrzęknięte w miejscach, gdzie mogą wyrzynać się zęby? (Zwłaszcza zęby trzonowe mogą powodować dużo problemów.) Czy na dziąsłach, na wewnętrznej stronie policzków, na podniebieniu lub na języku widoczne są czerwone lub białe plamki lub wykwity? Czy występuje jakieś krwawienie?

Gardło. Czy łuki podniebienne są zaczerwienione? Czy obecne są tam czerwone lub białe plamki lub wykwity? (Aby nauczyć się badać gardło twojego dziecka, patrz str. 512.)

Oczy. Czy oczy dziecka wyglądają inaczej niż zazwyczaj? Czy są błyszczące, szkliste, nieprzytomne, tępe, wodniste lub zaczerwienione? Czy pod oczyma widoczne są ciemne „worki" lub czy oczy są częściowo zamknięte? Jeśli obecna jest wydzielina, jak można opisać jej kolor, konsystencję i ilość? Czy zauważyłaś jakieś wykwity na powiekach?

Uszy. Czy dziecko uciska lub wkłada palce do jednego lub obu uszu? Czy z któregoś ucha wydostaje się wydzielina? Jeśli tak, jak ona wygląda?

Węzły chłonne. Czy węzły chłonne na szyi dziecka są powiększone? (Spójrz na ilustrację obok, w jakich miejscach należy je sprawdzać.)

Układ pokarmowy. Czy dziecko wymiotowało? Jak często? Czy wymioty były obfite, czy też są to głównie odruchy wymiotne bez zwracania treści pokarmowej? Jak można opisać wymiociny — jak kwaśne mleko, z pasmami śluzu, zielonkawe (podbarwione żółcią), różowe, krwiste lub jak fusy od kawy? Czy wymioty mają charakter wysiłkowy? Czy wydostają się gwał-

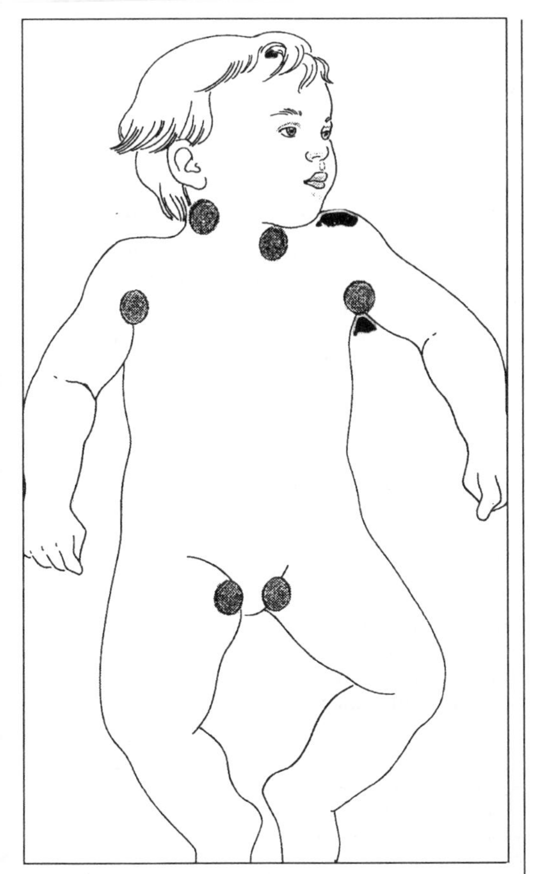

Węzły chłonne są częścią układu obronnego organizmu przeciwko chorobom. Kiedy w ich okolicy rozwinie się infekcja, często ulegają powiększeniu, a niekiedy stają się tkliwe i ciepłe. Możesz wyczuć je końcami palców.

townie (tzw. wymioty chlustające)? Czy coś specyficznego poprzedziło wymioty — na przykład jedzenie, picie lub kaszel? Czy wiesz lub przypuszczasz, że twoje dziecko połknęło jakąś trującą substancję? Czy pojawiły się ostatnio zmiany w oddawaniu stolca? Czy dziecko ma biegunkę z luźnymi, wodnistymi, śluzowymi lub krwistymi stolcami? Czy kolor i zapach stolca są inne niż zazwyczaj? Czy oddawanie stolca jest częstsze (ile razy w ciągu ostatnich 24 godzin?), nagłe lub gwałtowne? A może dziecko ma zaparcie? Czy zwiększyła się lub zmniejszyła ilość wydzielanej śliny? Czy występuje nadmierne ślinienie? Czy są jakieś widoczne trudności w połykaniu?

Układ moczowy. Czy dziecko oddaje mocz częściej lub rzadziej niż zazwyczaj? Czy mocz ma zmieniony kolor — na przykład ciemnożółty lub różowy — lub czy ma niezwykły zapach? Czy oddawanie moczu wydaje się bolesne lub piekące? (Takie dolegliwości mogą powodować, że dziecko przerywa oddawanie moczu lub płacze w czasie oddawania moczu.)

Brzuch. Czy brzuch twojego dziecka jest bardziej płaski, zaokrąglony lub wzdęty? Czy sprawiasz dziecku ból, kiedy naciskasz na brzuch delikatnie lub kiedy przyginasz któreś z jego kolan do brzucha? Gdzie ból wydaje się zlokalizowany — strona prawa lub lewa, brzuch lub podbrzusze?

Objawy ruchowe. Czy twoje dziecko manifestowało dreszcze, sztywność, drgawki lub sztywność karku (czy może przygiąć brodę do klatki piersiowej bez trudności)? Czy wygląda, że ma trudności w poruszaniu jakąś częścią ciała?

Ból. Czy twoje dziecko skarży się na ból rąk, nóg, brzucha, głowy, uszu lub zlokalizowany gdzieś indziej? Lub czy demonstruje ból w sposób niewerbalny, na przykład przez uciskanie ucha?

Inne niezwykłe objawy. Czy poczułaś jakiś nieprzyjemny zapach wydostający się z ust, nosa, uszu, pochwy lub odbytu twojego dziecka? Czy z któregoś z tych miejsc występuje krwawienie?

Dotychczasowy postęp choroby

Niezależnie od tego, z jaką chorobą masz do czynienia, poza objawami istnieją pewne ogólne informacje, które powinnaś podać, kiedy dzwonisz do lekarza lub kiedy zabierasz swoje dziecko do gabinetu lub ambulatorium.

* Kiedy objawy wystąpiły po raz pierwszy?
* Co, jeśli cokolwiek, poprzedzało objawy?
* Co pogarsza lub łagodzi objawy (na przykład przyjęcie pozycji siedzącej łagodzi kaszel lub jedzenie nasila wymioty)? Czy objawy są zależne od pory dnia (czy nasilają się w nocy)?
* Jeśli jednym z objawów jest ból, to gdzie dokładnie jest zlokalizowany (jeśli dziecko potrafi ci to powiedzieć lub ty potrafisz to wywnioskować)?
* Jakie leki lub domowe metody leczenia (jeśli w ogóle) już wypróbowałaś?
* Czy dziecko było ostatnio narażone na infekcje wirusowe lub inne — na przykład wirusowe zapalenie żołądka u rodzeństwa, angina w przedszkolu lub zapalenie spojówek wśród dzieci na podwórku?

Intuicja rodziców

Jeśli twoim zdaniem dziecko nie wygląda dobrze, ale nie możesz określić żadnych specyficznych objawów, i tak skontaktuj się z lekarzem. Najprawdopodobniej zostaniesz uspokojona, ale możliwe, że intuicyjnie dostrzegasz jakiś subtelny problem, wymagający dokładniejszej oceny. W każdym razie zawsze lepiej jest zadzwonić, niż niepotrzebnie się martwić.

* Czy dziecko uczestniczyło ostatnio w wypadku, w którym mógł wystąpić nie zauważony uraz?
* Czy dziecko zaczęło ostatnio zażywać jakiś nowy lek?
* Czy dziecko jadło ostatnio jakąś nową lub niezwykłą potrawę lub żywność, która mogła być zepsuta?

Wywiad zdrowotny dziecka

Jeśli lekarz nie ma pod ręką karty zdrowia twojego dziecka, informacje te mogą wylecieć mu z pamięci. Informacje te są szczególnie ważne, jeśli lekarz musi zapisać jakieś lekarstwo. Poinformuj lekarza o:

* wieku i przybliżonej masie ciała dziecka;
* tym, że dziecko choruje na jakąś chorobę przewlekłą lub zażywa obecnie inne leki;
* obciążonym wywiadzie rodzinnym pod względem występowania reakcji lub alergii (uczuleń) polekowych;
* poprzednich reakcjach dziecka na leki.

Twoje pytania

Poza szczegółami dotyczącymi objawów występujących u dziecka, przydatne może być również przygotowanie pytań, które cię nurtują (związane z dietą, zatrzymaniem dziecka w domu, ponownym kontaktem, jeśli objawy nie ustąpią itp.) oraz ołówka i papieru (w celu zanotowania zaleceń)[5].

WSZYSTKO O GORĄCZCE

Nietypowe poranne napady złego humoru dziecka, dotyczące na przykład tego, w co ma być ubrane, nasuną ci myśl, że coś jest nie w porządku. Nieco później szkliste oczy i zbyt zaróżowione policzki utwierdzą cię w tym przekonaniu. Jeśli twoje maleństwo apatycznie upuści łyżkę i zaśnie przy stole w samo południe, uzyskasz kolejne potwierdzenie. Dotknięcie czoła poinformuje cię o konieczności poszukania termometru. W ciągu kilku minut twoje podejrzenia zamieniają się w pewność: dziecko ma coraz wyższą gorączkę.

Czy biegniesz do apteczki, aby sięgnąć po zapas paracetamolu w syropie, lub do telefonu, aby zadzwonić do lekarza? Czy biegniesz do łazienki, aby otworzyć kurek z zimną wodą, czy może do kuchni, aby podgrzać trochę rosołu lub nalać szklankę soku pomarańczowego? Czy robisz te wszystkie rzeczy, czy też nie robisz żadnej z nich? Poznanie odpowiedzi na te pytania jest ważne dla zdrowia i dobrego samopoczucia twojego dziecka.

Naukowcy uważają obecnie, że w większości przypadków gorączka nie jest wrogiem (nawet gorączka tak wysoka, jak 41,1°C nie powoduje trwałych uszkodzeń), ale raczej obronną reakcją organizmu przeciwko takim intruzom, jak wirusy, bakterie i grzyby. Kiedy jeden z tych groźnych drobnoustrojów dostanie się do wnętrza ciała ludzkiego, działanie podejmują białe komórki krwi (leukocyty), które produkują hormon nazywany interleukiną. Dociera ona do mózgu z informacją dla podwzgórza, które jest jednym z gruczołów wydzielania wewnętrznego w obrębie mózgu, że należy podwyższyć poziom regulacji temperatury ciała. Wydaje się, że wyższa temperatura ciała pomaga układowi odpornościowemu zwalczyć infekcję i że niektóre drobnoustroje nie są zdolne do przeżycia w takiej podwyższonej temperaturze. Gorączka może również obniżać poziom żelaza w organizmie i w ten sposób wyniszczać infekujące mikroorganizmy, gdyż wymagają one tego pierwiastka do rozmnażania. Jeśli zaatakował wirus, gorączka zwiększa

[5] Prowadzenie „dziennika chorób" dziecka (w książeczce zdrowia lub w specjalnym zeszycie) zapewni ci w przyszłości ważne źródło informacji, kiedy będziesz próbowała przypomnieć sobie, których lekarstw dziecko nie toleruje i jak wiele infekcji ucha środkowego wystąpiło w ciągu ostatniego roku.

Poznaj swoje dziecko

Małe dzieci, podobnie jak my wszyscy, różnie reagują na ból. Niektóre z nich mogą znosić bardzo wiele (np. niezwykły wspinacz, który spada z drabinki najwyżej z okrzykiem „Au!" i natychmiast wspina się na nią ponownie), a niektóre bardzo niewiele (np. początkujący chodziarz, który wrzeszczy przy każdym upadku, nawet jeśli przewraca się na gruby, miękki dywan). Zawsze należy więc brać takie różnice pod uwagę, kiedy usiłujesz stwierdzić, jak bardzo chore jest twoje dziecko. Na przykład jeśli gorączkujące dziecko, które jest zwykle bardzo spokojne, uciska jedno lub oba uszy, rozważ infekcję ucha środkowego i wezwij lekarza, nawet jeśli malec nie wydaje się bardzo nieszczęśliwy. Z drugiej strony, jeśli twój tuptuś jest bardzo wrażliwy na ból, możesz spokojnie nie biegać do telefonu przy każdym zakwileniu. Bądź jednak ostrożna, bo możesz mieć do czynienia z zespołem „płaczu wilka". Pamiętaj, że dziecko, które skarży się z byle powodu, może być akurat chore.

produkcję interferonu i innych substancji antywirusowych produkowanych przez organizm.

Dreszcze i dygotanie, które często występują, gdy temperatura ciała gwałtownie wzrasta o parę stopni powyżej jej normalnego poziomu, dają organizmowi sygnał, aby temperaturę podnieść jeszcze wyżej. Zachęcają również osobę cierpiącą z powodu gorączki do podjęcia środków, które jeszcze bardziej podniosą temperaturę (wypicie gorącego kakao lub herbaty, zawinięcie się w dodatkowy koc lub ubranie ciepłego swetra).

W normalnych warunkach temperatura ciała wykazuje najniższe wartości (około 35,8°C przy pomiarze w ustach) pomiędzy drugą i czwartą w nocy i utrzymuje się na niskim poziomie (około 36,1°C), kiedy wstajemy, a następnie powoli wzrasta w ciągu dnia, aby osiągnąć szczyt pomiędzy szóstą i dziesiątą wieczorem (około 37,2°C). Temperatura ciała ma tendencję do delikatnego podwyższania się w ciepłe dni oraz w czasie aktywności fizycznej, a obniżania w dni chłodne. U małych dzieci temperatura jest bardziej chwiejna i podlega większemu zróżnicowaniu niż u dorosłych. Małe dziecko na ogół nie jest uznawane za gorączkujące, dopóki temperatura jego ciała (mierzona w odbycie) nie przekracza 38,1°C do 38,4°C.

Gorączka zachowuje się w różny sposób w przebiegu różnych chorób. W wypadku niektórych z nich temperatura ciała jest stale podwyższona, w innych obniża się rano i podnosi wieczorem lub wznosi się, spada i ponownie wzrasta bez żadnego określonego wzoru. Sposób zachowania się gorączki pomaga niekiedy lekarzowi w postawieniu rozpoznania.

Jeśli gorączka jest częścią reakcji obronnej organizmu, to bardzo rzadko przekracza 41,1°C, a osiągnięcie 42,2°C jest niespotykane. Natomiast jeśli gorączka wynika z zaburzeń mechanizmów regulacji cieplnej organizmu, jak na przykład w udarze cieplnym, to temperatura może wzrastać nawet do 45,6°C. Tak skrajne wartości mogą wystąpić, gdy ciało wytwarza zbyt wiele ciepła lub nie może się skutecznie schłodzić. Przyczyny mogą być pochodzenia wewnętrznego, ale znacznie częściej spowodowane są przegrzaniem pochodzącym z zewnętrznego źródła ciepła, takiego jak sauna, gorąca kąpiel lub nagrzane wnętrze samochodu, zaparkowanego na słońcu w upalny dzień (temperatura powietrza wewnątrz zamkniętego samochodu szybko wzrasta do 45°C, nawet jeśli szyby są opuszczone na 5 cm, a temperatura na zewnątrz jest umiarkowana i wynosi 29,4°C). Przegrzanie może być również efektem wytężonej aktywności fizycznej przy upalnej i wilgotnej pogodzie lub zbyt ciepłego ubioru w bardzo gorące dni. (Chociaż dwu-, trzylatki są mniej wrażliwe na udar cieplny niż niemowlęta, to odpowiednie zalecenia nadal powinny być przestrzegane; patrz str. 430.)

Gorączka spowodowana niewydolnością regulacji cieplnej jest sama w sobie chorobą. Nie tylko nie jest korzystna, ale nawet bardzo niebezpieczna i wymaga natychmiastowego leczenia. Temperatura przekraczająca 41,1°C, która jest spowodowana chorobą, również wymaga natychmiastowego leczenia. Uważa się, że wysoka gorączka przestaje być pomocna i że po przekroczeniu powyższej granicy pozytywny wpływ gorączki na odpowiedź odpornościową organizmu może zostać odwrócony.

MIERZENIE TEMPERATURY

Najszybszym i najprostszym sposobem przekonania się, czy dziecko ma gorączkę, jest dotknięcie ustami lub grzbietem dłoni czoła lub nasady karku dziecka. Przy niewielkiej praktyce szybko nauczysz się odróżniać temperaturę prawidłową od gorączki. Jeśli malec wydaje się cieplejszy niż zwykle, użyj termometru, aby uzyskać dokładniejszy wynik. Należy pamiętać, że pomiar temperatury poprzez dotknięcie ustami jest mniej wiarygodny, jeśli ty lub dziecko byliście ostatnio na dworze (zwłaszcza w zimny lub upalny dzień), braliście ciepłą kąpiel lub wypiliście szklankę gorącego lub zimnego napoju. Czoło małego dziecka może też wydawać się cieplejsze, kiedy rano malec wygramoli się spod kołdry, niezależnie od tego, czy ma gorączkę, czy też nie.

Mierzenie temperatury może nie tylko (choć przede wszystkim) nasunąć ci podejrzenie, że dziecko jest chore, ale mierzenie jej w czasie choroby może pomóc odpowiedzieć na pytanie o postępy choroby i reakcje na leczenie. W większości przypadków uzyskasz wszystkie potrzebne informacje, mierząc temperaturę jeden raz rano i jeden wieczorem. Mierz ją również w ciągu dnia, jeśli stan dziecka wydaje się gwałtownie pogarszać. Jeśli natomiast się poprawia, a dotknięcie ustami mówi ci, że gorączka spada, nie potrzebujesz potwierdzenia tego faktu za pomocą termometru. W ten sposób zarówno ty, jak i dziecko unikniecie przechodzenia przez ciężką próbę mierzenia temperatury.

Cztery części ciała, które mogą najdokładniej odzwierciedlać powierzchniową temperaturę ciała to: usta, odbyt, pacha i przewód słuchowy zewnętrzny. Ponieważ wkładanie termometru do ust małego dziecka jest niebezpieczne (większość lekarzy nie zaleca pomiaru temperatury w ustach, dopóki dziecko nie osiągnie wieku czterech pięciu lat i dopóki nie potrafi trzymać termometru pod językiem, nie gryząc go), pomiar temperatury w ustach nie będzie na razie uwzględniany. Pozostaje więc możliwość pomiaru temperatury w odbycie lub pod pachą. Możesz również zainwestować w nowoczesny termometr bębenkowy (czyli termometr zakładany do przewodu słuchowego zewnętrznego i mierzący temperaturę w podczerwieni), który w krótkim czasie odczyta temperaturę ciała poprzez wnętrze ucha.

Pomiar temperatury w ustach, w odbycie i pod pachą może być dokonywany zarówno klasycznym termometrem szklanym, jak i termometrem elektronicznym (cyfrowym). Termometry bębenkowe zawsze wyświetlają wynik pomiaru w sposób cyfrowy. Jak dotąd, nie wiadomo, czy termometry elektroniczne są mniej czy bardziej dokładne od klasycznych termometrów szklanych (wyniki badań są zróżnicowane). Jasne jest jednak, że działają one znacznie szybciej (szybkość zależy od stosowanego modelu), a podawane przez nie wyniki są łatwiejsze do odczytu. Ten sam termometr elektroniczny może służyć do pomiaru temperatury w ustach, w odbycie lub pod pachą, podczas gdy termometr szklany służy zwykle do pomiarów w ustach lub odbycie (termometr do pomiarów w ustach ma cienką, cylindryczną końcówkę, zaś do pomiarów w odbycie — końcówkę krótką, grubą i zaokrągloną)[6]. Plastry do pomiaru temperatury (przyklejane do czoła) są mniej dokładne od innych termometrów, chociaż możesz używać ich w celu uzyskania orientacyjnego wyniku. Termometr w formie smoczka, który powie ci tylko, czy temperatura jest podwyższona, czy też nie, ma również tylko ograniczoną użyteczność.

Przygotowanie dziecka. Ponieważ nadmierna aktywność lub płacz mogą podnieść temperaturę ciała dziecka, próbuj mierzyć temperaturę po około półgodzinnym okresie odpoczynku lub spokojnej zabawy (w razie potrzeby przeczytaj maluchowi bajeczkę lub puść kasetę wideo). Jeśli dziecko płacze lub krzyczy poczekaj, aż się uspokoi, zanim zaczniesz mierzyć mu gorączkę. Pomiar temperatury w ustach (dopuszczalny tylko u starszych dzieci) nie może być stosowany w ciągu pół godziny od spożycia gorących lub zimnych napojów lub potraw (ponieważ mogą mieć wpływ na uzyskany wynik). Zastrzeżenie to nie odnosi się jednak do pomiarów w odbycie lub pod pachą. Pomiary te mogą być zakłócone przez takie czynniki, jak temperatura powietrza w pokoju lub na zewnątrz. Poczekaj więc również, jeśli malec bawił się w przegrzanym pokoju (otwórz okno), jeśli właśnie wrócił z podwórza lub dopiero co wyszedł z gorącej kąpieli.

Przygotowanie termometru. Sprawdź poziom słupka rtęci na szklanym termometrze. Jeśli przekracza 35,6°C, strząśnij go energicznymi ruchami nadgarstka, trzymając termometr mocno pomiędzy kciukiem i palcem wskazującym (z końcówką skierowaną na zewnątrz). Umyj go zimną wodą z mydłem (gorąca lub ciepła woda może spowodować rozlanie się rtęci, w wyniku pęknięcia termometru), osusz, a następnie przemyj watą zanurzoną w denaturacie lub spirytusie. Termometr przeznaczony do pomiaru temperatury w ustach ponownie starannie opłucz, aby usunąć resztki alkoholu przed użyciem. Końcówkę termometru doodbytniczego nasmaruj wazeliną przed włożeniem go do odbytu.

Pomiar temperatury w odbycie. Usiądź na łóżku lub kanapie, połóż rozebrane od pasa w dół dziecko na brzuchu, na swoich kolanach (patrz ilustracja na str. 495). Poduszka podłożona pod głowę dziecka może zapewnić mu więcej wygody. Ewentualnie połóż malca na brzuchu na tapczanie, łóżku lub stole, podkładając pod jego

[6] Płasko zakończony termometr do pomiaru temperatury pod pachą jest w USA trudno dostępny, ale termometry do pomiarów w ustach lub odbycie mogą być również stosowane pod pachą.

biodra małą poduszkę lub zwinięty ręcznik w celu uniesienia pośladków, co ułatwi ci włożenie termometru. W tej pozycji dziecko nie czuje się tak mocno skrępowane i być może nie będzie tak bardzo protestować. Z drugiej strony masz mniejszą kontrolę nad dzieckiem, co w przypadku niektórych maluchów oznacza, że nie będą leżeć spokojnie. Jeśli dziecko jest wystraszone, mów do niego uspokajająco i spróbuj odwrócić jego uwagę (za pomocą ulubionej książki, zabawki lub nawet filmu wideo). Jest to łatwiejsze do wykonania, jeśli masz inną osobę do pomocy — współmałżonka, starsze dziecko, dziadka lub przyjaciela. Jedną ręką rozsuń pośladki, odsłaniając odbyt. Drugą ręką wsuń właściwy koniec termometru na około 2,5 cm w głąb odbytu. Zatrzymaj termometr wcześniej, jeśli poczujesz opór. Nie rób niczego na siłę. Trzymaj termometr nieruchomo pomiędzy palcem wskazującym i środkowym, przytrzymując pozostałymi palcami pośladki, tak aby termometr się nie wysunął. Utrzymaj go w tej pozycji przez dwie minuty w wypadku termometru szklanego lub do czasu usłyszenia sygnału w wypadku termometru elektronicznego. Aby uniknąć przypadkowego złamania termometru, wyjmij go natychmiast, gdy wyczujesz aktywny opór dziecka, a w okolicy nie ma nikogo, kto mógłby pomóc ci w przytrzymaniu go. Nawet jeśli termometr znajdował się w odbycie tylko przez około pół minuty, zdążył w pewnym stopniu zarejestrować temperaturę, dając ci przybliżony rezultat, który może potwierdzić twoje podejrzenia. Możesz go przekazać lekarzowi. Wytrzyj termometr kawałkiem papierowej chusteczki lub papieru toaletowego, zanim odczytasz wynik. (Możesz nawet odłożyć termometr na czas założenia dziecku pieluszki bez obawy, że wynik ulegnie

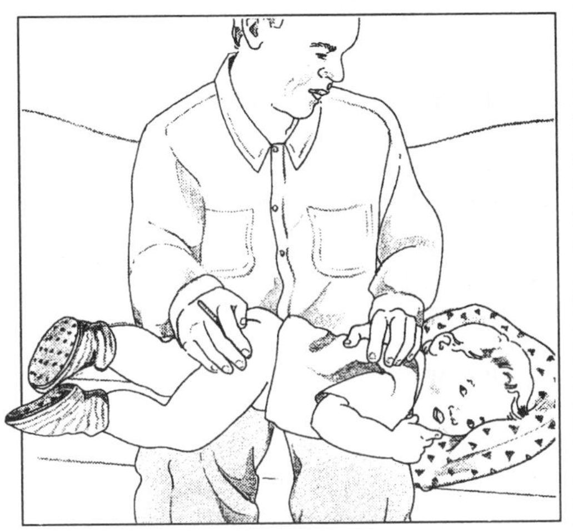

U małych dzieci najczęściej używany jest termometr doodbytniczy.

Termometr do pomiarów pod pachą jest użyteczny, kiedy dziecko ma biegunkę lub broni się przed włożeniem termometru do odbytu.

zmianie.) Rzadko, ale jednak zdarza się, że szklany termometr pęka w czasie pomiaru temperatury. Jeśli ci się to zdarzyło, a nie możesz znaleźć wszystkich kawałków, zadzwoń do lekarza. Nie wpadaj jednak w panikę. Ryzyko urazu większego niż zadraśnięcie jest minimalne, a sama rtęć nie jest trująca. (Rtęć używana w termometrach jest rtęcią metaliczną, która utlenia się zbyt wolno, aby dostarczyć wchłanialnych jonów rtęci.) Możesz uniknąć ewentualnych skaleczeń, stosując jednorazowe osłonki papierowe (które nie upośledzają pomiaru), przy każdym pomiarze temperatury w odbycie. Osłonki takie są dostępne w aptekach.

Pomiar temperatury pod pachą. Stosuj tę nieco mniej precyzyjną metodę pomiaru temperatury, jeśli twoje dziecko nie chce leżeć spokojnie lub ma biegunkę, która mogłaby spowodować problemy, bądź jeśli nie dysponujesz termometrem doodbytniczym. Do tego celu możesz stosować również termometr do pomiarów w ustach lub odbycie, termometr elektroniczny (lub oczywiście specjalny termometr do pomiarów pod pachą, jeśli go posiadasz) albo nowym typem termometru działającego w podczerwieni. Zdejmij swojemu dziecku bluzkę, tak aby żaden ubiór nie znajdował się pomiędzy termometrem a pachą, i upewnij się, że pacha jest sucha. Umieść właściwą końcówkę termometru pod pachą, przyciskając łokieć dziecka do boku klatki piersiowej. Utrzymaj taką pozycję przez co najmniej cztery, pięć minut (najlepiej osiem minut) w wypadku termometru szklanego, a do czasu usłyszenia sygnału w wypadku termometru elektronicznego. (Pomiar elektroniczny może być do-

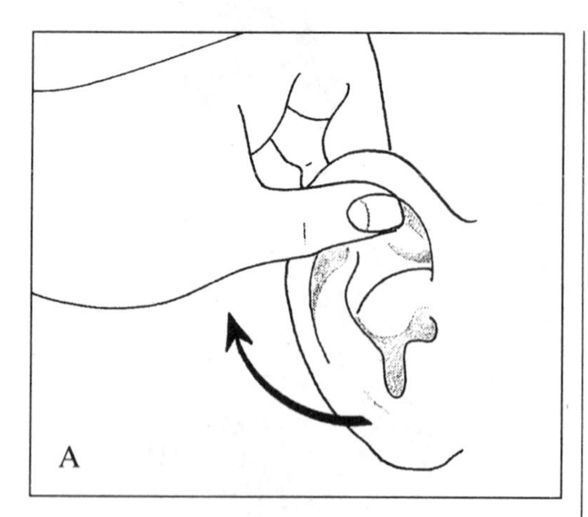

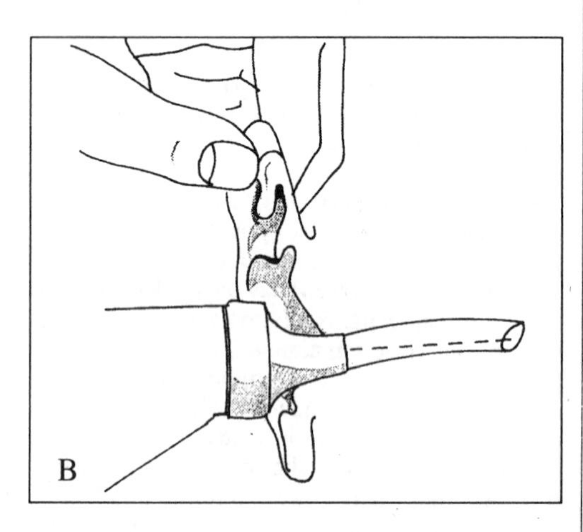

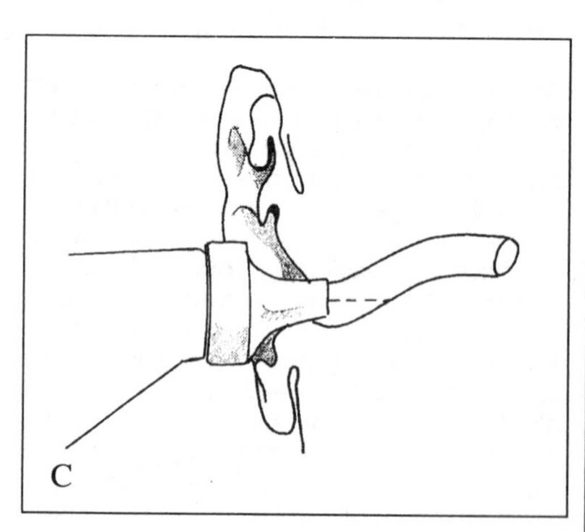

Ucho musi zostać odciągnięte ku górze (A), aby wyprostować przewód słuchowy (B) i umożliwić wprowadzenie termometru bębenkowego. Jeśli przewód słuchowy nie zostanie wyprostowany (C), jego zagięcie może przekłamywać wynik.

kładniejszy, jeśli przytrzymasz ramię swojego dziecka w powyższej pozycji przez pięć minut przed włożeniem termometru pod pachę. Pomiar temperatury pod pachą wydaje się najmniej dokładny, gdy gorączka dopiero zaczyna rosnąć.) Śpiewaj piosenki, włącz magnetofon lub telewizor albo rób cokolwiek, co utrzyma twoje dziecko w spokoju przez ten czas.

Pomiar temperatury w przewodzie słuchowym. Starannie wypełniaj zalecenia dołączone do termometru. Najlepiej poproś lekarza, aby zademonstrował ci właściwą technikę pomiaru temperatury w przewodzie słuchowym. Przede wszystkim jest to kwestia właściwego umieszczenia termometru w przewodzie słuchowym. W ciągu dosłownie jednej sekundy uzyskasz wynik, który jest uważany za bardziej wiarygodny niż wynik pomiaru temperatury pod pachą. Prawdopodobnie konieczne jest przeprowadzenie dalszych badań, aby wykazać, jak najlepiej takie wyniki interpretować.

Pomiar temperatury w ustach. Możesz rozpocząć mierzenie temperatury w ustach, jeśli dziecko potrafi trzymać termometr bezpiecznie pod językiem, z zamkniętymi ustami i jeśli potrafi zrozumieć i przestrzegać nakazu, aby go nie gryźć. Możliwe jest to zwykle w wieku czterech, pięciu lat, rzadko wcześniej. W celu przeprowadzenia dobrego pomiaru termometr powinien być dobrze umieszczony w „kieszonce" pod językiem i utrzymany tam przez dwie do czterech minut. (Jeśli twoje dziecko oddycha przez usta ze względu na zapchany nos, pomiar temperatury może zabrać cztery minuty lub nawet więcej). Jeśli chcesz zmierzyć temperaturę w ustach po spożyciu gorących lub zimnych potraw lub napojów, zanim włożysz termometr, odczekaj około piętnastu minut, aż temperatura w jamie ustnej wróci do normy.

ODCZYTYWANIE WYNIKÓW POMIARÓW

Pomiar temperatury w odbycie jest uznawany za najdokładniejszy, ponieważ odzwierciedla temperaturę powłok ciała. Za standard jednak uznawany jest pomiar temperatury w ustach. Temperatura uzyskana drogą pomiaru w odbycie, jak to ma najczęściej miejsce u małych dzieci, jest zwykle o 0,5-0,6°C wyższa niż temperatura uzyskana przy pomiarze w ustach. Pomiary pod pachą są na ogół o 0,5-0,6°C niższe, chociaż mogą być jeszcze bardziej zaniżone, jeśli gorączka dopiero zaczyna rosnąć. Na ogół za temperaturę prawidłową uznaje się 37,0°C przy pomiarze w ustach, 37,6°C w odbycie i 36,5°C pod pachą. Ostatnie badania wykazują jednak, że wartość „prawidłowa" może się znacząco różnić u różnych ludzi,

Drgawki gorączkowe

Ocenia się, że 2 do 4 na 100 małych dzieci doświadcza drgawek (gałki oczne obracają się, ciało sztywnieje, ręce i nogi drgają mimowolnie) związanych z gorączką, zwykle w okresie jej narastania. Chociaż drgawki gorączkowe przerażają rodziców, lekarze uważają obecnie, że nie są one szkodliwe. Badania wykazują, że dzieci, które doświadczały drgawek gorączkowych, nie wykazują później żadnych zmian neurologicznych lub psychicznych, chociaż istnieje nieco podwyższone ryzyko wystąpienia u nich w przyszłości padaczki (podejrzewa się jednak, że w takich przypadkach drgawki są raczej rezultatem wrodzonej tendencji do ich występowania niż przyczyną takich tendencji). Wydaje się, że w etiologii takich drgawek mają znaczenie czynniki genetyczne (występują one bowiem rodzinnie), ale w większości przypadków główną przyczyną jest prawdopodobnie niedojrzałość mózgu małego dziecka. Gdy mózg dojrzewa, drgawki gorączkowe ustępują.

Ryzyko nawrotów

Jeśli twoje dziecko miało drgawki gorączkowe w okresie niemowlęcym, to istnieje o 30-40% większe ryzyko wystąpienia podobnych epizodów we wczesnym dzieciństwie w porównaniu z dziećmi, które takich epizodów nigdy nie manifestowały. Jednak u 7 lub 8 dzieci z 10, które miały jeden epizod drgawek gorączkowych, nigdy się on nie powtórzy. Ponowne wystąpienie drgawek jest najbardziej prawdopodobne u tych dzieci, u których poprzedni epizod drgawek trwał ponad 15 minut, drgawki wystąpiły wkrótce po rozpoczęciu się gorączki, gorączka w czasie wystąpienia drgawek nie była zbyt wysoka, oraz te, u których nadal istnieje podstawowa przyczyna występowania drgawek.

Nie stwierdzono, aby obecnie stosowane metody leczenia drgawek gorączkowych w jakikolwiek sposób wpływały na ryzyko wystąpienia nawrotów. Również wydaje się, że leczenie gorączki nie ma wpływu na obniżenie częstości występowania drgawek u predysponowanych do nich dzieci. Dzieje się tak prawdopodobnie dlatego, że drgawki prawie zawsze występują na początku choroby, w okresie, kiedy gorączka dopiero rośnie i zanim jakiekolwiek leczenie zostanie rozpoczęte.

Postępowanie w przypadku drgawek gorączkowych

Jeśli u twojego dziecka wystąpiły drgawki gorączkowe, zachowaj spokój (pamiętaj, że takie drgawki nie są niebezpieczne) i podejmij następujące działania. Sprawdź, która jest godzina, aby zmierzyć, jak długo trwają drgawki. Następnie weź dziecko na ręce lub połóż je na boku w łóżku lub na innej płaskiej powierzchni, w miarę możliwości z głową położoną nieco niżej od reszty ciała. Nie próbuj w żaden sposób krępować ruchów dziecka. Zdejmij mu wszelkie obcisłe rzeczy. Nie próbuj podawać żadnego pokarmu ani napojów lub wkładać czegokolwiek do ust. Usuń wszystko, co może się w nich znajdować (np. smoczek lub pokarm*). Dziecko może w czasie drgawek na krótko stracić przytomność, ale zwykle szybko ją odzyskuje bez żadnej pomocy. Drgawki będą najprawdopodobniej trwały tylko przez minutę lub dwie.

Jeśli po ustąpieniu drgawek dziecko chce spać, ułóż je do snu na boku, podpierając kocem lub poduszką. Zadzwoń następnie do lekarza (chyba że drgawki wystąpiły nie po raz pierwszy, a lekarz powiedział ci, że w takim przypadku nie musisz go wzywać). Jeśli nie uda ci się od razu skontaktować z lekarzem, możesz ochłodzić dziecko wilgotną gąbką i podać paracetamol (w postaci czopków, jeśli dziecko jest zbyt śpiące, aby połknąć lek) w celu obniżenia temperatury w czasie, kiedy czekasz na kontakt z lekarzem. Nie próbuj jednak wkładać dziecka do wanny, aby obniżyć temperaturę, bowiem gdyby wystąpiły kolejne drgawki, dziecko mogłoby zachłysnąć się wodą. Uwaga! Jeśli dziecko nie oddycha prawidłowo po ustąpieniu napadu drgawek lub jeśli drgawki trwają pięć minut lub dłużej, wezwij natychmiast pogotowie ratunkowe (tel. 999) lub inną pomoc doraźną. W takim przypadku konieczne prawdopodobnie będzie udanie się do ambulatorium lub szpitalnej izby przyjęć, aby określić przyczynę tego rodzaju drgawek.

* Aby usunąć kawałek pokarmu lub inny przedmiot z ust swego dziecka, użyj raczej zakrzywionego palca wskazującego niż dwóch palców chwytających szczypcowo, gdyż w ten sposób łatwiej jest uniknąć wepchnięcia pokarmu głębiej.

a wartość przeciętna jest prawdopodobnie nieco niższa. Wynik 39,0°C uzyskany w odbycie jest odpowiednikiem 38,4°C w ustach i 37,9°C pod pachą. Wyniki pomiarów termometrem bębenkowym są porównywalne z wynikami uzyskanymi przy pomiarach w odbycie lub w ustach.

Aby odczytać wynik na szklanym termometrze rtęciowym, trzymaj go w dobrym oświetleniu i obracaj w palcach, dopóki nie zobaczysz srebrnego słupka rtęci. Skalowanie termometru jest wykonane co jeden stopień, co pół stopnia i co jedną dziesiątą stopnia Celsjusza. Punkt, w którym kończy się słupek rtęci, wskazuje zmierzoną temperaturę. Wynik zapisz razem z czasem wykonania pomiaru. Kiedy informujesz lekarza o wyniku, powiadom go zawsze o sposobie wykonania pomiaru. Po odczytaniu wyniku wyczyść termometr i przechowuj go zgodnie z zale-

Dawkowanie paracetamolu

Wiek	Masa ciała (kg)	Krople	Syrop (łyżeczki)	Tabletki do żucia
		TYLENOL		
12-23 mies.	8,0-10,5	1,2 ml	3/4	—
2-3 lata	11,0-16,0	1,6 ml	1	2
4-5 lat	16,5-21,5	—	1 i 1/2	3
		TEMPRA		
12-23 mies.	8,0-10,5	1,2 ml	—	—
2-3 lata	11,0-16,0	1,6 ml	1 i 1/2	2
4-6 lat	16,5-21,5	2,4 ml	2	2 i 1/2

Nie należy przekraczać zalecanych dawek.

ceniami producenta. Termometr szklany po każdym użyciu powinien zostać umyty w zimnej wodzie z mydłem, opłukany, przetarty alkoholem i przechowywany z dala od takich źródeł ciepła, jak: nasłonecznione okno, kaloryfer, kominek, suszarka do odzieży lub piec kuchenny.

OCENA GORĄCZKI

Zachowanie dziecka jest najczęściej lepszą wskazówką tego, jak bardzo jest ono chore, niż temperatura ciała. Małe dziecko może być poważnie chore, na przykład na zapalenie płuc lub zapalenie opon mózgowo-rdzeniowych, bez gorączki lub wykazywać wysoką gorączkę przy łagodnym przeziębieniu. Dlatego też ważne jest oparcie oceny stanu zdrowia twego dziecka nie tylko na temperaturze ciała, ale i na współistniejących objawach. Patrz str. 485, co do wskazań do wezwania lekarza w przypadku gorączkującego dziecka.

LECZENIE GORĄCZKI

W przybliżeniu 80% do 90% wszystkich przypadków gorączki u małych dzieci jest związanych z samoograniczającą się infekcją wirusową (która zwykle ustępuje bez leczenia). Obecnie większość specjalistów nie zaleca leczenia gorączki u małych dzieci, chyba że przekracza ona 38,9°C, a niektórzy sugerują nawet odczekanie do 40,0°C, zanim sięgnie się po tak nie lubianą przez malca miarkę do lekarstw. Specjaliści ci mogą jednakże zalecać stosowanie paracetamolu nawet przy niższych temperaturach, aby złagodzić ból, uzyskać poprawę snu, poprawić ogólne samopoczucie dziecka, a niekiedy uspokoić zdenerwowanych rodziców. Z drugiej strony jednak, choroby spowodowane przez bakterie muszą zawsze być leczone antybiotykami, które pośrednio obniżają temperaturę poprzez likwidowanie źródła infekcji. W zależności od rodzaju choroby, podawanego antybiotyku, samopoczucia dziecka i wysokości gorączki, antybiotyki i leki przeciwgorączkowe mogą, ale nie muszą, być przepisane razem.

W przeciwieństwie do wielu innych przypadków gorączki skojarzonych z infekcją, gorączka związana ze wstrząsem spowodowanym uogólnioną infekcją bakteryjną całego organizmu (posocznica, czyli sepsa) wymaga natychmiastowego leczenia farmakologicznego obniżającego temperaturę ciała. Podobnie rzecz się ma w przypadku gorączki spowodowanej udarem cieplnym (patrz str. 569).

Jeśli twoje dziecko ma gorączkę, podejmij poniższe działania, chyba że lekarz zalecił inne postępowanie.

Ochłodź dziecko. Chociaż babcia radzi ci, aby zapewnić gorączkującemu dziecku ciepło, owijanie go kilkoma kocami, ciepłe ubieranie lub trzymanie w przegrzanym pomieszczeniu nie jest bezpieczne. Działania takie mogą bowiem doprowadzić do udaru cieplnego, podnosząc temperaturę ciała dziecka do niebezpiecznego poziomu. (Wyjątkiem może być dziecko, u którego występują dreszcze; można je owinąć w koc, dopóki dreszcze nie ustąpią.) Ubierz gorączkującego malca lekko, aby umożliwić organizmowi utratę nadmiaru ciepła (w gorące dni wystarczy pieluszka lub majteczki), używaj tylko prześcieradła lub cienkiego koca do okrycia i utrzymuj temperaturę w pokoju na poziomie

Typowa temperatura ciała*

Miejsce pomiaru	Typ termometru	Zakres normy	Gorączka
odbyt	rtęciowy (szklany) lub elektroniczny	36,6°C — 38,0°C	38,1°C
usta	rtęciowy (szklany) lub elektroniczny	35,6°C — 37,5°C	37,6°C
pacha	rtęciowy (szklany) lub elektroniczny	34,7°C — 37,3°C	37,4°C
ucho	na podczerwień	35,7°C — 37,5°C	37,6°C

* Jeśli podstawowa temperatura ciała twojego dziecka mierzona, gdy jest ono zdrowe, różni się od podanego zakresu normy, różnić się mogą również wartości wskazujące na gorączkę. Przedyskutuj to z lekarzem twojego dziecka.

20,0°C do 21,1°C. Jeśli jest to konieczne, do utrzymania takiej temperatury używaj klimatyzacji lub wentylatora (pamiętaj jednak, aby dziecko przebywało poza zasięgiem ruchu powietrza lub powiewów z otwartego okna).

Podawaj więcej płynów. Ponieważ w czasie gorączki organizm traci więcej wody przez skórę, więc ważne jest, aby upewnić się, że dziecko otrzymuje odpowiednią ilość płynów w postaci rozcieńczonych soków, soczystych owoców (takich jak owoce cytrusowe, melony, arbuzy), wody, czystych zup, deserów żelatynowych i napojów z lodem zrobionych z soków owocowych. Zachęć dziecko, ale nie zmuszaj go, do częstego popijania ulubionych napojów. Jeśli malec odmawia przyjmowania jakichkolwiek płynów przez kilka godzin, poinformuj o tym lekarza.

Obniż gorączkę za pomocą leków. Ale tylko wówczas, gdy jest to konieczne. Pamiętaj, że w większości przypadków gorączka odgrywa istotną rolę w zwalczaniu infekcji. Lekarz może zalecić stosowanie paracetamolu (lub niekiedy ibuprofenu; patrz str. 506), jeśli temperatura wynosi 39,4°C lub więcej (przy pomiarze w odbycie), jeśli dziecko jest przez gorączkę wyjątkowo zmęczone, cierpi z powodu bólu lub nie może zasnąć. Z należytą uwagą przestrzegaj zawsze zalecanych dawek (patrz tabela na str. 498).

Obniż gorączkę, nacierając dziecko wodą. Ale tylko w szczególnych okolicznościach. Ochładzanie myjką (gąbką), które było kiedyś rutynowym sposobem postępowania w wypadku gorączki (i które powoduje, że niektóre maluchy cierpią jeszcze bardziej), jest obecnie zalecane tylko wówczas, gdy dziecko wykazuje niekorzystne reakcje na leki przeciwgorączkowe lub kiedy leki te nie działają (temperatura nie obniża się w ciągu godziny od podania leku). Postępowanie takie może być również zalecane w połączeniu z podawaniem leków przeciwgorączkowych, takich jak paracetamol, jeśli dziecko ma gorączkę 40,0°C lub wyższą. Ochładzanie mokrą myjką jest postępowaniem z wyboru (leki nie są zalecane) w przypadku udaru cieplnego (patrz str. 569). Podczas gdy w przypadku udaru cieplnego stosowana jest woda zimna, to w przypadku gorączki spowodowanej chorobą używana może być tylko woda letnia lub lekko ciepła (o temperaturze zdrowego ciała ludzkiego, to znaczy ani ciepła, ani zimna w dotyku). Stosowanie zimnej lub chłodnej wody bądź alkoholu (środka kiedyś popularnego w obniżaniu temperatury) w przypadku gorączki spowodowanej chorobą może wywoływać dreszcze, które powodują podwyższenie temperatury ciała zamiast jej obniżenia. Stosowanie alkoholu pociąga za sobą dodatkowe ryzyko: wdychanie oparów może być szkodliwe. Używanie ciepłej wody również podniesie temperaturę ciała i może, podobnie jak zbyt ciepłe ubranie gorączkującego dziecka, doprowadzić do udaru cieplnego.

Jeśli dziecko lubi kąpiele, możesz nacierać je myjką w wannie[7]. Ewentualnie możesz ochładzać gorączkujące dziecko myjką lub gąbką, kładąc je na ręczniku rozłożonym na wodoszczelnym podkładzie lub na plastykowym blacie. Niezależnie od tego, czy ochładzanie wykonujesz w wannie, czy też poza nią, pomieszczenie powinno być odpowiednio ogrzane i bez przeciągów. Jeśli nacierasz dziecko wodą, podając jednocześnie leki przeciwgorączkowe, podaj lek na pół godziny przed rozpoczęciem ochładzania.

[7] Nie wkładaj jednak do wanny dziecka, które miało ostatnio drgawki gorączkowe.

Zanim rozbierzesz dziecko, przygotuj trzy myjki oraz wannę lub miskę letniej wody. Jeśli nie wkładasz dziecka do wanny, przykryj je cienkim ręcznikiem. (Nie używaj jednak do tego celu mokrego ręcznika lub prześcieradła, ponieważ może to zapobiec ucieczce ciepła poprzez skórę.) Wykręć jedną myjkę, tak aby nie kapała z niej woda, złóż ją i przyłóż dziecku do czoła. Namocz ją ponownie, kiedy zaczyna wysychać. Zmocz i delikatnie wykręć następną myjkę i zacznij delikatnie pocierać skórę dziecka, za każdym razem zwilżając jedną część ciała. Skoncentruj się szczególnie na szyi, twarzy, brzuchu, wewnętrznej stronie stawów łokciowych i kolanowych, ale nie omijaj również pach i pachwin. Krew, która w wyniku tarcia dostaje się pod powierzchnię skóry, zostanie schłodzona w wyniku parowania letniej wody z powierzchni skóry. Kiedy myjka zaczyna wysychać, odłóż ją i sięgnij po trzecią. Kontynuuj obmywanie dziecka, zmieniając myjki, co najmniej pół godziny, nie krócej jednak niż dwadzieścia minut (tak długo trwa obniżenie temperatury ciała). Jeśli w tym czasie woda w misce (wannie) mocno się ochłodzi, dolej ciepłej wody, aby podnieść ponownie jej temperaturę. Jeśli kąpiel spowoduje dreszcze, podnieś nieco temperaturę wody, a jeśli podałaś lek przeciwgorączkowy, odczekaj 20 minut dłużej na jego skutki.

Zachęć dziecko do odpoczynku. Dziecko, które jest naprawdę chore, będzie szukało odpoczynku, ale wiele maluchów z gorączką nadal chce dokazywać. Pozwól na umiarkowaną aktywność, ale nie zgadzaj się na szaleństwa, gdyż może to dodatkowo podnieść temperaturę ciała.

Odpowiednio odżywiaj dziecko. Energia, jaką organizm zużywa na podniesienie temperatury ciała, zwiększa zapotrzebowanie na kalorie. Osoby chore potrzebują więcej kalorii, a nie mniej.

Nie przesadzaj z leczeniem. Nie stosuj lewatyw (które są starym sposobem obniżania gorączki) ani żadnych innych leków (poza paracetamolem), które nie zostały zapisane przez lekarza. Nie podawaj żadnych leków (z paracetamolem włącznie), jeśli podejrzewasz udar cieplny.

Skontaktuj się z lekarzem. Zadzwoń do pediatry, jeśli jest to konieczne (patrz str. 485). Każda gorączka trwająca osiem dni lub dłużej, przy braku oczywistych objawów choroby, uważana jest za gorączkę o niejasnej etiologii lub gorączkę bez znanej przyczyny i zawsze wymaga oceny lekarskiej.

OPIEKA NAD CHORYM DZIECKIEM

W DOMU

Jak wiele odpoczynku? Każdy, kto kiedykolwiek próbował zmusić do leżenia w łóżku małe dziecko, które ma wysoką gorączkę i które jednocześnie biega wokół zmartwionych rodziców, wie, jakie to jest trudne. Obecnie jednak lekarze utrzymują, iż trzymanie chorego malucha w łóżku nie jest potrzebne, chyba że dziecko wygląda na potrzebujące odpoczynku. Nie ma żadnych dowodów, że leżenie w łóżku wpływa w jakikolwiek (pozytywny lub negatywny) sposób na przebieg łagodnej choroby. Prawie zawsze możesz też zaufać swemu dziecku i postępować zgodnie z sygnałami jego ciała. Bardzo chory maluch będzie w wyraźny sposób rezygnował z zabawowych gonitw na rzecz potrzebnego odpoczynku i relaksu, podczas gdy dziecko tylko lekko chore nie będzie chciało zgodzić się na odpoczynek (podobnie jak dziecko, które zdrowieje i chętnie przyspiesza tempo zabawy). Tak więc, dopóki ograniczenie aktywności nie jest zaleceniem lekarza, nie ma potrzeby, aby stosować własne restrykcje. Zadbaj jednak, by w domu panował spokój. Chaos nie jest dobry dla osoby chorej, niezależnie od jej wieku. Jeśli dziecko gorączkuje, próbuj również ograniczyć intensywność zabaw — aktywność może bowiem jeszcze bardziej podnieść temperaturę ciała.

Jak długo przetrzymywać dziecko w domu? Jeśli chodzi o spacery z dzieckiem na otwartym powietrzu oraz o zaplanowanie powrotu do żłobka, przedszkola lub grupy rówieśniczej, postępuj zgodnie z zaleceniami lekarza. Na ogół zaleca się, aby dziecko, które gorączkowało do 38,3°C lub wyżej, pozostawało w domu, dopóki temperatura nie utrzyma się przez 24 godziny przynajmniej na poziomie 37,9°C. Dziecko, które manifestuje jeszcze pewne objawy (takie jak kaszel po pobycie na zimnym powietrzu), może prowadzić normalną aktywność, jeśli gorączka całkowicie ustąpiła, chociaż malec, który wydaje się zmęczony chorobą, prawdopodobnie mógłby skorzystać z kilku dodatkowych dni pobytu w domu, jeśli jest to tylko możliwe.

Wskazówki dietetyczne. Zapomnij o powiedzeniu, które mówi: „Głoduj w czasie przeziębienia, dobrze jedz w czasie gorączki", gdyż nie ma ono żadnego medycznego uzasadnienia. Każda chora osoba, gorączkująca lub nie, wymaga odżywczej diety (oczywiście zgodnej z zaleceniami związanymi z konkretną chorobą). Jeśli wystąpiła gorączka, dodatkowa ilość energii jest bardzo ważna dla wyrównania strat energetycznych poniesionych na podwyższenie temperatury ciała. W przypadku większości chorujących małych dzieci, należy zastosować się do następujących zaleceń:

Podawaj dużo płynów. Jeśli dziecko ma gorączkę, infekcję układu oddechowego (taką jak przeziębienie, grypa lub zapalenie oskrzeli) lub cierpi na chorobę przewodu pokarmowego z biegunką i/lub wymiotami, wówczas czyste płyny oraz pokarmy z dużą zawartością wody (soki, soczyste owoce, zupy, galaretki na bazie soków owocowych, mrożone desery owocowe, nie słodzone cukrem napoje gazowane lub soki sporządzone z koncentratów owocowych) pomogą zapobiec odwodnieniu. (Niekiedy, szczególnie w przypadku biegunki, konieczne może być stosowanie doustnych roztworów nawadniających.) Oferuj maluchowi płyny często w ciągu całego dnia, nawet jeśli za każdym razem wypija on tylko łyk. Jeśli ma przy tym kiepski apetyt, płyny powinny przeważać nad pokarmami stałymi.

Zwróć uwagę na jakość. Kiedy apetyt twojego dziecka jest osłabiony przez chorobę, pokusa, aby odstawić na bok pokarmy odżywcze, a zaoferować małemu pacjentowi mało odżywcze, które są zwykle zabronione, jest ogromna. Musisz się jednak jej oprzeć. Ponieważ każdy chory — dorosły czy dziecko — potrzebuje wielu składników odżywczych (zwłaszcza białka, witamin i minerałów), aby dopomóc układowi odpornościowemu w zwalczeniu choroby, upewnij się, że to, co zjada twoje dziecko, odpowiada zaleceniom dietetycznym. Kontynuuj również podawanie witamin (chyba że lekarz zaleci inne postępowanie lub dziecko wymiotuje po ich połknięciu).

Pamiętaj, że „małe jest piękne". Ponieważ apetyt może być w czasie choroby osłabiony, najlepiej jest odżywiać dziecko małymi porcjami, podawanymi często w ciągu dnia. Unikaj ciężkich, tłustych pokarmów, które są ciężko strawne.

Do niczego nie zmuszaj. Nawet jeśli dziecko nie zjadło nawet kęsa w ciągu 24 godzin, nie zmuszaj go do jedzenia. Upewnij się jednak, że przyjęło odpowiednią ilość płynów. Możesz nawet notować wypijane ilości płynów. Zawsze zgłaszaj lekarzowi niedostateczne przyjmowanie płynów i/lub poważną utratę apetytu.

Podawaj ulubione pokarmy i napoje. Unikaj nowych potraw oraz żywności, której dziecko nie lubi. W zamian skoncentruj się na ulubionych daniach. W mniejszym stopniu dbaj o zróżnicowanie pokarmu niż o całkowitą podaż kaloryczną. Na przykład, jeśli dziecko tak chce, to w ciągu dnia pozwól mu zjeść sześć miseczek kaszki z mlekiem i bananami. Jeśli malec nie ma na nic apetytu, spróbuj skusić go jedną ze smakowitych sztuczek przedstawionych na str. 449. Odżywczy koktajl lub sok (przyrządzony w domu z mleka lub soku, bananów, jagód lub innych owoców, wymieszany z jogurtem bądź jedną lub dwoma łyżeczkami kiełków pszenicznych) może być dla dziecka kuszący i łatwiejszy do spożycia niż pokarmy stałe.

Pamiętaj jednak, że najlepszym lekarstwem dla każdej chorej osoby, a zwłaszcza dla dziecka, jest czuła, pełna miłości opieka. Dawkuj ją swojemu dziecku regularnie.

W SZPITALU

Przebywanie wśród nie znanych osób i w nie znanym otoczeniu, bycie badanym, kłutym, szpikowanym lekami i „przywiązywanym" do łóżka (niekiedy, gdy aktywność musi być drastycznie ograniczona, nawet w dosłownym znaczeniu tego słowa) to doświadczenia, z którymi często wiąże się pobyt w szpitalu. Jeśli małe dziecko musi trafić do szpitala, niezależnie od tego, czy na jedną dobę po zabiegu, na tygodniowe badania i obserwację, czy też na długotrwałe leczenie, które może trwać miesiąc lub dłużej, nikt i nic nie może całkowicie zlikwidować bólu i lęku, zarówno dziecka, jak i jego rodziców. Pozytywne nastawienie i właściwe przygotowanie może jednak pomóc łatwiej przeżyć ten trudny okres.

Jeśli twoje dziecko musi zostać przyjęte do szpitala, rozpocznij przygotowania tak szybko, jak to jest możliwe, poprzez poczynienie następujących kroków:

* Upewnij się, że pobyt w szpitalu jest absolutnie konieczny. Zapytaj, czy planowane działania nie mogłyby zostać przeprowadzone w przychodni (w gabinecie twojego lekarza lub w przychodni przyszpitalnej), tak aby dziecko mogło powrócić do domu i znajomego otoczenia tego samego dnia.
* Sprawdź szpital, zanim trafi do niego twoje dziecko. Jeśli możesz wybierać (może to być uniemożliwione przez pilność przypadku, odległość, finanse lub uwarunkowania ubezpieczeniowe), rozważ wszystkie możliwości. Najlepszy jest zwykle cieszący się dobrą renomą

szpital dziecięcy, w którego pobliżu znajduje się szpital nadrzędny (duży, regionalny ośrodek medyczny), posiadający duży oddział pediatryczny. Jeśli dziecko wymaga leczenia chirurgicznego lub innych nierutynowych zabiegów, poszukaj szpitala, który ma doświadczenie w tego rodzaju działaniach (zapytaj lekarza, który ma sprawować opiekę nad twoim dzieckiem, o jego doświadczenie i dotychczasowe rezultaty). Niekiedy właściwy szpital może leżeć daleko od domu, ale uzyskanie najlepszej możliwej opieki (jeśli jest ona osiągalna) prawie zawsze warte jest takiej podróży.

* Szukaj zarazem szpitala, który zapewnia jednemu lub obojgu rodzicom możliwość pobytu razem z dzieckiem (lekarz może napisać odpowiednią prośbę, jeśli możliwość taka nie jest rutynowo zapewniana, a dziecku zapewnia pokój zabaw, przyjazną atmosferę i wrażliwy personel (jeśli jest to szpital miejscowy, przed przyjęciem dziecka wstąp do szpitala na chwilę i porozmawiaj przez kilka minut). Upewnij się również, że możliwe będzie przyniesienie do szpitala kilku ulubionych przedmiotów twego dziecka, co uczyni pobyt w szpitalu znacznie przyjemniejszym.

* Weź zwolnienie z pracy. Jeśli jest to w ogóle możliwe, przynajmniej jedno z rodziców powinno przebywać z dzieckiem przez całą dobę w czasie jego pobytu w szpitalu. Ma to nie tylko zapewnić pożądane uspokojenie i komfort psychiczny oraz umożliwić służenie dziecku obroną w razie potrzeby, ale zapewnić również poczucie bezpieczeństwa i ciągłość opieki w często nieprzewidywalnym środowisku szpitalnym. Większość pracujących rodziców ma prawo uzyskać zwolnienie z pracy w celu sprawowania opieki nad chorym dzieckiem (chociaż niestety nie zawsze mają gwarantowaną płacę za okres nieobecności). Jeśli oboje rodzice pracują, wówczas pełnienie na zmianę dyżurów przy łóżku chorego dziecka może zminimalizować całkowity czas zwolnienia dla każdego z nich, a jest przy tym mniej obciążające fizycznie i emocjonalnie. Jeśli samotnie wychowujesz dziecko, spróbuj znaleźć przyjaciela lub krewnego, który mógłby zmienić cię przy łóżku dziecka, kiedy potrzebujesz przerwy na kąpiel czy zaczerpnięcie świeżego powietrza.

* Zorganizuj opiekę nad pozostałymi dziećmi. Jeśli masz jeszcze inne dzieci, to zabezpieczenie ich potrzeb na okres, który spędzisz w szpitalu, staje się bardzo złożoną sprawą. Zorganizowanie odwożenia i przywożenia dzieci ze szkoły, przedszkola lub żłobka, szpitalnych odwiedzin oraz opieki dziennej i nocnej będzie wymagało poczynienia rozległych planów. Na tyle, na ile to możliwe, polegaj na uprzejmości przyjaciół i rodziny (większość ludzi jest szczęśliwa, kiedy może pomóc), uzupełniając ją w razie potrzeby pomocą płatną, jeśli jest to konieczne i wykonalne. W swoich planach bądź drobiazgowa, tak aby uniknąć niedopatrzeń. Jeśli jest to możliwe, codziennie wieczorem potwierdź plan na dzień następny z osobami, które mają zająć się transportem i opieką nad twoją rodziną.

* Przygotuj się. Dowiedz się wszystkiego na temat choroby dziecka (poproś lekarza o polecenie ci najlepszej literatury) oraz zorientuj się, czego możesz oczekiwać po pobycie w szpitalu. Jeśli planowany jest zabieg chirurgiczny, dowiedz się, czy dziecko otrzyma znieczulenie ogólne. Czy możesz być obecna w czasie jego wykonywania? Jakich skutków ubocznych możesz oczekiwać? Czy dziecko będzie przez jakiś czas unieruchomione? Czy karmienie będzie ograniczone? Czy będzie założony kontakt dożylny? Czy możliwe będzie podawanie leków przeciwbólowych? Jeśli nadal karmisz piersią, czy będziesz mogła to robić?

* Przygotuj swoje dziecko. Chociaż starszym dzieciom warto bardzo dokładnie opisać ich przyszły pobyt w szpitalu, to małe dzieci na ogół nie mają żadnych wcześniejszych wyobrażeń o szpitalu. Najważniejsze, abyś nie przekazała dziecku negatywnych wrażeń. Przygotowuj malca spokojnie; niech informacje, które mu przekazujesz, będą dostosowane do jego poziomu rozumienia. W miarę możliwości, uwzględnij następujące kwestie:

Uspokojenie. Upewnij się, że nie okazujesz dziecku, iż wysyłasz je daleko od domu, do szpitala. Od samego początku mów, że jedziecie tam razem i że ty (i/lub twój małżonek, inny członek bliskiej rodziny lub przyjaciel) zamierzacie być tam przez cały czas.

Wyjaśnienie. Wyjaśnij, że szpital jest miejscem, do którego dzieci trafiają, gdy są chore, i że są tam lekarze i pielęgniarki, którzy mają im pomóc w wyzdrowieniu. Przydatne jest też krótkie podsumowanie, z podaniem kilku szczegółów. Unikaj potencjalnie zatrważających określeń i wyjaśnień. Jeśli planowane jest leczenie operacyjne lub inne działania inwazyjne, nie mów na przykład: „Pan doktor będzie kroił twój brzuszek". W zamian wyjaśnij, że lekarz zamierza „naprawić coś w twoim brzuszku". Jeśli dziecko zada ci pytania, odpowiedz na nie uczciwie, ale nie udzielaj mu więcej informacji ani nie przedstawiaj więcej szczegółów, niż się ich domaga.

Coś do przeczytania. Poszukaj w bibliotece lub księgarni książek, które mają na celu pomoc w przygotowaniu małego dziecka do pobytu w szpitalu. Przeczytajcie je razem w ciągu kilku dni przed przyjęciem dziecka do szpitala. Użyj tych książek jako pretekstu do dyskusji z nieco starszym maluchem.

Trochę zabawy. Podobnie jak zabawa w dentystę może przygotować twojego malca do wizyty u dentysty, a zabawa we fryzjera pomoże przygotować go do zbliżających się postrzyżyn, tak zabawa w szpital może pomóc dziecku czuć się pewniej i spokojniej w czasie pobytu w szpitalu. Zdobądź kilka masek chirurgicznych i zabawkowy zestaw przyborów medycznych (niektóre szpitale zapewniają je w czasie badań przed przyjęciem) i baw się z twoją pociechą w szpital. Zaznajomienie się ze stetoskopem, mankietem do mierzenia ciśnienia krwi, a nawet igłą lekarską z zestawu zabawek („Teraz daj tatusiowi zastrzyk"), będzie tu szczególnie pomocne.

Zwiedzanie. Najlepszym sposobem zaznajomienia twego dziecka ze szpitalem jest udanie się tam razem z nim. Poproś, abyś mogła wybrać się z maluchem na małą wycieczkę po szpitalu, tak aby otoczenie i warunki nie były tak obce, kiedy dziecko zostanie przyjęte do szpitala. (Jeśli twoje dziecko musi pojechać do szpitala na badania przed przyjęciem, spróbuj w tym czasie zorganizować taką wycieczkę.) Pamiętaj, aby odwiedzić pokój zabaw (jeśli jest), sklep z pamiątkami (obiecaj kupno specjalnej zabawki, gdy malec zostanie przyjęty do szpitala), kawiarenkę (zwróć na nią uwagę dziecka) i jeśli to możliwe, to również wolną salę na oddziale (tak, aby dziecko mogło zobaczyć rodzaj łóżeczka, w jakim będzie spało, oraz miejsce, gdzie ty będziesz spać). Nie wchodź jednak do sal zajętych (leżące tam dziecko może płakać lub być podłączone do wielu przerażających sprzętów). Porozmawiaj z kilkoma pielęgniarkami. Jeśli są dla dzieci tak dobre, jak powinny, na pewno powiedzą twemu dziecku to, co powinno usłyszeć.

* Spraw, żeby dziecko czuło się w szpitalu tak jak w domu. Jednym z najtrudniejszych dla małego dziecka aspektów pobytu w szpitalu jest pobyt z dala od domu i brak rutynowych, codziennych czynności. Pomóż dziecku zaakceptować te zmiany, zabierając ze sobą kilka ulubionych i znajomych przedmiotów (upewnij się najpierw, czy to dozwolone). Mogą to być: piżamy (jeśli szpital nie zapewnia specjalnych kolorowych koszulek i jeśli nie są one w szpitalu obowiązkowe), prześcieradła, powłoczki lub inne rzeczy (takie jak ulubiony kocyk lub pluszowe zwierzątko, zabawki (zwłaszcza te, którymi dziecko może bawić się w łóżku; unikaj jednak zabawek składających się z wielu małych części, które mogą się zgubić, lub zbyt hałaśliwych i mogących przeszkadzać innym pacjentom), papier i kredki (jeśli dziecko lubi rysować), zdjęcia rodzinne, magnetofon i kasety (najlepiej ze słuchawkami, jeśli dziecko potrafi ich używać), książki z obrazkami, zabawkowy zestaw medyczny, którego używałaś do przygotowania swego dziecka (możliwość „bycia lekarzem" również w szpitalu pomoże dziecku poczuć się pewniej), ulubione kasety wideo (jeśli dostępny jest odtwarzacz wideo) oraz chrupki i inne specjały, które malec szczególnie lubi (chyba że ograniczenia dietetyczne to uniemożliwią). Jeśli przewidywany jest bardzo długi pobyt w szpitalu, spróbuj przywieźć ze sobą małe elementy umeblowania pokoju twojego dziecka (na przykład konia na biegunach lub kilka obrazków).

* Zapoznaj się z personelem. Nigdy partnerstwo pomiędzy rodzicami i osobami sprawującymi opiekę medyczną nie jest bardziej istotne niż w czasie pobytu dziecka w szpitalu. Staraj się być dobrze poinformowana i stanowcza, ale nie prowadź dyskusji. Zadawaj bezpośrednie pytania i śmiało wyrażaj lekarzom i pielęgniarkom swoje niepokoje i zastrzeżenia w sprawie sprawowanej nad dzieckiem opieki lub jego choroby.

* Miej szczęśliwą minę. Niepokój jest bardziej zaraźliwy niż odra. Aby rozproszyć wątpliwości twojej pociechy dotyczące pobytu w szpitalu, musisz przyjąć pozytywną i pełną zaufania postawę. Chociaż z pewnością będzie to dla ciebie trudny okres, to pogoda i uśmiech na twojej twarzy pomogą złagodzić cierpienia dziecka. Jak wiesz, śmiech jest najlepszym lekarstwem. Kiedy czujesz, że musisz dać upust nagromadzonym lękom i napięciom, zawsze opuszczaj pokój dziecka i podziel się swymi troskami z krewnym lub przyjacielem.

* Wspomagaj zdrowienie właściwym żywieniem. Przed pójściem do szpitala, w trakcie pobytu w nim i po powrocie szczególnie zadbaj o odpowiednią dietę. Zapewnienie właściwej ilości białka, kalorii, witamin i minerałów w postaci

pożywnej „Diety najlepszej szansy" może przyspieszyć gojenie i zdrowienie oraz zmniejszyć ryzyko wystąpienia powikłań. Jeśli szpitalne posiłki nie odpowiadają dziecku, uzyskaj zgodę na uzupełnienie diety żywnością przywiezioną z domu.

* Przygotuj się, że zachowanie dziecka ulegnie zmianie i malec nabierze złych nawyków. Pobyty w szpitalu (i choroba) oraz okres po nich następujący mogą być dla małych dzieci ciężką próbą. Możesz oczekiwać, że twoja pociecha nie będzie chciała się od ciebie oderwać, będzie okresowo zamknięta w sobie, apatyczna, przestraszona i nieszczęśliwa bądź kilka z tych cech wystąpi naraz. Może też powrócić do bardziej dziecinnych zachowań, takich jak siusianie lub robienie kupki w majtki, bądź do zaniechanych już nawyków, takich jak ssanie kciuka. Bądź cierpliwa i wyrozumiała. Poczucie, że jesteś po jego stronie (i przy nim), pomoże małemu pacjentowi w szybszym wyzdrowieniu, tak fizycznym, jak i emocjonalnym.

KIEDY POTRZEBNE JEST LEKARSTWO

Dzięki możliwościom nowoczesnych leków świat stał się dla małych dzieci miejscem bezpieczniejszym. Rutynowe stosowanie leków zapobiega obecnie poważnym powikłaniom, które sto lat temu były często śmiertelne lub doprowadzały dzieci do trwałego inwalidztwa. Infekcja ucha środkowego nie musi już prowadzić do utraty słuchu, infekcja dróg moczowych do uszkodzenia nerek, a angina do uszkodzenia serca. Zwyczajne zapalenie płuc nie musi pozbawić dziecka życia.

Niemniej, w takim samym stopniu, w jakim leki mogą być bezcenne w leczeniu chorób i zachowywaniu zdrowia, jeśli są niewłaściwie stosowane, mogą stanowić zagrożenie dla zdrowia. Niewłaściwe stosowanie, przedawkowanie lub uzależnienie od leków może bardziej szkodzić, niż pomagać.

Dlatego ważne jest, aby nauczyć się, jak stosować leki bezpiecznie i skutecznie, kiedy dziecko jest chore.

CO NALEŻY WIEDZIEĆ

Ważne jest oczywiście, aby lekarz uzyskał informację, że musi przepisać lekarstwo. Ważne jest jednak również, abyś i ty zapoznała się z lekarstwem, które zostało przepisane twojemu dziecku (lub któremukolwiek innemu członkowi rodziny), a przede wszystkim wiedziała, co to za lek, jak działa i jakie skutki uboczne może spowodować. Odpowiedzi na te pytania będą w większości pochodzić od lekarza i farmaceuty.

Kiedy otrzymujesz od lekarza receptę na lek dla dziecka, zadaj mu następujące pytania:

* Czy zapisany lek należy zażywać trzy lub więcej razy dziennie i czy istnieje skuteczny lek alternatywny, który można stosować raz lub dwa razy dziennie?
* Jeśli dawka zostanie wypluta lub zwymiotowana, to czy należy podać następną?
* Co zrobić, jeśli opuści się jedną dawkę? Czy należy podać dawkę dodatkową lub podwójną? Co robić, jeśli omyłkowo poda się dodatkową dawkę?
* Jak szybko można się spodziewać poprawy? Kiedy należy się skontaktować z lekarzem, w razie braku poprawy?

W większości aptek są obecnie dostępne ulotki informacyjne, które odpowiadają przynajmniej na część tych pytań. Kiedy odbierzesz zapisany lek, sprawdź opakowanie i przeczytaj dołączone informacje, takie jak ulotka od producenta. Jeśli któreś z poniższych pytań nie znajduje w nich odpowiedzi, uzyskaj je od aptekarza.

* Jaka jest podstawowa nazwa leku? Jaka jest nazwa firmowa?
* Jakie jest przewidywane działanie?
* Jaka jest właściwa dawka dla małego dziecka?
* Jak często lek ten powinien być podawany? Czy dziecko powinno być w tym celu obudzone w środku nocy?
* Czy lek powinien być podawany przed, w trakcie czy po posiłkach?
* Czy może być podawany z mlekiem, sokiem lub innymi płynami? Czy oddziałuje w niekorzystny sposób z jakąkolwiek żywnością?
* Jakich powszechnych działań ubocznych możesz oczekiwać?

Środki ziołowe

Przez stulecia były one stosowane w celu usunięcia objawów setek różnych schorzeń. Obecnie są dostępne bez recepty. Są pochodzenia naturalnego. Ale czy środki ziołowe są rzeczywiście skuteczne i bezpieczne?

Niestety, nie wiemy tego z całą pewnością. Wiemy, że niektóre zioła wykazują działania lecznicze (niektóre bardzo silne leki, wydawane tylko na recepty, są obecnie otrzymywane z ziół) i że każda substancja wykazująca takie działanie powinna być sklasyfikowana jako lek. Tak więc w przypadku ziół zastosować należy te same środki ostrożności jak w przypadku innych leków. Tak samo więc, jak nie podałabyś swojemu dziecku żadnego leku bez zgody lekarza, tak nie należy tego robić również w przypadku środków ziołowych.

Nie podawaj również dziecku ludowych środków „z apteki babuni". Często mogą być one bardzo niebezpieczne. Dla bezpieczeństwa unikaj stosowania wszelkich medykamentów, które nie zostały zaakceptowane przez lekarza.

* Jakie możliwe niekorzystne reakcje mogą nastąpić? Które z nich powinny być zgłoszone lekarzowi?
* Czy lek może mieć niekorzystny wpływ na jakąś przewlekłą chorobę, na którą choruje twoje dziecko?
* Jeśli dziecko zażywa jakiekolwiek inne leki (zapisane przez lekarza lub powszechnie dostępne bez recepty), to czy mogą wystąpić niekorzystne interakcje?
* Czy recepta może zostać przedłużona?
* Jaki jest dopuszczalny czas przechowywania leku? Jeśli część została wykorzystana, to czy reszta może być stosowana później, jeśli lekarz zaleci ten sam lek?

BEZPIECZNE PODAWANIE LEKÓW

Aby być pewnym, że dziecko uzyska maksimum korzyści z podawanego leku przy minimalnym ryzyku wystąpienia reakcji niekorzystnych, zawsze przestrzegaj następujących zasad:

* Nie podawaj swojemu dziecku jakichkolwiek leków (dostępnych bez recepty, nie wykorzystanych resztek zapisanych poprzednio lub komuś innemu) bez wyraźnej zgody lekarza. Będzie to oznaczało konieczność uzyskania zgody na leczenie za każdym razem, gdy dziecko jest chore. Wyjątek stanowią sytuacje, co do których lekarz wydał stałe zalecenia (na przykład, zawsze gdy dziecko gorączkuje powyżej 38,9°C, podaj paracetamol; lub gdy oddech staje się świszczący, zastosuj leki przeciwastmatyczne).
* Jeśli lekarz nie wydał odmiennych, specyficznych zaleceń, podawaj lek wyłącznie zgodnie z zaleceniami zawartymi w ulotce.
* Nigdy nie podawaj dziecku leku (nawet w zmniejszonych dawkach), o którym nie jest wyraźnie napisane, że może być podawany dzieciom (chyba że znowu zaleci tak lekarz).
* Nie podawaj swemu dziecku żadnych produktów zawierających aspirynę (lub salicylany lub kwas acetylosalicylowy), chyba że zostaną zapisane przez lekarza.
* Nie podawaj dziecku więcej niż jednego leku jednorazowo, chyba że upewniłaś się u lekarza lub aptekarza, że połączenie leków jest bezpieczne.
* Zawsze upewnij się, że lek, który podajesz dziecku, jest świeży (patrz str. 507).
* Podawaj leki tylko zgodnie z zaleceniami, których udzielił ci lekarz (lub farmaceuta), zgodnie z zaleceniami na ulotce w przypadku leków dostępnych bez recepty. (Jeśli zalecenia na ulotce kłócą się z zaleceniami lekarza, zadzwoń do lekarza lub do apteki, aby rozwiązać ten problem, zanim rozpoczniesz podawanie leku.) Stosuj się do sugerowanych zaleceń dotyczących czasu podawania, stosowania żywności i napojów. Wstrząśnij przed użyciem, jeśli jest to wskazane.
* Przed podaniem każdej dawki zawsze przeczytaj etykietkę (ulotkę), aby upewnić się, że podajesz właściwy lek i aby przypomnieć sobie dawkę, czas podawania i inne zalecenia. Nie polegaj wyłącznie na swojej pamięci. Bądź szczególnie ostrożna, kiedy podajesz lek w ciemnościach. Najpierw sprawdź etykietę przy świetle, aby upewnić się, że trzymasz właściwą butelkę.
* Odmierzaj leki bardzo dokładnie. Używaj skalowanej łyżeczki do leków, zakraplacza lub specjalnej miarki (dostępnej zwykle w aptece). Łyżki kuchenne mają zróżnicowaną wielkość i są niewygodne w użyciu. Jeśli nie posiadasz

Podawać aspirynę czy nie?

W trakcie leczenia małych dzieci odpowiedź na to pytanie jest prosta — nie. Aspiryna, chociaż jest użyteczna w leczeniu wielu chorób u dorosłych, to rzadko jest zalecana dzieciom, ponieważ związana jest z długą listą możliwych działań ubocznych. U dzieci z infekcjami wirusowymi jest skojarzona z ryzykiem rozwoju zespołu Reye'a (patrz. str. 728), który jest bardzo poważną chorobą. Nie podawaj jej więc swojemu dziecku, chyba że lekarz zapisał ją celowo.

Podobnie jak aspiryna, działanie przeciwgorączkowe i przeciwbólowe wykazuje paracetamol (acetaminofen, spotykany pod nazwami firmowymi: Tylenol, Tempra, Panadol, Liquiprin, Anacin-3 i innymi). Ale w przeciwieństwie do aspiryny lek ten jest właściwie wolny od poważnych efektów ubocznych (chociaż znane są pojedyncze przypadki uszkodzenia wątroby spowodowane stosowaniem wysokich dawek). Paracetamol dostępny jest w postaci płynu (syropu) do podawania zakraplaczem, łyżeczką lub miarką; w postaci tabletek do żucia dla nieco starszych dzieci; w postaci czopków dla maluchów, które nie mogą lub nie chcą połknąć syropu lub tabletki; oraz w postaci łatwej do zamaskowania „pstrej" kapsułki, przeznaczonej dla dzieci, które podejrzliwie poszukują śladów dających się wykryć postaci leków.

Ibuprofen (nazwy firmowe: Advil, Motrin) jest równie skuteczny jak paracetamol w działaniu przeciwgorączkowym i przeciwbólowym, a dodatkowo wykazuje działanie przeciwzapalne. Podobnie jak aspiryna, może powodować podrażnienie żołądka, ale jego stosowanie u dzieci nie jest skojarzone z występowaniem zespołu Reye'a. W niektórych okolicznościach pediatra może uznać go za lek z wyboru (u dzieci poniżej drugiego roku życia powinno się go stosować jedynie zgodnie z zaleceniem lekarza).

Obniżenie gorączki następuje około pół godziny po podaniu leku przeciwgorączkowego. Działanie trwa jednak 4 do 6 godzin w przypadku paracetamolu i 6 do 8 godzin w przypadku ibuprofenu. Odpowiedź na lek wydaje się szybsza u dzieci poniżej drugiego roku życia niż u dzieci starszych.

Ponieważ wszystkie leki mogą być niebezpieczne w ilościach większych od zalecanych, nigdy nie podawaj ich więcej, niż nakazał lekarz (patrz zasady dawkowania na str. 498) i przechowuj je (podobnie jak wszystkie inne leki) bezpiecznie poza zasięgiem dzieci.

---

specjalnej łyżki do leków, odmierzaj lek miarką, a następnie przelewaj go do większej łyżki, aby zminimalizować utratę leku. Łyżka, która jest łagodnie zaokrąglona, będzie dla twego dziecka łatwiejsza do wylizania niż głęboka. (Jeśli łyżeczka nie zostanie całkowicie opróżniona za pierwszym razem, podaj ją ponownie i przechyl nad językiem swego dziecka, aby oczyścić ją z resztek lekarstwa.) Pamiętaj też, że więcej nie znaczy lepiej (a mniej nie oznacza gorzej). Nigdy nie zwiększaj, ani nie zmniejszaj dawki bez wyraźnych zaleceń lekarza.

* Jeśli dziecko wypluwa część podawanej dawki leku przeciwbólowego lub witamin, to zwykle lepiej jest przesadzić z nadmiarem bezpieczeństwa i nie podawać dodatkowej dawki, gdyż zbyt małe dawki są mniej ryzykowne od przedawkowania. Jednakże, jeśli podajesz antybiotyki, spytaj lekarza, co zrobić, jeśli dziecko straciło część jednej lub kilku dawek.
* Aby uniknąć możliwości zakrztuszenia się (a być może nawet aspiracyjnego zapalenia płuc w wyniku nabrania do płuc czegoś oprócz powietrza) w czasie podawania leku, nie ściskaj policzków swego dziecka, nie chwytaj go za nos ani nie przechylaj głowy do tyłu. Upewnij się też, że dziecko przyjmuje lek w pozycji wyprostowanej, a nie leżącej.
* Po podaniu leku daj malcowi jakiś napój lub wodę (chyba że otrzymałaś inne zalecenia).
* Zapisuj pory podawania poszczególnych dawek na kawałku papieru przyklejonym do drzwi lodówki lub nad stołem, tak abyś zawsze wiedziała, kiedy podana była ostatnia dawka. Zminimalizuje to szansę pominięcia dawki lub przypadkowego podania jej dwukrotnie. Nie wpadaj jednak w panikę, jeśli masz małe spóźnienie w podawaniu leku. Wróć do zaplanowanych pór przy następnej dawce.
* Zawsze prowadź do końca zapisane leczenie antybiotykami, nawet jeśli twoje dziecko wydaje się już całkowicie zdrowe, chyba że lekarz zaleci coś innego.
* Nie kontynuuj podawania leku, gdy minie zalecany okres jego stosowania.
* Jeśli wydaje ci się, że dziecko niekorzystnie reaguje na lek, natychmiast przerwij jego podawanie i skontaktuj się z lekarzem przed ponownym użyciem.
* Jeśli inna osoba opiekująca się dzieckiem, np. w przedszkolu lub w żłobku, jest odpowie-

Leki przeterminowane

Lek, który jest przeterminowany, najprawdopodobniej utracił siłę działania. Co gorsze, może się również stać niebezpieczny. Poniższe wskazówki pomogą ci ocenić, czy lek, który podajesz swojemu dziecku, jest świeży:

* Sprawdź datę ważności, kiedy kupujesz lek dostępny bez recepty. Jeśli sądzisz, że nie zużyjesz całego leku przed upływem daty ważności, poszukaj mniejszego opakowania lub takiego z dłuższym terminem ważności. Syropy przeciwkaszlowe i czopki mają na ogół krótszy okres przechowywania od innych leków.
* Leki dostępne na recepty nie zawsze są datowane. Jeśli lek jest zapisany z powodu przewlekłych problemów zdrowotnych, a na opakowaniu nie ma terminu ważności, zapytaj o to aptekarza i zapisz podaną datę na opakowaniu.
* Zapamiętaj, że większość antybiotyków w płynie utrzymuje swą siłę działania przez bardzo krótki okres po przygotowaniu. Wiele z nich staje się tylko nieaktywnym syropem już w dwa tygodnie od dnia zakupu.
* Nie przechowuj żadnych resztek przepisanych antybiotyków „na następny raz". I tak większość z nich, jeśli nie wszystkie, powinny być zużyte, chyba że leczenie zostało zaprzestane z powodu wystąpienia niekorzystnych reakcji ubocznych. (Niekiedy, gdy dziecko cierpi na chorobę przewlekłą, lek może być zapisany na zapas, do zastosowania w razie potrzeby. W takim przypadku, dobrze jest sprawdzić datę ważności przy każdym późniejszym stosowaniu leku.)
* Chroń aktywność leków przez cały okres przechowywania poprzez właściwe ich przechowywanie. Większość leków rozkłada się, jeśli są przechowywane w wysokiej temperaturze lub wysokiej wilgotności. Oznacza to, że domowa apteczka znajdująca się w łazience nie jest najlepszym miejscem do przechowywania leków. Zorganizuj miejsce przechowywania lekarstw w zimnej i ciemnej szafce kuchennej (również preparaty witaminowe i mineralne), pamiętaj, że powinny być one całkowicie niedostępne dla dziecka (patrz str. 546).
* Niektóre specyfiki muszą być przechowywane w lodówce lub w niskiej temperaturze. W takich sytuacjach zawsze przestrzegaj podobnych instrukcji. Jeśli musisz zabrać w podróż lek w płynie, który musi być schłodzony, zrób to za pomocą paczki kostek lodu. Jeśli przewidujesz, że będziesz w drodze przez dłuższy czas, spróbuj dostać receptę na lek w postaci tabletek do ssania (które mogą zostać rozkruszone i podane dziecku z łyżeczką soku jabłkowego lub duszonych owoców).
* Od czasu do czasu opróżniaj apteczkę z przeterminowanych leków. Jeśli lek nie jest datowany, zmiana jego wyglądu powinna dać ci wskazówkę, że nie nadaje się on już do użytku. Dotyczy to płynów, które zmieniły kolor, zmętniały lub uległy rozdzieleniu na składniki; maści, które stwardniały lub uległy rozdzieleniu na składniki; kapsułek, które stopiły się lub posklejały ze sobą; oraz tabletek, które pokruszyły się, zmieniły kolor lub wydzielają zapach, którego nie było, gdy były świeże. Jako zasadę przyjmij też, aby wyrzucać leki, które były przepisane ponad rok wcześniej.
* Wrzuć zawartość butelek do toalety i dokładnie spłucz. Nigdy nie wyrzucaj leków do kosza na śmieci, gdyż twoje dziecko może je tam znaleźć.

dzialna za podawanie leków twemu dziecku w ciągu dnia, upewnij się, że wie o wszystkich powyższych zaleceniach.

* Upewnij się, że zapisałaś nazwę każdego leku, który podawałaś swemu dziecku, oraz stosowne informacje, takie jak: przyczyna zapisania leku, czas jego stosowania oraz wszelkie objawy uboczne i niekorzystne reakcje, które zaobserwowałaś. Notatki te powinny być prowadzone w stale uaktualnianym dzienniku medycznym twego dziecka, aby zapewnić na przyszłość punkt odniesienia.
* Nigdy nie określaj leków mianem cukierka lub specjalnego napoju. Taki wybieg może spowodować, że dziecko przyjmie lekarstwo, ale może również doprowadzić do przedawkowania, jeśli dziecko przypadkowo znajdzie butelkę z lekiem i postanowi zrobić sobie małą „przekąskę". Zawsze podkreślaj, że to lekarstwo, a nie poczęstunek.

POMOC W PRZEŁKNIĘCIU LEKARSTWA

Mary Poppins miała doskonały pomysł. Jednak wszystkim rodzicom, którzy nie potrafią czarować, potrzeba czegoś więcej niż „łyżeczka cukru", aby lekarstwo zostało połknięte. Jeśli jesteś szczęściarzem, twoje dziecko jest jednym z tych, które akurat polubiły rytuał (lub przynajmniej nie mają nic przeciwko niemu) przyjmowania leków, które delektują się smakiem dziwnych płynów (niezależnie od tego, czy są to witaminy, antybiotyki czy leki przeciwbólowe) i które otwierają usta szeroko, aby poza łyżką z lekarstwem, pomieścić podwójną porcję lodów w waflu. Jeśli nie masz tego szczęścia, jesteś w sytuacji większości rodziców małych dzieci — twoje dziecko posiada szósty zmysł, który mówi: „Trzymaj usta zamknięte", kiedy tylko w pobliżu pojawia się lekarstwo. Aby pokonać tę przeszkodę, spróbuj:

* Zmienić sposób podawania leków. Jeśli dziecko nie zjada grzecznie leków z łyżeczki, a zakraplacz jest zbyt mały do podania zalecanej dawki, poproś w aptece o specjalną łyżeczkę do leków lub plastykową strzykawkę (która pozwoli tobie wstrzyknąć odpowiednią dawkę leku do ust opornego malca). Jeśli odmawia on przyjmowania leków z zakraplacza, łyżki i strzykawki, ale lubi ssać smoczek, spróbuj podać zalecaną dawkę leku w trzymanym w ręku smoczku od butelki i pozwól swemu dziecku ją wyssać. Jeśli wlejesz nieco wody do tego samego smoczka i dasz dziecku, wyssie ono resztki leku, które pozostały w smoczku.
* Aby zmniejszyć nieprzyjemne wrażenia smakowe, których odbiór skoncentrowany jest na czubku i na środku języka, wsuń łyżeczkę do tylnej części jamy ustnej, a zakraplacz lub strzykawkę do przestrzeni pomiędzy tylną częścią dziąsła (zębami trzonowymi) a policzkiem. Aby uniknąć wywołania odruchu wymiotnego, nie pozwól, żeby zakraplacz lub łyżka dotknęły nasady języka. Możesz również przytępić smak, zachęcając dziecko do zatkania sobie nosa (ale nigdy nie rób tego sama) na czas podawania leku. Możesz również nieco schłodzić lekarstwo (jeśli nie utraci w ten sposób swych właściwości leczniczych — zapytaj o to w aptece), gdyż wtedy smak będzie mniej wyrazisty. Możesz również częściowo porazić kubki smakowe dziecka, dając mu do polizania kostkę lodu tuż przed podaniem leku.
* Jeśli nie otrzymałeś zaleceń, aby podawać lek w trakcie lub po posiłku, zaplanuj podawanie go tuż przed karmieniem. Po pierwsze dlatego, że malec łatwiej zaakceptuje lekarstwo, gdy jest głodny, a po drugie dlatego, że jeśli lek zostanie zwymiotowany, utracona zostanie mniejsza ilość pokarmu.
* Zbliżaj się do swego dziecka z pełnym zaufaniem, nawet jeśli dotychczasowe doświadczenia każą ci spodziewać się najgorszego. Jeśli brzdąc zauważy, że uczestniczy w walce, możesz być pewna, że zaraz się ona rozpocznie. Oczywiście, może ona się zdarzyć i bez tego, ale podejście pełne zaufania przechyla szalę zwycięstwa na twoją stronę.
* Dzieciom, które odmawiają przyjmowania paracetamolu w płynie i w postaci tabletek do ssania, możesz spróbować podać „pstre" kapsułki. Ta granulowana postać leku jest względnie bezsmakowa i może być rozpuszczona w łyżce soku, przecieru owocowego lub kompotu z jabłek.
* Jako niemal ostatnią deskę ratunku możesz traktować próbę wymieszania niesmacznego lekarstwa z małą ilością (1 lub 2 łyżeczki) zimnych owoców lub soku, ale tylko wówczas, gdy najpierw upewnisz się u lekarza lub aptekarza, że temperatura lub skład mieszanki nie zmienią skuteczności leku. Nie rozcieńczaj lekarstwa w dużych ilościach pokarmu lub soku, gdyż dziecko może nie zjeść wszystkiego. Za każdym razem mieszaj też tylko jedną dawkę leku, bezpośrednio przed podaniem. Jeśli dziecko na ogół nie odrzuca nowych potraw, zastosuj nie znany mu owoc lub sok, aby nieprzyjemny smak leku nie psuł smaku znajomych produktów, co może spowodować w przyszłości odrzucenie ulubionych dotąd pokarmów.
* Ostatnią deską ratunku, jeśli nie możesz w żaden sposób doprowadzić do połknięcia leku, jest poinformowanie o tym lekarza i podawanie czopków lub zastrzyków.

NAJCZĘSTSZE PROBLEMY ZDROWOTNE U MAŁYCH DZIECI

BIEGUNKA (Z WYMIOTAMI LUB BEZ WYMIOTÓW)

Objawy. Dwa, trzy (twój lekarz może ci udzielić innych wskazówek) lub więcej płynnych stolców oddawanych w ciągu 24 godzin. Kolor i/lub zapach stolca mogą być odmienne niż zazwyczaj. Niekiedy występuje zwiększona częstość i objętość oddawanych stolców, obecność śluzu w stolcu, wymioty i/lub zaczerwienienie oraz podrażnienie okolicy wokół odbytu. Utrata masy ciała, gdy biegunka utrzymuje się przez kilka dni do tygodnia. Wielu lekarzy traktuje biegunkę jako przewlekłą, jeśli trwa przez dwa do trzech tygodni. Jeśli utrzymuje się przez sześć tygodni lub dłużej, określana jest mianem „opornej na leczenie". Okazjonalne występowanie stolców luźniejszych niż zazwyczaj nie jest powodem do zmartwienia. Jest to często po prostu reakcja na błędy dietetyczne, na przykład na zbyt dużą ilość owoców.

Okres występowania. Niezależnie od pory roku, ale biegunka może częściej występować latem, kiedy dieta jest bogatsza w owoce, a żywność psuje się szybciej. Jednakże infekcje żołądkowo-jelitowe powodowane przez rotawirusy są w klimacie umiarkowanym powszechniejsze w zimie.

Przyczyna. Wiele przyczyn, obejmujących drobnoustroje (wirusy, bakterie, pasożyty) pochodzące z zakażonej żywności lub od innych osób (pośrednio lub bezpośrednio); nadmierne ilości pokarmów „przeczyszczających" (takich jak świeże owoce, śliwki i inne owoce suszone, soki owocowe — zwłaszcza z gruszek, jabłek, śliwek i winogron), spożywanie żywności (lub żucie gumy) zawierającej sorbitol lub mannitol; nietolerancja lub alergia na pewne rodzaje żywności (często mleko) lub leki; infekcja w innej części organizmu (przeziębienie, zapalenie ucha środkowego i tym podobne); leczenie antybiotykami, a także prawdopodobnie ząbkowanie. Biegunka oporna na leczenie może być związana z nadczynnością tarczycy, mukowiscydozą, celiakią (chorobą trzewną), niedoborami enzymatycznymi (zwłaszcza enzymów trawiących cukry, takich jak laktoza i sacharoza) i innymi chorobami. Niekiedy biegunka u małych dzieci jest związana z zaparciami (masy kału są zatrzymane, a wyciek wodnistych stolców wokół nich wygląda jak biegunka).

Sposób przenoszenia. Biegunka powodowana przez drobnoustroje może być przekazywana drogą brudnych rąk kał—ręka—usta lub przez zakażoną żywność. Okresy wylęgania różnią się w zależności od wywołującego biegunkę drobnoustroju.

Czas trwania. Ostre epizody biegunki trwają zwykle od kilku godzin do kilku dni. Niektóre przypadki oporne na leczenie mogą trwać stale, chyba że zostanie znaleziona i usunięta ich przyczyna podstawowa. Przewlekła biegunka niespecyficzna kończy się zwykle w wieku trzech lub czterech lat.

Leczenie. Różne w zależności od przyczyny. Najpopularniejsze leczenie biegunki bez istniejącej przyczyny podstawowej to zachowanie właściwej diety (patrz dalej „Zmiany w diecie"). Leczenie biegunki spowodowanej problemami medycznymi polega na usunięciu tych problemów. Antybiotyki mogą pomóc w infekcjach bakteryjnych i pasożytniczych, ale leki nie są rutynowo podawane w prostej biegunce ostrej. Środki kaolinowo-pektynowe (takie jak: Kaopectate czy Donnagel PG) nie są na ogół zalecane, ponieważ chociaż poprawiają konsystencję stolca, to w żaden sposób nie wpływają na częstość wypróżnień, objętość stolca czy utratę płynów. Produkty zawierające siarczan atropiny (takie jak Lomotil) lub chlorowodorek loperamidu (Imodium A-D, Pepto Diarrhea Control) nie są uważane ani za skuteczne, ani za bezpieczne dla dzieci. Chociaż środki zawierające zasadowe salicylany bizmutu (takie jak Pepto-Bismol) mogą zmniejszyć zawartość wody w stolcach oraz ich liczbę, to nie powinny być nigdy podawane dzieciom, jeśli istnieje jakiekolwiek podejrzenie infekcji wirusowej (salicylany są pochodną aspiryny, patrz str. 506). Ostatnie badania sugerują, że ludzki szczep *Lactobacillus* (Lakcid, Lactobif) w połączeniu z nawadnianiem doustnym sprzyja wyzdrowieniu w przypadku ostrej biegunki. Jeśli zostanie to potwierdzone, postępowanie takie może stać się leczeniem rutynowym.

Nawet przy stosowaniu leków i zmian dietetycznych biegunka nie zawsze ustępuje natychmiast. Aby określić, czy leczenie jest skuteczne, poszukuj wykładników stopniowej poprawy (niekiedy pierwszy stolec w ciągu dnia będzie wyglądał lepiej, a następne będą znowu luźniejsze) i objawów ustępowania odwodnienia (patrz str. 511).

Aby zapobiec przedostaniu się zakaźnych drobnoustrojów ze stolców biegunkowych do pochwy, szczególnie starannie wycieraj pupę dziewczynce po wypróżnieniu. Zawsze wycieraj od przodu ku tyłowi.

Zmiany w diecie:

* Zwiększone podawanie płynów (przynajmniej 90 ml na godzinę, gdy dziecko nie śpi). Przy łagodnej biegunce bez odwodnienia (patrz str. 516), wystarczające mogą być soki, mleko lub soki zmieszane z wodą. W ciężkich biegunkach (oddawanie wodnistych stolców co 2 godziny lub częściej) lub w łagodnych biegunkach z towarzyszącymi wymiotami lub odwodnieniem, szczególnie u dzieci poniżej drugiego roku życia, zalecane jest doustne leczenie nawadniające, z wykorzystaniem dostępnych w handlu roztworów elektrolitowych. Zapytaj lekarza o sugestie co do określonego

Brzuszek dwu- i trzylatka

Niektóre małe dzieci oddają codziennie dwa do trzech (a nawet do sześciu) luźnych stolców (często z zawartością nie strawionych resztek pokarmów), a mimo to rozwijają się prawidłowo. Nie wykazują one żadnej choroby podstawowej i nie da się stwierdzić u nich żadnej specyficznej przyczyny występowania biegunki. Uwarunkowanie to (nazywane dziecięcą niespecyficzną biegunką lub „brzuszkiem małego dziecka") jest nieprzyjemne dla rodziców i opiekunów, ale nie stanowi żadnego zagrożenia dla maluchów. Dzieci wyrastają zwykle z niego pomiędzy trzecim i piątym rokiem życia. Leczenie, trwające dwa tygodnie, zwykle za pomocą środków objętościowych (psyllium wydaje się działać najlepiej), jest skuteczne w około 80%, redukując lub likwidując istniejący problem już wcześniej. Niektórzy specjaliści zalecają również ograniczenie podawania płynów do nie więcej niż 100 ml/kg masy ciała/dobę (lub 4 szklanek dla dziecka ważącego 10 kg oraz 5 lub 6 szklanek dla dzieci ważących odpowiednio 12,5 kg i 15 kg), zmniejszenie ilości soków owocowych (zwłaszcza jabłkowych i gruszkowych), słodzonych cukrem napojów gazowanych i innych napojów, wyłączenie z diety gum do żucia i cukierków słodzonych sorbitolem i/lub mannitolem, przy jednoczesnym zwiększeniu ilości nierozpuszczalnych włókien spotykanych np. w pełnym ziarnie, które sprawiają, że stolce stają się bardziej treściwe i mniej wodniste.

rodzaju takich środków, które powinny znajdować się w domowej apteczce. Zaoferuj dziecku kilka łyków roztworu, podając go na łyżeczce, w szklance lub butelce co 2-3 minuty, tak aby ostatecznie podać 1200 ml dziecku ważącemu 10 kg, 1320 ml ważącemu 12,5 kg oraz prawie 1500 ml ważącemu 15 kg. Jeśli dziecko wymiotuje podawanym roztworem, kontynuuj jego podawanie, ale w bardzo małych porcjach, lub przygotuj napój zamrożony w formie kostek lodu (zawierający roztwór i małą ilość ulubionego soku) i podawaj je dziecku do ssania. Doustne leczenie nawadniające powinno być kontynuowane przez 24 do 48 godzin. Jeśli dziecko odmawia przyjmowania roztworu, spróbuj podawać go strzykawką do tylnej części jamy ustnej, gdzie smak będzie mniej wyczuwalny. Nie podawaj napojów słodzonych cukrem (takich jak cola lub oranżada), napojów dla sportowców, wody słodzonej glukozą, przegotowanej w domu wody z cukrem lub z solą i cukrem, nie rozcieńczonych soków lub przegotowanego mleka[9]. Płyny te mogą bowiem spowodować nasilenie biegunki.

* W łagodnej biegunce należy stosować normalną dietę, odpowiednio do apetytu dziecka. Biegunka zwykle ulega złagodzeniu szybciej, gdy podaje się pokarmy stałe. Ograniczenie spożycia mleka lub całkowite zaprzestanie jego podawania na dzień lub dwa może być pomocne, jeśli biegunka nasila się, gdy dziecko je pokarmy mleczne. U niektórych dzieci w czasie ataku biegunki występuje nietolerancja laktozy.

* W ciężkiej biegunce przez 24 do 48 godzin stosuje się wyłącznie doustną terapię nawadniającą (chociaż z karmienia piersią nie musi się rezygnować), po której włączana jest dieta lekko strawna, chyba że występują wymioty (patrz niżej). Rozpocznij od lekko strawnych, ubogotłuszczowych i nie słodzonych pokarmów z węglowodanami złożonymi (wielocukrami), takich jak banany, sosy owocowe (jabłkowe, gruszkowe), ryż, czysty makaron, ziemniaki, kasze i grzanki. Małe ilości łagodnych pokarmów białkowych (kurczak, twaróg) są również odpowiednie, jeśli dziecko chętnie je zjada. Stopniowo, w ciągu kolejnych kilku dni, przywracaj dziecku normalną dietę.

* W biegunce z wymiotami należy powstrzymać się od podawania pokarmów stałych, dopóki nie ustąpią wymioty. Bardzo ważne jest podawanie rozcieńczonych soków lub doustnych preparatów nawadniających (w płynie lub w postaci kostek lodu), aby uzupełnić utracone płyny. Podawanie płynów w ilości kilku łyków naraz zmniejsza ryzyko, że spowodują dalsze wymioty. (Jeśli wymioty nie ustępują w ciągu 24 godzin, ponownie skontaktuj się z lekarzem.)

Zapobieganie. Leczenie chorób podstawowych powodujących biegunkę; w miarę możliwości unikanie lub ograniczanie pokarmów, napojów i leków, które ją wywołują; szczegółowe przestrzeganie zasad bezpieczeństwa związanych z żywnością (patrz str. 453); staranne mycie rąk

[9] Przegotowane mleko nie jest bezpieczne dla dzieci w żadym wieku, ponieważ wyparowanie wody powoduje, że skoncentrowana pozostałość zawiera niebezpiecznie wysokie stężenie soli i substancji mineralnych.

Objawy odwodnienia

Dzieci, które tracą płyny z powodu biegunki i/lub wymiotów, mogą ulec odwodnieniu i wymagać szybkiej terapii polegającej na doustnym nawadnianiu organizmu (patrz str. 509). Skontaktuj się z lekarzem, jeśli zauważysz u dziecka, które wymiotuje, ma biegunkę, gorączkę lub jest w jakikolwiek inny sposób chore, następujące objawy:

* Suchość błon śluzowych (spierzchnięte usta).
* Płacz bez łez.
* Zmniejszone oddawanie moczu (skąpomocz). Jeśli dziecko nadal używa pieluszek, to mniej niż 6 mokrych pieluszek w ciągu 24 godzin lub pieluszka pozostająca sucha przez 2 do 3 godzin powinny zaalarmować cię, że istnieje możliwość, iż wydalanie moczu jest nieprawidłowo ograniczone. Jeśli dziecko korzysta z toalety, obserwuj, czy oddaje mocz rzadziej, czy jest on ciemniejszy lub bardziej żółty niż zwykle bądź wydaje się, że zawiera kryształy.
* Zapadnięte ciemiączko — „miękkie miejsce" na głowie dziecka, może być zapadnięte.
* Szybsza niż zazwyczaj praca serca (patrz str. 489).
* Apatia (zobojętnienie).

Dodatkowe objawy pojawiają się, w miarę jak odwodnienie postępuje. Wymagają one natychmiastowego leczenia medycznego. Nie odkładaj kontaktu z lekarzem, zabrania dziecka do ambulatorium lub wezwania pogotowia, jeśli zauważasz którykolwiek z poniższych objawów. Kiedy czekasz na lekarza lub w czasie drogi do ambulatorium, w miarę możliwości podawaj dziecku roztwór nawadniający (patrz str. 509).

* Oziębienie i plamistość skóry dłoni i stóp.
* Zmniejszona elastyczność skóry lub jej pomarszczenie.
* Wydłużony czas wypełniania się naczyń włosowatych: uciśnij skórę na brzuchu lub na koniuszku palca u ręki lub nogi, a następnie zwolnij uścisk; jeśli czas powrotu uciśniętego miejsca do normalnego koloru wynosi 2 do 3 sekund lub dłużej, wskazuje to na odwodnienie. (Zauważ jednak, że test ten wykonać można jedynie w ciepłym pokoju. W zimnym pomieszczeniu kolor skóry nawet całkowicie zdrowego dziecka może dłużej powracać do normy.)
* Zapadnięte oczy.
* Brak oddawania moczu w ciągu dnia przez 4 godziny lub dłużej.
* Skrajna kapryśność lub senność, która występuje tylko czasami.

przez wszystkich członków rodziny po kąpieli dziecka lub po zmianie pieluszek. W czasie leczenia antybiotykami pomocne może być również podawanie jogurtów zawierających żywe kultury bakterii, chyba że dziecko wykazuje alergię lub nietolerancję mleka.

Kiedy należy wezwać lekarza. Zawsze, gdy dziecko wykazuje objawy odwodnienia (patrz wyżej). Kontaktuj się z lekarzem natychmiast, jeśli występuje ciężkie odwodnienie; jeśli występuje biegunka ostra bądź gorączka lub wymioty z towarzyszącą biegunką trwającą ponad 24 godziny; gdy twoje dziecko odmawia przyjmowania płynów, jego stolce są krwiste lub gdy wymioty są zielonkawe, krwiste lub wyglądają jak fusy od kawy; gdy brzuch jest wzdęty lub obrzęknięty lub gdy dziecko ma silny ból brzucha; gdy obecna jest wysypka lub żółtaczka (zażółcenie skóry). W takich przypadkach lekarz będzie najprawdopodobniej chciał zbadać stolec dziecka lub wysłać go do laboratorium, zachowaj więc próbkę w plastykowej torebce lub w pieluszce.

BÓL GARDŁA

Objawy. Zapalenie migdałków podniebiennych i/lub gardła, powodujące ból i trudności w połykaniu, a niekiedy również gorączkę. Drapiące i bolące gardło często towarzyszy przeziębieniom. Małe dziecko z zakażeniem paciorkowcowym (anginą) może mieć umiarkowaną gorączkę, wykazywać drażliwość, utratę apetytu i powiększenie węzłów chłonnych (patrz str. 490). U starszych dzieci z infekcją paciorkowcową (anginą) bardziej prawdopodobne jest wystąpienie wysokiej gorączki, silniejszego bólu gardła i większych trudności w połykaniu.

Okres występowania. Późna jesień, zima i wiosna.

Przyczyna. Alergia, wirus przeziębienia lub inny wirus, paciorkowce grupy A lub inne bakterie.

Sposób przenoszenia. Ból gardła w przebiegu przeziębienia jest przekazywany jak przeziębienie. Paciorkowce są prawie zawsze przekazywa-

Migdałki podniebienne i gardłowe: ich usuwanie nie jest już konieczne

Do niedawna tonsilektomia (usunięcie migdałków podniebiennych) była taką samą stałą częścią okresu dzieciństwa jak utrata zębów mlecznych. W pewnym okresie niemal każde dziecko miało usuwane migdałki podniebienne (zwykle razem z migdałkiem gardłowym). Uważano bowiem, że ten zabieg chirurgiczny zmniejsza ryzyko występowania bólów gardła, infekcji ucha środkowego i innych chorób górnych dróg oddechowych. Obecnie wiadomo, że u większości dzieci migdałki podniebienne raczej pomagają w zapobieganiu chorobom, niż je powodują. Te fragmenty tkanki zlokalizowanej w gardle są węzłami chłonnymi, które pełnią istotną rolę w systemie odpornościowym. Podobnie jak węzły chłonne w innych częściach ciała, migdałki podniebienne ulegają powiększeniu, kiedy walczą z rozwijającą się w pobliżu infekcją. Zazwyczaj zmniejszają się one ponownie, kiedy infekcja mija.

Obecnie fakt, że migdałki podniebienne i/lub gardłowe są powiększone, nie jest już automatycznie powodem do ich usunięcia. Lekarze często zalecają odczekanie pewnego czasu, aby samoistnie się zmniejszyły, lub stosują leczenie antybiotykami w celu zmniejszenia ich obrzęku. (Niekiedy leczenie alergii stopniowo zmniejsza powiększone migdałki gardłowe.)

Istnieją jednak sytuacje, w których wskazana jest interwencja chirurgiczna. Według zaleceń Amerykańskiej Akademii Pediatrii, chirurgiczne usunięcie migdałków jest zalecane, gdy:

* Powiększone migdałki podniebienne i/lub gardłowe w znaczący sposób utrudniają oddychanie, a tym samym wymianę tlenu i dwutlenku węgla w płucach. Objawy takiego stanu obejmują codzienną ospałość i wyczerpanie, pomimo odpowiedniej ilości odpoczynku, oraz bezdechy w czasie snu (patrz str. 158).
* Powiększone migdałki podniebienne w znaczący sposób przeszkadzają w połykaniu.
* Powiększone migdałki gardłowe w znaczący sposób zakłócają oddychanie, powodując mowę nosową i zaburzenia wymowy.

Amerykańska Akademia Pediatrii podaje, że zabieg operacyjny jest rozsądnym wyjściem, gdy:

* Dziecko cierpi na powtarzające się paciorkowcowe zakażenia gardła (anginy) lub inne ataki poważnych chorób (siedem razy w ciągu roku, pięć razy każdego roku przez okres 2 lat lub trzy razy każdego roku przez okres 3 lat).
* Zapalenie migdałków podniebiennych lub powiększenie węzłów chłonnych ma charakter przewlekły (trwa przynajmniej 6 miesięcy), pomimo leczenia antybiotykami.
* W okolicy migdałków podniebiennych lub za nimi tworzą się ropnie.
* Infekcje ucha środkowego nawracają pomimo założenia drenu tympanostomijnego (patrz str. 515).
* Istnieje umiarkowane utrudnienie oddychania lub połykania połączone z oddychaniem przez usta i chrapaniem.

ne z wydzieliną z dróg oddechowych przez osobę z czynnym zakażeniem. Niektóre osoby mogą być nosicielami paciorkowca przez wiele miesięcy po zakończeniu ostrej choroby, ale mało prawdopodobne jest przekazywanie przez nie tych drobnoustrojów.

Czas trwania. Ból gardła w przebiegu przeziębienia trwa zwykle kilka dni; leczenie paciorkowcowego zapalenia gardła (anginy) trwa również kilka dni (minimium tydzień — przyp. red. nauk.).

Leczenie. Ciepłe płyny; łagodne i niekwaśne potrawy i napoje; nawilżanie powietrza, a w razie potrzeby paracetamol w przypadku bólu lub gorączki, ale tylko wówczas, gdy wcześniej lekarz wykluczył lub potwierdził zakażenie paciorkowcowe (anginę) (wcześniejsze podanie paracetamolu może maskować ból, który może pomóc przy stawianiu rozpoznania). Angina lub inne zakażenie bakteryjne zawsze wymaga leczenia antybiotykami.

Zapobieganie. Unikanie osób z przeziębieniami lub infekcjami paciorkowcowymi. Patrz również „Przeziębienie", str. 513.

Kiedy należy wezwać lekarza. Patrz „Ból gardła", str. 487. Konieczne jest zwykle pobranie posiewu z gardła, który określi, czy ból gardła jest spowodowany zakażeniem paciorkowcowym. Wskazany jest zwłaszcza wtedy, gdy na tylnej ścianie gardła lub na migdałkach podniebiennych widoczne są żółtawobiałe, małe plamki (patrz rycina na str. 521). Wezwanie lekarza jest też konieczne, gdy gorączka przekracza 38,3°C, gdy razem z bólem gardła lub trochę później rozwija się wysypka, gdy dziecko było wcześniej narażone na kontakt z infekcją paciorkowcową, miało gorączkę reumatyczną, reumatyczną chorobę serca lub choruje na nerki.

Powikłania. Rzadko przy infekcji paciorkowcowej występują: gorączka reumatyczna, reumatyczna choroba serca, płonica (szkarlatyna). Powikłania te mogą zostać praktycznie wyeliminowane poprzez leczenie zakażeń paciorkowcowych antybiotykami (wyłącznie przez lekarza! — przyp. red. nauk.).

GRYPA

Objawy. Nagły ból głowy i gorączka (często z dreszczami i drżeniem ciała), zmęczenie, ogólne pobolewania oraz suchy kaszel. W miarę jak choroba postępuje, rozwinąć się mogą objawy podobne do przeziębienia (ból gardła, obrzęk błon śluzowych nosa), a kaszel może się nasilić. Możliwe jest również wystąpienie objawów żołądkowo-jelitowych (bóle brzucha, nudności, wymioty) oraz zaczerwienienie oczu lub zapalenie spojówek (stan zapalny błony pokrywającej oko). Niekiedy grypa może być trudna do odróżnienia od przeziębienia, a czasami może występować jedynie gorączka i zmęczenie. Po kilku dniach grypy niektóre dzieci skarżą się na bóle łydek, które utrudniają chodzenie. W rzadkich sytuacjach wirus grypy może powodować zapalenie krtani lub zapalenie płuc.

Okres występowania. Na półkuli północnej grypa występuje najczęściej od grudnia do marca, ze szczytem zachorowań w lutym. Na półkuli południowej zaś od maja do września. W tropikach natomiast — przez cały rok.

Przyczyna. Wirusy grypy A i B, które występują w różnych formach epidemicznych i niezliczonych podtypach, oraz wirus grypy C.

Sposób przenoszenia. Bezpośredni kontakt z zakażoną osobą; wdychanie dużych (niekiedy również małych) kropelek z powietrza, pochodzących z kaszlu lub kichania, które mogą powodować rozsiew wirusów nawet na odległość 8 metrów; dotykanie przedmiotów zakażonych wydzieliną z nosa lub gardła. Chorzy zakażają najbardziej w okresie od dnia poprzedzającego objawy aż do chwili ich wystąpienia. Niemniej jednak dzieci mogą nadal rozprzestrzeniać wirusy z wydzieliną z nosa przez tydzień lub nawet dłużej. Okres wylęgania wynosi najczęściej 1 do 3 dni.

Czas trwania. Na ogół 5 do 7 dni, u osób, które nie cierpią w tym czasie na żadne inne choroby.

Leczenie. Leczenie ogólne obejmuje podawanie płynów, odpoczynek i odżywczą dietę. Aby złagodzić objawy, stosuje się: nawilżanie powietrza (patrz str. 704), paracetamol, ale tylko wtedy, gdy jest wskazany ze względu na występujące bóle lub wysoką gorączkę (nie podawaj żadnych leków zawierających aspirynę lub inne salicylany); leki przeciwkaszlowe, jeśli są zalecone przez lekarza, aby ułatwić sen lub przynieść ulgę (chociaż ostatnie badania podają w wątpliwość ich skuteczność u dzieci); oraz, w razie potrzeby, leki zmniejszające obrzęk błon śluzowych — tylko zgodnie z zaleceniem lekarza. Leki przeciwwirusowe mogą zostać zapisane tym dzieciom, które manifestują ciężkie objawy lub u których występuje wysokie ryzyko wystąpienia powikłań.

Zapobieganie. Unikanie kontaktów z zakażonymi osobami; szczepienia przeciwko grypie (patrz str. 481).

Powikłania. Czasem może wystąpić zapalenie płuc; zapalenie zatok przynosowych, zapalenie ucha środkowego; zespół Reye'a (związany ze stosowaniem aspiryny u dzieci zakażonych wirusem grypy).

PRZEZIĘBIENIE (INFEKCJA GÓRNYCH DRÓG ODDECHOWYCH)

Objawy. Cieknący nos (wydzielina jest początkowo wodnista, a następnie staje się gęstsza i bardziej nieprzezroczysta, a niekiedy żółtawa lub nawet zielonkawa), obrzęk błony śluzowej nosa lub jego niedrożność, kichanie, często gorączka, zwłaszcza u małych dzieci, niekiedy bolesne lub drapiące gardło, suchy kaszel (który może nasilać się w nocy), zmęczenie, utrata apetytu. W większości wyżej wymienionych cech, nie stanowią one prawdziwych objawów. Są częścią odpowiedzi odpornościowej, sposobem organizmu na obronę przed chorobą — w tym przypadku przed infekcją wirusa przeziębienia.

Okres występowania. Przeziębienie może występować przez cały rok, ale najczęściej w okresie od jesieni do wiosny.

Przyczyna. Prawie zawsze wirusy. Znanych jest ponad 200 wirusów powodujących przeziębienie (w tym wirus nieżytu nosa, wirus paragrypy oraz wirus oddechowy [RSV]), a podejrzewa się, że może ich być, razem z odmianami, ponad 1500. Ponieważ małe dzieci mają małe szanse na wy-

Wydmuchiwanie nosa

Małe dzieci zwykle silnie się bronią przed odsysaniem nosa, tak więc w czasie przeziębienia cierpią szczególnie często z powodu niedrożności nosa. Rozwiązaniem jest nauczyć je wydmuchiwać nos. Spróbuj przećwiczyć tę czynność w formie zabawy, gdy malec czuje się dobrze. Niech dmucha przez nos na piórko lub lekki skrawek papieru. Później, w czasie choroby, kiedy nos jest zapchany, każ swemu dziecku dmuchać prosto w chusteczkę.

tworzenie odporności przeciwko któremuś z tych wirusów w wyniku przebycia wcześniejszej infekcji, są szczególnie podane na przeziębienia. W przeciwieństwie do powszechnie panujących sądów, chodzenie w zimie z gołą głową, zamoczenie stóp, zimne powietrze i tym podobne, nie powodują przeziębienia.

Sposób przenoszenia. Uważa się, że najpowszechniejszym sposobem przekazywania jest kontakt „ręka w rękę" (dziecko z przeziębieniem wyciera sobie nos ręką, a następnie trzyma się za ręce z kolegami w trakcie zabawy. Kolega pociera ręką oko i infekcja jest już przeniesiona). Możliwa jest również droga kropelkowa w wyniku kichania i kaszlu oraz kontakt poprzez przedmioty (np. zabawki) zakażone przez osobę chorą, ale tylko przez okres, w którym kropelki pozostają wilgotne. Okres wylęgania wynosi zwykle 1 do 4 dni. Przeziębienie może być często przekazywane dalej już na dzień lub dwa przed wystąpieniem objawów. Kiedy cieknący nos wysycha, przeziębienie staje się mniej zakaźne.

Czas trwania. Zwykle 7 do 10 dni (przy czym dla większości chorych dzień trzeci jest dniem przesilenia). Kaszel w nocy może utrzymywać się dłużej.

Leczenie. Nie jest znane leczenie przyczynowe, ale w razie potrzeby możliwe jest następujące leczenie objawowe:

* Pobyt w domu. Jeśli jest to możliwe, dobrym pomysłem jest zatrzymanie dziecka w domu na czas pierwszych dwóch dni przeziębienia (patrz str. 500). Ograniczanie aktywności fizycznej nie jest konieczne, gdyż ruch stymuluje wytwarzanie adrenaliny, która jest naturalnym środkiem znoszącym obrzęk błony śluzowej nosa.
* Solankowe krople do nosa, w celu zmiękczenia wyschniętego śluzu (stosuj raczej krople sprzedawane bez recepty w aptekach niż krople wykonane samemu, ale unikaj specyfików zawierających alkohol, który może spowodować oparzenie delikatnych błon śluzowych). Możesz również stosować krople ciepłej (ale nie gorącej) wody z kranu (3 krople do każdej dziurki od nosa, dwa lub trzy razy dziennie, do czasu oczyszczenia nosa). Krople mogą być najbardziej użyteczne przed jedzeniem lub przed snem. Dostępne w handlu krople solankowe ogrzej przed podaniem do temperatury ciała poprzez włożenie ich do kieszeni lub pod ubranie na 15 minut.
* Nawilżanie powietrza, aby dopomóc w oczyszczeniu i udrożnieniu nosa (patrz str. 704).
* Wazelinę lub inną podobną maść możesz delikatnie rozprowadzić na krawędziach nozdrzy oraz pod nosem, aby zapobiec popękaniu i bolesności skóry. Uważaj jednak, aby nie wprowadzić maści do wnętrza nosa, gdzie może blokować przepływ powietrza i utrudniać oddychanie.
* Podniesienie podgłówka w łóżeczku (poprzez umieszczenie poduszki lub książek pod materacem) uczyni oddychanie łatwiejszym.
* Odpowiednie przykrycie w czasie snu lub włożenie dziecku skarpetek. Gdy stopy są zimne, zmiany w krążeniu krwi mogą prowadzić do zwiększenia przekrwienia nosa i jego niedrożności.
* Środki zmniejszające obrzęk śluzówek, ale tylko zapisane przez lekarza. U małych dzieci są one często nieskuteczne.
* Leki przeciwkaszlowe w przypadkach suchego kaszlu, ale tylko wówczas, gdy kaszel zakłóca sen dziecka, a lek został zapisany przez lekarza.
* Lek przeciwgorączkowy nie zawierający aspiryny, ale tylko wówczas, gdy gorączka jest wysoka. Po zalecenia zwrócić się do lekarza (patrz str. 506).
* Dostępne w handlu leki zmniejszające obrzęk śluzówek, w postaci kropli lub aerozolu, ale tylko pod nadzorem medycznym. Stosowane dłużej niż 3 dni mogą powodować nasilenie się niedrożności nosa. Niektóre mogą być toksyczne.
* Antybiotyki, tylko w przypadkach rozwoju wtórnych infekcji bakteryjnych (takich jak zapalenie ucha środkowego lub zapalenie płuc). Antybiotyki nie są skuteczne przeciwko wirusom przeziębienia.

Zmiany w diecie. Dużo płynów, zwłaszcza ciepłych (rosół jest naprawdę skuteczny) oraz odżywcza dieta. Upewnij się, że codziennie oferujesz swemu dziecku dwie lub trzy porcje pokarmów bogatych w witaminę C (patrz str. 435). Częste, ale niewielkie posiłki mogą być lepsze od trzech dużych. Nie ma konieczności organiczania spożycia mleka. W przeciwieństwie do powszechnie panujących sądów, nie powoduje ono zwiększenia produkcji śluzu. Patrz również str. 500.

Zapobieganie. Właściwe nawyki zdrowotne. Zakazuj palenia tytoniu w obecności dziecka, w domu i poza nim oraz unikaj stosowania pieców (kominków) opalanych drewnem, które powodują zanieczyszczenie powietrza w domu. (Dym tytoniowy oraz spaliny pochodzące z pieców na drewno zmniejszają odporność na przeziębienia.) Sprawdź swój piec (kominek), jeśli taki posiadasz, pod względem emisji zanieczyszczeń. W miarę możliwości trzymaj dziecko z dala od osób zainfekowanych. Myj ręce po kontakcie z osobami przeziębionymi oraz z przedmiotami, których dotykały. Zachęcaj do częstego mycia rąk. Używaj roztworów fenolowo-alkoholowych (takich jak Lizol) w celu dezynfekcji powierzchni, które mogą być zakażone przez wirusy przeziębienia, i przestrzegaj innych zaleceń związanych z zapobieganiem rozprzestrzenianiu się choroby (patrz str. 518). Pamiętaj jednak, że nic (poza zamknięciem w sterylnym pokoju) nie chroni całkowicie dziecka przed wirusami przeziębienia. Przeciętny malec choruje na przeziębienie 6 do 8 razy w ciągu roku. Niektóre mają je 9 lub 10 razy, ale nawet to nie jest powodem do zmartwień, jeśli dziecko rośnie i rozwija się prawidłowo.

Powikłania. Zapalenie ucha środkowego, zatok przynosowych i znacznie rzadziej — zapalenie płuc.

Kiedy należy wezwać lekarza. Zawiadomienie lekarza jest wskazane, gdy twoje dziecko jest ospałe, nie ma apetytu, ma trudności ze spaniem, ma zielonkawą lub żółtawą, cuchnącą wydzielinę z nosa lub plwocinę, ma świszczący oddech lub oddycha gwałtowniej niż zazwyczaj (patrz str. 489), skarży się na dolegliwości ze strony klatki piersiowej, ma kaszel, który nasila się lub utrzymuje bez zmian w ciągu dnia po ustąpieniu innych objawów, wydaje się, że cierpi na ból gardła, ma trudności w połykaniu lub zaczerwienione gardło (szczególnie jeśli widoczne są na nim białe lub żółtawe plamki), ma powiększone węzły chłonne szyi (patrz str. 490), uciska lub pociąga uszy w ciągu dnia lub w nocy albo jest bardzo niespokojne, budzi się z krzykiem w środku nocy; ma gorączkę powyżej 38,9°C lub niższą utrzymującą się przez ponad 4 dni; stan dziecka pogarsza się, zamiast poprawiać. Skontaktuj się z lekarzem również wówczas, gdy objawy utrzymują się przez ponad 10 dni, gdyż wskazuje to zwykle na wtórną infekcję zatok przynosowych.

Uwaga! Jeśli wydaje ci się, że dziecko ma stały kaszel lub bardzo długotrwałe lub częste przeziębienia, porozmawiaj z lekarzem na temat możliwych przyczyn alergicznych (uczuleniowych).

WYSIĘKOWE ZAPALENIE UCHA ŚRODKOWEGO

Objawy. Zwykle utrata słuchu (okresowa, ale może stać się trwała, jeśli choroba nie jest leczona przez wiele miesięcy). Niekiedy odgłos delikatnego trzaskania lub pukania w trakcie połykania lub ssania. Uczucie pełności lub dzwonienia w uszach lub całkowity brak jakichkolwiek objawów.

Okres występowania. Cały rok.

Przyczyna. Płyn w uchu środkowym, który może, ale nie musi zawierać bakterii. Niekiedy możliwy jest udział przeciągających się infekcji wirusowych.

Sposób przenoszenia. Nie jest przekazywane bezpośrednio z osoby na osobę. Zwykle następuje po ostrej infekcji ucha środkowego.

Czas trwania. Tygodnie, miesiące lub nawet lata.

Leczenie. Staranna obserwacja i odczekiwanie przez okres 3 miesięcy. Jeśli płyn utrzymuje się, wskazane jest przeprowadzenie badania słuchu i włączenie antybiotyków. Jeśli po okresie 6 miesięcy nie ma żadnej poprawy, a zwłaszcza jeśli słuch jest upośledzony, mogą być zalecone dreny tympanostomijne (patrz ramka). Ostatnie badania sugerują, że podawanie steroidów razem z antybiotykami powoduje oczyszczenie płynu zalegającego w uszach, co zmniejsza lub eliminuje konieczność zakładania drenów. Zapytaj pediatrę o takie leczenie. Jeśli martwisz się o słuch dziecka, możesz skonsultować się ze specjalistą w tym zakresie (audiolog).

Kiedy należy wezwać lekarza. Natychmiast, kiedy zauważysz jakiekolwiek objawy utraty słuchu.

Zapobieganie. Okresowe badanie uszu, dreny tympanostomijne, profilaktyczne stosowanie niskich dawek antybiotyków. Leczenie objawów przeziębienia lekami zmniejszającymi obrzęk błon śluzowych jest prawdopodobnie nieskuteczne, ale szczepienia przeciwko grypie wydają się pomocne.

Powikłania. Możliwe jest wystąpienie utraty słuchu ze wszystkimi werbalnymi, rozwojowymi i emocjonalnymi następstwami tego stanu.

ZAKAŻENIE DRÓG MOCZOWYCH

Objawy. Na ogół częste i/lub bolesne oddawanie moczu, nietrzymanie moczu, krew w moczu, ból w okolicy łonowej lub w boku, senność i gorączka. Niekiedy brak objawów.

Okres występowania. Niezależnie od pory roku.

Przyczyna. Najczęściej bakterie, które przedostają się przez cewkę moczową (drogą, którą mocz odprowadzany jest na zewnątrz z pęcherza moczowego). Ponieważ cewka moczowa jest krótsza u dziewczynek i bakterie mogą u nich łatwiej się przez nią przedostawać, zakażenia dróg moczowych są częstsze u dziewczynek niż u chłopców. Niekiedy bakterie z jakiejkolwiek części ciała mogą przedostać się do nerek wraz z krwią. Zakażenie może dotyczyć tylko cewki moczowej (zapalenie pęcherza moczowego) lub nerek (odmiedniczkowe zapalenie cewki moczowej), pęcherza moczowego (zapalenie nerek) bądź wszystkich trzech elementów dróg moczowych. Niedostateczna ilość płynów może ułatwić rozwój zakażenia dróg moczowych. W celu potwierdzenia rozpoznania i określenia drobnoustroju wywołującego chorobę można pobrać próbkę moczu i wykonać posiew.

Sposób przenoszenia. Najczęściej poprzez zanieczyszczenie cewki moczowej bakteriami pochodzącymi ze stolca (zwłaszcza u dziewczynek).

Czas trwania. Różny. W większości przypadków następuje szybkie wyzdrowienie po leczeniu antybiotykami.

Leczenie. Antybiotyki. Rodzaj stosowanego antybiotyku może zostać określony przez posiew moczu. Absolutnie niezbędne jest przeprowadzenie pełnego cyklu zapisanego leczenia, nawet jeśli objawy choroby ustąpiły. Ponadto podawanie dużej ilości płynów. Szczególnie pomocny może być sok z żurawin, który wydaje się zapobiegać przyleganiu bakterii do wyściółki dróg moczowych. Poważne zakażenia dróg moczowych lub powtarzające się łagodniejsze zakażenia dróg moczowych powinny skłaniać do wykonania badań oceniających stan dróg moczowych. Niekiedy stwierdza się nieprawidłowość rozwojową lub niedrożność, co wymaga interwencji specjalisty (urologa).

Zapobieganie. Odpowiednie nawyki higieniczne i właściwe zmienianie pieluszek: wycieranie od przodu ku tyłowi, mycie rąk po korzystaniu z toalety. Poza tym odpowiednia podaż płynów, regularne zmienianie pieluszek, bawełniana bielizna dla dzieci nie noszących pieluszek, możliwość oddawania moczu zawsze, gdy jest to konieczne (bez „wstrzymywania"), unikanie ciasnych majteczek z nieprzepuszczalnych tkanin syntetycznych oraz potencjalnie drażniących płynów do kąpieli i mydeł.

Kiedy należy wezwać lekarza. Natychmiast, gdy zauważysz przypuszczalne objawy zakażenia dróg moczowych. Szybkie i właściwe leczenie jest konieczne, aby uniknąć uszkodzenia dróg moczowych dziecka.

Powikłania. Uszkodzenie nerek, chociaż przy szybkim leczeniu zakażenia dróg moczowych jest ono mało prawdopodobne.

ZAPALENIE KRTANI (PSEUDOKRUP, PODGŁOŚNIOWE ZAPALENIE KRTANI, ZAPALENIE KRTANI, TCHAWICY I OSKRZELI)

Objawy. Pseudokrup skurczowy: Nagły początek (w środku nocy) ciężkiego oddechu, braku tchu, chrypki, szczekającego kaszlu, zwykle bez gorączki. W ciągu tej samej nocy lub dwóch, trzech następnych nocy możliwe jest powtarzanie się podobnych epizodów. Zapalenie krtani i tchawicy: Objawy przeziębienia, które stopniowo rozwijają się w chrypkę i szczekający kaszel; oddech wysiłkowy, przez nos; wciąganie (skóra w przestrzeniach międzyżebrowych może być zasysana przy każdym oddechu) spowodowane obrzękiem śluzówki dróg oddechowych oraz zwiększeniem ilości i zgęstnieniem wydzieliny. Gorączka może, ale nie musi wystąpić. Zapalenie krtani, tchawicy i oskrzeli: Objawy są podobne do opisanych objawów zapalenia krtani i tchawicy, ale ich początek jest bardziej zróżnicowany, a gorączka może osiągać 40,0°C. Dziecko zwykle wygląda na chore.

Okres występowania. Najczęściej jesień lub wczesna zima.

Przyczyna. Zwężenie dróg oddechowych poniżej strun głosowych, spowodowane zapaleniem krtani i tchawicy, wyzwalanym zwykle w przebiegu pseudokrupu skurczowego poprzez połączenie alergii i infekcji wirusowej (chociaż pełny mechanizm nie jest jasny). W przebiegu zapalenia krtani i tchawicy przyczyną jest infekcja wirusowa (najczęściej wirus paragrypy), zaś w zapaleniu krtani, tchawicy i oskrzeli — prawdopodobnie infekcja wirusowa z wtórną infekcją bakteryjną.

Sposób przenoszenia. Zależy od przyczyny. Uważa się, że wirusy paragrypy są przekazywane przez bezpośredni kontakt oraz zakażone wydzieliny.

Czas trwania. Kilka dni do tygodnia. W przypadku pseudokrupu skurczowego mogą występować nawroty.

Leczenie. Inhalacje parowe (patrz str. 704) lub zimne powietrze (zabierz dziecko na zewnątrz, na świeże powietrze na 15 minut). Pomocne może być również nawilżanie powietrza w pomieszczeniu, w którym śpi dziecko (patrz str. 704). Ważne jest też utulenie dziecka, aby uniknąć płaczu, który mógłby pogorszyć sytuację. W wielu przypadkach konieczne jest leczenie fachowe w celu udrożnienia dróg oddechowych, a niekiedy niezbędny jest pobyt w szpitalu (zwykle krótkotrwały).

Zmiany w diecie. Dodatkowe płyny, zwłaszcza ciepłe, takie jak zupy i ciepła oranżada (zrobiona z soku pomarańczowego i ciepłej wody).

Kiedy należy wezwać lekarza. Natychmiast, jeśli jest to pierwszy atak zapalenia krtani u twojego dziecka. Jeśli jest to atak kolejny, postępuj zgodnie z zaleceniami lekarza, udzielonymi za pierwszym razem. Skontaktuj się z lekarzem również wówczas, gdy mimo inhalacji parowych nie ustaje szczekający kaszel lub jeśli dziecko blednie lub sinieje, wydaje się ospałe lub śpiące, odmawia jedzenia lub picia, ma trudności z łapaniem oddechu (zwłaszcza w ciągu dnia) lub zauważysz wciąganie przestrzeni międzyżebrowych. Jeśli nie możesz skontaktować się z lekarzem, zabierz dziecko do najbliższego ambulatorium lub wezwij pogotowie. Powtarzające się ataki pseudokrupu z towarzyszącymi zmianami głosu, niezwykłym płaczem lub świstem oddechowym (szorstki, wibrujący, piejący dźwięk w czasie oddechu), mogą wymagać dalszego badania. Niekiedy są one spowodowane przez brodawczaki krtani (wywoływane przez wirus brodawki ludzkiej).

Zapobieganie. Nie jest znane, ale pomocne może być nawilżanie powietrza w czasie przeziębienia.

ZAPALENIE UCHA ŚRODKOWEGO (*OTITIS MEDIA*)

Objawy. Zazwyczaj ból ucha po jednej lub po obu stronach. Ból często nasila się w nocy, ponieważ leżenie zmienia ciśnienie w obrębie ucha (dziecko może się skarżyć, gnieść, pocierać lub ciągnąć dotknięte chorobą ucho). Występuje gorączka (od umiarkowanej do wysokiej), zmęczenie oraz drażliwość. Niekiedy pojawiają się nudności i/lub wymioty, utrata apetytu, luźne stolce oraz przytłumiony słuch, spowodowany uniemożliwieniem prawidłowych drgań błony bębenkowej. Czasem nie występują żadne oczywiste objawy. W czasie badania błona bębenkowa wydaje się różowa (w początkowym okresie choroby), a następnie czerwona i uwypuklona (chociaż błona bębenkowa może być również czerwona, jeśli dziecko właśnie płakało lub z powodu oświetlenia).

Jeśli błona bębenkowa ulegnie perforacji (powstanie w niej mały otwór), do przewodu słuchowego wydostać może się ropa, często podbarwiona krwią, co powoduje zniesienie podwyższonego ciśnienia, a tym samym również bólu. Błona bębenkowa ulega zwykle zagojeniu w ciągu tygodnia, ale leczenie zakażenia pomaga zapobiec uszkodzeniom. Tak więc, jeśli podejrzewasz perforację (wskazywać na to będą strupy w uchu lub wokół niego), powiedz o tym lekarzowi swojego dziecka.

Czasem nawet po leczeniu w uchu środkowym pozostaje płyn. Stan taki nazywany jest wysiękowym zapaleniem ucha środkowego (patrz str. 515).

Okres występowania. Niezależnie od pory roku, ale najczęściej zima i wczesna wiosna.

Przyczyna. Zwykle bakterie, ale niekiedy wirusy, które przechodzą do niewielkich przestrzeni ucha środkowego (mających mniej więcej rozmiar ziarnka grochu) z nosa lub gardła poprzez

Zapobieganie rozprzestrzenianiu się choroby

Choroby zakaźne (infekcyjne) rozprzestrzeniają się w rodzinie szybciej niż pożar w lesie. Chociaż więc właściwa higiena nie może całkowicie zatrzymać rozsiewu choroby, to może dopomóc w jego ograniczeniu.

* Jeśli jest to możliwe, ogranicz narażenie na zakażenie. Jeśli jedno z dzieci choruje na chorobę zakaźną, to jeśli możesz, spróbuj je odizolować od innych członków rodziny, przynajmniej przez kilka pierwszych dni choroby. (Często będzie to miało tylko ograniczone znaczenie, ponieważ w wypadku wielu chorób zakaźnych zakażenie następuje przed wystąpieniem objawów.)

* Zachęcaj wszystkich członków rodziny, niezależnie od tego, czy zdrowych, czy chorych, do skrupulatnego mycia rąk, zwłaszcza przed jedzeniem lub przygotowywaniem żywności, dotykaniem oczu, nosa lub ust, a także po wydmuchaniu nosa lub kaszlu, po korzystaniu z toalety lub po kontakcie z osobą chorą. Mycie rąk jest prawdopodobnie najskuteczniejszym działaniem zapobiegającym rozprzestrzenianiu się chorób. Jeśli nie możesz wymóc częstego mycia rąk lub znajdujesz się poza domem, miej pod ręką chusteczki nasączone środkiem antyseptycznym.

* Skłoń chorych członków rodziny do używania chusteczek jednorazowych zamiast wielorazowych i każ im je wyrzucać zaraz po użyciu do przykrywanego pojemnika na śmieci.

* Naucz członków rodziny zamykać usta i nie kaszleć lub kichać na siebie nawzajem (lub na innych) oraz nie całować innych w okresie choroby.

* Zabroń używania wspólnych kubków i szczoteczek do zębów. Zapewnij oddzielne kubki w łazience (użyj nalepek lub różnych kolorów, aby je od siebie odróżnić); możesz używać również małych kubeczków jednorazowych, ale zanim to zrobisz, pomyśl o tym, że zanieczyszczają środowisko. (Aby mieć pewność, że chory członek rodziny nie ulegnie ponownemu samozakażeniu, po chorobie wymień szczoteczki do zębów na nowe; codziennie myj kubki w łazience gorącą wodą z płynem do mycia naczyń lub w zmywarce do naczyń.)

* Zabroń dzielenia się pokarmami przy stole. Nie pozwalaj członkom rodziny pić napojów z tej samej szklanki lub jeść z tego samego talerza, tym samym widelcem lub tą samą łyżką.

* Wszystkie sztućce i talerze osoby chorej na chorobę zakaźną myj starannie w gorącej wodzie z detergentem lub w zmywarce.

* Umyj lub spryskaj środkiem dezynfekującym przedmioty, które mogą być zakażone (takie jak kurki w łazience, telefon, zabawki).

* Często zmieniaj odzież, ręczniki i bieliznę pościelową.

trąbkę słuchową Eustachiusza, która nie ulega prawidłowemu oczyszczaniu. Dzieje się tak zwykle z powodu jej stanów zapalnych, w przebiegu przeziębienia, zapalenia zatok przynosowych, bólu gardła lub alergii. Poza objętą procesem zapalnym błoną bębenkową, ropa i śluz produkowane przez organizm w odpowiedzi na infekcję powodują ból ucha. Zapalenie ucha środkowego jest powszechniejsze u niemowląt i dzieci poniżej szóstego roku życia niż u dorosłych, ponieważ ich trąbka słuchowa Eustachiusza jest krótsza (co powoduje, że łatwiej ulega zablokowaniu i umożliwia szybsze przedostanie się drobnoustrojów) i położona bardziej poziomo (co powoduje, że oczyszczanie jest słabsze) oraz ponieważ dzieci częściej chorują na przeziębienia i inne choroby układu oddechowego.

Sposób przenoszenia. Pośredni — zapalenie ucha środkowego nie jest przekazywane z osoby na osobę. Często następuje natomiast po grypie lub przeziębieniu. Możliwe jest też występowanie rodzinnej predyspozycji do zakażeń ucha środkowego.

Czas trwania. Chociaż ból zmniejsza się zwykle lub zanika wkrótce po rozpoczęciu leczenia, to wyleczenie ostrego zakażenia ucha środkowego może wymagać od 10 dni do 8 tygodni leczenia antybiotykami. Płyn może pozostawać w uchu środkowym znacznie dłużej (patrz „Wysiękowe zapalenie ucha środkowego", str. 515).

Leczenie. Paracetamol w razie potrzeby — w przypadku bólów lub gorączki. Ciepło (poduszka elektryczna ustawiona na niezbyt wysoką temperaturę, ciepłe kompresy, butelka z ciepłą wodą) lub zimno (torebka z lodem lub lód zawinięty w mokry ręcznik) mogą być również stosowane w celu złagodzenia bólu do czasu badania lekarskiego. Podniesienie głowy dziecka w czasie snu może być również pomocne. Nie rób tego, jeśli wystąpiła perforacja. Nie używaj kropli do uszu, chyba że zostały zapisane

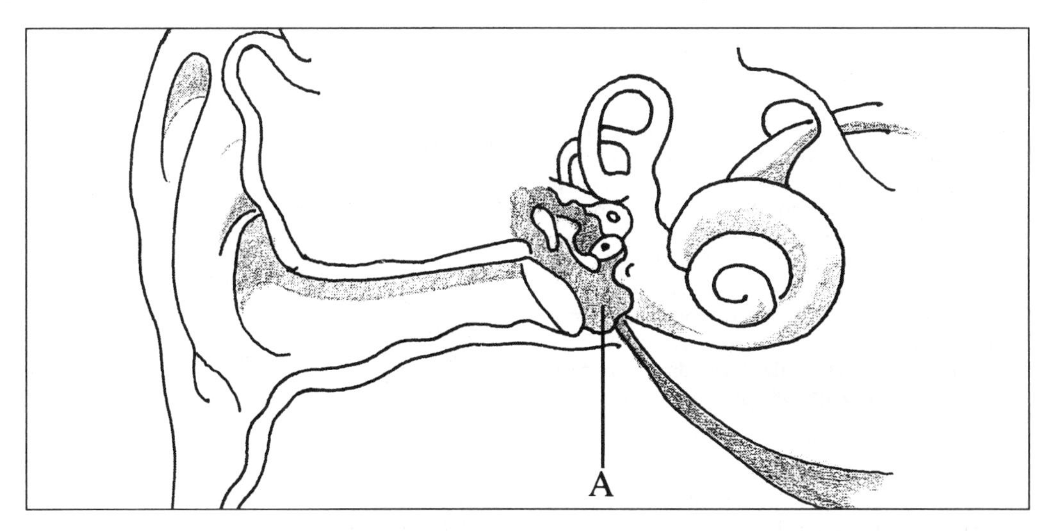

Większość infekcji ucha u małych dzieci występuje w obrębie ucha środkowego — jego małej jamy (tzw. jamy bębenkowej) (A), przy końcu przewodu słuchowego zewnętrznego.

przez lekarza w tym konkretnym przypadku. Nie polegaj też nigdy wyłącznie na tych domowych środkach leczniczych Ze względu na ryzyko poważnych powikłań, zapalenie ucha środkowego wymaga leczenia medycznego. Chociaż niektórzy lekarze będą czekać 2 do 3 dni, zanim rozpoczną leczenie infekcji ucha (w nadziei, że ulegnie samowyleczeniu), to większość rozpocznie natychmiast antybiotykoterapię, stosując ją minimum przez 10 dni (wcześniejsze odstawienie leku, nawet jeśli pacjent czuje się dobrze po jednym lub dwóch dniach, może prowadzić do nawrotu choroby i ewentualnych problemów przewlekłych). Jeśli wydaje się, że dziecko nie reaguje na leczenie, lekarz może zlecić wykonanie posiewu z próbki komórek pobranej z ucha środkowego, w celu określenia drobnoustroju wywołującego zapalenie (wielu lekarzy bada ponownie uszy po 72-96 godzinach od rozpoczęcia leczenia antybiotykiem) lub jeśli z innych względów jest to niezbędne. Niekiedy w celu drenowania (ułatwienia odpływu) zakażonego płynu z ucha uwypuklona błona bębenkowa może zostać przebita przez lekarza (tzw. paracenteza). Nacięcie błony bębenkowej ulega zagojeniu w ciągu około 10 dni, ale przez ten czas dziecko może wymagać specjalnej opieki.

Na zakończenie leczenia lekarz będzie prawdopodobnie chciał skontrolować uszy twojego dziecka. Chociaż infekcja może ustąpić bez śladu po leczeniu antybiotykami, to u 1 na 10 dzieci ucho pozostaje wypełnione płynem przez 3 miesiące lub

Dreny dla małych dzieci

Założenie drenu (paracenteza z tympanostomią) powinno być rozważane jako leczenie ostatniej szansy u dzieci z utrzymującym się płynem w obrębie ucha środkowego z potwierdzoną utratą słuchu (najnowsze badania sugerują, że przy powtarzających się infekcjach ucha wskazania do takiego działania są bardzo ograniczone). Ten zabieg chirurgiczny jest wykonywany w znieczuleniu ogólnym, zwykle przez laryngologa dziecięcego. Cienka rurka jest zakładana przez błonę bębenkową w celu odprowadzania płynu nagromadzonego w uchu środkowym. Wymagana jest przy tym przynajmniej kilkugodzinna lub jednodobowa hospitalizacja. Dren wypada sam po 9-12 miesiącach (niekiedy wcześniej) i często ogranicza występowanie późniejszych infekcji. Istnieje jednak ryzyko związane z zabiegiem, które należy w pełni przedyskutować z pediatrą, a prawdopodobnie również z laryngologiem, i przed podjęciem decyzji porównać je z możliwymi korzyściami. Korzyści odległe są dotychczas nieznane.

Jeśli dren zostanie założony, musi on być odpowiednio kontrolowany, aby mieć pewność, że nie stanie się drogą dla infekcji. Porozmawiaj z pediatrą, zanim zezwolisz na pływanie lub nurkowanie w wannie, ponieważ woda może w tych warunkach łatwo dostać się do ucha. Wiele dzieci używa małych rozmiarów zatyczek do uszu w celu ochrony drenu w czasie pływania lub kąpieli w wannie.

dłużej po ustąpieniu infekcji (patrz „Wysiękowe zapalenie ucha środkowego", str. 515).

Kiedy należy wezwać lekarza. Jeśli podejrzewasz infekcję ucha, skontaktuj się z lekarzem w czasie godzin przyjęć. Zadzwoń ponownie, jeśli dziecko nie czuje się lepiej po 48 godzinach lub jeśli jego stan wydaje się pogarszać, względnie odmawia przyjmowania antybiotyków lub wymiotuje po ich połknięciu. Dzwoń natychmiast, jeśli miał miejsce uraz ucha lub jeśli ból się utrzymuje, a dziecko płacze, manifestuje sztywność karku, silny ból głowy bądź wygląda na bardzo chore lub wykazuje zaburzenia równowagi w czasie chodzenia.

Zapobieganie. Nie jest jasne, czy stosowanie leków zmniejszających obrzęk błon śluzowych w czasie przeziębienia i grypy jest skuteczne w zmniejszaniu częstości występowania zapalenia ucha środkowego. Jasne jest jednak, że ochrona dziecka przed dymem tytoniowym i zakończenie karmienia butelką (jeśli dziecko pije w pozycji leżącej) może ją obniżyć. Leczenie alergii, która może także być przyczyną nawracających epizodów zapalenia ucha środkowego, może być również pomocne (patrz str. 594). Również zmiana przedszkola lub żłobka na opiekę domową może w niektórych przypadkach zmniejszyć ryzyko zachorowania, ponieważ dziecko przebywające w grupie rówieśników będzie narażone na częste przeziębienia.

Jeśli infekcje ucha środkowego powtarzają się (3 epizody w ciągu 6 miesięcy lub 4 w ciągu roku), wówczas w celach profilaktycznych można podawać niskie dawki antybiotyków przez 3 do 6 miesięcy, co ma zapobiec występowaniu nawrotów. Antybiotyk może też być podawany w okresie najczęstszego występowania zapaleń ucha środkowego lub w czasie, gdy dziecko choruje na przeziębienie (antybiotyki nie wpływają w żaden sposób na przeziębienie, ale pomagają zapobiec infekcjom wtórnym). Jeśli profilaktyczne podawanie antybiotyków nie chroni przed nawracającymi infekcjami, wówczas można rozważyć założenie drenu (patrz ramka). Jeśli duży migdałek gardłowy blokuje ujście trąbki słuchowej Eustachiusza, wówczas skuteczne może być usunięcie go (adenotomia). Większość dzieci wyrasta jednak z tendencji do częstych infekcji ucha w wieku 4 lub 5 lat.

Powikłania. Wysiękowe zapalenie ucha środkowego (patrz str. 515). Dzięki antybiotykom inne powikłania są wyjątkowo rzadkie.

ZAPALENIE ZATOK PRZYNOSOWYCH[10]

Objawy. Przy wtórnych zakażeniach zatok: objawy przeziębienia, które utrzymują się przez ponad 10 dni, z obecnością wydzieliny, która jest przezroczysta, gęsta i żółtawa lub biaława. Kaszel występujący zarówno w ciągu dnia, jak i w nocy. Obrzęk wokół oczu po porannym wstaniu z łóżka. Niekiedy brzydki zapach oddechu, gorączka, ból głowy zlokalizowany za lub nad oczami (chociaż u dzieci powyżej piątego roku życia powszechniejszy jest ból głowy i twarzy). Jeśli zapalenie zatok przynosowych jest wynikiem alergii lub urazu, a nie zakażenia, to gorączka nie występuje.

Okres występowania. Głównie jesień i zima, dla infekcji wtórnych po przeziębieniu. Wiosna, lato i jesień dla przypadków spowodowanych alergią.

Przyczyna. Zwykle bakterie, niekiedy również alergia lub uraz.

Sposób przenoszenia. Nie jest przekazywane bezpośrednio.

Czas trwania. W większości przypadków poprawa następuje po 10-14 dniach leczenia. Przy-

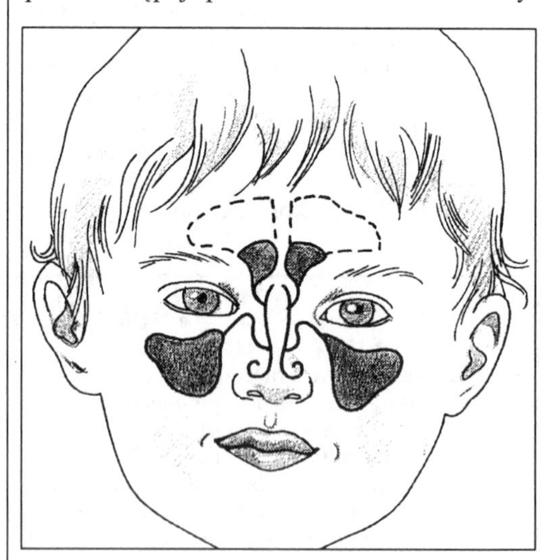

Zapalenie zatok przynosowych występuje w wyniku alergii lub zakażenia w czasie przeziębienia. U małych dzieci zatoki czołowe (nad oczami) nie są w pełni rozwinięte.

[10] Zapalenie zatok przynosowych jest rzadkie u dzieci poniżej drugiego roku życia.

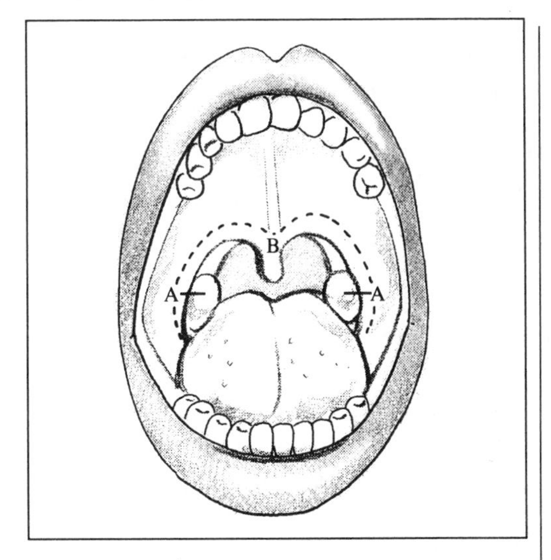

Poproś swoje dziecko, aby wyciągnęło język i powiedziało: „Aaa", pokazując jednocześnie, jak ty to robisz (prawdopodobnie nie będziesz potrzebować szpatułki lub łyżeczki, aby ucisnąć język). Świecąc małą latarką, zbadaj łuki podniebienne (przerywana linia), poszukując zaczerwienienia i białych plamek, a także obrzęku migdałków podniebiennych (A) i języczka (B).

przewlekłym zapaleniu zatok przynosowych objawy mogą nie ustępować przez 3, 4 tygodnie.

Leczenie. Antybiotyki. Jeśli leczenie antybiotykami nie jest skuteczne, dotknięte chorobą zatoki mogą wymagać nakłucia i płukania. W rzadkich sytuacjach konieczne jest leczenie chirurgiczne. Leki przeciwhistaminowe i zmniejszające obrzęk błon śluzowych nie są na ogół zalecane w zapaleniu zatok przynosowych u dzieci. Eliminacja alergenu jest skuteczna, jeśli przyczyną jest alergia.

Kiedy należy wezwać lekarza. W razie obecności jakichkolwiek objawów ostrego zapalenia zatok przynosowych.

Zapobieganie. Usunięcie znanych alergenów ze środowiska, w którym przebywa dziecko (patrz str. 596), jeśli zapalenie zatok przynosowych jest związane z alergią.

Powikłania. Rzadko infekcja rozprzestrzenia się na ośrodkowy układ nerwowy. Wezwij lekarza natychmiast, jeśli obserwujesz obrzęk lub zaczerwienienie wokół oczu swojego dziecka, silne bóle głowy, nadwrażliwość na światło lub nasiloną drażliwość.

ZAPARCIE

Objawy. Małe, twarde stolce oddawane co 3 lub 4 dni; twarde, suche stolce (nawet jeśli oddawane są codziennie), które sprawiają trudność lub ból przy wypróżnieniu; bóle brzucha, które ustępują po oddaniu stolca. Samo rzadkie oddawanie stolca nie jest wykładnikiem zaparcia. Niektóre dzieci robią to po prostu rzadziej od innych.

Okres występowania. Niezależnie od pory roku, może występować częściej w czasie zmiany diety lub rozkładu dnia (np. podczas wakacji).

Przyczyna. Wiele, ze szczególnym uwzględnieniem diety ubogiej we włókna i płyny. Okresowe zaparcia mogą rozwijać się w czasie choroby lub po jej wyleczeniu; niektóre leki mogą być również ich przyczyną. Ponadto zaparcia występują często u małych dzieci podczas nauki korzystania z nocnika, zwłaszcza wówczas, gdy rodzice wywierają na dziecko silną presję (patrz sugestie dotyczące nauki korzystania z nocnika w rozdziale 19). Zaparcie może również wystąpić u małego dziecka, które odczuwa niewygodę, korzystając z ubikacji poza domem (np. w żłobku, przedszkolu, w domu kolegi lub w innym miejscu lub które wstrzymuje oddawanie stolca, gdyż jest czymś innym zajęte lub z jakiegokolwiek innego powodu. Im dłużej oddawanie stolca jest wstrzymane, tym bardziej staje się on twardy i suchy i tym trudniejsze i boleśniejsze jest wypróżnienie. Strach przed oddawaniem tych twardych, suchych stolców często skłania dzieci do stałego wstrzymywania się i w ten sposób zamyka się błędne koło. Zbyt długie wstrzymywanie oddawania stolca powoduje nie tylko, że staje się on twardy, ale również bardzo duży. Kiedy taki stolec jest oddawany, może powodować rozciągnięcie odbytnicy. Powtarzające się nadmierne rozciągnięcie odbytnicy może sprawiać trudności z rozpoznawaniem potrzeby oddania stolca. To również powoduje „napędzanie" błędnego koła. Gdy zaparcie staje się przewlekłe i zawodzą domowe sposoby leczenia, lekarz może poszukiwać przyczyn medycznych, takich jak niedoczynność tarczycy lub nieprawidłowości rdzenia kręgowego, chociaż przyczyny takie są bardzo rzadkie.

Przenoszenie. Zaparcie nie jest zakaźne, ale niewłaściwe odżywianie i nawyki ruchowe, które często prowadzą do zaparć lub ułatwiają ich powstawanie, mogą być przekazywane dzieciom przez rodziców.

Czas trwania. Może utrzymywać się przez dowolny okres — jeden dzień lub przez całe życie.

Leczenie objawowe dziecka

OBJAW	ODPOWIEDNIE LECZENIE
Biegunka	Zwiększona ilość płynów, doustne nawadnianie (patrz str. 509) Leki przeciwbiegunkowe, tylko jeśli zostały zapisane
Bolesne ząbkowanie	Zapewnienie komfortu (przytulenie) Miejscowo — żel do dziąseł (patrz str. 102) Ucisk na dziąsła (patrz str. 102) Leki przeciwbólowe, takie jak paracetamol, tylko jeśli są zapisane przez lekarza
Ból gardła	Kojące, niekwaśne potrawy i napoje Leki przeciwbólowe, takie jak paracetamol Leki przeciwgorączkowe, jeśli są potrzebne (patrz str. 498) Płukanie gardła wodą z solą dla starszych dzieci (większość małych dzieci nie umie tego zrobić)
Ból lub dolegliwości spowodowane małym urazem	Zapewnienie komfortu (przytulenie) Odwrócenie uwagi (patrz str. 566) Leki przeciwbólowe, takie jak paracetamol Miejscowo — ciepło lub zimno, wg uznania**
Ból ucha	Leki przeciwbólowe, takie jak paracetamol (patrz str. 498) Miejscowo suche ciepło na ucho (np. termofor z ciepłą wodą)** Uniesienie głowy Leki zmniejszające obrzęk błon śluzowych (tylko gdy zostały zapisane) Antybiotyki (tylko jeśli zostały zapisane w tej infekcji) Krople do uszu (tylko jeśli zostały zapisane w tej infekcji)
Gorączka	Zwiększona ilość płynów (patrz str. 498) Odpowiednie żywienie Leki przeciwgorączkowe, takie jak paracetamol, ale tylko jeśli są zalecone przez lekarza (patrz str. 499) Letnia kąpiel lub obmywanie, jeśli lek jest nieodpowiedni lub nieskuteczny (patrz str. 499) Lekki ubiór i niewysoka temperatura w pokoju
Kaszel*	Nawilżanie powietrza** Zwiększona ilość płynów (patrz str. 500) Leki przeciwkaszlowe, tylko jeśli zostały zapisane przez lekarza Drenaż ułożeniowy, jeśli został zalecony i zademonstrowany przez lekarza

Leczenie. Kiedy czynnikiem wywołującym zaparcie jest problem medyczny, wówczas leczenie polega na jego identyfikacji i usunięciu oraz na zmiękczaniu i usuwaniu (zwykle za pomocą lewatywy) stolca, który nagromadził się w odbytnicy i nie może być samoistnie wydalony. Najważniejszą rolę w zapobieganiu nawrotom odgrywa jednak zwykle długotrwałe leczenie domowe. Powinno ono obejmować:

* Błonnik w diecie. Upewnij się, że dziecko otrzymuje chleb pełnoziarnisty, kasze i ciasta (wyrabiane z pełnej mąki), płatki, świeże owoce (najskuteczniejsze są dojrzałe jabłka i gruszki), suszone owoce (zwłaszcza rodzynki, śliwki, morele i figi), jarzyny (gotowane do miękkości, ale nie na papkę) oraz rośliny strączkowe (gotowany suchy groch i fasola)[8]. Dla nieco starszych dzieci dobrym dodatkiem dietetycznym są surowe jarzyny i sałatki. Podawaj otręby pszenne, które stanowią silny czynnik przeczyszczający. Stosuj je tylko wówczas, gdy zalecił je lekarz. Mogą być dodawane do kasz, ciastek, bułek, chleba i innych wypieków, sosów itp. Zawsze podawaj otręby z dużą

[8] Oczywiście, zawsze upewnij się, że żywność, którą oferujesz dziecku, jest odpowiednia do jego wieku. Suszone owoce, gotowane lub jedzone prosto z paczki, powinny być dla mniejszych dzieci pokrojone, a groch i fasola powinny być przetarte lub rozdrobnione (patrz str. 462).

OBJAW	ODPOWIEDNIE LECZENIE
Kaszel krtaniowy	Obfita para lub mgła** Przejażdżka wózkiem lub samochodem na świeżym powietrzu W miarę możliwości leki przeciwkaszlowe, tylko jeśli zostały zapisane przez lekarza W ciężkich przypadkach leczenie medyczne, niekiedy hospitalizacja
Obrzęk błon śluzowych nosa	Nawilżanie powietrza** Krople solankowe do nosa** Uniesienie głowy** Zwiększona ilość płynów (patrz str. 498) Leki zmniejszające obrzęk błon śluzowych, tylko jeśli zostały zapisane Krople do nosa, tylko jeśli są zapisane
Swędzenie	Zawiesina tlenku cynku i wody wapiennej (nie zawierająca leków przeciwhistaminowych) Przyjemnie ciepła kąpiel (sprawdź łokciem lub nadgarstkiem) Kojąca, letnia kąpiel (o temperaturze ciała) Koloidowa kąpiel z owsianki Zapobieganie drapaniu i zainfekowaniu (obcinaj paznokcie i myj dziecku ręce mydłem przeciwbakteryjnym, w czasie snu zakładaj na ręce skarpetki lub rękawiczki) Leki przeciwbólowe, takie jak paracetamol (ale nie aspiryna, patrz str. 506) Doustne leki przeciwhistaminowe, tylko jeśli zostały zapisane przez lekarza (ale nie miejscowe leki przeciwhistaminowe lub znieczulające) Miejscowe steroidy, jeśli zostały zapisane
Wymioty	Zwiększona ilość płynów w małych porcjach (patrz str. 498) Ograniczenia dietetyczne (patrz str. 509)

* Na ogół leczony jest tylko suchy kaszel. Kaszel wilgotny z wydzieliną pomaga usunąć śluz i inny materiał zalegający z klatki piersiowej. Leki zawierające dekstrometorfan jako środek czynny są często zalecane w celu zahamowania suchego kaszlu, ale ostatnie badania podają w wątpliwość ich skuteczność.

** Patrz rozdział „Domowe środki zaradcze", rozpoczynający się na str. 703, w celu uzyskania praktycznych wskazówek co do przeprowadzenia tego leczenia.

ilością płynów, nie przekraczaj zalecanej ilości i stosuj je tylko tak długo, jak jest to niezbędne.

* Płyny. Wiele małych dzieci, które zostały ostatnio odstawione od piersi lub zakończyły karmienie butelką, pije znacznie mniej płynów niż dotychczas. W niektórych przypadkach są to ilości mniejsze od ich potrzeb. Upewnij się, że nie dotyczy to twojego dziecka. Jeśli nie wypija ono przynajmniej jednego litra (lepiej, gdyby było to półtora litra) płynów dziennie w trakcie posiłków i przekąsek, spróbuj zaoferować mu małe ilości mleka, soku lub wody do popijania pomiędzy posiłkami. Szczególnie korzystnie działają soki owocowe, natomiast spożycie mleka ograniczyć należy do 3 szklanek dziennie, gdyż sole wapnia, zawarte w mleku, mogą powodować twardnienie stolca.

* Ćwiczenia fizyczne. Chociaż nie musisz zapisywać swego malca do miejscowego klubu sportowego, aby mieć pewność, że otrzymuje odpowiednią dawkę ruchu chroniącego przed zaparciami, to musisz pilnować, aby nie spędzał całego dnia na siedzeniu w samochodzie lub w wózku spacerowym, nie mając niemal żadnej okazji do aktywności fizycznej. Jeśli tylko pozwala na to pogoda, zachęcaj malucha do codziennej zabawy na świeżym powietrzu. W brzydkie dni spróbuj zaimprowizować na podłodze pokoju małą salę gimnastyczną (skoki, skłony, rowerek w pozycji leżącej).

* Natłuszczanie. Nałożenie niewielkiej ilości wazeliny na okolice odbytu może ułatwić wydostanie się stolca na zewnątrz. Nie używaj lewatyw lub czopków przeciwko zaparciu bez odpowiednich zaleceń lekarza. Poza rzadkimi wyjątkami postępowanie takie może bowiem problem nasilić, a nie złagodzić.

* Leki. Niekiedy lekarz może zalecić krótkotrwałe stosowanie odpowiednich preparatów. Nie podawaj środków przeczyszczających, zmiękczających stolec, olejów mineralnych, herbat ziołowych ani żadnych innych leków przeciwko zaparciom bez uprzednich zaleceń lekarza.

Zapobieganie. Większość zmian w stylu życia, niezbędnych w leczeniu zaparć, zapobiega ich powstawaniu. Błonnik, płyny i aktywność fizyczna powinny stanowić część rutynowej profilaktyki zdrowotnej każdego dziecka, ale są one szczególnie ważne dla dzieci z wywiadem (własnym lub rodzinnym) obciążonym występowaniem zaparć.

Powikłania. Nie opanowane zaparcia mogą prowadzić do następujących skutków: *Zakłócenie procesu nauki korzystania z toalety.* Dziecko, które czuje trudności, a nawet ból, może wstrzymywać oddawanie stolca. Mogą mu się zdarzać wypadki nie kontrolowanego oddawania stolca. *Szczeliny odbytu.* U każdej osoby, zarówno młodej, jak i starej, która nieregularnie oddaje stolec z wysiłkiem, mogą powstać bolesne pęknięcia wokół odbytu. Ponieważ szczeliny te krwawią, często obserwuje się krew w stolcu lub na jego powierzchni. *Zaparcia trwające przez całe życie.* Niewłaściwe nawyki zdrowotne, związane z oddawaniem stolca, mogą doprowadzić do takich przewlekłych problemów, związanych z zaparciami, jak żylaki odbytu (hemoroidy).

Kiedy należy wezwać lekarza. Jeśli małe dziecko nie oddało stolca przez 4 lub 5 dni; jeśli zaparcie współwystępuje z bólami brzucha lub wymiotami; jeśli oddawane stolce są suche, twarde i/lub towarzyszy im ból, jeśli zaparcie jest przewlekłe, a domowe sposoby postępowania okazały się nieskuteczne; jeśli w stolcu lub na jego powierzchni widoczna jest krew. Lekarz przeprowadzi odpowiednie badanie, by wykluczyć występowanie rzadkich zaburzeń organicznych oraz ustalić najlepszy sposób leczenia danego przypadku zaparcia.

Jedno nagranie, które jest warte...

Twój malec wykonuje jakieś dziwne spastyczne ruchy, chrząka lub chrapie w nocy lub pojawia się u niego wybrzuszenie w pachwinie podczas płaczu i podejrzewasz przepuklinę. Jakiekolwiek są przejściowe objawy, ławiej będzie ci je opisać lekarzowi, jeśli uda ci się je wcześniej utrwalić na kasecie magnetofonowej lub wideo.

21
Jak dbać o bezpieczeństwo dziecka

Wypadki na ogół nie są przypadkowe. Specjaliści do spraw bezpieczeństwa uważają, że prawdziwe wypadki nie zdarzają się wcale lub zdarzają się niezmiernie rzadko. Większość tzw. „nieszczęśliwych wypadków", w których w USA rocznie ponosi śmierć około 10 tysięcy, a trwałe kalectwo kolejne 50 tysięcy dzieci poniżej 14 roku życia, nie powinna się wydarzyć. Jeśli nie można zapobiec wypadkowi, często możliwe jest uniknięcie jego niemiłych konsekwencji.

Większości obrażeń można zapobiec, podobnie jak niektórym chorobom, np. polio czy też kokluszowi, a rozpowszechnianie wiedzy na temat profilaktyki urazów powinno być tak samo skuteczne jak szczepienia ochronne przeciw chorobom wieku dziecięcego. W celu podkreślenia istoty profilaktyki przeciwurazowej Wydział Zdrowia i Usług Medycznych w USA w ramach Ośrodka Kontroli Chorób wydzielił Narodowy Ośrodek Zapobiegania i Kontroli Urazów.

By zaistniał wypadek, którego następstwem są urazy, musi wystąpić kilka czynników: niebezpieczny przedmiot lub substancja (butelka z lekarstwem, schody, wiadro), potencjalna ofiara (np. nie podejrzewające niebezpieczeństwa dziecko) oraz często czynniki zewnętrzne (zakrętka od butelki nie ma odpowiedniego zabezpieczenia, schody nie mają zamontowanej barierki, w wiadrze znajduje się kilkanaście centymetrów wody). W wypadkach, których ofiarami są dzieci, mamy najczęściej do czynienia z dodatkowym czynnikiem, który zwiększa ryzyko wystąpienia urazów: brakiem czujności ze strony dorosłych.

By zapobiec urazom, należy zminimalizować każdy z czynników ryzyka. Niebezpieczne substancje i przedmioty powinny być przechowywane w miejscach niedostępnych dla dzieci. Stopniowe wpajanie dziecku odpowiednich nawyków bezpieczeństwa, może uczynić z niego mniej podatną ofiarę. Należy również wyeliminować z bezpośredniego otoczenia potencjalne źródła niebezpieczeństw, upewniając się, że wszystkie lekarstwa mają odpowiednie nakrętki, wszystkie schody są zabezpieczone barierkami, a w pobliżu dziecka nie zostawiliśmy wiadra lub innego naczynia z wodą. Może najistotniejsza w wypadku dzieci jest pewność, że osoba opiekująca się dzieckiem nieustannie czuwa nad jego bezpieczeństwem i wie, jak uniknąć potencjalnych niebezpieczeństw.

By zmniejszyć do minimum ryzyko wystąpienia urazów u dziecka:

ZMIEŃ SWOJE PRZYZWYCZAJENIA

Chociaż proces edukacji powinnaś rozpocząć bezzwłocznie, miną lata, zanim dziecko będzie całkowicie odpowiedzialne za własne bezpieczeństwo. Tymczasem twoje zachowanie decyduje o bezpieczeństwie twojego dziecka. Jeśli chcesz ograniczyć ryzyko wystąpienia przypadkowych urazów, zastosuj się do następujących rad:

* Bądź zawsze czujna. Nawet jeśli przezornie zabezpieczysz swój dom, samochód, ogród, miejsca, w których bywasz, w rzeczywistości nigdy nie będą one całkowicie bezpieczne. Dzieci są ciekawskie i impulsywne, a ich zachowania nie sposób przewidzieć. Brakuje im zdolności oceny sytuacji i dlatego muszą znajdować się pod nieustanną opieką dorosłych.
* Nie pozwól, by cokolwiek odwróciło twoją uwagę, w czasie gdy używasz środków czyszczących, urządzeń elektrycznych, narzędzi zasilanych prądem lub innych niebezpiecznych przedmiotów, a dziecko porusza się po całym domu. Dziecku wystarczy sekunda, by wpaść

w poważne tarapaty. Jeśli dzwoni dzwonek u drzwi lub telefon albo musisz pobiec do kuchni, by sprawdzić, czy coś nie przypala się w piekarniku, a jesteś akurat w trakcie potencjalnie niebezpiecznej czynności, koniecznie zabierz ze sobą malca.

* Bądź szczególnie czujna, gdy jesteś zdenerwowana oraz podczas stresujących (bądź też gorączkowych) chwil dnia. To właśnie wtedy, gdy coś zaprząta twoją uwagę lub jesteś bardzo zajęta, zapominasz odłożyć na miejsce nóż, zakręcić butelkę z lekarstwem, zamknąć bramkę na szczycie schodów.

* Nigdy nie zostawiaj dziecka samego w domu, mieszkaniu lub ogrodzie. Nigdy nie zostawiaj go też samego w pokoju, chyba że jest bezpieczne w łóżeczku, kojcu lub w innym ogrodzeniu. Nawet wtedy nie odchodź od niego na dłużej niż kilka minut. Wyjątek możesz uczynić jedynie wtedy, gdy dziecko śpi (powinno wtedy znajdować się w zasięgu słuchu, a także w bezpiecznym otoczeniu, w razie gdyby się przebudziło i wstało). Nigdy nie zostawiaj malucha samego, nawet jeśli nie może wydostać się z łóżeczka lub kojca i nawet jeśli śpi, w towarzystwie innego dziecka poniżej piątego roku życia[1] (małe dzieci często nie zdają sobie sprawy, jakie są silne, a także nie potrafią przewidzieć konsekwencji swojego zachowania) oraz domowego zwierzęcia, nawet bardzo łagodnego. Równie niebezpieczne może być zostawienie dziecka w samochodzie, nawet na krótko.

  Możesz ewentualnie zostawić malca w aucie w czasie zamykania bramy garażowej, gdy jest przypięty pasem do siedzenia (pamiętaj o wyjęciu kluczyków ze stacyjki, zdarza się, że nawet bardzo małe dzieci przekręcają kluczyk).

* Jeśli dotychczas tego nie zrobiłaś, poznaj zasady postępowania w nagłych wypadkach oraz udzielania pierwszej pomocy (patrz str. 562). Zapisz się na kurs reanimacji dzieci, który uczy, jak postępować w przypadku utonięcia, zadławienia, urazów głowy itp. Chociaż nie zawsze uda ci się zapobiec wypadkom, znajomość zasad postępowania może uratować życie lub np. kończynę dziecka.

* Pozostawiaj dziecku dużo swobody. Jeśli wyeliminowałaś z najbliższego otoczenia potencjalne źródła niebezpieczeństw, nie chodź za dzieckiem krok w krok. Chociaż chcesz, żeby malec był ostrożny, niemądrym krokiem byłoby zniechęcanie go do odkrywania świata poprzez eksperymentowanie. Dzieci, podobnie jak dorośli, uczą się, popełniając błędy i odebranie im tej szansy może opóźnić ich rozwój i w rezultacie postawić je w sytuacji jeszcze większego ryzyka. Dziecko, które boi się biegać, wspinać lub zapoznawać z nowymi rzeczami, nie tylko nie zdobywa podczas swobodnej zabawy doświadczeń, ale także traci radość dzieciństwa.

* Bądź wzorem bezpiecznego zachowania (nakłoń do tego również inne ważne w życiu dziecka osoby). Pamiętaj, że jeśli nie postępujesz zgodnie z tym, co mówisz, dziecko prawdopodobnie będzie naśladowało twoje zachowanie. Najlepszym sposobem nauczenia zasad bezpieczeństwa jest stosowanie ich w życiu. Nie oczekuj, że dziecko będzie zachwycone, kiedy przypniesz je pasami bezpieczeństwa do siedzenia w samochodzie, a ty sama nie przestrzegasz tego przepisu. Nie spodziewaj się też, że dziecko będzie prawidłowo przechodzić przez jezdnię, gdy ty nie zatrzymujesz się na czerwonym świetle, lub że będzie ostrożne w postępowaniu z ogniem, jeśli ty wszędzie zostawiasz palące się papierosy.

ZMIEŃ POSTĘPOWANIE DZIECKA

Nieszczęśliwe wypadki przytrafiają się najczęściej osobom na nie podatnym. Do tej kategorii[2] należą oczywiście dwu- i trzylatki, zafascynowane odkrywaniem świata, nie w pełni jeszcze rowinięte ruchowo, stosunkowo niedojrzałe i nie potrafiące dokonać prawidłowej oceny sytuacji. Zadaniem rodziców, a więc i twoim, jest jak największe uodpornienie dziecka na urazy.

Aby osiągnąć sukces, nie wystarczy stworzenie dziecku bezpiecznego otoczenia, lecz należy zacząć uczyć malca tego, co jest bezpieczne, a co nie (i dlaczego), wpajać szacunek dla własnego ciała oraz uzmysławiać niebezpieczeństwa, na które ciało jest narażone, a także uczyć nawyków bezpieczeństwa. Zacznij używać ostrzegających wyrazów („aua", „be", „gorące", „ostre") i całych fraz („Nie dotykaj", „To jest niebezpieczne", „Uważaj", „Zrobi ci krzywdę"). Dziec-

[1] Czasem nawet starszemu dziecku nie można powierzyć malca, kieruj się w tym przypadku zdrowym rozsądkiem.

[2] Niektóre dzieci uwielbiają ryzyko (nie okazują lęku na wysokiej zjeżdżalni, chcą skakać z płotów itp.), więc są w szczególny sposób narażone na wypadki. Stwarzając dziecku bezpieczne otoczenie, zastanów się, czy twój malec do nich nie należy.

ko zacznie automatycznie kojarzyć te wyrazy z przedmiotami, substancjami czy też sytuacjami, które są potencjalnie niebezpieczne. Początkowo możesz odnieść wrażenie, że twoje dramatyczne ostrzeżenia w ogóle do dziecka nie docierają. Jednak z biegiem czasu mózg dziecka zacznie gromadzić i przechowywać informacje, aż któregoś dnia przekonasz się, że nauka nie poszła w las. Nie zwlekając, rozpocznij edukację swojego dwu-, trzylatka na temat:

Ostrych lub zaostrzonych przedmiotów. Przy każdym użyciu noża, nożyczek, żyletki, noża do otwierania kopert lub innego ostrego przedmiotu przypominaj dziecku, że to nie jest zabawka, może ukłuć, i tylko mama lub tata (i inni dorośli) mogą go używać. Zilustruj przykład, udając, że dotykasz ostrza przedmiotu mówiąc „aua", a następnie szybko cofając palec. Podkreślaj, że zawsze trzymasz nożyczki skierowane ostrzem w dół i nigdy nie biegasz z ostrym przedmiotem w ręku. Daj dziecku jasno do zrozumienia, że oczekujesz od niego podobnego zachowania, gdy będzie na tyle duże, by używać tych przedmiotów. Kiedy malec jest już starszy i zręczniejszy, naucz go posługiwania się specjalnymi nożyczkami dla dzieci i tępym nożem do smarowania. W końcu, w wieku szkolnym, możesz pozwolić na używanie prawdziwych nożyczek i noża, pod twoją kontrolą.

Wszystkiego, co jest gorące. Jeśli wprowadziłaś to pojęcie przed upływem roku, twoje dziecko będzie prawdopodobnie rozumiało (w najogólniejszym zarysie), co oznacza „gorące!", że ostrzeżenie to znaczy „nie dotykaj" oraz że coś gorącego może wyrządzić krzywdę. Jeśli do tej pory malec jeszcze tego nie wie, niezwłocznie zacznij jego edukację. Aby dać dziecku przykład, pozwól mu dotknąć czegoś gorącego, od czego się jednak nie oparzy, np. zewnętrznej ścianki filiżanki z kawą. Nieważne, czy pojęcie jest zupełnie nowe, czy znane dziecku jak stara para butów, konsekwentnie powtarzaj, że kawa, piec, zapalona zapałka, kaloryfer, grzejnik, kominek czy też kran z ciepłą wodą są gorące i dzieci nie powinny ich dotykać. Pamiętaj o tych ostrzeżeniach szczególnie wtedy, gdy w domu pojawi się jakieś nowe urządzenie — nowy toster lub piecyk. Gdy dziecko dorośnie już do wieku, kiedy będzie mogło samo zapalać zapałki lub nosić gorące napoje (mniej więcej w czwartej, piątej klasie), naucz je, jak czynić to w bezpieczny sposób.

Schodów. Prawdą jest, że malca, który dopiero co nauczył się chodzić, należy zabezpieczyć przed dotkliwymi upadkami, zakładając bramki na wszystkich schodach. Równie ważna jest jednak pomoc dziecku w nauce bezpiecznego pokonywania stopni. Przy pierwszym odkryciu nie domkniętej bramki na pewno łatwiej spadnie ze schodów maluch, który nie ma doświadczenia w chodzeniu po nich i nic o nich nie wie (poza tym, że są zakazane). Zatem zamontuj barierki na wszystkich schodach składających się z ponad trzech stopni — dla początkującego amatora wspinaczki schodzenie jest o wiele bardziej zdradliwe i niebezpieczne niż wchodzenie. Na parterze można jednak umieścić barierkę na czwartym stopniu, aby dziecko mogło w kontrolowanych warunkach uczyć się wchodzenia i schodzenia po schodach. Pokaż malcowi, jak należy trzymać się poręczy przy pokonywaniu stopni. Kiedy zacznie już się wspinać, od czasu do czasu otwieraj bramki, by mogło pokonać całą kondygnację schodów. Ubezpieczaj go wtedy, stojąc lub przykucając o 1-2 stopnie poniżej i podpierając w razie potrzeby. Możesz też wchodzić po schodach razem z dzieckiem, trzymając je za rączkę. Gdy maluch opanuje już wchodzenie, naucz go bezpiecznego schodzenia. Większość dzieci początkowo pokonuje stopnie, czołgając się na brzuchu lub zsuwając na pośladkach. Kiedy są już wystarczająco sprawne, zaczynają schodzić po jednym stopniu. Zamykaj barierki, jeśli nie ma cię w pobliżu, dopóki dziecko nie nauczy się sprawnie wchodzić i schodzić po schodach (około drugiego roku życia). Nawet wtedy zabezpieczaj szczyt schodów (szczególnie w nocy, jeśli dziecko budzi się i wędruje).

W przypadku, gdy w mieszkaniu lub domu, który zajmujesz, nie ma schodów, znajdź je np. u przyjaciół, krewnych lub w innym łatwo dostępnym miejscu i pozwól dziecku powspinać się, gdy ty jesteś w pobliżu.

Niebepieczeństwa porażenia prądem. Gniazdka, przewody i urządzenia elektryczne są dla dwu- i trzylatków wielką atrakcją. Nie wystarczy odwracanie uwagi dziecka, podczas gdy ono maszeruje w stronę niezabezpiecznego gniazdka, albo też chowanie wszystkich dostępnych przewodów. Przede wszystkim należy powtarzać dziecku, że prąd może zrobić mu krzywdę, a starsze dzieci nauczyć ostrożnego posługiwania się urządzeniami elektrycznymi, podkreślając niebezpieczeństwo porażenia prądem przy zetknięciu urządzenia z wodą.

Wanien, basenów i innych atrakcji wodnych. Zachęcaj dziecko do zabaw w wodzie, które nie tylko dostarczają wspaniałej rozrywki, ale także wiele uczą. Dziecko powinno czuć jednak respekt dla wody. Naucz swojego malca pod-

Bezpieczna odzież

Wybieraj dla dziecka możliwie jak najbezpieczniejsze ubranie. Na noc zakładaj maluchowi piżamki uszyte z trudno palnych materiałów (pierz je zgodnie z przepisem podanym przez producenta), sprawdź, czy mankiety spodni nie są za długie, a stópki śpioszków zbyt luźne (możesz ścisnąć je dużymi gumkami do włosów, które jednak nie mogą hamować krążenia w okolicy kostek. Jeśli malec spaceruje po domu w skarpetkach, upewnij się, czy nie mają śliskich spodów. Zbyt gładkie podeszwy bucików i kapci można delikatnie zetrzeć papierem ściernym lub przylepić na nie specjalną przeciwpoślizgową taśmę. Podczas zabawy unikaj nakładania dziecku długich szalików i torebek, o które maluch może się potykać (a co gorsze może się udusić). Nigdy nie zakładaj dziecku krawatów i sznurowadeł dłuższych niż 15-18 cm).

stawowych zasad bezpieczeństwa, a wśród nich: że wchodzenie do wody (wanny, basenu, stawu lub innego zbiornika) jest niebezpieczne (i zakazane!) bez opieki któregoś z rodziców lub dorosłych, bieganie i szalone zabawy wokół basenu lub w wodzie są zabronione, podobnie bawienie się w pobliżu wody zabawkami na kółkach, skakanie do wody „na główkę" oraz przebywanie poza płytką częścią basenu, gdzie dziecko powinno czuć grunt pod nogami (płytka część powinna być oddzielona od głębokiej liną z pływakami). Pamiętaj jednak, że nie jesteś w stanie całkowicie zabezpieczyć malca przed utonięciem, nawet zakładając mu skrzydełka do pływania i ucząc go pływać. Zatem nigdy nie zostawiaj dziecka w pobliżu wody bez opieki (patrz str. 551)[3].

Ryzyka uduszenia się. Kiedy malec wkłada do buzi coś, co nie powinno się tam znaleźć (monetę, ołówek, orzeszek, klocek), zabierz mu to i wyjaśnij: „Nie można takich rzeczy wkładać do buzi. Mogą stanąć w gardle i wyrządzić ci krzywdę". Naucz go, że nie wolno biegać z jedzeniem, lizakiem, gryzaczkiem, ołówkiem lub zabawką w ustach (w czasie upadku na twarz zabawka może zostać wepchnięta do gardła, uszkodzić tkanki oraz zablokować drogi oddechowe, powodując uduszenie się) oraz że jedzenie powinno być spożywane w pozycji siedzącej, a z pełną buzią nie powinno się rozmawiać, gdyż jest to nie tylko niekulturalne, ale także niebezpieczne.

Substancji trujących. Zawsze skrupulatnie zamykasz na klucz domowe środki czyszczące, lekarstwa i inne podobne substancje. Na przyjęciu zapominasz jednak o tym, że jeden z gości zostawił nie dopity kieliszek z alkoholem, a podczas wizyty u rodziców nie zauważasz, że dziadek po oczyszczeniu zatkanego odpływu wody zostawia w łazience środek do czyszczenia kanalizacji. Sama prosisz się o kłopoty, nawet jeśli zaczęłaś już uczyć dziecko zasad bezpieczeństwa w zakresie trucizn. Nieustannie powtarzaj dziecku następujące informacje:

* Nie jedz i nie pij niczego, czego nie otrzymasz od rodziców lub innej dorosłej osoby, którą dobrze znasz. Początkowo trudno jest małemu dziecku zrozumieć tę zasadę, lecz częste powtarzanie przyniesie w końcu rezultaty.
* Lekarstwa i witaminy nie są cukierkami, chociaż czasami tak smakują. Nie jedz ich i nie pij, chyba że dostaniesz je od rodziców lub innej dorosłej osoby, którą dobrze znasz.
* Nie wkładaj do buzi niczego oprócz jedzenia.
* Jedynie dorośli mogą używać proszków do szorowania, aerozoli do czyszczenia mebli, proszków do prania i innych środków czyszczących. Powtarzaj tę zasadę przy każdym szorowaniu wanny, polerowaniu mebli, praniu itd.

Również poza domem istnieją niebezpieczeństwa, o których dziecko powinno się dowiedzieć.

Zagrożenia na ulicy. Zacznij już teraz uczyć dziecko bezpiecznego zachowania na ulicy. Przy każdym przechodzeniu przez jezdnię wyjaśniaj, że należy „zatrzymać się i mieć oczy i uszy szeroko otwarte", a na przejściu dla pieszych czekać, aż zapali się zielone światło. Jeśli w okolicy są drogi dojazdowe do posesji, wytłumacz malcowi, że przy przechodzeniu przez nie również obowiązuje ta sama zasada. Wyjaśnij, że kierowcy nie widzą malutkich dzieci, więc maluchy powinny trzymać za rękę kogoś dużego. Nalegaj, aby przy przekraczaniu jezdni malec zawsze trzymał ciebie (lub inną dorosłą osobę) za rękę. Nigdy nie rób wyjątków od tej zasady.

[3] Jednej zasady nie musisz dziecku wpajać: Nie ma pływania po posiłkach. Ta ściśle przestrzegana przez naszych rodziców reguła nie znajduje uzasadnienia; pełen żołądek nie stwarza dodatkowego ryzyka podczas kąpieli.

Naucz dziecko, że nie wolno wchodzić na jezdnię bez kogoś dorosłego, nawet jeśli nie ma ruchu. Wyznacz krawężnik jako granicę, poza którą malec nie może wyjść sam.

Dobrze jest trzymać dziecko za rękę również na chodniku, lecz wiele malców woli chodzić samodzielnie. Jeśli pozwolisz dziecku iść samemu (prawdopodobnie będzie ci to odpowiadać, przynajmniej przez chwilę), nie spuszczaj go z oka — malcowi wystarczy ułamek sekundy, by wbiec pod nadjeżdżający samochód. Każde złamanie reguły „nie wchodź na jezdnię sam" wymaga natychmiastowej i surowej nagany.

Dziecku należy również wpoić zasadę, że nie wolno mu opuszczać domu lub mieszkania bez rodziców lub innej dorosłej osoby, którą dobrze zna.

Ważne jest również nauczenie malca, by nie dotykał śmieci leżących na ulicy — papierów, stłuczonego szkła, niedopałków papierosów, resztek żywności. Nie wprowadzaj jednak kategorycznego zakazu dotykania wszystkiego — pozwól dotykać kwiatów (nie wolno ich jednak zrywać i jeść), drzew, okien wystawowych, słupów latarni, skrzynek na listy itd. (Noś ze sobą chusteczki odświeżające, by wytrzeć dziecku ręce przed jedzeniem lub ssaniem kciuka.)

Bezpieczeństwo w samochodzie. Przyzwyczaj malca do stosowania pasów bezpieczeństwa i wyjaśnij, jak bardzo są one istotne. W prostych słowach wytłumacz dziecku również inne zasady bezpieczeństwa obowiązujące w samochodzie: dlaczego niebezpieczne jest rzucanie zabawkami, chwytanie kierownicy w czasie jazdy, bawienie się klamkami oraz zamkami. (Naucz dziecko w wieku szkolnym otwierać zamki w drzwiach, na wypadek gdyby zostało zamknięte w samochodzie.)

Bezpieczeństwo na placu zabaw. Maluch, który dorósł już do zabawy na placu zabaw, jest wystarczająco duży, by zacząć uczyć się obowiązujących tam zasad bezpieczeństwa. Najpierw naucz go bezpieczeństwa na huśtawce: nigdy nie wolno kręcić huśtawką wokół jej osi (niezależnie od tego, czy ktoś na huśtawce siedzi, czy nie), popychać pustej huśtawki, siedzieć we dwoje na huśtawce jednoosobowej oraz przechodzić przed lub za poruszającą się huśtawką. Następnie naucz malca bezpiecznej zabawy na zjeżdżalni: nigdy nie wolno wchodzić na górę po części przeznaczonej do zjeżdżania (zawsze należy wchodzić po drabince) ani zjeżdżać głową w dół, zawsze przed rozpoczęciem zjeżdżania należy poczekać, aż zjedzie poprzednik, a natychmiast po zjechaniu usunąć się z drogi kolejnych zjeżdżających.

Bezpieczny kontakt z domowymi czworonogami. Naucz dziecko, jak należy bezpiecznie odnosić się do zwierząt — własnych lub należących do innych (patrz str. 92) — i jak unikać obcych zwierząt.

Bezpieczny kontakt z owadami. Naucz dziecko unikania pszczół, kiedy to możliwe. Jeśli do malca zbliży się pszczoła, należy stać nieruchomo (zamiast opędzania się od niej i tym samym prowokowania jej). Naucz dziecko, że nie wolno również prowokować pająków oraz bawić się pajęczynami.

ZMIEŃ OTOCZENIE DZIECKA

Świat chodzącego i wspinającego się malca szybko poszerza swoje granice. Prawie z dnia na dzień wszystko staje się dla dziecka osiągalne. Aby uchronić malucha, należy zastosować te same środki ostrożności, które wprowadziłaś, kiedy zaczynał raczkować, dodając do starej listy kilka nowych zasad. Aby dom był jak najbezpieczniejszy dla dziecka, rozpocznij od:

Zmiany w mieszkaniu

Udaj się na obchód mieszkania (domu) w poszukiwaniu potencjalnych zagrożeń (aby spojrzeć na świat oczyma dziecka, najlepiej uklęknąć) i dokonuj wszelkich potrzebnych zmian.

Okna. Jeśli masz w mieszkaniu nisko osadzone okna, zainstaluj odpowiednie zabezpieczenia, zgodnie ze wskazówkami producenta (nie można polegać na siatkach i oknach podwójnych, gdyż malec pokonuje i te przeszkody). Należy zabezpieczyć okna w taki sposób, aby dziecko nie mogło się przez nie wydostać. Upewnij się jednak, czy możesz bez trudu otworzyć okno w razie nagłej potrzeby, na przykład w wypadku pożaru. Nawet jeśli okna posiadają odpowiednie zabezpieczenia, nigdy nie zostawiaj malca samego w pokoju z oknem otwartym od dołu (okna otwierane od góry są zazwyczaj bezpieczne, jeśli dziecko nie potrafi wspiąć się do tej wysokości). W starym mieszkaniu co pewien czas sprawdzaj okna, by upewnić się, czy nie obluzowały się szyby oraz czy nie wysechł lub nie wypadł kit. Przed oknem nigdy nie ustawiaj mebli, na które dziecko mogłoby się wspiąć. Nie umieszczaj w oknie wykuszowym ławeczki, a jeśli już ją masz, upewnij się, czy okno, pod którym się ona znajduje, jest zawsze zamknięte lub odpowiednio zablokowane.

Sznury od żaluzji i zasłon. Podwiąż je, by dziecko nie mogło się w nie zaplątać. Nie stawiaj łóżeczka, krzesła czy też kojca w pobliżu jakichkolwiek zwisających sznurów, pozostających w zasięgu rąk dziecka. W sklepach z artykułami dziecięcymi można kupić specjalne klamry do skracania sznurów.

Drzwi. Jako że maluchy potrafią niepostrzeżenie wymknąć się przez drzwi (poważne ryzyko w czasie wakacji i przyjęć, kiedy jest duży ruch), pamiętaj o zamocowaniu specjalnych zabezpieczeń na wszystkich drzwiach otwieranych, suwanych czy też parawanach, nawet latem. Niektóre typy drzwi suwanych można zablokować w lekko uchylonej pozycji, umożliwiając dopływ świeżego powietrza, a jednocześnie uniemożliwiając dziecku wyjście. Na duże, szklane drzwi naklej kalkomanię lub nalepki, by zmniejszyć ryzyko niebezpiecznej kolizji z szybą.

Przewody elektryczne. Przeciągnij je za meblami, aby dziecko nie odczuwało pokusy brania przewodów do ust i żucia ich (niebezpieczeństwo porażenia prądem), a także ciągnięcia za nie (zrzucanie lamp i innych ciężkich przedmiotów na podłogę). Jeśli to konieczne, przyczep przewody do ściany specjalną taśmą. (Nie używaj do

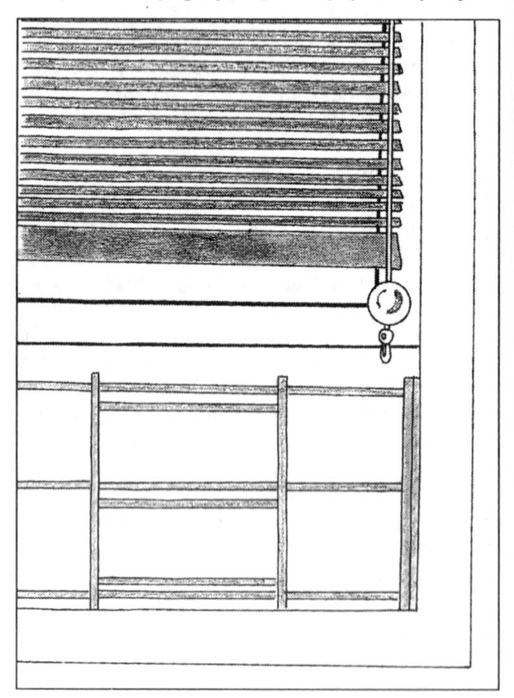

Osłona zabezpieczająca okno przed otwarciem oraz klamry skracające sznury od żaluzji i rolet zmniejszają ryzyko wypadku.

Szklane drzwi mogą wyglądać na otwarte. Przylep do szyb kolorowe nalepki, by zapobiec niebezpiecznej kolizji.

tego celu gwoździ lub pinezek i nie przeciągaj przewodów pod dywanami, gdzie mogą ulec przegrzaniu.) Nigdy nie zostawiaj przewodu od jakiegoś urządzenia elektrycznego (np. ekspresu do kawy) w gniazdku, kiedy przewód jest odłączony od tego urządzenia — występuje wtedy poważne niebezpieczeństwo porażenia prądem.

Gniazdka elektryczne. Aby uniemożliwić dziecku włożenie do gniazdka jakiegoś przedmiotu (np. spinki do włosów lub śrubokrętu), a także badanie tajemnic otworu w ścianie za pomocą oślinionego palca, przykryj gniazdka zaślepkami lub osłonami (które okrywają zarówno gniazdko jak i tkwiącą w nim wtyczkę) lub przed gniazdkami ustaw ciężkie meble. Zmniejsz ryzyko porażenia prądem przez uziemienie gniazdek (powinien to zrobić elektryk). Jeśli nie możesz dokonać odpowiednich zabezpieczeń, unikaj stosowania gniazdek podwójnych lub potrójnych.

Oświetlenie. Dobrze oświetlone schody pozwalają uniknąć upadków w nocy. W zależności od potrzeby stosuj nocne oświetlenie również na korytarzach, w łazienkach i sypialniach. (Pamiętaj, aby usuwać je w ciągu dnia, jeśli jest w łatwo dostępnym miejscu.)

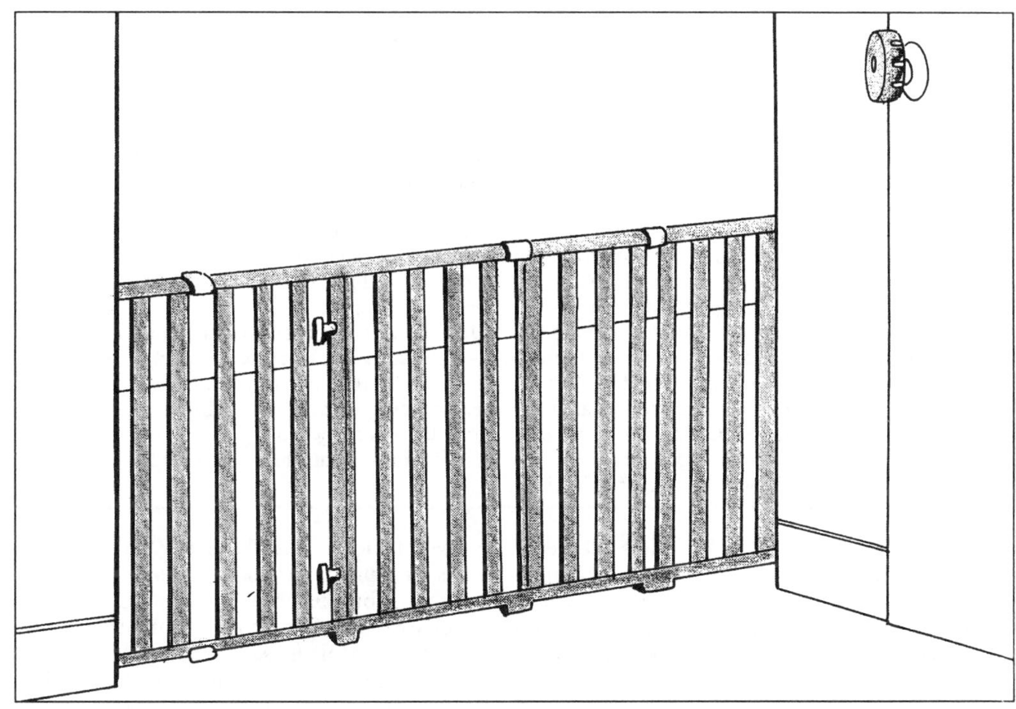

Osłona gałki od drzwi, utrudniająca jej przekręcenie, oraz barierka (bramka) oddzielająca bezpieczny teren od niebezpiecznego.

Lampy i inne przenośne źródła światła. Nie umieszczaj lampy tam, gdzie malec mógłby dotknąć gorącej żarówki, nie zostawiaj także w dostępnym miejscu lampy lub innego źródła światła bez żarówki — sprawdzenie pustej obudowy kusi dzieci, lecz jest bardzo niebezpieczne. Nie stosuj oświetlenia halogenowego lub fluorescencyjnego bez szklanej lub plastykowej osłony, gdyż jest ono niebezpieczne dla środowiska.

Niestabilne meble. Zanim malec nauczy się pewnie stawiać kroki i nie będzie potrzebował podparcia, usuń z jego drogi wszystkie rozpadające się i łatwo wywrotne krzesła, stoły i inne meble, przez które mógłby się przewrócić. Półki z książkami lub inne meble stojące przy ścianie, które dziecko mogłoby przewrócić lub ściągnąć na ziemię, powinny być przymocowane do ściany.

Szuflady. Dopóki malec usiłuje się wspinać po szufladach lub wchodzić do nich, co grozi przewróceniem się komody, pamiętaj, by dokładnie je zamykać. Niestabilną komodę przytwierdź do ściany.

Powierzchnie malowane. Upewnij się, czy farby nie zawierają ołowiu. W wielu domach zbudowanych przed rokiem 1960 pod warstwami później nałożonych farb ciągle są jeszcze farby o dużym stężeniu ołowiu. Podczas pękania lub złuszczania się wierzchnich warstw wydostają się mikroskopijne cząstki zawierające ołów. W mieszkaniu łączą się one z kurzem (na zewnątrz z glebą), przedostają się na zabawki, ubranie i ręce dziecka i ostatecznie trafiają do przewodu pokarmowego. Dowiedz się w rejonowej stacji Sanepidu, jakie są możliwości wykonania badań na zawartość ołowiu. Jeśli wyniki badań potwierdzą obecność ołowiu w twoim mieszkaniu, zasięgnij informacji na temat usunięcia szkodliwej farby lub zaizolowania i dodatkowego malowania powierzchni. Usunięcie farby zawierającej ołów powinno odbyć się w czasie niebecności członków rodziny, szczególnie dzieci i kobiet w ciąży. W mieszkaniach, w których istnieje problem kurzu zawierającego związki ołowiu, należy przywiązywać szczególną uwagę do częstego mycia rąk, zwłaszcza przed posiłkiem.

Ołów nie jest jedynym problemem związanym z farbami. Mogą one również zawierać rtęć, której opary mogą być toksyczne. Jeśli planujesz użyć do malowania resztek starych farb, najpierw upewnij się, czy nie zawierają one rtęci. Opary rtęci są najbardziej trujące przez pierwsze 48 godzin od czasu nałożenia farby. W tym okresie nie powinny mieć z nimi kontaktu dzieci oraz kobiety w ciąży.

Problemy związane z ołowiem

Duże dawki ołowiu mogą spowodować u dzieci poważne uszkodzenia mózgu. Nawet stosunkowo niewielkie dawki mogą doprowadzić do obniżenia ilorazu inteligencji, zaburzenia funkcji enzymów, opóźnienia wzrostu, uszkodzenia nerek, a także zakłóceń w procesie uczenia się, koncentracji, zaburzeń słuchu oraz problemów wychowawczych. Ołów może nawet wywierać ujemny wpływ na układ odpornościowy. Zapytaj pediatrę o testy badające obecność ołowiu, szczególnie jeśli mieszkasz w regionie wysokiego ryzyka lub w domu zbudowanym lub remontowanym przed 1960 rokiem, gdy woda, której używasz, jest skażona ołowiem (patrz str. 460), jeśli u rodzeństwa dziecka, współmieszkańca czy też kolegów przeprowadzone badania wykazały wysoki poziom ołowiu we krwi, gdy ty lub inna dorosła osoba w rodzinie wykonuje pracę związaną z przebywaniem w kontakcie z ołowiem, jeśli mieszkacie w pobliżu zakładów przemysłowych, które prawdopodobnie uwalniają ołów do atmosfery, gleby lub wód (np. fabryka baterii lub huta ołowiu). Podatność na zatrucie ołowiem może dodatkowo zwiększyć dieta bogata w tłuszcze, a uboga w wapń, magnez, żelazo, cynk i miedź.

Jeśli badania wykażą duże stężenie ołowiu we krwi, należy skontaktować się z lekarzem specjalistą. By usunąć z organizmu ołów oraz zapobiec wywoływanym przez niego zmianom, może być wskazana specjalna terapia, a także stosowanie preparatów uzupełniających żelaza i wapnia.

Popielniczki. Nie powinny stać w miejscach łatwo dostępnych dla dziecka, tak aby malec nie mógł oparzyć się niedopałkiem lub też włożyć do buzi zawartości całej popielniczki. Najlepiej jednak całkowicie wyeliminować z domu tytoń (patrz str. 536)

Kominki, piece, piecyki, grzejniki i kaloryfery. Rozgrzane powierzchnie i ogień osłaniaj przed rączkami dziecka za pomocą parawanów lub innych przeszkód (nawet krata na stojącym piecyku może się rozgrzać tak, by spowodować poparzenia drugiego stopnia). Pamiętaj, że większość grzejników zatrzymuje ciepło jeszcze długo po ich wyłączeniu lub po wygaśnięciu ognia.

Rośliny doniczkowe. Stawiaj je w miejscach trudno dostępnych dla dziecka, tak aby malec nie mógł ich zrzucić lub bawić się liśćmi i ziemią. Bądź szczególnie ostrożna z roślinami trującymi (patrz str. 559). Jeśli masz jakieś ulubione rośliny, które są trujące i których nie możesz umieścić poza zasięgiem rąk dziecka, poproś sąsiadów lub krewnych, by przechowali te kwiaty u siebie, do czasu gdy malec nie będzie obrywać liści.

Luźne gałki i uchwyty mebli. Usuń lub przymocuj wszystkie małe uchwyty (gałki), które dziecko mogłoby połknąć. Utknąwszy w górnych drogach oddechowych, mogą doprowadzić do zadławienia.

Schody. Zamocuj barierki na szczycie wszystkich schodów, z których dziecko nie powinno schodzić, i na czwartym stopniu tych schodów, na które dziecko nie powinno się wspinać (możesz stosować też przenośną barierkę, w zależności od „topografii" terenu, po którym porusza się twój malec). Barierki nigdy nie powinny jednak zastąpić opieki osoby dorosłej. Sprzątnij ze stopni zabawki, ubrania i inne przedmioty, o które dziecko lub ktokolwiek inny mógłby się potknąć. Położenie na schodach wykładziny dywanowej ułatwia pokonywanie stopni oraz minimalizuje urazy podczas ewentualnego upadku. Gruby, pluszowy dywan lub wykładzina przyklejona taśmą u stóp schodów pozwala uniknąć wielu guzów i sińców.

Balustrady, poręcze i balkony. Upewnij się, czy elementy pionowe (tralki) nie są luźne oraz czy odstępy między nimi na schodach i balkonach wynoszą maksymalnie 12,5 cm, tak aby malec nie mógł się między nimi prześlizgnąć lub też utknąć (dziesięciocentymetrowe są bezpieczniejsze). Jeśli odstępy są większe, rozważ założenie wzdłuż balustrady tymczasowej „ściany" bezpieczeństwa, wykonanej z plastyku lub twardej siatki (powinna być dostępna w sklepach z artykułami dla dziecka). Jeśli istnieje taka możliwość, zainstaluj poręcze po obu stronach klatki schodowej, przy czym poręcz po jednej stronie powinna być zamocowana na wysokości wygodnej dla dziecka.

Obrusy. Kiedy dziecko bawi się w pobliżu stołu, używaj raczej małych serwetek pod nakrycia, krótkich obrusów, które nie zwisają poza krawędź stołu, lub też przypinaj dłuższe obrusy za pomocą specjalnych klamerek (np. takich, którymi przypina się w wietrzne dni serwety na ogrodowym stole). Nakrywaj stół długim obrusem bez żadnych zabezpieczeń tylko wtedy, gdy malec śpi lub ktoś dobrze go pilnuje.

Blaty ze szkła. Przykryj blat ciężką matą lub czasowo usuń stoły tego typu z otoczenia dziecka (w niektórych stolikach okolicznościowych możliwe jest odkręcenie blatu ze szkła i zastąpienie go blatem z bezpieczniejszego materiału). Nigdy nie pozwalaj dziecku stać na stole, nawet jeśli blat nie jest wykonany ze szkła.

Ostre krawędzie i narożniki. Jeśli malec mógłby uderzyć się o krawędzie i narożniki stołów, skrzyń itp., zabezpiecz je dostępnymi w sklepach lub wykonanymi domowym sposobem miękkimi nakładkami (patrz ilustr. obok)

Ciężkie figurki i podpórki do książek. Aby malec ich nie przewrócił, umieść je w niedostępnych dla niego miejscach. Nigdy nie lekceważ siły i pomysłowości dziecka!

Dywaniki. Upewnij się, czy się nie przesuwają (niektóre mają przeciwpoślizgowe spody) i nie rozkładaj ich na szczycie schodów. Nie pozwalaj też, aby dywaniki były podwinięte lub pomarszczone. Przesuwaniu się dywaników i chodników zapobiega podgumowanie lub zastosowanie dwustronnej taśmy przylepnej.

Magnetowid. Postaw go w miejscu niedostępnym dla dziecka lub zastosuj specjalne zabezpieczenie, tak aby malec nie mógł wkładać rączek i przedmiotów do kieszeni na kasetę.

Skrzynie na zabawki. W zasadzie najbezpieczniejsze dla przechowywania zabawek są otwarte półki oraz kubły. Jeśli wolisz jednak użyć do tego celu skrzyni, wybierz taką, której wieko łatwo się otwiera i ma bezpieczne zawiasy. Unikaj skrzyń, których wieka zamykają się automatycznie. Zawias powinien przytrzymać wieko otwarte pod dowolnym kątem. Jeśli chcesz wykorzystać starą skrzynię, która nie spełnia tych wymogów, zdejmij na stałe wieko lub zawiasy. W skrzyni powinny być otwory wentylacyjne (jeśli ich nie ma, wywierć po kilka z każdej strony) na wypadek, gdyby malec wszedł do środka i nie potrafił sam wyjść. Podobnie jak inne meble, wśród których dziecko spędza dużo czasu, skrzynia na zabawki powinna mieć zaokrąglone lub zabezpieczone narożniki.

Łóżeczko. Opuść dno na najniższy poziom oraz usuń z łóżeczka wszystkie duże zabawki, poduszki i inne przedmioty, których malec mógłby użyć jako stopni prowadzących do wolności — a zarazem katastrofy. Aby złagodzić ewentualny upadek (jeśli pomimo zabezpieczeń twój tuptuś wydostanie się z łóżeczka), rozłóż na podłodze pluszowy dywanik, matę do ćwiczeń lub kilka poduszek. Nie przywiązuj sznurkiem żadnych zabawek do łóżeczka — dziecko może się zaplątać i udusić. Kiedy twoja pociecha osiągnie około 90 cm wzrostu, być może nadszedł czas, by zmienić łóżeczko na większe (patrz str. 276). Zainstaluj szczebelki i postaw łóżeczko co najmniej 70 cm od okna, kaloryferów, piecyków, lamp, sznurów od zasłon lub żaluzji. Nigdy nie kupuj dla dwu- lub trzylatka łóżka piętrowego ani też nie pozwalaj malcowi spać na górnym piętrze czyjegoś łóżka.

Miękkie osłony na ostrych krawędziach mebli zapobiegają wielu guzom i sińcom, zaślepki w kontaktach zapobiegają porażeniom prądem elektrycznym.

Podłogi. By zmniejszyć ryzyko upadku: usuń z drogi porozrzucane przedmioty, natychmiast wycieraj rozlane płyny i zbieraj rozrzucone gazety oraz napraw luźne płytki i deski lub uszkodzony dywan.

Kosze na śmieci. Nigdy nie wyrzucaj do otwartego kosza na śmieci czegoś, co nie powinno dostać się w ręce malca. Potencjalnie niebezpieczne substancje wyrzucaj do niedostępnego dla dziecka pojemnika (patrz str. 546).

Stojąca woda. Nawet niewielka objętość wody stanowi dla dziecka poważne ryzyko utonięcia, niezależnie od tego, gdzie się znajduje — w wiadrze (szczególnie niebezpieczne są wiadra o pojemności 20 lub więcej litrów), wiaderku na pieluszki, pojemniku do lodu (w którym np. stopniał lód), a także w najbardziej oczywistych miejscach — wannach, toaletach, ogrodowych sadzawkach.

Piorunochron. W związku z tym, że instalacja wodno-kanalizacyjna, a także przewody telefoniczne są dobrymi przewodnikami prądu elek-

Materiał do przemyślenia

Chociaż obgryzanie ołówków i kredek nie jest czynnością szczególnie polecaną dla dwu- i trzylatka, nie wpadaj w panikę, jeśli twoje dziecko przestanie na chwilę rysować i zacznie chrupać kredkę. Ołówki są wykonane z grafitu, nie z ołowiu i nie są toksyczne. Również pokrywająca je warstwa farby nie jest toksyczna. Dziecko może jednak odgryźć gumkę, którą (zwłaszcza gdy jest duża) może się zadławić.

trycznego, podczas burzy z piorunami nie należy kąpać się w wannie i pod prysznicem (oraz w basenie, patrz str. 552), a także korzystać z telefonu, chyba że na budynku znajduje się piorunochron.

Przyrządy do ćwiczeń gimnastycznych. Są doskonałe dla ciebie, lecz mogą być niebezpieczne dla dziecka. Nigdy nie zostawiaj dziecka bez ścisłego nadzoru w pobliżu roweru do ćwiczeń, symulatorów jazdy na nartach, wiosłowania, chodu, a także w pobliżu sztang i urządzeń siłowniczych. Nawet jeśli bardzo uważasz na dziecko, wystarczy czasem chwila, by stało się nieszczęście. Jeśli masz zamiar kupić nowy rower, a możesz sobie na to pozwolić, wybierz model z kołami bez szprych, całkowitą osłoną łańcucha i koła zębatego oraz blokadą kół i pedałów, gdy rower jest nie używany. Jeśli wykonujesz ćwiczenia ze skakanką, przechowuj ją w miejscu niedostępnym dla malca, najlepiej w szafie zamykanej na klucz.

Garaż, piwnica, szklarnia, warsztat i pracownia. W związku z tym, że w pomieszczeniach tego typu znajduje się na ogół wiele niebezpiecznych narzędzi oraz trujących substancji, zawsze zamykaj je na klucz i nie pozwalaj dzieciom na przebywanie w nich bez ciebie.

Inne „czułe" miejsca. Dzieci nie powinny mieć wstępu do pomieszczeń, w których znajdują się delikatne przedmioty — np. do jadalni z kolekcją cennej porcelany — w wejściu zamontuj barierkę lub ustaw inną przeszkodę.

Niebezpieczne przedmioty. Powinnaś mieć rozeznanie, gdzie znajdują się niebezpieczne narzędzia i przedmioty, obecne w każdym domu. Jeśli są niepotrzebne, najlepiej je usunąć z mieszkania. Jeśli są używane, sprawdź, czy są przechowywane w bezpiecznych miejscach — w zamykanych na klucz szufladach, szafkach, skrzyniach, szafach lub na absolutnie niedostępnych dla malca półkach (trudno uwierzyć, jak wysoko potrafią wspiąć się niektóre dwu- i trzylatki) albo w zamykanych na klucz pomieszczeniach. Uważaj, by podczas używania tych przedmiotów malec nie wykorzystał twojej nieuwagi i nie wziął ich do rąk. Zawsze odkładaj je na miejsce po skończonej pracy (lub kiedy zauważysz, że któregoś z nich brakuje). Szczególnie niebezpieczne przedmioty to:

* Ostre narzędzia, takie jak noże, nożyczki, igły, szpilki, druty do robótek ręcznych, noże do otwierania kopert, jednorazowe żyletki i nożyki do golenia (nie zostawiaj ich na wierzchu i nie wyrzucaj do pojemnika, do którego malec ma łatwy dostęp).
* Pióra, ołówki i inne ostro zakończone przybory do pisania (zastąp je nietoksycznymi kredkami i zmywalnymi pisakami). Jeśli malec chce czasami „pisać" ołówkiem, piórem lub prawdziwymi pisakami jak „dorosły", pozwalaj mu ich używać tylko wtedy, gdy możesz go nadzorować (upewnij się, czy atrament można zmyć).
* Drobiazgi, a wśród nich: pinezki, guziki, korale do gry, agrafki, małe baterie (np. takie, jakie stosuje się w aparatach słuchowych) oraz inne przedmioty, które dziecko może połknąć lub którymi może się zadławić (patrz str. 528).
* Torby i worki plastykowe, jak np. opakowania niektórych produktów, nowych ubrań, poduszek, worki z pralni chemicznej itp. Jeśli dziecko nałoży je na głowę, może się udusić. Natychmiast zdejmuj opakowania z nowo zakupionych rzeczy. Wyrzucając je, pamiętaj, aby nie miały do nich dostępu dzieci. Jeśli chcesz je przechować, najlepiej użyj do tego celu zamykanej na zamek torby.
* Artykuły palne, jak np. zapałki, pudełka od zapałek, zapalniczki i niedopałki papierosów.
* Narzędzia używane w pracy lub do uprawiania hobby: farby i rozcieńczalniki, szpilki i igły, narzędzia stolarskie itd.
* Zabawki należące do starszego rodzeństwa. Nie powinny być dostępne dla dzieci poniżej trzeciego roku życia. Należy szczególnie uważać z małymi klockami, rowerami, rowerkami na trzech kółkach, hulajnogami, modelami samochodów i ciężarówek, wszystkim, co ma

Żadna broń nie jest bezpieczna

„TRZYLATEK ZABIŁ KOLEGĘ PISTOLETEM OJCA". Ten i podobne nagłówki, zbyt często spotykane w prasie, wywołują w nas dreszcze. A przecież można tym tragediom całkowicie zapobiec — nie przez chowanie broni (maluchy potrafią wytropić, a czasami mogą zupełnie przypadkowo natknąć się na coś, co rodzice usiłują przed nimi ukryć), nie przez zamykanie broni na klucz (wystarczy tylko raz zapomnieć przekręcić klucz w zamku), również nie przez wpajanie dziecku, że nie wolno zbliżać się do pistoletu (ciekawość jest silniejsza niż rodzicielskie zakazy, zwłaszcza u dziecka, które nie ma pełnego rozeznania, co jest dobre, a co złe), lecz w ogóle nie trzymając broni w domu — koniec, kropka.

Maluchy są impulsywne i nieuleczalnie ciekawskie, potrafią z łatwością nacisnąć spust, lecz nie umieją przewidzieć konsekwencji tej pozornie niewinnej zabawy. Posiadanie broni w domu, niezależnie od tego, czy uważasz, że malec może do niej dotrzeć, czy nie, to zostawianie otwartej furtki, która może prowadzić do tragedii. Amerykańska Akademia Pediatrii oraz inne organizacje zajmujące się bezpieczeństwem stanowczo nalegają: Nie rób tego.

Jeśli musisz mieć w domu broń, przechowuj ją nie naładowaną, w niedostępnym miejscu zamkniętym na klucz. Naboje przechowuj osobno (nawet bardzo małe dzieci, oglądając filmy w telewizji, uczą się, jak naładować pistolet). Kup też zamek blokujący spust lub inne zabezpieczenie, by zapobiec przypadkowemu wystrzałowi.

ostre krawędzie, małe lub kruche części oraz przewody elektryczne.

* Maleńkie baterie. Okrągłe baterie stosowane w zegarkach, kalkulatorach, aparatach słuchowych i fotograficznych itd. łatwo połknąć. Mogą one również uwolnić do przełyku lub żołądka niebezpieczne substancje. Przechowuj nowe, nie używane baterie w bezpiecznym miejscu, oryginalnie opakowane, nie luzem. Pamiętaj także, że zużyte baterie są równie niebezpieczne jak nowe: wyrzucaj je natychmiast. Zwróć uwagę na typ używanych baterii, jeśli malec połknie baterię, na oddziale zatruć będziesz musiała podać tę informację.
* Imitacje produktów żywnościowych. Jabłka, gruszki, pomarańcze oraz inne sztuczne owoce, wykonane na ogół z plastyku, wosku, papieru, gumy i innych materiałów są niebezpieczne dla dziecka (jabłko wykonane z wosku, świeczka, która wyglądem i zapachem przypomina lody z owocami, gumka do mazania, która wygląda i pachnie jak dojrzała truskawka).
* Środki czyszczące i inne substancje używane w domu (lista toksycznych substancji znajduje się na str. 541).
* Szkło, porcelana i inne łatwo tłukące się przedmioty.
* Żarówki. Szczególnie niebezpieczne są małe żarówki, np. od lampek nocnych, które dziecko może z łatwością włożyć do buzi i może się nimi skaleczyć. Pamiętaj, aby w ciągu dnia odstawić nocne lampki w bezpieczne miejsce.
* Biżuteria. Najbardziej niebezpieczne są koraliki i perełki, które po zdjęciu ze sznurka malec może połknąć, a także niewielkie ozdoby, np. pierścionki, kolczyki, szpilki.
* Kulki naftaliny. Nie tylko łatwo je połknąć, ale także są toksyczne. Stosuj raczej inne środki, a także przechowuj nie noszone ubrania w odpowietrzonych torbach lub w szafach. Jeśli stosujesz kulki naftaliny, przechowuj je w miejscu niedostępnym dla dziecka. Przed użyciem odzieży i koców dokładnie je wywietrz (aż zniknie zapach).
* Pasta do butów. Pasta w rękach dziecka oznacza na ogół straszny bałagan, połknięta — może spowodować zatrucie.
* Perfumy i inne kosmetyki. Są potencjalnie toksyczne.
* Witaminy, lekarstwa i preparaty ziołowe (patrz str. 505).
* Gwizdki. Maluch może zakrztusić się małą zabawką oraz luźną kuleczką, znajdującą się w gwizdku. Nie jest to dobra zabawka dla dwu-, trzylatka.
* Balony z lateksu. Nie nadmuchane lub dziurawe mogą dostać się do dróg oddechowych i spowodować zadławienie (patrz str. 559). Równie groźne mogą okazać się prezerwatywy.
* Niebezpieczne przekąski. Na przyjęciach, w których uczestniczy malec, nie podawaj małych, twardych rzeczy do jedzenia (np. orzechów, rodzynek, prażonej kukurydzy, twardych cukierków). Nie zostawiaj ich na talerzach.
* Broń (patrz niżej).
* Przedmioty grożące uduszeniem: sznurki, linki, taśmy krawieckie, kasety magnetofonowe

Bezpieczne wysokości

„Poziom bezpieczeństwa" będzie rósł wraz z wiekiem malca i jego umiejętnościami wspinaczki. Na ogół bezpieczne są rzeczy umieszczone ponad głową dziecka. Maluch, który dopiero co opanował chodzenie, może sięgnąć krawędzi stołu, niskiego kredensu. Wczesny amator wspinaczki, by dostać się do czegoś położonego wyżej, może wdrapać się na krzesło lub inny mebel. Malec, który dobrze opanował już chodzenie i wspinaczkę, zanim zdążysz się odwrócić, może przystawić sobie krzesło (pudło lub ułożyć stos książek), by dostać się na kuchenny blat, pralkę, do wszystkich pozornie niedostępnych miejsc.

(w których może odwinąć się taśma) oraz wszystko, co dziecko mogłoby owinąć sobie dookoła szyi.

* Zagrożenia świąteczne. Obejmują one: Ozdoby. Sprawdź, czy są bezpieczne (czy mogą się łatwo stłuc, czy mają małe części, czy są toksyczne, czy mają bezpieczną wielkość), lub powieś je wysoko, tak aby były niedostępne dla małych dzieci. Prezenty. Nie zostawiaj upominków, które w jakikolwiek sposób mogłyby być niebezpieczne (perfumów, kosmetyków, alkoholu, zestawów dla hobbystów). Rośliny. Powinny znajdować się w niedostępnych dla dziecka miejscach (niektóre po spożyciu mogą być trujące, patrz str. 559). Jak zabezpieczyć się przed ogniem, patrz str. 542.
* Również inne domowe przedmioty mogą okazać się niebezpieczne, jeśli dziecko włoży je do jamy ustnej lub połknie. Lista trucizn — patrz str. 541. W jaki sposób bezpiecznie przechowywać jedzenie i wodę dla malca, patrz rozdział 18.

JAK ZADBAĆ O CZYSTSZE POWIETRZE W DOMU

W przeciętnym domu powietrze wygląda zupełnie niegroźnie i na ogół też niegroźnie pachnie. Jednak w niektórych mieszkaniach obecne są niewidoczne i bezwonne substancje szkodliwe dla człowieka. Aby upewnić się, że powietrze, którym oddycha twoje dziecko, jest bezpieczne, zwróć uwagę na następujące źródła zatruwania powietrza w pomieszczeniu:

Dym papierosowy. Jest w naszym kraju głównym trucicielem powietrza w pomieszczeniach. Mniej więcej 1 na każde 4 dzieci ma w domu kontakt z dymem papierosowym. Zagraża on nam na wiele sposobów. Nawet jeśli wdychany jest przez osoby niepalące, osłabia wydolność dróg oddechowych, zmniejszając ich odporność na zarazki, trucizny, czynniki zanieczyszczające środowisko. Ponadto obniża stężenie witaminy C we krwi (ważnego dla układu odpornościowego antyutleniacza, który najprawdopodobniej chroni organizm przed poważnymi chorobami, takimi jak nowotwory, choroby serca i katarakty). Dzieci, które są regularnie narażone na kontakt z dymem papierosowym, są mniej odporne na astmę, zapalenie migdałków, infekcje dróg oddechowych, infekcje ucha oraz ostre infekcje bakteryjne i wirusowe, często wymagające leczenia szpitalnego. Kontakt z dymem papierowym może nawet doprowadzić do zgonu dziecka. Jedno z badań wykazało, że dzieci te, częściej niż pozostałe, są wrażliwe i chorowite. Wyniki testów wykazują u nich również gorsze zdolności rozumowania oraz uboższe słownictwo. U dzieci palaczy występuje także wzmożone ryzyko powstania raka płuc, szyjki macicy, mózgu, tarczycy i piersi. Oprócz tego palenie w obecności małego dziecka dostarcza mu złego przykładu; dzieci, które widzą, że palą ukochane przez nie osoby, same najczęściej stają się palaczami, w pełni obciążonymi ryzykiem skrócenia życia, które związane jest z tym nałogiem. A zatem nie należy się dziwić, że Towarzystwo Ochrony Środowiska nalega, by nie zezwalać na palenie w domu lub w towarzystwie dzieci.

Tlenek węgla. Ten bezbarwny, bezwonny, nie posiadający smaku, lecz zdradliwy gaz (może spowodować schorzenia płuc, uszkodzenia wzroku i mózgu, a w dużych dawkach może okazać się śmiertelny) jest produktem spalania i może dostać się do mieszkania z wielu źródeł. Aby temu zapobiec, podejmij następujące środki ostrożności: upewnij się, czy twoje piece na węgiel, drewno lub naftę mają odpowiednią wentylację (powinien sprawdzić to kominiarz). Dbaj o sprawność systemu grzewczego w mieszkaniu. Przyspiesz spalanie w powoli spalających piecach drzewnych przez otwarcie zasuwy w kominie. W pomieszczeniach nie zezwalaj na spalanie węgla drzewnego lub stosowanie piecyków na propan. Upewnij się, czy kuchenki gazowe i inne urządzenia spalające gaz mają właściwą wentylację (zainstaluj wywietrznik odprowadzający spaliny) oraz sprawdź, czy są odpowiednio wyregulowane (jeśli płomień nie ma koloru niebieskiego, wymagają regulacji). Jeśli masz zamiar

Walka ze szkodnikami domowymi: niemiła dla szkodników, bezpieczna dla maluchów

Mrówki. Karaluchy. Myszy. Termity. Natrętne szkodniki przenikają do mieszkań przynajmniej od czasu do czasu niezależnie od szerokości geograficznej. W zależności od tego, czy w regionie, w którym mieszkasz, są one jedynie dokuczliwe, czy też stanowczo niebezpieczne, wybierzesz sposób, w który należy się ich pozbyć. Jak tego dokonać bez użycia substancji szkodliwych dla dziecka? Wypróbuj:

* Taktykę blokady. Zainstaluj w drzwiach i oknach siatkę (nie zostawiaj otwartych drzwi i okien nie zaopatrzonych w siatkę) oraz zablokuj inne otwory, przez które owady i robaki mogłyby dostać się do mieszkania. Nie traktuj siatek jako idealnego zabezpieczenia pomieszczenia, w którym przebywa dziecko, patrz str. 529.
* Metody naturalne. Poszukaj w księgarni lub bibliotece poradnika, w którym znajdziesz sposoby „naturalnej" walki ze szkodnikami, lub poszukaj nietoksycznych pestycydów w sklepach ze zdrową żywnością lub w supermarketach. Pamiętaj jednak, że jakkolwiek produkty te są nieszkodliwe dla środowiska, nie zawsze są bezpieczne dla dzieci. Na przykład mieszanka wody i pieprzu tureckiego wydaje się stosunkowo bezpieczna, mogłaby zaszkodzić jednak dziecku, które zjadłoby ją lub wtarło w oczy. Niestety, metody odstraszania szkodników za pomocą ultradźwięków nie są skuteczne.
* Lepy na owady i gryzonie. Nie zawierają trujących chemikaliów, lecz usidlają pełzające owady w zamkniętych pudełkach (pułapki na karaluchy) lub pojemnikach (pułapki na mrówki), muchy na tradycyjnym lepie (nie zawierającym środków owadobójczych) oraz myszy na lepkich prostokątach. Ponieważ skóra ludzka może przykleić się do ich powierzchni (oddzielenie bywa bardzo nieprzyjemne, a nawet bolesne), pułapki te powinny znajdować się w miejscach niedostępnych dla dzieci lub należy wystawiać je w nocy, gdy dzieci śpią, i chować rano, zanim wstaną. Z czysto ludzkiego punktu widzenia wadą lepów jest to, że przedłużają śmierć usidlonych ofiar.
* Pułapki z przynętą. Zawierają truciznę, która jednak nie wydziela toksycznych oparów. Poza tym mieści się wewnątrz pułapki i jest trudno dostępna dla dziecka. Pomimo to pułapki te nie powinny znajdować się w pobliżu dzieci.
* Pułapki-pudełka. Osoby o miękkim sercu mogą chwytać gryzonie do pudełek, a następnie wypuszczać je na wolność w lesie lub na polu, daleko od domów, chociaż nie zawsze jest to proste. Ponieważ złapane gryzonie mogą ugryźć, pułapki powinny być umieszczane w miejscach niedostępnych dla dzieci lub wystawiane na zewnątrz i uważnie sprawdzane, kiedy maluchów nie ma w pobliżu.
* Bezpieczne stosowanie pestycydów chemicznych. W zasadzie wszystkie chemiczne pestycydy wraz z osławionym kwasem borowym (bornym) są wysoce toksyczne, nie tylko dla szkodników, ale także dla ludzi. Jeśli zdecydujesz się na pestycydy, nie stosuj ich i nie przechowuj w miejscach dostępnych dla dzieci oraz na powierzchniach używanych do przygotowywania jedzenia. Zawsze stosuj najmniej toksyczny z osiągalnych preparatów. Jeśli używasz środka w rozpylaczu, podczas rozpylania, a także przez resztę dnia dzieci nie powinny przebywać w domu. Najlepiej jednak, jeśli akcja przeciwko szkodnikom zostanie zorganizowana podczas waszej dłuższej nieobecności w domu, np. gdy jesteście na wakacjach. Po powrocie należy przez kilka godzin wietrzyć mieszkanie.

kupić nową kuchenkę gazową, wybierz taką, która jest wyposażona w elektryczny iskrownik, zmniejszający ilość uwalnianych przy spalaniu gazów. Nigdy nie używaj kuchenki gazowej do ogrzewania pomieszczeń. Nigdy nie zostawiaj tlącego się ognia w kominku (zalej go wodą) oraz regularnie czyść kominy i przewody kominowe. Nigdy nie zostawiaj samochodu z uruchomionym silnikiem w garażu przylegającym do domu (przed zapaleniem silnika otwórz drzwi od garażu). Jeśli w domu występuje ryzyko zatrucia tlenkiem węgla z kilku źródeł (np. przylegający do mieszkania garaż, piec, przestarzały system grzewczy lub często używany kominek), być może należałoby co pewien czas sprawdzać zawartość tlenku węgla w powietrzu lub zainstalować detektor tlenku węgla, ostrzegający przed podniesionym poziomem tego gazu, zanim jeszcze stanie się on niebezpieczny dla domowników.

Benzopyreny. Długą listę problemów dróg oddechowych (począwszy od podrażnienia oczu, nosa i gardła, poprzez astmę i zapalenie oskrzeli, a skończywszy na rozedmie i nowotworach) można przypisać obecności w powietrzu organicz-

Nabierz dystansu do zmartwień

Od momentu, gdy dowiadujesz się o pozytywnym wyniku testu ciążowego, zmartwienie staje się nieodłączną częścią macierzyństwa. Niepokoisz się, gdy nie możesz przespać całej nocy i martwisz się, kiedy ją przesypiasz. Denerwujesz się, gdy malec nie stawia jeszcze pierwszych kroków, a gdy już je stawia, boisz się o jego bezpieczeństwo. Troszczysz się, gdy nie potrafi się z nikim zaprzyjaźnić, a później obawiasz się, czy ma odpowiednie towarzystwo.

Wszyscy rodzice się zamartwiają. Pewna dawka niepokoju jest nawet zdrowa, utrzymuje nas w stałym pogotowiu. Jesteśmy czujni, ostrożni, rozważni, a także (i nieuchronnie) pozostajemy w bliskim kontakcie z pediatrą. Jednakże przesada lub zamartwianie się nie o to, co trzeba, czyni z trosk prawdziwą obsesję, która nie pozwala rodzicom i dzieciom czerpać radości z cudownych lat dzieciństwa.

Sensownie jest troszczyć się tak, by zapewnić dziecku bezpieczeństwo, nie odbierając mu przy tym doświadczeń dzieciństwa. Wystarczy, że będziesz odwiedzać jedynie te place zabaw, które zapewniają maluchowi bezpieczną rozrywkę, będziesz go bacznie obserwować, lecz nie do tego stopnia, by zabronić mu korzystania ze znajdujących się tam przyrządów. Wystarczy, że zastosujesz sensowne środki ostrożności w zatłoczonych sklepach i na ruchliwych ulicach, lecz przesadą byłoby nie wypuszczać dziecka w ogóle z domu. Dokładnie poznaj opiekunów dziecka, zanim powierzysz im malca, lecz nie powinnaś być podejrzliwa w stosunku do każdego i uważać się za jedyną osobę, która powinna się zajmować dzieckiem.

Dzieciom udziela się niepokój rodziców, a kiedy jest przesadny, może nawet opóźnić proces zdobywania różnych umiejętności, a także częściowo odebrać im wiarę we własne siły. Dzieci stają się wtedy podobnie lękliwe jak ich rodzice. Dorastanie wymaga narażania się na ryzyko i dzieci, które wszystkiego się boją, nie posuwają się naprzód.

Zatem nie powinnaś całkowicie odrzucać zmartwień, lecz postaraj się kontrolować swe obawy i nabrać do nich dystansu. Troszcz się o bezpieczeństwo dziecka, lecz nie przytłaczaj go. Malec powinien czuć się bezpiecznie, otoczony, lecz nie zadławiony twoją miłością.

nych cząstek podobnych do smoły, które są produktem spalania tytoniu lub drewna. Aby uniknąć kontaktu dziecka z tymi cząstkami, nie zezwalaj na palenie tytoniu w mieszkaniu, sprawdź szczelność przewodów kominowych odprowadzających dym z kominka, wymieniaj w urządzeniach filtry powietrza, gdy tego wymagają, oraz dbaj o właściwą wentylację (uszczelnianie drzwi i okien zatrzymuje ciepło, lecz również więzi potencjalnie groźne gazy).

Drobne cząsteczki w powietrzu. Rozmaite cząstki, niewidoczne gołym okiem, mogą zanieczyszczać powietrze w pomieszczeniach i zagrażać dzieciom. Pochodzą z różnych źródeł, np. kurzu obecnego w domu, tytoniu, dymu, nieszczelnych urządzeń spalających gaz, piecyków naftowych oraz z izolacji azbestowej i materiałów budowlanych (które związane są z wieloma chorobami, a wśród nich nowotworami i chorobami serca). Opisane powyżej środki ostrożności (zakaz palenia tytoniu, czyszczenie filtrów, odpowiedni system wentylacyjny i wietrzenie pomieszczeń) zmniejszają zagrożenie. Dobry, niezawodny filtr, który wychwytuje z powietrza wiele szkodliwych cząstek jest szczególnie cenny, gdy ktoś z rodziny cierpi na alergię. Jeśli odkryjesz w mieszkaniu azbest, zasięgnij fachowej rady, czy powinien zostać pokryty szczelną powłoką, czy też usunięty. Zacznij działać, zanim jego cząsteczki znajdą się w powietrzu.

Różnorodne opary. Opary niektórych środków czyszczących, aerozoli, terpentyny i innych materiałów używanych do malowania mogą być toksyczne. Zatem staraj się używać środków jak najmniej toksycznych (np. farb wodnych, pasty do polerowania podłóg z wosku pszczelego, rozcieńczalników wykonanych z olejów roślinnych[4]). Stosuj je w pomieszczeniach z dobrą wentylacją, nigdy w pobliżu dzieci. Jeśli to możliwe, zamiast aerozoli używaj atomizerów. Wszystkie preparaty powinny być przechowywane w miejscach niedostępnych dla dzieci, najlepiej w pomieszczeniu poza domem.

Formaldehydy. Biorąc pod uwagę ogromną liczbę stosowanych obecnie produktów zawierających formaldehydy (począwszy od żywic w meblach, po materiały dekoracyjne i taśmy mocujące wykładziny), nie dziwi nas, że ten gaz, powodujący poroblemy dróg oddechowych, wysypki, nudności i inne objawy u ludzi, jest wszechobecny. Ulatniające się opary formaldehydu mają naj-

[4] Unikaj rozcieńczalników oraz innych preparatów zawierających chlorek metylu. Jest on rakotwórczy.

Wyroby spełniające normy bezpieczeństwa ustanowione dla dzieci

Chodziki, foteliki samochodowe, barierki oraz różne inne przyrządy zaprojektowane dla dzieci otrzymują od powołanej do tego celu instytucji specjalne świadectwo, informujące, iż produkt przeszedł szczegółowe badania kontrolne i spełnia normy bezpieczeństwa ustanowione dla dzieci. Sprawdź, czy produkt posiada takie świadectwo, dokonując następujących zakupów (przed kupieniem poszczególnych rzeczy sprawdź, czy są łatwe w użyciu):

* Chodzik. Powinien mieć szeroką podstawę i być trudno wywrotny dla poruszającego się w nim malca. Chodziki powinny się łatwo składać i rozkładać (przed użyciem zawsze sprawdzaj, czy chodzik jest zabezpieczony i nie złoży się nagle) oraz nie powinny posiadać szczelin, które mogą uwięzić i zranić małe paluszki.
* Kojec. Jeśli używasz kojca, pamiętaj, że powinien mieć boki wykonane z drobnej siatki (otwory nie powinny przekraczać 0,6 cm) lub pionowych szczebelków, rozstawionych nie rzadziej niż co 6 cm. Zanim włożysz do kojca dziecko, upewnij się, czy jest całkowicie rozłożony, nigdy nie zostawiaj go częściowo rozłożonego, gdyż może się zamknąć i przyskrzynić dziecko, które dostało się do środka.
* Bramki. Można stosować je, by zamknąć dziecko w pokoju lub zamknąć pokój przed dzieckiem, a także jako zabezpieczenie schodów. Istnieją bramki przenośne oraz stałe. Obydwa rodzaje barierek są regulowane i można dopasować je do różnych szerokości drzwi. Wysokość wynosi od 60 do 70 cm. Jeśli planujesz zainstalowanie bramki na stałe, powinna być ona przymocowana do ściany na kołki rozporowe, by nie wyrwała się pod naporem malucha, który chce ją sforsować (płyta kartonowo-gipsowa i gips mogą nie utrzymać śruby).

Upewnij się, że malec nie może wspiąć się po bramce do góry. Nie stosuj składanych w harmonijkę barierek z dużymi otworami (które mogą uwięzić rączki, nóżki lub główkę). Zamiast nich zastosuj raczej barierkę z pleksiglasu lub drobnej siatki (siatka stanowi jeszcze trudniejszą przeszkodę dla dziecka, gdyż trudniej się na nią wspiąć), ewentualnie barierkę z pionowymi szczebelkami (z odstępami nie większymi niż 6 cm). Każda zainstalowana przez ciebie barierka powinna być mocna, pomalowana nietoksycznym lakierem, pozbawiona ostro zakończonych elementów, a także otworów, które mogą uwięzić paluszki, oraz drobnych części, które dziecko może oderwać i włożyć do buzi. Montaż powinien odbyć się ściśle według instrukcji. Barierki przestają spełniać swe zadanie, gdy dziecko kończy drugi rok życia lub jego wzrost przekracza 85 cm (do tego czasu maluchy opanowują techniki pokonywania tej przeszkody).

większe stężenie, kiedy produkt jest nowy, gaz jednak, choć w mniejszych objętościach, może ulatniać się latami. By zmniejszyć potencjalne ryzyko, podczas budowy lub meblowania domu staraj się stosować środki nie zawierające formaldehydu (lub bezpiecznie zaizolowany, tak aby nie ulatniały się opary). Istnieją różne sposoby postępowania z produktami, które już posiadasz, lecz najprostsza i najprzyjemniejsza to strategiczne rozmieszczenie w domu roślin doniczkowych (po sprawdzeniu, że są one bezpieczne, patrz str. 559). W średnim domu piętnaście lub dwadzieścia roślin powinno wchłonąć ulatniający się aldehyd. Jeśli podejrzewasz w mieszkaniu duże stężenie, powinnaś nabyć urządzenie badające poziom stężenia formaldehydu.

* **Radon.** Ten bezbarwny, bezwonny radioaktywny gaz, produkt naturalnego rozkładu uranu w skale i glebie, uznawany jest za drugą przyczynę raka płuc w USA. Jego obecność w mieszkaniu naraża na napromieniowanie płuca osób przebywających z nim kontakcie. Podejrzewa się, że w wyniku wieloletniego kontaktu z radonem może powstać nowotwór, szczególnie wtedy, gdy osoba ta jest jednocześnie narażona na dym papierosowy.

Radon gromadzi się, gdy przenika do domu ze skał i nie wydostaje się na zewnątrz z powodu słabej wentylacji. Następujące środki ostrożności pomogą uniknąć kontaktu z radonem:

* Przed kupnem domu, szczególnie w okolicy, w której występuje radon (zrób wstępny wywiad), powinny zostać wykonane badania potwierdzające jego obecność. Lokalna lub krajowa stacja SANEPID-u udzieli ci odpowiednich informacji.
* Jeśli wiesz, że mieszkasz w okolicy o dużym stężeniu radonu, i obawiasz się, że dom jest napromieniowany, zrób odpowiednie badania. Najlepiej, jeśli badania prowadzone są przez kilka miesięcy, by odczytać średnią. Podczas badań powinny być zamknięte okna (stężenie jest wtedy wyższe).

Uwaga, trucizna!

Każdego roku około 130 tysięcy amerykańskich dzieci pada ofiarą zatrucia. Nie ma w tym nic dziwnego. Dzieci, a zwłaszcza maluchy, często odkrywają i sprawdzają otaczający je świat za pomocą ust. Wszystko, co biorą do rąk, trafia prosto do buzi, niezależnie od tego, czy nadaje się do zjedzenia, jak bardzo odrażający ma smak, czy jest toksyczne. Dzieci nie zastanawiają się, czy dana substancja lub przedmiot jest bezpieczny lub jadalny. Również ich nie wykształcone jeszcze w pełni kubki smakowe oraz węch nie ostrzegają ich przed niebezpieczeństwem.

Aby uchronić malca przed niebezpieczeństwem zatrucia, bezwzględnie przestrzegaj następujących zasad:

* Przechowuj wszystkie potencjalnie niebezpieczne substancje w miejscach zamkniętych na klucz i poza zasięgiem dziecka. Nawet raczkujące maluchy potrafią wspiąć się na niskie krzesła, taborety lub poduszki, by dosięgnąć przedmiotów pozostawionych na stołach i blatach.
* Ściśle przestrzegaj wszystkich zasad bezpiecznego podawania i przechowywania lekarstw (patrz str. 505), zwracając się do dziecka, nie nazywaj lekarstwa „cukierkiem" i nie połykaj swoich leków przy malcu.
* Uważaj na powtórne zatrucia. Maluch, który raz zjadł truciznę, statystycznie częściej niż inne dzieci popełnia ten sam błąd przed upływem roku.
* Nie kupuj kolorowo i atrakcyjnie opakowanych środków czystości, proszków do prania i innych niejadalnych preparatów. Jeśli to konieczne, usuń lub zaklej kolorowe nalepki, które mogłyby przyciągnąć uwagę malca (instrukcje i ostrzeżenia powinny być jednak widoczne). Nigdy nie przelewaj toksycznej substancji do innego opakowania, a w szczególności do znajomego pojemnika od żywności. Unikaj również kupowania potencjalnie toksycznej substancji o atrakcyjnym zapachu (np. mięty, cytryny, moreli, migdałów lub kwiatów).
* Jeśli to możliwe, kupuj produkty w opakowaniach, których dziecko nie jest w stanie otworzyć, lecz nigdy całkowicie im nie ufaj. Najlepiej przechowuj trujące substancje w miejscach niedostępnych dla dziecka.
* Wprowadź zwyczaj szczelnego zamykania pojemników z niebezpiecznymi substancjami oraz odkładania ich w bezpieczne miejsce zaraz po użyciu. Nawet na chwilę (np. odbierając telefon lub otwierając drzwi) nie zostawiaj w przypadkowym miejscu płynu do czyszczenia mebli lub pojemnika z proszkiem do zmywarki.
* W osobnych miejscach przechowuj produkty spożywcze i niejadalne. Nigdy nie używaj pojemników po jedzeniu do przechowywania rzeczy niejadalnych (np. wybielacza w butelce po soku jabłkowym lub smaru w słoiku po dżemie). Dzieci szybko dowiadują się, skąd pochodzi jedzenie, pomyślą, że zawartość opakowania to znajome pożywienie, nie zastanawiając się, dlaczego „sok" nie jest złocisty, a „dżem" ma dziwny, czarny kolor.
* Nigdy nie zostawiaj napojów alkoholowych w miejscu dostępnym dla dziecka. Dawka, która tobie przynosi relaks, dla malca może okazać się śmiertelna. Butelki z winem i innymi napojami alkoholowymi przechowuj w zamykanym na klucz barku, a jeśli w lodówce trzymasz piwo, powinno ono stać na najwyższej lub najgłębszej półce. Uważnie obserwuj dziecko na przyjęciach, gdyż często na stole pozostawione są nie dopite drinki. Nigdy nie pozwalaj dziecku dla zabawy próbować alkoholu, choćby tylko „jednego łyczka". Przed pójściem spać opróżnij wszystkie kieliszki z resztek alkoholu, by „ranny ptaszek" ich nie próbował.
* Jeśli masz zamiar pozbyć się trującej substancji, wylej ją do toalety, chyba że może ona uszkodzić rury kanalizacyjne. Postępuj wtedy zgodnie z zaleceniami producenta. Przed wyrzuceniem opakowań po truciznach wypłucz je wodą (chyba że zabrania tego instrukcja), a następnie wyrzuć je prosto do kubła na śmieci ze szczelnym zamknięciem lub specjalnego pojemnika na surowce wtórne. Nigdy nie przetrzymuj opakowań po truciznach w koszach lub wiadrach na śmieci.

---

* Jeśli okaże się, że w domu jest duże stężenie radonu, zwróć się do stacji SANEPID-u lub placówki zdrowia z prośbą o pomoc w znalezieniu przedsiębiorstwa zajmującego się zwalczaniem radonu. Powinnaś także otrzymać tam literaturę na temat obniżania stężenia radonu. Można zastosować następujące sposoby: wypełnienie szczelin i innych otworów w fundamentach oraz podłogach, a także zwiększenie wymiany powietrza, np. przez zainstalowanie wymiennika powietrza.

Opary wydzielane podczas gotowania w naczyniach teflonowych. Chociaż garnki i patelnie pokryte warstwą teflonu lub silverstone'u są generalnie bezpieczne, toksyczne mogą być opary wydzielane podczas przypalenia lub nadmiernego rozgrzania naczyń. Zatem nigdy nie stosuj naczyń teflono-

* W związku z dużym stężeniem ołowiu w farbach drukarskich, szczególnie tych, które stosowane są do druku tekstu i ilustracji w czterech kolorach, gazety i czasopisma nie powinny stać się regularnym składnikiem diety malca.
* Wybierając środki czystości, zawsze decyduj się na jak najmniej szkodliwe, a nie te, które zaopatrzone są w długą listę ostrzeżeń i środków ostrożności. Wśród produktów ogólnie uznawanych za „mniej" niebezpieczne znajdują się: wybielacze bez zawartości chloru, ocet, boraks, soda oczyszczona, olej cytrynowy, wosk pszczeli, oliwa z oliwek (środek do czyszczenia mebli), niechemiczny lep na muchy, olej mineralny (do naoliwiania), sprężarki do oczyszczania odpływów.
* Na wszystkich niebezpiecznych preparatach umieść naklejkę „Trucizna". Jeśli nie zdobędziesz gotowych naklejek, na każdym opakowaniu przyklej „X" z czarnej taśmy (nie zakrywając instrukcji i ostrzeżeń). Wyjaśnij członkom rodziny, że symbol ten oznacza „niebezpieczeństwo". Regularnie przypominaj o tym, aż w końcu twój maluch nauczy się, że tak oznakowane produkty nie są bezpieczne.
* Wszystkie z przytoczonych poniżej produktów mogą być niebezpieczne:
  Kwasy (solny, octowy itd.)
  Napoje alkoholowe
  Rtęć (nie używana w medycynie)
  Amoniak
  Leki przeciwdepresyjne (bardzo wysoka śmiertelność)
  Płyn zapobiegający zamarzaniu
  Aspiryna
  Wybielacze
  Kwas borny (nie używany w medycynie)
  Olej kamforowy (nie używany w medycynie)
  Leki nasercowe (wysoka śmiertelność)
  Wybielacz zawierający chlor
  Kosmetyki (najgroźniejsze: środki zawierające aceton)
  Środki do czyszczenia protez zębowych
  Środki dezynfekcyjne
  Płyny i proszki do zmywarek
  Środki do przeczyszczania rur kanalizacyjnych (najlepiej ich nie stosować, po użyciu natychmiast wyrzucać resztki)
  Środki chemiczne używane w gospodarstwie (żrące)
  Nawozy
  Środki przeciwgrzybicze
  Aerozole i mleczka do polerowania mebli
  Benzyna
  Jodyna (nie używana do celów pierwszej pomocy)
  Środki owadobójcze
  Tabletki oraz preparaty odżywcze zawierające żelazo, przeznaczone dla dorosłych lub dzieci (przedawkowanie żelaza jest główną przyczyną śmiertelnych zatruć u dzieci)
  Nafta
  Proszki do prania zawierające węglan wapniowy lub krzemiany
  Benzyna do napełniania zapalniczek
  Ług (najlepiej w ogóle nie trzymać go w domu)
  Leki
  Salicylan metylu (wysoka śmiertelność)
  Naftalina
  Płyn do płukania ust zawierający etanol lub alkohol (nie wszystkie je zawierają)
  Środki do czyszczenia kuchenek
  Pestycydy
  Trutki na gryzonie
  Środki do usuwania rdzy
  Tabletki nasenne
  Narkotyki (wszystkie)
  Środki do czyszczenia ustępów
  Środki uspokajające
  Terpentyna
  Witaminy i inne preparaty odżywcze
  Środki chwastobójcze
  Płyn do czyszczenia szyb samochodowych

Nie każdy ze stosowanych w domu preparatów, który może wpaść w ręce dziecka, jest toksyczny. Chociaż wymienione poniżej substancje nie nadają się do jedzenia (zwłaszcza dla dwu-, trzylatka), ich przypadkowe połknięcie nie jest szkodliwe: płyn do kąpieli, krem do golenia, szampon, pomadka do ust, dezodorant, płyn do zmywania naczyń (groźny jest natomiast proszek używany w zmywarkach), pokarm dla psów lub kotów.

wych w najwyższym zakresie temperatur (zarówno na palnikach, jak i w piekarniku), nie używaj ich w piekarniku do zbierania kapiącego tłuszczu, a także zachowaj szczególną ostrożność przy odparowywaniu wody z przyrządzanego jedzenia (nie dopuszczaj do nadmiernego przypalenia).

Pola elektromagnetyczne. Nie należą właściwie do trucicieli powietrza, lecz istnieją w nim i mogą okazać się groźne, chociaż rezultaty badań naukowych dotychczas nie potwierdziły ich niebezpiecznego działania. Zatem, by uniknąć ryzyka, dopóki nie będzie wiadomo więcej na ten temat, unikaj elektrycznych kocy, materacyków oraz podgrzewaczy łóżek wodnych wyprodukowanych przed rokiem 1990, gdyż wytwarzają one silne pole elektromagnetyczne. Możesz włączyć te urządzenia, rozgrzać, a następnie je

Specjalne zabezpieczenia

Na rynku dostępnych jest obecnie wiele różnych rodzajów urządzeń i drobiazgów, dzięki którym maluchy mogą bezpiecznie poruszać się po domu. Można je kupić w sprzedaży wysyłkowej, w aptekach, sklepach z artykułami dla dziecka lub z narzędziami i w wielu innych. Nie ufaj im całkowicie — mogą opóźnić rozwój wypadków, dając ci nieco więcej czasu na interwencję, lecz nie są skuteczne w stu procentach. Nie zastępują nieustannej opieki ze strony rodziców. Warto jednak zaopatrzyć się w:

* Zamki, zasuwki i blokady na szuflady i szafki (aby malutkie rączki nie miały dostępu do ich wnętrza).
* Osłony na drzwiczki do pieca.
* Nakładki na gałki do drzwi (by utrudnić maluchom otwieranie drzwi).
* Blokady uniemożliwiające pełne otwarcie drzwi.
* Plastykowe nakładki na ostre narożniki mebli.
* Miękkie osłony na ostre krawędzie.
* Klamry skracające sznury od zasłon, rolet i żaluzji.
* Zaślepki do gniazdek elektrycznych (istnieją specjalne osłony na zawiasach, które można stosować nawet wtedy, gdy włączone są urządzenia elektryczne).
* Blokady kieszeni na kasetę w magnetowidach.
* Zabezpieczenia odpływu z wanien.
* Przeciwpoślizgowe elementy przylepiane do dna wanien.
* Blokady do desek sedesowych (by w czasie, gdy nikt nie korzysta z toalety, dziecko nie unosiło deski).
* Przeciwpoślizgowy podnóżek.
* Zamki do drzwi balkonowych.
* Alarm drzwiowy (sygnalizujący otwarcie się drzwi wejściowych).

wyłączyć przed położeniem dziecka do łóżka. Pole elektromagnetyczne wytwarzają również zegary i wentylatory z silnikiem, które powinny być umieszczone co najmniej 35 cm od łóżka. Bezpieczniej jest stosować nakręcane ręcznie lub zasilane baterią.

Jeśli malec używa komputera, sprawdź, czy ekran monitora umieszczony jest na biurku co najmniej 70 cm od dziecka. Ta sama odległość od ekranu wymagana jest przy oglądaniu telewizji. Jeśli masz kuchenkę mikrofalową, wszystkich członków rodziny powinna obowiązywać zasada nieprzebywania w jej pobliżu, gdy jest włączona. Jeśli rozważasz kupno domu, sprawdź jego odległość od głównej linii wysokiego napięcia.

ZABEZPIECZENIA PRZECIWPOŻAROWE

Podobnie jak można uniknąć większości „nieszczęśliwych" wypadków, można także zapobiec większości pożarów, a kiedy ma miejsce pożar całkowicie przypadkowy, dzięki mądremu przygotowaniu można często uniknąć obrażeń. Przejrzyj każdy kąt domu, aby mieć absolutną pewność, że nie zdarzy się tragiczny wypadek.

* Nigdy nie zostawiaj malca samego w domu, nawet przez chwilę. Jeśli nagle wybuchnie pożar, możesz nie dostać się do środka, by uratować dziecko.
* Jeśli w twoim mieszkaniu można palić (niepalenie każdemu wychodzi na dobre), należy dokładnie gasić papierosy i cygara, a następnie wyrzucać niedopałki, popiół oraz wypalone zapałki, nigdy nie zostawiając ich w miejscu dostępnym dla dziecka. W domu powinien panować zwyczaj wyrzucania niedopałków natychmiast po wypaleniu papierosów. Czuwaj nad szybkim opróżnianiem popielniczek, kiedy są goście.
* Nie pozwalaj nikomu (a zwłaszcza osobie, która piła alkohol), włączając gości, na palenie w łóżku oraz na tapczanie, nawet podczas krótkiego odpoczynku (pozostawiony tlący się papieros może szybko spowodować pożar łatwopalnej powierzchni).
* Przechowuj zapałki oraz zapalniczki w miejscach niedostępnych dla dzieci (jest to o wiele prostsze, gdy w mieszkaniu panuje całkowity zakaz palenia) — nawet dwulatkom udaje się zapalić zapalniczkę, a trzylatkom zapałkę. Jeśli nosisz zapałki lub zapalniczkę w torebce, pilnuj, aby również torebka była poza zasięgiem malca. Zapalniczka często fascynuje dzieci: nigdy nie zapalaj jej w obecności malca ani też nie zezwalaj, aby dziecko samo próbowało ją zapalić, nawet pod ścisłą kontrolą dorosłych.
* Nie przechowuj łatwo palnych śmieci (np. papierów i szmat nasączonych rozpuszczal-

nikiem, olejem lub farbą). Wyrzuć je do śmietnika w miejscu, gdzie jest dobra wentylacja i nie są narażone na gorąco (np. z pieca, grzejnika, piekarnika lub bezpośrednio padających promieni słonecznych). Jeśli pierzesz szmaty używane do wycierania substancji łatwo palnych, dokładnie wysusz je na powietrzu. Wypierz je dwukrotnie, używając proszku rozpuszczającego tłuszcz (w przeciwnym razie mogą się w suszarce zapalić).

* Bądź ostrożna, używając lakierów do włosów oraz wszelkich aerozoli i innych wyrobów zawierających palne składniki (sprawdź opis), nie stosuj ich w pobliżu ognia lub zapalonego papierosa oraz przechowuj z dala od źródeł ognia.
* Przechowuj substancje palne, takie jak benzyna i nafta, poza domem w pojemnikach przeznaczonych do tego celu, w miejscu niedostępnym dla dzieci. Nie przechowuj tych substancji w piwnicy, gdyż ulatniające się opary mogą ulec zapaleniu przez płomień kontrolny pieca gazowego, a także inny płomień palący się w pozornie bezpiecznie oddalonym miejscu. Unikaj stosowania łatwo palnych płynów, nafty i ogólnodostępnych odplamiaczy do ubrań. Jeśli używasz tych środków, czyń to w miejscach z dobrą wentylacją, a także dokładnie pierz lub wyrzucaj w bezpieczne miejsce szmaty użyte do usuwania plam.
* Nie gotuj i nie prasuj (a także nie pozwalaj na to nikomu innemu) w pobliżu kominka, pieca opalanego drewnem lub innym paliwem, w ubraniu ze zbyt długimi rękawami, długim szaliku, zwisającymi połami koszuli lub inną częścią garderoby, która mogłaby się łatwo zapalić.
* Sprawność systemu grzewczego powinna być sprawdzona raz w roku.
* Staraj się nie przeciążać instalacji elektrycznych (oznaką przeciążenia są rozgrzane przewody). Zawsze wyłączaj z sieci wtyczki we właściwy sposób (nie szarpiąc za sznur) oraz regularnie sprawdzaj, czy na przewodach lub wtyczkach nie pojawiają się ślady nadpalenia, które świadczą o poważnych problemach w obrębie instalacji, jej zużyciu i/lub luźnych połączeniach. Dopilnuj, aby zużyte lub uszkodzone przewody i wtyczki zostały bezzwłocznie wymienione. Nie stosuj lekkich przedłużaczy. Używaj wyłącznie bezpieczników 15 amperowych i nigdy nie zastępuj ich innymi przedmiotami (np. monetą). Ważne jest również szukanie przyczyn, które doprowadziły do „wyskoczenia" bezpiecznika — może sieć była przeciążona? (Przeciążenie sieci jest główną przyczyną pożarów.) Jeśli nie jesteś pewna, wezwij elektryka.
* Kominek powinien być oddzielony od pomieszczenia ciężkim parawanem, aby od wypadających iskier nie zapaliły się zasłony, meble itd. (Najbezpieczniejszy jest parawan wykonany ze szkła, który niestety się rozgrzewa — pilnuj, aby malec nie zbliżał się do kominka, gdy pali się ogień.) Nigdy nie rozpalaj ognia, dolewając benzyny lub płynu używanego do rozpalania ognia w grillu (może dojść do wybuchu) lub dorzucając do ognia papier (kawałki tlącego się papieru mogą wydostać się z komina i zapalić drewniane elementy dachu lub zewnętrzne elementy drewniane. Nie pal w kominku gazet i papierowych opakowań, gdyż podczas spalania farby drukarskiej mogą wydzielać się toksyczne opary. Pamiętaj o regularnym sprawdzaniu i oczyszczaniu komina (w zależności od tego, jak często używasz kominka), sadza lub zbudowane na kominie ptasie gniazdo mogą stać się przyczyną pożaru.
* Główną przyczyną pożarów w USA są piecyki pokojowe i najlepiej ich w ogóle nie używać. Jeśli jednak masz takie piecyki, sprawdź, czy wyłączają się automatycznie, jeśli przypadkowo się przewrócą lub opierają się o nie inne przedmioty (etykietka powinna zawierać informację, że urządzenia te przeszły testy laboratoryjne i odpowiadają wymogom bezpieczeństwa). Nie zostawiaj włączonego piecyka na noc lub gdy wychodzisz z pokoju. Jeśli przy dotknięciu piecyk parzy, ustaw go z dala od dziecka i co najmniej metr od przedmiotów, które mogłyby się zapalić, np. zasłon. Nigdy nie używaj piecyka do suszenia pieluch lub ręczników, gdyż mogą się one zapalić. Piecyki opalane naftą powinny być napełniane paliwem na zewnątrz (i to jedynie naftą, niczym innym). Paliwo należy uzupełniać dopiero po całkowitym ostygnięciu grzejnika. (Na str. 536 znajdziesz informacje na temat zagrożeń, jakie piecyki stanowią dla środowiska.)
* Jeśli używasz piecyka opalanego drewnem, sprawdź, czy ustawiony jest na niepalnej powierzchni, a pracownik straży pożarnej powinien potwierdzić, że piecyk nie stanowi zagrożenia pożarowego. (Piecyki opalane drewnem są też źródłem innych problemów, patrz str. 536.)
* W okresach świąt zwróć szczególną uwagę na: *Ozdobne lampki*, np. na choinkę. Sprawdź, czy

posiadają gwarancję oraz czy są zainstalowane zgodnie z instrukcją. Sprawdź, czy lampki używane w poprzednich latach są sprawne. *Świeczki.* Zapalone świeczki postaw w miejscu niedostępnym dla dziecka, w bezpiecznej odległości od papierowych ozdób. Nigdy nie ustawiaj ich na stole nakrytym obrusem, który malec może łatwo ściągnąć na ziemię. *Choinki.* Wysuszone drzewka grożą pożarem, lepiej więc kupuj świeże choinki (igły powinny się zginać, lecz nie łamać), a następnie ociosaj pień drzewka i ustaw je w stojaku wypełnionym wodą. Uzupełniaj wodę w stojaku i wyrzuć drzewko, kiedy zacznie usychać. Bezpieczniejsze są żywe choinki w doniczkach, które można później zasadzić w ogrodzie lub podarować parkowi. *Fajerwerki.* Nie ma bezpiecznych fajerwerków w nieprofesjonalnych rękach — nawet fajerwerki należące do klasy C, którą sprzedawcy oznaczają towary bezpieczne, stanowią potencjalne zagrożenie. Również zimne ognie mogą stać się przyczyną rozległych oparzeń lub utraty wzroku. Nie używaj w domu fajerwerków. W zamian za to możecie się wybrać z całą rodziną na okolicznościowy pokaz sztucznych ogni. Jeśli jednak zdecydujecie się postępować wbrew zasadom bezpieczeństwa, przynajmniej nie pozwalajcie na obecność dziecka w promieniu kilku metrów od osoby puszczającej fajerwerki. Pod żadnym pozorem nie zostawiajcie dzieci w pobliżu fajerwerków, nawet na chwilę. Nigdy nie pozwalajcie osobie, która piła alkohol, na zabawę z materiałami wybuchowymi.

Zapobieganie nie wystarcza. Najczęściej ofiarami ognia stają się dzieci poniżej piątego roku życia (oraz starcy) przede wszystkim dlatego, że na ogół nie zdają sobie sprawy z zagrożenia i konieczności natychmiastowego opuszczenia budynku. Najbardziej niebezpieczna jest noc, kiedy ogień może palić się przez pół godziny, a nawet dłużej, zanim zostaje zauważony. Wtedy najczęściej jest już za późno, by ewakuować rodzinę. Dlatego też niezwykle ważne jest ułatwienie wykrycia ognia oraz ewakuacji. Można dokonać tego w następujący sposób:

* Instalując czujniki do wykrywania dymu i ognia według zaleceń straży pożarnej, przynajmniej po jednym na każdym piętrze. Najlepszym rodzajem czujnika dla kuchni jest model fotoelektryczny, który najczulej reaguje i nie włącza się z powodu dymu związanym z gotowaniem. Według przeprowadzonych badań nie działa co trzeci domowy czujnik dymu, należy więc co miesiąc sprawdzać ich sprawność, a zwłaszcza tych zasilanych bateriami, które wymagają zmian baterii przynajmniej raz na rok (niektórzy specjaliści twierdzą, że raz na pół roku). Najlepiej uczynić to w łatwy do zapamiętania dzień, np. w Nowy Rok, urodziny dziecka, w dzień, kiedy następuje zmiana czasu zimowego na letni.
* Umieszczając wielofunkcyjne gaśnice w miejscach, gdzie ryzyko wybuchu pożaru jest największe, np. w kuchni, kotłowni, w pobliżu kominka lub pieca. Gaśnice nie powinny się jednak znajdować w miejscach dostępnych dla dzieci. Do gaszenia pożaru w kuchni można zastosować dwuwęglan sodu (sodę kuchenną). Gaś jedynie niewielkie pożary, zlokalizowane w jednym miejscu, np. w piekarniku (najpierw wyłącz piekarnik), na patelni, w koszu na śmieci, gdy nie masz odciętej drogi wyjścia lub gdy ewakuowałaś już domowników (albo czyni to właśnie ktoś inny) i została wezwana straż pożarna. Jeśli pożar zamiast się zmniejszać, zaczyna się rozprzestrzeniać, natychmiast się wycofaj.
* Oznaczając okna pokoi dziecinnych naklejkami, by w razie pożaru strażacy mogli je bez problemów zlokalizować.
* Instalując drabinki ewakuacyjne (dostępnych jest wiele typów, od prostych drabinek sznurowych do przymocowanych na stałe drabin składanych, które po złożeniu wyglądają jak rynny) przy wybranych oknach na piętrze, aby ułatwić ewakuację w przypadku pożaru, oraz ucząc domowników, jak z nich korzystać. Kilka razy w roku należy całą rodziną przećwiczyć ewakuację przez okna. Pamiętaj o dodatkowych zabezpieczeniach w oknach, przy których znajdują się drabinki, by dzieci nie mogły same bawić się w „fałszywy alarm".
* Co pewien czas zorganizuj dla wszystkich domowników „fałszywe alarmy". Każdy powinien wiedzieć, w jaki sposób w nagłym wypadku sprawnie i bezpiecznie opuścić dom oraz w którym miejscu na zewnątrz odnaleźć pozostałych członków rodziny, tak aby strażacy nie musieli narażać życia, szukając osób, które zdążyły już opuścić dom. Wyznacz każdemu dorosłemu obowiązek ratowania konkretnego dziecka (lub dzieci). W związku z tym, że pożar może wybuchnąć w różnych miejscach, jeśli to możliwe, zaplanuj więcej niż jedną drogę ewakuacji z każdego pokoju. Naucz postępowania w przypadku pożaru wszystkich członków rodziny, opiekunkę do dzieci itd. Upewnij się, czy wszyscy wiedzą, że podczas szukania drogi wyjścia w palącym się domu najbezpieczniej jest czołgać się po pod-

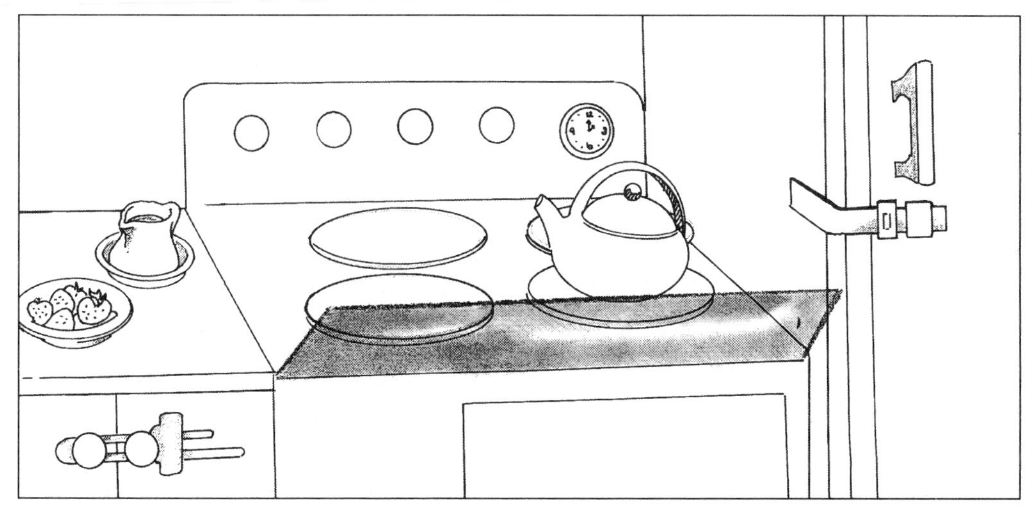

W każdej kuchni czyha na dziecko wiele niebezpieczeństw. Uchroń przed nimi malca, montując specjalne zabezpieczenia, np. osłonę palników i zasuwki (blokady) uniemożliwiające otwarcie drzwi.

łodze (większość ofiar pożarów umiera z powodu uduszenia się lub oparzeń od gorąca i dymu, a nie bezpośrednio od płomieni) oraz że najważniejsze jest natychmiastowe opuszczenie domu, nie troszcząc się o ubranie, szukanie domowych czworonogów, ratowanie kosztowności, gaszenie ognia, wezwanie straży pożarnej. Straż pożarną należy wezwać bezzwłocznie po wydostaniu się na zewnątrz, z budki telefonicznej lub z domu sąsiadów. W żadnym wypadku nie wracaj do płonącego budynku, zostaw to strażakom.

ZMIANY W KUCHNI

Rodziny, więc i maluchy, spędzają dużo czasu w kuchni. Jest to jedno z najbardziej intrygujących i niebezpiecznych miejsc w domu, zatem należy zadbać o szczególne środki ostrożności, by uniknąć zdarzających się tam wypadków. Sprawdź, czy twoja kuchnia jest bezpieczna dla dziecka, korzystając z następujących wskazówek:

* Zrób przegląd szaf i poprzestawiaj niezbędne rzeczy. Postaraj się usunąć z zasięgu rąk małych dzieci niemal wszystko: szkło, porcelanę, pojemniki na żywność z ostrymi krawędziami, ostre narzędzia, naczynia z cienkimi uchwytami, którymi można skaleczyć się w oko, urządzenia, które mogą skaleczyć palce (np. mikser, maszynka do mielenia mięsa lub elektryczny otwieracz do puszek), niebezpieczne środki czyszczące, lekarstwa lub potencjalnie groźne produkty żywnościowe (orzeszki ziemne, masło orzechowe, ostra papryka, liście laurowe!!!), i przenieś je do wyższych szafek i szuflad. Do szafek nie przystawiaj krzeseł, by nie zachęcać dziecka do wspinania się. W niższych „bardziej dostępnych" szafkach przechowuj „bezpieczne" garnki i patelnie, drewniane i plastykowe naczynia, konserwy, rzeczy papierowe, zamknięte opakowania z żywnością, które nie stwarzają zagrożenia przy otwieraniu, ręczniki do naczyń i ściereczki.
* W szafkach i szufladach, w których przechowujesz niebezpieczne przedmioty lub rzeczy, których dziecko nie powinno dotykać, zainstaluj specjalne zasuwki (blokady), nawet jeśli wydaje ci się, że miejsca te są niedostępne dla dziecka. Jeśli maluch nauczy się je otwierać (niektórym dzieciom się to udaje), nie powinien w ogóle przebywać w kuchni bez opieki. Można podwoić zabezpieczenia, instalując po dwie zasuwki na szufladzie lub drzwiach, jedną na górze i jedną na dole (jednoczesne otworzenie obydwu zasuwek jest znacznie trudniejszym zadaniem). Możliwości malca będą oczywiście rosły w miarę jego rozwoju, zatem po pewnym czasie mogą okazać się niezbędne kolejne zmiany. Dokonaj ponownej oceny sytuacji za pół roku lub kiedy uznasz to za stosowne.
* Przydziel dziecku chociaż jedną szafkę (szuflady są na ogół mniej bezpieczne dla malutkich paluszków) do zabawy. Mocne garnki i patelnie, drewniane łyżki, sitka, łyżki cedzakowe, ręczniki do naczyń, plastykowe miski, pojemniki z pokrywkami mogą zapewnić malcowi wiele godzin rozrywki i odciągnąć go od

zakazanych miejsc. Jeśli szafka znajduje się daleko od miejsc przygotowywania posiłków (nie w bezpośrednim sąsiedztwie zlewu i kuchenki), dziecko pochłonięte zabawą nie będzie ci przeszkadzać.

* W miarę możliwości gotuj na tylnych palnikach kuchenki oraz pamiętaj, by wszystkie uchwyty naczyń skierowane były do ściany, tak by ciekawski malec nie mógł ich sięgnąć (i ściągnąć garnka). Jeśli pokrętła od palników znajdują się na przedniej ścianie kuchenki, kup (lub zrób) specjalną osłonę, by malec nie mógł ich dotknąć (patrz str. 545). Piekarnik i kuchenkę mikrofalową można zabezpieczyć specjalną blokadą. Pamiętaj, że zewnętrzne części niektórych piekarników (i innych urządzeń, jak np. tosterów, ekspresów do kawy itp.) mogą rozgrzać się do wystarczającej temperatury, by spowodować oparzenia, i pozostają na ogół gorące długo po wyłączeniu. Dziecko nie powinno przebywać w ich pobliżu.

* Lodówka i jej potencjalnie niebezpieczna zawartość powinna być zabezpieczona przed maluchem blokadą. Unikaj malutkich dekoracyjnych magnesów (np. w kształcie owoców przyczepianych do lodówki). Często przyciągają uwagę dzieci, a wzięte do ust mogą stać się przyczyną zadławienia.

* Nie sadzaj dziecka na kuchennych blatach lub stole, w czasie gdy przygotowujesz posiłek, chcesz podać dziecku kanapkę lub nalewasz mu soku do kubka. Grozi to nie tylko niebezpiecznym upadkiem, ale także skaleczeniem się nożem, oparzeniem itp. dosłownie w mgnieniu oka. Ponadto malec utwierdza się w przekonaniu, że wolno mu wdrapywać się na blaty i może sam spróbować, kiedy tylko się odwrócisz.

* Nie noś dziecka na ręku równocześnie z filiżanką gorącej kawy lub innego gorącego płynu. Malec może w każdej chwili zacząć się wiercić lub ty możesz się potknąć, rozlać płyn i poparzyć was oboje. Pamiętaj też, by nie zostawiać gorących napojów i zup na krawędzi stołu lub blatu w zasięgu rączek dziecka.

* Śmieci i surowce wtórne przechowuj w szczelnie zamkniętych pojemnikach, których dziecko nie jest w stanie otworzyć, lub w zamykanej na zasuwkę szafce pod zlewozmywakiem. Dzieci uwielbiają grzebać w śmieciach, narażając się przy tym na wielorakie niebezpieczeństwa (potłuczone szkło, zepsute jedzenie itp.).

* Szybko wycieraj rozlane płyny, gdyż można się na nich łatwo poślizgnąć.

* Postępuj zgodnie z zasadami bezpieczeństwa, wybierając, stosując i przechowując kuchenne środki czystości, proszki do szorowania, płyny do polerowania srebra oraz wszelkie toksyczne preparaty (patrz str. 541).

* Postaraj się unikać podgrzewania posiłków dziecka w kuchence mikrofalowej — zbyt gorące jedzenie lub nierówno podgrzane może doprowadzić do dotkliwych oparzeń jamy ustnej i języka. Jeśli używasz kuchenki mikrofalowej, zawsze dokładnie wymieszaj jedzenie i przed podaniem dziecku sprawdź jego temperaturę.

* Nie pozwalaj malcowi otwierać torebki świeżo uprażonej kukurydzy, a także nie otwieraj jej sama w pobliżu dziecka, gdyż można się dotkliwie oparzyć ulatniającą się parą.

* Ostro zakończone przedmioty używane w kuchni, jak np. wykałaczki, szpilki do szaszłyków itp. powinny znajdować się w miejscach niedostępnych dla dziecka. Malec może przypadkowo skaleczyć nimi oko, nos lub ucho, a konsekwencje mogą być bardzo poważne.

ZMIANY W ŁAZIENCE

Łazienka jest równie pociągającym i niebezpiecznym miejscem jak kuchnia. Jednym ze sposobów odizolowania dziecka od łazienki jest zamontowanie haczyka lub zasuwki w górnej części drzwi i zamykanie ich, kiedy nikt nie korzysta z łazienki. (Haczyki i zasuwki należy zdjąć, kiedy malec nauczy się sam korzystać z toalety.) Warto też zastosować następujące środki ostrożności:

* Jeśli dno wanny jest śliskie, przylep na nim maty przeciwpoślizgowe.

* Na posadzce rozłóż przeciwpoślizgowe dywaniki, by zmniejszyć ryzyko upadku.

* Nisko nad wanną przykręć uchwyt, który dziecko może w razie potrzeby schwycić. Zabezpiecz uchwyt ochraniaczem, jeśli uważasz, że malec mógłby uderzyć się w głowę.

* Przechowuj lekarstwa (również ogólnodostępne, jak np. aspirynę), płyny do płukania ust, pastę do zębów, witaminy, aerozole i środki do pielęgnacji włosów, balsamy do skóry oraz inne kosmetyki w miejscach niedostępnych dla dzieci. (Lekarstwa i witaminy lepiej przechowywać w sypialni lub kuchni, gdzie są

mniej narażone na wilgoć.) Upewnij się także, czy żyletki, nożyczki i maszynki do golenia są w bezpiecznym miejscu. Nie zostawiaj na brzegu wanny szamponu i mydła — powinny one stać na wysoko powieszonej półce. Nigdy nie zostawiaj na toaletce lub w innych dostępnych dla dziecka miejscach niebezpiecznych przedmiotów i preparatów.

* Środki czyszczące, a w szczególności płyny do czyszczenia muszli klozetowych chowaj w zamykanych na klucz lub zasuwkę szafkach.

* Nie zakładaj, że apteczka jest niedostępna dla potrafiącego się wspinać malca. Jej zawartość jest groźna i dlatego powinna być zamykana na zasuwkę.

* Nie zostawiaj w dostępnych miejscach grzejników lub reflektorów. Dziecko może się o nie oparzyć, a także może zostać porażone prądem.

* Nigdy nie używaj, a także nie pozwalaj na używanie suszarki do włosów w pobliżu malca, który kąpie się w wannie lub bawi się wodą. Jeśli suszysz dziecku włosy suszarką (co, nawiasem mówiąc, nie jest najlepszym pomysłem), trzymaj suszarkę 20-25 cm od głowy dziecka, ciągle nią poruszając, by nie doszło do poparzenia skóry wynikającego ze zbyt długiego ogrzewania tego samego miejsca.

* Nigdy nie zostawiaj włączonego urządzenia elektrycznego, jeśli go nie używasz. Grozi to porażeniem prądem, gdy dziecko np. zanurzy suszarkę w muszli klozetowej lub przegryzie przewód, oparzeniem, gdy włączy lokówkę, podrażnieniem skóry, gdy spróbuje się golić. Nawet wyłączenie tych urządzeń z kontaktu może okazać się niewystarczające, jeśli dziecko jest zręczne lub gdy lokówka (suszarka) jest jeszcze gorąca (urządzenia te mogą oparzyć skórę nawet przez kilka minut po wyłączeniu). Ich przewody mogą zaś stać się przyczyną uduszenia. Dla optymalnego bezpieczeństwa chowaj urządzenia elektryczne zaraz po tym, jak skończysz je używać.

* Aby zapobiec poważnemu lub śmiertelnemu porażeniu prądem, zainstaluj w kuchni i łazience uziemienie.

* Dla oszczędności energii oraz w celu uniknięcia przypadkowych oparzeń temperatura wody w domu nie powinna przekraczać 50°C. (Małe dzieci mają cienką skórę i woda o temperaturze powyżej 60°C może spowodować oparzenia III stopnia — na tyle poważne, by wymagały przeszczepów skórnych — w ciągu zaledwie 3 sekund.) Jeśli nie możesz regulować ogrzewania wody (np. mieszkasz w bloku lub w kamienicy, której właściciel nie chce współpracować z lokatorami), zainstaluj w wannie specjalne urządzenie przeciwoparzeniowe (dostępne w sklepach z artykułami instalacyjnymi), które zmniejsza strumień wody do małej strugi, kiedy osiągnie ona niebezpiecznie wysoką temperaturę. Dla całkowitej pewności zawsze najpierw odkręcaj kran z zimną wodą, a następnie z gorącą i zakręcaj krany w odwrotnej kolejności. Zanim pozwolisz dziecku wejść do wanny, rutynowo sprawdzaj temperaturę wody łokciem lub całą dłonią, upewniając się, czy wszędzie jest jednakowo ciepła. Jeśli planujesz wymianę baterii, zainstaluj taką, która pozwoli ustalić odpowiednią temperaturę i umożliwi odkręcenie i zakręcenie wody przez dziecko. Pojedynczy kurek jest bezpieczniejszy niż dwa oddzielne do gorącej i zimnej wody.

* Zabezpiecz kran nakładką, by malec nie nabił sobie guza i nie oparzył się w razie upadku.

* Nigdy nie zostawiaj kąpiącego się dziecka bez opieki, nawet w specjalnym siedzeniu do wanien. Ściśle przestrzegaj tej zasady, dopóki malec nie ukończy co najmniej piątego roku życia.

* Nigdy nie zostawiaj nawet kilku centymetrów wody w wannie, kiedy nikt z niej nie korzysta, malutkie dziecko może przewrócić się w wodzie i utopić.

* Jeśli masz w domu saunę lub chodzisz do sauny, pamiętaj, że korzystanie z niej może być groźne w skutkach dla dwu-, trzylatków, które nie mają w pełni wykształconego systemu termoregulacji. Równie niepożądane są gorące kąpiele oraz kąpiele wirowe.

* Jeśli nikt nie korzysta z toalety, zabezpieczaj deskę klozetową specjalnymi przyssawkami lub haczykiem. W pewnym momencie maluchy dokonują odkrycia, że muszla klozetowa jest fascynującym miejscem do zabawy. Taka zabawa jest nie tylko niehigieniczna, ale energiczny maluch może łatwo wpaść do środka głową w dół i nie będzie mógł się wydostać.

* Używaj pojemnika na odpady z pokrywą, której dziecko nie będzie potrafiło łatwo zdjąć lub wyrzucaj niebezpieczne śmieci do zamykanego wiaderka w kuchni.

* Sprawdź, czy zamek w drzwiach od łazienki (a także wszystkie pozostałe wewnętrzne zamki) można otworzyć od zewnątrz oraz miej w pogotowiu narzędzie do otwierania go.

ZMIANY W PRALNI

Pralka i suszarka, a także środki piorące są zawsze potencjalnym zagrożeniem, niezależnie od tego, czy znajdują się w kuchni, piwnicy, łazience czy też w wydzielonej pralni. Aby zmniejszyć ryzyko wypadku należy:

* Ograniczyć dostęp do pralni. Jeśli prowadzą do niej osobne drzwi, powinny one być zamknięte na zasuwkę.
* Drzwi od suszarni powinny być zawsze zamknięte.
* Jeśli istnieje taka możliwość, należy pralkę i suszarkę wyłączyć z sieci, kiedy nie są używane.
* Wybielacze, proszki, płyny do prania i inne środki piorące powinny być przechowywane w niedostępnej dla dziecka szafce. Kiedy pojemniki są już puste, należy je wyrzucić do kubła na śmieci lub surowce wtórne, do którego malec nie ma dostępu.

ZMIANY W GARAŻU

W większości domowych garaży aż roi się od niebezpieczeństw, a zatem:

* Jeśli garaż jest częścią domu, zawsze zamykaj na klucz drzwi prowadzące z garażu do części mieszkalnej budynku. Jeśli garaż jest wolno stojący, również zamykaj bramę. Także drzwi znajdujących się tam samochodów powinny być zamknięte.
* Jeśli brama garażowa otwiera się automatycznie, sprawdź, czy w momencie, gdy natrafia ona na przeszkodę (taką jak dziecko) automatycznie się cofa. Automatyczne bramy garażowe wyprodukowane po roku 1982 zgodnie z obowiązującymi wymaganiami powinny mieć tego rodzaju zabezpieczenie. Jeśli twoja jego nie posiada, możesz dokupić ten mechanizm. Dodanie do dolnej krawędzi bramy gumowej taśmy jest dodatkowym zabezpieczeniem. Co miesiąc sprawdzaj funkcjonowanie bramy (zawsze tego samego dnia, np. pierwszego dnia miesiąca), opuszczając ją na ciężki karton lub inny giętki przedmiot, by przekonać się, czy mechanizm cofający nadal działa. Jeśli nie, należy bezwarunkowo odłączyć mechanizm otwierający bramę aż do czasu, gdy zostanie on naprawiony lub wymieniony (fachowa naprawa gwarantuje najlepsze rezultaty). Wewnętrzny przycisk mechanizmu otwierającego bramę powinien być umieszczony dość wysoko, poza zasięgiem rąk malca. Dzieci nie powinny mieć również dostępu do pilotów.
* Pestycydy, środki zwalczające chwasty, nawozy sztuczne, płyny zapobiegające zamarzaniu, płyny do czyszczenia szyb samochodowych, a także inne środki do konserwacji samochodów, jak również farby, rozcieńczalniki i terpentyna powinny być przechowywane w niedostępnych dla malca szafkach (idealna do tych celów jest niedroga metalowa szafka, powieszona wysoko na ścianie, zabezpieczona zamkiem szyfrowym). Wymienione powyżej, a także inne niebezpieczne substancje należy przechowywać w oryginalnych opakowaniach, tak aby nie pomylono ich zawartości, a także by widoczny był sposób użycia i ostrzeżenia. Jeśli nie masz pewności co do zawartości któregoś z pojemników, wyrzuć go, traktując go jak truciznę.

ZMIANY WOKÓŁ DOMU

Chociaż dom jest najbardziej niebezpiecznym otoczeniem dla dziecka, poważne wypadki mogą również wydarzyć się w twoim lub w czyimś ogrodzie, a także na pobliskich ulicach lub placu zabaw. Wielu z tych wypadkom można jednak stosunkowo łatwo zapobiec.

* Nigdy nie zostawiaj malca na dworze samego. Nawet dziecko drzemiące w spacerówce musi być często kontrolowane, niektóre maluchy potrafią wydostać się z szelek i wpaść w tarapaty tuż po przebudzeniu. Nawet bez odpinania szelek lub pasów malec stojący w wózku może go przewrócić. Nie pilnowane dziecko można również łatwiej porwać — mało prawdopodobna, lecz przerażająca perspektywa.
* Jeśli to możliwe, odgrodź dziecku niewielki kawałek ogrodu do zabawy. Zrób ogrodzenie z siatki lub sztachetek z odstępami mniejszymi niż 10 cm, tak aby dziecko nie mogło utknąć w szparze. Przynieś tam zabawki i sprawdź, czy nie rosną tam jakieś niebezpieczne rośliny (patrz str. 559), czy nie ma ostrych kamieni lub niebezpiecznego gruzu. Maluch, który nie skończył jeszcze półtora roku, nawet w tym pozostającym pod kontrolą otoczeniu, nie powinien przebywać bez opieki, starsze dziecko można obserwować z okna.
* W związku z tym, że dzieci najczęściej giną pod kołami samochodów na wjazdach do ga-

Nie wolno ciągnąć za rękę

Kiedyś nazywano go „łokciem opiekunki”, chociaż dziecko wcale nie musi mieć opiekunki, być stać się ofiarą zwichniętego lub rozciągniętego stawu łokciowego. Stan ten występuje powszechnie u dzieci poniżej czwartego roku życia, posiadających stosunkowo wiotkie stawy. Brak współpracy ze strony malucha często sprawia, że opiekunowie (także rodzice) ciągną dziecko za rękę. Kiedy dochodzi do rozciągnięcia stawu łokciowego, otaczająca go tkanka miękka może uwięznąć w stawie, powodując silny ból i unieruchomiając przedramię. By uniknąć zwichnięcia stawu łokciowego, nigdy nie ciągnij, nie podnoś i nie huśtaj dziecka za rękę lub ręce, dla zabawy czy też w złości. W następnym rozdziale dowiesz się, co robić w przypadku zwichniętego stawu łokciowego.

rażu, podczas gdy kierowcy wycofują samochody, szczególnie uważaj i nigdy nie zostawiaj malca w tym miejscu bez opieki. Bądź też szczególnie ostrożna, wycofując samochód. Zanim ruszysz, obejdź auto oraz sprawdź, czy dziecko (twoje lub inne) nie ukryło się pod pojazdem.

* Nie koś trawy, kiedy malec jest na dworze. Nawet jeśli przed rozpoczęciem pracy starasz się usunąć z drogi kosiarki wszystkie najmniejsze kamyki, zawsze przeoczysz jakiś kawałek gruzu lub inny przedmiot (np. gwóźdź), który może odskoczyć i skaleczyć dziecko. Jeśli to możliwe, wybierz raczej kosiarkę ręczną (a nie bardziej niebezpieczne modele kosiarek elektrycznych lub spalinowych). Przechowuj kosiarkę, a także inne narzędzia ogrodnicze w bezpiecznym, niedostępnym dla dziecka miejscu.

* Upewnij się, czy barierki w przedsionku lub na tarasie są mocne (co pewien czas sprawdzaj, czy nie są zmurszałe i uszkodzone) oraz czy są rozstawione w bezpiecznej odległości (tak aby dziecko nie wypadło przez szparę lub nie uwięzła mu między nimi głowa).

* Zanim pozwolisz dziecku bawić się na placach zabaw i w innych publicznych miejscach, sprawdź dokładnie teren. Uważaj na psie odchody (mogą być siedliskiem pasożytów), kawałki szkła, truciznę na szczury (powinny być porozwieszane ogłoszenia ostrzegawcze), wyrzucone igły i strzykawki oraz inne niebezpieczne przedmioty.

* Nie pozwól na niszczenie środowiska. Nie wystarczy prośba: „Proszę, nie jedz stokrotek!” Musisz mieć pewność, że twoje dziecko wie, iż jedzenie roślin, w domu czy poza domem, jest zakazane. Unikaj sadzenia, a przynajmniej odgrodź przed dzieckiem trujące rośliny (patrz str. 559) w ogrodzie i zwróć na nie uwagę podczas wspólnych spacerów w parku.

* Nie pozwalaj dziecku bawić się w wysokiej trawie lub w miejscach, gdzie może rosnąć trujący bluszcz, dąb i sumak lub gdzie poza zasięgiem wzroku mogłoby zjeść jakąś trującą roślinę. Jeśli znajdziesz w swoim ogrodzie trujący bluszcz, dąb lub sumak, usuń je (zasięgnij fachowej rady, jak to uczynić).

* Nie pozwalaj malcowi na wkładanie do ust ziemi. Może zawierać cząstki ołowiu lub być zanieczyszczona odpadami przemysłowymi.

* Jeśli masz piaskownicę, zakrywaj ją, kiedy nie jest używana (aby zabezpieczyć ją przed odchodami zwierząt, niesionymi przez wiatr liśćmi i śmieciami itd.). Jeśli piasek jest mokry, przed przykryciem piaskownicy powinien wyschnąć. Napełniając piaskownicę, upewnij się, czy z piasku nie wzbijają się tumany kurzu, gdyż może wtedy zawierać tremolit. Unoszą się one w powietrzu i mogą, dostawszy się do dróg oddechowych, wywołać szereg groźnych chorób. Aby sprawdzić piasek, który już masz, nabierz go do wiaderka, a następnie wysyp lub łyżkę piasku wymieszaj w wodzie. Jeśli podczas sypania piasku uniesie się obłok kurzu lub woda w szklance pozostanie mętna po osadzeniu się piasku na dnie, wymień go, najlepiej na zwykły piasek z plaży (często piasek do zabaw pochodzi ze zmielonych kamieni lub marmurów).

* Jeśli masz na zewnątrz domu kominek lub grill, upewnij się, czy w czasie palenia ognia dziecko znajduje się w bezpiecznej odległości. Osoba dorosła powinna pilnować ognia od momentu rozpalenia go aż do chwili zalania żaru wodą i wystygnięcia kamieni (pamiętaj, że nie zalane wodą kamienie pozostają rozgrzane przez długi czas po wygaśnięciu ognia). Jeśli używasz grilla, który można umieścić na stole, sprawdź, czy stoi on na stabilnej powierzchni i dziecko nie dosięgnie go i nie przewróci.

Bezpieczne miejsce do zabawy

Maluchy marzą o huśtawkach i drabinkach. Nie pozwólmy jednak, aby marzenia te zmieniły się w koszmary w postaci podbitych oczu, złamanych kończyn i jeszcze gorszych urazów, co może się zdarzyć, gdy sprzęt na placu zabaw nie jest bezpieczny. Aby się upewnić, czy dziecko może korzystać ze sprzętu w domu i poza domem, należy:

* Sprawdzić, czy dostosowany jest do wieku dziecka. (Najbezpieczniejszy dla domowego użytku jest sprzęt o regulowanej długości, który „rośnie" wraz z dzieckiem.) Dla dwu-, trzylatków nie powinien w najwyższym punkcie przekraczać 2 metrów. Podesty do zabawy powinny być umieszczone na wysokości nie wyższej niż 130 cm oraz być zaopatrzone w poręcze, a dziecko nie powinno mieć problemów ze schodzeniem.
  Kąt nachylenia zjeżdżalni nie powinien przekraczać 30 stopni, a podest, na który wchodzi malec, musi mieć szerokość zjeżdżalni oraz głębokość 28 cm. Jeśli wysokość zjeżdżalni przekracza 130 cm, podest powinien mieć boczne ścianki.
* Upewnić się, czy sprzęt do zabawy jest bezpieczny. Powinnaś zaopatrzyć się w taki, który posiada atest Instytutu Matki i Dziecka. Drabinki, huśtawki i zjeżdżalnie powinny być mocne i wytrzymałe, być prawidłowo zmontowane (należy ściśle przestrzegać zasad montażu zalecanych przez producenta), zalane u podstaw betonem (który należy przykryć ziemią lub miękką osłoną) w odległości co najmniej 2 metrów od muru lub płotu. Należy sprawdzić, czy wszystkie śruby i sworznie mają osłony, które zabezpieczają ostre krawędzie, oraz czy nie są one zbyt luźne. Unikaj haków w kształcie litery S do zamocowania huśtawek (przy mocnym rozhuśtaniu łańcuchy mogą z nich wypaść). Liny używane przez dzieci do wspinaczek powinny być przymocowane z obydwu końców. Huśtawki powinny mieć kształt miski i być wykonane z miękkiego materiału, łagodzącego wstrząsy (np. plastyku, płótna lub gumy raczej niż drewna lub metalu), by zapobiec poważnym urazom głowy, oraz powinny być oddalone co najmniej 60 cm od siebie i 75 cm od podtrzymujących je słupów. Wszystkie otwory powinny mieć wielkość uniemożliwiającą uwięźnięcie głowy (mniejszą niż 9 cm lub większą niż 22 cm). Metalowe części powinny być pomalowane lub galwanizowane, by zapobiec korozji, natomiast drewniane elementy powinny być zakonserwowane przed gniciem. W związku z tym, że drewno konserwowane środkami, w których skład wchodzi arszenik, jest niebezpieczne, najlepiej powlekać drewno szelakiem lub farbą, a jeżeli drewno nie jest powlekane, dopilnuj, by dzieci myły ręce po zabawie, w której mają kontakt z drewnem. Dwu- i trzylatkom, a także dzieciom starszym nie poleca się zabaw na trampolinie, z powodu wysokiego odsetka urazów związanych z korzystaniem z niej.
* Upewnić się, czy sprzęt do zabawy jest w dobrym stanie. Regularnie sprawdzaj, czy nie ma złamanych części, luźnych sworzni lub brakujących osłon, zużytych łożysk, odkrytych mechanizmów, w które dziecko mogłoby włożyć palce, skorodowanego metalu, który grozi ranami ciętymi, rozszczepionego lub zniszczonego drewna. Natychmiast dokonaj odpowiednich napraw sprzętu, a jeśli to niemożliwe, usuń uszkodzone części lub do czasu naprawy zabroń dziecku korzystać z podwórka. Jeśli uszkodzony jest sprzęt w parku, poinformuj o tym lokalny zarząd zieleni miejskiej i unikaj tego placu zabaw do czasu wykonania odpowiednich napraw.
* Upewnić się, czy powierzchnie pod urządzeniami są miękkie. Usuń kamienie i wystające lub znajdujące się tuż pod powierzchnią ziemi korzenie, a następnie przykryj ziemię 20-25 centymetrową warstwą piasku do zabawy, trocin, wiórów lub kory, gumowymi matami lub innymi materiałami łagodzącymi upadki. Nie stosuj betonu, worków z ziemią lub trawy, które są twarde i mogą przyczynić się do poważnych, a nawet śmiertelnych urazów w razie upadku małego dziecka nawet z tak niewielkiej wysokości jak 30 cm. Miękka nawierzchnia powinna rozciągać się w promieniu mniej więcej 2 metrów wokół miejsca zabawy. Po deszczu należy grabić teren, by zapobiec zlepianiu się grudek ziemi, i w zależności od potrzeby uzupełniać braki materiału.
* Sprawdzić, czy dzieci korzystające z placu zabaw nie są ubrane w peleryny, powłóczyste stroje przebierańców lub nie mają zbyt luźnych rękawów czy innych elementów ubrania, w które mogłyby się zaplątać.
* Czuwać nad bezpieczeństwem dzieci bawiących się na placu zabaw. Zatem zapewnij malcowi jak najlepszą opiekę. Jeśli sprzęt jest większy od dziecka, pilnuj dziecko z bliskiej odległości.

---

* Jeśli dziecko ma rower, przed każdą jazdą sprawdzaj, czy wkłada kask. Nawet jeśli malec jeździ tylko na wjeździe do garażu, chodniku lub w parku, nie wyklucza to obrażeń. Sporo wypadków na rowerze zdarza się właśnie w takich okolicznościach, a kask może zapobiec poważnym urazom. Co więcej, nawyk wkładania kasku zabezpieczy dziecko także w przy-

szłości. Jeśli jeździsz na rowerze, postaraj się dać dziecku właściwy przykład, zawsze wkładając własny kask. Kup kask przeznaczony specjalnie do jazdy na rowerze (nie używaj tych przeznaczonych do uprawiania innych dyscyplin sportowych), posiadający homologację bezpieczeństwa. W większości modeli można wyjąć wkład, zatem kaski „rosną" wraz z dzieckiem i nie trzeba ich co roku zmieniać. Jeśli kask został uszkodzony w poważnym wypadku, często nie nadaje się już do użytku. W takich sytuacjach wielu producentów na życzenie klienta sprawdza za pomocą testów wytrzymałość kasku, a niektóre firmy wymieniają stary na nowy.

* Jeśli mieszkasz na przedmieściach lub na wsi, uważaj na dzikie zwierzęta: wiewiórki, lisy, nietoperze, szopy mogą być zarażone wścieklizną. Wściekłe zwierzę może zachowywać się w nienaturalny sposób i być mniej płochliwe w stosunku do ludzi. Dokładnie zamykaj pojemniki na śmieci, by zniechęcić poszukujących pożywienia przybyszów. Nie zostawiaj na zewnątrz jedzenia przeznaczonego dla zwierząt domowych.
* Ograniczaj czas zabawy na świeżym powietrzu w bardzo upalne oraz bardzo mroźne dni.
* Nie narażaj dziecka, nawet przez chwilę, na zmiany temperatury w zaparkowanym samochodzie w upalne lub mroźne dni.
* Podczas upałów zawsze sprawdzaj metalowe elementy sprzętu na placach zabaw, części wózków, fotelików samochodowych, mebli ogrodowych itd., zanim dziecko się do nich zbliży. W silnym słońcu metal może rozgrzać się do wysokiej temperatury i zaledwie w ciągu kilku sekund dotkliwie poparzyć dziecko.

BEZPIECZNE OBCOWANIE Z WODĄ

Malec i woda to zarówno radość, jak i ryzyko. Następujące środki ostrożności pozwolą ci ograniczyć ryzyko, nie umniejszając radości dziecka:

* Baseny i brodziki, a także inne zbiorniki wodne, nawet jeśli napełnione są zaledwie kilkoma centymetrami wody, powinny być niedostępne dla dwu-, trzylatków pozostawionych bez opieki. Aby nie używane brodziki nie napełniały się wodą deszczową, należy odwrócić je dnem do góry, przykryć lub przechowywać pod dachem.
* Jeśli masz basen do pływania, ogrodź go. Płot powinien ze wszystkich stron mieć wysokość co najmniej 160 cm, a odstęp pomiędzy sztachetami nie powinien być mniejszy niż 10 cm. Konstrukcja ogrodzenia powinna uniemożliwiać wspinaczkę (jeśli jest wykonane z siatki, otwory powinny być zbyt małe, by dziecko mogło wsunąć w nie stopy). Furtka prowadząca do basenu powinna być zamykana na klucz, otwierać się na zewnątrz i mieć wysoko zamontowany samozatrzaskowy zamek. Dodatkowe zabezpieczenie stanowi system alarmowy włączający się przy otwarciu furtki.
* Nigdy nie pozwalaj dziecku na korzystanie z basenu, który nie ma odpływu. Najpierw należy wymienić odpływ.
* Jeśli to możliwe, zainstaluj automatyczne przykrycie basenu, które spełnia wymogi bezpieczeństwa, lecz nie stosuj go zamiast ogrodzenia. Nigdy nie zostawiaj częściowo odsłoniętego basenu, gdyż dziecko może niepostrzeżenie wślizgnąć się pod przykrycie. Nigdy nie zwlekaj z osuszaniem przykrycia ze zgromadzonej tam wody deszczowej.
* Jeśli masz basen naziemny, którego wysokość nie przekracza 130 cm, również go ogrodź. Prowadzące do niego schody lub drabinki powinny być niedostępne dla dzieci lub usunięte, kiedy nikt nie korzysta z basenu.
* Upewnij się, czy w pobliżu basenu nie ma drzew, krzeseł, ławek, stołów itp., po których dziecko mogłoby przejść przez ogrodzenie lub wspiąć się do naziemnego basenu.
* Usuwaj z terenu wokół basenu zabawki, którymi nikt się w danym momencie nie bawi. Mogą one przyciągnąć twoją pociechę lub inne dzieci do wody.
* Pamiętaj o nadzorze. Dzieciom nigdy nie powinno się pozwalać na wejście do basenu bez opieki dorosłych. Osoba dorosła musi być aktywnie obecna przez cały czas, kiedy malec jest w wodzie. Dziecko, które wpadło do wody, utopi się w ciągu kilku sekund, jeśli będzie bezskutecznie wzywać pomocy opiekuna, który na chwilę odszedł. Opiekun powinien utrzymywać częsty kontakt wzrokowy z kąpiącymi się w basenie dziećmi, a także być zaznajomiony z zasadami sztucznego oddychania i masażu serca oraz z postępowaniem w przypadku utonięcia. Wymagana jest również bezwzględna trzeźwość — nawet jeden drink może opóźnić reakcję. Jeśli osoba pilnująca kąpiących się dzieci nie ma zastępcy, a musi chociaż na chwilę odejść, powinna zabrać maluchy ze sobą.
* Ucz zasad bezpieczeństwa. Pamiętaj, że nawet dziecko, które umie pływać, nie jest bezpiecz-

Odpowiednia odzież

Ubierając dziecko, bierz pod uwagę to, czym będzie się ono zajmowało. Pamiętaj, że małe dzieci są szczególnie podatne na hipertermię (niebezpiecznie wysoką temperaturę ciała, patrz str. 569) kiedy są zbyt ciepło ubrane w upały, a także na hipotermię (niebezpiecznie niską temperaturę ciała, patrz str. 563), gdy są zbyt lekko ubrane w czasie mrozu. Jak ubierać dziecko, patrz wskazówki str. 428.

ne w wodzie, chyba że potrafi dokonać trafnej oceny sytuacji (patrz str. 381), oraz że nikt, niezależnie od wieku, nie powinien pływać sam.

* Nie pozwalaj na używanie pływających zabawek, takich jak nadmuchiwane dętki lub materacyki. Dziecko nie tylko może się z nich błyskawicznie zsunąć, ale także dają one zarówno dziecku, jak i dorosłemu fałszywe poczucie bezpieczeństwa. Dla dodatkowego bezpieczeństwa malec może być ubrany w kamizelkę ratunkową, lecz nigdy nie powinna ona zastępować nadzoru ze strony dorosłych.
* Powinnaś wiedzieć, jak postąpić w razie wypadku w wodzie. Po każdej stronie basenu umieść na wszelki wypadek tyczkę i kamizelkę ratunkową oraz powieś na ścianie instrukcję, jak wykonać sztuczne oddychanie i masaż serca. Korzystając z basenu, miej w pobliżu telefon (najlepiej bezprzewodowy), aby w każdej chwili móc wezwać pogotowie ratunkowe.
* Jeśli zainstalujesz w basenie pływający alarm, nie ufaj mu całkowicie. Zdarza się, że urządzenia tego typu są zawodne, a kiedy działają, włączają się dopiero w momencie, gdy dziecko znajdzie się w wodzie, czyli zbyt późno. Najlepsze zabezpieczenia to takie, które nie pozwalają dziecku zbliżyć się do basenu lub ostrzegają, zanim malec znajdzie się w wodzie.
* Jeśli planujesz ustawienie lub budowę basenu w ogrodzie, najlepiej odłóż to przedsięwzięcie do momentu, gdy malec będzie miał co najmniej pięć lat i skończy kurs pływania dla początkujących.
* Upewnij się, czy basen, w którym malec kąpie się lub pływa (nie dotyczy to brodzików, w których codziennie wymieniana jest woda), jest prawidłowo chlorowany. Zbyt mało, a także zbyt dużo chloru (wyczuwalny jest wtedy jego zapach) może być niebezpieczne. Nawet prawidłowo chlorowana woda w basenie może być źródłem problemów dla dziecka cierpiącego na astmę i alergie, a wypicie dużej ilości chlorowanej wody może wywołać biegunkę. Nie pozwalaj dzieciom na długotrwałe pryskanie wodą, gdyż chlorowana woda może spowodować podrażnienie oczu.
* Nie zezwalaj malcowi, który nie kontroluje czynności fizjologicznych, na zabawę w basenie, chyba że założysz mu ściśle przylegającą i mocno zawiązaną pieluszkę (kał może zakazić wodę, a przypadkowe wypróżnienie w wodzie jest niewykluczone, zwłaszcza gdy kąpie się jednocześnie kilkoro maluchów w pieluszkach).
* Na plaży rozkładaj koc w pobliżu wieży ratownika — zwykle są one ustawiane na najbezpieczniejszym odcinku plaży. Nie ufaj jednak zbytnio ratownikowi — nieustannie czuwaj nad bezpieczeństwem swojego dziecka. Nie zakładaj też, że ratownik z całą pewnością potrafi wykonać sztuczne oddychanie i masaż serca. Niestety, wielu ratowników nie posiada tych umiejętności.
* Nikt, ani dziecko, ani dorosły, nie powinien zbliżać się do basenu i innych zbiorników wodnych podczas burzy.
* Jeśli wybieracie się całą rodziną na przejażdżkę łodzią, nalegaj, aby wszystkie dzieci włożyły dziecięce kamizelki ratunkowe (z odpowiednią homologacją). Jednak podobnie jak ratownik, kamizelka nie zastąpi opieki rodziców.

BEZPIECZEŃSTWO W SAMOCHODZIE

Naczelną zasadą jazdy samochodem powinno stać się zapinanie pasów bezpieczeństwa. Nie jest to jedyna reguła. Aby uniknąć wypadków, pamiętaj również, żeby:

* Nigdy nie zostawiać w samochodzie dziecka bez opieki. Prawdopodobne scenariusze wydarzeń są liczne i przerażające. Na przykład: Bawiący się w aucie malec może wprawić je w ruch i uderzyć w coś lub w kogoś, ktoś może ukraść samochód i/lub dziecko albo też temperatura w samochodzie może niebezpiecznie wzrosnąć lub obniżyć się.

Nie pozwól, by malca gryzły owady

Z policzkami wysmarowanymi galaretką, rękoma lepiącymi się od owoców, w jaskrawych ubraniach, maluchy przyciągają owady. Ich brak doświadczenia (małe dziecko na ogół nie wie, że trzeba unikać pszczół, wejść do pomieszczenia, gdy na zewnątrz gryzą muchy, unikać terenów, gdzie roi się od komarów), a także szybkie, trudne do przewidzenia ruchy (które mogą dodatkowo przyciągnąć owady i sprowokować ich agresję) oraz skłonność do bawienia się w miejscach gromadzenia się owadów, czyni z maluchów łatwe ofiary.

Chociaż ukąszenia i ugryzienia większości owadów, jakkolwiek nieprzyjemne, są najczęściej nieszkodliwe, mogą czasami przenosić choroby lub wywołać silną reakcję alergiczną. Zatem mądrze jest przezornie zabezpieczyć malca przed ukąszeniami owadów. Oto jak to uczynić:

Zabezpiecz dziecko przed wszystkimi owadami. Najlepszym, aczkolwiek nie zawsze praktycznym sposobem zabezpieczenia przeciw owadom, jest ubranie. W czasie gdy roją się owady, wkładaj malcowi odzież zakrywającą jak największą powierzchnię ciała (kapelusz, koszula z długimi rękawami, długie spodnie z nogawkami wciągniętymi w skarpetki oraz pełne buty). Ubrania w kolorach pastelowych, bieli, stonowanej zieleni lub khaki mniej przyciągają owady niż odzież jaskrawa, ciemna lub w kwiaty. Ponieważ zapachy również przyciągają owady, najlepiej latem używać bezzapachowych dezodorantów, detergentów, szamponów, mydeł, chusteczek odświeżających, balsamów i olejków do opalania oraz unikać perfum i perfumowanych kosmetyków. Nie należy również na terenie przeznaczonym do zabawy sadzić kolorowych i pachnących kwiatów. W samochodzie zamykaj okna i dach podczas parkowania, a przed usadzeniem dzieci sprawdzaj, czy w środku nie ma owadów.

Aby odstraszyć komary, gryzące muchy, pchły i kleszcze można stosować specjalne, przeznaczone do tego środki. Używaj jednak tylko preparatów przeznaczonych dla dzieci. Najlepsze są środki w sztyfcie lub kremie i balsamie. Preparaty należy nanosić cienką warstwą na odkrytą skórę (im większa powierzchnia skóry jest osłonięta odzieżą, tym mniejszą trzeba smarować), omijając okolice oczu, ust oraz zadrapań i innych skaleczeń. Uważnie przeczytaj etykietkę. Niektóre preparaty o niskim stężeniu działają tylko kilka godzin i muszą być ponownie zastosowane, gdy malec przez dłuższy czas przebywa na powietrzu. Również po dłuższej kąpieli w wodzie (szczególnie słonej) należy ponownie nałożyć warstwę preparatu, którą trzeba zmyć po powrocie do domu. Osiągalne są preparaty na bazie oleju sojowego lub ziół. Środki w sztyfcie, kremie i balsamie są lepsze niż w rozpylaczu, który trudno skierować w sposób bezpieczny dla dziecka.

Chroń przed pszczołami. Kiedy to tylko możliwe, nie chodź z dzieckiem w pobliże terenów nawiedzanych przez pszczoły (np. łąk obrośniętych koniczyną i polnymi kwiatami, okolic drzew owocowych i kubłów na śmieci). Jeśli w najbliższym otoczeniu domu znajdziesz ul lub gniazdo os, poproś fachowca o jego usunięcie. Jeśli wokół latają pszczoły, nie podawaj dziecku na świeżym powietrzu lepkich, słodkich przekąsek (np. owoców i soków owocowych) lub po ich podaniu niezwłocznie wytrzyj dziecku nieperfumowaną chusteczką ręce i twarz, by usunąć resztki jedzenia. (Jeśli u malca po użądleniu przez pszczołę wystąpiła reakcja alergiczna, patrz str. 594).

Chroń przed komarami. W związku z tym, że komary rozmnażają się w wodzie, wokół domu zasypuj kałuże, przykryj beczki do zbierania deszczówki oraz opróżniaj pojemniki na wodę, w których kąpią się ptaki. Wieczorem, gdy pojawiają się chmary komarów, trzymaj dziecko w domu oraz sprawdź szczelność siatek w otwartych drzwiach i oknach. W czasie spacerów malec jest najbezpieczniejszy w wózku przykrytym siatką. Jeśli dziecko skończyło już drugi rok życia, można zastosować środek odstraszający owady.

Chroń przed kleszczami. Kleszcze mogą być nosicielami choroby z Lyme, zatem należy w szczególny sposób zabezpieczyć malca przed ich ukąszeniem. Jeśli dziecko bawi się lub spaceruje w okolicy, w której występują kleszcze (możesz sprawdzić, gdzie znajdują się takie regiony w rejonowym ośrodku zdrowia), zabezpiecz odzieżą jak największą powierzchnię jego ciała oraz w opisany powyżej sposób użyj środka odstraszającego kleszcze. Po powrocie z terenów, gdzie występują te owady, sprawdź dokładnie skórę i ubrania wszystkich członków rodziny, a także zwierząt domowych — kleszcze znajdujące się w ich futrze mogą przejść na ludzi. Kleszcz w czasie od 24 do 48 godzin przekazuje pełnoobjawową chorobę z Lyme, zatem im szybciej go usuniesz (patrz str. 712), tym mniejsze jest prawdopodobieństwo zakażenia.

Chroń przed jadowitymi pająkami. Trzymaj dzieci z dala od ciepłych, suchych i ciemnych pomieszczeń (takich jak strychy, zabudowane wnęki, nie wykończone piwnice, garaże, szopy na narzędzia), gdzie pająki spędzają większość czasu. Uważnie sprawdzaj ubrania, buty i inne przedmioty przyniesione z tych miejsc oraz usuwaj wszystkie napotkane pajęczyny.

Kiedy pada śnieg

Dla dorosłych zimowe śnieżyce zapowiadają tysiące kłopotów — odśnieżanie i posypywanie piaskiem chodników i wjazdów, śliskie jezdnie, błoto wnoszone do domu, mokre ubrania. Dla dzieci oznaczają one tysiące uciech — tarzanie się w śniegu, zabawę w śnieżki, lepienie bałwana i białe pagórki, z których można zjeżdżać na sankach. Zimowa pogoda i związane z nią zabawy mogą też stanowić ryzyko, którego rodzice powinni być świadomi. Aby w zimowym królestwie zapewnić dziecku maksymalne bezpieczeństwo, należy:

* Zagwarantować mu bezpieczną jazdę na sankach. Pagórki wybrane do zjeżdżania powinny być bardzo łagodne i nie oblodzone. Przed rozpoczęciem zjeżdżania należy sprawdzić, czy pod warstwą śniegu nie ma ukrytych kamieni, korzeni i innych nierówności, przez które mogłyby przewrócić się sanki. Na wybranym torze nie mogą też rosnąć drzewa i powinien być on bezpiecznie oddalony od ruchu ulicznego. Małe dziecko wymaga stałej kontroli ze strony rodziców oraz dla bezpieczeństwa powinno nosić na głowie specjalny kask. Sanki należy dostosować do wieku i wzrostu dziecka. Dla dwu-, trzylatka najbezpieczniejsze są sanki z oparciem z tyłu i pasem bezpieczeństwa. Jeśli saneczki tego typu są nieosiągalne, malec powinien siedzieć między nogami osoby dorosłej lub starszego dziecka. Nigdy nie pozwalaj na zjeżdżanie głową w dół ani też na zjeżdżanie na prowizorycznych sankach, takich jak pokrywa od kubła na śmieci lub kartonowe pudło. Najlepszą formą zabawy na śniegu dla malucha jest przejażdżka na sankach ciągniętych przez osobę dorosłą lub odpowiedzialne starsze dziecko.
* Nauczyć malca bezpiecznej śniegowej „wojny". Rzucanie miękkimi kulkami ze śniegu jest nieszkodliwą zabawą (zakładając, że tak właśnie traktują ją przeciwnicy. Należy przy tym wytłumaczyć dzieciom, że oblepianie śniegiem kawałków lodu, kamieni itp. oraz rzucanie śniegiem w jadące samochody lub w głowę i twarz, może być groźne w skutkach.
* Poczekać z jazdą na nartach. Chociaż dwu-, trzylatka można nauczyć podstaw jazdy na nartach, większość specjalistów od spraw bezpieczeństwa radzi poczekać, aż dziecko skończy czwarty rok życia, kiedy ma znacznie bardziej rozwiniętą koordynację ruchów.
* Zabronić jedzenia śniegu. Nawet najświeższy, najbielszy, nieskazitelnie wyglądający śnieg może nie być tak czysty, na jaki wygląda. Śnieg nie musi wcale leżeć na ulicy, by się zabrudzić. Również poza miastem śnieg może zawierać mnóstwo zanieczyszczeń, a wśród nich odpady przemysłowe i rolnicze oraz odchody zwierząt. Nie zawsze zdążysz powstrzymać dziecko przed skosztowaniem zgarniętego dłonią śniegu (pamiętasz, jak dobrze smakuje?), mądrze jest jednak przy pierwszej okazji zabronić maluchowi jedzenia go.
* Kończyć w porę zabawy na śniegu. Kiedy na mrozie zaczynasz odczuwać dreszcze, czas wracać z dzieckiem do domu. Nie czekaj, aż malec przemarznie i zacznie marudzić. Również mokre ubranie lub rękawiczki są sygnałem, że należy schować się do ciepłego pomieszczenia.

---

* Jeśli planujesz kupno nowego fotelika samochodowego, wybierz model posiadający homologację. Fotelik powinien być dostosowany do wieku i wagi dziecka i ze względów praktycznych tak zaprojektowany, by mógł służyć malcowi przez następny rok lub dwa lata. Pięciopunktowe pasy są być może bardziej kłopotliwe w zapinaniu niż trzypunktowe, lecz są bezpieczniejsze.
* Gdy maluch wyrośnie już z wielofunkcyjnego fotelika dla niemowląt (w fotelikach tego typu mieszczą się na ogół dzieci do 20 kg wagi), może zacząć podróżować w foteliku-podwyższeniu. Rodzaj tego fotelika zależy od typu pasów bezpieczeństwa, które znajdują się na tylnych siedzeniach samochodu (patrz ilustracje na str. 555 i 556). Pasy piersiowe, przytrzymujące tułów, można zamontować w większości starych aut, które na tylnych siedzeniach mają jedynie pasy biodrowe chroniące miednicę.
* Upewnij się, czy fotelik jest prawidłowo zainstalowany i przymocowany jednym z pasów. Ściśle przestrzegaj instrukcji montażu i nie zakładaj, że nowy fotelik jest tak samo montowany jak stary. Prawidłowo zamocowany fotelik jest prawie nieruchomy podczas potrząsania. Jeśli samochód ma pasy bezwładnościowe (które zatrzaskują się tylko w czasie wypadku), zamontuj blokadę, która unieruchomi fotelik przy nagłej zmianie kierunku jazdy i gwałtownym hamowaniu. Jeśli blokada nie była częścią wyposażenia samochodu lub fotelika, zwróć się do producenta, dealera samochodowego lub sklepu, gdzie nabyłaś fotelik.

Dla bezpieczeństwa dziecka w czasie jazdy saneczkami wypróbuj sanki z bokami i oparciem, i pasem bezpieczeństwa.

* Jeśli planujesz stosowanie używanego fotelika (nie używaj fotelików wyprodukowanych przed 1981 rokiem), upewnij się, czy fotelik nie jest uszkodzony, czy nie brakuje żadnych części, czy nigdy nie brał udziału w wypadku samochodowym (nawet niegroźnym) i czy otrzymasz wraz z nim instrukcję montażu, by go prawidłowo przymocować i używać.
* W związku z tym, że foteliki czasami mają wady konstrukcyjne i wycofuje się je z obiegu, twoje dane powinny znaleźć się w rejestrze nabywców, aby producent mógł cię w razie takiej sytuacji natychmiast powiadomić.
* Najbezpieczniejszym miejscem w samochodzie jest środkowe tylne siedzenie, zatem jeśli możesz, sadzaj na nim malca. Przednie siedzenie może okazać się niebezpieczne dla dziecka, szczególnie jeśli wyposażone jest w poduszkę powietrzną po stronie pasażera. Wybuchowe napełnienie poduszki podczas wypadku może poważnie zranić lub nawet zabić dziecko. Jeśli musisz umieścić dziecko na tym właśnie siedzeniu, upewnij się, czy jest ono prawidłowo zapięte, a siedzenie odsunięte jest maksymalnie do tyłu. (Nigdy nie wolno umieszczać na przednim siedzeniu z poduszką powietrzną fotelika dla niemowląt, w którym dziecko jest zwrócone tyłem do kierunku jazdy.)
* Zawsze zapinaj dziecko pasami zgodnie z instrukcją odpowiadającą danemu fotelikowi: dochodzi do wielu obrażeń dzieci, tylko dlatego że pasy nie zostały prawidłowo zapięte. Dziecko nie powinno być nimi skrępowane i musi czuć się w nich wygodnie. (Pamiętaj o przedłużaniu szelek, w miarę jak dziecko rośnie lub gdy zmieniasz odzież letnią na grubą odzież zimową.) Niektóre szelki są zaopatrzone w blokującą klamrę, która zapobiega ich przesuwaniu. Umieść ją na poziomie klatki piersiowej (ilustrację znajdziesz w instrukcji obsługi fotelika) i nigdy nie zapominaj o jej zapinaniu.
* Nigdy nie ruszaj w drogę bez upewnienia się, czy zostały zamknięte drzwi i wszyscy pasażerowie są prawidłowo przypięci pasami bezpieczeństwa. Na terenie całej Ameryki obowiązuje stosowanie fotelików samochodowych dla dzieci poniżej 4 lat lub 20 kg wagi. Ściśle przestrzegaj tych przepisów, nawet jeśli jest to bardzo krótka jazda, np. od sklepu do sklepu. Na str. 143 znajdziesz wskazówki, co należy zrobić, aby maluch zapięty pasami nie czuł się nieszczęśliwy.

Dzieci, które w wielofunkcyjnych fotelikach jeździły tyłem do kierunku jazdy, po przekroczeniu 10 kg wagi i ukończeniu pierwszego roku życia oraz opanowaniu umiejętności samodzielnego siedzenia mogą zacząć jeździć zgodnie z kierunkiem jazdy. Odwracając fotelik, upewnij się, czy montujesz go zgodnie z zaleceniami producenta i czy nie należy przedłużyć opinających dziecko pasów. Dziecko powyżej 12 kg wagi może też jeździć na zwróconym w kierunku jazdy foteliku dla dzieci o wadze 10, 15 lub 20 kg.

Dzieci, które ważą ponad 18 kg, mogą jeździć w podwyższeniu (siedzisku) do siedzeń samochodowych, które przedstawia rysunek. Dzięki niemu dziecko siedzi wyżej i może być prawidłowo zapięte samochodowymi pasami bezpieczeństwa, stabilizującymi miednicę i po przekątnej tułów. Uwaga: Jeśli na siedzeniu nie ma pasa piersiowego, podwyższenie można stosować jedynie ze specjalną osłoną, zakładaną na wysokości pasa.

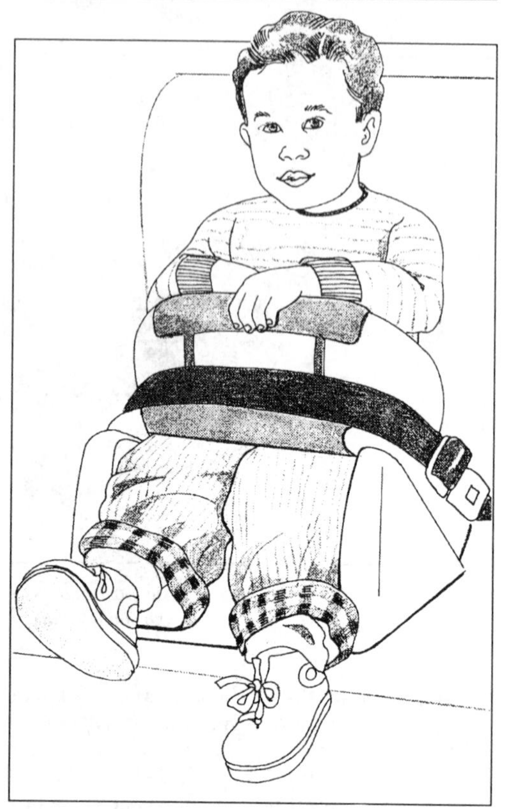

Podwyższenie z osłoną na wysokości pasa, pokazane na ilustracji, może być stosowane jedynie z samochodowym pasem bezpieczeństwa u dzieci ważących od 20 do 32 kg. Pamiętaj jednak, że chociaż zapewnia ono większe bezpieczeństwo niż samochodowy pas bezpieczeństwa, jest mniej bezpieczne niż podwyższenie z podwójnym pasem (piersiowym i biodrowym).

* Jeśli masz jakieś specjalne potrzeby, standardowy fotelik może okazać się niewystarczający. Informacji na ten temat może udzielić ci lekarz prowadzący lub rejonowy szpital dziecięcy.

* Jeśli w samochodzie są elektronicznie zamykane okna, nie pozwalaj małym dzieciom na manipulowanie uruchamiającymi je przyciskami (otwieraj je sama z siedzenia kierowcy i jeśli to możliwe, pozostawiaj zamknięte). Nigdy nie naciskaj na przycisk, nie upewniwszy się wcześniej, czy któryś z pasażerów nie wychyla się przez okno lub nie wystaje czyjaś ręka, palec lub inna część ciała.

* Nie pozwalaj dziecku używać ołówków, długopisów i innych ostrych przedmiotów w jadącym samochodzie lub innym pojeździe. Zabroń również zabawy przedmiotami, które mogłyby ograniczyć pole widzenia kierowcy, jak np. balon. Nie zostawiaj luźnych przedmiotów na półce przy tylnej szybie samochodu lub na półce w samochodzie typu combi — mogą one wypaść przy gwałtownym hamowaniu.

* Nie sprzeczaj się i nie pouczaj dziecka, kiedy prowadzisz samochód. Jeśli zachowanie malca przeszkadza ci, zjedź z drogi, zatrzymaj się i wtedy z nim porozmawiaj.

* Nigdy nie zezwalaj na zabawę w pobliżu lub za zaparkowanym samochodem, który nie ma zamkniętych drzwi.

* Jeśli podróżujesz samochodem typu combi wraz z domowym czworonogiem, umieść go z tyłu i odizoluj za pomocą ruchomej metalowej przegrody (siatki), aby w razie gwałtownego hamowania nie wpadł on na pasażerów.

* Nigdy nie pozwalaj dziecku na jazdę w skrzyni ładunkowej samochodu typu pick-up, niezależ-

Idealny towarzysz podróży dla rodziców z dwu-, trzylatkiem. Wynalazek ten z fotelika samochodowego zmienia się bez problemu w wózek spacerowy, następnie w fotelik samolotowy, zapewniając bezpieczeństwo dziecka na drodze do lotniska i do celu podróży. Pełni też rolę siedzenia podczas lotu i wózka na wakacyjne spacery.

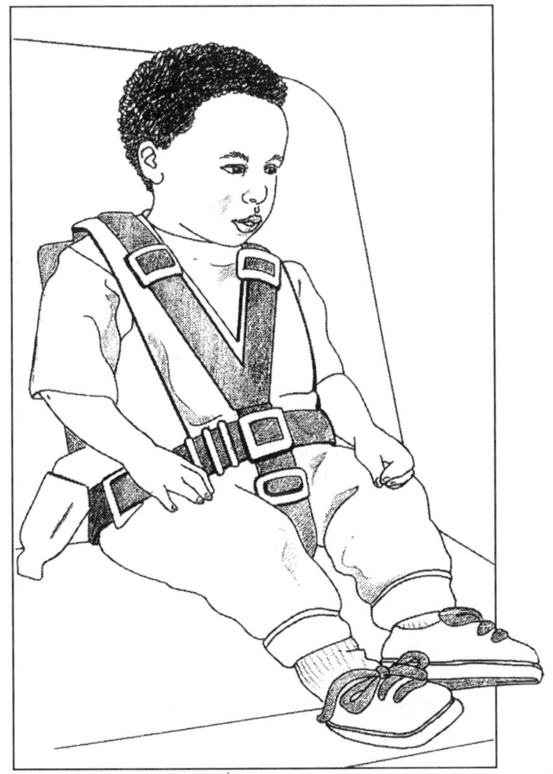

To zabezpieczenie, wygodne zwłaszcza podczas podróży, zostało zaprojektowane dla dzieci od 10 do 12 (lub więcej) kg wagi. Sprawdź etykietkę, gdyż zalecenia odnośnie do wagi dziecka mogą się różnić. Podobnie jak pozostałe zabezpieczenia, spełnia swoją funkcję jedynie wtedy, gdy jest prawidłowo zamontowane. Zatem uważnie przeczytaj ulotkę i zamontuj je zgodnie z instrukcją.

nie od tego, czy jest zamknięta, czy nie. Podczas jazdy i gwałtownego hamowania nie zabezpieczone dzieci mogą odnieść obrażenia. Tylna ławeczka nie jest tak bezpieczna jak normalne siedzenie samochodowe, lecz z pewnością mniej groźna od skrzyni ładunkowej. Zanim pozwolisz dziecku siedzieć na ławeczce i zanim kupisz samochód typu pick-up, zasięgnij informacji na temat bezpieczeństwa (np. gdzie podczas wypadku uderzy głowa dziecka, czy pasy bezpieczeństwa utrzymają fotelik samochodowy).

BEZPIECZNY KONTAKT Z DOMOWYMI CZWORONOGAMI

Zwierzęta są dla wszystkich członków rodziny źródłem radości, ale też ryzyka. By radość była pełna, a ryzyko jak najmniejsze, pamiętaj, że:

* Przy kupnie nowego czworonoga należy się upewnić, czy jest on zdrowy. Przed podjęciem ostatecznej decyzji o kupnie powinien go zbadać lekarz weterynarii.

* Dołóż takich samych starań, by zapobiec chorobom domowego zwierzęcia jak własnego dziecka. Upewnij się, czy otrzymuje wszystkie potrzebne szczepienia (szczepienie przeciw wściekliźnie obowiązuje psy, a na obszarze, gdzie panuje wścieklizna, również inne zwierzęta) oraz czy jest leczony przeciw robakom i pchłom (dotyczy psów, kotów i innych zwierząt) zgodnie z harmonogramem zalecanym przez lekarza weterynarii[10]. Rozsądnym

[10] Zamiast obroży odstraszającej pchły zaleca się dodawanie do jedzenia zwierząt drożdży piwnych, które działają w podobny sposób.

Bezpieczna zabawa w artystę

Uzupełniając zapasy artykułów szkolnych, szukaj modeliny nie zawierającej talku (modelina z talkiem przeznaczona dla dorosłych może zawierać azbest), wodnych pisaków, farb, atramentu, kleju roślinnego (unikaj klejów dwuskładnikowych, szybko schnących i sporządzonych na bazie rozpuszczalników). Niektóre ze starszych rodzajów „nietoksycznych" kredek mogą być toksyczne. Jeśli kredki używane przez dziecko nie mają atestu, wyrzuć je i kup takie, które mają atest. Szukaj atestów także na innych produktach. Pamiętaj o tym, że materiały toksyczne nie muszą zostać połknięte, by stać się niebezpieczne — niektóre działają szkodliwie wchłonięte przez skórę. Zatem nie pozwalaj na malowanie skóry, chyba że farbami przeznaczonymi do tego celu. Po skończonych zajęciach plastycznych zmyj ze skóry dziecka farby, klej i inne materiały (nie zapomnij o wyczyszczeniu paznokci). Upewnij się, czy w żłobku lub przedszkolu, do którego uczęszcza malec, również dba się o bezpieczeństwo dzieci w tym zakresie.

pociągnięciem są badania kontrolne kotów, zwłaszcza gdy nie ukończyły szóstego miesiąca życia, na obecność *Rochalimeaea henselae* (infekcja ta może przejść na ludzi w postaci choroby kociego pazura, patrz str. 710). Można ją zwalczyć za pomocą antybiotyków.

* Myj ręce — i naucz tego dziecko — po zabawie i po sprzątaniu po zwierzaku. Jeśli twój czworonóg nabawi się choroby, którą może zarazić ludzi, zapytaj lekarza weterynarii, w jaki sposób można zapobiec jej rozprzestrzenianiu.
* Nie pozwalaj dzieciom dotykać zwierzęcych odchodów, szczególnie gdy stolec jest luźny, gdyż wśród innych zarazków może zawierać bakterie *Campylobacter*, wywołujące silną infekcję żołądkowo-jelitową.
* Nigdy nie pozwalaj dzieciom jeść sierści zwierząt. Niektóre dzieci mają w zwyczaju wyrywanie np. sierści psa i jedzenie jej. W żołądku malca może utworzyć się kołtun, którego usunięcie bywa bardzo nieprzyjemne.

BEZPIECZNE ZABAWKI

Zabawki są fundamentalną częścią życia każdego malucha. Mogą jednak stanowić zagrożenie, jeśli nie są odpowiednio dobrane. Zatem, gdy wędrujesz wzdłuż półek z zabawkami, przyjrzyj się grom i zabawkom, nie tylko pod kątem dostarczanej przez nie nauki i zabawy, ale także bezpieczeństwa.

Sprawdź, czy zabawki:

* Są dostosowane do wieku dziecka. Dla bezpieczeństwa przestrzegaj przedziałów wiekowych zalecanych na etykietkach. Należy unikać nie opisanych zabawek lub sprawdzić przed dokonaniem zakupu, czy spełniają wszystkie kryteria bezpieczeństwa. Malec nie powinien mieć dostępu do zabawek starszego rodzeństwa, które nie spełniają tych wymagań.
* Są dostosowane do stopnia rozwoju dziecka. Weź pod uwagę nie tylko wiek malca, ale także jego zachowanie i poziom rozwoju. Na przykład, niezależnie od wieku i inteligencji, dzieci, które poznają świat, wkładając przedmioty do buzi (i mogą się nimi zadławić), nie powinny otrzymywać zabawek składających się z małych części. Niektóre dzieci przestają brać wszystko do buzi, gdy skończą dwanaście miesięcy, inne w wieku trzech lat lub nawet później.
* Mają bezpieczną wielkość. Unikaj zabawek, które mogłyby utknąć w jamie ustnej lub składają się z małych części, które dziecko mogłoby połknąć (patrz str. 559). Sprawdź też, czy większej zabawki nie można ścisnąć lub zmniejszyć do niebezpiecznych dla dziecka rozmiarów[11].
* Mają solidną konstrukcję. Delikatne zabawki są nie tylko krótkotrwałe, ale mogą też rozpaść się na drobne i ostre kawałki, które mogłyby skaleczyć dziecko.
* Mają bezpieczną powłokę. Farba (jeśli pokrywa powierzchnię) powinna być nietoksyczna i trwała. Powłoka nie powinna łuszczyć się i odpryskiwać.
* Wykonane są z bezpiecznych materiałów. Kredki i farby, które kończą w buzi i na skórze malca równie często jak na papierze, powinny być nietoksyczne (patrz wyżej).
* Można umyć lub wyprać. Pluszowe zwierzaki i inne miękkie zabawki, których nie można

[11] Jeszcze jeden powód, dla którego dziecka nie można spuszczać z oka. Jeśli malcowi utknie w gardle jakiś przedmiot, nie będzie go mógł wykrztusić ani wezwać pomocy. W takich sytuacjach można jedynie liczyć na rodziców lub opiekunów.

Niebezpieczne rośliny

Chociaż sporo dwu- i trzylatków nie akceptuje zieleniny na talerzu, nieliczne nie próbują roślin doniczkowych lub rosnących w ogrodzie. Niestety wiele pospolitych roślin trzymanych w domu i rosnących w ogrodzie jest trujących. Zatem kwiaty w mieszkaniu powinny być umieszczone wysoko, tak aby znajdowały się poza zasięgiem małych rączek. Najlepiej jednak wszystkie trujące rośliny dać na przechowanie przyjaciołom, którzy nie mają małych dzieci — przynajmniej do czasu, gdy malec podrośnie. Oznacz rośliny nazwą botaniczną, aby w przypadku zjedzenia przez dziecko liścia lub kwiatu dostarczyć dokładnych informacji oddziałowi zatruć lub lekarzowi prowadzącemu dziecko. Umieść wszystkie rośliny, nawet te nietrujące, w miejscach, z których malec nie będzie mógł ich strącić.

Trujące rośliny to m.in.:
Azalia, bluszcz angielski, cis, groszek pachnący (szczególnie nasiona), cebulki hiacynta (liście i kwiaty w większych dawkach), hortensja, łodyga i kłącza irysa, nasiona i liście cisu japońskiego, jemioła, kocierpka, konwalia, naparstnica, narcyz, oleander, ostrokrzew, ostróżka polna, liście krzaków pomidorów, nasiona powoju, liście rabarbaru, rododendron, wawrzyn, wilcze łyko, cebulki żonkila.

Poinsecja, pomimo swej złej reputacji, nie jest toksyczna, chociaż może wywołać rozstrój żołądka.

wrzucić do pralki, mogą stać się siedliskiem zarazków, zatem sprawdzaj na etykietkach, czy można je prać.

Unikaj zabawek z:

* Ruchomymi lub luźnymi częściami. Niebezpieczne mogą okazać się: oczy z guzików u misiów, buciki lalek i ludzików, koraliki, maleńkie klocki, ruchome piszczki w piszczących zabawkach oraz inne zabawki lub małe części, którymi dziecko może się zadławić, które może połknąć, włożyć do ucha lub nozdrzy.
* Sznurkami, wstążkami, tasiemkami i linkami dłuższymi niż 15 cm. Zabawki, które mają przyczepione sznurki (jedynie linki ze sztywnego plastyku są bezpieczne), grożą uduszeniem. Unikaj tych zabawek lub zanim dasz je dziecku do zabawy, poobcinaj (odpruj) tasiemki. Nie pozwalaj maluchowi bawić się taśmami magnetofonowymi — ich odwijanie jest ulubioną zabawą dwu- i trzylatków.
* Sprężynami, korbkami lub zawiasami, które mogą uwięzić paluszki lub wciągnąć długie włosy.
* Ostrymi zakończeniami lub krawędziami. Na dworze uważaj na kije oraz pozwalaj na zabawę piórami i ołówkami tylko pod twoją kontrolą.
* Wydającej dźwięk o wysokiej częstotliwości. Zabawki, które wydają dźwięki o częstotliwości 100 decybeli lub więcej (np. karabiny maszynowe, pojazdy i bardzo głośno piszczące zabawki), mogą uszkodzić słuch dziecka (patrz str. 419).
* Przewodami elektrycznymi i bateriami. Zabawki zasilane bateriami są bezpieczne dopóty, dopóki baterie są niedostępne[12] dla ciekawskich rączek malca lub dziecko bawi się pod ścisłą kontrolą rodziców. Baterie „paluszki" włożone do buzi grożą zadławieniem. Lizanie i gryzienie wszystkich rodzajów baterii jest niebezpieczne.
* Wykonanych z gąbczastych materiałów. Dzieci często odczuwają pokusę, by żuć piłeczki i inne zabawki wykonane z gąbczastych materiałów. Zabawki te lub ich odgryzione kawałki grożą zadławieniem.
* Kalkomanią i innymi nalepkami. Gdy malec odlepi nalepkę (co nie jest zbyt trudnym zadaniem) i włoży ją do buzi, może się nią zadławić (niebezpieczne są np. zestawy nalepek z winylu).
* Elementami, które można wystrzelić. Łuki ze strzałami, pistolety na „strzałki" itp. są nieodpowiednimi zabawkami dla małych dzieci, grożą bowiem wybiciem oka. Bezpieczne są pistolety na wodę, lecz tylko wtedy, gdy woda nie strzela silnym strumieniem, co może mieć katastrofalne skutki.

Unikaj również:

* Balonów z lateksu. Miękka guma stanowi nieodpartą pokusę do żucia. Malec może zadławić sią balonem, z którego uszło lub powoli uchodzi powietrze, a także kawałkami pękniętego balonika. Gdy balon dostanie się do górnych dróg oddechowych, niewiele można dziecku pomóc — bezowocny może okazać się

[12] Może dziecko powstrzyma przyklejenie komory na baterie kawałkiem taśmy.

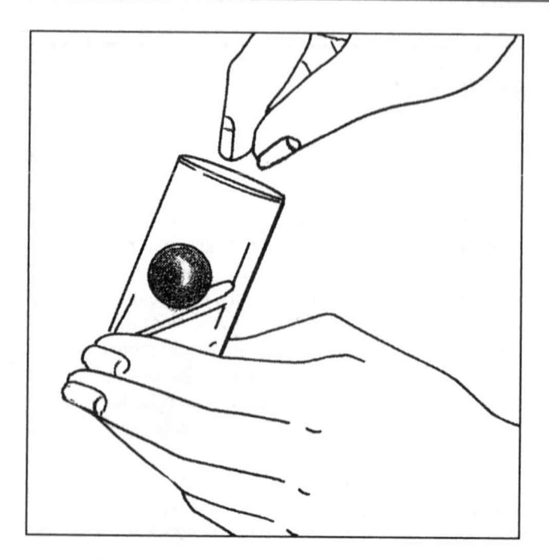

Rurka kontrolująca możliwość zadławienia, dostępna w wielu sklepach z artykułami dziecięcymi, a także w sprzedaży wysyłkowej, pomoże ci w podjęciu decyzji, które zabawki są bezpieczne dla dziecka, a które grożą zadławieniem. Przedmiot, który cały mieści się w rurce (rysunek lewy) grozi zadławieniem i powinien zostać usunięty z otoczenia dziecka. Przedmiot, który wystaje z rurki (rysunek prawy) nie stanowi takiego zagrożenia.

nawet manewr Heimlicha. Nieprzypadkowo ryby i ssaki morskie stają się również ofiarami balonów, które puszczone w powietrze lub wyrzucone na śmieci, często wpadają do wody. Jeśli zezwolisz na zabawę balonem z lateksu, nie zostawiaj dziecka bez opieki. Nie pozwalaj maluchowi na nadmuchiwanie go i wkładanie do buzi. Po skończonych igraszkach wypuść z balonu powietrze i odłóż go w bezpieczne miejsce. Najlepiej jednak w ogóle nie dawać dziecku do zabawy balonów.

* Uszkodzonych zabawek. Regularnie przeglądaj zabawki dziecka — wystające z brzuszka misia szmaty, pęknięty plastyk na wózku dla lalek, drzazgi na zabawkach z drewna itp. mogą mieć groźne następstwa. Napraw lub wyrzuć wszystko, co może skaleczyć malca.

22

Leczenie urazów u dwu- i trzylatków

Dołożyłaś wszelkich starań, by stworzyć dziecku bezpieczne otoczenie. Jesteś czujna. Wpoiłaś lub przynajmniej starałaś się wpoić malcowi, by omijał z daleka gniazdka, gorące piece oraz inne źródła niebezpieczeństw w domu i poza nim. Pomimo wszystko wypadki są nie do uniknięcia (jedno z badań wykazało, że dorobkiem każdego dnia u dwu-, trzylatka są przeciętnie trzy sińce) i chociaż nie sposób im wszystkim zapobiec, znając zasady postępowania, można często złagodzić ich skutki.

Szybkie działanie ma często decydujące znaczenie, zatem nie czekaj, aż dziecko zanurzy rączkę w gorącej kawie lub wypije łyk płynu do prania, by dowiedzieć się, co zrobić w danej sytuacji. Już teraz zaznajom się z zasadami udzielania pomocy przy najczęstszych obrażeniach, tak jak znasz zasady przygotowywania kąpieli lub mierzenia temperatury. Gdy zaistnieje potrzeba, sprawdź również zalecane sposoby postępowania w wypadku rzadziej spotykanych obrażeń (np. ukąszeń węża, jeśli wyruszacie na biwak).

Informacje, które znajdziesz w tym rozdziale, powinny być wzbogacone o praktyczny kurs pierwszej pomocy, reanimacji dzieci oraz manewru Heimlicha. Sprawdź w siedzibie PCK, rejonowej przychodni lub szpitalu, gdzie organizowane są takie kursy. Co jakiś czas odświeżaj zdobytą wiedzę (być może w PCK można wypożyczyć taśmę wideo z nagranymi ćwiczeniami w zakresie udzielania pierwszej pomocy). Upewnij się, czy osoba opiekująca się twoim dzieckiem posiada dostateczną wiedzę na ten temat.

By być w pełnej gotowości, należy również:

* Omówić z pediatrą leczącym dziecko najlepszy możliwy plan działania w sytuacji zagrożenia życia oraz w poważnym nagłym wypadku — wizyta w gabinecie lub szpitalu, wezwanie pogotowia lub też inne rozwiązania. Pamiętaj, że w wypadku niewielkich obrażeń udanie się do szpitala na ostry dyżur, gdzie pacjenci czekają w długich kolejkach i pierwszeństwo przysługuje przypadkom krytycznym, może nie okazać się najlepszym wyjściem. Jeśli w pobliżu znajduje się szpital dziecięcy, pediatra może polecić udanie się tam w razie poważnych obrażeń — szpitale te są na ogół lepiej przygotowane do leczenia przypadków pediatrycznych niż szpitale rejonowe.

* Leki pierwszej pomocy (patrz str. 573) przechowuj w niedostępnej dla dziecka, przenośnej apteczce, którą łatwo zabrać na miejsce wypadku. Jeśli to możliwe, kup bezprzewodowy aparat telefoniczny, który zawsze możesz mieć przy sobie, zarówno w domu, jak i na zewnątrz.

* Przy aparacie telefonicznym w domu przywieś: 1. Listę z numerami lekarzy leczących członków twojej rodziny, numer oddziału zatruć, najbliższego szpitala (lub tego, do którego planujesz się udać), najbliższej apteki, stacji pogotowia, miejsca pracy współmałżonka, a także numery krewnych, przyjaciół lub sąsiadów, na których możesz liczyć w potrzebie. 2. Listę z danymi osobowymi (uaktualnianymi co pewien czas): wiek dziecka, przybliżona masa ciała, spis szczepień ochronnych zawierający datę ostatniego szczepienia przeciw tężcowi, przyjmowane lekarstwa, alergie i/lub przewlekłe choroby. W razie wypadku dane te należy przekazać pogotowiu lub zabrać z sobą do szpitala. 3. Informacje dotyczące lokalizacji domu: adres (łącznie z przecznicami i punktami orientacyjnymi), numer mieszkania i telefonu — do użytku opiekunów dziecka, którzy będą musieli wezwać pomoc (danych tych w chwili paniki mogą potrzebować nawet członkowie rodziny). 4. Notes i ołówek, by

zapisać zalecenia lekarza lub dyspozytora z pogotowia.

* Upewnij się, czy numer na domu jest dobrze widoczny (po zapadnięciu zmroku powinien być oświetlony). Poznaj najkrótszą drogę do polecanego przez pediatrę pobliskiego szpitala lub punktu pomocy medycznej.
* Zawsze miej odłożone pieniądze na taksówkę do szpitala, gabinetu lekarskiego (osoby zdenerwowane nie powinny prowadzić samochodu). Wskaż, gdzie są te pieniądze, również opiekunom dziecka.
* Naucz się działać bez paniki w niegroźnych sytuacjach, co może okazać się bardzo pomocne w razie poważnego wypadku (napięcie rozładuje kilka głębokich oddechów). Zachowanie oraz ton głosu rodziców lub opiekunów wpływają na reakcję dziecka. Pamiętaj, że twoja panika i niepokój udzielą się również dziecku. Wtedy trudniej o współpracę malca w nagłym wypadku oraz w całym procesie leczenia.
* Następnym krokiem w celu rozładowania napięcia i odzyskania pewności siebie jest odwrócenie uwagi dziecka od rany, przez zaangażowanie przynajmniej trzech zmysłów malca (stań w miejscu, gdzie może cię zobaczyć, mów do niego spokojnym głosem, tak by mógł cię usłyszeć, oraz dotykaj zdrowej części ciała).

UDZIELANIE PIERWSZEJ POMOCY DWU- I TRZYLATKOM

Poniżej znajdziesz listę najczęstszych urazów, informacji, z którymi należy się zapoznać, czynności, które należy (i nie należy) wykonać, oraz sytuacji wymagających pomocy medycznej. Zastosowaliśmy porządek alfabetyczny oraz system odsyłaczy.

Szary pasek na górze tych stron ma ułatwić ich odnalezienie w nagłym wypadku.

Drgawki

1. Objawy napadu drgawek spowodowanych nienormalnym przepływem ładunków elektrycznych w mózgu zależą od typu napadu i są to: wywrócone do góry oczy, piana w ustach, zesztywnienie ciała przechodzące w drgawki oraz — w ciężkich przypadkach — trudności z oddychaniem. Krótkie napady drgawek nierzadko występują przy wysokiej gorączce (patrz str. 497). Zasady postępowania: usuń wszystkie przedmioty leżące w pobliżu dziecka, lecz nie ograniczaj mu swobody ruchów, chyba że grozi mu samookaleczenie. Rozepnij ubranie i ułóż dziecko na boku, z głową poniżej tułowia. Nie wkładaj dziecku nic do ust, nawet jedzenia i napojów, butelki ani piersi. Wezwij lekarza. Jeśli dziecko nie oddycha, natychmiast zastosuj sztuczne oddychanie i masaż serca (patrz str. 580).

Jeśli obecna jest jeszcze inna osoba, poproś ją o zatelefonowanie na pogotowie. Jeśli jesteś sama, zadzwoń dopiero wtedy, gdy dziecko odzyska oddech lub jeśli go nie odzyska w ciągu kilku minut. Wezwij pogotowie, gdy atak trwa dłużej niż dwie, trzy minuty, wygląda na bardzo poważny lub wystąpi jego nawrót. Jeśli jest to pierwszy napad drgawek, wezwij lekarza, by wykonał odpowiednie badania, nawet wtedy, gdy wydaje ci się, że po krótkim epizodzie dziecku nic nie dolega.
Uwaga: Napady drgawek mogą wystąpić na skutek połknięcia przepisanych leków lub też trucizn. Sprawdź więc, czy w najbliższym otoczeniu dziecka nie ma otwartego słoiczka leków lub butelki z niebezpieczną substancją.

Odcięcie kończyny lub palca

2. Te poważne wypadki zdarzają się wprawdzie rzadko, jednak nieznajomość zasad postępowania w tych sytuacjach może oznaczać utratę kończyny lub palca. Zatem natychmiast:

* Staraj się powstrzymać krwawienie. Mocno uciskaj ranę przez kilka jałowych opatrunków z gazy, czystą pieluszkę, podpaskę lub czysty kawałek płótna. Jeśli krwawienie nie ustanie, zwiększ ucisk. Nie martw się ewentualnymi uszkodzeniami z powodu zbyt mocnego ucisku. Bez specjalnych zaleceń ze strony lekarza lub pielęgniarki nie stosuj opaski uciskowej.
* Jeśli wystąpił wstrząs (skóra dziecka robi się blada, zimna, wilgotna, puls jest przyspieszony, a oddech płytki), rozluźnij ubranie, lekko okryj dziecko, by zapobiec utracie ciepła, oraz podłóż pod nogi poduszkę (lub zwiniętą odzież), aby poprawić ukrwienie mózgu. Jeżeli dziecko ma trudności z oddychaniem, lekko unieś jego głowę i ramiona.

* W razie konieczności postaraj się przywrócić oddychanie. Gdy dziecko nie oddycha, natychmiast zastosuj sztuczne oddychanie i masaż serca (patrz str. 580).
* Zachowaj odciętą kończynę lub palec. Jak najszybciej zawiń ją w zmoczoną czystą szmatkę lub gąbkę i włóż do worka foliowego, obłóż worek lodem i zawiąż go. Nie kładź odciętej części ciała bezpośrednio na lód ani nie zanurzaj jej w wodzie czy też antyseptyku. Nie stosuj również suchego lodu.
* Wezwij pomoc. Zadzwoń na pogotowie lub udaj się tam sama, uprzedzając wcześniej o wypadku, aby przygotowano się do zabiegu. Upewnij się, czy zabrałaś z sobą odciętą kończynę, gdyż być może chirurg będzie mógł ją przyszyć. W czasie drogi uciskaj ranę i jeśli to konieczne, kontynuuj sztuczne oddychanie oraz masaż serca.

Odmrożenie

3. Małe dzieci są szczególnie wrażliwe na odmrożenia, zwłaszcza palców rąk i nóg, uszu, nosa oraz policzków. Odmrożona część ciała robi się bardzo zimna i zmienia kolor na biały lub żółtoszary. W poważnych przypadkach skóra staje się zimna, twarda i ma blady, woskowaty wygląd. Jeśli u dziecka wystąpiły podobne objawy, staraj się natychmiast rozgrzać odmrożone miejsca ciepłem swego ciała — rozepnij płaszcz i bluzkę, a następnie przytul dziecko bezpośrednio do ciała. Udaj się jak najszybciej do szpitala lub na pogotowie. Jeśli nie jest to możliwe, zanieś dziecko do domu i zacznij je stopniowo rozgrzewać. Nie kładź dziecka z odmrożeniami w pobliżu kaloryfera, pieca, grzejnika, otwartego ognia itp., gdyż możesz poparzyć uszkodzoną skórę. Nie próbuj też szybkiego odmrażania w gorącej wodzie, które również może doprowadzić do większych uszkodzeń. Możesz natomiast zanurzyć odmrożone palce nóg i rąk w wodzie o temperaturze około 37°C — niewiele cieplejszej od temperatury ciała. Do miejsc, których nie można zanurzyć, np. nos, uszy, policzki, przyłóż kompresy (mokre kawałki płótna lub ręczniki) o tej samej temperaturze, lecz nie uciskaj. Stosuj kompresy lub moczenie w wodzie, dopóki skóra z powrotem się nie zaróżowi, co zazwyczaj trwa od 30 do 60 minut (w zależności od potrzeb dolej cieplejszej wody). Podaj dziecku do picia kilka łyków ciepłego (lecz nie gorącego) napoju. Odmrożona skóra w czasie ocieplania robi się czerwona, lekko opuchnięta i może pokryć się pęcherzami. Silnie odmrożona skóra może zrobić się fioletowa lub niebieska, łuszczyć się, a nawet mieć martwicze zmiany. Delikatnie ją osusz i ochroń przed ponownym odmrożeniem. Proces leczenia przyspieszy posmarowanie odmrożonych miejsc maścią aloesową. Jeśli do tej pory dziecka nie oglądał lekarz, teraz należy wezwać pomoc.

W wypadku gdy już po rozgrzaniu odmrożonych części ciała musisz znów wyjść, by zawieźć dziecko do lekarza (lub gdziekolwiek indziej), dokładnie otul te miejsca, żeby w czasie drogi nie doszło do ich ponownego odmrożenia, które mogłoby doprowadzić do dalszych uszkodzeń ciała.

Po długim przebywaniu na mrozie temperatura dziecka może spaść poniżej normy. Jest to groźny stan zwany hipotermią i wymaga natychmiastowej pomocy medycznej. W poważnym przypadku hipotermii ustają drgawki, następuje utrata napięcia mięśniowego oraz częściowa utrata przytomności. Usta tych dzieci nabierają sinego lub fioletowego koloru, a u dzieci o ciemnej skórze, stają się szare. Należy niezwłocznie udać się do szpitala (jeśli masz kłopoty z przetransportowaniem dziecka, wezwij pogotowie). Zdejmij dziecku mokre ubranie i otul ciepłym kocem oraz włącz ogrzewanie w samochodzie. Jeśli oczekujesz na pomoc w domu, okryj dziecko elektrycznym kocem lub przygotuj mu gorącą kąpiel (uważaj, by dziecka nie poparzyć). Jeśli dziecko jest przytomne, podaj mu ciepłe napoje, np. mleko lub rozcieńczony wodą sok owocowy.

Omdlenia

4. Jeśli dziecko nie oddycha, natychmiast rozpocznij sztuczne oddychanie i masaż serca (patrz str. 580). W wypadku gdy oddycha, ułóż dziecko na plecach oraz, jeśli trzeba, lekko je okryj. Rozluźnij ubranie wokół szyi, przechyl główkę na bok i oczyść jamę ustną z jedzenia i ciał obcych. Nie podawaj pokarmów ani napojów. Natychmiast wezwij lekarza.

Oparzenia

Uwaga: Jeśli na dziecku pali się ubranie, użyj płaszcza, koca, chodnika, okrycia na łóżko, względnie twego ciała (nie bój się, że się poparzysz), by ugasić ogień.

5. Oparzenia o ograniczonym zasięgu. Zanurz poparzoną kończynę w wodzie lub przykładaj chłodne kompresy (20-25°C) do oparzeń twarzy lub tułowia. Ochładzanie kontynuuj do momentu, kiedy dziecko nie odczuwa bólu (zwykle trwa to mniej więcej pół godziny). Nie przykładaj lodu, który może spowodować do-

datkowe uszkodzenia skóry, masła oraz maści na oparzenia (warstwa tłuszczu nie dopuszcza do uwolnienia ciepła zgromadzonego w poparzonej skórze) oraz preparatów sody oczyszczonej. Nie przekłuwaj też tworzących się pęcherzy. Po zmoczeniu poparzonych miejsc delikatnie je osusz i okryj materiałem, który nie przylepia się do skóry (np. bandażem, a w nagłym wypadku nawet folią aluminiową). Poparzona twarz, dłonie, stopy i genitalia powinny zostać natychmiast poddane oględzinom lekarza, podobnie jak każde oparzenie większe od dłoni dziecka.

Jeśli zaobserwujesz wysięk z rany, okryj ją wyłącznie jałowym opatrunkiem z gazy, a jeżeli go nie masz, zostaw poparzone miejsce odkryte. Zapytaj lekarza, jak tymczasowo zaopatrzyć ranę, jeśli utworzyły się pęcherze.

W przypadku, gdy leczone w domu oparzenie nie zacznie goić się w ciągu kilku godzin, miejsce robi się czerwone, występuje obrzęk, wysięk lub rana zaczyna cuchnąć, należy niezwłocznie skontaktować się z lekarzem. Objawy te mogą świadczyć o zakażeniu.

6. Rozległe oparzenia. Połóż dziecko na płaskiej powierzchni. Zdejmij odzież z poparzonej okolicy. Nie odrywaj materiału, który przywarł do rany. Zastosuj chłodne, mokre okłady (okrywając nimi jednocześnie nie więcej niż 25% powierzchni ciała). Otul dziecko i jeśli poparzeniu uległy nogi, unieś je powyżej tułowia. Nie stosuj ucisku, maści, masła i innych tłuszczów, pudru lub okładów z kwasu bornego. Jeśli dziecko nie straciło przytomności i nie ma ciężko poparzonych ust, nakarm je piersią lub podaj wodę lub inny napój. Natychmiast zawieź dziecko do lekarza, szpitala lub wezwij pogotowie.

7. Oparzenia chemiczne. Substancje żrące (jak np. ług i kwasy) mogą być przyczyną poważnych oparzeń. Suche resztki substancji żrących usuń delikatnie ze skóry za pomocą szczoteczki. Zdejmij zanieczyszczone ubranie. Natychmiast spłucz skórę dużą ilością wody, używając odtrutki zalecanej przez producenta na pojemniku lub też mydła. Zadzwoń do lekarza, oddziału oparzeń (lub toksykologii) lub na pogotowie po dalsze wskazówki. Natychmiast wezwij pomoc w przypadku, gdy dziecko ma trudności z oddychaniem lub odczuwa ból przy oddychaniu, co może oznaczać uszkodzenia płuc od wdychania szkodliwych oparów. (Gdy substancje chemiczne zostały połknięte, patrz pkt 50, str. 575.)

8. Oparzenia prądem elektrycznym. Jeśli to możliwe, natychmiast wyłącz urządzenie elektryczne z sieci lub odciągnij ofiarę od źródła prądu, używając suchego przedmiotu nie wykonanego z metalu, np. szczotki, drewnianej drabiny, sznura, poduszki, krzesła, a nawet dużej książki — nigdy gołymi rękoma. Jeśli dziecko nie oddycha, rozpocznij sztuczne oddychanie i masaż serca (str. 580). Dziecko oparzone prądem elektrycznym powinno zostać poddane oględzinom lekarza, zatem natychmiast zadzwoń do pediatry lub udaj się z dzieckiem do szpitala.

9. Oparzenia słoneczne. Jeśli dziecko (lub ktokolwiek inny) dozna oparzeń słonecznych, zastosuj chłodzące kompresy, nasączając je wodą z kranu (patrz str. 703). Poparzone miejsca ochładzaj przez 10-15 minut 3-4 razy dziennie, dopóki nie ustąpi zaczerwienienie. Parująca woda chłodzi skórę. W czasie kiedy nie przykładasz kompresów, posmaruj skórę nawilżającym kremem lub wodą wapienną z tlenkiem cynku, która wysusza pęcherze. Nie stosuj wazeliny ani innych oleistych maści na oparzenia, gdyż blokują one dostęp powietrza niezbędnego do wyleczenia rany. Bez porozumienia się z lekarzem nie podawaj leków przeciwuczuleniowych. W przypadku ciężkich oparzeń lekarz może zalecić maści zawierające steroidy, a rozległe pęcherze mogą być osuszane i bandażowane. Chociaż istnieją różne opinie, aspiryna nie zapobiega uszkodzeniom skóry, a środek przeciwbólowy dla dzieci, np. acetaminophen, może przynieść ulgę.

Połknięcie ciała obcego

10. Monety, koraliki i inne niewielkie przedmioty. Jeśli dziecko połknęło niewielki, gładki przedmiot i nic mu nie dolega, najlepiej poczekać, aż przedmiot ten zostanie wydalony z kałem. Można podać dziecku wodę sodową, która pomoże przepchnąć przedmiot, który utknął w przełyku. W większości przypadków połknięte przedmioty zostają wydalone w ciągu 2-3 dni. Jeśli jednak dziecko ma trudności z połykaniem lub skarży się na ból, a także gdy wystąpi ból gardła, charczenie, ślinienie się, uczucie zakneblowanych ust lub wymioty, oznacza to, że przedmiot mógł utknąć w przełyku. Natychmiast wezwij lekarza albo udaj się z dzieckiem do najbliższego punktu pomocy medycznej. Często można usunąć ciało obce specjalnym narzędziem lub za pomocą cewnika z balonem. W przeciwnym razie konieczny jest zabieg chirurgiczny.

Gdy dziecko kaszle lub ma trudności z oddychaniem, przedmiot mógł zostać wchłonięty do dróg oddechowych podczas wdechu. Należy wtedy postępować jak przy zadławieniu (patrz str. 581). Szczególna ostrożność jest wymagana przy połknięciu baterii (patrz pkt 11).

11. Baterie. W przypadku połknięcia jakiejkolwiek baterii należy skontaktować się z lekarzem. Może on zalecić wykonanie zdjęcia rentgenowskiego, by upewnić się, czy bateria nie utknęła w przełyku (patrz pkt 10). Należy uzbroić się w cierpliwość i czekać, gdyż połknięte baterie są na ogół wydalane bez żadnych problemów (w 61% w ciągu 2 dni, w 86% w ciągu 4 dni). Objawy towarzyszące są najczęściej związane z trawieniem, rzadko występuje wysypka.

12. Ostre przedmioty. Jeśli połknięty przedmiot ma ostre zakończenie (np. szpilka, igła, rybia ość, zabawka z ostrymi brzegami), udaj się z dzieckiem do lekarza. Być może przedmiot ten trzeba będzie usunąć (patrz pkt 10).

Porażenie prądem elektrycznym

13. Przerwij łączność ciała z prądem, wyłączając urządzenie z sieci lub odciągając dziecko za pomocą suchego, niemetalowego przedmiotu, np. miotły, drewnianej drabiny, materiału, poduszki lub nawet dużej książki. Wezwij pogotowie, a jeśli dziecko nie oddycha, zastosuj sztuczne oddychanie i masaż serca (patrz str. 580).

Rany skóry

Uwaga: Każde uszkodzenie skóry grozi zachorowaniem na tężec. Jeśli dziecko zrani skórę, upewnij się, czy ma aktualne szczepienie przeciw tężcowi. Obserwuj uważnie, czy nie wystąpią oznaki infekcji (obrzęk, wzmożone ocieplenie, tkliwość, zaczerwienienie skóry w okolicy rany, wydzielina z rany). Jeśli stwierdzisz ich obecność, skontaktuj się z lekarzem. Nie smaruj ran jodyną, gdyż może ona opóźnić proces gojenia.

14. Krwiaki — sińce. Zachęć dziecko do spokojnej zabawy, by nie urażać zranionej części ciała. Przez pół godziny rób zimne okłady, np. worek z lodem lub lód owinięty płótnem (nigdy nie przykładaj lodu bezpośrednio na skórę). Jeśli skóra jest przerwana, postępuj jak w przypadku rany ciętej (pkt. 16 i 17). Skontaktuj się z lekarzem w przypadku, gdy krwiak powstał w wyniku wykręcenia kończyny lub wkręcenia jej między szprychy obracającego się koła. Poinformuj również lekarza o krwiakach, które pojawiają się bez wiadomej przyczyny lub podczas gorączki. Donieś lekarzowi również, jeśli pojawią się maleńkie, szpilkowate sińce lub wylewy podskórne (są to wybroczyny, występujące na twarzy i szyi na skutek silnego kaszlu lub płaczu, na kończynach na skutek krępującej je odzieży. Mogą też być objawem infekcji wirusowej, a także innych chorób).

15. Otarcie naskórka. W przypadku skaleczeń tego typu (najczęściej na kolanach i łokciach) zdarte są górne warstwy skóry, a miejsce jest wrażliwe. Na ogół występuje krwawienie powierzchniowych warstw skóry. Obmyj delikatnie ranę jałową gazą lub kawałkiem płótna zmoczonym wodą z mydłem, by oczyścić ranę z brudu i ciał obcych. Jeśli dziecko stanowczo protestuje, obmyj ranę podczas kąpieli. Jeśli krwawienie nie ustaje samoistnie, uciskaj ranę. Załóż jałowy opatrunek. Otarcia naskórka najczęściej goją się szybko. Jeśli pediatra leczący twoje dziecko jest zwolennikiem stosowania antyseptyków (w aerozolu lub maści), zdezynfekuj ranę, a następnie załóż luźny jałowy opatrunek, który nie blokuje dostępu powietrza do skaleczonego miejsca.

16. Niewielkie rany cięte. Obmyj okolice rany czystą wodą z mydłem, a następnie skieruj na nią strumień bieżącej wody, by wypłukać brud i ciała obce. Załóż jałowy opatrunek. Bandaż motylkowy przyspieszy proces gojenia, zamykając brzegi rany. Po upływie jednej doby zdejmij bandaż i zostaw ranę odkrytą. Załóż ponownie opatrunek tylko jeśli to niezbędne. Skonsultuj się z lekarzem w przypadku ran ciętych na twarzy dziecka lub jakichś oznak infekcji (zaczerwienienie, ocieplenie, wysięk z rany, obrzęk).

17. Rozległe rany cięte. Przede wszystkim zatamuj krwawienie, uciskając przez kilka jałowych opatrunków z gazy, czystą pieluszkę, kawałek płótna. Jeśli nie masz tych materiałów pod ręką, uciskaj krwawiącą ranę gołymi palcami, unosząc zranione miejsce powyżej tułowia. Jeżeli po 15 minutach uciskania rany krwawienie nie ustępuje, dodaj kilka opatrunków z gazy lub parę kawałków płótna i zwiększ ucisk. (Nie martw się, że dodatkowo uszkodzisz ranę przez zbyt silny ucisk.) Jeśli to konieczne, nie zwalniaj ucisku aż do przybycia pomocy lub dotarcia z dzieckiem do szpitala. W przypadku gdy występują inne urazy, postaraj się przywiązać opatrunek, by mieć wolne ręce. Gdy ustanie krwawienie, załóż na ranę jałowy opatrunek z gazy. Nie bandażuj go zbyt ciasno, by nie zahamować krążenia. Nie stosuj jodyny, płynu Burowa lub innych antyseptyków bez porozumienia z lekarzem. Jeśli krwawienie nie ustaje w ciągu pół godziny, rana rozchodzi się lub wygląda na głęboką, skontaktuj się z lekarzem. Gdy rana

Leczenie małego pacjenta

Małe dzieci rzadko współpracują w procesie leczenia. Bez względu na poczucie dyskomfortu i ból wynikający z odniesionych ran uważają, że zaoferowana im pomoc jest jeszcze gorsza. Nie pomoże tłumaczenie, że lekarstwo złagodzi ból i przyniesie ulgę. Nawet starsze dzieci, które rozumieją nasze wyjaśnienia, niemal zawsze stawiają opór. Dlatego w udzielaniu pomocy niemowlęciu i małemu dziecku koniecznie trzeba odwrócić ich uwagę. Zabawa (rozpoczęta wcześniej, jeszcze zanim popłyną pierwsze łzy), np. puszczenie ulubionej pozytywki, taśmy wideo lub magnetofonowej, udawanie psa, który goni swój ogon, ciuchci mknącej przez stół, taniec i zabawne piosenki w wykonaniu rodziców czy też rodzeństwa, mogą zadecydować o powodzeniu całego przedsięwzięcia. Ponieważ zmuszanie dzieci do spokojnego siedzenia (np. w czasie ochładzania skaleczonego kolana workiem lodu lub kąpieli oparzonego palca w zimnej wodzie) jest traktowane przez nie jako ograniczenie wolności, lepszym sposobem może okazać się przywiązanie worka lodu do kolana lub zimnego kompresu do poparzonego palca i pozwolenie maluchowi na normalną zabawę.

Ból związany z leczeniem pomogą złagodzić także „przyjazne dla dziecka" artykuły pierwszej pomocy. Poszukaj w sklepach worków z lodem w kształcie zwierzątek i plastrów w kolorowe wzory, np. dinozaury lub postaci z kreskówek (niektóre z nich wyglądają nawet jak całuski).

Oczywiście twoja stanowczość uzależniona będzie od stanu dziecka. Odsysanie śluzu z lekko zatkanego noska nie jest warte stoczenia batalii, lecz jeśli zatkany nos przeszkadza dziecku w spaniu i jedzeniu, walka może okazać się konieczna. Podobnie, z powodu niewielkiego siniaka nie ma sensu denerwować dziecka nie akceptującego worka z lodem. Zimne okłady są jednak niezbędne w przypadku rozległego oparzenia, nawet jeśli dziecko wrzeszczy jak opętane. Staraj się udzielić dziecku pomocy chociaż przez chwilę — nawet kilkuminutowy zimny okład zmniejszy krwawienie podskórne i nawet półminutowy pomiar temperatury da ci wystarczający obraz stanu dziecka. Nie warto podejmować skomplikowanych działań, jeśli stres dziecka ma być większy niż ewentualne korzyści.

wymaga założenia szwów, poproś o szwy rozpuszczalne, by oszczędzić dziecku stresu związanego z ich zdejmowaniem. Rozległe rany cięte na twarzy powinien obejrzeć chirurg plastyczny.

18. Obfite krwawienie. W przypadku odcięcia kończyny lub obfitego krwawienia natychmiast wezwij pogotowie lub udaj się z dzieckiem do szpitala. Oczekując na pomoc, uciskaj ranę przez kilka opatrunków jałowych z gazy, czystą pieluszkę, podpaskę, ręcznik lub kawałek płótna. Jeśli krwawienie nie ustaje, zwiększ ucisk i przyłóż dodatkowy opatrunek. Bez zalecenia lekarza nie stosuj opaski uciskowej, która często przynosi więcej szkody niż pożytku. Uciskaj ranę tak długo, aż przybędzie pomoc.

19. Rany kłute. Zanurz zranione miejsce na 15 minut w ciepłej wodzie z mydłem. Skontaktuj się z pediatrą lub zadzwoń na pogotowie. Nie usuwaj żadnego przedmiotu (np. patyka lub noża) wystającego z rany, gdyż możesz w ten sposób zwiększyć krwawienie. Jeśli to niezbędne, załóż opatrunek, by uniemożliwić wędrowanie ciała obcego w ranie. Postaraj się uspokoić dziecko, które w wyniku pobudzenia pourazowego może doprowadzić do dodatkowych uszkodzeń zranionej skóry.

20. Drzazgi. Obmyj okolice skaleczenia czystą wodą z mydłem i przyłóż worek z lodem (patrz str. 705). Jeśli drzazga nie wystaje ze skóry, postaraj się ją uwolnić za pomocą jednorazowej igły lub igły do szycia, uprzednio wyjałowionej alkoholem lub w płomieniu zapałki. Gdy wyraźnie widać jeden koniec drzazgi, spróbuj wyciągnąć ją pęsetą (również wyjałowioną w ten sam sposób). Nie usuwaj drzazg paznokciami, które mogą być brudne. Po skończonym zabiegu przemyj ponownie skaleczone miejsce. Jeśli przy usuwaniu drzazgi napotkasz trudności, wykonuj trzy razy dziennie piętnastominutowe kąpiele skaleczonego miejsca w ciepłej mydlanej wodzie przez kilka kolejnych dni. W przypadku gdy nie pomogą kąpiele, najprawdopodobniej dojdzie do infekcji, której objawami są: zaczerwienienie, wzmożone ocieplenie i obrzęk. Należy wówczas skontaktować się z lekarzem. Zadzwoń do lekarza również w przypadku, gdy drzazga utkwiła głęboko, a dziecko nie ma aktualnych szczepień przeciw tężcowi lub jeśli pod skórą tkwi odłamek szkła lub metalu.

Rany jamy ustnej

21. Rozcięta warga. Niewielu dzieciom udaje się przeżyć kilka pierwszych lat życia bez przynajmniej jednego rozcięcia wargi. Na szczęście goją się one szybko. Przyłóż worek z lodem, by złagodzić ból oraz zmniejszyć krwawienie. Wię-

Opatrywanie ran malucha

Rodzice mogą spodziewać się zakładania dziecku tuzinów, a może nawet i setek plastrów, dużych i małych. Poniższe wskazówki ułatwią to zadanie:

* Zawsze opatruj skaleczenie we właściwy sposób (patrz poszczególne rany).
* Aby plaster nie odpadł, przylepiaj go zawsze do czystej, suchej skóry.
* Unikaj przyklejania plastra na palcach, które malec lubi ssać, gdyż istnieje ryzyko zadławienia.
* Na otwarte rany zakładaj wyłącznie jałowe plastry lub specjalnie rozpakowane jałowe opatrunki z gazy. Nie dotykaj palcami plastrów i opatrunków w miejscach, które później będą przylegać do rany.
* By zapobiec przylepieniu się plastra do rany, stosuj opatrunki nie przywierające oraz/ lub maść z antybiotykiem. Jeśli jednak plaster się przyklei, zamiast go odrywać, nasącz go ciepłą wodą.
* Oprócz ran ciętych, które powinny być szczelnie przykryte, nie zakładaj opatrunków zbyt ciasno, by nie blokować dostępu powietrza do skaleczenia. Opatrując palce, sprawdź, czy przez nadmierny ucisk nie zostało zatrzymane krążenie.
* Opatrunki zmieniaj codziennie, by sprawdzić, jak przebiega proces gojenia (najlepszą okazją ku temu jest czas kąpieli, kiedy plaster nasiąka wodą i sam odpada bez odrywania). Załóż nowy opatrunek, jeśli rana ciągle wygląda na świeżą lub otwartą. Rana nie wymaga opatrunku, gdy utworzył się strup lub zeszły się jej brzegi. Oczywiście, gdy maluch domaga się nowego plastra, spełnij jego życzenie. Będzie to dodatkowa ochrona gojącego się skaleczenia przed zdrapaniem strupa, a także zmniejszy prawdopodobieństwo przypadkowych urazów w czasie zabawy.
* Zmieniaj opatrunki częściej, gdy się zabrudzą lub nasiąkną wodą.

kszemu dziecku, i to tylko pod kontrolą osoby dorosłej, możesz dać do ssania dużą kostkę lodu (w miarę topnienia wymień ją na następną, by dziecko się nie zakrztusiło). Jeśli rana rozchodzi się lub krwawienie nie ustaje w ciągu 15 minut, skontaktuj się z lekarzem. Czasami dochodzi do skaleczenia wargi, gdy dziecko wkłada do buzi i żuje przewód elektryczny. Zadzwoń wtedy do lekarza.

22. Rany cięte w jamie ustnej. Skaleczenia te, podobnie jak poprzednie, często przytrafiają się maluchom. Worek z lodem w przypadku niemowląt i duża kostka do ssania u starszych dzieci (wymieniaj kostki na nowe, w miarę jak topnieją, gdyż dziecko może się nimi zakrztusić) złagodzą ból i zmniejszą krwawienie z wewnętrznej części wargi lub policzka. Aby zatamować krwawienie z języka (jeśli nie ustanie samoistnie), ściśnij obydwa brzegi rany przez kawałek jałowej gazy lub czystego płótna. Gdy skaleczona jest tylna okolica gardła lub podniebienie miękkie (tył górnej części jamy ustnej), występuje rana kłuta od ostrego przedmiotu (np. ołówka lub patyka) lub krwawienie nie ustaje w ciągu 10 do 15 minut, skontaktuj się z lekarzem.

23. Wybity ząb. Jeśli został wybity ząb stały, wypłucz go delikatnie pod strumieniem bieżącej wody, trzymając go za koronę (nie za korzeń). Następnie, jeśli to możliwe, umieść ząb ponownie w dziąśle lub udaj się z dzieckiem do stomatologa, przechowując w czasie drogi ząb w ustach, wodzie z kranu lub mleku. Jeżeli od chwili wypadkuupłynie nie więcej niż 30-40 minut, istnieje jeszcze szansa, że stomatolog wykona reimplantację (umieści ząb ponownie w dziąśle), jednak pod warunkiem, że był odpowiednio przechowywany. Inaczej ząb prawdopodobnie nie utrzyma się w dziąśle i wkrótce ponownie wypadnie. Stomatolog będzie chciał się upewnić, czy ząb jest cały, gdyż fragmenty pozostałe w dziąśle mogą wypaść i następnie dostać się podczas wdechu do dróg oddechowych i zablokować je. Zatem zabierz ząb do stomatologa lub szpitala (jeśli nie ma w pobliżu tego pierwszego).

24. Złamany ząb. Oczyść dokładnie jamę ustną z odłamków i brudu ciepłą wodą i gazą lub czystą szmatką. Upewnij się, czy w jamie ustnej dziecka nie ma żadnych fragmentów zęba, którymi mogłoby się ono zakrztusić. Przyłóż do policzka w okolicy uszkodzonego zęba chłodny kompres (patrz str. 703), by zmniejszyć obrzęk. Natychmiast skontaktuj się ze stomatologiem, który udzieli ci dalszych wskazówek.

25. Ciało obce w jamie ustnej lub gardle. Usunięcie ciała obcego, które trudno uchwycić z zewnątrz, może okazać się karkołomnym zadaniem. Trzeba działać bardzo ostrożnie, by nie wepchnąć przedmiotu jeszcze głębiej. By usunąć miękki przedmiot (np. kawałek papieru lub chleba), należy ścisnąć policzki dziecka i wyciągnąć ciało obce pęsetą. Inne przedmioty spróbuj wymieść palcem: zegnij palec i przesuń nim szybko

po uwięzionym przedmiocie, wykonując ruchy na boki. Nie stosuj tego sposobu, gdy ciało obce jest niewidoczne. Jeśli utknęło ono w gardle, postępuj zgodnie ze wskazówkami w przypadku zadławienia (str. 581).

Skaleczenia oka

Uwaga: Skaleczonego oka nie należy dotykać palcami, uciskać ani stosować żadnych lekarstw bez zalecenia lekarza. Aby dziecko nie dotykało oka, nałóż na nie mały kubeczek lub kieliszek (kieliszek do płukania oka) i jeśli to konieczne, przytrzymaj rączki dziecka.

26. Ciało obce w oku. Jeśli widzisz w oku ciało obce (np. rzęsę lub ziarenko piasku), umyj ręce i przy użyciu wilgotnego kawałka płótna postaraj się je wyjąć. Możesz również spróbować wypłukać ciało obce z oka strumieniem letniej (o temperaturze ciała) wody. Pomocna jest wtedy druga osoba, która przytrzyma dziecko. Jeśli ciało obce nie wypłynie z oka, spróbuj nałożyć górną powiekę na dolną i przytrzymać ją przez kilka sekund.

Jeśli wszystkie te próby zawiodą, konieczna jest wizyta u lekarza, który wyjmie ciało obce z oka, gdyż inaczej może ono ulec otorbieniu. Udaj się z dzieckiem do lekarza również wtedy, gdy nie może się ono uspokoić, gdyż mogło dojść do uszkodzenia gałki ocznej. Nie próbuj usuwać otorbionego ciała obcego z oka. Załóż opatrunek z jałowej gazy i przylep go delikatnie plastrem. Możesz zamiast jałowej gazy użyć kilku jednorazowych chusteczek do nosa lub czystej chusteczki bawełnianej.

27. Substancja żrąca w oku. Natychmiast przepłucz dokładnie oko letnią wodą[1]. Wodę lej z dzbanuszka, butelki lub kieliszka przez 15 minut, przytrzymując otwarte powieki palcami. Jeśli substancja żrąca dostała się tylko do jednego oka, przechyl główkę dziecka tak, aby nie uszkodzone oko było wyżej i wypływający środek nie dostał się do drugiego oka. Nie stosuj kropli ani maści. Nie pozwalaj też, aby dziecko tarło oko rączką. Zadzwoń do lekarza lub oddziału zatruć po dalsze instrukcje.

28. Uszkodzenie oka ostrym przedmiotem. Przytrzymaj dziecko w pozycji półleżącej i wezwij pomoc. Jeśli przedmiot nadal tkwi w oku, nie staraj się go wyjąć. Jeśli go nie ma, przykryj oko opatrunkiem z gazy, czystym kawałkiem płótna, chusteczką. Nie stosuj ucisku. W każdym przypadku natychmiast wezwij pogotowie. Chociaż czasami skaleczenia te wyglądają gorzej, niż jest w rzeczywistości, rozsąd-

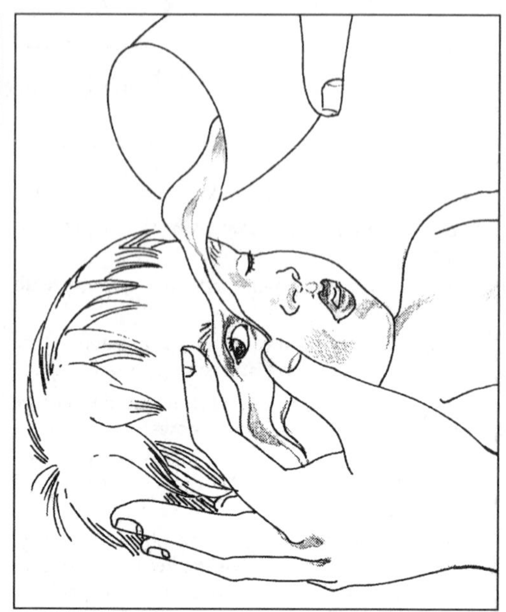

W przypadku dostania się do oka substancji żrącej, przepłucz oko wodą. Dziecko nie będzie zachwycone, ale zabieg ten jest konieczny.

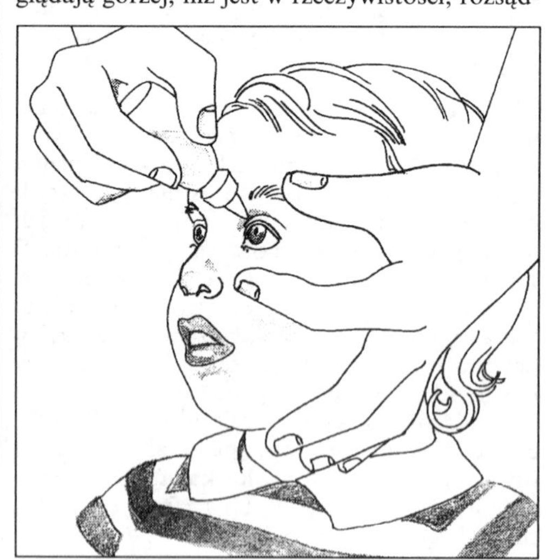

Nie zakraplaj dziecku oczu bez wskazań lekarza (lekarz prawdopodobnie zaleci ten zabieg przy infekcji, np. zapaleniu spojówek, patrz s. 726). Przy zakraplaniu oczu przytrzymuj otwarte powieki dwoma palcami jednej ręki. Pozostałymi trzema palcami postaraj się unieruchomić głowę.

[1] Jeśli woda jest nieosiągalna, użyj do przemycia oka płynu zbliżonego do wody, np. wody sodowej, niekwaśnego soku lub mleka.

niej będzie skontaktować się z pediatrą lub okulistą, który dokona oględzin.

29. Uszkodzenie oka tępym przedmiotem. Połóż dziecko na wznak i nałóż na oko worek z lodem lub zimny okład (patrz str. 705), by zlikwidować ucisk. Jeśli oko ciemnieje, dziecko ma trudności z widzeniem lub często pociera oko, lub jeśli przedmiot uderzył w oko z dużą prędkością, skontaktuj się z lekarzem.

Skaleczenia ucha

30. Ciało obce w uchu. Spróbuj usunąć przedmiot z ucha, delikatnie potrząsając głową dziecka (ucho musi być skierowane ku dołowi). Jeśli przedmiot nie wypadnie, postępuj według następujących wskazówek:

* W przypadku owadów spróbuj zwabić je na powierzchnię, oświetlając ucho intensywnym światłem (np. lampą błyskową);
* W przypadku metalu spróbuj wyciągnąć przedmiot za pomocą magnesu;
* W przypadku przedmiotu z plastyku lub drewna posmaruj spinacz do papieru kropelką szybko schnącego kleju (nie używaj kleju, który mógłby przylepić się trwale do skóry), a następnie dotknij spinaczem przedmiotu tkwiącego w uchu (tylko jeśli jest widoczny). Nie zagłębiaj się do ucha środkowego. Poczekaj, aż klej wyschnie, i wyciągnij spinacz wraz z przyklejonym przedmiotem. Nie próbuj wykonywać tego zabiegu sama, bez pomocy drugiej osoby, przytrzymującej dziecko.

Jeśli żaden z proponowanych sposobów nie okaże się skuteczny, nie próbuj wydobywać przedmiotu z ucha palcami lub za pomocą narzędzi. Udaj się z dzieckiem do lekarza.

31. Uszkodzenia ucha. Jeśli ucho zostało skaleczone ostrym przedmiotem lub zauważysz objawy uszkodzenia ucha (krwawienie z przewodu słuchowego, niedosłuch, obrzmiała małżowina), skontaktuj się z lekarzem.

Skręcenia

32. Skręcenie to inaczej naciągnięcie więzadeł, czyli tkanki włóknistej łączącej poszczególne kości. Ponieważ u dziecka więzadła są w porównaniu z kośćmi i chrząstkami dość mocne, ich urazy występują rzadziej niż u dorosłych, którzy mają mocniejsze kości. Czasami dochodzi u dzieci do skręcenia stawu skokowego, nadgarstka i kolana. Objawy (ból, obrzęk, niemożność poruszania stawem lub chodzenia w przypadku stawu skokowego lub kolana) przypominają objawy przy złamaniu i dlatego trzeba zasięgnąć porady lekarza, a czasami nawet wykonać zdjęcie rentgenowskie, by je odróżnić od złamania. Jeśli zaobserwujesz u dziecka wymienione wyżej objawy, skontaktuj się z lekarzem. Gdy dopuszczasz możliwość złamania, patrz pkt 53. Początkowe leczenie skręcenia wymaga następujących zabiegów: 1. Odpoczynku (odciążenia) bolącego stawu. W przypadku nogi przez kilka pierwszych dni dziecko powinno ograniczyć do minimum chodzenie. 2. Worka z lodem — przyłóż go do bolącego stawu. 3. Opaski uciskowej (założony bandaż elastyczny nie powinien ograniczać krążenia). 4. Uniesienia kończyny (tak wysoko, jak jest to możliwe). Malcowi być może spodoba się ułożenie kończyny na dużej poduszce lub pluszowym zwierzaku.

W zależności od tego, jak poważny jest uraz, lekarz może zalecić stosowanie opaski uciskowej do całkowitego wyleczenia lub unieruchomić staw przez założenie szyny lub nawet gipsu. Jeśli w ciągu 2 tygodni stan nie ulegnie poprawie (lub pogorszy się), należy ponownie udać się do lekarza. Konsekwencją zaniedbania poważnego skręcenia mogą być trwałe uszkodzenia.

Udar cieplny

33. Przegrzanie, czyli hipertermia o łagodnym przebiegu (zbyt wysoka temperatura ciała) jest najczęstszą formą choroby termicznej. Mogą wystąpić następujące objawy: obfite pocenie się, wzmożone pragnienie, ból głowy, skurcze mięśni, zawroty głowy i/lub nudności (zdezorientowane dziecko może odczuwać potrzebę wymiotów, co często pokazuje, dotykając ręką gardła). Temperatura ciała może wzrosnąć do 38-40°C. Postępowanie polega na przeniesieniu dziecka do chłodniejszego otoczenia (najlepiej z klimatyzacją) oraz podaniu chłodnych napojów (np. rozcieńczonego soku). Można ochłodzić dziecko, zakładając worki z lodem lub za pomocą wentylatora. Wezwij lekarza, jeśli dziecko nie wróci szybko do normalnego stanu, wymiotuje podczas picia lub utrzymuje się wysoka gorączka.

Udar cieplny (czyli poważna hipertermia) występuje rzadziej i ma groźniejszy przebieg. Występuje nagle, najczęściej na skutek przegrzania (np. po zabawie w palącym słońcu lub przebywaniu w czasie upału w zamkniętym samochodzie). Symptomami są na ogół: gorąca i sucha (rzadko wilgotna) skóra, bardzo wysoka gorączka, biegunka, ożywienie lub senność, dezorientacja, drgawki, utrata przytomności. Jeśli podejrzewasz u dziecka udar cieplny, owiń je w duży ręcznik kąpielowy, wcześniej zamoczony w lodowatej wodzie (wrzuć do zlewu napełnionego wodą z kranu kostki lodu, a następnie zamocz ręcznik). Natychmiast wezwij pogotowie lub udaj się z dzieckiem do najbliższego punktu pomocy medycznej. Gdy ręcznik zaczyna być ciepły, zmień go na zimny.

Ukąszenia

34. Pogryzienie przez psa i inne zwierzęta. Unikaj poruszania zranioną częścią ciała i natychmiast wezwij lekarza. Delikatnie, lecz dokładnie obmywaj ranę wodą z mydłem mniej więcej przez 15 minut. Nie używaj antyseptyków ani też innych środków bezpośrednio na ranę. Zatrzymaj krwawienie (pkt. 14–19) i załóż jałowy opatrunek. Jeśli to możliwe, przetrzymaj zwierzę aż do wykonania badań na wściekliznę, lecz uważaj, by cię nie pogryzło. (Nietoperze, wiewiórki, koty i psy mogą być wściekłe; podejrzewaj wściekliznę zwłaszcza wtedy, gdy ukąszenie nie zostało sprowokowane.) Następstwem pogryzienia przez kota jest często zakażenie (zaczerwienienie, tkliwość i obrzęk), wymagające zastosowania antybiotyków. Pogryzienie przez psa zazwyczaj nie wymaga leczenia antybiotykami, lecz należy skontaktować się z lekarzem. Uczyń to natychmiast, gdy w miejscu ukąszenia pojawi się zaczerwienienie, tkliwość i obrzęk.

W wyniku ukąszenia lub podrapania przez kota (szczególnie małego kociaka) może wystąpić tzw. choroba kociego pazura. Obserwuj ewentualne objawy (patrz str. 710), które najczęściej pojawiają się pomiędzy 7 a 12 dniem po wypadku, i poinformuj o nich lekarza. Ukąszenia przez kota, które są trudnymi do oczyszczenia ranami kłutymi, często wywołują infekcję.

35. Pogryzienie przez człowieka. Jama ustna człowieka jest siedliskiem różnych bakterii. Nie obawiaj się, gdy twoje dziecko zostało pogryzione przez brata (siostrę) lub innego malca, lecz nie została przerwana skóra. Jeśli skóra została przerwana, zanurz ranę w letniej wodzie z łagodnym mydłem na około 10 minut, wypłucz pod bieżącą wodą lub polewaj skaleczone miejsce wodą z naczynia. Nie przecieraj rany i nie stosuj maści (z antybiotykiem lub innych). Nałóż jałowy opatrunek i skontaktuj się z lekarzem. Jeśli wystąpi krwawienie, zatamuj je uciskiem. By uniknąć zakażenia, lekarz może zalecić antybiotyk.

36. Użądlenie przez owady. Jeśli dziecko zostanie użądlone lub pogryzione przez owada, udziel mu pierwszej pomocy w następujący sposób:

* Zdrap żądło pszczoły tępą krawędzią noża lub paznokciem. Nie staraj się usuwać żądła, chwytając je paznokciami lub pęsetą, gdyż możesz w ten sposób wprowadzić resztki jadu pod powierzchnię skóry.
* Kleszcze usuwaj tępą pęsetą lub paznokciami osłoniętymi chusteczką higieniczną, papierowym ręcznikiem lub gumową rękawiczką. Schwyć kleszcza jak najbliżej skóry dziecka i ciągnij go równomiernym, nieprzerwanym ruchem. Nie przekręcaj, nie wyciskaj, nie rozgniataj ani nie nakłuwaj kleszcza. Nie stosuj też wazeliny, benzyny, zmywacza do paznokci — te metody są nieskuteczne i mogą pogorszyć sytuację. Zachowaj kleszcza do badania, jeśli przypuszczasz, że jest to tzw. kleszcz „jeleni", w przeciwnym razie rozgnieć go przez chusteczką higieniczną i wyrzuć. Kleszcz jeleni, który może być nosicielem choroby z Lyme (patrz str. 712) ma kolor czarnobrązowy. W stadium nimfy ma wielkość łebka od szpilki, dorosły osiąga 2,5 mm, opity krwią wygląda na większego. W miejscu ugryzienia pojawia się plamista wysypka. Szybkie usunięcie kleszcza w znaczny sposób zmniejsza ryzyko wystąpienia choroby. Jeśli podejrzewasz, że dziecko zostało ukąszone przez kleszcza, skontaktuj się z lekarzem. Uczyń to również, gdy pomimo wysiłków nie możesz usunąć głowy kleszcza.
* Obmyj miejsce, w które użądliła dziecko pszczoła, osa, pająk lub kleszcz, wodą z mydłem. Następnie przyłóż lód lub zimny okład (str. 705), jeśli wystąpi obrzęk lub dziecko odczuwa ból. Możesz później zastosować lekarstwo przeciw użądleniu owadów. Uważaj, by nie dostało się ono do oka, jeśli ukąszenie miało miejsce w jego okolicy.
* Jeśli dziecko odczuwa swędzenie, np. przy pogryzieniu przez komary, posmaruj skórę mieszaniną tlenku cynku z wodą wapienną.
* Jeśli dziecko odczuwa po pogryzieniu przez pająka ogromny ból, przyłóż lód lub zimny kompres i natychmiast wezwij pomoc. Postaraj się złapać pająka lub przynajmniej przyjrzyj mu się, by móc go opisać. Jeśli to możliwe, weź go z sobą do szpitala, gdyż może być jadowity. W przypadku gdy wiesz, że jest jadowity — czarna wdowa, brązowy pustelnik lub tarantula — natychmiast wezwij pomoc, zanim jeszcze wystąpią objawy.

Objawy pogryzienia przez czarną wdowę

występują stopniowo. 1. Ból w okolicy ugryzienia. 2. Ból mięśni w pogryzionej kończynie, mogący promieniować na okolice podbrzusza (gdy pogryziona została noga) lub klatki piersiowej (gdy pogryziona została ręka). 3. Nadmierna potliwość w miejscu ugryzienia lub całej kończyny. 4. Uogólniony ból mięśni pleców, podbrzusza i klatki piersiowej, nadmierna potliwość, nudności, wymioty i ból głowy.

Objawy pogryzienia przez brązowego pustelnika: początkowa faza jest bezbolesna, po kilku minutach pojawia sią okrągła, czerwona plama, przechodząca po kilku godzinach w krostę, a następnie bolesną ranę o wyglądzie sińca. Po upływie kilku dni wokół miejsca ugryzienia tworzy się wypełniony krwią pęcherz, z białoszarą, niebieską, fioletową i czarną otoczką. Może też pojawić się zaczerwienienie wokół całej rany.

* Uważnie obserwuj, czy po użądleniu przez pszczołę, osę lub szerszenia nie występują objawy nadwrażliwości, takie jak: silny ból, obrzęk, krótki oddech. Osoby, u których wystąpią takie objawy już przy pierwszym użądleniu, są zazwyczaj później uczulone na jad i każde następne użądlenie może być śmiertelne, jeśli nie zostanie natychmiast udzielona pomoc. Jeśli u dziecka wystąpią inne objawy oprócz niewielkiego bólu i małego obrzęku, skontaktuj się z lekarzem, który prawdopodobnie zaleci wykonanie prób uczuleniowych. Gdy zostanie potwierdzona alergia, być może przez całe lato konieczne będzie noszenie z sobą zestawu leków przeciw użądleniu.

Ogólnoustrojowe objawy nadwrażliwości, dotyczące około 0,5-5% dzieci, występują w okresie od kilku minut do kilku godzin po użądleniu i rzadko są groźne. Reakcje ogólnoustrojowe zagrażające życiu (rzadkie) zwykle pojawiają się 10-15 minut po ukąszeniu. Obejmują: obrzęk twarzy i/lub języka, oznaki obrzęku gardła (obrzęk krtani): łaskotanie, uczucie zakneblowanych ust, trudności z połykaniem oraz zmiana głosu. Pozostałe objawy to: skurcz oskrzeli (trudności w oddychaniu, kaszel, charczenie), spadek tętna powodujący zawroty głowy, omdlenie i/lub zapaść sercowo-naczyniową. U dzieci rzadko kończą się one śmiercią, lecz o wystąpieniu reakcji ogólnoustrojowej należy natychmiast poinformować lekarza, gdyż malec może wymagać nagłej pomocy. Jeśli wydaje ci się, że jest to sytuacja zagrożenia życia, bezzwłocznie wezwij pogotowie.

37. Ukąszenie przez węże. Ukąszenie dziecka przez jadowitego węża, które jest niezwykle niebezpieczne, zdarza się na szczęście rzadko. W związku z tym, że małe dziecko ma niewielką masę ciała, nawet znikoma ilość jadu może okazać się śmiertelna. Po ukąszeniu dziecko nie powinno się poruszać. Jeśli to możliwe, należy unieruchomić ukąszoną część ciała. Kończynę najlepiej unieruchomić szyną i trzymać ją poniżej tułowia. Gdy dostępny jest zimny kompres, przyłóż go w celu złagodzenia bólu, lecz nie stosuj lodu ani żadnych lekarstw bez konsultacji medycznej. Może pomóc wyssanie jadu ustami (a następnie wyplucie go), jednak pod warunkiem, że wykonane jest natychmiast. Nie nacinaj skóry, chyba że dotarcie do najbliższego punktu pomocy potrwa 4-5 godzin, a wystąpią ostre objawy zatrucia. Jeśli dziecko nie oddycha, wykonaj sztuczne oddychanie i masaż serca (str. 580).

Gdy zaistnieje konieczność, postępuj jak w przypadku wstrząsu (pkt 49). Natychmiast sprowadź pomoc i przygotuj się do odpowiedzi na pytania dotyczące wyglądu węża. Jeśli nie możesz w ciągu godziny sprowadzić żadnej pomocy, zastosuj luźno umocowaną tymczasową opaskę uciskową (pasek, krawat, wstążkę do włosów zawiązaną na tyle luźno, by zmieścił się pod nią palec) 5 cm nad ukąszeniem, by zwolnić krążenie krwi. (Nie zawiązuj tego typu opaski uciskowej dookoła palców rąk i nóg, a także na szyi, głowie i tułowiu.) Często mierz tętno (patrz str. 489) poniżej opaski, aby upewnić się, czy nie zostało zahamowane krążenie. Poluźnij opaskę, jeśli kończyna jest opuchnięta. Zanotuj czas założenia opaski. Przy ukąszeniu węży niejadowitych postępuj jak w przypadku ran kłutych (pkt 19) i skontaktuj się z lekarzem prowadzącym dziecko.

38. Ukąszenia lub oparzenia przez zwierzęta morskie. Wypadki tego typu nie są zazwyczaj groźne, chociaż czasami występuje u dziecka ostra reakcja. Należy wtedy niezwłocznie skontaktować się z lekarzem, by uniknąć ewentualnych groźnych konsekwencji. Pierwsza pomoc uzależniona jest od gatunku zwierzęcia, jednak ogólnie rzecz biorąc, należy za pomocą pieluszki lub kawałka płótna (w celu zabezpieczenia rąk) usunąć ze skóry wszelkie fragmenty zwierzęcia. Jeśli wymaga tego sytuacja, natychmiast rozpocznij podstawowe czynności w zakresie tamowania krwawień (pkt 18), wstrząsu (pkt 49) lub zatrzymania oddychania (patrz str. 578). Nie martw się z powodu niewielkiego krwawienia, gdyż pomaga ono w usunięciu toksyn. Toksynom meduzy przeciwdziała alkohol lub rozcieńczony amoniak. Zatem na wszelki wypadek noś w torbie plażowej kilka kompresów nasączonych alkoholem.

Urazy

39a. Urazy brzucha — krwawienie wewnętrzne. Uraz brzucha może u dziecka spowodować uszkodzenia wewnętrzne, których objawy są następujące: zasinienie lub innego typu przebarwienie brzucha, krwawe wymioty lub wykrztuszanie krwi o ciemnej lub jasnoczerwonej barwie i konsystencji fusów od kawy (fusowate wymioty mogą również oznaczać połknięcie żrącej substancji), obecność krwi (ciemnej lub jasnoczerwonej) w moczu lub stolcu, wstrząs (zimna, wilgotna i blada skóra, słaby, przyspieszony puls, dezorientacja, dreszcze oraz czasami nudności, wymioty lub płytki oddech). Wezwij natychmiast pogotowie. Jeśli dziecko jest we wstrząsie, postępuj zgodnie ze wskazówkami zawartymi w pkt. 49. Nie podawaj dziecku jedzenia i napojów.

39b. Urazy brzucha — rany cięte. Postępuj jak w przypadku innych ran ciętych (pkt. 16 i 17). Przy głębokiej ranie jelita mogą wypaść na zewnątrz. Nie wkładaj ich z powrotem do jamy brzusznej, lecz okryj czystą, wilgotną pieluszką lub kawałkiem płótna i natychmiast wezwij pogotowie.

40a. Urazy głowy — rany cięte i krwiaki. W związku z tym, że okolica głowy jest silnie ukrwiona, nawet przy niewielkich ranach ciętych występuje często obfite krwawienie, a krwiaki bardzo szybko urastają do rozmiarów jajka. Postępuj jak w przypadku innych ran ciętych (pkt. 16 i 17) lub krwiaków (pkt 14). Z wyjątkiem niewielkich skaleczeń rany głowy wymagają oględzin lekarza.

40b. Poważne urazy głowy
Uwaga: Urazy głowy są na ogół groźniejsze, gdy dziecko spadnie na twardą powierzchnię z wysokości przekraczającej jego wzrost lub zostanie uderzone ciężkim przedmiotem. Uderzenia w skroń mogą spowodować większe uszkodzenia niż w czoło lub tył głowy.

Uderzenia w głowę przytrafiają się dzieciom w ciągu pierwszych kilku lat życia co najmniej kilka razy. Zazwyczaj wystarczają w takich sytuacjach pocałunki mamy, ale w przypadku silnego uderzenia należy dokładnie obserwować malca przez 6 godzin. Natychmiast wezwij lekarza lub pogotowie, jeśli po urazie głowy zauważysz któryś z przytoczonych poniżej objawów:

* Utrata przytomności (poczucie senności trwające 2-3 godziny jest normalną reakcją i nie powinno budzić niepokoju);
* Drgawki;

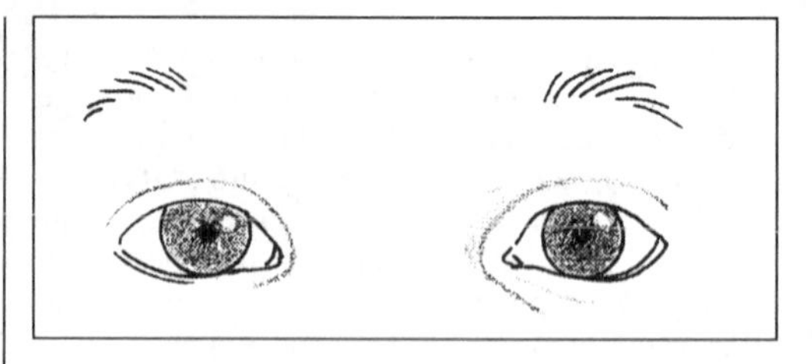

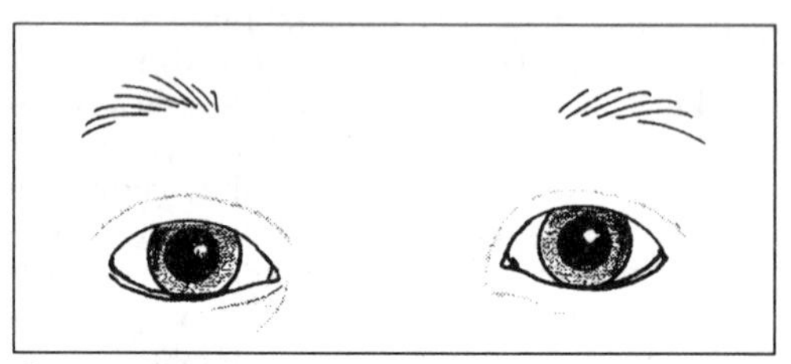

Źrenice powinny kurczyć się w reakcji na światło (wyżej) i rozszerzać się przy oddalaniu źródła światła (niżej).

* Trudności z przebudzeniem dziecka (jeśli dziecko śpi, należy sprawdzić, czy występuje reakcja na lekkie potrząsanie — w ciągu dnia co godzinę lub dwie, w nocy dwu- lub trzykrotnie przez sześć godzin po urazie. Przy braku reakcji sprawdź, czy dziecko oddycha (patrz str. 578);
* Wymioty — jeśli występują więcej niż dwa razy;
* Wgniecenie lub zagłębienie w czaszce;
* Niezdolność poruszania ramieniem lub nogą;
* Krwawa lub wodnista wydzielina z uszu lub nosa;
* Zasinienie wokół oczu lub za uszami;
* Zdecydowany ból, trwający co najmniej godzinę, zakłócający normalne funkcjonowanie lub sen;
* Zawroty głowy (zachwiania równowagi) utrzymujące się dłużej niż godzinę po uderzeniu;
* Nierówna wielkość źrenic lub brak reakcji źrenic na światło (przy zbliżaniu źródła światła źrenice powinny się kurczyć, a przy oddalaniu rozszerzać, patrz ilustr. powyżej);
* Niewyraźna mowa lub nienormalne zachowanie (nadpobudliwość).

Oczekując na pomoc, uspokój dziecko i połóż je na wznak, z głową przechyloną na bok. Jeśli dziecko jest w stanie wstrząsu, postępuj zgodnie ze wskazówkami (pkt 49). Rozpocznij sztuczne oddychanie i masaż serca (str. 580), jeśli dziecko nie oddycha. Aż do momentu przybycia lekarza nie podawaj dziecku jedzenia i napojów.

Wyposażenie domowej apteczki

Podobnie jak niemowlęta, dwu- i trzylatki często zaczynają chorować lub kaleczą się późnym wieczorem, wczesnym rankiem lub podczas weekendów, kiedy większość aptek jest zamknięta i trudno liczyć na pomoc. Dlatego też wymienione niżej środki powinny być zawsze pod ręką:

* Środek zastępujący aspirynę* np. acetaminophen (patrz str. 506). Jest on osiągalny bez recepty w postaci syropu, tabletek do ssania, czopków oraz musującego proszku pod następującymi nazwami: Tylenol, Tempra, Liquiprin i Panadol. Syrop jest odpowiednią postacią dla wszystkich maluchów, tabletki do ssania dla dwulatków ważących co najmniej 11 kg i potrafiących je ssać (także dla mniejszych dzieci, jeśli zaleci je lekarz). Dawkowanie przedstawia tabela na str. 498. W niektórych przypadkach lekarz może zalecić ibuprofen, np. Advil;
* Termometr. Typy osiągalnych na rynku termometrów znajdziesz na str. 494;
* Łyżeczka z miarką do podawania lekarstw;
* Zakraplacz i/lub jednorazowa strzykawka, również do podawania leków;
* Szpatułka do przyciskania języka;
* Elektryczna poduszka i/lub termofor, która łagodzi bóle mięśniowe (patrz str. 704-705);
* Krople do nosa (gotowy preparat jest bezpieczniejszy od przyrządzonego w domu);
* Lek przeciwuczuleniowy** dla alergików;
* Mieszanka tlenku cynku i wody wapiennej lub 1,5% maść hydrokortyzonowa** przeciw ukąszeniom komarów i swędzącej wysypce. Ulgę przynosi również kąpiel w wodzie z dodatkiem otrębów;
* Płyn przeciw odwodnieniu** (w leczeniu biegunki, wymiotów, gorączki);
* Parawan przeciwsłoneczny na upały (patrz str. 402);
* Alkohol*** do przecierania termometru, pęsety, nożyczek itd.; nie wcieraj go, by obniżyć gorączkę (patrz str. 499);
* Wazelina do smarowania końcówki termometru doodbytniczego;
* Syrop z korzenia wymiotnicy*** w przypadku silnego zatrucia (stosuj tylko według wskazań lekarza lub oddziału zatruć). Dodatkową butelkę syropu powinnaś wozić w apteczce samochodowej;
* Aktywny węgiel*** w płynie przeciw zatruciu. Ostatnie badania wykazały, że w wielu przypadkach zatruć działa on lepiej niż syrop wymiotny. Stosuj go tylko według wskazań lekarza lub oddziału zatruć;
* Sterylne bandaże** (również bandaż motylkowy), gaziki i plastry z opatrunkiem różnych rozmiarów i kształtów (wybierz wzory atrakcyjne dla malca, który powinien ci pomóc w dokoniu tego zakupu);
* Maść z antybiotykiem**;
* Bandaż z gazy***;
* Bandaż elastyczny*** w wypadku naciągnięcia więzadeł;
* Chusta trójkątna***, by owinąć ranę, zrobić temblak lub przymocować worek z lodem;
* Plaster do przyklejania opatrunków***;
* Jałowe waciki***;
* Mała latarka*** pomocna przy zaglądaniu do gardła lub źrenic, przy urazach głowy i zatruciu;
* Nożyczki z zaokrąglonymi końcami*** do przecinania bandaży itp.;
* Pęseta z wygiętą końcówką do usuwania drzazg, kleszczy i małych przedmiotów;
* Worki z lodem, by ochłodzić krwiaki i rany. Trzymaj je w zamrażalniku (kup worek z lodem w kształcie zwierzątka). Do zimnych okładów możesz też użyć zimnej puszki z sokiem lub zamrożonej kostki masła.

---

* Nie podawaj dziecku aspiryny bez wyraźnych zaleceń lekarza. Aspiryny w ogóle nie podaje się w przypadku ospy wietrznej, grypy lub innej infekcji wirusowej. Aspiryna (kwas acetylosalicylowy) oraz inne salicylany są składnikami wielu leków dostępnych bez recepty. Zatem przed podaniem dziecku lekarstwa dokładnie przestudiuj jego skład.

** Przed dokonaniem tych zakupów zapytaj, co sądzi o nich pediatra leczący twoje dziecko.

*** Wszystkie artykuły pierwszej pomocy przechowuj w przenośnej torbie, którą można łatwo przenieść na miejsce wypadku i schować poza zasięgiem dzieci.

Urazy nosa

41. Krwawienie z nosa. Posadź dziecko z wyprostowanymi lub lekko pochylonymi do przodu plecami i delikatnie ściskaj obydwa nozdrza palcem wskazującym i kciukiem przez 5-10 minut. (Dziecko automatycznie zacznie oddychać przez usta.) Postaraj się uspokoić dziecko, gdy na skutek płaczu zwiększa się krwawienie. Jeśli krwawienie nie ustępuje, spróbuj włożyć do nozdrza watę i ściskaj nosek przez następne 10 minut i/lub przyłóż zimny kompres. Jeśli pomimo tych zabiegów nos nadal krwawi, zadzwoń do lekarza, pamiętając, by dziecko siedziało z wyprostowanymi pleckami. O częstych krwawieniach z nosa, nawet jeśli szybko ustępują, należy powiadomić lekarza. Nawilżanie powietrza w mieszkaniu często zmniejsza liczbę krwawień z nosa.

42. Ciało obce w nosie. Trudności przy oddychaniu przez nos i/lub cuchnąca, czasem krwawa wydzielina mogą sygnalizować obecność ciała obcego w nosie. Uspokój dziecko i zachęć je do oddychania przez usta. Jeśli przedmiot nie tkwi głęboko, usuń go palcami. Nie używaj pęsety ani innego narzędzia, które mogłoby uszkodzić nos przy niespodziewanym ruchu dziecka lub też mogłoby wepchnąć przedmiot głębiej do kanału nosowego. Jeśli nie potrafisz wydobyć przedmiotu, dmuchaj przez nos i zachęć dziecko, by cię naśladowało. Gdy i ta próba skończy się niepowodzeniem, udaj się z dzieckiem do lekarza lub do szpitala.

43. Uderzenie w nos. Jeśli w wyniku uderzenia nos krwawi, posadź dziecko z wyprostowanymi lub lekko pochylonymi do przodu plecami, by malec nie połykał i nie zakrztuszał się krwią (pkt 41). Przyłóż worek z lodem lub zimny okład (str. 705), które zmniejszą obrzęk. Udaj się z dzieckiem do lekarza, aby upewnić się, czy nie ma złamania.

Urazy palców rąk i nóg

44. Krwiaki — sińce. Ciekawe świata małe dzieci często kładą paluszki między drzwi i szuflady, co kończy się na ogół stłuczeniem. Najlepszym lekarstwem jest kąpiel palca w lodowatej wodzie przez całą godzinę z przerwami co 15 minut, aby nie uległ on odmrożeniu. Niestety większość maluchów nie wytrzymuje tak długiego siedzenia w bezruchu, lecz odwracając uwagę dziecka lub nawet używając siły, możesz przytrzymać dziecko chociaż przez kilka minut. Kąpiel w lodowatej wodzie jest również najskuteczniejsza przy urazach palców. Najczęściej bywa jednak niemożliwa przy braku współpracy ze strony dziecka. Obrzęk palców rąk i nóg zmniejszy się przy uniesieniu ich w górę.

Jeśli uderzony palec ręki lub nogi bardzo szybko i bardzo mocno obrzmiewa, wydaje ci się, że jest zniekształcony lub nie można go wyprostować, oznacza to, że mógł ulec złamaniu (pkt 53). Natychmiast skontaktuj się z lekarzem, jeżeli krwiak powstał na skutek wykręcenia palca lub też wkręcenia się go pomiędzy szprychy obracającego się koła.

45. Krwawienie pod paznokciem. Jeśli palec został dotkliwie stłuczony, pod paznokciem może utworzyć się skrzep, powodując bolesny ucisk. Gdy spod paznokcia wypływa krew, naciśnij na paznokieć, by zwiększyć krwawienie i w ten sposób zlikwidować ucisk. Jeśli dziecko nie stawia oporu, zanurz palec w lodowatej wodzie. Jeżeli ból nie ustępuje, może być konieczne nakłucie paznokcia w celu zlikwidowania ucisku. Lekarz nakłuje paznokieć lub udzieli ci wskazówek, w jaki sposób to zrobić.

46. Częściowe uszkodzenie płytki paznokciowej. W przypadku niewielkiego uszkodzenia płytki owiń paznokieć plastrem z przylepcem i poczekaj, aż odrośnie na tyle, że można będzie naderwane miejsce obciąć. W przypadku gdy linia złamania przebiega przez cały paznokieć, obetnij wzdłuż niej paznokieć, a następnie nałóż opatrunek do czasu, aż paznokieć odrośnie, by zabezpieczyć opuszek palca przed dalszymi urazami.

47. Całkowite uszkodzenie płytki paznokciowej. Jeśli paznokieć częściowo trzyma się skóry, oderwij go zupełnie, Zanurz palec w zimnej wodzie na 20 minut, a następnie posmaruj ranę maścią z antybiotykiem i nałóż opatrunek. Przez kilka następnych dni mocz palec w słonej wodzie (pół łyżeczki soli na ćwierć litra wody) przez 15 minut. Po każdej kąpieli nakładaj na łoże paznokcia warstwę maści z antybiotykiem i czysty opatrunek. Jeśli palec się goi, po czterech dniach możesz przestać smarować ranę, lecz jeszcze przez trzy kolejne dni stosuj kąpiele w słonej wodzie. Dopóki paznokieć nie odrośnie, owijaj palec bandażem. Jeśli pojawią się oznaki infekcji (zaczerwienienie, ciepło i obrzęk), skontaktuj się z lekarzem.

Utonięcie

48. Nawet jeśli dziecko po wyjęciu z wody szybko odzyskuje przytomność, powinno zostać poddane badaniu lekarskiemu. Jeśli pozostaje nie-

przytomne, poproś inną osobę o sprowadzenie pomocy medycznej, a sama rozpocznij sztuczne oddychanie i masaż serca (patrz str. 580). Jeśli jesteś sama, natychmiast rozpocznij reanimację, odkładając telefon na później. Nie przerywaj czynności, dopóki dziecko nie odzyska przytomności lub nie przybędzie pomoc. Jeśli dziecko wymiotuje, przewróć je na bok, by uniknąć zakrztuszenia. Gdy podejrzewasz uraz głowy lub szyi, usztywnij te części ciała. Okryj dziecko ciepłym kocem.

Wstrząs

49. Do wstrząsu dochodzi przy poważnych urazach i chorobach. Do objawów należą: zimna, wilgotna i blada skóra, przyspieszone, słabo wyczuwalne tętno, dreszcze, drgawki oraz często nudności lub wymioty, nadmierne pragnienie i/lub płytki oddech. Rozluźnij krępujące dziecko ubranie, unieś nogi i ułóż je na poduszce lub zwiniętym ubraniu, by skierować krew do mózgu, oraz lekko przykryj, żeby zapobiec utracie ciepła i dreszczom. Jeśli dziecko ma trudności z oddychaniem, lekko unieś mu głowę i ramiona. Wezwij pogotowie. Nie podawaj dziecku jedzenia i napojów oraz nie stosuj termoforu.

Zatrucia

50. Poza jedzeniem każda połknięta substancja jest potencjalną trucizną. Jeśli dziecko straci przytomność, a wiesz lub podejrzewasz, że połknęło niebezpieczną substancję, natychmiast rozpocznij akcję ratunkową. Połóż dziecko na wznak na stole i sprawdź, czy oddycha (patrz str. 578). Jeśli nie oddycha, niezwłocznie rozpocznij sztuczne oddychanie i masaż serca. Po 2 minutach wezwij pogotowie i kontynuuj czynności, aż dziecko odzyska przytomność lub nadejdzie pomoc.

Najczęstsze objawy zatrucia obejmują: śpiączkę, ożywienie lub inne odbiegające od normy zachowanie, przyspieszone, nieregularne tętno i/lub przyspieszony oddech, biegunkę lub wymioty (dziecko należy obrócić na bok, aby nie zakrztusiło się wymiocinami), nadmierne łzawienie, pocenie się, wyciek śliny z ust, gorącą, suchą skórę i usta, szerokie lub zwężone (szpilkowate) źrenice, oczopląs, drżenie i drgawki.

Jeśli zaobserwujesz u dziecka któreś z tych objawów i nie potrafisz znaleźć dla nich żadnego logicznego wytłumaczenia lub jeśli masz namacalny dowód, że dziecko połknęło wątpliwą substancję, nie lecz go na własną rękę. Nie podawaj dziecku nic do ust (również jedzenia i napojów, mieszanki aktywnego węgla, znanej jako uniwersalny środek na wszystko, ani też żadnych syropów wymiotnych, słonej wody lub białek jaj). Natychmiast skontaktuj się z lekarzem, oddziałem zatruć lub pogotowiem po dalsze wskazówki. Zadzwoń, nawet jeśli tymczasowo nie ma objawów — mogą pojawić się po kilku godzinach. Weź z sobą do telefonu opakowanie, z którego pochodzi domniemana trucizna, wraz z ulotką i ewentualnymi resztkami substancji. Podaj przez telefon nazwę substancji (lub rośliny, jeśli dziecko ją zjadło) oraz, jeśli potrafisz, połkniętą ilość. Bądź przygotowana na pytania dotyczące wieku, wzrostu, masy ciała dziecka oraz objawów.

W przypadku większości trucizn otrzymasz radę wywołania wymiotów przy użyciu syropu wymiotnego (Ipecac), by opróżnić żołądek z jak największej ilości szkodliwej substancji. Podaj dziecku dawkę zaleconą przez lekarza lub oddział zatruć. Jeśli nie masz w domu syropu, zapytaj, czy do wywołania wymiotów możesz w zamian użyć płynu do zmywania naczyń (lecz nie płynu stosowanego w zmywarkach). Jeżeli dziecko nie zwymiotuje przez 20 minut, powtórz dawkę, lecz tylko jeden raz. Jeśli uda się wywołać wymioty, zbierz wymiociny do głębokiego naczynia, które następnie zabierz z sobą do lekarza w celu analizy. (Najłatwiej przywieźć wymiociny w zakręcanym słoiku lub specjalnie zamykanym worku plastykowym, weź jednak z sobą czystą miseczkę, w razie kolejnych wymiotów w czasie drogi.) Upewnij się, czy masz z sobą domniemaną truciznę (butelkę z tabletkami, płynem do czyszczenia, liść filodendrona).

Bez względu na wiek dziecka nie wywołuje się wymiotów, kiedy została połknięta substancja żrąca (np. wybielacz, amoniak, środek do czyszczenia rur kanalizacyjnych) lub cokolwiek na bazie nafty, benzenu lub benzyny (politura do mebli, środki do czyszczenia, terpentyna) oraz gdy ofiara zatrucia straciła przytomność bądź wystąpiła u niej śpiączka, drgawki lub drżenie. W niektórych przypadkach zaleca się podanie węgla, który wchłania truciznę.

51. Szkodliwe wyziewy i gazy. Opary z benzyny, spaliny samochodowe, niektóre trujące chemikalia oraz gęsty dym od ognia mogą być toksyczne. Dziecko, które było narażone na któreś z tych niebezpieczeństw, powinno zostać natychmiast wyniesione na świeże powietrze (jeśli to niemożliwe, należy otworzyć okno). Objawy zatrucia tlenkiem węgla: ból głowy, zawroty, kaszel, nudności, ospałość, nieregularny oddech, utrata przytomności. Jeśli dziecko nie oddycha, natychmiast rozpocznij sztuczne oddychanie i masaż serca (patrz str. 580) i wykonuj

je, dopóki dziecko nie zacznie miarowo oddychać lub dopóki nie przybędzie pomoc. Jeśli to możliwe, poproś kogoś o niezwłoczne zatelefonowanie do oddziału zatruć. Gdy nie ma nikogo w pobliżu, po 2 minutach reanimacji zadzwoń sama, natychmiast wracając do przerwanej akcji ratunkowej. Jeśli nie możesz wezwać pogotowia, natychmiast przetransportuj dziecko do szpitala lub najbliższego punktu pomocy medycznej, lecz nie w przypadku, gdy oznacza to przerwanie sztucznego oddychania i masażu serca lub gdy sama byłaś narażona na trujące wyziewy i trudno ci dokonać oceny sytuacji. Samochód powinien prowadzić ktoś inny. Nawet jeśli uda ci się przywrócić oddychanie, niezbędna jest szybka interwencja lekarza.

52. Trujący bluszcz, dąb, sumak jadowity. U większości dzieci po styczności z tymi roślinami występuje w ciągu 12-24 godzin reakcja uczuleniowa (zazwyczaj czerwona, swędząca wysypka, obrzęk, pęcherze, wysięk). Objawy te mogą trwać od 10 dni do 4 tygodni. Jeśli wiesz, że dziecko miało kontakt z tymi roślinami, rozbierz je. Zabezpiecz swoje ręce rękawicami, chusteczkami lub pieluszkami (sok tych roślin zawiera trującą żywicę). By zapobiec przyklejeniu się żywicy do skóry dziecka, zmyj ją wodą z mydłem (rób to przez co najmniej 10 minut) i dokładnie spłucz wodą[2].

W podobny sposób spłucz wodą wszystko, co miało kontakt z roślinami (również ubranie, wózek, domowe zwierzęta itd), gdyż na tych przedmiotach żywica może zachować aktywność przez 12 miesięcy. Buty, których nie można umyć, powinny być dokładnie oczyszczone pastą do obuwia.

Jeśli wystąpi reakcja uczuleniowa, uczucie swędzenia złagodzi mieszanina wody wapiennej z tlenkiem cynku lub środek przeciw swędzeniu. Ulgę przyniesie również acetaminophen, zimny kompres (patrz str. 705) i/lub kąpiel w otrębach. By uniknąć zadrapań, obetnij dziecku paznokcie. Jeśli wysypka jest ostra lub obejmuje okolice oczu, twarzy i narządów płciowych, skontaktuj się z lekarzem. Może on zalecić leki przeciwuczuleniowe lub doustne steroidy.

Złamania kości

53. Podejrzenie o złamanie kości ramienia, nogi, obojczyka i palca. Objawy złamania to: słyszalne chrupnięcie podczas upadku, zniekształcenie, chociaż może ono oznaczać również zwichnięcie (pkt 56), brak możliwości wykonania ruchu lub utrzymania ciężaru na złamanej kości (dotkliwy ból, dziecko nie przestaje płakać), brak czucia i/lub uczucie mrowienia (które trudno stwierdzić u nie mówiącego jeszcze dziecka), obrzęk i zasinienie. Jeśli podejrzewasz złamanie kończyny, nie ruszaj dziecka bez porozumienia się z lekarzem, chyba że jest to konieczne ze względu na jego bezpieczeństwo. W przypadku gdy musisz ruszyć dziecko, najpierw spróbuj unieruchomić złamaną część ciała (kończynę, głowę, szyję) w pozycji, w której się aktualnie znajduje, za pomocą linijki, grubej gazety, książki lub innego twardego przedmiotu, owiniętego miękką szmatką, która zabezpieczy skórę. Jako szyny można też użyć małej, twardej poduszeczki. Przymocuj bezpiecznie szynę w miejscu złamania, poniżej i powyżej, za pomocą bandaży, pasów materiału, szalików lub krawatów, niezbyt ciasno, by nie utrudniać krążenia krwi. Jeśli nieosiągalna jest żadna prowizoryczna szyna, użyj swojego przedramienia. Sprawdzaj regularnie puls, żeby się upewnić, czy szyna nie ogranicza krążenia. Dopóki dziecka nie opatrzy lekarz, przyłóż worek z lodem, by zmniejszyć obrzęk. Chociaż złamania u małych dzieci na ogół szybko się zrastają, niezbędne jest właściwe leczenie pod kontrolą lekarza. Nawet jeśli tylko podejrzewasz złamanie, dziecko powinien zbadać lekarz.

54. Złamanie otwarte. Nie dotykaj wystającej przez skórę kości. Przykryj ją opatrunkiem z jałowej gazy lub czystą pieluszką. Jeśli rana obficie krwawi, zatamuj krwawienie poprzez ucisk (pkt 17) i wezwij pogotowie.

55. Podejrzenie o złamanie szyi i kręgosłupa. Jeśli podejrzewasz któryś z tych urazów, nie wolno ruszać dziecka. Wezwij pogotowie. Przykryj dziecko i zapewnij mu opiekę, dopóki nie przybędzie pomoc. Jeśli to możliwe, usztywnij głowę, układając wokół niej ciężkie przedmioty (np. książki). Nie podawaj jedzenia ani napojów. Jeśli wystąpiło obfite krwawienie (pkt 18), wstrząs (pkt 49) lub dziecko nie oddycha (str. 578), natychmiast rozpocznij odpowiednie działania.

Zwichnięcia

56. U dwu i trzylatków często dochodzi do zwichnięć stawu ramiennego i łokciowego. Najczęściej dzieje się tak, gdy spieszący się dorośli ciągną dziecko za rękę (patrz str. 549). Typowe

[2] Wysypka nie jest zaraźliwa i nie przenosi się na inne osoby lub części ciała. Może czasami wywołać takie wrażenie, gdyż pojawia się później w miejscach, gdzie ilość żywicy była mniejsza.

Miłość i troska

MiT (miłość i troska) jest często najlepszym sposobem leczenia niewielkich ran, a pocałunek i pieszczota łagodzą ból. Nabity guz wymaga jedynie uśmiechu, buziaka i słów pociechy („Nic się nie stało. Głowa do góry!"). Ściśnięty drzwiami palec potrzebuje lawiny buziaków i odwrócenia uwagi. W większości przypadków należy uspokoić dziecko przed udzieleniem mu pierwszej pomocy. Jednak w sytuacjach zagrożenia życia (które na szczęście zdarzają się rzadko i podczas których dzieci najczęściej nie stawiają oporu) nie wolno tracić czasu na uspokajanie dziecka.

objawy to: zniekształcenie ramienia, brak możliwości wykonania ruchu oraz uporczywy płacz. Należy szybko udać się z dzieckiem do lekarza, który nastawi zwichniętą kończynę, przynosząc natychmiastową ulgę w cierpieniach malca. Jeśli dziecko odczuwa bardzo dotkliwy ból, przyłóż worek z lodem oraz załóż szynę.

REANIMACJA DWU- I TRZYLATKÓW

Podane niżej wskazówki mają służyć ci jedynie jako przypomnienie praktycznych umiejętności zdobytych na kursie reanimacji małych dzieci (dowiedz się od pediatry leczącego twoje dziecko, w szpitalu rejonowym lub przychodni, gdzie organizowane są takie kursy). Musisz mieć całkowitą pewność, że potrafisz właściwie wykonać wszystkie czynności ratujące życie. Co pewien czas przeczytaj opisany tu plan działania lub też swoje notatki z kursu i wykonaj sztuczne oddychanie na lalce (nigdy nie na dziecku, innej osobie lub na domowym czworonogu) przynajmniej raz w miesiącu, aby w razie potrzeby automatycznie przystąpić do czynności reanimacyjnych. Również następne kursy odświeżą twoje umiejętności i zaznajomią cię z najnowszymi technikami reanimacyjnymi.

Sztuczne oddychanie rozpocznij jedynie w przypadku, gdy dziecko nie oddycha lub walczy o oddech i sinieje (sprawdź kolor skóry wokół ust i na opuszkach palców).

Jeśli dziecko walczy o oddech, lecz nie sinieje, niezwłocznie wezwij lekarza lub udaj się do najbliższego punktu pomocy medycznej. Tymczasem uspokój i okryj dziecko, układając je w jak najwygodniejszej pozycji.

Jeśli konieczna jest reanimacja, wykonaj następujące czynności:

1. Sprawdź, czy dziecko reaguje na bodźce

Postaraj się obudzić dziecko, które wygląda na nieprzytomne, wypowiadając głośno jego imię co najmniej kilka razy, np. „Aniu, Aniu, czy dobrze się czujesz?" Jeśli nie reaguje, spróbuj delikatnie uderzać palcami w jego stopy lub, w ostateczności, lekko potrząsać za ramię. Nigdy nie potrząsaj dziecka za ramię, jeśli podejrzewasz złamanie kości lub urazy głowy, szyi lub kręgosłupa.

2. Wezwij pomoc

Przy braku reakcji poproś inną osobę o zatelefonowanie po pogotowie, a ty przejdź do punktu 3. Jeśli nie ma nikogo w pobliżu i jesteś pewna swoich umiejętności, nie zwlekaj z rozpoczęciem reanimacji, co pewien czas głośno wzywając pomoc, by zwrócić uwagę sąsiadów lub przechodniów. Gdy jednak nie znasz zasad reanimacji i/lub ogarnęła cię panika, natychmiast, z dzieckiem na ręku (oczywiście jeśli nie ma ono uszkodzeń głowy, szyi i kręgosłupa), pobiegnij do najbliższego telefonu lub, lepiej, przynieś bezprzewodowy aparat do boku dziecka. Zadzwoń na pogotowie i postępuj zgodnie ze wskazówkami dyspozytora[3].

Uwaga: Osoba wzywająca telefonicznie pogotowie powinna czekać przy aparacie dopóty, dopóki nie udzieli wszystkich istotnych informacji dyspozytorowi. Zawierają one: nazwisko i wiek dziecka, dokładny adres (numer domu, najkrótszą drogę, którą można tam dotrzeć), stan dziecka (czy jest przytomne, czy oddycha, czy krwawi, czy jest we wstrząsie, czy nie zatrzymała się czynność serca), jaka jest prawdopodobna przyczyna tego stanu (zatrucie, utonięcie, upadek

[3] Opis lokalizacji domu powinien wisieć w pobliżu aparatu telefonicznego, zwłaszcza gdy dzieckiem zajmuje się wynajęta opiekunka.

itd.), numer telefonu, jeśli jest na miejscu. Poproś osobę, która dzwoniła, o zwięzłą relację z przebiegu rozmowy.

3. Ułóż dziecko w odpowiedniej pozycji

Przenieś dziecko, unosząc jednocześnie całe ciało i podtrzymując ostrożnie głowę, szyję i kręgosłup, na twardą i płaską powierzchnię (najlepiej na stół, gdyż nie trzeba będzie klęczeć, może być podłoga). Ułóż dziecko na wznak, z głową na wysokości serca i przystąp do wykonania zaleceń A, B i C.

Jeśli podejrzewasz, że wystąpił uraz głowy, szyi i kręgosłupa, np. w wyniku upadku lub wypadku samochodowego, przed przeniesieniem dziecka na inne miejsce przejdź do pkt. B — sprawdzenia, czy oddycha. Jeśli dziecko oddycha, nie ruszaj go z miejsca, chyba że grozi mu niebezpieczeństwo (np. przejeżdżające samochody, pożar, możliwość wybuchu). Jeśli pozycja ciała uniemożliwia wykonanie sztucznego oddychania, odwróć dziecko na plecy, unosząc jednocześnie całe ciało i podtrzymując głowę.

A. Udrożnij górny odcinek dróg oddechowych

Jeśli nie nastąpił uraz głowy, szyi i kręgosłupa, udrożnij górny odcinek dróg oddechowych poprzez odciągnięcie głowy do tyłu i uniesienie podbródka. W przeciwnym razie zastosuj technikę wysunięcia żuchwy (patrz na następnej stronie).

Uwaga: U nieprzytomnego dziecka górny odcinek dróg oddechowych może być zablokowany zapadniętym językiem, nagłośnią lub ciałem obcym i musi zostać udrożniony, by dziecko zaczęło oddychać.

Odchylenie głowy/uniesienie podbródka. Połóż jedną rękę na czole dziecka oraz jeden lub dwa palce (oprócz kciuka) drugiej ręki na podbródku poniżej kostnej części żuchwy. Delikatnie odchyl głowę do tyłu, uciskając czoło i unosząc podbródek. Nie uciskaj tkanek miękkich pod brodą ani też nie dopuść do całkowitego zamknięcia ust (jeśli to konieczne, trzymaj w nich kciuk). Dziecko powinno mieć głowę zwróconą do sufitu, w tak zwanej neutralnej pozycji, w której broda ani nie leży na piersiach, ani nie jest zadarta w górę. Jeśli drogi oddechowe nie otworzą się w pozycji neutralnej lub neutralnej plus (broda lekko zadarta w górę), przejdź do kolejnej czynności — sprawdź, czy dziecko oddycha (B).

Wysunięcie żuchwy przy podejrzeniu o uraz szyi lub kręgosłupa. Opierając łokcie na powierzchni,

1. Odchylenie głowy/uniesienie podbródka.

na której leży dziecko, połóż dwa lub trzy palce po obydwu stronach żuchwy, w miejscu połączenia szczęki i żuchwy. Delikatnie wysuń żuchwę do przodu, do pozycji neutralnej (patrz powyżej — odchylenie głowy).

Jeśli wysunięcie żuchwy nie otworzy dróg oddechowych (patrz B), a nie występują oczywiste oznaki uszkodzenia kręgosłupa (porażenie, sztywność karku, wiotkość mięśni), delikatnie odchyl głowę. Jeśli obecna jest druga dorosła osoba, powinna ona unieruchomić odcinek szyjny kręgosłupa (tył szyi), obkładając go zrolowanymi ręcznikami, kocami, ubraniem, itp.

Uwaga: Nawet jeśli dziecko natychmiast odzyska oddech, sprowadź lekarza. Każde dziecko, które straciło przytomność, przestało oddychać lub niemal utonęło, wymaga zbadania przez lekarza.

B: Sprawdź, czy dziecko oddycha

1. Po dokonaniu jednej z dwóch przytoczonych czynności (odchylenie głowy lub wysunięcie żuchwy) przez 3-5 sekund sprawdzaj, czy dziecko zaczęło oddychać: Czy słyszysz lub czujesz przepływ powietrza, gdy zbliżysz ucho do nosa i ust dziecka? Czy lusterko przysunięte do jego ust pokrywa się parą? Czy widzisz wznoszenie się i opadanie klatki piersiowej i brzuszka (ruchy te nie są dowodem na oddychanie, gdyż mogą również oznaczać, że dziecko bezskutecznie walczy o oddech)?

Jeśli dziecko odzyskało normalny oddech, podtrzymuj odchyloną głowę lub wysuniętą żuchwę, by powietrze swobodnie przepływało przez górny odcinek dróg oddechowych. Gdy odzyskało

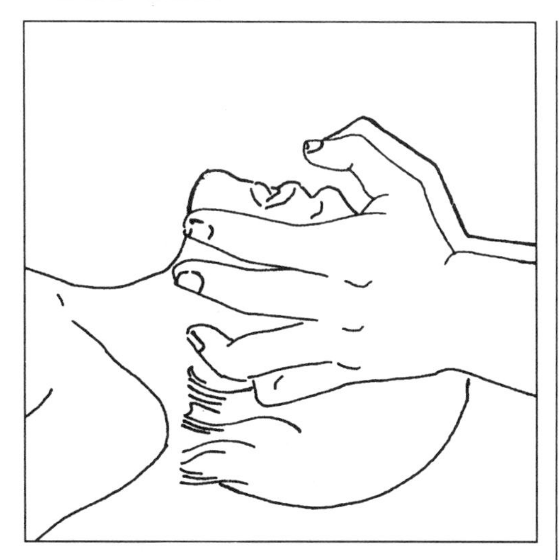

2. Wysunięcie żuchwy.

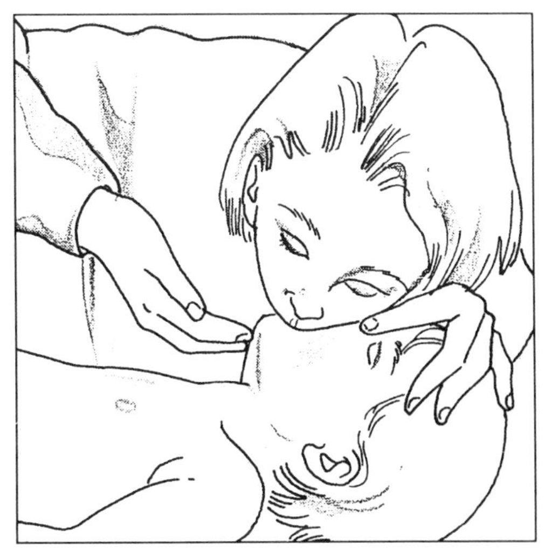

3. Sztuczne oddychanie.

również przytomność (i nie ma wyraźnych obrażeń, będących przeciwwskazaniem do wykonywania jakichkolwiek ruchów), przewróć je na bok. Jeśli do tej pory nikt nie wezwał pogotowia, uczyń to teraz. Samodzielny oddech oraz silny kaszel mogą oznaczać, że organizm próbuje wydalić przeszkodę. Nie zapobiegaj kaszlowi.

Jeśli nie ma oddechu lub dziecko walczy o oddech i ma zsiniałe usta oraz/lub występuje słaby, przytłumiony płacz, natychmiast musisz wprowadzić mu powietrze do płuc. Wykonuj opisane poniżej czynności. Jeśli nie udało ci się wezwać pogotowia i jesteś sama, nadal próbuj krzykiem przywołać sąsiadów lub przechodniów.

2. Dotykając jedną ręką czoła dziecka, przytrzymuj jego główkę w pozycji neutralnej, by górny odcinek dróg oddechowych był nadal udrożniony. Palcem drugiej ręki oczyść jamę ustną dziecka z widocznych wymiocin, brudu i innych ciał obcych. Nie czyń tego, gdy nic nie widzisz.

Uwaga: Jeśli w którymś momencie wystąpią wymioty, bezzwłocznie obróć dziecko na bok, oczyść jamę ustną palcem, ułóż malca ponownie na plecach i natychmiast podejmij przerwaną akcję reanimacyjną.

3. Nabierz powietrza w usta i ściśle obejmij nimi usta oraz nos dziecka (patrz ilustr. powyżej). Dziecku powyżej roku życia obejmij jedynie usta, natomiast nozdrza ściśnij palcami ręki podtrzymującej odchyloną do tyłu głowę.

4. Wykonaj dwa lekkie, powolne wdmuchnięcia, trwające 1-1,5 sekundy każde, robiąc pomiędzy nimi pauzę na odchylenie głowy w bok i nabranie świeżego powietrza. Obserwuj klatkę piersiową dziecka po każdym wdmuchnięciu powietrza. Jeśli uniosła się, poczekaj, aż opadnie, zanim wykonasz kolejne wdmuchnięcie powietrza. Przybliż twarz do ust dziecka i słuchaj, czy nastąpi wdech powietrza.

5. Jeśli klatka piersiowa nie unosi się i nie opada za każdym oddechem, powróć do pozycji odchylenia głowy i uniesienia podbródka lub wysunięcia żuchwy i jeszcze dwukrotnie wdmuchnij powietrze w usta dziecka. Jeśli to konieczne, dmuchaj silniej. Powtarzaj próby udrożnienia dróg oddechowych przez odchylenie głowy/uniesienie podbródka (za każdym razem trochę większe). Jeśli nadal nie unosi się klatka piersiowa, prawdopodobnie górny odcinek dróg oddechowych jest zablokowany kawałkiem jedzenia lub ciałem obcym, które należy bezzwłocznie usunąć (patrz str. 581 — Zadławienie).

C. Zbadaj tętno

Natychmiast po upewnieniu się, że górne drogi oddechowe są drożne (dowodem są dwa samodzielne oddechy), zbadaj tętno szyjne za pomocą palca środkowego i wskazującego. (Tętno szyjne zlokalizowane jest z boku szyi, pomiędzy tchawicą i mięśniami szyi — patrz ilustracje na str. 580).
1. Jeśli nie znajdziesz tętna, natychmiast rozpocznij reanimację (patrz str. 580). Jeśli znajdziesz tętno — serce dziecka bije. Bezzwłocznie rozpocznij sztuczne oddychanie (patrz str. 580) w przypadku, gdy dziecko nie zacznie samoczynnie oddychać.

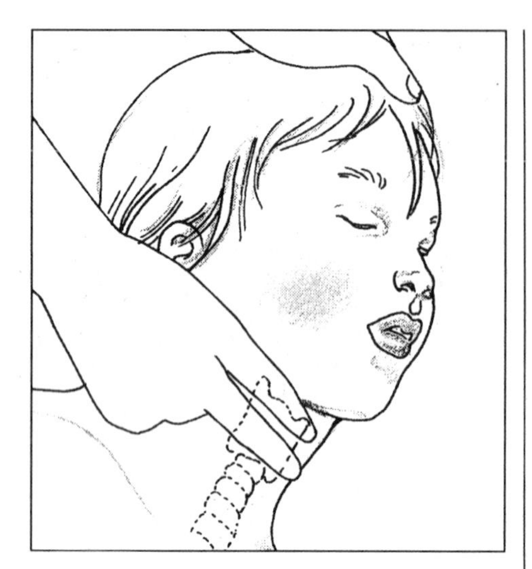

By odnaleźć tętno szyjne, połóż palec środkowy i wskazujący na jabłku Adama, drugą ręką odchylając głowę.

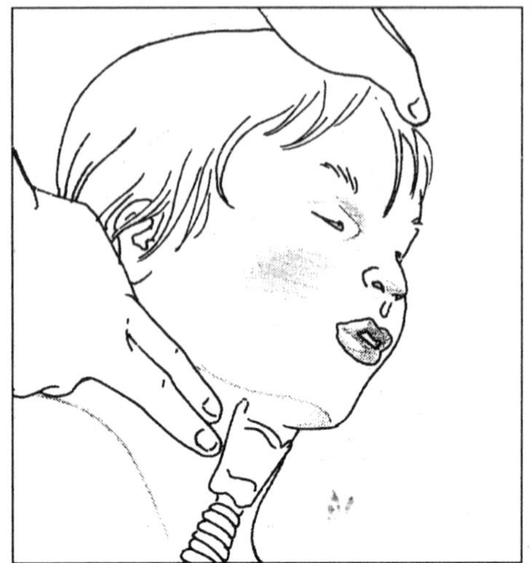

Zsuń palce do bruzdy sąsiadującej z tchawicą i wyczuj tętno.

Wezwij pogotowie

Jeśli do tej pory nie zostało wezwane pogotowie, poproś kogoś o zatelefonowanie. Jeśli telefonowałaś przed dokonaniem oceny stanu dziecka, zadzwoń lub poproś inną osobę o ponowne skontaktowanie się z dyspozytorem, aby dostarczyć mu kolejnych informacji: czy dziecko odzyskało przytomność, czy oddycha i czy obecnie jest tętno. Jeśli dziecko wymaga sztucznego oddychania lub reanimacji, a nie ma nikogo w pobliżu, nie trać czasu na telefonowanie.

Nie zwlekając, wykonuj kolejne czynności, od czasu do czasu głośno wzywając pomocy, by przywołać sąsiadów lub przechodniów.

SZTUCZNE ODDYCHANIE

1. Wdmuchuj powietrze do ust dziecka w opisany powyżej sposób, w tempie mniej więcej jednego oddechu na 3 sekundy (20 oddechów na minutę — oddech, i raz, i dwa, i trzy, i oddech). Obserwuj, czy za każdym wdmuchnięciem powietrza unosi się i opada klatka piersiowa.

2. Po minucie zbadaj tętno, by upewnić się, czy nie ustała czynność serca. Jeśli ustała, przejdź do sztucznego oddychania i masażu serca. Jeśli serce bije, przez 3-5 sekund szukaj oznak spontanicznego oddechu. Gdy dziecko samodzielnie oddycha, kontynuuj udrażnianie górnych dróg oddechowych oraz często sprawdzaj oddech i tętno w oczekiwaniu na pomoc. Uspokój dziecko oraz okryj je. Przy braku spontanicznego oddechu kontynuuj sztuczne oddychanie, co minutę sprawdzaj oddech i tętno.

Uwaga: Aby sztuczne oddychanie było skuteczne, górne drogi oddechowe muszą być drożne. Pamiętaj, aby główka dziecka spoczywała w pozycji naturalnej. Jeśli podczas sztucznego oddychania dojdzie do wzdęcia brzuszka, nie naciskaj go, gdyż możesz spowodować wymioty. W czasie wdechu wymiociny mogą zostać wchłonięte do płuc. Jeśli wzdęcie utrudnia rozszerzanie się klatki piersiowej, przewróć dziecko na bok, z głową zwieszoną w dół i delikatnie uciskaj brzuszek przez 1-2 sekundy.

3. Jeśli jesteś sama i nie zdołałaś jeszcze wezwać pogotowia, uczyń to natychmiast po odzyskaniu przez dziecko samodzielnego oddechu. Jeśli w ciągu kilku minut dziecko nie zacznie samodzielnie oddychać, zanieś je do telefonu, kontynuując podczas drogi sztuczne oddychanie. Przez telefon podaj zwięzłą informację: „Dziecko nie oddycha" i szybko, lecz wyraźnie udziel wszystkich istotnych wyjaśnień (patrz powyżej). Nie odkładaj pierwsza słuchawki. Jeśli to możliwe, kontynuuj sztuczne oddychanie pod kierunkiem dyspozytora. Jeśli nie możesz dziecka ruszyć, zostaw je, pobiegnij do aparatu, wezwij pomoc i natychmiast wróć, by kontynuować sztuczne oddychanie.

Uwaga: Nie przerywaj sztucznego oddychania, dopóki dziecko nie zacznie samodzielnie oddychać lub nie przybędzie fachowa pomoc.

Sztuczne oddychanie i masaż serca u dzieci powyżej jednego roku życia

1. Ułóż dziecko na wznak na twardym, płaskim podłożu. Pod główkę nie wkładaj poduszki.

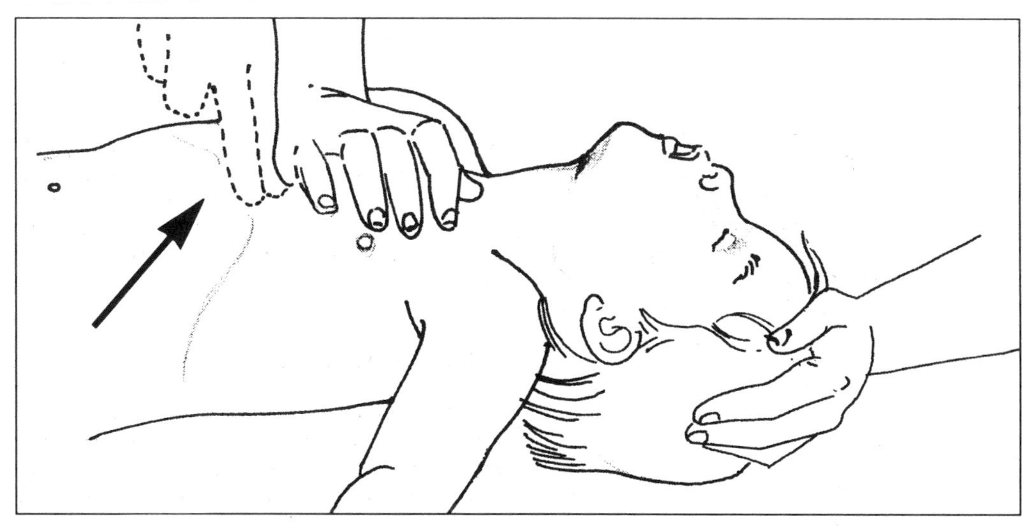

Pozycja ręki przy uciskaniu klatki piersiowej.

Głowa powinna leżeć na poziomie serca, w pozycji neutralnej plus (ilustr. str. 579), w celu udrożnienia górnych dróg oddechowych.

2. Ułóż ręce: środkowym i wskazującym palcem wymacaj łuk żebrowy, a następnie przesuń palce wzdłuż niego do miejsca, w którym łączy się on z mostkiem (płaską kością pomiędzy żebrami, biegnącą w dół klatki piersiowej). Umieść środkowy palec jednej ręki w tym punkcie, a palec wskazujący poniżej, tuż za środkowym. Nadgarstek drugiej ręki przyłóż powyżej palców, w jednej linii z palcami (ilustr. powyżej).

Uwaga: Nie uciskaj końca mostka (czyli wyrostka mieczykowatego), gdyż możesz spowodować poważne uszkodzenia wewnętrzne.

3. Uciskaj klatkę piersiową nasadą dłoni do głębokości 2,5–3,5 cm. Nigdy nie uciskaj żeber, lecz jedynie płaską, dolną część mostka. Po każdym ucisku klatka piersiowa powinna powrócić do poprzedniej pozycji. Pomiędzy uciskami nie zdejmuj ręki z klatki piersiowej. Wykonuj masaż serca płynnie i miarowo (ucisk — rozluźnienie), przeznaczając równą ich liczbę na każdą fazę i unikając nagłych ruchów.

4. Po wykonaniu piątego ucisku zrób przerwę, zaciśnij nozdrza dziecka i wdmuchnij powoli (przez 1-1,5 sekundy) powietrze do jego ust. Uciskom klatki piersiowej musi zawsze towarzyszyć sztuczne oddychanie, które dostarcza świeży tlen do mózgu (dziecko, u którego ustała czynność serca, nie oddycha i nie otrzymuje tlenu). Staraj się zachować tempo od 80 do 100 ucisków na minutę, z jednym wdechem po każdym piątym ucisku. Licz trochę szybciej, niż kiedy liczysz sekundy: raz, dwa, trzy, cztery, pięć — wdech.

5. Po upływie około 1 minuty zrób pięciosekundową przerwę na zbadanie pulsu. Jeśli tętno jest niewyczuwalne, wykonaj jedno powolne wdmuchnięcie powietrza do ust dziecka (zaciśnij nozdrza), a następnie kontynuuj cykle uciskowo-wentylacyjne, regularnie badając tętno. Jeśli je wyczujesz, zakończ masaż serca. Jeżeli dziecko nadal nie oddycha, kontynuuj jedynie sztuczne oddychanie.

6. Jeśli do tej pory jesteś sama i nie zdołałaś wezwać pogotowia, szybko udaj się do telefonu (jeśli jest w pobliżu) i bezzwłocznie powróć do przerwanej akcji reanimacyjnej. Jeśli to możliwe, zabierz z sobą do telefonu dziecko, wykonując podczas drogi sztuczne oddychanie.

Uwaga: Nie przerywaj reanimacji, dopóki nie wystąpi samodzielny oddech i nie zostanie wznowiona czynność serca lub dopóki nie przybędzie fachowa pomoc.

ZADŁAWIENIE

Kaszel jest naturalnym sposobem usunięcia z organizmu przeszkody tkwiącej w drogach oddechowych. Dziecku (lub komukolwiek innemu), które zakrztusiło się jedzeniem lub ciałem obcym, lecz potrafi oddychać i mocno kaszleć, nie należy przeszkadzać. Jeśli jednak kaszel trwa dwie lub trzy minuty, zadzwoń na pogotowie. W przypadku gdy ofiara walczy o oddech i nie potrafi skutecznie kaszleć, lecz wydaje z siebie wysokie chrapliwe dźwięki i/lub sinieje (na początku wokół ust), wykonaj opisane poniżej czyn-

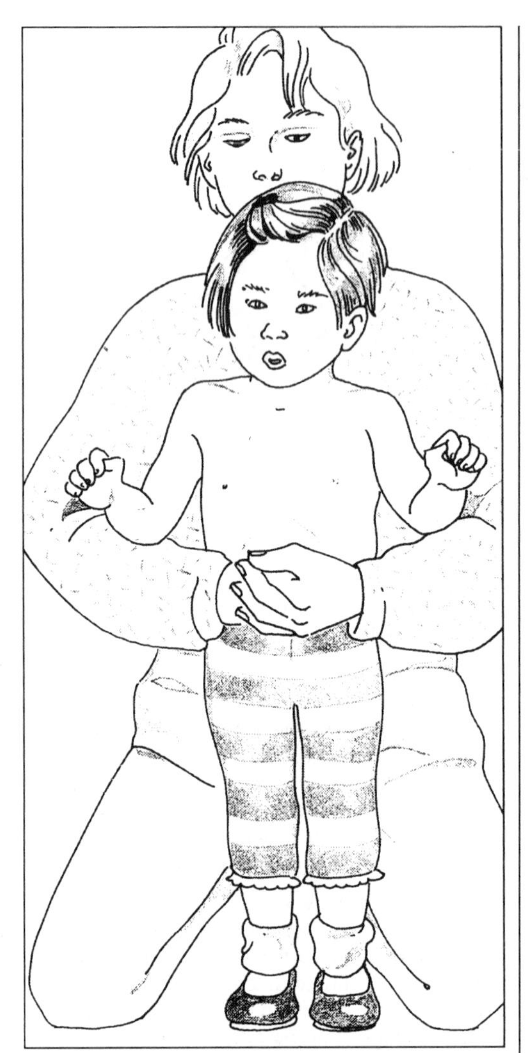

Manewr Heimlicha najlepiej wykonać w pozycji klęczącej.

ności. Wykonaj je natychmiast, jeśli dziecko straciło przytomność i nie oddycha, a próby udrożnienia górnych dróg oddechowych (patrz punkty A i B, str. 578) są bezskuteczne.

Uwaga: Niedrożność górnych dróg oddechowych może również wystąpić na skutek infekcji, np. w przypadku błonicy i zapalenia nagłośni (*epiglottitis*). Krztuszące się dziecko, które wygląda na chore (gorączka, przekrwienie, charczenie, ślinienie się, letarg, zmniejszone napięcie mięśniowe), wymaga natychmiastowej interwencji lekarza. Nie trać czasu na niebezpieczne i bezowocne próby domowego leczenia.

1. **Wezwij pomoc.** Jeśli w pobliżu jest inna osoba, poproś ją o zatelefonowanie na pogotowie. Jeśli jesteś sama i nie znasz technik ratownictwa lub jeśli wpadłaś w panikę i nie możesz ich sobie przypomnieć, zanieś dziecko do telefonu lub przynieś przenośny telefon w pobliże dziecka i natychmiast zadzwoń na pogotowie. Zaleca się, aby nawet w wypadku, kiedy znasz zasady ratownictwa, zadzwonić na pogotowie, zanim pogorszy się sytuacja.

U dziecka nieprzytomnego

1. **Ułóż dziecko.** Połóż dziecko na wznak na twardym, płaskim podłożu (stole lub podłodze). Stań lub uklęknij u stóp dziecka (na małym dziecku nie wolno siadać okrakiem) i przyłóż nadgarstek jednej ręki (palce w kierunku twarzy dziecka) do brzuszka w połowie odległości pomiędzy pępkiem i łukiem żebrowym. Drugą rękę połóż na pierwszej.

2. **Uciskaj brzuszek.** Wykonaj serię 6-10 szybkich ucisków brzuszka (górna ręka wywiera ucisk na dolną), by uwolnić ciało obce. Uciski nie powinny być tak silne jak w przypadku osoby dorosłej lub starszego dziecka. Uważaj, żeby nie uciskać wyrostka mieczykowatego i żeber (patrz ilustr. str. 581).

3. **Sprawdź drożność dróg oddechowych.** Jeśli dziecko nadal spontanicznie nie oddycha, przechyl główkę i wykonaj dwa wolne wdmuchnięcia powietrza (usta–usta), jednocześnie ściskając mu nozdrza. Jeśli przy każdym oddechu klatka piersiowa unosi się i opada, drogi oddechowe są udrożnione. Sprawdź, czy dziecko spontanicznie oddycha (patrz str. 578, punkt B), i kontynuuj czynności w zależności od potrzeby.

4. **Powtórz kolejne czynności.** Jeśli drogi oddechowe pozostają zablokowane, powtarzaj opisane powyżej czynności aż do skutku (dziecko odzyska przytomność i normalny oddech) lub dopóki nie przybędzie pomoc. Jeśli dziecko nadal nie oddycha, udrożnij górny odcinek dróg oddechowych (pkt A str. 578) i rozpocznij sztuczne oddychanie. Wykonaj manewr Heimlicha. Kontynuuj sztuczne oddychanie. Powtarzaj czynności do skutku. Nie poddawaj się, gdyż im dłużej dziecko pozbawione jest tlenu, tym bardziej rozluźniają się mięśnie gardła i łatwiej usunąć ciało obce.

Uwaga: Nawet jeśli po zakrztuszeniu dziecko szybko powróci do normalnego stanu, lekarz koniecznie powinien je zbadać. Zadzwoń do pediatry.

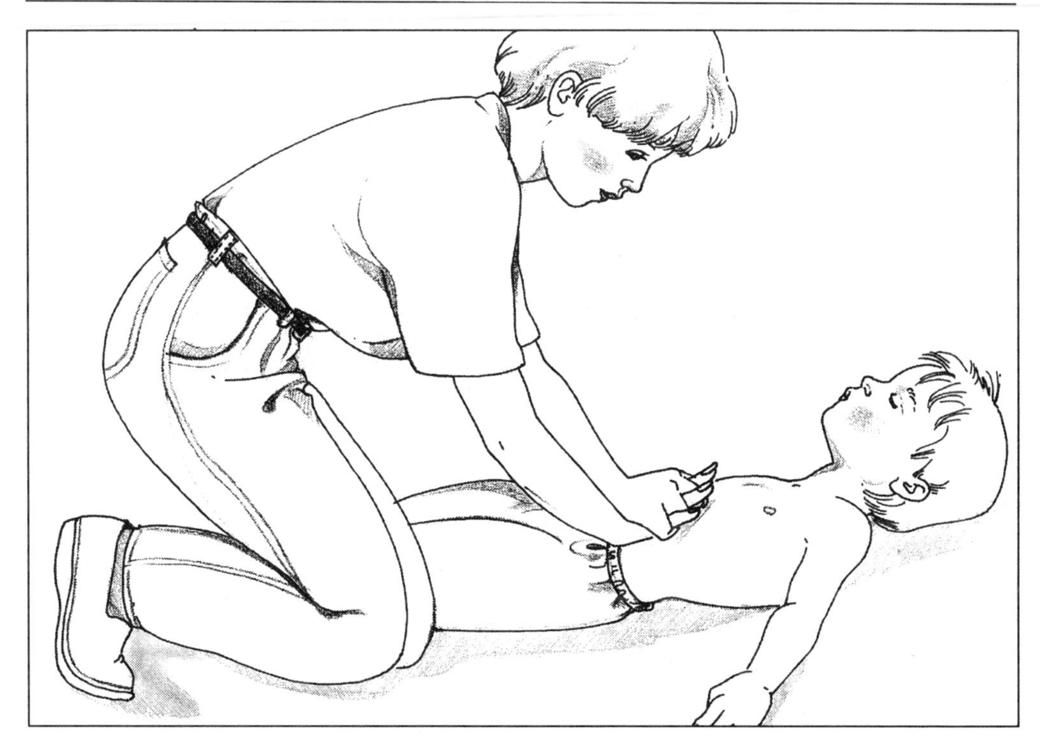

Uciskając brzuszek, nie naciskaj na żebra i wyrostek mieczykowaty.

U dziecka przytomnego

1. **Ustaw się w odpowiedniej pozycji.** Stań za dzieckiem i obejmij je ramionami za pas.
2. **Ułóż ręce.** Kciuk jednej ręki powinien być oparty o środek brzuszka, nieco powyżej pępka oraz poniżej wyrostka mieczykowatego (ilustr. na str. 582).
3. **Uciskaj brzuszek.** Przyłóż drugą rękę do pierwszej i uciskaj brzuszek dziecka szybkimi ruchami, pamiętając, aby uciskać dziecko słabiej niż osobę dorosłą. Powtarzaj czynności, dopóki nie wypadnie z ust ciało obce lub dziecko nie zacznie normalnie oddychać.

Uwaga: Jeśli dziecko straci przytomność, spróbuj otworzyć drogi oddechowe (pkt A, str. 578) i jeśli to konieczne, rozpocznij sztuczne oddychanie. Wykonaj manewr Heimlicha i kontynuuj sztuczne oddychanie.

23
Dziecko specjalnej troski

Każde dziecko wymaga specjalnej troski. Ale niemal dziesięć milionów dzieci w Stanach Zjednoczonych, a ich liczba ciągle rośnie, gdyż przeżywa coraz więcej noworodków z bardzo małą masą urodzeniową, wymaga więcej troski od pozostałych. Niezależnie od tego, czy szczególne potrzeby dzieci są wynikiem alergii, łagodnej choroby przewlekłej, drobnych wad wrodzonych lub choroby, która poważnie upośledza ich funkcjonowanie, to zapewnienie szczególnej troski dzieciom, które jej potrzebują, może w znaczący sposób poprawić jakość ich życia, nie tylko w okresie wczesnego dzieciństwa, ale we wszystkich kolejnych latach życia.

Jeśli problem, który dotyczy twojego dziecka, nie jest bardzo poważny, to duża część tego rozdziału może być dla ciebie nieaktualna. Jeśli zaś dziecko jest bardzo chore, to przedstawione niżej informacje mogą pomóc ci poradzić sobie teraz i w przyszłości.

POMOC DLA DZIECKA SPECJALNEJ TROSKI

Chociaż dobre samopoczucie dziecka specjalnej troski w dużej mierze zależy od profesjonalnej opieki medycznej, którą jest otaczane, to w takim samym lub nawet większym stopniu zależy od zaangażowania rodziców. W większości sytuacji nikt nie może bardziej pomóc dziecku niż jego rodzice, lecz aby ta pomoc mogła być maksymalnie skuteczna, musisz spełnić następujące wymagania:

Upewnij się, że wiesz, na czym polega choroba. Wczesne rozpoznanie i szybka interwencja lecznicza są niezwykle istotne. Jeśli masz jakiekolwiek wątpliwości co do dokładności rozpoznania lub jeśli lekarz nie jest w stanie w ogóle postawić diagnozy, nie wahaj się przed zasięgnięciem opinii u innego specjalisty. (Aby uniknąć poddawania dziecka podwójnym badaniom, zatrzymaj wyniki pierwszej serii badań do wglądu dla drugiego lekarza.) W wielu przypadkach bardzo ważne jest również poznanie przyczyny choroby. Wiedza ta może często pomóc w zniesieniu poczucia winy oraz ułatwić zrozumienie i akceptację choroby. Czasami może również pomóc w zapobieganiu powtórzenia się choroby u kolejnych dzieci.

Upewnij się, że potrafisz słuchać. Zwracaj szczególną uwagę na to, co mają do powiedzenia lekarze, terapeuci i inne osoby zaangażowane w opiekę nad twoim dzieckiem. Jeśli diagnoza, którą usłyszałaś, wprowadziła cię początkowo w stan takiego wstrząsu, że nie słyszałaś niczego więcej, to tak szybko, jak jest to możliwe, zamów kolejną wizytę lub zadzwoń do lekarza, aby zadać pytania i otrzymać odpowiedzi, których potrzebujesz, aby zrozumieć chorobę dziecka. Możesz również poprosić pracowników służby zdrowia, którzy leczą dziecko, o wydanie pisemnego raportu lub oceny bieżącego stanu.

Upewnij się, że ktoś cię słucha. Czy pracownicy służby zdrowia zwracają uwagę na to, co masz im do powiedzenia? Czy traktują poważnie twoje uwagi i twój wkład w leczenie? Powinni to robić, gdyż mimo wszystko ty znasz swoje dziecko lepiej niż ktokolwiek inny i twoja rola w sprawowaniu opieki nad dzieckiem jest szczególnie ważna. Upewnij się, że wymiana informacji pomiędzy tobą i wszystkimi osobami zaangażowanymi w opiekę nad twoim dzieckiem jest możliwa zawsze, a nie tylko w czasie sytuacji kryzysowych.

Stań się specjalistą. Większość rodziców dzieci specjalnej troski zdobywa tak dużą wiedzę na

Bezpłatne badania

W USA, zgodnie z zaleceniami federalnego Programu na rzecz Upośledzonych Niemowląt i Małych Dzieci i z postanowieniami Ustawy o Kształceniu Osób Upośledzonych, bezpłatne badania przesiewowe dostępne są w celu wykrywania wszelkich zaburzeń rozwojowych oraz zaburzeń słuchu i wzroku. Sprawdź potrzebne informacje w odpowiednim, regionalnym lub lokalnym Wydziale Zdrowia.

temat choroby swojego dziecka, że każdy, kto przysłuchiwałby się ich rozmowie z lekarzem, miałby trudności ze stwierdzeniem, które z nich jest specjalistą. Im wcześniej zdobędziesz odpowiednią wiedzę, tym lepiej dla dziecka (jeśli wiesz, o czym mówisz, możesz zadawać rozsądne pytania i wydawać sądy na temat lekarzy, terapeutów i podejmowanych działań, pomagając w zorganizowaniu najlepszego leczenia) i dla ciebie (będziesz czuć, że masz większą kontrolę nad sytuacją i mniej będziesz bać się nieznanego). Naucz się wszystkiego, czego możesz, na temat choroby twojego dziecka oraz odpowiedniej opieki i leczenia, poprzez czytanie artykułów w czasopismach medycznych, książek, wstąpienie do odpowiednich organizacji rodzicielskich i/lub korzystanie z komputerowych baz danych lub udział w grupach dyskusyjnych. Bądź na bieżąco z najnowszymi metodami leczenia i możliwościami technologicznymi. Każdy dzień wnosi coś nowego do medycyny, powstają nowe możliwości protetyczne i nowe typy sprzętu wspomagającego, które mogą odmienić lub przynajmniej poprawić życie twojego dziecka. „Cudowne" technologie obejmują wiele dziedzin, począwszy od zabiegów chirurgicznych, które mogą przywrócić słuch głuchym lub skorygować zniekształcające i/lub okaleczające wady wrodzone, aż po komputery, które umożliwiają sparaliżowanym dzieciom cieszyć się grami, odrabiać zadania domowe, a nawet „mówić" za pomocą ruchów oczu.

Upewnij się, że otrzymujesz najlepszą możliwą pomoc. W przypadku wielu przewlekłych chorób okresu dzieciństwa ocena specjalisty może być niezbędna w celu postawienia rozpoznania i wydania zaleceń co do leczenia. Czasami leczenie może być nadzorowane przez pediatrę dziecka, po skonsultowaniu lub bez konsultacji ze specjalistą. Specjalista działający przy szpitalu dziecięcym lub dużym ośrodku medycznym będzie najprawdopodobniej miał dostęp do wszystkich niezbędnych źródeł, aby zapewnić najlepszą opiekę. Często najlepsze rezultaty osiąga się dzięki połączonym wysiłkom zespołu specjalistów medycznych, innych fachowców oraz rodziców. Idealnie byłoby, aby każda osoba lecząca twoje dziecko lub pracująca z nim posiadała specjalność dziecięcą lub duże doświadczenie w pracy z dziećmi specjalnej troski. W niektórych społecznościach dostępna może być osoba określana jako „nadzorca przypadku" (zwykle lekarz, pielęgniarka lub pracownik społeczny), która pomoże ci zorganizować opiekę nad twoim dzieckiem poprzez stworzenie indywidualnego planu opieki nad rodziną.

Bądź wytrwała. Jeśli wyraźnie czujesz, że coś jest nie w porządku z twoim dzieckiem, a postawienie rozpoznania nie wydaje się bliskie, usilnie podejmuj próby wyjaśnienia sytuacji, dopóki nie uzyskasz odpowiedzi. (Postawienie rozpoznania jest niekiedy trudne, zwłaszcza w przypadku chorób, które są względnie rzadkie, tak jak np. niedobór karnityny[1], ale często może być sprawą życia lub śmierci.) Podobnie, bądź również wytrwała w zadawaniu pytań i poszukiwaniu odpowiedzi, jeśli czujesz, że leczenie twojego dziecka nie jest skuteczne, nie jest w pełni nowoczesne i aktualne, jeśli lekarz (lub lekarze) dziecka nie informują ciebie w pełni o sytuacji bądź jeśli masz nieznośne uczucie, że można by zrobić więcej.

Bądź skrupulatnym zbieraczem danych. Przechowuj zbiór wszelkich danych dotyczących konsultacji, wyników badań, wizyt lekarskich, zalecanego leczenia, leków, lekarzy, terapeutów itp., związanych z chorobą twojego dziecka. Możesz prowadzić notatki w spinanym skoroszycie, gromadzić dokumenty w specjalnej teczce lub zapisywać dane w komputerze (jeśli używasz kom-

[1] Karnityna jest substancją produkowaną w organizmie, która jest niezbędna dla metabolizmu energetycznego komórki. Objawy jej niedoboru obejmują: problemy z karmieniem, zaburzenia wzrastania i rozwoju, ospałość po obudzeniu, ożywienie w czasie posiłku, zmęczenie, późne rozpoczęcie chodzenia, częste zakażenia, przewlekle występujące wymioty, napady drgawek, słabe napięcie mięśniowe i koordynacja ruchów, postępujące osłabienie mięśni.

Kto może pomóc?

Nie jesteś sama. Istnieją liczne organizacje, które są gotowe do niesienia pomocy. Ponieważ wiele z tych organizacji nie ma siedziby centralnej, redakcja zdecydowała się podać adresy organizacji działających na terenie Poznania, w których zainteresowani z całego kraju mogą uzyskać niezbędne informacje.

* Stowarzyszenie Pomocy Upośledzonym Umysłowo „Nadzieja", Poznań, ul. Saperska 15, tel. 331-084;
* Koło Pomocy Osobom z Upośledzeniem Umysłowym, Poznań, ul. Św. Trójcy 22, tel. 320-052;
* Ruch Katolików Świeckich na Rzecz Osób Upośledzonych Umysłowo „Wiara i Światło", Poznań, ul. Polna 54/10, tel. 472-491; ul. Jeżycka 48/58, tel. 481-460;
* Fundacja im. B. Jańskiego w Służbie Upośledzonym Fizycznie i Umysłowo, Poznań, ul. Dąbrówki 15, tel. 323-641;
* Stowarzyszenie Przyjaciół Dzieci Specjalnej Troski, Swarzędz, Os. Czwartaków 6, fax 174-093;
* Fundacja Wspierania Zakładu Rehabilitacji Zawodowej Inwalidów, Poznań, ul. Szamarzewskiego 78/82, tel. 472-095, 473-095, 475-912;
* Sportowe Stowarzyszenie Inwalidów „Start", Poznań, ul. Zacisze 2, tel. 483-189;
* Archidiecezjalne Centrum Duszpasterstwa Specjalnej Troski, Poznań, ul. Głogowska 97, tel. 662-767;
* Stowarzyszenie Wspierania Rozwoju Dzieci i Dorosłych, Poznań, Os. Rusa 134, tel. 770-581;
* Towarzystwo Osiągania Ludzkich Możliwości, Poznań, ul. Sądowa 19 a, tel. 203-718;
* Fundacja „Pomoc Dzieciom Niepełnosprawnym im. A. i L. Ronibickich", Poznań, ul. Szeherezady 59, tel. 481-538;
* Fundacja „Pomoc Młodym", Poznań, ul. Kozia 8/18;
* Fundacja Pomocy Dzieciom Niepełnosprawnym, Poznań, ul. Kraszewskiego 8, tel. 476-914, 411-513;
* Fundacja Pomocy Dzieciom Niepełnosprawnym „Jesteś Potrzebny", Poznań, Os. Zwycięstwa, tel. 230-798, 476-461;
* Wspólnota Wzajemnej Pomocy „Więź", Poznań, Os. Tysiąclecia 12, tel. 767-840;
* Koło Dzieci i Młodzieży Niepełnosprawnej przy Wlkp. Związku Inwalidów Narządu Ruchu, Poznań, ul. Garbary 33;
* Regionalne Centrum Organizacji Pozarządowych „Non Profit", Poznań, ul. Bydgoska 6/7, tel. 774-823;
* Komitet Ochrony Praw Człowieka, Poznań, ul. Zamenhofa 63;
* Fundacja „Z Pomocą Rodzinie", Poznań, ul. Kramarska 2;
* Towarzystwo Walki z Kalectwem, Poznań, ul. Paderewskiego 7;
* Fundacja „Arka", Poznań, Os. Wichrowe Wzgórze 30/3;
* PKPS, Zarząd Wojewódzki w Poznaniu, ul. Św. Marcin 80/82;
* Wielkopolska Fundacja Inwalidów „Filar", Poznań, Al. Niepodległości 16/18, tel. 696-894;
* Klub Pacjenta „Razem", Poznań, ul. Słowackiego 8/10, tel. 699-231 w. 382;
* Fundacja „Ludzie dla Ludzi", Poznań, ul. Garbary 15, tel. 527-561 w. 277;
* Fundacja Św. Jana Jerozolimskiego „Pomoc Maltańska", Poznań, ul. Świętojańska 1, tel. 138-443;

putera, nadal potrzebna będzie teczka do przechowywania zdjęć rentgenowskich, opisów badań itp.). Zapisuj również swoje pytania i wątpliwości, tak abyś mogła do nich sięgnąć, kiedy spotykasz się z lekarzami lub innymi specjalistami. Numery telefonów niezbędnych w sytuacjach nagłych oraz najważniejsze informacje dotyczące choroby dziecka powinny być zanotowane na wewnętrznej stronie okładki, przyklejone na ścianę przy każdym telefonie w domu, noszone przy sobie przez wszystkie osoby opiekujące się dzieckiem i dostępne dla opiekunów i wychowawców w żłobku, przedszkolu i innych ośrodkach opieki.

Działajcie razem. Jeśli dziecko ma dwoje rodziców, oboje powinni być zaangażowani w konsultacje medyczne, w naukę radzenia sobie z codziennymi problemami i w codzienną opiekę nad dzieckiem. Jeśli jedno z rodziców stale otrzymuje informacje dotyczące choroby malca z drugiej ręki, może mieć problem z ich zrozumieniem lub zaakceptowaniem. Jeśli jedno z rodziców stale obarczone jest ciężarem związanym z opieką nad dzieckiem specjalnej troski, to jest bardziej podatne na stres, który może osłabić siły i podsycać złość. Jeśli jesteś samotną matką lub ojcem, spróbuj zaangażować w opiekę babcię lub dziadka, innego krewnego

* Klub Osób Niepełnosprawnych, Ich Przyjaciół i Rodzin „Arka", Poznań, Os. Rusa 6/7, tel. 779-134;
* Krajowy Komitet Pomocy Dzieciom Niepełnosprawnym Ruchowo przy ZG TPD, Poznań, ul. Solna 12;
* Stowarzyszenie Pomocy Osobom Niepełnosprawnym „Satis Verborum", Poznań, ul. Wiosenna 15 A, tel. 476-770;
* Studenckie Stowarzyszenie Pomocy Niepełnosprawnym, Poznań, Os. B. Chrobrego 11 C/93, tel. 225-880;
* Ogólnopolskie Stowarzyszenie Twórczości Artystycznej Osób Niepełnosprawnych „Symbioza", Poznań, ul. Gronowa 22, tel. 213-228;
* Fundacja dla Dzieci Pokrzywdzonych Losowo, Poznań, ul. Przybyszewskiego 9/5, tel. 474-038;
* Fundacja im. Sue Ryder w Polsce, Poznań, ul. Ratajczaka 37, tel. 531-237;
* Towarzystwo Osób Niepełnosprawnych i Ich Opiekunów, Poznań, Os. B. Chrobrego 117, tel. 223-833;
* **Astma i alergia**: Wielkopolski Oddział Polskiego Stowarzyszenia Pomocy Dzieciom Chorym na Astmę i Alergię, Poznań, ul. Szpitalna 27/33, tel. 491-313;
* **Autyzm**: Stowarzyszenie na Rzecz Osób Autystycznych, Poznań, ul. Klonowica 5B, tel. 660-686;
* **Celiakia i dieta bezglutenowa**: Koło Pomocy Dzieciom na Diecie Bezglutenowej TPD, Poznań, Os. Rzeczypospolitej 30, tel. 791-453;
* **Choroby rozrostowe**: Koło Pomocy Dzieciom z Chorobami Rozrostowymi TPD, Poznań, ul. Mostowa 14 A, tel. 772-511 w. 445;
* **Cukrzyca**: Polskie Stowarzyszenie Diabetyków, Poznań, Os. Armii Krajowej 149 A; Koło Pomocy Dzieciom z Cukrzycą TPD, Poznań, Os. Pod Lipami 2 H, tel. 232-021;
* **Fenyloketonuria**: Stowarzyszenie Rodziców Dzieci Chorych na Fenyloketonurię, Poznań, Klinika Gastroenterologii i Chorób Metabolicznych Wieku Dziecięcego, ul. Szpitalna 27/33, tel. 491-432; 472-685;
* **Hemofilia:** Koło Pomocy Dzieciom z Hemofilią TPD, Poznań, ul. Słowackiego 13;
* **Jąkanie:** Polski Związek Jąkających się, Poznań, Os. Jagiellońskie 26/2, tel. 774-948;
* **Niesłyszący:** Fundacja Pomocy Dzieciom Niesłyszącym „Grześ", Poznań, ul. Bydgoska 4A, tel. 775-719; Polski Związek Głuchych, Poznań, ul. Żydowska 35;
* **Niewidomi:** Koło Pomocy Dzieciom Niewidomym TPD, Os. Przyjaźni 23/55, tel. 206-089; Fundacja Pomocy Dzieciom Niewidomym, Poznań, ul. Limbowa 2, tel. 321-481; Polski Związek Niewidomych, Poznań, ul. Mickiewicza 29;
* **Padaczka:** Towarzystwo Pomocy Epileptykom, Poznań, ul. Zeylanda 8/9;
* **Porażenie mózgowe:** Stowarzyszenie na Rzecz Dzieci i Młodzieży z Dziecięcym Porażeniem Mózgowym, ul. Newtona 14;
* **Stomia:** Polskie Towarzystwo Opieki nad Chorymi ze Stomią, Poznań, ul. Przybyszewskiego 49;
* **Stwardnienie rozsiane:** Stowarzyszenie Chorych na Stwardnienie Rozsiane, Poznań, ul. Serbska 6;
* **Uzależnienie:** Towarzystwo Rodzin i Przyjaciół Dzieci Uzależnionych „Powrót z U", Poznań, ul. Winogrady 150, tel. 225-278;
* **Zespół Downa:** Stowarzyszenie Opieki nad Dziećmi z Zespołem Downa, Poznań, ul. Cześnikowska 19A, tel. 679-581, 675-114; Os. B. Chrobrego 6, tel. 225-151 (Ośrodek Rehabilitacyjny dla Dzieci); Os. B. Śmiałego 106, tel. 237-051 (Pracownia Terapii Zajęciowej);
* **Zespół Turnera:** Stowarzyszenie Pomocy Chorym z Zespołem Turnera, Warszawa, ul. Nowogrodzka 62 A, tel. (0-22) 622-33-06.

lub przyjaciela, aby w miarę możliwości mogli z tobą dzielić twoje problemy.

Bądź stanowcza. Jeśli masz pytania, zadawaj je. Jeśli nie rozumiesz odpowiedzi, proś o wyjaśnienia. Proś o schematy, materiały pisane i listę źródeł, które mogą dopomóc ci w zdobyciu dodatkowych informacji. Jeśli twoje dziecko nie reaguje na leczenie zgodnie z oczekiwaniami, powiedz o tym. Jeśli myślisz, że coś innego mogłoby działać lepiej, zasugeruj to. Jeśli zapisana dawka leków wydaje ci się zbyt mała lub zbyt duża, zgłoś swoje zastrzeżenia. Jeśli pracownik służby zdrowia zrobił coś, co było dla ciebie irytujące lub dokuczliwe, powiadom go o tym, ale unikaj stosowania ostrych słów. („Byłam bardzo wytrącona z równowagi tym, co się stało..." będzie określeniem lepszym niż wybuch nieracjonalnej furii.) A gdy lekarze nie zwracają uwagi na to, co masz do powiedzenia, spróbuj znaleźć inny zespół medyczny o podobnym doświadczeniu i fachowości.

Bądź rozważna. Rodzice dzieci specjalnej troski, niezależnie od problemu, jaki dotknął ich pociechy, zawsze mają nadzieję i poszukują sposobów złagodzenia choroby oraz poprawy jakości życia ich dziecka. Ale jeśli chcą wytrwać w dążeniu do tego celu, muszą być również bardzo rozważni. Na każdy bowiem uzasadniony sposób udoskonalenia dotychczasowej lub wyboru nowej, alternatywnej terapii, przypada o wiele więcej sposobów, których skuteczność nie została dowiedziona lub, co gorsze, które mogą być niebezpieczne. Rozważaj działania alternatywne tylko wówczas, gdy sprawdzone i rzeczywiste leczenie medyczne nie daje rezultatu, ale działaj z rozwagą i zawsze najpierw poradź się lekarza leczącego dziecko.

Bądź pozytywnie nastawiona. Nie trać czasu i energii na obwinianie siebie za chorobę twojego dziecka lub użalanie się nad sobą lub dzieckiem. Przez wzgląd na was oboje skoncentruj się na działaniu.

Bądź realistką. Tak samo ważne jak utrzymywanie pozytywnego nastawienia jest pełne zaakceptowanie sytuacji, w której się znajdujesz. Chociaż sprawdziłaś każdą możliwość prowadzącą do nowych sposobów leczenia i postępowania, powinnaś zaakceptować również to, czego (przynajmniej jak dotąd) nie można zmienić.

Zacznij myśleć ekonomicznie. Płacenie za opiekę i leczenie dziecka z chorobą przewlekłą może wyczerpać fundusze każdej rodziny. Dowiedz się wszystkiego o możliwościach wsparcia finansowego, jakie są dostępne w twojej firmie ubezpieczeniowej, a także we wszystkich odpowiednich organizacjach lokalnych, regionalnych lub państwowych.

ŻYCIE Z DZIECKIEM SPECJALNEJ TROSKI I MIŁOŚĆ DO NIEGO

Każde dziecko jest istotą wyjątkową. Nawet dzieci, które borykają się z tymi samymi problemami fizycznymi lub emocjonalnymi, nigdy nie są identyczne. Mimo to wiele podstawowych potrzeb jest wspólnych zarówno dla dzieci, jak i dla ich rodzin.

Miłość. Określ pochodzenie wszelkich lęków i frustracji, które odczuwasz. Jeśli musisz, to pogardzaj kalectwem, nienawidź choroby, potępiaj zachowanie, ale zawsze i bezwarunkowo kochaj swoje dziecko. Okazuj miłość swemu dziecku specjalnej troski w ten sam sposób, w jaki okazujesz ją każdemu innemu dziecku — poprzez przytulenie, pocałunek, uścisk dłoni, oferowanie pomocy, wspólne spędzanie czasu, cierpliwość i zrozumienie. Jeśli jest to dla ciebie trudne lub jeśli stwierdzasz, że jesteś tak zła, że nie możesz powstrzymać się od dręczenia dziecka (dzieci specjalnej troski są dręczone i wykorzystywane dwa razy częściej niż zdrowe), to natychmiast poszukaj profesjonalnej pomocy. Pediatra twojego dziecka pomoże ci ją znaleźć.

Normalność. Jest to trudne, ale absolutnie najważniejsze zalecenie dla rodziny z dzieckiem specjalnej troski. Dąż do normalnego życia rodzinnego w tak wielu aspektach, jak jest to możliwe, oraz czyń wszelkie możliwe wysiłki, aby leczyć dziecko specjalnej troski, tak jak robiłabyś to z każdym innym dzieckiem. Kształtuj godność i poczucie własnej wartości dziecka, będąc zawsze odpowiedzialna, zarówno za swoje słowa, jak i czyny. I chociaż to może być najtrudniejsze ze wszystkich zadań, nie powstrzymuj się od wprowadzenia dyscypliny. Ustal granice odpowiednie do możliwości dziecka, ale upewnij się, że takie granice dopuszczalnych zachowań istnieją. Będąc nadmiernie pobłażliwym, pozwalając na zbyt wiele lub nadmiernie chroniąc dziecko specjalnej troski, nie pomagamy mu, a łatwo możemy w ten sposób hamować jego rozwój. Pamiętaj, że podobnie jak wszystkie maluchy, dziecko specjalnej troski będzie najprawdopodobniej chciało robić wszystko „samo". Zamiast ciągłego czuwania i wyręczania („Daj, zrobię to dla ciebie"), zaoferuj dziecku szansę samodzielnego radzenia sobie z różnymi problemami, kiedy tylko jest to możliwe. Jeśli wykonywanie różnych czynności „samemu" prowadzi do błędów (a niewątpliwie tak będzie), zachęć dziecko do nauki na błędach i próby zrobienia tego lepiej następnym razem. I niezależnie od ostatecznego rezultatu zawsze nagrodź wysiłek. Większość małych dzieci specjalnej troski jest również skłonna do innych zachowań typowych dla zdrowych małych dzieci, włączając napady złego humoru, negatywne nastawienie do wszystkiego, egocentryzm i lęk przed rozstaniem. Spróbuj odpowiadać na takie zachowania tak, jak należy robić to z każdym innym dzieckiem. Na tyle, na ile jest to możliwe, bierz pod uwagę fakt, że choroba twojego dziecka nie musi pozbawiać go (lub ciebie) czerpania radości z drobnych przyjemności — zabawy zabawkami, wyjścia na spacer, zawierania przyjaźni i poznawania nowych ludzi.

Konsekwencja. Jeśli ciągle nie możesz przyzwyczaić się do choroby dziecka, a przyjaciele, sąsiedzi i koledzy z podwórka już się do niej przyzwyczaili, to właściwe wydaje się pozostanie w danej społeczności przynajmniej do czasu, gdy nabierzesz większej pewności siebie.

Wyjaśnienie. Używając najprostszych określeń, spróbuj wyjaśnić dziecku sytuację, w jakiej się znajduje, czyniąc jasnym fakt, że nie jest to jego wina (typowo egocentryczne dziecko może dojść do takich wniosków). Wyjaśnij, że nikt nie wie dlaczego, ale niektóre dzieci rodzą się chore i coś w nich nie działa w taki sposób jak powinno. Wczuj się w odczucia swego dziecka, kiedy zaczyna zdawać sobie sprawę z negatywnych stron swojej sytuacji („Wiem, że nie lubisz..."), ale kiedy tylko jest to możliwe, podkreślaj strony pozytywne („Ale możesz..."). Wyjaśnij dziecku, że wszystkie sposoby leczenia, leki i inne działania są niezbędne, aby dopomóc mu w rozwoju. Bądź gotowa do działania, chętna do pomocy i uspokojenia, ale nie dawaj złudnej nadziei (na przykład mówiąc dziecku, które nigdy nie będzie chodzić, przynajmniej przy obecnej technologii medycznej, że przy ciężkiej pracy może będzie to możliwe). Jeśli nie znasz odpowiedzi na pytanie, które zadaje ci dziecko, powiedz to szczerze, a następnie spróbuj poszukać tej odpowiedzi. Wyjaśnij sytuację również rodzeństwu, dziadkom, innym członkom rodziny i bliskim przyjaciołom. Im więcej zrozumieją, tym bardziej mogą być pomocni, chociaż niestety niektórzy ludzie nigdy nie staną się naprawdę szczerzy i pełni akceptacji.

Uznanie. Każde dziecko, nawet najbardziej upośledzone, potrzebuje poczucia, że jest doceniane. Pozwól swemu malcowi poczuć, że tak jest w istocie. Poszukaj cech fizycznych lub cech charakteru, które (wyłączając chorobę) czynią twoje dziecko kimś szczególnym — pięknego uśmiechu, dobrego serca, miłości do zwierząt czy nieugiętego ducha. Takie uznanie może polepszyć spojrzenie na chorobę zarówno twoje, jak i dziecka, dając rodzinie siłę, której będzie potrzebowała do przezwyciężania przeszkód, jakie napotka w przyszłości. Również inne osoby związane z życiem twojego dziecka potrzebują uznania. Okaż swoją wdzięczność członkom rodziny, którzy są dla ciebie wsparciem, a także tym ludziom, którzy pracują z twoim dzieckiem (szczególnie osoby z zawodów pomocniczych bardzo często czują zniechęcenie do pracy. Okazanie uznania może dopomóc, czyniąc ich ciężką pracę bardziej wartościową). Również ty odniesiesz korzyść z chociaż niewielkich wyrazów uznania. Ponieważ prawdopodobnie nie uzyskasz zaspokojenia tych potrzeb od twego dziecka (małe dzieci zwykle nie wynagradzają szybko wysiłków swych rodziców), więc kiedy czujesz się niedoceniona, porozmawiaj z małżonkiem, innym krewnym czy dobrym przyjacielem lub wybierz się na spotkanie rodzicielskiej grupy samopomocy.

Odwaga. Zwłaszcza wtedy, gdy choroba dziecka zagraża jego życiu lub gdy staje ono przed trudnym lub bolesnym zabiegiem, może ci brakować odwagi. Nie tłum lęków w sobie — porozmawiaj o nich ze specjalistą, krewnym lub przyjacielem, który wykaże życzliwość i współczucie, ale bardzo staraj się nie ujawniać ich przed dzieckiem. Strach rodziców może nasilić obawy dziecka, natomiast ich spokój może spowodować złagodzenie lęków dziecka.

Relaks. Aby działania rodzicielskie były skuteczne, wszyscy rodzice potrzebują chwili wytchnienia. Ale ponieważ wymagania stawiane przed rodzicami dziecka specjalnej troski mogą być naprawdę wielkie, ich potrzeba relaksu jest większa niż rodziców zdrowych dzieci. Poszukaj pomocy, która pomoże ci wytchnąć: ośrodka opiekuńczego, przyjaciół lub krewnych, którzy zaoferują pomoc. Zorganizuj sobie w ciągu tygodnia czas wyłącznie dla siebie — wyjście do kina, relaksującą kąpiel, masaż, jogging czy kolację przy świecach. I nigdy nie czuj się winna, że przeznaczasz czas na odpoczynek. Powrócisz bowiem do swych obowiązków odświeżona, zrelaksowana, a tym samym bardziej pomożesz dziecku.

Zabawa. W rodzinach z fizycznie lub umysłowo upośledzonym bądź przewlekle chorym dzieckiem niekiedy brak jest prostych, codziennych przyjemności. Członkowie rodziny często czują się winni, nawet na samą myśl o chwili zabawy. Ale wprowadzenie swobodniejszego podejścia do codziennego życia może sprawić, że szczególne potrzeby dziecka staną się łatwiejsze do zaspokojenia, a twoje myślenie stanie się bardziej pozytywne (co może być zaraźliwe). Kiedy sytuacja staje się trudna, spróbuj rozładować ją odrobiną śmiechu, niemądrego zachowania i frywolności. Z pewnością wszyscy na to zasługujecie.

Wczesna interwencja. Właściwie osoba z każdą chorobą może odnieść korzyść z wczesnego podjęcia działań. Upewnij się, że dziecko ma zapewnione profesjonalne rozpoznanie i możliwie najwcześniejsze leczenie. Jeśli dostępny jest żłobek lub przedszkole przeznaczone dla dzieci szczególnej troski, zapisz je tam. Programy takie pomagają dzieciom nauczyć się radzić sobie w niektórych sytuacjach, nabyć wiele umiejętno-

Opieka z pobytem stałym

Większość dzieci, nawet tych z ciężkim upośledzeniem, może przebywać w domu, jeśli (a może to być przeszkoda bardzo poważna) rodzice posiadają do tego odpowiednie rezerwy fizyczne, finansowe i emocjonalne oraz dysponują odpowiednią ilością czasu. Istnieją jednak okoliczności — na przykład, gdy w domu jest jeszcze jedno małe dziecko i/lub gdy w domu jest tylko jeden dorosły i jego praca w pełnym wymiarze godzin jest niezbędna do przeżycia — w których sprawowanie opieki nad dzieckiem specjalnej troski jest w domu prawie niemożliwe. Załatwienie odpowiedniego miejsca często nie jest łatwe, a oddanie dziecka pod opiekę z pobytem stałym jest bardzo trudne, ale niekiedy nie ma innego wyboru, jeśli reszta rodziny ma przeżyć. Czasem możliwy jest kompromis: ośrodek opieki dziennej o szczególnych warunkach, umożliwiający dziecku spędzanie wieczorów i weekendów z rodziną lub specjalne ośrodki opieki tygodniowej, umożliwiające dziecku spędzanie w domu weekendów, świąt i wakacji. Często jednak jedyną realną możliwością jest ośrodek opieki z pobytem stałym.

Porozmawiaj z zespołem medycznym sprawującym opiekę nad twoim dzieckiem, sprawdź warunki pobytu; spróbuj znaleźć miejsce, które nie tylko „przechowuje" dzieci, które możesz regularnie odwiedzać, które ma dobrą reputację i wywiera na tobie pozytywne wrażenie, i oddaj dziecko na próbny pobyt. Jeśli nie zda on egzaminu, zabierz dziecko do domu do czasu znalezienia lepszego rozwiązania. Być może im dziecko będzie starsze, tym łatwiej będzie mu spędzać więcej czasu (lub cały czas) w domu. Jeśli jednak wybierzesz opiekę z pobytem stałym, nie traktuj tego wyboru jako zamknięcie innych możliwości opieki w przyszłości. I nie czuj się winna w takiej sytuacji.

ści społecznych i często mogą spowodować znaczącą odmianę w życiu dziecka. Ale ty również możesz pomóc w istotny sposób zwiększyć korzyści wynikające z działań medycznych i edukacyjnych, zdobywając odpowiednie umiejętności i stymulując rozwój i kształcenie swojego dziecka również w czasie, który spędza w domu.

Rodzicielskie grupy samopomocy. Jest wiele takich grup. (Jeśli w twojej okolicy nie ma grupy dla rodziców dzieci dotkniętych tym samym problemem co twoje dziecko, rozważ założenie takiej grupy.) Sprawowanie opieki nad dzieckiem specjalnej troski może być fizycznie i emocjonalnie wyczerpujące. Regularne spotkania z rodzicami, którzy dzielą twoje problemy, może być bardzo pomocne i może umożliwić ci pozbycie się uczucia frustracji, gniewu i złości w zdrowy sposób i wśród osób pełnych zrozumienia i współczucia. Zapobiega to gromadzeniu negatywnych uczuć w sobie lub wyładowaniu ich na dziecku, na sobie lub na innych członkach rodziny. Wymiana doświadczeń, poglądów i sposobów radzenia sobie z problemami może być również bardzo cenna. Sprawdź możliwość przystąpienia do takiej grupy bądź zadzwoń do organizacji ogólnokrajowej, w celu uzyskania odpowiednich informacji.

Pielęgnowanie więzi rodzinnych. Trudno o romantyczne przeżycia w czasie, gdy w domu jest małe dziecko, a może to być jeszcze trudniejsze, gdy jest to dziecko specjalnej troski. Badania wykazują jednak, że posiadanie dziecka specjalnej troski nie stanowi automatycznie zagrożenia dla małżeństwa. W rzeczywistości sytuacja taka może równie dobrze wzmocnić więzy małżeńskie, jak i je osłabić. Podtrzymujcie szanse na udane małżeństwo poprzez wzajemne wsparcie emocjonalne, podział odpowiedzialności i obowiązków (żadne z rodziców nie może radzić sobie z tym samo), wygospodarowanie czasu, który możecie spędzić we dwoje (co jest bardzo trudne, ale i bardzo ważne), oraz dzielenie się zarówno pozytywnymi, jak i negatywnymi uczuciami.

Wsparcie rodzeństwa. Rodzeństwo często cierpi, kiedy tak wiele uwagi musi być poświęcone dziecku specjalnej troski. Patrz str. 594, w celu uzyskania wskazówek co do pomocy w radzeniu sobie z rodzeństwem.

Strategia postępowania. Przy pomocy specjalistów, grup samopomocy lub innych osób, które wcześniej żyły z tym samym problemem, naucz się, jak radzić sobie z dzieckiem specjalnej troski, jak zaspokajać potrzeby swoje i innych członków rodziny, jak organizować sobie czas i jak wybaczać sobie swoją niedoskonałość (pamiętaj, że nikt nie jest doskonały). Nauczenie się technik relaksacyjnych (patrz str. 162) może być również cenne dla każdego członka rodziny, nie wyłączając dziecka specjalnej troski. Mogą one pomóc zredukować stres.

Gruboskórność. Nie pozwól, aby okrutne i bezmyślne uwagi znajomych lub obcych wyprowa-

Opieka domowa

Wiele dzieci z chorobami przewlekłymi, które w przeszłości były rutynowo hospitalizowane z powodu okresowych zaostrzeń choroby lub w celu długotrwałej opieki, może obecnie mieć zapewnioną odpowiednią opiekę w domu, co obniża koszty i poprawia wyniki leczenia oraz polepsza jakość życia chorych dzieci. Wiele zabiegów medycznych oraz specjalistycznych metod wspomagania i opieki (włączając monitorowanie, terapię oddechową i wspomaganie oddechu, dożylne podawanie leków i żywienie pozajelitowe) może być przeprowadzonych w domu przez rodziców lub opiekunów, bez wcześniejszego kształcenia medycznego. Rodzina wymaga jednak w takiej sytuacji pomocy, w tym wsparcia lekarza ich dziecka, który będzie pracował razem ze specjalistą opieki domowej i z pielęgniarką (dochodzącą lub obecną na stałe), w celu uzupełnienia i koordynowania szczegółów opieki domowej. Szczegóły te mogą obejmować: zapewnienie odpowiedniego zasilania elektrycznego, możliwości przechowywania sprzętu i innych rzeczy niezbędnych w domowym „kąciku szpitalnym"; zapewnienia i nauki obsługi łóżka szpitalnego i innego sprzętu medycznego; radzenia sobie z problemami związanymi z leczeniem; właściwej opieki nad dzieckiem (z uwzględnieniem odpowiedniej diety i zapobiegania chorobom) oraz kształcenia i rehabilitacji (lub w przypadku małych dzieci, częściej raczej pierwotnej aniżeli wtórnej nauki podstawowych czynności życiowych). Właściwe wyszkolenie rodziców i ukończenie odpowiednich kursów (jeśli potrzebne są specjalistyczne umiejętności, a rodzice mają przez większą część czasu opiekować się chorym dzieckiem, oraz pisemne zalecenia dotyczące leczenia i sytuacji nagłych (aby mieć pewność, że pomoc doraźna będzie w razie potrzeby natychmiast dostępna) są również niezbędne.

W niektórych przypadkach opieki domowej członek rodziny może działać jako osoba nadzorująca dany przypadek, pracując w stałym kontakcie z osobą wykonującą takie działania zawodowo (zwykle z lekarzem, pielęgniarką lub pracownikiem społecznym). W innych przypadkach opiekun domowy (pielęgniarka lub pomoc domowa) przejmuje te zadania. (Osoba nadzorująca przypadek, która działa poza domem, nie jest już tak pomocna, ale może być również jedną z możliwości.)

Przy podejmowaniu decyzji, czy opieka domowa jest w konkretnej sytuacji postępowaniem właściwym, rodzice muszą rozważyć możliwe ryzyko (na przykład zakłócenie życia rodzinnego, dodatkowy stres, utrata pracy, ryzyko błędów w sprawowanej opiece) oraz potencjalne korzyści (więcej rodzinnej wspólnoty i więcej normalnego życia, mniej ciągłego zmieniania warunków życia i otoczenia, szczęśliwsze dziecko). Rozważ również, jak można zwiększyć korzyści i zmniejszyć ryzyko związane z wyborem opieki domowej (na przykład wyniki mogą być lepsze przy zatrudnieniu zawodowej pielęgniarki zamiast pomocy domowej). Znaczącą rolę odgrywają tutaj również kwestie finansowe. W związku z tym, zanim podejmiesz ostateczną decyzję, zawsze przedyskutuj swoje plany prowadzenia opieki domowej ze swoją firmą ubezpieczeniową.

dziły cię z równowagi. Nie pozwól, aby ich ignorancja i nietolerancja raniły twoje dziecko. Bądź możliwie maksymalnie otwarta i realnie myśląca w sprawach związanych z chorobą dziecka, tak aby nie sprawiać na nim (lub na innych) wrażenia, że jesteś jego chorobą zakłopotana i skrępowana. Wyjaśnij krewnym i przyjaciołom, że uważasz swoje dziecko przede wszystkim za osobę, której choroba czy upośledzenie nie jest całością jej obrazu, i zachęć ich do myślenia w podobny sposób. Zwróć się do dyrekcji pobliskiej szkoły, aby przeprowadziła zajęcia na temat ludzi upośledzonych. Ułatwi to w przyszłości twojemu dziecku i innym dzieciom specjalnej troski włączenie się w społeczeństwo, zwłaszcza jeśli jest szansa, że będzie prowadzić normalne życie. Jeśli twoje dziecko nie uczestniczy w programie edukacyjnym, który pomoże mu zrozumieć jego odmienność, to warto pokazać mu odpowiedni film wideo ukazujący jego chorobę, który przygotuje dziecko do życia w społeczności.

Plany na przyszłość. Nikt inny nie potrafi się opiekować dzieckiem tak jak ty. Ale chociaż nikt nie lubi o tym myśleć, to ważne jest, aby przygotować się na ewentualność, że coś ci się stanie i twoje dziecko pozostanie bez opieki. Większość specjalistów zaleca skorzystanie raczej z pomocy funduszy zajmujących się osobami specjalnej troski niż firm sprawujących opiekę. Dziedziczne uwarunkowanie choroby może uniemożliwić skorzystanie ze środków niektórych funduszy dla osób chorych i niepełnosprawnych, ale fundusze dla osób specjalnej troski mogą zapewnić odpowiednie kwoty pieniędzy niezbędnych na szczególne potrzeby twojego dziecka, gdy firma ubezpieczeniowa lub inny fundusz pokrywa koszty potrzeb podstawowych. Spotkaj się z prawnikiem, który specjalizuje się w tego rodzaju poradach. Jedyną decyzją, którą musisz podjąć sama, jest kwestia, kogo wybrać jako ewentualnego przyszłego administratora (kuratora). Idealnym wyborem może być członek rodziny, któremu możesz zaufać, że wybierze dla twojego dziecka najlepsze rozwiązanie. Jeśli w sprawę zaangażowana jest duża kwota pieniędzy, pomocne może być wybranie osoby prawnej, będącej współadministratorem, która podejmowałaby decyzje finansowe, ale nie decyzje związane z dobrem twojego dziecka. Twój prawnik może pomóc ci w znalezieniu takiej osoby.

Akceptacja. Większość form upośledzenia i chorób przewlekłych jest nieuleczalnych, chociaż wiele z nich można utrzymywać pod kontrolą lub nawet w znacznym stopniu złagodzić. Musisz zaakceptować realia dotyczące choroby dziecka oraz jego obecne i przyszłe możliwości. Jeśli choroba została rozpoznana niedawno, możesz nadal walczyć z gniewem, smutkiem i poczuciem winy, zanim zdołasz osiągnąć stan akceptacji. Początkowo prawdopodobnie będziesz koncentrować się na słabościach swojego dziecka, ale z czasem będziesz w stanie dostrzec także wszystkie jego zalety. Jeżeli ty zaakceptujesz swoje dziecko, ono będzie umiało zaakceptować samo siebie.

Zachęta. Zaakceptowanie ograniczeń dziecka nie oznacza, że nie należy czynić wysiłków, aby dopomóc mu w osiągnięciu maksymalnych możliwości. Zachęcaj do intelektualnego i fizycznego rozwoju (na tyle, na ile jest to możliwe) oraz kształtowania wszelkiego rodzaju umiejętności (również społecznych).

Nadzieja. Zaakceptowanie choroby twojego dziecka nie oznacza również, że należy porzucić nadzieję. W przypadku ogromnej większości dzieci specjalnej troski miłość, wsparcie i odpowiednie leczenie mogą poprawić rokowanie, niekiedy nawet bardzo znacznie. Dla wielu dzieci nowe techniki medyczne i technologie, które powstaną w przyszłości, mogą sprawić cud, o który modlą się ich rodzice. Ostatnie badania sugerują, że sama nadzieja może również mieć wpływ na to, jak dziecko (lub dorosły z upośledzeniem lub przewlekłą chorobą) radzi sobie w życiu. Tak więc zawsze miej nadzieję i dziel się z nią ze swoim dzieckiem.

NIEKTÓRE PRZEWLEKŁE PROBLEMY ZDROWOTNE

AIDS (ZESPÓŁ NABYTEGO UPOŚLEDZENIA ODPORNOŚCI) ORAZ ZAKAŻENIE WIRUSEM HIV

Co to jest? AIDS jest chorobą charakteryzującą się załamaniem naturalnej odporności organizmu przeciwko chorobom. Dziecko zakażone wirusem HIV-1 (patrz poniżej — „Przyczyny") może przez miesiące lub nawet lata nie mieć żadnych widocznych objawów. W tym okresie zakażenie może być rozpoznane tylko przez badania krwi. Dopóki nie rozwiną się charakterystyczne objawy, dopóty dziecko nie jest uznawane za chore na AIDS. Objawy są zróżnicowane i mogą obejmować: gorączkę i pocenie się w nocy, silne dreszcze, które trwają tygodniami, zmęczenie, gwałtowną utratę lub niezdolność do przyrostu masy ciała, powiększenie węzłów chłonnych na szyi, pod pachami i/lub rzadko występujące powiększenie przyusznych gruczołów ślinowych (ślinianek), nawracające lub przewlekłe biegunki, białe plamki lub plamy w jamie ustnej (z powodu utrzymującej się pleśniawki — zakażenia drożdżakami, czyli kandydozy), opóźnienie rozwoju, nawracające zakażenia bakteryjne oraz zaburzenia funkcji wątroby i/lub nerek. Przebieg choroby jest u dzieci inny niż u dorosłych i może również być zróżnicowany nawet pomiędzy dziećmi. U niektórych dzieci AIDS wydaje się przybierać postać choroby przewlekłej. W poszukiwaniu niektórych możliwych manifestacji i powikłań AIDS — patrz „Problemy towarzyszące".

Jak często występuje? U dzieci bardzo rzadko, szczególnie u tych z grup niskiego ryzyka.

Kto jest podatny? Przede wszystkim dzieci urodzone przez matki zakażone wirusem HIV (HIV-pozytywne). Chociaż wszystkie takie dzieci są w okresie noworodkowym HIV-pozytywne, to tylko 12% do 40% z nich jest rzeczywiście zakażonych wirusem HIV. Najpowszechniej stosowane testy nie są bowiem dokładne, dopóki wszystkie przeciwciała pochodzące od matki nie zostaną wyeliminowane z organizmu dziecka, co dzieje się zwykle pomiędzy piętnastym i osiemnastym miesiącem życia. Nowsze testy pozwalają na pewniejsze rozpoznanie już w szóstym miesiącu życia. Ryzyko, że u dziecka rozwinie się infekcja HIV, wydaje się znacząco zmniejszone, jeśli HIV-pozytywna matka jest przed urodzeniem dziecka leczona lekiem o nazwie AZT. Dzieci chore na hemofilię i inne dzieci, którym przetaczano krew, były w przeszłości bardzo narażone na zakażenie. Obecnie, dzięki udoskonaleniu badań przesiewowych krwi, ryzyko, że dziecko otrzyma krew zakażoną wirusem HIV-1, jest znikome.

Przyczyny. Ludzki wirus upośledzenia odporności (HIV-1) jest przekazywany za pośrednictwem różnych płynów ustrojowych (krwi, nasienia lub wydzieliny pochwy, ale nie przez ślinę, pot lub łzy). Najczęściej do zakażenia dochodzi w czasie stosunków płciowych, zarówno homoseksualnych, jak i heteroseksualnych, oraz poprzez używanie wspólnych igieł do iniekcji dożylnych. HIV może być również przekazywany przez matkę dziecku w czasie ciąży, porodu lub nawet po porodzie (w czasie karmienia piersią). Wirus ten nie jest jednak przekazywany drogą powietrzną lub poprzez ukąszenia komarów lub innych owadów ani przez psy, koty i inne zwierzęta domowe. Dziecko nie może też zarazić się wirusem wywołującym AIDS poprzez przypadkowe kontakty lub zabawę z dzieckiem zakażonym wirusem HIV. Obecnie wydaje się, że nie u każdego dziecka zakażonego wirusem HIV rozwijają się objawy AIDS, chociaż nie jest jasne dlaczego.

Problemy towarzyszące. Zapalenie płuc wywołane przez *Pneumocystis carini*; penumokokowe zapalenie opon mózgowo-rdzeniowych; takie rzadkie nowotwory, jak: mięśniakomięsak gładki (*leiomyosarcoma*), a także niektóre typy chłoniaków (mięsak Kaposiego, powszechny u dorosłych chorych na AIDS, jest niezmiernie rzadki u dzieci); infekcje pasożytnicze (takie jak toksoplazmoza); zaburzenia czynności serca (zwłaszcza u dzieci z chorobą mózgu lub z zakażeniem wirusem Epsteina-Barra); zaburzenia ruchowe i opóźnienie rozwoju; wyniszczenie i zaburzenia rozwoju i wzrostu; choroba wątroby; choroba nerek; niedokrwistość; trombocytopenia (zmniejszenie liczby płytek krwi, które są niezbędne do krzepnięcia krwi); zapalenie skóry; gruźlica.

Leczenie. Konieczne jest prowadzenie leczenia multidyscyplinarnego. Małe dzieci mogą być leczone lekiem AZT, który chociaż nie powoduje wyleczenia, to może przedłużyć życie. Inne leki przeciwwirusowe są obecnie poddawane badaniom pod względem ich przydatności w leczeniu AIDS, ale żaden z nich dotąd nie okazał się skuteczny. Przydatne są jednak niekiedy steroidy, stosowane w leczeniu zapalenia płuc wywołanego przez *Pneumocystis carini.* Ważne jest właściwe odżywianie i leczenie bólu, podobnie jak zapobieganie oraz agresywne leczenie wszelkich infekcji. Dożylne podawanie immunoglobulin (IVIG) wydaje się zmniejszać liczbę infekcji u małych pacjentów chorych na AIDS. Chociaż dziecko z AIDS nie stanowi żadnego zagrożenia dla innych w żłobku lub przedszkolu, to dzieci HIV-pozytywne byłyby w tych warunkach narażone na dodatkowe infekcje, które ze względu na słabość układu odpornościowego mogłyby stać się poważne lub nawet śmiertelne. Z tego powodu decyzja o umieszczeniu dziecka w żłobku lub przedszkolu musi być podejmowana z rozwagą.

Zapobieganie. Leczenie ciężarnych kobiet, które są HIV-pozytywne. Unikanie zakażonej krwi lub produktów krwiopochodnych, stosowanych do przetoczeń (najbezpieczniejsza jest zwykle pobrana wcześniej własna krew lub krew innych członków rodziny, o których wiadomo, że nie są nosicielami wirusa). Właściwe nawyki higieniczne w domach i ośrodkach opieki, w których znajdują się dzieci zakażone wirusem HIV (wirus może być zniszczony przez wybielacze zawierające chlor i niektóre inne domowe środki dezynfekcyjne). Sprzątanie miejsca, w którym zakażone dziecko skaleczyło się, wymaga starannego czyszczenia powierzchni, którymi miała kontakt krew dziecka. Osoba sprzątająca powinna używać gumowych rękawiczek, a wszystkie zużyte materiały powinny być szczelnie zamknięte w torebce foliowej. Nigdy nie należy używać wspólnych szczoteczek do zębów, nie z powodu obaw przed przekazaniem wirusa drogą zakażonej śliny, ale aby uniknąć potencjalnego przekazania infekcji przez krew z krwawiących dziąseł. Naukowcy usiłują stworzyć szczepionkę, która chroniłaby dzieci zainfekowane wirusem HIV przed rozwojem pełnoobjawowego AIDS, ale jak dotąd nie ma na tym polu sukcesów.

Rokowanie. Wszelkie przewidywania są bardzo trudne. Chociaż około 1/4 dzieci zakażonych wirusem HIV-1 umiera przed osiemnastym miesiącem życia, to większość HIV-pozytywnych dzieci przeżywa ponad 5 lat, a niektóre z nich dożywają wieku młodzieńczego, często nie wykazując żadnych objawów choroby lub tylko nieliczne. Niektóre dzieci radzą sobie z chorobą lepiej niż dorośli i istnieje nadzieja, że wiele z nich doczeka wyleczenia lub przynajmniej bardziej skutecznego leczenia.

Pomoc dla zdrowego rodzeństwa

W jaki sposób wzrastanie w domu z dzieckiem specjalnej troski wpływa na zdrowe rodzeństwo? Jedno z badań, przeprowadzone wśród studentów wzrastających z upośledzonym umysłowo rodzeństwem, wykazało, że mniej więcej połowa z nich czuła, że została pokrzywdzona, połowa, że odniosła z tego powodu korzyść. Ci, którzy oceniali swoje dzieciństwo negatywnie, wstydzili się rodzeństwa i czuli, że są zaniedbywani przez swoich rodziców, których postrzegali jako ciągle zajętych opieką nad rodzeństwem specjalnej troski. Zdrowe rodzeństwo odczuwało też przeciążenie obowiązkami i wierzyło, że ich własne szanse na odpoczynek i rozwój były w znaczny sposób ograniczone. Zdrowe rodzeństwo, które sądziło, że odniosło w takiej sytuacji korzyści, pochwalało poświęcenie swoich rodziców dla ich rodzeństwa specjalnej troski i czuło, że dziecko to spowodowało zbliżenie się do siebie członków ich rodziny. Zamiast poczucia mniejszych szans, mieli poczucie szczęścia. Byli oni też przeciętnie bardziej współczujący i tolerancyjni dla innych, bardziej wyrozumiali i wrażliwi oraz bardziej doceniali własne dobre zdrowie i inteligencję niż ich rówieśnicy z rodzin bez dzieci specjalnej troski.

Tak więc, chociaż bycie siostrą lub bratem dziecka specjalnej troski nigdy nie jest łatwe, to może być doświadczeniem wzbogacającym i kształtującym charakter. Aby zwiększyć prawdopodobieństwo, że twoje zdrowe dziecko odniesie korzyści z takich doświadczeń, podejmij następujące działania:

Zaangażuj je. Wyjaśnij językiem, który dzieci mogą zrozumieć, jaka jest sytuacja chorego dziecka i w jaki sposób rodzina może pracować razem, sprawując opiekę nad nim i wzajemnie nad sobą. Znajdź niewielkie zadania, odpowiednie do ich wieku. Na przykład, małe dziecko może tańczyć, śpiewać i „robić miny", aby zabawić malucha chorego na astmę, w trakcie terapii nebulizacyjnej. Dziecko w wieku szkolnym może wspólnie z chorym bratem lub siostrą przeczytać książkę lub zagrać w grę planszową. Nastolatek może od czasu do czasu przypilnować małe dziecko (ale nie czyń z tego jego stałego obowiązku), a niekiedy, jeśli nie ma nic przeciwko temu, może dopomóc w fizykoterapii lub innym leczeniu.

Rozpraszaj wątpliwości. Wyjaśnij starszym dzieciom, że podstawowa odpowiedzialność za opiekę nad ich rodzeństwem spoczywa na tobie, a nie na nich. Jeśli zdrowe dziecko również jest jeszcze małe, powiedz po prostu: „Tak, Janek jest chory, ale to nie jest twoja wina. Ty tego nie zrobiłaś(eś)". W rzeczywistości wszystkie twoje dzieci (również dziecko specjalnej troski) wymagają uspokojenia, że nie są za nic odpowiedzialne. Zdrowe dzieci mogą również wymagać wyjaśnienia, że choroba lub upośledzenie nie są zaraźliwe, że nie można ich „złapać" tak, jak „łapie się" przeziębienie, oraz że jeśli zachorują na grypę lub przeziębienie to nie staną się tak samo chore jak ich brat lub siostra.

Znajdź dla nich czas. Chociaż możesz być bardzo zajęta opieką nad dzieckiem specjalnej troski, to twoje zdrowe pociechy również wymagają uwagi. Podziel swój czas, tak aby uzyskać pewność, że każde z dzieci spędza z tobą codziennie chociaż chwilę „sam na sam". Rób dla swojej rodziny wszystko, co daje korzystne efekty. Można na przykład tak zróżnicować pory kładzenia dzieci do łóżek, aby każde z nich miało szansę porozmawiać o kończącym się właśnie dniu. Być może uda ci się również zaplanować dla każdego dziecka jedno wspólne wyjście z domu raz w tygodniu, nawet jeśli oznacza to proszenie krewnych lub przyjaciół o pomoc lub wynajmowanie kogoś do opieki nad chorym dzieckiem. Jeśli konieczne są

ALERGIA (UCZULENIE)

Co to jest? Jest to nadmierna reakcja układu odpornościowego na jakąś substancję, czyli tzw. alergen. Niektóre alergie mogą występować w dowolnej porze roku (na przykład alergie na pokarmy, kurz lub leki), inne zaś, takie jak alergia na pyłki roślinne, występują sezonowo — zwykle wiosną, latem i/lub jesienią. Pojedyncze epizody alergiczne mogą trwać kilka godzin lub wiele dni. Objawy są zróżnicowane. W zależności od dotkniętego alergią narządu lub układu mogą wystąpić:

* Objawy ze strony górnych dróg oddechowych (nosa i gardła): wodnista wydzielina z nosa (tzw. alergiczny nieżyt nosa); zapalenie zatok przynosowych (rzadkie u bardzo małych dzieci); płyn gromadzący się w obrębie ucha środkowego (wysiękowe zapalenie ucha środkowego — patrz str. 515); ból gardła (spowodowany alergią, ale również jako rezultat oddychania przez usta, gdy nos jest niedrożny); ściekanie wydzieliny śluzowej z nosa do gardła, które może powodować przewlekły kaszel; skurczowe zapalenie krtani (patrz str. 516). Dzieci z alergicznym nieżytem nosa często mają ciemne obwódki wokół oczu, a niekie-

okresowe pobyty w szpitalu, upewnij się, że zdrowe dzieci mogą uczestniczyć w odwiedzinach, i postaraj się spędzić z nimi trochę czasu poza szpitalem.

Służ przykładem. Twoje nastawienie do dziecka specjalnej troski z całą pewnością przejdzie na inne dzieci i dlatego miej pewność, że jest ono pozytywne. Poproś o profesjonalną pomoc, aby nauczyć się radzić sobie z negatywnymi uczuciami, takimi jak zakłopotanie, rozpacz, poczucie winy lub gniew, które możesz odczuwać.

Nie czyń zdrowych dzieci „kozłami ofiarnymi". Często łatwiej jest (i z mniejszym poczuciem winy) wyładować swój gniew, frustracje i wyczerpanie na zdrowym dziecku („Mam dosyć kłopotów! Nie chcę mieć ich więcej z twojego powodu!"). Ale takie podejście jest niewłaściwe i może być źródłem urazy i wrogości. Jeśli stwierdzasz, że często wyładowujesz swoje uczucia na rodzinie, poproś o pomoc.

Bądź wyrozumiała. Zdrowe dzieci mają często mieszane uczucia: „Martwię się (lub boję się) o moją siostrę", „Szkoda, że mam siostrę — moi rodzice nie mają czasu dla mnie". Taka ambiwalentność uczuć jest normalna (nawet dorośli mogą ją odczuwać) i musisz mieć pewność, że twoje dziecko o tym wie. Zachęć je do dzielenia się swoimi emocjami w sposób niewerbalny (spojrzenie pełne smutku, gniewu lub zmartwienia) i pytaj je o jego uczucia („Czy odczuwasz smutek?... złość?... zmartwienie?"). Niektóre zdrowe dzieci, odczuwając stres, manifestują takie same „objawy", jak ich rodzeństwo specjalnej troski (oczywiście, nigdy nie lekceważ tych objawów, dopóki nie sprawdzi ich lekarz). Niektóre mogą też mimowolnie próbować naśladować pewne zachowania (na przykład takie, jak kaszel, utykanie czy skurcze mięśniowe). Najczęściej jest to próba zwrócenia na siebie uwagi (jest to przecież sposób, w jaki zwraca ją na siebie chore dziecko) lub dowód poczucia jedności z rodzeństwem, („Chcę wiedzieć, co czuje Ania"). Zapewnij zdrowemu dziecku nieco więcej uwagi, wysłuchaj go ze zrozumieniem, a naśladownictwo niemal na pewno ustąpi. Jeśli powoduje ono zdenerwowanie chorego malca, wyjaśnij to zdrowemu dziecku i zasugeruj, że jeśli chce nadal to robić, to niech to czyni tak, aby nie widział tego jego chory braciszek lub siostrzyczka.

Zwracaj uwagę na objawy ostrzegawcze. Dzieci, które z trudnością radzą sobie ze stresami związanymi z posiadaniem rodzeństwa specjalnej troski, mogą popadać w depresje i zamykać się w sobie lub ujawniać ją działaniem (na przykład częste napady złego humoru lub niechęć do wstawania z łóżka). Spróbuj poświęcić zdrowemu dziecku więcej czasu i uwagi, kiedy objawy takie się pojawią. Jeśli to nie pomaga, przedyskutuj problem z pediatrą. W takiej sytuacji może się przydać poradnictwo rodzinne lub indywidualne.

Nie wymagaj zbyt wiele. Zwiększanie wymagań względem zdrowego dziecka lub oczekiwanie od niego absolutnej doskonałości dla zrekompensowania niedoskonałości brata lub siostry, powoduje zbyt duże i niesprawiedliwe obciążenie. Zachęcaj wszystkie swoje pociechy, aby były najlepsze jak potrafią, ale nigdy nie naciskaj, nie wymagaj i nie zmuszaj, aby były idealne.

Zapewnij pomoc z zewnątrz. Zorganizowanie zdrowym dzieciom udziału w grupie samopomocy, w której mogą podzielić się swoimi uczuciami i myślami z innymi dziećmi znajdującymi się w podobnej sytuacji, może być bardzo cenne. Niektóre szpitale dziecięce prowadzą specjalne grupy lub zajęcia dla rodzeństwa dzieci ze szczególnymi formami upośledzenia lub chorobami. Jeśli nie możesz znaleźć odpowiedniej grupy dla swoich dzieci (porozmawiaj z lekarzem twoich dzieci, w szpitalu lub w lokalnej grupie samopomocy dla dorosłych), rozważ jej założenie.

dy „worki" pod oczyma. Często oddychają przez usta i mają charakterystyczną zmarszczkę biegnącą przez szczyt nosa, powstającą w wyniku częstego wycierania nosa (tzw. salut alergiczny).

* Objawy ze strony dolnych dróg oddechowych (oskrzeli i płuc): alergiczne zapalenie oskrzeli; astma oskrzelowa (patrz str. 600).
* Objawy ze strony układu pokarmowego: oddawanie gazów; wodnista, a niekiedy nawet krwista biegunka; wymioty.
* Objawy skórne: atopowe zapalenie skóry z uwzględnieniem wyprysku alergicznego (patrz str. 472); pokrzywka (krostowata, swędząca, uwypuklona, czerwona wysypka); obrzęk naczyniowy (obrzęk twarzy, zwłaszcza wokół oczu i ust, który nie swędzi tak jak pokrzywka, ale może być objawem poważnej alergii, patrz str. 597).
* Objawy ze strony oczu: swędzenie; łzawienie; zaczerwienienie i inne objawy stanu zapalnego, zwłaszcza w obrębie spojówek.
* Objawy ogólne: drażliwość.

Jak często występuje? Oceny częstości występowania są bardzo zróżnicowane, z powodu różnych kryteriów diagnostycznych, ale prawdopodobnie około 10% do 20% dzieci cierpi lub będzie cierpieć w pewnym okresie życia na alergię.

Kto jest podatny? Najczęściej osoby z wywiadem rodzinnym obciążonym występowaniem alergii. Ryzyko jest największe (około 80%), jeśli oboje rodzice mają alergię. Alergia nie rozwija się jednak, dopóki dziecko nie jest narażone na potencjalny alergen.

Przyczyna. Uwolnienie przez układ odpornościowy histaminy i innych substancji w odpowiedzi na narażenia na alergen (substancję, na którą dany osobnik jest nadmiernie wrażliwy). Tendencja do alergii występuje rodzinnie. Sposób, w jaki alergie się objawiają, jest często różny u różnych członków rodziny — jeden może mieć gorączkę sienną, inny astmę, a trzeci może dostać pokrzywki po zjedzeniu truskawek. Alergen może przedostać się do organizmu dziecka drogą wziewną (na przykład pyłki roślinne lub sierść zwierząt), pokarmową (orzechy, mleko, mąka, białko jaj, produkty sojowe lub inne alergeny pokarmowe), w formie ukłucia (zastrzyk penicyliny lub użądlenie pszczoły) lub poprzez kontakt ze skórą (niklowana biżuteria, odzież wełniana). Reakcje skórne, takie jak pokrzywka i obrzęk naczyniowy, a także reakcja anafilaktyczna, mogą być również spowodowane przez ciepło, zimno, ucisk, wibrację, światło, wodę, wysiłek fizyczny lub zakaźne drobnoustroje.

Leczenie i zapobieganie. Pierwszym krokiem w leczeniu dziecka z alergią jest poszukiwanie dokładnego rozpoznania. Jeśli malec wykazuje podobne reakcje przy każdej ekspozycji na szczególne pokarmy lub inne alergeny (na przykład zawsze wymiotuje po zjedzeniu paluszków rybnych), omów to z lekarzem. Wiele podejrzewanych alergii pokarmowych nie ma jednak nic wspólnego z alergią i, zwłaszcza u małych dzieci, postawienie jasnego rozpoznania może być trudne. Testy skórne są często u małych dzieci niewiarygodne (chociaż negatywny wynik testu częściej oddaje rzeczywistość niż wynik pozytywny). Testy prowadzone in vitro, takie jak test RAST (test radioimmunoabsorpcji), są raczej skomplikowane i drogie. W niektórych przypadkach w gabinecie lekarza (gdzie w razie potrzeby dostępny jest zestaw do pomocy doraźnej) wykonany może być test prowokacyjny, w którym podejrzany o wywoływanie alergii pokarm podawany jest dziecku w celu stwierdzenia, czy rzeczywiście jest na niego uczulone. Lekarz może też zalecić wyeliminowanie podejrzanego alergenu z diety dziecka na kilka tygodni, aby zaobserwować, czy objawy ustępują. Ewentualnie można wyeliminować rozmaite alergeny, a kiedy objawy ustąpią, wprowadzać je pojedynczo z powrotem, by określić „winowajcę". Takie badanie może być pomocne, ale nie próbuj go przeprowadzać bez nadzoru medycznego. Rzadko się zdarza, że dziecko jest uczulone na więcej niż trzy pokarmy, tak więc bądź ostrożna, zanim postawisz taką diagnozę. Pamiętaj też, że testy podjęzykowe, test miareczkowania skórnego, badanie włosów i moczu nie mają żadnych podstaw naukowych. Gdy alergen lub alergeny wywołujące chorobę zostaną już zidentyfikowane, ważne jest rozpoczęcie leczenia. U dzieci nie leczonych występuje bowiem zwiększone ryzyko rozwoju astmy. Istnieje wiele różnych sposobów leczenia dzieci z alergią.

1. Unikanie/wyeliminowanie. Najpewniejszym, chociaż często najtrudniejszym sposobem leczenia i zapobiegania alergiom jest wyeliminowanie alergenu wywołującego chorobę z życia osoby uczulonej. Jeśli twoja pociecha jest alergikiem, poniżej przedstawiono niektóre sposoby usunięcia alergenów z jego środowiska:

* Alergeny pokarmowe[2]. Reakcje alergiczne u niemowląt i małych dzieci najczęściej wywołują białko jaj i mleko krowie, a następnie mąka i owoce cytrusowe. Wiele dzieci jest również uczulonych na soję i produkty sojowe, a niektóre na substancje dodatkowe w żywności, takie jak: aspartam, butylohydroksyanizol i butylohydroksytoluen (BHA/BHT), niektóre barwniki (na przykład żółć nr 5), glutaminian sodowy, azotany i azotyny oraz siarczyny. Na szczęście dzieci są znacznie rzadziej uczulone na pokarmy, które mogą wywoływać ciężkie reakcje alergiczne — orzeszki ziemne, sezam, skorupiaki oraz ryby.

  Ponieważ wiele alergenów jest „ukrytych" w przetworzonej żywności (olej z orzechów, białka mleka i hydrolizowane białka roślinne, na przykład z ziaren soi), ważne jest wyrobienie nawyku starannego czytania wszelkich etykietek. Ponieważ składniki pokarmów mogą się zmieniać, sprawdzaj etykietkę

[2] Nie każda niekorzystna reakcja na pokarm jest alergią. Niektórzy ludzie wykazują nietolerancję niektórych pokarmów lub tzw. idiosynkrazję, które są reakcjami nie obejmującymi układu odpornościowego, a tym samym nie są reakcjami alergicznymi. Jeśli jakiś pokarm sprawia twemu dziecku problemy, to nawet jeśli lekarz stwierdzi, że nie jest to reakcja alergiczna, usuń ten pokarm z diety swego dziecka.

Alergie zagrażające życiu

Większość objawów alergii jest tylko dokuczliwa: drapanie w gardle, zapchany nos, łzawiące oczy czy swędzące plamy na skórze. Ale niektóre reakcje alergiczne — przede wszystkim reakcje anafilaktyczne na specyficzne pokarmy, leki lub, rzadziej, na użądlenie pszczoły, mogą mieć skutki śmiertelne. Poważne reakcje alergiczne obejmują następujące grupy objawów: sapanie, szorstki świst oddechowy (głośny lub piejący oddech), chrypka i trudności w oddychaniu; zaczerwienienie skóry, swędzenie, pokrzywka i obrzęk twarzy, ust i gardła (co może również zakłócać oddychanie); wymioty, biegunka (niekiedy krwista) i skurcze żołądka; nagły spadek ciśnienia krwi, zawroty głowy, nadwrażliwość na światło, osłabienie, utrata świadomości oraz niewydolność krążeniowo-oddechowa (wstrząs anafilaktyczny). Takie reakcje wymagają natychmiastowej pomocy medycznej. Jeśli dziecko manifestuje choćby jedną poważną reakcję alergiczną, konieczne jest skontaktowanie się z alergologiem dziecięcym. Dzieci astmatyczne są bardziej niż inne dzieci alergiczne narażone na występowanie poważnych reakcji alergicznych.

Jeśli po konsultacji ze specjalistą dowiesz się, że u twojego dziecka mogą wystąpić zagrażające życiu reakcje alergiczne, to każda osoba sprawująca opiekę nad dzieckiem powinna być powiadomiona o takiej sytuacji i wiedzieć, jakie środki należy przedsięwziąć, aby uniknąć możliwego narażenia na potencjalnie śmiertelne alergeny. Zalecane jest również, aby pod ręką zawsze znajdował się zestaw przeciwwstrząsowy (z adrenaliną) i aby wszyscy sprawujący opiekę nad dzieckiem (nie wyłączając rodziców, opiekunek, pracowników żłobka lub przedszkola i nauczycieli) byli przeszkoleni pod względem rozpoznawania objawów i stosowania zestawu.

Adrenalina, hormon, który przeciwdziała reakcjom anafilaktycznym poprzez podniesienie ciśnienia krwi i poszerzenie dróg oddechowych, może ratować życie. Jest ona obecnie dostępna w gotowych do użycia i łatwych do podania strzykawkach w kształcie długopisu (Epi-Pen) i powinna być podawana natychmiast po zauważeniu objawów, które mogą pojawić się w okresie od kilku minut do kilku godzin od ekspozycji na alergen. Nawet jeśli początkowa reakcja jest bardzo łagodna, a dziecko wydaje się zdrowieć samoistnie, powinnaś zaprowadzić je do lekarza i starannie obserwować przez 24 godziny. Czasami występuje bowiem reakcja wtórna, która jest znacznie poważniejsza od pierwotnej. Natychmiast wezwij pogotowie ratunkowe (tel. 999), jeśli u dziecka wystąpiła poważna reakcja alergiczna, a ty nie masz pod ręką adrenaliny.

Dziecko z ciężką alergią powinno też nosić przy sobie etykietę ostrzegającą (na przykład w formie specjalnej bransoletki), na której są wypisane występujące u niego uczulenia.

---

przy każdym zakupie żywności. I jeśli dziecko wykazuje alergię na mleko (patrz str. 39), to pamiętaj, że zamieszczone na etykietce określenie „bezmleczny" nie gwarantuje, że jest to produkt całkowicie pozbawiony składników mleka (produkty takie mogą być niekiedy błędnie oznaczone). Zapytaj o składniki pokarmów w restauracjach i kiedy przebywasz z wizytą. Upewnij się, że każdy, kto sprawuje opiekę nad dzieckiem w domu lub poza nim, jest dobrze poinformowany o wszelkich alergiach pokarmowych. Aby zapobiec błędom dietetycznym w żywieniu dziecka, zawsze używaj równorzędnych substancji zastępczych. Stosuj mąkę owsianą, ryżową i jęczmienną zamiast pszennej; mango, melony, brokuły, kalafior oraz słodką, czerwoną paprykę zamiast soku pomarańczowego; mięso, drób i sery zamiast jajek.

Późne wprowadzenie silnie alergizujących pokarmów dla dzieci z alergią w wywiadzie rodzinnym lub osobistym może dopomóc w zapobieganiu rozwojowi alergii pokarmowych. Idealnie byłoby poczekać do dwunastego miesiąca życia z wprowadzeniem mleka krowiego, soi, mąki pszennej, kukurydzy i owoców cytrusowych; do dwudziestego czwartego miesiąca życia z wprowadzeniem jajek i do trzydziestego szóstego miesiąca życia z wprowadzeniem orzeszków ziemnych i ryb.

* Pyłki roślinne. Jeśli podejrzewasz alergię pyłkową (tzw. pyłkowicę — wskazówką może być stałe utrzymywanie się objawów w okresie, gdy pyłki unoszą się w powietrzu, i ich zanik, kiedy sezon pylenia danych roślin mija), trzymaj dziecko w domu w czasie, gdy miano pyłków jest wysokie (zwykle rano) oraz przy szczególnie wietrznej pogodzie. Codziennie kąp malca i myj mu głowę, aby usunąć pyłki, a w gorące dni używaj raczej klimatyzatora, zamiast otwierać okna i ułatwiać pyłkom przedostanie się do mieszkania. Przycinaj trawę krótko, aby zredukować wysiew pyłków. Jeśli masz jakieś zwierzę, to również ono powinno być często kąpane, gdyż może przynosić do domu pyłki z zewnątrz. Dla dzieci

Kiedy dziecko z alergią pokarmową idzie z wizytą

Przyjęcia i wspólne zabawy z rówieśnikami nie muszą być zabronione dla dzieci z alergią lub nietolerancją pokarmową. Kiedy jednak malec wybiera się z wizytą, konieczne jest podjęcie pewnych środków ostrożności. Po pierwsze, naucz dziecko, że niektóre pokarmy są zakazane. W miarę jak dziecko uczy się mówić, powtarzaj z nim takie zwroty jak: „Nie mogę pić mleka, dziękuję". Jeśli wydaje się to właściwe, daj dziecku posiłek lub przekąskę do zabrania ze sobą. Jeśli nie, poinformuj zawczasu gospodarza przyjęcia, których pokarmów nie może ono jeść. Ponadto upewnij się, że zarówno dziecko, jak i gospodarz, rozumieją możliwe konsekwencje zjedzenia „chociaż małego kęsa" takiego pokarmu. Upewnij się też, że zabronione pokarmy nie są ukrytymi składnikami gotowych posiłków i że jeśli możliwe jest wystąpienie u twego dziecka reakcji anafilaktycznej, to gospodarze będą wiedzieli, co robić w razie przypadkowego spożycia alergenu.

z ciężkimi alergiami pyłkowymi w okresie szczytu sezonu pyłkowego zalecane mogą być (jeśli są po temu warunki) podróże na tereny wolne od określonego typu pyłków lub chociaż z ich zmniejszoną ilością. Niektórzy ludzie wykazują reakcję alergiczną na bożonarodzeniową choinkę lub inne rośliny ozdobne, przyniesione do domu. Może być to spowodowane przez pyłki przylepione do igieł choinki (wówczas dopomóc może opłukanie choinki w wannie przed postawieniem jej w pokoju), ale znacznie częściej reakcja jest spowodowana nadwrażliwością na olejki zapachowe. W takich okolicznościach rozsądne wydaje się unikanie drzewek i gałęzi świerkowych, które są najbardziej aromatyczne.

* Łupież zwierząt i inne uczulenia na zwierzęta. Łupież, czyli drobne łuski złuszczone ze skóry zwierząt, są najczęściej przyczyną alergii na zwierzęta. Niemniej jednak, niektórzy ludzie są uczuleni na ślinę lub mocz zwierząt i wówczas problemem mogą być nieczystości kotów lub małych zwierząt hodowanych w klatkach. Łupież kotów powoduje problemy znacznie częściej niż łupież psów, a zwierzęta długowłose sprawiają więcej problemów niż krótkowłose. Jeśli podejrzewasz lub wiesz na pewno, że twoje dziecko jest uczulone na zwierzę domowe, spraw, aby nie przebywały w jednym pomieszczeniu. Pomocne może być też usunięcie zwierzęcia do ogrodu (na podwórze), garażu lub piwnicy, na tak długo, jak jest to możliwe, kąpanie go co tydzień, pozbycie się dywanów pokrywających całą podłogę, zmniejszenie liczby mebli tapicerowanych, na których może gromadzić się łupież, oraz oczyszczanie powietrza urządzeniem filtrującym. W ciężkich przypadkach jedynym rozwiązaniem może być znalezienie dla zwierzęcia innego domu. Ponieważ alergie mogą być wywoływane również przez sierść, nie używaj materaców lub szczotek wykonanych z sierści, nie ozdabiaj domu skórami zwierząt oraz dywanami lub innymi przedmiotami wykonanymi z włosia zwierzęcego. Niektóre dzieci wykazują alergię na ptaki i jeśli nie możesz znaleźć innego rozwiązania, pomyśl, że przyczyną może być wasz skrzydlaty przyjaciel. Znajdź dla niego nowy dom, a w przyszłości wybieraj syntetyczne, a nie puchowe wkłady do kołder, poduszek i tapicerowanych mebli.

* Kurz domowy. To nie sam kurz powoduje kichanie u większości osób uczulonych — powodują to roztocza kurzu domowego. Te mikroskopijne pajęczaki unoszą się w powietrzu i mogą być wdychane przez wszystkich członków twojej rodziny. Dla większości ludzi nie jest to problemem, ale dla kogoś, kto jest nadwrażliwy na produkowane przez nie substancje, może to oznaczać cierpienie. Ograniczaj kontakt dziecka z roztoczami, nawet jeśli tylko podejrzewasz alergię, często sprzątając pokoje, w których twoje dziecko spędza najwięcej czasu (a zwłaszcza sypialnię). Odkurzaj pomieszczenia codziennie specjalną szmatką do zbierania kurzu, wilgotną ściereczką lub ściereczką nasączoną odrobiną płynu do mycia mebli, w czasie kiedy nie przebywa w nich dziecko. Często zmywaj podłogi i czyść odkurzaczem dywany oraz tapicerowane meble. W pokojach, w których twoje dziecko bawi się i śpi, unikaj puszystych dywanów, ciężkich draperii, kordonkowych narzut i innych materiałów łapiących kurz. Często przepieraj wypchane zabawki, koce i pledy (w miarę możliwości w gorącej wodzie) a zasłony, plecione dywany i inne tym podobne rzeczy — przynajmniej dwa razy w miesiącu (lub spakuj je i schowaj). Książki, które gromadzą kurz, trzymaj w miarę możliwości w zamkniętych szafach, a odzież przechowuj zamkniętą w specjalnych plastykowych torbach. Powle-

kaj materace i poduszki w hermetyczne poszewki (materace do łóżeczek dziecięcych zwykle takie poszewki już posiadają). Zakładaj filtry na wszystkie otwory wentylacyjne z wymuszonym przepływem powietrza. Jeśli jest to możliwe, zainstaluj centralny filtr powietrza. (Przenośne modele wykazują wątpliwą skuteczność.) A co prawdopodobnie najważniejsze, utrzymuj wilgotność w swoim domu na umiarkowanie niskim poziomie (patrz str. 704). Roztocza kurzu domowego na ogół nie mogą przetrwać, jeśli wilgotność powietrza jest niższa od 50% (niektórzy specjaliści zalecają utrzymywanie wilgotności powietrza nawet na niższych poziomach — rzędu 20% do 30%). Przed użyciem chemicznych środków roztoczobójczych porozum się z alergologiem twojego dziecka.

* Pleśnie. Jeśli dziecko jest uczulone na pleśnie, kontroluj wilgotność w domu za pomocą odpowiednio konserwowanego urządzenia zmniejszającego wilgotność (w razie potrzeby rozpylającego środek niszczący pleśnie). Często wietrz mieszkanie i używaj silnego wentylatora w celu usunięcia pary powstającej w kuchni, łazience i pralni. Miejsca, w których pleśnie lubią rosnąć (kosze na śmieci, lodówki, zasłony prysznicowe, kafelki łazienkowe, wilgotne narożniki pomieszczeń), powinny być starannie i często czyszczone roztworem składającym się z równych części wybielacza zawierającego chlor i wody lub środka przeciwpleśniowego. Jeśli posiadasz samorozmrażającą się lodówkę, nie zapominaj o regularnym opróżnianiu i czyszczeniu zbiornika na ściekającą wodę. Pomaluj piwnice i inne potencjalnie wilgotne miejsca specjalną farbą hamującą rozwój pleśni. Nie pozwalaj, aby odzież lub buty leżały w domu wilgotne lub mokre. Rośliny i suszone kwiaty trzymaj wyłącznie w pomieszczeniach, w których dziecko spędza mało czasu, a drewno do kominka przechowuj poza domem. Jeśli musisz mieć na Boże Narodzenie żywą choinkę, która może sprzyjać rozwojowi pleśni, trzymaj ją w domu tylko przez kilka dni. Upewnij się, że wokół twojego domu nie stoi woda oraz że liście i inne odpadki roślinne są regularnie sprzątane. Jeśli masz piaskownicę, przykrywaj ją na noc i kiedy pada deszcz. W czasie dobrej pogody pozwól, aby wyschła na słońcu.

* Jad pszczeli. Trzymaj dziecko, które jest uczulone na jad pszczeli, tak daleko, jak to jest możliwe, od miejsc, gdzie latają pszczoły i osy (na przykład ogrodów kwiatowych). (Jeśli chodzi o wskazówki dotyczące unikania owadów, patrz str. 553.) Upewnij się też, że ty i inni opiekunowie (w tym personel żłobka lub przedszkola) zawsze macie pod ręką zestaw przeciwko użądleniom pszczoły.

* Alergeny różne. Wiele innych alergenów może, w razie potrzeby, zostać usuniętych z otoczenia twojego dziecka: wełniane koce (powlecz je bądź używaj bawełnianych lub syntetycznych) i odzież (bawełniane swetry i okrycia z syntetycznym wypełnieniem doskonale zapewnią dziecku ciepło, poduszki z pierzem lub puchem (jeśli malec jest dostatecznie duży, aby ich używać, stosuj poduszki piankowe lub hipoalergiczne z wypełnieniem poliestrowym); dym tytoniowy (całkowicie zabroń palenia tytoniu w domu, a poza domem trzymaj swoje dziecko z dala od zadymionych pomieszczeń, restauracji i tym podobnych miejsc); kosmetyki (używaj bezzapachowych chusteczek, dezodorantów itp.); mydła (używaj mydeł hipoalergicznych); detergenty (zacznij stosować detergenty bezzapachowe lub używaj do prania płatków mydlanych).

2. Immunoterapia i odczulanie. Ponieważ reakcja alergiczna jest skutkiem nadwrażliwości układu odpornościowego dziecka na substancję obcą, odczulanie (prowadzone zwykle poprzez stopniowe zwiększanie wstrzykiwanych dawek potwierdzonego alergenu) przynosi niekiedy sukces w kontrolowaniu alergii — zwłaszcza na pyłki, kurz i łupież zwierząt. Poza ciężkimi przypadkami odczulanie nie jest jednak zwykle stosowane, dopóki dziecko nie osiągnie przynajmniej czwartego roku życia.

3. Leki. Leki przeciwhistaminowe i steroidy mogą być stosowane w celu przeciwdziałania reakcji alergicznej i zmniejszenia obrzęku błon śluzowych.

4. Wstrzyknięcia adrenaliny (patrz str. 597).

Rokowanie. Około 90% alergii pokarmowych (na przykład na mleko krowie lub owoce cytrusowe) przemija w wieku trzech, czterech lat. Jednak nawet starsze dzieci i dorośli mogą „wyrastać" z alergii pokarmowej, unikając wywołującego ją alergenu przez rok lub dwa lata. Alergie na orzechy, soję, groch i „owoce morza" trwają jednak zazwyczaj przez całe życie. Podczas gdy niektóre dzieci wyrastają z alergii, inne mogą zamieniać jedną alergię (np. mleko) na inną (np. gorączkę sienną).

ASTMA

Co to jest? Przewlekła, zapalna choroba płuc, w której przebiegu występuje nadmierna reaktywność dróg oddechowych. W czasie ekspozycji na szczególny czynnik wywołujący mięśnie położone wokół oskrzeli kurczą się, wyściółka (błona śluzowa) oskrzeli ulega procesom zapalnym i obrzękowi, zaś ich wnętrze wypełnia się śluzem. Tymczasowo zwężone drogi oddechowe ograniczają przepływ powietrza do i z płuc, czego efektem jest duszność, kaszel i/lub świsty oddechowe (świszczące odgłosy, wywoływane przez powietrze przechodzące przez zwężone drogi oddechowe, które są niekiedy wykrywalne tylko w czasie osłuchiwania stetoskopem, ale mogą też być wyczuwalne przez przyłożenie dłoni do klatki piersiowej dziecka)[3]. U małych dzieci jedynym objawem może być nawracający, krupowy, szczekający kaszel, który nasila się wraz z wysiłkiem fizycznym lub w nocy i może niekiedy prowadzić do wymiotów. Może jednak również występować przyspieszony i/lub głośny oddech, wciągania (skóra pomiędzy żebrami wydaje się zasysana przy każdym wdechu) i przekrwienie klatki piersiowej. Niektóre dzieci doświadczają związanego z astmą uczucia ciasności klatki piersiowej lub bólów w klatce piersiowej, szczególnie w czasie wysiłku. Małe dziecko z astmą może być wystraszone (z powodu okresowych trudności w oddychaniu), ale nie rozumie, dlaczego tak się dzieje. Może również występować niepokój ruchowy, zmęczenie i osłabienie apetytu. Ponieważ astma dziecięca różni się od astmy rozpoczynającej się w wieku dorosłym, jej rozpoznanie może wymagać konsultacji pediatry, który ma doświadczenie z astmą dziecięcą (jej objawy mogą być mylone z objawami przeziębienia) i porównanie z innymi możliwymi chorobami płuc (takimi jak mukowiscydoza, zapalenie oskrzelików, refluks żołądkowo-przełykowy oraz ciało obce w drogach oddechowych). Stopień nasilenia choroby również jest różny u różnych dzieci. Jedno manifestuje tylko jeden epizod astmy przez całe życie, inne jest łagodnym przypadkiem z jednym epizodem astmy w ciągu tygodnia lub nawet rzadziej, a jeszcze inne może stanowić przypadek umiarkowany lub ciężki, z poważnymi epizodami występującymi w każdym tygodniu i prawdopodobnie z kilkoma wizytami pogotowia ratunkowego (lub ambulatorium) w ciągu roku. Nasilenie choroby może się również zmieniać u jednego dziecka w zależności od pory roku i/lub z roku na rok. U niektórych dzieci objawy mogą ulec złagodzeniu wraz z wiekiem, u innych mogą się natomiast nasilić.

[3] W ciężkich przypadkach astmy mogą występować świsty zarówno w czasie wydechu (świsty wydechowe), jak i w czasie wdechu (świsty wdechowe, stridor).

Jak często występuje? Bardzo często. Na całym świecie około 5% do 10% ogółu populacji cierpi na astmę. W Stanach Zjednoczonych częstość występowania astmy wśród dzieci ocenia się na 4,8% do 7,6%.

Kto jest podatny? Dzieci z obciążonym wywiadem rodzinnym, zwłaszcza jeśli jedno z rodziców jest chore na astmę (wydaje się, że istnieje dziedziczna predyspozycja); dzieci z alergiami oraz z dysplazją oskrzelowo-płucną. Astma jest nieco bardziej powszechna u dzieci rasy czarnej. W około 40% przypadków choroba rozpoczyna się przed trzecim rokiem życia, zaś w 90% — przed 10 rokiem życia.

Przyczyna. Nie wiadomo zbyt wiele na temat przyczyn astmy. Wiadomo jednak, że wiele rozmaitych czynników może wywoływać jej epizody u podatnej na ich występowanie osoby. Wśród czynników tych występują: popularne alergeny (takie jak roztocza kurzu domowego, łupież zwierząt, pleśnie, odchody karaluchów, pyłki z traw i drzew oraz niekiedy pokarmy — patrz str. 596); infekcje wirusowe, środki drażniące, z uwzględnieniem dymu tytoniowego i silnych zapachów (na przykład środków czyszczących, farb i lakierów), środków zanieczyszczających powietrze (zarówno na zewnątrz, jak i wewnątrz, patrz str. 536), zmiany pogodowe (temperatura, wilgotność, ciśnienie powietrza oraz silne wiatry), niepokój i stres, nadmierny wysiłek fizyczny (zwłaszcza przy zimnej pogodzie lub po zjedzeniu niektórych pokarmów, takich jak: mięczaki, seler i melon), wrażliwość na leki lub środki chemiczne (pył węglowy i kredowy, środki konserwacji żywności, takie jak siarczyny, niektóre barwniki żywnościowe lub inne składniki żywności). Epizody występujące w środku nocy mogą być wywoływane przez alergeny obecne w sypialni, przez niską temperaturę lub nawet przez refluks żołądkowo-przełykowy (cofanie się pokarmu z żołądka do przełyku). Może mieć znaczenie również to, że delikatne zwężenie dróg oddechowych w ciągu nocy występuje nawet u zdrowych dzieci. Epizody mogą wykazywać większe nasilenie w niektórych porach dnia lub nocy niż w innych z powodu indywidualnych zmian chemicznych zachodzących w organizmie w ciągu doby.

Problemy towarzyszące. Nawracające zakażenia dotyczące dróg oddechowych, nie wyłączając zapalenia płuc.

Leczenie. Wczesne rozpoznanie choroby, wykrycie czynników wywołujących jej epizody (pomoże ci w tym prowadzenie specjalnego dziennika) oraz podjęcie środków zapobiegawczych są najlepszym leczeniem. Zapobieganie w przypadku małych dzieci obejmuje[4]:

* Ograniczenie narażenia na czynniki wywołujące — takie jak alergeny (bardzo pomocna w ich określeniu może być rozmowa z alergologiem dziecięcym) — i stres (patrz str. 162).
* Zmniejszenie częstości występowania zakażeń układu oddechowego poprzez odpowiednie odżywianie, coroczne szczepienia przeciwko grypie oraz właściwą higienę (patrz str. 517).
* Zapobieganie możliwym epizodom poprzez stosowanie starannie dobranych i zapisanych przez lekarza lekarstw — taka profilaktyka może być stosowana raz dziennie lub przed przewidywanym narażeniem na znany czynnik wywołujący. Leki (które mogą obejmować preparaty rozszerzające oskrzela, leki przeciwzapalne, adrenalinopodobne, a także doustne środki beta-adrenomimetyczne i leki przeciwhistaminowe, które jeśli mają być w ogóle stosowane, to wymagają znacznej uwagi) muszą być dobrane indywidualnie dla dziecka. Należy stosować minimalne dawki, niezbędne do opanowania objawów. Leki mogą powodować zdenerwowanie i nadpobudliwość dziecka oraz zakłócać sen. Zażywanie ruchu przed spaniem może dopomóc w zwalczaniu tych efektów ubocznych i umożliwić całej rodzinie spokojniejszy sen. Pomocne może być również ograniczenie spożycia czekolady i napojów zawierających kofeinę. Często zalecane jest stosowanie nebulizatora[5] jako najlepszego sposobu podania małemu dziecku odpowiedniej dawki leku. Chociaż kiedy zaczynasz używać nebulizatora, możesz czuć się jak zwariowany naukowiec, to zastosowanie tego urządzenia może dopomóc w uniknięciu wielu wizyt w ambulatorium.
* Odczulanie przeciwko starcowi (popularne ziele ogrodowe) i w miarę możliwości przeciwko innym alergenom. Może ono znacząco zmniejszyć objawy astmy, ale w przypadku małych dzieci rzadko jest to postępowanie właściwe.
* Odżywcza dieta (oczywiście z wyłączeniem potencjalnych czynników wywołujących) oraz odpowiednie spożycie płynów.
* Ostatnie badania sugerują, że stosowanie dożylnych immunoglobulin (IVIG), pochodzących od dawców nie chorujących na astmę, może znacząco obniżyć lub nawet całkowicie zlikwidować potrzebę stosowania steroidów u dzieci.
* Kiedy objawy astmy się pojawiają, zachowaj spokój (w miarę nabywania doświadczenia będzie to coraz łatwiejsze) i podawaj leki zgodnie z zaleceniami. Jeśli dziecko nie reaguje na nie w oczekiwany sposób, natychmiast skontaktuj się z lekarzem dziecka (jeśli jest on uchwytny) lub zgłoś się do ambulatorium.

Rokowanie. Wiele dzieci z łagodną astmą (mniej niż trzy epizody rocznie) i wiele z tych, u których astma rozwija się po trzecim roku życia, „wyrasta" z niej w późnym okresie młodzieńczym. Takie wyzdrowienie jest mniej prawdopodobne u dzieci z umiarkowanym lub ciężkim nasileniem choroby. Ale nawet wówczas, gdy astma trwa nadal w wieku dorosłym, większość astmatyków korzystających z prawidłowej opieki medycznej może dobrze funkcjonować, zachowując normalną aktywność (z zawodowym uprawianiem sportu włącznie).

AUTYZM

Co to jest? Jest to raczej zespół (grupa objawów) niż jednostka kliniczna. Autyzm jest najczęstszą formą zaburzeń rozwoju psychicznego w okresie dzieciństwa. Dotknięte autyzmem dzieci charakteryzują się: upośledzoną komunikacją słowną (mogą powtarzać słowa, ale nie rozpoczynają rozmowy), niezdolnością do interpretacji niewerbalnych sposobów porozumiewania się (takich jak złość w głosie lub promienny uśmiech), znacząco ograniczonym zainteresowaniem, upośledzeniem interakcji społecznych (nie potrafią odpowiadać na podejmowane przez innych, werbalne lub niewerbalne próby nawiązania kontaktu oraz mogą nie reagować na kontakt fizycz-

[4] Stosowanie miernika przepływu szczytowego oraz regularne ćwiczenia fizyczne, które są często zalecane dla starszych dzieci, nie są zalecane dla maluchów.

[5] Nebulizator jest kompresorem powietrza, który zamienia lek w zimną parę, podawaną do czystej plastykowej maski. Maska ta obejmuje nos i usta dziecka, zapewniając właściwe podawanie leku. Najlepiej trzymać maskę przy twarzy dziecka, gdy siedzi ono na twoich kolanach, zamiast przytwierdzać ją do jego twarzy elastyczną opaską.

ny, chociaż niektóre dzieci mogą wykazywać nadmierną czułość względem obcych lub niezwykłe przywiązanie do matki), nieodpowiednim zachowaniem (na przykład niektóre dzieci liżą lub wąchają wszystko, z czym mają do czynienia) oraz ograniczony lub przerywany kontakt wzrokowy (ale u drugiej strony, dzieci te mogą godzinami siedzieć z wzrokiem utkwionym w przestrzeń). Dzieci autystyczne często też nie są w stanie spełniać poleceń lub wykonywać drobnych czynności. Mogą wyglądać na głuche nawet wówczas, gdy prawidłowość ich słuchu jest klinicznie potwierdzona. Spędzają mniej czasu od innych dzieci (nawet upośledzonych umysłowo), bawiąc się zabawkami i często używają ich w nieprawidłowy sposób. Mają tendencje do mniejszego zaangażowania w zabawy naśladowcze i wykazują słabo rozwiniętą wyobraźnię. Uderzanie głową i gryzienie się aż do samouszkodzeń (ponieważ ból nie jest normalnie odbierany), nieopanowany krzyk i inne typy szalonych zachowań są częste. Dzieci autystyczne przeważnie nie lubią głośnych dźwięków, ale są zafascynowane różnorodnymi bodźcami wzrokowymi (na przykład ruchomymi śmigiełkami). Są często opisywane jako odległe, smutne, niedostępne i nieczułe.

Dziecko autystyczne wydaje się niekiedy funkcjonować tak, jakby inni ludzie nie istnieli — rodzice wydają się tak samo nieważni jak miotła lub krzesło. Niekiedy już we wczesnym niemowlęctwie jasne jest, że coś jest nie w porządku (na przykład dziecko nie skupia wzroku na twarzach, nie mruczy ani nie gaworzy). W innych przypadkach pojawiają się tylko delikatne objawy choroby, ale nie jest ona wykrywana przez dłuższy czas. Prawie zawsze objawy ujawniają się jednak przed osiągnięciem przez dziecko wieku 30 miesięcy.

Jak często występuje? Ocenia się, że około 4 na 10 000 dzieci jest dotkniętych chorobą.

Kto jest podatny? Dzieci autystyczne pochodzą ze wszystkich środowisk i grup etnicznych, ale jest wśród nich około trzy do cztery razy więcej chłopców. Autyzm wydaje się również powszechniejszy u dzieci cierpiących na fenyloketonurię, zespół łamliwego chromosomu X (zaburzenie zlokalizowane na chromosomie X) lub niektóre nieprawidłowości strukturalne i choroby metaboliczne mózgowia. Autyzm jest też nieco powszechniejszy wśród rodzeństwa dzieci autystycznych.

Przyczyna. Przyczyną na pewno nie jest nieodpowiednia opieka rodzicielska. Istnieje prawdopodobnie wiele różnorodnych czynników przyczynowych, które mogą obejmować: przechorowanie różyczki przez matkę w okresie ciąży, zaburzenia chromosomowe i uszkodzenia mózgu płodu w późnej ciąży (nie jest jasne, czy problemy w czasie porodu lub krótko po nim mogą być również przyczyną autyzmu). Fakt, że chorobą dotkniętych jest znacznie więcej chłopców niż dziewczynek oraz że rodzeństwo dzieci autystycznych jest również obarczone nieco większym ryzykiem, wskazuje na istnienie składowych genetycznych. Niemniej jednak, szczegóły wciąż pozostają do wyjaśnienia i w większości przypadków przyczyny są nieznane.

Problemy towarzyszące. Czasami występuje upośledzenie umysłowe (chociaż dzieci autystyczne mogą być głęboko upośledzone, jak i wyjątkowo utalentowane, i wielu specjalistów uważa, że pozorne upośledzenie jest powodowane przez poczucie beznadziejności i nieodpowiednie wychowanie, wynikające z braku wsparcia w opiece nad autystycznym dzieckiem). Mogą też wystąpić problemy w nauce, nawet u dzieci bystrych i potrafiących mówić, a także ekscentryczne zachowania lub ruchy ciała (na przykład chodzenie na palcach, skakanie, wykrzywianie ust, uderzanie ręką w stanie podniecenia), napady padaczkowe (uważa się, że u niektórych dzieci autystycznych z poważnym upośledzeniem umysłowym są one integralną częścią zespołu); u starszych dzieci — poważne depresje lub schizofrenia.

Leczenie. Powinno być zindywidualizowane, a jego celem winno być zapewnienie prawidłowego rozwoju (na tyle, na ile jest to możliwe) oraz rozwijanie umiejętności językowych, działań społecznych i uczenia się. Zawsze należy przebadać słuch, aby ostatecznie upewnić się, że objawy nie są związane z jego utratą. Jednakże w większości przypadków do rozpoznania autyzmu nie jest potrzebny zestaw drogich badań, wykorzystujących zdobycze nowoczesnej techniki. Istnieje wiele różnorodnych sposobów podejścia do leczenia. Niektóre z nich są oparte na badaniach naukowych, a inne, alternatywne sposoby leczenia, są na ogół poszukiwane przez zdesperowanych rodziców. Żadna kuracja jednak nie wyleczy z autyzmu. Niektóre mogą najwyżej zmodyfikować jego przebieg, a inne nie mają nawet takiego wpływu. To, co działa na jedno dziecko, nie musi być skuteczne u innych. Sposoby leczenia, które doprowadziły do pewnych sukcesów, obejmują: modyfikację zachowania (z nagrodami za stosowne zachowanie i brakiem nagród, gdy jest ono niewłaściwe), leki stosowane do leczenia specyficznych objawów, motywację (znalezienie dla dziecka obszaru zainteresowań, takich jak muzyka, sztuka lub nauka, i próba nawiązania za ich pośrednictwem kontaktu z dzieckiem). Unikać należy jednak nadmiernej presji na uzyskanie oczekiwanych rezultatów oraz spełnienie nierealnych oczekiwań. Na przykład próby mówienia powinny być nagradzane, nawet jeśli ich wyniki są dalekie od doskonałości. Takie pozytywne wzmocnienie zachęca dziecko raczej do ponownych prób niż do zamknięcia się w pancerzu milczenia. Najlepszym sposobem uzyskania uwagi dziecka autystycznego wydaje się ujęcie w dłonie głowy dziecka i mówienie do niego twarzą w twarz.

Rokowanie. Zależne jest od stopnia zaawansowania autyzmu i powagi współwystępujących problemów. Przewidywanie jest bardzo trudne, zwłaszcza w okresie wczesnego dzieciństwa. Ale przy wszechstronnych i intensywnych działaniach zarówno ze strony rodziców, jak i specjalistów, oraz przy wielokierunkowej pomocy dla dziecka (w miarę możliwości z uwzględnieniem terapii medycznej, poradnictwa psychologicznego, nauki mowy, fizykoterapii i specjalnego kształcenia) można znacząco dopomóc dziecku w poprawieniu jego umiejętności komunikacyjnych i zachowań społecznych. Chociaż niektóre dzieci wymagają przez całe życie opieki, to inne mogą poczynić znaczne postępy, tak że mogą chodzić do szkoły, uzyskać wykształcenie, a w późniejszym okresie życia nawet podjąć pracę (chociaż jej rodzaj może być ograniczony przez niewielkie umiejętności społeczne i utrzymujące się trudności w zrozumieniu pojęć abstrakcyjnych). Niewielki odsetek dobrze funkcjonujących dorosłych ludzi chorych na autyzm zakłada rodziny, ale w takich przypadkach niezbędne jest poradnictwo genetyczne, gdyż z takiego związku może się urodzić również autystyczne dziecko. Ciągłe postępy w leczeniu mogą jednak w przyszłości poprawić rokowanie dla dzieci autystycznych.

CELIAKIA

Co to jest? Choroba ta, nazywana również glutenozależną chorobą trzewną (enteropatią), jest uwarunkowana wrażliwością (ale nie alergią) na gliadynę (białko znajdujące się w glutenie, który jest składnikiem pszenicy, żyta, jęczmienia i owsa). Kiedy gluten w trakcie trawienia wchodzi w kontakt z błoną śluzową jelita cienkiego, powoduje, że jelito traci swoje kosmki (drobne, włosowate uwypuklenia, ułatwiające wchłanianie substancji odżywczych) i staje się gładkie. Zakłóca to wchłanianie substancji odżywczych. Celiakia może rozpocząć się w każdym okresie dzieciństwa, a także u dorosłych (jako wtórny zespół — przyp. red. nauk.). Najpopularniejszym objawem występującym u niemowląt i małych dzieci jest oddawanie pienistych, płynnych i cuchnących stolców. Występować też może wzdęcie brzucha, bladość oraz zaburzenia rozwoju i wzrastania. U starszych dzieci występować może osłabiony apetyt, brak przyrostów masy ciała (lub nawet jej spadek), drażliwość oraz duże, cuchnące stolce biegunkowe. W stolcu pojawiać się mogą cząsteczki tłuszczu, ponieważ tłuszcze nie są prawidłowo wchłaniane. Niekiedy występują również wymioty (często połączone z wysiłkiem) i/lub wyjątkowa podatność na zakażenia. U niektórych dzieci mogą występować jedynie zaparcia lub nawracające bóle brzucha. Wyjątkowo jedynym objawem mogą być zaburzenia rozwoju i wzrastania.

Jak często występuje? Ocenia się, że w niektórych częściach Stanów Zjednoczonych przybliżona częstość występowania wynosi 1 na 2000, ale w innych regionach jest ona nawet mniejsza. Najwyższą częstość występowania celiakii obserwuje się w Irlandii, gdzie wynosi ona 1 na 300. Z nieznanych przyczyn częstość występowania celiakii stopniowo maleje.

Kto jest podatny? Kwestia ta nie jest jasna. U dzieci, które mają w rodzinie osoby chore, występuje nieco zwiększone ryzyko występowania tej choroby.

Przyczyna. Odpowiedź na to pytanie jest również niejasna. Najprawdopodobniejsze są pewne połączenia oddziaływań czynników środowiskowych i uwarunkowanych genetycznie predyspozycji.

Problemy towarzyszące. U niektórych dzieci występuje nietolerancja laktozy, zaburzenia wchłaniania tłuszczów, zatrzymywanie (retencja) płynów, opóźnienie rozwoju, opóźnione ząbkowanie i krzywica.

Leczenie. Kiedy rozpoznanie zostanie ostatecznie potwierdzone po wykonaniu biopsji jelita cienkiego, winna być zalecona dieta bezglutenowa, zapewniająca dodatkową podaż kaloryczną, witaminową i substancji mineralnych, w celu zapewnienia odpowiedniego tempa wzrastania. Wypieki oraz potrawy wykonane z ryżu, kukurydzy, soi, ziemniaków lub mąk bezglutenowych z powodzeniem zastępują tradycyjne ziarno.

Unikać należy również wytwarzanych z nasion produktów, takich jak: słód, hydrolizowane białko roślinne, skrobia modyfikowana, gumy i kleje roślinne oraz ocet. Po 6-12 miesiącach stosowania diety należy wykonać kolejną biopsję, w celu stwierdzenia skuteczności diety. Jeśli jelito wygląda prawidłowo, gluten może zostać wprowadzony do diety. Po dwóch latach lub wcześniej, jeśli nastąpi nawrót objawów, wykonuje się następną biopsję jelita. Jej pozytywny wynik potwierdza rozpoznanie i dieta bezglutenowa musi być wprowadzona ponownie. Chociaż kontynuacja takiej diety przez całe życie była przez długi czas zalecana, to niektórzy specjaliści wierzą, że takie skrajne postępowanie nie musi być konieczne.

Rokowanie. Osoba wrażliwa na gluten może prowadzić całkiem normalne życie, dopóki unika produktów zawierających gluten. Ponieważ obecnie na rynku dostępnych jest wiele produktów bezglutenowych, łatwiej jest spełniać ten warunek. Jeśli łagodna postać caliakii jest w dzieciństwie przeoczona i nie leczona, osoba chora może nie uzyskać pełnego, spodziewanego na podstawie danych genetycznych wzrostu.

CHOROBA NOWOTWOROWA

Co to jest? Nie jest to pojedyncza jednostka chorobowa, ale grupa ponad stu różnych chorób, charakteryzujących się nadmierną proliferacją nieprawidłowych komórek. Objawy są bardzo zróżnicowane, w zależności od typu nowotworu.

Jak często występuje? U dzieci, a zwłaszcza we wczesnym dzieciństwie, jest względnie rzadka. Nowotwory występują rocznie tylko u około 6000 dzieci poniżej 15 roku życia na terenie całych Stanów Zjednoczonych.

Kto jest podatny? Osoby, które odziedziczyły gen warunkujący podatność na specyficzny typ nowotworu (taki, jak na przykład guz Wilmsa, czyli rodzaj guza nerki[6]), osoby z obecnością chorób nowotworowych w wywiadzie rodzinnym, osoby z upośledzeniem odporności, osoby z niektórymi zaburzeniami chromosomowymi (takimi jak zespół Downa) lub wadami wrodzonymi (takimi jak aniridia, czyli wrodzony brak lub niedorozwój tęczówki oka). Być może również osoby, które były narażone na działanie czynników rakotwórczych (tzw. karcynogenów). Obecnie możliwe są badania genetyczne, które pozwalają przewidzieć wystąpienie pewnej liczby niektórych nowotworów dziedzicznych. Takie badania umożliwiają danym osobom podjęcie profilaktyki i przygotowanie się do odpowiednich działań w razie wystąpienia nowotworu, zwłaszcza złośliwego.

Przyczyna. Prawdopodobnie około 5% do 10% wszystkich nowotworów jest bezpośrednio dziedziczonych (z chorej matki lub ojca na dziecko). Możliwe są również mutacje genowe, nieprawidłowości chromosomowe oraz współdziałanie genów i czynników środowiskowych (z uwzględnieniem niektórych wirusów, takich jak wirus brodawczaka ludzkiego). Chociaż wykazano, że czynniki środowiskowe, a szczególnie tytoń, alkohol, dieta wysokotłuszczowa i ubogowłóknikowa, a w mniejszym stopniu prawdopodobnie również środki chemiczne (pestycydy i środki zawarte w żywności i powietrzu) odgrywają rolę w wywoływaniu nowotworów u dorosłych, to jest mało prawdopodobne, aby były one odpowiedzialne za wiele nowotworów wieku dziecięcego, ponieważ do rozwoju nowotworu konieczna jest na ogół długotrwała ekspozycja na czynnik karcynogenny.

Problemy towarzyszące. Osłabienie układu odpornościowego i zwiększona podatność na zakażenia są często ubocznymi skutkami leczenia.

Leczenie. Jest ono zależne od typu nowotworu, ale może obejmować leczenie chirurgiczne (konwencjonalne lub laserowe), chemioterapię, radioterapię (napromienianie) i/lub transplantację szpiku kostnego. W niektórych przypadkach może być zalecane działanie eksperymentalne, przechodzące obecnie próby kliniczne. Najlepsze w danym przypadku rozwiązanie jest zazwyczaj znajdowane w ośrodkach onkologii dziecięcej. Jako dodatek do leczenia stosować należy dobre odżywianie (takie jak „Dieta najlepszej szansy”), które może wzmocnić układ odpornościowy w jego walce przeciwko nowotworowi.

Zapobieganie. Nie znamy żadnych sposobów, które mogą całkowicie chronić daną osobę przed rozwojem nowotworu. Można jednak takie ryzyko częściowo zmniejszyć poprzez stosowanie środków ochronnych przed promieniowaniem słonecznym (patrz str. 402); podawanie w diecie dużej ilości błonnika, odpowiednio małych ilości tłuszczów i dużej ilości przeciwutleniaczy

[6] Guz Wilmsa występuje zarówno w formie dziedzicznej, jak i niedziedzicznej.

czyli antyoksydantów, takich jak witaminy C i E oraz beta-karoten); ograniczenie narażenia na substancje zanieczyszczające środowisko (z uwzględnieniem dymu tytoniowego; patrz rozdział 21) i potencjalnie ryzykowne środki chemiczne, zawarte w żywności i wodzie (patrz rozdział 18).

Rokowanie. Nowotwory wieku dziecięcego lepiej odpowiadają na leczenie niż nowotwory występujące u dorosłych. W ostatnich dziesięcioleciach zaobserwowano gwałtowny wzrost współczynnika przeżycia dla większości nowotworów okresu dzieciństwa, niemniej jednak rokowanie zależy w każdym przypadku od typu nowotworu oraz od tego, jak wcześnie został rozpoznany i w jaki sposób leczony. Na ogół przeżywa więcej niż dwoje dzieci na troje chorych na nowotwór. Dla niektórych typów tej choroby współczynnik przeżycia jest zbliżony do 90%.

Przeżycie długotrwałe (pięć lat lub dłużej) kształtuje się również korzystnie, jeśli zakończone są działania diagnostyczne i leczenie. Zwracanie szczególnej uwagi na zapewnienie tym dzieciom pomocy w nadrobieniu zaległości społecznych i szkolnych może zapobiec wielu problemom. Ponieważ ponowne wystąpienie nowych nowotworów u osób, które przeżyły już jeden nowotwór, jest nieco bardziej prawdopodobne niż w populacji ogólnej, dlatego bardzo ważne jest prowadzenie starannych okresowych kontroli.

CUKRZYCA

Co to jest? Cukrzyca typu I, czyli cukrzyca insulinozależna (określana angielskim skrótem IDDM), jest chorobą o podłożu autoimmunologicznym, w której przebiegu układ odpornościowy (immunologiczny) organizmu atakuje produkujące insulinę komórki beta wysp trzustkowych (Langerhansa). Insulina jest niezbędna do przemiany cukru na energię, która może być spożytkowana przez komórki. Jeśli w organizmie występuje niedobór insuliny, rośnie stężenie cukru we krwi, co powoduje, że przedostaje się on również do moczu, powodując, że staje się on słodki (tzw. cukromocz). Głodujące komórki, nie otrzymujące swojej normalnej porcji energii, zaczynają w zastępstwie spalać zapasy tłuszczów. Może to prowadzić do poważnych powikłań, nie pomijając nawet potencjalnie śmiertelnej śpiączki cukrzycowej. Objawy wysokiego stężenia cukru we krwi u małego dziecka obejmują: częste oddawanie moczu (co jest trudne do oceny u dziecka używającego pieluszek), nadmierne pragnienie i nadmierny apetyt połączone ze słabym przyrostem masy ciała, a niekiedy również ospałość.

Jak często występuje? Oceny wahają się od 1, 2 do 3 na 1000 dzieci w Stanach Zjednoczonych. Częstość występowania jest jednak w niektórych częściach świata większa, a w innych mniejsza. Cukrzyca jest najczęściej rozpoznawana u starszych dzieci. Szczyt rozpoznań przypada na okres przedpokwitaniowy, ale niekiedy choroba ta może rozpocząć się we wczesnym dzieciństwie.

Kto jest podatny? Najczęściej dzieci z obecnością cukrzycy insulinozależnej w wywiadzie rodzinnym.

Przyczyna. Zniszczenie produkujących insulinę komórek beta. Nadal jednak szczegółowego wyjaśnienia wymaga kwestia, która składowa lub składowe układu odpornościowego są odpowiedzialne za ten proces. Choroba nie jest powodowana przez pojedynczy gen, ale wydaje się, że istnieje dziedziczna skłonność do rozwoju cukrzycy. Muszą istnieć również inne czynniki, ewidentnie zaangażowane w etiopatogenezę choroby, ale są bliżej nie znane. Teoria sugerowana przez jedno z badań, że karmienie mlekiem krowim w pierwszym roku życia może być czynnikiem wywołującym, zaś karmienie piersią — czynnikiem ochraniającym, nie została dotychczas potwierdzona.

Problemy towarzyszące. Retinopatia (uszkodzenie siatkówki oka); nefropatia (uszkodzenie nerek); neuropatia (uszkodzenie układu nerwowego); przedwczesny rozwój choroby wieńcowej serca; słabe krążenie obwodowe krwi w obrębie rąk i stóp. Ryzyko rozwoju tych powikłań może być znacząco zmniejszone przez bardzo staranną kontrolę stężenia cukru we krwi. U około 1/4 cukrzyków nigdy nie rozwijają się powyższe powikłania.

Leczenie. Jego celem jest utrzymanie stężenia cukru we krwi na prawidłowym poziomie. Leczenie obejmuje: podawanie insuliny, domowe monitorowanie stężenia glukozy we krwi, ćwiczenia fizyczne (które, poza innymi korzyściami, pomagają spalić nadmiar cukrów i utrzymać prawidłowe krążenie krwi w obrębie stóp) oraz leczenie dietetyczne. Dieta jest niezbędna w celu zapobiegania zarówno zbyt wysokim wzrostom stężenia cukru we krwi (poprzez ograniczenie spożywania pokarmów z dużą zawartością cukru), jak i zbyt dużym jego spadkom (poprzez regularne podawanie posiłków i przekąsek oraz unikanie długich okresów bez posiłku). Chociaż dieta taka musi być indywidualnie dopasowana, to dieta zalecana dla dzieci chorych na cukrzycę zawiera zwykle 50% węglowodanów (głównie polisacharydów), 20% białek i 30% tłuszczów. Przeszczepów trzustki, które są niekiedy zalecane u dorosłych, nie wykonuje się u dzieci, gdyż zabieg chirurgiczny i zalecana immunosupresja są zbyt ryzykowne. Najnowsze badania kliniczne, które przynoszą nadzieję chorym na cukrzycę, obejmują: wczesne hamowanie komórek układu odpornościowego, aby zapobiec dalszym uszkodzeniom komórek beta; transplantację komórek beta, dzięki której można by zrezygnować z zastrzyków insuliny i zapobiec lub odwrócić wiele poważnych powikłań cukrzycy; wszczepianie pompy insulinowej i automatycznego miernika stężenia glukozy, które byłyby w stanie monitorować stężenie glukozy we krwi i w razie potrzeby podawać insulinę. Na razie jednak rodzice (i inni opiekunowie) małych dzieci chorych na cukrzycę muszą sami wykonywać badanie stężenia glukozy we krwi i podawać insulinę, przynajmniej do czasu, gdy dziecko nie urośnie na tyle, aby móc przejąć te obowiązki. Ważne jest, aby rodzice pamiętali, że jeśli rozpocznie się leczenie, stan świeżo zdiagnozowanych pacjentów z cukrzycą insulinozależną wydaje się poprawiać, nawet przy mniejszych dawkach insuliny. Dzieje się tak dlatego, że komórki produkujące insulinę nadal działają i kiedy poda się insulinę z zewnątrz, wydają się one „przychodzić do siebie". Jednakże ten okres „miesiąca miodowego" nie trwa dłużej niż rok czy dwa (komórki ostatecznie całkowicie przestają produkować insulinę) i rodzice powinni przez cały czas kontynuować leczenie i obserwować dziecko.

Rokowanie. Dla dzieci leczonych, u których stale kontroluje się chorobę, rokowanie co do normalnego życia jest doskonałe.

Zapobieganie. Nadal eksperymentalne. Istnieje możliwość, że wkrótce zostaną stworzone testy pozwalające przebadać przesiewowo bliskich krewnych osób chorych na cukrzycę w kierunku obecności przeciwciał uszkadzających produkujące insulinę komórki beta. Możliwe byłoby wówczas przewidywanie, kto najprawdopodobniej zachoruje wkrótce na cukrzycę. Osoby, które uzyskały pozytywne wyniki takich badań, mogłyby być następnie leczone lekami immunosupresyjnymi w celu zapobieżenia uszkodzeniom powodowanym przez przeciwciała.

DYSTROFIA MIĘŚNIOWA (TYPU DUCHENNE'A)

Co to jest? Dystrofia mięśniowa typu Duchenne'a (DMD) jest najcięższą formą postępującego pierwotnego zwyrodnienia mięśni. Chociaż choroba ta, która dotyka wyłącznie chłopców, występuje od urodzenia, to objawy zwykle nie ujawniają się do wieku trzech do pięciu lat. Wkrótce potem następuje gwałtowny postęp choroby i większość dzieci z DMD zmuszonych jest używać wózka inwalidzkiego w wieku dziesięciu do dwunastu lat. (Inne typy dystrofii mięśniowych są mniej powszechne, ale mają też łagodniejszy przebieg.)

Jak często występuje? Około 1 na 3000 chłopców rodzi się z tą chorobą.

Kto jest podatny? Głównie mężczyźni, którzy odziedziczyli uszkodzony gen. Niekiedy DMD rozwija się również u dzieci płci żeńskiej, co jest zwykle związane z aberracją chromosomową.

Przyczyna. Choroba ta jest dziedziczona w sposób sprzężony z chromosomem X. W około 1/3 przypadków wywiad rodzinny nie jest obciążony występowaniem choroby, ponieważ defekt genetyczny ma charakter świeżej mutacji.

Problemy towarzyszące. Komplikacje dotyczące serca i układu nerwowego; zniekształcenia mięśniowo-szkieletowe i niewydolność oddechowa.

Leczenie. Obecnie prowadzi się tylko leczenie wspomagające, ale przez cały czas trwają badania naukowe. Jedno z kontrowersyjnych badań sugeruje, że wstrzykiwanie niedojrzałych komórek mięśniowych zwanych mioblastami do mięśni pacjentów chorych na DMD może je wzmocnić.

Rokowanie. Zgodnie z dostępną wiedzą rokowanie jest złe. Osłabienie mięśni pogłębia się. Większość dzieci z DMD nie dożywa okresu młodzieńczego. Można jednak mieć nadzieję, że w przyszłości medyczne badania naukowe znajdą sposób na poprawę rokowania.

FENYLOKETONURIA (PKU)

Co to jest? Jest to choroba metaboliczna, w której przebiegu chory nie jest w stanie metabolizować aminokwasu nazywanego fenyloalaniną. Zwiększone stężenie fenyloalaniny we krwi krążącej może zakłócać rozwój mózgu i powodować poważne upośledzenie umysłowe.

Jak często występuje? 1 na 14 000 noworodków w Stanach Zjednoczonych choruje na tę chorobę (w Polsce 1 na 7000 — przyp. red. nauk.).

Kto jest podatny? Dzieci rodziców, którzy przenoszą tę cechę, mają 25% ryzyka urodzenia się z fenyloketonurią. Choroba występuje rzadko wśród Finów, Żydów Aszkenazyjskich i osób pochodzenia afrykańskiego.

Przyczyna. Choroba jest dziedziczona w sposób autosomalny recesywny. Oboje rodzice muszą więc przekazać dzieciom geny działające w sposób recesywny.

Problemy towarzyszące. Nie leczone dzieci z fenyloketonurią są drażliwe, niespokojne i wykazują zachowanie destrukcyjne. Można również stwierdzić, że wydzielają specyficzny „stęchły" zapach, mają suchą skórę lub wysypki, a niekiedy również drgawki. Dzieci te są zwykle dobrze rozwinięte fizycznie i często mają jaśniejsze włosy od innych członków rodziny.

Leczenie. Jeśli badania krwi w kierunku fenyloketonurii (tzw. test Guthriego — przyp. tłum.), wykonane rutynowo wkrótce po urodzeniu, dały wynik pozytywny, należy natychmiast rozpocząć leczenie dietą ubogą w fenyloalaninę (duże ilości fenyloalaniny występują w pokarmie kobiecym, mleku krowim, typowych mieszankach mlecznych, mięsie i sztucznych słodzikach zawierających aspartam). Zgodnie z wynikami najnowszych badań stosowanie tej diety powinno być rozpoczęte przed trzecim miesiącem życia i kontynuowane przez przynajmniej 12 lat w celu osiągnięcia maksymalnego ilorazu inteligencji. Niektóre badania sugerują, że kontynuacja takiej diety w wieku rozrodczym może być szczególnie korzystna dla kobiet. Zawsze też dieta powinna być stosowana, jeśli kobieta chorująca na fenyloketonurię zachodzi w ciążę. W trakcie ciąży stężenia fenyloalaniny we krwi są okresowo kontrolowane. Naukowcy próbują obecnie wynaleźć lek, który umożliwiłby osobom z fenyloketonurią metabolizować fenyloalaninę. Do tego czasu największe znaczenie ma staranne kontrolowanie diety w okresie dzieciństwa i ciąży.

Rokowanie. Zazwyczaj całkowicie normalne życie dla osób, które są leczone, natomiast poważne upośledzenie umysłowe dla osób nie leczonych.

MŁODZIEŃCZE ZAPALENIE STAWÓW (MZS)

Co to jest? Jest to choroba, a właściwie grupa chorób tkanki łącznej wieku dziecięcego. Zmęczenie, niewysoka gorączka, utrata apetytu, utrata masy ciała i zaburzenia wzrastania są powszechnymi objawami u dzieci z umiarkowanym lub ciężkim MZS w początkowym okresie choroby. Poranna sztywność stawów lub ich „miękkość" po okresie braku aktywności oraz nocny ból są również powszechne, ale małe dzieci często nie są w stanie opisać tych objawów. Dzieci te mogą natomiast wykazywać narastającą drażliwość, chronić swoje stawy oraz kuleć i/lub odmawiać chodzenia. Trzy najpopularniejsze postacie MZS to: ***Zapalenie wielostawowe (polyarthritis).*** W tej najpowszechniejszej postaci choroby, pięć lub więcej stawów (najczęściej kolan, nadgarstków, łokci, stawów skokowych i drobnych stawów dłoni) jest objętych (zwykle symetrycznie) procesem zapalnym (na przykład, choroba zajmuje obydwa nadgarstki i obydwa stawy skokowe). Stawy mogą być tkliwe i bolesne, chociaż dziecko może się nie skarżyć na ból. Występować też może sztywność karku i niezdolność do rotacji głowy (głowa nie może się w pełni obrócić z lewa na prawo). Objawy układowe (choroba uogólniona, gorączka — patrz niżej) są zwykle łagodne. ***Zapalenie niewielu stawów (oligoarthritis).*** Ta postać MZS jest prawie tak samo powszechna. Cztery lub mniej stawów jest objętych chorobą (niekiedy tylko kolana lub stawy skokowe, lub wręcz tylko jeden staw). Występować może też przewlekłe zapalenie błony naczyniowej (najczęściej podrażnienie tęczówki oka). ***Postać układowa.*** Postać ta stanowi około 10% do 20% przypadków MZS. Chorobą dotknięta jest zróżnicowana liczba stawów, dominuje obraz choroby układowej, a przewlekłe zapalenie błony naczyniowej oka występuje rzadko. Objawy układowe, które obejmują gorączkę (powyżej 39°C) o tzw. torze septycznym, wzrastającą raz lub dwa razy dziennie i szybko powracającą do normy lub opadającą poniżej normy, oraz łososiową wysypkę, mogą poprzedzać objawy stawowe o tygodnie lub nawet miesiące. Przerywane epizody gorączkowe mogą u niektórych dzieci występować przez lata. U innych rozwija się ciężkie, przewlekłe zapalenie wielostawowe. Śledziona i wątroba mogą być powiększone, a choroba może objąć też wiele innych narządów, w tym serce.

Jak często występuje? W Stanach Zjednoczonych ocenia się, iż MZS występuje u 1 na 425 dzieci.

Kto jest podatny? Chociaż MZS może rozpocząć się w każdym okresie dzieciństwa, najczęściej zaczyna się między pierwszym a trzecim rokiem życia. Zapalenie wielostawowe jest trzy razy, zaś zapalenie niewielu stawów jest pięć razy częściej spotykane wśród dziewczynek niż wśród chłopców; natomiast choroba układowa występuje równie często wśród dzieci obojga płci.

Przyczyna. Nieznana.

Problemy towarzyszące. Zapalenie błony naczyniowej (najczęściej zapalenie tęczówki oka), zwłaszcza w postaci z zapaleniem niewielu stawów. Mogą też występować zaburzenia rozwoju i wzrastania.

Leczenie. Stosuje się wiele leków, między innymi: aspirynę[7], steroidy (glikokortykoidy), niesteroidowe leki przeciwzapalne (NSLPZ), metotreksat, różne kombinacje powyższych leków i/lub iniekcje leków zawierających złoto. W przypadku infekcyjnych zapaleń stawów podawane są antybiotyki. Szynowanie, fizykoterapia i ćwiczenia fizyczne są również bardzo istotne (chociaż niekiedy nieprzyjemne, ze względu na związany z nimi ból). Jeśli uszkodzenie stawu jest poważne, można rozważyć zastosowanie jego endoprotezy. Krople do oczu zawierające steroidy i środki rozszerzające źrenice (mydriatyki) są zwykle skuteczne w leczeniu zapaleń błony naczyniowej. Leczenie może często zapewnić całkowite opanowanie objawów MZS. Niektóre zabiegi (takie jak iniekcje dostawowe, otwarte lub artroskopowe wycięcie błony maziowej stawu [synowektomia]) są kontrowersyjne. U starszych dzieci można stosować leczenie uzupełniające w formie nauki rozluźniania mięśni czy oddychania medytacyjnego, które pomaga w zwalczania bólu.

Rokowanie. *Zapalenie wielostawowe.* Rokowanie waha się od wątpliwego do umiarkowanie dobrego. *Zapalenie niewielu stawów.* Na ogół doskonałe (ponieważ choroba nie prowadzi zwykle do destrukcji), z wyjątkiem ryzyka upośledzenia widzenia (jaskra i zaćma) z powodu nie leczonego zapalenia błony naczyniowej oka. *Choroba układowa.* Od umiarkowanego do wątpliwego. Choroba układowa ulega samoistnemu ograniczeniu, ale u połowy chorych dzieci zapalenie stawów staje się przewlekłe i destrukcyjne, powodując inwalidztwo. Większość dzieci zdrowieje i prowadzi normalne życie. Ale MZS może też niekiedy prowadzić do trwałych uszkodzeń stawów i ich zniekształceń. Leczenie często powoduje ogromne różnice w ostatecznych rezultatach choroby.

MUKOWISCYDOZA (CF, ZWŁÓKNIENIE TRZUSTKI)

Co to jest? Jest to choroba, w której przebiegu występują uogólnione zaburzenia funkcji gruczołów wydzielania zewnętrznego (egzokrynowych), a więc gruczołów wydzielających wydzieliny poprzez skórę, błony śluzowe i wyściółkę narządów mających światło. Ponieważ dotknięte chorobą są m.in. gruczoły potowe, pot jest słony i obfity, tak że choroba jest często po raz pierwszy rozpoznawana, gdy rodzice całując malca, stwierdzają, że jego skóra jest słona (możliwa jest nawet obecność widocznych gołym okiem kryształów soli). W mniejszym lub większym stopniu chorobą zawsze objęty jest również układ oddechowy. Gęsta wydzielina może wypełniać płuca, prowadząc do przewlekłego kaszlu i zwiększonego ryzyka infekcji dolnych dróg oddechowych. Na ogół choroba dotyka również trzustki. Przewody trzustkowe zostają zablokowane, występuje niedobór enzymów trzustkowych, w czego efekcie dziecko nie może prawidłowo trawić tłuszczów i białek. Nie strawiony materiał pokarmowy jest wydalany z kałem, który tworzy duże, cuchnące blade stolce, zawierające tłuszcz. Chociaż apetyt jest bardzo dobry, przyrost masy ciała jest słaby. Brzuch dziecka jest wzdęty, ręce i nogi chude, a skóra blada i ziemista.

Jak często występuje? Jest to najczęstsza poważna choroba uwarunkowana genetycznie, dotykająca osób rasy białej w Stanach Zjednoczonych (również w Polsce — przyp. tłum.). Na ogół częstość występowania określana jest od 1 na 1600 do 1 na 2500 osób rasy białej. Liczby te są znacznie mniejsze dla Amerykanów rasy czarnej (1 na 17 000) i jeszcze niższe dla Azjatów i Indian.

Kto jest podatny? Najczęściej dzieci rasy białej, pochodzenia anglosaskiego.

Przyczyna. Choroba jest dziedziczona w sposób autosomalny recesywny. Oboje rodzice muszą przekazać choremu dziecku po jednym genie powodującym mukowiscydozę. Ponieważ po-

[7] Jeśli twoje dziecko zażywa aspirynę z powodu MZS i akurat przechodzi ospę wietrzną, grypę lub inną chorobę wirusową, przestań podawać aspirynę i na czas trwania tej choroby przejdź na niesteroidowe leki przeciwzapalne (patrz str. 506).

znano lokalizację genu, często możliwe są badania wykazujące, czy rodzice są nosicielami i czy ich jeszcze nie narodzone dzieci będą chore.

Problemy towarzyszące. Jeśli nie następuje odpowiednie wyrównanie utraconych płynów, nadmierne pocenie się może prowadzić do odwodnienia i wstrząsu. Jeśli choroba zajmie płuca, powszechne są zapalenia płuc i inne choroby układu oddechowego. Jeśli dotyczy trzustki, może występować cukrzyca. Ponadto możliwe jest zapalenie zatok przynosowych, uszkodzenie wątroby, refluks żołądkowo-przełykowy i inne choroby układu pokarmowego, niedożywienie, niepłodność u większości chorych mężczyzn, a także u niektórych chorych kobiet.

Leczenie. Jak dotąd nie ma możliwości wyleczenia, ale wczesne rozpoznanie (większość przypadków może być zdiagnozowana przed urodzeniem) oraz wszechstronny i intensywny program leczenia są bardzo ważne w zapewnieniu lepszych wyników ostatecznych. W zależności od indywidualnych przypadków taki program może obejmować wiele lub wszystkie z poniższych elementów. Dodatkowe odżywianie powinno zapewnić: około 50% więcej kalorii od normalnej dawki przewidzianej dla danego wieku (aby zapewnić energię do wzrastania i codziennej aktywności), dużą ilość białka (150% ilości właściwej dla wieku — przyp. red. nauk.) i umiarkowaną ilość tłuszczów, uzupełnienie witamin i minerałów, wysoką podaż płynów (w celu rozluźnienia wydzieliny) oraz obfite solenie potraw i uzupełnianie soli w gorące dni (aby zapobiec nadmiernej utracie soli z organizmu). W przypadku problemów trawiennych wraz z posiłkami powinny być podawane doustnie enzymy trzustkowe. Leczenie układu oddechowego obejmuje codzienny drenaż ułożeniowy, aby ułatwić uwolnienie i usunięcie wydzieliny z dróg oddechowych. W razie potrzeby stosuje się także tlenoterapię. Niezbędna może też być kontrola i regulacja składu powietrza w mieszkaniu, aby utrzymać jego odpowiednią temperaturę i wilgotność. W mieszkaniu powinien obowiązywać całkowity zakaz palenia tytoniu. W razie potrzeby mogą być stosowane odpowiednie leki. Zakażenia są leczone wysokimi dawkami antybiotyków, zaś cukrzyca spowodowana niedoborem insuliny — insuliną. Leczenie chirurgiczne może być rozważane, jeśli problemem staje się wypadanie odbytu. Rozmaite eksperymentalne sposoby leczenia przynoszą obecnie chorym coraz większą nadzieję i obejmują: manipulacje genetyczne (tzw. terapia genowa — przyp. tłum.), inhalacje enzymów, aby rozpuścić gęstą wydzielinę zalegającą w płucach, stosowanie środków przeciwzapalnych, aerozoloterapię, immunoterapię oraz szczepionkę zapobiegającą zakażeniom pałeczkami ropy błękitnej (*Pseudomonas aeruginosa*).

Rokowanie. Stale się poprawia. Niegdyś dzieci z mukowiscydozą rzadko przeżywały okres dzieciństwa, zwykle z powodu niewydolności oddechowej. Obecnie przy wczesnym rozpoznaniu, agresywnym leczeniu (zwłaszcza w dużych ośrodkach zajmujących się mukowiscydozą; poproś twojego pediatrę o skierowanie do najbliższego takiego ośrodka) i silnym wsparciu ze strony rodziny ponad połowa chorych dożywa do 28 roku życia, a coraz więcej przekracza wiek lat trzydziestu, czterdziestu i pięćdziesięciu, prowadząc intensywne i aktywne życie. Niektórzy z nich zawierają małżeństwa i chociaż mężczyźni z mukowiscydozą są na ogół niepłodni, to niektórym chorym na mukowiscydozę kobietom udało się urodzić dzieci. Rokowanie dla chorych będących obecnie w okresie wczesnego dzieciństwa jest nawet jeszcze lepsze.

NIEDOKRWISTOŚĆ SIERPOWATO-KRWINKOWA

Co to jest? Jest to postać niedokrwistości, w której krwinki czerwone (erytrocyty) zawierają hemoglobinę S, zamiast prawidłowej hemoglobiny (hemoglobina jest głównym składnikiem czerwonokrwinkowego układu przenoszenia tlenu). Hemoglobina S ma, zwłaszcza przy niedoborze tlenu, zdolność do zmieniania zwykłego, dyskowatego kształtu erytrocytów na kształt sierpowaty. Takie nieprawidłowe krwinki słabo dostarczają tlen do tkanek i komórek w całym organizmie i często zbijają się w konglomeraty, prowadząc do zablokowania naczyń i powodując „przełomy" sierpowato-krwinkowe. Dzieci z niedokrwistością sierpowato-krwinkową mogą wykazywać przewlekłe zmęczenie i trudności w oddychaniu. Powszechne są też bolesne obrzęki stawów, zwłaszcza w obrębie palców rąk i stóp. Istnieją różne typy przełomów sierpowato-krwinkowych. Najpopularniejszy ich typ charakteryzuje się występowaniem rozdzierającego bólu. Nosiciele cechy sierpowato-krwinkowej (czyli osoby posiadające tylko jeden gen chorobowy) mogą niekiedy wykazywać łagodne objawy choroby.

Jak często występuje? W Stanach Zjednoczonych 1 na 100 do 300 dzieci pochodzenia afrykańskiego choruje na niedokrwistość sierpowato-krwinkową (około 8 do 14 osób na 100

Dziecko o bardzo małej urodzeniowej masie ciała w okresie wczesnego dzieciństwa

Urodzone przedwcześnie dziecko, które ważyło przy urodzeniu przynajmniej 1500 g, w ciągu drugiego roku uzyskuje poziom rozwojowy swoich rówieśników. Dziecko z bardzo małą urodzeniową masą ciała, które ważyło poniżej 1500 g, a zwłaszcza z wyjątkowo małą urodzeniową masą ciała, które ważyło poniżej 1000 g, pozostaje opóźnione w stosunku do swoich rówieśników również w okresie wczesnego dzieciństwa i w wieku przedszkolnym. W wieku przedszkolnym dzieci te mogą wykazywać opóźnienie rozwoju w zakresie umiejętności ruchowych i wzrokowych oraz zdolności do koncentracji (często bardzo łatwo się rozpraszają). Rodzice i nauczyciele mogą jednak dopomóc w przyspieszeniu rozwoju tych umiejętności, umożliwiając wielu dzieciom z bardzo małą lub wyjątkowo małą urodzeniową masą ciała wyrównanie poziomu rozwojowego nieco później.

Chociaż większość z tych dzieci nie wykazuje żadnych większych upośledzeń, to u niewielkiej części, najczęściej spośród tych ważących poniżej 1000 g, występują rozmaite problemy. Mogą one wzrastać znacznie wolniej, cierpieć na choroby układu oddechowego i/lub nerwowego oraz mogą być obarczone większym ryzykiem wystąpienia wielu nieprawidłowości: od przepuklin do porażenia mózgowego i od osłabienia wzroku do utraty słuchu (z tego powodu bardzo ważne jest wczesne prowadzenie badań przesiewowych). Niektóre dzieci wykazują niedobory umysłowe, często spowodowane oczywistym uszkodzeniem neurologicznym. Inne wykazują prawidłową inteligencję, ale mają trudności w nauce i wykonywaniu niektórych czynności (na przykład w określaniu kolejności wydarzeń). Dzieci, u których najprawdopodobniej problemy takie będą się utrzymywały i które najbardziej potrzebują podjęcia wczesnych działań w celu poprawy osiągnięć szkolnych i zachowania, to te, które pochodzą z grup społecznych wysokiego ryzyka (życie w biedzie, niewykształcona matka, zatłoczenie w mieszkaniu itp.), które często znajdują się w sytuacjach stresujących. Jednak wszystkie dzieci z bardzo małą urodzeniową masą ciała mogą odnieść korzyści dzięki wczesnemu zwróceniu uwagi na ich szczególne potrzeby.

przenosi tę cechę). Częstość występowania choroby jest znacznie mniejsza wśród dzieci o innym pochodzeniu.

Kto jest podatny? Przede wszystkim dzieci pochodzenia afrykańskiego, ale również śródziemnomorskiego, z Bliskiego Wschodu i Indii (Hindusi). Jeśli oboje rodzice są nosicielami, ryzyko wystąpienia u dzieci niedokrwistości sierpowato-krwinkowej wynosi 25%. Jeśli oboje rodzice chorują na tę chorobę, wszystkie ich dzieci będą również chore.

Przyczyna. Choroba jest dziedziczona w sposób autosomalny recesywny. Oboje rodzice muszą przekazać dziecku geny działające w sposób recesywny, aby manifestowały one pełnoobjawową niedokrwistość sierpowato-krwinkową. Okresowe przełomy mogą być powodowane przez infekcje, stresy, odwodnienie i niedotlenienie (w wyniku nadmiernego wysiłku lub przebywania na dużych wysokościach).

Problemy towarzyszące. Spowolnione wzrastanie, opóźnione pokwitanie, szczupłość, skrzywienie kręgosłupa i beczkowata klatka piersiowa. Ponadto może występować zwiększona podatność na zakażenia, zwłaszcza pneumokokowe. Możliwe są też ewentualne uszkodzenia niedokrwionych narządów w trakcie przełomów (obejmujące wątrobę, nerki, pęcherzyk żółciowy) oraz udary.

Leczenie. Kwas foliowy i inne uzupełnienia dietetyczne pomagają opanować niedokrwistość i poprawić tempo wzrastania i rozwoju. W celu zapewnienia pacjentowi komfortu w trakcie występowania przełomów sierpowato-krwinkowych stosuje się leki przeciwbólowe, tlen i uzupełnianie płynów. Według ostatnich badań, stosowanie steroidów może skrócić czas trwania przełomu. W ciężkich przełomach sierpowato-krwinkowych stosuje się przetoczenia zdrowej krwi. Profilaktyczna terapia antybiotykowa pomaga w zapobieganiu rozwojowi zapaleń płuc u małych dzieci. Szczepionka przeciwko pneumokokom, mająca na celu zapobieganie infekcjom, jest użyteczna u niektórych dorosłych, ale nie jest skuteczna u dzieci. Przeszczepy szpiku kostnego wykonuje się jedynie eksperymentalnie. Poprawiają ona stan dziecka, ale nie jest jeszcze pewne, czy płynące z nich korzyści przeważają nad związanym z nimi ryzykiem. Okresowa ocena ultrasonograficzna może pozwolić na przewidywanie, u którego z chorych dzieci istnieje wysokie ryzyko wystąpienia udaru, i umożliwić podjęcie możliwych środków zapobiegawczych. Inne eksperymentalne sposoby postępowania są nadal w trakcie badań i obejmują między innymi stosowanie wysokich dożylnych dawek kortykosteroidów w celu likwidacji bólu.

Zapobieganie. Unikanie czynników, które mogą zmniejszać dostarczanie tlenu do tkanek (z uwzględnieniem nadmiernego wysiłku, zimna, stresu i przebywania na dużych wysokościach), może zmniejszyć liczbę przełomów.

Rokowanie. Dość dobre. Niektórzy chorzy nie przekraczają wczesnego wieku dorosłego, inni osiągają wiek średni. Stan chorych z wysokim poziomem hemoglobiny płodowej jest zwykle znacznie lepszy.

PADACZKA (EPILEPSJA)

Co to jest? Przewlekła choroba mózgu, która powoduje nawrotowe napady drgawek. Napad taki ma charakter nagłych, okresowych, nie podlegających woli zaburzeń ruchowych i zaburzeń świadomości. Ciężkość i typ napadów oraz zakres i rodzaj dotkniętych nimi części ciała są zróżnicowane i zależą od zaangażowanej w nie okolicy mózgu. Chociaż napady te są zwykle dzielone na „duże" (*grand mal*) i „małe" (*petit mal*), to ich nowa klasyfikacja jest bardziej specyficzna. Napady takie mogą objawiać się w rozmaity sposób, począwszy od nie podlegających woli drgawek obejmujących całe ciało do gwałtownych i krótkich epizodów utraty świadomości. Napad padaczkowy jest zaburzeniem tymczasowym i nie oznacza jakiegokolwiek pogorszenia funkcji mózgu.

Jak często występuje? Około 1% populacji ogólnej choruje na padaczkę. Jest to najpowszechniejsza choroba neurologiczna w okresie dzieciństwa. Około 3-5% dzieci doświadcza przynajmniej jednego napadu drgawkowego, ale nie wszystkie z nich mają charakter napadów padaczkowych (na przykład drgawki gorączkowe). U dziecka, które miało już jeden napad, występuje tylko 30% ryzyka, że wystąpią następne.

Kto jest podatny? Prawdopodobnie osoby z genetyczną predyspozycją do padaczki. Ponadto osoby, które przeszły poważne urazy niektórych części mózgu (niekiedy nie zauważone).

Przyczyna. Nieprawidłowe wyładowania elektryczne w mózgu, spowodowane wieloma różnorodnymi przyczynami. Obejmują one: urazy głowy, zakażenia mózgu, choroby metaboliczne, uszkodzenia powstałe w okresie rozwoju płodowego, ciężką hipoglikemię (niskie stężenie cukru we krwi) i (rzadko) guz mózgu. U około połowy osób chorych na padaczkę nie daje się zidentyfikować żadnej z powyższych przyczyn.

Problemy towarzyszące. U osób chorych na padaczkę (epileptyków) zauważa się nieco podwyższone ryzyko występowania urazów wypadkowych.

Leczenie. Pierwszym krokiem jest postawienie rozpoznania. Pierwszy napad drgawkowy zgłoś lekarzowi, opisując takie szczegóły, jak: sytuacja poprzedzająca napad, wygląd dziecka oraz czas trwania napadu (często trudno jest obserwatorowi stwierdzić, czy dziecko rzeczywiście miało napad drgawek, zwłaszcza jeśli był on bardzo krótki). Najlepiej, aby rozpoznanie, ocenę i klasyfikację napadów przeprowadził specjalista, ale codzienna opieka medyczna nad dzieckiem z padaczką może być zwykle zapewniona przez pediatrę. Lek lub kombinacja leków, przy starannym monitorowaniu ich działania, mogą zapobiegać lub redukować występowanie napadów. Jeśli leki nie działają, można rozważyć leczenie chirurgiczne. Rzadko zalecana jest specjalna dieta — bogatsza w tłuszcz, uboga w węglowodany i o umiarkowanej zawartości białka.

Ponieważ dzieci z padaczką są potencjalnie bardziej narażone na ryzyko utonięcia (na przykład jeśli napad padaczkowy wystąpi w wannie lub w basenie), nigdy nie powinny przebywać bez nadzoru w pobliżu wody, niezależnie od ich wieku i stopnia umiejętności pływackich. Dzieci te są też nieco bardziej narażone na występowanie urazów w czasie zabawy, ale nie jest to powód, dla którego należałoby je nadmiernie chronić i ograniczać ich normalną aktywność (zabawy biegowe, wspinanie się na drabinkach, jeżdżenie na rowerku itp.). Wszelkie ograniczenia powinny być wprowadzane tylko po konsultacji z lekarzem, biorąc pod uwagę ryzyko, że mogą one utrudniać prawidłowy rozwój dziecka. Na temat radzenia sobie z drgawkami gorączkowymi — patrz str. 497. Drgawki padaczkowe i inne są zwykle leczone w podobny sposób (patrz str. 562). Medyczna pomoc doraźna powinna zostać wezwana w przypadku drgawek trwających ponad 15 minut.

Rokowanie. Napady drgawkowe mogą być całkowicie kontrolowane, bez poważnych polekowych skutków ubocznych, u 8 spośród 10 chorych dzieci. Po dwóch latach wolnych od napadów dziecko nie powinno już być uważane za chore na padaczkę i stosowanie leków można wstrzymać. Przy właściwym postępowaniu i odpowiednim wsparciu rodziny większość dzieci, które nadal chorują na padaczkę, może stać się wykształconymi i prawidłowo funkcjonującymi dorosłymi.

PORAŻENIE MÓZGOWE

Co to jest? Porażenie mózgowe, nazywane również encefalopatią statyczną, jest chorobą nerwowo-mięśniową. Ma ono charakter niepostępujący (co oznacza, że stan chorego nie ulega pogorszeniu, chociaż może zmieniać się manifestacja choroby) i jest dzielone na dwie główne grupy: kurczową (spastyczną) i niekurczową. Objawy choroby mogą być niezauważalne do czasu, gdy dziecko osiąga szósty lub siódmy miesiąc życia, a rozpoznanie może nie być postawione aż do drugiego roku życia lub nawet dłużej. Objawy wahają się od łagodnych do ciężkich i mogą być różne u różnych dzieci, w zależności od typu porażenia mózgowego. U małych dzieci objawy obejmują często: opóźnienie rozwoju w wywiadzie (dziecko nie siadało, nie stawało, nie chodziło i nie mówiło we właściwym czasie), słabą kontrolę motoryczną ze zmniejszonym (wiotkość) lub nadmiernym (sztywność) napięciem mięśniowym oraz spastyczność.

Jak często występuje? Porażenie mózgowe jest najpowszechniejszą chorobą układu ruchu w okresie dzieciństwa, a przybliżona częstość występowania wynosi około 1 do 2 na 1000 urodzeń.

Kto jest podatny? Dzieci z bardzo małą urodzeniową masą ciała (poniżej 1500 gramów). Chłopcy chorują nieco częściej od dziewczynek, dzieci rasy białej częściej od dzieci rasy czarnej, dzieci pochodzące z ciąż bliźniaczych, trojaczych i czworaczych częściej niż dzieci z ciąż pojedynczych. Zwiększone ryzyko dotyczy też dzieci z innymi większymi lub mniejszymi wadami wrodzonymi.

Przyczyna. Najczęściej prawdopodobnie uszkodzenie rozwijającego się układu nerwowego w okresie płodowym. Sugerowana jest szeroka gama możliwych czynników przyczynowych, obejmujących: palenie tytoniu, stosowanie leków i narkotyków oraz nadużywanie alkoholu przez matkę, niezgodność matczyno-płodową w zakresie układu Rh oraz matczyną nadczynność tarczycy. Chociaż sugerowano też, że niektóre przypadki mogą mieć podłoże genetyczne, to kwestia ta nie jest całkowicie jasna. Najnowsze badania nie wykazują związku pomiędzy występowaniem porażenia mózgowego a niedotlenieniem lub innymi urazami okołoporodowymi. W przybliżeniu 10% do 20% przypadków porażenia mózgowego wynika z uszkodzenia mózgu (z powodu urazu głowy lub przebycia choroby, takiej jak zapalenie opon mózgowo-rdzeniowych) w okresie wczesnego dzieciństwa. W około 50% przypadków porażenia mózgowego nie można określić żadnej konkretnej przyczyny.

Problemy towarzyszące. Niekiedy napady drgawkowe, a także zaburzenia komunikowania się (zaburzenia mowy, wzroku lub słuchu), wady uzębienia, upośledzenie umysłowe, trudności w nauce.

Leczenie. Nie istnieje żadna możliwość wyleczenia, ale wczesne rozpoznanie i leczenie może dopomóc dziecku w uzyskaniu pełni swoich możliwości. Plany terapeutyczne powinny dotyczyć wszystkich aspektów choroby dziecka i mogą obejmować: leczenie chirurgiczne w celu zmniejszenia spastyczności i poprawy funkcjonowania ruchowego, leczenie farmakologiczne (leki), fizykoterapię oraz uczenie alternatywnych sposobów poruszania się, ćwiczenie mowy oraz alternatywnych sposobów porozumiewania się, na przykład za pośrednictwem komputera, terapię zajęciową, klamry, szyny i inny sprzęt protetyczny, specjalne meble i codzienne przybory oraz naukę samodzielności. Zapobieganie występowaniu gwałtownych hałasów w otoczeniu dziecka może być wskazane, jeśli jest ono wrażliwe na hałas.

Rokowanie. Jeśli inteligencja dziecka jest prawidłowa, dobre efekty można uzyskać, zapewniając dziecku możliwość porozumiewania się, poruszania i naukę wykonywania czynności niezbędnych w codziennym życiu. Jeśli jednak występuje łagodne lub ciężkie upośledzenie umysłowe lub poznawcze (niezdolność do nauki), wówczas efekty odległe są bardzo zróżnicowane i w dużej mierze zależą od indywidualnego przypadku.

TALASEMIE

Co to jest? Jest to grupa dziedziczonych niedokrwistości, w których występuje defekt w procesach niezbędnych do produkcji hemoglobiny (głównego składnika czerwonokrwinkowego układu przenoszenia tlenu). Najpopularniejsza ich postać — talasemia B — może wahać się od

Badania słuchu

Najpopularniejszym badaniem słuchu u dzieci poniżej drugiego roku życia jest tzw. Audiometria Wzmacniania Wzrokowego (VRA), w której dziecko jest uczone obracać się w kierunku dźwięku poprzez nagradzanie zwrotów głowy widokiem świecących i poruszających się zabawek. Dla dzieci od drugiego do czwartego roku życia preferowanym rodzajem badania słuchu jest Audiometria Warunkowej Zabawy (CPA), w której dziecko włącza się do zabawy w momencie usłyszenia dźwięku (wrzuca klocek do kubeczka, kładzie kawałek układanki itp.). Jeśli dziecko właściwie współpracuje, badanie takie może zapewnić zdobycie większej ilości informacji niż VRA. W niektórych okolicznościach może być konieczne przeprowadzenie więcej niż jednej sesji oceny słuchu.

talsemii małej, która nie powoduje żadnych widocznych objawów, ale może zostać wykryta poprzez badania krwi lub badania genetyczne, aż do bardzo ciężkiej niedokrwistości Cooleya. Nawet w przypadku poważnej choroby niemowlęta wyglądają po urodzeniu normalnie, ale stopniowo stają się apatyczne, kapryśne i blade oraz zaczynają tracić apetyt. Wzrastanie i rozwój są spowolnione.

Jak często występuje? Około 1 na 100 osób wykazuje cechę beta-talasemii, jednak nie wszystkie z nich manifestują jakiekolwiek objawy.

Kto jest podatny? Najczęściej osoby pochodzące z terenu basenu Morza Śródziemnego.

Przyczyna. Choroba ta jest dziedziczona w sposób autosomalny recesywny. Oboje rodzice muszą przekazać geny działające w sposób recesywny, aby cecha ta wystąpiła u dziecka.

Problemy towarzyszące. Osłabienie kości i częste złamania, a także zbyt wielka ilość żelaza w organizmie, która może powodować wiele rozmaitych problemów.

Leczenie. Przetoczenia krwi. W ciężkich przypadkach konieczne mogą być przeszczepy szpiku kostnego. Niekiedy stosuje się profilaktycznie antybiotyki, aby zapobiec infekcjom. Jeśli jest to potrzebne, prowadzi się usuwanie nadmiaru żelaza z organizmu poprzez leczenie chelatujące.

Rokowanie. Doskonałe dla osób z łagodniejszymi postaciami choroby. Dzieci z umiarkowanym nasileniem choroby również mają się dobrze, chociaż mogą wykazywać opóźnienie pokwitania. Spośród dzieci z ciężkim przebiegiem choroby wiele dożywa obecnie do dwudziestego i trzydziestego roku życia, chociaż zagrożenie występowaniem niewydolności krążenia i poważnych infekcji jest nadal znaczne.

UPOŚLEDZENIE SŁUCHU

Co to jest? Istnieją różne typy upośledzenia lub utraty słuchu u dzieci: ***Głuchota przewodzeniowa.*** W tym typie utraty słuchu dźwięk nie jest skutecznie przekazywany poprzez przewód słuchowy. Głośność dźwięku jest zredukowana. ***Głuchota odbiorcza.*** W tym typie utraty słuchu występuje uszkodzenie ucha wewnętrznego lub dróg nerwowych prowadzących z ucha wewnętrznego do mózgu. Głośność dźwięku jest zredukowana i tym samym zmniejszone jest rozumienie przez dziecko języka mówionego. ***Głuchota mieszana.*** Ten typ łączy dwa wyżej opisane typy. ***Głuchota pochodzenia ośrodkowego*** (lub ***pozaślimakowa***). Dziecko słyszy dźwięki, ale nie jest w stanie rozszyfrować słów. Istnieje wiele stopni upośledzenia lub utraty słuchu i nie wszystkie dzieci z utratą słuchu są „głuche". Dziecko, które jest głuche, posiada głęboką utratę i nie potrafi zrozumieć mowy, wyłącznie słuchając, nawet za pomocą aparatu słuchowego. Małe dzieci, które mają upośledzony słuch, używają rąk do rozmowy. Ruchy, które wykonują, chociaż nie są prawdziwym językiem migowym, są zorganizowane i bardzo podobne do żargonu słyszącego dziecka. Objawy upośledzenia słuchu zostały przedstawione na stronie 421. Jeśli podejrzewasz, że twoje dziecko nie słyszy prawidłowo, powiedz o tym lekarzowi.

Jak często występuje? Około 3 na 100 dzieci doświadcza pewnego stopnia upośledzenia słuchu przed osiągnięciem wieku szkolnego.

Kto jest podatny? Patrz str. 421.

Przyczyna. *Głuchota przewodzeniowa.* Zniekształcenie ucha zewnętrznego lub środkowego. Ponadto przeziębienia, alergie, zapalenie ucha środkowego (infekcja ucha środkowego). Utrata słuchu związana z chorobą jest zazwyczaj przejściowa. *Głuchota odbiorcza.* Zaburzenia funkcji ucha wewnętrznego lub uszkodzenie nerwu słuchowego. Uszkodzenie takie staje się coraz powszechniejsze z wiekiem. Kiedy nerw jest uszkodzony, utrata słuchu jest zwykle trwała. Przyczyny odbiorczej utraty słuchu mogą mieć charakter prenatalny (przedurodzeniowy), perinatalny (okołourodzeniowy) lub postnatalny (pourodzeniowy) bądź nabyty lub uwarunkowany genetycznie. Głuchota odbiorcza występuje teraz rzadziej dzięki zredukowaniu występowania u niemowląt wrodzonego zespołu różyczkowego i zapalenia opon mózgowo-rdzeniowych spowodowanego przez *Haemophilus influenzae* typu b, a także poprzez skuteczniejsze leczenie występujących zapaleń opon mózgowo-rdzeniowych. *Głuchota pochodzenia ośrodkowego*. Zmiany w obrębie ośrodków słuchowych mózgu spowodowane urazem, chorobą, guzem, przyczynami dziedzicznymi lub innymi nieznanymi przyczynami.

Problemy towarzyszące. Słaby rozwój mowy i języka, trudności w uczeniu się, brak poczucia własnej wartości.

Leczenie. Ważne jest wczesne rozpoznanie i określenie stopnia istniejącego upośledzenia, który może wahać się od łagodnego do głębokiego. Pierwszym krokiem jest badanie przeprowadzone przez audiologa. Jeśli dziecko nie spełnia we właściwy sposób instrukcji w czasie pierwszego badania, może się odbyć ponowne badanie (niekiedy dziecko źle zrozumiało zasady lub miało infekcję, która przejściowo przytępiła jego słuch). Dziecko może być skierowane do laryngologa dziecięcego w celu prowadzenia dalszych badań i leczenia. Jak najszybsze rozpoczęcie leczenia utraty słuchu jest bardzo ważne, nie tylko po to, aby uratować jak największy procent słuchu i umożliwić rozwój języka, ale również po to, aby wzmacniać i rozwijać u dziecka poczucie własnej wartości. Leczenie może być prowadzone zarówno przez laryngologa, jak i audiologa, i może obejmować:

* Leki.
* Zabiegi chirurgiczne. Implanty ślimakowe mogą często w ograniczonym stopniu odtworzyć utracony słuch (niekiedy nawet do poziomu, na którym możliwa jest rozmowa) i poprawić zdolność całkowicie głuchych dzieci do nauki języka mówionego[8]. Aby można było zastosować implant ślimakowy, dziecko musi mieć przynajmniej dwa lata, cierpieć na głęboką, obustronną głuchotę odbiorczą i uzyskiwać bardzo ograniczone korzyści ze stosowania konwencjonalnych aparatów słuchowych.
* Aparaty słuchowe (które wzmacniają wszystkie dźwięki) lub urządzenia wspomagające słuch (które wzmacniają wybrane dźwięki bez hałasów tła). Istnieje wiele typów takich urządzeń i wybór konkretnego typu zależy od wieku dziecka i rodzaju utraty słuchu. Niektóre urządzenia wspomagające słuch są stosowane wraz z aparatami słuchowymi, inne zaś niezależne.
* Kształcenie. Program odpowiedniego kształcenia powinien rozpocząć się natychmiast po rozpoznaniu utraty słuchu i może obejmować: uczenie dziecka używania urządzeń, które wspomagają naukę słyszenia i/lub mówienia, mowę sygnałową, w której system sygnałów manualnych służy jako uzupełnienie czytania z ruchów ust, wszechstronny system komunikowania się, który wykorzystuje połączenie czytania mowy z ruchów ust, język migowy, literowanie palcami, a może również kłaść nacisk na kształtowanie umiejętności słuchowych i rozwój mowy. Żaden program nie jest odpowiedni dla wszystkich dzieci z upośledzeniem słuchu. Pediatra wraz ze specjalistą w dziedzinie zaburzeń słuchu (audiologiem) może dopomóc rodzicom w znalezieniu programu, który najlepiej realizuje potrzeby ich dziecka. To, czy dziecko z upośledzeniem słuchu uczęszcza do normalnej szkoły razem z prawidłowo słyszącymi dziećmi, zależy od konkretnego dziecka, programu, jaki oferuje lokalna szkoła, i możliwości prowadzenia w tej szkole specjalnych lekcji rozwoju mowy i języka. Kiedy małe dziecko z upośledzeniem słuchu może już pójść do żłobka lub przedszkola, należy to przedyskutować z lekarzem dziecka i audiologiem, a także z dyrektorem i/lub nauczycielami w szkole (przedszkolu).

Rokowanie. Właściwie leczone dzieci z upośledzeniem słuchu mogą prowadzić udane i satysfakcjonujące życie. Niektóre z nich będą wymagać pomocy w nauce słyszenia i mówienia. Inne nauczą się komunikować przy użyciu języka migowego.

---

[8] Implanty te nie są akceptowane przez niektórych członków społeczności głuchych, postrzegających je jako niewłaściwy sposób postępowania w przypadku głuchoty, którą traktują jako sposób życia, a nie upośledzenie.

UPOŚLEDZENIE UMYSŁOWE[9]

Co to jest? Jest to uwarunkowanie, w którego przebiegu obserwuje się wolniejsze tempo nauki i ograniczoną zdolność do uczenia się. Inteligencja jest zwykle poniżej zakresu normy (iloraz inteligencji poniżej 70, przy stosowaniu standardowej skali). Tylko 11% dzieci z tej grupy posiada IQ (iloraz inteligencji — przyp. red. nauk.) poniżej 50 (co pozwala zaklasyfikować je do osób z umiarkowanym lub ciężkim upośledzeniem umysłowym) lub poniżej 25 (co pozwala zaklasyfikować je do osób z głębokim upośledzeniem umysłowym). Pozostałe 89% dzieci z tej grupy wykazuje upośledzenie umiarkowane i są one zdolne do uczenia się[10]. Większość dzieci z łagodnym upośledzeniem umysłowym rozwija w odpowiednim wieku właściwe umiejętności ruchowe (siadanie, raczkowanie, wstawanie, chodzenie), chyba że cierpią one na porażenie mózgowe lub inną chorobę układu ruchu. Łagodne upośledzenie umysłowe może też nie być oczywiste do czasu, gdy okaże się, że rozwój mowy i języka nie przebiega prawidłowo. Większość ciężko upośledzonych dzieci może przez długi czas nie chodzić, prawdopodobnie dlatego, że istnieją pewne składowe motoryczne ich choroby. Rodzice mogą dość wcześnie zauważać ogólne spowolnienie rozwoju, zaburzenia ruchowe, zaburzenia językowe oraz zaburzenia zachowania. Dzieci, które nie nabywają odpowiednich umiejętności społecznych i językowych w wieku, w którym nabywa je 90% ich rówieśników, wymagają oceny, chociaż nie zawsze musi się okazać, że mają one jakiekolwiek niedobory intelektualne.

Jak często występuje? Około 7 500 000 Amerykanów uznawanych jest za upośledzonych umysłowo. Ocenia się, że 3 na 100 dzieci ma IQ poniżej 70.

Kto jest podatny? Dzieci urodzone przedwcześnie i z małą urodzeniową masą ciała, a także dzieci obciążone którymkolwiek z wymienionych dalej czynników ryzyka. Na ogół chłopcy są upośledzeni częściej niż dziewczynki (prawdopodobnie dlatego, że są bardziej podatni na występowanie zespołu łamliwego chromosomu X).

Przyczyna. Ocenia się, że przyczyna około 30% do 60% przypadków upośledzenia umysłowego jest nieznana. Głównymi znanymi przyczynami w Stanach Zjednoczonych są zespoły Downa i łamliwego chromosomu X, które są zaburzeniami chromosomowymi. Inne przyczyny obejmują: nadużywanie przez matkę alkoholu oraz prawdopodobnie także innych leków i narkotyków w okresie ciąży; infekcje wewnątrzmaciczne lub okołoporodowe (toksoplazmoza lub wirus opryszczki zwykłej); narażenie na kontakt z ołowiem i prawdopodobnie inne trucizny środowiskowe w okresie przed- lub pourodzeniowym, czynniki genetyczne (takie jak zespół Hurler lub nerwiakowłókniakowatość), nie leczone, wrodzone wady metabolizmu (fenyloketonuria, niedoczynność tarczycy, galaktozemia), uszkodzenia mózgu (spowodowane urazem lub niedotlenieniem okołoporodowym), ciężkie urazy w okresie dzieciństwa (takie jak tonięcie lub uraz głowy), niektóre choroby wieku dziecięcego, niedożywienie przed- lub pourodzeniowe lub niewydolność łożyska. W niektórych przypadkach dwa lub więcej czynników może łącznie powodować upośledzenie umysłowe. Czasem zaburzenia, które wydają się łagodnym upośledzeniem umysłowym, są w istocie spowodowane brakiem uwagi rodziców oraz niewłaściwą stymulacją fizyczną i intelektualną w okresie niemowlęcym i wczesnego dzieciństwa bądź upośledzeniem słuchu lub wzroku. Przy podjęciu odpowiednich działań, IQ takich dzieci może podnieść się do zakresu normy.

Problemy towarzyszące. Czasami występują inne niedobory neurologiczne, najczęściej porażenie mózgowe (około 1 na 10 upośledzonych dzieci ma porażenie mózgowe). Mniej powszechne, ale nie wyjątkowe, są zaburzenia językowe, napady drgawek, zaburzenia czucia i percepcji, wady rozwojowe mózgu i innych narządów oraz zaburzenia ruchowe.

Leczenie. Wczesne podjęcie działań leczniczych i kształcenie dziecka, zarówno przez specjalistów, jak i przez rodziców przeszkolonych przez specjalistów, może podnieść iloraz inteligencji dzieci upośledzonych umysłowo i dać im większe szanse na lepszą przyszłość. Często usunięcie czynników przyczynowych (takich jak ołów w wodzie) lub leczenie choroby podstawowej (na przykład fenyloketonuria bądź upośledzenie słuchu lub wzroku) może zwiększyć IQ aż do spodziewanych wartości (odpowiednich do wro-

[9] Chociaż niektórzy ludzie wolą inne określenia, to społeczność medyczna nadal używa określenia „upośledzenie umysłowe" i my stosujemy je również, aby nie popełniać błędów w terminologii medycznej.

[10] Upośledzenie umysłowe jest niekiedy oceniane nieco inaczej. Lekkie upośledzenie umysłowe: IQ 52 do 67, umiarkowane upośledzenie umysłowe: IQ 36 do 51, ciężkie upośledzenie umysłowe: IQ 20 do 35 i głębokie upośledzenie umysłowe IQ poniżej 20.

dzonych możliwości dziecka). W niektórych przypadkach iloraz inteligencji może się podwyższyć, kiedy ulepszy się i wzbogaci dietę dziecka.

Rokowanie. Przy wczesnym rozpoczęciu optymalnego kształcenia dzieci, które są zdolne do uczenia się, mogą sobie przyswoić podstawowe umiejętności szkolne (najczęściej do poziomu czwartej klasy szkoły podstawowej), społeczne i zawodowe, i jako dorośli funkcjonować niezależnie. Wiele z nich zakłada później rodziny i ma dzieci (które nie są bardziej narażone na wystąpienie upośledzenia umysłowego niż inne dzieci, chyba że choroba jest uwarunkowana genetycznie) oraz prowadzi satysfakcjonujące życie. Dzieci zdolne do ćwiczeń tylko niekiedy mogą nauczyć się podstawowych umiejętności czytania, pisania lub sylabizowania. Przy optymalnym i wczesnym kształceniu mogą one jednak nauczyć się mówić, wykonywać rutynowe czynności i zaspokajać swoje codzienne potrzeby osobiste. Jako dorośli mogą zwykle dobrze funkcjonować w chronionych środowiskach (czy to w obrębie rodziny, czy w zakładzie opiekuńczym). Osoby, które nie są zdolne do ćwiczeń (ciężko i głęboko upośledzone), nie są w stanie osiągnąć takiego poziomu i mogą komunikować się tylko metodami niewerbalnymi. Ich ostateczny wiek umysłowy nigdy nie przekracza 6 lat i często nie potrafią oni zaspokoić nawet najbardziej podstawowych potrzeb. Większość jednakże nauczy się chodzić, chyba że jednocześnie wystąpiło u nich porażenie mózgowe. Osoby głęboko upośledzone umysłowo wymagają stałej opieki i nadzoru przez całe życie.

UPOŚLEDZENIE WIDZENIA (NIEDOWIDZENIE)

Co to jest? Jest to niezdolność do dobrego widzenia, nawet przy użyciu szkieł korekcyjnych. Patrz str. 478 w celu uzyskania informacji dotyczących zaburzeń widzenia.

Kto jest podatny? Każdy, kto przeszedł uraz oka lub cierpiał na chorobę (wrodzoną lub nabytą), która mogła uszkodzić wzrok.

Przyczyna. Uraz, zakażenie, choroby uwarunkowane genetycznie, choroby oczu (takie jak zaćma, jaskra, zez).

Problemy towarzyszące. Wiele problemów edukacyjnych i społecznych związanych z niemożnością prawidłowego widzenia.

Leczenie. Zależy ono od przyczyny, ale we wszystkich przypadkach najlepszym leczeniem jest zapobieganie. Niekiedy leczenie operacyjne może częściowo przywrócić widzenie. Istnieje wiele nowoczesnych metod kształcenia osób z upośledzeniem wzroku, obejmujących m.in. komputery reagujące na głos i urządzenia przekształcające druk na język mówiony. Kontrowersyjne jest uczenie alfabetu Braille'a, który w ostatnich latach stracił swe znaczenie, ale którego znajomość jest w opinii wielu specjalistów niezbędna.

Zapobieganie. Odpowiednia ochrona oczu i właściwe środki bezpieczeństwa (patrz str. 410). Szybkie leczenie infekcji i innych chorób oczu, takich jak zaćma.

Rokowanie. Dzieci, które nie widzą, mogą przy zastosowaniu nowoczesnych technologii uczenia uzyskać wykształcenie i przygotować się do udanej kariery zawodowej i satysfakcjonującego życia.

ZESPÓŁ DOWNA

Co to jest? Jest to zespół objawów, które obejmują zwykle: opóźniony rozwój psychoruchowy, wąskie i skośne szpary powiekowe, zbyt duży język i krótką szyję. Dzieci z zespołem Downa mogą posiadać również płaską potylicę (tylną część głowy), małe uszy (niekiedy lekko zawinięte na szczycie), płaski, szeroki nos, krótkie i szerokie ręce, niski wzrost, słabe napięcie mięśniowe oraz słodką, „przylepną" i pełną miłości osobowość. Cechy mogą się nieco różnić w zależności od typu nieprawidłowości chromosomowych. Może również wystąpić ogromna różnorodność problemów towarzyszących. Chociaż przez długi czas uważano, że zespół Downa jest jednoznaczny z występowaniem upośledzenia umysłowego, to wczesne działania terapeutyczne wykazały, że niektóre dzieci z zespołem Downa mają prawidłowy iloraz inteligencji (IQ). U wielu innych dzieci występuje tylko łagodne lub umiarkowane upośledzenie umysłowe.

Jak często występuje? Zespół ten dotyka około 1 na 1300 dzieci (w Polsce około 1 na 800 — przyp. tłum.).

Kto jest podatny? Dzieci ze wszystkich grup etnicznych i klas społeczno-ekonomicznych. Niemniej jednak, większe ryzyko dotyczy dzieci rodziców, którym urodziło się już jedno dziecko z zespołem Downa, dzieci rodziców z nieprawidłowościami chromosomowymi oraz dzieci matek (a być może również ojców), które przekroczyły 35 rok życia.

Przyczyna. W 95% przypadków przyczyną jest dodatkowy chromosom przekazany przez jednego z rodziców, co powoduje, że dziecko posiada 47 zamiast 46 chromosomów. Dodatkowym chromosomem jest chromosom pary 21. Ponieważ osobnik z zespołem Downa posiada trzy chromosomy 21 zamiast dwóch, dlatego układ taki jest nazywany trisomią 21.

Problemy towarzyszące. Około połowa dzieci z zespołem Downa posiada wrodzoną wadę serca, a u około 5% z nich występuje wada układu pokarmowego. Niektóre z nich mają osłabiony układ odpornościowy (co czyni je bardziej podatnymi na rozmaite choroby, począwszy od infekcji układu oddechowego, na białaczce i innych nowotworach kończąc) i/lub zaburzenia słuchu i wzroku, zaburzenia funkcji tarczycy i tendencję do przedwczesnego starzenia się. Chociaż dzieci z zespołem Downa obarczone są dziedziczną skłonnością do otyłości, to działania rodziny i inne czynniki środowiskowe, z uwzględnieniem kontroli dietetycznej i aktywności fizycznej, mogą to ryzyko zredukować.

Leczenie. Jeśli nie przeprowadzono diagnostyki prenatalnej (przedurodzeniowej), to badanie chromosomów musi być wykonane wkrótce po porodzie, aby potwierdzić rozpoznanie zespołu Downa i określić typ odpowiedzialnej za niego nieprawidłowości chromosomowej. Wczesna specjalistyczna edukacja może w zdecydowany sposób poprawić iloraz inteligencji dzieci z zespołem Downa, pozwalając nawet niektórym z nich na osiągnięcie zakresu „normy". Dobra opieka medyczna może też często zredukować występowanie współwystępujących problemów. Leczenie chirurgiczne może na przykład doprowadzić do wyleczenia wrodzonych wad serca i układu pokarmowego. W niektórych krajach stosowana jest też chirurgia plastyczna w celu poprawienia wyglądu dzieci, ale korzyści z niej płynące są wątpliwe.

Rokowanie. Jest zróżnicowane w zależności od stopnia choroby. Większość dzieci z zespołem Downa ma większe możliwości, niż dotąd sądzono, a rozpoczęcie działań leczniczych natychmiast po rozpoznaniu może zapewnić ich osiągnięcie, pozostawiając tylko około 10% chorych z ciężkim upośledzeniem umysłowym. Wiele dzieci z zespołem Downa może tymczasowo uczęszczać do szkoły. Wiele z nich znajduje później miejsca w domach i zakładach opiekuńczych. Nieliczne są zdolne do samodzielnego życia i pracy, a niektóre zakładają nawet rodziny. Przeciętna długość życia, jeśli minęły już zagrożenia pierwszych dwóch do dziesięciu lat życia, wynosi 55 lat, to znaczy ponad dwukrotnie więcej niż w przeszłości.

ZESPÓŁ ŁAMLIWEGO CHROMOSOMU X

Co to jest? Jest to choroba sprzężona z chromosomem X. W typowych przypadkach chłopcy z zespołem łamliwego chromosomu X wykazują opóźnienie rozwoju mowy i języka, wydatne czoła i szczęki, nisko osadzone uszy, długie i wąskie twarze, duże jądra i inne nieprawidłowości fizyczne. Niektórzy wykazują tylko umiarkowane trudności w nauce, a ocenia się, że około 1/5 chłopców posiadających łamliwy chromosom X nie manifestuje żadnych objawów choroby. Większość kobiet nosicielek jest również bezobjawowych, chociaż 1/3 z nich jest łagodnie lub umiarkowanie upośledzona umysłowo lub wykazuje trudności w nauce.

Jak często występuje? Ocenia się, że zespół ten występuje u 1 na 1000 chłopców, co czyni zespół łamliwego chromosomu X jedną z najczęstszych przyczyn upośledzenia umysłowego w Stanach Zjednoczonych. Większość przypadków zespołu łamliwego chromosomu X nie jest jednak w ten sposób rozpoznawana.

Kto jest podatny? Ponieważ choroba ta jest sprzężona z chromosomem X, mężczyźni znacznie częściej wykazują cechy pełnoobjawowego zespołu (mężczyźni posiadają tylko jeden chromosom X i w przeciwieństwie do kobiet, nie posiadają drugiego chromosomu X z prawidłowym genem, który mógłby zrównoważyć działanie łamliwego chromosomu X z genem nieprawidłowym).

Przyczyna. Defekt genu położonego w łamliwym (ścieńczałym) regionie chromosomu X.

Problemy towarzyszące. Po 10 roku życia mogą występować zaburzenia koordynacji ruchowej i równowagi. Około 14% chorych wykazuje wiele objawów autyzmu (patrz str. 601).

Leczenie. Obecnie podstawową sprawą jest podjęcie wczesnych działań związanych z upośledzeniem umysłowym (patrz str. 615). Ponieważ został już zidentyfikowany specyficzny gen odpowiedzialny za tę chorobę, istnieje nadzieja, że w przyszłości możliwa będzie naprawa tego defektu na drodze manipulacji biochemicznej (tzw. terapia genowa — przyp. tłum.).

Część 3

DWU- I TRZYLATEK W RODZINIE

24
Dwu- i trzylatek jako rodzeństwo

Mogą być najgorszymi wrogami, potem najlepszymi przyjaciółmi i znów się posprzeczać — a wszystko to w ciągu zaledwie jednego przedpołudnia. Mogą obrzucać się wyzwiskami w jednej chwili, by w następnej przeistoczyć się we wspaniale rozumiejących się towarzyszy zabaw. Rywalizują ze sobą, wspierają się, biją i bronią jedno drugiego: na zmianę kochają się, lubią, nienawidzą i tolerują. Mają wspólną mamę, tatę lub oboje rodziców, siedzą przy jednym stole i często dzielą pokój. Są rodzeństwem.

Stosunki między rodzeństwem mogą być burzliwe lub wspaniałe, a najprawdopodobniej będzie to kombinacja obydwu rodzajów. Kiedy jednak jedno z rodzeństwa (albo oboje) jest jeszcze małe i nadal brak mu pewnego społecznego obycia (zdolności dzielenia się z drugim, pójścia na kompromis, współczucia, współdziałania), a emanuje z niego egocentryzm i chęć posiadania (małe dziecko chce być w centrum zainteresowania i wszystko mieć dla siebie), stosunki między rodzeństwem mogą być jeszcze bardziej skomplikowane.

Bez względu na to, czy rodzeństwo dziecka jest starsze, czy młodsze — czy może dopiero ma przyjść na świat — pojawi się wiele związanych z tym problemów i trzeba będzie sobie z nimi poradzić. Jako rodzice będziecie musieli decydować, kiedy wkroczyć, kiedy pośredniczyć, a kiedy się wycofać w nadziei, że wszystko się ułoży.

Poniższe przykłady ilustrują zaledwie kilka spośród sytuacji, które mogą się zdarzyć, gdy dziecko ma rodzeństwo: niech nasze rady będą dla was pomocną wskazówką, jak radzić sobie z setkami innych spraw, z jakimi z pewnością przyjdzie wam się borykać.

Co może cię niepokoić

RYWALIZACJA WŚRÓD RODZEŃSTWA

Tak bardzo chcielibyśmy, by nasze dwie córeczki żyły w przyjaźni — dlatego też urodziły się w tak niewielkim odstępie czasu. Obawiamy się jednak o rywalizację między nimi.

Nie obawiajcie się, a raczej nastawcie się na taką rywalizację. Jest to jeden z tych życiowych faktów, których nie da się uniknąć. Problem nie polega na tym, czy się pojawi, ale kiedy i w jakim stopniu. Wasze córki są prawdopodobnie tymi istotami w domu, które nie prosiły się na świat (co — jak trochę podrosną — prawdopodobnie wam wypomną). I podczas gdy będą spokojnie sobie rosły, kochając się nawzajem, a nawet (choć może to być dość trudne) lubiąc się, niekoniecznie muszą być dla siebie najlepszymi przyjaciółkami. Fakt, że są spokrewnione, nie gwarantuje, że będą miały wiele wspólnego poza rodziną. (A nawet jeśli będą miały, i tak może dochodzić do konfliktów; zbyt wielkie podobieństwo może stwarzać tyle samo problemów w stosunkach z rodzeństwem co diametralna różnica.)

Należy sobie uzmysłowić, że rywalizacja jest czymś normalnym, jeśli dwoje ludzi chce uzyskać te samą nagrodę — w tym w przypadku uwagę i miłość rodziców. Można pomóc zmniejszyć to współzawodnictwo, okazując w sposób zdecydowany miłość i aprobatę każdemu dziecku takiemu, jakie jest (nigdy nie porównując go, pozytywnie czy negatywnie, do jego rodzeństwa), regularnie spędzając czas z każdym dzieckiem z osobna, pilnując, by wymagania i przywileje względem nich były zrównoważone (choć niekoniecznie te same) i niefaworyzowanie któregoś z rodzeństwa (dziecko, które odczuwa, że jego rodzeństwo jest faworyzowane, może nie tylko odczuć potrzebę wzmożonej walki o uwagę rodziców, ale i silniejszej rywalizacji z siostrą czy bratem). Bez względu jednak na to, jak sprawiedliwie traktujecie swoje dwie pociechy, nie zdołasz całkowicie wyeliminować współzawodnictwa między nimi: taka rywalizacja bowiem istnieje nawet w najlepszych siostrzano-braterskich układach. Jedynym właściwie pewnym sposobem, by jej zapobiec, jest posiadanie po prostu tylko jednego dziecka. (Pamiętajcie jednak, że istnieje bardzo wiele plusów wynikających z potyczek między rodzeństwem; patrz str. 624.)

Wasze dzieci będą miały dużo większą szansę życia we wzajemnej miłości bez nadmiernego z waszej strony nacisku lub interwencji. Należy po prostu stworzyć im jak najlepsze warunki do wspólnej zabawy i robić wspólne wypady poza dom. Ważne jest jednak to, by miały również szansę poprzebywać trochę oddzielnie, by każde z osobna mogło spędzić trochę czasu z wami lub ze swoimi kolegami i koleżankami. Jeśli w końcu uda im się zostać najlepszymi przyjaciółmi — to wspaniale. Jeśli nie — trudno. Nie nalegajcie. Jeśli nauczą się szanować i wzajemnie wspierać — jest to bardzo dużo i oznacza, że wasze pociechy stworzyły poważne podwaliny pod zdrowy układ na przyszłość.

KAŻDEMU PO RÓWNO

Nasz syn i nasza córka, między którymi jest tylko półtora roku różnicy, zawsze upierają się, by otrzymywać dokładnie tę samą ilość wszystkiego, od kawałków jabłka poczynając, a na poświęcanej im uwadze i czasie kończąc. Jeśli jedno otrzyma coś, czego nie dostanie drugie, to zawsze jest „niesprawiedliwie"!

Życie nie jest usłane różami i nie zawsze jest sprawiedliwie (sześć cukierków dla ciebie i sześć dla mnie). Jest to pigułka, którą małym dzieciom trudno przełknąć, ale w końcu i tak będą musiały ją strawić. Chociaż można próbować chronić malca przed niektórymi nieuniknionymi przejawami nierówności w życiu, nie powinniście oszczędzać mu wszystkiego w tym względzie. Taki ochronny parasol i przedstawienie dzieciom rzeczywistości jako całkowicie sprawiedliwej nie tylko sprawia, że przeżywają większe rozczarowanie, gdy rozpoczynają samodzielne życie, ale jest też nieskuteczny w zwalczaniu rodzinnej rywalizacji. Chociaż polityka „każdemu po równo" (jak Zosia dostaje nową książkę, to i Kasia) może wydawać się skuteczna w łagodzeniu rodzinnych potyczek w danej chwili, ale na dłuższą metę wzmaga współzawodnictwo, zamiast je temperować (Zosia bowiem odkrywa, że książka Kasi jest większa od jej własnej). Co mają więc począć rodzice, którzy chcą być sprawiedliwi?

* Traktuj swoje dzieci jako indywidualności, którymi są. Ponieważ żadna para dzieci (nawet identyczne bliźnięta) nie jest dokładnie taka sama, nie można ich dokładnie tak samo traktować. Każde wymaga indywidualnego podejścia w kwestii uczucia, dyscypliny, krytyki czy pochwał. Jeśli uznasz różnice charakterów między swoimi dziećmi (Zosia uwielbia oglądać książki, Kasia lubi rysować) bez dokonywania porównań i osądów, dzieci także chętnie uznają wzajemnie zarówno swoją indywidualność, jak i nieco odmienne traktowanie przez rodziców zamiast ciągle żądać tego samego.
* Nie dziel po równo. Czy dotyczy to prezentów, czy uścisków, to, co ofiarowujesz swoim dzieciom, nie musi być dzielone po równo. Kasia niekoniecznie musi dostać nową parę tenisówek tylko dlatego, że Zosia je dostała, bo wyrosła ze swoich; Zosia wcale nie musi dostać nowych rękawiczek, gdy trzeba je kupić Kasi (bo ta swoje zgubiła); jedno dziecko nie musi spędzić piętnastu minut na kolanach mamy tylko dlatego, że tyle czasu siedziało na nich drugie. Uwzględniaj indywidualne potrzeby każdego malca w danym momencie, a prezenty dostosuj do ich specjalnych, odmiennych zainteresowań (książka z bajkami dla Zosi, blok rysunkowy dla Kasi); nie kieruj się „zasadą równości" przy obdarowywaniu dzieci.
* Znajdź czas dla każdej pociechy z osobna. Jeśli dzieci nie muszą ciągle walczyć o twoje zainteresowanie, prawdopodobnie mniej będą rywalizować i w innych kwestiach.
* Kochaj równo. Jeśli jest coś, co rodzice powinni rozdzielać równo — jest to miłość (nawet jeśli nie zawsze w równym stopniu ją odczuwasz). Sposób okazywania uczucia pozostaje oczywiście twoim wyborem i może być różny w stosunku do każdego dziecka. (Bez względu jednak na twoje starania może się okazać, że dzieci i tak będą uskarżać się na twoją niesprawiedliwość w tym względzie.)

* Staraj się dzielić sprawiedliwie. Nawet jeśli będziesz się bardzo starać, by w domu nie było atmosfery rywalizacji, i tak trzeba będzie równiutko dzielić jabłka, ciastka czy kawałki pizzy do czasu, aż dzieci osiągną pewną dojrzałość i przestaną dbać o to, co kto otrzymuje. Gdy już podrosną, większy kawałek może okazać się mniej istotny od tego, kto może później pójść spać lub komu uda się obejrzeć ulubiony program w telewizji.

Istnieją jednak pewne sposoby, które pomagają rozładować konflikty na tle „równości". Jeśli dzieci zawsze biją się o to, kto dostanie większy kawałek ciasta (czy czegokolwiek), niech po kolei same wybiorą część, która im odpowiada. (Powiedz im, że dobrze wychowani ludzie biorą mniejszy kawałek, jeśli wybierają jako pierwsi; nie oczekuj jednak od nich jeszcze aż takiej kurtuazji.) Albo pozwól im po kolei dzielić ciasta. Jeśli dzieci są trochę starsze, możesz wyznaczyć im tygodniową rację ciastek, dla każdego dziecka oddzielnie. Niech częstują się nimi do woli w porze podwieczorku czy na deser. Gdy ciastka się skończą — trudno. Trzeba czekać do następnego tygodnia.

Próbując dzielić wszystko równo i sprawiedliwie, pamiętaj jednak o tym, że nie zawsze uda ci się zadowolić dzieci. Tak naprawdę nie chodzi im o to, ile ciastek, czereśni czy ćwiartek jabłka dostaną (mogą nawet nie zjeść żadnej porcji). Zasadą jest ponarzekać na faworyzowanie brata czy siostry.

UWIELBIENIE DLA NIETOLERANCYJNEJ SIOSTRY

Nasz dwulatek adoruje swoją starszą siostrę. Wszędzie za nią chodzi, chce robić to samo co ona. Na początku wydawało się, że dziewczynce się to podoba. Ostatnio jednak mała błaga mnie, bym trzymała go od niej z daleka.

On wręcz czci ziemię, po której ona stąpa; ona wolałaby, żeby poszedł sobie w inną stronę... może nawet na drugą półkulę. On chce pomóc jej zbudować z klocków wieżę, wepchnąć jej „dziecko" do wózka, nalać herbatkę do filiżanek na „przyjęciu"; ona zaś chce, by brat się po prostu odczepił. On chce naśladować jej sposób kolorowania obrazków w jej ulubionej książeczce; ona natomiast niweczy wszelkie jego wysiłki, brutalnie mu ją odbierając. Samo życie, zwykły scenariusz, który zdarza się co dzień.

Starszym dzieciom takie adorujące rodzeństwo na początku niezmiernie imponuje. Zaraz potem jednak ta duma zmienia się we frustrację, gdyż męczy je to, że brat czy siostra chodzą za nimi krok w krok i naśladują, że nie mają odrobiny prywatności czy spokoju, że nie mogą uchronić swojego kącika (i „dobytku") od ciekawskich i zaborczych rączek malucha. Naprawdę niełatwo być starszym rodzeństwem, szczególnie gdy braciszek czy siostrzyczka ma dwa latka — za duże już, by było słodkie, bezradne i leżało cały czas w łóżeczku, a za małe, by mogło być idealnym kompanem od zabaw; znakomity za to wiek, by stanowić ciągłe utrapienie.

Na tym etapie trzeba pomóc i ułatwić życie starszemu dziecku, które z kolei ułatwi życie maluchowi.

Bądź współczująca. Przyznanie, że rozumiesz i współczujesz swemu starszemu dziecku, oraz zapewnienie, że zawsze jesteś gotowa wysłuchać go, gdy musi wyrzucić z siebie nagromadzone żale, pomoże dziecku, sprawiając, że przestanie czuć się winne. Niech malec wie, że to nic, iż się złości na młodszego brata i że ta złość nie wywoła twojego gniewu. Wyjaśnij, że i ciebie złoszczą i frustrują niszczycielskie działania małego Stasia, ale zwróć uwagę, że można się na kogoś złościć i obrażać, nadal bardzo go kochając. Przypomnij dziecku kilka historyjek z jego wczesnego dzieciństwa: jak to wpadło z impetem na regał z książkami, przewracając go i niszcząc, jak rozwinęło całą rolkę papieru toaletowego i wpakowało do klozetu, jak to urządzało piekielne sceny o jakiś drobiazg przy kasie w sklepie itp. Takie opowieści nie tylko bardzo malca zaciekawią, ale nauczą nieco innego spojrzenia na zachowanie młodszego brata, a może nawet zaowocują w przyszłości.

Strzeż prywatności starszego dziecka. Żaden członek rodziny nie ma gwarancji na prywatność zawsze, gdy przyjdzie mu na to ochota, ale każdy ma do tego prawo od czasu do czasu. Zapewnienie każdemu dziecku każdego dnia odrobiny spokoju — gdy młodsze rodzeństwo śpi lub bawi się z tobą czy innym dorosłym opiekunem — może również uczynić je bardziej tolerancyjnym w stosunku do niesfornego malucha przez resztę dnia. Od czasu do czasu wyślij brzdąca do znajomych, by mógł tam pobawić się ze swoim rówieśnikiem, a starsza pociecha mogła rozkoszować się domowym królestwem i mieć rodziców tylko dla siebie.

Strzeż dobytku starszego dziecka. Ma ono prawo do uczucia spokoju, że jego zabawki są zabezpieczone przed tą małą niszczycielską siłą pod nazwą „brat". Dla dobra starszej pociechy —

ale i dla dobra młodszego dziecka (wiele zabawek odpowiednich dla starszych dzieci może stanowić zagrożenie dla maluchów) — staraj się, by przedmioty należące do starszego dziecka były poza zasięgiem najmłodszych rączek w rodzinie. Przypominaj mu, by po skończonej zabawie odkładało zabawki na swoje miejsce. Jeśli już zdarzy się, że mały braciszek weźmie w swoje ręce przedmioty należące do starszej siostry, nie krzycz na niego, a raczej wytłumacz, że nie wolno bawić się zabawkami, pisakami czy figurkami siostrzyczki bez jej pozwolenia (córce należy wyjaśnić, że ta sama zasada obowiązuje i ją). Ponieważ takie obwieszczenie i tak na niewiele się zda (chociaż starsza córka słysząc je, poczuje się lepiej), będziesz musiała odciągać malca, ilekroć dobierze się do rzeczy siostry. Najlepiej przenieść go do innego pokoju i odwrócić jego uwagę przedmiotem należącym do niego. Jeśli oczywiście starsze rodzeństwo jest w przychylnym nastroju do wspólnej z bratem zabawy, należy je pochwalić za takie zachowanie. (Upewnij się jednak, że malec może bezpiecznie bawić się zabawkami starszego rodzeństwa.)

Nie mieszaj się w przekazywanie zabawek. Nawet jeśli starsze dziecko definitywnie już wyrosło z jakiejś zabawki, niech ono zadecyduje, kiedy można przekazać ją rodzeństwu. Konfiskowanie różnych przedmiotów bez wiedzy czy pozwolenia dziecka z pewnością wywoła wiele nieprzyjemnych scen. Kiedy dziecko rzeczywiście już postanowi coś oddać lub samo ma chęć podzielić się „niemowlęcymi" zabawkami ze swoim małym braciszkiem, nie zapomnij go za to pochwalić, a nie po prostu uznać to za normalną kolej rzeczy.

Zapewnij maluchowi towarzystwo. Możliwe, że umawianie malca na wspólną zabawę z kolegą w jego wieku pomoże zdjąć nieco brzemię z barków starszego dziecka. Jeśli wspólna zabawa dwulatków odbywa się w waszym domu, upewnij się, że starsza pociecha nie ma wręcz podwójnego kłopotu z „małolatami". Zorganizowanie i dla niej jakiegoś spotkania — najlepiej w domu rówieśnika — będzie w takiej sytuacji najlepszym rozwiązaniem.

Nie oczekuj od starszego dziecka, by było nianką. Starsza pociecha z pewnością będzie się czuła urażona, jeśli będziesz od niej wymagała regularnego zajmowania się młodszym bratem lub jeśli zobligujesz ją do włączania go w jej wspólne zabawy z kolegami. Ze wszech miar należy jej się pochwała, jeśli sama, z własnej woli podejmie to trudne (i nudne...) zadanie, ale nigdy tego od niej nie wymagaj.

Nie żądaj, by starsze dziecko „było mądrzejsze". Czasami rodzice obarczają starsze dziecko zbyt dużą odpowiedzialnością za spokój w dziecięcym pokoju podczas zabawy. Ciągłe nakłanianie, by starszy ustępował młodszemu, bo „on jest jeszcze mały" albo „ty jesteś starsza, więc powinnaś być mądrzejsza", jest nie fair. To, że urodziła się pierwsza, nie znaczy, że jej prawa muszą być uznawane za mniej ważne.

Wykorzystaj przewagę wiekową. Starszemu dziecku prawdopodobnie bardziej spodoba się zabawa, jeśli to ono będzie mogło rządzić. Podsuwaj dzieciom zabawy, w których starsze ustala reguły, a malec z radością ich przestrzega — np. w mamę i dziecko, w przedszkole z panią nauczycielką i przedszkolakiem, w lekarza i pacjenta. Przy takich zabawach oczywiście zawsze istnieje szansa, że to maluch będzie chciał w końcu wodzić rej.

Staraj się jednak nie ingerować aż tak bardzo w sprawy między rodzeństwem. Raz już ustaliłaś pewne zasady (dotyczące prywatności i „ochrony mienia"), teraz pozwól dzieciom wypracować dalsze reguły gry. Wkraczaj tylko wtedy, gdy leją się łzy lub padają ciosy.

UWIELBIENIE SIOSTRY DLA NIETOLERANCYJNEGO BERBECIA

Nasza sześcioletnia córka nie może nacieszyć się swoją małą siostrzyczką. Ilekroć zbliży się do małej, ta odrzuca wszelkie jej starania; nie chce być pieszczona, chce, by zostawić ją w spokoju i pozwolić jej bawić się samej. To oczywiście drażni starsze dziecko...

Niektóre dzieci w wieku przedszkolnym i wczesnoszkolnym traktują młodsze rodzeństwo jak zabawkę — prawdziwą żywą lalkę, którą mają na własność. Nader jednak często, ku ich niezadowoleniu, „lalka" okazuje się mieć własny rozum i plany wciągnięcia jej w zabawę nie zawsze spotykają się z entuzjastycznym przyjęciem. To samo dotyczy starań starszego dziecka, które usiłuje „matkować" młodszemu. Dzieciom lubiącym niezależność trudno jest podporządkować się rodzicom, a co dopiero starszemu rodzeństwu!

Najdelikatniej jak możesz wytłumacz swojej starszej córce, dlaczego maluch nie chce być jej zabawką. Pokaż jej zdjęcia z okresu, gdy była w wieku swojej siostrzyczki, i wygrzeb z pamięci jakąś historyjkę — czy nawet kilka — jak to

Przygotowanie

Nigdy jeszcze małe dzieci nie były tak wyedukowane jak dzisiaj. Posyła się je na plastykę, tańce, gimnastykę, muzykę. Jednak do najbardziej wartościowych zajęć należą te, które przygotowują malucha do posiadania rodzeństwa. Ułatwiają one przejście z pozycji jedynaka do pozycji starszego z dzieci. Takie zajęcia zyskują coraz większą popularność, podobnie jak kursy przygotowujące do narodzin dziecka. Według badań mogą one pomóc dziecku oswoić się z nowym rodzeństwem (u dzieci, które wcześniej uczęszczały na tego typu zajęcia, odnotowano mniejsze współzawodnictwo z nowo narodzonym dzieckiem), jak i pomóc rodzicom z powiększoną rodziną. Jeśli to możliwe, zapisz swoje dziecko na takie zajęcia jeszcze przed narodzeniem się niemowlaka.

i ona chciała być sama dla siebie panią i nie lubiła nikogo słuchać. Spróbuj jej podpowiedzieć, że mała chętniej się z nią pobawi, jeśli pozwoli jej trochę w zabawie porządzić, a więc być mamą, lekarką, nauczycielką czy ogólnie — szefową. Zasugeruj też inne zabawy, w których obie mogłyby uczestniczyć, a autonomia młodszej córki nie byłaby zagrożona — malowanie farbami na dużym kawałku papieru, lepienie z plasteliny, wykonanie kolażu, budowanie z klocków. Jeśli starsza córka potrafi już trochę czytać, dobrym pomysłem będzie skłonienie jej do czytania opowiadań młodszej — starsza poćwiczy nabywaną umiejętność, a młodsza z chęcią posłucha bajki.

I wreszcie jeśli starsza córka nie ma jeszcze lalki, którą mogłaby się opiekować jak dzieckiem, kupienie jej takiej zabawki być może zaspokoi jej opiekuńczy instynkt.

BIJATYKI MIĘDZY RODZEŃSTWEM

Między naszymi dwoma chłopcami są dwa lata różnicy. Sądziłam, że tak niewielka różnica wieku bardzo ich do siebie zbliży, tymczasem tylko się biją.

Niewielka różnica wieku między dziećmi nie tylko nie chroni przed bijatykami, a może czasami wręcz do nich zachęcać. W końcu dzieci będące prawie w tym samym wieku siłą rzeczy mają ze sobą więcej kontaktu, bardziej ze sobą rywalizują, no i w efekcie częściej się biją. Jednak konflikty pomiędzy rodzeństwem są nie do uniknięcia bez względu na różnicę wieku. Choć jedne dzieci biją się częściej niż inne, wszystkie robią to od czasu do czasu. Jakkolwiek beznadziejna wydawać się może sytuacja, twoje dzieci ćwiczą coś więcej niż tylko sztukę walki. Uczą się również rozwiązywania konfliktów, nabywają pewnych umiejętności, jak żyć w społeczeństwie i obcować z ludźmi, co ma istotne znaczenie w ogólnym przygotowaniu dziecka do życia.

Bicie się z bratem czy siostrą jest bezpiecznym sposobem zażegnania sporu, rodzeństwo bowiem nadal pozostaje rodzeństwem i bez względu na to, jak zagorzała jest awantura, dzieci nie muszą zamartwiać się o to, że konflikt zakończy ich wzajemne stosunki. Zachęca również do tego, by dojść jakoś do porozumienia (o ile można opuścić miejsce zabawy bez pogodzenia się ze zwaśnionym kolegą, o tyle nie jest to możliwe w przypadku rodzeństwa — a przynajmniej nie na długo). I choć niejednokrotnie po cichu popieramy którąś ze skłóconych stron, trzeba dążyć do ich pogodzenia, czy to przez negocjacje, kompromis, czy też (co zdarza się często) za pomocą klapsa.

Awantury przybierają częściej formę zmagań czysto fizycznych, gdy dzieci są młodsze, a szczególnie wtedy, gdy jedno z nich jest jeszcze bardzo małe. Mały berbeć nie potrafi jeszcze przecież rozwiązywać konfliktów werbalnie. Ponieważ jeszcze niewiele potrafi, może czuć się piątym kołem u wozu w towarzystwie starszego rodzeństwa i szukać zaczepki w celu zwrócenia na siebie uwagi. Starszy brat czy siostra mogą reagować zniecierpliwieniem i irytacją na ten brak kontaktu wynikający z różnicy wieku i również mieć ochotę trzepnąć malucha. Dodajmy do tego jeszcze i to, że małe dziecko najpierw działa, a potem myśli. Taka bezmyślność może całkowicie sfrustrować starszaka, kiedy na przykład nieznośny mały bąbel wpakuje się i zburzy całe miasto z klocków Lego, którego zbudowanie zajęło starszemu cały dzień.

Choć należy traktować nieporozumienia między dziećmi jako zjawiska normalne i naturalne — czym niewątpliwie są — można zaradzić przeobrażeniu się takich konfliktów w wielkie pole bitwy w następujący sposób:

Nie faworyzuj żadnego dziecka. Porównywanie dzieci lub faworyzowanie jednego z nich doleje jedynie oliwy do ognia i doprowadzi w efekcie do trwających przez wiele lat problemów w ich wzajemnych stosunkach. U dziecka, które nie

Stosunki między pasierbami

Chociaż większość dzieci uzyskuje brata czy siostrę w sposób tradycyjny, coraz więcej dzieci jest obecnie uszczęśliwianych rodzeństwem poprzez „mieszanie się" rodzin. I choć filmy znane z telewizji czy kina przedstawiające takie rodziny pokazują, że jest to stosunkowo łatwe, w rzeczywistości rzadko tak jest. Poznawanie nowych ludzi i nauczenie się, jak ich tolerować, zawsze jest wyzwaniem; nauczenie się jednak, jak z nimi współżyć — przy stole, w łazience, w kuchni czy na podwórku — jest naprawdę trudne.

Wprowadzenie malca w taką mieszaną rodzinę we wczesnym dzieciństwie jest oczywiście korzystniejsze niż zrobienie tego później. Po pierwsze, jest wiele czasu na to, by „wesoła gromadka" przyzwyczaiła się do siebie i zżyła. Po drugie, małe dzieci ze względu choćby na swoje rytualne częstokroć zachowania szybciej się przystosowują niż dzieci starsze. Po trzecie, życie maluchów jest często nieco mniej skomplikowane niż życie dzieci starszych: choć i one przeżywają zmiany wynikające z wymieszania się rodzin, nie muszą borykać się (w przeciwieństwie do dzieci chodzących już do szkoły) z problemami wynikającymi ze zmiany koleżanek i kolegów czy (w przeciwieństwie do nastolatków) z uderzeniem hormonów.

Nie znaczy to jednak, że maluch przeżywa takie połączenie rodzin bezboleśnie. Ważne jest więc, by — jeżeli to możliwe — w życiu dziecka zaszło jak najmniej zmian. Zachowanie rutyny w drobiazgach (te same zwyczaje przy kładzeniu dziecka spać, przy kąpieli czy przy śniadaniu) będzie miało duże znaczenie dla malca i wzmocni jego poczucie bezpieczeństwa. Pamiętaj także, aby spędzać z dzieckiem dużo czasu. Może to upewnić je, że mimo iż masz teraz nową rodzinę, nie przestałaś kochać swojego dziecka. Bez względu na twoje starania rywalizacja rodzeństwa w przybranej rodzinie będzie co najmniej tak zaciekła, a sprzeczki i razy tak częste jak w rodzinie tradycyjnej. Małe dziecko, które staje się bratem lub siostrą poprzez połączenie się rodzin, będzie przeżywało te same emocje (zazdrość, złość, rozterki) i przejawiało te same zachowania (łącznie z agresją i buntem) co dziecko, które zostaje rodzeństwem w naturalny sposób. Z tymi problemami rodzice w połączonych rodzinach powinni radzić sobie tak samo jak w rodzinach tradycyjnych, choć mogą się zdarzyć sytuacje, w których trzeba będzie zareagować w sposób szczególnie ostrożny i przemyślany.

---

cieszy się szczególnymi względami, dojdzie do rozwoju kompleksów i zazdrości o rodzeństwo. Jeśli wyczuje, że bezpieczniej jest walczyć z siostrą czy bratem niż z rodzicami, może nawet próbować wyładowywać złość właśnie na rodzeństwie. U dziecka zaś, które jest „pupilkiem", ciężar pozostawania „najlepszym" i zaspokajania wygórowanych wymagań rodziców często łączy się ze strachem przed porażką i w efekcie ze strachem przed podjęciem jakiejkolwiek próby. Żadne z dzieci zatem nie wychodzi z tego zwycięsko.

Upewnij się więc, że nie podsycasz — świadomie czy nieświadomie — rywalizacji między rodzeństwem, pobłażając np. jednemu dziecku, gdyż przypomina ci tak bardzo ciebie lub jest tak bardzo od ciebie różne.

Staraj się złagodzić współzawodnictwo. Nie dokonuj porównań między dziećmi (patrz str. 632), gdyż jest to woda na młyn. Daj każdemu dziecku to, czego potrzebuje: wsparcie, miłość, dobra materialne itp., by twoje pociechy miały mniej powodów do rywalizacji o twoją miłość i zainteresowanie. Pamiętaj również cały czas o tym, że sprawiedliwe traktowanie dzieci wcale nie oznacza traktowania ich dokładnie w ten sam sposób (patrz str. 621).

Bądź wzorem. Twoje stosunki z życiowym partnerem są znaczącym przykładem dla dzieci w ich kontaktach ze sobą i rówieśnikami. Rodzice udzielają dzieciom pierwszych i najważniejszych lekcji, jak współżyć z ludźmi, z którymi nas coś łączy, poprzez wzajemne okazywanie sobie szacunku, cierpliwości, miłości czy szlachetności, niepozostawianie pytań bez odpowiedzi; ważne jest i to, by wzajemnie się nie prowokować i nie szukać przysłowiowej dziury w całym, nie być przesadnie krytycznym czy wymagającym, a za to być chętnym do współpracy i kompromisu. Przykład, jaki dają rodzice, nie powinien ograniczać się do najbliższej rodziny, ale objąć również stosunki z przyjaciółmi i dalszymi krewnymi.

Zredukuj stres. Nadmierny „ogień" w domu — bez względu na jego źródło — może powodować, że iskry lecą w każdym kierunku, włączając w to stosunki między rodzeństwem.

Kłóć się w cywilizowany sposób. Bez względu na to, jak bardzo kochasz i szanujesz swojego partnera, wspólne życie w ciągłej, niezakłóconej harmonii jest niemożliwe. Każda para od czasu do czasu się kłóci i nic w tym złego. Należy jednak unikać obcesowych i wulgarnych sprzeczek w obecności dzieci. Jeśli są one na co dzień świadkami prymitywnych scen, z dużym prawdopodobieństwem same będą rozwiązywać swoje konflikty w równie niewłaściwy i niekulturalny sposób. Jeśli zaś widzą rodziców, którzy sprzeczają się bez wyzwisk, zadawania ciosów czy trzaskania drzwiami, istnieje szansa, że będą dochodziły do porozumienia z bratem, siostrą czy kolegą w bardziej dojrzały sposób, przynajmniej za jakiś czas.

Szanuj swoje dziecko i jego świat. Zachowuj się w stosunku do swoich dzieci tak, jak chciałabyś, by zachowywały się wobec siebie. Dzieci traktowane z poważaniem, z szacunkiem względem ich prywatności i dziecięcych skarbów z dużo większym prawdopodobieństwem przeniosą tę postawę na innych — nawet na rodzeństwo (przynajmniej od czasu do czasu). Dzieci zaś bez przerwy krytykowane i szykanowane mają tendencję do krytykowania i szykanowania swojego rodzeństwa. Te, które dostają lanie, najprawdopodobniej będą rutynowo stosowały przemoc fizyczną w stosunku do rodzeństwa.

Uznawaj ich uczucia... Przyznaj, że trudno jest wytrzymać z kimś, kto ciągle jest w pobliżu — czy to z rodzeństwem, czy z rodzicami — nawet jeśli bardzo się go kocha. Uspokój dziecko, że to zupełnie normalne nie zgadzać się ze swoim bratem lub siostrą, złościć się na niego, a nawet wściekać do tego stopnia, iż wydawać by się czasami mogło, że się go nie lubi lub nie kocha. Wysłuchaj wszystkich skarg i zażaleń (nawet jeśli wydają się przesadzone czy irracjonalne) z dużą dozą obiektywizmu i współczucia. Nie gań określeń typu: „On jest głupi" czy wytworów wyobraźni („Ten obrazek to mój niedobry brat") jako przejawów negatywnych emocji. Gdy wysłuchasz dziecko bez wydawania sądów, poczuje ono ulgę nie tylko dlatego, że wyrzuci z siebie nabrzmiałe uczucia, ale również dlatego, że nie musi się obawiać złości za to, że gniewało się na rodzeństwo.

...ale nie nieakceptowalne zachowanie. Powiedz jasno, że nie będziesz akceptowała bicia, gryzienia, kopania czy innych jeszcze przejawów przemocy fizycznej wobec rodzeństwa (czy też wobec kogokolwiek). Ciągle powtarzaj dzieciom, że lepiej jest dochodzić do porozumienia za pomocą słów niż pięści.

Nie obarczaj dziecka winą. Zwymyślanie dziecka w stylu: „Jak mogłeś pobić się ze swoim bratem?!" nie tylko nie złagodzi jego negatywnych uczuć względem brata, ale wręcz je spotęguje.

Spróbuj utożsamić się z dziećmi. Jeśli masz rodzeństwo, z którym często biłaś się w dzieciństwie, opowiedz dzieciom o tym, szczególnie jeśli dziś żyjecie ze sobą w dobrej komitywie.

Spróbuj zrozumieć sytuację. Każde dziecko czuje się bardziej pokrzywdzone niż jego rodzeństwo: starsze, bo wyczuwa, że oczekuje się od niego bardziej dojrzałych zachowań i częstego ustępowania, podczas gdy (według niego) od młodszego niewiele albo wręcz nic się nie wymaga; młodsze, ponieważ nie ma jeszcze takiej koordynacji, jest mniejsze, nie umie jeszcze dobrze mówić czy rywalizować (nie wspominając o tym, że ciągle jest tym „małym"). No i jak to zawsze bywa w takiej sytuacji, obie strony często czują się sfrustrowane, poirytowane i wybuchają. Co można zrobić? Uzmysłowić sobie, że to nie fair oczekiwać od starszego dziecka dorosłych zachowań, i upewnić się, że jego starszeństwo daje mu tyleż korzyści, co odpowiedzialnych zadań (patrz str. 622, jak pomóc starszemu dziecku radzić sobie z niesfornym brzdącem). Staraj się również pomóc maluchowi rozwijać jego umiejętności i wyrażać w sposób werbalny uczucia („Złościsz się, że Jaś zabrał ci ciężarówkę, gdy się nią bawiłeś, prawda?"). Pokaż małemu, że zyska więcej, gdy będzie zachowywał się „po dorosłemu" („Idź i poproś go grzecznie, by oddał ci ciężarówkę").

Wyznacz i egzekwuj granice zachowań. Jakiekolwiek zasady ustalisz (nie bić, nie gryźć, nie popychać, nie wyrywać sobie niczego z rąk, nie bawić się cudzymi zabawkami bez uprzedniego pozwolenia), wyjaśnij je dzieciom i konsekwentnie egzekwuj. W końcu do tego przywykną. I choć będziesz prawdopodobnie musiała ustalić nieco surowsze wymagania względem starszego dziecka, powinny one być życiowe i osiągalne (wskazówki na temat dyscypliny i ustalania granic znajdziesz na str. 63).

Nie spiesz się z rolą mediatora... Chociaż ważne jest pilnowanie dzieci w trakcie jakiejś ożywionej dysputy, nie należy wkraczać — chyba że zaczynają padać ciosy lub mogą ulec zniszczeniu cenne przedmioty. Lepiej jest jednak pozwolić dzieciom rozwiązać nieporozumienie samodzielnie, kiedy jest to możliwe.

...ale bądź nim, kiedy zajdzie potrzeba. Staraj się prowokować dzieci, by same dochodziły do rozwiązania lub kompromisu w spornych kwestiach. Jeśli im się to nie udaje, pomóż im takie wyjście znaleźć. Jeśli kłócą się o jakiś konkretny przedmiot (zabawkę, magnetofon, pilota od telewizora), zaproponuj, żeby bawiły się nim kolejno. Możesz nawet użyć minutnika. Jeśli dzieci się pogodzą, nie zapomnij ich za to pochwalić. Jeśli nawet rodzicielski arbitraż nie rozwiązuje zagorzałego konfliktu, trzeba wszcząć postępowanie bardziej radykalne i usunąć źródło sporu. Jeśli nie jest to konkretny przedmiot, należy rozdzielić dzieci i zadbać o to, by ochłonęły nieco z emocji w oddzielnych pomieszczeniach.

Nie osądzaj. Wkraczając w toczący się pojedynek między rodzeństwem, pamiętaj, by nie przypisywać nikomu winy (prawdopodobnie nigdy nie dojdziesz do tego, kto ponosi winę za zajście), bo to tylko pogorszy sytuację. Jeżeli konflikt nie jest naprawdę ostry, pozostań na tyle bezstronna, na ile to możliwe.

Zwracaj na dzieci uwagę. Nie czekaj, aż wybuchnie kłótnia, by zwrócić uwagę na dzieci. Sprzeczka jest wypróbowaną i niezawodną metodą zwrócenia na siebie rodzicielskiej uwagi. Staraj się nie zauważać takich negatywnych zachowań (chyba że przybierają formę fizyczną). Chwal natomiast pozytywne przejawy wzajemnych stosunków między dziećmi. Jeśli dzieci dobrze się razem bawią (nawet przez krótki czas) lub też współpracują ze sobą albo dzielą się zabawkami, zauważ to i pochwal.

Bądź dobrej myśli. Częste awantury między rodzeństwem w dzieciństwie raczej nie zagrażają przyszłej przyjaźni między nimi. Dzieci, które się biją, mają taką samą szansę wyrosnąć na przyjaciół jak te, które w dzieciństwie żyją w zgodzie. A kiedy już w końcu nauczą się, jak wyjaśniać różnice zdań, ich szanse na przyjaźń mogą być nawet większe.

KIEDY DZIECI POWINNY IŚĆ SPAĆ

Nasza córka ma 4 latka, a syn 2,5 roczku. Czy mała powinna chodzić spać później, bo jest starsza, czy też powinniśmy układać dzieci do snu o tej samej porze?

W większości rodzin ta sama pora sprawdza się lepiej, jeśli różnica wieku jest tak niewielka. Przede wszystkim zyskuje się w ten sposób na czasie. Kąpiel. włożenie piżamki, podanie kolacji i mleka, mycie zębów, przytulenie, przeczytanie bajki i w końcu ułożenie w łóżeczku — wszystko to sprawia, że ceremonia położenia dziecka spać może być czasochłonna. Nawet jeśli położenie spać dwojga dzieci może trwać jeszcze dłużej (szczególnie jeśli nie kąpią się razem i nie bawią ich te same bajki), z pewnością trwa krócej aniżeli ułożenie każdego z nich z osobna. Poza tym przyznawanie starszemu dziecku przywileju późniejszego pójścia spać może być przez młodsze rozumiane jako kara. Może to także doprowadzić do niepotrzebnej rywalizacji między rodzeństwem („Ona chodzi spać później, spędza więcej czasu z mamusią i tatusiem — na pewno bardziej ją kochają..."). Położenie dzieci spać jednocześnie daje też rodzicom wolny wieczór, na który z pewnością zasługują. No i wreszcie dzieci w wieku przedszkolnym, które często nie mają możliwości zdrzemnięcia się w ciągu dnia, potrzebują tak samo dużo snu jak maluchy.

Jeśli przestrzegasz zasady jednoczesnego układania dzieci do snu, pamiętaj, by każda pociecha z osobna otrzymała swoją porcję pieszczot każdego dnia. Z tego powodu, że chodzą spać o tej samej porze, nie powinny być równo traktowane w każdej innej kwestii.

Rodzice, którzy często lub zawsze muszą układać dzieci do snu w pojedynkę (dlatego że samotnie je wychowują albo dlatego że partner długo pracuje, jest w podróży albo nie angażuje się w ten rytuał), szybko mogą poczuć się zmęczeni, próbując się uporać z położeniem dzieci spać o tej samej porze. Szybko jednak też uczą się, że całe to zamieszanie jest w efekcie opłacalne, gdyż zyskują w ten sposób więcej czasu dla siebie.

Jeśli starsza pociecha nie czuje się śpiąca o tej samej porze co młodsza, spróbuj zastosować wobec nich ten sam wieczorny rytuał, pozwalając następnie starszemu dziecku pooglądać jeszcze książeczki lub po cichu pobawić się w łóżku (przy przyciemnionym nieco świetle nocnej lampki, jeśli dzieci śpią w tym samym pokoju), aż poczuje się senne.

Jeśli różnica wieku wynosi więcej niż kilka lat, różne pory kładzenia dzieci spać staną się koniecznością. Nie można wymagać od dziewięcioczy dziesięciolatka, by zasypiał o tej samej porze co dwulatek. Dziecko dużo starsze nie potrzebuje jednak takiej asysty jak maluch i wiele czynności potrafi już zrobić samodzielnie (kąpiel, przebranie się w piżamę, umycie zębów itd.).

ZABAWKI W RĘKACH DZIECKA

Chociaż staramy się być ostrożni, cały czas przyłapujemy naszą szesnastomiesięczną córeczkę na wkładaniu do buzi jakichś małych części od zabawek należących do jej starszego brata; bardzo nas to niepokoi.

Kiedy maluch jest jedynakiem, trzymanie go z daleka od zabawek stanowiących dla niego potencjalne zagrożenie polega po prostu na nieprzynoszeniu ich do domu. Jeśli jednak maluch jest „tym młodszym", jest to już trochę bardziej skomplikowane. Nie możesz przecież zażądać od starszego dziecka, by zrezygnowało ze swoich ulubionych zabawek tylko dlatego, że są one nieodpowiednie dla jego młodszego rodzeństwa — przynajmniej jeśli chcesz uniknąć buntu.

Możesz jednak zapobiec niebezpieczeństwom czyhającym na młodszą pociechę, jeśli podejmiesz następujące kroki:

* Zaangażuj starsze dziecko do pomocy. Wyjaśnij mu niebezpieczeństwo grożące małym dzieciom, które bawią się „zabawkami dla dużych dzieci". Pokaż mu, co jest zbyt małe i czym młodszy braciszek czy siostrzyczka może się zadławić (możesz nawet nauczyć go, jak przeprowadzić test; patrz str. 560), co z dużej zabawki może odpaść i zostać połknięte i co może ewentualnie dostać się w ciekawe wszystkiego rączki malucha. Następnie wyznacz mu funkcję „policjanta od małych przedmiotów" odpowiedzialnego za wyszukiwanie niebezpiecznych części zabawek i odkładanie ich w niedostępne dla malucha miejsce. Naucz je również dokładnego zamykania pojemników i szafek z zabawkami po wyjęciu zabawek lub po odłożeniu ich na miejsce. Wszystko to nie tylko zwiększy bezpieczeństwo młodszego dziecka, ale nauczy starszaka odpowiedzialności i dbałości o swoją własność.

* Zgromadź niebezpieczne zabawki w miejscu niedostępnym dla malucha. Jeśli chodzi wszędzie za swoim starszym bratem czy siostrą, trzymaj potencjalnie niebezpieczne zabawki w miejscu, do którego tylko ty masz dostęp, a gdy starsze dziecko zechce się nimi pobawić, niech po prostu poprosi. Możesz też takie niebezpieczne zabawki umieścić w trudnych do otwarcia pojemnikach (starsze dziecko — jeśli nie może sobie poradzić — zawsze może cię poprosić o pomoc). Jeśli zabawki przechowuje się w niskich szafkach, może zajść konieczność zainstalowania odpowiednich zamknięć (takich jakie zwykle stosuje się w tym celu przy szafkach kuchennych). Starszemu dziecku można pokazać, jak je otwierać i zamykać (zakładając, iż starsze dziecko może mieć dostęp do podobnie zamykanych szafek w kuchni). Ustawienie dodatkowej barierki, by zablokować wejście do pokoju starszego dziecka, również jest jakimś rozwiązaniem, ale tylko do czasu, aż maluch nauczy się pokonywać i tę przeszkodę.

* Trzymaj niebezpieczne zabawki poza zasięgiem wzroku. Zabawki trzymane na górnych półkach, ale widoczne, mogą kusić malca, a próby dotarcia do nich mogą być niebezpieczne. Chowanie więc takich pokus za zamkniętymi drzwiami szafki albo w nieprzezroczystych pojemnikach może wyeliminować ewentualne zainteresowanie nimi.

* Kiedy starsze dziecko bawi się „niebezpiecznymi" zabawkami w tym samym pomieszczeniu, w którym przebywa maluch, postaraj się zająć malca jakąś pochłaniającą go bez reszty czynnością. Jeśli starszak woli bawić się w swoim pokoju, nie ma problemu. Jeśli jest już na tyle duży, że nie potrzebuje nadzoru, może zamknąć drzwi. Jeśli nie, możesz ustawić barierkę, co pozwoli ci mieć starsze dziecko na oku bez wpuszczania malucha do pokoju.

* Bądź czujna. Bez względu na to, jak bardzo dba się o to, by usuwać potencjalnie groźne zabawki z drogi dziecka, z pewnością przeoczy się jakieś maleńkie kawałki układanki, które trafiły pod kanapę, czy drobne klocki, które kiedyś wpadły pod łóżko. Jeżeli zauważysz, że dziecko wkłada coś do buzi lub je, choć nie dawałaś mu nic do jedzenia, przyjrzyj się temu dokładniej. Szczególnie zaś wtedy, gdy starsze dziecko bawi się jakimiś małymi elementami. Upewnij się też, że wiesz, co robić w wypadku zadławienia (patrz str. 581) — tak na wszelki wypadek.

DRUGIE DZIECKO SCHODZI NA DALSZY PLAN

Mamy okropne wyrzuty sumienia, gdyż wydaje nam się, że nie poświęcamy tyle uwagi naszemu drugiemu dziecku, ile poświęcaliśmy pierwszemu. Dziecko bynajmniej nie cierpi z tego powodu: my jednak mamy poczucie winy.

Zdarza się to prawie w każdej rodzinie. Narodziny pierwszego dziecka celebrowane są wystawnymi przyjęciami, głośno i dumnie obwieszczane, dokumentowane stosami zdjęć (pierwsza kąpiel niemowlaka, trzecia kąpiel niemowlaka...) i skrupulatnymi zapiskami w dziennikach („Dziś maleństwo zostało po raz pierwszy wykąpane"; „Dziś maleństwo kąpało się po raz drugi"; „Dziś maleństwo kąpało się po raz trzeci..."). Narodziny drugiego już dziecka traktowane są na ogół jako całkiem normalne zjawisko: ot, po prostu — jest nas więcej. To nie to, że maleństwo jest nie chciane czy nie kochane. Tym razem nikomu nie starcza czasu i energii na fanfary i szczegółowe notatki. A podniecenie wynikające z przeżywania czegoś nowego nie jest już niczym nowym.

Większości jednak drugich (trzecich, czwartych, piątych) dzieci ta zmniejszona ilość uwagi wychodzi na dobre. Zamiast rosnąć w poczuciu bycia jednostką drugiego sortu, każde następne dziecko „rozkwita". Brak wzmożonej uwagi ze strony rodziców nie zmusza go do dopominania się o więcej, a często zmusza do zadowalania się tym, co ma.

Pamiętajcie też o tym, że różne dzieci (bez względu na kolejność narodzin) mają zróżnicowane potrzeby dotyczące waszej uwagi i uczucia, że potrzeby każdego dziecka zmieniają się co jakiś czas. Jeśli tylko dajecie drugiemu dziecku tyle miłości, ile pierwszemu, poświęcacie obojgu tyle uwagi, ile potrzebują, oraz stwarzacie każdemu z osobna możliwości spędzenia jakiejś szczególnej chwili tylko z wami — absolutnie nie odsuwacie żadnej z pociech na dalszy plan.

WSPÓLNY POKÓJ

Teraz, gdy nasze młodsze dziecko jest już na tyle duże, że może zmienić dziecięce łóżeczko na normalne łóżko, postanowiliśmy przenieść malca z naszej sypialni do pokoju jego siedmioletniego brata. Niestety, nasz starszy synek bynajmniej się z tego nie cieszy; nie ma ochoty dzielić pokoju z „dzidziusiem".

Kiedy jest się przyzwyczajonym do własnego pokoju, dwoje może stanowić tłum — szczególnie jeśli współlokatorem jest młodsze rodzeństwo. Ponieważ jednak nie można oczekiwać od rodziców kupowania nowego domu, wynajmowania nowego mieszkania czy wykonania specjalnej dobudówki, by starsze dziecko nadal mogło mieć pokój tylko dla siebie, będzie się ono musiało pogodzić z tym, że zamieszka razem z młodszym rodzeństwem. Oto co może pomóc starszemu dziecku:

* Wyrozumiałość dla jego niechęci. Zamiast odprawiania dziecka stanowczym: „Twój brat będzie teraz mieszkał z tobą w pokoju i koniec dyskusji" albo obarczania go winą w stylu: „Nieładnie z twojej strony, że nie chcesz mieszkać we wspólnym pokoju z braciszkiem", zachęć starsze dziecko do wyładowania się. Wyjaśnij, że rozumiesz jego irytację i niezadowolenie, ale nie masz wyboru i maluch musi zamieszkać z nim. Jeśli sama w dzieciństwie musiałaś dzielić pokój z rodzeństwem, opowiedz o tym dziecku i porozmawiaj o mieszanych uczuciach, jakie to budzi. Zapewnij dziecko, że zrobisz wszystko, co tylko można, by ochronić jego kącik i dobytek, i że nie będzie musiał dzielić się z bratem wszystkim tylko dlatego, że dzieli z nim pokój.

* Podzielenie pokoju. Nawet jeśli starszak nie będzie miał już pokoju, który mógłby nazwać własnym, być może uda się wydzielić mu jego własny kącik. Wykorzystanie pokojowego przepierzenia, np. przymocowanego do podłogi i bezpiecznego dla dzieci parawanu oddzielającego dwa kąciki do spania i zabawy, może sprawić, że starsze dziecko poczuje się mniej nieszczęśliwe z powodu „najazdu" młodszego brata. Należy mu również pozwolić urządzić swój kącik według jego gustu, by czuł się w nim naprawdę swojsko. Ważne jest i to, żeby starsze dziecko miało dość przestrzeni na ulokowanie swoich zabawek poza zasięgiem ręki malucha (chroni to zabawki oraz zapewnia bezpieczeństwo młodszemu braciszkowi).

* Niech ma chwilami cały pokój dla siebie. Od czasu do czasu pozwólcie starszemu dziecku pobawić się samemu, np. w sypialni, podczas gdy małemu znajdziecie zajęcie w pokoju dziecięcym. Innym rozwiązaniem może być umówienie malucha na jakąś wspólną zabawę z rówieśnikiem poza domem, gdy w tym samym czasie starsze dziecko może gościć kolegę w domu.

* Zwrócenie uwagi na korzyści wypływające ze wspólnego pokoju — towarzystwo w nocy, ktoś, z kim można trochę porozmawiać przed zaśnięciem, ktoś kto kiedyś pomoże utrzymać ład w pokoju. Taka jednak polityka ma sens tylko wtedy, gdy zajmowanie wspólnego pokoju będzie trwało jeszcze kilka lat. W przeciwnym bowiem wypadku przy przeprowadzce do większego domu z oddzielnymi pokojami może dojść do innej rebelii: „Nie chcę spać sam!!!"

ZA DOBRA SIOSTRA

Odkąd trzy tygodnie temu przywieźliśmy do domu naszego nowo narodzonego synka, nasza starsza córeczka jest dla niego nadzwyczaj cierpliwa i dobra. Czy znaczy to, że mała tłamsi swoje prawdziwe uczucia i że nadejdzie moment, w którym zechce to wszystko z siebie wyrzucić?

Ponieważ każde dziecko jest indywidualnością, każda dziecięca reakcja na nowe rodzeństwo może być inna. Tak jak stereotypowe dziecko reaguje na noworodka cofaniem się w rozwoju, zazdrością, odrzuceniem maleństwa lub rodziców i jest to normalne, tak zachowanie waszej córeczki jest także normalne, choć mniej typowe.

To, że mała wydaje się po prostu znakomicie przystosowywać do nowej sytuacji, nie musi oznaczać, że dławi w sobie złość, która z czasem wykipi. Możliwe, że podoba jej się ta nowa rola starszej siostry — szczególnie jeśli wciągacie ją w pielęgnowanie niemowlęcia. Możliwe jest również to, że dziewczynka nie czuje się ignorowana — szczególnie jeśli dbacie o to, by pokazać jej, iż wasza miłość względem niej nie uległa zmianie. Bądźcie jednak przygotowani i na to, że może nastąpić „zmiana wiatrów", gdy maleństwo podrośnie na tyle, by zacząć zatruwać jej życie (patrz str. 622).

Istnieje i taka możliwość, że wasz niepokój jest w pełni uzasadniony i że mała naprawdę dusi w sobie swoje prawdziwe uczucia. Niektóre dwu-, trzylatki obawiają się, że okazanie negatywnych względem nowego rodzeństwa uczuć będzie zagrożeniem dla miłości, jaką obdarzają ich rodzice; inne natomiast są z natury zamknięte w sobie i trzeba je cały czas zachęcać do uzewnętrzniania swoich uczuć. Żeby zapewnić starszemu dziecku możliwość wyrzucenia z siebie wszystkiego, co ma „na wątrobie", bądźcie zawsze chętni do prowadzenia spontanicznych dyskusji. Jeśli mała nie wykazuje inicjatywy w tym kierunku, sprowokujcie ją sami: „Jak to jest, jak się jest starszą siostrzyczką? Co jest takiego fajnego w tym, że mamy w domu małego dzidziusia? A co ci się w tym nie podoba?" Kiedy niemowlę całe popołudnie płacze albo ciągle tylko zmieniasz mu pieluszki i karmisz, bądź szczera i otwarta, okazując swe mieszane uczucia: „Kocham twojego małego braciszka bardzo, ale czasami mam naprawdę dość jego bezustannego płaczu" albo: „Tyle się trzeba przy dzidziusiach natrudzić!" Jeśli córka wyrazi jakieś niezbyt miłe emocje, powiedz jej, że rozumiesz jej odczucia i że nikt nie będzie się na nią gniewał za tę złość czy smutek. Bądźcie równie cierpliwi i wyrozumiali, jeśli mała zacznie cofać się w rozwoju (patrz dalej) — czy też w jakiś czas potem. Ponowne siusianie w majtki, „dzidziusiowate" gaworzenie, domaganie się piersi lub butelki, ponowne ssanie kciuka — wszystko to jest możliwe i jest to normalna reakcja starszego dziecka, któremu wydaje się, że straciło swoje specjalne miejsce w sercach rodziców.

Czasami starsze dziecko ucieka się do tzw. „pewnych" zachowań, by przyciągnąć do siebie uwagę rodziców, której tak bardzo potrzebuje, uwagę, którą kiedyś w całości poświęcali jej, a o którą w chwili obecnej musi walczyć. Największym ryzykiem w takiej sytuacji jest obarczanie przez rozanielonych rodziców starszego dziecka obowiązkami („Przynieś mi, proszę, pieluszkę...", „Pobaw się, proszę, sama, gdy ja karmię dzidziusia...", „Postój chwilkę przy łóżku, by maleństwo nie spadło"), zanim jest ono fizycznie i emocjonalnie dojrzałe do tego, by im podołać. Kiedy zaś nie spełnia oczekiwań, traci rodzicielską akceptację. W takim wypadku nie tylko mocnego „kopniaka" dostaje dziecięce poczucie własnej wartości, ale w sposób nieunikniony narastają u malca negatywne emocje w stosunku do maleństwa.

Nie czekajcie zatem, aż problem się pojawi. Nawet jeśli nie ma oznak, że dziewczynka tak bardzo potrzebuje waszej uwagi, poświęcajcie jej ją często i w dużych dawkach. Spędzajcie z nią czas sam na sam, bez niemowlaka, nawet jeśli o to nie prosi, chwalcie za szlachetną naturę i dobre zachowanie, zamiast uważać to za zjawisko normalne czy wręcz tego oczekiwać. No i uświadomcie jej, że jej miejsce w waszych sercach jest szczególne i niczym nie zagrożone i nikt nigdy nie zdoła go zająć.

COFANIE SIĘ W ROZWOJU

Nasz prawie trzyletni syn nie odstępuje mnie na krok, odkąd pojawiła się w domu jego nowo narodzona siostrzyczka. Chce, by go pielęgnować, zakładać mu pieluszki i w ogóle zachowuje się bardziej jak niemowlak niż jego siostra!

Dla małego dziecka, które przez całe swoje dotychczasowe życie było w centrum zainteresowania, pojawienie się kogoś, kto wręcz kradnie mu publiczność, często wytrąca je z równowagi — i jest to zrozumiałe. Równie zrozumiały jest częsty rezultat: problemy związane z zachowaniem — a więc cofanie się w rozwoju (często nawrót moczenia się, „dziecinna" mowa czy reakcje), otwarte lub ukryte odrzucanie otoczenia (nowego rodzeństwa, rodziców albo i jednego, i drugiego), zaburzenia snu, problemy z jedzeniem, napady złości i przekora.

To, że reakcje twojego syna są normalne, jest naturalnie kiepskim pocieszeniem. Tak jak zrozumiałe jest jego marudzenie i czepianie się maminej spódnicy, tak samo zrozumiałe jest to, że matka ma trudności z radzeniem sobie z tym wszystkim. Jednak właśnie teraz — kiedy jest to takie trudne — synek najbardziej was potrzebuje. Możesz mu pomóc znieść to, że przestał być jedynakiem, a stał się starszym bratem, jeśli:

Pozwolisz mu być dzidziusiem. Niech się czepia nogi, niech płacze, niech kula się na twoich kolanach, niech possie sobie kciuk i nosi za sobą kocyk, a jeśli poprosi, pozwól mu pić z butelki; jeśli ci to nie przeszkadza, przystaw go nawet do piersi (bardzo szybko zrezygnuje z takiego sposobu zaspokajania pragnienia, a być może nawet nie będzie pamiętał, jak ssać). Jeśli zechce pić z butelki, niech pije, ale tylko wodę. Jeśli będzie miał pretensje, że dzidziuś przecież dostaje w butelce mleko, wyjaśnij, że z chwilą gdy maleństwu wyrosną ząbki, również nie będzie piło mleka z butelki. Nie krytykuj synka za to, że zachowuje się jak niemowlę, a raczej daj do zrozumienia, że i ty, i on doskonale wiecie, że jest to tylko udawanie: „Wygląda na to, że bawi cię udawanie dzidziusia". Odebranie mu prawa do uczynienia kilku kroków do tyłu lub wpajanie, że zawsze musi zachowywać się jak duży chłopiec, przedłuży tylko okres wtórnego niemowlęctwa. W zamian za to bądź wrażliwa i wyrozumiała dla jego uczuć: „Potrafię zrozumieć, dlaczego ponownie chcesz być dzidziusiem — widzisz, że dzidziusiem wszyscy się zajmują". Zapewnij go, że dla ciebie zawsze pozostanie małą dzidzią, nawet wtedy, gdy będzie już dużo większym chłopcem, i że dla ciebie nie musi wcale udawać dzidziusia, byś zechciała go przytulić i ukochać.

Chwal go za „dorosłe" zachowanie. Zawsze, gdy mały zademonstruje swoją dojrzałość, nie wahaj się go pochwalić. Wykorzystaj każdą, najmniejszą nawet sposobność, by podkreślić, jak to dobrze być starszym bratem, np. móc jeść „dorosłe" posiłki (i pomagać w doborze menu), bawić się zabawkami, umawiać się na wspólną zabawę z kolegami czy też iść na huśtawkę. Kiedy jecie razem lody w wafelkach, nadmień: „Biedna Ania, nie może dostać lodów w wafelku; jest jeszcze za mała..." Kiedy stoicie razem w kolejce, by przejechać się kucykiem w zoo, zauważ: „Jesteś szczęściarzem, możesz się przejechać na kucyku". Okaż swoje uznanie, iż to wspaniałe, że on umie już sam włożyć buciki, ułożyć puzzle oraz posługiwać się łyżką i widelcem.

Pozwól mu dać upust złości. Uświadomienie dziecku, że rozumiesz jego złość na maleństwo, i danie mu szansy na wyładowanie swoich emocji z pewnością rozpędzi „chmury" szybciej. Jeśli powie: „Oddajcie tego dzidziusia z powrotem", nie sprzeciwiaj mu się słowami: „Wiem, że tak naprawdę tego nie chcesz. Przecież kochasz naszą małą dziewczynkę". W zamian zaś okaż zrozumienie dla jego uczuć i zachęć do porozmawiania o nich. Powiedz: „Nic nie szkodzi, że się złościsz. Czasami i ja bywam zła. Ale czuję się znacznie lepiej, gdy o tym porozmawiam". Daj mu kredki i papier i nakłoń do przedstawienia uczuć na kartce, jeżeli słowami nie jest w stanie ich wyrazić. Jeśli zauważasz, że synek żywi tak wrogie uczucia, iż nie jest w stanie wyładować ich werbalnie (symptomy: szczypie, ściska, obejmuje zawsze z nadmierną siłą), spróbuj dostarczyć mu innych możliwości wyżycia się (patrz str. 160).

Poświęć mu uwagę, o którą zabiega. Jedną z głównych przyczyn, dla których trzylatek chce na powrót być dzidziusiem, jest ta pokaźna dawka uwagi, jaką poświęca się niemowlętom. Zapewnienie mu jej, zanim zacznie się domagać, płacząc, jęcząc i urządzając dramatyczne sceny, może zmniejszyć u niego potrzebę odgrywania niemowlaka. Na przykład w trakcie karmienia maleństwa poczytaj starszemu synkowi bajkę; uspokój krzyczące z powodu kolki niemowlę, kładąc je do wózka i zabierając razem ze starszym dzieckiem do parku; pomóż starszakowi zbudować z klocków wieżę, gdy drugą ręką będziesz kołysała maleństwo w leżaczku. Jeśli jest w domu dwoje dorosłych, wymieniajcie się przy opiece nad niemowlęciem i spędzaniu czasu sam na sam ze starszym dzieckiem — czasu poświęconego wyłącznie jemu. Jeśli tylko jedno z rodziców przypada na dwoje dzieci, należy rozsądnie podzielić porcję uwagi poświęcanej każdemu z nich, by przezwyciężyć uczucie rywalizacji (poproś przyjaciółkę, kogoś z rodziny czy wręcz opiekunkę o przypilnowanie maleństwa, podczas gdy ty spędzasz czas ze starszym synkiem). Pamiętaj, że potrzeby noworodka czy niemowlęcia dużo łatwiej zaspokoić aniżeli potrzeby dwu- lub trzylatka, a większość rodziców wykazuje tendencję do zaniedbywania dziecka starszego na korzyść malucha. Wykaż szczególną troskę o starsze dziecko, gdy przychodzą goście, by obejrzeć maleństwo. Pozwól mu otworzyć prezenty przyniesione dla dzidziusia (a nawet je „przetestować"), oprowadzić gości po pokoju małej siostrzyczki, no i każ go fotografować tak często jak noworodka.

Wciągnij go w pielęgnowanie rodzeństwa. Czasami starsze dzieci czują się mniej odrzucone i zarazem bardziej dorosłe, jeśli poprosi się je o pomoc w pielęgnowaniu maluszka. Dawaj dziecku zadania, z którymi może sobie poradzić, np. zabawianie maleństwa (ale tylko wtedy, gdy niemowlę jest w dobrym nastroju; jeśli bowiem szkrab odkryje, że nie potrafi rozweselić mającego właśnie kolkę maleństwa, może na tym ucierpieć jego ego), składanie pieluszek lub maleńkich niemowlęcych rzeczy, podawanie pieluszek lub wilgotnych chusteczek do przecierania pupy przy przewijaniu, pomaganie przy myciu maleńkich paluszków w trakcie kąpieli. Zasięgaj też jego opinii w kwestii opieki nad niemowlakiem: „Czy sądzisz, że ona może być już głodna?", „Czy uważasz, że trzeba ją teraz położyć spać?" Kiedy maleństwo zaczyna gaworzyć, poproś starsze dziecko o przetłumaczenie: „Jak myślisz, co ona powiedziała?"

A teraz jednak kilka przestróg. Po pierwsze, nigdy nie nakłaniaj starszego dziecka do pomocy, jeśli rola ta kompletnie go nie interesuje; zapytaj, czy chciałby ci pomóc, ale nigdy nie nalegaj. Po drugie, pod żadnym pozorem nie obarczaj starszego dziecka obowiązkami, z którymi nie może sobie poradzić — szczególnie jeśli mogłoby to stanowić zagrożenie dla maleństwa (patrz str. 633) — i nigdy nie zostawiaj dzieci samych, nawet na kilka sekund.

Ogranicz inne zmiany w życiu dziecka. Stanie się starszym rodzeństwem jest już wystarczająco burzliwym przeżyciem bez dodawania jakiegokolwiek innego wstrząsu. Staraj się więc utrzymać rozkład dnia starszego dziecka i wszelkie rytuały bez zmian, jeśli to możliwe. Jeśli zazwyczaj czytasz mu cztery opowiadania do snu, nie ograniczaj się raptem do dwóch, bo musisz jeszcze wykąpać noworodka. Jeśli zawsze bawiliście się przez pięć minut przed ubieraniem się rano, nie uciekaj się teraz do jednego pośpiesznego uścisku.

MAŁY POMOCNIK

Nasza dwuipółletnia córeczka chce brać na ręce swojego nowo narodzonego braciszka i pomagać go pielęgnować. Boję się jednak, że mogłaby go upuścić lub zrobić mu krzywdę.

Z noworodkami — choć nie są tak kruche jak lalka z porcelany — rzeczywiście należy się obchodzić niezwykle ostrożnie i małe dziecko jeszcze tego nie potrafi. Rączki dwu- czy trzylatka są za małe, a ich ruchy niedostatecznie skoordynowane, by opanować trudną sztukę podtrzymywania ciężkiej główki noworodka i nie rozwiniętych jeszcze w pełni mięśni szyi. Trzylatki ponadto mają krótki okres koncentracji i są ciągle ciekawe świata. Dumna siostrzyczka może trząść się z przejęcia, trzymając na rączkach braciszka przez minutę, zaraz potem może ją to znudzić i mała bezceremonialnie może porzucić maleństwo na sofie, biegnąc do porzuconych klocków.

Z drugiej jednak strony uczucia starszego dziecka należy traktować z niezwykłą troską. Pozbawianie go sposobności nawiązywania bliskiego kontaktu z młodszym rodzeństwem — szczególnie jeśli tak bardzo pragnie tej bliskości — sprawi, że poczuje się opuszczone i niedocenione, a to z kolei będzie stanowiło znakomitą pożywkę dla urazy względem noworodka lub rodziców. Chociaż dziecko nie powinno podnosić maleństwa ani nosić go na rękach, można pozwolić mu na pieszczoty z dzidziusiem pod rodzicielskim nadzorem. Posadź starszaka w wygodnym fotelu, a następnie połóż maleństwo na jego kolanach, układając mu pod rączką poduszkę dla podtrzymania główki noworodka. Bądź oczywiście w pobliżu, tak by wyręczyć brzdąca, gdy się znudzi lub gdy maluszek zacznie się wiercić.

SĄ TAKIE RÓŻNE...

Nasza pierwsza córeczka była idealnym niemowlęciem i porządnym, posłusznym przedszkolakiem; nigdy nie sprawiała nam żadnych problemów. Druga natomiast jest zupełnie inna od momentu, gdy przyszła na świat. Jest w tej chwili w pełni wypierzonym okropnym dwulatkiem, który miewa napady złości kilka razy dziennie. Tak trudno nam nie faworyzować tej starszej...

Zawsze trudno nie faworyzować „łatwego" dziecka w zestawieniu z „trudnym", a szczególnie wtedy, gdy to „łatwe" urodziło się pierwsze, windując rodzicielskie wymagania do trudnego do osiągnięcia poziomu, którego drugie dziecko nie jest prawdopodobnie w stanie osiągnąć.

I choć okazywanie względów grzeczniejszemu dziecku jest naturalną reakcją, trzeba się będzie wysilić i mocno postarać. Stałe poczucie, że jest się „tym gorszym", może sprawić, że trudne dziecko stanie się jeszcze trudniejsze (a z drugiej strony bycie bez przerwy faworyzowanym i zwycięskie wychodzenie z wszelkich porównań może spowodować u „łatwego" dziecka dużą presję utrzymania tego nieskazitelnego obrazu.) Zamiast więc ustawicznie chwalić grzeczniejszego malca, starajcie się docenić drugie dziecko za jego szczególną osobowość, doszukać się i pielęgnować to, co jest w nim pozytywne (każdy ma

Bądź przezorna

Nawet najbardziej kochający trzylatek może zrobić krzywdę noworodkowi, czasami po prostu przez zbyt gorące uściski. Tak więc nigdy nie zostawiaj dziecka poniżej piątego roku życia sam na sam z noworodkiem, nawet na moment. Nigdy nie pozwalaj małemu dziecku bujać kołyski bez twojego nadzoru (mogłoby to czynić zbyt entuzjastycznie) lub brać maleństwo na ręce, gdy nie ma w pobliżu nikogo z dorosłych.

jakieś zalety) i pomóc mu opanować tego niespokojnego ducha (patrz str. 336, gdzie znajdziesz więcej wskazówek na temat radzenia sobie z dziecięcym nieposłuszeństwem). Dziecięcy upór i ognisty temperament u waszej córeczki w chwili obecnej może sprawiać, że uznajecie ją za dziecko trudne. Jeśli jednak będziecie właściwie ją wychowywać, taka siła woli może wyjść jej w życiu na dobre. To samo dotyczy tej niewyczerpanej energii, która dziś doprowadza was do ostateczności, a jutro może doprowadzić dziecko do spektakularnych sukcesów.

Zamiast więc ubolewać nad „innością" swoich pociech, nauczcie się ją szanować. Szukajcie i pielęgnujcie u obu córek cechy, które są pozytywne i wyjątkowe.

Istnieje również ewentualność, że trudny charakter waszej drugiej córki kształtujecie wy sami. Czasami rodzice zupełnie nieświadomie próbują nagiąć młodsze dziecko do wzorca ukształtowanego przez starsze rodzeństwo. Zaakceptujcie wrodzony temperament waszej młodszej córki — doceńcie jej szczególną osobowość. Może takie właśnie stanowisko poprawi zachowanie dziecka.

Chociaż niektóre pociechy są rzeczywiście trudniejsze, wszystkie dzieci przechodzą mniej lub bardziej sympatyczne okresy. Bezproblemowy, pogodny przedszkolak może zmienić się w upartego trzecioklasistę, podczas gdy złośliwy i awanturniczy dwulatek może wyrosnąć na słodkiego, „do rany przyłóż" przedszkolaka. Taki obrót sprawy może też łatwo zmienić nastawienie rodziców. Pamiętajcie, że można nie aprobować zachowania dziecka, nie przestając go kochać. A i kochać będzie łatwiej przy takim podejściu, nawet jeśli droga stanie się kręta.

Miejcie na względzie i to, że chociaż prawie niemożliwe jest kochać dwie osoby w dokładnie ten sam sposób, można je kochać równie mocno, choć w różny sposób. Następnym razem, gdy najdzie któreś z was ochota na powiedzenie: „Szkoda, że nie jesteś bardziej podobna do swojej siostry", niech ugryzie się w język, pomyśli chwilę o wszystkich tych rzeczach, które sprawiają, że przecież kocha tę małą ognistą kuleczkę, i zamiast komentować — przytuli.

POTRZEBA RODZICIELSKIEGO ZAINTERESOWANIA

Mój dwuipółletni synek jest nie do zniesienia od chwili, gdy sześć tygodni temu przyszła na świat jego siostrzyczka. Wchodzi na mnie, gdy karmię małą, i cały czas próbuje zwrócić na siebie moją uwagę. Mam dla niego tak mało czasu, że czuję się winna. Co mam zrobić?

Po pierwsze, nie obwiniaj się aż tak bardzo. Robisz wszystko najlepiej jak potrafisz — a to wszystko, co możesz zrobić.

Po drugie, musisz pogodzić się z tym, że zachowanie synka jest nie tylko najzupełniej typowe, ale i całkowicie normalne. Jest to manifestacja rywalizacji z rodzeństwem, która odbywa się w każdej wielodzietnej rodzinie.

Po trzecie, spróbuj:

Połączyć karmienie z zabawą z maluchem. Karmienie mniej będzie „bolało" twojego synka, jeśli skojarzy je z czymś specjalnym dla siebie. Karm, siedząc na kanapie i czytając jednocześnie bajeczkę synkowi albo słuchając razem z nim taśmy z ulubionymi melodiami (możecie też jednocześnie śpiewać). Inne rozwiązanie to karmienie maleństwa na podłodze, gdzie możesz bawić się z malcem samochodzikami lub pomagać mu w układaniu puzzli. Możesz karmić małą na jego łóżku, podczas gdy on będzie ci mierzył temperaturę i osłuchiwał swoim małym stetoskopem. Możesz wreszcie robić to przy stole, gdy on właśnie spożywa swoje drugie śniadanie. Podłóż poduszeczkę pod główkę niemowlaka, byś mogła trzymać go na jednej ręce, a drugą uścisnąć rączkę synka lub delikatnie głaskać go po pleckach. (Przebywanie przy twojej piersi jest już samo w sobie wielką radością dla twojego niemowlaka, ale żeby było naprawdę czymś szczególnym, uśmiechnij się do niego, pocałuj, zagadaj czy też poocieraj nosem o jego nosek od czasu do czasu w trakcie karmienia i zabawy.)

Odłożyć na potem sprawy osobiste. Nawet jeśli masz zaledwie pół godziny, spróbuj zagospodarować ten czas dla obu pociech oddzielnie. Zamiast nadrabiać domowe zaległości w czasie, gdy maleństwo właśnie śpi (a jest to kuszące), poświęć odrobinę tego czasu, kierując całą swoją uwagę na starsze dziecko. Pieczcie razem ciasto, czytajcie, kolorujcie obrazki albo po prostu połóżcie się i porozmawiajcie lub się popieśćcie. Kiedy zaś twój trzylatek ucina sobie drzemkę (jeśli nadal w ciągu dnia sypia) albo bawi się — sam lub z kolegą — pozabawiaj trochę niemowlę, przytulając się do niego i zagadując. Kiedy jest w pobliżu jeszcze ktoś z dorosłych (nie wahaj się przyjąć oferowaną pomoc przyjaciół albo rodziny, jeśli zajdzie potrzeba), zmieniajcie się przy opiece nad dziećmi, by każde z osobna miało szansę pobyć sam na sam z każdym z was. Możesz też zatrudnić w tym celu nastoletnie dziecko sąsiadów, by każda z twoich pociech otrzymała tak potrzebną jej porcję twojego wyłącznego zainteresowania.

Spędzać czas we trójkę. Posadź starszego synka na huśtawce na placu zabaw, podczas gdy mała będzie z wózka obserwowała ciekawe widoki i wsłuchiwała się w dźwięki. Posadź maleństwo na leżaczku na podłodze, by mogło się przyglądać, jak ty z synkiem bawicie się wielką kolorową piłką. Rozwijaj braterskie instynkty starszaka, nakłaniając go do śpiewania, tańczenia, robienia śmiesznych min czy zabawiania małej siostrzyczki w inny jeszcze sposób (zawsze jednak pod twoją kontrolą).

Rozważyć zapisanie małego do przedszkola. Jeśli synek nie rozpoczął jeszcze edukacji przedszkolnej, nadszedł chyba dobry moment, by rozważyć posłanie go gdzieś przed południem lub po południu, choćby kilka razy w tygodniu (nie po to, byś ty mogła spędzać więcej czasu z niemowlęciem, lecz po to, by chłopiec mógł spędzać trochę czasu bez niemowlaka).

REMONT I DYLEMATY

Mamy dwuipółletnią córeczkę i za kilka miesięcy oczekujemy narodzin drugiego dziecka. Nie możemy się zdecydować, czy lepiej byłoby, żeby mała przeprowadziła się do innego pokoju, który specjalnie dla niej wyremontowaliśmy, czy też pozostała tu, gdzie jest, a wyremontowany pokój przygotować dla noworodka.

Ponieważ najprawdopodobniej nie macie kryształowej kuli, nie możecie przewidzieć, jak zareaguje wasza córeczka na każdą z tych opcji. Jeśli ją przeniesiecie, możliwe, że spodoba jej się nowy pokój: może też jednak czuć, że noworodek „wykolegował" ją z jej starego gniazdka. Jeśli pozostanie w swoim pokoju, może czuć się bezpieczna wśród znajomych sprzętów i znanego wystroju albo też zazdrosna o to, że noworodek dostaje wszystko nowe.

Jeśli wasza córeczka mieści się ze swoimi zachowaniami wśród typowych dzieci tej grupy wiekowej, istnieje duże prawdopodobieństwo, że lepiej jej będzie w starym znanym pokoju. Dwulatki raczej przedkładają status quo nad zmianę; z rytuału i niezmienności czerpią poczucie bezpieczeństwa, szczególnie w chwilach stresu. Nawet jakieś podstawowe prace remontowe w jej pokoju mogłyby ją wytrącić z psychicznej równowagi. W otoczeniu swojego starego łóżka, starej, wysłużonej kanapy oraz znanych zasłonek będzie jej chyba najlepiej, gdy już maleństwo przyjdzie na świat.

Z drugiej jednak strony — biorąc pod uwagę nieprzewidywalność zachowań dwulatków — istnieje również możliwość, że spodoba jej się pomysł wprowadzenia się do nowego pokoju, posiadania nowego łóżka, nowych firanek czy nowych obrazków na ścianie. Najlepszym rozwiązaniem będzie (jako że nie macie kryształowej kuli) zapytać małą, co o tym wszystkim sądzi: „Jak sądzisz, gdzie powinniśmy położyć dzidziusia, gdy się już urodzi? Czy chciałabyś, żeby zamieszkał w pokoju dziecięcym, tam gdzie ty teraz śpisz? Moglibyśmy wtedy przygotować specjalny pokój «dużej dziewczynki» koło sypialni. Chciałabyś tak? A może wolałabyś pozostać tu, gdzie jesteś, a tę drugą sypialnię oddać dzidziusiowi?" Pomoc w podjęciu decyzji da dziecku poczucie kontroli nad sytuacją, co z kolei pomoże opanować „burzę", która ma nadejść.

Cokolwiek mała postanowi, zaangażujcie ją w dokonywanie zmian, które trzeba poczynić. Poproszenie dziecka o wybranie prześcieradełek, kocyków, lamp, drobiazgów do powieszenia na ścianę, pluszowych przytulanek i innych drobiazgów potrzebnych do dziecięcej sypialni[1] (bez względu na to, które z dzieci ostatecznie ją zajmie) sprawi, że dziewczynka poczuje się ważna, a takie uczucie pomoże jej przezwyciężyć uczucie zagrożenia ze strony noworodka. Jeśli mała postanowiła pozostać w swoim starym pokoju, niech wybierze sobie kilka nowych drobiazgów, by odświeżyć nieco wnętrze bez zbyt-

[1] Rozsądnie jest nie dawać dziecku aż tak wielkiego wyboru: to, co trzeba, wybierz sama wcześniej, a następnie poproś małą, by wybrała: „Czy sądzisz, że dzidziuś wolałby prześcieradełko w misie czy w kaczuszki?"

niej zmiany wystroju (nowy kocyk czy komplet pościeli, lalka czy pluszowy zwierzak, nowa nocna lampka, dywanik lub obrazek).

Bądźcie jednak przygotowani, że pomimo wszystkich waszych wysiłków i dobrych intencji wasza córeczka może i tak krzywo patrzeć na ten mały tobołek na brzuszku mamusi, który powoduje tyle zamieszania. Może też nagle zmienić zdanie co do pokoju, który sobie zażyczyła, gdy „tobołek" zostanie już wreszcie w domu rozpakowany. W takim wypadku trzeba będzie po prostu przypomnieć jej, że wybrała sobie pokój i tam będzie musiała pozostać. Dużo dodatkowego wsparcia i troski (a nie porzekadło: „Jak sobie pościeliłaś, tak teraz śpij") pomoże jej żyć z tą decyzją.

25

Jak być rodzicami dwu-, trzylatka

Od pierwszych dni życia aż do całkowitego usamodzielnienia się dziecka życie rzuca rodzicom wyzwania. A jednak niektóre etapy w życiu dziecka rzucają tych wyzwań więcej. Dla wielu rodziców takim właśnie czasem jest wczesny okres przedszkolny.

Nawet jeżeli bycie mamą lub ojcem trzylatka nie zawsze jest łatwe, może stanowić jedno z najpełniejszych życiowych doznań. Mówiąc dokładniej: to, co sprawia, że taki trzylatek doprowadza nas do szału, może również sprawić, że jest on rozkosznie słodki; to, co czyni go nieznośnym, może uczynić go uroczym; to, co w nim okropne, może być i wspaniałe!

Co może cię niepokoić

Twój gniew

Dziś moja córeczka urządziła mi wyjątkowo okropną scenę, ja zaś miałam wyjątkowo okropny dzień i zupełnie straciłam nad sobą panowanie. Mam teraz takie wyrzuty sumienia...

Każdy ma prawo kiedyś wybuchnąć, a już na pewno rodzice trzylatków. Kto ma do czynienia z dwu-, trzylatkami, może spotkać się z wyjątkowymi trudnościami; ich irracjonalność i brak rozsądku mogą często popychać nawet najlepszych rodziców do granic wytrzymałości, a czasami i poza te granice. Brak opanowania w szczególnie złym dniu jest nie tylko zrozumiały, ale i wybaczalny. Wyrzuty sumienia z tego powodu nie tylko nic nie pomogą, ale wręcz pogorszą sytuację, jeszcze bardziej cię irytując („To dziecko sprawia, że czuję się jak jakaś wyrodna matka!"). Wybacz więc sobie, ale na tym nie poprzestawaj. Przeproś małą za swój wybuch. Powiedz jej: „Byłam bardzo rozgniewana i straciłam cierpliwość. Przepraszam, że tak bardzo na ciebie krzyczałam". Jeśli uderzyłaś ją w chwili uniesienia, przeproś i za to: „Przepraszam, że dałam ci klapsa. To było nieładne". Daj jej odczuć, że ten przejaw gniewu nie znaczy, że jej nie kochasz. Upewnij się, że mała rozumie, iż nie podobało ci się to, co zrobiła, a nie ona sama. Jeśli wszystko to zdarzyło się z powodu twojego złego humoru, a nie zachowania dziecka, wytłumacz jej to: „Bardzo źle się czułam i nakrzyczałam na ciebie. Przepraszam".

Nie przeciągaj swoich przeprosin w nieskończoność, nie dyskutuj na temat, jaką to złą jesteś mamusią, ani też nie błagaj dramatycznie o przebaczenie, gdyż wszystko to może bardziej przestraszyć małą niż całe wcześniejsze zajście. Nie próbuj też rekompensować dziecku swojego wybuchu poprzez przesadną pobłażliwość czy odstępowanie od ustalonych zasad przez resztę dnia. Raczej przytul mocno malucha, przejdź szybko do zajęcia, które wam obu sprawia przyjemność.

Wskazówki, które mogą pomóc ci się opanować — nawet gdy masz zły dzień — znajdziesz na str. 638. Jak radzić sobie, gdy aż cię swędzi ręka, by dać dziecku klapsa, patrz poniżej.

Nie kontrolowane bicie dziecka

Wiem, że nie powinnam bić mojego synka. Kiedy jednak poniosą mnie nerwy, nie potrafię temu zaradzić. Nie wiem, co mam robić.

Bicie dziecka w gniewie to bardzo niebezpieczny sygnał. Choć być może nie uczyniłaś jeszcze maluchowi jakiejś poważnej krzywdy, zawsze istnieje potencjalna możliwość wyrządzenia szkód fizycznych lub emocjonalnych. Już teraz więc, zanim twoje wybuchy złości doprowadzą do czegoś poważniejszego, zwróć się po profesjonalną pomoc. Zadzwoń do lokalnego stowarzyszenia pomocy dzieciom maltretowanym (numer powinien być w książce telefonicznej), porozmawiaj może ze swoim duchownym, z lekarzem dziecka lub swoim własnym albo jeszcze kimś innym, jak np. psycholog czy pracownik poradni rodzinnej. Jeśli to nadużywanie alkoholu lub narkotyków jest przyczyną tych napadów złości, również należy skorzystać z pomocy, by przezwyciężyć ten problem; żaden nałogowiec nie może być dobrym opiekunem dla dziecka.

Jeśli to twój partner miewa agresywne zachowania, to i on (ona) potrzebuje pomocy specjalisty. Nie wahajcie się z niej skorzystać, zanim te skłonności wymkną się wam całkowicie spod kontroli.

DEPRESJA

Czasami, kiedy przeżywam jakiś psychiczny dołek, naprawdę trudno mi zachowywać się pogodnie w stosunku do mojej córeczki. Martwię się, jak mój nastrój na nią wpływa.

Nawet najpogodniejsi nie uśmiechają się przez cały czas. A kiedy już jesteś czymś przybita, nie musisz pogłębiać jeszcze tego uczucia przez wyrzuty sumienia. Nie tylko nic się nie stanie, jeśli dziecko od czasu do czasu zobaczy cię w takim nastroju, ale jest to nawet ważne. Dzieci, których rodzice zawsze ukrywają przed nimi swoje negatywne uczucia, rosną w przekonaniu, że cały czas powinny być ze wszystkiego zadowolone, a jest to wręcz nieosiągalne. Albo że jak jest się smutnym, należy to ukrywać. Zdrowiej jest wychowywać dzieci w świadomości, że są w życiu wzloty i upadki, że to nic takiego, jeśli czasami człowiek czuje się smutny, i że dobrze jest zwierzyć się innym ze swoich kłopotów, a nawet poprosić o pomoc („Założę się, że jeśli mnie ukochasz, poczuję się lepiej").

O ile nie zaszkodzi wyjawić dziecku, jak się czujesz, o tyle nie powinnaś wylewać przed nim wszystkich swoich trosk. Dwu-, trzyletnie dziecko może znieść: „Czuję się dziś troszkę smutna" raz na jakiś czas, ale nie powinno wysłuchiwać tego regularnie. Nie powinno też być obarczane problemami rodziców („Tatuś stracił pracę. Co teraz zrobimy?") albo odpowiedzialnością za twoje samopoczucie (wytłumacz jej, że jesteś smutna, ale nie z jej powodu) czy poprawę twojego nastroju (jeśli uścisk nie poprawi ci samopoczucia, nie proś o niego).

Choć taki stan przygnębienia od czasu do czasu jest zjawiskiem normalnym, częste depresje mogą mieć negatywny wpływ zarówno na dziecko, jak i ciebie. Żeby złagodzić depresję:

Ustal, dlaczego jesteś smutna. Każdy od czasu do czasu wpada w jakiś psychiczny dołek. Jednak depresja zakłócająca normalne funkcjonowanie lub stosunki międzyludzkie musi mieć swoją przyczynę. Spróbuj ustalić więc, co cię gryzie. Czy jest to np. to, że przez ostatnie tygodnie nie rozmawiałaś z nikim dorosłym, czujesz się bezwartościowa lub znudzona, bo nie pracujesz zawodowo, czy też masz zbyt mało czasu dla dziecka, męża lub siebie, gdyż właśnie pracujesz zawodowo. Kiedy już znajdziesz źródło swojej nie najlepszej psychicznej kondycji, spróbuj coś z tym zrobić. Jeśli nie udaje ci się ustalić konkretnej przyczyny przygnębienia, w grę może wchodzić przyczyna biochemiczna i należy się udać do lekarza.

Niech ktoś cię wysłucha. Zwierz się jednej czy nawet kilku osobom — mężowi, przyjaciółce, krewnej, psychoanalitykowi lub osobie duchow-

Wejdź na chwilę w skórę swojego dziecka

Jak to jest, gdy jest się takim małym, podczas gdy wszyscy inni są duzi? Mówić językiem, któremu zawsze brakuje słów na wyrażenie myśli, potrzeb i uczuć? Mieć tak niewielki wpływ na to, co się jada, ubiera, kiedy się śpi — na właściwie wszystko? Jak to jest, gdy ma się dwa lub trzy lata?

Następnym razem, gdy poczujesz się zakłopotana lub zdenerwowana w związku z jakimś postępkiem swojego malca, spróbuj przez moment wejść w jego skórę. Spróbuj wyobrazić sobie, jak dziecko może się czuć, a wtedy może uda ci się podejść do wszystkich tych piekielnych i irytujących momentów z większą mądrością, cierpliwością, zrozumieniem, no i skuteczniej zadziałać.

Jak zachować spokój

Nikt nie jest cały czas spokojny i opanowany, szczególnie jeśli w domu jest małe dziecko. Ponieważ jednak częste wybuchy złości u rodziców nie są dobre ani dla nich, ani dla dziecka, dobrze będzie wypróbować kilka prostych sposobów, by zminimalizować możliwość takich eksplozji.

Unikaj stresu w „niebezpieczne" dni. Wszelkie twoje wybuchy są bardziej prawdopodobne w dni, gdy dziecko jest kapryśne, marudne czy przemęczone, gdy masz problemy w pracy, gdy pokłóciłaś się z ojcem malucha, swoją matką czy najlepszą przyjaciółką, gdy przechodzisz właśnie menstruację, gdy pralka popsuła się w trakcie prania, a nikt nie może jej naprawić przed upływem tygodnia. Kiedy nadejdzie jeden z takich dni, staraj się unikać wykonywania czynności, które jedynie dolałyby oliwy do ognia (np. wypadu do sklepu z obuwiem). Poświęć raczej ten czas na jakąś zabawę czy spacer, który będzie relaksem i dla ciebie, i dla dziecka (wycieczka do parku albo oglądanie ciekawego filmu).

Nie upieraj się przy swoich racjach. Zamiast spierać się z dzieckiem o każdy drobiazg, zachowaj swoje atuty na naprawdę istotne sprawy. Jak już dziecko zrozumie sprawiedliwość takiej polityki (dorośli *nie zawsze* stawiają na swoim), nie będzie z takim rywalem kłóciło się o każdy szczegół. Pozwoli to uniknąć wybuchów i ułatwi ci postawienie na swoim spraw zasadniczych w przypadkach koniecznych (więcej na temat dyscypliny i wyznaczania granic znajdziesz na str. 119 i 63).

Wyjdź na chwilę. Kiedy czujesz, że jeszcze trochę i wybuchniesz, opuść na chwilę pole bitwy. Policz do dziesięciu (albo i do stu, jeśli trzeba), weź kilka głębokich oddechów (albo skorzystaj z ćwiczeń oddechowych, których nauczono cię jeszcze w szkole rodzenia), pomedytuj, pomyśl o czymś przyjemnym, powtarzaj sobie w kółko jakieś uspokajające cię zdanie (np. „Jestem spokojna i pogodna"), aż przestaniesz wrzeć. Nie zostawiaj jednak dziecka samego, gdy ty dochodzisz do równowagi.

Bacz na słowa. Nie ma nic złego w tym, że jest się złym: złość jest naturalna. Wiedza jednak, jak ją wyrazić, nie zadając nikomu fizycznego lub psychicznego bólu, nie przychodzi już tak naturalnie. Zamiast więc automatycznie eksplodować, kiedy malec robi lub zrobił coś, co działa ci na nerwy, poćwicz trochę wyrażanie swoich uczuć w sposób racjonalny, przy użyciu słów, które pokażą mu, jak się czujesz, ale nie będą bolały. Zamiast mówić: „Jesteś taki niedobry! Nigdy mnie nie słuchasz!", powiedz raczej: „Kiedy mnie nie słuchasz, tak bardzo się gniewam, że mam ochotę krzyczeć".

Wyżyj się na czymś. Jeśli jesteś taka zła, że masz ochotę walić pięściami, natychmiast odejdź od dziecka i poszukaj sobie jakiś mniej wrażliwy cel dla swojej agresji: wal w poduszkę (uważaj, żeby nie wystraszyć dziecka), pobiegaj w miejscu, wykonaj serię podskoków, przejdź się kilka razy po pokoju. Wytłumacz dziecku: „Jestem teraz naprawdę wściekła na ciebie za to, co robisz. Myślę jednak, że jak ze dwa razy przejdę się po pokoju, to złość mi przejdzie". Nie wyładowuj złości w sposób, którego nie chciałabyś później widzieć u dziecka: trzaskając drzwiami, rzucając talerzami czy np. waląc pięściami w ścianę. I ponownie uwaga: nie zostawiaj dziecka samego.

Przelej to na papier. Miej pod ręką zeszyt i kiedy poczujesz, że jesteś na krawędzi wytrzymałości, przelej wszystkie swoje złe emocje na papier. Mów prosto z mostu, nie ubieraj myśli w wykwintne słowa. Będziesz zdumiona terapeutyczną mocą pióra i papieru.

nej — tym, którzy mogą cię wesprzeć. Często się zdarza, że takie otwarcie się przed kimś i „wygadanie" pomaga w przezwyciężeniu trudności. Jeśli twój rozkład dnia nie przewiduje czasu na rozmowy, należy go zmienić. Jadaj kolację z mężem i rozmawiaj, gdy dzieci są już w łóżku (jeśli zaś nie możecie czekać z jedzeniem do tak późnej pory, po prostu rozmawiajcie, leżąc w łóżku). Jeśli jesteś samotną matką lub jeśli twój partner często wyjeżdża w delegację lub długo pracuje, porozmawiaj przez telefon z koleżanką albo kimś z rodziny, z kim utrzymujesz bliskie stosunki, a jeśli możesz (nawet raz na jakiś czas), umów się z kimś na wspólny obiad, kolację czy kawę.

Zabaw się razem z dzieckiem. Nawet dziecko, które jest częścią twojego problemu (niszczycielskie zapędy malca i częste sceny bardzo cię martwią), może ci pomóc. Idź z brzdącem w jakieś wesołe miejsce: do zoo, do muzeum dla dzieci, na plac zabaw. Idealnie byłoby, gdybyś mogła się tam wybrać z jakąś inną mamą i jej dzieckiem, żebyś jednocześnie miała towarzystwo osoby dorosłej.

Zabaw się bez dziecka. Jeśli istnieje coś, co leczy twojego psychicznego „kaca", pofolguj sobie i zrób to, zabaw się i nie miej z tego powodu wyrzutów sumienia. Załatw opiekunkę (lub wy-

Uspokój się muzyką. Również muzyka może spełniać funkcję terapeutyczną — i u dorosłych, i u dzieci. Ulubiona taśma lub płyta może uśpić bestię i w tobie, i w dziecku.

Obejmij. Bardzo często terapia uścisku potrafi w magiczny sposób zmniejszyć do zera uczucie złości i skutecznie stłumić potrzebę fizycznego wyładowania się. Dla lepszego rezultatu uściśnij dziecko mocno, obejmując je całe rękoma, zachowując z nim kontakt wzrokowy. Nie stosuj jednak tego rodzaju terapii u dziecka, które nie lubi być obejmowane; to tylko bardziej sfrustruje i rozzłości was oboje.

Przecież nie jest aż takie złe... Miej pod ręką zdjęcie dziecka z jakiejś szczególnie słodkiej chwili i sięgnij po nie, kiedy brzdąc coś nabroi i sprowokuje twój gniew. Albo też — gdy awantura czy inne prowokacyjne działania są już w toku — zamknij na chwilę oczy i przywołaj w pamięci obrazy swojego dziecka w jego najwspanialszych momentach: kiedy częstowało cię lodami, uśmiechało się od ucha do ucha do zdjęcia, „pomagało" ci składać bieliznę lub też spało jak aniołek.

Wypłacz się. Jeśli jesteś aż tak zła na malca, że już nic nie jest w stanie ci pomóc, zadzwoń do koleżanki lub kogoś z rodziny, kto umie słuchać, i wypłacz całą swoją złość. Zrób to, gdy dziecko śpi lub jest z kimś na spacerze.

Nie bądź męczennicą. Osobie, która nigdy nie jest dobra dla samej siebie, dużo trudniej jest być dobrą dla swoich dzieci. Kiedy opieka rodzicielska zmienia się w męczeństwo, wyrasta złość i wrogość, co często prowadzi do braku opanowania. Pamiętaj więc o tym, że i tobie coś się od życia należy (patrz str. 647).

Przeanalizuj swoje wybuchy złości. Uświadomienie sobie, co skłania cię do utraty panowania nad sobą, może często pomóc się kontrolować. Jeśli sądzisz, że nader często wpadasz w złość, spróbuj to odnotowywać. Gdy już się uspokoisz po danym incydencie, zapisz, kiedy miał miejsce, czynniki, które do niego doprowadziły (jakiś szczególny problem, twój humor, humor dziecka, nie zjedzony przez dziecko posiłek, niedostateczna ilość snu któregoś z was dwojga itd.), co dziecko uczyniło, co ty zrobiłaś i jaki był finał całej sytuacji. Po kilku takich zdarzeniach przeczytaj swoje notatki i spróbuj ocenić w możliwie obiektywny sposób całe zajście. Co zrobiłaś dobrze? Co zrobiłaś źle? Co mogłaś zrobić lepiej? Czy rysuje się jakiś schemat twoich wybuchów (czy nadchodzą np. z końcem dnia, gdy oboje jesteście głodni i zmęczeni?), który mógłby podsunąć ci pomysł na zapobieganie im (przekąska albo np. spokojna zabawa na zakończenie dnia, zanim „iskry zaczną strzelać")? Czy możliwe, że są jakieś głębiej ukryte emocje powodujące twoje wybuchy? Czy jesteś zła z powodu nawału obowiązków, pracując ciężko w domu i w pracy? A może jesteś wybuchowa, bo „kiśniesz" w domu, a wolałabyś pójść do pracy? Czy jesteś zła na siebie lub kogoś innego i wyładowujesz to na najwygodniejszym i najbardziej bezbronnym celu — twoim dziecku? Czy wyznaczyłaś zbyt wiele granic lub też dałaś dziecku zbyt dużo luzu, że teraz są kłopoty? Czy od jakiegoś czasu jesteś czymś przybita lub masz chandrę? Na podstawie takiej analizy podejmij kroki, by uzdrowić sytuację. Jeśli jesteś zła o to, że dla dziecka np. zrezygnowałaś z kariery zawodowej, spróbuj do niej wrócić choćby na pół etatu lub na zasadach konsultingowych (patrz str. 649). Jeśli ustaliłaś w domu tyle granic, że dziecko siłą rzeczy musi je przekraczać, daj mu więcej swobody (patrz str. 121). Jeśli nie potrafisz dojść do tego, co leży u podstaw twoich wybuchów lub jak je wyeliminować, porozmawiaj o tym z lekarzem dziecka lub własnym, z osobą duchowną lub psychoterapeutą (ale nie w obecności dziecka). Może pomoc specjalisty okaże się skuteczna.

mień się przy opiece nad malcem z jego tatusiem; patrz str. 641) i udaj się na kort tenisowy, do gabinetu odnowy biologicznej, na kurs tańca, pieszą wycieczkę, pograć w piłkę, do kina, restauracji czy salonu piękności. Zrezygnuj z gotowania obiadu i zamów pizzę, nie myśl o odkurzaniu — połóż nogi na stół i pooglądaj wideo.

Zrelaksuj się z dzieckiem. Spędzenie kilku cichych chwil razem może mieć duże znaczenie terapeutyczne dla was obojga. Spróbuj zrelaksować się razem z dzieckiem na trawniku przed domem, oglądając przesuwające się po niebie chmury albo migocące gwiazdy, położyć się na twoim szerokim łóżku i posłuchać kojącej muzyki, upiec razem ciasteczka, razem się pogimnastykować czy wykąpać (włóż kostium kąpielowy, jeśli nie lubisz się kąpać z dzieckiem nago) — zrobić cokolwiek, co mogłoby cię rozluźnić. No i nie zapominaj o najlepszej z możliwych terapii: czułym uścisku.

Zrelaksuj się bez dziecka. Zwolnienie tempa na jakiś czas — kolacja z mężem lub przyjaciółką, odprężająca gorąca kąpiel, dwadzieścia minut jogi, krótka medytacja lub relaksująca gimnastyka — wszystko to może rozwiać otaczający cię opar depresji.

Dbaj o siebie. To, co dobre dla ciała, jest dobre i dla duszy. Zdrowe nawyki mogą procentować dobrym samopoczuciem psychicznym. Dbaj o to, byś miała wystarczającą ilość snu, regularnie i prawidłowo jadała (oprócz przestrzegania zasad zdrowego żywienia pamiętaj o tym, że za dużo cukru może przyczyniać się do napadów złego humoru u niektórych ludzi); nie nadużywaj alkoholu (jeden czy dwa drinki dziennie nie przeszkadzają jednym, a u drugich mogą wywoływać depresję; więcej niż jeden, dwa drinki to zbyt wiele dla każdego[1]); dużo ćwicz (endorfiny uwalniane w trakcie wysiłku fizycznego wytwarzają wzbudzany przez ćwiczenie „wyż"; patrz str. 651, jak wkomponować gimnastykę w swój napięty rozkład dnia).

Dobrze sobie popłacz. Jednym ze sposobów pozbycia się smutków jest ich wypłakanie. Badania wykazują, że płacz może poprawić nastrój, gdyż organizm pozbywa się tą drogą sterujących depresją związków chemicznych, które wydostają się ze łzami. Niech się więc poleją. Jeśli to możliwe, popłacz sobie, gdy dziecko śpi lub nie ma go w domu. Jeśli nie, trudno. Gdy od czasu do czasu zobaczy cię zalaną łzami, nic mu to nie zaszkodzi; więcej na temat płaczu w obecności dziecka znajdziesz w kolejnym podrozdziale.

Dobrze się pośmiej. Psychologia twierdzi, że uśmiechanie się i solidny śmiech — nawet wymuszony — mogą poprawić człowiekowi humor. Obejrzyj jakąś nawet idiotyczną komedię sytuacyjną i uśmiechaj się do malucha w ciągu dnia. Obojgu wam dobrze to zrobi.

Zwróć się o pomoc, jeśli zajdzie potrzeba. Jeśli twoje załamania nastroju bywają zbyt częste, a powyższe rady okazują się nieskuteczne, jeśli uczucie smutku zakłóca twoje funkcjonowanie (czy to jako matki, czy w ogóle człowieka) i/lub jeśli twojej depresji towarzyszy bezsenność, brak apetytu, apatyczność względem siebie i rodziny, uczucie beznadziejności i bezradności, myśli o samookaleczeniu i/lub brak opanowania — natychmiast udaj się po pomoc ze względu na siebie i na dziecko. Nastrój jest zaraźliwy: jeśli ty jesteś załamana, dziecko również może takiemu załamaniu ulec, co może mieć następstwa w postaci zaburzeń wzrostu, zachowania, snu i w innych jeszcze problemach natury fizycznej i emocjonalnej.

[1] Jeśli stwierdzisz, że nie wystarcza ci taka ilość, powinnaś udać się po pomoc do poradni antyalkoholowej.

PŁACZ W OBECNOŚCI DZIECKA

Niedawno umarł mój ojciec i kiedy wczoraj czytałam córeczce bajkę, coś w niej mi go przypomniało i zaczęłam płakać. Czy to okropne narażać dziecko na taki widok? Czy mogło jej to zaszkodzić?

Pokazanie dziecku, że masz emocje — tak pozytywne, jak i negatywne — i że nie boisz się ich okazywać, nie jest ani okropne, ani szkodliwe, a wręcz wyjątkowo korzystne. Dzieci, które rosną w przeświadczeniu, że uczucia są czymś, co należy trzymać pod kluczem — nawet wobec osób, które kochają — mogą stać się emocjonalnie upośledzone.

Kiedy jednak mała widzi, że zalewasz się łzami bez żadnej wyraźnej przyczyny, może być nieco zdezorientowana, więc udziel jej prostego wyjaśnienia: „Przez chwilkę zrobiło mi się smutno, bo pomyślałam o moim tatusiu; tęsknię za nim, więc zaczęłam płakać. Ale teraz już mi lepiej. A jak cię mocno ukocham, to poczuję się jeszcze lepiej. Potem możemy dokończyć bajeczkę".

Jeśli jednak zanadto się rozczulisz, jeśli płacz przejdzie w zawodzenie, jeśli przez większość czasu jesteś smutna lub jeśli dziecko jest wystraszone twoim zachowaniem, skorzystaj z pomocy i uporaj się ze swoim żalem.

NIEPOROZUMIENIA MIĘDZY RODZICAMI

Nieczęsto kłócimy się z mężem, ale zdarza się, że czasami w obecności syna. Wiem, że dobrze jest wyjaśniać nieporozumienia, ale czy powinniśmy to robić przy nim?

To zależy od tego, jak się kłócicie i jak często to się zdarza. Jeśli wasze scysje są rzadkie i stanowią wzór, jak dochodzić do porozumienia, to znaczy, że szanujecie siebie i swoje opinie; dajecie i bierzecie (np. poprzez słuchanie wzajemnych opinii i bolączek bez przerywania); nie uciekacie się do używania wyzwisk, destrukcyjnej krytyki, dokuczania, upokarzania, ubliżania i agresji. Jeśli do tego jest to ćwiczenie trudnej sztuki kompromisu — i waszemu małżeństwu, i waszemu dziecku wyjdzie to na dobre. Jeśli uda się wam wytłumaczyć dziecku całą tę kwestię, że rodzice mogą się nie zgadzać (nawet jeśli się kochają) i że nieporozumienia mogą być pozytywną i konstruktywną siłą w układzie z partnerem, będzie to nieoceniona lekcja życia. Jeśli zaś będziecie zawsze kłócić się za zamkniętymi drzwiami, dziecko wyrośnie z utopijnymi nadziejami względem układów damsko-męskich.

Sam na sam z mamusią lub tatusiem — ale fajnie!

To prawda, że jest wspaniale, gdy rodzina może być razem. Ale trzeba też coś powiedzieć o tym, jak cudownie można spędzić czas sam na sam tylko z mamą albo tylko z tatą. Bez względu na to, jak liczna jest rodzina, wszyscy jej członkowie bezsprzecznie skorzystają z takiej chwili tylko z mamusią lub tylko z tatusiem. Spróbuj zaplanować kilka takich sesji. W każdym tygodniu zmieniaj się z mężem, jeśli to możliwe i uszczęśliwiaj nimi dzieci na zmianę, jeśli jest ich więcej. Taką „przygodą w pojedynkę" może być np. wypad do pobliskiego bistro na naleśniki, obiad lub kolacja w pizzerii, popołudnie na pływalni, wyjście do kina i na lody czy też wspólne malowanie albo zabawa przy komputerze w domowych pieleszach. Rozważ również uczestniczenie dziecka w jednym z twoich ulubionych zajęć, jak np. praca w ogródku lub obserwowanie ptaków.

By być pewnym, że wasze nieporozumienia pozostają jednak konstruktywne, należy przestrzegać następujących zasad: Po pierwsze, pamiętajcie, by sporadyczna wymiana zdań nie obróciła się w ciągłe dogadywanie sobie. Po drugie, nie kłóćcie się w obecności dziecka o sprawy, które mogłyby u niego wywołać poczucie zagrożenia, niepokoju lub bycia nie kochanym (o jego zachowanie, np. o palenie papierosów przez jego ukochanego dziadka, o sprawy małżeńskie czy finansowe). Po trzecie, unikajcie kłótni, które są destrukcyjne i niepożądane; histeryczne głosy, trzaskanie drzwiami, uderzanie pięścią w stół — wszystko to rani uczucia i nie tylko zostawia rysę na waszym małżeństwie, ale i na poczuciu bezpieczeństwa waszego dziecka. I po czwarte, nigdy nie zapominajcie o najważniejszej części scysji: zawsze się pocałujcie i pogódźcie: niech będzie jasne, że nawet kiedy się kłócicie, nie przestajecie się kochać.

PODZIAŁ OBOWIĄZKÓW

I mąż, i ja pracujemy zawodowo, ale to na mnie i tak spada większość domowych obowiązków i zajmowanie się dzieckiem. Cały ten ciężar sprawia, że czuję się rozdrażniona i pokrzywdzona. Mimo to nie wiem, jakiej użyć metody, by wciągnąć go w tę pracę i wyegzekwować jego „działkę".

Dzisiejsi ojcowie robią dużo więcej w domu niż ich ojcowie. Uczynili olbrzymi krok do przodu w takich tradycyjnie zdominowanych przez kobiety dziedzinach, jak opieka nad dzieckiem, gotowanie, sprzątanie (radzą sobie i z pieluszką, i ściereczką do kurzu, i wreszcie z igłą i nitką z dużo większą zręcznością niż ich ojcowie), a jednak nadal robią przeciętnie mniej niż matki. Badania wykazują, że w rodzinach, w których matki nie pracują zawodowo, udział ojców w pracach domowych i zajmowaniu się dzieckiem sięga zaledwie 10%. Jeśli oboje rodzice pracują, liczba ta osiąga poziom 20-30%; bez wątpienia jednak w większości domów prowadzonych przez dwoje rodziców to mama dźwiga na swoich barkach lwią część kieratu.

Jest kilka przyczyn takiej nierówności. Po pierwsze, trudno jest całkowicie wykorzenić kulturowy zwyczaj: prowadzenie domu i wychowywanie dzieci od zarania dziejów uważano za „babską sprawę". W ciągu wielu lat większość mężczyzn obserwowała ojców, którzy niespecjalnie przejmowali się domowymi zajęciami. Po drugie, wielu mężczyzn czuje się absolutnie nieporadnie w tej roli, a wiele kobiet nierozważnie podsyca jeszcze to uczucie przez nadmierną krytykę i negatywny osąd, kiedy już tatuś zechce coś dla domu zrobić. Jeszcze inna przyczyna to bierność kobiet. Narzekają bez przerwy na nawał obowiązków, ale nie robią nic, by to zmienić. Zamiast usiąść i twardo dokonać sprawiedliwego podziału prac, często znoszą to bolesne status quo.

A jednak domy, w których równy podział obowiązków istnieje, wcale nie są Bóg wie jaką fantazją: taki model życia rodzinnego staje się stopniowo rzeczywistością na coraz większą skalę. By przyjął się on w twoim domu, zarówno dla twojego zdrowia psychicznego, jak i dobra dzieci, które będą pod mniejszą presją stereotypów płci (widząc swoich ojców dzielących z matką domowe obowiązki, mali chłopcy będą prawdopodobnie również udzielać się w domu, gdy dorosną):

Zwołaj rodzicielski szczyt. Wybierz porę, kiedy oboje macie czas. Wyłóż swoje racje w sposób pokojowy; z całych sił staraj się być spokojna i sensowna. Uświadom mężowi, że prowadzenie domu bez jego pomocy jest dla ciebie zbyt dużym ciężarem, który cię przygniata i wykańcza, i że czujesz, iż należy to zmienić. Daj mu kilka konkretnych przykładów, jak ciężar ten daje ci się we znaki (jesteś rozdrażniona, nigdy nie masz czasu dla siebie, czujesz się „zużyta") i jak jego pomoc mogłaby to wszystko zmienić na lepsze (będziecie mieli w ten sposób więcej czasu dla siebie, on bardziej przywiąże się do dziecka, a i dla malca przykład bardziej zaangażowanego ojca będzie korzystny).

Zaproponuj układ partnerski. „Partner" w pracach domowych i opiece nad dzieckiem — to brzmi znacznie lepiej niż „pomocnik matki". Układ partnerski ma większe szanse na powodzenie niż układ, w którym jedna ze stron jest po cichu nadzorowana. Warunki takiego partnerstwa ustalcie sami. Lepsze to aniżeli wyznaczanie mężowi prac, które ma w trakcie swojego dyżuru wykonać.

Podziel obowiązki. Partnerstwo sprawdza się najlepiej, kiedy każda ze stron wkłada w układ to, co wie lub potrafi zrobić najlepiej: ty świetnie odkurzasz, on znakomicie szoruje podłogi, ty jesteś nieprześcigniona w opowiadaniu bajek na dobranoc, on bierze górę, jeśli chodzi o kąpanie dziecka. Miej jednak świadomość, że twój partner być może poczuje potrzebę sprawdzenia się w dziedzinach, w których nigdy dotąd nie podejmował żadnych prób. Jego bohaterskie wyczyny w kuchni ograniczały się być może do przyrządzania miseczki płatków kukurydzianych z zimnym mlekiem. Gdyby jednak dać mu szansę (i stos książek kucharskich), może mógłby zapracować na małą czapkę szefa kuchni. Choć być może nigdy nie podawał lekarstwa ani nie mierzył temperatury, odrobina praktyki może z niego uczynić dziecięcego pielęgniarza na miarę Florence Nightingale.

Powstrzymaj się od krytyki. Pozwól mężowi wypracować jego sposób zajmowania się dzieckiem i wykonywania domowych prac. Na własnych porażkach i sukcesach nauczy się więcej aniżeli od ciebie i prędzej poczuje się kompetentny i pewny. Sprawi to również, że będzie się czuł nie jak piąte koło u twego wozu, ale jak twój partner.

Pracujcie zespołowo. Wysiłki zbiorowe prawie zawsze są przyjemniejsze i przez to bardziej skuteczne niż praca w pojedynkę. Zabierzcie się więc do prac domowych wspólnie: ty ścierasz kurz, on sprząta elektroluksem; ty prasujesz, on składa bieliznę; ty np. obierasz ziemniaki, on rozbija kotlety; ty kąpiesz dziecko, on układa je w łóżeczku.

Sprawiedliwie, ale elastycznie. By podział obowiązków był sprawiedliwy, nie zawsze każda ze stron musi wykonywać dokładnie 50%. W zależności od rozkładu waszych zajęć, umiejętności, potrzeb rodziny oraz priorytetów danego dnia, sprawiedliwość w podziale obowiązków może być dość płynna. Będą dni, kiedy ty wykonasz 70%, a on 30% albo on 60%, a ty 40%. Jak długo jednak utrzymuje się względna równowaga w podziale obowiązków, nie próbuj dokonywać aż takiej dokładnej kalkulacji.

Albo planowo, albo „na luzie". Niektóre pary wolą planować swoje zajęcia i opiekę nad dzieckiem, żeby nie było niedomówień, kto przygotowuje obiad czy szykuje kanapki do pracy. Inne podchodzą do tego na większym luzie („Ja gotowałam wczoraj, więc dziś jest twoja kolej"). Przyjmij taką linię działania, jaka najlepiej funkcjonuje w twoim domu, przy założeniu, że każda ze stron konsekwentnie realizuje swoją „działkę".

Dzielcie się pracą, której nikt nie chce wykonywać. Albo też ciągnijcie losy. Czy dotyczy to mycia i suszenia sałaty, czy też mycia głowy dziecku — zawsze znajdą się zajęcia, za którymi mniej się przepada niż za innymi, a niektórych robót w ogóle nie ma kto wykonać. Zmienianie się przy nich albo też gra w marynarza, by nie zawsze spadały one na tę samą osobę, zmniejszy niechęć i urazę.

Ograniczcie zbyt ambitny plan. Zbyt wiele do zrobienia, a za mało czasu — nawet jeśli oboje się do tego przykładacie? Z czegoś trzeba zrezygnować. Razem podejmijcie decyzję, czym będzie to „coś" albo nawet kilka takich rzeczy (bo i tak może się zdarzyć). Z całą pewnością nie należy ograniczać czasu poświęcanego dziecku czy w ogóle rodzinie.

W ostateczności zastrajkuj. Jasno wyraziłaś swoją prośbę o równy podział domowych obowiązków, a nadal to ty głównie wszystko robisz? Spróbuj przeforsować swoją rację za pomocą spokojnego protestu. Przestań prać mężowskie skarpetki, myć ciągle naczynia, ścielić łóżko, podnosić zabawki czy sprzątać łazienkę. Zostawienie tego wszystkiego tak, jak jest, może być najlepszą demonstracją tego, ile w tym domu tak naprawdę robisz, i przekona męża, że trzeba ci pomóc.

CHOROBA MAMY

Właśnie złapała mnie grypa. Wszystko mnie boli, mam gorączkę i jestem do niczego. Nie muszę martwić się o to, że zarażę dziecko, bo to ono właśnie mnie zaraziło, ale nie widzę szans szybkiego powrotu do zdrowia, jeśli będę musiała całymi dniami biegać za małym.

Nawet w najbardziej sprzyjających okolicznościach grypa nie jest niczym przyjemnym (nawet gdy jest ktoś, kto poda ci rosołek do łóżka, dostarczy stos filmów do oglądania, pudło chusteczek higienicznych, a jedynym zajęciem będzie wciskanie guzików w pilocie, by po raz kolejny zmienić kanał w telewizorze). Może natomiast stać się szczególną próbą, gdy jesteś w domu sama z małym dzieckiem. Maluchy niespecjalnie jeszcze pojmują istotę choroby i stąd mało w nich współczucia w stosunku do chorego. Szczególnie kiedy tym chorym jest któreś z rodziców, a choroba przeszkadza w egzekwowaniu od niego troski i czasu, do których są przyzwyczajone.

Kiedy jednak leżysz rozłożona przez grypę, potrzebujesz spokoju przynajmniej w takim samym stopniu, w jakim twoje dziecko potrzebuje troski i uwagi, szczególnie zaś wtedy, gdy chcesz szybko wrócić do zdrowia. Jeśli istnieje jakakolwiek możliwość, by ktoś jeszcze był z tobą w domu albo by można było wyekspediować dziecko do koleżanki lub rodziny na cały dzień — skorzystaj z niej. Jeśli jesteś uwięziona w domu sam na sam z dzieckiem, możesz spróbować uzyskać jego zrozumienie, tłumacząc (w prosty, przystępny dla malucha sposób), że musisz jak najwięcej leżeć w łóżku, żeby wyzdrowieć. Przypomnij mu, jak źle się czuł, gdy był chory, i jak to nie miał specjalnie ochoty biegać i skakać.

Jeśli nie uda ci się nakłonić dziecka do zwolnienia obrotów (a jest to wysoce prawdopodobne), nie próbuj go obwiniać, odgrywając męczenniczkę („Jestem taka chora, a ty nie pozwalasz mi położyć się choćby na dziesięć minut!"); to przecież tylko dziecko. Spróbuj raczej wyciszyć malca przez zabawę. Mianuj go np. „lekarzem dyżurnym", podczas gdy ty będziesz odgrywała pacjentkę. Da mu to poczucie dorosłości i ważności i sprawi, że być może będzie chętniej z tobą współpracował. Da mu to również zajęcie na jakiś czas. Niech podejdzie do ciebie ze stetoskopem albo aparatem do mierzenia ciśnienia ze swojego dziecięcego zestawu lekarskiego; niech poprawi ci poduszki, wygładzi koc, przyłoży dłoń do twojego czoła (a potem do swojego, by poczuć różnicę), przyniesie pilota albo czasopismo, a nawet nakaże ci pozostanie w łóżku. Nie pozwól mu jednak aplikować ci żadnych lekarstw ani też przynosić i kłaść je obok łóżka (nawet bezpieczny dla dzieci pojemnik nie zawsze jest bezpieczny w przypadku dwu-, trzylatków). A tak na marginesie, jeśli zażywasz jakieś preparaty przeciwgorączkowe, uważaj, by nie zawierały środka uspokajającego, gdyż musisz zachować czujność i opiekować się dzieckiem.

Przystosuj pokój, gdzie jest telewizor i wygodne miejsce do leżenia do potrzeb tej chwili. I chociaż masz wielką ochotę na całkowity spokój, przynieś całodzienną porcję dziecięcych filmów albo nastaw telewizor na kanał z bajkami dla dzieci: jest to jedna z tych sytuacji, w których nie powinnaś zamartwiać się, że mały za dużo czasu spędza przed ekranem. Znieś do pokoju wszystko, co może być ci potrzebne (chusteczki do nosa, termos z ciepłą herbatą czy napojem musującym, nie psujące się szybko przekąski i kartoniki z soczkiem dla malca, stosy książek, układanek, kredki i papier, zabawki i wszelkie inne przedmioty mogące zająć dziecko). Jeśli jeszcze ktoś inny, zdrowszy od ciebie, przygotuje obiad dla twojego malucha i schowa go do lodówki, oszczędzi ci to zwlekania się z łóżka, by z największym wysiłkiem posmarować dziecku chleb masłem orzechowym. Jeśli przyczyną twojej choroby jest wirus, którego dziecko jeszcze nie miało, istnieje duże prawdopodobieństwo, że go złapie. Warto wyjaśnić dziecku sposoby przenoszenia zarazków i podjąć kroki zapobiegawcze, o których mowa na str. 518.

RÓŻNICE POGLĄDÓW NA TEMAT WYCHOWYWANIA DZIECI

Moja żona i ja różnie patrzymy na wiele kwestii związanych z opieką nad dzieckiem. Oznacza to mnóstwo niekonsekwencji w życiu naszej córki, no i oczywiście wiele sporów na jej tle.

Nawet takie pary, które w każdej innej dziedzinie dobrze się rozumieją, mogą mieć problemy ze znalezieniem wspólnego mianownika, jeśli chodzi o filozofię wychowywania dzieci.

W końcu rzadko się zdarza, by i mąż, i żona wchodzili w role rodziców, mając za sobą identyczną przeszłość. Różne metody wychowywania dzieci, jakie wynieśli ze swoich domów, są pożywką dla nieporozumień na tle wychowywania własnej latorośli.

Zbyt często jednak ofiarą takich nieporozumień pada dziecko. Dziecko wręcz łaknie konsekwencji. Kiedy każde z rodziców mówi co innego, ich polityka wychowawcza jest sprzeczna i każde otwarcie lekceważy metody wychowawcze drugiej strony, dzieciom brakuje konsekwencji i związanego z nią poczucia bezpieczeństwa.

Nieporozumienia na temat różnych rodzicielskich kwestii — pory kładzenia dziecka spać,

Ulga dla pleców

Twoje dziecko może już umieć chodzić, ale nie znaczy to wcale, że nie grozi ci już noszenie, które obrywa ci plecy. Żeby było lżej:

* Zachęcaj dziecko do chodzenia, kiedy tylko jest to możliwe (patrz str. 275). Nie nalegaj jednak, jeśli widzisz, że jest to dla niego zbyt wielki wysiłek, bo to z kolei będzie bodźcem do częstszego krzyku: „Ponieś mnie!"
* Stosuj prawidłowe techniki podnoszenia. Uginaj raczej kolana, a nie schylaj się, i obciążaj raczej ręce i nogi aniżeli plecy przy podnoszeniu dziecka czy czegokolwiek innego.
* Stosuj prawidłowe techniki noszenia. Choć początkowo może to wydawać się wygodne, nie dźwigaj dziecka na biodrze przez dłuższy czas. Taka pozycja napina zanadto mięśnie grzbietu i kręgosłupa, szczególnie jeśli jednocześnie kręcisz się i obracasz. Jeśli już nosisz malca na biodrze, zmieniaj strony od czasu do czasu. Noszenie dziecka klasycznie, przytulonego do twojego ciała, również złagodzi ból w plecach. Wielu rodziców lubi nosić dzieci „na barana", zwłaszcza na dłuższe przechadzki.
* Dbaj o swoją postawę. Krocz z miednicą wysuniętą do przodu i plecami tak wyprostowanymi, jak to tylko możliwe; jeśli rączki wózka są zbyt krótkie, spróbuj je przedłużyć. Kiedy stoisz przez dłuższą chwilę, trzymaj jedno kolano ugięte, podnosząc jedną nogę i opierając ją na taborecie; kiedy przez dłuższy czas siedzisz, wybieraj krzesło z oparciem i podpórkami dla rąk, z twardym siedzeniem i staraj się trzymać nogi nieco uniesione (wykorzystaj podnóżek, jeśli trzeba); śpij na twardym materacu, na boku, z ugiętymi kolanami.
* Gimnastykuj się, by wzmocnić mięśnie brzucha podtrzymujące grzbiet. Dobrym rozwiązaniem jest tu korzystanie z taśm wideo przy uczeniu się odpowiednich ćwiczeń, które zwykle uwzględniają napinanie mięśni miednicy (wypychanie miednicy do przodu), podnoszenie nóg (jednoczesne unoszenie nóg z ugiętymi kolanami) oraz podnoszenia (unoszenia głowy i ramion ponad podłogę, ale niezbyt wysoko).

dyscypliny czy np. karmienia — są nieuniknione, ale z pewnością da się uniknąć ich niszczycielskich konsekwencji. Żeby rozwiązać spory, zanim straci na tym dziecko, spróbujcie następujących sposobów:

* Porozmawiajcie na ten temat wcześniej. Ustalcie, jak będziecie rozwiązywać spory, zanim do nich dojdzie (stosując się do podanych niżej rad). Następnie trzymajcie się ściśle swoich ustaleń.
* Nie spierajcie się w obecności dziecka. Okazjonalna kłótnia na oczach malca dotycząca tematów nie związanych z dzieckiem wszystkim wam może wyjść na zdrowie (patrz str. 640), jednak gdy sprawa go dotyczy, może go dezorientować, denerwować i wywoływać poczucie winy. Takie konflikty rozwiązujcie raczej za zamkniętymi drzwiami (nie kładźcie się jednak z nimi spać). Kiedy decyzję trzeba podjąć od razu, spróbujcie wcześniej ustalić i taki awaryjny plan gry, jak ustąpienie upierającej się strony do czasu, aż sprawę będzie można przedyskutować.
* Najpierw bezpieczeństwo. Kiedy w grę wchodzi zdrowie, bezpieczeństwo lub sprawiedliwość względem dziecka, decyzja nie powinna opierać się na opinii czy ewentualnym kompromisie, do którego w końcu dojdziecie. Jeśli ty i twój partner nie zgadzacie się co do tego, co jest zdrowsze, bezpieczniejsze lub bardziej sprawiedliwe dla dziecka, niech niniejsza książka lub inna podobna pozycja rozstrzygnie spór; można też zasięgnąć opinii pediatry.
* Ćwiczcie kompromis. Wspólny mianownik leży zwykle gdzieś pośrodku. W twoim odczuciu dziecko powinno pozbierać zabawki samo, twoja żona uważa, że jest na to za małe. Pójdźcie więc na kompromis; niech malec zbiera zabawki z pomocą kogoś dorosłego. Jeśli u podstaw waszych nieporozumień leżą tradycje rodzinne (w twojej rodzinie zawsze zasypywano się prezentami na Gwiazdkę — u żony zawsze wyznaczano granice takiej ekstrawagancji), rozważcie ustanowienie nowych rodzinnych zwyczajów.
* Podzielcie się odpowiedzialnością. Wyznaczcie sobie sfery, w których każde z was czuje się pewnie. Np. ojciec będzie odpowiadał za maniery, a więc wyznaczał zasady zachowania się dziecka przy stole; mama natomiast będzie odpowiedzialna za dietę i zdrowie, a więc to, co pojawia się na stole, to jej sprawa.
* Nie przezywaj partnera. Nawet pomruki pod nosem w stylu: „Mamusia nie potrafi ci nawet umyć buzi" albo „Tatuś tak się ślimaczy jak ma rano coś przy tobie zrobić" mogą poder-

wać autorytet partnera w oczach dziecka i tym samym być nośnikiem jeszcze innej informacji: „Tatuś nie szanuje mamusi". Takie uszczypliwe uwagi i dogryzanie sobie mogą również służyć jako model dla bardziej krytycznego i mniej tolerancyjnego w przyszłości dziecka, które ustosunkuje się do ludzi negatywnie.

* Czasami ustąp. Niektóre sprawy nie zasługują na miano problemów. Tak jak i sprzeczki z dzieckiem, niektóre konflikty z partnerem po prostu nie mają sensu. Jeśli od czasu do czasu ustąpisz bez walki i bez niepotrzebnego gderania, życie będzie łatwiejsze, a partner bardziej skłonny do brania twojego zdania pod uwagę w przyszłości.

* Bądź otwarty na nauki płynące z różnic. Czasami to z rodziców, które spędza najwięcej czasu z dzieckiem, wie, co jest dla malca najlepsze; czasami jednak jest zbyt blisko dziecka, by być obiektywnym. Wysłuchajcie się więc nawzajem i bądźcie otwarci na nauki — czasem można się więcej nauczyć, niż mogłoby się wydawać. A i dziecko nauczy się czegoś wartościowego: tego, że szanujecie i siebie nawzajem, i swoje opinie.

* Bądźcie konsekwentni. Bez względu na to, jak załatwicie sprawy dotyczące dziecka między sobą, pamiętajcie, by zasady przekazywane dziecku były konsekwentne. Jeśli ojciec każe dziecku myć ręce przed jedzeniem, a mama nie, albo jeśli mama pozwala skakać po meblach, a ojciec nie — dziecko będzie zdezorientowane. Co gorsza, może zacząć wierzyć, że nic nie potrafi zrobić dobrze, i przestanie próbować. Bądźcie więc konsekwentni w swoich rodzicielskich wymaganiach i decyzjach niezależnie od tego, kto w danej chwili pilnuje dziecka.

I na koniec uwaga: istnieje więcej niż jeden sposób prawidłowego rozwiązywania problemów rodzicielskich. A ważniejsze dla przyszłości waszego dziecka jest to, jak rodzice się do siebie odnoszą, okazują sobie szacunek i dochodzą do kompromisu aniżeli to, jak uporali się z jakąś pojedynczą, trywialną w gruncie rzeczy sprawą.

JAK PORADZIĆ SOBIE Z DWÓJKĄ DZIECI PONIŻEJ DWÓCH LAT

Mój synek ma roczek, a za dwa miesiące ponownie mam urodzić dziecko. Między moimi dziećmi będzie 14 miesięcy różnicy, co naprawdę nie daje mi spać. Czy mam sobie sprawić jeszcze jeden worek z pieluchami czy też ten jeden wystarczy? Jak się do tego wszystkiego zabrać? Czy jest jakiś sposób, by nie kupować jeszcze jednego łóżeczka? Pomocy!

Zajmowanie się dwójką dzieci poniżej dwóch lat będzie i tak wystarczająco trudne, bez dodatkowego stresu wynikającego z zamartwiania się. Przede wszystkim więc staraj się nie wpadać w panikę. Wielu rodziców przed tobą stanęło w obliczu — i świetnie sobie poradziło — tego problemu, jakim jest duet w pieluchach, czy to w przypadku bliźniąt, czy rodzeństwa rodzącego się jedno po drugim. Jakoś to przeżyli, ba, nawet się śmiali!

Chociaż masz przed sobą kilka trudnych lat, planowanie wszystkiego naprzód, skrupulatna organizacja oraz realizm oczekiwań sprawią, że rodzicielski maraton, jaki masz przed sobą, będzie bardziej znośny. Oprócz szczerych życzeń powodzenia i konkretnej pomocy od innych przyda ci się:

„Rosnące łóżeczko" dla pierworodnego. Twój starszy syn nie nadaje się jeszcze do przeniesienia go do dużego łóżka, ale moment ten już niedługo nastąpi, więc z pewnością nie będziesz chciała inwestować w drugie łóżeczko. Rozejrzyj się więc po sklepach, czy nie ma czegoś, co z czasem dałoby się przerobić na dziecięcy tapczanik. Żeby mały mniej kojarzył zmianę swojego łóżeczka z narodzinami rodzeństwa, dokonaj zakupu i przenieś dziecko ze spaniem już teraz (wmów mu, że jest to „nowe i szczególne" łóżeczko tylko dla niego), by do czasu pojawienia się noworodka na scenie czuło się w nim zadomowione.

Podwójny wózek. Choć w wieku czternastu miesięcy synek będzie już prawdopodobnie chodził, nie możesz (i nie powinnaś) liczyć na to, że będzie maszerował, kiedy zechcesz i/lub mu nakażesz. W takich okolicznościach nie fair jest żądać od maleńkiego dziecka przemierzania długich dystansów (a kiedy ma się tak małe nogi jak roczne dziecko, prawie każda odległość jest duża). Jest to szczególnie niesprawiedliwe, kiedy noworodek jest kołysany w zacisznym wózku (który odebrał starszemu bratu), podczas gdy starszak drepce obok. Idealnym rozwiązaniem byłby wózek bliźniaczy — można dostać wózki bliźniacze, w których dzieci siedzą obok siebie albo jedno za drugim. Możesz od razu zacząć od takiego bliźniaczego wózka (przy założeniu, że oparcie siedzenia się rozkłada, a dla noworodka zainstalujesz dodatkowo wyściełaną czymś miękkim podpórkę pod główkę, by nie opadała mu ciągle w jedną stronę) i wozić dzieci do czasu, gdy starszy syn nie tylko będzie dobrze umiał, ale i chciał maszerować o własnych siłach przez większość drogi (prawdopodobnie wtedy, gdy skończy dwa lub trzy latka). Jeśli nie chcesz kupować nowego wózka, rozejrzyj się za używanym. Popytaj ludzi na placu zabaw, zamieść ogłoszenie w poradni rejonowej albo w pobliskim sklepie, czytaj ogłoszenia w gazetach, odwiedzaj rynek i sklepy z dziecięcymi artykułami używanymi i wreszcie włącz się w wymianę dziecięcej odzieży i różnych przedmiotów, jaką organizują między sobą od czasu do czasu matki. Kiedy rozmiar bliźniaczego wózka okaże się niepraktyczny (w wielu miejscach nie można się nim swobodnie poruszać), spróbuj nosić noworodka w specjalnym nosidełku (a później w odpowiednim do tego celu plecaczku), wioząc swojego pierworodnego w wózku — czy to jego własnym, czy tym sklepowym na zakupy. Nie zapominaj, że i starszemu, i młodszemu dziecku trzeba zainstalować w samochodzie odpowiedni fotelik. Narobienie szumu wokół fotelika dla „dużego chłopca", ustawionego przodem do kierunku jazdy, może sprawić, że przejście z fotelika niemowlęcego do większego będzie łatwiejsze. Możesz umieścić dzieci na tylnym siedzeniu samochodu albo też posadzić starszego z tyłu, a małego z przodu (w foteliku odwróconym tyłem do kierunku jazdy, ale nie stawiaj obok żadnych dużych przedmiotów).

Podwójna torba. Jedną z korzyści wychowywania dwóch maluchów jednocześnie (to nie żart, naprawdę jest kilka plusów) jest pielęgnowanie dwójki dzieci za pomocą tych samych przyborów. Kup jedną wielką torbę na różne przedmioty (noszenie wszystkiego w dwóch oddzielnych torbach nie jest najlepszym pomysłem — wystarczy, że musisz pamiętać o dwójce dzieci wymagających jeszcze noszenia). Torba taka powinna posiadać przynajmniej trzy przegrody: jedną na rzeczy starszego dziecka, jedną dla niemowlęcia i jedną dla przedmiotów wspólnego użytku (jak np. wilgotne chusteczki do wycierania pupy). Byłoby idealnie, gdyby torba zawierała jeszcze czwartą, nieprzemakalną przegrodę z przeznaczeniem na zmoczone rzeczy. Jeśli takowej nie ma, miej zawsze w zapasie jakiś plastykowy woreczek. Oprócz tych komfortowych przedmiotów nieodzowne w opiekowaniu się dwójką dzieci poniżej dwóch lat okażą się i te mniej namacalne.

Czas dla każdego dziecka. To dość wygórowane żądanie, gdy czas jest czymś, czego notorycznie brakuje; niemniej jednak jest on absolutnie konieczny. Spróbuj pewnej sztuczki: naucz się pracować dwutorowo. Fizycznie nie możesz być jednocześnie w dwóch miejscach, ale często możliwe jest wykonywanie dwóch rzeczy naraz. Wykorzystaj pory karmienia niemowlaka na czytanie bajki starszemu dziecku, pory spania maleństwa na wspólne ze starszym synkiem układanie puzzli, przewijanie dzidziusia na śpiewanie piosenek obu swoim pociechom. Kiedy maleństwo leży w wózku i z zainteresowaniem przygląda się światu, pohuśtaj starszego brzdąca na huśtawce. Kiedy jesteście w domu razem z mężem, podzielcie obowiązki tak, by każde z dzieci otrzymywało należną mu porcję nie zakłóconej niczym uwagi — tatuś może kąpać niemowlaka, podczas gdy mamusia śpiewa, bawiąc się przy tym „w łapki" ze starszym dzieckiem. Albo też mamusia śpiewa i kołysze maleństwo, podczas gdy tatuś zabiera dużego chłopczyka, by baraszkował po parku.

Starsze dziecko to też jeszcze maleństwo. Trzeba pamiętać, że czternastomiesięczne dziecko to też jeszcze maleństwo — nawet jeśli jest już starszym bratem. Wyczekiwanie, że dojrzeje wcześniej — będzie umiało korzystać z nocniczka, posprzątać zabawki czy wykonywać inne rutynowe domowe czynności, będzie cały czas chętne do pomocy i współpracy, niezmiennie akceptujące (a nigdy zazdrosne) nowe rodzeństwo i godzące się na to, że poświęcasz mu tyle czasu — jest wymaganiem nierealnym. Pozwól synkowi rozwijać się w jego własnym tempie. Chwal go za dojrzałość, kiedy ją wykaże, a nigdy nie krytykuj za zachowanie adekwatne do jego wieku (czy wtedy, gdy wręcz cofa się w rozwoju, zachowując się tak, jak jego młodsze rodzeństwo). Przy dużej cierpliwości z twojej strony i pozytywnym wzmacnianiu („Duzi chłopcy mogą oglądać *Ulicę Sezamkową* albo wypożyczać książki z biblioteki...; mogą też dostać do swojego mleczka ciasteczko") mały w końcu zmądrzeje i doceni korzyści wypływające ze starszeństwa. Więcej na temat cofającego się w rozwoju dziecka znajdziesz na str. 630.

Trzeba czasu, by wskoczyć w tryby. Trzeba praktyki, prób i błędów, i poczucia humoru, by odgrywać rolę mamy lub taty — szczególnie dwójki dzieci poniżej dwóch lat. Z czasem wskoczysz w rytm, uważaj tylko, by nie wpaść w pułapkę dążenia do perfekcji lub zrobienia absolutnie wszystkiego (zdarza się to dość często rodzicom nowicjuszom). Bardziej potrzebni są zrelaksowani i szczęśliwie nieperfekcyjni rodzice (no i co, że można wypisać swoje imię na pokrytym kurzem stoliku do kawy) niż nerwowi i nieszczęśliwie drobiazgowi perfekcjoniści (którzy przez to wcale nie są tacy doskonali).

CZAS DLA SIEBIE

Kocham naszego małego chłopczyka, ale między zajmowaniem się nim a obowiązkami domowymi nigdy nie mam czasu dla siebie. Domyślam się, że jest to część bycia mamą, ale muszę przyznać, że czasami mnie to złości.

Fakt stary jak świat: by być wydajnym w pracy, trzeba również odpocząć. Tak jest w przypadku księgowych, robotników przy taśmie, zawodowych sportowców, mechaników, handlowców, lekarzy, dentystów, nauczycieli i również — jeśli nie przede wszystkim — rodziców. A już szczególnie rodziców małych dzieci.

Innymi słowy, nie tylko zasługujesz na odpoczynek, ale — by być efektywną w swojej pracy — jest ci on potrzebny. Rodzice, których głównym zajęciem jest opiekowanie się dziećmi, nie powinni być obligowani do robienia wyłącznie tego kosztem wszystkich innych ambicji i przyjemności. Gdy będziesz „wypalona" i rozdrażniona, nie bedziesz dobrą matką; robienie zaś z siebie męczenniczki nie uczyni cię lepszym wzorem. Najlepsze wzorce dają zrelaksowani, w miarę zadowoleni i przynajmniej w jakimś stopniu samozrealizowani rodzice. Nawet dla małych dzieci ważne jest obserwowanie, że ich rodzice o siebie dbają.

Oczywiście znalezienie czasu dla siebie podczas wypełnionego po brzegi dnia nie jest łatwe. Nasze rady zawarte na str. 650, dotyczące organizowania czasu w sposób bardziej wydajny, mogą okazać się pomocne w uszczknięciu chwili dla siebie: łatwiej to zrobić, mając kogoś do pomocy — męża (patrz str. 641), płatną opiekunkę czy koleżankę. Gdy już uda ci się wygospodarować trochę czasu dla siebie, dobrze go wykorzystaj. Zrób coś, co da ci zadowolenie — czy będą to jakieś zajęcia z gimnastyki, czy z ekonomii, drzemka czy wieczorny wypad do miasta, długa kąpiel w wannie z książką w ręku czy długi spacer z ukochanym psem, wypróbowanie swojej ręki w malarstwie czy też nóg w jeździe na łyżworolkach. Chodzi o to, by się zrelaksować i zabawić. Nie żałuj sobie tego cennego czasu, z dala od swojego cennego dziecka i innych obowiązków i nie miej skrupułów, że poświęcasz go tylko sobie. Należy ci się i sprawi, że będziesz lepszą matką.

PRACA I WYRZUTY SUMIENIA

Lubię pracować i sądzę, że oszalałabym, siedząc cały czas w domu z córką. Wiem, że powinnam czuć się zadowolona ze swojej decyzji, ale nie mogę jakoś wyzbyć się wyrzutów sumienia, szczególnie wtedy, gdy widzę matki, które nie pracują.

Ty to nie inne matki, ty to ty. To, co jest dobre dla innych rodziców i ich dzieci, niekoniecznie musi być dobre dla ciebie i twojego dziecka (i vice versa). Twoje szczęście i satysfakcja przenoszą się na dziecko; jeśli czerpiesz je z pracy poza domem, to to właśnie powinnaś robić i to nie tylko dla siebie, ale i dla swojego dziecka.

Nie sądź, że decyzja o podjęciu pracy wpłynie ujemnie na przyszłość dziecka. Ostatnie badania wykazują, że — przy zaspokajaniu wszystkich innych potrzeb — dzieci, których matki pracują, wcale nie mają jakichś negatywnych emocjonalnych reakcji ani nie wykazują słabszego przystosowania do życia niż dzieci matek pozostających w domu, i utrzymują się na przeciętnym poziomie zarówno w sensie społecznym, jak i szkolnym. Nie miej więc wyrzutów sumienia; powinnaś raczej czuć się szczęściarą, że jesteś częścią tej generacji kobiet, które mają przed sobą więcej niż jedną możliwość, i że zdołałaś wybrać ten sposób życia, który daje ci szczęście.

TĘSKNOTA ZA DOMEM

Wróciłam do pracy na pełen etat, gdy mój synek miał sześć miesięcy: teraz skończył roczek, ja zaś codziennie płaczę. Nie cierpię momentu, gdy muszę go zostawić, czuję, że bardzo mi go brakuje. Wiem, że ciężko by nam było finansowo, gdybym zrezygnowała z pracy, ale sądzę, że jakoś byśmy sobie poradzili. Z drugiej zaś strony czułabym, że siedząc w domu, zdradzam moje feministyczne ideały.

Dla wielu ludzi cała idea feminizmu leży w poszerzaniu, a nie ograniczaniu możliwości. Kobieta, która chce zostać w domu z dzieckiem, nie powinna być bardziej zmuszana do pracy zawodowej niż kobieta chcąca pracować do siedzenia w domu. Jeśli wybierasz życie w domu z dzieckiem, nie ma powodu, byś czuła się mniej feministką czy pełnowartościową osobą. Istnieje jednak wiele powodów, by docenić, jakie masz szczęście; wiele kobiet nie stać na ten luksus wyboru, nawet gdy bardzo chcą.

Gdy ty jesteś w pracy, a twoje serce w domu

Nawet rodzice, którzy „kwitną" w pracy, często przeżywają męki z rana, gdy zostawiają w domu swoją słodką kruszynkę (lub kruszynki). A oto kilka rad, jak zachować bliskość, gdy pracuje się od siódmej do piętnastej lub dłużej:

Niech rytuały będą same w sobie rytuałem. Rutyna uspokaja nie tylko dziecko, ale i pracujących rodziców, których rozkład zajęć często frustruje, jest nieprzewidywalny i przez to doprowadza do szału. Pielęgnuj te rytuały i ze względu na siebie, i na dziecko: poprzytulaj się trochę z małym w łóżku rano, zanim się ubierzecie, poczytaj mu jego ulubioną bajeczkę przy wspólnym śniadaniu, zadzwoń w porze obiadowej, idź z nim na spacer po pracy (patrz str. 238 — znajdziesz tam więcej wskazówek na temat „rytuałów" po pracy).

Zostaw dziecku liścik. Włóż jakiś specjalny liścik np. do pudełka z drugim śniadaniem, które być może zabiera do żłobka czy przedszkola, albo też zostaw go na poduszce, na której maluszek będzie w ciągu dnia spał, czy przylep mu go do jego szafki. Napisz to tak, by opiekunka czy wychowawczyni w przedszkolu mogły go przeczytać dziecku (unikaj jednak sformułowań typu: „tęsknię za tobą" lub jakichkolwiek innych, które mogłyby poruszyć malca) albo też narysuj coś (duże, czerwone serduszko, jakieś kwiatki); może to też być fotografia, na której ściskasz swoją pociechę.

Daj dziecku coś swojego. Jakiś mały, przypominający ciebie przedmiot (chusteczka, fotografia przedstawiająca ciebie przy biurku albo na plaży razem z maluchem, długopis lub notes z twojej firmy), który mały może trzymać przy sobie przez cały dzień, pomogą wam czuć się blisko siebie, gdy jesteście rozdzieleni. Maleńkie „coś" od twojej pociechy pomoże także tobie: trzymaj na biurku jakiś namalowany palcem obrazek lub też jakąś próbkę dzieła sztuki w portfelu.

Bądź w kontakcie. Jeśli twój telefon nie spowoduje łez, zadzwoń do dziecka pozostającego w domu z nianią i pogawędź z nim trochę z rana i po południu. Kontakt możesz również utrzymać przez kasety magnetofonowe i wideo (czytaj bajkę, śpiewaj piosenkę).

Zabierz dziecko do pracy. Od czasu do czasu zabierz dziecko do pracy na krótką wizytę. Przedstaw je swoim współpracownikom i wyjaśnij, co i gdzie robisz. Pozwól małemu powciskać klawisze komputera (gdy jest on wyłączony), bazgrać na jakichś niepotrzebnych drukach, posiedzieć na twoim krześle czy w inny jeszcze sposób „popracować jak mamusia". Gdy dziecko będzie wiedziało, dokąd się udajesz, wychodząc „do pracy", będzie się czuło bardziej z tobą zespolone. By było jasne, że to, iż cię nie widzi, nie znaczy, że o nim nie myślisz, nie zapomnij pokazać mu jego fotografie i rysunki zdobiące twoje miejsce pracy lub te, które nosisz stale przy sobie.

Wspólny obiad. Jeśli pracujesz blisko miejsca, gdzie malec spędza dzień, spróbuj zjeść z nim wspólny obiad raz w tygodniu. Zaniechaj jednak tej praktyki, jeśli okaże się, że są problemy z powrotem malucha do niani lub żłobka po takim wspólnym wyjściu.

Podejmij więc decyzję i rób to, co w twoim odczuciu jest dla ciebie dobre. Jeśli po spędzeniu jakiegoś czasu w domu dojdziesz do wniosku, że trudno związać koniec z końcem albo że brakuje ci bodźca, jaki dawała ci praca, możesz rozważyć różne rozwiązania pośrednie opisane na str. 649.

SIEDZENIE W DOMU I UCZUCIE NIEDOSYTU

Na ogół lubię być w domu z córeczką. Czasami jednak stoję przy oknie, przyglądam się innym rodzicom udającym się do pracy i czuję, że może nie żyję w pełni, lecz tylko „na pół gwizdka".

Rodzicielstwo nie jest pracą, do której wszyscy się garną: nie ustawia w kolejce po awans, godziny pracy są nieograniczone, przerwy na lunch nie istnieją. Samemu trzeba opłacać sobie ubezpieczenie, no i nie ma płatnych urlopów. A jednak pełnoetatowa praca mamy lub taty w domu ma przynajmniej tę samą wartość co każde inne zajęcie wykonywane poza domem. (No bo co jest w końcu ważniejsze od wychowywania i pielęgnowania jeszcze jednej ludzkiej istoty?)

Mimo to wielu rodzicom, którzy wybierają pozostanie z dzieckiem w domu, trudno jest oprzeć się uczuciu, że powinni robić więcej. Dzieje się tak dlatego, że — jak to najczęściej bywa, kiedy wahadło zmian się odchyla — różnica jest zbyt wielka. Podczas gdy kobiety po-

Mieć wszystko — na swój sposób

Wielu rodziców dochodzi do wniosku, że ani „pełen etat" w domu, ani pełen etat w pracy ich nie zadowala. Chcą mieć wszystko i jeśli tylko jest to możliwe w sensie finansowym, poszukują jakiegoś twórczego kompromisu, który zagwarantowałby pewną równowagę między pracą a rodziną. Choć te kompromisowe rozwiązania są częściej wykorzystywane przez matki, niektórzy ojcowie również zaczynają się ku nim skłaniać.

Wolne obroty. Dla tych, którzy uznają, że szybkie tempo prowadzi do wyczerpania, wręcz wypalenia się oraz większego stresu, niż są w stanie znieść, zwolnienie tempa wspinania się na kolejne szczeble kariery zawodowej (przynajmniej do czasu, aż dzieci podrosną) jest na pewno rozsądne i sensowne. Może to oznaczać mniej godzin pracy, mniej podróży, mniej odpowiedzialności i... (co jest niestety bardzo prawdopodobne) mniej pieniędzy.

Ruchomy czas pracy. Większość zakładów umożliwia swoim pracownikom ustalenie sobie czasu pracy. Jednak muszą oni przebywać na swoim stanowisku przez jakiś okres wyznaczony przez firmę (np. między dziesiątą a piętnastą). Taka organizacja pozwala rodzicom rozpoczynać i kończyć pracę wcześniej lub później (zgodnie z tym, co bardziej im odpowiada i mniej stresuje). Jeśli tylko praca jest wykonywana, pracodawców nie obchodzi, czy odbywa się to między dziewiątą a siedemnastą, ósmą a piętnastą czy też dziesiątą trzydzieści a osiemnastą trzydzieści. Gdy rodzice odpowiednio ustawią sobie ten czas (on pracuje od siódmej trzydzieści do piętnastej trzydzieści, ona od dziesiątej trzydzieści do osiemnastej trzydzieści), zmniejszy to liczbę godzin, na które trzeba zatrudnić opiekunkę, i pozwoli więcej czasu spędzić z dzieckiem.

Praca z kimś „na pół". Jeśli tyko finanse pozwolą na takie rozwiązanie, praca „na pół" może być znakomitym sposobem utrzymywania kontaktu ze swoją pracą przy jednoczesnym poświęcaniu większej ilości czasu swojemu dziecku. Sztuką może okazać się znalezienie wykwalifikowanej, odpowiedzialnej i zainteresowanej tego rodzaju rozwiązaniem drugiej osoby, z którą można by swój etat podzielić (najlepiej kogoś, kto również wychowuje małe dziecko). Jeśli już się to uda, istnieje mnóstwo sposobów podzielenia się pracą: każde z was pracuje codziennie po parę godzin (jedno z rana, drugie po południu); każde z was pracuje po dwa i pół dnia; każde z was pracuje trzy dni — jeden dzień jest wspólny; jedna osoba pracuje trzy dni, druga dwa.

Obcięcie pensji. Czasami można zredukować sobie czas pracy (o jedną lub dwie godziny), godząc się na niższą pensję. Pozwala to więcej czasu spędzać w domu, będąc prawie tak samo wydajnym w pracy. Ponieważ jednak wielu pracowników jest tak samo produktywnych w zredukowanym czasie pracy jak w pełnym wymiarze godzin (w dużym stopniu dlatego, że możliwość spędzania większej ilości czasu z rodziną zmniejsza stres, a zwiększa osobistą satysfakcję i dlatego, że praca jest mniej wyczerpująca), opłaca się to znacznie mniej niż ruchomy czas pracy. Tak czy inaczej, obniżona pensja przy skróconym czasie pracy jest dla niektórych dobrym rozwiązaniem.

Praca na pół etatu. Wszelkie półetatowe rozwiązania, jeśli tylko są zadowalające finansowo, mogą świetnie funkcjonować w przypadku rodzin z małymi dziećmi. Ponieważ półetatowcy są zwykle bardzo wydajni (zanim się zmęczą lub obniży się ich poziom efektywności, zwykle opuszczają już swoje miejsce pracy), również pracodawcy na tym korzystają. To, jak najlepiej zorganizować swój czas (jeśli masz wybór), zależy od ciebie i twojego dziecka. Niektórzy rodzice i niektóre dzieci wolą dłuższe okresy wspólnego przebywania ze sobą (dwa dni lub dwa tygodnie pod rząd) aniżeli pół dnia codziennie; inni odnajdują komfort w stałym rytmie, po kilka godzin dziennie, i nierozstawaniu się na dłuższy czas.

Praca „chałupnicza". Niektórzy rodzice małych dzieci potrafią z powodzeniem kontynuować swoją pracę w domu, z takimi udogodnieniami, jak komputer, fax, telefon i wiele innych. Inni skłaniają się ku otwarciu własnej firmy poza domem. Jeszcze inni (pracownicy biur podróży, pośrednicy handlu nieruchomościami, artyści, wydawcy, pisarze) uznają i za praktyczne, i rentowne pozostać na pełnym etacie w swojej branży na zasadach „wolnego zawodu". Jednak większość rodziców pracujących w domu i tak dochodzi do wniosku, że potrzeba im kogoś do opieki nad dzieckiem, jeśli mają zachować swoją efektywność. Ci zaś, którzy mają szczególnie samodzielne i nieabsorbujące dzieci (takie, które można posadzić obok swojego warsztatu pracy) lub są tak zorganizowani i wydajni, że zdążą zrobić wszystko, gdy dziecko śpi, mogą się obejść bez żadnej niani.

Praca konsultanta. Ten rodzaj pracy również często pozwala na zachowanie związku z branżą przy dużej dyspozycyjności w domu.

Praca „na ochotnika". Dla tych, którzy nie muszą podejmować pracy ze względów finansowych, a pragną jakiegoś intelektualnego bodźca oraz kontaktu z ludźmi, pół etatu „na ochotnika" (szczególnie w miejscu, gdzie mile widziane są dzieci — jak np. w jakimś muzeum dla dzieci), może okazać się w pełni satysfakcjonującym zajęciem.

Kontynuowanie nauki. Nie trzeba wcale pracować, by rozwijać się zawodowo. Ten czas może okazać się idealny na uzupełnienie czy poszerzenie swoich kwalifikacji, co może mieć fundamentalne znaczenie dla późniejszego rozwoju twojej kariery.

Jak pozostać przy zdrowych zmysłach

Rodzicielstwo nigdy nie było łatwe (zapytaj swoich rodziców), ale obecnie — przy wzrastającej liczbie dwóch rodzin do „obsłużenia" czy samotnych rodziców oraz presji, by wychować superdzieci (i być oczywiście superrodzicami) — wydaje się jeszcze trudniejsze. A jednak można pozostać przy zdrowych zmysłach (przynajmniej stosunkowo zdrowych) w kieracie rodzicielskich obowiązków. A oto jak to zrobić:

Naucz się radzić sobie ze stresem. Stres jest nieodłączną częścią życia, szczególnie dla rodziców, ale nie musi cię osłabiać, jeśli nauczysz się z nim postępować. Zacznij od zrobienia listy głównych przyczyn stresu w twoim życiu; jak już spis jest gotowy, przejrzyj go i określ, w jakim stopniu jesteś w stanie kontrolować każdą z nich, umieszczając je w skali od 0 do 10. Nad niektórymi z nich nie jesteś w stanie zapanować (daj im 0 punktów); nad innymi twoja kontrola jest prawdopodobnie przeciętna (5 punktów); jeszcze inne jesteś w stanie kontrolować w 100% (= 10 punktów). Następnie przyjrzyj się tym swoim ujarzmionym czynnikom stresu (od 8 do 10 punktów) i zdecyduj, jak możesz „trzymać na nich rękę". Postaw sobie za zadanie spróbować je przezwyciężyć w ciągu następnych kilku tygodni. Czasami przyczyny stresu można się pozbyć całkowicie. Na przykład jeśli opiekunka, którą zatrudniłaś, unieszczęśliwia i ciebie, i dziecko, spróbuj znaleźć kogoś innego. Jeśli pogodzenie pracy zawodowej z wychowaniem dziecka jest dla ciebie wyczerpujące, a możesz pozwolić sobie na zmianę, rozważ zrezygnowanie z pracy i pozostanie z dzieckiem na jakiś czas albo przejście na pół etatu. Częściej jednak będziesz musiała znaleźć sposoby na radzenie sobie ze stresem. Jeśli dziecko codziennie wszczyna awantury przed wyjściem do przedszkola, musisz poświęcić więcej czasu na to, by pomóc mu się do tego przyzwyczaić (patrz str. 337). Jeśli to popołudnie jest porą krytyczną, staraj się w tym czasie „zwolnić obroty" (patrz str. 238). Jeśli dziecko często urządza ci sceny, naucz się im zapobiegać (patrz str. 291).

Bądź zorganizowana. Dobra organizacja ułatwi wiele rzeczy, a to z kolei pomoże ci poczuć, że panujesz nad sytuacją. Miej zawsze przy sobie mały notesik i zapisuj wszystko, co masz do zrobienia danego dnia: prace domowe, wyjścia, zakupy, zajęcia przy dziecku, zobowiązania związane z pracą. Niech każde z zadań w notesie ma swój znaczek priorytetowy: A, B lub C; A musi absolutnie być zrobione (zaprowadzenie dziecka do przedszkola, zakupy, by ugotować obiad); B chciałabyś zrealizować dzisiaj, ale może ewentualnie poczekać do jutra (kartka z podziękowaniem dla cioci Marysi, umówienie się na wizytę u dentysty); C może poczekać jeszcze dłużej, jeśli jest taka konieczność (kupno nowych butów na ślub twojej siostry w przyszłym miesiącu, posprzątanie szafy w przedpokoju na przyjazd gości, który ma nastąpić za dwa tygodnie). Zawsze planuj najpierw wykonać wszystkie A. Jeśli się da, zrób jedną lub dwie rzeczy ze znaczkiem B. C zaś zachowaj na dni (jeśli w ogóle są takie), kiedy cudem udało ci się załatwić wszystkie A i B. Możesz dojść do wniosku, że jeśli będziesz dostatecznie długo zwlekała, sprawy ze znaczkiem C staną się jeszcze mniej palące (okaże się bowiem, że spodnie, które kupiłaś w ubiegłym roku, świetnie będą pasowały do tej bluzki, którą wybrałaś na wesele, a więc nowe buty nie są potrzebne; goście odwołali wizytę i w twojej nieszczęsnej szafie nadal może być bałagan, przynajmniej do ustalenia nowego terminu ich przyjazdu).

Daj się podwieźć lub skorzystaj z komunikacji miejskiej. Jest to bardziej relaksujące aniżeli codzienne zmaganie się z korkami (jest też korzystniejsze dla środowiska). Takie rozwiązania mogą również pozwolić ci wykorzystać produktywnie czas dojazdu: masz sposobność przejrzeć różne „papierki", zrobić listę zakupów, poczytać książkę, pomedytować albo przyłączyć się do miłej rozmowy między innymi ludźmi na przystanku czy w autobusie.

Korzystaj z pomocy, gdzie się da. Skorzystaj z możliwości dogadania się z innymi rodzicami (może-

przedniej generacji czuły się zobowiązane do pozostawania w domu z dziećmi, nawet jeśli wolałyby pracować zawodowo, dzisiejsze kobiety często czują się zobligowane do pracy poza domem, nawet jeśli wolałyby zająć się wychowywaniem dzieci.

Jeśli wydaje ci się, że pozostanie w domu z maluchem będzie dla ciebie odpowiednim rozwiązaniem, nie pozwól, by ktokolwiek zmuszał cię do zmiany decyzji. No i pamiętaj, że pewna doza mieszanych uczuć i powątpiewania w siebie jest zjawiskiem normalnym, bez względu na to, czy zdecydujesz się pozostać w domu, czy wrócić do pracy.

Jeśli zdecydujesz się dalej być w domu, a odczuwasz potrzebę jakiegoś dodatkowego bodźca do działania, rozważ podjęcie pracy na innej niż dotąd zasadzie (str. 649), która będzie ci odpowiadała. Czasami naprawdę *można* pogodzić pracę z wychowywaniem dziecka.

cie zmieniać się w opiece nad dziećmi, na zmianę wozić je do żłobka czy przedszkola), ze swoim partnerem (pamiętaj, że jeśli każde z rodziców jest w domu, każde wykonuje swoją „działkę"; patrz str. 641) i/lub zatrudniaj osoby z zewnątrz (jeśli cię na to stać, załatw sobie kogoś do sprzątania i prania raz w tygodniu, byś mogła więcej czasu poświęcić dziecku). Gdy maluch już podrośnie, można umieścić go w przedszkolu na pół dnia albo nawet na trzy przedpołudnia; da ci to oczywiście więcej czasu na wykonanie różnych rzeczy. Staraj się również o jakieś duchowe wsparcie. Pamiętaj, że rozmawianie o swoich życiowych problemach może pomóc je złagodzić; jeśli rozmowa z mężem jest trudna, porozmawiaj z innymi rodzicami będącami w podobnej sytuacji.

Dwie rzeczy naraz. Naucz się wykonywać dwie rzeczy jednocześnie. Składaj bieliznę, kosztując np. przygotowaną przez dziecko w jego kuchni „zupkę"; telefonuj przy użyciu aparatu bezprzewodowego, krojąc warzywa do obiadu; zrób porządek w rachunkach podczas wspólnego oglądania bajki na wideo. Zaangażuj brzdąca w różne domowe prace, byście mogli przebywać razem przy jednoczesnym załatwianiu kolejnych „punktów" z twojej listy zadań. Gotujcie razem, razem nakrywajcie do stołu, razem składajcie skarpetki i segregujcie pocztę.

Postaraj się pracować mniej. Kiedy czujesz się przytłoczona nawałem obowiązków, poszukaj dziedzin, w których mogłabyś dokonać pewnych cięć (ścieraj kurz raz na trzy dni, a nie codziennie; korzystaj z mrożonek, a nie świeżych warzyw; kupuj odzież, która nie wymaga prasowania i innych specjalnych zabiegów).

Prezent dla siebie. Zrób sobie codziennie jakąś przyjemność; jeśli nie zdołasz codziennie, niech będzie to przynajmniej dwa razy w tygodniu (nawet jeśli jest to po prostu obejrzenie ulubionego serialu czy relaksująca półgodzinna kąpiel w pianie. Takie małe radości są niecodziennym środkiem na zachowanie zdrowia psychicznego. Poświęć na to wieczór albo wstań wcześniej (w zależności od indywidualnego rytmu twojego organizmu), jeśli trzeba, i zrób sobie święto.

Prezent dla obojga. Przynajmniej raz w tygodniu (albo tak często, jak tego potrzebujecie czy możecie sobie na to pozwolić) zjedzcie kolację tylko we dwoje, gdy dziecko już śpi. Bądźcie konsekwentni i umawiajcie się od czasu do czasu na „randki" do kina czy restauracji; rozważcie też wyjazd na cały weekend od czasu do czasu (patrz str. 653). Spędzenie czasu tylko we dwoje może odświeżyć nie tylko wasz związek, ale także uratować wasze zdrowie psychiczne.

Jak się zrelaksować. Skorzystaj z technik, których nauczyłaś się np. w szkole rodzenia albo wymyśl coś własnego (skup się na fotografii czy obrazie albo wyobraź sobie coś, co cię rozluźni, i powtarzaj w kółko proste, uspokajające zdanie, np.: „Jestem spokojna... jestem spokojna..."). Stosuj tę technikę, kiedy tylko poczujesz, że ogarnia cię stres. Jeśli to możliwe, naucz tego także dziecko.

Ćwiczenia fizyczne. Czy przejdziesz się kilka przystanków do biura, wysiądziesz z autobusu kilometr przed domem i odbędziesz resztę drogi pieszo, wsadzisz dziecko do wózka i przejdziesz się do odległego supermarketu czy też poćwiczysz piętnaście minut na dywanie wraz ze swoim maluchem albo zapiszesz się na intensywną gimnastykę do lokalnego klubu sportowego — regularne ćwiczenia pomogą ci odświeżyć również umysł, pobudzą cały organizm, zmniejszą stres i przywrócą pozytywne spojrzenie na świat. Nagrodą będzie też przyjemna zmiana stylu życia.

Dbaj o zdrowie. By umysł był świeży, a ciało pełne energii, odżywiaj się regularnie i pełnowartościowo, unikaj palenia papierosów i zażywania narkotyków oraz ogranicz spożycie alkoholu i kofeiny.

Zachowaj poczucie humoru. Śmiech znany jest z tego, że świetnie rozładowuje napięcie. Kiedy wszystko wydaje się ponure, spróbuj poszukać wokół czegoś zabawnego (właściwie zawsze można coś takiego znaleźć).

TATA NA ETACIE

Ponieważ praca mojej żony jest znacznie lepiej płatna niż moja, zdecydowaliśmy, że to ja zostanę w domu z naszym synkiem, a ona pójdzie do pracy. Wszystko świetnie się układało, dopóki nie zacząłem więcej wychodzić z domu i umawiać się na wspólną zabawę z innymi dziećmi albo chodzić na jakieś zajęcia dla trzylatków. Czuję się nieswojo jako jedyny ojciec.

Sto lat temu od ojców wymagano, by przynosili chleb, a nie szykowali kanapki. Dziś jednak w coraz większej liczbie rodzin spotyka się model ojca zostającego z dzieckiem w domu i to z własnego wyboru. Statystyki wykazują, że 20% przedszkolaków, których matki pracują, pozostaje w domu pod opieką tatusiów. Przyczyną mogą być finanse (pensja mamy jest wyższa, a więc korzyści większe; tata jest bez pracy), kariera zawodowa (mama ma szanse na awans, tata zdecydował się być „wolnym strzelcem” i pracować na zlecenia) albo też naturalne skłonności (mama dostaje szału, siedząc w domu, a tata to lubi). W większości wypadków odwrócenie tradycyjnych ról wychodzi obu zainteresowanym stronom na dobre.

Chociaż koncepcja „taty na pełnym etacie” staje się stopniowo bardziej przyjęta i szanowana, wieloletnie tradycje wymierają jednak powoli. Wasze dziecko samo już może zostać ojcem, zanim tatusiowie, którzy z własnego wyboru zdecydowali się zostać w domu, poczują się swobodnie w swych codziennych rodzicielskich obowiązkach.

Spróbuj uwierzyć jednak, że chociaż jesteś jedynym ojcem na placu zabaw, w grupie dzieci czy też na zajęciach z gimnastyki dla trzylatków i możesz przyciągać zaciekawione spojrzenia obecnych, obrana przez ciebie droga z pewnością zyskuje ci podziw i szacunek wielu. Nikt, kto zajmował się dzieckiem i ma pojęcie o problemach i poświęceniach, jakich to wymaga — jak również o płynącej z tego satysfakcji — nie pomyśli o tobie u lekceważeniem. Wręcz odwrotnie; u sporej grupy ludzi zyskasz na wartości.

A jednak może ci brakować odrobiny dodatkowego moralnego wsparcia (tak jak i wielu mamom). Poszukaj więc innych ojców, którzy dokonali tego samego wyboru, i staraj się przebywać w ich towarzystwie w trakcie zabaw dzieci. Zapytaj pediatrę, czy zna i czy może podać ci nazwiska innych pełnoetatowych ojców w twoim sąsiedztwie łlub zamieść ulotkę na tablicy ogłoszeń w twojej rejonowej przychodni albo w lokalnych biuletynach informacyjnych.

Naprawdę lubię zostawać w domu z dwójką naszych dzieci, gdy moja żona idzie do pracy. Kiedy jednak idziemy gdzieś na przyjęcie i ludzie zaczynają mnie pytać, co robię, czuję się nieco zakłopotany.

Nikt — czy to mężczyzna, czy kobieta — nie powinien odczuwać zakłopotania, przyznając się, że pozostaje z dzieckiem w domu. Pełne rodzicielstwo wymaga przynajmniej tyle poświęcenia i ciężkiej pracy, ile każde inne zajęcie. Problem w tym, że społeczeństwo nie uznało jeszcze tego faktu — szczególnie ta jego część, która bywa na koktajlach i bankietach.

Najlepszym sposobem na obronę swojej pozycji jest ofensywa. Gdy zapytają cię, co robisz, odpowiedz nieco przepraszająco: „Właśnie robię sobie przerwę w karierze na obowiązki tatusia i muszę powiedzieć, że jest to najambitniejsza (najbardziej fascynująca, podniecająca, najtrudniejsza, pouczająca — możesz tu wstawić cokolwiek) praca, jaką kiedykolwiek wykonywałem”. Dorzuć kilka rozklejających serce lub zabawnych anegdot, a słuchacze zaczną ci zazdrościć.

Kiedy ktoś mimo to zareaguje lekceważąco, możesz odwrócić kota ogonem: „Wiem, że to nie dla każdego. Nie każdy potrafi być dobrym ojcem, to kosztuje wiele cierpień, uczuć wyższych i pomysłowości. Jest to najcięższy zawód na świecie, ale i najlepiej wynagradzany”.

BRAK POCZUCIA MACIERZYŃSTWA

Pracuję na pełnym etacie od momentu, gdy moja córeczka skończyła trzy miesiące. Bardzo ją kocham, ale czasami po prostu nie czuję się jak jej matka. W końcu, gdy nie śpi, spędzam z nią mniej czasu niż jej panie w żłobku.

Uczucia niepewności nie są wyłączną domeną pracujących rodziców. Ci, którzy wyłącznie opiekują się swoimi dziećmi, mogą tak samo wątpić w siebie, jak i ci, którzy pracują przez pół i więcej dnia poza domem. A dwu- i trzylatki — poprzez swoje nieprzewidywalne i niezrozumiałe zachowania — mogą wzbudzać więcej niepokoju u rodziców niż dzieci z jakiejkolwiek innej grupy wiekowej.

Spędzanie większości czasu z dzieckiem wcale nie gwarantuje dobrych z nim stosunków, tak samo jak częsta czy dłuższa rozłąka nie powinna dyskredytować ciebie jako matki. Czas dobrze spędzony (rozmawianie, wysłuchanie, zabawa, praca w obecności dziecka) może aż nadto zrekompensować rozstania. Zamiast więc zamartwiać się, kto spędza więcej czasu z twoim dzieckiem, spróbuj się rozluźnić i dać z siebie jak najwięcej w momentach, kiedy ty z nim jesteś.

PRACA POZA DOMEM A ZDYSCYPLINOWANIE DZIECKA

Mój syn zawsze szaleje, gdy wracam z pracy do domu. Jestem jednak zwykle zbyt zmęczona, by go karcić. Poza tym chcę, by ta odrobina czasu, jaką spędzamy razem, była przyjemna i bezkonfliktowa, więc staram się być dla niego aż nadto miła.

Wielu pracujących rodziców waha się, czy w ciągu tych zaledwie kilku godzin, jakie spędzają dziennie z dzieckiem, warto wykłócać się o spacery albo odmawiać malcowi jakichś przywilejów. Nie ma jednak układu całkowicie wolnego od konfliktów, a już na pewno, jeśli w grę wchodzi dwu- lub trzylatek. I chociaż „popuszczanie cugli" i bycie miłym dla malca może zdjąć z ciebie poczucie winy, takie podejście nie wyjdzie dziecku na dobre.

Dziecko musi wiedzieć, co mu wolno, a czego nie i czego się od niego wymaga. W atmosferze kompletnego luzu, bez ograniczeń i wymagań (albo bez konsekwencji w ich egzekwowaniu), dziecko może wydawać się wesołe jak skowronek, ale w głębi duszy jest niepewne i nieopanowane (patrz str. 63). Może być również nieco zdezorientowane, jeśli w ciągu dnia wyznacza mu się pewne granice (w żłobku czy pod opieką niani), a wieczorem nagle wszystko mu wolno. Może też nauczyć się to wykorzystywać i manipulować tobą, żerując na twoich skrupułach.

Rozdawaj mu więc hojnie swoje uczucie i uwagę pod koniec dnia, ale nie rezygnuj z przywoływania go do porządku, gdy zajdzie taka potrzeba. Przeczytaj na str. 119 rady na temat dyscyplinowania dziecka oraz na str. 238, jak postępować, by twoje powroty do domu nie były aż takim wydarzeniem.

Oboje pracujemy i żona ma takie wyrzuty sumienia z tego powodu, że pozwala naszemu dziecku przesiadywać do późnego wieczora. Następnie pozwala małemu spać z nami, żeby nadrobić ten czas, którego tak mało dla niego mamy w ciągu dnia. Nie sądzę, by była to właściwa praktyka.

Praktyka ta rzeczywiście nie jest właściwa, za to szeroko rozpowszechniona. Wielu pracujących rodziców, pragnąc (świadomie czy podświadomie) zrekompensować dziecku ciągły brak czasu, nie potrafi zdobyć się na stanowczość, gdy nadchodzi pora spania. Ma to jednak wiele negatywnych konsekwencji. Po pierwsze, takie dziecko, które przesiaduje długo wieczorami, może mieć za mało snu dla zdrowego wzrastania i rozwoju. Rezultatem może być większa marudność malca. Po drugie, dziecko sypiające w łóżku rodziców może mieć trudności z zasypianiem we własnym. I wreszcie, dziecko — i wieczorem, i w nocy, nie śpiące i śpiące — może poważnie zakłócić stosunki małżeńskie między rodzicami: i werbalne, i fizyczne.

Choć w niektórych rodzinach istnieją uzasadnione powody, by późno kłaść dziecko spać czy spać razem z nim, wyrzuty sumienia do nich nie należą. Jeśli żona jest poważnie zaniepokojona, że jedno z was czy oboje nie spędzacie dostatecznie dużo czasu z dzieckiem, może powinniście inaczej zorganizować swój czas pracy.

PODRÓŻE BEZ DZIECKA

Teraz, kiedy nasza córeczka została już odstawiona od piersi, zaczęliśmy myśleć o wyjeździe na mały urlop bez niej. Boimy się jednak, że mała nam nie pozwoli.

Jeśli chcecie czekać, aż mała da wam zielone światło, będziecie czekać jeszcze bardzo długo. Mając wybór, każde małe dziecko woli zostać z rodzicami aniżeli z kimś innym i preferencja ta utrzymuje się do pierwszych lat szkolnych. Odkładanie pierwszej podróży do czasu, aż maluch podrośnie, wcale nie gwarantuje łatwiejszego rozstania, a może wręcz problem spotęgować. Prawda jest taka, że dziecko łatwiej znosi rozstania, gdy się do nich przyzwyczai, stopniowo więc należy takie okresy rozłąki wydłużać (pod warunkiem, że dziecko pozostaje w dobrych rękach); patrz str. 45.

A więc, z pozwoleniem czy bez, obecna chwila jest tak dobra jak każda inna, by wybrać się na krótką wycieczkę. Jeśli macie dobrą nianię, tego rodzaju doświadczenie nie tylko córce nie zaszkodzi, a będzie dla niej dobre, ponieważ w takim samym stopniu będzie ono dobre dla was. Jeszcze raz warto przypomnieć, że szczęśliwi rodzice to lepsi rodzice. Na następnej stronie znajdziecie wskazówki, jak sprawić, by wasze podróże sprawiały przyjemność całej rodzinie.

I jeszcze jedno: jeśli zamierzacie spędzić cały czas rozłąki, zamartwiając się o dziecko, możecie równie dobrze nigdzie nie wyjeżdżać. Zrelaksujcie się więc i... przyjemności!

Rozpaczliwie wręcz potrzebujemy trochę wakacji we dwoje, a moi rodzice zgodzili się nawet wziąć na ten czas naszego synka. Martwimy się jednak, jak go zostawić...

Przestańcie się martwić, a zacznijcie pakować. Nie zakładajcie od razu, że dziecko tak bardzo przeżyje wasz wyjazd. Małe dzieci często lepiej znoszą rozłąki niż ich rodzice, szczególnie jeśli pozostawione są w znajomych i kochających, i wykwalifikowanych rękach (dziadkowie na ogół spełniają te wymogi). Przyzwyczajanie dziecka już teraz do waszych wyjazdów od czasu do czasu umożliwi wam kontynuowanie takich romantycznych wypadów we dwoje przez całe dzieciństwo waszej pociechy. A takie wakacje bez dziecka będą dobre nie tylko dla waszego związku, ale także dla was jako rodziców. Po kilku dniach relaksu wrócicie prawdopodobnie wypoczęci, odświeżeni i gotowi na nowo podjąć swoje obowiązki. Poza tym, to, co dobre dla

Wyjazd z domu bez dziecka

Zanim zaczniesz odkurzać walizki, rozważ następujące sprawy:

* Należy zacząć od krótkiego rozstania (patrz str. 45) i wydłużać je stopniowo z wiekiem dziecka. Podstawowa zasada brzmi: nie zostawiaj dzieci na noc, jeśli nie zostawiłaś ich uprzednio na kilka wieczorów; nie zostawiaj ich na weekend, jeśli nie zostawiłaś ich na noc; nie zostawiaj ich na tydzień, jeśli nie zostawiłaś ich na weekend*. Nawet kiedy twoje wyjazdy z domu staną się rutyną, staraj się ograniczyć czas swojej nieobecności w domu, jeśli możesz. Wyjedź na przykład wcześnie rano i wróć późnym wieczorem, zamiast dodawać do całej podróży dwie dodatkowe noce. I nie zostawaj dłużej, niż to absolutnie konieczne.
* Odległości również powinny być krótkie. Na ten pierwszy pobyt poza domem nie powinnaś, jeśli to możliwe, wyjeżdżać daleko od domu. Będziesz czuła się znacznie pewniej, wiedząc, że szybko możesz znaleźć się w domu, jeśli dziecko zacznie panikować (co jest raczej niemożliwe, jeżeli wcześniej wszystko starannie przygotowałaś).
* Istotna jest pora. Jeśli to w ogóle możliwe, nie planuj pierwszej podróży z noclegiem, gdy w życiu twojego dziecka coś akurat się zmienia — nowa opiekunka, nowy żłobek, nauka korzystania z toalety — czy też jest chore.
* To, z kim zostawiasz dziecko, jest jeszcze bardziej istotne. W większości przypadków kochająca i kompetentna babcia, ktoś inny z rodziny lub bliska przyjaciółka, jeśli jest w stanie pomóc, będzie najlepszym wyborem. Drugą dobrą ewentualnością będzie wasza opiekunka albo inna zaufana osoba, którą dziecko zna, lubi i dobrze się z nią czuje. Inna jeszcze możliwość: wymiana z rodzicami kolegów twojego dziecka („Ty opiekujesz się naszym dzieckiem, gdy nas nie ma, my zaopiekujemy się twoim, gdy ty wyjedziesz"). Jeśli żadne z tych rozwiązań nie jest w twoim przypadku realne, można skorzystać z usług agencji opiekunek do dzieci cieszącej się dobrą reputacją (postaraj się o referencje); patrz str. 683 — wskazówki, jak wybrać dobrą opiekunkę. Jeśli wybierzesz ten sposób, powinnaś poznać dziecko z taką panią jeszcze przed wyjazdem, nawet jeśli trzeba będzie dodatkowo za taki dzień czy dwa zapłacić.
* W domu najlepiej. Przynajmniej przy pierwszych dwóch wyjazdach najlepiej będzie, jeśli dziecko będzie spało w swoim domu, a nie w jakimś nowym, nie znanym mu otoczeniu. W ten sposób, nawet jeśli zabraknie w pobliżu ciebie, malec będzie nadal miał wszystko inne — znajome łóżeczko, znane zabawki, naczynia, wannę do kąpieli. Jeśli to nie jest możliwe albo jeśli uważasz, że dziecko mniej będzie tęskniło w innym otoczeniu (jest to możliwe, gdy jest ono znane i zabawne, jak dom babci i dziadka czy dom ulubionego kolegi z podwórka), wyekspediuj je tam wraz z osobistymi przedmiotami (ulubiona poszewka na poduszkę, kocyk, zabawka, a nawet miseczka do płatków owsianych, jeśli ma to znaczenie dla malucha).
* Przygotowanie opiekunki jest bardzo ważne. Upewnij się, że osoba zostająca z twoją pociechą jest dobrze obeznana z codzienną rutyną (najlepiej zostaw jej wskazówki na piśmie); najlepiej by było, żeby spędziła jeden cały dzień przy malcu w twojej obecności: poproś ją, by ściśle przestrzegała twoich zaleceń. Konsekwencja zawsze jest dziecku potrzebna, a już tym bardziej, gdy coś ulega zmianie. Pamiętaj więc również o tym, by spisać takiej pani małe kaprysy dziecka (jak np. odmawianie jedzenia posiłków z innego talerza niż ten w króliczki, upieranie się, żeby bajkę na dobranoc przeczytać trzy razy, zasypianie przy świetle albo postawienie pluszowego kangurka na straży przy łóżeczku) i wypróbowany, skuteczny sposób odwracania uwagi malca i uspokajania go. Powinnaś również zostawić jej listę ulubionych potraw, napojów, opowiadań, zabaw i zabawek. Miej jednak świadomość, że pomimo twoich przygotowań dziecko może być trochę bardziej elastyczne w zachowaniu, przebywając z kimś innym, i że może nawet postanowić zrobić coś inaczej. Niech opiekunka wie, że może na to pozwolić. Nie powinna jednak próbować przeprowadzać żadnej rewolucji (jak uczenie malca korzystania z toalety czy odzwyczajanie go od butelki) podczas twojej nieobecności. Rzadkim wyjątkiem od tej zasady jest ukochana przez dziecko babcia czy niania, której może udać się osiągnięcie jakiegoś celu, którego ty nie możesz osiągnąć (ale tylko za twoim pozwoleniem).
* Przygotowanie dziecka jest równie ważne. Nie zaskakuj go. Taki wyjazd — nawet na jedną noc — bez uprzedzenia malca może oszczędzić

* Może się nagle zdarzyć, że będziesz musiała wyjechać bez możliwości odpowiedniego przygotowania dziecka do tego wydarzenia; w takim wypadku po powrocie poświęć maluchowi szczególną uwagę i upewnij się, że rozłąka nie pozostawiła jakichś trwałych skutków.

wam nieprzyjemnej sceny pożegnania, ale prawdopodobnie wznieci w sercu dziecka uczucie niepewności i zdrady. Co gorsza, może zwiększyć przyszły niepokój z powodu rozłąki. Zacznij przygotowywać brzdąca na dwa lub trzy dni przed planowaną podróżą, a nie na dwa lub trzy tygodnie naprzód (małe dzieci nie rozumieją pojęcia „przyszłości" i taka przedwczesna wzmianka o wyjeździe spowodowałaby, że malec denerwowałby się przez cały czas) ani w ostatnim momencie (co z kolei nie dałoby dziecku żadnej szansy oswojenia się z rzeczywistością). Poinformuj prostym językiem, że wyjeżdżasz w podróż, dokąd jedziesz, kiedy wrócisz, kto będzie się nim opiekował podczas twojej nieobecności i gdzie będą przebywali.

* Przygotowania do podróży powinny zejść na plan dalszy. Rodzice są często tak zaabsorbowani sporządzaniem ostatnich list, pakowaniem, sprawdzaniem rozkładu jazdy pociągów, że są niedostępni już przed wyjazdem. Żeby tego uniknąć, postaraj się, by dzień dziecka przebiegał normalnie i rutynowo; spędzajcie dużo czasu ze sobą w dni poprzedzające wyjazd. Jeśli to możliwe, spakuj się, gdy dziecko już śpi, by te gorączkowe przygotowania do wyjazdu nie wytrącały go z równowagi.

* Dziecku należy się dobra rozrywka podczas takiej rozłąki. Zadbaj o jakieś specjalne zajęcia (wycieczka do muzeum, wypożyczenie ulubionej kasety wideo, gra w minigolfa z dziadkiem) i powiedz maluchowi naprzód, ile radości go czeka. Wyjaśnij, że można się świetnie bawić, nawet jeśli ciebie nia ma („Baw się dobrze z panią Stasią, gdy my będziemy w podróży"), by mały wiedział, że to żadna nielojalność, jeśli cieszy się życiem, gdy ty wyjechałaś. (No i nie zapominaj, że ty także masz prawo się trochę rozerwać!)

* Rozstanie może być wręcz przyjemne, a nie przykre, jeśli dobrze rozegrasz partię. Jeśli będziesz niespokojna i nerwowa, machając dziecku na „do widzenia", mały może uwierzyć, że twój wyjazd jest czymś naprawdę niepokojącym i prawdopodobnie również będzie się czuł rozstrojony i nerwowy. Z drugiej strony istnieje szansa, że jeśli ty podejdziesz do sprawy beznamiętnie, tak samo zareaguje dziecko. Dla niektórych malców pożegnania są łatwiejsze na gruncie domowym, gdzie otoczenie jest znane i przyjazne. Dla innych przejażdżka na lotnisko czy stację kolejową i wszystkie te niezwykłe widoki i dźwięki mogą okazać się odpowiednim „biletem" pożegnalnym. Tak czy inaczej, przeznacz w swoim terminarzu sporo czasu na spokojne, troskliwe i czułe pożegnanie; gwałtowny bowiem wypad do samochodu czy bramy rozstroi wszystkich. Hojnie rozdawaj pocałunki i uściski, ale nie przylepiaj się, nie płacz i w żaden inny sposób nie okazuj niepokoju. Zapewnij dziecko jeszcze raz, że będziesz o nim myślała i że wkrótce wrócisz (żeby bardziej skonkretyzować czas twojej nieobecności, możesz wytłumaczyć dziecku, że „dwa dni" to znaczy „dwa razy wykąpać się wieczorem"). Użycie tych samych słów przy pożegnaniu, których używasz, wychodząc do pracy czy odprowadzając brzdąca do przedszkola (na przykład „Baw się dobrze i ładnie się wybrudź"), może również upewnić dziecko, że wrócisz, tak jak zawsze wracasz. Przyjmij każdą reakcję dziecka. Kiedy rodzice wyjeżdżają, dzieci mogą krzyczeć i płakać, błagać i się przymilać, odwracać się plecami rozgniewane czy też całkowicie ignorować rodziców (żeby zademonstrować swoje niezadowolenie albo dlatego, że zupełnie nie rozumieją całego tego wydarzenia). Poproś, ale nie żądaj, o „ukochanie" i całusa na „do widzenia". (Więcej na temat pożegnań patrz str. 45.)

* Kojarzenie podróży rodziców ze znanymi i przyjemnymi tradycjami „wyjazdów" i „powrotów" może być źródłem poczucia spokoju i bezpieczeństwa, szczególnie jeśli rodzice wyjeżdżają często. Zainicjuj więc jakieś zabawne rytuały i ciesz się nimi razem z dzieckiem przed taką podróżą (wspólne jedzenie np. naleśników w restauracji na dworcu przed odjazdem pociągu, czytanie bajki o mamie wyjeżdżającej w podróż, robienie „pocztówek" i zostawianie ich sobie wzajemnie pod poduszką, recytowanie waszego własnego, specjalnego wierszyka pożegnalnego albo też śpiewanie piosenki). Wymyśl również jakieś rytuały związane z twoim powrotem do domu (pieczenie ciasta i dekorowanie mieszkania jako część przygotowań do powitalnego przyjęcia, wypad na lody albo wspólne wyjście do kina). Przestrzegaj ich z żelazną konsekwencją (znajdź czas, nawet gdy się spieszysz czy jesteś śmiertelnie zmęczona, nie pozwalaj sobie w tym czasie na pakowanie czy rozpakowywanie walizek, ostatnie rozmowy telefoniczne czy nadrabianie zaległości korespondencyjnych), a twoje dziecko zawsze z niecierpliwością będzie czekało na to „coś" związane z twoją podróżą czy powrotem (a i ty również). Po jakimś czasie powinno to sprawić, że te „podróże tylko dla dorosłych" okażą się nie tak nieprzyjemne, a może nawet staną się dla twojego dziecka zabawne.

* Rozmowa telefoniczna to najlepsza rzecz, by „być" z dzieckiem, choć nie zawsze. Efekt

Dokończenie na stronie następnej

Dokończenie z poprzedniej strony

takiej rozmowy zależy od dziecka. Niektóre maluchy aż dostają dreszczy, rozmawiając z nieobecnymi rodzicami przez telefon, uwielbiają słuchać ich głosu na nagranej wcześniej taśmie (czytanie ulubionej bajeczki na dobranoc albo może śpiewanie kołysanki), lubią też oglądać zdjęcia z mamusią i tatusiem. Jeśli twój brzdąc do nich należy, dzwoń każdego dnia o tej samej porze (jeśli to możliwe), nawet jeśli dziecko nie potrafi jeszcze mówić przez telefon. Bądź pogodna i spokojna, twoja melancholia bowiem („Jest mi bez ciebie tak smutno!") sprawi, że dziecko poczuje się zobowiązane do podjęcia tego tonu i również będzie mu smutno. Pamiętaj też, by dzwonić o odpowiedniej porze, nie wtedy np., gdy wiesz, że malec ogląda jakiś ulubiony program w telewizji albo je obiad. W przypadku niektórych dzieci najlepszą porą jest wieczór: inne jednak są przez taki telefon wytrącone z równowagi, gdyż przypominają sobie, że nie ma rodziców, którzy mogliby je utulić. Są jednakże takie dzieci, kóre rozstrajają się emocjonalnie, gdy w jakikolwiek sposób przypomni im się o tym, że nie ma rodziców. W wypadku takiego dziecka najlepsza będzie zasada „z oczu, z uszu i z myśli". Możesz sprawdzić swoje dziecko, dzwoniąc do niego w jakiś zwykły dzień, ale pamiętaj, że reakcja może być inna, kiedy zadzwonisz z daleka. Może ona także ulec zmianie z dnia na dzień w czasie twojej nieobecności; nigdy nie namawiaj malca, by z tobą rozmawiał, gdy nie jest do tego usposobiony. Niech raczej opiekunka przekaże mu twoje pozdrowienia.

Innym sposobem utrzymywania kontaktu jest wysyłanie kolorowych kartek z miejsc pobytu, nawet jeśli nie dotrą do domu przed twoim powrotem. Daj dziecku coś do przechowywania tych kartek, żebyście mogli potem wspólnie często je oglądać, dodając to i owo do opowieści o danej podróży („Pamiętasz, jak pojechałam do Krakowa? I potem tak szybko wróciłam?").

Sprawdzonym sposobem są taśmy magnetofonowe i magnetowidowe. Nagraj kilka lubianych przez dziecko bajek na dobranoc i kołysanek, by mogło je sobie odtwarzać co wieczór albo w trudnych chwilach (jeśli wydaje się, że brzmienie twojego głosu potęguje tęsknotę, a nie ją umniejsza, oczywiście zapomnij całkowicie o takiej próbie).

Gdy dziecko jest już trochę starsze, możesz pokazać mu trasę swojej podróży na mapie, którą powiesisz w jego pokoju na ścianie przed wyjazdem. Zaznacz swoją trasę pisakiem albo taśmą i poproś opiekunkę, by pomogła dziecku przyczepiać naklejki lub złote gwiazdki wzdłuż twojej drogi, gdy będziesz przemieszczać się z miejsca na miejsce. Dziecko może również przyczepiać naklejki do kalendarza i w ten sposób odmierzać czas twojej nieobecności.

* Pogódź się z tym, że pierwsza podróż może być trudna. Dzieci zostawione przez rodziców po raz pierwszy mogą reagować w najprzeróżniejszy sposób. Niektóre rozstają się bez problemu; inne zamykają się w sobie, dużo płaczą i są ogólnie nieszczęśliwe. Jeszcze inne zachowują się normalnie podczas nieobecności rodziców, a wyrażają swoje niezadowolenie po ich powrocie. Nawet te dzieci, które cudownie spędzają czas u dziadków czy z opiekunką, mogą przeżywać pewne złożone emocje, które muszą z siebie wyrzucić po powrocie rodziców do domu. Mogą wtedy szczególnie się „lepić", jęczeć, złościć lub smucić, częściej niż zwykle urządzać sceny, wykazywać wzmożony niepokój o rozstanie (płacząc nawet wtedy, gdy rodzice wychodzą z pokoju), odmawiać jedzenia potraw wcześniej lubianych, niechętnie kłaść się spać czy zacząć budzić się w nocy. Jeśli po twoim powrocie do domu wystąpią takie reakcje, bądź cierpliwa, nader czuła i dodaj dziecku otuchy (upewniając się jednocześnie, że są to reakcje normalne, a nie znak, że popełniłaś jakiś wyraźny błąd), a te postpodróżne objawy prawdopodobnie znikną w ciągu kilku dni. Możesz się spodziewać, że większość tych negatywnych zachowań ustąpi, gdy twoje wyjazdy zaczną się powtarzać, szczególnie jeśli na początku będą to podróże krótkie. Mogą pojawić się trudne do zwalczenia problemy ze snem, jeśli dziecku, które zwykle śpi samo, pozwala się spać z opiekunką lub babcią i dziadkiem podczas nieobecności rodziców albo jeśli rodzice po powrocie starają się zrekompensować maluchowi swoją nieobecność poprzez oferowanie mu swojej sypialni.

* Jeśli jednak dziecko wydaje się bardzo smutne albo staje się nieznośne podczas rozłąki lub po powrocie albo przez cały czas, a sytuacja nie ulega zmianie nawet wtedy, gdy podróże stają się rutyną, przeanalizuj dokładnie problem opieki nad dzieckiem (patrz str. 691). Czy jest naprawdę odpowiednia? Czy możliwe, że dziecko jest zaniedbane? Czy są jakieś inne problemy, które mogłyby powodować takie zmiany w zachowaniu? Jeśli sama nie możesz sobie z tym poradzić, zwróć się o pomoc do pediatry. Jeśli nic nie pomaga, rozważ możliwość ograniczenia lub wręcz zaniechania podróży (przynajmniej na jakiś czas) lub zabierania dziecka ze sobą — razem z opiekunką — aż berbeć trochę podrośnie.

waszego związku (a cóż mogłoby być lepszego od wakacji we dwoje?), nie może nie być dobre dla całej rodziny. Przejrzyjcie więc wskazówki ze str. 654 na temat rodziców na urlopach i telefonujcie do biura podróży.

Wszyscy namawiają nas na urlop tylko we dwoje, a ja wiem, że nie cieszyłby mnie, gdybym nie mogła zabrać ze sobą synka. Dlaczego nie mielibyśmy go wziąć?

Choć nie ma nic złego w spędzaniu wakacji bez dziecka, nie ma również nic złego w zabieraniu dziecka ze sobą, jeśli tak wolisz. Niektórzy rodzice, a szczególnie nowicjusze w tej branży, nie odczuwają jakiejś pilnej potrzeby odpoczęcia od dziecka i wolą wakacje rodzinne od romantycznego rendez-vous. Są różne sposoby spędzania wakacji, a ty musisz wybrać ten, który odpowiada tobie.

Pod żadnym pozorem nie ulegaj presji i nie wyjeżdżaj z domu bez dziecka. Upewnij się jednak, że i twój partner ma na to ochotę. Jeśli marzy o chwili bez dziecka, której ty się sprzeciwiasz, byłoby rozsądnie pójść na jakiś kompromis — może urlop w ośrodku zapewniającym opiekę nad dzieckiem, byście mogli pojechać z dzieckiem, a jednak spędzić trochę czasu tylko we dwoje?

CZĘSTE PODRÓŻE SŁUŻBOWE

Teraz, gdy wróciłam już do pracy, powrócił temat podróży — w każdym miesiącu tydzień powinnam spędzać poza domem. Jestem przyzwyczajona do ciągłego przebywania z naszym synkiem i martwię się, jak on zniesie moją tak długą nieobecność. Już mam wyrzuty sumienia, a jeszcze nawet nie wyszłam z domu.

Wielu rodziców musi podróżować w interesach. Jak długo dziecko pozostaje pod dobrą opieką, podróże służbowe rodziców nie mają jakiegoś trwałego negatywnego wpływu na ich dzieci. Wyrzuty sumienia z powodu wyjazdów są więc nie tylko niepotrzebne, ale wręcz szkodliwe. Dzieci odbierają bowiem takie odczucia rodziców z iście radarową precyzją i często interpretują je jako znak, że dzieje się coś złego. Wyrzuty sumienia mogą również odebrać i dzieciom, i ich rodzicom całą radość czasu spędzanego razem. Dzieci w zdumiewający sposób potrafią się zaadaptować i dopasować. Jak długo ktoś inny — najlepiej drugie z rodziców, babcia, dziadek lub inny ukochany członek rodziny — otacza dziecko troskliwą opieką i zaspokaja jego potrzeby w czasie twojej nieobecności, malec prawdopodobnie szybko i bezproblemowo przyzwyczai się do twojego rytmu pracy.

Mimo to powinnaś zrobić, co się da, by zredukować liczbę wyjazdów (na przykład korzystaj w większym stopniu z telekomunikacji, zamiast jechać na drugi koniec kraju). Kiedy podróży nie da się uniknąć, staraj się, by były możliwie krótkie (np. wyjedź wcześnie rano i wróć wieczorem, zamiast spędzać dodatkową noc poza domem). Przejrzyj wskazówki na str. 45, by rozstania z dzieckiem były mniej bolesne.

Powinnaś też ostrożnie rekompensować dziecku swoją nieobecność i nie pobłażać mu zbytnio w okresach między wyjazdami. Od dzieci trzeba konsekwentnie wymagać przestrzegania pewnych zasad, które nie mogą ulegać zmianie, gdy rodzice mają jakieś wyrzuty („Tak okropnie mi przykro, że muszę wyjechać, że pozwolę mu dziś wieczorem trochę dłużej pobaraszkować"). Pamiętaj zatem, żeby dać dziecku to poczucie bezpieczeństwa, którego tak pragnie, gdy jesteś w domu; nie tylko jednak w formie uczucia i troski, ale i sprawiedliwej i sutecznej dyscypliny, wymaganej z żelazną konsekwencją (patrz str. 119).

Przez dwa dni byłam w podróży służbowej i od czasu mojego powrotu moja piętnastomiesięczna córeczka rozpaczliwie boi się, że znów wyjadę.

Dla dziecka, które nie rozumie w pełni pojęcia permanentnego istnienia obiektu (obiekt istnieje nawet wtedy, gdy go nie widać), zniknięcie jego najcenniejszego „obiektu", mamy, może być naprawdę czymś strasznym. To, że wracasz, niekoniecznie musi być dla dziecka zabezpieczeniem. Jaką w końcu ma gwarancję, że następnym razem nie znikniesz na dobre? Oprócz instynktownego poczucia bezpieczeństwa dochodzi tu do głosu rozwijająca się pamięć. Gdy mała była niemowlęciem, zapominała o tym, że cię nie było, w momencie twojego powrotu; teraz, gdy potrafi przypomnieć sobie przeszłość, może obawiać się o przyszłość.

Nie martw się jednak. Jeżeli zapewnisz dziecku dużo czułości, powinno ponownie poczuć się bezpieczne. Za każdym razem, gdy wyjeżdżasz i wracasz, to poczucie bezpieczeństwa powinno narastać, sprawiając, że podróże i powroty będą mniej bolesne dla was obu. Na str. 654 podajemy więcej informacji, jak ułatwić przeżycie takiego wyjazdu i co robić, gdy dziecko jest nadal nieszczęśliwe z powodu wyjazdu rodziców.

Udane święta

Od wielu tygodni planujesz, sprzątasz, robisz zakupy, gotujesz, a twoją ciężką pracę widać w każdym zakamarku mieszkania. Dekoracje wyglądają, jakby wyszły żywcem z żurnala, a stół — oślepiającym blaskiem najlepszej porcelany, najlepszych obrusów, ślubnych kryształów, pośród których wznosi się przygotowany specjalnie na tę okazję stroik — wytwarza magiczny wręcz nastrój. Z kuchni dochodzą nęcące świąteczne zapachy, gdy kuzynowie, ciotki, wujkowie, dziadkowie i znajomi zaczynają się schodzić obładowani prezentami, z sercami przepełnionymi radością. Z pewnością to święta, które na długo zostaną w pamięci.

Dopóty, dopóki twój rozkoszny malec nie zacznie strofować cioci Stasi i nie doprowadzi kuzynki Joasi do płaczu, dopóki nie rozleje wina na kanapę, a sosu na świeżutki obrus, nie przewróci stroika i nie odwróci do góry dnem kryształowego dzbanka pełnego wody, „wypnie się" na wykwintnego pieczonego indyka z misterną dekoracją i zacznie hałaśliwie domagać się zupy mlecznej, dopóki nie zacznie bębnić we wszystko sztućcami właśnie wtedy, gdy wujek Janek próbuje opowiedzieć jakąś historyjkę, nie zacznie jęczeć o deser, gdy inni są jeszcze przy przystawce i wreszcie nie stanie się przez resztę popołudnia marudny, bo nie spał, jest rozkojarzony i nadto podekscytowany, święta, które miały pozostać ci w pamięci, stają się świętami, które chętnie byś z niej wymazała.

Można sprawić, by święta były udane nawet z małym dzieckiem w domu, ale oznacza to zazwyczaj skupienie się mniej na tradycjach i wystroju, a bardziej na zaspokojeniu potrzeb dziecka:

Zmniejsz wymagania. Jest po prostu nierealne, by dziecko, które przecież nie może pamiętać ubiegłorocznych cudowych świąt, zachwycało się i próbowało wraz z innymi powtórzyć tę szczególną atmosferę i to bez względu na to, ile czasu i wysiłku w to włożysz. Jest bardziej prawdopodobne, że malec będzie podekscytowany i zdezorientowany nawałem prac i zmian w domu oraz twoim ciągłym karceniem go: „Nie dotykaj tego!" aniżeli zauroczony twoimi mozolnymi wysiłkami.

Nie upieraj się na siłę przy świątecznych tradycjach. Zmuszanie przestraszonego brzdąca, by wdrapał się na kolana Gwiazdora i czule go objął, stanął „twarzą w twarz" z wielkim wielkanocnym zającem, jadł karpia w specjalnym sosie, a wszystko to w imię tradycji, może w efekcie pozostawić negatywne, a nie pozytywne wspomnienie ze świąt. Zrób oczywiście wszytko, by pokazać dziecku tradycje, które są dla ciebie ważne, ale nie zmuszaj go do uczestniczenia w nich.

Nie zapominaj o rytuałach. Nie o tych świątecznych, ale dotyczących dziecka. Konsekwentne przestrzeganie rozkładu dnia dziecka w czasie świąt, jeśli się da, zapobiegnie ewentualnemu wypadnięciu malca z rytmu i związanym z tym problemom. Staraj się położyć malucha normalnie spać w południe (w napiętym w tym okresie rozkładzie dnia ujmij też czas na wspólną zabawę), nie odkładać na później pory pójścia spać wieczorem i nie pomijać związanych z tym szczególnych zabiegów. Daj dziecku normalne śniadanie, mimo że o jedenastej chcesz podać uroczyste śniadanie wielkanocne, daj mu obiad

DZIADKOWIE, KTÓRZY PALĄ

Rodzice mojej żony są namiętnymi palaczami i nie chcą z tego zrezygnować. Choć jest to oczywiście ich sprawa, uważam, że naszą sprawą jest pozwolić lub nie pozwolić na palenie w obecności naszego syna. Żona obawia się, że zwrócenie im uwagi, by nie palili, gdy dziecko jest w pobliżu, zraniłoby ich uczucia.

Lepiej zranić uczucia teściów, niż narażać zdrowie dziecka. Najnowsze badania dowodzą, że papierosy są prawie tak samo szkodliwe dla tych, którzy wdychają dym, przebywając w towarzystwie palaczy, jak i dla tych, którzy palą. Przebywanie w dymie powoduje wiele problemów, od większej zapadalności na choroby i osiąganie gorszych wyników w pracy po raka płuc w przyszłości.

Idealnie byłoby spróbować ochronić zdrowie dziecka bez narażania na szwank waszych stosunków rodzinnych. Razem z żoną (tworząc zwarty front) powinniście usiąść z jej rodzicami i zacząć od wytłumaczenia, jak bardzo ich wszyscy kochacie i prosicie, by rzucili palenie, bo chcecie mieć ich jeszcze długo, długo przy sobie. Powiedzcie, że decyzja rzecz jasna należy do nich, wy zaś musicie chronić zdrowie i kondycję waszego dziecka, a ich wnuka. Wyłuszczcie następnie szczegółowo, w jaki sposób ich palenie wpływa negatywnie na waszego syna, pokazując im nawet całą listę niebezpieczeństw, jakie powoduje nikotyna (patrz str. 536). Pomocne mogą się tu okazać różne broszury na temat szkodliwości palenia papierosów i dla samych palaczy, i ich otoczenia. Broszury takie dostępne są w księgarniach czy oddziałach Polskiego Towarzystwa Antynikotynowego. Wreszcie powiedz-

jak zwykle o dwunastej, trzynastej, chociaż o piętnastej będzie uroczysty obiad dla całej rodziny. Wygłodzone lub przemęczone dziecko z pewnością nie będzie zadowolonym gościem przy stole.

Trochę bliskości. Małe dzieci często są odsuwane na bok w czasie świąt, gdy to starsi członkowie rodziny czynią przygotowania, a potem celebrują wspólne spotkania. Takie niezwracanie uwagi sprawia, że dziecko może nie tylko zacząć się jej głośno domagać (w najmniej odpowiednim momencie), ale zniechęcić się w ogóle do świąt. Zamiast więc przeganiać ciągle malca, wciągnij go w świąteczne przygotowania. Nawet dwulatek może pomóc posprzątać pokój przed przybyciem gości, upiec ciasteczka, wykonać dekoracje (rezultat będzie oczywiście daleki od ideału, ale za to jak ucieszy dziecko!). Wciągnij dziecko również w świąteczne rytuały i obchody: przeczytaj np. jakiś wstęp z Biblii na zakończenie wigilijnej kolacji, pośpiewaj z dzieckiem kolędy, urządź „polowanie na wielkanocne jajo" w sypialni, podczas gdy dorośli kończą śniadanie w jadalni.

Zwolnij tempo. Zamiast zwykłego i stresującego szaleństwa spróbuj zwolnić nieco tempo i zrelaksować się podczas świąt. Zaplanuj mniej, a z pewnością ci się to uda.

Wejdź w skórę swojego dziecka. Ty możesz rozkoszować się tradycyjnymi potrawami, a dziecko może mieć właśnie ochotę na spaghetti. Przedstawienie *Dziadka do orzechów* może wciągnąć cię dogłębnie w świąteczny nastrój, podczas gdy siedzenie przez półtorej godziny i obserwowanie jakichś wyginających się ciał i obcej, niezrozumiałej muzyki mogą wprawić dziecko w wyjątkowo zły humor. Dom stojący przez cały dzień otworem dla gości może według ciebie przypominać „otwarte bramy niebios", podczas gdy dla dziecka będą to „otwarte wrota piekła", szczególnie jeśli większość tych gości to podszczypujący jego policzki czy obcałowujący go dorośli. Żeby święta były bardziej udane dla wszystkich, weź pod uwagę pewne naturalne ograniczenia dziecka i dostosuj się do nich. Obok brytfanny z pieczenią miej w zanadrzu i garnek z makaronem; daruj sobie *Dziadka do orzechów*, aż twoja pociecha podrośnie i będzie w stanie się nim zachwycić.

Nie zarzucaj dziecka prezentami. Aż kusi, by obrzucić swojego małego księcia czy księżniczkę iście królewską liczbą prezentów. Zbyt dużo podarków może sprawić, że żaden z nich malca specjalnie nie zachwyci. Dawać trzeba z sensem (patrz str. 72). Bez względu na to, co dajesz, nie nastawiaj się na jakąś wielką wdzięczność (choć możesz poprosić o skromne „dziękuję"). Oczy dziecka mogą rozbłysnąć przy rozpakowywaniu wymarzonego „misia, który mówi", ale zabawka ta szybko może być odrzucona do kąta w momencie, gdy brzdąc z rozkoszą zanurzy się wśród innych kolorowych pudeł i wstążek.

Przygotuj się do „zejścia na ziemię". Nagłe przejście od ekscytacji świętami do normalnego, codziennego życia musi spowodować u dorosłych poświąteczny „dołek". Dzieci zaś reagują inaczej; przestawienie się na takie normalne tryby zajmuje nieco czasu i w związku z tym mogą się u nich częściej pojawiać różne niesforne zachowania. Żeby pomóc dzieciom „zejść na ziemię", zaplanuj jakieś spokojne, relaksujące zajęcia na kilka pierwszych dni po świętach.

cie im, że ponieważ przebywanie w towarzystwie palacza jest bezapelacyjnie szkodliwe i wszelkie medyczne ośrodki i stowarzyszenia, jak i różne rządowe organizacje (Polski Związek Ekologiczny) postulują powstrzymanie się od palenia w obecności dzieci, prosicie ich bardzo o niewyjmowanie papierosów, gdy mały jest w pobliżu. Jeśli już muszą palić podczas wizyty w waszym domu, jedyne możliwe miejsce to np. balkon czy ogródek. Jeśli będą narzekać, że nie mogą palić w swoim własnym domu, kiedy przyjdzie im na to ochota, dajcie im do zrozumienia w możliwie najuprzejmiejszy sposób, że ponieważ nie zamierzacie dalej wystawiać na ryzyko zdrowia dziecka, będziecie musieli zawiesić odwiedzanie ich do czasu, aż zgodzą się nie palić w towarzystwie dziecka. Powiedzcie też, jak bolesny to będzie krok dla was i dla dziecka. Wyjaśnijcie do końca, że to ich palenie, a nie oni sami, jest powodem waszych obiekcji i że te same zasady stosujecie wobec wszystkich znajomych i innych członków rodziny, więc nie powinni odbierać waszej decyzji tak zupełnie osobiście. Całą rozmowę starajcie się utrzymać w tonie raczej współczującym aniżeli oskarżycielskim. Bądźcie też przygotowani na to, że na początku rodzice mogą poczuć się obrażeni albo nawet oburzeni — dajcie im trochę czasu na przemyślenie waszej decyzji.

PRZEPROWADZKA

Planujemy za kilka miesięcy przeprowadzić się z centrum miasta do domku na peryferiach. Co możemy zrobić, by zmiana nie miała aż tak negatywnego wpływu na naszą córeczkę?

Rodzice a dziadkowie

Rzadko zdarzają się rodziny, w których nie byłoby od czasu do czasu scysji między pokoleniami na temat wychowywania dzieci. Zawsze tak było, a już szczególnie należy się tego spodziewać w obecnych czasach, kiedy to badania naukowe burzą często wszystkie dotychczasowe poglądy na to, co dla dziecka najlepsze. By uniknąć spięć:

Staraj się dążyć do spędzania czasu rodzinnie — do pewnego stopnia. Dziadkowie, którzy albo czują się odsunięci od swoich wnuków (raz w miesiącu i dziękujemy!), albo też czują się zmuszeni do widywania ich zbyt często (niańczenie dzieci w każdą środę albo przygotowywanie niedzielnego obiadu czy piątkowej kolacji dla całego klanu), są zwykle trudniejsi „do zdzierżenia". Jeśli dziadkowie mieszkają w pobliżu, trzeba będzie usiąść i przedyskutować, jaki rodzaj stosunków rodzinnych będzie najlepszy dla nich, a jaki dla was. Następnie ustalcie plan, który zadowoli wszystkich. Jeśli okaże się, że wasz aktywny tryb życia nie zostawia zbyt wiele czasu na kontakt dziadków z wnuczętami, porozmawiajcie z rodzicami, jak temu zaradzić. Wyjaśnijcie, jak bardzo zależy wam na bliskich kontaktach waszych dzieci z nimi (jeśli tak rzeczywiście jest), i razem zastanówcie się, jak to wcielić w życie. A oto kilka możliwości: regularne wizyty w sobotnie popołudnia, wspólne chodzenie do kościoła, wspólny posiłek w weekend (gdzieś w restauracji albo z dań „na wynos", by nikt nie musiał gotować), spacer po parku, pieczenie ciasteczek, wspólne wycieczki. W przypadku dziadków, którzy mają dużo czasu na rozpieszczanie swoich wnucząt, większym problemem może być zbyt duża zażyłość niż zbyt mała. Jeśli denerwują was dziadkowie pojawiający się u drzwi bez uprzedzenia o różnych porach dnia i nocy, nie krępujcie się i powiedzcie im to. To jedyny sposób. Wyjaśnijcie im możliwie ciepło, że potrzebujecie prywatności, że lubicie przygotować się do czyjejś wizyty wcześniej i że bylibyście wdzięczni, gdyby w przyszłości wcześniej zatelefonowali.

Przyjmij do wiadomości, że nieporozumienia to zjawisko normalne. Sprzeczasz się ze swoimi rodzicami lub teściami na temat spraw związanych z dzieckiem albo też ogólnie się z nimi nie zgadzasz. Prognozy są więc takie, że zawsze będziecie się kłócić. Pamiętaj jednak, że gdy dochodzi do decyzji na temat wychowywania dziecka, ostatnie słowo należy do jego rodziców. Żeby uniknąć bezustannych tarć i wymówek, bądź stanowcza, ale i dyplomatyczna. Wytłumacz swoim rodzicom, że dokonali tak wiele, wychowując ciebie, iż teraz czujesz się pewna i kompetentna, wychowując własne dziecko. Powiedz im, że zawsze chętnie wysłuchasz ich rad, ale będziesz korzystać również z innych źródeł (lekarz, inni specjaliści, książki), jak również słuchać własnego instynktu.

Bądź elastyczna. Dzieci, nawet te małe, potrafią nauczyć się różnych zasad postępowania w różnych domach. Szybko więc chwytają, że u babci

Przeprowadzka może być bolesnym przeżyciem dla każdego. Nawet jeśli cieszy cię to nowe miejsce lub opuszczenie starego, nawet jeśli fachowcom od przenosin uda się nie zbić twojej ślubnej porcelany i nie porysować pięknego kredensu po babci, przeprowadzka jest dużą próbą nerwów i emocji. Przeprowadzka może być szczególnie trudna dla dzieci w wieku szkolnym, które wyprowadzają się z jedynego domu, jaki dotąd znały, i jedynej szkoły, do której uczęszczały; opuszczają też swoich dobrych przyjaciół i jedyne podwórko, na którym się bawiły. Jest to szczególnie trudne, jeśli nie mają większego pojęcia, dlaczego się wyprowadzają, dokąd się wyprowadzają i co będą robić, jak już „tam" się znajdą. Dla młodszych dzieci jednak przeprowadzka jest na ogół mniej bolesna; ich korzenie nie są jeszcze tak głęboko osadzone i zwykle nie przejmują się całą sprawą tak bardzo jak ich rodzice czy starsze rodzeństwo. Jak długo małe dziecko ma swoją rodzinę, ulubione zabawki i parę innych przedmiotów dających mu poczucie bezpieczeństwa i komfortu, tak długo będzie mu dobrze. Żeby jednak jeszcze bardziej ułatwić maluchowi przejście w nowe miejsce:

Nie róbcie z tego tajemnicy. Zaskoczenie dziecka wiadomością, w momencie gdy ciężarówka wyjeżdża już z meblami, nie da mu chwili czasu na przygotowanie się do mających nastąpić zmian. Czekanie do ostatniej chwili stwarza też i tę możliwość, że brzdąc dowie się o wszystkim od kogoś innego, co poważnie nadweręży jego zaufanie do rodziców i ich intencji. Poza tym cały ten wstrząs i zamieszanie wywołane pakowaniem i tak zmuszą was do wyjaśnienia, bez niego bowiem dziecko może być jeszcze bardziej przestraszone. Zacznijcie więc wspominać o przeprowadzce na długo wcześniej, zanim zaczniecie się pakować, ale na tyle blisko tego wydarzenia, by malec miał jeszcze świeżo w pamięci wasze wyjaśnienie, kiedy zacznie się wynosić pudła i walizki. Na poziomie zrozumiałym dla

nie wolno położyć nóg na kanapie (a w domu można), ale można oglądać telewizję po kolacji (na co nie pozwala się w domu). Jak długo kwestie te nie są aż takie istotne (w samochodzie dziadka i taty siedzenie w dziecięcym foteliku nie podlega dyskusji), daj dziadkom nieco wolnej ręki. Jeśli złamią którąś z twoich żelaznych zasad (np. dadzą dziecku cukierka), zastanów się, zanim zareagujesz. Spokojnie i rzeczowo wytłumacz, dlaczego to jest dla ciebie takie ważne i że przestrzeganie tej reguły także przez nich będzie dla ciebie miało również ogromne znaczenie.

Nie obrażaj się. Niełatwo jest zaakceptować z wdziękiem spontaniczną radę w kwestii wychowywania dziecka pochodzącą od pani w autobusie, oschłej sprzedawczyni w dziale z odzieżą dziecięcą czy nawet własnej matki (lub teściowej). Nawet takie zwykłe: „Ojej, trzeba dziecku założyć sweterek" czy szczególnie bolesne: „Naprawdę nie powinna pani biec od razu do dziecka, gdy płacze" mogą przyprawić cię o sztywność karku, doprowadzić do ostateczności i nastroić bojowo. Jednak obrażanie się na babcię potęguje jedynie niepotrzebnie napięcie między wami. Zamiast więc wydymać usta, przyjmuj takie uwagi spokojnie; jest to przecież rada udzielona w najlepszej intencji, i to od kogoś, kto się troszczy. Skorzystaj z niej w stopniu, w jakim uważasz za stosowne, a resztę puść mimo uszu.

Nie jesteś alfą i omegą. Nawet jeśli twój sposób wychowywania dzieci i metody, które wybrałaś, różnią się całkowicie od tych, które obrali niegdyś twoi rodzice, nie znaczy to, że już niczego nie możesz się nauczyć od dziadków dziecka. Zawsze więc spokojnie i chętnie wysłuchaj tego, co mają do powiedzenia, i skwapliwie przyznaj im rację, gdy ją mają.

Ucz rodziców. Trzydzieści lat temu ssanie kciuka uważano za oznakę problemów emocjonalnych. Dziś mówi się o tym jako o normalnym nawyku, prowadzącym do samouspokojenia. Wtedy twierdzono, że lekkie odzienie prowadzi do przeziębienia. Dziś wiadomo, że to wirus, a nie wyjście z domu bez czapki i rękawiczek jest temu winien. Sposób troszczenia się o dzieci i ich zdrowie zmienił się radykalnie od czasu, gdy sama byłaś dzieckiem, i bardzo możliwe, że starsze pokolenie po prostu za tymi zmianami nie nadąża. Wprowadź dziadków w świat współczesnej opieki nad dzieckiem, podsuwając im tę czy inną książkę.

Zasięgnij opinii kogoś trzeciego. Jeśli opinia dziadków wzbudza w tobie uczucie niepewności, zasięgnij opinii gdzie indziej — u lekarza pediatry, w niniejszej książce czy u innych rodziców wychowujących małe dzieci. Im więcej wiesz, tym pewniejsza możesz się czuć przy podejmowaniu decyzji.

Zwarty front. I ty, i twój mąż powinniście jednakowo konsekwentnie ustosunkowywać się do prób ingerowania rodziców w wasze sprawy, bez względu na to, czyi rodzice ingerują. Nie myślcie o tym w ten sposób, że występujecie przeciwko dziadkom, ale za swoją rodziną.

dziecka i podkreślając plusy, wytłumaczcie dziecku, dlaczego się wyprowadzacie („Nasz stary domek jest dla nas już za ciasny, potrzebujemy większego").

Niech wszystko brzmi pozytywnie. Poopowiadaj dziecku o okolicy. Opowiedz o wspaniałym placu zabaw, który jest niedaleko, o basenie, na który będzie chodzić, o muzeum położonym na sąsiedniej ulicy czy wreszcie o rosnących wzdłuż ulicy pięknych drzewach. Opowiedz też o nowym domu lub mieszkaniu, o dużym podwórku, o nowym pokoju, w którym będzie wreszcie dość miejsca, by rozstawić upragnione sztalugi do malowania.

Wstępne oględziny. Jeśli to możliwe, zabierz malca do tego nowego domu, nowego żłobka czy przedszkola (jeśli będzie tam chodzić). Jeśli możesz, poznaj go z kilkorgiem dzieci z sąsiedztwa. Gdy nie da się odwiedzić nowego domu wcześniej, pokaż dziecku szkice i rysunki przyszłego domu i okolicy, by miało choć trochę pojęcie o tym, czego się spodziewać, gdy już przyjedziecie „na nowe śmieci". Zanim opuścicie stare miejsce zamieszkania, zapytaj dziecko, jakie miejsca czy przedmioty macie sfotografować i załóżcie mu album ze zdjęciami starego domu, sąsiedztwa, przyjaciół itd. Przeglądanie go od czasu do czasu pomoże dziecku wypełnić lukę między starym a nowym.

Podziel się swoimi odczuciami. Przyznaj, że i ty masz mieszane uczucia co do tej przeprowadzki, że będzie ci brakowało starych sąsiadów, przyjaciół domu. Podkreśl jednak, że sądzisz, iż mieszkanie w nowym domu będzie naprawdę fajne.

Nie wyrzucaj staroci, jeśli nie masz pewności. Przeprowadzka wydaje się wręcz idealnym momentem do pozbycia się starych, zniszczonych i popsutych zabawek czy innych rupieci dziecka. Oprzyj się jednak tej pokusie przed wyprowadzką, no chyba że masz absolutną pewność, iż malec nie poprosi już o daną rzecz lub za nią nie zatęskni. Lepiej poczekać, aż dziecko dobrze się przyzwyczai do nowego domu, zanim przeprowadzisz generalne porządki.

Zabawa w przeprowadzkę. Wciągnij dziecko w nastrój przeprowadzki poprzez zabawę przy użyciu ciężarówek, klocków, domków dla lalek i lalek, misiów oraz pudeł. Odgrywanie „przeprowadzek" pozwoli maluchowi wyrzucić z siebie wszelkie mieszane uczucia i obawy. Poczytaj mu też trochę o przeprowadzkach.

Nie zapominaj o dziecku. Przeprowadzka jest bez wątpienia zajęciem czasochłonnym. Między opakowywaniem tego, co kruche, układaniem książek w pudłach, telefonami do urzędów o przeniesienie telefonu — ważniejszym i mniej ważnym sprawom nie ma końca. Bez względu jednak na to, jak bardzo jesteś zajęta, nie zapomnij o jeszcze jednym bardzo ważnym i wymagającym drobiazgu, nie tak bezpośrednio związanym z przenosinami — o swoim dziecku. Jeżeli nie zapewnisz mu tego, czego potrzebuje, potencjalne efekty uboczne przeprowadzki — jęczenie, „klejenie się" do ciebie, skłonność do irytacji — mogą tylko ulec pogorszeniu. Jeszcze bardziej niż twojej uwagi dziecko potrzebuje nadzoru. Dom w trakcie przeprowadzki jest dla małego dziecka nieprzyjazny, szczególnie jeśli dorośli są czymś bez reszty pochłonięci i oderwani myślami od świata malucha. Wystarczą jakieś otwarte drzwi, przez które dziecko może się wymknąć, narzędzia ekipy, które mogą mu się szczególnie spodobać, na wpół otwarte kartony pełne kuszący rzeczy, których nie wolno dotykać, czy wreszcie środki czyszczące — i nieszczęście gotowe. Jeśli nie możesz na chwilę choćby oderwać się od pakowania, by poświęcić maluchowi odrobinę uwagi, spraw, by zrobił to ktoś inny — dziadek, znajoma, odpowiedzialna nastolatka od sąsiadów itp. Albo też, jeśli oboje jesteście w domu, można zamieniać się rolami przy dozorowaniu ekipy i pilnowaniu dziecka (taki sam dozór będzie potrzebny po przeprowadzce aż do całkowitego rozpakowania się i urządzenia domu w sposób bezpieczny dla dziecka).

Nie pozbywaj się dziecka na czas przenosin. Chociaż przeprowadzka byłaby z pewnością dużo mniej skomplikowana bez kręcącego się pod nogami malucha, wysłanie go do babci lub gdziekolwiek, aż się wyprowadzicie i wprowadzicie, nie jest najlepszym pomysłem. Przenosiny będą dużo mniej dezorientujące dla dziecka, jeśli będzie uczestniczyło w nich od początku do końca, aniżeli wtedy, gdy się je na jakiś czas wyłączy z biegu spraw i nagle przyprowadzi do nowego domu.

Pokój dziecka pakuj jako ostatni. Im mniej czasu dziecko będzie musiało spędzić bez znanych i lubianych sprzętów ze swego pokoju i żyć w pustej przestrzeni, tym lepiej. Pamiętaj, by najcenniejsze skarby — te, których nie da się zapakować w płócienną torbę — były w kartonie wyraźnie oznaczonym i łatwym do znalezienia natychmiast po wprowadzeniu się do nowego mieszkania. Wszystkie zaś meble i kartony z pokoju dziecięcego, które opuszczą stare mieszkanie jako ostatnie, powinny być w nowym rozpakowane jako pierwsze, by pokój dziecka można było w miarę szybko urządzić.

W dniu wprowadzania się do nowego domu należy mieć pod ręką poduszkę i koc (by dziecko mogło się przespać, gdy przyjdzie mu na to ochota), zmianę ubrania, kilka ulubionych książek (by w pierwszy wieczór w nowym domu można było uraczyć malca jego ulubionymi bajkami na dobranoc) oraz którąś z zabawek (by nie trzeba było przekopywać kartonów w poszukiwaniu kochanego psiaka zaraz po wyładowaniu dobytku). Miej również przy sobie torbę pełną nie psujących się tak szybko przekąsek i napojów (krakersów, suszonych owoców, ciasteczek, kartoników z soczkiem), byś nie musiała natychmiast pędzić do sklepu, gdy dziecko zacznie marudzić z głodu lub pragnienia.

Pozwól dziecku coś zapakować. By dziecko miało uczucie, że uczestniczy i wręcz kontroluje to, co się wokół niego dzieje, daj mu karton na spakowanie się (zawsze możesz to przepakować po swojemu, gdy brzdąc już śpi). Poszukaj dla niego również własnej walizki lub plecaczka, które może załadować swoimi ulubionymi zabawkami i drobiazgami, by mogło je potem zabrać w drogę do nowego domu.

Najpierw urządź dziecko. Rozpakuj pokój dziecka jako pierwszy, by mogło od razu poczuć się swojsko, otoczone znajomymi sprzętami i zabawkami. Zachęć pociechę do pomocy przy urządzaniu jej pokoju, nawet jeśli ta pomoc jest bardziej zawadą niż wyręką. Najlepiej chyba będzie odtworzyć w maksymalnym stopniu wystrój starego pokoju (wykorzystując ten sam fotelik i rozkładając na podłodze ten sam dywanik, ustawiając w podobny sposób meble i wieszając na ścianach te same obrazki), by malec szybciej poczuł się w nowym miejscu jak w domu. Jeśli nie domaga się (ani specjalnie nie oczekuje) nowych mebli, poczekajcie, aż zaaklimatyzuje się w swoim otoczeniu przed jaką-

Poszukaj lekarza

Nie czekaj do pierwszej gorączki. Zanim wszysko rozpakujesz — a jeszcze lepiej przed przeprowadzką — upewnij się, że w razie potrzeby będziesz miała dokąd udać się po lekarską poradę. Spróbuj zdobyć potrzebne rekomendacje od obecnego lekarza dziecka lub kogoś z nowego sąsiedztwa (pośrednicy handlu nieruchomościami również czasami dysponują informacjami na ten temat i mogą cię skontaktować np. z sąsiadami mającymi małe dzieci). Jeśli po kilku wizytach dojdziesz do wniosku, że nie jesteś zadowolona, zmień lekarza. Na razie jednak lepiej mieć kogoś w zanadrzu, aniżeli wzywać pogotowie lub wertować książkę telefoniczną, gdy dziecko zacznie nagle wymiotować.

kolwiek próbą zmiany wystroju w jego królestwie.

Chwilowo żadnych innych zmian. Przed i po przeprowadzce staraj się powstrzymać od serwowania dziecku dodatkowych wrażeń: utrzymuj względne status quo w ciągu kilku tygodni. Przenosiny są wystarczająco dużym przeżyciem bez dodawania do tego stresu z tytułu np. nauki korzystania z toalety, zmiany dziecięcego łóżeczka na większe lub wysłanie tuptusia po raz pierwszy do żłobka czy przedszkola. Kuchnię wyposaż w te same podkładki pod talerze i te same naczynia. Podawaj znajome potrawy o stałych porach.

Zbadanie terenu. Nawet gdyby rozpakowanie wszystkiego w jeden dzień było realne, zabójcze tempo, w jakim musiałoby się to odbywać, przyczyniłoby się tylko do jeszcze większego niepokoju dziecka. Po odjeździe ekipy zróbcie sobie więc małą przerwę w pracy i poświęćcie ten czas na wspólną rodzinną zabawę. Można wybrać się na „zwiad" i rozejrzeć się po okolicy, odwiedzić nowy plac zabaw czy zjeść obiad w pobliskiej restauracji.

Nawiąż kontakty. Zapoznaj się i zaangażuj w życie nowej lokalnej społeczności. Przyłącz się z dzieckiem do grupy jego rówieśników, klubu pływackiego, odwiedź lokalne muzeum czy kościół, róbcie sobie przejażdżki i spacery. Odwiedzaj miejsca, gdzie się coś dzieje i jest mnóstwo atrakcji.

Utrzymuj stare kontakty. Telefonuj, pisz listy, odwiedzaj; krótko mówiąc, kontynuuj więzi z krewnymi i przyjaciółmi ze starego sąsiedztwa.

Bądź szczególnie cierpliwa. Małe dzieci w okresie przejściowym potrzebują cierpliwości i zrozumienia, a nie strofowania i ultimatum. Choć niewątpliwie będziesz przez jakiś czas bardziej zajęta niż kiedykolwiek, nie pozbawiaj dziecka chwil, na które czeka. Jeśli jest przywyczajone do pięciu bajek na dobranoc, przeczytaj wszystkie pięć, bez uciekania się do skrótów. Jeśli przywykło do chlapania się w wannie, niech się chlapie do woli. Zrozum, że konieczność przyzwyczajenia się do nowego pokoju prawie na pewno czyni z rytuału pójścia spać większą próbę niż zwykle. Wyrozumiałość z pewnością zaprowadzi dalej aniżeli irytacja. Nie zrób jednak błędu w postaci zmiany zasad wieczornego kładzenia dziecka spać (czy reguł dotyczących rutyny w ogóle) „tylko do czasu, aż się przyzwyczai", pozwalając dziecku spać ze sobą (jeśli nie jesteś zwolenniczką łóżka rodzinnego) lub dając się przekonać do spania z nim. Wyjątki mogą szybko przejść w reguły, które trudno złamać.

Chociaż twoja pociecha najprawdopodobniej dobrze zniesie tę zmianę, przyszłe przeprowadzki mogą być już trudniejsze — szczególnie jeśli będą się zdarzać często — gdyż dziecko będzie już starsze. Pięć czy sześć przeprowadzek w szkolnych latach dziecka może doprowadzić do zaburzeń w nauce i częstszych chorób. Jeśli musicie się często przeprowadzać, z pewnością spowoduje to dodatkowe emocje związane z okresami adaptacyjnymi u dziecka.

DZIECKO ADOPTOWANE

Zaadoptowaliśmy ślicznego małego chłopczyka, gdy miał zaledwie kilka dni, i od tej pory jest naszą największą radością. Właśnie skończył roczek i zastanawiamy się, czy to już pora, by mu o wszystkim powiedzieć.

Nigdy nie jest za wcześnie na rozpoczęcie z dzieckiem rozmów o tym, że został zaadoptowany do danej rodziny, a nie w niej urodzony. Właściwie im wcześniej mówi się o tym takiemu adoptowanemu dziecku, tym bardziej wydaje mu się to naturalne. Dziecko słyszące rodziców rozmawiających o jego adopcji w kategoriach pozytywnych („Mieliśmy takie szczęście, że mogliśmy ciebie zaadoptować") od czasów niemowlęctwa może się czuć bardziej bezpieczne i pewne swego pozostania w rodzinie niż dziecko, które nagle zostaje poinformowane o swojej historii w późniejszym dzieciństwie. Za wszelką więc cenę rozmawiajcie o jego adopcji. Nie spodziewajcie się jednak, że dyskusja ta będzie miała większy sens, zanim dziecko skończy trzy lub cztery latka. (Podczas gdy małe dziecko może umieć powtarzać jak papuga słowa „jestem adoptowany", nie rozumie tak naprawdę ich znaczenia albo różnicy między urodzeniem się w rodzinie, a adopcją do niej.) Wytłumaczenie z grubsza kwestii „jak i skąd się biorą dzieci" (patrz str. 358) pomoże malcowi uchwycić to, że wszystkie dzieci rodzą się komuś. Na tej podstawie można dalej wyjaśniać, że niektóre dzieci zostają przy rodzinach, w których przyszły na świat, a inne — gdy ich biologiczna rodzina nie może się nimi zaopiekować — są adoptowane przez rodziny, którym bardzo na nich zależy.

Powiedzcie dziecku, że adopcja nie jest niczym lepszym ani gorszym od urodzenia się w rodzinie, jest po prostu czymś innym. Nie mówcie: „Nasza rodzina jest jak każda inna", lecz raczej wytłumaczcie, że wszystkie rodziny różnią się między sobą — w niektórych rodzinach jest tylko mamusia, w innych tylko tatuś; niektóre mają dzieci, które są ich rodzonymi dziećmi, inne mają dzieci adoptowane, a jeszcze inne mają dzieci i takie, i takie. Dyskusje, które prowadzicie z dzieckiem teraz, są zaledwie zalążkiem dłuższego procesu. Kwestie związane z adopcją będą z pewnością powracać, ale nie wcześniej niż w zaawansowanym wieku szkolnym dziecko tak naprawdę zacznie się interesować swoimi biologicznymi rodzicami i tym, dlaczego je porzucili (niektóre dzieci nigdy aż tak bardzo się w to nie zagłębiają). Dopóki nie padną takie pytania, nie trzeba udzielać odpowiedzi.

BLIŹNIĘTA – CZY MOŻE COŚ WIĘCEJ

Mamy bliźniaczki, które w wieku osiemnastu miesięcy są już najlepszymi koleżankami. Gdybyśmy na to przystali, wszystko robiłyby razem. Nasuwa sę pytanie, czy to najlepszy sposób ich chowania?

Stara zasada, że dwojaczki (albo trojaczki lub czworaczki) powinny być traktowane identycznie, nie znajduje już uznania u współczesnych ekspertów w dziedzinie wychowywania dzieci. Traktowanie ich bowiem jako jedności — czego oczekiwano od rodziców w przeszłości — może, jak się okazuje, opóźnić rozwój fizyczny i emocjonalny, zwolnić tempo rozwoju mowy i w efekcie doprowadzić do tego, że dzieci nie wykorzystują swojego intelektualnego potencjału. Niewykluczone też, że u każdego z dzieci rozwinie się zaledwie część umiejętności potrzebnych w przyszłym samodzielnym życiu. Bliźnięta (nawet identyczne) są odrębnymi jednostkami i tak należy je traktować.

Żeby pobudzić u waszych córek poczucie indywidualności (bez specjalnego ingerowania w ich zażyły układ), wykorzystajcie poniższe rady:

* Unikajcie nazywania ich „bliźniaczkami". W zamian za to zawsze nazywajcie je po imieniu lub mówcie do nich „dzieci" albo „dziewczynki". Niech rodzina, znajomi i opiekunowie robią tak samo.

* Upewnijcie się (wy i wszyscy inni), że możecie je odróżnić. Jeśli są identyczne, spróbujcie je inaczej czesać (chyba że absolutnie nie chcą) lub pomalować jednej paznokieć u paluszka na różowo, a drugiej na czerwono lub też założyć im na kostkę u nóżki bransoletki identyfikacyjne — zresztą cokolwiek — by nie były ciągle mylone (choć do końca i tak nie da się tego uniknąć) i by np. podwójna dawka witamin nie trafiała do jednej buzi, podczas gdy druga pozostaje pusta.

* Pozwólcie im samym decydować o ubiorze. Choć jest to kuszące — wręcz nie do odparcia — by ubierać bliźniaki jednakowo, tego rodzaju praktyki mogłyby zaburzyć rozwój poczucia własnej jaźni. Jeśli dziewczynki nalegają na kupno jednakowych ubrań (wiele bliźniąt tak robi, dotyczy to nawet skarpetek), zasugerujcie chociaż różne kolory i nadal zachęcajcie (ale nie zmuszajcie) do noszenia różnych strojów.

* Wyposażcie każdą córeczkę we własne zabawki i inne drobiazgi. Dwu-, trzyletnie bliźnięta są trochę bardziej skłonne dzielić się swoimi skarbami niż inne dzieci (a szczególnie, gdy wypływa to od nich samych, a nie od was); niemniej od czasu do czasu i tak należy się spodziewać charakterystycznej dla ich wieku zaborczości. Prośby, by dzieliły się ze sobą wszystkim, są nie fair (tak samo nie poprosiłabyś o to rodzeństwa w różnym wieku) i mogłyby doprowadzić w przyszłości do współzawodnictwa. Niech więc każda ma własne zabawki, książki i inne osobiste drobiazgi, nawet jeśli trzeba będzie kupować wiele rzeczy podwójnie, jak w przypadku dwojga rodzeństwa w różnym wieku. Oznaczcie zabawki

imionami lakierem do paznokci, by uniknąć zamieszania.

* Traktujcie je na równi, ale nie zawsze tak samo, szanując różnice tak jak w przypadku każdego innego rodzeństwa (patrz str. 621). Przy identycznych bliźniakach może to wymagać dodatkowego wysiłku. Podczas gdy podobieństwa są oczywiste, różnice już mniej. Poszukajcie zatem czegoś wyjątkowego w każdym dziecku — jedno może lubi muzykę, drugie sztukę; jedno wspaniale się wspina, drugie świetnie się ślizga. Nawet jeśli obie wykazują zdolności w tym samym kierunku, spróbujcie doszukać się różnych aspektów tego talentu czy umiejętności w każdym dziecku i pieczołowicie je pielęgnować.

* Miejcie czas dla każdego dziecka z osobna. Większość rodziców, którzy mają więcej niż jedno dziecko, z trudnością znajduje czas dla każdej pociechy z osobna, a już szczególnie rodzice bliźniąt. A ponieważ tak wiele bliźniąt lubi swoje własne towarzystwo (przynajmniej, gdy są małe), zdobywanie się na taki wysiłek wydaje się niepotrzebne. Jednakże przebywanie sam na sam z mamusią czy tatusiem (albo z obojgiem) jest ważne dla każdego dziecka, a już szczególnie dla bliźniąt, które powinny być postrzegane jako odrębne jednostki. Postawcie więc sobie za zadanie wygospodarowanie czasu na sam na sam z każdą z nich — czy będzie to regularna wizyta w pizzerii, czy zwykłe czytanie bajek przez mamusię czy tatę.

* Nie rozdzielajcie ich zbyt wcześnie. To, czy umieścić małe bliźniaki w oddzielnych grupach zabawowych lub przedszkolnych, zależy od dzieci. Większość ekspertów zgadza się co do tego, że oddzielne zajęcia sprawdzają się dopiero u bliźniąt w wieku szkolnym — rozdzielanie ich może motywować i nauczycieli, i rówieśników (jak również same bliźnięta) do spoglądania na duet jako dwie odrębne indywidualności. Takie rozwiązanie minimalizuje też współzawodnictwo. Rozdzielenie ich jednak zbyt wcześnie może być bolesne; wiele — ale nie wszystkie — maleńkich bliźniaków z trudnością funkcjonuje bez swojej „drugiej połowy". Czerpią bowiem wzajemnie z siebie siłę, gdy stają twarzą w twarz z nową sytuacją jako para. Nie brońcie ich jednak przed indywidualnymi zajęciami od czasu do czasu, jeśli nadarzy się okazja; maluch, który zaprzyjaźni się z jakimś dzieckiem, ma prawo się z nim umówić bez wlokącej się za nim siostry. Jak już podrosną i będą chętne, rzucajcie je czasami oddzielnie na „głęboką wodę" (np. zajęcia z gimnastyki), by uczyły się, jak radzić sobie w różnych sytuacjach w pojedynkę.

* Strzeżcie się porównań. Porównywanie dzieci („Kasia zawsze odkłada swoje zabawki na półkę. A ty?") — bliźniaków czy nie — stanowi zaprzeczenie ich indywidualności, rujnuje poczucie własnej wartości i podsyca niezdrowy rodzaj współzawodnictwa (patrz str. 620 i 632). Szeroko przyjęty mit o tym, że w przypadku identycznych bliźniąt jedno jest dobre, a drugie złe, jest tylko mitem. Nie sugerujcie się nim w traktowaniu swoich bliźniaczek ani też nie pozwólcie, by stało się samospełniającym proroctwem.

* Ostrożnie z rywalizacją z innym rodzeństwem. Jeśli są lub będą w przyszłości inne dzieci w rodzinie, uważajcie, by „syndrom bliźniaków" nie wyeliminował ich z gry. Ponieważ tak wiele uwagi poświęca się bliźniakom — jeśli nie w rodzinie, to w otoczeniu — inne dzieci (szczególnie te starsze) często czują się niedocenione lub zaniedbane. Pamiętajcie zatem, by i im poświęcać dużo uwagi. Bądźcie też świadomi tego, że bliźniaki, które są bardzo ze sobą zżyte, mogą zupełnie bezwiednie ignorować trzecie dziecko w rodzinie; choć nie jest to ich wina (robią tylko to, co dyktuje im natura), może to w efekcie doprowadzić do uczucia zagrożenia u trzeciego dziecka — outsidera. Można temu przeciwdziałać poprzez wzmożone kontakty rodziców sam na sam z dzieckiem oraz dostarczenie maluchom wielu sposobności przebywania z rówieśnikami.

* Korzystajcie z każdej pomocnej ręki. Z dwójką dzieci do pilnowania z pewnością jesteście bardziej obciążeni niż inni rodzice. Nie krępujcie się więc przyjąć czy wręcz poprosić o pomoc przyjaciół, rodzinę lub nawet rzadko widywanych znajomych i nie miejcie z tego powodu skrupułów. A kiedy dobija was już podwójny rodzicielski obowiązek, pomyślcie sobie o tym, że bliźniaki zwykle są jednak łatwiejsze do pielęgnowania aniżeli dwoje dzieci rok po roku czy z dwuletnią różnicą wieku. Z racji swojej zażyłości, szczególnie gdy są identyczne (choć bywają wyjątki), często same się ze sobą bawią: z racji mieszkania we wspólnym pokoju (najczęściej), nie mają zwykle problemów z zasypianiem.

Jako że liczba dwojaczków, trojaczków, a nawet czworaczków rośnie (w dużej mierze dzięki zwiększającej się liczbie starszych matek i kobiet po leczeniu bezpłodności), poświęca się ich potrzebom, jak i potrzebom ich rodziców, coraz więcej uwagi.

SAMOTNE WYCHOWYWANIE DZIECKA

Kocham moją córeczkę i ani przez sekundkę nie pożałowałam decyzji o samotnym jej wychowywaniu. Martwię się jednak, gdyż ma tylko jedno z rodziców.

Dzieci wychowywane przez jedno z rodziców — kochającą i troskliwą mamę lub ojca — mogą się rozwijać prawidłowo, nie różniąc się w niczym od dzieci ze szczęśliwych pełnych rodzin. Istnieją jednak plusy i minusy. Plusem jest np. to, że samotna matka może wszystko robić po swojemu (nie ma kłótni, czy pozwolić niemowlęciu płakać, czy też wziąć je na ręce, czy wysłać do przedszkola itd.); między samotną matką i jej dziećmi tworzy się silniejsza więź aniżeli w pełnej rodzinie; dzieci matek samotnych często wcześniej dojrzewają i się usamodzielniają. Ciemną stroną takiego samotnego wychowywania dziecka są trudności finansowe, większe wyczerpanie, większa izolacja, mniej czasu dla dziecka i często więcej problemów wychowawczych. Samotne wychowywanie wymaga też podwójnego wysiłku.

Weź pod uwagę i to, że choć w społeczeństwie najwyżej oceniany jest model tradycyjnej, zwartej rodziny, każda rodzina przeżywa problemy. Chociaż coraz więcej ojców dzieli z matkami ciężar opieki nad dzieckiem — co w przeszłości zdarzało się nader rzadko — nadal jest wiele zamężnych kobiet, które otrzymują niewielką pomoc od swoich życiowych partnerów.

Wychowywanie dziecka na własną rękę nie będzie łatwe, ale wychowywanie dziecka z pomocą partnera to też nie zawsze miód. Będziesz oczywiście musiała włożyć w wychowywanie więcej wysiłku i poświęcić więcej czasu, by zrekompensować dziecku brak drugiej dorosłej osoby w domu. Niemniej jednak możesz wychować szczęśliwe i zadowolone dziecko. Pomogą ci w tym następujące wskazówki:

Porzuć ambicje bycia „super". Nikt nie może wykonać wszystkiego (a jest to podwójnie prawdziwe w wypadku rodziców samotnie wychowujących dziecko) i nikt nie jest doskonały; dążenie do ideału, gdy jest się tylko człowiekiem, stwarza presję, która jest ci niepotrzebna.

Przyjmuj pomoc. Jeśli niemożliwe jest zrobienie wszystkiego samemu, niemożliwe jest również obycie się bez pomocy. Jeśli nikt ci jej nie oferuje, zwróć się o nią do rodziny od razu, nie czekaj, aż będziesz na krawędzi; w końcu nie tylko ze względu na siebie, ale i na dziecko. Zamiast martwić się, że się „narzucasz", przyjmij, że każdy, kto udzieli ci pomocy, znajdzie w tym prawdopodobnie dużą przyjemność. By pozostać chętnie witaną w każdym domu, staraj się, jeśli możesz, prosić o pomoc różne osoby, zamiast obarczać bez przerwy jedną czy dwie (chyba że możesz skorzystać z pomocy zawsze chętnej i dyspozycyjnej babci lub kogoś innego z rodziny). Staraj się też odpłacać za grzeczność, jeśli się da: zrób drobne zakupy sąsiadce, która zgodziła się posiedzieć z dzieckiem przez kilka godzin w tygodniu, gdy ty pracujesz; zaproponuj innej matce, że zaopiekujesz się od czasu do czasu jej dzieckiem w zamian za to, że odbiera twoje dziecko ze żłobka, gdy ty nie możesz zdążyć na czas; pomóż swojej matce, która nie szczędzi czasu i pomaga ci przygotować święta.

Szczególnie ważne jest znalezienie jednej czy dwóch osób mieszkających w pobliżu, do których zawsze możesz zadzwonić w nagłym wypadku, by np. zrealizowała receptę o północy, została z dzieckiem, gdy ty musisz pójść do lekarza, czy podrzuciła dziecko do żłobka, gdy tobie właśnie popsuł się samochód.

Dbaj o siebie. Będziesz potrzebowała całej energii, by pokonać trudności samotnego macierzyństwa, i ważne jest — choćby ze względu na dziecko — byś była zdrowa. Uważaj więc, by dobrze się odżywiać, gimnastykować się przynajmniej trzy razy w tygodniu (patrz str. 651), dobrze wypoczywać (sen jest ważniejszy niż posprzątane mieszkanie) i regularnie zgłaszać się na badania lekarskie i stomatologiczne.

Odpręż się. Naucz się technik relaksacyjnych. Nie będziesz w stanie wyeliminować całego stresu ze swojego życia, ale możesz się nauczyć, jak się z nim uporać: stawiaj sobie cele według ich ważności (niektóre sprawy będą siłą rzeczy musiały iść swoim trybem), zorganizuj się (byś nie „ślizgała się" ciągle dalej i dalej, wiecznie z czymś spóźniona) i zrelaksuj (kilka minut medytacji może odnowić cię na kilka godzin). Na str. 650 znajdziesz więcej wskazówek, jak radzić sobie ze stresem.

Coś dla siebie. Oddanie się dziecku bez reszty i ignorowanie własnych potrzeb żadnemu z was nie daje korzyści, a może nawet działać negatywnie. „Odnawiaj" się więc regularnie np. przez wyjście gdzieś ze znajomymi raz w tygodniu albo wypożyczenie filmu do domu dwa razy w miesiącu. I nie miej wyrzutów. Należy ci się to i poza tym uczyni z ciebie bardziej wartościową matkę.

Daj dużo uczucia dziecku. Miłość może zrekompensować wiele spraw, na które nie znajdujesz czasu, energii lub po prostu środków. Dziecko chowające się w pełnym miłości i ciepła — choć w niepełnym — domu, otrzymujące potrzebne mu zainteresowanie, wysłuchane, szanowane i zdyscyplinowane ma większe szanse wyrosnąć na szczęśliwą i przystosowaną do życia jednostkę niż dziecko wychowywane przez dwoje rodziców, gdzie miłość wydziela się jak lekarstwo.

Bądź hojna i dawaj swój czas... Samotnej matce łatwiej jest ofiarować miłość niż czas, niemniej jednak czas jest dziecku bardzo potrzebny. Staraj się poświęcić codziennie nawet krótką chwilę na wspólną zabawę z dzieckiem, nawet jeśli oznacza to, że coś innego, mniej w końcu ważnego, leży odłogiem.

...ale nie popuszczaj zanadto cugli. Utrzymanie dyscypliny jest podstawową kwestią (a może nawet bardziej) w domu prowadzonym tylko przez matkę lub ojca jak w rodzinie kompletnej. Nie pozwól, by wyrzuty sumienia skłoniły cię do tolerowania złego zachowania. Dzieciom z rodzin niepełnych nie przysługuje wcale prawo do bycia opryskliwym, do bicia innych czy łamania zasad. Nic też nie upoważnia ich do częstszego oglądania telewizji, objadania się słodyczami czy innym bezwartościowym jedzeniem oraz odwlekania w nieskończoność pory pójścia spać. Dzieci te potrzebują tego samego co wszystkie inne: poczucia bezpieczeństwa, które zapewniają rozsądnie wyznaczone granice i oczekiwania. Wytyczając jednak te granice, uważaj, by nie robić problemu dosłownie ze wszystkiego. Ogranicz zakazy do tych naprawdę koniecznych.

Nie obarczaj dziecka. Dzieci są tylko dziećmi i mają prawo cieszyć się beztroską, jaką powinno dawać im dzieciństwo, bez względu na problemy rodziców. Nie obciążaj więc dziecka swoimi zmartwieniami i nie wykorzystuj go do zaspokajania osobistych potrzeb, jak np. potrzeba towarzystwa. I zawsze upewnij się, że dziecko rozumie, iż nie jest winne żadnym twoim problemom.

Poszukaj wsparcia. Znajdź przyjaciela albo krewnego, który byłby dla ciebie oparciem. A jeszcze lepiej zapisz się do klubu samotnych matek lub ojców. Spotkasz tam dziesiątki bratnich dusz: ojców, matek, samotnych z wyboru albo wskutek rozwodu czy śmierci. Znalezienie kogoś takiego może w znaczny sposób poprawić twój los. Takie kluby organizują formalne spotkania albo ich członkowie po prostu wspólnie uczestniczą w różnych społecznych wydarzeniach. Osoby w tej samej sytuacji mogą sobie pomagać w przezwyciężaniu poczucia izolacji, a jednocześnie dzielić się swoimi odczuciami, ideami i wsparciem. Zbliż się też do rodzin pełnych, z dwojgiem rodziców. Możesz się od nich nauczyć, że wszyscy rodzice — samotni czy nie samotni — mają od czasu do czasu to samo poczucie niekompetencji, to samo uczucie przytłoczenia nawałem spraw i tę samą potrzebę wsparcia. Nie jest to więc domena rodziców samotnych.

Obsadź kogoś w roli modela. Dzieci lepiej się rozwijają, gdy spędzają czas z dorosłymi obojga płci. Poszukaj więc przynajmniej jednego mężczyzny w rodzinie czy poza rodziną, który wyraziłby chęć spędzania czasu z twoim dzieckiem. (Samotni ojcowie muszą oczywiście obsadzić w tej roli jakąś kobietę.)

Bądź przygotowana na to, co nieuniknione. Jeśli twoje dziecko zbliża się do trzech lat, ma kolegów z pełnych rodzin, a na zdjęciach nie ma drugiego z rodziców, pytanie: „Dlaczego ja nie mam tatusia (albo mamusi)?" mogło już paść albo wkrótce zostanie zadane. Jeśli nie pojawia się w sposób spontaniczny, może to oznaczać, że dziecko boi się zapytać: w takim wypadku można poruszyć ten problem samemu. Bądź uczciwa, jak możesz; nie komplikuj sprawy tak, by mała nic z tego nie rozumiała albo była prawdą zdruzgotana. Szczegóły będą zależały od sytuacji. Jeśli np. jesteś samotną matką z wyboru, możesz powiedzieć: „Tak bardzo chciałam cię mieć, że nie mogłam dłużej czekać, aż znajdę takiego tatusia, którego bym pokochała". Jeśli żyjesz w separacji lub jesteś rozwiedziona, przeczytaj wskazówki na str. 668. Wytłumacz dziecku, że są różnego rodzaju rodziny i że nie wszystkie z nich mają i mamusię, i tatusia. Poznaj swoje dziecko z innymi dziećmi wychowywanymi przez samotne matki lub ojców — czy to w rzeczywistości, czy w bajkach. Utrzymuj również kontakty z dalszą rodziną. Jak odpowiedzieć na pytanie: „Skąd się wzięłam?" — patrz str. 358.

Nie podchodź do życia tak śmiertelnie poważnie. Będziesz potrzebowała poczucia humoru... i to często.

Jeśli dojdziesz do wniosku, że niniejsze rady nie są wystarczające, by poradzić sobie z trudami twojej samotnej wędrówki, nie wahaj się i udaj się po profesjonalną pomoc. Osoba duchowna lub lekarz pomogą ci znaleźć odpowiedniego terapeutę.

SAMOTNE OJCOSTWO

Sam wychowuję moją córeczkę od czasu, gdy skończyła sześć miesięcy i moja żona odeszła, twierdząc, że nie jest jeszcze gotowa do posiadania rodziny. Na ogół radzę sobie dobrze, ale czasami czuję się ogromnie niekompetentny i sfrustrowany, że nie mogę być dla niej zarówno matką, jak i ojcem.

No cóż, pomijając ciążę, poród i karmienie piersią, wszystko inne troskliwi rodzice bez względu na płeć mogą wykonywać tak samo dobrze. Niektórzy ojcowie z natury są bardziej opiekuńczy niż niektóre matki. Twoje uczucie niekompetencji i frustracji wynika mniej z tego, że jesteś mężczyzną, a bardziej z tego, że jesteś ojcem. Prawie każde z rodziców — żonate czy nie, kobieta czy mężczyzna — wchodzi w tę rolę, nie mając doświadczenia i często nie wie, co robić. Nie jest to w końcu takie łatwe. Nawet rodzice, którzy mają już kilkoro dzieci, poddają się czasem uczuciom frustracji i niekompetencji.

Twoje odczucia są normalne i nie wskazują na to, byś był złym ojcem. Może nie zawsze potrafisz być dla małej i matką, i ojcem, ale przy dużej dozie czułości i wytężonej pracy możesz wychować dziecko nie mniej szczęśliwe od innych. Sugestie zawarte w podrozdziale na temat samotnego wychowywania dziecka mogą pomóc rozwiązać twoje problemy.

SEPARACJA/ROZWÓD

Od czasu, gdy piętnaście miesięcy temu urodziła się nasza córeczka, moje stosunki z mężem uległy pogorszeniu. Właściwie rozmawiamy już o rozwodzie, ponieważ obawiamy się o dziecko żyjące w środku takiego piekła.

Życie w domu pełnym złości, goryczy i wymówek nie jest dobre dla dziecka, nie znaczy to jednak, że dobry jest dla niego rozwód. Nie ma jednoznacznych odpowiedzi w sytuacjach takich jak twoja: to, co dobre dla dzieci (i ich rodziców) w jednej rodzinie, wcale nie musi być najlepsze w innej. Jest jedna uniwersalna prawda, która sprawdza się w każdej rodzinie i wszędzie: dzieci rozwijają się najlepiej w szczęśliwych rodzinach. Po pierwsze więc powinnaś zadbać o poprawę atmosfery w swojej rodzinie poprzez uzdrowienie stosunków z mężem. Częste rzucanie słowa „rozwód" jest wołaniem o pomoc („Jestem zrozpaczona, nieszczęśliwa"). Jednakże rozwiązanie węzłów małżeńskich nie jest jedyną drogą wyjścia z kryzysu.

Często się zdarza, że kiedy urodzi się dziecko, stosunki między małżonkami ulegają ochłodzeniu, a rodzice zaniedbują swój związek, poświęcając się pielęgnacji noworodka. Jednak stosunki między mężem i żoną powinny być na szczycie listy priorytetów, wyprzedzając nawet nowo narodzone dziecko. Choć może się to wydawać na pozór egoistyczne, w gruncie rzeczy jest to działanie na korzyść dziecka; nic nie wywoła u malca większego poczucia bezpieczeństwa niż bezpieczna więź między rodzicami i nic bardziej nie zapewni go o tym, że jest kochany, niż widok obojga rodziców troszczących się o siebie.

A jednak niewielu młodych rodziców poświęca czas na pielęgnowanie swojego związku. Jeśli dotyczy to i twojego małżeństwa, jeśli się postaracie, możecie jeszcze być może nadrobić stracony czas i uratować związek, no i ochronić dziecko. Wygospodarujcie codziennie trochę czasu „tylko dla siebie"; spróbujcie na nowo odkryć intymność, która łączyła was przed narodzeniem dziecka. Poprzytulajcie się do siebie z rana, zanim wstaniecie z łóżka (jeśli dziecko śpi z wami, zmieńcie to); dzwońcie do siebie w ciągu dnia o porze wygodnej dla obojga i pogawędźcie chwilkę, czy powiedzcie sobie po prostu: „Kocham cię". (Wystrzegajcie się wówczas zdań typu: „Ty załatwisz to, a ja tamto; ty kupisz to i to, a ja to i tamto".) Zjedzcie kolację i porozmawiajcie ze sobą, gdy maluszek już śpi; raz w tygodniu (z żelazną konsekwencją) wyjdźcie na dobrą kolację, pójdźcie do kina lub zaplanujcie inne zajęcie, które oboje lubiliście kiedyś, gdy nie było jeszcze dziecka (załatwcie na ten czas kogoś do opieki nad dzieckiem, może to być przyjaciel domu lub ktoś z rodziny albo też inni młodzi rodzice, którym można się zrewanżować w ten sam sposób). Bardzo odświeżający dla waszego małżeństwa może okazać się wyjazd gdzieś na weekend bez dziecka (patrz str. 653).

Być może na tym etapie, na jakim jest w tej chwili twoje małżeństwo, zwykłe podejście „zróbmy coś dla siebie" może być już niewystarczające i trzeba będzie w bardziej umiejętny sposób starać się związek naprawić. Pomocna może się tu okazać profesjonalna interwencja. Zanim więc udasz się do adwokata, porozmawiaj z duchownym, lekarzem lub jeszcze kimś innym, kogo oboje szanujecie, o swoim małżeństwie i o znalezieniu odpowiedniego terapeuty w sprawach małżeńskich.

Chociaż zażegnanie kryzysu w waszym małżeństwie byłoby lepsze dla ciebie, męża i waszego dziecka niż zrezygnowanie ze wspólnego pożycia, prawdą jest, że niektórych związków nie da się uratować. Jeśli oboje bardzo się staracie, by małżeństwo przetrwało, a niesnaski tak czy owak powracają, trzeba będzie chyba jednak pomyśleć o rozstaniu się (patrz poniżej). Jeśli już zdecydujecie się rozstać, spróbujcie ułożyć sobie oddzielnie życie tak, by dziecko nie cierpiało z tego powodu.

Między moim mężem a mną stosunki zaczęły się psuć na długo przed urodzeniem się naszego dziecka. Ze wszystkich sił staraliśmy się uratować nasze małżeństwo, a nawet przez rok korzystaliśmy z fachowej pomocy terapeutów. Stało się jednak oczywiste, że nic nie da się zrobić. Martwimy się o to, jak nasze rozejście się i wyprowadzenie męża wpłynie na naszego synka.

Gdy między rodzicami się nie układa, całe nieszczęście polega właśnie na tym, że dzieci są ofiarami. Choć wasze rozstanie nie będzie łatwe dla dziecka, niełatwe byłoby również dla niego życie, gdybyście pozostali razem. Życie w pozbawionym szczęścia domu, z wiecznie kłócącymi się rodzicami jest często gorsze dla dzieci niż przyzwyczajenie się do separacji i rozwodu. Rozsypujące się małżeństwo rodziców jest kiepskim modelem małżeńskim do naśladowania i utrudnia, a często wręcz uniemożliwia dzieciom nauczenie się, jak powinien wyglądać dobry związek.

Przede wszystkim nie czuj się winna. Jeśli jesteś pewna, że twoje małżeństwo nie ma już szans, rozwiązanie go teraz jest prawdopodobnie dobrym wyjściem dla ciebie i może być mniej szkodliwe dla dziecka (młodsze dzieci są z reguły bardziej elastyczne, jeśli chodzi o rozpad rodziny, aniżeli dzieci starsze). A jednak, kiedy nagle rozpada się świat, w którym żyłaś, możesz poczuć się zagrożona i zrozpaczona.

Badania wykazują, że choć wiele dzieci z rodzin rozbitych wyrasta na szczęśliwe i dobrze przystosowane do życia jednostki, mają one tendencje do częstszych złych zachowań w dzieciństwie niż dzieci ze szczęśliwych domów. W wielu przypadkach problemy wynikają prawdopodobnie — przynajmniej po części — tak z atmosfery panującej w domu, jak i z rozwodu rodziców. Zwykle dzieci są świadkami rozpadu pożycia małżeńskiego.

Trudno przewidzieć, jak dane dziecko zareaguje na rozwód rodziców. U niektórych efekty te widać dość wcześnie, ale przywykają do nowej sytuacji w ciągu dwóch, trzech lat po rozwodzie (chyba że wojna między eks-małżonkami nadal trwa); inne wydają się łatwo godzić z losem, a negatywne skutki rozwodu widać u nich dopiero kilka lat po fakcie. Niektóre mają przez to problemy, które ciągną się za nimi aż do kresu dorosłości; jeszcze inne potrafią wykrzesać z siebie siłę, by przejść tę próbę. Chłopcy mają większe trudności z pogodzeniem się ze specyficzną nową sytuacją niż dziewczynki; szczególnie wrażliwe są te dzieci, które we wczesnym dzieciństwie należały do „trudnych" (patrz str. 184). Gdy opieka nad dzieckiem zostaje przyznana matce, brak troskliwego ojca może być szczególnie trudny dla chłopca; ci, którzy niewiele widują swoich ojców w dzieciństwie i którzy nie mają żadnego męskiego wzorca, mogą mieć później problemy z nawiązaniem i utrzymaniem przyjaźni.

Nic dziwnego, że dzieci pochodzące z rozbitych rodzin, w których dominuje postawa negatywna, dochodzi do częstych konfliktów, a spory rozwiązuje się w sposób niewłaściwy (wyzywanie lub bicie, egzekwowanie wszystkiego siłą, nieumiejętność zawarcia kompromisu), rodzice nie interesują się ich sprawami, zaniedbują i próbują bez skutku być autorytatywni („Rób, co ci każę, bo..." to najczęstsze ostrzeżenie, ale groźba nigdy nie zostaje spełniona), mają najmniejsze szanse na szczęśliwą przyszłość. Dzieci, którym wiedzie się najlepiej, pochodzą z domów, w których rodzice zwracają na nie uwagę, gdzie panuje rozsądna dyscyplina, a granice są konsekwentnie przestrzegane i w ten sposób wzmacniane. Wielu z tych, którzy w życiu dorosłym wiodą szczęśliwe i spokojne życie, osiągają sukcesy, ma dobry, trwały kontakt przynajmniej z jednym z rodziców (zwykle z tym, z którym mieszkali). Niektórym udaje się dojść do czegoś, manipulując ludźmi (jako że wcześniej nauczyli się przeciwstawiać jedno z rodziców drugiemu, by jakoś przeżyć), a jeszcze innym dzięki szczególnej wrażliwości i współczuciu (gdyż w dzieciństwie często musieli opiekować się młodszym rodzeństwem).

Każde z małżonków ma na dłuższą metę lepsze perspektywy, gdy nieudane małżeństwo się rozpada, ale okres bezpośrednio po rozwodzie jest na pewno wielką próbą. Małym dzieciom często trudno się przestawić, nawet jeśli dotyczy to tak drobnych spraw, jak powrót z parku do domu, porzucenie zabawy samochodami na rzecz obiadu itd. Wszystko to może powodować łzy lub popsuć humor. Pogodzenie się ze zmianą tak ważną jak ta musi nieść za sobą jakieś konsekwencje. Poniżej zamieszczamy rady, które powinny pomóc dziecku przyzwyczaić się do nowej sytuacji nieco szybciej i — miejmy nadzieję — zmniejszyć okaleczenia w życiu dziecka i twoim.

* Jeśli nie możesz pozostać w przyjaźni ze swoim eks-małżonkiem, spróbuj utrzymywać z nim stosunki na zasadach czystego interesu (pamiętaj, że można zrobić interes z kimś, kogo się nie lubi). Spotykajcie się na jakimś neutralnym gruncie — jeśli można, to bez dziecka — by przedyskutować jego potrzeby. Spotkania powinny być możliwie krótkie i dotyczyć tylko konkretnych spraw. Kiedy już spotykacie się w obecności dziecka, pokażcie mu, że nadal potraficie roztrząsać ważne, dotyczące go kwestie z miłością i troską. Traktując siebie wzajemnie z szacunkiem, możecie dziecko wiele nauczyć o wzajemnych stosunkach między ludźmi i wzmocnić jego poczucie wartości.

* Powiedzcie o tym dziecku wprost, ale prostym językiem. Uczciwość zawsze popłacała, jeśli chodzi o udzielanie dziecku odpowiedzi na trudne życiowe pytania, teraz zaś będzie szczególnie wskazana. Wytłumaczcie malcowi problem waszej separacji, zanim faktycznie nastąpi albo zanim dowie się o niej od osób trzecich lub zacznie przeczuwać, że dzieje się coś okropnie niedobrego (gdyż wszyscy szepczą, płaczą lub krzyczą). Usiądźcie razem jak rodzina, jeśli się uda, i powiedzcie dziecku prostym językiem, że: „Mamusia i tatuś nie są razem szczęśliwi. Kłócimy się stale i nie potrafimy z tym skończyć. Sądzimy, że będzie lepiej, jeśli tatuś i mamusia nie będą mieszkać w tym samym domu. W ten sposób lepiej będziemy mogli zaopiekować się tobą". Powiedzcie jasno, że tatuś nadal będzie tatusiem i że maluch nadal będzie go widywać, będzie po prostu mieszkał gdzie indziej (zakładając, że to ty sprawujesz opiekę nad dzieckiem). Unikaj zdań typu: „Tatuś wyjeżdża" lub „Tatuś nas opuszcza", bo może to wzbudzić obawy dziecka, że za każdym razem, gdy ty wychodzisz z domu, to też nie wrócisz. Nie rzucaj słowem „rozwód" na prawo i lewo. Większość małych dzieci nie ma pojęcia, co to znaczy, i może sobie wyobrazić coś zgoła gorszego, niż jest w rzeczywistości. Nie wnikaj też w szczegóły, które doprowadziły do waszego rozstania; mogłyby one bardzo rozstroić dziecko.

* Bądź przygotowana na dezorientację dziecka. Może ono na początku w ogóle nie zareagować, ponieważ niezupełnie rozumie, o czym mówisz. Może tak być aż do czasu konkretnych zmian w życiu, gdyż wtedy dopiero wszystko zacznie do niego docierać. I wtedy też mogą zacząć padać pytania. Udziel niezbędnych odpowiedzi i wykorzystaj pytania jako pretekst do dalszej dyskusji na temat faktów i uczuć.

* Niech dziecko widzi, że nie jest samo. Czytanie książek na temat rozwodu, napisanych z myślą o małych dzieciach, udowodni mu, że jest wiele innych dzieci w podobnej do jego sytuacji. Ten sam efekt możesz uzyskać, zabierając je na spotkanie grupy rówieśników, których rodzice też się rozwodzą.

* Niech wie, że nadal oboje go kochacie. Widząc, że wasza wzajemna miłość się skończyła, malec może zacząć się martwić, że moglibyście przestać kochać i jego. Potrzebuje więc dodatkowych zapewnień od obojga rodziców, że wasze uczucia względem niego się nie zmieniły i nigdy nie zmienią i że nigdy go nie opuścicie (jeśli jedno z rodziców porzuci rodzinę, patrz str. 672).

* Dotrzymujcie obietnic i trzymajcie się wspólnie ustalonego planu, jeśli nie ze względu na siebie, to chociaż na dziecko, które musi wiedzieć, że może ufać swoim rodzicom. Róbcie jednak wyjątki, jeśli leży to w interesie dziecka (jedno z rodziców np. zaniechało wizyty, by dziecko mogło wziąć udział w jakiejś szczególnej uroczystości rodzinnej z drugim z rodziców i może to spotkanie „odrobić"). Nie rób wyjątków i nie groź dziecku, gdy jest niegrzeczne („Jeśli nie będziesz grzeczny, nie zobaczysz tatusia"). Widywanie się z obojgiem rodziców powinno być niepodważalnym prawem.

* Ułatw dziecku odmierzanie czasu. Maluchy nie mają takiego poczucia czasu jak dorośli. Czekanie do soboty na spotkanie z tatusiem może przypominać wieczność. Staraj się ustalić z drugą stroną częste spotkania, szczególnie na początku, i sprawić, by upływający czas był dla malca bardziej namacalny. Można to zrobić, naklejając w dużym ściennym kalendarzu specjalne nalepki na dni, kiedy wypada spotkanie.

* Trzymaj się starych zwyczajów. Zwyczaje i rytuały rodzinne dają poczucie porządku i kontroli, gdy dziecko czuje się bezradne i rozstrojone. Zachowaj możliwie wiele tych zwyczajów, które dziecko poznało, od całowania i ściskania się w niedzielne poranki po *Idzie niebo ciemną nocą* na dobranoc czy pizzę na kolację we wtorkowe wieczory. Porozmawiaj ze swoim byłym mężem na temat istoty zachowania tradycji w życiu dziecka również w jego nowym miejscu zamieszkania, by kontynuować jak najwięcej rytuałów mimo wędrówek od jednego domu do drugiego. Dziecku również będzie łatwiej, jeśli w domu tatusia znajdą się takie same przedmioty i sprzęty, do

jakich przy zwyczajone jest u siebie (łóżko, pościel, wysokie krzesełko itp.), oczywiście jeśli będzie to możliwe.

* Zniszcz u dziecka poczucie winy. Pierwszą reakcją wielu maluchów, a szczególnie urodzonych egocentryków, na rozwód rodziców jest pytanie: „Co ja zrobiłem, że do tego doszło?" Ważne jest, by uzmysłowić dokładnie dziecku, że nie ponosi ono odpowiedzialności za to, co się dzieje, że to nie ono doprowadziło do takiego stanu rzeczy i że nie może nic zrobić, by zmienić bieg spraw, by było tak, jak dawniej.

* Zrozum odrzucanie faktów. Niektóre dzieci przechodzą okres odrzucania stanu faktycznego. Udają, że rozejście się rodziców nie miało miejsca, że tak naprawdę mamusia i tatuś się kochają i wrócą do siebie. Przyjmij ten brak akceptacji faktów ze zrozumieniem, tłumacząc dziecku, że rozumiesz jego uczucia i może udawać, jeśli chce, ale niczego to już nie zmieni.

* Nie zmuszaj dziecka do niczego. Jeśli maluch nigdy przedtem nie spędzał zbyt wiele czasu ze swoim ojcem, nie wysyłaj go nagle do tatusia i nie każ mu z nim mieszkać przez jakiś czas. Powinno się unikać dłuższych rozstań z tym z rodziców, z którym dziecko jest bardziej zżyte. Cały proces zmierzający ku zostawieniu malca na noc w tym „drugim domu" czy dzielenie się opieką nad nim powinien przebiegać stopniowo, od krótkich okresów przebywania z tatusiem za dnia (część czasu powinna być spędzona w domu ojca) do zostawiania malca na noc. Dziecko wcale nie musi nocować u ojca, by być z nim w zażyłych stosunkach; mogą spędzać razem nawet wieczory i następnie wracać do swoich domów. Gdy nadejdzie czas, że maluch może zostać u tatusia na noc, na początku nie powinno to trwać dłużej niż dzień czy dwa. Jeśli oczywiście dziecko jest bardzo zżyte i z mamą, i z tatą, każde z nich powinno na początku widywać się z brzdącem codziennie lub co drugi dzień. Jakkolwiek zamierzacie rozwiązać ten problem, jeśli dziecko zaczyna przejawiać poważne oznaki stresu, spróbujcie zmienić swoje postanowienia tak, by maluchowi było dobrze.

* Trzymaj się starych zasad. Nawet w domu tatusia zasady ustalone przez oboje (dotyczące np. skakania po łóżku, wchodzenia nogami na kanapę, grania w domu w piłkę) powinny być możliwie konsekwentnie przestrzegane. Jeśli nie odpowiadają ci popularne standardy, wytłumacz dziecku, że tatuś robi po swojemu, a ty po swojemu. W twoim domu ty ustalasz zasady. W jego domu on to robi. Nie czas teraz nie tylko na zmianę zasad, ale i zmianę stopnia zdyscyplinowania. Nie skracaj nagle cugli (bo separacja sprawia, że jesteś jeszcze bardziej rozdrażniona i mniej cierpliwa) ani też ich nie popuszczaj (bo masz wyrzuty sumienia z powodu rozstania).

* Nie pozwalaj dziecku nastawiać jednego z rodziców przeciw drugiemu. Od chwili gdy dziecko zacznie spędzać czas ze swoim ojcem, częstą śpiewką będzie zapewne: „A mamusia (tatuś) mi pozwala!" Nie pozwólcie sobą manipulować. Jeśli oboje uznajecie pewne standardowe zachowanie (patrz wyżej), dziecko nie będzie w stanie próbować swoich sztuczek z żadnym z was.

* Ułatw malcowi okres przejściowy, ofiarowując mu jakiś przedmiot. Wasza obecność przy dziecku w okresie przejściowym jest oczywiście bardzo ważna, ale nie możecie przecież spędzać z nim każdej chwili. Można zaofiarować dziecku za to jakiś uspokajający przedmiot (np. kocyk, pluszowego misia czy inną zabawkę), który byłby stale przy nim. Taki przedmiot nie tylko da dziecku ukojenie, ale będzie swoistą ostoją w czasie prób przyzwyczajania się do rozłąki rodziców.

* Bądź przygotowana na „trudne czasy". Prawdopodobnie najtrudniejsze będą wieczory i weekendy — czas, gdy dziecko przyzwyczajone było mieć obok siebie was oboje. Zaburzenia snu lub strach przed pójściem spać („Czy mamusia jeszcze będzie, gdy się obudzę?") lub ciemnością, nagminny w okresach wszelkich zmian, również nie będzie niczym niezwykłym, nawet u dziecka, które dotychczas spało dobrze (a już szczególnie w pierwszą noc w nowym mieszkaniu taty). Bądź wyrozumiała i cierpliwa. Nie przestawaj okazywać malcowi wyjątkowo dużo uczucia i uwagi, szczególnie gdy idzie spać, ale nie popełniaj błędu i nie proponuj mu swojego łóżka, co mogłoby stać się początkiem trudnego do zwalczenia nawyku, jak również doprowadzić malca do przekonania, że zajmuje teraz w twoim życiu miejsce swojego ojca. Gdy obudzi się w środku nocy z krzykiem, zostań z nim przez chwilę i zapewnij, że nic się nie stało i że nadal jesteś. Rozstania z tobą również mogą okazać się nagle trudniejsze niż zwykle. Dziecko może ni stąd, ni zowąd zacząć się bać, gdy będziesz wychodziła, czy to

wieczorem po ułożeniu go do snu, czy też rano, gdy będziesz wychodziła do pracy. I ponownie dodatkowa porcja cierpliwości i wyrozumiałości pomogą mu poczuć się bezpieczniej. Ogólny regres (moczenie się, chęć picia z butelki lub noszenia go cały czas na rękach oraz utrata samodzielności) również często się zdarza. Odzwierciedla to zazwyczaj podświadomą chęć powrotu do czasów niemowlęctwa, do starych dobrych czasów, kiedy świat był pewny i bezpieczny. Traktuj taki regres wyrozumiale i nie szydź z dziecka; pozostaw wszystko swojemu biegowi, nie powinno to trwać długo.

* Bądź przygotowana na więcej wybryków przez jakiś czas. Wiele typowych zachowań dwu- i trzylatka może przybrać na intensywności w wyniku separacji rodziców; możesz np. zaobserwować częstsze napady złego humoru, irracjonalne zachowania, negację czy agresję. Traktuj te wybryki dokładnie tak samo, jak robiłabyś to w normalnych warunkach (poszukaj odpowiednich wskazówek na temat poszczególnych problemów), tyle że z większym zrozumieniem. Powiedz: „Wiem, że nie podoba ci się, że tatuś i ja nie mieszkamy już razem. Wiem, że cię to gniewa i smuci. Mnie natomiast smuci to, że ty jesteś smutny, ale musiało się tak stać". Zachęć malca do rozmowy na temat jego uczuć i pozwól mu w wieloraki, ale bezpieczny, sposób wyrazić jego emocje, również niewerbalnie (patrz str. 160).

* Uważaj, co mówisz. To normalne, że chcesz winić męża za to, co się stało z waszym małżeństwem, szczególnie jeśli poróżniły was sprawy mało istotne. Rozgoryczenie jednak nie pomoże tobie, a mogłoby zranić dziecko. To, że nie kochasz już męża, nie znaczy, że dziecko powinno mniej kochać swojego tatusia. Nie wyrażaj się więc lekceważąco o swoim byłym mężu i nie kłóć się z nim w obecności malca. Dziecko nie może odczuwać, że musi wybierać strony. Nie obciążaj też malucha, robiąc z niego swojego sojusznika, informatora czy łącznika; nie pytaj go, co robi tatuś, i nie proś, by przekazywał wiadomości. No i nigdy nie pytaj, z kim mały chciałby spędzać czas; takiego emocjonalnego bagażu dziecko nie potrafi udźwignąć.

* Nie bądź surowa dla siebie. Twoje dziecko nie jest jedyną osobą, która będzie musiała przyzwyczaić się do nowej sytuacji rodzinnej, ty również odczujesz ten stres. Jak każdy, kto samotnie wychowuje dziecko, możesz znaleźć się w emocjonalnym dołku i trwać w nim przez kilka miesięcy, a nawet dłużej (możesz nawet złościć się na dziecko i żałować, że musisz być samotną matką). Rozgrzesz się z tego (twoja pociecha również cię rozgrzeszy, możesz być tego pewna), że nie zawsze jesteś opanowana, od czasu do czasu nie potrafisz powstrzymać łez czy irracjonalnych wybuchów. Pamiętaj po prostu, by przeprosić dziecko za taki wybuch i delikatnie i czule je przytulić, gdy już się opanujesz. Nie zachowuj się jednak nadto przepraszająco, teatralnie i egzaltowanie, gdyż to mogłoby przestraszyć malucha (patrz str. 636, jak się opanować).

Mój mąż ot tak po prostu porzucił mnie i naszą dwuletnią córeczkę. Mała uwielbia swojego tatusia i jest zdruzgotana, że już go nie ma.

Choć porzucenie nie jest znów taką rzadkością, może być druzgocące; jednak przy solidnym wsparciu dzieci porzucone przez jednego z rodziców mogą dojść do siebie i normalnie egzystować.

W pewnym sensie lepiej dla twojego dziecka, że nie widuje swojego ojca wcale, aniżeli miałoby go widywać sporadycznie. Rodzice nie sprawujący opieki nad dzieckiem często zachowują się obojętnie podczas takich sporadycznych wizyt, a ten brak zaangażowania jest chyba gorszy dla dziecka niż całkowita separacja. Ważne jest teraz to, byś próbowała zbudować silny związek z córką; szczególnie pomocne mogą się tu okazać rady ze str. 666.

Bez względu na to, jak wielką urazę żywisz do męża (a masz do tego pełne prawo), nie obciążaj dziecka swoimi uczuciami. Wytłumacz małej, że tatuś nie był szczęśliwy, że wyjechał i nie wiesz, czy wróci. Kiedy będzie o niego pytała lub zechce o nim rozmawiać, pozwól jej. Powspominaj razem z nią bez żadnych osobistych komentarzy. Jeśli będzie zła lub smutna, niech wie, że to normalne uczucie. Jeśli zacznie fantazjować na temat jego powrotu, nie podsycaj tej fantazji, ale i nie wyśmiewaj. Może jest jej potrzebny taki ciepły, wykreowany świat, aby przystosować się do okrutnej rzeczywistości, że tatusia nie ma.

Gdy zauważysz, że dziecko jest w depresji, ciągle wpada w tarapaty, nie śpi, nie je lub ogólnie zachowuje się w dziwnie nienaturalny sposób, natychmiast zwróć się do specjalisty. Sama również poszukaj pomocy, gdy trudno ci przezwyciężyć trudności, przystosować się lub w ogóle funkcjonować.

Moja żona i ja rozwiedliśmy się i to jej przyznano prawnie opiekę nad naszym dzieckiem. Za każdym razem, gdy przychodzę po syna, dochodzi między nami do sprzeczki. Zaczynam się zastanawiać, czy nie byłoby dla niego lepiej, gdybym w ogóle przestał go widywać.

Nie rozumiesz chyba, jak ważny jest ojciec w życiu dziecka. No i nie opuszczaj go teraz, gdy życie już mu się i tak dość pokomplikowało. Jeśli nie udaje ci się uniknąć kłótni z jego matką przy okazji zabierania dziecka, pomyśl o takim rozwiązaniu, byście nie musieli się widywać. Niech jakaś trzecia osoba będzie łącznikiem między wami, przyprowadzając malca do ciebie i odprowadzając go z powrotem. Za kilka lat i ty, i twój syn będziecie zadowoleni, że udało się tak rozwiązać ten problem.

WSPÓŁMAŁŻONEK POZBAWIONY OPIEKI NAD DZIECKIEM

Właśnie się rozwiodłem, a opiekę nad naszym dwuletnim synkiem przyznano mojej eks-małżonce. Mały jest u mnie w każdy wtorek i co drugi weekend, ale ciekaw jestem, czy w ten sposób nadal będę miał z nim dobry kontakt.

Być tym z rodziców, któremu nie powierzono opieki nad dzieckiem, jest poniekąd łatwiejsze, niż być opiekunem; z innej strony jest to trudniejsze. Jednakże można zachować z dzieckiem dobry kontakt, jeśli się nad tym solidnie popracuje. Oznacza to przygotowanie w domu wygodnego kącika dla dziecka, poświęcanie mu całej uwagi, gdy jest u ciebie, i telefonowanie codziennie, gdy przebywa u matki (jeśli orzeczenie sądu pozwala na telefony), unikanie niesnasek z jego matką (jeśli nieporozumienia nadal się zdarzają, starajcie się trzymać dziecko z dala od nich); kochanie go, ale też trzymanie w ryzach w miarę potrzeb (patrz uwagi na temat samotnych rodziców na str. 666); uczestniczenie w podejmowaniu decyzji na temat jego życia (szkoły, obozy itp.); partycypowanie w kosztach utrzymania dziecka i zaspokajanie jego potrzeb (kupowanie odzieży, zabawek, książek, jeśli takie są postanowienia sądu lub tak stanowi umowa, jaką zawarłeś z eks-małżonką, ale i pilnowanie się, by zanadto nie pobłażać maluchowi (patrz str. 320).

Przejrzyj również uwagi na temat rozmawiania z dzieckiem o separacji i rozwodzie, które znajdziesz na str. 668, a które przydadzą się i rodzicom-opiekunom i tym „drugim".

RODZICE TEJ SAMEJ PŁCI

Jestem samotną matką, a zarazem lesbijką. Jest w moim życiu pewna szczególna kobieta, z którą rozważamy wspólne życie na stałe. Znajomi twierdzą, że to się źle odbije na moim małym chłopcu.

Obliczono, że w Stanach Zjednoczonych żyje 4 mln „rodzin" homoseksualistów, którzy wychowują od 6-14 mln dzieci. Większość tych rodzin jest nierozpoznawalna dla ludzi spoza kręgu; zwykle sąsiedzi czy przygodni znajomi nie mają nawet pojęcia, że dana matka lub ojciec to homoseksualiści. W wielu takich rodzinach jedna ze stron była zaangażowana w związek heteroseksualny, zanim została homoseksualistą, rozbiła ten związek i na odchodne zabrała potomstwo. Istnieje też coraz więcej par homoseksualistów i lesbijek, które zaadoptowały dziecko lub uzyskały je drogą sztucznego zapłodnienia bądź w efekcie kontaktu z matką zastępczą.

Przekonanie, że posiadanie jednego lub obojga rodziców o preferencjach homoseksualnych zrujnuje emocjonalny i seksualny rozwój dziecka, jest oparte na uprzedzeniu, a nie na faktach. Na szczęście dla tych dzieci najnowsze badania ekspertów od rozwoju dziecka jednogłośnie potwierdzają, że dzieci chowane przez homoseksualnych rodziców nie mają wcale większych skłonności do odchyleń natury psychologicznej czy społecznej niż dzieci chowane w rodzinach heteroseksualnych. Nic też nie świadczy o tym, by same częściej stawały się homoseksualistami.

Posiadanie homoseksualnych rodziców nie zawsze jest oczywiście łatwe dla dzieci. Może to powodować docinki i okrucieństwo ze strony rówieśników w różnych okresach dzieciństwa. Być może dzięki temu, że społeczeństwo staje się coraz bardziej tolerancyjne, tego rodzaju społeczne presje ulegną złagodzeniu. Na razie zaś pary gejów i lesbijek (które prawie zawsze doświadczały takiego naigrywania się z nich) są w stanie pomóc swojej latorośli przejść przez to piekło.

Kiedy homoseksualista mieszka z partnerem, dzieciom podobno jest trochę łatwiej o pewność siebie, samoakceptację i niezależność. Tak więc wychowywanie dziecka razem z partnerką może mieć bardziej pozytywny niż negatywny wpływ na chłopca. Wszystkie wskazówki dotyczące wychowywania dzieci przez samotnych rodziców mogą się przydać i homoseksualnym rodzicom, którzy są samotni (patrz str. 666). W takim wypadku szczególnie ważne będzie znalezienie krewnego lub znajomego płci przeciwnej, który zgodził się spędzać trochę czasu z dzieckiem; czasami biologiczny ojciec albo zastępcza matka godzą się odegrać tę rolę.

Homoseksualni rodzice mogą uzyskać wsparcie w jednej z wielu grup samopomocy rozrzuconych po całym kraju; jeśli nie ma takiej grupy w twoim otoczeniu, pomyśl o jej założeniu.

GDY JEDNO Z RODZICÓW JEST POWAŻNIE CHORE

Moja żona ma niebawem pójść do szpitala na bardzo poważną operację i prawdopodobnie będzie tam przebywała przez kilka tygodni. Nie wiemy, jak powiedzieć o tym naszej córeczce, by się nie przestraszyła.

To, czego dziecko nie wie, może je bardziej przestraszyć niż prawda. Kiedy potencjalnie niepokojącą informację ukrywa się przed malcem, a czuje on, że coś jest nie tak (a tak zwykle bywa), to, co sobie wyobraża, jest często gorsze od rzeczywistości.

Zamiast więc kręcić i mataczyć, by oszczędzić dziecko (co i tak byłoby trudne, gdy żony tak długo nie będzie), wytłumaczcie całą sprawę ogólnikowo i w sposób możliwy do zrozumienia dla dziecka: „Mamusia jest chora i musi pójść do szpitala, pan doktor pomoże jej tam wyzdrowieć". Nie opisujcie operacji i nie podawajcie szczegółów, o które dziecko nie pyta. Zapewnijcie, że będzie mogło mamusię odwiedzać (jeśli to rzeczywiście będzie możliwe) i przynosić jej obrazki i prezenty, jeśli będzie chciało. Powiedzcie dziecku, kto będzie się nim opiekował, gdy mamusi nie będzie, a ty będziesz w pracy (idealnie byłoby, gdyby była to codzienna opiekunka, babcia lub ktoś inny, kogo zna i z kim jest mu dobrze). Zapewnij, że i ty będziesz dużo z malcem przebywał i uczyń wszystko, by dotrzymać słowa. Rozważ możliwość wzięcia urlopu na czas choroby żony.

No i sprawa najważniejsza: wytłumacz dziecku, że to nie jego — i w ogóle niczyja — wina, iż mama jest chora; dzieci czasami winią się za różne złe przypadki spotykające ich rodziców czy innych ludzi („Mamusia jest w szpitalu, bo jej nie słuchałam" albo: „Mama jest w szpitalu, bo złościłem się w sklepie").

Bez względu na to, jak będziesz uspokajał i zapewniał dziecko, sytuacja może wywołać u niego niepokój. Możliwe tego skutki to zaburzenia snu, problemy z jedzeniem, pojawienie się nie znanego dotąd strachu lub problemów z zachowaniem (niektóre dzieci odreagowują brak matki poprzez popisywanie się; inne czują się bezpieczniej, uciekając w głąb siebie, stając się skryte). Podchodź do tych problemów tak, jak w każdej normalnej sytuacji byś podchodził, ze szczególną dozą wyrozumiałości i czułości, nie łamiąc wszystkich zasad. Nie bierz np. dziecka do swojego łóżka, gdy płacze w nocy, jeśli nie było takiego zwyczaju w przeszłości, i to nie tylko dlatego, że trudno je będzie potem odzwyczaić, ale również dlatego, że takie postępowanie może być dla dziecka raczej bolesne i wytrącające z równowagi aniżeli kojące („Musi być już naprawdę bardzo źle, jeśli tatuś pozwala mi spać w swoim łóżku!"). Posiedź natomiast nieco dłużej przy jego łóżku, aż zaśnie, i nie wahaj się wstać i przytulić, gdy będzie płakało w środku nocy. Na pewno na dobre wyjdzie, jeśli w jak największym stopniu zachowasz rutynowy rozkład dnia i zapewnisz dużo zajęć (zabawę z rówieśnikami, spacery na plac zabaw czy do muzeum itp.). Spróbuj też dopilnować, by w codziennym jadłospisie pojawiały się potrawy, które malec szczególnie lubi. Powinien również codziennie odwiedzać mamę w szpitalu, jeśli jest to oczywiście możliwe, a stan zdrowia matki temu sprzyja. (Czasami, gdy dzieciom nie pozwala się wchodzić na salę chorych, można się spotkać w poczekalni czy holu.) Jeśli wizyty w szpitalu w ogóle nie wchodzą w rachubę, zdjęcie lub krótki film nakręcony w sali szpitalnej, a obrazujący uśmiechniętą mamę bezpośrednio przed operacją może okazać się pokrzepiające.

JAK POWIEDZIEĆ DZIECKU O ŚMIERCI

Mój mąż miał atak serca dziś w nocy i nad ranem zmarł. Nie wiem, jak powiedzieć o tym naszemu niespełna trzyletniemu synkowi.

Nie ma łatwego sposobu powiadamiania małego dziecka o śmierci kogoś tak bliskiego; niemniej jednak musisz mu o tym powiedzieć. Wytłumacz dziecku śmierć ojca w tak prosty i uczciwy sposób, jak potrafisz: „Serduszko tatusia tak mocno zachorowało, że tatuś umarł. Pan doktor robił wszystko, żeby go uratować, ale był tak bardzo chory, że się nie dało. Nie może już być tutaj z nami". Synek będzie prawdopodobnie chciał wiedzieć, gdzie tatuś jest teraz; to, jak mu odpowiesz, zależy przynajmniej częściowo od twoich osobistych przekonań. Rady, jak wyjaśniać dzieciom problem śmierci, znajdziesz w ramce na str. 676.

Na wiadomości, które działają druzgocąco na dzieci starsze i dorosłych, małe dzieci reagują często w sposób dość nieoczekiwany. Wiele maluchów, przynajmniej na początku, wręcz wcale nie reaguje: słuchają bez żadnego komentarza, następnie odchodzą i przystępują do swoich spraw. Ten brak reakcji nie oznacza braku uczuć w stosunku do osoby, która odeszła, a raczej niezrozumienie albo bronienie się przed przyjęciem tego przytłaczającego faktu do wiadomości. Inne zaczynają płakać za tatusiem nie dlatego, że on nie żyje, ale dlatego, że rozmowa o nim wyzwala w nich tęsknotę za jego obecnością właśnie w tej konkretnej chwili. Trzylatki mają w końcu jeszcze problem ze zrozumieniem pojęcia czasu; dopiero w wieku szkolnym dzieci zaczynają rozumieć istotę śmierci. Większość maluchów bez przerwy dopytuje się o osobę nieżyjącą i trzeba im bez przerwy przypominać, że osoba ta nie może powrócić, dopóki trwa rzeczywistość. Gdy pozwolisz, by dziecko patrzyło, jak usuwane są rzeczy tatusia (ubrania z szafy, płaszcz kąpielowy z drzwi łazienki, kapelusz z wieszaka w przedpokoju), to może łatwiej do niego dotrze, że tatuś już nie wróci. Oprzyj się pokusie wysłania malca do babci czy znajomych na kilka tygodni po śmierci jego ojca; taka banicja z domu nie tylko wytrąci brzdąca z równowagi, ale uczyni śmierć ojca jeszcze bardziej nierealną. W końcu i tak będzie musiał oswoić się z jego nieobecnością, a wspólne przejście przez okres żałoby pozwoli wam obojgu pogodzić się z tą śmiercią i wzmocni więź między wami. Ponieważ oboje będziecie potrzebowali emocjonalnego wsparcia i pomocy w podstawowych problemach życia codziennego, dobrze będzie dogadać się z dobrym znajomym lub bliskim krewnym, by zamieszkał na jakiś czas z wami i tej pomocy udzielił.

Możliwe, że dziecku będą przychodziły do głowy jakieś nierozsądne pomysły co do przyczyny śmierci ojca, np. że nic nie zjadł albo wyszedł na spacer bez kurtki. Albo też malec może obwiniać siebie i swoje „magiczne" myślenie: „Tatuś umarł, bo byłem na niego bardzo zły, że nie zabrał mnie do zoo". Takie wykrzywione wyobrażenia należy wykorzenić i rozwiać. Żeby to uczynić, będziesz musiała zachęcić dziecko do rozmów (albo rysunków) na temat tego, co czuje. Nie obawiaj się, jeśli zauważysz, że twój synek bawi się w umarłego na niby misia lub w cmentarz. Bardzo często dzieci wyładowują swoje uczucia dotyczące utraty kogoś bliskiego poprzez rysunki lub zabawę. Takie zajęcia są jak najbardziej właściwe w wyniku niedawnego zetknięcia się ze śmiercią. (Jeśli jednak utrzymują się przez kilka miesięcy lub całkowicie zajmą dziecku czas, skontaktuj się z lekarzem.)

Jako że małe dzieci są tak egocentryczne, często martwią się, że śmierć nadal będzie trwała i rozbije ich dom, że „jeśli tatuś umarł, to może i mamusię to spotka albo nawet mnie". Przytoczenie prostym językiem pewnych faktów o chorobie, która spowodowała śmierć jego ojca, może pomóc powstrzymać go od niepotrzebnego zamartwiania się. Może też zajść potrzeba upewnienia malucha, że go nie opuścisz, że cały czas będziesz przy nim i będziesz go kochać i się nim opiekować i że gdy ciebie nie będzie w domu, zawsze będzie ktoś, kto się o niego zatroszczy.

Dzieci dotknięte tak wielką stratą mogą przejawiać oznaki żalu i rozpaczy przez krótki okres żałoby lub przez długi jeszcze czas — albo ciągle, albo w porywach. Takie dzieci często demonstrują wiele tych samych zachowań co dzieci rodziców świeżo po rozwodzie (inny rodzaj bolesnej straty). Poczucie winy, strach, cofanie się w rozwoju, mniejsza samodzielność, utrata apetytu, zaburzenia snu, problemy z zachowaniem (szczególnie typowe jest popisywanie się, jeśli dziecku nie zapewni się dostatecznej uwagi po śmierci ojca) — wszystko to należy do powszechnych reakcji. Może też pojawić się nadmierny płacz, jak również opóźnienia w rozwoju czy czasowa utrata mowy. U niektórych dzieci podstawową reakcją jest złość na zmarłego — „Dlaczego mnie opuścił?" Albo też gniew wyładowywany jest na tej drugiej osobie: „Dlaczego pozwoliłaś tatusiowi umrzeć?" Bądź przygotowana, że najtrudniejszymi chwilami dla dziecka będą pory, gdy ojciec był najczęściej w pobliżu, np. pora kolacji, pora chodzenia spać (szczególnie jeśli to tatuś go kąpał lub czytał bajeczki), weekendy.

Każdy, kto doświadcza jakiejś straty, czuje potrzebę wyżalenia się, również małe dziecko. Pozwól mu mówić o swoich uczuciach i płakać. Nie broń się i płacz razem z nim (nie musisz dusić w sobie żalu), jeśli masz na to ochotę; staraj się jednak panować nad sobą w obecności malca; w przeciwnym bowiem razie mógłby się przestraszyć. Rozmawiaj z nim o jego ojcu często i wspominajcie go razem pozytywnie, oglądając zdjęcia, chodząc na spacery tam, gdzie lubił, piekąc jego ulubione ciasteczka. Nie próbuj przyspieszać „powrotu do zdrowia", usuwając z domu wszystko, co mogłoby przypominać ci męża; te pamiątki (zdjęcia, ulubione krzesło, trofea sportowe itd.) mogą być bolesne na początku, ale w efekcie przyniosą pocieszenie. Daj dziecku jakieś pamiątki po ojcu (ulubiony kapelusz taty, koszulkę, którą często nosił, jego

Rozmowy o śmierci

Podczas gdy obecnie obserwuje się coraz zdrowszy stosunek do tematów niegdyś skrzętnie unikanych, jak np. seks, śmierć często nadal pozostaje tematem tabu, okrywanym welonem eufemizmów, o którym mówi się przyciszonym głosem. Jednak ten rodzaj podejścia do sprawy jest dezorientujący i krzywdzący dla dziecka. Tak więc, gdy zajdzie potrzeba porozmawiania z maluchem o śmierci osoby, którą znało, własnego zwierzątka lub zwierzaka sąsiadów, śmierci np. kogoś, kogo znało z telewizji, bądź szczera i otwarta. Unikaj wszystkich tych eufemizmów na korzyść nazywania rzeczy po imieniu, jeśli trzeba. Odnoszenie się do śmierci w kategoriach „podróży" albo „zasypiania" nie tylko może wzbudzić w dziecku bezpodstawne obawy związane z wyjazdem i chodzeniem spać, ale i nadzieję, że nieżyjąca osoba lub zwierzę wróci lub się obudzi. Gdy w końcu dziecko odkryje prawdę, ból będzie pomnożony o zdradę, o to, że zostało okłamane.

Wyłuszcz swoje wyjaśnienie w bardzo prosty sposób, tak by dziecko pojęło jego sens; pamiętaj, że nie ma mowy, by tak małe dziecko mogło w pełni zrozumieć, co to jest śmierć. Możesz na przykład powiedzieć: „Babcia umarła. Babcia nie żyje. Nie może już do nas przyjść i się z nami zobaczyć. Jest nam z tego powodu bardzo smutno". To powinno wystarczyć małemu dziecku, choć dla wielu z nich nawet tak proste słowa będą niewiele znaczyły. W przypadku dwu-, trzylatka można dodać: „Gdy ktoś umiera, jego ciało przestaje pracować i się ruszać; nie musi jeść, spać czy oddychać — nie jest już żywe". O szczegółach mów tylko wtedy, gdy dziecko o nie poprosi.

Starsze dziecko może chcieć widzieć, gdzie babcia jest teraz. Odpowiedz (w momencie gdy możesz już o tym fakcie mówić ze względnym spokojem), że jej ciało znajduje się w skrzyni, która nazywa się trumną, w bezpiecznym miejscu, tzn. na cmentarzu. Jeśli ze względów religijnych czy filozoficznych chciałabyś coś dziecku na ten temat przekazać, możesz dodać w tym momencie i te informacje. Tłumacz wszystko tak prostym językiem, jak możesz, i uważaj, by nie straszyć i nie zwodzić dziecka. Zanim zaczniesz mu cokolwiek wyjaśniać, będziesz musiała wziąć pod uwagę to, że maluchy traktują wszystko wyjątkowo dosłownie i mogą wszystko źle zrozumieć. Jeśli powiesz, że „babcia jest w niebie", dziecko może zapytać: „A możemy ją odwiedzić?" Wytłumacz jasno, że tylko ludzie umarli mogą tam trafić i że stamtąd już nie ma powrotu. Nawet jeśli w to wierzysz, nie mów dziecku, że osobę, która umarła, zabrał Pan Bóg, bo tak bardzo ją kochał; dziecko może zacząć się obawiać, że Pan Bóg zabierze również ciebie albo inną ukochaną przez nie osobę.

Najtrudniejszym, ale i chyba najważniejszym, aspektem śmierci, który trudno małemu dziecku uchwycić, jest jej permanentność. Gdy dziecko usłyszy, że piesek pani Wiśniewskiej umarł, może zapytać: „A kiedy przestanie być nieżywy, bym mógł się z nim znów pobawić?" Gdy dziecko raz już uchwyci pojęcie permanentności przedmiotów (przedmioty nadal istnieją, nawet jeśli ich nie widzimy; mamusia i tatuś chodzą do pracy, ale wracają), trudno mu zrozumieć, że nie ma powrotu od śmierci, że człowiek lub zwierzę, które znało, odeszło na zawsze.

Dzieci często mają wyszukane wyobrażenia o śmierci. Gdy maluch umie już mówić, spróbuj dowiedzieć się, co też sobie myśli, zadając mu pytanie: „Jak sądzisz, co to znaczy, że ktoś «umarł»?" Następnie staraj się sprostować takie błędne wyobrażenia. Nawet jeśli dziecko nie potrafi wyrazić swoich myśli słowami, pomóc tutaj może czytanie różnych książek o śmierci na poziomie łatwym do zrozumienia przez małe dziecko.

Czasami maluchy winią się za to, co dzieje się w ich życiu; ważne jest wtedy, by wiedziały, że to nie ich wina, gdy ktoś bardzo im bliski umiera.

Nie zniechęcaj dziecka do rozmów o śmierci, zmarłej osobie czy zwierzątku, jeśli chce o tym mówić, ale też nie nalegaj na takie rozmowy, jeśli dziecko niespecjalnie jest tym tematem zainteresowane. Małe dzieci powinny mieć swobodę, jeśli chodzi o wyrażanie swojego żalu (co będzie prawdopodobnie wyglądało inaczej niż żałoba dorosłych). Wymiana wspomnień („Pamiętasz, jak ciocia Irena przynosiła nam owsiane ciasteczka za każdym razem, gdy nas odwiedzała?") może mieć znaczenie terapeutyczne i dla dziecka, i dla rodziców, pomagając przywołać miłe chwile spędzane z daną osobą.

portfel), by mu go przypominały. Powieś zdjęcie ojca w jego pokoju, jeśli będzie chciał.

Wylewanie żalu jest ważne, ale nie powinno pochłaniać bez reszty. Teraz bardziej niż w jakimkolwiek innym okresie i tobie, i dziecku trzeba powrotu do starych zwyczajów i rytuałów. Staraj się zachowywać tyle normalności, ile się da, w tylu dziedzinach, w ilu się da (spotkania rówieśników, regularne pory posiłków, rytuały związane z chodzeniem spać). Pozwól małemu być dzieckiem; zachęcaj go, by się bawił i cieszył, zamiast obwiniać go za przejawianie radości („Tatuś dopiero co umarł, a ty potrafisz tylko się bawić!). Jeśli chodzi do żłobka lub przedszkola,

Czy zabrać dziecko na pogrzeb?

To, czy dziecko powinno uczestniczyć w pogrzebie kogoś mu bliskiego, zależy od dziecka i danej sytuacji. Zanim podejmiesz w tym względzie jakąś decyzję, zadaj sobie kilka pytań: Czy prawdopodobne jest, że ludzie, którzy przyjdą na pogrzeb (szczególnie ci, których malec kocha i na których liczy), stracą nad sobą panowanie? Czy emocje wywołane u dziecka i innych będą zbyt silne dla kogoś tak małego, czy sobie z nimi poradzi? Czy jest ktoś, kogo dziecko dobrze zna, kto mógłby albo zostać z małym, albo przyjść na pogrzeb w charakterze rezerwy i zabrać dziecko, gdy zajdzie taka konieczność? Czy trumna będzie otwarta? Czy to przerazi dziecko, czy pomoże zrozumieć istotę sprawy? Czy wolałabyś, by nieboszczyk pozostał w pamięci dziecka raczej jako żywy aniżeli martwy? Czy samo grzebanie zwłok (przyglądanie się, jak ukochaną osobę składa się w ziemi) będzie dla dziecka bolesne? Czy uczestniczenie w ceremonii pogrzebowej sprawi, że pojęcie utraty na zawsze stanie się dla malca bardziej namacalne i pozwoli dziecku się pożegnać?

Jeśli nie jest to pogrzeb bliskiego członka rodziny, dobrym wyjściem jest pójście z dzieckiem na tę mniej widowiskową ceremonię, gdzie mały mógłby się pożegnać. Może dałoby się odwiedzić dom pogrzebowy lub kaplicę indywidualnie przed pogrzebem lub też odbyć ceremonię żegnania zwłok w domu; można też złożyć wraz z dzieckiem kwiaty na grobie już po pogrzebie. Wszystko to może pomóc dziecku zaakceptować realność śmierci i uprzytomnić mu, że życie ma swój kres.

nie zwlekaj dłużej niż tydzień i poślij go tam ponownie (wkroczenie w wir zabawy pomoże mu poczuć się lepiej i normalniej). Jeśli zostaje w domu, a ty musisz wrócić do pracy, postaraj się, by miał tę samą opiekunkę przez większość czasu, a najlepiej przez cały czas; jeśli w ogóle jest to możliwe, nie korzystaj z pomocy nie znanej osoby, różnych krewnych lub przyjaciół w różne dni. Dla małego dziecka niezmienność jest zawsze ważna, a już szczególnie w obliczu tak wielkiej próby. Jeśli jesteś w domu, ale czujesz się zbyt oderwana od codzienności, by sprawować nad dzieckiem właściwą opiekę, poproś kogoś innego, kogoś, kto je kocha, będzie się nim zajmował, a i dla ciebie będzie podporą.

Twój synek będzie również czuł się bardziej bezpieczny, jeśli nie zajdą żadne zmiany w obowiązującej go dyscyplinie. Domowe zasady powinny pozostać mniej więcej takie same jak przedtem, choć możesz być zmuszona do szczególnej delikatności przy ich egzekwowaniu, jeśli dziecko jest wrażliwe. Jeśli malec płacze nocami lub ma duże problemy z zaśnięciem (często spotykany problem u dzieci, które przeżyły śmierć kogoś bliskiego), idź do niego i go przytul. Zostań tak długo, jak trzeba, ale oprzyj się pokusie, by zabrać malca do swojego łóżka, nawet jeśli boleśnie brakuje ci kogoś bliskiego. Gdy pozwolisz mu zająć miejsce ojca w łóżku, może to doprowadzić do przekonania, że zajmuje miejsce swojego ojca także w twoim życiu. (Unikaj również mówienia rzeczy w stylu: „Ty jesteś teraz mężczyzną w rodzinie, musisz się mamusią opiekować").

Gdy pozwoli im się radzić sobie z żalem i podnosić z dołka we własnym tempie oraz zapewni wsparcie i poświęci dużo uwagi, dzieci, które przeżyły utratę jednego z rodziców (lub innego bliskiego członka rodziny), zwykle przychodzą do siebie. Badania wykazują, że problemy mogą się pojawić jedynie wtedy, gdy drugi z rodziców nie rekompensuje dostatecznie tej bolesnej straty przez wzmożenie opieki lub sam jest tak bardzo przybity, że dziecko czuje się zobowiązane do pocieszania go, przyjmując na swoje barki zbyt wielki ciężar. Dlatego też jest sprawą podstawową i dla ciebie, i dla dziecka, by podporą był dla ciebie ktoś inny. W wypadku niektórych dzieci, jak i owdowiałych małżonków dobrą metodą dochodzenia do siebie jest wstąpienie do klubu wspierania osób osieroconych czy owdowiałych. Jeśli taka grupowa terapia jednak ci nie odpowiada, rozejrzyj się wśród przyjaciół czy krewnych, poszukaj bratniej duszy w swoim duchownym czy lekarzu albo też rozpocznij fachową, indywidualną terapię u specjalisty.

Jeśli dziecko nie może w żaden sposób pogodzić się ze stratą, jest w depresji lub nietypowo się zachowuje, nie zwlekaj i udaj się z nim po profesjonalną pomoc np. do psychologa.

Musieliśmy wczoraj dać uśpić naszego kota, którego nasza córeczka bardzo kochała. Nie powiedzieliśmy jej jeszcze o tym, gdyż nie bardzo wiemy, jak rozmawiać z dwuletnim dzieckiem o śmierci.

Przede wszystkim pomińcie tę część o zwierzęciu „danym do uśpienia". Choć termin ten jest zwykle używany, może zapoczątkować przerażające myśli na temat spania, szczególnie gdy mała dowie się, że kotek nigdy już się nie obudzi.

W zamian za to użyjcie wyjaśnienia: „Kotek był bardzo chory i umarł". Rozmawiajcie z dzieckiem o śmierci otwarcie i szczerze, ale na jego poziomie (patrz str. 676). Pozwólcie małej reagować na to zupełnie dowolnie, zachęćcie do zwierzeń na temat uczuć, jeśli zechce, i pozwólcie jej się smucić. Wspominajcie razem kotka, oglądając zdjęcia, przypominając jego słodkie zachowania („Pamiętasz, jak Mruczek wspinał ci się na brzuszek?"). Miejcie jednak świadomość, że dziecko może zignorować zgon zwierzęcia. Jest to zupełnie normalna reakcja u małych dzieci, mających trudność ze zrozumieniem nieodwracalności śmierci.

Możliwe jest jednak i to, że maluch zareaguje na śmierć kotka jak na jakąkolwiek inną nagłą i wytrącającą z równowagi zmianę w życiu — drażliwością, zaburzeniami snu oraz wzmożonymi napadami złości. Bądźcie cierpliwi i wyrozumiali, aż przyzwyczai się do zmiany, a jeśli uznacie, że zastąpienie kotka czymś innym poprawiłoby sytuację, uczyńcie to. Obecność dziecka przy wybieraniu nowego zwierzątka pozwoli mu szybciej nawiązać z nim przyjaźń.

Dziecko bardzo wrażliwe może się obawiać, że jeśli śmierć dotknęła kotka, może spotkać także je albo kogoś innego, kogo bardzo kocha. Jeśli maluch jest jakby bardziej strachliwy i przylepny niż zwykle, może potrzebować przez jakiś czas szczególnej waszej troski i uwagi.

26

Formy opieki nad małym dzieckiem

Żadna opiekunka nie potrafi dać dziecku takiej miłości, opieki i zrozumienia, jakie otrzymuje ono od rodziców. Nikt inny nie może zająć miejsca matki i ojca w sercu dziecka. Należy się jednak liczyć z tym, że w pewnych sytuacjach, na kilka godzin tygodniowo czy też osiem godzin dziennie, ktoś inny zajmie twoje miejsce, jeśli nie w sercu dziecka, to przy jego boku. Wybór osoby (lub osób), której powierzona zostanie opieka nad dzieckiem, może stać się wyzwaniem dla rodziców. Ten rozdział pomoże ci przyjąć to wyzwanie i wybrać możliwie najlepszą formę opieki dla dziecka.

JAKIE FORMY OPIEKI MASZ DO WYBORU

Niania, dochodząca opiekunka, opiekunka wynajęta na godziny, żłobek, przedszkole. Rodzice mają do wyboru wiele możliwości, lecz zdecydowanie się na jedną z nich (lub też ich kombinację) wymaga pewnego rozeznania. Zanim zaczniecie zastanawiać się nad ostatecznym wyborem, powinniście wziąć pod uwagę kilka podstawowych czynników, a mianowicie:

* Potrzeby dziecka. Spokojny malec, nieśmiały w grupie dzieci lub bardzo małe dziecko wymagające indywidualnego podejścia, będzie czuło się lepiej, mając jednego opiekuna lub przebywając w miniżłobku, gdzie panuje ciepła, rodzinna atmosfera, a na każdego opiekuna przypada kilkoro dzieci. Ten spokojny malec, który nigdy nie spędzał zbyt wiele czasu z innymi dziećmi, w zgranej, przyjacielskiej grupie może wreszcie wyjdzie ze swojej szczelnie zamkniętej skorupy. Dziecko, które łatwo nawiązuje kontakt z rówieśnikami, będzie się prawdopodobnie nudziło w domu, w towarzystwie opiekunki, natomiast będzie się doskonale czuło w grupie. Większość dzieci mieści się pomiędzy tymi dwoma skrajnościami i prawdopodobnie bez większych problemów zaadaptuje się do każdej formy opieki.

* Twoje potrzeby. Musisz przeanalizować swój rozkład dnia. Czy pracujesz zawodowo? Czy godziny pracy są regularne, czy też w niektóre dni kończysz pracę np. o 16.30, a w inne o 19.30? Czy rozkład zajęć zmienia się co tydzień, czy też pracujesz np. codziennie do południa? Czy potrzebujesz opiekunki „dyspozycyjnej", która przyjdzie wtedy i na tak długo, jak będziesz jej potrzebować? Może rozważysz miniżłobek, który pozwoli ci po uprzedzeniu zmieniać dni i godziny pobytu dziecka, lub taki, który funkcjonuje do późnych godzin popołudniowych? Jeśli masz kłopoty z dowożeniem dziecka (nie masz samochodu lub nie kursuje na tej trasie autobus, tramwaj itp.), zastanów się nad opiekunką dochodzącą lub zorganizowaniem transportu grupowego. Istotna jest lokalizacja miejsca opieki zbiorowej; jeżeli znajduje się ono daleko, oznacza to dodatkowy czas spędzony w samochodzie, który mogłabyś poświęcić zabawie z dzieckiem.

* Możliwości finansowe. Opieka nad dzieckiem jest kosztowna i często ograniczona możliwościami finansowymi rodziców. Na ogół dochodząca opiekunka lub niania jest najdroższym rozwiązaniem, zaś domowy miniżłobek, państwowa opieka zbiorowa lub opiekunka zatrudniona przez dwie rodziny znajdują się w zasięgu możliwości finansowych przeciętnej rodziny. Jednak nie zawsze tak jest; jeśli masz

Jedna opiekunka dla dwóch domów

Wiele rodzin nie może sobie pozwolić na wynajęcie prywatnej opiekunki dla dziecka. Może jednak okazać się, że dzielenie kosztów z inną rodziną nie będzie wcale tak wielkim obciążeniem dla domowego budżetu. Zanim jednak dojdziesz do porozumienia z innymi rodzicami, rozważ następujące kwestie:

* Kto zatrudni opiekunkę? Czy za wybór kandydatki będzie odpowiedzialna jedna rodzina, czy obydwie podejmą wspólną decyzję?
* Czy wasze rodziny mają zbliżone poglądy na wychowywanie dzieci? Nie można oczekiwać, że jedna osoba będzie się inaczej zajmować każdym dzieckiem. Czy macie podobne poglądy na temat odżywiania, dyscypliny oraz innych istotnych spraw? A może bez problemu osiągniecie kompromis?
* Czy wasze dzieci pasują do siebie? Nie muszą być w równym wieku lub mieć podobnego temperamentu, lecz powinny się wzajemnie akceptować.
* W którym domu opiekunka będzie zajmować się dziećmi? Czy i jak często będzie następowała zmiana? (Niezwykle istotna dla dzieci jest stałość i dlatego np. zmiany co trzy miesiące są lepsze niż zmiany co dzień lub co tydzień, chociaż każdy układ może się okazać dobry.)
* Kto dostarczy jedzenie i inne potrzebne produkty? Czy „goście" będą przynosić własne pieluszki i posiłki, czy też zapewnią je „gospodarze"? Czy będzie potrzebna bliźniacza spacerówka? Czy złożą się na nią obie rodziny, czy też będzie własnością jednej z nich?
* Kto zaopiekuje się dziećmi, gdy zachoruje opiekunka? Czy zawrzecie w tej kwestii formalną umowę (np. za opiekę będą odpowiedzialni „gospodarze" lub każda rodzina co drugi miesiąc) lub potraktujecie ten problem elastycznie (zostaje w domu to z rodziców, które bez problemu może zwolnić się w pracy)?
* Czy opiekunka podoła zadaniom? Może okazać się to trudne, jeśli będzie się zajmować więcej niż dwójką dzieci (chociaż dla wykwalifikowanej osoby nie powinno to być zbyt duże obciążenie). By zmniejszyć związany z tym stres, można zaplanować zabawy grupowe z innymi dziećmi lub inne dodatkowe zajęcia pozadomowe, przynajmniej kilka razy w ciągu tygodnia.
* Czy opiekunka będzie miała dodatkowe obowiązki? Lepiej nie obarczać jej zbytnio pracami domowymi, by nie czuła się wyzyskiwana.
* Jak rozwiążecie sprawy finansowe? Kto będzie płacił za opiekę nad dziećmi? Kto wypełni zeznanie podatkowe i zapłaci ubezpieczenie? Ubezpieczenie powinno dotyczyć obydwu rodzin, by w razie wypadku któraś z nich nie została obciążona kosztami odszkodowań.

np. dwoje dzieci, koszt wynajęcia dla nich opiekunki może być niższy niż opłata za pobyt dwóch malców w przedszkolu lub żłobku.

NAJCZĘSTSZE FORMY OPIEKI

Rozważenie możliwości finansowych oraz potrzeb (zarówno twoich, jak i dziecka) jest zaledwie pierwszym krokiem na drodze poszukiwań optymalnej formy opieki. Następnie należy wziąć pod uwagę opcje dostępne na terenie, gdzie mieszkasz.

Prywatna opiekunka

Kto to jest. Niania, opiekunka lub pomoc domowa, która przychodzi do domu, by zaopiekować się twoim dzieckiem w pełnym lub skróconym wymiarze godzin lub w zależności od potrzeby.

Zalety. Dziecko przebywa w znajomym otoczeniu, w swoim łóżeczku, ze swoimi zabawkami; nie jest narażane na zetknięcie się z zarazkami w grupie innych dzieci; nie trzeba go wozić; opiekunka ma możliwość poświęcić mu maksimum uwagi, gdyż nie ma żadnego innego zajęcia; między dzieckiem a opiekunką może rozwinąć się silna więź.

Dodatkową zaletą jest również możliwość pozostania dziecka podczas choroby aż do całkowitego wyzdrowienia (do żłobków i przedszkoli często wracają po chorobie nie w pełni wyleczone dzieci). Dla ciebie opiekunka w domu oznacza znacznie mniej komplikacji związanych z dowożeniem i odbieraniem dziecka, mniej zwolnień z pracy, mniej stresujące i zapędzone poranki (być może znajdziesz nawet chwilę czasu na zabawę lub przeczytanie bajki — opiekunka przebierze i nakarmi dziecko już po twoim wyjściu z domu), a być może też pomoc w pracach domowych (w zależności od sytuacji i uzgodnień opiekunka może pomóc w sprzątaniu, praniu i/ lub robieniu zakupów).

Wady. Dziecko pozostające pod opieką niani ma mniej możliwości nawiązywania kontaktów z rówieśnikami, chyba że organizuje ona spotkania z innymi dziećmi (można utworzyć bawiącą się razem grupę domowych przedszkolaków). Z kolei zatrudnienie cudzoziemki obarcza cię zobowiązaniami umowy. Jeśli np. nie spodoba się ona tobie lub dziecku, nie będziesz mogła jej zwolnić przed wygaśnięciem kontraktu. Zdarza się też, że opiekunki te pod wpływem tęsknoty za domem, z dnia na dzień opuszczają zatrudniające je rodziny, pozostawiając je na łasce losu.

Domowy miniżłobek

Co to jest. Opiekunka zajmuje się małą grupą dzieci (również swoimi) w swoim domu.

Zalety. Domowy miniżłobek potrafi stworzyć ciepłą, rodzinną atmosferę przy mniejszych kosztach niż inne formy opieki. Ponieważ dzieci jest tutaj mniej niż w prawdziwym żłobku, mniejsze jest zagrożenie infekcjami, a większa szansa na stymulowanie i zindywidualizowanie rozwoju (chociaż nie zawsze tak się dzieje). Ruchome są też godziny pracy takiego żłobka, a więc można dziecko wcześnie przyprowadzać i późno odbierać, oraz jest on stosunkowo niedrogi.

Wady. Zwykle takie domowe miniżłobki nie są nigdzie zarejestrowane i można czasami mieć wątpliwości co do zachowywania w nich norm bezpieczeństwa i ochrony zdrowia. Opiekunka jest często niewykwalifikowana, bez doświadczenia w zakresie opieki nad dziećmi. Może też mieć zupełnie inne zdanie na temat wychowania dzieci aniżeli ich rodzice. Zabawy są na ogół chaotyczne, do czego przyczyniają się częste zmiany w grupie dzieci (niektórzy rodzice rezygnują z tej formy opieki i inne maluchy zajmują zwolnione miejsca). Jeśli sama zachoruje bądź też zachoruje jej własne dziecko, nie ma nikogo, kto mógłby ją zastąpić. No i wreszcie — chociaż ryzyko jest znacznie mniejsze niż w żłobkach państwowych — zawsze istnieje możliwość przenoszenia zarazków z dziecka na dziecko, szczególnie wtedy, gdy warunki sanitarne nie są kontrolowane.

Opieka zbiorowa – żłobek

Co to jest. Miejsce, w którym jedna lub więcej grup niemowląt lub malutkich dzieci spędza cały dzień (lub część dnia) pod opieką jednego lub więcej wykwalifikowanych wychowawców oraz personelu pomocniczego. Realizowany jest tam oficjalny program rozwoju dziecka.

Zalety. Zależą od oferowanych warunków i obejmują: lepszą niż w przeciętnym domowym miniżłobku jakość opieki ze strony wykwalifikowanej i doświadczonej kadry (chociaż nie zawsze się tak dzieje), program nastawiony na maksymalny rozwój dziecka i dostosowany do jego wieku, możliwość zabawy w grupie rówieśników, różnorodne zabawki i sprzęt, a także nadzór lokalnych instytucji pod względem zdrowia, bezpieczeństwa i innych aspektów realizowanego programu. Żłobek jest niezawodny (jeśli zachoruje któryś z pracowników, zastępuje go inny i nie stanowi to problemu).

Wady. Większe zagrożenie infekcjami i stąd wyższy wskaźnik zachorowań wśród dzieci (można go obniżyć, prowadząc rozsądną politykę zdrowotną), niejednokrotnie mniejsze zindywidualizowanie rozwoju dziecka (zwłaszcza gdy na jedną osobą personelu przypada dużo dzieci), mniej elastyczne podejście do programu (który może nie brać pod uwagę potrzeb rodziców), wysoki koszt pobytu dziecka (najczęściej niższy niż wynajęcie prywatnej opiekunki, lecz wyższy niż domowy miniżłobek, chociaż nie zawsze).

Kto powinien chodzić do przedszkola?

W zasadzie dziecko, które ma w domu odpowiednią opiekę, nie potrzebuje przedszkola. Dzieci uczęszczające do przedszkola początkowo muszą pokonać pewien próg, który w końcu jednak przestaje istnieć. Wyważony, stymulujący i pozbawiony stresów program może ubogacać i ekscytować dzieci. Dla rodziców przedszkole oznacza swobodę ruchów niezależnie od tego, czy pracują poza domem, czy nie.

Dobre przedszkole dostarcza dzieciom wielu doświadczeń, cennych nawet dla maluchów świetnie rozwijających sią w domu pod opieką rodziców lub sumiennej opiekunki. Dzieci uczą się podstawowych umiejętności: jak współpracować z innymi, pomagać sobie w wykonywaniu obowiązków, przestrzegać regulaminu, podejmować decyzje, obcować z innymi w grupie. Oczywiście, przedszkole nie jest akademią, ale realizowany w nim dobry program stymuluje dziecko intelektualnie i twórczo, ucząc jednocześnie elementarnych zasad kontaktów międzyludzkich.

Przedszkole

Co to jest. Jedna lub więcej grup dzieci spędza pół dnia (lub cały dzień) pod opieką jednego lub kilku wychowawców realizujących program przygotowujący dzieci do szkoły. Niektóre przedszkola przyjmują dzieci przed ukończeniem trzech lat, inne dopiero po ukończeniu, jeszcze inne wymagają umiejętności samodzielnego załatwiania potrzeb fizjologicznych i innych zdolności.

Zalety. Uzależnione są od warunków w przedszkolu, lecz na ogół obejmują one: dobrą opiekę ze strony wykwalifikowanej i doświadczonej kadry, realizację oficjalnego programu nastawionego na maksymalny rozwój dziecka, dostosowany do jego wieku, możliwość zabawy z wieloma rówieśnikami, różnorodne zabawki i sprzęt, zwykle nadzór w zakresie zdrowia i bezpieczeństwa (czasami nawet kontrola realizacji programu). Dla ciebie przedszkole oznacza niezawodność (chorego wychowawcę zastępują inni).

Wady. Zależne od możliwości konkretnej placówki, najczęściej obejmują: większe narażenie na infekcje i stąd wyższy wskaźnik zachorowań (znów problem rozwiązać może rozsądna polityka zdrowotna), przeciążenie dziecka, jeśli program jest zbyt ambitny i rygorystyczny. Dla ciebie przedszkole oznacza mniej swobody[1] i dość wysoki koszt.

Inne rozwiązania

Współpraca rodziców. Dotyczy dwóch rodzin (jedni rodzice opiekują się dziećmi w piątki, a drudzy w soboty) lub więcej rodzin (rodzice za każdą godzinę opieki „zarabiają" kupony, które następnie oddają innym rodzicom z tej samej grupy, kiedy potrzebują opiekuna dla swojego dziecka). Ta forma opieki nic nie kosztuje (oprócz obowiązku zajmowania się dziećmi członków grupy, a ponieważ opiekunami są znajomi rodzice, można mieć zaufanie do jakości opieki. Możesz umówić się na tę formę opieki z przyjaciółmi, którzy mają dzieci w zbliżonym wieku, powiesić ogłoszenie w gabinecie lekarskim, kościele, lokalnym klubie, żłobku lub przedszkolu (informujące, że poszukujesz zainteresowanych rodziców). Poznaj ewentualnych członków grupy, zanim powierzysz im dziecko i nalegaj, by zapoznali się z zasadami bezpieczeństwa (rozdział 21) oraz by przed podjęciem opieki ukończyli kurs pierwszej pomocy oraz sztucznego oddychania i masażu serca.

Należy założyć dla członków grupy oddzielne notesy, zawierające najważniejsze informacje o każdym z dzieci: imię, data urodzenia, adres, numer telefonu domowego, alarmowe numery telefonów (w tym również numer lekarza leczącego dziecko), godziny spania, alergie, lubiane i nie lubiane pokarmy, a także możliwości czasowe rodziców.

W dużej grupie należy odbywać regularne spotkania (zaproszone dzieci mogą w tymczasie się bawić), by rozwiązać powstałe problemy i wprowadzić do grupy nowych rodziców.

Babcia lub ktoś inny z rodziny. Babcia (dziadek) lub inna osoba należąca do rodziny, a kochająca dziecko, wydaje się idealną opiekunką, lecz tylko jeśli naprawdę chce się zajmować dzieckiem i dobrze sobie z tym radzi. Nawet wtedy sytuacja ta może doprowadzić do niezgody w rodzinie. Będziesz np. krępowała się zwrócić uwagę na coś, nie chcąc urazić członka rodziny, szczególnie wtedy, jeśli nie płacisz za pomoc. By uniknąć nieporozumień i obrazy, należy na samym początku ustalić obowiązujące w domu zasady (np. zakaz kupowania słodyczy lub prezentów podczas spacerów itd.) oraz plan dnia (np. ile czasu dziecko może spędzać przed telewizorem i na placu zabaw, kiedy ma spać i co ma jeść). Zachęć opiekunkę do szczerej wymiany zdań na temat wychowania dziecka.

Zakładowe miejsca opieki. Dość popularna w Europie, a bardzo rzadka w USA jest opieka zbiorowa w miejscu pracy matki. Z pewnością wielu rodziców byłoby taką formą opieki zainteresowanych, gdyby miało taką możliwość.

Korzyści są wielkie. W nagłych wypadkach masz zawsze dziecko przy sobie. Możesz je odwiedzać w czasie przerwy śniadaniowej lub obiadowej, dokarmiać piersią. Ponieważ dojeżdżasz do pracy z dzieckiem, spędzasz z nim więcej czasu. Takie przyzakładowe przedszkola są zwykle świetnie wyposażone i obsługiwane przez wykwalifikowany personel.

Świadomość, że dziecko jest obok pod dobrą opieką, zwiększa twoją wydajność w pracy. Koszt takiej opieki — jeśli w ogóle istnieje — jest bardzo niewielki.

[1] Większość przedszkoli pracuje według kalendarza szkolnego, jest zamknięta w soboty i niedziele oraz w czasie ferii szkolnych, stwarzając dodatkowe utrudnienia dla pracujących rodziców. Niektóre przedszkola przyjmują malutkie dzieci jedynie na pół dnia, ranek lub popołudnie, zmuszając pracujących w pełnym wymiarze godzin rodziców do dodatkowego wynajęcia prywatnej opiekunki.

Niektóre zakłady pracy zapewniają opiekę dzieciom, których rodzice pracują na nocną zmianę, a nawet opiekę nad dziećmi, które chorują (patrz str. 693). Powstaje coraz więcej placówek tego typu, które troszczą się o dzieci swoich pracowników lub, na podstawie porozumienia, także o dzieci pracowników innych firm.

WYBÓR ODPOWIEDNIEJ FORMY OPIEKI

OPIEKUNKA W DOMU

Poszukiwania. Często najlepszym sposobem znalezienia kandydatki jest wywiad wśród rodziców mieszkających w twojej okolicy: popytaj na placu zabaw, sprawdź tablicę ogłoszeń w poradni dziecięcej lub sama powieś ogłoszenie w odpowiednich miejscach, a więc w poradni (gabinecie lekarskim), kościele, pobliskim przedszkolu lub szpitalu. Możesz skorzystać z pośrednictwa agencji. Jeśli zdecydujesz się na ostatni wariant, wybierz agencję, która działa od lat (koniecznie ewidencjonowaną, by nie paść ofiarą oszustów) lub poleconą (jeśli nikt ze znajomych nie korzystał z jej pośrednictwa, poproś o referencje). Poszukaj agencji, która ma dobrą reputację i poleca osoby wykwalifikowane i sprawdzone, lecz nigdy bezgranicznie nie ufaj poręczeniom. Zawsze sama przetestuj kandydatkę (patrz poniżej). Przejrzyj też gazety, w których opiekunki poszukujące pracy zamieszczają ogłoszenia lub sama daj ogłoszenie do prasy. Musisz jednak wtedy bardzo skrupulatnie sprawdzić referencje kandydatek.

Co powinnaś wiedzieć na temat kandydatki. Testowanie zaczyna się na ogół od przeczytania życiorysów kandydatek, jeśli je dostarczyły. Podczas wstępnych rozmów telefonicznych należy od razu wyeliminować nieodpowiednie kandydatki i umówić się na konkretną rozmowę z dwiema lub trzema „finalistkami". (Rzadko podczas pierwszej rozmowy uzyskasz prawdziwy obraz kandydatki, najczęściej są one zdenerwowane.) Podczas rozmowy zadaj następujące pytania:

* Dlaczego chce pani podjąć tę pracę? Czy kandydatka z desperacją poszukuje jakiejkolwiek pracy, czy też naprawdę lubi pracę z dziećmi? Czy traktuje tę posadę jako zajęcie tymczasowe, dopóki nie nadarzy się lepsza okazja?

* Jakie ma pani kwalifikacje? Opiekunka nie musi wcale mieć dyplomu uczelni pedagogicznej (chociaż na pewno byłby on dodatkową zaletą), lecz powinna: mieć łatwość wysławiania się, być inteligentna (by stymulować rozwój intelektualny dziecka), posiadać podstawową wiedzę na temat rozwoju dziecka i jego pielęgnacji (zorientujesz się w tym na podstawie rozmowy i obserwując jej zachowanie wobec dziecka, lecz powinnaś uważnie sprawdzić referencje), być przeszkolona (lub chętna do ukończenia stosownych kursów) w zakresie bhp i pierwszej pomocy oraz mieć zamiłowanie do porządku. Najważniejsze cechy nie ujawniają się podczas wstępnej rozmowy, musisz tu zaufać swojemu instynktowi i zdolności obserwacji: czy jest to osoba energiczna, wrażliwa, dobra i kochająca dzieci.

* Ile ma pani lat? Wiek nie jest sprawą najistotniejszą, lecz bardzo młoda osoba może być niedojrzała i niedoświadczona (oczywiście cech tych często brakuje też opiekunkom w sile wieku). Z kolei starszej osobie może brakować energii, by poradzić sobie z maluchem (choć niektóre starsze kandydatki są bardziej energiczne niż młodsze).

Opiekunka z dzieckiem

W pewnych sytuacjach idealnym rozwiązaniem może okazać się opiekunka ze swoim własnym dzieckiem (lub dwoma), gdyż z całą pewnością ma ona odpowiednie doświadczenie. Rozwiązanie to może stwarzać problemy, gdy np. zachoruje osoba zajmująca się dzieckiem opiekunki. Wtedy, zamiast rezygnować z usług wykwalifikowanej osoby, lepiej dojść do porozumienia, pozwalając jej w sytuacjach awaryjnych przyprowadzać dziecko ze sobą. Niektórzy rodzice wyrażają zgodę na codzienne przyprowadzanie dziecka przez opiekunkę. Wariant ten pomaga obydwu pracującym matkom i jest korzystny dla ich dzieci.

* Gdzie pani dotychczas pracowała? Zapytaj o wszystkie miejsca zatrudnienia, zwracając szczególną uwagę na następujące sprawy: kiedy i dlaczego porzuciła ostatnią pracę, jak długo była zatrudniona w jednym miejscu, czy od ostatniego zatrudnienia minęło dużo czasu (dłuższa przerwa może być uzasadniona uzupełnianiem wykształcenia lub urodzeniem dziecka). Jeśli niepokoi cię dłuższa przerwa w zatrudnieniu lub inny fakt z przeszłości kandydatki, zapytaj, kto mógłby za nią poręczyć (np. ksiądz). W niektórych przypadkach być może będziesz chciała sprawdzić na policji, czy kandydatka nie jest notowana lub karana.

* Czy może pani przedstawić referencje? Następnym krokiem zawężającym krąg kandydatek jest sprawdzenie ich referencji. Nie polegaj na słowie przyjaciół czy rodziny opiekunki o jej zdolnościach i rzetelności. Sprawdź to wszystko u poprzednich pracodawców, oczywiście jeśli to możliwe. Jeśli nie, zasięgnij opinii u nauczycieli, księży czy innych osób, których opinia wydaje ci się obiektywna.

* Jak długo będzie pani u nas pracować? Opiekunka gotowa zajmować się dzieckiem tak długo, jak jest potrzebna (zakładając, że sytuacja ta jest dla wszystkich korzystna), jest w pewnym stopniu gwarancją stałości w życiu dziecka, a dla ciebie uniknięcia kłopotów związanych z poszukiwaniem niani za kilka miesięcy. Nie zawsze jednak deklaracje słowne (a nawet pisemne) są wypełniane, na co masz niewielki wpływ. Postaraj się też zorientować, jakie fakty z osobistego życia (np. małe dzieci) mogłyby przeszkadzać jej w pracy zawodowej, sprawiając, że np. nie będzie mogła codziennie przychodzić lub zostawać po godzinach pracy (jeśli ma to dla ciebie znaczenie). W ramce na str. 683 znajdziesz informacje, jak można rozwiązać ten problem.

* Jaką wyznaje pani filozofię opieki nad dzieckiem? Szukaj osoby o poglądach zbliżonych do twoich. Z każdą kandydatką przedyskutuj istotne elementy opieki, a więc: odżywianie, dyscyplina, nauka samodzielnego załatwiania potrzeb fizjologicznych. Zadawaj pytania, formułując je tak, by wymagały odpowiedzi szerszej niż „tak" lub „nie": Czego pani zdaniem dziecko w takim wieku jak moje najbardziej potrzebuje? Jak wyobraża sobie pani spędzanie czasu z moim dzieckiem? Co zrobiłaby pani, gdyby Jaś nagle wdrapał się na parapet? Co zrobiłaby pani, gdyby dostał napadu złości lub załatwił się w majtki?

* Czy jest pani zdrowa? Upewnij się, czy stan jej zdrowia pozwala na wykonywanie rutynowych czynności przy dziecku. Zapytaj, czy ma aktualne wyniki prześwietlenia płuc oraz czy była szczepiona przeciw wirusowemu zapaleniu wątroby. Czy jakikolwiek fakt z jej przeszłości lub obecnego życia stanowi zagrożenie dla twojego dziecka?

* Sprawdź, czy kandydatka nie jest osobą uzależnioną. Czy pali? Przebywanie w kontakcie z dymem papierosowym związane jest u dzieci z wieloma problemami zdrowotnymi (pomijając bezpieczeństwo w domu). Nie powinnaś pozwolić na palenie w czasie przebywania z dzieckiem. Kandydatka naturalnie nie przyzna się do nadużywania alkoholu lub zażywania narkotyków (poza tym nie jest to zręczne pytanie). Trzeba być jednak czujnym na sygnały (patrz str. 685).

* Jak zamierza pani dojeżdżać do pracy? Czy opiekunka będzie punktualna? Czy ma prawo jazdy, jeśli będzie wchodziło w grę prowadzenie samochodu?

Po rozmowie z kandydatką musisz zadać sobie kilka pytań:

— Czy kandydatka przyszła na spotkanie zadbana i ładnie ubrana? Chociaż może nie będziesz od niej wymagała świeżo krochmalonego fartuszka w pracy, poplamione ubranie, nie umyte włosy i brudne paznokcie nie są na pewno czymś pozytywnym.

— Czy widzisz w niej zamiłowanie do porządku? Jeśli musi przez pięć minut grzebać w torebce, by znaleźć swoje świadectwo pracy, a ty jesteś pedantką, prawdopodobnie wróży to konflikty. Z drugiej strony, jeśli ona będzie przesadnie staranna, a ty robisz niepotrzebny bałagan, również się nie zgodzicie.

— Czy jest godna zaufania? Jeśli spóźni się na wasze spotkanie, uważaj. Może się spóźniać również do pracy.

— Czy jest fizycznie zdolna do wykonywania pracy opiekunki? Drobna, starsza kobieta może nie mieć siły cały dzień nosić dziecka na ręku czy też biegać za nim, jeśli twoja pociecha już potrafi chodzić.

— Czy jest dobra dla dzieci? Wasza rozmowa nie będzie w pełni miarodajna, dopóki nie poobserwujesz jej w kontakcie z dzieckiem. Czy wydaje ci się cierpliwa, miła, zainteresowana, rzeczywiście uważna i wrażliwa na potrzeby twojego dziecka? Postaraj się dowiedzieć czegoś o jej zdolnościach pielęgnacyjnych od poprzednich pracodawców.

— Czy jest inteligentna? Zapewne chciałabyś, aby twoim dzieckiem zajął się ktoś, kto

Objawy świadczące o uzależnieniu od alkoholu lub narkotyków

Osoba zażywająca narkotyki lub nadużywająca alkoholu nie jest odpowiednią opiekunką dla dziecka. Narkomanka czy alkoholiczka oczywiście nie przyzna się do nałogu, więc rodzice muszą być czujni na sygnały. Jeśli wiesz, na co masz zwrócić uwagę, często od razu zorientujesz się, z kim masz do czynienia. Wszystkie z opisanych poniżej oznak powinny wykluczyć wybór opiekunki:

* Zaburzenia mowy, chwiejny krok, zaburzenia w orientacji i inne oznaki nietrzeźwości z zapachem lub bez zapachu alkoholu (mogą oznaczać nadużywanie alkoholu lub barbituranów).

* Zniecierpliwienie, nerwowość, podniecenie, brak apetytu (mogą oznaczać zażywanie stymulatorów, np. amfetaminy lub kokainy).

* Euforia, nieopanowanie, zwiększony apetyt, krótka pamięć, rozszerzone źrenice i przekrwione oczy, nawet urojenia (mogą oznaczać zażywanie marihuany).

* Utkwione w jeden punkt źrenice (mogą oznaczać początki uzależnienia od heroiny). Inny objaw to nadmierny apetyt na słodycze, który nie sposób wykryć podczas wstępnej rozmowy lub nawet pracy. Budzi on niepokój jedynie wtedy, gdy towarzyszą mu wpatrzone w jeden punkt źrenice.

* Łzawiące, rozbiegane oczy, ziewanie, drażliwość, niepokój, drgawki, dreszcze i pocenie się (mogą oznaczać stan odwykowy, kiedy osoba uzależniona stara się nie zażywać narkotyków w pracy).

Wiele z tych objawów może wskazywać na inną chorobę — fizyczną lub psychiczną. Jeśli zauważysz któreś z nich u kandydatki, poproś o pokazanie świadectwa zdrowia, lecz lepiej nie zatrudniaj tej osoby.

uczyłby je i bawił się z nim tak jak ty i kto służyłby dobrym przykładem w trudnych sytuacjach.

— Czy dobrze czujesz się w jej towarzystwie? Prawie tak ważny jak kontakt z dzieckiem jest kontakt opiekunki z tobą. Dla dobra dziecka stosunki między wami powinny być otwarte, przyjazne i niezmienne. Należy się upewnić, że jest to nie tylko możliwe, ale i nieuciążliwe.

* Czy zauważyłaś jakieś niepokojące oznaki, świadczące o niezrównoważeniu psychicznym? Należą do nich: brak kontaktu wzrokowego, monosylabiczne, wymijające lub wyuczone odpowiedzi, brak spójności w rozmowie, zauważalne ekstremalne zachowanie lub sposób myślenia (fanatyzm religijny, pedantyczność, sztywność), niewłaściwe zachowanie (np. chichot lub śpiewne odpowiedzi), dziwaczny ubiór lub makijaż, zapotrzebowanie emocjonalne (np. niedawno rozstała się z narzeczonym i traktuje pracę jako rodzaj terapii po bolesnych przeżyciach).

Kiedy wybrałaś już najlepszą kandydatkę (dobrze wypadła podczas rozmowy, ma godne zaufania referencje), przed zatrudnieniem jej na dłużej zaproponuj tzw. dzień próbny, który wart jest zachodu. Wybierz dzień, kiedy będziesz w domu (np. podczas weekendu). Zaplanuj wszystko tak, aby dziecko przez jakiś czas było wyłącznie z opiekunką. Zapoznaj ją ze sposobem pielęgnacji dziecka oraz domowymi zwyczajami, by miała okazję poznać ciebie i malca. Prawdopodobnie dziecko oswoi się z nią podczas twojej nieobecności, zostaw więc sam na sam z opiekunką kilka razy w ciągu dnia (około godziny za każdym razem). Kiedy będziesz w pobliżu, uważnie obserwuj kandydatkę. Jeśli twój malec jest nieśmiały wobec nieznajomych, zwróć uwagę, w jaki sposób odnosi się do niego opiekunka i jak on na to reaguje (dziecko w końcu oswoi się z opiekunką, lecz dobra opiekunka powinna wiedzieć, jak postępować z maluchem). Zaufaj swojemu instynktowi, jeśli masz przeczucie, że nie jest to odpowiednia osoba dla twojego dziecka, lepiej poszukaj kogoś innego, chociażbyś miała popełnić błąd.

DOMOWY MINIŻŁOBEK

Poszukiwania. Zapytaj pediatry, zrób wywiad wśród rodziców innych dzieci, przyjaciół lub sąsiadów, poproś o polecenie właściwego miejsca.

Co powinnaś wiedzieć na jego temat. Domowe miniżłobki mogą oferować usługi na różnym poziomie. Aby dokonać właściwego wyboru, weź pod uwagę następujące fakty:

* Czy jest on licencjonowany lub zarejestrowany. Nie wszędzie miniżłobki są licencjonowa-

ne, a jeśli są, często brak obowiązujących w nich przepisów. Najczęściej nie są nadzorowane, a jeśli są, na jednego inspektora przypada wiele placówek tego typu. Oczywiście, jakiekolwiek ustalenia są lepsze niż żadne.

* Normy bezpieczeństwa i ochrony zdrowia. Odpowiadają one normom obowiązującym w normalnym żłobku: czyste i bezpieczne pomieszczenie, ochrona przeciwpożarowa (z działającymi gaśnicami, alarmem przeciwpożarowym i łatwym wyjściem ewakuacyjnym) oraz bezpieczny, ogrodzony plac zabaw (patrz str. 548).

* Kwalifikacje opiekunek. Przeczytaj, jakie cechy powinna mieć domowa opiekunka: doświadczenie oraz najlepiej przeszkolenie w zakresie opieki nad dzieckiem oraz przeszkolenie w zakresie udzielania pierwszej pomocy, zamiłowanie do dzieci i cierpliwość (patrz str. 683).

* Wyznawana przez opiekunki filozofia pielęgnacji dziecka. Oceń ją podobnie jak w wypadku domowej opiekunki (patrz str. 684).

* Liczba dzieci przypadająca na jedną opiekunkę. Dla dzieci poniżej dwóch lat stosunek ten powinien wynosić 4:1 (lub lepiej 3:1), dla dwu- i trzylatków — 6:1 (4 dzieci na 1 osobę dorosłą jest idealnym rozwiązaniem). Przytoczone tu stosunki liczbowe powinny obejmować dzieci opiekunek przebywające w domu. (W Ameryce większość stanów zezwala na opiekę jednej osoby dorosłej nawet nad 15 dziećmi, co jednak nie sprzyja dobrej opiece i bezpieczeństwu.)

* Dodatkowe zajęcia opiekunki. Sprawdź, czy opiekunka w czasie, w którym ma zajmować się dziećmi, nie prowadzi domu (robi pranie, porządki w domu, zakupy), co grozi niedopilnowaniem dzieci.

* Zabawki i zajęcia. Powinien być duży wybór dobrze utrzymanych zabawek, dostosowanych do wieku uczęszczających dzieci (zabawki przeznaczone dla starszych dzieci nie powinny znajdować się w zasięgu maluchów), a czas powinno wypełniać dużo planowanych, bezpiecznych oraz stymulujących rozwój intelektualny i ruchowy zajęć (np. zabawy na powietrzu, prace ręczne i plastyka, czytanie bajek). Oglądanie telewizji nie powinno stanowić zasadniczej części dnia. (Pół godziny uważnie wybranego programu, dostosowanego do wieku nie jest niczym strasznym, lecz telewizor bezwzględnie nie powinien być włączony przez cały czas — dla dzieci lub opiekunki.)

* Sytuacje awaryjne. Czy zorganizowane jest zastępstwo w sytuacjach awaryjnych, gdy np. zachoruje dziecko opiekunki lub ona sama?

* Ubezpieczenie. Sprawdź, czy ubezpieczenie opiekunki pokryje odszkodowania w razie wypadku któregoś z dzieci znajdujących się pod jej opieką.

* Referencje. Sprawdź je osobiście, nie polegaj na gwarancjach pisemnych (patrz str. 811). Powinny zawierać one opinie rodziców dzieci, które niedawno tam uczęszczały lub uczęszczają.

Kiedy już dokonałaś wyboru, zgodnie z zapotrzebowaniami waszej rodziny, zaplanuj sobie kilkugodzinny pobyt w tym miejscu, w czasie kiedy obecne są wszystkie dzieci. Bacznie obserwuj zachowanie maluchów i opiekunki. Jeśli opiekunka nie pozwoli na twoją wizytę, zrezygnuj z umieszczenia dziecka w jej domu.

PRZEDSZKOLE

Poszukiwania. Zapytaj pediatrę, zrób wywiad wśród rodziców innych dzieci, przyjaciół, sąsiadów, którzy być może polecą ci odpowiednią placówkę, lub poszukaj miejscowej organizacji, posiadającej adresy zarejestrowanych przedszkoli. Jeśli masz szczęście, wcale nie będziesz musiała daleko szukać, gdyż dobrą opiekę na miejscu zapewni dziecku pracodawca (przedszkole zakładowe — patrz str. 682).

Co powinnaś wiedzieć o przedszkolu. Przedszkola mogą oferować usługi i warunki na różnym poziomie. Być może znalezienie placówki odpowiadającej waszej rodzinie będzie wymagało trochę czasu i wysiłku. Dokonując wyboru, weź pod uwagę następujące kryteria:

* Czy jest ono zarejestrowane lub licencjonowane. Jeśli nie posiada licencji, sprawdź, czy jest ona wymagana. Zapytaj również, czy przedszkole to jest nadzorowane przez kuratorium oświaty i służbę zdrowia.

* Normy bezpieczeństwa i ochrona zdrowia. Czy zachowane są odpowiednie środki ostrożności: zabezpieczone gniazdka, dostosowane do wieku zabawki, zainstalowane na schodach bramki, sprawnie działający sprzęt na placu zabaw itd. Czy przedszkole ma odpowiedni system wentylacyjny? (Nie daj się oszukać powietrzem odświeżonym aerozolem, sprawdź, czy są wywietrzniki.) Czy przedszkole ma zainstalowane czujniki do wykrywania

dymu (sprawdź ważność ostatniego przeglądu), gaśnice przeciwpożarowe, zabezpieczenia lub kraty okienne, czy istnieje sprawne i odpowiednio oznakowane wyjście ewakuacyjne? Czy w pobliżu placu zabaw nie ma parkingu samochodowego? Czy podczas wycieczek korzysta się z fotelików samochodowych posiadających homologację? Jakie środki ostrożności zachowuje się podczas spacerów poza terenem należącym do przedszkola? Czy personel przedszkola jest przeszkolony w zakresie udzielania pierwszej pomocy, reanimacji dzieci, zapobiegania infekcjom? Czy przy każdym aparacie telefonicznym wisi lista z numerami telefonów alarmowych (pogotowia ratunkowego, straży pożarnej itd.)? Czy istnieje lista zaleceń, co należy robić w przypadku choroby i nagłych wypadkach (poproś o pokazanie ci jej) i bezpieczna izolatka, gdzie chore dzieci mogą oczekiwać na rodziców lub opiekunów? Czy wychowawcy podadzą dziecku lekarstwa, jeśli malec je zażywa? Czy pomoc medyczna jest dostępna na miejscu lub telefonicznie? Czy dokłada sią starań, by nie rozprzestrzeniały się infekcje? Czy często myje się lub pierze zabawki? (Plastykowe i gumowe zabawki można umyć w zmywarce lub ciepłej wodzie z mydłem, natomiast pluszowe można wyprać w pralce.) Czy powierzchnie przeznaczone do zabawy są często myte i odkażane i nie są siedliskiem bakterii? Czy personel przestrzega zasad higieny, a zwłaszcza mycia rąk po zmianie pieluszek, pomocy dziecku przy załatwianiu potrzeb fizjologicznych, powrocie ze spaceru, sprzątaniu wymiocin, krwi oraz przed podawaniem jedzenia? Czy od dzieci wymaga się mycia rąk przed posiłkiem, po korzystaniu z ubikacji, powrocie ze spaceru? Czy używa się oddzielnych zlewów do mycia rąk i przygotowywania jedzenia? Czy te same osoby zmieniają pieluszki i przygotowują jedzenie? (Lepiej by tak nie było.) Czy blaty do przewijania dzieci są zawsze myte bezpośrednio po użyciu? Czy maluchy korzystające z pieluszek noszą na nich ubranie (jeśli chodzą w samych pieluszkach, występuje większe zagrożenie infekcją)? Czy kuchnia i łazienka są utrzymywane w czystości, czy przestrzega się w nich zasad higieny i bezpieczeństwa? Najlepiej, gdyby każde dziecko korzystało z przyniesionego z domu nocnika (są one bardziej higieniczne niż zbiorowe toalety). Czy trucizny (np. środki do czyszczenia) są przechowywane w miejscach niedostępnych dla dzieci? Czy kosz na śmieci zaopatrzony jest w pedał i przy wyrzucaniu odpadków nie trzeba dotykać jego wieka?

* Godziny funkcjonowania. Czy spełniają one zapotrzebowania twojej rodziny? Możesz potrzebować opieki na osiem godzin lub tylko dwie, trzy godziny dziennie (jeśli dysponujesz czasem, stopniowo przyzwyczajaj dziecko do dłuższego pobytu w przedszkolu). Większość przedszkoli zapewnia opiekę w pełnym wymiarze godzin, dostosowując się do czasu pracy rodziców (by zdążyli oni dziecko przyprowadzić i odebrać). Całodniowy pobyt malca w przedszkolu nie jest potrzebny, gdy w domu jest osoba mogąca go przypilnować. Czy w razie potrzeby, za umiarkowaną, dodatkową opłatą, można dziecko przyprowadzić przed lub odebrać po godzinach pracy przedszkola?

* Koszty. Opłata za przedszkole z wykwalifikowaną kadrą może być wysoka, zwłaszcza wliczając opłaty dodatkowe. Opłata za przedszkole bywa niższa, jeśli jest ono finansowane z jakichś źródeł (np. przez rząd, prywatne firmy, Kościół lub inną instytucję) lub jeśli z przedszkolem współpracują rodzice (np. pomagają sprzątać lub pracują jako pomocnicy wychowawców). Wariant ten bywa korzystny dla wielu rodzin, lecz nie jest idealnym rozwiązaniem dla dzieci lub rodziców silnie związanych uczuciowo (dziecko trzymające się przez cały czas spódnicy mamy nie pozwoli jej na wypełnienie obowiązków). Oczywiście, ta forma jest całkowicie nierealna dla rodziców, którzy nie mają ruchomego czasu pracy.

* Zasady przyjmowania dzieci do przedszkola. Czy dziecko musi wziąć udział w „rozmowie kwalifikacyjnej"? Czy jest ona stresująca? Czy o miejsce trzeba się ubiegać? Czy warto narażać dziecko na ten stres?

* Liczba dzieci przypadających na jednego wychowawcę. Stosunek liczbowy, zalecany przez Amerykańską Akademię Pediatrii wynosi: dla dzieci poniżej dwóch lat — 1 osoba dorosła na 3 dzieci, od 15 do 30 miesięcy — 1 osoba dorosła na 4 dzieci, od 30 do 35 miesięcy — 1 osoba dorosła na 5 dzieci, dla trzylatków — 1 osoba dorosła na 7 dzieci.

* Fluktuacja kadr. Zapytaj, jak długo zatrudniony jest każdy z wychowawców. Częste zmiany wśród personelu budzą obawy o jakość usług oraz ciągłość procesu wychowania. Trudno też wtedy dokonać właściwej oceny, robiąc wywiad wśród rodziców dzieci, które tam uczęszczały.

* Kwalifikacje personelu. Dyrektor przedszkola powinien posiadać uprawnienia pedagogiczne

oraz dyplom wychowania przedszkolnego. Idealnie, jeśli wychowawczynie dokształcają się w dziedzinie rozwoju i edukacji dzieci przedszkolnych. Niestety, wielu wychowawców nie ma przygotowania pedagogicznego i często nie jest ono wymagane. Wszystkie przedszkola przy przyjmowaniu wychowawców powinny sprawdzić ich świadectwa zdrowia oraz czy nie byli karani sądownie.

* Warunki panujące w przedszkolu. Czy jest przestronne (wg zaleceń na 1 dziecko powinno przypadać 10 m kwadratowych powierzchni wewnątrz budynku i 25 m kwadratowych powierzchni na placu zabaw. Wiele przedszkoli nie spełnia tych norm). Czy jest wystarczający wybór zabawek? Czy są one bezpieczne i dostosowane do wieku nawet najmłodszych dzieci w grupie? Czy zabawki są nowoczesne i w dobrym stanie (czy też są to jedynie niekompletne układanki, lalki bez głów, samochodziki bez kół)? Usiądź na małym krzesełku, by spojrzeć na pokój oczyma dziecka. Czy oświetlenie jest wystarczające, a zajęcia są prowadzone we właściwym tempie (energicznie, lecz nie szaleńczo)? Czy nie panuje tam ogłuszający hałas? Czy przedszkole jest wyposażone w zabawki edukacyjne (a nawet materiały naukowe, np. z biologii), stymulujące rozwój intelektualny i zdolności twórcze dziecka? Czy na ścianach (na wysokości wzroku dzieci) znajduje się dużo obrazków i dekoracji wykonanych przez dzieci? Czy metraż przedszkola pozwala na swobodne ułożenie dzieci do popołudniowej drzemki — czy każde dziecko ma własne łóżko, leżak lub materac? Czy ma swoją szafkę lub półkę na osobiste rzeczy? Czy sedesy i zlewy mają dziecięce wymiary lub są odpowiednio przystosowane dzięki umieszczonym przy nich stabilnym podnóżkom? Czy na terenie przedszkola jest bezpieczny plac zabaw lub trasa spacerowa leży w pobliżu? Upewnij się, czy plac zabaw spełnia wymogi bezpieczeństwa (patrz str. 549).

* Stosunki rodzice–personel przedszkola. Czy w przedszkolu odbywają się regularne spotkania z rodzicami? Czy w razie potrzeby można poprosić o indywidualną rozmowę, osobistą lub telefoniczną? Czy jest tablica ogłoszeń ułatwiająca codzienną komunikację z rodzicami (szczególnie ważna w przypadku całodziennego pobytu dziecka w przedszkolu)?

* Odżywianie. Czy dzieci jedzą posiłki przyniesione z domu, czy też jedzenie jest przyrządzane na miejscu? Czy posiłki przyrządzane w przedszkolu są pożywne (patrz rozdział 18). Czy przestrzega się przy tym zasad higieny (patrz str. 453)? Przyjrzyj się, jak wyglądają i w jaki sposób są przyrządzane posiłki. Jeśli to możliwe, skosztuj ich.

* Samodzielne korzystanie z toalety. Czy przyjmuje się dzieci nadal używające pieluch? Czy personel przedszkola gotów jest pomagać dziecku, które uczy się dopiero samodzielnego załatwiania potrzeb fizjologicznych?

Ocena zajęć. By dokonać właściwej oceny zajęć, musisz polegać na zdrowym rozsądku, a także zmysłach: wzroku, słuchu i węchu.

* Zapytaj dyrektora o zajęcia programowe. Dobry program powinien być wypełniony swobodną zabawą, przeplataną zajęciami w grupach, pozbawionymi elementów współzawodnictwa (np. wspólne śpiewanie, czytanie bajek, zabawa w małych zespołach, zajęcia na placu zabaw). Od dzieci nie powinno się wymagać siedzenia w jednym miejscu i słuchania przez dłużej niż 10-15 minut za każdym razem. Nie należy wtedy wywierać nacisków, by dziecko siedziało cicho jak trusia. Wychowawcy powinni pisemnie przygotowywać plan zajęć: zabaw i nieformalnej nauki. Poproś o pokazanie ci takich notatek. Dobry program zawiera się w zindywidualizowanym podejściu do dziecka. Od osobowości dziecka zależy, czy wymaga ono umieszczenia go w pewnych ramach i w jakim zakresie. Bardzo aktywny malec potrzebuje dużo miejsca i swobody, lecz również pewnych, jasno sformułowanych zakazów. Spokojne dziecko potrzebuje zajęć w małej grupie oraz indywidualnej uwagi ze strony wychowawcy, a także zachęty, by działać niezależnie. Z kolei bystrego i ciekawego świata malca trzeba dodatkowo stymulować i prowokować. Dzieci, które mają trudności adaptacyjne, wymagają elastycznego programu (być może nawet obecności mamy lub taty w przedszkolu przez pierwsze dni lub tygodnie albo też pomocy wychowawcy przy przejściu od jednych zajęć do drugich). Dziecku wrażliwemu na hałas lub inne bodźce należy zapewnić spokojną atmosferę (chociaż żadne przedszkole nie jest i nie powinno być spokojne) i miejsce, gdzie może w chwilach emocji się odizolować. Jeśli zbyt dużo bodźców wzrokowych (kolorów, kształtów, wzorów) sprawia, że dziecko staje się nadpobudliwe, wybierz przedszkole o bardziej stonowanym wystroju.

* Zapytaj o elementy nauczania, które powinny stanowić część programu. Dobry program

uwzględnia rozwój intelektualny, fizyczny, społeczny oraz rozwija zdolności twórcze przez zachowanie równowagi pomiędzy swobodną zabawą, grami i zabawami na świeżym powietrzu oraz zajęciami grupowymi. Wystrzegaj się przedszkoli, które obiecują akademickie wyniki. Małe dzieci nie potrzebują formalnego nauczania i zbyt wygórowane wymagania mogą zgasić w dziecku naturalną ciekawość świata i entuzjazm w jego poznawaniu. Program powinien jednak zawierać dużo nieformalnych elementów nauki, oswojenie się z alfabetem, cyframi, muzyką, literaturą, sztuką i naukami ścisłymi. Oglądanie telewizji nie powinno być regularną częścią zajęć, chociaż sporadyczne oglądanie dobrych programów lub filmów dla dzieci może przynieść korzyści.

* Poobserwuj, jak funkcjonuje przedszkole. Przed rozmową wstępną postaraj się przyjrzeć, jak działa przedszkole. Poproś o możliwość udziału w prowadzonych przez wychowawców zajęciach. Trudno dokonać oceny opieki przedszkolnej, nie widząc, jak ona funkcjonuje. Najlepiej przyjść do przedszkola w trudnych chwilach, np. kiedy dzieci kładą się spać lub kiedy przychodzą do przedszkola i być może przeżywają rozstanie z rodzicami (niektóre przedszkola nie zezwalają na odwiedziny w tym czasie, gdyż przeszkadzają one wychowawczyniom). Podczas wizyty zaobserwuj, w jaki sposób opiekunki rozmawiają z dziećmi, jak zachowują się w chwilach rozłąki dzieci z rodzicami, kiedy dzieci płaczą, nudzą się, stwarzają problemy wychowawcze. W jaki sposób zajmują się dziećmi podobnymi do twojego? Czy maluchy są zajęte i szczęśliwe, a wychowawczynie wesołe i przejęte swoją pracą? Czy dzieci komunikują się z opiekunkami i między sobą? Czy wychowawczyni zauważa, że któreś dziecko siedzi bezczynnie i czy próbuje je włączyć do zabawy? Czy dzieciom zezwala się na chwilę samotności nad układanką, książką lub oddanie się marzeniom? Czy pomieszczenia podzielone są na „kąciki zabaw", gdzie dzieci mogą bawić się w małych grupach, np. klockami, książkami, garnkami, ubrankami dla lalek? Czy dzieci są pod stałą opieką, wewnątrz budynku i na zewnątrz?

W różnych przedszkolach panują różne zwyczaje odnośnie do wizyt rodziców. Niektóre placówki wymagają spotkania z rodzicami i proponują oprowadzenie ich (często w większej grupie) po przedszkolu. Na ogół rodzice mają wtedy okazję poobserwować odbywające się zajęcia. Nie zapowiedziane wizyty rodziców nie są mile widziane, gdyż często przeszkadzają w zajęciach, a także stwarzają problemy z bezpieczeństwem. Czasami (zależy to od przedszkola) rodzicom dzieci, które zostały już przyjęte, zezwala się na nie zapowiedziane wizyty i przedszkola, które stanowczo ich odmawiają, budzą pewne podejrzenia. Jeśli taka właśnie polityka panuje w przedszkolu, do którego uczęszcza twój maluch, zażądaj wyjaśnień, a jeśli one cię nie zadowolą, masz podstawy podejrzewać, że personel ma rzeczywiście coś do ukrycia. Zastanów się wtedy nad wyborem innego miejsca opieki. Jeśli odwiedzisz przedszkole, postaraj się nie przeszkadzać w prowadzonych tam zajęciach, nie zaczynaj rozmów z wychowawczyniami lub dziećmi i pozostawaj w tle (zapytaj, gdzie masz zająć miejsce).

* Zapytaj i zwróć uwagę na podejście do dyscypliny. Poszukaj przedszkola, gdzie dyscyplina nie służy uczeniu pokory wobec władzy, lecz pomaga w osiągnięciu samokontroli. Wychowawcy powinni egzekwować posłuszeństwo w sposób pozytywny, pełni szacunku dla swych małych podopiecznych, rozwiązując wspólnie problemy i dyskutując (ewentualnie wykluczając dzieci z zabawy, lecz nie nadużywając tej formy kary). Nie powinny mieć miejsca nadużycia fizyczne i słowne, wyzywanie, pozbawianie swobody ruchów, izolacja bez nadzoru, ośmieszanie oraz ignorowanie konfliktów między dziećmi.

* Zatelefonuj do rodziców, którzy posyłają dziecko do wybranego przez ciebie przedszkola. Jeśli żadnych nie znasz (i nie znasz nikogo, kto ich zna), musisz polegać na opiniach osób, których telefony otrzymasz od dyrektora przedszkola. Zapytaj, co im się podoba, a co nie podoba w przedszkolu. Postaraj się także zagadnąć innych rodziców, przyprowadzając lub odbierając dziecko (bywa to trudne, gdyż rodzice zwykle się spieszą).

* Przysłuchaj się, czy w przedszkolu panuje szczęśliwy szum, czy też nieprzyjemna dla ucha kakofonia? Czy słychać śmiech i radosne głosy, czy też płacz i wyzwiska?

* Powąchaj, jak w przedszkolu pachnie. Zapach świadczy o czystości lub jej braku. Jeśli wyczujesz brudne pieluchy, dym papierosowy, zepsute jedzenie lub inne nieprzyjemne zapachy, najprawdopodobniej panują tam złe warunki sanitarne.

OPIEKUNKA OKOLICZNOŚCIOWA

Poszukiwanie kandydatek. Podobnie jak w wypadku pozostałych form opieki, najlepiej zapytać przyjaciół, znajomych czy sąsiadów. Możesz też zadzwonić do studenckiego biura pośrednictwa pracy lub sprawdzić tablicę ogłoszeń w budynkach uczelni, gdzie często wiszą ogłoszenia studentów zainteresowanych opieką nad dziećmi. Można też skontaktować się z rejonowym szpitalem organizującym kursy dla opiekunów, filią PCK lub organizacją wykwalifikowanych opiekunek dla dzieci. Jeśli znasz odpowiedzialną nastolatkę, zapytaj, czy nie zechciałaby popilnować dziecka, pod warunkiem że odpowiada poniższym wymaganiom.

Co powinnaś wiedzieć na temat okolicznościowej opiekunki. Wszyscy (chyba że można zawsze liczyć na pomoc babci) potrzebują od czasu do czasu usług osoby pilnującej dziecko. Jeśli zatrudniasz taką osobę, rozważ następujące okoliczności:

* Wiek. Bywa, że niektóre starsze opiekunki nie są na tyle sprawne, by utrzymać w ryzach bardzo żywiołowe dzieci (problem ten nie istnieje, jeśli dziecko ma być pilnowane w nocy, kiedy większość czasu śpi). Inne z kolei mają więcej energii niż osoby młodsze. Kochające dzieci nastolatki są często wspaniałymi opiekunkami. Od ich wieku i dojrzałości zależy, na ile są odpowiedzialne.
* Kwalifikacje. Oczywiście, im więcej opiekunka ma doświadczenia, tym lepiej. Osoba, którą zatrudniasz do pilnowania dzieci, powinna być przeszkolona w zakresie pierwszej pomocy i reanimacji i umieć odpowiednio się zachować w razie wypadku. Jeśli chcesz zatrudnić nastolatkę, szukaj osób posiadających świadectwo PCK lub jakiejś organizacji opiekunek, która zajmuje się szkoleniem nastolatek (pielęgnacja dzieci, pierwsza pomoc, reanimacja, postępowanie w przypadku zadławienia).
* Referencje. Zanim zatrudnisz osobę do pilnowania dziecka, sprawdź jej referencje. Następnie przypatrz się jej podczas pracy (zapłać jej za kilka próbnych godzin, podczas których pozna twoje dziecko i domowe zwyczaje. Jeśli chcesz zatrudnić nastolatkę, która przeszła szkolenie, lecz nie ma doświadczenia i nie znasz jej ani jej rodziny, spróbuj dowiedzieć się czegoś na jej temat od wychowawcy w szkole, od rodziców lub księdza.

Zanim zostawisz malca sam na sam z opiekunką, wyjaśnij podstawowe zasady: co sądzisz na temat korzystania z telefonu i telewizji, słuchania głośnej muzyki i przyjmowania gości (np. daj jej wyraźnie do zrozumienia, że nie życzysz sobie żadnych wizyt). Zostaw opiekunce numer telefonu, pod którym będziesz osiągalna, oraz telefon wcześniej poinformowanych bliskich sąsiadów, którzy mają samochód i w razie wypadku zawiozą dziecko do szpitala (być może opiekunka sama potrafi prowadzić samochód). Przy aparacie telefonicznym zostaw listę numerów alarmowych.

ŻEBY OPIEKA NAD DZIECKIEM FUNKCJONOWAŁA DOBRZE

WSPÓŁPRACA Z DOMOWĄ OPIEKUNKĄ

Kiedy już zatrudniłaś odpowiednią osobę do pilnowania dziecka, spiszcie umowę, która pozwoli wam uniknąć wielu nieporozumień. Powinna ona zawierać wzmiankę o okresie próbnym (2-4 tygodni), podczas którego obydwie strony będą mogły się wycofać. Umowa powinna precyzować:

* Stawkę wynagrodzenia. Czy godziny nadliczbowe będą miały inną taryfę? Czy będziesz wypłacać opiekunce dniówki, tygodniówki, czy też miesięczną pensję? Czy będzie to wynagrodzenie stałe, czy też obliczane według przepracowanych godzin?
* Dodatki specjalne. Umowy na ogół obejmują także płatny dwutygodniowy urlop oraz święta państwowe. Niektórzy rodzice opłacają również ubezpieczenie, by zachęcić dobrą opiekunkę do pozostania na dłużej.
* Obowiązki opiekunki. Pamiętaj, że jeśli od opiekunki wymaga się mycia podłóg, prania i gotowania obiadów, poświęci ona mniej czasu dziecku. Z drugiej zaś strony, jeśli wyręczy cię z lżejszych prac domowych, ty będziesz miała więcej czasu dla malca.
* Dni i godziny pracy oraz ewentualne nadgodziny. Pamiętaj, że od mieszkającej razem z wami opiekunki nie można wymagać wypełniania obowiązków przez całą dobę. Naj-

częściej opiekunki pracują przez pięć dni w tygodniu i mają większość wieczorów wolnych.

* Zasady wspólnego mieszkania. Jeśli opiekunka śpi w waszym mieszkaniu, należy sprecyzować zasady korzystania z telefonu, telewizji, kuchni, samochodu itd. Niektórzy rodzice traktują wspólne mieszkanie z opiekunką jako utratę prywatności, inni uważają ją za członka rodziny. Jeśli to możliwe, najlepszym rozwiązaniem jest udostępnienie opiekunce niezależnej części domu, z osobnym wejściem, łazienką i kuchenką.

Zapoznaj się ze swoimi obowiązkami jako pracodawcy (podatek, ubezpieczenie).

Równie ważne jak wstępna umowa są regularne rozmowy z opiekunką. Warto też wprowadzić dodatkową formę przekazywania sobie wiadomości (podobnie jak w przedszkolu) w formie minitablicy ogłoszeń (w sprzedaży dostępne są niewielkie tablice, np. z korka, do których przypina się kartki pinezką, czarne tablice, na których pisze się kredą, lub białe, na których pisze się specjalnym pisakiem). Poproś o przekazywanie ci tą drogą informacji na temat drzemki, posiłków, wypróżnień, złego humoru, zabaw, nowych słów oraz dowcipnych powiedzonek, które usłyszała od malca.

Zarówno podczas okresu próbnego, jak i później bądź czujna na niepokojące sygnały (patrz poniżej).

JAK OCENIĆ, CZY DZIECKO MA DOBRĄ OPIEKĘ

Znalazłaś opiekunkę lub przedszkole twoich marzeń, a przynajmniej takie, które, jak ufasz, nie będzie ci spędzać snu z powiek. Czy możesz się odprężyć? Oczywiście nie, praca rodziców nigdy się nie kończy. Po dokonaniu wstępnego wyboru kolej na okresowe oceny opieki nad dzieckiem. Bacznie obserwuj niepokojące sygnały.

* Zachowanie dziecka. Oznaki tego, że opieka nad dzieckiem pozostawia wiele do życzenia, to: pojawienie się nowych problemów związanych ze spaniem lub jedzeniem, manifestowanie niezadowolenia z powodu nadejścia opiekunki lub odprowadzenia do przedszkola (inne niż normalny niepokój spowodowany rozstaniem) — dziecko, zostawione przez rodziców, jest nie tylko smutne, lecz autentycznie nieszczęśliwe, smutek okazywany pod koniec dnia, nietypowe dla dziecka zamknięcie się w sobie, narastające problemy wychowawcze. Jeśli dodawanie dziecku otuchy (patrz wskazówki na str. 45) nie przyniesie rezultatu, a zachowanie dziecka ma prawdopodobnie związek ze sprawowaną nad nim opieką, być może należy wpaść bez zapowiedzi w ciągu dnia, by sprawdzić, co dzieje się „za kulisami". Jeśli masz kontakt z rodzicami dzieci bawiących się z twoim malcem, poproś ich o przypatrzenie się opiekunce w trakcie wypełniania przez nią obowiązków (np. podczas wspólnej zabawy dzieci na placu zabaw) i zapytaj ich o ocenę. Nie ignoruj objawów niezadowolenia u malca, które trwają dłużej niż miesiąc. Szczególnie niepokojące i wymagające natychmiastowej reakcji są objawy strachu oraz powtarzające się koszmarne sny, niewytłumaczone sińce lub inne oznaki użycia wobec dziecka przemocy (patrz str. 694).

* Zachowanie opiekunki. Dobra opiekunka reaguje na uwagi, jest komunikatywna, szanuje ciebie, dziecko i twoje życzenia (powinnaś się jej tym odwzajemniać). Jeśli twoja opiekunka nie posiada tych cech, notorycznie się spóźnia lub nie przychodzi, jest ospała lub zaniedbuje dziecko, ma zmienne nastroje lub zachowuje się w jakiś inny nieodpowiedni sposób (patrz str. 685), może to oznaczać poważny problem.

Jeśli jesteś poważnie zaniepokojona zachowaniem dziecka lub opiekunki, zacznij działać. Jak najszybciej spotkaj się z opiekunką (dyrektorką przedszkola), by porozmawiać o swoich obawach. Jeśli rozmowa nie przyniesie spodziewanych rezultatów, dziecko należy oddać w inne ręce.

JAK PORADZIĆ SOBIE ZE ZMIANĄ OPIEKUNKI LUB PRZEDSZKOLA

W zależności od dziecka i sytuacji zmiana opiekunki może być nic nie znaczącym wydarzeniem (najlepiej dokonać jej w mgnieniu oka), powodem do radości i świętowania (zatrudniasz kogoś lepszego) lub też dramatem (nagle odchodzi osoba, do której malec był bardzo przywiązany).

Jeśli jest to dla dziecka bolesna strata, należy ukoić jego smutek, okazując zrozumienie. Można poprosić odchodzącą opiekunkę o zostawienie fotografii, którą dziecko powiesi sobie przy łóżeczku. Wspominaj z malcem opiekunkę i zachęcaj go do swobodnego wyrażania uczuć związanych z jej odejściem. Jednocześnie w miarę możliwości nie zmieniaj porządku dnia wprowadzonego przez opiekunkę i unikaj niepotrzebnych emocji. Nic tak nie uspokaja jak stała, niezmienna kolejność dnia.

W trakcie przyzwyczajania się do nowej osoby okazuj dziecku dużo cierpliwości i wyrozumiałości. Malec nie powinien odnieść wrażenia, że dzielisz jego wątpliwości, przeciwnie, daj mu do zrozumienia, że lubisz nową opiekunkę i jesteś pewna jej umiejętności. Nie ulegaj niepokojom i wahaniom podczas spotkania dziecka z opiekunką, nawet jeśli maluch zamanifestuje swój sprzeciw. Myśl i działaj pewnie, a dziecko szybciej i łatwiej zaakceptuje zmianę.

Miejmy nadzieję, że tym razem opiekunka zostanie tak długo, jak będziesz jej potrzebować.

JAK PRZYGOTOWAĆ SIĘ DO PRZEDSZKOLA

Chociaż przedszkola przeważnie nie wymagają żadnego przygotowania dziecka (poza nauczeniem go samodzielnego korzystania z toalety), nie zaszkodzi zaznajomić pociechę wcześniej z podstawowymi zasadami przedszkolnego życia, a są to:

* Współpraca. W przedszkolu wymaga się od dzieci współpracy oraz wykonywania pewnych czynności na zmianę z kolegami (koleżankami). Dzieci nie zawsze szybko się tych zasad uczą, zatem wykorzystuj każdą nadarzającą się w domu okazję. Na zmianę bawcie się tą samą lalką i układajcie tę samą układankę, wspólnie przygotowujcie w kuchni posiłki i róbcie pranie (np. dziecko podaje ci mokrą bieliznę, a ty ją rozwieszasz). Nie rozpaczaj, jeśli domowa współpraca wam nie wychodzi, dzieci są na ogół o wiele bardziej chętne do wspólnych działań, kiedy nie przebywają w towarzystwie rodziców.

* Zabawa w imiona. Od malca nie będzie się wymagać przeczytania i napisania imienia, powinien jednak wiedzieć, jak ono wygląda i od której zaczyna się litery, co może okazać się bardzo pomocne. W przedszkolu wiele przedmiotów (np. szafki, ręczniki, rysunki itp.) będzie oznakowanych imionami dzieci. Podpisz rysunek dziecka, ułóż na lodówce jego imię z magnetycznych literek, napisz je kredą na tablicy lub patykiem na piasku. Czasami literuj imię w formie piosenki (M-A-R-Y-S-I-A to Marysia). Nigdy nie ucz malca na siłę czytać liter lub słów.

* Pakowanie kanapek. Jeśli dziecko przynosi do przedszkola śniadanie z domu, kupcie razem kolorowe plastykowe pudełko na kanapki i kilka dni przed pójściem do przedszkola zacznijcie je wspólnie pakować. Pozwól dziecku jeść kanapki z pudełka przy kuchennym stole. Pokaż, jak się wyjmuje jedzenie z pudełka, wkłada z powrotem to, co przeznaczone jest do ponownego użytku (np. plastykowy woreczek), i wyrzuca to, co nie jest. Naucz też swojego przedszkolaka nosić plecak (jeśli nie zaakceptuje go, może nosić worek). Jeśli dzieci podczas drzemki śpią na materacach, warto również do tego przyzwyczaić malca. Po kilkudniowym spaniu na materacu w domu łatwiej zaakceptuje wypoczynek w nowym otoczeniu.

* Sprzątanie. Jeśli do tej pory malec nie uczestniczył w żadnych domowych pracach, najwyższy czas wprowadzić obowiązki. Skoncentruj się na czynnościach, które będzie musiał wykonywać w przedszkolu: układaniu zabawek, sprzątaniu ze stołu, myciu pędzelków do malowania itd.

* Słuchanie poleceń. Wymyśl zabawę składającą się z poleceń (malec też będzie musiał wykonywać w przedszkolu jakieś polecenia), wykrzykując jednocześnie kilka po kolei („Podnieś szczotkę do włosów, uczesz sobie grzywkę, okręć się dwa razy dokoła i przynieś mi szczotkę"). Znów, nie przejmuj się, jeśli maluch nie wykona poleceń zbyt dokładnie. Prawdopodobnie w przedszkolu będzie bardziej precyzyjny (patrz str. 336). Staraj się, by zabawa była śmieszna, i nie zmuszaj dziecka do niczego.

* Dokonywanie wyboru. W przedszkolu dzieci muszą w pewnych sytuacjach podejmować decyzje. By przyzwyczaić do tego twojego przedszkolaka, stawiaj go często w sytuacjach wyboru („Czy chcesz się bawić klockami, czy układanką?", „Czy chcesz na śniadanie płatki z mlekiem, czy zapiekankę z serem?"). Patrz str. 353 na temat dokonywania wyboru.

* Organizacja dnia. W niektórych rodzinach życie toczy się według ściśle określonego planu, w innych spontanicznie. Jeśli należysz do drugiej kategorii, postarajcie się włączyć do rozkładu dnia malca trochę zaplanowanych zajęć. Możesz nawet powiesić ilustrowany plan dnia, by malec mógł go sobie „przeczytać" (np. książka będzie oznaczała czytanie bajek, kanapka — drugie śniadanie, klocek — sprzątanie zabawek po skończonej zabawie).

* Nawiązywanie kontaktów z innymi dziećmi. Jeśli do tej pory twój maluch nie spotykał się regularnie z innymi dziećmi, zorganizuj kilka

spotkań przed pójściem do przedszkola. Nie należy jednak przesadzać, dziecko może zmęczyć się „życiem towarzyskim" jeszcze przed rozpoczęciem roku przedszkolnego.

DOBRY POCZĄTEK

Okresy adaptacji nie są dla maluchów łatwe. Zwłaszcza dzieci, które nigdy nie spędzały dużo czasu poza domem, mają kłopoty z przystosowaniem się do nowych warunków. Maluchy potrzebują wsparcia, które pomoże im bez problemów wejść w wir przedszkolnego życia. Jeśli chcesz zapewnić twojemu przedszkolakowi dobry początek, pamiętaj o:

* Przygotowaniu go na pozytywne przeżycia. Stopniowo przyzwyczajaj dziecko do wyruszenia w świat wielkiej przygody. Czytajcie razem książki o przeżyciach dzieci w przedszkolu, rozmawiajcie o rodzeństwie, kuzynach lub rówieśnikach, którzy znajdują się już w gronie przedszkolaków, a także mimochodem wspomnij o zajęciach, w których malec będzie uczestniczyć. Opowiadaj z entuzjazmem o tym, co go czeka, nie snuj jednak zbyt barwnych opowieści, które budzą podejrzenia i mogą stać się przyczyną rozczarowań (nic nie może być tak wspaniałe).
* Dotrzymaniu dziecku towarzystwa na samym początku. Świadomość, że ukochana osoba jest w pobliżu, dodaje dziecku otuchy tak potrzebnej, by wyruszyć w nie znany mu świat. Z tej właśnie przyczyny większość przedszkoli zaprasza rodziców i opiekunów do towarzyszenia dziecku w okresie adaptacji, poprzez wspólną zabawę w przedszkolu w ciągu kilku pierwszych dni. Ma to na celu ułatwić, a nie utrudnić rozstanie. Zatem bądź w pobliżu, lecz nie krąż nad dzieckiem, kiedy poznaje ono nowe otoczenie i ludzi. Wychowawczyni powinna zachęcić dzieci do zabawy („A teraz chcesz przebierać lalki czy malować?"). Kiedy dziecko przyzwyczai się już do zabawy u twego boku, zacznij stopniowo się oddalać — usiądź na stojącym w pobliżu krześle, później na trochę bardziej oddalonej ławce, aż wreszcie udaj się w kierunku drzwi.
* Pożegnaniu się z dzieckiem. Kiedy już skierujesz się do drzwi, nie wymykaj się bez pożegnania, nawet jeśli jest ono dla was bolesne. Powiedz maluchowi, kto i kiedy odbierze go z przedszkola („Wrócę, jak zjesz obiad" lub: „Pani Zosia odbierze cię, jak wrócicie z parku"), a następnie tak zaplanuj dzień, by dotrzymać słowa (późne odbieranie dziecka, zwłaszcza w ciągu pierwszych kilku dni, może przynieść bardzo negatywne skutki). Wyjdź z pokrzepiającym uśmiechem, wyrażającym pewność, że maluch wspaniale spędzi czas (nawet jeśli masz pewne obawy).

Niektóre dzieci czują się obco w nowym otoczeniu, gdy towarzyszą im rodzice. Jeśli twój przedszkolak do nich należy, szybkie rozstanie skróci okres adaptacji. Pomoże ci w tym wychowawca.

PROBLEMY SZCZEGÓLNEJ TROSKI

OPIEKA NAD CHORYM DZIECKIEM

Kiedy dziecko jest zbyt chore, by uczęszczać do przedszkola lub korzystać z innej formy opieki zbiorowej? Wiele placówek wypracowało osobną politykę dotyczącą opieki nad chorymi dziećmi, biorąc pod uwagę różne kryteria — zapytaj o to, zapisując malca. Większość infekcji rozprzestrzenia się przed wystąpieniem objawów, tak więc zabranianie przyprowadzania chorych dzieci (lub dzieci nie zarażających innych, jak np. przy zapaleniu ucha) nie jest wcale skuteczne. Dzieci, które mogłyby pójść do przedszkola, muszą być przetrzymywane w domu, co stwarza niepotrzebny kryzys u pracujących rodziców.

Pomijając przedszkole, jest w interesie wszystkich, by dzieci, które bardzo źle się czują, pozostawały w domu (nie bawiły się z innymi dziećmi i nie wychodziły na dwór). Dotyczy to w szczególności utrzymującej się gorączki, wymiotów i ostrej biegunki, zaczerwienienia i bólu gardła, nie leczonego zapalenia oka, nie leczonej wysypki lub innych zmian skórnych, trudności z oddychaniem, ostrego bólu lub złego samopoczucia, choroby zakaźnej (np. ospy wietrznej, odry, grypy, paciorkowcowego zapalenia gardła, wirusowego zapalenia wątroby typu A, liszajca,

Jak rozpoznać, że dziecko zostało wykorzystane

Objawy mogące świadczyć o użyciu przemocy seksualnej:

* Obsesja na tle genitaliów, np. mała dziewczynka może zacząć wkładać do pochwy różne przedmioty.
* Nagłe poszerzenie wiedzy i słownictwa dotyczącego życia płciowego, nie wypływające z wiadomości dostarczanych przez rodziców, dążenie do kontaktów seksualnych z rówieśnikami (poza normalną zabawą w „badanie lekarskie"), uwagi, zwłaszcza gdy dziecko jest nagie, świadczące o doświadczeniach seksualnych niestosownych do wieku.
* Koszmary nocne i niepokojące zachowanie, lęki przed określonymi osobami i miejscami, badaniem lekarskim, nietypowe dla dziecka tulenie się do dorosłych. Lęki mogą przejawiać się w przerażających rysunkach, z dominacją czerwieni i czerni.
* Depresja i nagłe zmiany w zachowaniu, np. niepohamowana wściekłość, coraz częstsze i coraz bardziej gwałtowne napady złości.
* Objawy fizyczne. U dziewczynek może wystąpić zaczerwienienie, obrzęk i bolesność w okolicy krocza, powtarzające się, nie wyjaśnione infekcje pochwy i dróg moczowych. U chłopca może wystąpić zaczerwienienie, obrzęk i ból w okolicy odbytu. Zarówno u chłopców, jak i u dziewczynek może wystąpić ból w okolicy podbrzusza, ból lub krwawienie z dróg moczowych oraz objawy choroby przenoszonej drogą płciową.

Jeśli zaobserwujesz któreś z przytoczonych objawów, nie wysnuwaj od razu najgorszych wniosków, mogą mieć one logiczne wyjaśnienie, szczególnie jeśli twój malec zwykle zachowuje się w dziwaczny sposób.

Jeśli jednak nadużycia seksualne wydają ci się prawdopodobne, natychmiast zareaguj. Jeśli pozostaniesz bierna, pogorszysz tylko sytuację. Pierwsze kroki najlepiej skierować do lekarza, by poddać dziecko badaniom. Jeśli lekarz stwierdzi obecność skaleczeń i innych oznak świadczących o użyciu przemocy seksualnej wobec dziecka, zastosuje właściwe środki, a także udzieli ci wyjaśnień oraz doradzi, jakie należy podjąć kroki. Lekarz, zgodnie z prawem, będzie musiał złożyć raport o wykorzystaniu seksualnym dziecka na policji lub w sądzie. By uzyskać dodatkowe informacje, porady i pomoc, zwróć się do Komitetu Ochrony Praw Dziecka. Być może oprócz opatrzenia skaleczeń dziecko (a może i cała rodzina) będzie wymagała pomocy wykwalifikowanego i doświadczonego psychologa lub psychiatry.

Objawy mogące świadczyć o użyciu wobec dziecka przemocy fizycznej:

Należy wyjaśniać sińce, skaleczenia i inne rany, które pojawiają się na ciele dziecka, kiedy znajduje się ono pod opieką osób trzecich. Jeśli nie znajdują one wyjaśnienia (lub wyjaśnienia są niezadowalające lub nie znajdują potwierdzenia u dziecka), pokaż je pediatrze leczącemu twoje dziecko. Pomoże ci on w podjęciu decyzji, że sprawę należy zgłosić do sądu lub na policję. Możesz też poprosić o poradę i pomoc Komitet Ochrony Praw Dziecka.

świerzbu, krztuśca), które są w okresie zaraźliwości.

Chociaż dla chorego dziecka najlepsza jest kuracja w domu pod opieką mamy, wielu rodziców nie może sobie pozwolić na wzięcie zwolnienia z pracy. Niektóre ośrodki opieki zbiorowej (w większości przedszkola zakładowe) oferują opiekę nad chorym dzieckiem w izolatce, w szpitalu (dziecko może jednak jeszcze gorzej się czuć w obcym otoczeniu), a także, chociaż rzadziej, w domu (opiekunka zostaje oddelegowana do domu dziecka, by je pielęgnować). W niektórych miastach w USA domowa opieka nad chorym dzieckiem jest finansowana z budżetu państwowego. Oczywiście najlepszym rozwiązaniem byłoby umożliwienie rodzicom pozostania w domu z chorymi dziećmi bez uszczerbków finansowych lub też udostępnienie wszystkim pracującym rodzicom opieki nad chorym dzieckiem.

O NADUŻYCIACH SEKSUALNYCH WOBEC DZIECI

Umysły rodziców zaprząta obecnie to, co kiedyś było nie do pomyślenia — przemoc fizyczna i nadużycia seksualne wobec małych dzieci, praktykowane przez opiekunów w domach, przedszkolach i innych ośrodkach zbiorowej opieki. Przyczyną jest podanie do publicznej wiadomości kilku przypadków, które stały się bardzo głośne. Chociaż nadużycia tego typu nie występują często, kiedy już się zdarzą, zostawiają długotrwały uraz u dziecka i jego rodziców. Wybór opieki według sugerowanych przez nas wskazówek niczego nie gwarantuje, chociaż na pewno zwiększa szanse znalezienia dobrej opiekunki. By dziecko nie padło ofiarą nadużyć seksualnych, warto zastosować dodatkowe środki ostrożności. Zatem pamiętaj, że:

* Dziecko potrzebuje miłości, czułości i ciepła. Nie żałuj więc maluszkowi pieszczot. Najczęściej ofiarami przemocy seksualnej padają dzieci, które czują, że nie są wystarczająco kochane w domu. One też najczęściej znoszą swe cierpienia w milczeniu. Dzieci, które czują się kochane, mają większe poczucie własnej wartości i nie odczuwają emocjonalnych potrzeb. Właśnie potrzeba miłości czyni z dziecka bardziej podatną ofiarę, łatwiej zostaje ono uwiedzione.
* Intymne części ciała powinny pozostać intymne. Czas, kiedy malec uczy się samodzielnie korzystać z toalety, oznacza również wzmożone zainteresowanie narządami płciowymi, własnymi i innych. Wykorzystaj tę okazję, by wprowadzić pojęcie ciała jako wyłącznej własności dziecka: tylko ono może dotykać intymnych części ciała. Rodzice i opiekunowie mogą je umyć podczas kąpieli, lekarze i pielęgniarki czasami muszą ich dotknąć podczas badania, lecz nikt inny nie powinien ich dotykać bez pozwolenia dziecka. Większość dwu- i trzylatków odkryła już, że dotykanie narządów płciowych wywołuje przyjemność, stąd wprowadzenie pojęć „dobry" i „zły" dotyk mogłoby wywołać zamieszanie. Nie martw się tym, że pozwolenie dziecku na dotykanie genitaliów może spowodować nadmierną pobudliwość płciową, która z kolei może doprowadzić do nadużyć seksualnych. Dzieci, które uczy się, że dotykanie genitaliów jest złe, są częściej wykorzystywane seksualnie niż te, które uczy się, że nie jest to złe, lecz osobiste.
* Poproś, aby dziecko powiedziało ci, jeśli ktokolwiek wyrządzi mu krzywdę lub je zrani. Zawsze postaraj się wyjaśnić takie doniesienie, nawet gdy wydaje ci się nieprawdopodobne (patrz ramka str. 694).
* Nie wymagaj od dziecka bezwzględnego posłuszeństwa. Dziecko surowo wychowywane przez autorytatywnych rodziców, uczone przez nich bezwzględnego posłuszeństwa, może również bez żadnego oporu zaakceptować przemoc fizyczną lub seksualną ze strony opiekunów. Dawanie dziecku wielu okazji, w których musi samo podjąć decyzję, pozwoli mu przeciwstawić się napastowaniom ze strony dorosłych.

CZY OPIEKA NAD DZIECKIEM MOŻE BYĆ ZA DOBRA?

Chcesz dla dziecka najlepszej opiekunki na świecie — kogoś kochającego, czułego, troskliwego, uwielbianego przez dziecko. Kogoś, kto z powodzeniem zastąpi dziecku rodziców, kiedy nie będzie ich w pobliżu.

Czy na pewno tego chcesz?

Z pewnością tak. Jeśli jednak znalazłaś idealną opiekunkę i malec się do niej przywiązał, możesz odczuwać wobec niej niechęć i zacząć z nią rywalizować. Obawa, że osoba biorąca codziennie rano w ramiona twoje dziecko zajmuje również twoje miejsce w jego sercu, jest czymś zupełnie naturalnym. Oczywiście, pragniesz, aby dziecko było w ciągu dnia szczęśliwe, ale czasami boli cię, że jest ono aż tak szczęśliwe z kimś innym. Naturalnie, że nie chcesz widzieć łez dziecka przy rozstaniu, ale zbyt łatwe rozstanie odbierasz jako zagrożenie twojego rodzicielskiego „ja".

Rywalizacja może dotyczyć obydwu stron. Jako matka chciałabyś, aby nikt inny nie potrafił dziecka tak uspokoić, nakarmić, zająć, rozśmieszyć jak ty. Zadaniem opiekunki jest próba zastąpienia ciebie — otrzymuje pieniądze za poświęcenie całej swej uwagi twojemu dziecku. To uspokaja, a zarazem przeszkadza.

Są to normalne odczucia i doświadcza ich wielu rodziców. Jednak wiedz, że choć inni dobrze opiekują się twoim dzieckiem, nikt nie może cię zastąpić. Opiekunki przychodzą i odchodzą, lecz ty jesteś na zawsze i twoje dziecko, niezależnie od wieku, doskonale o tym wie. Stosunki między rodzicami i dziećmi bywają skomplikowane i często burzliwe, lecz żywość tych uczuć podnosi ich rangę.

Jeśli twój malec okazuje opiekunce uczucia, ciesz się, że dokonałaś dobrego wyboru. Jeśli malucha tak bardzo pochłania wspólna zabawa z opiekunką, że nie zauważa cię, gdy stajesz wieczorem w drzwiach, ciesz się, że nie ma problemów. Jeśli dziecko dostarcza opiekunce samych radości, a napady złości rezerwuje dla ciebie, świadczy to tylko o tym, że ma wobec ciebie bezgraniczne zaufanie.

Innymi słowy, przestań się martwić i ciesz się, że twój maluch jest szczęśliwy.

Część 4

WSKAZÓWKI PRAKTYCZNE

Mamo, ja się nudzę...

Nie trzeba deszczowego dnia, by wyczerpały ci się pomysły, czym zająć malca. Ile godzin można spędzić w parku lub ogrodzie, nawet pod najbardziej błękitnym niebem? Poniżej znajdziesz kilka wypróbowanych zajęć dla dzieci, zdających egzamin zarówno w słoneczne, jak i w deszczowe dni. Dokonaj wyboru w zależności od wieku i stopnia rozwoju dziecka.

Kredki. Co począć z rosnącym stosem połamanych kredek olejnych, których malec już nigdy nie weźmie do ręki? Mogą stać się surowcem wtórnym, z którego zrobisz wielobarwne kulki. Zedrzyj z kredek papierki, a następnie do plastykowego woreczka włóż połamane kawałki o różnych kolorach. Zaklej worek taśmą klejącą lub zwiąż gumką i zostaw w słońcu lub lekko rozgrzanym piekarniku, aż kredki zmiękną. Uformuj z miękkiej masy kulki i wstaw do lodówki, aż do stwardnienia. Kuleczki mogą służyć do kolorowania.

Zabawa w poetów. Ułóżcie wspólnie tekst do ulubionej piosenki. Wybierzcie dowolną piosenkę i zaśpiewajcie ją z nowym, możliwie jak najśmieszniejszym, niekoniecznie mądrym, tekstem. Można też przez kilka minut komunikować się, wyłącznie śpiewając, np. idąc na zakupy lub przygotowując obiad. Stworzycie w ten sposób rodzicielsko-dziecięcą operetkę.

„Róbcie wszyscy to co ja!" Wybierajcie na zmianę osobę, którą należy naśladować. Pokazuje ona, co należy robić, np. czołgać się, klaskać w dłonie, skakać itp. Najlepiej śpiewać przy tym piosenkę *Ojciec Wirgiliusz uczył dzieci swoje*. Jedno z was może też zamiast wykonywania ruchów wykrzykiwać rozkazy (Przeciągnij się! Dotknij rękami ziemi! Wyścigi w chodzie!), podczas gdy inni je wykonują. Inną formą tej zabawy jest naśladowanie śmiesznych min. Przy braku elementu współzawodnictwa (nie ma zwycięzców i pokonanych), zabawa dostarcza świetnej rozrywki, a także poprawia koordynację ciała i uczy wykonywania poleceń.

Gra w piłkę. Łapanie piłki jest dla dwu-, trzylatka trudną do opanowania umiejętnością. Możesz ją ułatwić, używając dużej piłki, którą łatwo złapać i która nie przewróci malca. Dziecko powinno stanąć z wyciągniętymi ramionami. Stań blisko malca (na początku w odległości około 30 cm) i delikatnie wrzuć piłkę w ramiona dziecka, każąc mu przytulić piłkę do siebie i nie pozwolić jej upaść. Zachęcaj malucha, chwaląc nieudane próby („Doskonale! Prawie ci się udało!"). Kiedy już dziecko opanuje chwytanie piłki rzucanej z niewielkiej odległości, stopniowo zwiększaj dystans. Spróbuj też kozłowania — odbijaj piłkę o ziemię w kierunku malucha, tak by mógł ją łatwo złapać.

Śliskie ręce. Wymieszaj trochę skrobi kukurydzianej (lub przygotowanego wcześniej krochmalu) z wodą, by uzyskać konsystencję kleju, i obydwoje zanurzcie w niej ręce. Pokaż malcowi, jak śliska jest ta mieszanina, gdy przepuszcza ją między palcami. Doskonałe zajęcie dla malucha w czasie, gdy mama zajęta jest gotowaniem lub jako terapia rozładowująca napięcie.

Nawlekanie koralików. Kiedy już malec dorośnie na tyle, że będzie się mógł bawić małymi przedmiotami, daj mu cienką plastykową rurkę (małym rączkom łatwiej jest manipulować stosunkowo twardą i bezpieczną rurką niż sznurkiem) lub sznurowadło oraz przedmioty do nawlekania: szpulki, makaron w kształcie rurek lub kółek, duże guziki, paciorki z drewna itp).

Kręgle. Ustaw w rzędzie kilka pustych plastykowych butelek po zimnych napojach, nie rozpoczęte rolki papierowych ręczników lub pluszowe zwierzaki (możesz ustawiać je na przemian). Zademonstruj dziecku, jak powinno się toczyć dużą gumową piłkę, by trafić w kręgle. Cięższą piłką możecie nawet spróbować przewracać budowle z klocków.

Marakasy. Napełnij kilka plastykowych butelek o cienkiej, łatwej do uchwycenia szyjce ryżem, makaronem lub ziarnkami fasoli. Zakręconą nakrętkę dodatkowo zabezpiecz taśmą i pokaż dziecku, jak potrząsać butelką w rytm melodii latynoamerykańskich. (Gra na tym instrumencie powinna odbywać się wyłącznie pod kontrolą rodziców — dzieci pozostawione bez opieki dorosłych, wcześniej czy później odkleją taśmę i odkręcą butelkę.)

Bańki mydlane. Maluchy uwielbiają gonić bańki. By dodać emocji, puszczajcie bańki na dworze w wietrzny dzień lub w pomieszczeniu z włączonym (bezpiecznym dla dziecka) wentylatorem.

Obrysowywanie konturów. Połóż dziecko na rozłożonej na podłodze gazecie lub dużym arkuszu papieru. Obrysuj kształt jego ciała pisakiem, a następnie wręcz kartkę małemu artyście, by dokończył dzieła.

„Przejście przez rzekę". Na chropowatej powierzchni (np. piasku, dywanie, trawie) ułóż równolegle dwa długie patyki, w odległości około 20-25 cm od siebie. Udawajcie, że przestrzeń pomiądzy patykami jest rzeką i po kolei przez nią przechodźcie. Można zbudować most łączący obydwa brzegi, np. z szerokiej deski lub dużej, płaskiej książki, albo też ułożyć „kamienie". By rzeka wyglądała nieco bardziej realistycznie, można „wpuścić" do niej kilka gumowych kaczek.

Chodzenie po desce. Na równej powierzchni (ziemi lub podłodze) połóż gładką deskę, o długości co najmniej 130 cm i szerokości 20-25 cm. Zachęć malca, by przeszedł po niej na drugi koniec. Ćwiczenie to najlepiej wykonywać w butach, by drzazga nie weszła w stopę. Gdy dziecko bez problemów przejdzie po desce, połóż na niej drugą, utrudniając w ten sposób zadanie. Można też spróbować innych sposobów pokonywania deski np. czołganie się po niej, chodzenie na palcach lub krawędziach stóp, skakanie, chodzenie do tyłu.

Figurki. Po wizycie w parku lub muzeum lub w innym miejscu, gdzie malec widział rzeźby, wypróbujcie następującą zabawę: Jedna osoba zaczyna skakać, tańczyć, biegać, aż w pewnym momencie druga osoba woła: „Figurki". Hasło to oznacza, że należy zastygnąć w bezruchu, naśladując posąg. Maluchowi zajmie sporo czasu opanowanie tej umiejętności (nawet dla ciebie może okazać się ona trudna), ale właśnie nieudane próby utrzymywania często dziwnej pozycji ciała wywołują dużo śmiechu i dostarczają świetnej zabawy.

Przepisy najlepszej szansy

FRYTKI NAJLEPSZEJ SZANSY

Ulubione szybkie danie, lecz wzbogacone o wartości odżywcze, w uwielbianej przez dzieci postaci — miękki środek otoczony chrupiącą skórką.

Na cztery porcje:

1 łyżka oleju roślinnego;
2 duże ziemniaki;
2 białka.

1. Nagrzej piekarnik do 200°C. Wysmaruj nie przywierającą płytkę do pieczenia tłuszczem roślinnym.
2. Obierz ziemniaki i pokrój je w plasterki o grubości 6 mm. Przekrój plasterki na połowę.
3. Ubij pianę z białka. Dodaj pokrojone ziemniaki i obtocz je w białku.
4. Ułóż pojedynczą warstwę frytek na płytce. Piecz do momentu, aż będą miękkie w środku i kruche na zewnątrz czyli ok. 30-35 minut (podczas pieczenia nie trzeba ich przewracać na drugą stronę). Uważaj, by frytek nie przypalić.
5. Przed podaniem lekko ostudź.

DYNIOWE BABECZKI

Wspaniały sposób na przemycenie warzyw do diety dziecka.

Porcja na 24 babeczki:

tłuszcz roślinny do natłuszczenia foremek lub pergamin do pieczenia;
1/4 kubka oleju roślinnego;
2 całe jajka;
1 białko;
2/3 kubka rodzynek;
1/2 kubka grubo posiekanych suszonych ananasów lub moreli (nie słodzonych);
1 i 3/4 kubka koncentratu soku jabłkowego;
1 kubek nie słodzonej dyni z puszki;
1 kubek pełnoziarnistej mąki pszennej;
1/2 kubka mąki pszennej;
1/2 kubka otrębów pszennych;
2 łyżeczki proszku do pieczenia;
1 łyżeczka mielonego cynamonu.

1. Nagrzej piekarnik do 220°C. Natłuść 24 foremki do babeczek lub wyłóż je pergaminem do pieczenia.
2. Połącz olej, jajka i białko w dużej misce. Posiekaj rodzynki oraz pozostałe suszone owoce z koncentratem soku w robocie kuchennym lub mikserem. Dodaj dynię. Przełóż masę do miski z mieszaniną jaj i oleju.
3. Dodaj do masy mąkę wymieszaną z otrębami, proszkiem do pieczenia i cynamonem. Dokładnie wymieszaj, aż uzyskasz jednolitą masę.
4. Wlej ciasto do wcześniej przygotowanych foremek (nie więcej niż do 2/3 wysokości). Piecz je przez ok. 20 minut. Sprawdź patyczkiem, czy babeczki są wypieczone. Lekko przestudzone babeczki po 10 minutach od chwili wyjęcia z piekarnika wyłóż z foremek do całkowitego wystygnięcia.

MURZYNEK

Ulubiony przysmak przedszkolaków.

Porcja na ciasto o wymiarach 34 × 22 cm, wystarczająca dla całej grupy przedszkolaków:

masło i mąka do przygotowania blachy;
1 kubek pełnoziarnistej mąki;
1/4 kubka mąki pszennej;
1/2 kubka otrębów pszennych;

2 łyżeczki proszku do pieczenia;
2/3 kubka nie słodzonego kakao;
1 i 3/4 kubka koncentratu soku jabłkowego;
1/4 kubka oleju roślinnego;
1/2 kubka mleka wymieszanego z 5 łyżkami odtłuszczonego mleka w proszku;
2 całe jajka;
1 białko;
1 łyżeczka aromatu waniliowego;
bita śmietana do ozdoby (niekoniecznie).

1. Nagrzej piekarnik do 200°C. Lekko natłuść i posyp mąką blachę.
2. Połącz mąkę, kakao, otręby, olej, koncentrat soku i mleko, wymieszaj lub zmiksuj do uzyskania jednolitej masy. Dodaj jajka, białko i aromat waniliowy. Dokładnie wymieszaj.
3. Wylej ciasto na przygotowaną blachę. Piecz ok. 35 minut, aż wierzch będzie sprężysty. Lekko ostudź ciasto, a następnie wyjmij z blachy. Można też podać to ciasto prosto z blachy, z dodatkiem bitej śmietany.

CIASTECZKA OWOCOWE

W każdym kęsie są owoce i pełnoziarniste dodatki.

Porcja na ok. 40 ciasteczek:

1 kubek mąki pełnoziarnistej;
3/4 kubka otrębów pszennych;
1/2 kubka płatków owsianych;
2 łyżeczki proszku do pieczenia;
2 łyżeczki mielonego cynamonu;
1/2 kubka rodzynek;
1/2 kubka grubo posiekanych suszonych moreli;
1 kubek koncentratu soku jabłkowego;
1/4 kubka oleju roślinnego;
1 jajko;
tłuszcz roślinny do nasmarowania papieru pergaminowego.

1. W dużej misce wymieszaj mąkę z otrębami, płatkami owsianymi, proszkiem do pieczenia i cynamonem.
2. Zmiksuj rodzynki i morele za pomocą miksera lub robota kuchennego. Dodaj koncentrat soku, olej oraz jajko i dokładnie wymieszaj. Dodaj masę do poprzedniej i delikatnie wymieszaj. Przelej ciasto do miski, przykryj i wstaw do lodówki na około 1 godzinę.
3. Nagrzej piekarnik do 250°C. Lekko natłuść pergamin.
4. Lekko zmoczonymi palcami uformuj z ciasta kuleczki o średnicy około 2,5 cm. Porozkładaj kuleczki na pergaminie i zduś je mokrym widelcem (ciasto wtedy nie przywiera do widelca). Piecz ciasteczka przez ok. 10 minut, aż się lekko zarumienią. Wyłóż z foremek i odstaw, by ostygły.

BOMBKI Z MASŁEM ORZECHOWYM I GALARETKĄ

Ciasteczka, których przygotowywanie jest wspaniałą zabawą i które nie wymagają pieczenia.

Porcja na ok. 30 bombek:

1/2 kubka masła orzechowego o konsystencji kremu;
1/4 kubka odtłuszczonego mleka w proszku;
1/4 kubka otrębów pszennych;
1 kubek ulubionych płatków śniadaniowych;
1/2 kubka posiekanych suszonych moreli;
1/4 kubka koncentratu soku jabłkowego;
galaretka lub dżem osłodzony sokiem owocowym.

Zmiksuj wszystkie składniki z wyjątkiem galaretki. Uformuj palcami bombki i rozłóż je na pergaminie. W każdej z bombek zrób wgniecenie palcem. Przykryj ciasteczka nawoskowanym papierem i wstaw do lodówki na ok. 20 minut, aż stwardnieją. Wypełnij dziurki odrobiną galaretki.

OWOCOWE KOSTKI LODU

Słodki poczęstunek, orzeźwiający w upalne dni. Szczególnie atrakcyjny, gdy jest zamrożony w formie kostek lodu.

Porcja na 4 małe foremki do lodu:

1 i 1/4 kubka zmiksowanych świeżych owoców, np. bananów, truskawek, mango, brzoskwiń;
1/4-1/3 kubka nie słodzonego koncentratu soku owocowego, np. ananasowego, jabłkowego, pomarańczowego lub mieszanki soków.

1. Wymieszaj zmiksowany owoc z koncentratem soku. Skosztuj i dodaj soku do smaku.
2. By uzyskać kostki lodu:
Wlej mieszankę do foremki (worków) do lodu i zamroź.
By uzyskać sorbet (orzeźwiający, zimny napój): Zamroź mieszankę, dopóki się nie zetnie, zmiksuj, by uzyskać lekką, puszystą masę i całkowicie zamroź.

SERNIKOWY BUDYŃ

Bogata w białko rozkosz dla podniebienia. Porcja na 12 miseczek budyniu:

olej roślinny;
1/2 chudego naturalnego jogurtu;
2 kubki chudego sera ricotta;
1/2 kubka chudego twarogu;
5 łyżeczek skrobi kukurydzianej;
3/4 kubka koncentratu soku jabłkowego;
1/3 kubka koncentratu soku ananasowego;
2 całe jajka;
4 białka;
1 łyżka aromatu waniliowego;
pokrojone w plasterki banany, truskawki lub ulubiony dżem owocowy.

1. Nagrzej piekarnik do 250°C. Posmaruj 12 miseczek olejem roślinnym, by budyń nie przywierał do ścianek naczyń. Ustaw je na blasze.
2. Zmiksuj mikserem lub robotem kuchennym jogurt, ricottę, twaróg, skrobię kukurydzianą aż do uzyskania jednolitej masy. Dodaj koncentraty soków, jajka, aromat waniliowy i ubijaj, aż wszystkie składniki połączą się ze sobą. Nałóż masę łyżką do przygotowanych naczyń. Piecz przez 30-35 minut, aż ciasto zarumieni się na złocisty kolor i powstaną pęcherze. Przestudź przez około 10 minut, następnie wstaw do lodówki.
4. Przed podaniem posyp budyń owocami lub ozdób go łyżeczką dżemu.

JOGURT NAJLEPSZEJ SZANSY

Napój bogaty w wapń, doskonały o każdej porze dnia.

Porcja na 1 lub 2 szklanki:

1 kubek chudego mleka lub naturalnego jogurtu;
1/2 kubka pokrojonych owoców, np. bananów, truskawek, mango, brzoskwiń, moreli;
1-2 łyżek otrębów pszennych (niekoniecznie);
odrobina koncentratu soku owocowego (do smaku).

Zmiksuj połączone składniki na jednolitą, puszystą masę. Dodaj koncentratu soku do smaku, wymieszaj i podaj.

GALARETKA OWOCOWA

Łatwy w przyrządzaniu, lekkostrawny deser dla maluchów.

Na 4 dziecięce porcje:

1 łyżka bezsmakowej żelatyny;
1/2 kubka wody;
1/2 kubka nie słodzonego soku owocowego lub mieszanki soków;
1/2 kubka koncentratu soku owocowego;
1/2 kubka owoców, np. pokrojonych w plasterki bananów, brzoskwiń, moreli lub odsączonych owoców z puszki.

1. Rozpuść żelatynę w wodzie w małym rondelku. Wymieszaj i poczekaj ok. 1 minuty, aż zmięknie. Podgrzej na średnim ogniu do momentu zagotowania i odstaw z palnika. Mieszając żelatynę, wlej do niej powoli sok oraz koncentrat soku. Ubijaj, aż żelatyna całkowicie się rozpuści.
2. Wlej mieszankę do płytkiej miski lub małych miseczek. Wstaw do lodówki na 10-15 minut, aż galaretka stężeje. Możesz dodać owoce i wymieszać. Przed podaniem przechowuj w lodówce.

Domowe środki zaradcze stosowane w czasie choroby

Domowe środki zaradcze zalecane są w wypadku wielu powszechnych chorób i urazów dziecięcych, nie wymagających skomplikowanych zabiegów[1].

CHŁODNE OKŁADY

Napełnij pojemnik zimną wodą z kranu i zamocz w nim ręcznik lub myjkę. Po wyżęciu wody przyłóż do chorego miejsca. Powtórz czynność, gdy ręcznik się ogrzeje. Przykładaj chłodne kompresy przez 15-30 minut lub według wskazań lekarza.

CIEPŁE OKŁADY

Napełnij pojemnik ciepłą, lecz nie gorącą wodą, zamocz w niej czysty ręcznik i po wyżęciu, stosując się do instrukcji lekarza, przykładaj do chorego miejsca.

GORĄCE KĄPIELE

Napełnij pojemnik wodą o takiej temperaturze, by dawała przyjemne uczucie ciepła. Zanim zanurzysz chore miejsce w wodzie, wewnętrzną stroną nadgarstka (nie dłonią) sprawdź jej temperaturę. Nigdy nie wkładaj dziecka do wody, zanim upewnisz się, że ma odpowiednią temperaturę. Zanurz chore miejsce w gorącej wodzie na 15 minut.

GORĄCE OKŁADY

Patrz „ciepłe okłady". Dzieciom nie stosuje się kompresów gorących.

HOMEOPATIA

Medycyna alternatywna, której część stanowi homeopatia, cieszy się rosnącym zainteresowaniem w USA i innych krajach. Wiele homeopatycznych sposobów leczenia znanych jest od lat i stosowanych w różnych częściach świata. Obecnie prowadzi się w USA badania nad skutecznością tych terapii. Chociaż brak jeszcze w pełni potwierdzonych danych, wyniki badań sugerują, że homeopatia może być skuteczna przynajmniej w niektórych chorobach, np. biegunce. Przed zastosowaniem alternatywnego sposobu leczenia dziecka lub innego członka rodziny skontaktuj się z lekarzem.

LÓD

Przechowuj lód w zamrażalniku, w plastykowej torebce lub w specjalnych woreczkach do lodu. Przykładając do chorego miejsca worek z lodem, dołóż kilka papierowych ręczników, które wchłoną rozpuszczający się lód (przymocuj je gumką). Równie skuteczny sposób: zamknięta puszka z zamrożonym sokiem lub opakowanie mrożonki. Nie przykładaj lodu bezpośrednio do skóry dziecka, wcześniej owiń worek

[1] Jeśli szczegóły (np. długość leczenia) zalecane przez lekarza opiekującego się dzieckiem różnią się od podanych przez nas, postępuj zgodnie z radą specjalisty. Oczywiście długość zabiegu uzależniona jest również od wytrzymałości dziecka.

Nawilżanie powietrza

Zbyt suche powietrze w pomieszczeniu wysusza skórę i gardło, a także obniża odporność organizmu na infekcje układu oddechowego. Z przeprowadzonych badań wynika, że zwiększona wilgotność powietrza może obniżyć częstotliwość występowania infekcji układu oddechowego oraz alergii. Rzeczywiście, często zaleca się nawilżanie powietrza w chorobach układu oddechowego (np. w przeziębieniu i grypie), chociaż nie ma całkowitej pewności, czy jest ono skuteczne.

Z drugiej strony, zbyt wilgotne powietrze może być równie niezdrowe jak zbyt suche. Nadmierna wilgoć sprzyja rozwojowi bakterii, roztoczy kurzu domowego, grzybów (również pleśni), a także niektórych wirusów. Zaleca się badanie wilgotności powietrza w domu za pomocą niedrogiego urządzenia — higrometru, który można nabyć w sklepach z narzędziami. Większość specjalistów uważa, że najlepszy dla pomieszczeń poziom wilgotności wynosi 30-50% (ginie wtedy wiele wirusów i bakterii przenoszonych przez powietrze, rozwijających się przy wyższym lub niższym poziomie wilgotności). Jeśli dziecko lub inny członek rodziny jest uczulony na pleśń, wilgotność powietrza w domu powinna być utrzymywana na poziomie 35%.

Sposoby nawilżania powietrza

Istnieje wiele sposobów podwyższania poziomu wilgotności powietrza w mieszkaniu.

Nawilżacze centralne. System centralny podwyższa poziom wilgotności powietrza w całym mieszkaniu, pod warunkiem że dom jest właściwie izolowany (większość domów zbudowanych przed rokiem 1950 takiej izolacji nie posiada), inaczej wilgotne powietrze przenika przez ściany. System centralny może też dostarczyć tych samych problemów co niektóre nawilżacze (zbyt wilgotne powietrze, które staje się siedliskiem mikroorganizmów, substancji mineralnych, pleśni itd.).

Nawilżacze pokojowe. Rynek wypełniony jest dużą ofertą pokojowych nawilżaczy powietrza, różnej jakości. Wybór odpowiedniego nawilżacza jest bardzo ważny, dlatego warto orientować się, jakie ich typy istnieją.

Nawilżanie zimną mgłą. Ten typ nawilżacza zamienia wodę w mikroskopijne kropelki i rozpyla ją w powietrzu pod postacią chłodnej mgiełki. Ponieważ woda nie jest podgrzewana, nie przemywane zgodnie z instrukcją producenta urządzenie może rozpylać w powietrzu potencjalnie niebezpieczne organizmy, np. zarazki, grzyby i pleśń.

Nawilżacze ultradźwiękowe. Rozdrabniają w wodzie bakterie i pleśń, w wyniku czego przestają być one szkodliwe. Powodują jednak także rozdrobnienie związków mineralnych, które są emitowane do powietrza jako „biały pył". Pył ten może być szkodliwy dla alergików i chorych na astmę. Dlatego też nawilżacze ultradźwiękowe powinno się napełniać wodą destylowaną lub odmineralizowaną albo stosować specjalne filtry (naboje) pozbawiające wodę składników mineralnych (sprawdź zalecenia producenta). Zmniejszą one ilość tworzącego się w urządzeniu kamienia, a także emisję „białego pyłu".

ręcznikiem lub pieluszką z tetry. By uniknąć odmrożenia, kontakt lodu ze skórą nie powinien przekraczać jednorazowo 20-30 minut.

MYCIE RĄK

Dokładne mycie rąk przez dorosłych i dzieci może zapobiec rozprzestrzenianiu się infekcji oraz pomóc w leczeniu, zapobiegając autoinfekcji oraz infekcjom wtórnym. Ręce myj mydłem w ciepłej wodzie (wystarczająco ciepłej, by zmyć warstwę brudu i tłuszcz, lecz nie gorącej, która mogłaby poparzyć skórę), pocierając energicznie dłoń o dłoń przez około 10 sekund. Szczególną wagę przywiązuj do mycia miejsc pod paznokciami oraz pomiędzy palcami. Dokładnie płucz ręce, by zmyć zarazki. (Pomagaj dziecku, dopóki nie będzie wystarczająco duże, by samemu zadbać o higienę rąk.)

NAWILŻACZ POWIETRZA

Patrz ramka powyżej.

PARA WODNA

Szybkim i skutecznym sposobem terapii parowej w przypadku suchego kaszlu i krupu (patrz str. 517) jest napuszczenie gorącej wody do wanny i pozostanie z dzieckiem w zaparowanej, zamkniętej łazience do czasu, aż kaszel ustąpi.

PODUSZKA ELEKTRYCZNA

Termofor, który nie ma przewodów elektrycznych i urządzenia do regulacji temperatury, jest znacznie bezpieczniejszy dla dziecka. Jeśli jednak używasz poduszki, zapoznaj się dokładnie z instrukcją obsługi i upewnij się, że mechanizm

Rozpylacze pary działające w połączeniu z wentylatorem. W urządzeniach tego typu wentylator dmucha powietrze przez mokry filtr, emitując w ten sposób parę wodną pozbawioną „białego pyłu" i zarazków. Filtry powinny być regularnie oczyszczane, gdyż inaczej mogą stać się siedliskiem bakterii.

Rozpylacze pary z podgrzewaczem. Urządzenia te podgrzewają wodę do stanu wrzenia i emitują w powietrze parę, nie rozsiewając bakterii i dużych ilości „białego pyłu". W urządzeniu pozostają składniki mineralne, które należy regularnie usuwać. Ujemna strona rozpylaczy pary: dziecko może je przewrócić i poparzyć się. Dlatego też nie zaleca się stosować ich w domach, gdzie mieszkają dzieci. Jeśli stosujesz tego typu urządzenie, powinno ono stać w miejscu niedostępnym dla malca.

Rozpylacze typu ciepła mgiełka. Urządzenia te podgrzewają wodę do stanu wrzenia, lecz emitowana para wodna jest wcześniej lekko ochładzana. W rezultacie zamiast pary powstaje mgiełka składająca się z kropelek ciepłej wody. Ze względu na grożące niebezpieczeństwo urządzeń tego typu nie zaleca się stosować w domach, w których mieszkają dzieci.

Nawilżacze terapeutyczne. Dostępne jedynie na receptę, są stosowane w leczeniu poważnych zaburzeń układu oddechowego — astmy, zwłóknienia torbielowatego oraz innych przewlekłych chorób płuc. Do rozpylenia ogólnodostępnych leków (np. środka obkurczającego śluzówkę jamy nosowej lub przeciwkaszlowego) można użyć atomizera lub nebulizatora, lecz należy je stosować jedynie w porozumieniu z lekarzem.

Para wodna w łazience. Chwilowo nawilża powietrze i jest skuteczną terapią w przypadku nagłego ataku krupu.

Para wodna w kuchni. Garnek z parującą wodą, stojący na rozgrzanym talerzu lub palniku (na małym ogniu) nawilża powietrze w kuchni i przyległych pomieszczeniach, lecz jest niebezpieczny i nie zaleca się go w domach z małymi dziećmi. (Należy co pewien czas sprawdzać, czy w garnku nie wygotowała się woda i czy płomień palnika nie zgasł.) Również włączony duży ekspres do kawy ze zdjętą pokrywą nawilża powietrze, lecz ustawiony w pobliżu dziecka grozi poparzeniem.

Oczyszczanie nawilżacza

Regularnie stosowany nawilżacz powinien być codziennie przemywany. Należy opróżnić zbiornik na wodę, a następnie postępować zgodnie z zaleceniami producenta, dokładnie wycierając urządzenie w środku i na zewnątrz czystym ręcznikiem. Ponadto powinno ono być odkażane co 7 dni (co 8 dni, jeśli jego pojemność przekracza 18 litrów). Odkażanie polega na opróżnieniu pojemnika na wodę oraz napełnieniu go roztworem chloru (np. płynem do wybielania tkanin w objętości 1 łyżeczka wybielacza na 4 litry wody). Zaleca się, aby odkażanie trwało co najmniej 20 minut (co kilka minut należy zamieszać wodę w urządzeniu). Po wylaniu wody należy usunąć kamień lub osad związków mineralnych miękką szczoteczką lub szmatką oraz mieszaniną wody z octem (1:1). Wypłucz urządzenie kilkakrotnie wodą, aż zniknie zapach chloru. Zgodnie z instrukcją obsługi wymień lub oczyść filtry. Pamiętaj, by zawsze odkażać nawilżacz, gdy przestajesz lub zaczynasz go używać.

jest całkowicie pokryty materiałem. Nastawiaj termostat na niską temperaturę i używaj nie dłużej niż przez 15 minut jednorazowo. Nie zostawiaj w tym czasie dziecka bez opieki.

TERMOFOR

Napełnij termofor ciepłą wodą i zanim zaczniesz ogrzewać dziecko, owiń go w ręcznik lub pieluszkę z tetry.

ZAKRAPLANIE SŁONĄ WODĄ

Chociaż słony roztwór wodny można przygotować samemu (1/8 łyżeczki soli na pół szklanki przegotowanej, letniej wody), solanki sprzedawane w aptekach są bezpieczniejsze. Zakraplaczem zapuszczamy po dwie krople roztworu do każdego przewodu nosowego. Aby skutecznie zakroplić nos, dziecko powinno leżeć lub siedzieć z głową odchyloną do tyłu.

ZIMNE KĄPIELE

Napełnij pojemnik zimną wodą i włóż do niego kilkanaście kostek lodu. Zanurzaj w wodzie chorą część ciała przez około 30 minut. Nie kładź lodu bezpośrednio na skórę dziecka.

ZIMNE OKŁADY

Napełnij pojemnik zimną wodą z kranu i włóż do niego kilkanaście kostek lodu. Zanurz w wodzie czystą ściereczkę i po wyżęciu przyłóż do chorego miejsca. Gdy ściereczka ogrzeje się, zanurz ją ponownie w zimnej wodzie. Kompresy należy przykładać przez 15-30 minut lub według wskazań lekarza.

Najczęstsze choroby

Kiedy dziecko jest chore, rodzice chcieliby natychmiast wiedzieć, co mu dolega. Chociaż nie zawsze jest to możliwe, porównanie objawów występujących u dziecka z ujętymi przez nas w tabeli może pomóc w postawieniu właściwej diagnozy. W większości przypadków rozpoznanie powinien potwierdzić lekarz (sprawdź w kolumnie „Kiedy wezwać lekarza") oraz wydać stosowne zalecenia. Wiele chorób leczy się objawowo, tzn. leczy się występujące

Choroba/okres występowania/ /podatność	Objawy (cyfra wskazuje kolejność występowania) Brak wysypki	Wysypka
BIEGUNKA patrz s. 508.		
BÓL GARDŁA patrz s. 511.		
BRODAWKI **Okres występowania:** Każdy. **Podatność:** Każdy, w szczególności dzieci.		**Brodawki zwykłe:** brązowawe, szorstkie, wypukłe zmiany, najczęściej na palcach u rąk, lecz mogą dotyczyć też innych części ciała, np. narządów płciowych (zakażenie brodawkami zwykłymi nie następuje drogą płciową). **Brodawki płaskie:** Licznie występujące, niewielkie, lekko wypukłe zmiany koloru ciała, występujące na twarzy, szyi, ramionach i nogach. **Brodawki strony podeszwowej stóp:** Plamiste zmiany, wypukłe lub wklęsłe, często bolesne. **Brodawki narządów płciowych:** Miękkie krosty koloru ciała, występujące na narządach płciowych, mogą być oznaką nadużyć seksualnych wobec dziecka.

wieku dziecięcego

objawy (podanie acetaminophenu w przypadku gorączki, nawilżanie powietrza w przypadku kataru itd.). Leczenie najczęściej występujących objawów przedstawiono na str. 703; gorączka opisana jest na str. 492. Gdy lekarz zaleci podawanie lekarstw, upewnij się, czy czynisz to we właściwy sposób (patrz s. 505). Najczęstsze choroby (przeziębienia, grypa, ból ucha oraz brzucha) opisane zostały w rozdziale 20.

Przyczyna/drogi zakażenia/ /czas wylęgania/czas trwania	**Kiedy wezwać lekarza/ /postępowanie/dieta**	**Zapobieganie/nawroty/ /powikłania**
Przyczyny: Wirus *papilloma*. **Drogi zakażenia:** Bezpośredni kontakt, brodawki narządów płciowych — kontakt płciowy, także zakażenie podczas porodu pochodzące od zainfekowanej matki (brodawki mogą pojawić się u dziecka po kilku latach). **Czas wylęgania:** 1-20 miesięcy. **Czas trwania:** Nie leczone znikają po 6 miesiącach do 3 lat.	**Wezwij lekarza,** jeśli brodawki są bolesne lub przeszkadzają w normalnym funkcjonowaniu. **Postępowanie:** Wiele sposobów (na początku spróbuj najprostszych i najmniej bolesnych). Leczenie nie zawsze pomaga, ale brodawki ostatecznie same znikają.	**Zapobieganie:** Unikanie kontaktu z brodawkami. **Nawroty:** Prawdopodobne. **Powikłania:** W przypadku niektórych brodawek narządów płciowych nieznacznie zwiększone ryzyko wystąpienia raka szyjki macicy.

Choroba/okres występowania/ /podatność	Objawy (cyfra wskazuje kolejność występowania) Brak wysypki	Wysypka
BRONCHIOLITIS (zapalenie oskrzelików) **Okres występowania:** RSV (wirus śródmiąższowego zapalenia płuc), zima i wiosna, wirusy paragrypy (PIV), lato i jesień. **Podatność:** Największa u dzieci poniżej 2 roku życia, szczególnie poniżej 6 miesięcy, lub z obciążonym wywiadem alergicznym.	**Objawy ogólne:** 1. Objawy przeziębienia. 2. Kilka dni później: brak apetytu, odwodnienie, szybki, płytki oddech, świst podczas wydechu, niewysoka gorączka przez 3 dni. Czasami: Wydaje się, że klatka piersiowa nie unosi się przy wdechu, bladość lub zasinienie.	
BRONCHITIS (zapalenie oskrzeli oraz często tchawicy) **Okres występowania:** Uzależniony od drobnoustroju wywołującego chorobę. **Podatność:** Największa u dzieci poniżej 4 lat.	**Objawy ogólne:** 1. Najczęściej: objawy przeziębienia. 2. Nagłe napady gorączki (38-39°C), ostry kaszel nasilający się w nocy, czasem napadowy, z wymiotami, zielonkawe lub żółte plwociny, furczenia i świsty przy wydechu (szczególnie przy wywiadzie rodzinnym obciążonym alergią dróg oddechowych), zasinienie ust i paznokci.	
BRUDNYCH RĄK CHOROBA (wysiękowe zapalenie jamy ustnej) **Okres występowania:** Lato i jesień. **Podatność:** Największa u niemowląt i małych dzieci.	**Objawy ogólne:** 1. Gorączka, utrata apetytu. Często: ból gardła i jamy ustnej (dyskomfort w trakcie karmienia), trudności w połykaniu.	**Objawy skórne:** 2. Za 2 lub 3 dni: uszkodzenia śluzówki jamy ustnej, następnie na palcach, stopach, pośladkach, czasami ramionach, nogach, rzadziej twarzy. Rany ust najczęściej krwawią.

Przyczyna/drogi zakażenia/ /czas wylęgania/czas trwania	Kiedy wezwać lekarza/ /postępowanie/dieta	Zapobieganie/nawroty/ /powikłania
Przyczyny: Różne wirusy, najczęściej RSV lub PIV, rzadko bakterie. **Drogi zakażenia:** Zwykle przez wydzieliny dróg oddechowych, bezpośrednio lub na przedmiotach domowego użytku. **Czas wylęgania:** Zależy od przyczyny, zwykle 2-8 dni. **Czas trwania:** Faza ostra może trwać tylko 3 dni, kaszel 1-3 tygodnie lub dłużej.	**Natychmiast wezwij lekarza lub udaj się na pogotowie.** **Postępowanie:** Leczenie szpitalne, prawdopodobnie leki przeciwwirusowe. **Dieta:** Częste, niewielkie posiłki (jeśli można podawać pokarmy doustnie).	**Zapobieganie:** Brak dostępnej szczepionki, unikaj kontaktu z chorobą w przypadku dzieci z wywiadem obciążonym alergią dróg oddechowych. **Nawroty:** Mogą wystąpić, lecz z łagodniejszymi objawami. **Powikłania:** Zaburzenia pracy serca, astma oskrzelowa.
Przyczyny: Najczęściej wirusy, rzadziej bakterie, lecz częste wtórne infekcje bakteryjne. Kaszel pogarsza dym papierosowy. **Drogi zakażenia:** Zwykle przez wydzieliny dróg oddechowych. **Czas wylęgania:** Zależy od przyczyny. **Czas trwania:** Gorączka trwa 2-3 dni, kaszel 1-2 tygodnie lub dłużej.	**Wezwij lekarza,** jeśli kaszel jest bardzo ostry lub trwa ponad 3 dni. **Postępowanie:** Leczenie objawowe, leki przeciwkaszlowe lub wykrztuśne, w niektórych przypadkach antybiotyki. **Dieta:** Dodatkowe klarowne napoje.	**Zapobieganie:** Właściwa pielęgnacja dziecka chorego na przeziębienie (str. 513). **Nawroty:** Niektóre dzieci są szczególnie podatne i chorują na zapalenie oskrzeli przy każdym przeziębieniu. **Powikłania:** Zapalenie ucha środkowego (*otitis media*).
Przyczyny: Wirus *coxsackie*. **Drogi zakażenia:** Usta-usta, kał-ręka-usta. **Czas wylęgania:** 3-6 dni. **Czas trwania:** Ok. 1 tygodnia.	**Wezwij lekarza** w celu potwierdzenia diagnozy. **Postępowanie:** Objawowe. **Dieta:** Miękkie pokarmy, by nie drażnić jamy ustnej.	**Zapobieganie:** Żadne. **Nawroty:** Możliwe. **Powikłania:** Nie daje powikłań.

Choroba/okres występowania/ /podatność	Objawy (cyfra wskazuje kolejność występowania) Brak wysypki	Wysypka
CHOROBA KAWASAKI **(Zespół węzłowo-skórno-śluzówkowy)** **Okres występowania:** Cały rok, nieco częściej zimą i wiosną, występuje w cyklach 2-3-letnich. **Podatność:** Większość przypadków to niemowlęta i dzieci do lat 5, częściej chłopcy oraz rasa azjatycka (szczególnie Japończycy). Ryzyko zapadalności prawdopodobnie zwiększa mieszkanie w pobliżu zbiornika wodnego.	**Objawy ogólne:** 1. Gorączka przez 5-39 dni (najczęściej 7 dni) 2. Po 3 dniach od wystąpienia gorączki: zmiany w śluzówce nosa, jamy ustnej i/lub gardła (zaczerwienienie, pękanie ust, truskawkowy język, obrzęk i przekrwienie gardła), powiększenie węzłów szyjnych, zapalenie spojówek obydwu oczu, brak wydzieliny. Przed postawieniem diagnozy należy wykluczyć inne choroby.	**Objawy skórne:** 1. Płaska wysypka na skórze całego ciała i/lub swędzenie lub stwardnienie strony podeszwowej stóp oraz wewnętrznej części dłoni. 2. Złuszczanie naskórka stóp i dłoni w 2-3 tygodniu.
CHOROBA KOCIEGO PAZURA **Okres występowania:** Występuje częściej jesienią i zimą. **Podatność:** Każdy, lecz 80% dotyczy osób poniżej 20 roku życia.	**Objawy ogólne:** 1. Zwykle: Powiększone węzły chłonne po 1-4 tygodni po kontakcie z kotem, najczęściej pachowe, szyjne lub żuchwowe. Okolica węzłów jest tkliwa, ciepła, czerwona, czasami twarda, może występować przetoka, z której wypływa ropna wydzielina. **Czasami:** Gorączka (38-39°C) także złe samopoczucie, zmęczenie, utrata apetytu, wymioty, bóle głowy. **Rzadko:** Tylko gorączka bez ustalonej przyczyny oraz ból brzucha.	**Objawy skórne:** Często: Czerwona krosta (grudka) w miejscu ukąszenia lub zadrapania, 1-2 tygodnie przed wystąpieniem innych objawów.

Przyczyna/drogi zakażenia/ /czas wylęgania/czas trwania	Kiedy wezwać lekarza/ /postępowanie/dieta	Zapobieganie/nawroty/ /powikłania
Przyczyny: Nieznane, nie ustalono żadnych mikroorganizmów, ostatnie badania sugerują, że może jest związane z toksyną produkowaną przez *Staphylococcus auerus*. **Drogi zakażenia:** Nieznane. **Czas wylęgania:** Nieznany. **Czas trwania:** Nie leczona gorączka ustępuje po 12 dniach, drażliwość i brak apetytu mogą trwać 2-3 tygodni. Dłużej trwają powikłania.	**Wezwij lekarza,** jeśli wystąpią objawy choroby Kawasaki. **Postępowanie:** Aspiryna*, by zmniejszyć zapalenie, dożylnie podawana immunoglobulina plus aspiryna w ciągu 10 dni od wystąpienia objawów mogą zmniejszyć powikłania. Należy często badać czynność serca. ——— * Podawanie aspiryny należy przerwać, gdy dziecko zachoruje na grypę lub ospę wietrzną.	**Zapobieganie:** Nie ustalone. **Nawroty:** Nieznane. **Powikłania:** Zapalenie oka, uszkodzenia serca i naczyń krwionośnych, obejmują tętniaki naczyń wieńcowych oraz zapalenie mięśnia sercowego. Również wiele powszechnych powikłań dotyczących uszu, nerek, mózgu, układu nerwowego. Wskaźnik śmiertelności: poniżej 0,5 %.
Przyczyny: Bakterie *Bartonella henselae* (przedtem *rochalimeaea henselae*). **Drogi zakażenia:** Zwykle zadrapanie, ukąszenie lub polizanie przez małego kotka, czasami przez dorosłego kota lub inne zwierzę, rzadko bez kontaktu. **Czas wylęgania:** 7-12 dni od chwili zadrapania do zmian skórnych (wysypka), następnie 5-50 dni (średnio 12) do powiększenia się węzłów chłonnych. **Czas trwania:** Zwykle 2-4 miesięcy, gorączka — ok. 2 tygodni, tkliwość węzłów — 4-6 tygodni, obrzęk — kilka miesięcy, czasami 1 rok.	**Wezwij lekarza,** gdy po kontakcie z kotem wystąpi gorączka bez ustalonej przyczyny i/lub powiększenie węzłów chłonnych. **Postępowanie:** Choroba najczęściej przechodzi bez leczenia, antybiotyki podaje się tylko wtedy, gdy choroba przybiera postać układową, lub dzieciom o obniżonej odporności; czasami za pomocą igły ściąga się ropę z zainfekowanych węzłów chłonnych, by zmniejszyć ból.	**Zapobieganie:** Wycięcie pazurów domowym kotom, leczenie chorych kotów i ich odpchlenie oraz odizolowanie dzieci od kociąt. **Nawroty:** Bardzo rzadkie. **Powikłania:** Rzadko, zapalenie mózgu z wysoką gorączką, drgawki, osłabienie mięśni (6 tygodni od wystąpienia objawów), zapalenie wątroby, zapalenie spojówek, najczęściej bez następstw.

Choroba/okres występowania/ /podatność	Objawy (cyfra wskazuje kolejność występowania) Brak wysypki	Wysypka
CHOROBA Z LYME — borelioza (*Borrelia burgdorferi*) **Okres występowania:** Początek maja – koniec listopada, największa zapadalność w czerwcu i lipcu. **Podatność:** Każdy (dorośli i dzieci).	**Objawy ogólne:** 1. lub 2. Często: okresowo lub zmiennie, gorączka, złe samopoczucie, ból głowy, ogólna słabość, bóle w obrębie całego ciała, choroba obejmuje układ nerwowy. 3. Późne fazy choroby, przy braku leczenia: przewlekłe zapalenie stawów, szczególnie kolanowych, dalsze opanowanie przez chorobę układu nerwowego, rzadko uszkodzenia serca.	**Objawy skórne:** 1. Najczęściej: Czerwona wysypka o kształcie wolego oka (*erythema migrans*) w okolicy ukąszenia przez kleszcza, zwykle powiększająca się i po kilku dniach tworząca większą czerwoną wysypkę. 2. Czasami: Jeśli choroba się rozprzestrzenia, pojawiają się liczne wysypki, podobne, lecz często mniejsze od pierwotnych.
GORĄCZKA PLAMISTA GÓR SKALISTYCH (RMSF) **Okres występowania:** Wiosna i lato. **Podatność:** Każdy, lecz najczęściej dzieci do 15 roku życia, powszechnie występuje w USA.	**Objawy ogólne:** 1. Gorączka, ból głowy, ból mięśni i osłabienie, nudności i/lub wymioty. **Czasami:** Ból brzucha, kaszel.	**Objawy skórne:** 2. Zwykle pojawiają się w ciągu pierwszych 5 dni: płaskie, czerwone kropki lub plamy na wewnętrznych częściach dłoni i stronie podeszwowej stóp, rozprzestrzeniają się na nadgarstki oraz kostki u nóg, nogi i ramiona, ostatecznie na tułów. 3. Później mogą pojawić się krosty (grudki) **Sporadycznie:** Brak wysypki wczesnej i późnej.
GRYPA patrz s. 513.		
KRUP (ostre zapalenie krtani i tchawicy) patrz s. 516.		

Przyczyna/drogi zakażenia/ /czas wylęgania/czas trwania	Kiedy wezwać lekarza/ /postępowanie/dieta	Zapobieganie/nawroty/ /powikłania
Przyczyny: Krętek *borelia burgdorferi.* **Drogi zakażenia:** Ukąszenie przez kleszcza jeleni (którego nosicielami są nie tylko jelenie, ale także myszy i inne zwierzęta) oraz prawdopodobnie przez inne kleszcze i fruwające owady. Zakażenie chorobą z Lyme następuje po 24-48 godzin od chwili przyczepienia się kleszcza. **Czas wylęgania:** 3-32 dni, najczęściej 7-10 dni. **Rozpoznanie:** Wczesne: charakterystyczna wysypka. Późne: Badanie krwi (nie zawsze dokładne). **Czas trwania:** Nie leczona może trwać lata.	**Wezwij lekarza,** jeśli usuniesz dziecku lub innemu członkowi rodziny kleszcza (patrz s. 570) lub jeśli wystąpi charakterystyczna wysypka. **Leczenie:** Antybiotyki, zwykle podawane tylko w przypadku wystąpienia wysypki lub obrzęku stawów, świadczących o infekcji, skuteczne nawet w późnej fazie rozwoju choroby.	**Zapobieganie:** Noszenie odzieży ochronnej na obszarach występowania kleszczy, właściwe stosowanie środków owadobójczych przeciw kleszczom (s. 553), po spacerze — sprawdzanie skóry i niezwłoczne usunięcie kleszczy. Prowadzone są badania nad eksperymentalną szczepionką. **Nawroty:** Możliwe, nie istnieje trwała odporność. **Powikłania:** Artretyczne, neurologiczne, kardiologiczne, zaburzenia motoryczne.
Przyczyny: *Rickettsia rickettsii.* **Drogi zakażenia:** Ukąszenie kleszcza (najczęściej psiego), rzadko podczas przetaczania krwi. **Czas wylęgania:** 1-14 dni, najczęściej 1 tydzień. **Czas trwania:** do 3 tygodni.	**Wezwij lekarza,** jeśli podejrzewasz RMSF lub po ukąszeniu przez kleszcza. **Postępowanie:** Leki przeciw mikrobom, we wczesnej fazie rozwoju choroby. Leczenie objawowe gorączki (s. 489) i nudności, w zależności od potrzeby.	**Zapobieganie:** Unikanie terenów, na których występują kleszcze, odzież ochronna, stosowanie środków owadobójczych przeciw kleszczom (s. 553), bezpieczne usuwanie kleszczy (s. 570). **Nawroty:** Najczęściej nie występują. **Powikłania:** Dotyczą układu nerwowego, serca, płuc, przewodu pokarmowego, nerek i innych narządów. Nie leczona może zakończyć się śmiertelnym wstrząsem.

Choroba/okres występowania/ /podatność	Objawy Brak wysypki (cyfra wskazuje kolejność występowania)	Wysypka
KRZTUSIEC (*pertussis*) **Czas występowania:** Późna zima/wczesna wiosna. **Podatność:** Połowa przypadków dotyczy niemowląt poniżej 1 roku życia.	**Objawy ogólne:** 1. Okres nieżytowy: objawy przeziębienia z suchym kaszlem, niewysoka gorączka, drażliwość. 2. Okres napadowy, 1-2 tygodnie później: gwałtowne napady kaszlu bez oddechu pomiędzy nimi, wykrztuszanie gęstej wydzieliny śluzowej. Często: wytrzeszcz oczu i wystający język, bladość lub zaczerwienienie skóry, wymioty, nadmierna potliwość, wyczerpanie. Czasami: bezdech u dzieci oraz przepuklina (w wyniku kaszlu). 3. Faza rekonwalescencji: ustanie kaszlu kokluszowego i wymiotów, poprawa apetytu i nastroju. Łagodny przebieg u dzieci uodpornionych.	
LISZAJEC (IMPETIGO) patrz s. 406		
NIESPECYFICZNE CHOROBY WIRUSOWE **Okres występowania:** Najczęściej lato. **Podatność:** Najczęściej małe dzieci.	**Objawy ogólne:** Różne, lecz mogą obejmować: gorączkę, utratę apetytu, biegunkę.	**Objawy skórne:** Różne rodzaje wysypek.
ODRA (*morbilli*) **Okres występowania:** Zima i wiosna. **Podatność:** Każda osoba nieuodporniona.	**Objawy ogólne:** 1. Przez 1-2 dni: gorączka, katar, czerwone, szkliste oczy, suchy kaszel. **Czasami:** biegunka, powiększone węzły chłonne.	**Objawy skórne:** 2. Małe białe plamki podobne do ziaren piasku na wewnętrznej stronie policzków (plamki Koplika), mogą krwawić. 3. Czerwone, lekko wypukłe plamki później drobne grudki pojawiające się na czole, za uszami, później na całym ciele.

Przyczyna/drogi zakażenia/ /czas wylęgania/czas trwania	Kiedy wezwać lekarza/ /postępowanie/dieta	Zapobieganie/nawroty/ /powikłania
Przyczyny: Bakteria *bordetella pertussis.* **Drogi zakażenia:** Droga kropelkowa, najbardziej zaraźliwa w fazie nieżytowej, później mniej. Antybiotyki skracają okres zaraźliwości. **Czas wylęgania:** 7-10 dni, rzadko ponad 2 tygodnie. **Czas trwania:** Najczęściej 6 tygodni, ale może trwać dłużej.	**Bezzwłocznie wezwij lekarza** w przypadku uporczywego kaszlu. **Postępowanie:** Leczenie szpitalne niemowląt, antybiotyki (pomocne w złagodzeniu objawów w pierwszej fazie, zaraźliwości w następnej), tlen, odsysanie śluzu, nawilżanie powietrza. **Dieta:** Częste, niewielkie posiłki, uzupełnianie płynów, odżywianie dożylne (jeśli konieczne).	**Zapobieganie:** Szczepienie (Di-Te-Per). **Nawroty:** Nie występują, jednorazowo przebyty uodparnia organizm. **Powikłania:** Liczne, obejmują: zapalenie ucha środkowego, zapalenie płuc, drgawki. Może być śmiertelny, szczególnie u niemowląt.
Przyczyny: Różne enterowirusy. **Drogi zakażenia:** Kał-ręka-usta lub usta-usta. **Czas wylęgania:** 3-6 dni. **Czas trwania:** Najczęściej kilka dni.	**Wezwij lekarza** w celu potwierdzenia diagnozy, **ponownie** przy pogorszeniu stanu dziecka lub pojawieniu się nowych objawów. **Postępowanie:** Leczenie objawowe. **Dieta:** Dodatkowe napoje w przypadku biegunki i gorączki (patrz str. 522).	**Zapobieganie:** Żadne, oprócz przestrzegania zasad higieny, tj. częstego mycia rąk (patrz s. 517). **Nawroty:** Częste. **Powikłania:** Bardzo rzadkie.
Przyczyny: Wirus odry. **Drogi zakażenia:** Drogą kropelkową od 2 dni przed do 4 dni po wystąpieniu wysypki. **Czas wylęgania:** 8-12 dni. **Czas trwania:** Ok. tygodnia.	**Wezwij lekarza** w celu postawienia diagnozy, **natychmiast**, jeśli pojawi się ostry kaszel, wystąpią drgawki lub objawy zapalenia płuc, zapalenia mózgu, zapalenia ucha środkowego lub jeśli wystąpi ponowny skok gorączki po jej ustąpieniu. **Postępowanie:** Leczenie objawowe, ciepłe kąpiele, przyciemnione światła, jeśli wystąpi światłowstręt (ostre światło nie jest szkodliwe). W ciężkich przypadkach odry oraz u dzieci wysokiego ryzyka podanie witaminy A. **Dieta:** Dodatkowe napoje w razie gorączki.	**Zapobieganie:** Szczepienie przeciw odrze, ściśle przestrzegane odizolowanie osób chorych. **Nawroty:** Nie występują. **Powikłania:** Zapalenie ucha środkowego, zapalenie płuc, zapalenie mózgu; może być śmiertelna.

Choroba/okres występowania/ /podatność	Objawy (cyfra wskazuje kolejność występowania) Brak wysypki	Wysypka
OPRYSZCZKA ZWYKŁA (***herpes simplex***) patrz s. 425.		
OSPA WIETRZNA (*varicella*) **Okres występowania:** Późna zima i wiosna. **Podatność:** Dorośli i dzieci.	**Objawy ogólne:** Niewysoka gorączka, złe samopoczucie, utrata apetytu. Choroba może mieć poważny przebieg u osób pobierających steroidy lub mających obniżoną odporność.	**Objawy skórne:** Płaskie, czerwone plamy przechodzące w grudki, później pęcherze i strupy, nowy rzut wysypki pojawia się po 3-4 dniach na skórze całego ciała. Zmianom skórnym towarzyszy dokuczliwe swędzenie.
OWSICA (*Enterobiasis*) **Okres występowania:** Niezależnie od pory roku. **Podatność:** Najczęściej dzieci przedszkolne i szkolne oraz ich matki.	**Objawy ogólne:** 1. Inwazja następuje przez odbyt, samice składają jaja w okolicach odbytu i na pośladkach. 2. Świąd odbytu, zaburzenia snu, rozdrażnienie, wzmożona pobudliwość nerwowa, znużenie. Jeśli dziecko budzi się w nocy, sprawdź natychmiast (lub rano) przy intensywnym świetle, czy na pośladkach obecne są jaja. Okolica odbytu może być zaczerwieniona. 3. Sporadycznie u dziewczynek swędzenie odczuwane jest w okolicy sromu. Po wtargnięciu owsików do pochwy, może nastąpić jej zapalenie z niewielką ilością wydzieliny.	

Przyczyna/drogi zakażenia/ /czas wylęgania/czas trwania	Kiedy wezwać lekarza/ /postępowanie/dieta	Zapobieganie/nawroty/ /powikłania
Przyczyny: Wirus półpaśca (*herpes zoster*). **Drogi zakażenia:** Kropelkowa i przenoszona przez powietrze, bardzo zakaźna od 1-2 dni przed wysypką do odpadnięcia strupów. **Czas wylęgania:** Zwykle 14-16 dni, ale może trwać 11 lub 20 dni. **Czas trwania:** Pierwsze pęcherzyki zasychają w 6-8 godzin, strupy powstają w 24-48 godzin, odpadają w 5-20 dni.	**Wezwij lekarza,** by potwierdził rozpoznanie, **wezwij natychmiast** w przypadku dzieci o wysokim ryzyku, **wezwij ponownie,** gdy pojawią się objawy zapalenia mózgu (*encephalitis*). Wezwij lekarza, jeśli kontakt z ospą miała nieuodporniona kobieta w ciąży. **Postępowanie:** Leki przeciw świądowi (str. 522) i gorączce (str. 498). Nie podawać aspiryny ani innych salicylanów. Obecnie leki przeciwwirusowe zaleca się jedynie dzieciom wysokiego ryzyka.	**Zapobieganie:** Unikaj kontaktu z chorobą niemowląt; szczepienie przeciw wirusowi półpaśca dzieci powyżej 12 miesiąca życia (patrz s. 480), VZIG lub leki przeciwwirusowe dla narażonych członków rodziny. **Nawroty:** Bardzo rzadkie, lecz wirus latentny może w przyszłości wywołać półpasiec. **U kobiet w ciąży:** Niewielkie ryzyko uszkodzenia płodu w pierwszym lub drugim trymestrze, wysokie ryzyko w okresie od 5 dni przed do 2 dni po porodzie. **Powikłania:** Rzadko zapalenie mózgu, poważnie chore mogą być osoby pobierające sterydy lub mające niedobór odporności. **U kobiet w ciąży:** możliwość uszkodzenia płodu; jeśli miałaś kontakt z chorobą, skontaktuj się z lekarzem.
Przyczyny: Niewielki (6-12 mm) szarawy, nitkowaty pasożyt, *Enterobius vermicularis*. **Drogi zakażenia:** Przez jaja robaka, ręka-usta (np. ssanie kciuka po drapaniu się lub oddaniu stolca), z deski sedesowej lub innych przedmiotów. Po połknięciu jaj wylęgają się z nich owsiki, które wędrują do odbytnicy. Choroba zaraźliwa do momentu, kiedy samice złożą jaja; jaja zaraźliwe przez 2-3 tygdni. **Czas trwania:** Nie leczona — cykle mogą powtarzać się nieskończenie wiele razy.	**Wezwij lekarza,** jeśli podejrzewasz owsicę. Rano, po przebudzeniu dziecka, przylep w okolicy odbytu taśmę celofanową, by stwierdzić obecność samicy lub jaj. Taśmę należy przekazać do analizy. **Postępowanie:** Leki doustne wydalają dorosłe owsiki drogą pokarmową. Leczeniu podlega cała rodzina. Zapalenie pochwy nie wymaga oddzielnego leczenia.	**Zapobieganie:** Dokładne mycie rąk oraz higiena zapobiegawcza (patrz s. 517). Mycie rąk po zabawie ze zwierzętami (mogą być one nosicielami owsicy). Dokładne pranie bielizny pościelowej oraz częsta zmiana piżamy. **Nawroty:** Powszechne. **Powikłania:** W ostrych przypadkach utrata apetytu i masy ciała, nawet anemia. Sporadycznie owsiki migrują w inne okolice (np. miednicy) i wywołują zapalenie.

Choroba/okres występowania/ /podatność	Objawy Brak wysypki	(cyfra wskazuje kolejność występowania) Wysypka
PRZEZIĘBIENIE patrz s. 513.		
RÓŻYCZKA (*rubella*) **Okres występowania:** Późna zima i wczesna wiosna. **Podatność:** Osoba nie zaszczepiona przeciw różyczce.	**Objawy ogólne:** Brak w 25%-50% przypadków. Czasami: 1. Niewysoka gorączka, powiększone węzły chłonne.	**Objawy skórne:** 2. Małe (2 mm) płaskie, czerwone kropki na twarzy. 3. Wysypka rozprzestrzenia się na całym ciele i czasami na podniebieniu.
RÓŻYCZKA DZIECIĘCA (*roseola infantum*) **Czas występowania:** Cały rok, najczęstsza wiosną i jesienią. **Podatność:** Największa u niemowląt i małych dzieci.	**Objawy ogólne:** 1. Rozdrażnienie, utrata apetytu, gorączka (38,9-40,5°C). Czasami: katar, powiększenie węzłów chłonnych, drgawki. 2. Na 3 lub 4 dzień: gorączka opada i dziecko czuje się lepiej.	**Objawy skórne:** 3. Bladoróżowe plamki, które bieleją w czasie naciskania, pojawiają się na szyi, barkach, czasami twarzy i nogach. Czasami brak wysypki.
RUMIEŃ ZAKAŹNY (*erythema infectiosum*) **Okres występowania:** Wczesna wiosna. **Podatność:** Największa u dzieci w wieku 2-12 lat.	**Objawy ogólne:** Rzadko: ból stawów.	**Objawy skórne:** 1. Intensywne wypieki na twarzy (wygląd spoliczkowanej twarzy). 2. Następnego dnia: koronkowa wysypka na ramionach i nogach. 3. 3 dni później: wysypka na wewnętrznych powierzchniach skóry: palcach u rąk i nóg, tułowiu lub pośladkach. 4. Wysypka może występować ponownie po wystawieniu na źródło ciepła (kąpiel, słońce) przez 2 lub 3 tygodnie.

Przyczyna/drogi zakażenia/ /czas wylęgania/czas trwania	Kiedy wezwać lekarza/ /postępowanie/dieta	Zapobieganie/nawroty/ /powikłania
Przyczyny: Wirus różyczki. **Drogi zakażenia:** 7-10 dni przed do 7 dni po wystąpieniu wysypki, przez kontakt bezpośredni lub drogą kropelkową. **Czas wylęgania:** 14-21 dni, najczęściej 16-18. **Czas trwania:** Kilka godzin, 4 lub 5 dni.	**Wezwij lekarza,** jeśli narażona była nieuodporniona kobieta w ciąży. **Postępowanie:** Nie wymaga leczenia. **Dieta:** Bez zmian.	**Zapobieganie:** Szczepienie przeciw różyczce (w Polsce u dziewcząt w 12 roku życia — przyp. red.). **Nawroty:** Nie ma nawrotów, przebyta jednorazowo wytwarza odporność. **Powikłania:** Rzadkie, małopłytkowość (*thrombocytopenia*) lub zapalenie mózgu.
Przyczyny: Prawdopodobnie wirus. **Drogi zakażenia:** Prawdopodobnie przez wydzieliny układu oddechowego. **Czas wylęgania:** 5-15 dni. **Czas trwania:** Okres drgawkowy: 3-7 dni, wysypka: kilka godzin do kilku dni.	**Wezwij lekarza** w celu potwierdzenia diagnozy oraz gdy gorączka utrzymuje się 4-5 dni lub wystąpią drgawki. **Postępowanie:** Leczenie objawowe. **Dieta:** Dodatkowe napoje w przypadku gorączki.	**Zapobieganie:** Nieznane. **Nawroty:** Prawdopodobnie brak. **Powikłania:** Bardzo rzadkie.
Przyczyny: Prawdopodobnie parwowirus ludzki. **Drogi zakażenia:** Prawdopodobnie przez wydzieliny dróg oddechowych i krew, najbardziej zaraźliwy przed wystąpieniem objawów. **Czas wylęgania:** 4-14 dni, zazwyczaj 12-14. **Czas trwania:** 3-10 dni, lecz wysypka może wystąpić ponownie do 3 tygodni.	**Wezwij lekarza** tylko wtedy, gdy dziecko ma obniżoną odporność lub choruje na niedokrwistość sierpowato-krwinkową. **Postępowanie:** W przypadku przewlekłej infekcji u dzieci z obniżoną odpornością skuteczne może być podanie immunoglobuliny. **Dieta:** Bez zmian.	**Zapobieganie:** Przestrzeganie zasad higieny (patrz s. 517) w celu opanowania infekcji. **Nawroty:** Mało prawdopodobne. **Powikłania:** Występują jedynie u dzieci z obniżoną odpornością. U nieuodpornionych kobiet w ciąży sporadycznie dochodzi do uszkodzenia płodu w pierwszej połowie ciąży, niewielkie ryzyko po 20 tygodniu ciąży.

Choroba / okres występowania / / podatność	Objawy Brak wysypki (cyfra wskazuje kolejność występowania)	Wysypka
SZKARLATYNA (*scarlatina*) **Okres występowania:** Cały rok, częściej w zimnych miesiącach. **Podatność:** Najczęściej dzieci w wieku szkolnym, stosunkowo rzadko u dwu- i trzylatków.	**Objawy ogólne:** 1. Podobne do anginy, często poprzedzone wymiotami i wysypką. Język początkowo obłożony. Z biegiem czasu przybiera typowy, malinowy kolor. Chorobę przeważnie potwierdza badanie wymazu z gardła na obecność bakterii.	**Objawy skórne:** 2. Jaskrawoczerwona punkcikowa wysypka na twarzy, pachwinach i rękach, przechodząca na resztę ciała i kończyny; pozostawia skórę szorstką, łuszczącą się. Wysypka może być swędząca.
ŚWINKA **Okres występowania:** Późna zima i wiosna. **Podatność:** Każda osoba nieuodporniona przeciw śwince.	**Objawy ogólne:** 1. Czasami: mdły ból, gorączka, utrata apetytu. 2. Najczęściej: powiększenie gruczołów ślinowych po jednej lub obydwu stronach żuchwy, poniżej i przed uchem, ból podczas żucia lub przy spożywaniu kwasów (kwaśnych pokarmów lub napojów), powiększenie innych gruczołów ślinowych. W 30% przypadków — brak objawów.	
TĘŻEC (*tetanus*) **Okres występowania:** Gdy dużo przebywa się na powietrzu. **Podatność:** Osoby nieuodpornione.	**Objawy ogólne:** Skurcz i zwiększone napięcie mięśni w okolicy rany. Mimowolne skurcze mięśni mogące doprowadzić do wygięcia krzyża, szczękościsk, kręcz szyi, drgawki, przyspieszone tętno, obfite pocenie, niewysoka gorączka, trudności z ssaniem u dzieci karmionych piersią lub butelką.	
WIRUS ŚRÓDMIĄŻSZOWY UKŁADU ODDECHOWEGO (RSV) **Okres występowania:** Zima i wczesna wiosna. **Podatność:** Każdy, ale 50% dotyczy niemowląt, większość — dzieci do lat 3; obejmuje przeziębienie (s. 513), bronchiolitis (s. 708) i zapalenie płuc (s. 726).	**Objawy ogólne:** Od łagodnych objawów, jak w przeziębieniu, do zapalenia oskrzelików i odoskrzelowego zapalenia płuc z kaszlem, świstami, bólem gardła, bólami przy oddychaniu, złym samopoczuciem, zapaleniem błon śluzowych nosa i gardła. Czasami: Bezdech (szczególnie u wcześniaków).	

Przyczyna / drogi zakażenia / / czas wylęgania / czas trwania	Kiedy wezwać lekarza / / postępowanie / dieta	Zapobieganie / nawroty / / powikłania
Przyczyny: Paciorkowiec z grupy A *Streptococcus pyogenes.* **Droga zakażenia:** bezpośredni kontakt z osobą chorą. **Czas wylęgania:** 3 do 4 tygodni. Choroba leczona trw krócej.	**Wezwij lekarza,** jeśli podejrzewasz szkarlatynę. Zadzwoń ponownie, jeśli stan zdrowia nie polepsza się. **Postępowanie:** Leczenie objawowe. Antybiotyki. **Dieta:** Lekkostrawna, pokarmy rozdrobnione, podawanie dużej ilości płynów.	**Zapobieganie:** Izolacja, przestrzeganie zasad higieny. **Nawroty:** Możliwe. **Powikłania:** Infekcje ucha, zatok, płuc, rzadko nerek, choroba reumatyczna.
Przyczyny: Wirus świnki. **Droga zakażenia:** Najczęściej 1-2 dni (może też być 7 dni) przed pojawieniem się objawów; 9 dni po ich ustąpieniu, przez bezpośredni kontakt z wydzieliną dróg oddechowych. **Czas wylęgania:** Zwykle 16-18 dni, ale może trwać 12-25 dni. **Czas trwania:** 5-7 dni.	**Wezwij lekarza** w celu postawienia diagnozy oraz **natychmiast** w przypadku wymiotów, senności, bólów głowy, sztywności krzyża lub karku lub innych objawów zapalenia opon mózgowych, towarzyszących śwince lub występujących po jej ustąpieniu. **Postępowanie:** Objawowe w przypadku gorączki i bólu, chłodne kompresy przykładane na policzki. **Dieta:** Pozbawiona kwasów i cukru, miękkie pokarmy.	**Zapobieganie:** Szczepienie. **Nawroty:** Rzadkie. **Powikłania:** Zapalenie opon mózgowych i mózgu, inne powikłania rzadko dotyczą małych dzieci, ale mogą być poważne u mężczyzn.
Przyczyny: Toksyna produkowana przez bakterie zwane *Clostridium tetani,* która rozprzestrzenia się po całym ciele. **Drogi zakażenia:** Przez bakterie w przypadku ran kłutych, oparzeń, głębokich zadrapań. **Czas wylęgania:** 3 dni do 3 tygodni, średnio 8 dni. **Czas trwania:** Kilka tygodni.	**Natychmiast wezwij lekarza lub pogotowie,** jeśli nie zaszczepione dziecko dotkliwie się skaleczy. **Postępowanie:** Konieczne leczenie. Podanie anatoksyny, by zapobiec rozwojowi choroby, leków rozluźniających napięcie mięśniowe, antybiotyków, respirator.	**Zapobieganie:** Szczepienie (DTP), pielęgnacja pępka, unikanie skaleczeń na dworze. **Nawroty:** Nie występują. **Powikłania:** Liczne, obejmują: wrzody, zapalenie płuc, zaburzenia rytmu pracy serca, skrzepy w płucach. Może być śmiertelny.
Przyczyny: Wirus (RSV). **Drogi zakażenia:** Przez kontakt z osobą chorą (oczy i nos) lub używanie zainfekowanych przedmiotów 3 dni do 4 tygodni od wystąpienia choroby. **Czas wylęgania:** Najczęściej 5-8 dni. **Czas trwania:** Zależy od wywołanej choroby.	**Wezwij lekarza,** jeśli dziecko z objawami przeziębienia ma trudności z oddychaniem, świsty, chrapliwy kaszel lub bardzo szybko oddycha (patrz str. 489). **Postępowanie:** Leczenie objawowe, może obejmować leki przeciwwirusowe i leczenie szpitalne, w zależności od potrzeby. **Dieta:** Związana z objawami.	**Zapobieganie:** Izolacja, dokładne mycie rąk podczas występowania wirusa, unikanie dymu papierosowego, brak szczepionki. **Nawroty:** Możliwe, ale zwykle w postaci infekcji górnych dróg oddechowych po skończeniu 3 lat życia. **Powikłania:** Choroba dolnych dróg oddechowych w 40% u dzieci (1% wymaga leczenia szpitalnego), zapalenie ucha środkowego.

Choroba / okres występowania / / podatność	Objawy (cyfra wskazuje kolejność występowania) Brak wysypki	Wysypka
WIRUSOWE OPRYSZCZKOWE ZAPALENIE GARDŁA I MIGDAŁKÓW (*herpetica angina*) **Okres występowania:** Najczęściej lato i jesień. **Podatność:** Największa u niemowląt i małych dzieci. Występuje sama lub towarzyszy innym chorobom.	**Objawy ogólne:** 1. Gorączka (37,8-41°C), ból gardła. Wystąpieniu gorączki może towarzyszyć atak drgawek. 1 lub 2. Bolesny obrzęk. Czasami: wymioty, utrata apetytu, biegunka, bóle podbrzusza, letarg.	**Objawy skórne:** Wyraźne szarobiałe grudki na tylnej części języka lub gardła, które okrywają się pęcherzami i ropieją (w liczbie 5-20).
WODOWSTRĘT patrz **Wścieklizna**		
WŚCIEKLIZNA (*rabies*) **Okres występowania:** Zawsze, częściej latem. **Podatność:** Każdy.	**Objawy ogólne:** 1. Miejscowy lub promieniujący ból, pieczenie, uczucie zimna, swędzenia, mrowienia w miejscu ugryzienia. 2. Niewysoka gorączka (38,3--38,9°C), letarg, ból głowy, utrata apetytu, nudności, ból gardła, mokry kaszel, drażliwość, wrażliwość na światło i dźwięk, rozszerzenie źrenic, przyspieszone tętno, płytki oddech, nadmierne ślinienie, łzawienie, pocenie się. 3. 2-10 dni później: wzmożona aktywność, rozdrażnienie, problemy z widzeniem, osłabienie mięśni twarzy, gorączka do 39,5°C. Często: wodowstręt, pieniste ślinienie się. 4. Ok. 3 dni później: niedowład.	
ZABURZENIA ŻOŁĄDKOWO-JELITOWE patrz BIEGUNKA, s. 508.		

Przyczyna / drogi zakażenia / / czas wylęgania / czas trwania	**Kiedy wezwać lekarza / / postępowanie / dieta**	**Zapobieganie / nawroty / / powikłania**
Przyczyny: Wirus *coxsackie*. **Drogi zakażenia:** Usta-usta, kał--ręka-usta. **Czas wylęgania:** 3-6 dni **Czas trwania:** 4-7 dni, ale leczenie może trwać 2-3 tygodni.	**Wezwij lekarza** w celu potwierdzenia diagnozy. **Natychmiast** w przypadku drgawek lub innych objawów. **Leczenie:** Objawowe. **Dieta:** Miękkie pokarmy.	**Zapobieganie:** Żadne. **Nawroty:** Możliwe. **Powikłania:** Nie występują.
Przyczyny: Wirus wścieklizny. **Droga zakażenia:** Ugryzienie przez zarażone zwierzę, rzadziej przez lizanie przez zwierzę otwartej rany, zadrapań i otarć naskórka; prawdopodobnie przez bliski kontakt z zarażonym nietoperzem lub innym zwierzęciem. **Czas wylęgania:** 9 dni do 1 roku, średnio 2 miesiące. **Czas trwania:** Ok. 2 tygodni do wystąpienia paraliżu.	**Wezwij lekarza** po ugryzieniu dziecka przez zwierzę, co do którego nie masz pewności, czy było szczepione przeciw wściekliźnie. **Postępowanie:** Skrępuj zwierzę. Patrz „Pierwsza pomoc w przypadku ukąszenia" (str. 570). Jeśli nie można odnaleźć zwierzęcia lub stwierdzono u niego wściekliznę, należy podać szczepionkę profilaktyczną s (PEP) składającą się z immunoglobuliny przeciw ludzkiej wściekliźnie (HRIG) oraz szczepionki z ludzkich komórek diploidalnych. W razie potrzeby surowica przeciwtężcowa. Hospitalizacja, jeśli nie zostanie zahamowany rozwój choroby. **Dieta:** Bez zmian.	**Zapobieganie:** Szczepienie zwierząt domowych i osób z grupy wysokiego ryzyka, uczenie dzieci ostrożności wobec obcych zwierząt, wspólne wysiłki, by dać schronienie bezdomnym zwierzętom oraz zlikwidować wściekliznę wśród dzikich zwierząt. **Nawroty:** Nie występują. **Powikłania:** Nie leczona wścieklizna jest śmiertelna. Po wystąpieniu objawów i rozpoczęciu leczenia — wysoki wskaźnik śmiertelności.

Choroba/okres występowania/ /podatność	Objawy Brak wysypki (cyfra wskazuje kolejność występowania)	Wysypka
ZAKAŻENIE GÓRNYCH DRÓG ODDECHOWYCH patrz s. 513.		
ZAKAŻENIE UKŁADU MOCZOWEGO patrz s. 516.		
ZAPALENIE MIGDAŁKÓW (*tonsillitis*) patrz s. 511.		
ZAPALENIE MÓZGU (*encephalitis*) **Okres występowania:** Zależy od przyczyny. **Podatność:** W zależności od przyczyny.	**Objawy ogólne:** Gorączka, ospałość, ból głowy. **Czasami:** Powikłania neurologiczne, w późnej fazie śpiączka.	
ZAPALENIE NAGŁOŚNI (*epiglotitis*) **Okres występowania:** Zima. **Podatność:** Rzadkie u dzieci poniżej 2 roku życia.	**Objawy ogólne:** Niski kaszel, przytłumiony głos, trudności z oddychaniem i połykaniem, ślinienie się. **Czasami:** Wystający język, retrakcje (patrz s. 487), zasinienie paznokci i ust. Dziecko wygląda na chore, jest pobudzone, rozdrażnione, niespokojne, preferuje pionową pozycję ciała, pochyla się do przodu i oddycha przez otwarte usta. Badana nagłośnia jest silnie zaczerwieniona i obrzmiała.	
ZAPALENIE OPON MÓZGOWO-RDZENIOWYCH (*meningitis*) **Okres występowania:** Zależy od organizmu wywołującego chorobę, zima w przypadku Hib. **Podatność:** Zależy od przyczyny, dla Hib największa u niemowląt i małych dzieci, częściej występuje u chłopców, mieszkańców miast oraz dzieci uczęszczających do przedszkola.	**Objawy ogólne:** Gorączka, piskliwy płacz, ospałość, rozdrażnienie, utrata apetytu, wymioty, wypukłe ciemiączko. U starszych dzieci również: sztywność karku, światłowstręt, zaburzenia widzenia i inne oznaki chorób neurologicznych.	

Przyczyna/drogi zakażenia/ /czas wylęgania/czas trwania	Kiedy wezwać lekarza/ /postępowanie/dieta	Zapobieganie/nawroty/ /powikłania
Przyczyny: Bakterie lub wirusy (często jako powikłanie po innej chorobie). **Drogi zakażenia:** Zależą od przyczyny, niektóre wirusy roznoszone są przez owady. **Czas wylęgania:** Zależy od przyczyny. **Czas trwania:** Różny.	**Natychmiast wezwij lekarza lub udaj się na pogotowie,** jeśli podejrzewasz zapalenie mózgu. **Postępowanie:** Konieczne leczenie szpitalne.	**Zapobieganie:** Szczepienia przeciw chorobom, które dają jako powikłanie zapalenie mózgu, np. odra. **Nawroty:** Mało prawdopodobne. **Powikłania:** Uszkodzenia neurologiczne, może być śmiertelne.
Przyczyny: Bakterie, najczęściej *hemophilus influenzae* (Hib), czasami bakterie *streptococcus* grupy A. **Drogi zakażenia:** Prawdopodobnie bezpośrednio lub drogą kropelkową. **Czas wylęgania:** Poniżej 10 dni. **Czas trwania:** 4-7 dni lub dłużej.	**Natychmiast wezwij lub udaj się do najbliższej stacji pogotowia ratunkowego (szpitala).** Podczas oczekiwania na pomoc trzymaj dziecko w pozycji pionowej, lekko pochylone do przodu, z otwartymi ustami i wystającym językiem. **Postępowanie:** Leczenie szpitalne, udrożnienie dróg oddechowych, antybiotyki.	**Zapobieganie:** Szczepienie przeciw Hib. **Nawroty:** Małe prawdopodobieństwo. **Powikłania:** Bez szybkiego udzielenia pomocy może być śmiertelne.
Przyczyny: Najczęściej bakterie, takie jak Hib, także wirusy, które wywołują chorobę o łagodniejszym przebiegu. **Droga zakażenia:** Zależy od przyczyny. **Czas wylęgania:** Zależy od drobnoustroju wywołującego chorobę, dla Hib — prawdopodobnie mniej niż 10 dni. **Czas trwania:** Różny.	**Natychmiast wezwij lekarza lub pogotowie.** **Postępowanie:** Leczenie objawowe w przypadku wirusowego zapalenia opon mózgowo-rdzeniowych, leczenie szpitalne w przypadku bakteryjnego zapalenia. **Dieta:** Dodatkowe napoje w przypadku gorączki.	**Zapobieganie:** Szczepienie przeciw Hib, ścisłe przestrzeganie zasad higieny w przedszkolach. **Nawroty:** Nie występują w przypadku Hib, jednorazowo przebyta choroba wytwarza odporność. **Powikłania:** Hib i inne formy bakteryjne mogą spowodować trwałe uszkodzenia układu nerwowego, mogą też być śmiertelne. Postaci wirusowe najczęściej nie powodują trwałych uszkodzeń.

Choroba/okres występowania/ /podatność	Objawy Brak wysypki (cyfra wskazuje kolejność występowania)	Wysypka
ZAPALENIE OPON MÓZGOWYCH I MÓZGU (***meningoencephalitis***) **Objawy:** patrz ZAPALENIE OPON MÓZGOWYCH i ZAPALENIE MÓZGU.		
ZAPALENIE PŁUC (***pneumonia***) **Okres występowania:** Zależy od czynnika sprawczego. **Podatność:** Każdy, a w szczególności małe dzieci i osoby starsze oraz osoby cierpiące na przewlekłe choroby.	**Objawy ogólne:** Zwykle po przeziębieniu lub innej chorobie stan dziecka nagle się pogarsza w następujący sposób: podwyższona gorączka, mokry kaszel, szybki oddech, siność, świszczący, urywany oddech i/lub trudności z oddychaniem, wzdęcia i bóle podbrzusza.	
ZAPALENIE SPOJÓWEK (***conjunctivitis***)	**Objawy ogólne:** W zależności od przyczyny mogą obejmować: przekrwione oczy, łzawienie, wydzieliny, pieczenie, światłowstręt. Zwykle pojawia się w jednym oku i rozprzestrzenia na drugie.	
ZAPALENIE UCHA (***otitis media***) patrz s. 517.		

Przyczyna/drogi zakażenia/ /czas wylęgania/czas trwania	Kiedy wezwać lekarza/ /postępowanie/dieta	Zapobieganie/nawroty/ /powikłania
Przyczyny: Różne organizmy, obejmujące: bakterie, mykoplazmę, grzyby, wirusy i pierwotniaki, a także czynniki drażniące (chemiczne i inne) lub ciało obce w drogach oddechowych. **Drogi zakażenia:** Zależą od przyczyny. **Czas wylęgania:** Zależy od przyczyny. **Czas trwania:** Zależy od przyczyny.	**Wezwij lekarza,** jeśli dziecko ma uporczywy mokry kaszel lub gdy lekko chore dziecko nagle czuje się gorzej lub wzrosła mu gorączka i więcej kaszle. **Natychmiastowej interwencji medycznej wymaga** dziecko, które ma trudności z oddychaniem, sinieje lub wygląda na bardzo chore. **Postępowanie:** Leczenie objawowe. Większość przypadków można wyleczyć w domu. W razie konieczności antybiotyki. **Dieta:** Odżywcza, napoje.	**Zapobieganie:** Szczepienie przeciw Hib, ochrona wrażliwych dzieci przed chorobą (patrz s. 517). **Nawroty:** Częste. **Powikłania:** Częstsze u dzieci z osłabioną odpornością.
Przyczyny: Różne, obejmują wirusy, bakterie, chlamydię, alergeny, pasożyty, grzyby, czynniki drażniące ze środowiska i podanie azotanu srebra po porodzie. **Drogi zakażenia:** Oko-ręka-oko, wspólne ręczniki, pościel. **Czas wylęgania:** Zazwyczaj krótki. **Czas trwania:** Różny, azotan srebra: 3-5 dni, wirus: 2 dni do 3 tygodni (może stać się przewlekłe), bakterie: ok. 2 tygodni, inne: aż do usunięcia alergenu, czynnika drażniącego.	**Wezwij lekarza,** by potwierdzić rozpoznanie, **wezwij ponownie,** jeśli stan pogarsza się lub nie polepsza. **Postępowanie:** Płukanie oczu, używanie osobnych ręczników i pościeli, by zapobiec rozprzestrzenianiu infekcji, w miarę możliwości usunięcie czynników drażniących, takich jak dym papierosowy, krople lub maść przepisana na opryszczkę lub infekcję bakteryjną, lub na wirusowe zapalenie spojówek (by zapobiec wtórnej infekcji oraz złagodzić dyskomfort przy reakcji alergicznej).	**Zapobieganie:** Przestrzeganie zasad higieny (osobne ręczniki w przypadku infekcji któregoś członka rodziny), unikanie alergenów i innych czynników drażniących. **Nawroty:** Prawdopodobne, niektóre dzieci są bardziej podatne. **Powikłania:** Utrata wzroku (rzadko, z wyjątkiem infekcji rzeżączkowej), przewlekłe zapalenie oka, uszkodzenia oka w wyniku powtarzających się zapaleń.

Choroba/okres występowania/ /podatność	Objawy Brak wysypki · (cyfra wskazuje kolejność występowania)	Wysypka
ZESPÓŁ REYE'A **Okres występowania:** Każdy. **Podatność:** Najczęściej dzieci, którym podczas choroby wirusowej (np. ospy wietrznej) podano aspirynę.	**Objawy ogólne:** 1-7 dni po infekcji wirusowej: uporczywe wymioty, letarg, szybko pogarszający się stan umysłowy (rozdrażnienie, dezorientacja, pobudzenie), przyspieszone tętno i szybki oddech. Może przejść w śpiączkę.	

Przyczyna/drogi zakażenia/ /czas wylęgania/czas trwania	Kiedy wezwać lekarza/ /postępowanie/dieta	Zapobieganie/nawroty/ /powikłania
Przyczyny: Nieznane, lecz związane z takimi chorobami wirusowymi, jak ospa wietrzna i grypa oraz stosowania w ich leczeniu aspiryny. **Drogi zakażenia:** Nieznane. **Czas wylęgania:** Nieznany, prawdopodobnie kilka dni od wystąpienia infekcji. **Czas trwania:** Różny.	**Natychmiast wezwij lekarza** lub pogotowie, jeśli podejrzewasz zespół Reye'a. **Postępowanie:** Konieczne leczenie szpitalne.	**Zapobieganie:** Nie podawaj aspiryny w przypadku chorób wirusowych, takich jak ospa wietrzna lub grypa. **Nawroty:** Nie występują. **Powikłania:** Mogą być śmiertelne. Brak trwałych problemów u osób, które przeżyły.

Kalendarz szczepień ochronnych według wieku

WIEK		SZCZEPIENIE PRZECIW	UWAGI
1 rok życia	W ciągu 24 godzin po urodzeniu	WZW typu B — domięśniowo* GRUŹLICY — szczepionką BCG śródskórnie	Szczepienie BCG noworodków winno być wykonane jednocześnie lub nie później niż w 24 godz. od szczepienia przeciwko WZW typu B.
	2 miesiąc życia (po 6 tyg. od szczepienia BCG)	WZW typu B — domięśniowo BŁONICY, TĘŻCOWI, KRZTUŚCOWI — szczepionką DTP podskórnie POLIOMYELITIS — szczepionką żywą poliwalentną (1, 2 i 3 typ wirusa) doustnie	Trzy kolejne dawki szczepienia podstawowego przeciw WZW typu B podawane są w odstępach sześciotygodniowych*. Dawki 2 i 3 szczepionki przeciw WZW typu B należy podać jednocześnie z 1 i 2 dawką szczepionek DTP i POLIO. Pierwsza dawka DPT i POLIO. Trzy kolejne dawki szczepienia podstawowego DTP i POLIO podawane są w odstępach sześciotygodniowych.
	przełom 3/4 miesiąca życia (po 6 tyg.)	WZW typu B — domięśniowo BŁONICY, TĘŻCOWI, KRZTUŚCOWI — szczepionką DTP podskórnie POLIOMYELITIS — szczepionką żywą poliwalentną (1,2 i 3 typ wirusa) doustnie	U dzieci z przeciwwskazaniami do szczepienia przeciw krztuścowi należy zastosować szczepionkę DiTe — wg zaleceń producenta. Wówczas w 2 miesiącu życia trzeba podać doustną POLIO (oraz domięśniowo szczepionkę przeciwko WZW typu B), a po 6 tyg. jednocześnie zaszczepić pierwszą dawką DiTe (podskórnie) i drugą dawką szczepionki POLIO (doustnie) oraz WZW typu B (domięśniowo). Po następnych 6 tyg. podać: drugą dawkę szczepionki DiTe (podskórnie) i jednocześnie — trzecią dawkę szczepionki POLIO (doustnie).
	5 miesiąc życia (po 6 tyg.)	BŁONICY, TĘŻCOWI, KRZTUŚCOWI — szczepionką DTP podskórnie POLIOMYELITIS — szczepionką żywą poliwalentną (1, 2, 3 typ wirusa) doustnie	
	12 miesiąc życia	WZW typ B — domięśniowo GRUŹLICY — szczepionką BCG śródskórnie	Czwarta dawka, uzupełniająca szczepienie podstawowe. Szczepienie tylko u dzieci, które w wyniku pierwszego szczepienia BCG nie mają blizny bądź mają bliznę o średnicy mniejszej niż 3 mm. U dzieci z kontaktu z chorym na gruźlicę należy wykonać próbę tuberkulinową i szczepić dzieci tuberkulinoujemne w dniu odczytania próby.

Kalendarz szczepień ochronnych według wieku cd.

WIEK		SZCZEPIENIE PRZECIW	UWAGI
2 rok życia	13-14 miesiąc życia	ODRZE szczepionką żywą — podskórnie	Szczepienie podstawowe. Podawane w wywiadzie przebycie zachorowania na odrę nie jest przeciwwskazaniem do szczepienia; szczepionkę należy podać po upływie dwóch miesięcy od wyzdrowienia. Zamiast szczepionki monowalentnej można podać szczepionkę potrójną przeciw odrze, śwince i różyczce.
	16-18 miesiąc życia	BŁONICY, TĘŻCOWI, KRZTUŚCOWI — szczepionką DTP podskórnie POLIOMYELITIS — szczepionką żywą poliwalentną (1, 2 i 3 typ wirusa) doustnie	Czwarta dawka, uzupełniająca szczepienie podstawowe DTP i POLIO. Dzieci, które w pierwszym roku życia otrzymały dwie dawki DiTe, należy zaszczepić podskórnie trzecią dawką DiTe i doustnie — czwartą dawką POLIO.
okres przedszkolny	6 rok życia	BŁONICY, TĘŻCOWI — szczepionką DiTe podskórnie POLIOMYELITIS — szczepionką żywą poliwalentną (1, 2 i 3 typ wirusa) doustnie	I dawka przypominająca.
	7 rok życia	ODRZE — szczepionką żywą podskórnie	Dawka przypominająca. Podawane w wywiadzie przebycie zachorowania na odrę nie jest przeciwwskazaniem do szczepienia; szczepionkę należy podać po upływie dwóch miesięcy od wyzdrowienia.
	po 6 tyg. od szczepienia przeciw ODRZE	GRUŹLICY — szczepionką BCG śródskórnie	Szczepienie bez próby tuberkulinowej. U dziecka z kontaktu z chorym na gruźlicę należy wykonać próbę tuberkulinową i szczepić dzieci tuberkulinoujemne w dniu odczytania próby.
szkoła podstawowa	11 rok życia	POLIOMYELITIS — szczepionką żywą poliwalentną (1, 2 i 3 typ wirusa) doustnie	II dawka przypominająca.

Kalendarz szczepień ochronnych według wieku cd.

WIEK		SZCZEPIENIE PRZECIW	UWAGI
szkoła podstawowa	12 rok życia	GRUŹLICY — szczepionką BCG śródskórnie	Tylko dzieci z ujemnym wynikiem próby tuberkulinowej Mantoux. Szczepienie należy wykonać w dniu odczytania próby.
	13 rok życia	RÓŻYCZCE — podskórnie	Tylko dziewczęta.
	14 rok życia	BŁONICY, TĘŻCOWI — szczepionką DiTe podskórnie	II dawka przypominająca.
szkoła ponadpodstawowa	18 rok życia	GRUŹLICY — szczepionką BCG śródskórnie	Tylko osoby z ujemnym wynikiem próby tuberkulinowej Mantoux. Szczepienie należy wykonać w dniu odczytania próby.
	19 rok życia lub ostatni rok nauki w szkole	BŁONICY, TĘŻCOWI — szczepionką Td podskórnie	III dawka przypominająca; nie powinna być podana wcześniej niż po upływie 3 lat od ostatniej dawki DiTe.
Dorośli		BŁONICY, TĘŻCOWI — szczepionką Td podskórnie	Kolejne dawki przypominające w odstępach co dziesięć lat.

* Szczepienia noworodków przeciw WZW B prowadzone są w następujących województwach:
a) od 1994 r. — bialskopodlaskim, białostockim, chełmskim, krakowskim, lubelskim, łódzkim, ostrołęckim, piotrkowskim, płockim, siedleckim, sieradzkim, skierniewickim, warszawskim,
b) od 1995 r. — bielskim, bydgoskim, ciechanowskim, kaliskim, konińskim, koszalińskim, legnickim, pilskim, poznańskim, szczecińskim, toruńskim, wałbrzyskim, włocławskim, zielonogórskim.
c) od 1996 r. — częstochowskim, elbląskim, gdańskim, gorzowskim, jeleniogórskim, katowickim, kieleckim, krośnieńskim, leszczyńskim, łomżyńskim, nowosądeckim, olsztyńskim, opolskim, przemyskim, radomskim, rzeszowskim, słupskim, suwalskim, tarnobrzeskim, tarnowskim, wrocławskim, zamojskim.

II. Szczepienia zalecane

SZCZEPIENIE PRZECIW	ZALECANE OSOBOM	SZCZEPIONKI ZAREJESTROWANE W POLSCE
WZW typu B — dawkowanie i cykl szczepień wg wskazań producenta szczepionki	— dzieciom, nie podlegającym szczepieniom obowiązkowym — młodzieży — osobom w wieku 20-40 lat, zwłaszcza kobietom — osobom, które ze względu na tryb życia lub wykonywane zajęcia są narażone na zakażenia związane z uszkodzeniem ciągłości tkanek lub poprzez kontakt seksualny	zaleca się szczepionki *rekombinowane*: ENGERIX — B (Smith Kline Beecham) HB-VAX-II (Merck Sharp Dohme) GEN-HEVAC B (Pasteur Merieux)
ODRZE, ŚWINCE, RÓŻYCZCE — 1 dawka podskórnie	Dzieciom w wieku 13-14 miesięcy w miejsce obowiązkowego szczepienia odry jako szczepienie podstawowe. Podawane w wywiadzie przebycie zachorowań na odrę, świnkę lub różyczkę nie jest przeciwwskazaniem do szczepienia; szczepionkę należy podać po upływie dwóch miesięcy od wyzdrowienia	zaleca się szczepionkę: MMR II (Merck Sharp Dohme) *zawierającą szczep świnkowy Jeryl Lynn*
GRYPIE — dawkowanie i cykl szczepień wg wskazań producenta	— przewlekle chorym (astma, cukrzyca, niewydolność układu krążenia, oddychania, nerek) — w stanach obniżonej odporności — w podeszłym wieku ze wskazań epidemiologicznych: — pracownikom służby zdrowia, szkolnictwa, handlu, transportu, budownictwa oraz osobom narażonym na kontakty z dużą liczbą ludzi bądź pracującym na otwartej przestrzeni.	*„split" — zawierające rozszczepione wiriony:* VAXIGRIP (Pasteur Merieux) FLUARIX (Smith Kline Beecham) *jednostkowa:* INFLUVAC (Solvay Duphar B.V.) Ważne są tylko jeden rok ze względu na coroczne zmiany składu szczepionki według zaleceń Światowej Organizacji Zdrowia.
KLESZCZOWEMU ZAPALENIU MÓZGU — dawkowanie i cykl szczepień wg wskazań producenta szczepionki	— przebywającym na terenach o nasilonym występowaniu tej choroby: osobom zatrudnionym przy eksploatacji lasu, stacjonującemu wojsku, rolnikom, młodzieży odbywającej praktyki oraz turystom i uczestnikom obozów i kolonii	FSME-IMMUN Inject (Immuno) ENCEPUR, K (Behring)
ŻÓŁTEJ GORĄCZCE I INNYM CHOROBOM	— wyjeżdżającym za granicę, według wymogów kraju docelowego oraz Międzynarodowych Przepisów Zdrowotnych. Szczegółowych informacji udzielają wojewódzkie stacje sanitarno-epidemiologiczne.	Wszystkie szczepionki stosowane w punktach szczepień dla wyjeżdżających za granicę są rejestrowane w Polsce.

PRZYROST WYSOKOŚCI I MASY CIAŁA — WYKRESY

W porównaniu z pierwszym rokiem życia w dwóch następnych latach przyrost wysokości i masy ciała jest znacznie wolniejszy, co widoczne jest na poniższych wykresach. By sporządzić wykres, odszukaj wiek dziecka na poziomej osi i masę (w kg) lub wysokość (w cm) na osi

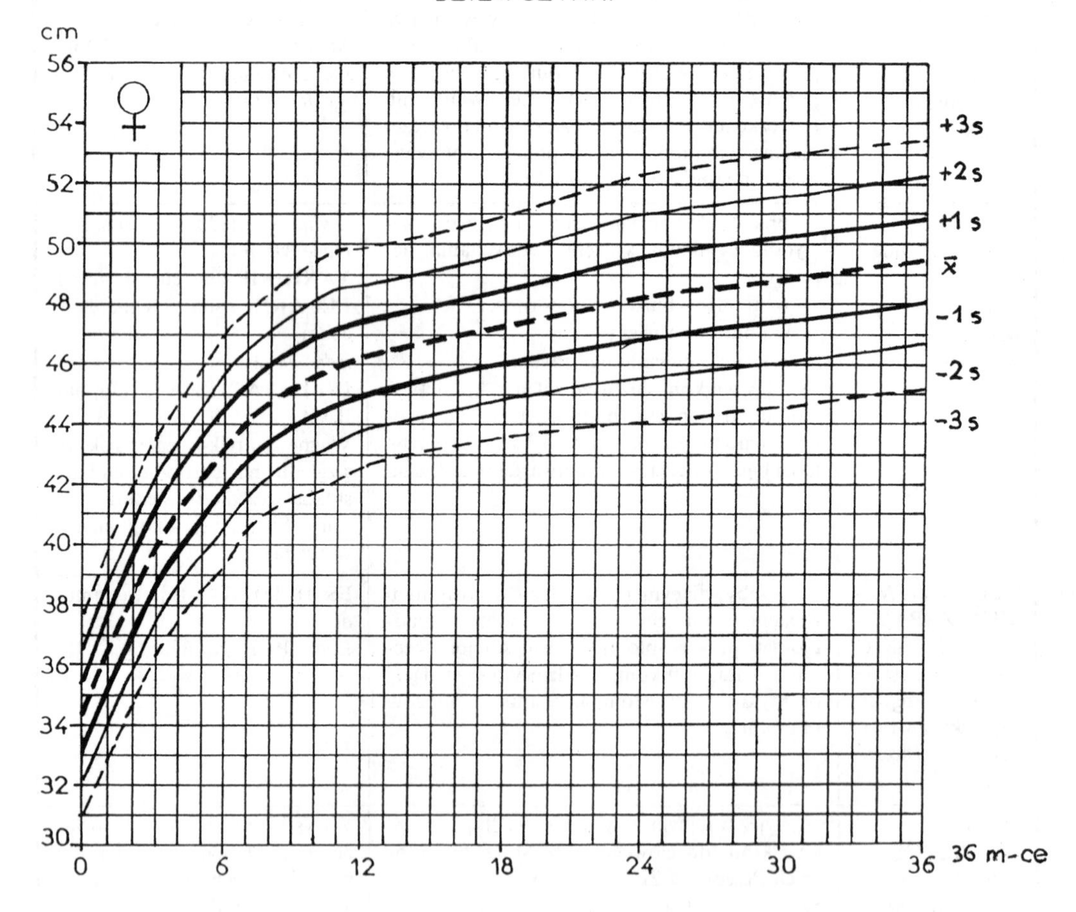

Obwód głowy dziewczynek (Kurniewicz-Witczakowa i wsp. 1983)

pionowej. Kolorowym pisakiem zaznacz punkt przecięcia się tych dwóch linii. By ocenić przyrost masy lub wzrostu, połącz linią naniesione kropki (wykorzystaj dane wpisywane do książeczki zdrowia dziecka podczas wizyt kontrolnych w poradni rejonowej). Dzieci mieszczące się do 5% poniżej i 5% powyżej normy mogą mieć wymiary ciała uwarunkowane genetycznie, niektóre z nich mogą rosnąć zbyt wolno lub przybierać zbyt szybko. Jeżeli twoje dziecko należy do jednej z tych grup, skontaktuj się z lekarzem i przedyskutuj ewentualną przyczynę rozbieżności. Odchylenie od przyjętej normy może być normą dla twojego dziecka.

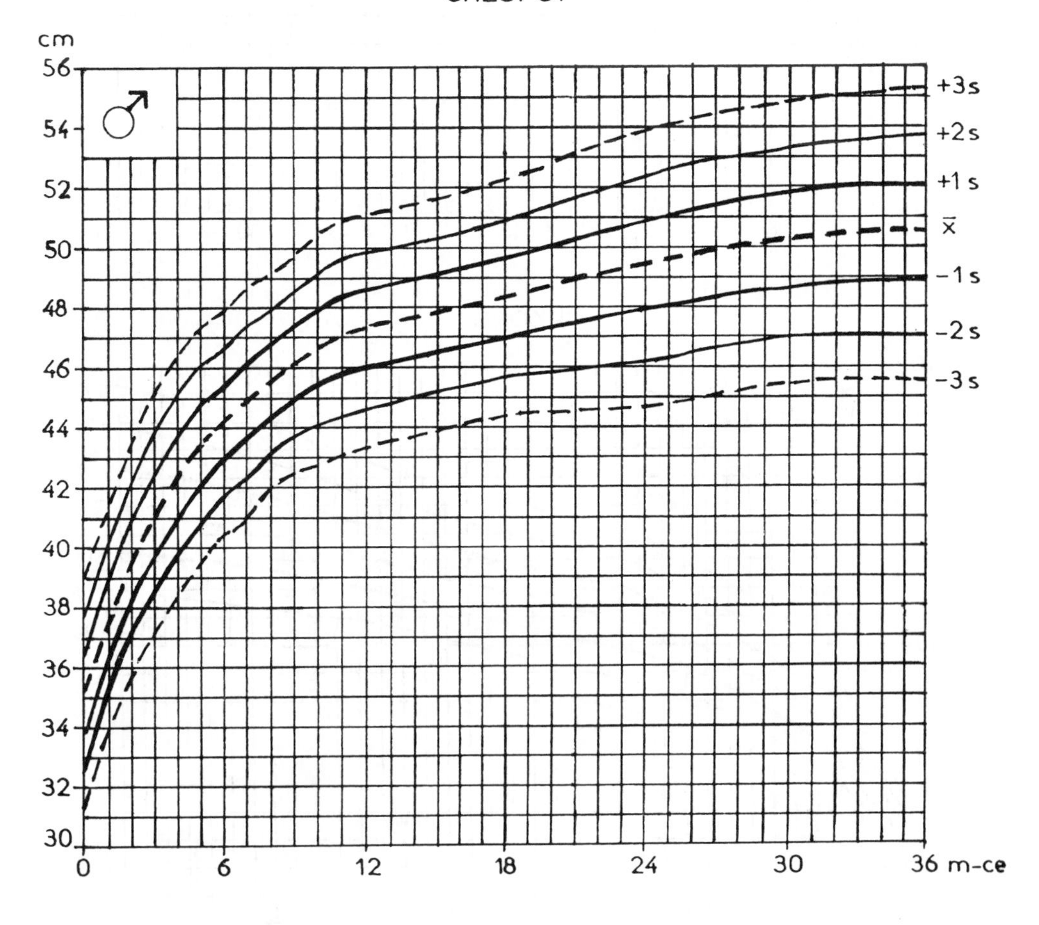

Obwód głowy chłopców (Kurniewicz-Witczakowa i wsp. 1983)

MASA CIAŁA w kg

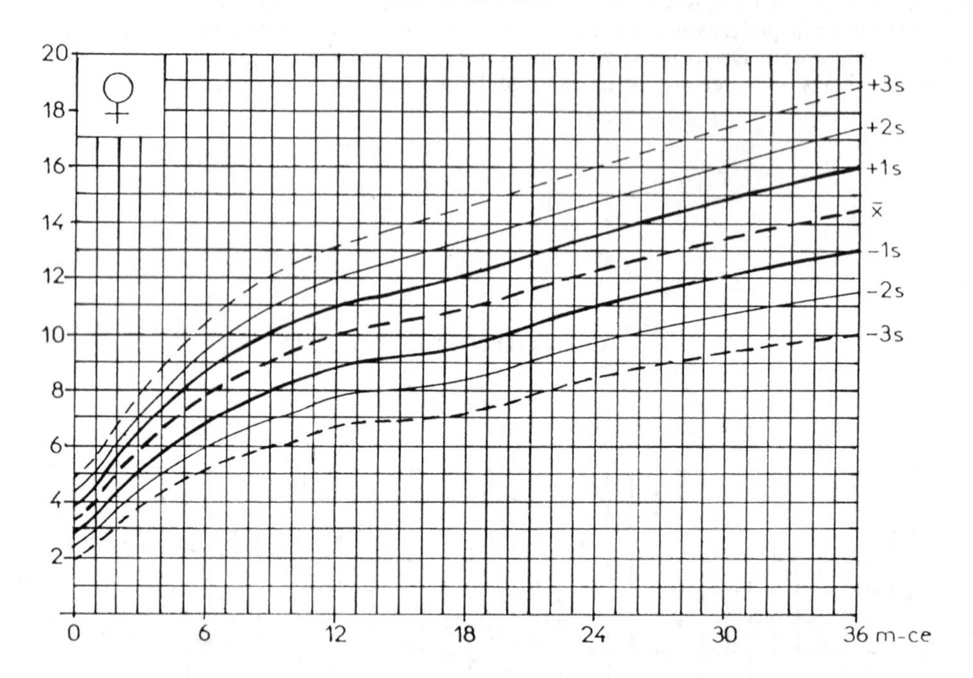

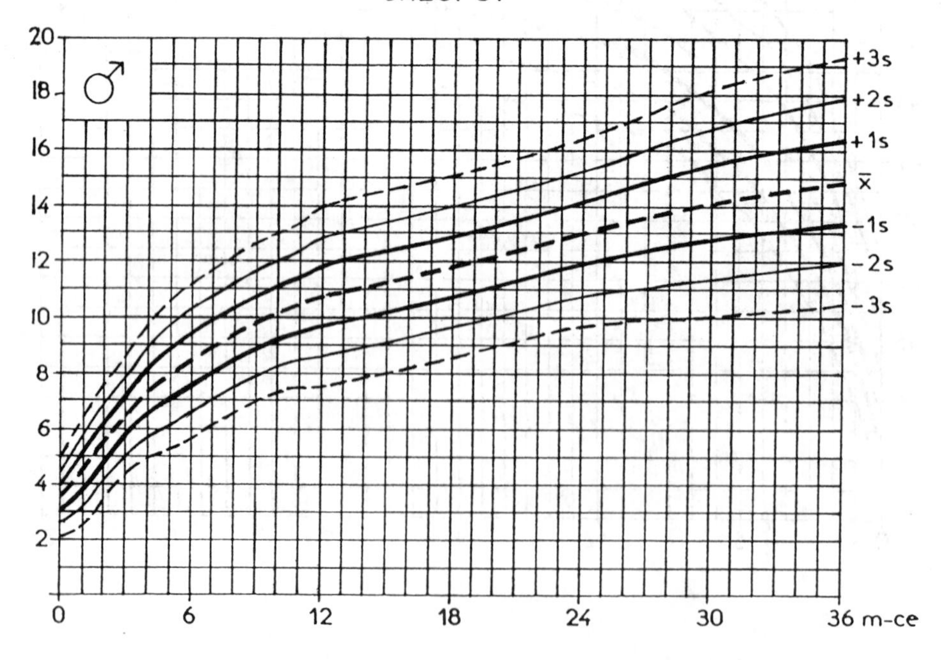

Masa ciała dziewczynek i chłopców w wieku od 0 do 36 miesięcy (Kurniewicz-Witczakowa i wsp. 1983)

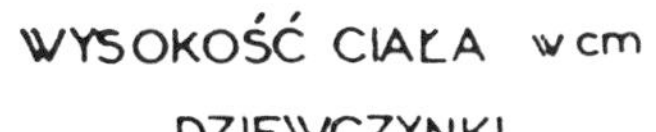

DZIEWCZYNKI

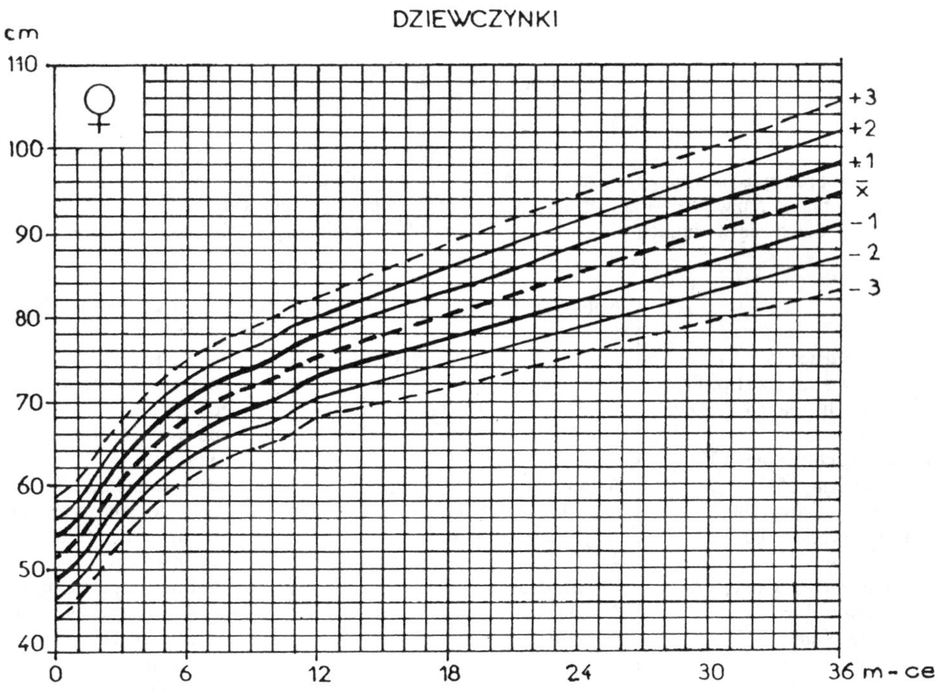

CHŁOPCY

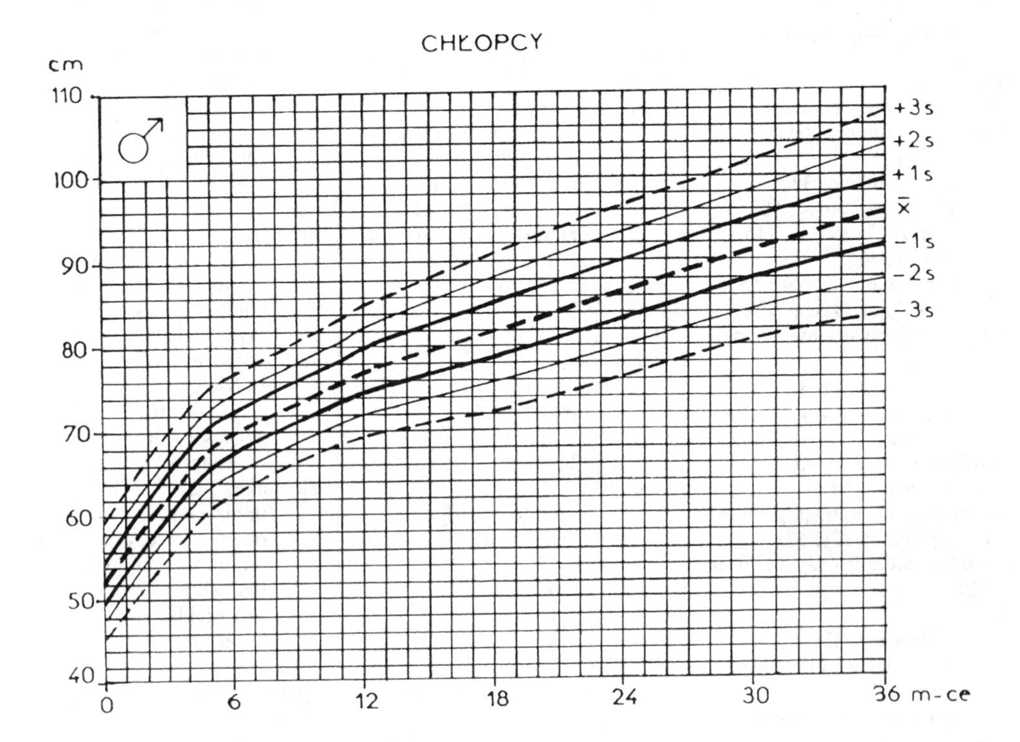

Wysokość ciała dziewczynek i chłopców w wieku od 0 do 36 miesięcy (Kurniewicz-Witczakowa i wsp. 1983)

INDEKS

Niektóre z bardziej ekscentrycznych zachowań dzieci zostały ujęte w osobne hasła, większość jednak — trudna do osobnego nazwania — znalazła się w ogólnej kategorii „Zachowanie..."
Pozostałe znalazły się w ramach takich haseł, jak np. „Sen, problemy", „Karmienie, problemy" itp.

A

B

C

E

F

G

H

I

J

K

L

Ł

M

N

O

P

R

Ś

T

U

W

Z

Ż

WAŻNE INFORMACJE

WAŻNE INFORMACJE DOTYCZĄCE TWOJEGO DZIECKA

Wiek: ____________________ **Masa ciała:** ____________________

Przewlekłe choroby lub kalectwo: ____________________

Alergie: ____________________

Data ostatniego szczepienia przeciw tężcowi: ____________________

Podawane lekarstwa: ____________________

Szczepienia

WIEK	DATA	SZCZEPIENIE	REAKCJA

PRZEBYTE CHOROBY DZIECIĘCE

Data: ________ **Diagnoza:** ____________________ **Wyleczony:** ________

Objawy: ____

____

Wezwany lekarz: ____

Zalecenia: ____

____

Podane lekarstwa: ____

____

Przez okres: ____

Skutki uboczne: ____

____

Powikłania: ____

____

Data: ________ **Diagnoza:** ____________________ **Wyleczony:** ________

Objawy: ____

____

Wezwany lekarz: ____

Zalecenia: ____

____

Podane lekarstwa: ____

____

Przez okres: ____

Skutki uboczne: ____

____

Powikłania: ____

____

PRZEBYTE CHOROBY DZIECIĘCE

Data: ____________ **Diagnoza:** ____________ **Wyleczony:** ____________

Objawy: ____________

Wezwany lekarz: ____________

Zalecenia: ____________

Podane lekarstwa: ____________

Przez okres: ____________

Skutki uboczne: ____________

Powikłania: ____________

Data: ____________ **Diagnoza:** ____________ **Wyleczony:** ____________

Objawy: ____________

Wezwany lekarz: ____________

Zalecenia: ____________

Podane lekarstwa: ____________

Przez okres: ____________

Skutki uboczne: ____________

Powikłania: ____________

PRZEBYTE CHOROBY DZIECIĘCE

Data: __________ **Diagnoza:** ________________________ **Wyleczony:** __________

Objawy: ____

____

Wezwany lekarz: ____

Zalecenia: ____

____

Podane lekarstwa: ____

____

Przez okres: ____

Skutki uboczne: ____

____

Powikłania: ____

____

Data: __________ **Diagnoza:** ________________________ **Wyleczony:** __________

Objawy: ____

____

Wezwany lekarz: ____

Zalecenia: ____

____

Podane lekarstwa: ____

____

Przez okres: ____

Skutki uboczne: ____

____

Powikłania: ____

____

Przebyte choroby dziecięce

Data: ____________ Diagnoza: ____________________________ Wyleczony: ____________

Objawy: ____

____

Wezwany lekarz: ____

Zalecenia: ____

____

Podane lekarstwa: ____

____

Przez okres: ____

Skutki uboczne: ____

____

Powikłania: ____

____

Data: ____________ Diagnoza: ____________________________ Wyleczony: ____________

Objawy: ____

____

Wezwany lekarz: ____

Zalecenia: ____

____

Podane lekarstwa: ____

____

Przez okres: ____

Skutki uboczne: ____

____

Powikłania: ____

____

Badania kontrolne

12 MIESIĄC

Data: ____________ **Lekarz:** ____________

Pytania: ____________

Odpowiedzi: ____________

Masa ciała: ________ **Wysokość:** ________ **Obwód głowy:** ________

15 MIESIĄC

Data: ____________ **Lekarz:** ____________

Pytania: ____________

Odpowiedzi: ____________

Masa ciała: ________ **Wysokość:** ________ **Obwód głowy:** ________

BADANIA KONTROLNE

18 MIESIĄC

Data: ____________ **Lekarz:** ____________

Pytania: ____________

Odpowiedzi: ____________

Masa ciała: ________ **Wysokość:** ________ **Obwód głowy:** ________

24 MIESIĄC

Data: ____________ **Lekarz:** ____________

Pytania: ____________

Odpowiedzi: ____________

Masa ciała: ________ **Wysokość:** ________ **Obwód głowy:** ________

BADANIA KONTROLNE

36 MIESIĄC

Data: ____________________ **Lekarz:** ______________________________

Pytania: ____

____

____

____

____

Odpowiedzi: ____

____

____

____

____

Masa ciała: __________ **Wysokość:** __________ **Obwód głowy:** __________

CHWILE DO ZAPAMIĘTANIA

PIERWSZE...

(Data i okoliczności)

Pierwsze słowo: ______________________

Pierwszy krok: ______________________

Pierwsze „nie”: ______________________

Pierwsza fraza: ______________________

Pierwsze zdanie: ______________________

Pierwsze „kocham cię”: ______________________

Pierwsza piosenka: ______________________

Pierwsze solo na zjeżdżalni: ______________________

Pierwsza rozmowa przez telefon: ______________________

Pierwszy sukces na nocniku: ______________________

Pierwszy ______________________

Pierwszy ______________________

Pierwszy ______________________

Pierwszy ______________________

Pierwszy ______________________

Pierwszy ______________________

Pierwszy ______________________

Pierwszy ______________________

Pierwszy ______________________

Pierwszy ______________________

Pierwszy ______________________

Pierwszy ______________________

Pierwszy ______________________

Pierwszy ______________________

Pierwszy ______________________

PIERWSZE URODZINY

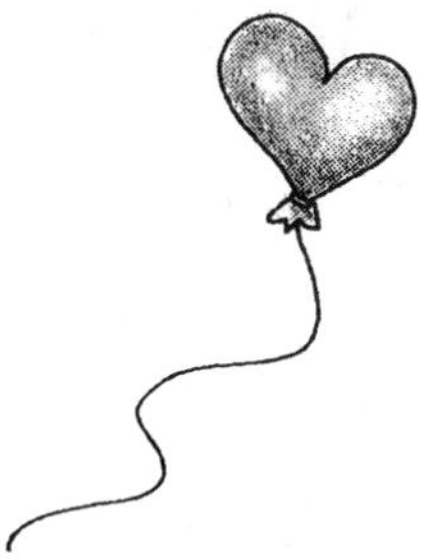

(Goście, prezenty, dekoracje, reakcje, szczególne chwile)

DRUGIE URODZINY

(Goście, prezenty, dekoracje, reakcje, szczególne chwile)